BIEDERMEIERS GLÜCK UND ENDE

... die gestörte Idylle
1815–1848

Herausgegeben von Hans Ottomeyer
in Zusammenarbeit mit Ulrike Laufer

HUGENDUBEL

Konzeption und Leitung: Hans Ottomeyer
Ausstellungssekretariat: Irene Helmreich-Schoeller, Ulrike Laufer, Ulrike Kretzschmar und Gabriele Meise
Ausleihe: Barbara Eschenburg
Photographien: Julia Köbel, Dorothee Jordens-Meintker, Patricia Partl, Wolfgang Pulfer, Kerstin Schuhbaum
Aufnahmen von ausgeliehenen Objekten stellten freundlicherweise die Leihgeber und ihre Photographen zur Verfügung

Restaurierungen:
Leitung: Angela Hückel
Gemälde, Volkskunst: Angela Hückel, Birgit Kurz
Graphik, Bücher: Johanna Engl, Lisa Mittermaier
Metallobjekte: Manfred Wunderskirchner
Möbel: Josef Riedl, Petra Zenkel-Förtsch
Musikinstrumente: Martin Kares
Textilien: Magdalena Gerg, Ruth Bellenberg
Freie Mitarbeiter: Elena Agnini, Brigitte Diepold, Peter Fries, Shoji Ishikawa, Elisabeth Lehr, Markus Miller, Christian Moll, Hans Partsteffen, Sabine Prinz, Hans Rauch, Andreas Scheuch, Clemens v. Schoeler, Olaf Unsöld, Urs Zumbrunn
Als Praktikantinnen haben an den Ausstellungsvorbereitungen teilgenommen: Chantal Eschenfelder, Nina Fleischer, Renata Grabenstetter, Nina Johannsen, Petra Liebner, Melanie Maier, Gabriele Mendel, Nieves Moyano, Barbara Nägele, Silke Radloff, Yvonne E. Schmidt, Danica Tautenhahn, Stefanie Weidemann

Realisation:
Ausstellungsarchitektur: Simon Butz
Vitrinengestaltung: Carla Duday-Braun
Szenische Aufbauten: Michael Hoffer
Aufbauorganisation: Alfred Haas
Technik: Emil Baumann
Bauten: Rudolf Schreib, Johann Jobb, Willibald Krobath, Wolfgang Köhler, Robert Breen, Martin Sodec, Josef Wagner, Petra Wilhelm, Johann Rohrer, Reimund Schorer und Mitarbeiter
Farbe, Anstrich: Peter Bauer, Wilhelm Lanzinger, Franz Hamm
Ausstellungsbeleuchtung: Gerhard Hillenbrand, Klaus Wieland, Robert Greisser

Katalog:
Herausgeber: Hans Ottomeyer in Zusammenarbeit mit Ulrike Laufer
Katalogredaktion: Bernhard Barth, Irene Helmreich-Schoeller, Ulrike Kretzschmar, Gabriele Meise
Herstellung: Margit König
Plakat- und Umschlaggestaltung: Hagen Nerdinger unter Verwendung des Bildes: Der Silberarbeiter Joseph Westermayer und Familie, Anonym, 1847. Katalog Nr. 5.2.31

Heinrich Hugendubel Verlag, München 1987

Das Buch erscheint auch als Katalog der gleichnamigen Ausstellung im Münchner Stadtmuseum vom 10.5.–30.9.1987

Gesamtherstellung: Universitätsdruckerei Dr. C. Wolf & Sohn, München

ISBN 3 88034 310-1

Printed in Germany

Katalogautoren:

Ditmar Albert (D. A.)
Berhard Barth (B. B.)
Florian Dering (F. D.)
Volker Duvigneau (V. D.)
Barbara Eschenburg (B. E.)
Nina Fleischer (P. Fl.)
Peter Fries (P. F.)
Leni Gerg (L. G.)
Christine Götz (C. G.)
Norbert Götz (N. G.)
Irene Helmreich-Schoeller (I. H.)
Barbara Huber (B. H.)
Gunther Joppig (G. J.)
Martin Kares (M. K.)
Philippa Kind (P. K.)
Mathias Klein (M. Kl.)
Barbara Krafft (B. K.)
Hans Jürgen Krause (H. K.)
Ulrike Kretzschmar (U. K.)
Birgit Kurz (B. Ku.)
Ulrike Laufer (U. L.)
Gerd Menschik (G. M.)
Rosa Micus (R. M.)
Walter Morgenroth (W. M.)
Nieves Moyano (N. M.)
Johanna Müller-Meiningen (M. M.)
Hans Ottomeyer (H. O.)
Barbara Rietzsch (B. R.)
Thomas Roth (T. R.)
Clementine von Schack-Simitis (C. S.)
Angelika Schulze-Frenzel (A. S.)
Lorenz Seelig (L. S.)
Ulrike Staudinger (U. S.)
Christoph Stölzl (C. St.)
Danica Tautenhahn (D. T.)
Ingrid Vesenmayer (I. V.)
Peter Vignau-Wilberg (P. V.)
Stephanie Weidemann (S. W.)
Irmgard Wimmer (I. W.)
Ulrike Zischka (U. Z.)

**Die „Freunde des Münchner Stadtmuseums e. V."
haben durch eine großzügige Spende die reiche
Ausstattung des Katalogs mit Farbtafeln ermöglicht.**

Die Ausstellung wurde durch das freundliche Entgegenkommen der folgenden Leihgeber unterstützt.

Augsburg, Städtische Kunstsammlungen
Direktor Dr. Tilman Falk,
Oberkonservator Dr. Gode Krämer
Bad Bergzabern, Heimatmuseum
Leiterin Brunhilde Burry
Bamberg, Staatsbibliothek
Bibliotheksdirektor Dr. Bernhard Schemmel
Berlin, Peter Ariel
Bonn, Universitätsbibliothek
Direktor Dr. H. Lohse, Christine Weidlich
Burghausen, Historisches Stadtmuseum
Museumsleiter Josef Schneider
Frankfurt/Main Bundesarchiv/Außenstelle Frankfurt/Main
Archivoberrat Dr. Johann Schenk
Frankfurt/Main, Historisches Museum
Direktor Dr. Rainer Koch,
Dr. Viktoria Schmidt-Linsenhoff
Frankfurt/Main, Stadtarchiv
Direktor Prof. Dr. Wolfgang Klötzer
Freising, Heimatmuseum des Historischen Vereins
Direktor Herbert Feike
Karlsruhe, Stadtarchiv
Direktor Dr. Schmitt
Köln, Wallraf-Richartz-Museum
Direktor Dr. Rainer Budde,
Dr. Götz Czymmek
Konstanz, Rosgartenmuseum
Direktor Dr. Björn Rainer Kommer,
Elisabeth von Gleichenstein
Kopenhagen, Thorwaldsen Museum
Direktor Dr. Dyveke Helsted,
Konservator Dr. Bjarne Jørnaes
Krumbach, Heimatmuseum
Direktor Dr. Dr. Viktor Sprandel
Landshut, Stadt- und Kreismuseum
Direktor Dr. Georg Spitzlberger
München, Bayerisches Hauptstaatsarchiv
Archivoberrätin Dr. Lieselotte Klemmer
München, Geheimes Hausarchiv
Direktor Dr. Hans Puchta,
Andreas Majewsky
München, Sammlung Böhmer
Dr. Günter Böhmer
München, Bayerisches Nationalmuseum
Generaldirektor Dr. Johann Georg Prinz von Hohenzollern, Oberkonservator Dr. Lorenz Seelig, Oberkonservator Dr. Peter Volk, Oberkonservator Dr. Nina Gockerell
München, Bayerische Staatsbibliothek
Direktor Dr. Franz Georg Kaltwasser,
Dr. Fritz Junginger
Handschriftenabteilung
Liselotte Renner, Dr. Sigrid von Moisy,
Dr. Hermann Hauke
München, Bayerische Staatsgemäldesammlung
Generaldirektor Dr. Hubertus Falkner von

Sonnenburg, Oberkonservator Dr. Christoph Heilmann
München, Bayerische Verwaltung der staatlichen Gärten, Schlösser,und Seen
Präsident Hanns Jürgen Freiherr von Crailsheim, Vizepräsident Eduard Klaß, Leitender Museumsdirektor Dr. Gerhard Hojer, Museumsdirektor Dr. Albrecht Miller, Dr. Sabine Heym, Bettina Schwabe
München, Corps Bavaria
Martin Schütz
München, Deutsches Museum
Generaldirektor Dr. Otto Mayr, Museumsdirektor Dr. Klaus Maurice, Direktor Dr. Ernst Berninger, Ludwig Schletzbaum, Oberkonservator Ernst Rödel, Herbert K. Studttrucker
München, Deutsches Theatermuseum
Direktor Dr. Eckehart Nölle
München, Maximilian Fritz
München, Galerie Peter Griebert
München, Hacker Pschorr Bräu GmbH
Dr. Peter Kreuzpaintner, H.J. Wehlmann, Barbara Rietzsch
München, Dr. Barbara Krafft
München, Städtische Galerie im Lenbachhaus
Direktor Dr. Armin Zweite, Oberkonservator Dr. Rudolf Wackernagel, Dr. Rosel Gollek, Dr. Helmut Friedel
München, Münchner Kirchenstiftung Mariahilf
Dekan Pfarrer Zierl
München, Monacensia
Direktor Dr. Fritz Fenzl
München, Ulrich Nefzger
München, Staatsarchiv
Archivdirektor Dr. Alfred Tausenpfund, Archivoberrat Hans Eberhard Zorn
München, Stadtarchiv
Direktor Dr. Richard Bauer, Dr. Joseph Schrittenloher, Dr. Erich Stahleder, Brigitte Knüttel, Manfred Hackl
München, Wittelsbacher Ausgleichsfonds
Generaldirektor Luitpold von Braun, Max Oppel
München, Zentralinstitut für Kunstgeschichte
Direktor Prof. Dr. Willibald Sauerländer, Bibliotheksdirektor Dr. Thomas Lersch, Dr. Friedrich Kobler
München, Zoologische Staatssammlung
Prof. Dr. E.J. Fittkau
Nürnberg, Germanisches Nationalmuseum
Genaraldirektor Prof. Dr. Gerhard Bott, Oberkonservator Dr. Axel Janeck
Potsdam-Sanssouci, Staatliche Schlösser und Gärten
Generaldirektor Joachim Mückenberger, Direktor der Schlösser Dr. Giersberg
Regensburg, S.D. Fürst Johannes von Thurn und Taxis,
Fürst Thurn und Taxis Zentralarchiv. Hofbibliothek
Oberarchivrat Dr. Martin Dallmeier

Salzburg, Museum Carolino Augusteum
Direktor SR Dr. Albin Rohrmoser,
Dr. Volker Kutschera
Salzburg, Universität – Sammlung Derra de Moroda
Dr. Sibylle Dahms
Speyer, Historisches Museum der Pfalz
Direktor Dr. Otto Roller, Hauptkonservator Prof. Dr. Günter Stein
Wien, Historisches Museum
Direktor Hofrat Dr. Robert Waißenberger
Wien, Österreichisches Staatsarchiv
Generaldirektor Dr. Rudolf Neck, Hofrat Dr. Anna Benna
Wien I, Kunsthandel Giese und Schweiger
Dr. Herbert Giese, Harald Schweiger
Würzburg, Institut für Hochschulkunde
Karl Heinrich Theiss, Ulrich Becker
Würzburg, Mainfränkisches Museum
Direktor Dr. Hanswernfried Muth, Hauptkonservator Dr. Hans-Peter Trenschel
Würzburg, Martin-von-Wagner-Museum
Direktor Prof. Dr. Erich Hubala, Konservator i.V. Tilman Kossatz, Brigitte Herrbach M.A.
Würzburg, Staatsarchiv
Archivdirektor Dr. H. Kallfelz
Würzburg, Städtische Galerie
Direktor Dr. Heinrich Ragaller

Besonders und nicht zuletzt danken wir den Leihgebern aus Privatbesitz, die nicht namentlich genannt werden möchten.

Die technischen Angaben zu den Exponaten sind in folgender Weise zu lesen:

Name des Künstlers, Autors oder Herstellers (mit Geburtsort und -jahr und Sterbejahr und -ort)
Entstehungsort
Zeit der Entstehung
Bezeichnung auf dem Objekt (= bez.)
Material und Technik
Maße in der Reihenfolge: Höhe, Breite, Tiefe, Durchmesser; wo nur eine Größe angegeben wird, bezieht sie sich auf das Hauptmaß des Objekts. Alle Maße verstehen sich in Zentimetern.
Literatur wird abgekürzt angegeben: Bücher mit Autorennamen und Erscheinungsjahr; Ausstellungskataloge mit AK, Museumskataloge mit MK und Abkürzung des Titels, Ausstellungsort und Jahr (Auflösung der Abkürzungen im Literaturverzeichnis, S. 758 ff.).
Standort: Leihgeber sind mit vollem Namen genannt; bei Exponaten des Münchner Stadtmuseums steht nur die Inventarnummer; wenn sie keine tragen, steht an deren Stelle MStM.

Inhalt

Vorwort

*D*ie Idee zu einer großen Biedermeierausstellung im Münchner Stadtmuseum taucht schon im Museumsentwicklungsplan von 1980/81 auf. Neuere Tendenzen auf dem Kunstmarkt, die wachsende Liebe des Publikums zu den Möbeln jener Epoche, mehr noch aber die öffentliche Diskussion, welche sich mit der Reizfrage »Neues Biedermeier« um den wirklichen bzw. scheinbaren Wertewandel seit dem Wechsel zur bürgerlichen Regierung der Bundesrepublik dreht, haben unserem Unternehmen einen unvorhergesehen aktuellen Aspekt verliehen. Freilich, rein antiquarisch war die Ausstellung nie gedacht, auch wenn der Wunsch, die immensen Bestände unseres Hauses aus der ersten Hälfte des 19. Jahrhunderts einmal im Zusammenhang zu präsentieren, Anlaß genug gewesen wäre. Vielmehr wurde schon in den ersten, vagen, zwischen Tür und Angel geführten Gesprächen (es sind diese oft nicht die schlechtesten) über die Konzeption die Frage »Was ist bürgerlich?« zum Leitfaden der Arbeit. Um eine Bilanz der »Bürgerlichkeit« in einer Übergangsepoche zwischen alter und neuer Zeit, alten und neuen Schönheitsbegriffen geht es in »Biedermeiers Glück und Ende«. Der ironische Titel signalisiert schon, daß das Ergebis weit widersprüchlicher ausfällt, als es das Klischee von beruhigter Klassizität will, das man landläufig mit dem Biedermeier als Lebensstil verbindet. Voraussetzung dazu war eine akribische sozialgeschichtliche Nachfrage, die dem wirklichen gesellschaftlichen Ort der handelnden Personen galt. Auf dieser wohlausgeleuchteten Bühne werden nun Sein und Schein, Realität und Maskierung, Flucht und Standhalten des Bürgertums im Wartezimmer der Geschichte vorgeführt, übrigens auch – ernüchternd – die fortwährende Abhängigkeit vom aristokratischen Vorbild, was die Aesthetik anbelangt, trotz 1789.

Zu den überzeugendsten Erscheinungen des Biedermeier gehört der Kult des Souvenirs und der Freundschaft. Im Geiste jener liebenswürdigen Papierdenkmale sei hier nun der Dank an die Mitwirkenden ausgesprochen, deren Hilfe die Ausstellung ihre Realisierung verdankt, wobei zuvorderst Ulrike Laufer, Irene Helmreich-Schoeller und Ulrike Kretzschmar zu rühmen sind.

Bei Hubert Glaser, dessen Aufsatz diesen Band eröffnet, haben sowohl der Verfasser dieser Zeilen wie Hans Ottomeyer das Ausstellungshandwerk erlernt. Seit der Zeit bei ihm steckt ihnen das Ideal der vollkommenen historischen Ausstellung im Kopf, wo die nachträglich gezogenen Grenzen zwischen Geschichte und Kunstgeschichte wieder aufgehoben sind und der ursprüngliche Zusammenhang der Dinge wiederhergestellt wird. Ob es hier gelungen ist, muß das Publikum entscheiden – ich bin zuversichtlich.

Christoph Stölzl

Ja, daß es uns früher so schrecklich ging,
In Deutschland, ist Übertreibung;
Man konnte entrinnen der Knechtschaft, wie einst
In Rom, durch Selbstentleibung.

Gedankenfreiheit genoß das Volk,
Sie war für die großen Massen,
Beschränkung traf nur die g'ringe Zahl
Derjen'gen, die drucken lassen.

So übel war es in Deutschland nie,
Trotz aller Zeitbedrängnis –
Glaub mir, verhungert ist nie ein Mensch
In einem deutschen Gefängnis.

Es blühte in der Vergangenheit
So manche schöne Erscheinung
Des Glaubens und der Gemütlichkeit;
Jetzt herrscht nur Zweifel, Verneinung.

Die praktische äußere Freiheit wird einst
Das Ideal vertilgen,
Das wir im Busen getragen – es war
So rein wie der Traum der Lilien!

Der Enkel wird essen und trinken genug,
Doch nicht in beschaulicher Stille;
Es poltert heran ein Spektakelstück,
Zu Ende geht die Idylle.

*Heinrich Heine, Deutschland –
Ein Wintermärchen*

Biedermeier als Problem:

*D*er Titel dieser Ausstellung, welcher von Glück und Ende, Glanz und Untergang handelt, ist zugegebenermaßen eine direkte Übernahme von Eugen Kalkschmidt's gleichnamigem Buch, das 1957 erschien. Die treffende Wortfindung verdankt ihren Ursprung Grillparzers Geschichtsdrama »König Ottokars Glück und Ende« von 1822/23, das zwei Jahre als bedenkliches Machwerk in den Schubladen der österreichischen Zensur gelegen hatte.

Man versteht den Verdacht: das Stück handelte von der Grundtatsache der Epoche, der Überwältigung des auf Veränderung drängenden Tatmenschen durch den legitimen Vertreter von Recht und Ordnung.

Wie alles endet, steht im Vordergrund unserer Betrachtung. Biedermeier und Biedermeierbegriff entstanden in einer komplizierten Verschränkung der Zeitebenen von Realität und retrospektiver Idealisierung. Als der Name »Biedermaier« 1855 erstmals in den Münchner »Fliegenden Blättern« fiel, beschrieb er nach dem Ende der Biedermeierzeit eine längst versunkene Frühzeit, die in den Gedichten den »hônnete homme« Gottlieb Biedermaier und insbesonders in den Illustrationen im Stil um 1815 in Parodien aufklingt. Die Epoche vor der Revolution von 1848 war für die beginnende Gründerzeit bereits zu einem »Goldenen Zeitalter« geworden und auf diese Vorstellung bezieht sich die literarische Satire, welche sie als Scheinidylle ironisiert.

Auch Malerei und Graphik des Biedermeier schildern meist nicht realistisch die Gegenwart, sondern einen idylischen Vorzustand, welcher schon einer nahen, aber endgültig abgeschlossenen Vergangenheit angehört. Festgehalten werden Bilder, von denen man Abschied nimmt, weil sie in einer kruden, von Zweckrationalismus bestimmten Zeit nicht fortbestehen können. Details verraten, daß diese Biedermeieridyllen nicht eine liebevoll nachgestaltete Wirklichkeit waren, sondern bereits eine verklärte Vergangenheit schildern und nachzeichnen. Das Vergrößerungsglas einer nostalgischen Phantasie formt solche »Historiengemälde« wie Domenico Quaglios Stadtansichten, Lorenzo Quaglios »König Max I. Joseph am Tegernsee« von 1838 (!), oder die Gemälde von Perlberg und Monten, welche, statt Gegenwart zu beschreiben, die entschwindende Vorzeit festzuhalten suchen.

Das Biedermeier ist von Anfang an von einem Nebeneinander der Stile geprägt, die sich gegen Ende zunehmend bekriegen, vermischen und schließlich Formen annehmen, die sich vom Historismus der zweiten Jahrhunderthälfte nicht unterscheiden. Diese letztlich politischen Legitimationsstile entstehen aus den Problemen der Biedermeierzeit heraus.

Das Bild dieser Epoche ist seit langem entworfen und schwankt zwischen den goldenen Bildern, welche die Zeit selbst liefert und den schwarzen Buchstaben, die von wirtschaftlicher Not, politischer Unterdrückung und tiefer Unzufriedenheit zeugen.

In der schriftlichen Überlieferung brach die Kunde von der bösen alten Zeit nicht ab und fand ihre konsequente Fortsetzung in den großen Biedermeiermonographien von Max von Boehn, Georg Hermann, Eugen Kalkschmidt, Friedrich Sengle, Günter Böhmer und Willi Geismeier. Doch die Wunschbilder vom Biedermeier waren immer stärker als alle dürren, kritischen Worte. In Zeichnungen, Graphiken und Gemälden entwickelt das Biedermeier selbst seine Feiertags- und Sonntagswelt, die uns als Alltagswelt scheinen möchte. Doch Bilder trügen. Öffnete in 150 Jahren jemand eines unserer Photoalben und fände all die Aufnahmen – Photos lügen nicht – der heiteren, adretten Menschen auf Ausflügen, Urlaub und mit Gästen in aufgeräumten Wohnungen und nähme dies für bare Münze, dann könnte er unsere Zeit auch für so etwas wie das Biedermeier halten.

Ganz bewußt sind in diesem Katalog neben Bilder und Objekte die Aufsätze gestellt, die andere Sachverhalte darzustellen vermögen, als die erhaltenen Dinge, welche vom Überfluß, von Vorstellungen, Träumen und Idealen künden. Mit diesen Aufsätzen, die von historischen Grundbedingungen, sozialer Not, persönlicher Armut, gesellschaftlichen Mißständen und politischem Aufbegehren berichten, soll das notwendige Gegenbild zu der Scheinwelt der Dinge entwickelt werden.

Die Ausstellung vermag jedoch nicht, in Gesamtheit die wirtschaftlichen Grundlagen, die Lebensbedingungen und die sozialen Strukturen zu behandeln, dazu ist das Medium zu objektbezogen.

Die Bilder im Biedermeier sind Ausdruck von den Gefühlen und Meinungen. Sie erzählen weniger davon, wie die Menschen lebten, als was sie dachten und träumten.

Man mag der Ausstellung den Vorwurf machen, alles was man sehe, seien nur Idyllen, Souvenirs, Gedenkstücke und Nippes. Dies aber ist eine Kritik, die ins Herz der Epoche selbst trifft, welche die glücklichen Momente mit einer Intensität festzuhalten versuchte, die in schiere Quantität umschlug. Alle Formen religiöser Andacht tauchen als profane Reliquien, Andachtsbilder und Illustrationen des Gefühls- und Erinnerungskults im Biedermeier wieder auf, mit dem Verwandte, Freunde, flüchtige Momente, erlebte Orte beschworen und festgehalten werden. Ihre Umsetzung finden diese »Vergißmeinnicht« in der oft verachteten und belächelten Kleinkunst und im Kunsthandwerk. Doch vermag die sentimentale und oft verunglückte figürliche Kunst »pour le peuple par le peuple« oft mehr auszusagen als die abstrakt normative Staatskunst im luftleeren Raum der Philosophie und in den starren Regeln des Klassizismus. Alles sind Souvenirs und Gedenkstücke, welche die Zeit zu bannen suchen. Selbst da, wo man meint, es handele sich um ein politisches Agitationsblatt oder eine entlarvend kritische Karikatur – mag dies inhaltlich auch stimmen – verkauft wurden die Erinnerungsblätter an bürgerliche Kundschaft zur Mahnung an erlebte Geschichte.

In allem wird die große Sorge und Angst spürbar, nicht zu vergessen, nicht vergessen zu werden, die Zeit und die Dinge festzuhalten. Alles ist von der panischen Furcht vor der Vergänglichkeit als ein Hauptmoment der von Zweifeln geplagten Epoche bestimmt. Das Biedermeier sorgte so selbst für eine Springflut der Sachüberlieferung und der Selbstzeugnisse.

Der Souvenirkult des Biedermeier bringt eine merkwürdige und ihm eigene Ästhetik hervor, die das »Schöne« mit dem »Nützlichen« zu verbinden sucht, wobei oft beides auf der Strecke bleibt. Der Zweck wird mit dem Schmuckmotiv überfrachtet.

Überfrachtung war auch in der Ausstellung nicht zu vermeiden, ohne das Bild der Epoche zu verfälschen. Eine knappe Anthologie des Besten und Schönsten wäre an den großen Beständen des Münchner Stadtmuseums weit vorbeigegangen. Die Sammlungen des Museums verwahren einen riesigen, nur schwer überschaubaren Schatz an möglichen Exponaten aus der ersten Hälfte des 19. Jahrhunderts, der seit der Museumsgründung 1888 aus Stiftungen, Schenkungen und Kaufangeboten in das Museum als Erinnerung an die »Großväterzeit« hereinkam und zum größten Teil seitdem aus Raumnot nicht öffentlich sichtbar sein konnte. Daher hat das Thema eine erhebliche natürliche Ausdehnung. Ein Großteil der Objekte kommt aus den eigenen Depots. Bei bestimmten Aussagen jedoch waren wir auf Exponate angewiesen, die durch das freundliche Entgegenkommen der Leihgeber in der Ausstellung verwendet wurden, um Lücken zu schließen, bestimmte Aspekte zu verdeutlichen und zu verstärken.

Ursprünglich wurde die Ausstellung als eine Veranstaltung zum König Ludwig I. Jahr 1986 konzipiert und sollte die bürgerliche Welt im damaligen München darstellen. Zugleich war sie als Ergänzung und Gegenstück der Architekturausstellung »Romantik und Restauration – Architektur in Bayern zur Zeit Ludwigs I. 1825–1848« geplant, mit der sie einen Teil der Laufzeit gemeinsam hat.

Über die Absicht hinaus, das bürgerliche Zeitalter in seiner Eigenart zu beschreiben und zu dokumentieren, nahm das Thema aus sich heraus bei näherem Zusehen eine andere Gestalt an; Absichten und Ergebnisse begannen zu divergieren. Statt einem starken Bürgertum und stolzen Handwerksstand, bürgerlichem Realismus und einem edlen Stil bürgerlicher Selbstbescheidung, fand sich nur der Traum des gefesselten deutschen Michels von Macht, Reichtum, Anerkennung, Tugenden und Einfluß. Ihn hielten noch allzuviele am Gängelband. Daß die Epoche um 1900 das Biedermeier zu einer Zeit bürgerlichen Aufbruchs und der Selbstfindung emporstilisierte, gilt nur im Hinblick auf das Ende der bürgerlichen Revolution von 1848, welche die Gegensätze der Epoche offenlegte und ihr ein Ende setzte. Beim Kult des Biedermeier dürfte es sich um Untertanenphantasien von alter Macht und altem Herkommen handeln. Was dem Adel seine Ahnenporträts bedeuten, das ist dem Bürger sein Stilzimmer.

Der Traum vom bürgerlichen Zeitalter siedelte sein Paradies der Erinnerungen in den halkyonischen Friedensjahren zwischen den Stürmen der Revolutionen und den nationalen Kriegen an.

H.O.

Souveränität und Integration – Leitschienen bayerischer Politik im Vormärz

Hubert Glaser

Die Epoche der deutschen Geschichte zwischen dem Wiener Kongreß und der Revolution von 1848 läßt sich nur schwer auf den Begriff bringen. Wir sprechen vom Vormärz, als ob die Zeit keinen eigenen Wert besitze und nur auf die kommenden umstürzenden Ereignisse bezogen sei. Wir sprechen vom Zeitalter der Restauration, als ob nach dem Zusammenbruch der napoleonischen Herrschaft in der Tat die alten Verhältnisse wieder hergestellt worden seien und als ob es in den folgenden 30 Jahren um nichts anderes gegangen sei, als um deren Befestigung. Wir sprechen von den Jahrzehnten des Biedermeier, als ob Häuslichkeit und stilles Glück nach 25 kriegsbewegten Jahren die dominanten sozialen Leitbilder gewesen seien und patriarchalische Herrschaft der Monarchen und distanzierte Fügsamkeit der Untertanen die Konstanten des politischen Lebens gebildet hätten.

In Wirklichkeit ist auch in Deutschland im Gefolge der Französischen Revolution und durch das Eingreifen Napoleons ein politischer Umbruch erfolgt, der nicht rückgängig zu machen war. Das Ende des Alten Reiches und die Aufhebung der Reichskirche, die Umschaffung der deutschen Staatenwelt und die Neuorganisation des Staatsapparats und schließlich die Herstellung eines neuen staatenbundlichen Zusammenlebens markieren die Epochenschwelle. In den folgenden 33 Jahren lassen sich viele antagonistische Tendenzen beobachten: der zunächst zaghafte, aber bald selbstbewußter auftretende Konstitutionalismus und demgegenüber die schon 1819 einsetzende Repressionspolitik Metternichs, die sorgfältige Pflege der monarchischen Souveränität in den deutschen Einzelstaaten und auf der anderen Seite die sich immer stärker politisierende Nationalbewegung, der ausgreifende Privatkapitalismus, der bei der Gründung von Banken und Aktiengesellschaften sichtbar wird, die beginnende Industrialisierung, die sich auf Maschinenfabriken und Textilfabriken konzentriert, und die aufbrechende soziale Frage, die sich zunächst in Landflucht und Proletarisierung, in deprimierenden Arbeitsbedingungen und radikalen Kampfschriften äußert. Die Monarchen und ihre Regierungen, so sehr sie zur Beharrung neigten, konnten gar nicht anders, als der aufkommenden Dynamik Raum zu geben: durch öffentliche Förderung der Agrarkultur mit dem Ziel der Produktionssteigerung, durch Gewerbegesetzgebung, durch Zollvereinspolitik, durch die Übernahme des Eisenbahnbaus in die Hand des Staates.

Auch dem geistigen Leben wird man nicht gerecht, wenn man es in das Korsett eines leitenden Begriffs einschnürt. Um sich den Rang und den Reichtum der intellektuellen und künstlerischen Hervorbringungen vor Augen zu führen, braucht man nur zu bedenken, daß Goethes und Hegels Spätwerk in die Epoche hineinragen, daß Stifter und Heine zu ihren Protagonisten gehören, daß die Neunte Symphonie 1823, der Tannhäuser 1847 zum ersten Mal aufgeführt wurde, daß 1816 Karl Ludwig von Hallers »Restauration der Staatswissenschaften« zu erscheinen begann und 1847 Karl Marx und Friedrich Engels ihr Kommunistisches Manifest

verfaßten, daß, während Büchner den »Danton« vollendete, Grillparzer bereits am »Bruderzwist« schrieb, daß das Hauptwerk des alten Joseph Görres, »Die christliche Mystik«, neben das Hauptwerk des jungen Ludwig Feuerbach »Das Wesen des Christentums« gehört und daß Friedrich Overbeck kaum den »Triumph der Religion in den Künsten« ins Bild gesetzt hatte, als sich Adolf Menzel der »Eisenbahn Berlin-Potsdam« zuwandte.

Noch ein anderer Umstand ist zu bedenken. Für die rückschauende Betrachtung der Jahrzehnte zwischen 1815 und 1848 ist – noch mehr, noch kontroverser als für andere Perioden – die jeweils aktuelle politische Optik eingesetzt worden. Je nach Standpunkt wurde die Masse der Phänomene anders geordnet und bewertet. Der bürgerliche Liberalismus hat in der Begrenzung und Behinderung des Verfassungslebens das Wesensmerkmal der Zeit gesehen; die Nationalbewegung – vor allem ihre kleindeutsche Richtung – hat von der Warte der preußisch-deutschen Reichsgründung aus den unproduktiven Egoismus Österreichs und den ideenlosen Partikularismus der Einzelstaaten getadelt und der preußischen Politik eine providentielle Rolle zugemessen; ihren volltönenden Parolen gegenüber konnte sich die unterlegene großdeutsche Partei erst viel später Gehör schaffen, nach den Zusammenbrüchen von 1918 und 1945, als man sich fragen konnte, ob es für die Bismarcksche Lösung der deutschen Frage auch eine friedlichere und dauerhaftere Alternative gegeben hätte. In diesen Krisensituationen Mitteleuropas ist auch ein größeres Verständnis für die repressive Stabilisierungspolitik Metternichs aufgekommen und schließlich sogar für die Einzelstaaten, die sich bis über die Jahrhundertmitte hinaus den Zentralisierungstendenzen der Nationalbewegung entgegenstemmten. Eine Parallele dazu hat die Aufwertung der Dichter des »sanften Gesetzes«, Stifters vor allem und Grillparzers, geliefert, die während der späten 40er und in den 50er Jahren in den deutschen Hörsälen vorgenommen wurde. Wieder anders wurden die Akzente nach 1968 gesetzt; der Deutsche Bund, das Metternichsche System, die monarchische Politik überhaupt wurden auf ihre gesellschaftspolitische Wirkung hin befragt mit dem Ergebnis, daß nicht nur die der bürgerlichen Bewegung auferlegten Schranken, sondern die Blockierung aller Emanzipationsbewegungen und die Verfestigung der die Unterschichten fesselnden sozialen Zwänge als Zeitsignatur hervortraten. Seither steht auch, wer sich von der Kultur des Zeitalters zwischen den Revolutionen imponieren läßt, in dem Verdacht, ein Romantiker oder ein Reaktionär zu sein.

Ein Mittelstaat wider Willen

Auch wenn man den Ausschnitt verkleinert und nur das Königreich Bayern in den Blick nimmt, ändert sich die Situation des Betrachters nicht. Die Fülle der zu berücksichtigenden Erscheinungen bleibt ebenso erhalten wie die Vielfalt der Perspektiven. Ein deutscher Mittelstaat läßt sich nicht aus dem Geflecht der europäischen Entwicklungstendenzen herauslösen. Die politischen und administrativen Reformen der Montgelas-Ära und die auf dem Wiener Kongreß konstruierte deutsche und europäische Ordnung schaffen den Handlungsrahmen der bayerischen Politik; der Frühkonstitutionalismus legt den Spielraum fest für die Auseinandersetzung zwischen der monarchischen Gewalt und den adeligen und bürgerlichen Führungsschichten; Bevölkerungswachstum und Wirtschaftskrisen, Industrieentwicklung und Verkehrserschließung erzwingen Schritt für Schritt – trotz der ideologischen Verhärtung der Machthaber – die Mobilisierung der Gesellschaft.

Bayern ist als ein gut geordnetes Staatswesen in die neue Epoche eingetreten. Der große Modernisierungsschub um 1800 hatte vor allem die Verwaltung effizienter gemacht, die Regierungsarbeit gestrafft, die Staatsdiener schärfer in die Pflicht genommen und zugleich ihren Status gesichert, den sozialen Vorrang des Adels belassen und doch den Bürgern die Rechtsgleichheit und die freie Verfügung über ihr Eigentum verschafft, mit Wehrpflicht und Schulpflicht, Gleichheit vor der Steuer und religiöser Toleranz den Staat auf eine moderne Grundlage gestellt. Der König war das oberste Staatsorgan, aber zugleich der alleinige Inhaber der Souveränität, und er verfügte über ein wohlorganisiertes Räderwerk, das auch den Belastungen durch die napoleonischen Kriege gewachsen war und in den neuen Landesteilen mit mechanistischer Schärfe für Vereinheitlichung sorgte und den staatsbayerischen Zentralismus durchsetzte.

Außenpolitisch waren die Perspektiven nicht so günstig. Zwar haben die Verbündeten, als Bayern, um nach der Katastrophe zu überleben, aus dem napoleonischen System ausscherte und Anschluß an Österreich, Preußen und Rußland suchte, eine Bestandsgarantie abgegeben; das 1806 erreichte Hochziel der Wittelsbacher, die bayerische Königskrone und Souveränität, brauchte nicht preisgegeben zu werden. Andererseits war klar, daß das arrondierte Staatsgebiet nicht würde behauptet werden können. Zu viele Teile davon gehörten zum alten Territorialbestand des Habsburgischen Kaiserhauses oder zumindest – wie Salzburg – zu dessen Einflußgebiet. Schon im Vertrag von Ried, geschlossen am 8. Oktober 1813, eine Woche vor der Völkerschlacht bei Leipzig, deutete sich die Labilität der bayerischen Position an. Zwar sicherte das Abkommen »l'indépendance entière et absolue de la Bavière« zu, aber für das Staatsgebiet stellte es nicht mehr in Aussicht als die Anstrengungen des Kaisers »à former ... un contigu complet et non interrompu«. Daraus ist nichts geworden. Bayern mußte Tirol und Salzburg preisgeben, konnte auch das Innviertel nicht behaupten, gewann zwar zu den fränkischen Territorien den Rheinkreis von Speyer bis Homburg, aber die rechtsrheinische Pfalz blieb ihm verwehrt und selbst eine dünne Landbrücke zwischen dem Hauptland im Osten und dem Nebenland im Westen des deutschen Bundesgebietes war nicht durchsetzbar.

Das hatte seine tiefen Gründe. Bayern war durch sein Verhältnis im Krieg von 1805, als es zum Kaiser der Franzosen übergelaufen war, und durch die acht Jahre während Rheinbundzeit tief kompromittiert. Nicht ohne Berechnung hatte Napoleon seine Satelliten vor allem auf Kosten Österreichs und Preußens vergrößert. Die Könige von Bayern und Württemberg, die Großherzöge von Hessen und von Baden

mußten zufrieden sein, daß sich die Großmächte mit ihrer Existenz abfanden und die von Napoleon geschaffene neue Ordnung in Süddeutschland sanktionierten. Ansprüche konnten sie nicht stellen. Der Wiener Kongreß war ein heißes Pflaster für die mittelstaatlichen Diplomaten. Als Bayern den Fortbestand Sachsens verteidigte, konnte es nur in den Armen Österreichs vor der Rache Preußens Schutz finden. Fürst Metternich, der die Gegensätze immer wieder ausbalancierte, wünschte einen fragilen, mit sich selbst beschäftigten, in die deutschen Verhältnisse eingebundenen und deshalb einigermaßen bewegungslosen Nachbarn, keine Macht, die in die europäische Pentarchie eindringen und dort mit den deutschen Großmächten konkurrieren konnte. Montgelas, der die Konstellation durchschaute, blieb in kluger Einschätzung seiner geringen Wirkungsmöglichkeiten dem Kongreß fern; König Max mußte sich abfinden mit dem, was ohne seine Mitwirkung beschlossen wurde.

Bayern wurde im Deutschen Bund ein Zwischenwesen, ohne Chance, zu den Führungsmächten Preußen und Österreich aufzusteigen, aber gleichzeitig unzufrieden, mit den anderen kleinen Königreichen in einer Reihe zu stehen, ein Mittelstaat wider Willen.

An eine selbständige Außenpolitik war nicht zu denken. Die internationale Konstellation erlaubte sie nicht und die Realisierung dynastischer Ansprüche war kein Programm. Alle Kraft mußte sich auf die Konsolidierung der inneren Verhältnisse richten. In den heterogenen Landesteilen lebte noch das geschichtlich gewachsene Sonderbewußtsein fort, aktualisiert durch die Erfahrungen der jüngsten Vergangenheit.

In Franken und Schwaben waren die Übergriffe der bayerischen Beamten nach der Inbesitznahme, der rüde Umgang mit der Kirche, die Vernichtung oder Verschleuderung wertvoller Traditionsbestände unvergessen. In Ansbach, auch in Bayreuth dachte man wehmütig an die Hohenzollern zurück, vor allem an den behutsamen, fortschrittlichen Markgrafen Alexander und an die kluge preußische Verwaltung unter Hardenberg; in Würzburg hatten nicht nur die mild aufgeklärten letzten Fürstbischöfe, sondern auch der Toskaner Eindruck gemacht, in Schwaben verklärte man die Herrschaft des Doppeladlers, in den Reichsstädten die alte Freiheit und Selbstverwaltung unter dem Schutz des Kaisers. Anders war es im Rheinkreis; dort waren die Bewohner vierzehn Jahre lang französische Staatsbürger gewesen und hatten sich an die Errungenschaften der Revolution und des Empire gewöhnt, an die durch den Code Civile geschaffene bürgerliche Ordnung, an Gewerbefreiheit, Pressefreiheit und Vereinsfreiheit, an die Mitsprache der Departementsräte in öffentlichen Angelegenheiten. In Franken wie in der Pfalz fürchtete man, nicht nur durch ein monarchisch-autoritäres Regime unterjocht, sondern auch noch zum Filialland oder Nebenland degradiert zu werden. Dazu kam die konfessionelle Kluft. Trotz des bayerischen Toleranzedikts von 1803 und der im Religionsedikt von 1809 verfügten konfessionellen Parität galten die Wittelsbacher als eine dezidiert katholische Dynastie und ihr Oberhaupt, der König, war nun Summepiskopus seiner evangelischen Untertanen. Es lag nahe, daß der bayerische Protestantismus sich nicht nur in der Orthodoxie einigelte, sondern sich gleichzeitig nach einem glaubensverwandten auswärtigen Schutzherrn umsah: er war in dem König von Preußen leicht zu finden.

5.1 Napoleon, Anton Sohn, Zizenhausen, Konstanz, Rosgartenmuseum

Auch die wirtschaftliche Situation war nicht geeignet, die neuen Untertanen der bayerischen Krone mit ihrem Schicksal zu versöhnen. Die bayerische Staatsschuld war am Ende der napoleonischen Kriege auf 200 Millionen Gulden aufgelaufen, das Siebenfache der jährlichen Staatseinnahmen. Der Agrarstaat Bayern litt unter der Mißernte des Sommers 1816; eine Hungersnot war die Folge. Der Modernisierungsschub ließ auf sich warten. Der Landwirtschaftliche Verein von 1808 – trotz der 1811 einsetzenden Landwirtschaftsfeste – und der Polytechnische Verein – trotz seiner Englandkontakte – kamen erst in den 20er Jahren zu allgemeiner Wirksamkeit.

Verfassungspolitik und Integrationspolitik

In dieser Lage reichten, um die neuen Bevölkerungsteile in die Monarchie zu integrieren und ein gesamtstaatliches Bewußtsein, ja sogar ein Nationalgefühl zu schaffen, die zentralisierende Verwaltungstätigkeit und die monarchische Repräsentation, ein am französischen Klassizismus orientierter Staatsstil und ein Nationaltheater und selbst eine halbwegs liberale, der Privatinitiative zögernd Raum gebende Wirtschaftspolitik nicht aus.

Schon dem Minister Montgelas war klar, daß nur ein vom König erlassenes Staatsgrundgesetz, in dem der Monarch aus freien Stücken die eigene Souveränität beschränkte und den durch ihre Steuerleistung den Staat tragenden Bevölkerungsgruppen ein Mitwirkungsrecht konzedierte, in der Lage sei, die dringend benötigte Integration der Landesteile und der sozialen Führungsschichten zu leisten. Schon 1808 hatte er in dieser Richtung einen wichtigen, allerdings partizipationspolitisch völlig unwirksamen Schritt getan; die Sorge davor, daß der Adel und das wirtschaftende Bürgertum eine Nationalrepräsentation dazu benützen würden, dem Monarchen die endlich erreichte, alleinige und unbeschränkte Verfügung über die öffentliche Gewalt wieder aus der Hand zu nehmen, verführte ihn dazu, die erwogenen Schritte zur Herstellung eines Verfassungsstaates zu unterlassen und mit der Durchsetzung der Rechtsgleichheit und der Perfektionierung des Beamtenstaates zufrieden zu sein.

Im Sommer 1814 nahm er einen neuen Anlauf, ließ eine Kommission einsetzen und bewog seinen Monarchen zu Vorgaben, die der Teilnahme des Volkes an der Bildung des allgemeinen Willens von vornherein enge Grenzen setzten: durch das Zweikammersystem, durch ein restriktives Wahlrecht, durch die Beschränkung der Zuständigkeiten, durch die Reservierung der Gesetzesinitiative für die Krone. In seinem Wiener Gutachten zum Entwurf der Kommission profilierte sich Kronprinz Ludwig als Verfassungsfreund; er erkannte sofort die integrationspolitische Seite des bayerischen Konstitutionalismus: »Sei Bayerns Verfassung die dem Volk am meisten Rechte gibt; umso größer nur wird die Anhänglichkeit an den Thron ... Ungeschicklichkeiten wird es im Beginn geben ... aber das Gute wird vergleichlos mehr sein. Wenn einmal seine Verfassung mit dem Bayer verwebt sein wird, und die Jugend sie gleichsam mit der Muttermilch eingesogen wird haben, dann erst wird ihre Wirkung herrlich sich zeigen.«

Mit diesem Gutachten verschaffte sich der Kronprinz sein endgültiges Entree in die bayerischen Staatsgeschäfte. Gegen ihn war nicht mehr zu regieren. Das zeigte sich, als Montgelas, von den im Verfassungsgedanken liegenden Gefahren für die monarchische Gewalt zutiefst überzeugt, den Erlaß eines Staatsgrundgesetzes immer weiter hinausschob. Nicht nur seine schlechte Finanzpolitik und seine kirchenfeindliche Gesinnung, sondern auch seine Skepsis gegenüber der Partizipationsfähigkeit der bayerischen Bürger machten ihn zum Repräsentanten einer abgelebten Epoche und eines »undeutschen« Systems. Ludwig – im Bund mit dem Fürsten Wrede und gestützt auf die im Dickicht der Ministerien operierende Bürokratie – stürzte den leitenden Minister. Aber mittlerweile fürchtete der König selbst um seine Thronrechte, wenn er den Verfassungsfreunden zu weit nachgab. Es dauerte ein ganzes Jahr, bis er sich entschloß, die Beratungen wieder aufnehmen und zügig zu Ende bringen zu lassen. Am

11.1.24 Büste Kronprinz Ludwig, Ludwig Fischer, Regensburg 1839

26. Mai 1818 unterschrieb er die Verfassungsurkunde, am Tag danach leisteten er, der Kronprinz, die Agnaten und die Minister darauf den Eid.

Was war damit erreicht? Wenn man die Verfassungsdenkmäler betrachtet, die von den dankbaren Bayern 1818/1819 und dann vor allem 1824, anläßlich des 25jährigen Regierungsjubiläums, dem König Max gewidmet wurden, war es eine ganze Menge. Der Kubus, der die objektive und dauernde Ordnung der Verhältnisse ausdrückte, wurde zum Identifikationssymbol des neuen Bayern, und in der Tat waren es vor allem neubayerische Städte, die mit solchen Denkmälern ihr Hineinwachsen in das Königreich und ihr Zugehörigkeitsgefühl dokumentierten: Passau, Dillingen und Freising, Bamberg und Aschaffenburg. Noch wichtiger ist die Säule, die Graf Erwein von Schönborn auf der Höhe über dem Main bei Gaibach errichten ließ. Daß Leo von Klenze um den Entwurf gebeten wurde, der Kronprinz zur Grundsteinlegung erschien und der Graf bei Peter von Hess eine monumentale Darstellung der Zeremonie in Auftrag

gab und daß er außerdem die in der Präambel der Verfassung genannten Grundsätze im Festsaal seines Schlosses als monumentale Inschriften anbringen ließ, das beweist, daß man eine grundsätzliche Aussage im Sinn hatte. Die Gaibacher Verfassungssäule ist als Integrationsdenkmal errichtet und in ganz Franken so verstanden worden.

Wenn man aber die Bestimmungen der Verfassung und die Zusammensetzung der Kammern betrachtet, dann zeigt sich, daß sich die Monarchie primär um die Zustimmung gesellschaftlich mächtiger und darum ohnedies einflußreicher Gruppen bemühte. Die Standesherrn sollten mit dem erblichen Sitz in der Kammer der Reichsräte über den Verlust ihrer landesherrlichen Stellung hinweggetröstet, der Adel mit der Bewahrung der Grundherrschaft und der Patrimonialgerichtsbarkeit versöhnt, die Gutsherren und das Wirtschaftsbürgertum mit der Bindung des Wahlrechts an den Grundbesitz und den hohen Zensus gewonnen werden. Es handelte sich um diejenigen Gruppen, die zwar in Herkunft und Tradition wurzelnde Reserven gegenüber der bayerischen Monarchie haben mochten, aber deren ökonomisches Interesse doch anriet, den neugeschaffenen staatlichen Rahmen zu akzeptieren und die Partizipationschancen, die die Verfassung ihnen bot, zu ergreifen. Für das Volk als ganzes wurde die Verfassung auf andere Weise wirksam, nämlich einerseits insofern die Grundrechte – insbesondere die Gleichheit vor dem Gesetz und vor der Steuer, die Freiheit der Person, der Schutz des Eigentums, die Gewissens- und die Meinungsfreiheit – geeignet waren, in den Untertanen der bayerischen Krone staatsbürgerliches Selbstbewußtsein zu entwickeln, andererseits insofern die Mitglieder der Kammern durch Eid beglaubigen mußten, daß sie »nur des ganzen Landes allgemeines Wohl« im Auge hätten. Während die Reichsräte, die Wahlbürger und die Abgeordneten in Bayern darangingen, die Spielregeln des Parlamentarismus allmählich zu erlernen und in der Zweiten Kammer der linke Flügel der Liberalen sofort auf eine Weiterentwicklung der Staatsordnung drängte und das heikle Thema einer Vereidigung der Armee auf die Verfassung aufwarf, und der König und seine Regierung sofort das monarchische Prinzip in Gefahr sahen und eine vorzeitige Auflösung der Ständeversammlung erwogen, schob sich eine ganz andere Perspektive des bayerischen Konstitutionalismus in den Vordergrund.

Verfassungspolitik als Souveränitätspolitik

Bayern hatte die Etablierung des Deutschen Bundes von Anfang an mit Mißtrauen verfolgt. Schon Montgelas sah die Neuorganisation Deutschlands nach dem Zusammenbruch der napoleonischen Herrschaft allein unter souveränitätspolitischen Gesichtspunkten. Wenn es schon nicht möglich war, daß Bayern in den Kreis der Vormächte des Bundes, d.h. zu den zwei deutschen Großmächten aufstieg, dann mußte der Bund so schwach wie möglich gehalten, am besten auf ein einfaches Militärbündnis reduziert werden. Dieser Standpunkt hat Bayern bundespolitisch nicht nur von Preußen und Österreich, sondern sogar von den deutschen Mittelmächten isoliert. Aber die bayerische Politik war keineswegs erfolglos; alles, was die Autorität der Einzelstaaten hätte schwächen können, blieb beiseite. Es gab keine Bundesarmee, kein Bundesgericht, geschweige denn eine Bundesregierung oder gar eine Nationalrepräsentation beim

Addenda et corrigenda

Seite	Spalte	Zeile	statt	richtig
2	rechts	(fehlt)	(fehlt)	Katalogautoren: Karin Groll (K. G.) Martin Schütz (M. S.)
2	rechts	—	Berhard Barth	Bernhard Barth
2	rechts	—	Mathias Klein	Matthias Klein
2	links	13	Clementine von Schack-Simitis	Clementine von Schack-Simitzis
15	rechts	47	sein, wie	sein wie
10	rechts	11	Code Civile	Code Civil
21	links	12	Ludwig I. Biographie	Ludwig I.-Biographie
108	rechts	6	Architekturen	Architektur
139	—	—	(Stammbuchvers)	(Friedrich Rückert)
186	links	12	9.1.22	9.22
197	rechts	23	(Abb. 22 und 23)	(Abb. 22)
231	links	5	ein- bis zweijährige	ein- bis zweisemestrige
239	links	—	des artistischen Instituts	des literarisch artistischen Instituts
281	links	2	2.2.1 Münchner Handwerker*	2.2.1 Münchner Handwerker* und Abb. S. 44ff
281	links	9	Friedrich Voltz (. . .)	Friedrich Voltz (Nördlingen 1817 – 1886 München)
282	Mitte	—	2.2.2 . . . und Erzeugnissen *	2.2.2 . . . und Erzeugnissen* und Abb. S. 61
297	links	—	Anton Höchl (. . .)	Anton Höchl (München 1818 – 1897 München)
311	links	—	3.4.17 München, Privatbesitz	München, Galerie Gisela Meier
314	links	2	4.1.2 „Plan . . . 1836/37"	4.1.2 „Plan . . . 1836/37"* Abb. S. 87
323	rechts	—	gondroniort	godroniert
324	links	—	4.2.7.5 Lit.: . . . Brahms 1979	4.2.7.5 Lit.: . . . Bahns 1979
328	Mitte	12	4.2.9.6 48 x 45 x 40	4.2.9.6 84/48 x 45 x 40
328	rechts	—	4.2.9.8 Kirsch-Furnier	4.2.9.8 entfällt
353	Mitte	2	Töchterschule.	Töchterschule. Vgl. Kat.Nr. 3.1.1 – 3.1.6.
379	Mitte	12	4.9.20 Fichte, gebeizt	4.9.20 Kirschbaum auf Fichte
402	links	30	Zeichenmeister: 1845/47	Zeichenmeister: 1846/47
400	rechts	18	Vereinsvorsteher: . . .	Vereinsvorsteher: 1837/38, 43/44, 51/52;
403	links	23	M. Kf.	M. Kl.
404	links	—	2 700 fl.	27 000 fl
404	rechts	—	Kaufingerstr. 21	Kaufingerstr. 2
432	rechts	—	4.21.14 Stiefelknecht . . .	Stiefelknecht Linde gebeizt, Blumenstickerei; 77 x 22,5 x 48; 41/279
440	gr. Abb.	—	5.1.42	5.1.44
518	rechts	—	6.2.3 . . .	Zusatz: Bei den Ausstellungen 1854 und 1858 könnte es sich auch um eine heute unbekannte größere Fassung handeln.
556	rechts	35	Benvenuto Genelli	Bonaventura Genelli
603	rechts	14	Rudolf Markgraf	Rudolf Marggraff
608	Mitte	17	fehlt	N. G.
653	rechts	—	Abb. 10.2.2 runder Tisch	Abb. 10.2.1 runder Tisch
675	rechts	—	11.1.18 – fehlt	bez.: von Magnus Pickl in München 1830 gemacht worden den 18. Februar Kanzleydiner b:k: app. Gericht;
675	links	—	„Max Joseph Siegewohnter . . .	„Max Joseph Siegewohnter . . .

Bund. Was der Gesandtenkongreß, der unter dem Namen Bundestag in Frankfurt zusammentrat, beschloß, konnte nur durch die Regierungen der Mitgliedsstaaten vollzogen werden: Das galt auch für die Bestimmungen der Bundesakte selbst, so wie sie in die Wiener Kongreßakte aufgenommen wurden, für die dort vorgesehene Einführung landständischer Verfassungen ebenso wie für die Sicherung der Pressefreiheit und des Urheberrechts und die Begünstigung von Handel und Verkehr unter den Bundesgliedern.

Bayern wünschte nicht, daß aus solchen Absichtserklärungen Bundeskompetenzen erwüchsen. Schon die Beschleunigung der Verfassungsberatungen im Winter 1817/1818 war motiviert durch die Furcht vor einer festlegenden Bundesinitiative. Dagegen sah Metternich von vornherein im Bund ein Instrument der deutschen Politik Österreichs und war entschlossen, sich dessen zu bedienen, zuerst durchaus in einem progressiven, später in einem repressiven Sinn. Schon das Wartburgfest hatte in den Regierungen der Großmächte reaktionäre Handlungsbereitschaft geweckt und nach dem Mord an Kotzebue war Metternich entschlossen, dafür zu sorgen, daß »wahres Übel auch einiges Gute erzeugen« werde. In der Tat wurden die Voraussetzungen, den Bund zu stärken und gleichzeitig in den Dienst der österreichischen Politik zu stellen, indem man ihn zum Exekutor der Demagogenverfolgung machte, immer günstiger. Auch beim König von Bayern und seiner Regierung – der Mörder war immerhin bayerischer Staatsbürger – war die Revolutionsfurcht stark genug, um die Verabschiedung alter Autonomieträume zu beschleunigen und wieder einmal in die Arme Österreichs zu flüchten. Als allerdings die Karlsbader Ministerkonferenz, auf der die Vertreter Bayerns und der anderen Mittelstaaten gleichberechtigt mit den Repräsentanten der zwei deutschen Großmächte zusammensaßen, ein Überwachungssystem für die Universitäten und eine präventive Zensur für alle Zeitungen, Zeitschriften und Broschüren beschloß und in Mainz eine zentrale Untersuchungskommission installierte, da wurde der souveränitätspolitische Argwohn der bayerischen Machthaber schnell wieder geweckt. Noch während der Beratungen in Karlsbad fürchteten bayerische Minister, die dort zu fassenden Beschlüsse würden mit der bayerischen Verfassung kollidieren. Nichtsdestoweniger bestätigte eine geheime Ministerkonferenz in München die Politik, die der Graf Rechberg in Karlsbad eingeschlagen hatte, und ermächtigte den bayerischen Bundesgesandten, den Karlsbader Beschlüssen entsprechenden Gesetzen im Bundestag zuzustimmen. Die Opposition sammelte sich um den Kronprinzen Ludwig. Er erklärte, daß er als König sich mit solchen Beschränkungen seine Souveränitätsrechte, wie sie nun bevorstünden, niemals abfinden werde. »Sie haben«, schrieb er an seinen Vater, »aus edlem freien Antriebe Bayern das wohltätige Geschenk einer Verfassung für alle Zeiten gegeben und wir habens beschworen, daß eine Verletzung derselben als ein Eidbruch geschehe: keiner Ihrer Minister, keiner Ihrer Untertanen darf sie verletzen, wodurch er meineidig würde, und also keiner darf raten, daß gestattet werde, von Ihren Untertanen einen vor das Mainzer Tribunal ziehen zu lassen, denn es wäre ein Bruch unserer Verfassung, vermöge welcher niemand seinem ordentlichen Richter entzogen, noch ein Gesetz ohne Zustimmung der Stände gegeben werden darf, folglich auch nicht im Betreff der Presse.« Gewiß hatte die Opposition gegen den Vollzug der Karlsbader Beschlüsse beim Kron-

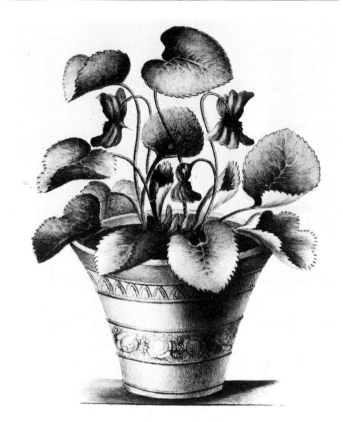

Drey Könige aus dem Hause Wittelsbach.

11.1.32 »Drei Könige aus dem Hause Wittelsbach«, um 1848, Bamberg, Staatsbibliothek

prinzen und seinem Anhang ein glaubhaftes konstitutionelles Motiv. Aber der entscheidende Punkt war doch, daß Ludwig die Fremdbestimmung des staatlichen Willens fürchtete und also das kostbarste aller seit 1799 erworbenen Güter, die Souveränität des Königs, für gefährdet hielt.

Die komplizierte Situation, einerseits den Intentionen Metternichs folgen zu müssen und – zur Abwehr revolutionärer Umtriebe – auch folgen zu wollen, andererseits kein Jota der bayerischen Selbständigkeit preiszugeben und deshalb – trotz der Verstimmung über das Gebaren der Opposition in den Kammern – die Verfassung unversehrt zu bewahren, führte zu einem für die bayerische Politik sehr charakteristischen Balance-Spiel. Schritt für Schritt folgte das Ministerium den Karlsbader Beschlüssen. Die Zensur der Presse wurde strikt gehandhabt; nur bei nichtperiodischen Veröffentlichungen unter 20 Bögen, für die von der Verfassung die Druckfreiheit garantiert war, machte Bayern eine Ausnahme. Für die Aufsicht über die Universitäten setzte das Ministerium Kuratoren ein; zu Auseinandersetzungen ist es nicht gekommen. An der zentralen Untersuchungskommission in Mainz hat sich – trotz des Widerstandes der Kronprinzenpartei – auch Bayern beteiligt; immerhin hat die Regierung festgestellt, daß die Zusammenarbeit mit dieser Bundesbehörde entsprechend den bayerischen Landesgesetzen abzulaufen habe. Der preußische Gesandte konnte befriedigt feststellen, daß auch in Bayern alles geschehe, »was die Carlsbader Beschlüsse vorgezeichnet haben«. Bayern hatte auch keine andere Wahl, denn gegenüber dem Druck aus Wien und Berlin, ja selbst aus Stuttgart und Karlsruhe, wäre eine bayerische Extratour gar nicht durchzuhalten gewesen. Gleichzeitig aber wußte Bayern der viel schärfer drohenden Gefahr, daß auf den Wiener Konferenzen im Jahr 1820, in denen die Neuordnung Deutschlands abschließend behandelt und die Bundesverhältnisse endgültig geregelt wurden, doch noch ein Attentat auf die Souveränität der Mittelstaaten verübt wurde, überaus geschickt zu begegnen. Die Regierung entsandte den besten Kopf, über den sie verfügte, den Staatsrat Zentner, der bei den Verfassungsberatungen im Jahr 1818 die entscheidende Figur gewesen war, und übertrug ihm die Aufgabe, die Selbständigkeit Bayerns unversehrt zu erhalten und dennoch die Funktionsfähigkeit des Bundes zu gewährleisten. Zentner bewährte sich sehr. Er erwarb sich das Vertrauen Metternichs, verhinderte, daß sich Bundeskompetenzen über die bayerischen Verfassungsbestimmungen legten und Landtagsbeschlüsse einengten, ferner, daß die Großmächte die Bundesexekution mißbrauchten und den Bund ohne Zustimmung der Mehrheit der Mittelmächte in militärische Verwicklungen hineinzogen. Freilich waren diese Ergebnisse nicht nur der Geschicklichkeit des bayerischen Unterhändlers zu verdanken; der Haus-, Hof- und Staatskanzler selbst hatte sich entschlossen, den Deutschen Bund an der langen Leine zu führen und eine deutsche Politik zu treiben, in der sich das Stabilisierungsinteresse der Mittelmächte mit dem Großmachtinteresse Österreichs möglichst nahtlos verband.

Das Instrumentarium König Ludwigs I.

Generell darf man sich den bayerischen Vormärz nicht so vorstellen, als ob sich schon bald nach dem Erlaß der Verfassung ein lähmender Polizeidruck über das ganze Land gelegt hätte. Spektakuläre Konflikte, Straßendemonstrationen, Verhaftungswellen und politische Prozesse – das alles hat es erst in den 30er Jahren gegeben und auch da waren sie nicht primär durch Druck aus Wien, sondern durch die landespolitische Situation motiviert, nämlich durch den Versuch der Regierung, Bayern aus der allgemeinen Umsturzbewegung, die in Frankreich, Belgien, Polen usw. zum Durchbruch gekommen war, herauszuhalten. Allerdings bedeutete dieser Versuch ein Einschwenken Bayerns auf die von Metternich schon früher eingeschlagene Politik und wurde am Ballhausplatz mit Befriedigung registriert. Damit aber stehen wir bereits mitten in der Regierungszeit König Ludwigs I.
Der neue König hat, wie sein Vater, in der Staatsintegration seine zentrale politische Aufgabe gesehen. Allerdings hat er sich dafür ein neues, unendlich viel komplizierteres Instrumentarium ausgebildet als die vorausgehende Generation. Zur Staatsverwaltung und zur Verfassung als den überkommenen Integrationsmächten fügte er die Religion, die Geschichte und die Kunst, und über allem trat er selbst, der Monarch, als oberste Integrationsfigur viel stärker hervor als Max I. Joseph.
Dieses ganze Spektrum von Möglichkeiten, der bayerischen Staatsnation ein Zusammengehörigkeitsgefühl zu vermitteln, die Stände und Regionen zu einer mentalen Einheit zusammenzuschließen und gleichzeitig die Souveränität des Monarchen zu monumentalisieren, war von Anfang an in

11.2.4 Innenansicht des Ständesaales, München, um 1845

Ludwigs Regierungskonzept vorhanden. Es gab keine Diskontinuität und keinen Bruch. In der sogenannten liberalen Periode begannen die Klösterrestauration und die Denkmalpflege; in der sogenannten konservativen Periode wurde die Erinnerung an die Befreiungskriege als die gemeinsame Tat des deutschen Volkes weitergepflegt und der Zollverein zum Abschluß gebracht. Nur wurden nach 1831/1832 die Akzente anders gesetzt als vorher.
Nach der Thronbesteigung war Ludwig entschlossen, an dem verfassungspolitischen Kurs, den er als Kronprinz eingeschlagen hatte, festzuhalten und sich daran weder durch Metternich noch durch hochadelige Frondeure irre machen zu lassen. Er dachte an Reformen, die den klassischen Grundsätzen des politischen Liberalismus entsprachen; er wollte die Mündlichkeit und Öffentlichkeit der Rechtspflege herstellen und Justiz und Verwaltung auch auf der unteren Ebene trennen. Er plante, die von Montgelas geschonte Patrimonialgerichtsbarkeit abzuschaffen, er legte dem Landtag ein ganzes Paket von reformerischen Gesetzentwürfen vor: Um die Bauernbefreiung zu vollenden, sollte der Ablösezwang eingeführt, um die Steuergerechtigkeit herzustellen, die Grundsteuer nach dem Ertrag berechnet werden. Er berief die Wortführer des Liberalismus in wichtige Staatsstellungen. Er stieß, als er die griechischen Freiheitskämpfer förderte, sogar auf dem Feld der internationalen Politik mit Österreich zusammen.
Aber während er solche Ideen im Kopf hatte und zum Teil, soweit der langsame Geschäftsgang und die inneren Widerstände der Kammern ihn nicht daran hinderten, auch in die Tat umsetzte, berief er den Sailer-Schüler Eduard von Schenk an die Spitze des Innenministeriums, bereitete die Klösterrestauration vor, lenkte durch die Berufung von Schenk, Görres und Bader die nach München verlegte Uni-

versität in eine christlich-konservative Richtung und wünschte sich eine »Wiedergeburt des Wissens aus dem Glauben und der Geschichte«.

Schon die Zeitgenossen haben die innere Widersprüchlichkeit dieser Politik konstatiert; Graf Spiegel, der österreichische Gesandte in München, ist ihr in einem ausführlichen Gutachten für Metternich im Spätherbst 1829 nachgegangen. Aber für Ludwig scheint der Zwiespalt nichts anderes gewesen zu sein als ein mehrgleisiges Vorgehen zur Erreichung seines obersten Zieles und das oberste Ziel war die Herstellung einer in sich gefestigten und ihrer Identität bewußten bayerischen Staatsnation, und dazu mochten freisinnige Institutionen ebenso förderlich sein, wie religiöskirchliche Verankerung.

Dieses synthetische Denken, das partikulare Elemente nicht meidet, sondern sie nachgerade belebt, um aus ihnen eine höhere Einheit aufzubauen, läßt sich auch bei Ludwigs Umgang mit der Geschichte beobachten. Es geht ihm ja nicht nur um die Leistungen der Dynastie, wie sie in den Fresken des Münchner Hofgartenzyklus verkündet werden, und es geht ihm nicht nur um die Einbettung des staatsbayerischen Kulturbewußtseins in das übergreifende deutsche Nationalgefüge, wie sie in der Reihe der ludovizianischen Nationaldenkmäler zum Ausdruck kommt. Mit dem in der Villa Colombella im Mai 1827 unterzeichneten Reskript über die Pflege der Altertümer, aber auch mit der durch Neudekoration bewerkstelligten Sinngebung der mittelalterlichen Dome, mit der Förderung der historischen Vereine und insbesondere mit der Rückkehr zu den alten Stammes- und Ländernamen bei der Umbenennung der acht Kreise Bayerns 1837 knüpft er ausdrücklich an die bisher unterdrückten Sondertraditionen an, um aus ihnen heraus dem höheren und allgemeineren Ziel der Erhaltung und Befestigung der Anhänglichkeit an Thron und Vaterland näher zu kommen. Die Franken, Schwaben und Pfälzer sollten nicht von ihrer Geschichte abgeschnitten und neubayerisch nivelliert, sondern gerade als Franken, Schwaben und Pfälzer mit bayerischem Patriotismus erfüllt werden.

Auch die Kunstpflege hat ihre integrationspolitische Seite. Bei der Bautätigkeit leuchtet das auf den ersten Blick ein. Das ludovizianische München muß als ein einheitsstiftender Faktor im vormärzlichen Bayern gesehen werden: das klassizistische Forum im Westen der Hauptstadt ebenso wie die historistische Prachtstraße im Norden, die neue Residenz ebenso wie die Ruhmeshalle mit der Bavaria, das Platzkonzept des Max-Joseph-Platzes mit dem Denkmal des ersten Königs ebenso wie das Platzkonzept des Wittelsbacher Platzes mit dem Denkmal des ersten Kurfürsten. Ludwig hatte, von seinen bis in die Jahre 1804 bis 1806 zurückreichenden Erfahrungen in Rom und in Paris ausgehend, andere, größere und politischere Vorstellungen vom Aussehen und von der Funktion einer Hauptstadt als sein Vater. Politisch motiviert war auch die Erneuerung der Bronzekunst und der Freskomalerei; sie sind dezidiert im Sinne einer zu schaffenden Staatskunst eingesetzt worden. Auch die Sammlungen, so sehr sie aus höchst persönlichen Antrieben Ludwigs hervorgegangen sind, haben den Zweck der Aufwertung des Landes im europäischen Rahmen, die Solidarisierung des Staatsvolkes und die Setzung neuer kunstpädagogisch ebenso wie nationalpädagogisch wirksamer Schwerpunkte verfolgt. Die griechische und römische Skulptur, die Malerei der alten Niederländer und der alten Deutschen und die der

Der Anti-Zeitgeist.

11.4.7 »Der Anti-Zeitgeist«, Johann Michael Voltz, Nürnberg 1820, Sammlung Böhmer

altitalienischen Meister bis hin zu Raffael standen in dieser Hinsicht durchaus gleichberechtigt nebeneinander. Die Gestaltung der Sammlungsgebäude im Sinn der architecture parlante und die in der Glyptothek und in den Pinakotheken verwirklichten ikonographischen Programme demonstrierten – bis zur Zerstörung im Zweiten Weltkrieg – diesen Zusammenhang auf eine ebenso ausgeklügelte wie nachdrückliche Weise.

Über allem aber stand der monarchische Gedanke. In ihm flossen viele Motive zusammen: der Patriarchalismus aus der Staatsphilosophie des Restaurationszeitalters, die romantische Mystik des Gottesgnadentums, die Verfassungskonstruktion auf der Basis des monarchischen Prinzips, das Beispiel Napoleons, der persönliche Ehrgeiz, der auftrumpfende Stolz einer erst spät zur erblichen Königswürde gelangten Dynastie. Ludwig wollte als der große Täter erscheinen, der allein seinem Volk Glück bringt und Größe verleiht: durch Beherrschung des Staatsapparats, durch zeitgemäße Reformen, durch Belebung prägender Traditionsbestände, durch monumentale Präsentation der Geschichte, durch Schaffung einer Staatskunst und deren Begründung auf die edelsten Vorbilder der Antike und des Abendlandes, durch die mit unerhörter Zähigkeit betriebene Verwirkli-

MÜNCHEN.

S. Königl. Hoheit der Prinz Carl beruhigt die bewaffnete Volksmasse am 4. März Samstags 3 Uhr.

12.4.4 München. Seine Königliche Hoheit Prinz Karl beruhigt die bewaffnete Volksmasse am 4. März, Verlag von M. Hochwind, München 1848

chung großer Ideen: »Ein Werk, von Karl dem Großen versucht, von Ludwig I. König von Bayern neu begonnen und vollendet« ließ er programmatisch auf das Kanal-Denkmal bei Erlangen schreiben. Deshalb hat Ludwig sich, je länger er regierte, desto entschiedener als Inbegriff der staatlichen Souveränität stilisiert, die Prärogativen des Monarchen ohne jeden Abstrich gewahrt und gegenüber dem Landtag wie gegenüber den Kirchen, gegenüber den Ministern wie gegenüber der Verwaltung mit harter Hand verteidigt. Der Monarch allein sollte das Königreich vorstellen und zusammenhalten, jeder Staatsbürger sollte sich unmittelbar an ihn gebunden wissen, und selbst die Klammer zwischen dem bayerischen Staatsgedanken und dem national-deutschen Zusammengehörigkeitsgefühl sollte der König sein.

So zieht sich durch die Regierungsarbeit Ludwigs eine konsequente, gerade Linie und es kommt darauf an, sie in den verschiedenen Tätigkeitsfeldern und hinter allen Wandlun-

gen sichtbar zu machen; die Wende von einer modifiziert liberalen zu einer modifiziert konservativen Politik, die in den Jahren 1831/1832 und entschiedener noch 1837 vollzogen wurde, und die vorsichtige Rückkehr zu liberalen Grundsätzen 1846 – das sind Reaktionen auf zeitgeschichtliche Umstände gewesen und haben die Ziele und Intentionen Ludwigs im Kern nicht verändert.

Der Zusammenbruch des ludovizianischen Systems

Dennoch war dieser breit angelegten Integrationspolitik kein Erfolg beschieden. Dafür gibt es viele Gründe. Sie liegen zum Teil in Ludwigs Persönlichkeitsstruktur, zum Teil aber auch in der Struktur seiner Zeit. Zunächst einmal hat Ludwig sich in seiner heftigen, unbeugsamen Art immer wieder zu Aktionen hinreißen lassen, die den selbstgesetzten Zielen schadeten. Die Antwort auf die sogenannten Münch-

11.1.26 Bildnis König Ludwig I. von Bayern, Carl Wollenweber, wohl Manufaktur Nymphenburg um 1840

12.4.8 »Der 6. März 1848 – Ein Glanz- und Jubeltag in Bayerns Geschichte«, Druck C. Hohfelder, München 1848

ner Studentenkrawalle im Dezember 1830 war höchst überreizt. Der König schien zwischen geräuschvollem Ulk und staatsgefährdender Agitation nicht mehr unterscheiden zu können. Die »Strafbayern«, die nach dem Hambacher Fest über den Rhein geschickt wurden, und die Einquartierungen in Landau, in Neustadt, in Kaiserslautern usw. waren nicht geeignet, im rheinpfälzischen Bürgertum bayerischen Nationalstolz aufkommen zu lassen. Die Urteile gegen die Wortführer des fränkischen Liberalismus, insbesondere gegen Professor Behr und Dr. Eisenmann und die Welle der Hochverrats- und Majestätsbeleidigungsprozesse im Gefolge der Gaibacher Verfassungskundgebung, die parallel zu den Hambacher Ereignissen ablief, blieben selbst im katholischen Unterfranken unvergessen. Der berüchtigte Kniebeugeerlaß von 1837, die Aussperrung des Gustav-Adolf-Vereins aus dem Königreich und die heimliche Förderung von Konversionen zum Katholizismus mußten die Erfolge der jahrzehntelang korrekt durchgeführten Paritätspolitik gefährden. Die Folge solcher Entgleisungen war die Herausbildung scharf abgegrenzter, mit einem Sonderbewußtsein ausgestatteter Minderheiten, die der staatlichen Politik und ihren Zielsetzungen, ja selbst der Person des Königs unverhohlenes Mißtrauen entgegenbrachten.

Darüber hinaus läßt sich die These verteidigen, daß der König selbst nicht in der Lage war, sein System in völliger innerer Stimmigkeit auszubilden, d.h. einzusehen, daß die Mittel, die er einsetzte, in sich widersprüchlich waren und

einen unvermeidlichen Zielkonflikt in sich bargen. In der Verfassungspolitik der ersten Jahre lag auch ein emanzipatorisches Element. Die Grundsätze, die Ludwig einführen wollte, zielten darauf ab, den Staatsbürger in seiner Unabhängigkeit zu stärken und ihn auch gegenüber dem Staat selbst zu schützen. Auch die wirtschaftspolitischen Initiativen mußten eine Verselbständigung des wirtschaftenden Bürgertums gegenüber der öffentlichen Gewalt mit sich bringen. Das gilt für den Ludwigskanal genauso wie für die Hypothekenbank; hingegen waren die Wirkungen des Eisenbahnwesens noch kaum zu übersehen. Auf der anderen Seite hatte Ludwig einen Begriff vom Wesen des Monarchen, der die Rolle des Repräsentanten der Staatsbürger und des uneigennützigen Förderers gesellschaftlicher Prozesse weit überstieg. Ein Dualismus, gar ein Antagonismus von Staat und Gesellschaft war in seinem Weltbild nicht vorgesehen. Der Monarch, der den sozialen Körper wie eine große Manufaktur leitete und sich alle wesentlichen Entscheidungen vorbehielt, konnte sich mit dem Selbstentfaltungsdrang und dem Interessenegoismus der sozialen Klassen nicht abfinden. – Auch im kulturpolitischen Bereich bestanden bürokratisch aufgeklärte und romantisch-christliche Tendenzen nebeneinander. Ohne den rationalistisch organisierten Apparat konnte der Staat nicht zusammengehalten, ohne religiöse Grundlage nicht geformt werden. Aber die monarchische Gewalt war nicht in der Lage, die Kluft zu überbrücken; wie immer sich der König entschied, in jedem Fall kränkte er eine der um Macht und Einfluß ringenden ideologischen Gruppen, und was die unterlegene Partei im Bund mit dem Monarchen nicht erreichen konnte, versuchte sie alsbald gegen ihn durchzusetzen.

Entscheidend aber ist, daß Ludwig über eine statische Betrachtung der ökonomischen und sozialen Verhältnisse seiner Zeit nicht hinauskam. Im Grunde hatte er sein Weltbild in der Kronprinzenzeit, im Kampf gegen Napoleon und im Bund mit der deutschen Befreiungs- und Verfassungsbewegung geformt. Alle wesentlichen Ideen waren schon ausgedacht, als er zur Regierung kam. Die bayerische Monarchie, die Verfassung von 1818, der Deutsche Bund und das deutsche Nationalgefühl, die soziale Privilegierung des Adels, der Vorrang des Grundbesitzes, die anspruchslose Lebensführung der Kleinbürger und Bauern – das waren für ihn lauter feste Größen, Elemente einer Ordnung, die verteidigt werden mußte, aber kaum verbessert, kaum entwickelt werden konnte. Daß die ökonomischen Verhältnisse und mit ihnen die Interessen der sozialen Klassen sich wandelten und daß die staatliche Ordnung diesen Prozeß kanalisieren und gleichzeitig sich ihm anpassen mußte, das sah er so wenig wie die anderen Könige seiner Zeit. Deshalb konnte er zwar die Schattenseiten der liberalen und nationalen Bewegung und selbst der Industrialisierung scharf erkennen, aber deren innere Antriebe und innere Berechtigung nicht würdigen. In den Konflikten der 30er und 40er Jahre verhärtete sich seine Einstellung gegenüber dem Staatsvolk und vor allem gegenüber den oppositionellen Kräften, und der daraus resultierende Konflikt führte in die revolutionäre Situation des Jahres 1848. Mit der Erklärung vom 6. März, in der die Ministerverantwortlichkeit, die Pressefreiheit, ein neues Wahlrecht, die Vereidigung des Heeres auf die Verfassung, die Aufhebung der Zensur und selbst eine »Vertretung der teutschen Nation am Bund« zugestanden wurden, brach das ludovizianische Regierungssystem zusammen. Am

9.1.27 Donaudampfschiff und Münchener Eisenbahn, G. Wilhelm Kraus, 1839

20. März, in den »Königlichen Worten an die Bayern«, gestand Ludwig sein Scheitern ein: »Eine neue Richtung hat begonnen, eine andere als die in der Verfassungsurkunde enthaltene, in welcher ich nun im 23. Jahre geherrscht.« Freilich sagte er nicht, daß er selbst, indem er duldete, daß sein Liebesspiel mit Lola Montez sich zur Staatsaffäre ausweitete, seine eigenen Prinzipien ad absurdum geführt hatte. Aber das war auch nicht das Wichtigste. Es ging nicht um persönliche Schicksale, es ging um die deutsche Frage, die auf dem Wiener Kongreß nicht im Sinn der deutschen Nationalbewegung gelöst worden war und deshalb von ihr nun wieder auf die Tagesordung gesetzt wurde, und es ging um den Anspruch des deutschen Bürgertums, stärker an den öffentlichen Geschäften, am Staat, an der Macht beteiligt zu werden, als es die bisherigen Konzessionen der Monarchen erlaubten. Diese Fragen wurden auch im Königreich Bayern gestellt, in der Pfalz und in Franken mit mehr Entschiedenheit als in Altbayern und in den Städten mit größerem Nachdruck als auf dem Land. Innerhalb des monarchischen Systems, wie König Ludwig es verkörpert hatte, war eine Antwort auf diese Fragen nicht möglich. Ludwig sah das ein; durchsetzen konnte er sich nicht mehr und zurückweichen wollte er nicht; deshalb trat er ab.

Für seine Person und für seinen Regierungsstil bedeutete der Thronverzicht das Eingeständnis des Scheiterns, aber nicht für seine ganze Politik und für deren Ziele. Die Ergebnisse seiner Regierung, die Festigung des bayerischen Staatsgedankens, die Balance zwischen deutschem Nationalgefühl, bayerischem Staatspatriotismus und regionalem Traditionsbewußtsein, die Überwindung der Aufklärung durch die Erneuerung des kirchlichen Lebens und das vielfältige kulturelle Erbe samt dem daraus erwachsenden Wertbewußtsein – das alles ist in den unverwechselbaren Traditionsbestand eingegangen, der bis heute in Bayern seine integrierende Wirkung ausübt. Wenn man die Jahrzehnte des Vormärz zwischen 1815 und 1848 überblickt, angefangen bei dem von Ludwig betriebenen Sturz des Ministeriums Montgelas im Jahr 1817 und bis hin zu seinem eigenen Sturz 31 Jahre später, wenn man dazu die Breite seines Wirkens bedenkt, und wenn man schließlich beobachtet, daß selbst die politischen und sozialen Krisen dieser Zeit immer auf die Person, die Regierungsgrundsätze und den Stil des Monarchen bezogen waren, dann kann man die Epoche zwischen dem Wiener Kongreß und der Märzrevolution durchaus das ludovizianische Zeitalter der bayerischen Geschichte nennen.

Die Geschichte vom alten Hofmeister.

Wie der alte Hofmeister sorgfältig jedes Licht auslöscht, damit der liebe Kleine nicht aus dem Schlafe erwache.

Wie der alte Hofmeister den lieben Kleinen am Gängel bande führt.

Wie der liebe Kleine mündig wird, und zur Feier dieses Tages den alten Hofmeister höflichst zu einer Landparthie einladet.

11.3.8 Die Geschichte vom alten Hofmeister, Friedrich Kaiser, um 1848, Historisches Museum Wien

11.3.25 Die Erholung des deutschen Michels vom Jahre 1841 bis —, Gustav Kraus, München um 1841

Weiterführende Literatur

Eberhard Weis, Die Begründung des modernen Staates unter König Max I. (1799–1825) (Handbuch der bayerischen Geschichte IV, 1) München 1974, 3–86. – Karl Otmar von Aretin, Bayerns Weg zum souveränen Staat, München 1976. – Karl Möckl, Der moderne bayerische Staat (Dokumente zur Geschichte von Staat und Gesellschaft in Bayern III, 1), München 1979. – Hubert Glaser (Hg.), Krone und Verfassung. König Max I. Joseph und der neue Staat (Wittelsbach und Bayern III, 1) München 1980. – George Stephen Werner, Bavaria and the German Confederation 1820–1848, London 1977. – Wolf D. Gruner, Die deutschen Einzelstaaten und der Deutsche Bund (Land und Reich, Staat und Nation, Festschrift für Max Spindler zum 90. Geburtstag, hg. von Andreas Kraus, Bd. III) München 1984, 18–36. – Hans-Michael Körner, »Bemerkungen über den Entwurf der Verfassung für Baiern«. Das Verfassungsgutachten des Kronprinzen Ludwig von Bayern vom 9. März 1815 (ZBLG 49) 1986, 421–488.

Max Spindler, Die Regierungszeit Ludwigs I. (1825–1848) (Handbuch der bayerischen Geschichte IV, 1) München 1974, 87–223. – Heinz Gollwitzer, Ludwig I. von Bayern. Königtum im Vormärz, München 1986. – Johannes Erichsen und Uwe Puschner (Hg.), »Vorwärts, vorwärts sollst du schauen...« Geschichte, Politik und Kunst unter Ludwig I. (Veröffentlichungen zur bayerischen Geschichte und Kultur Nr. 9/1986) München 1986. – Hubert Glaser, »... Dies merkwürdige, vielbewegliche Individuum auf dem Throne...« Rückblicke auf König Ludwig I. (ZBLG 50) 1987, 127–152. – Karl-Heinz Zuber, Der »Fürst-Proletarier« Ludwig von Oettingen-Wallerstein (1791 – 1870) (ZBLG Beiheft 10, Reihe B), München 1978. – Walter Ziegler, Ludwig I. und Behr (Wilhelm Joseph Behr, Dokumentation zu Leben und Werk eines Würzburger Demokraten, hg. von Ulrich Wagner) Würzburg 1985, 63–112. – Werner K. Blessing, Staat und Kirche in der Gesellschaft. Institutionelle Autorität und mentaler Wandel

in Bayern während des 19. Jahrhunderts (Kritische Studien zur Geschichtswissenschaft 51) Göttingen 1982. – Ludwig Zimmermann, Die Einheits- und Freiheitsbewegung und die Revolution von 1848 in Franken, Würzburg 1951. Die Kunstpolitik der bayerischen Könige Max I. und Ludwig I. ist nicht zusammenfassend untersucht. Viele Hinweise finden sich im Katalog der Ausstellung Wittelsbach und Bayern III, 1 und 2, ferner in Gollwitzers Ludwig I. Biographie und in dem von Erichsen und Puschner herausgegebenen Sammelband. Vgl. ferner Walter Nerdinger, (Hg.), Klassizismus in Bayern, Franken und Schwaben, Ausstellungskatalog, München 1980. – Ders. (Hg.), Carl von Fischer 1782–1820, Ausstellungskatalog, München 1982. – Ders. (Hg.), Romantik und Restauration. Architektur in Bayern unter König Ludwig I., Ausstellungskatalog, München 1987. – Konrad Renger (Red.), »Ihm, welcher der Andacht Tempel baut...« Ludwig I. und die Alte Pinakothek. Festschrift zum Jubiläumsjahr 1986, München 1986.

3.1.30 Münchner Holzmacherweib, Eugen Hess, München 1848

Gesetze gegen das Elend – staatliche Regelungen zu Ansässigmachung und Eheschließung

Reinhard Heydenreuter

Es gehört zu den wenig bekannten Erscheinungen der Sozialgeschichte, daß in der Zeit des Biedermeiers ein großer Teil der Bevölkerung gesetzlich daran gehindert war, einen eigenen Haushalt zu gründen und zu heiraten. Besonders in den rechtsrheinischen Gebieten des Königreichs Bayern blieb für vermögenslose Paare die Sehnsucht nach familiärem Glück in der Regel unerfüllt. Die bayerische Gesetzgebung galt als besonders streng und noch Ende des 19. Jahrhunderts war die Eheschließung in Bayern an eine obrigkeitliche Genehmigung gebunden. Seufzend notierte 1896 der bekannte Staatsrechtler Max v. Seydel in einer Stellungnahme zum sogenannten bayerischen »Heimatrecht«: »Ich würde den Tag begrüßen (ich werde ihn aber schwerlich erleben), wo durch Abstrich des ganzen Titels ›Von der Verehelichung‹ Bayern in Rechtseinheit nicht bloß mit dem übrigen Deutschland, sondern mit den übrigen Kulturvölkern tritt.« (Seydel 113 ff.).
Was war der Grund für diese strenge Haltung des Gesetzgebers? Auf welche Entwicklungen reagierte er?

Bayern nach den napoleonischen Kriegen

Fast 20 Jahre lang, von 1796 bis 1815, war Bayern mittelbar oder unmittelbar vom Krieg betroffen. Dieser Krieg veränderte die Lebensverhältnisse der Einwohner mehr als alle anderen Kriege oder Ereignisse seit Jahrhunderten. Besonders hart und einschneidend war der durch den Krieg verursachte Umbruch für die Landbevölkerung. Die allgemeine Mobilität, die Ablösung der alten Gewalten, die Umstrukturierungen in den Besitzverhältnissen, die Verarmung durch die Kriegslasten, Kriegsdienst, Krankheit und Tod im Gefolge von Kriegsereignissen sind prägende Merkmale dieser Zeit und sollten noch weit in die Zukunft wirken (Blessing 1979, 75–106).
Sehr gerne verwies man in der ersten Hälfte des 19. Jahrhunderts auf die verrohende Wirkung der Kriegszeit und versuchte damit die herrschenden Zustände zu erklären. Typisch ist insoweit ein Bericht der Regierung des Obermainkreises vom Jahre 1833, in dem der Niedergang der Sittlichkeit begründet wird mit den »Nachwehen einer mehr als 20jährigen Kriegsperiode«:
»die nicht allein Staaten erschüttert und umgestaltet, sondern auch auf Religiosität sowie auf die Verhältnisse des bürgerlichen und Familienlebens den mächtigsten Einfluß gehabt hat. Fremde Krieger kehrten auf Durchmärschen und bei Kantonierungen in die friedliche Wohnung des Landbewohners ein mit allen Bedürfnissen einer aufgereizten Sinnlichkeit, suchten diese auf Kosten des häuslichen Wohlstands und Friedens des Quartierträgers zu befriedigen und die Unschuld der weiblichen Hausgenossenschaft zu verführen. Die vaterländischen Krieger, die mit gleicher Genußsucht

aus dem Kriegsgetümmel in ihre Heimat zurückkehrten, konnten sich nicht sogleich an Zucht und Ordnung, an Arbeitsamkeit und Ordnung gewöhnen, setzten daher ihre ungeregelte Lebensweise fort und wirkten durch ihr böses Beispiel auf die unerfahrene Jugend um so nachteiliger und verderblicher, als sie im übrigen wegen ihrer Kriegstaten, wegen ihrer gesammelten Erfahrungen bei allen Ortsbewohnern, selbst den älteren, in besonderem Ansehen und Achtung standen. Dieses Verhältnis legte offenbar den nächsten Grund zu der jetzigen Unsittlichkeit und in Folge dessen zu den unehelichen Geburten.
Ein weiteres Ergebnis dieser in ihrer Folge so wichtigen Zeitperiode, welche auf die Moralität, besonders in Beziehung auf öffentliche Treue und Glaube, einen dauernden Einfluß übte, war die allgemeine Verarmung der Landbewohner. Durch die andauernden Kriegslasten aller Art wurde der Wohlstand der Familien mehr oder weniger untergraben. Ohne eigenes Verschulden und ungeachtet des angestrengtesten Fleißes und der höchsten Sparsamkeit wurden viele Familienväter mit einer Schuldenlast behaftet, die voraussichtlich die Behauptung des verschuldeten Besitztums unmöglich machte. Viele wurden gleichgültig gegen ihr Schicksal und suchten sich von dem, was ihnen geblieben war, noch einen Lebensgenuß zu verschaffen, unbekümmert, ob ihre Gläubiger dadurch verkürzt wurden. Sie selbst waren ja ohne ihr Verschulden durch äußere, ihnen ganz fremde Verhältnisse um all das ihrige gebracht, wie konnte man da erwarten, daß sie mit sonst gewohnter Gewissenhaftigkeit die Erfüllung übernommener Verpflichtungen als eine heilige Pflicht betrachten würden« (BayHStA MInn 15396).

Die Notjahre 1816/1817

Im Bericht der Regierung des Obermainkreises von 1833 heißt es weiter: »Die Wunden der Kriegsjahre würden jedoch früher vernarbt . . . sein, wenn nicht unmittelbar auf diese Periode die Teuerungsjahre 1816 und 1817 gefolgt wären . . . Von dem hierdurch bewirkten allgemeinen Vermögensverfall konnte sich ein großer Teil des Landvolkes bis heute nicht erholen.« (BayHStA MInn 15396). Die Friedenszeit begann in Bayern (wie auch im übrigen Deutschland) mit einer Hungersnot. Als sich für den einzelnen die Aussicht auf einen längerdauernden Frieden erschloß, kam es zu einem noch tieferen Einbruch in die bereits schwer erschütterten Einzelexistenzen. Ein ungewöhnlich regenreicher Sommer verursachte 1816 eine Mißernte, der ein knappe Getreideernte voranging und folgte (1815 und 1817). Die Vorräte waren durch die Truppendurchzüge und Einquartierungen der letzten Jahre erschöpft worden. Dazu kam ein allgemeiner Niedergang der Landwirtschaft, mangelnder Arbeitswille und eine kurzsichtige Ausfuhr von Getreide. Da 70 Prozent der Ernährung aus Getreideproduktion bestand, konnten nun angesichts einer fünffachen Brotverteuerung im Spätsommer 1816 an die 80 Prozent der Bevölkerung den Bedarf an Grundnahrungsmittel nicht mehr decken.

»Statt des mangelnden Brotes aß man Flechten, Moose und Baumrinden, man stach die ersten Graswurzeln im Frühjahr 1817 aus der Erde, um sich Gemüse daraus zu machen oder sammelte Brennesseln zum gleichen Zweck, man kaufte sich Kleie, den Metzen um 1 fl. 30 Kreuzer, um sie zu kochen und Kuchen aus ihr zu backen.« (Spamer 1916, 150).

Zeitungen, Druckschriften und lokale Gerüchte erzeugten eine gewisse Teuerungshysterie. Man vermutete hinter den horrenden Getreidepreisen die Machenschaften von Spekulanten und Wucherern. Die Zeitungen berichteten von Hungerkrawallen, Magazinplünderungen und Bauernaufständen im Ausland. Auch in Bayern kam es zu einigen gegen Getreidehändler gerichteten Krawallen, bei denen Militär

eingreifen mußte. Selbst der König sollte die Unruhen zu spüren bekommen. Am 16. April 1817 setzte ein Großfeuer dicht neben der Residenz den Hof in größte Aufregung. Ein Holzschuppen brannte nieder; nur mit knapper Mühe konnte das Theater gerettet werden. Auf der Unglücksstätte sollen Zettel mit der Aufschrift »Brand oder Brot« gefunden worden sein. Der König äußerte, er müsse sich wohl nun eine andere Stadt als Residenz suchen. »Die Köpfe fangen an, sich zu erhitzen und unruhig zu werden, die anonymischen Briefe sind häufig« (Adalbert v. Bayern 1957, 755f.) schreibt er seinem Sohn, dem Kronprinzen Ludwig. Die Lage der Regierung war schwierig, da man sich keineswegs über die wahren Ursachen der Teuerung im klaren war. Man erhöhte den Ausfuhrzoll für Getreide und verstärkte die Polizei an den Grenzen. Durch Ankäufe im Ausland versuchte man den Getreidebedarf zu decken (Österreich, Zentralböhmen, Ungarn und Oberitalien waren von den Mißernten nicht betroffen). Auch der Bau von Getreidemagazinen war Teil der staatlichen Maßnahmen. Die wirtschaftlen-

2.3.5 Inneres der Mauthalle in der ehemaligen Augustinerkirche, Carl Friedrich Werner, 1831

6.1.16 Maibockausschank in einer Wirtschaft, Franz Xaver Nachtmann, München um 1824

kenden Maßnahmen der Regierung überstürzten sich. Trotzdem machten kapitalkräftige Bauern, Bäcker und Getreidehändler innerhalb kürzester Zeit ein Vermögen. Als trotz der einigermaßen zufriedenstellenden Getreideernte im Herbst 1817 die Getreidepreise wieder stiegen, gab man erst recht den Spekulanten und Wucherern die Schuld. Zur allgemeinen Beruhigung erließ die Regierung am 13. September 1817 eine Verordnung über den Getreidehandel, in der alle Vorschriften zusammengefaßt und zusätzlich die Anlegung von Notmagazinen (mit ⅙ des Jahresbedarfs) für die Städte angeordnet wurden. Im Jahre 1818 normalisierten sich schließlich die Getreidepreise. Interessanterweise ist ein Teil der unglücklichen Entwicklung in den Jahren 1816 und 1817 den überstürzten staatlichen Maßnahmen zugeschrieben worden. Einer der Hauptbeteiligten, Maximilian Graf v. Montgelas äußerte sich in seinen »Denkwürdigkeiten« wie folgt:
»Ich bin noch jetzt der Überzeugung, daß bei einfacher Aufrechterhaltung der bestehenden Vorschriften über den Getreidehandel und ohne sonstige besondere Vorkehrungen die Teuerung schneller aufgehört und sich minder drückend erwiesen hätte . . .« Nach Meinung Montgelas' war die

Teuerung »rein künstlich und durch die Umtriebe einer Vereinigung von Spekulanten herbeigeführt, welche Getreide aufgekauft hatten, um den Preis in die Höhe zu treiben . . .« (von Montgelas 1887, 542).

Die Armut und ihre Verrechtlichung

Die Hungersnot der Jahre 1816 und 1817 vermehrte die Zahl der Armen in einem für die zuständigen Behörden nicht mehr zu bewältigendem Ausmaß. Durch die Verordnung vom 22. Februar 1808 war die Armenpflege zu einer Staatsaufgabe geworden. Man hatte jetzt die Armut juristisch definiert (»volle« Armut, »partielle« Armut) und darüber hinaus einen Anspruch auf Unterstützung normiert. Selbst den Umfang dieses Anspruchs hatte man festgelegt. Armenpflege war eine »Staatsanstalt der Wohltätigkeit« geworden. Finanziert wurde das Armenwesen aus dem vorhandenen Fundierungsvermögen und im Bedarfsfall aus der im jeweiligen Kommunalbezirk zu erhebenden Armensteuer. Da die Leitung des Armenwesens Aufgabe der unteren Polizeibehörde war, mußten die Gemeinden bzw. die Gemeindeangehörigen zwar die notwendigen Mittel für die Armenpflege aufbringen, über die Verwendung der Gelder hatten sie jedoch nicht zu bestimmen.

Die Hungerjahre 1816 und 1817 machten deutlich, daß es ohne Mitbestimmung der Gemeinden in der Armenpflege nicht ging. Am 17. November 1816 (RBl., Sp. 778) wurde das Armenwesen in einer sehr umfangreichen Verordnung neu geregelt. Wichtigstes Organ der Armenpflege wurden jetzt die kommunalen Pflegschaftsräte bzw. Pflegausschüsse, denen der Pfarrer, der Gemeindevorsteher und eine Anzahl gewählter Gemeindemitglieder angehörten. Diese Armenpflegen hatten die Armenbeschreibungen zu verfassen und endgültig über den Anspruch auf Unterstützung zu entscheiden. Gleichzeitig hatten sich die Armenpflegen um die Arbeitsvermittlung für arbeitslose Arme zu kümmern. Arme, die nicht vermittelt werden konnten, sollten mit Werkzeug für die Arbeit zuhause versehen werden. In größeren Städten sollten Beschäftigungshäuser errichtet werden. Vorbild waren hier wohl die Münchner Einrichtungen (Bauer 1850, 110f.). Nicht arbeitsfähige Arme, welche hilflos waren, sollten in Verpflegungsanstalten versorgt, andere Arbeitslose durch Almosenanstalten unterhalten werden. Der Bettel wurde grundsätzlich untersagt. Freilich stand der Anspruch auf Armenpflege nur den »eingehörigen Armen« zu. Wer dazu gehörte, bestimmte sich nach den jeweiligen Gesetzen über die Heimat.

Ergänzt wurde die Verordnung über das Armenwesen durch die bettelpolizeilichen Bestimmungen der Verordnung über die Bettler und Landstreicher vom 28. November 1816 (RBl., Sp. 859) und der gleichzeitigen Verordnung über die Zwangsarbeithäuser (RBl., Sp. 886).

In diese Zwangsarbeitshäuser sollten nicht nur die lästigen Bettler und Landstreicher eingewiesen werden, sondern auch »Menschen von fortgesetztem schlechten Lebenswandel, die sich dem Müßiggange, der Unsittlichkeit und öffentlichen Ausschweifungen ergeben und dadurch, sowie durch Widerspenstigkeit und Ungehorsam gegen Eltern und Vorgesetzte Unordnung, Gefahr und Verderben in die Familie und Gemeinden bringen.«

»Die wahren Ursachen des Zustandes der Bevölkerung«

Als im Jahre 1819 die durch die Verfassung von 1818 geschaffene Ständeversammlung zusammentrat, waren weder die Wunden der Kriegsjahre, geschweige die der Hungerjahre vernarbt. Das Elend war noch immer gegenwärtig. Die Hungernden drängten sich auch weiterhin in den Städten. Noch immer richtete sich der Volkszorn gegen angebliche und wirkliche Spekulanten. Besonders der jüdische Hausierhandel geriet nun ins Zielfeuer der Kritik. Selbst die Kammer der Abgeordneten sah sich auf Grund der von allen Seiten laut werdenden Klagen veranlaßt, sich mit dieser Frage zu befassen. Der Münchner Bürgermeister Joseph v. Utzschneider (vgl. Mackenthum, 1958) brachte in der Sitzung vom 5. März 1819 einen Antrag gegen den jüdischen Haustierhandel ein, in dem der Handel der Juden als Quelle aller den inländischen Handel und das Gewerbe untergrabenden und vernichtenden Übel dargestellt wurde (Schwarz 1963, 195). Utzschneiders Petition gab den Anstoß zu zahlreichen weiteren Eingaben an die Kammer der Abgeordneten. Nach umfangreichen Debatten legte die Ständeversammlung dem König am 10. Juli 1819 einen Maßnah-

menkatalog vor, der vom König im Abschied der Ständeversammlung vom 22. Juli 1819 gebilligt wurde. Unmittelbar darauf, im August, kam es in den fränkischen Teilen des Königreichs zu schweren Judenverfolgungen, »die vor allem in Würzburg das Maß des seit Jahrhunderten Dagewesenen überschritten und bis 1822 mit Unterbrechungen andauerten ... Arbeitslose, Handwerksburschen, verschuldete Bauern und Bürger stürmten die Häuser der Juden. Synagogen wurden in Brand gesteckt.« (Schwarz 1963, 216).

Aber es war nicht nur die am Tage liegende allgemeine Verarmung, mit der sich die Ständeversammlung, die Regierung und die Publizisten befaßten, sondern vor allem machte man sich über den traurigen Zustand der öffentlichen Finanzen Gedanken. Verfassung und Ständeversammlung waren ja nicht zuletzt deswegen geschaffen worden, um den drohenden Staatsbankrott abzuwenden: Wie aber konnte man den allgemeinen Wohlstand heben und damit auch die Staatseinnahmen erhöhen? Einig war man sich dabei im Vertrauen auf die Möglichkeiten staatlicher Einflußnahme. Durch richtige Gesetze und Verordnungen oder durch die Abschaffung oder Änderung bestehender Regelungen glaubte man die notwendigen Wunder bewirken zu können. Vor allem waren es zwei Rezepte, mit denen bis zum Jahre 1825 die Mehrheit der Ständeversammlung, die Regierung und ein beachtlicher Teil der Publizisten eine Verbesserung der wirtschaftlichen Lage erreichen wollte: 1) *Vermehrung der Bevölkerungszahl* und 2) *Liberalisierung der Gewerbeverfassung.*

»Land und Menschen sind ein verschlossener Schatz, der durch geeignete Gesetze und Einrichtungen erschlossen werden kann«, schrieb 1824 der kgl. bayerische Regierungsdirektor und Abgeordnete Ignaz Rudhart. Durch falsche und eigennützige Gesetze seien »die bürgerliche Gesellschaft zerrüttet, die Sittlichkeit untergraben, Jammer erzeugt« und die Nahrungsgrundlagen zerstört worden (Rudhart, Bd. 1, 1825, IV). Das beste Mittel zur Erreichung einer glücklichen Zukunft sieht Rudhart in einer *Vermehrung der Bevölkerung.* Bevölkerungszuwachs bedeute Machtzuwachs für Bayern und zwar »ohne Waffengewalt, bloß durch die Weisheit der Gesetze und der Regierung.« (Rudhart, Bd. 1, 1825, 18). Der Mangel an Bevölkerung wird von Rudhart unter anderem erklärt mit den Kriegsverlusten, mit der mangelnden Freizügigkeit, mit dem zur Ehelosigkeit zwingenden Militärstand, mit der großen Anzahl Geistlicher, mit den Eheverboten für untergeordnete öffentliche Bedienstete, mit dem Luxusbedürfnis (das die Ausgaben und Beschwernisse einer Ehe scheut), mit der Unteilbarkeit der Bauerngüter und schließlich und vor allem mit der Erschwerung der Ansässigmachung und Verehelichung. Gerade dieser Punkt war es dann, der auf dem Landtag von 1825 die besondere Aufmerksamkeit der Regierung und der Ständeversammlung beanspruchte:

»Die Erschwerung der Heiraten und Ansässigmachungen hinderten ein unserm dürftigen Boden und seiner großen Oberfläche angemessenes Wachstum der Bevölkerung und beraubten uns dadurch gerade der Entwicklung jener kostbaren Kräfte, durch deren fruchtbare Produktion der innere Wohlstand am segensreichsten gedeiht und die Gewichtigkeit eines Staates am sichersten emporsteigt.« (LV 1825 Prot. 4, 207).

Man verwies auf das Beispiel von England und Holland, wo der Wohlstand auf einer zahlreichen und gewerbefleißigen

Bevölkerung basiere (LV 1825 Prot. 4, 286f.). Bevölkerungswachstum bedeute ein Ansteigen der Grundstückspreise und einen höheren Absatz für Gewerbetreibende. In Bayern gab es nach Meinung des Abgeordneten Rudhart auch genügend Möglichkeiten, um eine steigende Bevölkerung zu ernähren: »Wir haben über 2 332 000 Tagwerke öden Landes und die Zollisten zeigen eine fast unglaubliche Ausfuhr roher Produkte. Alle diese Verhältnisse würden zureichen, das doppelte der dermaligen Bevölkerung zu ernähren. In der Tat, meine Herrn! Der Monarch verdient wahrhaft dem Namen ›Mehrer des Reiches‹, welcher mitten im Frieden und ohne Übergriff über die Landesgrenzen die Bevölkerung zu vermehren weiß. Und welcher Ruhm für eine Ständeversammlung, hiezu mitzuwirken; und wie mühelos und leicht? – Nur dadurch, daß sie nicht ›Nein‹ sagen.« (LV 1825 Prot. 4, 434). Der Abgeordnete Jakobi zerstreute die Bedenken, daß eine wachsende Bevölkerung nicht mehr ernährt werden könne, mit Beispielen aus der Stadt München: »In München werden viele Tausende unnütze Hunde gehalten, die besser genährt und gefüttert werden als oft Tausende von Menschen, und diese Hunde gefährden noch die Sicherheit der Menschen durch Anfallen, selbst in den gangbarsten Straßen. Ebenso wird hier der Sonntag zu geräuschvollen Arbeiten in den Werkstätten der Professionalisten benützt, und alle Kaufläden sind von früh morgens bis spät abends dem Publikum geöffnet. Wahrscheinlich fehlt es auch hier noch an Arbeitern zur Deckung der Bedürfnisse.« (LV 1825 Prot. 5, 236).

Es gab in der Abgeordnetenkammer im Jahre 1825 nur wenige, die der These widersprachen, daß eine Vermehrung der Bevölkerung auch eine Vermehrung des Volkswohlstandes bedeutete: Der Abgeordnete Hagen aus Bayreuth führte aus, was wenige Jahre später allgemeine Meinung sein sollte: »Zuerst muß ich mich im allgemeinen gegen die Meinung erklären, als bestünde das Glück des Staates allein in der größtmöglichsten Bevölkerung. Der berühmte Malthus hat die Mißgriffe hinlänglich vor Augen gestellt, in die man bei einer allzugroßen Begünstigung der Bevölkerung gerät, wenn man nicht zugleich für die Vermehrung der Unterhaltsmittel, für Arbeit und gesicherten Absatz zu sorgen weiß. Denn nicht in der Menge der Einwohner, sondern in der Zahl selbständiger Staatsbürger besteht die Kraft des Staates!« (LV 1825 Prot. 5, 335 f. U)

Recht und Praxis der Ansässigmachung und Verehelichung bis zum Jahre 1825

Eine Erhöhung der Bevölkerungszahl war nach Meinung der liberalen Mehrheit in der Abgeordnetenkammer von 1825 vor allem durch eine Liberalisierung der Bestimmungen über die Ansässigmachung und Verehelichung zu erreichen. Die Gründung eines eigenen Hausstandes sowie die Verehelichung, die beide herkömmlicherweise an eine obrigkeitliche Genehmigung gebunden waren, sollten erleichtert werden. Die Rechtslage war auf diesem Gebiet äußerst unübersichtlich und die Praxis der Gemeinden willkürlich. Dies hatte schon 1808 die Regierung bewogen, entsprechende Regelungen zu treffen. In einer Verordnung vom 12. Juli 1808 (RBl., 1505), die der »Beförderung der Heiraten auf dem Lande« gewidmet war, machte man die Verehelichung

allein von der »Bewilligung der ordentlichen Polizeiobrigkeit des Ortes« abhängig, »wo die Heiratenden mit hinreichender Aussicht auf ihre Nahrung den Wohnsitz nehmen.« Die Mitwirkung der Gemeinden war damit zugunsten der staatlichen Polizeibehörden beseitigt. Schon vorher, am 22. Februar 1808 (RBl., 593), waren den Gemeinden alle Befugnisse im Bereich der Armenpflege entzogen worden. Die Wirksamkeit der Verordnung »zur Beförderung der Heiraten« wurde jedoch sehr stark durch eine für die staatlichen Beamten wenig erfreuliche Haftungsbestimmung eingeschränkt. In Ziffer 3 der Verordnung heißt es nämlich: »Wenn eine Obrigkeit fremden, unbekannten, unangesessenen Leuten, welche sich weder bisher in dem Gerichtsbezirke oder Orte aufgehalten haben, noch ihre künftige Nahrung an dem Orte wahrscheinlich machen können, die Heiratsbewilligung erteilt, so fällt ihr der Unterhalt einer solchen Familie, wenn sie sich nicht selbst ernähren kann, zur Last.«

Eine weitere Entmachtung der Gemeinden brachte dann das Gemeindeedikt vom 24. September 1808, das alle Einwohner einer Gemeinde, die in der Markung besteuerte Wohnhäuser oder Gründe besaßen oder steuerpflichtige Gewerbe ausübten, zu vollberechtigten Gemeindemitgliedern erklärte.

In den Krisenjahren nach 1815 sollte sich jedoch zeigen, daß ohne Mitwirkung der Gemeinden die anfallenden Aufgaben nicht mehr zu bewältigen waren. Ab 1816 gewannen die Gemeinden ihre alten Befugnisse wieder zurück. Zunächst wurde durch die Verordnung vom 17. November 1816 (RBl., Sp. 779) die Armenpflege wieder dezentralisiert und zur Aufgabe der Heimatbezirke erklärt. Bei Erteilung von Heiratslizenzen mußte jetzt auch der Armenpflegschaftsrat der Heimatgemeinde gehört werden. Das neue Gemeindeedikt vom 17. Mai 1818 (GBl., Sp. 49) schließlich überwies die Bürgeraufnahme den Gemeindebehörden. Nun war es allein Sache der Gemeinden, Niederlassungen und Verehelichungen zu genehmigen. Dabei hatte man natürlich immer die mögliche Konkurrenz für das ortsansässige Gewerbe bzw. eine mögliche Belastung der Armenkasse im Auge. Das führte dazu, daß sich die Gemeinden nach 1818 mit allen rechtlichen und tatsächlichen Mitteln nach außen abschlossen. Man wehrte sich insbesondere gegen kinderreiche Familien oder junge Paare, bei denen Nachwuchs zu erwarten war, und zwar selbst dann, wenn diese Personen ein ausreichendes Einkommen hatten. Die Gemeinden kauften sogar Land auf, um Ansiedlungen zu verhindern (BayHStA MInn 52132). Auch bereits ansässigen Gemeindemitgliedern wurde oft die Wiederverehelichung untersagt, wenn mit Kindern in der künftigen Ehe zu rechnen war. Nach den Ausführungen Rudharts genügte auch das »beste Zeugnis über Sittlichkeit, Fleiß, Mäßigkeit und Geschicklichkeit nicht«, um die Einwilligung einer Gemeinde zur Niederlassung zu erhalten. Jeder, der um eine Niederlassung nachsuche, habe »gleichsam einen Kampf mit allen bereits Ansässigen auszufechten, welche ein ausschließliches Privilegium auf Land, Wasser, Feuer und Luft zu behaupten scheinen, in Neid und Furcht, die alle ernährende Erde möchte nicht genügen.« (Rudhart, Bd. 1, 1825, 17). Ein Privilegium werde eben ungern geteilt: »Der Geist der Aristokratie ist sich allenthalben selbst in der ärmsten Kleinheit gleich.« Ein besonderer Grund für die restriktive Haltung der Gemeinden lag nach Meinung Rudharts aber in der Organisation des Armenwesens:

»Da nämlich dieses zunächst und beinahe gänzlich auf die einzelnen Gemeinden beschränkt und jeder Gemeinde die Verbindlichkeit auferlegt ist, ihre Armen zu erhalten, wozu nicht nur jene gezählt werden, welche durchaus erwerbsunfähig sind, sondern auch jene, welche in ihrem Stande oder Gewerbe durch Schuld oder Unglück herabkommen, von jedem anderen Gewerbe ausgeschlossen sind und sich nicht standesmäßig ernähren können, so ist es wohl erklärbar, daß die Gemeinden jeder Niederlassung, besonders wenn der Neuankommende nicht zugleich eine hypothekarische Sicherheit durch Vermögen zu geben vermag, aus Furcht vor dieser Last entgegen sind . . .« (Rudhart, Bd. 1, 1825, 18).
Zahlreiche Prozesse über die Alimentationspflicht der Gemeinden zeugten für die Verworrenheit der rechtlichen Bestimmungen in diesem Punkt. Zu besonders unwürdigen Zuständen führte die Tatsache, daß die Regierung den zehnjährigen Aufenthalt in einem Ort zur Erwerbung eines gesetzlichen Domizils für ausreichend erklärte (1816):
»Jetzt wurden die Aufgreifungen und Verschiebungen selbst arbeitsamer Menschen zur Tagesordnung, die Magistrate und Gemeindeausschüsse, die etwaige Ernährungslast fürchtend, wollten niemanden mehr ehelichen lassen, die lächerlichsten Gründe wurden aufgesucht, um die häufigen Abweisungen zu rechtfertigen, z.B. einem Gewerbsmanne, einem Bürger, wurde der Ehelichungskonsens verweigert, weil er ein Landmädchen, keine Bürgerstochter ehelichen wollte; die Gemeinden betrachten sich als geschlossene Staaten, alle in der Markung nicht geborenen, als Ausländer etc., daher erfolgte nicht selten die Verweigerung des Ehelichungskonsenses, weil man eine Nichteingeborene heiraten wollte; manche Gemeinde bekümmerte sich um das Vermögen der Braut, bei mehrern war dieselbe zu jung und die Gefahr, es könnte das Ehepaar zu viele Kinder zeugen, zu groß usw.
Ebenso wollten die Gemeinden manche arbeitsame Familie, die sich wohl nähren konnte, in ihrer Mitte nicht mehr gedulden, weil sie fürchteten, sie möchte durch zehnjährigen Aufenthalt eine Heimat ersitzen oder die heranwachsenden mannbaren Töchter konnten zum Nachteil der Gemeinden außereheliche Kinder gebären. Arbeitsam fleißige Dienstboten wurden aus ihren Diensten aus bloßer Furcht vertrieben, sie möchten sich durch längeres Dienen eine Heimat und damit verbundenes Recht erwerben. Gebärende Weiber wurden unbarmherzig aus Dörfern gejagt und büßten die Furcht der Gemeinden vor der einstigen Ernährungslast nicht selten mit ihrer Gesundheit und dem Leben ihrer Leibesfrucht. Ich könnte Ihnen, meine Herren, einen Ort nennen, wo aus dieser Furcht die Gemeinde sich der Taufe eines von einer Durchreisenden in ihrer Markung zur Welt gebrachten Kindes widersetzte.« (LV 1825 Prot. 5, 319f.).
Fast dramatisch hören sich andere Schilderungen von gemeindlichem Eigennutz an, die in der Abgeordnetenkammer zum besten gegeben wurden:
»Ein fremdes schwangeres Mädchen wollte eine entfernte Verwandte auf einem Dorfe R. besuchen. Unterwegs befallen sie die Wehen, kaum kann sich sich noch in das Dorf S. schleppen. Dort zeigt sie ihren Zustand dem Ortsvorsteher an. Dieser, in seiner kleinen Wohnung durch eine zahlreiche Familie beengt, verwendet sich menschenfreundlich bei den anderen Einwohnern um ihre Aufnahme. Vergebens! Aus Furcht, das Kind könne und werde über kurz oder lang der Gemeinde zur Last fallen, weigern sie sich. Das arme Mäd-

chen muß gegen Nachts im Winter, im Schnee weiter. Auf dem Felde zwischen dem nächsten Dorfe kommt sie nieder. Das Kind war tot. Die Mutter wurde in einem furchtbaren Zustande später aufgehoben und nur mit Mühe beim Leben erhalten.« (LV 1825 Prot. 5, 256).

Die Gesetzgebung von 1825

Die sehr emotionale Behandlung der kommunalen Ansässigmachungspraxis in der Ständeversammlung ließ die Opposition der zahlreichen Vertreter der Städte in der Kammer der Abgeordneten weitgehend verstummen. So konnte die Regierung ihr Gesetzesvorhaben unbeanstandet durchbringen. Zwar hätte die Materie auch auf dem Verordnungsweg geregelt werden können und 1824 war auch, veranlaßt durch eine königliche Entschließung vom 22. Februar 1822, eine entsprechende Veordnung ausgearbeitet worden. Doch beschloß man, als man die Gefügigkeit der Ständeversammlung abschätzen konnte, den ganzen Komplex von der Ständeversammlung beraten zu lassen und als Gesetz zu verkünden. Damit wurde dem Reformprogramm des »bürokratischen Liberalismus« die höhere Weihe verliehen.
Die *drei Gesetze über die Heimat, über die Ansässigmachung und Verehelichung und über das Gewerbewesen vom 11. Sept. 1825* (GBl., Sp. 103f.) waren die ersten von einer bayerischen Volksvertretung verabschiedeten Sozialgesetze. Sie waren Teil eines großen Reformprogramms, zu dem auch die Arbeiten an einem Kulturgesetz gehörten, durch das der landwirtschaftliche Ertrag gesteigert werden sollte (vor allem durch Verbesserung der Rechtsstellung der Bauern). Das Vertrauen in die Macht der Gesetze war groß. Der zweite Präsident der Abgeordnetenkammer und spätere Minister unter König Ludwig I., Graf v. Armansperg, pries die Gesetzentwürfe überschwenglich:
»Gerade durch sie geschieht der wichtigste Schritt vorwärts; sie bilden einen Zyklus von Bestimmungen, welche der Industrie neues Leben, zahllosen Staatsbürgern einen sicheren Herd, der Bevölkerung des Staates einen sicheren Zuwachs und dem gesamten Vaterlande eine unerschöpfliche Masse neuer Kräfte verkünden . . .« (LV 1825 Prot. 4, 212).

Das Gesetz über die Heimat von 1825

Durch das Heimatgesetz von 1825 wurde der Begriff »Heimat«, der bis dahin im wesentlichen Grund- und Hausbesitz bedeutete, zu einem *juristischen Begriff* umgeformt. Heimatrecht im Sinne des Gesetzes über die Heimat war das (einklagbare) Recht, Angehöriger einer Gemeinde zu sein. Der Heimatberechtigte hatte Anspruch auf Unterstützung durch seine Heimatgemeinde, wenn er sich selbst nicht mehr unterhalten konnte. Durch das Heimatgesetz sollte nun juristisch unanfechtbar festgelegt werden, wo die Heimat eines jeden Staatsbürgers begründet war. Damit sollten die auf Grund der bisher unklaren Rechtslage ergangenen willkürlichen Entscheidungen und sich daran anschließenden gerichtlichen Auseinandersetzungen aus der Welt geschaffen werden. Die rechtliche und tatsächliche Heimatlosigkeit sollte es in Zukunft nicht mehr geben: »Jeder Staatsangehörige soll eine bestimmte Heimat haben« hieß es im Gesetz, und in der Abgeordnetenkammer betonte man auch die

2.1.1 **Das Tal in München mit Verkehr und Marktgängern,** Heinrich Adam, München 1838

politische Bedeutung des Gesetzes, durch das ein Gefühl der Einheit erzeugt werden könne. Die Heimat sei »die Wiege mannigfaltiger schöner Beziehungen und Gefühle, aus welcher der Sinn für die Mitwirkung zu gemeinsamen Zwecken sich entwickelt«, das Heimatrecht sei »eines der heiligsten Rechte im Staate . . . ein Urrecht, welches aus dem gesellschaftlichen Verbande hervorgeht.« (LV 1825 Prot. 5, 419). Darüber hinaus wollte man durch das Heimatgesetz auch die tatsächliche Heimatlosigkeit beseitigen, insbesondere die große Zahl der Nichtseßhaften, der Vaganten, der »Gauner« verringern. Diese »Menschenklasse« sollte nach den Ausführungen des Abgeordneten Kiliani »dem Nomadenleben entrissen, an bürgerliche Ordung und häusliche Tugend gewöhnt, zur nützlichen Tätigkeit erzogen und fähig gemacht werden . . . ein würdiges Glied des Staatsverbandes zu sein.« In seinen Ausführungen über »diese Menschenklasse, Gauner genannt« klingen auch antisemitische Töne an:

»Schaudern würden Sie, meine Herrn, wenn ich Ihnen ein vollständiges Bild dieser Menschenklasse zeichnen wollte, wenn ich Ihnen die Zahl der bloß jüdischen Gauner in Deutschland nennen würde, welche sich den seit zwei Jahren in verschiedenen Teilen des Reiches geführten Untersuchun-

gen hergestellt hat, wenn ich die Summe angehen wollte, um welche diese Gauner die rechtlichen Bürger bestohlen und betrogen haben . . .« (LV 1825 Prot. 4, 349f.).
Der Abgeordnete Klar meinte, daß es nicht die Armut, sondern eine Art von verderblicher und strafbarer Geisteshaltung sei, die diese »Menschenklasse« zur Landplage werden läßt:

»Sie genießen ihr Dasein in ungebundener Zügellosigkeit und, meine Herrn, nicht aus Armut, oder wie man in sentimentaler Weise sagt, weil ihnen ein Acker fehlt, um ihn zu bebauen, sondern mit dem sonnenklaren Bewußtsein, daß sie keinen Acker, keine Gewerbe, keinen bleibenden Aufenthalt wollen; daß sie den Zustand ihrer Freiheit und die Güter, die ihnen diese gewährt, über alles lieben und ihn mit den Gütern des angesessenen Staatsbürgers nicht umtauschen. Was ist ihnen die Ehe; dafür haben sie ihre Concubinen, diese ambulierenden Bordelle der Vagabunden; die Kirchen sind für sie nur da, um sie von Zeit zu Zeit zu plündern und ihre Opferbüchsen zu leeren . . .« (LV 1825 Prot. 4, 391).
Gemäß der Systematik des Heimatgesetzes besaß jedermann entweder eine erworbene, eine ursprüngliche oder eine angewiesene Heimat. Zuerst wurde geprüft, ob ein Erwerbstitel vorlag. Die Heimat konnte erworben werden durch

29

a) Vertrag, b) Ansässigmachung, c) Verheiratung, d) besondere Dienste, welche der Gemeinde geleistet wurden. Falls keiner dieser Ansässigmachungstitel nachgewiesen werden konnte, kam die ursprüngliche Heimat zum Zug, das heißt in der Regel die Heimat des Vaters, bei außerehelichen Kindern die Heimat der Mutter. Falls auch die Heimat der Eltern nicht zu ermitteln war, wurde die Heimat angewiesen. Das Institut der angewiesenen Heimat war das eigentlich neue am Heimatgesetz. Ausdrücklich beseitigt wurde auch die Verjährung als Erwerbstitel, um die übliche Abschiebung nach neun Jahren zu verhindern. Auch die Geburt allein sollte keinen Rechtstitel auf Heimat geben. Damit wollte man die Abschiebung von Schwangeren verhindern.

Das Gesetz über die Ansässigmachung und Verehelichung von 1825

Mit der Neuregelung und Erleichterung der Ansässigmachung und Verehelichung verfolgte die Regierung und die Ständeversammlung vor allem folgende Ziele: a) Vermehrung der Bevölkerung, b) Hebung des allgemeinen Wohlstandes, c) Verbesserung der Sittlichkeit, d) Verringerung der Zahl der unehelichen Kinder. Bei der Diskussion der Gesetzesvorlage beklagte man den tiefen Stand der Sittlichkeit bei den unteren Bevölkerungsschichten und glaubte ihn auf die harte Ansässigmachungspraxis und die Verehelichungsverbote zurückführen zu können. Die betroffenen Bevölkerungsschichten seien dadurch faul und liederlich geworden, was wiederum einen spürbaren Mangel an Arbeitskräften, insbesondere an Gewerbsgehilfen und Dienstboten zur Folge habe. Die Dienstboten seien im übrigen viel zu teuer und könnten darüber hinaus von ihren Herrschaften nicht mehr im Zaum gehalten werden. Zur gesunkenen Arbeitsmoral äußerte sich der Abgeordnete Rudhart:
»Wir dürfen uns nicht wundern, daß wir soviel von Handwerksmißbräuchen, den blauen Montagen usw. hören und daß es in Bayern nach einer speziellen Berechnung im landwirtschaftlichen Vereinsblatte noch 200 Feiertage im Jahre gibt, welche zwar nicht alle rot im Kalender stehen, aber doch durch Faulheit und Liederlichkeit gefeiert werden. Der Landwirt und Gewerbsmann muß den Arbeitslohn für die übrigen 165 Tage auch für jene Feiertage zahlen . . .« (LV 1825 Prot. 4, 438).
Große Dinge erwartete man von einer Erleichterung der Eheschließungen. In Zukunft sollte der junge Mann nicht nur darauf zu achten haben, ob die Frau reich sei (denn nur dann war für einen vermögenslosen jungen Mann die Ansässigmachung und Verehelichung möglich). Die schrecklichen Folgen solcher Heiratsverbindungen schilderte 1825 ein Abgeordneter mit beredten Worten:
»So kam es, daß nicht selten die häusliche Niederlassung die Quelle eines harmvollen, ja selbst eines ausschweifenden und zügellosen Lebens wurde, indem der kräftige, in der Blüte seines Lebens stehende Mann wegen des Mangels an eigenem, eine Ansässigmachung möglich machenden Vermögens sich und seine ganze Existenz an eine von Reizen und Tugenden entblößte Witwe knüpfen mußte . . .« (LV 1825, Prot. 4, 222).
Versuchte ein Mann aus eigenen Kräften, sich das für die Ansässigmachung nötige Vermögen zu erwerben, so war er bei der Verehelichung in der Regel schon so alt, daß bei

Eintritt seiner Arbeitsunfähigkeit oder bei seinem Tod die Kinder noch nicht in der Lage waren, sich selbst zu ernähren und deshalb der Gemeinde zur Last fielen. Die Abgeordneten wollten durch das Gesetz nun auch den ärmeren jungen Männern die Möglichkeit geben, die Dame ihres Herzens zu heiraten:
»Kaum ist ein Mensch, auch in den untersten Volksklassen, der sich nicht in früherer Jugend einmal durch ein edleres Gefühl zu einer Person des anderen Geschlechts hingezogen fühlte. Wegen Mangel an Vermögen wurde jedoch bisher das Gefühl meistens unterdrückt und ein . . . ungeregelter Genuß gewann bald die Oberhand . . .« (So der Abgeordnete Frh. v. Closen LV 1825 Prot. 4, 283).
Aber auch für die Söhne begüterter Eltern sollte die Ehe wohltätig wirken. Insbesondere sollte den »verwilderten Gemütern« geholfen werden und der Abgeordnete Freiherr von Closen meinte, man sollte bei der Ehebewilligung mit der Prüfung des guten Leumunds nicht allzu streng verfahren, da ein sittlich geregelter Lebenswandel manchmal erst durch Ansässigmachung und Verehelichung ermöglicht würde:
»Soll der ungesittete reiche junge Mann, der sich allen Exzessen hingab, der der Schrecken so mancher Mutter wurde, deren Tochter er verführt hatte, der in seinem lasterhaften Lebenswandel die von ihm überall beschäftigte Polizei noch zu verhöhnen wußte, soll dieser junge Mann wegen seines bisherigen schlechten Leumunds sich nicht ansässig machen dürfen, wenn sein Vater beschließt, ihm eine brave Frau zu geben, um ihn zum ordentlichen Menschen zu machen, und wenn ein verständiges tugendhaftes Mädchen es wagen will, in einer verwilderten Seele edlere Gefühle zu erwecken?« (LV 1825 Prot. 4, 283).
Auch das Problem der hohen Unehelichenquote hoffte man durch das Gesetz zu lösen, »der Verdorbenheit, welche durch die steigende Zahl unehelicher Geburten offenbar wird, soll endlich einmal ein wohltätiger Abzugskanal geöffnet werden.« (LV 1825 Beil. 4, 22).
»Der großen Erschwerung der Heiraten ist die traurige Erscheinung zuzuschreiben, daß die unehelichen Geburten den ehelichen im Zahlenverhältnis täglich näher rücken, daß die unteren Klassen des Volkes sich täglich mehr einem ungebundenem Leben ergeben, daß die Sittlichkeit derselben verfällt und daß durch die unehelichen Kinder eine zahllose Schar roher, in der physischen und moralischen Erziehung vernachlässigter Menschen heranwächst . . .« (LV Prot. 4, 221).
Der These von der Verbesserung der Sittlichkeit durch die Erleichterung der Heiraten wurde von einigen Abgeordneten widersprochen. Der Abgeordnete Käser führte 1825 die hohe Zahl der unehelichen Kinder auf die freieren Ansichten der Zeit, auf die mangelnde elterliche und polizeiliche Aufsicht sowie auf die Straflosigkeit der Unzucht zurück. Damit hatte er wahrscheinlich, wie die Entwicklung nach 1825 zeigte, ins Schwarze getroffen:
»Vor 40 bis 50 Jahren wurden die Ehen noch mehr erschwert und doch war das Sittenverderbnis bei weitem nicht so groß. Uneheliche Geburten waren in den meisten Gemeinden eine Seltenheit. Woher dies? Damals herrschte mehr Glaube und Gottesfurcht unter den Menschen. Jetzt verschwinden sie immer mehr, sowohl auf dem Lande als in den Städten. Ehemals hielt man die Unkeuschheit noch für ein Laster. Die allgemeine Meinung sprach sich dagegen aus. Jetzt ist sie

beinahe herrschende Sitte geworden. Die öffentliche Meinung nimmt sie in Schutz. Man hält die Keuschheit für eine unmögliche Sache. Ehemals setzten sich Kirche und Staat mit vereinten Kräften diesem Laster entgegen ... Das Laster erhielt die verdiente Strafe. Heut zu Tag ist der Arm der Kirche gelähmt ... die weltliche Behörde läßt alle Laster der Unzucht unbestraft.« (LV 1825 Prot. 5, 184). Der Abgeordnete und Pfarrer Mätzler warnte vor den schlechten Ehen, die dem Staate mehr schaden würden als alle »Ausschweifungen der ledigen Volksklassen«:
»Wollen wir ... durch erhöhte Zahl der Ehen das Nationalwohl befördern, so dürfen wir kein Mittel außer Acht lassen, durch welches wir ... gute und zufriedene Ehen dem Staate sichern. Schlechte Ehen sind eine weit gefährlichere Pest für das Vaterland als alle Ausschweifungen der ledigen Volksklassen ... Sehr richtig zeichnet der Gesetzentwurf die Sittlichkeit als die Grundbedingung einer guten Ehe und fordert deshalb ein Leumundszeugnis. Ein verehrlicher Redner meint, daß es Fälle geben könne, wo dieses erlassen werden sollte, weil die Ehe manchen Wildling bessere. Dieser Meinung habe ich in meinen Bemerkungen Kürze halber nur beizuzeichnen: Hans bleibt Hans! In regula – und die Ausnahmen sind so selten wie die weißen Raben ...« (LV 1825 Prot. 5, 155ff.).
Mit welcher Rechtssystematik bewältigte Regierung und Ständeversammlung die selbstgestellte Aufgabe? Wie das Heimatgesetz, führte auch das Gesetz über Ansässigmachung und Verehelichung einen neuen Rechtsbegriff, nämlich den der »Ansässigmachung« ein. Darunter verstand das Gesetz einen amtlich festgestellten Rechtsakt, durch den zwischen einem (männlichen) Individuum und einer Gemeinde ein Rechtsverhältnis (die Ansässigkeit) begründet wurde.
Die wichtigste Folge dieses Rechtsverhältnisses war die Befugnis zu heiraten und die Verpflichtung der Gemeinde, im Notfall für den Unterhalt des Betroffenen zu sorgen, da man durch die Ansässigmachung auch das Heimatrecht erwarb. Auf die Ansässigmachung hatte derjenige Anspruch, der die folgenden Voraussetzungen erfüllte:
1) Besitz eines Grundvermögens, welches mindestens mit einem Steuersimplum von 45 Kreuzern versteuert wurde und bis zum Kapitalbetrag dieser Steuer (etwa 600 fl.) schuldenfrei war oder
2) Besitz eines realen, radizierten oder konzessionspflichtigen Gewerbes oder
3) definitive Einstellung in einem öffentlichen Amt des Staates, der Kirche oder einer Gemeinde oder
4) ein anderweitig gesicherter Nahrungsstand.
Darüber hinaus mußte der Bewerber die Bestimmungen des Militärkonskriptionsgesetzes erfüllt haben, er mußte einen guten Leumund besitzen und den vorschriftsmäßigen Schul- und Religionsunterricht besucht haben.
Zum Ansässigmachungstitel auf Grundbesitz wurde die folgenreiche Bestimmung getroffen, daß jedes Gut auch gegen den Willen des Grundherrn bis zum genannten Steuerwert aufgeteilt werden konnte. Die Ansässigmachung auf Gewerbe wurde durch die Bestimmungen des gleichzeitig erlassenen Gewerbegesetzes bedeutend erleichtert. Den Staatsdienern wurden die definitiv angestellten mittelbaren Beamten, die Offiziere und Militärbeamte gleichgestellt.
Schwieriger war die Ansässigmachung auf »anderweitig gesicherten Nahrungsstand«. Hier mußte das Einkommen bzw.

die Sicherstellung des Einkommens beurteilt werden. Für diese Überprüfung gab das Gesetz gewisse Richtlinien. Insbesondere sollte auf die »Gelegenheit, Lust und Tüchtigkeit zur Arbeit« geachtet werden, dabei aber auch der einfache Lohnerwerb Berücksichtigung finden. Bevorzugt behandelt werden sollten ausgediente Soldaten und »Dienstboten, welche ohne häufigen Dienstwechsel zehn Jahre hindurch mit Treue und Fleiß gedient und durch gemachte Ersparnisse Beweise von häuslichem Sinn gegeben haben.« Von allergrößter Bedeutung war, daß die Entscheidung über die Ansässigmachung in diesen Fällen, also die Überprüfung des Einkommens, nicht mehr Sache der Gemeinden war, sondern den Staatsbehörden als Aufgabe zugewiesen wurde.
»Mit der Begründung eines selbständigen Hauswesens und dem Eintritt eines neuen selbstständigen Mitglieds in den Gemeindeverband pflegt die Begründung einer neuen Familie Hand in Hand zu gehen. – Ansässigmachung ohne gleichzeitige Verehelichung gehört zu den seltenen Ausnahmen.« (Brater 1854, 305). Das Rechtsinstitut der Ansässigmachung war daher im wesentlichen nur eine Vorstufe für die Verehelichung. Die Verehelichungserlaubnis konnte nicht mehr verweigert werden, wenn man im Besitz eines Ansässigmachungstitels war, und in der Regel wurde das Verehelichungsgesuch auch gleichzeitig mit dem Ansässigmachungsgesuch gestellt. Bei Wiederverehelichungen oder dann, wenn das Verehelichungsgesuch ausnahmsweise erst längere Zeit nach der Ansässigmachung gestellt wurde, mußte geprüft werden, ob die Voraussetzungen für die erteilte Ansässigmachung noch gegeben waren (Entschließung des Staatsministeriums des Innern v. 3. März 1835 [BayHStA MInn 15536]). War etwa das Grundstück, auf dem die Ansässigmachung beruhte, inzwischen verkauft worden oder war es verschuldet oder waren die Löhne inzwischen gesunken oder hatte der Bewerber Kinder aus der ersten Ehe zu ernähren (deren Unterhalt seinen ganzen Lohn beanspruchten) oder hatte er sich inzwischen als Verschwender oder Nichtsnutz hervorgetan, so war es möglich, auch einem ansässigen Bewerber die Heiratserlaubnis zu versagen.
Da die Eheschließung ein ausschließlich kirchlicher Akt war und der Staat grundsätzlich die bürgerlichen Wirkungen auch derjenigen Ehen anerkannte, die ohne vorherige staatliche Erlaubnis (von einem inländischen Geistlichen) geschlossen worden waren, ließ das Gesetz alle Geistlichen, die eine Trauung ohne vorherige staatliche Heiratsbewilligung vornahmen, »für Schäden und Kosten, welche hieraus irgendeiner Gemeinde zuwachsen können«, haften. Eheschließungen außerhalb Bayerns wurden für ungültig erachtet und waren strafbar (Verordnung v. 12. Juli 1808 [§ 16]).

Das Gesetz über das Gewerbewesen von 1825

Um die »Hindernisse des Kunstfleißes zu beseitigen« und »die Ausbildung in den Gewerben zu befördern«, sollte 1825 ergänzend zu den Bestimmungen über Heimat, Ansässigmachung und Verehelichung auch das Gewerbewesen neu geregelt werden. Über die geeigneten Maßnahmen wurde in der Ständeversammlung hart diskutiert: Die beiden Extrempositionen markierten die Fabrikbesitzer und die Vertreter des Handwerks. Erstere forderten völlige Gewerbefreiheit (»das freie Walten der Nationalökonomie«), letztere die Beibehal-

5.2.15a Matthias Pschorr, Joseph Hauber, 1824

5.2.15b Anna Pschorr, Joseph Hauber, 1834

tung, beziehungsweise Wiederherstellung der Zunftverfassung.

Die völlige Gewerbefreiheit, »der Götze des Tages«, war in der Abgeordnetenkammer mit ihrem hohen Anteil an Städtevertretern nicht durchzusetzen. Diese malten die drohende Verarmung der Handwerksfamilien an die Wand und prophezeiten gar den gänzlichen Ruin des handwerklich orientierten Mittelstandes. Der Abgeordnete Häcker sah in der Gewerbefreiheit eine unmoralische Einrichtung, die wenige reiche Fabrikbesitzer und sonst nur noch abhängige Arbeiter hervorbringen würde:

»Die sogenannte Gewerbsfreiheit ist also das weitgreifendste Beförderungsmittel des Eigennutzes und der Unmoralität im Staate . . . Der unvermeidliche Erfolg der Gewerbsfreiheit ist, daß das Gewerbe in wenigen großen Fabriken sich zusammenzieht und dagegen der handwerksmäßige Betrieb ganz aufhören muß. So verschwindet denn der kostbare Mittelstand wohlhabender Bürger und an dessen Stelle treten wenige überreiche Fabrikunternehmer, der ganze übrige Teil der Gewerbtreibenden wird Lohnarbeiter.« (LV 1825 Prot. 4, 562ff.).

Dem widersprach als Vertreter der Fabrikbesitzer der Abgeordnete v. Poschinger:

»Bei dem handwerksmäßigen Betriebe, wie die Gewerbe bei uns geführt werden, wird es wohl nie gelingen, eine große Vervollkommnung zu erringen, die Produkte werden immer teurer, schlechter und minder schön ausfallen, als bei fabrikmäßigem Betriebe in großen Etablissements, bei einer mit angemessenen pekuniären und intellektuellen Kräften ausgestatteten Verwaltung.« (LV 1825 Prot. 5, 52).

Die Befürworter einer vollständigen oder teilweisen Gewerbefreiheit kritisierten vor allem die Unbeweglichkeit der Gewerbetreibenden, die Abschottung der städtischen Gewerbe gegen jede Art von Konkurrenz und die Vetternwirtschaft in den kleineren Städten, wo bei der Aufnahme von neuen Gewerbetreibenden vorwiegend die Verwandten der Magistratsmitglieder berücksichtigt wurden, während andere, weit fähigere Bewerber, leer ausgingen. In den großen Städten würden die Inhaber der realen Gewerbe riesige Vermögen anhäufen. Insbesondere bot hier München mit seinen »Palästen« der dortigen »Monopolisten« eine beliebte Zielscheibe der Kritik:

»In dieser üppigen und reichen Stadt mit ihrer immer steigenden Bevölkerung kann man, wohin man blickt, in Betreff ihrer Gewerbe, Monopole erblicken; alle Professionalisten lassen sich für ihre Arbeit doppelt, ja selbst dreifach in Vergleich mit anderen Plätzen Baierns zahlen . . . Ich muß aufrichtig gestehen, das Bild der Gewerbetreibenden, welche ich hier genau beobachtete, habe ich noch nirgendswo gesehen und ich bin doch fast in allen Weltteilen gewesen . . . Eine Stadt nebst seinen Vorstädten mit 70000 bis 80000 Einwohnern hat vier Kaminfeger, worunter drei Italiener und ein Inländer. Diese halten ihren Buchhalter auf dem Komptoir und tun nichts als Geldeinstreichen, sie sollen jährlich jeder 8000 bis 10000 Gulden Verdienst haben . . . Fünf Zimmermeister, acht Maurermeister sollen ebenfalls nur da sein! Worunter halbe Millionärs!« (LV 1825 Prot. 5, 130ff. Abgeordneter Pollmann).

Die Münchner Maurermeister mit ihren realen Gewerbsgerechtigkeiten gehörten zu den besonders privilegierten Handwerkern. Sie hatten nach Aussage des Landtagsabgeordneten Pollmann bis zu 1500 Gesellen, von denen jeder täglich drei Kreuzer von seinem Verdienst abzuliefern hatte. Darüber hinaus war den Münchner Maurermeistern auch der Verkauf von Baumaterialien vorbehalten (Schlichthörle Bd. 2, 61). Bis zur Verordnung vom 27. Mai 1830 (RBl., Sp. 8221) fertigten sie auch Baupläne selber an.

Angesichts solcher Einnahmen war der Widerstand gegen die Gewerbegesetzgebung in der Stadt München groß. Da die Gewerbeausübung in Zukunft vor allem von einer für jedermann erwerbbaren staatlichen Konzession abhängig sein sollte, befürchtete man in München vor allem einen Wertverfall der realen und radizierten Gewerberechte, also der Gewerberechte, die an ein bestimmtes Grundstück gebunden waren oder übertragbar und vererbbar waren und damit einen beträchtlichen Vermögenswert darstellten. Der Wert der Realrechte betrug in München 1825 laut Gewerbekataster 850.00 fl. (LV 1825 Prot. 5, 250). Da man nach dem neuen Gewerbegesetz in Zukunft die bisher realen Gewerbe auch ohne Kauf oder Erheiratung eines realen Gewerbes ausüben konnte, forderten die Münchner Abgeordneten Entschädigung und beriefen sich dabei auf den verfassungsmäßigen Schutz des Eigentums. »Unzählige Bürger« würden nach Meinung des Abgeordneten Lechner durch das Gesetz ihr Vermögen verlieren (LV 1825 Prot. 5, 35).

Das dann von der Ständeversammlung verabschiedete Gesetz über das Gewerbewesen vom 11. September 1825 stellte einen Kompromiß zwischen den divergierenden Ansichten dar. Bei möglichster Förderung des Gewerbes sollten die wohlerworbenen Rechte geschont werden (Birnbaum 76ff.). Kernpunkt der Regelung war das Konzessionssystem. Voraussetzung für die Ausübung eines Gewerbes sollte in Zukunft die Erteilung einer Gewerbekonzession durch die staatliche Polizeibehörde sein. Sie durfte nicht versagt werden, wenn der Bewerber die erforderlichen Fähigkeiten besaß und der Unterhalt der anderen Gewerbetreibenden durch die Erteilung der Konzession nicht gefährdet war. Die realen und radizierten Gewerbe ließ man bestehen.

Die Folgen der Gesetzgebung von 1825

Der als ein Hauptmotiv der Reformgesetzgebung von 1825 genannte Wunsch nach einem kräftigen Bevölkerungszuwachstum sollte in den folgenden Jahren in Erfüllung gehen. Allerdings war ein beträchtlicher Bevölkerungsanstieg im rechtsrheinischen Bayern schon vor dem Jahre 1825 zu beobachten, so daß – auch im Hinblick auf eine ähnliche Entwicklung in anderen Ländern – die Gesetzgebung von 1825 sicher nicht als alleinursächlich für die steigende Bevölkerungszahl betrachtet werden kann. Am stärksten war die Bevölkerungszunahme in den Städten. Schuld daran war die Landflucht, die zu den bestimmenden Merkmalen der allgemeinen Bevölkerungsentwicklung in der ersten Hälfte des 19. Jahrhunderts gehörte. Dabei war die Abwanderung in der Regel nicht durch eine akute materielle Notlage bedingt, sondern mehr durch die Hoffnung auf bessere Verdienst-

und Lebensbedingungen. Die Klagen über die »Entvölkerung des platten Landes« finden sich schon vor der Gesetzgebung von 1825:

»Häufig laufen in unsern Tagen ganze Familien vom Lande den Städten zu, vielleicht weil die Not sie dazu veranlaßt und da will ich sie gerne entschuldigen, vielleicht aber auch bloß darum, weil sie sich einbilden, daß sie hier bequemlicher werden leben können, als in der eigenen Heimat. Die Ansiedlung macht ihnen auch nicht viel Schwierigkeit, denn sie haben hiezu nicht weiteres vonnöten, als die Zusage irgendeines Bürgers, der sich anheischig macht, auf bestimmte oder unbestimmte Zeit ihnen Arbeit zu geben. Auf diesen Grund hin begehren und erhalten sie eine Aufenthaltskarte und wohnen nun Mann, Weib und Kinder, in der Stadt. – Auf diese Weise wird das platte Land entvölkert, dagegen alle Städte, besonders die größeren stehen überfüllt da ...« (LV 1825 Prot. 5, S. 162).

In München war die Bevölkerung von 1801 (40 460 Einwohner) bis 1824 (62 290 Einwohner) um 21 873 Einwohner gestiegen. Nach 1825 beschleunigte sich der Bevölkerungszuwachs erheblich:

Einwohnerzahlen (ohne Vororte)
1824	62 290
1827	76 117
1830	77 802
1834	88 905

Die Eheschließungen in München verdoppelten sich nach 1825 (BayHStA MInn 52133). Die Bewilligung von Gewerbekonzessionen versechsfachte sich (Birnbaum S. 82).
Zwischen dem 11. September 1825 bis zum 1. Juli 1834 wurden folgende Ansässigmachungsgenehmigungen erteilt:

Auf Lohnerwerb	2 001
Auf Grund- oder Hausbesitz	239
Auf reale oder radizierte Gewerbe	510
Auf persönliche Konzessionen	1 205
	3 955

Das waren jährlich 452 genehmigte Ansässigmachungsgesuche (StadtA Einwohneramt Nr. 142).

Schwer oder kaum zu beantworten ist die Frage, welchen Einfluß die Gesetzgebung von 1825 auf den Volkswohlstand hatte. Wir wissen, daß zwischen 1820 bis 1830 ein wirtschaftlicher Aufschwung und zwischen 1830 bis 1840 ein deutlicher wirtschaftlicher Abschwung die Entwicklung kennzeichnete. In der Abschwungphase formierten sich die Gegner der Gesetzgebung von 1825.

Ein weiteres Bevölkerungswachstum galt als unerwünscht. Gefordert wurde eine erhebliche Beschränkung in der Ansässigmachung und Verehelichung. Gerügt wurde unter Hinweis auf die Verarmung und Überfüllung des Handwerks in den Städten die großzügige Konzessionserteilung durch die Staatsbehörden. Die Bettler und Vaganten sowie die unterstützungsberechtigten Armen hätten zugenommen. Vom Mißbrauch der Armenleistungen ist die Rede.

Die Bürokratie sieht die Ursachen für die sich nach 1830 verschlechternde wirtschaftliche Lage und für die zunehmenden sozialen Spannungen nun nicht mehr wie vor 1825 in unzureichenden gesetzlichen Bestimmungen, sondern vor allem in der Faulheit, Liederlichkeit und Sittenlosigkeit der unteren Bevölkerungsschichten. Für die Bürokratie sind viele Arme und die meisten Bettler nur »Scheinarme«, die sich auf Kosten anderer ein schönes Leben machen wollen. Typisch ist in soweit ein Ministerialreskript vom 24. September 1835, in dem die Anwendung der Verordnung über das Armenwesen vom 17. November 1816 kritisch gewürdigt wurde (Intelligenzblatt für den Isarkreis 1835, 1182). »Der Mangel an genügender Kontrolle machte den Betrug allmählich umso leichter und einladender, als Protektionen und der in Bayern in unerhörtem Maße eingerissene Attesten-Mißbrauch dabei mitwirkten ... Das schüchterne Unglück mußte darben, während die Frechheit an den Fonden saugte und nicht selten war der ordentliche, aber vom Schweiße seines Angesichts lebende Bürger genötigt, seinen Kindern die bessere Kost, die zweckmäßige Kleidung zu versagen, um Pflichtbeiträge dahin zu senden, wo im Luxus lebende Scheinarme, wo Leute mit namhaften Pensionen, wo in Seide gekleidete bei keiner Lustbarkeit fehlende, oft sogar total ausschweifende Individuen Almosen von jährlich 300 fl. bis 400 fl. bezogen.«

Der Begriff »Unsittlichkeit« findet nun immer mehr Eingang in amtliche Verlautbarungen, die sich mit dem Armenwesen befaßten. Typisch ist insoweit eine Anordnung des Ministeriums des Innern von 1835 (Intelligenzblatt für den Isarkreis 1835, 1194 f.).

»Unerläßlich ist das Anhalten der Armen zur Arbeit ... weil Liederlichkeit unzertrennbar vom Müßiggange, und eine regelmäßige Beschäftigung das einzige Mittel ist, der namentlich unter den dürftigen Klassen so furchtbar um sich greifenden Unsittlichkeit einen Damm zu setzen; endlich weil gerade das Arbeitenmüssen die Müßiggänger und jene Scheinarme zurückschreckt, welchen die Armenklasse bisher nur als bequemes Mittel zum bequemen Nichtstun, ja zur bequemen Ausschweifung gedient hat.«

Ähnlich klingen die Stellungnahmen der Behörden zum Bettelwesen, das in der Zeit der wirtschaftlichen Depression nach 1830 der Öffentlichkeit immer lästiger wurde. In einem öffentlichen Ausschreiben der Regierung des Isarkreises von 1835 heißt es, daß »dieser Unfug ... mehr als je überhandgenommen hat und nicht bloß äußerst lästig ist, sondern auch die Sicherheit der Person und des Eigentums in hohem Grad zu bedrohen beginnt«. »Nicht Armut, sondern die Ergebenheit zum Müßiggang und liederlichem Leben und die Bequemlichkeit ungescheut durch den Bettel solchem frönen zu können, sind es, was das Umsichgreifen des Bettels so sehr begünstigt.« (Intelligenzblatt für den Isarkreis 1835, 408 ff.)

Trotz dieser Aufregung war die Zahl der konskribierten, also hilfsberechtigten Armen relativ gering und machte kaum mehr als zwei Prozent der bayerischen Bevölkerung aus. In den Jahren 1831–1832 betrug die Zahl der konskribierten Armen 80476, 1840 79863 und in den Hungerjahren 1847/1848 104813. Die Zahl der Bettler in Bayern betrug im Jahre 1836 60293 und stieg in ähnlicher Weise wie die der Armen.

Die unehelichen Geburten

In einem Punkt scheinen sich die Befürworter der Gesetzgebung von 1825 gründlich geirrt zu haben: Die liberaleren Ansässigmachungs- und Verehelichungsvoraussetzungen seit 1825 führten nicht zu dem erhofften Rückgang der unehelichen Geburten. Die Unehelichenquote blieb viel-

mehr auf einem hohen Niveau und stieg sogar in den 30er Jahren erheblich an, wobei der Anstieg schon vor der restriktiven Gesetzgebung von 1834 liegt. Dies verdeutlicht ein Blick auf die Zahlen der jährlichen unehelichen Geburten in München: Im Jahre 1823 wurden in München 1020 eheliche und 990 uneheliche Kinder geboren (LV 1825 Prot. 4, 439). Diese Quote lag weit über dem Landesdurchschnitt. Sie erklärt sich daraus, daß viele schwangere Mädchen in die Stadt zogen, um dort ihr Kind zur Welt zu bringen. Der Münchner Bürgermeister und Abgeordnete Hörhammer erläuterte dies 1825 der Abgeordnetenkammer wie folgt: »München hat eine Gebäranstalt, in welche mit großer Liberalität von dem Magistrate jedes schwangere Mädchen aufgenommen wird, das ihrer Entbindung in wenigen Tagen entgegensieht. Es suchen daher in derselben auch fortwährend Mädchen vom Lande aus dem Isarkreise, aus andern benachbarten Kreisen in dieser Anstalt ihre Zuflucht ... Es kommt daher jährlich eine beträchtliche Zahl der außerehelichen Schwängerungen auf dem Lande auf die Sündenliste der Hauptstadt ...« (LV 1825 Prot. 5, 316.)

In den Jahren nach dem Inkrafttreten des Ansässigmachungs- und Verehelichungsgesetzes verhielten sich die ehelichen und unehelichen Geburten in *München* wie folgt (StadtAM Einwohneramt Nr. 142):

Jahr	eheliche Geburten	uneheliche Geburten
1826/27	1227	1028
1827/28	1486	1018
1828/29	1548	1128
1829/30	1503	1070
1830/31	1511	1182
1831/32	1456	1206
1832/33	1376	1180
1833/34	1341	1289
1834/35	1401	1320
1835/36	1325	1301
1836/37	1220	1241
1837/38	1362	1153
1838/39	1365	1046

Insgesamt wurden in München von Anfang 1826 bis 1. Juli 1840 19222 eheliche und 16015 uneheliche Kinder geboren. Fast die Hälfte dieser unehelichen Geburten (jährlich etwa 540) gingen nach Mitteilung des Münchner Magistrats an die Regierung des Isarkreises auf das Konto von auswärtigen Müttern, die in der Gebäranstalt niedergekommen waren (StadtAM, Einwohneramt Nr. 142). Das ist durchaus glaubhaft, wenn man die Münchner Zahlen mit denen im Landgericht Au (= Au, Obergiesing, Haidhausen, Bogenhausen, Oberföhring, Daglfing und Berg am Laim) vergleicht. Dort wurden im Rechnungsjahr 1834/1835 514 eheliche und 252 uneheliche Kinder geboren (Martin 1837, 167 f.). Das Verhältnis von unehelichen zu ehelichen Kindern betrug demnach 1:2; im benachbarten München um diese Zeit 1:1 1/16. Angesichts der Bevölkerungsstruktur im Landgericht Au wären diese Münchner Zahlen ohne den Zuzug von auswärtigen unehelichen Müttern ins Münchner Gebärhaus nicht zu erklären.

Im rechtsrheinischen Bayern betrug die Unehelichenquote 1831 – 21,53 %; 1835 – 23,75 % und 1848 – 20,87 %; sie blieb also in der ersten Hälfte des 19. Jahrhunderts ziemlich konstant und wurde weder durch die liberale Gesetzgebung von 1825 noch durch die restriktive Gesetzgebung von 1834 (weitere Ehebeschränkungen) wesentlich beeinflußt (Matz, 302 f.).

Was also waren die wirklichen Ursachen der hohen Zahl von unehelichen Geburten? Schon die Zeitgenossen gaben mehrere Erklärungen für dieses Phänomen. In den jährlichen Verwaltungsberichten der Regierungen aus den Jahren 1830–1833 wurde in diesem Zusammenhang besonders auf das veränderte Sexualverhalten der »niederen Stände« verwiesen. Typisch sind insoweit die Ausführungen der Regierung des Obermainkreises (Oberfranken) (BayHSta MInn 15396).

»Am tiefsten ist aber die Moralität hinsichtlich der Befriedigung des Geschlechtstriebes gesunken und in dieser Beziehung ist besonders auf dem platten Lande, überhaupt aber in den niederen Ständen das Gefühl der Schamhaftigkeit in eine grenzenlose Frechheit ausgeartet. Auf dem Lande gehört ein Mädchen, die bis in das 20. Jahr ihre jungfräuliche Reinheit bewahrt hat, zu den Ausnahmen, die übrigens bei ihren Ortsgenossen selbst auch keine Anerkennung findet. Groß ist dagegen die Zahl derjenigen, die, ohne einen öffentlichen Tadel fürchten zu müssen und in dem Bewußtsein, deshalb keiner Strafe zu unterliegen, vielmehr in der Gewißheit, daß nach den Verordnungen über das Armenwesen die Gemeinden früher oder später für ihren und ihrer Familie notdürftigen Unterhalt sorgen muß, zwei, vier oder mehr Kindern von ebensoviel Vätern das Dasein geben, deren körperliche und geistige Erziehung von der Geburt an verkrüppelt und verwahrlost wird und die sich in der Regel in einem solchen Zustande von Haltlosigkeit befinden, daß sie von Jugend auf durch Bettel und auf unerlaubtem Wege ihr Leben zu fristen trachten müssen. In diesen außerehelichen Kindern wächst eine Generation heran, welche immer der gesetzlichen Ordung und dem Staatwohl feindlich entgegentreten wird. Aber nicht nur die Zukunft wird dadurch bedroht, auch der Gegenwart schlägt diese Sittenlosigkeit tiefe Wunden. Der häusliche Frieden, die Eintracht zwischen Eltern wird nur zu oft dadurch beeinträchtigt und sie ist der nächste Grund der Klage über das Gesinde, da bei diesen Ausschweifungen nicht nur die Dienstverrichtungen, sondern die Dienstboten, männlich und weiblich, die häufig für den Unterhalt mehrerer Kinder zu sorgen haben, zur Untreue verleitet werden.« (BayHSta MInn 15396.)

Wenig erfreulich waren aus der Sicht der Bürokratie auch die Verhältnisse im Unterdonaukreis (Niederbayern), wo eine größere Anzahl unehelicher Kinder offensichtlich das Ansehen der Mutter erhöhte:

»Die Berichte erzählen es, wie die vom sittlichen Gefühle erzeugte Meinung, daß außereheliche Schwangerschaft die Mädchen schändet, verschwunden ist, wie dieselben nicht nur allein ihres Falles sich nicht mehr schämen, sondern vielmehr auf ihre Fruchtbarkeit sich etwas zugute tun, ja sagen, wie das Landgericht Cham berichtet, für die Gefälligkeit zum Tanze geführt zu werden, bereitwillig dem Begleiter ihre Unschuld zum Opfer bringen. Es ist keinem Zweifel unterworfen, daß die Abnahme wahrer Religiosität und der häuslichen Tugenden in den Familien die Grundursachen dieser betrüblichen Wahrnehmungen sei ... Man hat aus falscher Humanität die bürgerliche Züchtigung, das einzige, den Ausbrüchen der Rohheit widerstehende Mittel aus dem Reiche der polizeilichen Strafgattungen verbannt, sie als

Zuchtmittel für Vagabunden ehrlos gemacht und dadurch auch der väterlichen Gewalt in den Familien die Befehle gegen Unbändigkeit und Frechheit entwunden ... Die Gesetzgebung hat ferner wohl die Untersuchung der Paternität im Zivilwege beibehalten und schämt sich nicht, über Unzucht in den Gerichtsstuben verhandeln zu lassen, aber sie sieht den Fall der weiblichen Unschuld, die außereheliche Schwangerschaft, nicht mehr als einen Frevel gegen die öffentliche Sittlichkeit an ... « (BayHSta MInn 15396).

Im Raum München erhielten besonders die Bewohner des Landgerichts Au, zu dem die Vororte Au, Haidhausen und Obergiesing gehörten, schlechte Zensuren. Über die Sittlichkeit der Mädchen in der Au äußerte sich ein Zeitgenosse wie folgt:

»Die Auerinnen bilden ganz den Gegensatz zu den Italienerinnen; denn wenn diese, wie bekannt, als ledige Mädchen wahre Vestalinnen sind, als Weiber es dagegen mit der ehelichen Treue eben nicht sehr genau nehmen sollen, verhält es sich bei den Auerinnen gerade umgekehrt: denn wenn sie auch nicht geradezu alle Dienerinnen der Aphrodite pandämos der letzten Klasse sind, wie sie ein Schriftsteller der neuesten Zeit, doch wohl zu hart, nennt, so wird kein Billiger es als Verleumdung schelten, wenn wir behaupten, daß es unter den Mädchen in der Au viele etwas lockere gibt. Sehr frühzeitig tragen sie ihr Scherflein und oft mehrere Scherflein zu der immer im Steigen begriffenen Bevölkerung bei. Die Fälle sind so alltäglich, daß sie gar nicht auffallen und ich möchte keiner Mutter raten, die Tochter eines solchen Faux pas halber zu schelten. Ein junger Fashionable hat gewöhnlich mehr als eine Geliebte und die Mädchen ihrerseits üben wieder das Retorsionsrecht ...« (v. Schaden 1835, 15).

Angesichts der hohen Unehelichenziffern wurde in der ersten Hälfte des 19. Jahrhunderts von mehreren Seiten die Wiedereinführung der sogenannten »Fornikationsstrafe« gefordert, also die Bestrafung der einfachen Unzucht (= Leichtfertigkeit). Die Fornikationsstrafe war durch § 29 des Organischen Edikts vom 8. September 1808 (RBl., Sp. 2254) abgeschafft worden. Dadurch sollten vor allem Abtreibungen und Kindermorde verhindert werden. Es ist sehr wahrscheinlich, daß der erstaunliche Anstieg der unehelichen Geburten nach 1800 mit dieser Liberalisierung des Strafrechts zusammenhängt. Bei der Diskussion des Ansässigmachungs- und Verehelichungsgesetzes im Jahre 1834 wurde deshalb von protestantischen und katholischen Abgeordneten in einer gemeinsamen Eingabe die Wiedereinführung der Fornikationsstrafe gefordert. Die Strafwürdigkeit des Delikts wurde durch entsprechende Beispiele illustriert:

»Wir hörten von einem Dienstknecht auf dem Lande, der zehn uneheliche Kinder von vier Mädchen hatte. Er gibt ihnen nichts. Die Kinder fielen den betreffenden Gemeinden anheim. Er selbst vergeudete ungescheut sein Dienstgeld auf Tanzplätzen. So können Wüstlinge die schuldlosen Gemeinden belästigen ...« (BayHSta MInn 46560).

Zu einer Verschärfung des Strafrechts sah die Regierung indessen keinen Anlaß. Die Sorge um die dann zu befürchtende Erhöhung der Abtreibungs- und Kindermorddelikte überwog.

Bei der Suche nach der Ursache der hohen Unehelichenquote in der ersten Hälfte des 19. Jahrhunderts darf man einen wesentlichen Punkt nicht vernachlässigen: die zivilrechtlichen Beziehungen zwischen Kindsmutter und Kindsvater. Es würde sich gewiß lohnen, einmal genauer der Frage nachzugehen, ob und mit welcher Erfolgsaussicht die uneheliche Mutter in der ersten Hälfte des 19. Jahrhunderts vom Vater ihres Kindes Unterhalt verlangen konnte und ob dieser Unterhalt möglicherweise so hoch war, daß eine uneheliche Mutter samt ihrem Kinde davon leben konnte. Eine entsprechende Bemerkung in einem Bericht der Regierung des Obermainkreises (Oberfranken) aus den Jahren 1830–1833 geht in diese Richtung:

»Was aber insbesondere die Abnahme des sittlichen Gefühls hinsichtlich der Keuschheit anbetrifft, so trägt die bestehende Gesetzgebung an der Vermehrung der unehelichen Geburten wesentliche Schuld. Insbesondere begünstigen die Bestimmungen des in den vormals bayreuthischen Amtsbezirken noch gültigen Preußischen Landrechts die Geschwängerten in der Art, daß Weibspersonen ... den Beischlaf häufig als einen Gegenstand der Spekulation und des Erwerbs behandeln und darauf ausgehen, junge vermögende Männer zu verführen, ja daß Eltern selbst ihre Töchter dazu anreizen ...« (BayHStA MInn 15396).

Nicht nur das vor allem in Franken geltende Preußische Landrecht, sondern auch die meisten anderen der im Königreich Bayern geltenden Rechte gewährten der unehelichen Mutter die Vaterschaftsklage (= Paternitätsklage) und den daran anschließenden Anspruch auf Unterhalt des unehelichen Kindes (= Alimentationsklage). Auch diese Regelung verfolgte die Absicht, Abtreibungen und Kindermorde nach Möglichkeit zu verhindern. Nach Meinung vieler Kritiker boten diese Rechtsansprüche zusammen mit der ebenfalls gesetzlich gewährleisteten Deflorationsentschädigung vielfach einen unerwünschten finanziellen Anreiz zum außerehelichen Beischlaf. Tatsächlich haben gemäß den Berichten der Regierungen die Deflorations-Paternitäts-Alimentations- und Vormundschaftssachen um diese Zeit die bayerischen Landgerichte in einem solchen Maße beschäftigt, daß man in der Regel einen eigenen Beamten zu Erledigung dieser Streitsachen benötigte.

Erleichternd kam für die uneheliche Mutter bei einer Paternitäts- und Alimentationsklage hinzu, daß der Einwand des Mehrverkehrs (exceptio plurium concubentium), also das Vorbringen des in Anspruch genommenen Vaters, daß die Klägerin in der entscheidenden Zeit auch einem anderen Manne beigewohnt hat, ausgeschlossen war. Insoweit war die Regelung im Königreich Bayern bis 1900 günstiger als nach dem Inkrafttreten des bürgerlichen Gesetzbuches (BGB) (§ 1717 BGB). Nach bayerischem Landrecht (das bis 1900 vor allem in Altbayern galt) hafteten alle Männer, die in der kritischen Zeit mit der Mutter verkehrt hatten, gemeinsam (Teil 1, Kap. 3, § 9, Nr. 4). Nach preußischem Landrecht, das vor allem in Franken galt, waren die verschiedenen Beischläfer sukessive nach Wahl des Vormunds verpflichtet (v. Roth 1875, Bd. 1, 471). Für das gemeine Recht, das besonders in schwäbischen und fränkischen Gebieten galt, stellte das bayerischen Oberappellationsgericht 1841 ausdrücklich fest: »Nach gemeinem Rechte wird die Klage auf Ernährung eines außerehelichen Kindes durch die Einrede, daß der Mutter während der gesetzlich entscheidenden Zeit mehrerer Mannspersonen beigewohnt haben, nicht aufgehoben.« (RBl. 1841, Sp. 636 ff.).

Diese und ähnliche grundlegenden Entscheidungen wurden für jeden zugänglich im Regierungsblatt oder sonstigen Amtsblättern abgedruckt ebenso wie die öffentlichen Vorla-

dungen bei Vaterschaftsprozessen, aus denen sehr genau zu entnehmen war, welche Beträge vom Vater eines unehelichen Kindes eingeklagt werden konnten. Im Landgericht Markt Erlbach (Mittelfranken) forderte 1837 laut Ausweis des Intelligenzblattes für den Rezatkreis vom 4. Oktober eine uneheliche Mutter vor dem nicht auffindbaren Vater ihres unehelichen Kindes:

»Der Klägerin 25 fl. Entschädigung für Niederkunft-, Tauf- und Wochenkosten, 50 fl. als Entschädigung für ihre Person und jährlich 16 fl. Alimente von der Geburt des Kindes bis zum zurückgelegten 14. Lebensjahr desselben in ¼jährigen Raten pränumerando zu bezahlen. Dem Kinde das gesetzlich beschränkte Erbrecht in seinem des Verklagten dereinstigen Nachlaß einzuräumen ...«

In den verschiedenen Rechtsgebieten des Königreichs Bayern wurde die Höhe des Unterhalts für die uneheliche Mutter bzw. für das uneheliche Kind unterschiedlich bemessen. In der Regel richtete sich der Unterhalt nach der Leistungsfähigkeit des Vaters und nach den Bedürfnissen des Kindes. Bei manchen Partikularrechten empfahl sich die Auswahl eines vermögenden Kindsvaters besonders, wie etwa im Gebiet der ehemaligen Fuggerherrschaften in Schwaben, wo der uneheliche Vater pro 100 fl. Vermögen 1 fl. Unterhalt zahlen mußte (Roth 1875, 472, Anm. 11).

Es verwundert also nicht, wenn Publizisten, Mitglieder der Ständeversammlung und auch Beamte sich nicht nur für eine Bestrafung der Unzucht aussprachen, sondern auch eine Änderung des Zivilrechts für erwünscht hielten. Selbst die Publikation der Alimentationsklagen in den Amtsblättern war für einige Kritiker ein sittliches Ärgernis. Jeder finanzielle Anreiz für die unehelichen Mütter sollte beseitigt werden. Am Ende der Sitzungsperiode stellte die Kammer der Reichsräte an die Abgeordnetenkammer entsprechende Anträge: Dem »Übelstand« der »immer mehr zunehmenden Mehrung der unehelichen Kinder« sollte durch Bestrafung der unehelichen Mütter und durch Abschaffung der Paternitätsklage abgeholfen werden. Das wurde von der Abgeordnetenkammer abgelehnt. Zur Frage der Paternitätsklage führte der Abgeordnete Riegg aus:

»Wahr ist, die französische Gesetzgebung kennt diese Klage nicht, sie vertraut dem Ehrgefühl des Mannes, die von ihm Verführte nicht zu verlassen ... Es geschieht, daß auch bei dem rechtlichsten Mädchen der Verführer Zutritt findet und daß sie am Ende von ihm verlassen und der Verzweiflung preisgegeben würde, wenn sie den Schutz des Gesetzes nicht hätte. Wäre daher von einer neuen Zivilgesetzgebung die Rede, so würde ich zum Schutze der Unschuld die Paternitätsklage zulassen, aber nur dann, wenn erwiesen ist, daß derjenige, gegen den sie erhoben wird, längere Zeit mit Wissen der Eltern oder Vormünder usw. öffentlich das Haus des Mädchens besucht habe ... Wollte man endlich festsetzen, daß ein jedes Mädchen, welches geschwängert wird, der Korrektionshausstrafe unterliegt, so heiße dieses in der Tat, das Unglück und die Verführung grausam strafen und dem Unglücke die doppelte Strafe hinzuzufügen.« (LV 1834 Prot. 4, 108 f.)

4.5.2 **»Münchener Volksleben«,** Vor der Theatinerkirche nach der Messe, München, um 1830–35 (Abb. oben)

4.5.2 **»Münchener Volksleben«,** Spaziergänger vor den Hofgarten-Arkaden, München, um 1830–35 (Abb. unten)

Sittenlosigkeit und Luxusbedürfnis

Zahlreich sind die Erklärungsversuche der Zeitgenossen für die hohe Zahl der unehelichen Kinder und die dadurch deutlich werdende Sittenlosigkeit. Die Schuldzuweisung an die Obrigkeit und an die Behinderung der Ansässigmachung ist nach 1825 nur ein Argument unter anderen. Jetzt schiebt man die Schuld mehr auf die allgemeine sittliche Verderbtheit:

»Das wahre an der Sache dürfte sein, daß man im allgemeinen an Humanität fortschritt und an Selbstwertgefühl gewann, während die Einfachheit der alten Sitten, des häuslichen Familienlebens verlor« (BayHStA MInn 15396), meinte 1833 die Regierung des Regenkreises (Oberpfalz) und verwies auf die lasche Haltung der Ortspolizei bei der Überschreitung der nächtlichen Zechstunden. Der zunehmende Besuch der Wirtshäuser, die dortigen Raufhändel, die damit verbundene Vernachlässigung der Familie und besonders die vermehrten Tanzgelegenheiten finden sich immer wieder in den Berichten der Regierungen. In manchen Dörfern würden jährlich bis zu 40 öffentliche Tänze stattfinden, die angesetzte Zeit für diese Tänze würde regelmäßig überschritten, ohne daß die Polizeibehörde eingreife.

Interessant, daß auch jugendgefährdende Schriften (wie sie besonders in Leihbibliotheken zu haben waren) als Mitursache für die Zunahme der unehelichen Geburten genannt werden. Die geistlichen Abgeordneten in der Ständeversammlung klagen 1837:

»Wieviele junge Leute würden ihre Unschuld bewahret haben, wenn sie nicht Gelegenheit genug gehabt hätten, Schriften in die Hand zu bekommen, die ein offenbares Gift mit sich führen. Bei einer so stark hervortretenden Lesesucht, wie sie jetzt in allen Ständen und unter allen Altersklassen herrscht, wie sie selbst unter den Dienenden zu finden ist, erscheint es als höchst notwendig, daß die Regierungen auf solche schamlose Ausgeburten der Literatur ein geschärftes Augenmerk richten . . .« (BayStA MInn 46560).

Sehr häufig wurde als Erklärung für die Sittenlosigkeit der Zeit und für den wirtschaftlichen Niedergang die *gesteigerten Bedürfnisse* der Bevölkerung genannt, eine ungesunde *Neigung zum Luxus* und ein übertriebenes *Modebewußtsein*. »Der besonders unter dem weiblichen Geschlecht eingerissene Hang zu prächtigen Kleidern und Unterhaltung hat die Scheu vom züchtigen Lebenswandel und selbsttätigen Erwerb verscheucht, physische Entnervung, den Ekel vor Arbeit hervorgerufen und damit Treue und Rechtlichkeit gefährdet.« (BayHStA MInn 15396.)

Das zunehmende Modebewußtsein scheint sich vor allem auf dem Lande ruinös ausgewirkt zu haben. Um 1820 kamen beispielsweise Pelzhauben in Mode, von denen jede etwa 15 fl. kostete. Modisch war um diese Zeit auch das aufwendige Übereinander von mehreren Kitteln, Miedern und Tücher (E. Schubaur MInn 25116). In der Abgeordnetenkammer wurde deswegen durch den Abgeordneten Köster die Einführung einer Nationaltracht vorgeschlagen. Die Modeabhängigkeit führte zu unerwünschten Auswirkungen im Gewerbebereich (Import von Luxuswaren, Zunahme der Hausierjuden, Zunahme von Modekramer und Modetandler). Die Modeabhängigkeit wurde mit der gelockerten Sexualmoral und der hohen Unehelichenquote in direkte Beziehung gebracht. Die Zustände in München im Jahre 1819 schildert ein zeitgenössischer Beobachter wie folgt:

»Der Luxus ist hier so groß als in einer der größten Städte; die Begierde, sich auf irgendeine Art von allen übrigen auszuzeichnen hat sich beinahe aller Stände bemeistert und eine Menge Laster herbeigeführt, worin vielleicht eine der wenigen vorzüglichen Ursachen liegt, warum so auffallend wenig Ehen geschlossen werden . . . jede neue Art sich zu kleiden wird mit Begierde aufgefaßt und nachgeahmt. Das Frauenzimmer sucht sich vorzüglich in französische Formen zu drängen und kleidet sich meistens so leicht, daß es schon frühe seine ganze Gesundheit zerstört hat; die Füße in Schuhe eingepreßt, die jede Ausdünstung unmöglich machen, Brust und Nacken entblößt, in ein einziges Kleidchen gehüllt, die Finger voller Ringe, den Kopf voll Blumen, Ketten, Nadeln . . .« (Huber, München im Jahre 1819, 313).

Erhöhte Bedürfnisse der unteren Volksklassen trotz allgemeiner Verarmung sowie das *Schwinden der Religiosität* wird von den kritischen Zeitgenossen in den 30er Jahren auch für die sich verschlechternde Lage des Proletariats verantwortlich gemacht. Typisch sind für diese Argumentation die Ausführungen von Franz v. Baader in seiner Schrift: »Über das dermalige Mißverhältnis der Vermögenslosen oder Proletairs« (1835):

»... so sieht sich diese Finanzkunst genötigt, die zunehmende Last der Geldabgaben durch die Akzise auf den Proletair zu legen . . . Wozu denn noch der Stachel und der Insult des zunehmenden Luxus bei den wenigen . . . Geldvermögenden und seines Herzens Abkehr von den Tröstungen und Beruhigungen der Religion kommt; indem der Demagoge größtenteils bei dem Proletair die Stelle des Priesters als Volkslehrers eingenommen hat und ihm die Selbsthilfe einflüßtert.«

Viel gerügt wurde auch das schlechte Beispiel, das die höheren Stände und »Geldvermögenden« in moralischen Dingen gaben: Die Tendenz der Theaterstücke, die sie besuchten, die Frivolität der Romane, die sie lasen sowie die schon zum guten Ton gehörenden Liebesabenteuer und Ehescheidungen schienen kaum geeignet, einen sittlich verbessernden Einfluß auf die unteren Volksschichten auszuüben. Die Ehe war in den besseren Kreisen zum Problem geworden. War es da verwunderlich, daß sich auch in anderen Bevölkerungskreisen ein distanziertes Verhältnis zur Ehe zeigte?

Die hohe Zahl der unehelichen Kinder stellte aber nicht nur ein sittliches, sondern auch ein *soziales Problem* dar. Schon die Zeitgenossen verwiesen auf die hohe Mortalität der unehelichen Kinder in den ersten Jahren. In einer Eingabe eines Bamberger Pfarrers an die Abgeordnetenkammer vor 1825 hieß es: »Die Kindermorde sind nicht seltener, nur feiner geworden. Die natürlichen Mütter verstehen nun die unnatürliche Kunst, die Sprößlinge ihrer Sünden verkümmern und hinwelken zu lassen.« (BayHStA MInn 46560.) Ein Blick in die Polizeistatistiken scheint diesen Verdacht zu bestätigen. So wird in den Jahren 1812–1818 in München und Landshut als häufigste Todesursache für uneheliche Kinder unter einem Jahr »Abzehrung« angegeben (BayHStA MInn 15251).

In ähnlicher Weise äußerte sich 1819 Huber in seiner Beschreibung Münchens (Huber, 300): ». . . genauere Betrachtungen, eine nähere Bekanntschaft mit den bestehenden Verhältnissen überzeugen, daß nur zu oft die ausschweifende Lebensart der Mutter, der Mangel, den sie während der Schwangerschaft leiden muß, die Nachlässigkeit bei der Geburt und der ersten notwendigen Sorgfalt für das neugeborene Kind, die schlechten Nahrungsmittel, die Unreinlichkeit, die ungesunden Wohnungen so vieler Mütter und Kinder . . . den frühzeitigen Tod der neugeborenen Kinder beizuführen und dieser Fall trifft ganz vorzüglich bei den unehelichen Kindern ein, deren Mütter meistens mit dem Mangel zu ringen haben oder sich vom unordentlichen Leben ernähren.«

In München versuchte man nach Vorbildern in ganz Bayern das Los der Mütter und Kinder aus den unteren sozialen Schichten durch die Einrichtung von Kinderbewahranstalten zu verbessern. Im Jahre 1834 wurden innerhalb weniger Monate vier Anstalten in den vier Stadtvierteln errichtet. Auch in den Vororten gab es ähnliche Einrichtungen, die anscheinend noch mehr belegt waren als diejenigen in München. Im Jahre 1848 befanden sich in den vier städtischen Anstalten zwischen 500 und 800 Kinder, in den zwei Kinderbewahranstalten der Au drängten sich zwischen 600 und 700 Kinder (Bauer 1850, 129).

Der Landtag von 1834: Der Sieg der Gemeindelobby

Schon auf den Landtagen von 1827/1828 und 1831 hatten sich Gemeinden und Gewerbetreibenden in zahllosen Petitionen über die liberale Haltung der Polizeibehörden bei der Bewilligung der Ansässigmachung, über die viel zu zahlreichen Gewerbekonzessionen und über die zunehmende Verarmung und Demoralisierung der Bevölkerung beklagt. Wachsende soziale Spannungen berichten auch die Regierungen seit 1830 an das Innenministerium. Unter dem Eindruck der Julirevolution von 1831 gewannen dann in der Abgeordnetenkammer die Stimmen zusehend an Gewicht, die eine Revision der Ansässigmachungs- und Verehelichungsgesetzgebung forderten. Auch dem Gewerbewesen sollte grundlegend geholfen werden. Am 13. September 1831 forderte die Abgeordnetenkammer mit überwältigender Mehrheit, daß bei Verleihung eines Gewerbes »nicht bloß der Nahrungsstand des Bewerbers, sondern auch jener der bereits Berechtigten berücksichtigt werde«. Darüber hinaus sollte eine erteilte Gewerbekonzession nicht mehr länger zur Ansässigmachung berechtigen. Das Mitspracherecht der Gemeinden bei der Ansässigmachung sollte verbessert werden.

Die Regierung ging auf die Forderungen der Ständeversammlung erst ein, als mit Jahresbeginn 1832 Ludwig Fürst von Oettingen-Wallerstein das Innenministerium übernommen hatte. Der Fürst, ein Gegner der bürokratischen Zentralisation nahm die Forderungen der Ständeversammlung von 1831 bereitwilligst auf. Damit der »Bürger- und Bauernstand« nicht in einer »stets wachsenden Masse der Kleinbegüterten« unterging, brachte er auf dem Landtag von 1834 einen Gesetzentwurf zur Revision des Ansässigmachungs- und Verehelichungsgesetzes ein. Durch dieses Entgegenkommen sicherte sich der Minister auch die Zustimmung zu den sonstigen Gesetzesvorlagen (Zivilliste, Festungsbau Ingolstadt, Ludwigskanal). »Zum ersten Mal seit den Tagen der diktatorischen Liberalisierung von Wirtschaft und Gesellschaftsordnung unter Montgelas wurde eine Identität der Interessen des ›hochachtbaren Mittelstandes‹ mit denen des Staates wiederhergestellt. So wurden die Sozialkonservativen auf dem Landtag von 1834 zur Partei der Regierung.« (Matz 1980, 156.)

Das Gesetz über die Ansässigmachung und Verehelichung vom 1. Juli 1834 (GBl., Sp. 133) änderte die bisherige Ansässigkeitsmachungspraxis besonders in einem Punkt wesentlich: In allen Fällen, in denen kein Rechtsanspruch auf Ansässigmachung bestand, also dort, wo das Gesuch auf Ansässigmachung lediglich auf dem Nachweis eines »sonstigen vollständig und nachhaltig gesicherten Nahrungsstandes« gestützt war, stand jetzt den Gemeinden ein »absolut hindernder Widerspruch (Vetorecht)« zu. Damit lag das Schicksal all derjenigen Bewerber, die keinen Grundbesitz, kein reales oder radiziertes Gewerbe oder eine Gewerbekonzession besaßen oder die nicht im Dienste einer Gemeinde, einer Kirche oder des Staates standen, allein in der Hand der Gemeinden. Nach 1834 entschieden im rechtsrheinischen Bayern im wesentlichen nur die Gemeinden darüber, ob ein besitzloser Lohnabhängiger – und das war die Mehrheit aller Bewerber auf Ansässigmachung und Verehelichung – heiraten durfte oder von der Gründung eines eigenen Hausstandes ausgeschlossen war. »Das kommunale Veto, der absolut hindernde Widerspruch – ohne Beispiel und ohne Vorbild in Deutschland – es wurde in Bayern zum Grundpfeiler der Macht der Gemeinden über die Menschen.« (Matz 1980, 157.)

Die Beteiligungsrechte der Gemeinden wurden in Gemeinden mit magistratischer Verfassung von den Gemeindebevollmächtigten, in den Landgemeinden von dem Gemeindeausschuß oder von der Gesamtgemeinde ausgeübt. Es entschieden also nicht die Vollzugs-, sondern die Kollegialorgane der Gemeinden. Diese Zuständigkeitsübertragung wurde als großes Zugeständnis an die Kommunen gewürdigt. Aus Kreisen der Bürokratie und auch aus der Mitte der Abgeordnetenkammer wurden schwerwiegende Bedenken gegen diese Regelung laut. Der Abgeordnete Rudhart hielt die Bestimmung für einen unzulässigen Verzicht auf Kronrechte und bezweifelte die Objektivität der Gemeindegremien, wenn es galt, über Ansässigmachungen zu entscheiden:

»Ich halte nicht dafür, daß die Gemeinden von Mißgriffen frei sind und es liegt in der Natur der Sache, daß Lokalobrigkeiten mehr als andere begünstigen und drücken können . . . Wenn eine Gemeinde bloß aus übertriebener Ängstlichkeit, daß sie den Fall bekommen könnte, jemanden zu unterstützen, die Aufnahme verweigert, oder wenn Parteilichkeit, Feindschaft oder Begünstigung obwaltet, soll es nicht eine Gewalt im Staate geben, welche dieser Ungerechtigkeit und Unmenschlichkeit vorbeugen kann? Ich kenne einen Fall, wo eine Gemeinde die Aufnahme eines gelehrten Arztes verweigerte, weil der Bader dagegen war. Natürlich, da er den Gemeindemitgliedern täglich an den Bart griff, war sein Einfluß der größte . . .« (LV 1834 Prot. 12, 82 f.)

Demgegenüber betonte der für den Gesetzentwurf verantwortliche Innenminister Fürst v. Oettingen-Wallerstein, daß diese Kompetenzübertragung die einzige Möglichkeit sei, die bisherigen Mißstände zu beheben:

»Worüber hat man bisher so lebhaft geklagt? . . . Die lauteste Klage . . . war gegen jene Ansässigmachung auf problematischer Basis gerichtet, welcher das Gesetz unter der Rubrik des ›Lohnerwerbs und des sonst gesicherten Nahrungsstandes‹ Tor und Tür geöffnet hatte . . . Das Gesetz hat edel gehandelt, indem es auf das Recht des Vielregierens gerade da verzichtete, wo dieses Vielregieren bisher die übelsten Folgen trug und wo . . . die heiligsten Volksinteressen in letzter Instanz nach den sehr verschiedenartigen individuellen Ansichten einzelner Staatsbeamter entschieden wurden.« (LV 1834 Prot. 12, 91 f.)

Der Innenminister lobt mit beredten Worten die mit dem Gesetz bewirkte Emanzipation der Kommunen und die Wiederherstellung des korporativen Geistes und wehrte sich gegen den Vorwurf, das Gesetz sei nur eine Verbeugung vor der Mehrheit der Ständeversammlung und Popularitätshascherei.

Wie man sich die Anwendung des Vetorechts in der Stadt München vorstellte, machte der Abgeordnete Gmeiner, Vorstand der Gemeindebevollmächtigten in München, deutlich: »Ich säume auch keinen Augenblick, den obersten Grundsatz auszusprechen, der mir als Leitstern dienen würde bei Gebrauche dieses Rechts. Er lautet: Besser für den Staat und für die Gemeinde eine Stadt mit 12 000 Familien, deren größter Teil wohlhabend ist und von denen die übrigen ihr hinreichendes Fort- und Auskommen haben und finden als eine Stadt von 24 000 Familien, deren geringster Teil wohlhabend ist und von denen die übrigen nur mit höchster Mühe oder gar nicht ihr Fort- und Auskommen haben und finden.« (LV 1834, Prot. 12, 75.)

Auch die Ansässigmachung auf Grund eines Ansässigmachungstitels wurde durch das Gesetz von 1834 erheblich erschwert. Hatte sich die Gesetzgebung von 1825 mit einem allgemeinen Steuersimplum von 45 Kreuzer, also mit einem *Grundbesitz* im Wert von etwa 600 fl. begnügt, so wurde jetzt dieses Steuerminimum erheblich heraufgesetzt.

Darüber hinaus unterschied man jetzt zwischen Gemeindeeingeborenen, sonstigen Inländern und Ausländern. In den Gemeinden mit magistratischer Verfassung wie München, betrug das Steuersimplum für Gemeindeeingeborene 1 fl. 30 kr. (Grundsteuer) bzw. 2 fl. 30 kr. (Häusersteuer), für andere Inländer 2 fl. bzw. 4 fl., für Ausländer 3 fl. 50 kr. bzw. 6 fl. Der Innenminister hatte sogar noch höhere Beträge vorgeschlagen, die aber selbst von den Städtevertretern unter den Abgeordneten mit dem Hinweis abgelehnt wurden, daß sich unter diesen Umständen niemand mehr auf Grundbesitz ansässig machen könnte. Immerhin war jetzt für jemand, der in die Stadt zog, der Erwerb eines Grundstückes im Wert von etwa 2000 fl. erforderlich, wenn er einen sicheren Ansässigmachungstitel haben wollte. Bei der Ansässigmachung auf Grund einer persönlichen Gewerbekonzession ließ man es weitgehend beim alten. Allerdings wurde die Erteilung einer solchen Gewerbekonzession erheblich erschwert. Zwar wurde dem Entwurf eines neuen restriktiven Gewerbegesetzes vom König die Sanktion verweigert, aber es wurde gleichzeitig mit dem neuen Ansässigmachungsgesetz am 1. Juli 1834 die alte Vollzugsordnung zum Gewerbegesetz von 1825 aufgehoben (RBl. 1834, 873) und schrittweise durch Bestimmungen ersetzt, die die Gemeinden und »den Nahrungsstand der schon vorhandenen Gewerbsinhaber« besser berücksichtigten (Birnbaum, 101 ff.).

Das Gesetz vom 1. Juli 1834 traf auch genauere Regelungen in der oft sehr willkürlich behandelten Frage der Aufnahmegebühren. Je größer die Gemeinde, desto mehr durfte sie von ihren neuen »wirklichen Gemeindemitgliedern« sowie »Insassen und Beisassen« verlangen. Die Aufnahmegebühren differierten zwischen 1 fl. (keine Landgemeinden) und 100 fl. (§ 7). Im München wurde nun eine Gebührenordnung erlassen (StadtAM, Einwohneramt Nr. 46), die zwischen Stadtangehörigen, Angehörigen von Zollvereinstaaten und sonstigen Bewerbern unterschied. Danach mußten beispielsweise Angehörige von Staaten, die nicht dem Zollverein angehörten und die auf Grund des Erwerbs eines bürgerlichen Gewerbes als Gemeindemitglieder aufgenommen wurden, den Höchstsatz von 100 fl. Aufnahmegebühr bezahlen, wenn ihr Vermögen 3000 fl. überstieg. Stadtbürger hatten unter solchen Voraussetzungen 90 fl., Inländer und Zollvereinsmitglieder 95 fl. zu bezahlen. Durch diese Regelung war die Ansässigmachung auf Grund eines gesetzlichen Ansässigmachungstitels zusätzlich erschwert. Die meisten Heiratslustigen waren daher auf den unsicheren Ansässigmachungstitel »Lohnerwerb« angewiesen, der ja dem Veto der Gemeinde unterstand. Durch diese Ansässigmachung wurden sie nur Bürger zweiter Klasse, nämlich »Beisassen«. In größeren Städten betrug die Aufnahmegebühr für Beisassen zwischen 10 und 25 fl.

Hauptzweck der Regelung von 1834 war die Begrenzung des Bevölkerungswachstums durch Beschränkung der Verehelichungsfreiheit: Besitzlose sollten an der Familiengründung gehindert werden und so die Bevölkerungsentwicklung an den wirtschaftlichen Fortschritt angepaßt, die Armenlasten verringert, die Unzufriedenheit der armen Bevölkerung und die dadurch verursachte Revolutionsbereitschaft beseitigt werden. Die Forderung nach Begrenzung des Bevölkerungswachstums wurde um diese Zeit auch von der Mehrzahl der Autoren vertreten, die sich zum Problem des »Pauperismus« äußerten. Die Bevölkerungstheorie des Engländers Thomas Robert Malthus (1766–1834), auf die sich schon 1825 der Abgeordnete Hagen bezogen hatte, war nun offensichtlich Gemeingut geworden: Malthus hatte behauptet, daß jede Bevölkerung die permanente Tendenz hätte, über das Maß der ihr zur Verfügung stehenden Subsistenzmittel hinauszuwachsen. Malthus stellte daher die moralische Verpflichtung auf, daß niemand heiraten dürfe, der nicht den Unterhalt für seine Familie und seine Nachkommen sichern könne.

Freilich bedeutete das noch nicht eine Aufforderung an den Staat, Ehebeschränkungen zu normieren. Hier ist Malthus offensichtlich mißverstanden worden (Matz 1980, 95 ff.).

Selten hatte ein Gesetzgeber eine solche Kehrtwendung vollzogen wie die bayerische Ständeversammlung zwischen 1825 und 1834. War man 1825 in der Ständeversammlung mit großer Mehrheit der Ansicht, daß die bestehende materielle Not vor allem durch Vermehrung der Bevölkerung und durch größtmögliche Liberalisierung des Gewerbewesens verbessert werden und die allgemeine Sittlichkeit durch Erleichterung der Eheschließung gehoben werden konnte, so war 1834 die These, daß eine wachsende Bevölkerung auch einen wachsenden Wohlstand mit sich bringen würde, als »Phantom« ganz und gar verworfen. Jetzt beherrschte die Furcht vor den unruhigen Volksklassen und vor einer weiteren Vermehrung der Bevölkerung die Diskussion.

Da sich auch im Bereich der Sittlichkeit weiter alles zum schlechten gewendet hatte, verfing auch das Argument von der heilsamen Wirkung der Ehe nicht mehr. Trotzdem gab es in der Bürokratie noch zahlreiche Gegner der Verehelichungsbeschränkungen, der kommunalen Mitsprache und damit des Gesetzes von 1834. Im Staatsrat wurde es abgelehnt (Matz 1980, 162 f.) und dem König empfohlen, die Sanktion zu verweigern. Ludwig I. gab dem Gesetz aber schließlich seine Zustimmung, nachdem ihn vor allem der Innenminister darauf hingewiesen hatte, daß man nicht den Eindruck erwecken dürfe, als habe die Staatsregierung nur

12.1.8 Geschlossene Gesellschaft, Friedrich Kaiser, um 1840

auf die Gesetze Wert gelegt, die der Krone Vorteile
brächten.

Auf den Landtagen von 1837 und 1840 wurde von verschiedenen Abgeordneten, besonders den Fabrikbesitzern unter
ihnen, der Antrag auf Aufhebung des kommunalen Vetos
gestellt. Der Fabrikbesitzer Gareis meinte 1840:
»Bayern ... stürzt seine vorzügliche Fabriken, darunter
Glas und Eisen, mit einem harten Stoß wieder herab, indem
es ein Gesetz in das Leben ruft, das seine Arbeiter demorali-
siert, ihnen das höchste Glück des Lebens, nämlich einen
Familienstand zu begründen, entzieht und sie unter die
Curatie der Ackerbau treibenden Volksklassen stellt.« (LV
1840 Prot. 3, 356.)
Dem wurde entgegengehalten, daß es vor allem darauf
ankäme, eine weitere Vermehrung des Proletariats und damit
eine weitere Ausbreitung des Elends zu verhüten. Man wolle
keine Zustände wie in den englischen oder französischen
Industriestädten. Auch der neue Innenminister Abel äußerte
sich in dieser Richtung (Matz, 165 f.).
Überraschend war dann allerdings das Ergebnis einer vom
Ministerium 1840 durchgeführten Umfrage bei den Kreisre-
gierungen: Einmütig wurde unter Hinweis auf die Willkür

der Gemeinden die Abschaffung des kommunalen Vetos
gefordert. Vergebens. Zu stark war der Einfluß der Kommunen in der Ständeversammlung.

Änderung des Gemeindeedikts

Die gemeindefreundliche Gesetzgebung von 1834 im
Bereich des Ansässigmachungs- und Verehelichungswesens
sowie im Gewerbebereich wurde ergänzt durch eine Novel-
lierung des Gemeindeedikts von 1818 (Gesetz v. 1. Juli 1834,
die Revision der Verordnung vom 17. Mai 1818, die Verfassung und Verwaltung der Gemeinden betreffend, GBl.,
Sp. 109). Man teilte nun die »einem Gemeindebezirk angehörigen, aber mit Gemeindebürgerrecht nicht begabten Personen« in verschiedene Klassen ein. Vollberechtigte
Gemeindebürger waren nur diejenigen, die im Gemeindege-
biet ein Anwesen besaßen oder ihren ständigen Wohnsitz
hatten und eine Grundsteuer zahlten oder ein besteuertes
Gewerbe ausübten. Die erste Klasse der Nichtbürger bildeten die Schutzverwandten oder Passivbürger (in den Städten

Insassen genannt). Das waren Personen, die zwar ansässig waren, aber nicht auf Grund eines Titels, der gleichzeitig das aktive Bürgerrecht begründete. Schutzverwandte waren demnach alle, die sich auf Lohnerwerb oder wegen definitiver Anstellung im Staatsdienst ansässig machen konnten. Die Schutzverwandten durften zwar die Gemeindeanstalten benutzen (soweit nicht den Vollbürgern Sonderrechte eingeräumt waren), sie waren aber an der Gemeindeverwaltung nicht beteiligt, also nicht wahlberechtigt. Die zweite Klasse der Nichtbürger bestand aus den ohne Ansässigkeit Heimatberechtigten. Die dritte Klasse aus den Heimatberechtigten anderer Gemeinden, welche in der Gemeinde einen bloß vorübergehenden Wohnsitz (ohne Heimatrecht) hatten (Mietleute, Inleute), also wohl ein großer Teil der unverehelichten zugezogenen Taglöhner und Arbeiter.

Dieser rechtlichen Unterscheidung entsprach eine sehr krasse tatsächliche Ungleichheit der Gemeindeeinwohner. In den Städten dürfte in der Regel in der ersten Hälfte des 19. Jahrhunderts nicht mehr als ein Drittel der männlichen erwachsenen Einwohner das Bürgerrecht besessen haben. Das zeigt sich besonders, wenn man die Zahl der Ansässigmachungen in München mit der Zahl der Einwohner vergleicht: In den Jahren zwischen 1825 und 1834 wurden nach Angaben des Münchner Magistrats 3955 Ansässigmachungsgesuche genehmigt (StadtAM, Einwohneramt Nr. 142). Davon berechtigten etwa die Hälfte zum Bürgerrecht. In der genannten Zeit stieg indes die Einwohnerzahl um etwa 27000.

Nach der Gesetzgebung von 1834 verringerten sich die Ansässigmachungsgenehmigungen in München deutlich. vom 1. Juli 1834 bis zum 1. Juli 1840 wurden folgende Ansässigmachungsgenehmigungen erteilt: Auf Lohnerwerb = 887; auf Grund- oder Hausbesitz = 186; auf reale und radizierte Gewerbe = 389; auf persönliche Konzessionen = 231. Das waren insgesamt 1693 oder jährlich etwa 282 (Zwischen 1825 und 1834 jährlich etwa 452) Ansässigmachungsgenehmigungen. Im Zeitraum zwischen 1834 und 1840 wurden insgesamt etwa 8500 Anträge auf Genehmigung der Ansässigmachung gestellt (StadtAM, Einwohneramt Nr. 62/1-62/4). Doch die aus dieser Zahl sich ergebenden 6800 Ablehnungen sind – wie ein Blick in die Protokolle zeigt – vielfach wiederholte Ablehnungen (Matz 1980, 221 ff.). Trotzdem ist die Wirkung der Gesetzgebung von 1834 und des kommunalen Vetos auch in München deutlich zu erkennen.

Die Fabrikarbeiter

Die Änderung des Ansässigmachungsgesetz im Jahre 1834 hatte für Fabrikarbeiter und Taglöhner erhebliche zusätzliche Erschwerungen gebracht. Manche Bestimmungen waren in ihrer Rigorosität nicht durchführbar und wurden von den Gemeinden ignoriert. So mußte etwa laut Gesetz (§ 2 IV d) bei der Ansässigmachungsprozedur überprüft werden, ob die örtliche Industrie auch weiterhin Bedarf an der Arbeitskraft des Bewerbers habe, wobei die bereits vorhandene Zahl der Lohnabhängigen zu berücksichtigen war. Das hätte bedeutet, daß sich der Arbeiter nur in der Fabrikstadt selbst, nicht aber in den umliegenden Gemeinden hätte ansässig machen dürfen. Trotzdem verlief die Entwicklung in die umgekehrte Richtung. Der hohe Betrag der Aufnahmege-

bühren bei den Fabrikstädten, die überzogenen Anforderungen für die Ansässigmachung auf Grundbesitz sowie die strenge Behandlung der Ansässigmachung auf Lohnerwerb führte dazu, daß die Fabrikarbeiter auf die Nachbargemeinden auswichen:

»Besonders häufig ist die Erscheinung, daß Landgemeinden in unmittelbarer Nähe von Fabrikstädten den Platz für die Ansässigmachung der Fabrikarbeiter oder Eisenbahnbediensteten bieten müssen, ohne daß die betreffenden Personen in irgend einer persönlichen oder sachlichen Beziehung zur Gemeinde stünden ... so hat neuerdings in diesen Landgemeinden die Spekulation auf teuerer Verwertung von Bauplätzen und neugebauten Häuschen die heiratslustigen Proletarier sich zum Opfer ausersehen ... Es gibt Landgemeinden, in welchen ... bis zur Hälfte ihrer gegenwärtigen Wohnhäuser erst seit 1834 gebaut wurden; diese neuen Häuser werden von Arbeitern für Fabriken der benachbarten Stadt bewohnt oder auch nur vermietet, während der darauf ansässige Fabrikarbeiter in der Stadt wohnt, welche er entweder gar nicht verlassen hatte oder in die er gleich nach seiner Ansässigmachung wieder zurückgezogen ist.« (Über die Ansässigmachung der Fabrikarbeiter, 29 f.).

Durch diese »Umgehungsgeschäfte«, die durch die Spekulation der Grundstücksverkäufer und der Gemeinden (die kurzsichtig nur die zahlreichen Aufnahmegebühren sahen) ermöglicht wurden, entstanden in den Vororten erste Arbeitersiedlungen.

Auf dem Weg zur Revolution von 1848: Die Auswirkungen der Gesetzgebung von 1834

Die Ehebeschränkungen des Jahres scheinen vor allem eines bewirkt zu haben: Der Bevölkerungsanstieg wurde gebremst. Eine solche Entwicklung läßt sich auch in denjenigen süddeutschen Staaten beobachten, die ebenfalls Ehebeschränkungen kannten (Matz, 253). 1818 zählte man im Königreich Bayern 3707966 Einwohner, 1834 4246778 Einwohner (Zunahme in 16 Jahren = ca. 550000), 1852 4559492 Einwohner (Zunahme in 18 Jahren = ca. 300000). Ein ähnliches Bild bietet die Entwicklung der Einwohnerzahlen in München:

1830	77802
1834	88905
1837	93435
1840	95531

Das Wachstum hatte sich also nach dem Jahr 1834 fast halbiert. Die Neuverleihungen von Gewerbekonzessionen war schon seit 1830 stark im Abnehmen und kam um 1834 fast ganz zum Stillstand.

Wie unerwünscht seit den 30er Jahren jeder Bevölkerungsanstieg war, wird in der staatlichen Auswanderungspolitik deutlich. Man begünstigte die Auswanderung durch Freizügigkeitsverträge mit anderen Staaten, z.B. mit Nordamerika 1845, (RBl., Sp. 851) und schuf damit ein in der Verfassung von 1818 nicht vorgesehenes Auswanderungsrecht (Brater, 177 ff.). Zwischen 1836 und 1845 wanderten 60980, zwischen 1846 und 1856 141638 Personen aus Bayern aus, das gilt vor allem für die Pfalz.

Die Jahrhundertsmitte brachte mit der Hungersnot von 1846/1847 eine ähnliche Katastrophe wie 1816/1817. Niemand dachte jetzt mehr daran, durch Erleichterung der Verehelichung einen wirtschaftlichen Aufschwung herbeizuführen. Im Gegenteil. Aus Angst vor sozialen Spannungen und aus Angst vor den Belästigungen und Forderungen der Armut wurde weiterhin einem beachtlichen Teil der Bevölkerung zugemutet, auf die Gründung einer geordneten Familie zu verzichten.

Wenig erfreulich ist es, wenn man sieht, wie ganze Bevölkerungsklassen als »liederlich«, »faul« und zur Unsittlichkeit neigend denunziert werden und wie damit viele einschränkende Maßnahmen gerechtfertigt werden.

Trotz aller moralisierenden Begründungen sind die meisten gesetzlichen Maßnahmen im Bereich der Ansässigmachung und der Verehelichung sowie im Bereich des Armenwesens fiskalisch motiviert. Und wenn wir die vielen Klagen über die Faulheit, Treulosigkeit und Unbezähmbarkeit der Dienstboten dazunehmen, so läßt sich noch ein weiteres Motiv hinter den Ehebeschränkungen vermuten: Sicherung eines ausreichenden Potentials an Dienstboten und Taglöhnern.

Bei der Durchsetzung der Ehebeschränkungen hat sich der Egoismus und die Angst der Besitzenden in den politischen Forderungen der bayerischen Kommunen artikuliert. Die Kommunen haben der Staatsverwaltung mit Hilfe der Ständeversammlung die Gesetzgebung von 1834 abgetrotzt. Sie haben sich damit als eine achtbare politische Kraft erwiesen. Daher können die im Königreich Bayern im 19. Jahrhundert wirksamen Ehebeschränkungen auch als deutlicher Ausdruck wachsender politischer Macht des Besitzbürgertums gelten.

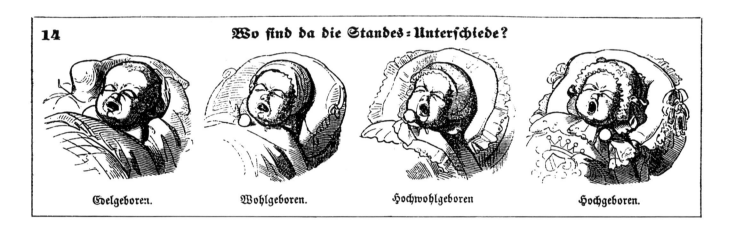

14 Wo sind da die Standes-Unterschiede?

Edelgeboren.   Wohlgeboren.   Hochwohlgeboren   Hochgeboren.

Bürger heißen im weitesten Sinne alle diejenigen Personen in einem Staate, welche sich zum Zweck ihrer Sicherheit und der Erhaltung ihrer allgemeinen Genießungsrechte mit einander vereinigt haben. Jedes einzelne Glied der bürgerlichen Gesellschaft ist ein bürgerlicher Unterthan, die ganze Gesellschaft aber nicht. Sie hat das Recht in ihrem Wesen selbst, das Hauptaugenmerk Aller durch ihren Willen und ihre Kraft, welche aus dem Willen und der Kraft aller einzelnen Glieder zusammengenommen besteht, aufs vollkommenste zu befördern; sie hat die bürgerliche Grundgewalt. Ist aber ein Oberhaupt dieser Gesellschaft vorhanden, so verwaltet dasselbe diese Grundgewalt im Namen der ganzen Gesellschaft. Der Hauptzweck der bürgerlichen Gesellschaft ist demnach dieser, daß jedes Mitglied derselben die vollkommenste Garantie aller seiner Menschenrechte und des Genusses derselben darin finde. – Über den Bürger- oder dritten Stand, s. Stände.
Brockhaus Conversations=Lexicon, Bd. 2, Leipzig 1814

2.2.1 Münchner Handwerker, Der Schuhmacher, Friedrich Voltz nach Johann Michael Voltz, München um 1833

2.2.1 Münchner Handwerker, Der Brauer, Friedrich Voltz nach Johann Michael Voltz, München um 1833

Des Handwerks goldener Boden? Meister, Gesellen, Arbeiterinnen, Pfuscher und Unternehmer zwischen Zunft und Industrialisierung

Ulrike Laufer

Der königlich bayerische Landesdirektionsrat Edler von Krempelhuber schrieb seinem Sohn am 22.2.1809 aus München: »Der bekannte Kaltenegger Bräu ist vor wenigen Tagen an einem Schlagfluss gestorben, den wegen seiner ausserordentlichen Schwöre 8 Man haben zu Grab tragen, und unterwegs öfter ausrasten müssen.« (Krempelhuber, Briefe, 25.) Aus der Leibesfülle dieses Münchner Braumeisters Rückschlüsse auf das Wohlergehen der Handwerker in der bayerischen Metropole zu dieser Zeit zu ziehen, ist sicherlich gewagt. Das Bild des vom Überfluß Dahingerafften entspricht aber durchaus der verbreiteten Vorstellung des gesicherten gewerblichen Lebens in der Residenzstadt und wird durch andere zeitgenössische Nachrichten aus dem München der frühen Biedermeierzeit noch bestärkt (vgl. dazu Birnbaum, dessen Dissertation grundlegend für diesen Beitrag ist, 29 f.). Die Konkurrenz mit der Industrie brauchten die Handwerker kaum zu fürchten, denn diese ließ hier noch etwa ein halbes Jahrhundert auf sich warten. Und doch war die behagliche Ruhe im Todesjahr des Kaltenegger bereits trügerisch, in den nächsten Jahren sollten viele Handwerksmeister den Zug der Zeit energisch zu spüren bekommen.

Bis zur Jahrhundertmitte machte der Anteil der im Handwerk beschäftigten Einwohner der Residenzstadt München nicht mehr als 10 Prozent aus (Birnbaum, 57). Diese 10 Prozent gewinnen an wirtschaftlicher Bedeutung, wenn man bedenkt, daß viele Münchner entweder dem nicht produzierendem Stand angehörten – also am Hof Beschäftigte, Beamte in Ministerien und Verwaltungen, Geistliche, Adelige, Lehrer, Studenten usw. waren –, oder gar keinem Stand angehörten und sich als Tagelöhner, Dienstboten, Hausierer oder mit anderen oft abenteuerlichen Existenzen durch das Leben schlugen.

In der Gewerbeübersicht des Münchner Magistrats vom 31.12.1825 – München zählte damals etwa 63 000 Einwohner – finden wir 173 Bierwirte, 121 Schneider, 98 Schuhmacher, 92 Metzger (nämlich 28 Alt-, 29 Jung- und 35 Vorstadtmetzger mit jeweils genau abgegrenzten Verkaufsrechten), 72 Bäcker, 65 Leinweber, 59 Bierbrauer, 55 Schreiner, 49 Gärtner, 39 Melber (Verkäufer von Getreideprodukten), 38 Maler, Vergolder und Tapezierer, 33 Caffetiers, 33 Schlosser, 31 Salzstößler, 27 Weinwirte und Gastgeber, 23 Faßbinder, 19 Garköche, 18 Silberarbeiter, 18 Branntweinbrenner, jeweils 16 Goldarbeiter, Uhrmacher, Buchbinder und Drechsler, 15 Müller für Mehl, jeweils 15 Glaser, Hafner und Säckler, 14 Essigsieder und 14 Tuchmacher, 13 Hufschmiede und noch einmal 13 Tapezierer ohne Berechtigung zum Malen und Vergolden, 12 Seifensieder, 11 Zuckerbäkker, 10 Hutmacher, 9 Geschmeidemacher, 8 Kupferschmiede, 9 Wagner, 7 Strumpfstricker und ebensoviele Strumpfwirker, 6 Büchsenmacher, 6 Bortenmacher und 5 Lebzelter (StadtAM, GA 105). Obwohl sowohl die staatli-

che als auch die private Bautätigkeit unter König Ludwig I. bedeutend war, finden sich in der Liste nur 5 Maurermeister und 6 Zimmermeister. Hier war das Mißverhältnis zwischen den Inhabern der Gewerbeprivilegien und der Zahl der für sie arbeitenden Gesellen, Arbeiter und Taglöhner besonders kraß. Diese Aufzählung beinhaltet nur die geläufigsten und häufiger vorkommenden Handwerke in München. Insgesamt umfaßte die Liste des Magistrats 175 verschiedene gewerbliche Berufe und 2 129 Gewerbeinhaber, wobei auch die Händler, Tändler und Fabrikanten mitgezählt worden waren, ebenso die zahllosen kleinen Hersteller, wie die drei Uhrgehäusemacher, die keinem traditionellen Handwerk angehörten und von den etablierten Meistern nur geduldet wurden, solange sie sich sorgfältig bemühten, diesen nicht in das Gewerbe zu »pfuschen«, oder ihnen mit kleineren Arbeiten lediglich zuarbeiteten.

Der Streit um die Vergabe der Gewerbeprivilegien

Für jede dieser beruflichen Existenzen brauchte man eine förmliche Genehmigung. Wer das begehrte Privileg für die Ausübung eines Gewerbes vergeben durfte, war im frühen 19. Jahrhundert heiß umstritten. Von 1792 bis 1833 hatte sich die Zahl der Münchner Gewerbekonzessionen verdoppelt (Birnbaum, 57). Dies lag sicherlich zunächst an den zunehmenden Absatzmöglichkeiten in der wachsenden Stadt als auch an der großzügigen Konzessionsvergabe durch den Staat ab 1804. Von der Wiedereinführung der Selbstverwaltung der Gemeinden 1818 bis zum Erlaß des einschneidenden Gewerbegesetzes von 1825 oblag es wieder dem Magistrat, in dessen Gemeindegremien die alteingesessenen Handwerksmeister saßen, über Gewerbegenehmigungen zu entscheiden, wenn diese nur von örtlicher Bedeutung waren. Über größere wirtschaftliche Neugründungen behielt sich grundsätzlich der Staat die Entscheidung vor. Damit wollte die wirtschaftlich-liberal eingestellte Regierung verhindern, daß die Etablierung von Industriebetrieben an dem Widerstand der kleinen Handwerksmeister scheiterte, und sich gleichzeitig die Kontrolle über die sozialpolitisch umstrittenen Fabriken vorbehalten. Vor allem aus England kamen bereits erschütternde Nachrichten von dem Elend der Fabrikarbeiter. Die bayerische Regierung ließ sich regelmäßig über diesen Themenkomplex informieren.

Gesellen ohne Zukunft

Nach dem neuen Gewerbegesetz von 1825 sollten die in Gewerbevereine umgewandelten Zünfte unter dem Vorsitz eines Staatsbeamten über die Vergabe der Gewerbebewilligungen entscheiden, dafür war die Richtlinie der »Bedarf«.

Damit erhielt sich auch in diesem fortschrittlichsten Gewerbegesetz des frühen 19. Jahrhunderts der alte zünftische Grundsatz von der »Mannesnahrung«. Ganz im Gegensatz zu den im industrialisierten Ausland vorherrschenden Prinzipien der freien Marktwirtschaft mit ihrer belebenden Konkurrenz sollte die Meisterzahl in Bayern nach der Vorstellung der meisten Handwerker nicht über die Grenzen der herkömmlichen Absatzmöglichkeiten hinaus steigen, um den Meistern einen gesicherten Lebensunterhalt zu gewährleisten. Trotzdem war den meisten Konzessionsinhabern das neue Gewerbegesetz zu liberal. Solange die Staatskommissäre über den »Bedarf« zu entscheiden hatten, genehmigten die Gewerbevereine nach den Klagen der Meister viel zu viele neue Betriebe. Das Schlagwort von der »Übersetzung« der Gewerbe war verbreitet. Tatsächlich stieg in München innerhalb von sechs Jahren die Zahl der vergebenen Lizenzen auf 3119, 1819 waren es noch 1979 gewesen (vgl. StadtAM, GA 103 u. 104).

1834 reagierten die Regierung Ludwig I. auf die Klagen der Meister und legte die Erteilung der Gewerbezulassungen wieder in die Hände der Gemeinden. Deren Vergabepolitik war so restriktiv, daß die Gesamtzahl der erteilten Lizenzen bis 1845 in München nur um 30 gestiegen war, obwohl sich im zweiten Viertel des 19. Jahrhunderts eine Reihe neuer Gewerbe, wie die Pflasterer, die Stellwagenfahrer und Kleiderhändler, gebildet hatten.

Diese Politik führte dazu, daß den meisten Gesellen der Zugang zur selbständigen Existenz eines Meisterbetriebes versperrt blieb. Nachdem auch der Staat seine Wirtschaftsliberalität aufgegeben hatte, verfügten sie über keine politische Unterstützung mehr. Als Nichtbürger und Besitzlose hatten sie keinerlei politische Mitspracherechte.

Lehrlinge – Gesellen – Meister

Unter den Handwerkern herrschte nicht nur die traditionelle Hierarchie vom Lehrling bis zum Meister, sondern es gab auch innerhalb dieser Gruppen feine soziale Abstufungen. Unter den Meistern lassen sich die wenigen Spitzenverdiener mit zwanzig und mehr Beschäftigten, wie z.B. die Maurermeister, neben der Mehrzahl der kleineren Meister mit zwei bis drei Gesellen ausmachen. Dazu trat die Gruppe der armen Meister, deren dürftige Wirtschaft die Anstellung von Gesellen, Lehrlingen oder Taglöhnern kaum erlaubte (vgl. Birnbaum, 122). Sie waren besonders darauf bedacht, sich von der Masse der Gesellen und Taglöhner abzugrenzen und ihren sozialen Stand zu verteidigen, zumal es ihnen ökonomisch oft nicht besser ging als den verheirateten Gesellen. Diese hatten sich ohne Erlangung der Meisterwürde und eigener Werkstatt in der Stadt niedergelassen, eine Familie gegründet und unterhielten sich nun als Zuarbeiter für Meisterbetriebe oder als illegale Handwerker sogenannte »Pfuscher«.

Die Masse der gewöhnlichen Gesellen, von denen ein großer Teil sich ständig auf Wanderschaft befand und längere Perioden der Arbeitslosigkeit vor allem im Winter durch die verachtete Taglöhnerarbeit überbrücken mußte, hatte kaum Aussicht, die Meisterwürde zu erreichen. Anders stand es um Meistersöhne oder Gesellen, die sich beruflich höher qualifiziert hatten. Eine gute Gelegenheit dafür bot die in

München seit 1792 bestehende Sonn- und Feiertagsschule für Lehrlinge und Gesellen (vgl. Demmel, 1978). Wer einen anspruchsvolleren Beruf erlernt hatte, wie die Uhrmacher, Instrumentenbauer oder Mechaniker, und wer sich in seinem Beruf besondere Fähigkeiten und Kenntnisse angeeignet hatte, konnte auf wesentlich bessere Chancen auf dem Arbeitsmarkt hoffen. Gleichzeitig waren diese Gesellen selbstbewußter und kaum an einem längeren Dienstbotendasein interessiert. Sie versuchten, so schnell wie möglich selbst Meister zu werden.

Der alte zünftige Grundsatz, daß jeder Gleiches gleich und gleichviel produzieren solle, spukte noch in den Köpfen der älteren Meister. Der langsam wachsenden Angst vor der industriellen Konkurrenz wußten sie nichts anderes entgegenzusetzen als ihre überkommenen, spätmittelalterlichen Wirtschaftsgesetze. Die führende Münchner Gesellschaftszeitung Flora prangerte diese Zustände an. Am 24.6.1825 stellte sie fest, daß die Schneidergesellen nur ungern in München arbeiteten: »Es ist nämlich schon öfter geschehen, daß man denjenigen Schneidermeistern, welche eine große Kundschaft haben, und daher viele Gesellen brauchen, von seiten der städtischen Behörde den Auftrag gibt, einige derselben an andere kleinere Meister abzugeben . . . Wenn der Geselle gezwungen wird, die Werkstätte zu verlassen, in der er gern arbeitete, so zieht er es meistens vor, die Stadt ganz zu verlassen, und daher der Mangel an Schneidergesellen, deren in anderen großen Städten viele vorhanden sind, um Arbeit zu suchen, während in München keiner da ist. Übrigens ist es ein Eingriff in die Geschäfts-Thätigkeit eines Meisters und eine Verringerung seines Betriebes und Capitals, wenn er seine Arbeiter an andere abtreten muß. Man könnte ebenso gut einen Reichen zwingen, einem Aermeren einen Theil seines Vermögens abzutreten . . . Es wäre eine seltsame Idee, das Publikum gewissermaßen zwingen zu wollen, zu diesem oder jenem Bäcker, Schneider oder Schuhmacher, Krämer oder Kaufmann zu gehen, der weniger Arbeit oder Absatz hat, damit dieser mehr erhalte, als sich an den zu wenden, der sein Geschäft schwunghaft betreibt.« (Nr. 100, 401.)

»Flora« stand demnach ganz auf der Seite des im gleichen Jahr erlassenen moderneren Gewerbegesetzes. Der hier beschriebene und für die Zeit ganz außergewöhnliche Gesellenmangel im Schneidergewerbe mag mit Münchens Rolle als königliche Residenz und mehr und mehr beliebtem Reiseziel zusammenhängen. Zeitgenössischen Reiseberichten zufolge liebte man es, sich – aus der Provinz kommend – in München ganz neu einzukleiden.

Nach einer Statistik des Münchner Magistrats aus den 50er Jahren des 19. Jahrhunderts kamen 1833/34 auf 215 Schneidermeister nur 551 Gesellen, zehn Jahre später ging es den 215 Schneidermeistern offenbar besser, denn nun beschäftigten sie 719 Gesellen. Nach weiteren zehn Jahren hatte sich das Verhältnis wieder etwas verschlechtert (223 Meister und 640 Gesellen), wohl eine Folge des inzwischen einsetzenden Handels mit industriell gefertigter Konfektionskleidung. Besonders viele Gesellen beschäftigten um 1833/34 die acht Buchdruckermeister in München: 110 wurden in ihren Betrieben gezählt. Zehn Jahre später sind es jedoch nur noch halb soviele (StadtAM, GA 103, 104/1). Gerade in diesem Beruf konnten sich die technischen Neuerungen, wie die bereits mit Dampfkraft betriebene Schnellpresse früh durchsetzen.

Über die Lehrlinge ist aus dieser Zeit nur wenig überliefert worden. Lehrstellen waren offenbar knapp, nicht wenige Buben wurden nach Beendigung der allgemeinen Volksschulklassen mit dem zwölften Lebensjahr zunächst zur Überbrückung in eine weiterführende Schule, z. B. in die Gewerbeschule, geschickt und dort sofort wieder herausgenommen, wenn eine feste Lehrstelle in Aussicht stand. Andere hatten es nicht so gut, lungerten zum Leidwesen der Stadtpolizei auf den Straßen herum oder verdingten sich als schlecht bezahlte Hilfsarbeiter und Handlanger in größeren Werkstätten. Ihre Lehrzeit dauerte drei bis manchmal auch fünf Jahre und kostete »Lehrgeld«. Während dieser Zeit war der Besuch der Handwerksfeiertagsschule vorgeschrieben. Kost und Logis erhielten die Lehrlinge beim Meister, vom zweiten oder dritten Lehrjahr an vielleicht auch ein kleines Taschengeld. Nach einem Bericht des Münchner Schulinspektors von 1852 verrohten die meisten von ihnen während ihrer Lehrzeit durch den Umgang mit den erwachsenen Gesellen. Tagsüber nähmen sie an den groben Gesprächen in der Werkstatt teil, nachts teilten sie sich mit den Gesellen die Stube oder sogar das Bett (StaatsAM, RA 35521).

Emanzipation der Gesellen und Dienstboten

Doch schon längst lebten nicht mehr alle Gesellen im Meisterhaushalt. Viele versuchten, sich eine eigene Privatsphäre zu verschaffen. Für jeden Gewerbezweig gab es eigene Gesellenherbergen, die nichts anderes waren als einfache Wirtshäuser. Die Herbergen standen unter der Aufsicht der Zunft, bzw. der späteren Gewerbevereine. Hier einen Dauerplatz zu bekommen, war schwer, denn die billigen Übernachtungsmöglichkeiten sollten in erster Linie den durchwandernden Gesellen dienen. Also wandte man sich als »Schlafgänger« den privaten Unterkünften zu. In seiner »Topographie der Au« von 1837 beschreibt Anselm Martin eine normale Wohnung, in der nachts gleich mehrere solcher Untermieter zusammenkamen: »Es gehört zu den gewöhnlichen Erscheinungen, zur Nacht sowohl den Keller, als alle übrigen Behältnisse eines Hauses bis zum höchsten Dachgemache mit Schlafenden aller Geschlechter und jeden Alters in Betten oder Stroh zu finden . . .« (78). Auch die Meister begrüßten die Trennung von Arbeits- und Wohnstätte. Die private Abgeschiedenheit wurde bereits höher bewertet als die Werkstatt- und Hausgemeinschaft. Mit den wachsenden Ansprüchen an die häusliche Behaglichkeit waren die meisten Wohnungen zu klein für Meister und Gesellen geworden. Außerdem sparten die Meisterhaushalte so die aufwendige Versorgung der Gesellen. Diese taten sich materiell gesehen keinen Gefallen mit der Trennung von Tisch und Bett des Meisters. Wer das Glück hatte, eine eigene Wohnung zu finden, gründete eine Familie, auch wenn der Lohn eigentlich nur für eine Person bemessen war. Der Taglohn für einen Zimmermann betrug um 1820 40 Kreuzer, für einen Maurer 36 und für einen ungelernten Tagwerker 30. »Hievon kann selbst ein einzelner Mensch, der damit alle seine Bedürfnisse bestreiten muß, nur bey gehöriger Sparsamkeit leben.« (StadtAM, GA 4189a.) Dies wußten auch die Meister und sie schimpften auf die unvernünftigen Familiengründungen ihrer Gesellen: »Die Leute rechnen bei ihrer Verehelichung gewöhnlich auf den Arbeitsverdienst ihrer Weiber. Der wird aber durch Krankheit und Kinderpflege so häufig unterbrochen, daß die meisten solcher Familien fast alleine von dem Verdienste des Mannes leben müssen, während diese vieles auf ihre Kleider, die sie bei ihrer schweren Arbeit immer verderben und auf ihre Werkzeuge, deren Beschaffung, Unterhaltung ihnen gleichfalls obliegt, sehr viel verwenden müssen. Erwägt man zudem, daß alle obigen Arbeitsleute nicht nur an allen Feiertägen sondern auch außer diesen einen großen Theil des Jahres wegen Mangel an Arbeit ohne Verdienst sind, so leuchtet von selbst ein, daß eine noch weitere Verminderung des Lohnes nicht thunlich.« (Georg Wagner, Vorsteher des 27. Stadtdistrikts, 12. 2. 1820.)

Frauenarbeit

Der Preis für das kleine häusliche Glück war hoch für die Gesellen, ihre Frauen hatten kein leichtes Leben zu erwarten. An Arbeit waren sie gewohnt, die meisten von ihnen kamen aus dem Dienstbotenstand. Da gerade bei den häuslichen Dienstleuten noch viel Wert darauf gelegt wurde, daß diese auch bei ihren Dienstherren wohnten, mußten die Frauen, wenn sie eine Familie gründen wollten, die gewohnte Tätigkeit aufgeben. Sie verdienten ihren notwendigen Beitrag zum Familienunterhalt als Straßen- und Markthändlerinnen, Tagelöhnerinnen, Wäscherinnen und ähnlichem mehr. Für das Jahr 1847 sind außerdem 300 Frauen, die als Arbeiterinnen in den Manufakturen und Fabriken arbeiteten, erfaßt worden. Die beiden Münchner Handschuhmachermeister beschäftigten 1847 neben vier Gesellen und zwei Lehrlingen zehn Frauen, bei den Hutmachern war es ähnlich, ebenso bei den Galanteriewaren-, Spezerei- und Schnittwarenhändlern für Baumwolle, Leinen und Wollstoffe. Im gleichen Jahr belief sich die Zahl der Wäscherinnen und Näherinnen auf 264. Fast ausschließlich Arbeiterinnen waren bei den zehn Badinhabern zu finden. Die Anrüchigkeit dieses Berufes stand allerdings in keinem Verhältnis zur übel beleumundeten Putzmachertätigkeit. Die 150 einschlägigen Betriebe konnten sich kaum ohne die lukrative Vermittlertätigkeit zwischen den Geschlechtern erhalten. In diesem Gewerbezweig fungierten in erster Linie Frauen als Unternehmerinnen. Die meisten waren der Stadtpolizei einschlägig bekannt (BayHStA MInn 45109). Der Magistrat zählte 1847 600 Beschäftigte, die Dunkelziffer muß jedoch wesentlich höher gelegen haben, da sich längst nicht alle Mädchen polizeilich angemeldet hatten (StadtAM, GA 107).

Diese versteckte Prostitution hatte sich erst nach der amtlichen Auflösung der sechs traditionellen Münchner Freudenhäuser entwickeln können. Die Bordelle hatten wie jedes andere normale Gewerbeinstitut Aushängeschilder über der Eingangstür, die deutlich auf den Zweck dieses Hauses hinwiesen. Die Betreiberinnen nannten sich in einem Protestschreiben gegen die Auflösung ihrer Betriebe an den König am 12. 10. 1820 selbstbewußt »Unternehmerinnen der Freudenhäuser« und verwiesen nach zünftischem Brauch auf ihre dreihundertjährigen Privilegien. Stolz zählten sie die Leistungen ihrer 39 Angestellten auf: »Man kann, ohne zu weit zu gehen, annehmen, daß täglich zweyhundert Individuen männlichen Geschlechtes aus allen Ständen der Hauptstadt in unseren Häusern den Paarungs-Trieb befriedigten, die Fremden nicht miteingerechnet . . . und dieser durch

Der Wagner.

2.2.1 Münchner Handwerker, Der Wagner, Friedrich Voltz nach Johann Michael Voltz, München um 1833

Jahrtausende gehuldigte Imperativ der Natur, soll seine Unterdrückung folgeleer lassen?« (BayHStA, MInn 46562.) Die Petition hatte keinen Erfolg, der »Keuschheits-Despotismus« der Biedermeierzeit setzte sich gegen alle Überlegungen durch.

Nach dem Gewerbegesetz von 1825 sollte den Frauen eine Existenzgrundlage mit selbständiger, unabhängiger Arbeit ermöglicht werden. Das Verfertigen von Frauenputz und -kleidern wurde als freie Gewerbsart eingestuft, für die lediglich von den Gemeinden eine Niederlassungsbewilligung gefordert wurde (Birnbaum, 77). In seiner Statistik des Königreichs Bayern berichtet Ignatz von Rudhart 1826 von einem Fräulein Kronenberg, daß mit Unterstützung seiner Majestät des Königs eine eigene Strohhutfabrik gegründet hätte »und eine Unterrichtsanstalt für Mädchen in dieser Art weiblicher Arbeit zu werden verspricht.« (Bd. II, 79.) Diese äußerst seltene Duldung weiblichen Unternehmertums erklärt sich aus der pädagogischen Zielsetzung heraus. Die

»Fabrik« stand damit auf einer Stufe mit den vielen Handarbeits- und Arbeitsschulen für Mädchen, die im frühen 19. Jahrhundert unter weiblicher Leitung entstanden, um arme Mädchen an angemessene weibliche Arbeitsmöglichkeiten zu gewöhnen.

Auch in den Meisterbetrieben fanden sich bisweilen »Chefinnen«, Witwen, die versuchten, die Werkstätten und damit auch die wertvollen Konzessionen aus eigener Kraft zu erhalten. Meistens waren sie jedoch gezwungen, sich mit einer geeigneten Fachkraft wieder zu verheiraten, um das Unternehmen zu retten. Daß es trotzdem oft die Frauen der Meister waren, die neben dem Haushalt auch mehr oder weniger offen das Geschäft führten, wird in einer zeitgenössischen Quelle berichtet:

»Ein Münchner Bürger, der einigermaßen sein Auskommen hat, arbeitet wenig und lebt nur dem Vergnügen. Er überläßt seinen Gesellen die Arbeit, seiner Frau den Verkauf und die Wirtschaft . . . Wenn man auf solche Weise den Mann nur

2.2.1 Münchner Handwerker, Der Fleischer, Friedrich Voltz nach Johann Michael Voltz, München um 1833

selten im Hause antrifft, so ist es hingegen die Frau, die, wie bei den Franzosen, dem Geschäfte vorsteht, die Rechnungen führt, den Verkauf besorgt und von Morgen bis Abend alle Hände voll zu tun hat. Dies bringt dem Geschäfte nur Gewinn; denn während der Mann nicht sehr einnehmend in seinen Manieren ist und von zuvorkommender Höflichkeit nichts wissen will, ist die Frau bemüht, den Käufer durch Freundlichkeit anzuziehen und mit einer Fülle von gutmütiger Bereitwilligkeit, unermüdlich des kleinsten Gegenstandes wegen zu unterhandeln.« (August Lewald, Panorama von München, 1835, hier zitiert nach Wolf, 134.)

Fabriken und Manufakturen

Neben dem Etablissement des Fräulein von Kronenberg zählte Rudhart 1826 noch eine ganze Reihe größerer und teilweise berühmter Gewerbebetriebe in München auf, wie

die Bleiche des Herrn Sondermayer, die er nach englischer Art eingerichtet habe, eine Schnapsbrennerei aus kleinen wilden Kirschen in der Au, eine oberbayerische Spezialität, die Herrn Grabemeier und Röckenschuß als Gründer einer »vollständigen mit Maschinen betriebenen Tuchmanufactur« ebenso wie die Manufaktur des Joseph von Utzschneider, »deren Maschinen, Walke und hydraulische Presse vorzüglich sind«; den Besitzer eines Privilegiums für »amerikanische Schnellgärberey«, Herr Hardt; die Glasschneidereien Walter und Schmizberger; Schnetters Werkstatt für chirurgische Instrumente und noch viele mehr (Bd. II, 40ff.). In Rudharts Liste fällt die Häufigkeit chemischer Gewerbe in München auf. So gab es hier neben großen Seifensiedereien, zwei berühmte »Kölnisch Wasser Destillateure«, zwei Garnfärbereien für das beliebte türkische Rot, eine »Kienrusbrennerey« zur Herstellung schwarzer Farbe, die Farbenfabrik des Herrn Regauer, den Rudhardt als »Erfinder einer grünen Farbe, welche das Neugrün oder Bremergrün ersetzt« preist wie

3.1.32 »Waschanstalt in der Herrenstraße in München«, Johann Resch, München 1842

auch die »Unübertrefflichkeit der Lacke des Herrn Huber zu Haidhausen bey München … sie sind in Rom, Paris und selbst in Nordamerika gesucht« (Rudhart II, 95 ff.).

Viele dieser Unternehmen waren in der Au oder in Haidhausen angesiedelt, zunächst wegen der Wassernutzung aus der Isar und den Nebenbächen aber sicherlich auch wegen der Abwässer, des offenen Feuers und der Rauchentwicklung. Auflagen für den Umweltschutz waren offiziell noch nicht vorgesehen, man machte sich allerdings darüber bereits Gedanken. Dem Augsburger Schwefelsäurefabrikanten Carl Fischer, der in München seine Schwefelsäure- und Sodafabrik erweitern wollte, um Chlorkalk herzustellen, wurde zur Auflage gemacht, »daß vom Chlor nichts über die Grenze der Fabrik verbreitet werde« (StadtAM, GA 83). Wie man das aber kontrollieren wollte, wird hier nicht gesagt.

Auch in der weiteren Umgebung Münchens existierten einige größere Betriebe, die mit der Residenzstadt direkt oder indirekt verbunden waren: Joseph von Utzschneider gründete von München aus die Glasschleiferei für optische Instrumente in Benediktbeuren, in der später der berühmte Joseph von Fraunhofer arbeitete, in Nymphenburg wurden unter staatlicher Regie feinste Porzellanwaren hergestellt, während in der Laimer Steingut- und Fayencefabrik bereits Geschirr in Massenproduktion verfertigt wurde. Dagegen verfeinerten Gebhard und Will in Niederschäftlarn als erste in Bayern ihre Steingutgeschirre mit Kupferstichabdrucken (Rudhart, II, 113).

Die hier genannten Unternehmen hoben sich von der Masse der Münchner Handwerker entweder durch technisch komplizierte und rationell organisierte Produktionsweisen, durch den Gebrauch größerer Maschinen oder durch die Zahl ihrer Arbeiter ab.

Dies unterschied nach damaligem Sprachgebrauch die herkömmlichen Handwerksbetriebe von den Manufakturen oder Fabriken. Die Grenzen waren fließend. So wäre niemand auf die Idee gekommen, einen Maurermeister mit annähernd 100 Beschäftigten einen Fabrikanten zu nennen oder die großen Bierbrauereien Pschorr, Paulaner, Spaten und Löwenbräu Manufakturen. Andererseits diente die Bezeichnung »Fabrik« nicht selten als vermeintliches Qualitätszeugnis gerade bei solchen Gewerben, die die Konkurrenz industriell gefertigter Waren aus dem In- und Ausland zu spüren bekamen. Da diese von vielen Kunden offenbar bevorzugt wurde, reagierten die Handwerksmeister mit der Umbenennung ihrer Werkstätten in »Fabriken«, um damit ihre Ware attraktiver zu machen und wohl auch um ihren Betrieben einen modernen, fortschrittlichen Charakter zu geben. Die wirklichen Fabrikbesitzer nahmen an dem hochstaplerischen Zusatz »Fabrikant« auf den Aushängeschildern der Meister Anstoß.

Eine Beschwerde beim Magistrat im Januar 1848 führte zwar zu einer polizeilichen Erhebung, die die Klagen der Unternehmer bestätigte, zeigte aber sonst keinen Erfolg (StadtAM, GA 256a).

MÜNCHENER VOLKSLEBEN.

Lith. v. P. Wagner in Carlsruhe.

Ma chère! mak sie nix Arbeit für die Herren?
Oui, Oui Mosje! Madam wohnt über drei Stiegen! –

7.4.1.9 Münchener Volksleben, Die Putzmacherinnen, Friedrich Kaiser, Karlsruhe um 1840

9.1.5 Ansicht der Maschinenfabrik Maffei in der Hirschau, um 1845

Um 1830 gab es in München 35 größere Unternehmen, die sich Fabriken nannten, darunter auch Filialen außerhalb ansässiger Betriebe, wie die aus Augsburg kommende Stearinkerzenfabrik des Herrn Schaezler oder die oben schon erwähnte Schwefelsäurenfabrik. Produziert wurden in den Münchener Fabriken: Rollgardinen, Spielwaren, Holzwerkzeuge, Strohhüte, Papier, Stoffe aller Art, Regenschirme, Blechwaren und Lampen, Öle, Seifen, Parfüms, Essig, Branntwein, Spiritus, Wagen, Bürsten, Lederwaren, Hüte, Etuis und ein Berg von Handschuhen.

Eisenbahn und Dampfmaschine

Joseph Anton von Maffei war zu dieser Zeit noch ein »Rauch-, Schnupftabak- und Cigarrenfabrikant«, seine Werkstätten lagen an der Bruderstraße 122, sein Laden am Rindermarkt Nr. 3 (StadtAM, GA 103/104). 1838, drei Jahre nach der Eröffnung der deutschen Pioniereisenbahn zwischen Nürnberg und Fürth und ein Jahr nach der Gründung der München-Augsburger Eisenbahngesellschaft, kaufte Maffei Hammerschmiede und Walzwerk in der Hirschau an der Isar und begann, mit 160 Arbeitern eine Lokomotivfabrik aufzubauen. Die Eisenbahngesellschaft hatte inzwischen acht Lokomotiven des berühmten Stephenson in England bestellt. Für ihre Montage war der englische Ingenieur Joseph Hall von Stephenson nach München

geschickt worden. Maffei gelang es, ihn 1839 als technischen Direktor für seine Fabrik zu gewinnen. Zwei Jahre sollte es noch dauern, dann konnte der ehemalige Tabakfabrikant die Münchner Gemeindebevollmächtigten zur Probefahrt seines ersten selbstgebauten Dampfwagens einladen, »da dies der Erste nicht allein in München sondern in ganz Bayern gefertigte Dampfwagen, und gewiß kein unrühmlicher Zeuge vaterländischen Strebens in der Mechanik ist . . .« (StadtAM, BuR 325/3, Brief Maffeis vom 4. 10. 1841). Der neue Münchner »Urtyp« erhielt natürlich den Namen seiner Heimatstadt und Maffei von der Regierung den »Verdienst-Orden vom Hl. Michael«. Darüber hinaus tat sich allerdings wenig für den wagemutigen Unternehmer. Erst 1844, nachdem im August bei der Eröffnung der Eisenbahnlinie Nürnberg–Bamberg Maffeis zweite Lokomotive, die »Bavaria«, den Eröffnungszug gezogen und Maffei zusammen mit einer Mühlhausener und einer Karlsruher Firma je acht Lokomotiven für die neue Bahnlinie produziert hatte, war für das Eisenwerk in der Hirschau endlich der Durchbruch gekommen. Bis 1849 wurden hier 31 Lokomotiven für die bayerischen Staatsbahnen hergestellt (v. Zwehl, 278 f.).
Als 1847 für eine Statistik des deutschen Zollvereins die Münchner Gewerbebetriebe gezählt wurden, hatte sich aus dem beschaulichen Fabrikantentum der dreißiger Jahre bereits ein industrielles Potential im Schatten der Residenz entwickelt, das allerdings noch in keinem Vergleich zu den wesentlich weiter industrialisierten Städten Augsburg und

Nürnberg stand. 254 Produktionsstätten wurden nun unter der Rubrik »Fabriken« aufgezählt, ungefähr die Hälfte verfügte jedoch über nicht mehr als zehn Arbeiter. In dieser Statistik wurden nun auch die 34 Brauereien unter den Fabriken aufgeführt (StadtAM, GA 107). Zehn Dampfmaschinen mit insgesamt 141 Pferdestärken kündigten mit ihrem Rauch und ihren stampfenden Geräuschen den Münchner Handwerkern den Aufbruch in eine neue Zeit an (Gewerbetabelle 1846).

Nach den »Speciellen Vorschriften für die Aufstellung von Dampfmaschinen«, § 10, München, 25.1.1850 (StadtAM, Bekanntmachung des 1. Bürgermeister Dr. Bauer, S. 5) war eine Pferdekraft »gleich der Kraft zu setzen, welche erforderlich ist, 459 bayerische Pfunde (1 Pfund = 560 Gramm) in einer Sekunde einen bayerischen Fuß (= 0,29185 m) hochzuheben«. Das entspricht in etwa dem heutigen Wert von 75 mkp/s.

Die Anzahl der Dampfmaschinen und Pferdestärken im Land war in der Biedermeierzeit zu einer Prestigeangelegenheit unter den westeuropäischen Staaten geworden. In England wurden bereits auch in den traditionellen Handwerksbetrieben Dampfmaschinen verwendet. Der bayerische Oberfinanzrath Ritter von Yelin berichtete von dort einem Münchner Freund am 2.9.1825: »Wenn man in Werken, zu welchen ungeheure Kraft erfordert wird, in Kohlen und anderen Minen, in bedeutenden Eisenfabriken, den mancherlei Hammer- und Walzwerken und selbst in den über deutschen Maasstab hinausgehenden Londoner Bierbrauereien die Dampfmaschinen angewendet findet, so freuet man sich allerdings der Leichtigkeit, Sicherheit und Stille, mit welcher alle, auch zuweilen die zusammengesetztesten Verrichtungen dadurch vollzogen werden, man findet aber, nach der Anmuthung der erforderlichen Kraft, auch nichts Befremdendes darin, Menschenhände durch Maschinengewalt verdrängt zu sehen. Allein wahres Vergnügen ist es, zu sehen, daß man nun auch schon Dampfmaschinen von geringer Kraft in den kleinern Gewerben anwendet, um lange fortdauernde Menschenkraft zu ersetzen, und daß sogar der Luxus schon damit sein Spiel treibt.« (Flora, 1825, Nr. 170, 685.) Nach Yelins Beschreibung arbeiteten in den Londoner Konditoreien, Bäckereien und Metzgereien kleine Maschinen mit nur ein bis drei Pferdestärken. Diese Art der Anwendung der Dampfkraft wäre für die Münchner Industrie mit ihren überwiegend kleinhandwerklichen Betrieben sicherlich sehr geeignet gewesen, doch der teure Import und Unterhalt der Maschinen, das fehlende Kapital und technische Wissen standen dem entgegen (Birnbaum, 88). Ein nicht zu unterschätzender Hinderungsgrund war sicherlich auch die Mentalität der meisten Handwerker, die an ihren überkommenen Produktionsweisen festhielten und in jeder Modernisierung, die ein Mitmeister in seinem Betrieb einführte, lediglich eine verdammenswerte Beeinträchtigung ihres eigenen Gewerbestandes sahen. Eine positive Ausnahme vollzog sich früh im Braugewerbe. Unter der Führung der Brauer Zacherl, Sedlmayr, Brey und Pschorr zeichneten sich hier in der ersten Hälfte des 19. Jahrhunderts der Einsatz moderner Maschinen und industrielles Denken ab. Die Expansion der fortschrittlichen Betriebe geschah allerdings auf Kosten anderer Braumeister, die sich dieser Entwicklung verschließen wollten oder nicht in der Lage waren, die notwendigen Investitionen zu tätigen. 1865, am Ende der ersten Industrialisierungswelle im Münchner Braugewerbe,

waren von den 59 Brauereien, die noch 1825 gezählt worden waren, nur noch 18 übrig geblieben (Struve, 20). König Ludwig I. fürchtete, daß die Industrialisierung die Zahl der Proletarier und damit die Gefahr des Kommunismus wachsen lasse. Andererseits hütete er sich, maßgeblich in diese Entwicklung einzugreifen: »es zu ändern hängt von der Regierung nicht ab«. (BayHStA, MH 5677, 1847.) Wenn staatliche Monopole angegriffen werden sollten, widersetzte sich die Regierung jedoch energisch. Der Antrag auf eine Weißbierkonzession des Löwenbräuers Georg Brey hatte 1826 keinen Erfolg, da Weißbier nur in den staatlichen Bräuhäusern hergestellt werden durfte. Brey protestierte empört: »In England würde ein solches Unternehmen mit einer Prämie gekrönt werden, welches auch bisher zur Folge hatte, daß dieser Staat auf der höchsten Stufe der Cultur steht, und die Nation der höchste Geist der Industrie beseelt.« (BayHStA, MH 1647.) Die erste Aufstellung einer Dampfmaschine in einer Brauerei stieß zunächst auf Schwierigkeiten: der Besitzer der Münchner Paulanerbrauerei Franz Xaver Zacherl scheiterte mit der Einführung einer mit Dampfkraft betriebenen Maischmaschine an dem Widerstand seiner Arbeiter. Gabriel Sedlmayr von der Spatenbrauerei kaufte ihm die Anlage ab und nahm sie 1844 in Betrieb. Damit war er der erste Brauer in München, der mit Dampfkraft arbeitete (Laufer, Sedlmayr, 292). Die heftigen Maschinenstürme und Proteste der Arbeiter, wie man sie in England zwischen 1810 und 1820 erlebt hatte, wiederholten sich in München jedoch nicht. Die eher resignierende Haltung der süddeutschen Handwerker gegenüber der fortschreitenden Industrialisierung drückt sich in einem Gedicht aus der Wiener Theaterzeitung vom 18.4.1843 aus:

»Handwerksfeier.

Dampf, dir gelten meine Gluthen,
Dich erheb' ich himmelan,
Denn in achtehalb Minuten
Meilet mich die Eisenbahn!
Werd' ich von ihr fortgerissen,
Wer fragt nach den Hippogrif?
Auf bemosten Schlummerkissen
Fördert das Lokomotiv.

Undes gilt, sein Rad zu schmieren,
Fette statt Ambrosia.
Alles läßt sich calculiren,
Was geschieht und was geschah.
Wer fragt ferner nach Gesängen
Aus dem faden Musenchor?
Statt die Dichter anzustrengen,
Pfeift der Heizer mir was vor.

Huldigung den Spekulanten,
Aktien das Bürgerrecht,
Und ein Heer Pränumeranten
Auf den besten Stiefelknecht,
Brav zerstückelt in die Presse,
Was uns ganz nicht mehr gedeiht,
Denn es ist die Zeit der Späße
Und nur Späße liebt die Zeit.

Verse zimmern sich zu Strophen
Nach des Senkbleis richt'gem Maß,
Und was sonst den Geist betroffen,
Ist dem Handwerk jetzt nur Spaß.
Geht's so vorwärts mit Fabriken,
Wird des Geistes Wirken stumpf,
Und von allen Meisterstücken
Bleibt der Sarg der Haupttriumph.«

Im zweiten Viertel des 19. Jahrhunderts war nur mehr wenigen Handwerkern so richtig zum Spaßen zumute. Ignatz von Rudhart hatte noch 1826 ein sehr behagliches Bild von der deutschen Industrie entworfen, wo der »Gewerbsmann wenn auch nicht reich, doch ein selbständiger Familienvater, oft Besitzer einer kleinen Landwirthschaft, ein guter Vater gesunder Kinder, ein mäßiger, fleißiger, zufriedener Bürger« sei (Bd. II, 29), doch gleichzeitig wie folgt gemahnt:

»Der Gewerbsstand ist, wenn auch nicht so wie sonst, doch noch immer zu sehr geschieden von den sogenannten höheren Ständen; und indessen die französische Regierung ausgezeichnete, für die Industrie wirksame Gewerbsmänner in den Orden der Ehrenlegion aufgenommen hat, ist uns kein Beispiel bekannt, daß bey uns ein Gewerbsmann ... zum Ritter des Civilverdienstordens ernannt worden sey. Nur das Bierbraugewerbe ist in Bayern herkömmlich geadelt.« (Bd. II, 175.)

Mentalitätswandel und Kampf gegen zünftische Traditionen

Die Münchner Gesellschaftszeitung Flora ging 1825 auf die Frage: »Wie kam es, daß der kunst- und erfindungsreiche Deutsche hinter den Ausländern zurückblieb?« (Nr. 170, 264) mit heftigen Angriffen auf überkommene Zunftregeln ein. »So hatte z.B. ein Sattler Bestellungen genug auf Riemenwerk; er überließ das Fertigen der Sättel andern, und richtete sich bloß auf Riemenwerk ein; man hieß ihn dann Riemer. Ein anderer machte vorzugsweise Taschen, Felleisen ec., und man nannte ihn Taschner. Was nun so freiwillig entstanden war, wurde nach und nach zur stehenden Form; und nach einigen Generationen war ein Handwerk in drei oder mehrere so streng geschiedene Gewerbe zerfallen, daß sich diese eben so fremd gegenüber standen, als wären sie nie eins gewesen.«

Dieses System hätte allerdings nur in einer Zeit ausreichender Aufträge funktionieren können und würde der nun herrschenden Situation eines kräftigen Konkurrenzdrucks durch das Ausland nicht standhalten: »In dem nun jeder einzelne Theil eines solchen zersplitterten Gewerbes mit Bekümmerniß das Abnehmen der Bestellungen bemerkte, glaubten sie durch strenge Abmarkung ihrer Wirkungskreise vor dem weiteren Verfall sich sichern zu können. Sie machten sich gegenseitig beschränkende Gesetze und Ordnungen, und ließen solche von der Obrigkeit bestätigen. Diese Beschränkungen gingen so weit, daß den verschiedenen Bearbeitern eines Materials der Gebrauch des einen oder des andern Werkzeugs verboten wurde! ... Noch jetzt ist manchem Gewerbe die Anwendung manches Werkzeugs verboten. Noch jetzt liest man unter den Anzeigen der ergriffenen Rekurse fast nichts als das Wort: ›wegen Gewerbsbeeinträchtigung‹. Noch jetzt ist das Publikum mit den meisten seiner Bedürfnisse an Einzelne verpachtet. Noch jetzt wird eines der ersten und heiligsten Rechte des Menschen: durch seiner Hände Arbeit sein Leben zu erhalten, zum Besten Bevorrechteter unterdrückt.« Erbost prangert der Autor dieses Artikels, R. Reinisch, den Gewerbestand als einen »beschützten Schlendrian« an.

Wer innerhalb dieses Systems »Bevorrechteter« war und sich sein Auskommen gesichert hatte, brauchte sich keine Mühe mehr zu geben, es noch zu verbessern. 1823 entdeckte die rührige »Flora« auf der Dult eine neue Leidenschaft der Münchner: Waffeln. Sie waren von einem reisenden Händler auf dem Jahrmarkt angeboten worden. »Es muß allemal erst ein Fremder 100 Stunden weit herkommen, um uns diese wohlschmeckende Speise zu bereiten ...« (Nr. 114, 7.9.1823, 562). Die Flora bedauerte, daß sich offenbar kein Münchner Bäcker bequemte oder auch traute, diese gewinnbringende Ware in seinem Laden anzubieten. »Aber unter dem Drucke des Zunftwesens ruht jede Industrie.« Die Bäcker erlaubten sich lieber, zum Erstaunen der Nachbarn, eine ganz andere aufregende Neuerung: Urlaub. Eine kleine Karikatur der »Fliegenden Blätter« (Bd. I, Nr. 23, 182) mit dem Titel »Die Vacanz« zeugt von einem allmählichen Mentalitätswandel in der Handwerkerschaft.

Man war nicht mehr ein Metzger, Bäcker oder Schuster, sondern ein Mensch, der lediglich damit seinen Lebensunterhalt verdiente. Aus der Existenz wurde eine Erwerbsmöglichkeit; Wohnung und Werkstatt, Arbeit und Freizeit genau unterschieden.

Notgedrungen stellten sich um die Jahrhundertmitte immer mehr Handwerksmeister auf den Verkauf nicht selbst gefertigter Ware um. Handlungsreisende tauchten in den Läden der Glaser, Taschner, Handschuh- und Tuchmacher auf. Sie vermittelten Ware von in- und ausländischen Fabriken sowie von Heimwerkern auf dem Land. Trotz allem – den Münchner Handwerkern ging es im Vormärz noch relativ gut. 1847 zählte die Zeitschrift des Vereins für deutsche Statistik auf jeden Berliner Meister 10 Konsumenten, jeden Wiener 12, Augsburger 15 aber Münchner 26! Hier machte sich die große Zurückhaltung bei der Vergabe von Gewerbeprivilegien bemerkbar. So war München zu dieser Zeit etwas größer als Dresden, doch in der sächsischen Hauptstadt gab es etwa dreimal soviele Schneider und Schuster.

Münchener Marseillaise

Freund, ich bin zufrieden,
Geh' es, wie es will;
Hier bei Bier und Knödel
Leb' ich froh und still.

Mancher hat wohl Freiheit,
Volkesrecht begehrt;
Doch nur Ruh zu haben,
Das ist Goldes werth!

anonym, Leuchtkugeln, Randzeichnungen zur Geschichte
der Gegenwart, Bd. III, 57, 71, 1848

Die Vacanz.

He, Nachbar! was thut ihr da?
Ich sperre meinen Laden, und gehe in die Vacanz!
Und wenn nun die Leute kommen und wollen Brod?
Das geht mich nicht an! Der Mensch muß eine Erholung haben.

Die Vacanz, Aus den »Fliegenden Blättern«, Bd. I, Nro. 23

5.1.214 Tischplatte mit Darstellung des Nymphenburger Parkes, J.G. Hiltl, München nach 1824

Zwischen Handwerk und Unternehmertum – das Leben des Johann Georg Hiltl (1771–1845)

Christian Moll

Von den Handwerkern des früheren 19. Jahrhunderts kennen wir im allgemeinen – und auch das nur in glücklichen Fällen – nicht mehr als ihre Namen, einige vage Lebensdaten und die wenigen Tatsachen, die den öffentlichen Akten zu entnehmen sind. Wir kennen die Produkte ihrer Werkstätten, sind aber kaum in der Lage, diese vor dem Hintergrund der realen Existenz ihrer Hersteller, deren Situation im alltäglichen Leben ebenso wie ihrer Betroffenheit durch die Wechselfälle der großen Politik zu sehen.

Angesichts dieser Lage müssen die »kurzen Lebensumrisse des bayerischen Bürgers Johann Georg Hiltl« als besonderer Fund erscheinen, da hier die Autobiographie eines Münchner Handwerkers vorliegt, die »dessen Wirken in industrieller und patriotischer Hinsicht« darstellt, »sowie seine seit der Befreiung Deutschlands vom französischen Joche siebenundzwanzig Jahre andauernde empörende Verfolgung als Martyrer seines rein patriotischen Glaubens; eine beispiellose unter dem Blendwerk polizeilicher Staatsrücksicht ... vollführte Inquisitions Geschichte«. Dieser Text umfaßt 550 engbeschriebene Seiten und wurde im Jahr 1850 von dem Antiquar Oberndorfer durch die damals königliche Hof- und Staatsbibliothek angekauft. (Er liegt heute in der Handschriftensammlung der Bayerischen Staatsbibliothek unter der Nummer CGM 4949: soweit nicht anders vermerkt stammen alle Zitate aus dieser Archivalie).

Obwohl dieser gesamte Lebensbericht in der dritten Person geschrieben ist, dürfen wir sicher J. G. Hiltl als den Autor annehmen, der ihn in den Jahren 1835–1840 verfaßte. Der Bericht erstreckt sich vor allem über die Jahre von 1794 bis 1824 und wir haben hier den seltenen Fall einer authentischen Dokumentation, die den gesamten geschäftlichen Werdegang und die öffentliche Erscheinung eines in vieler Hinsicht herausragenden Mannes nachzeichnet und kommentiert. In der letzten und unglücklichen Periode seines Lebens rechtfertigt Hiltl hier sein Lebenswerk und rechnet, durch Bankrott und Mißachtung verbittert, mit seinen geschäftlichen und politischen Gegnern ab. Er ist dabei vor allem bemüht, sich von jedem Verdacht profranzösischer Sympathien zu reinigen und seine patriotische Gesinnung zu demonstrieren. Durch diese individuelle Perspektive werden viele historische Tatsachen verzerrt dargestellt, nicht zuletzt dadurch aber wird hier auch eine authentische Sicht auf die Sorgen und Nöte eines Handwerkers in der Epoche der Biedermeier möglich, dem es in einzigartiger Weise gelungen ist, aus der Anonymität der Geschichte herauszutreten.

Hiltl ist uns vor allem als einer der bedeutendsten Tischler des Münchner Biedermeier bekannt, er hat aber über sein handwerkliches und unternehmerisches Dasein hinaus vielfältige Aktivitäten entfaltet, die ihn zu einer der allgemein interessanten Erscheinungen dieser Epoche machen. Durch die vorwiegend politische Perspektive seiner Memoiren wird hier leider seiner geschäftlichen Entwicklung häufig nicht die wünschenswerte Aufmerksamkeit geschenkt. Gerade dieser Aspekt des Lebens J. G. Hiltls aber – er selbst nennt sich nicht nur Tischler und Tapezierer, sondern auch Fabrikant, Entrepreneur oder Möbelmagazininhaber – soll hier besonders interessieren.

Die Epoche nach 1800 ist in Bayern zunächst geprägt durch den allgegenwärtigen Einfluß Napoleons, dann durch die nach dessen Niederlage einsetzende Restauration. Als engagierter Münchner Bürger und Geschäftsmann war Hiltl in die Ereignisse dieser Zeit sowohl in seiner politischen, als auch in seinen unternehmerischen Aktivitäten in mannigfaltiger Weise verstrickt. Seine Lebenserinnerungen bieten daher ein vorzügliches Mittel, diese Zeit aus der Perspektive eines ihrer Protagonisten faßbar werden zu lassen; es war dies eine Epoche des Umbruchs in allen Bereichen des öffentlichen und ökonomischen Lebens, die Hiltl in den Wechselfällen seines Lebens in sehr plastischer Weise bezeugt.

Der um 1800 einsetzende Modernisierungsschub (vgl. Artikel Glaser, 9 ff.) hatte den Bürgern nicht nur Rechtsgleichheit und freie Verfügung über ihr Eigentum gebracht, sondern versetzte sie zugleich in eine Lage der Unsicherheit, da die alten Formen des öffentlichen Lebens noch nicht unwirksam und die neuen noch nicht sicher etabliert waren. Hiltls Autobiographie wirft dabei auch ein neues Licht auf den sprichwörtlichen, aber zweifelhaften ›goldenen Boden‹ des Handwerks und die Bedingungen, unter denen sich der anfänglich höchst problematische Übergang von der handwerklichen Auftragsarbeit zum vorindustriellen Manufakturwesen vollzog. Sie ist zugleich auch ein Dokument dafür, unter welchen Schwierigkeiten ein ambitionierter Unternehmer des Biedermeier zwischen alter Zunftbindung und neuer Gewerbefreiheit, bei unsicherer Finanzlage, fehlenden Krediten und mangelhafter rechtlicher Sicherheit seine Geschäfte zu betreiben hatte.

Ganz im Gegensatz zu der geläufigen Meinung, die das Biedermeier als eine Epoche der Selbstbescheidung und stillen Genügsamkeit beschreibt, träumte Hiltl den Traum einer Existenz als selbständiger und sicher etablierter Unternehmer und scheute auch die aggressivsten Mittel nicht, durch die er dem Ziel der Ausschaltung seiner Konkurrenten und der Monopolisierung des Marktes näher gekommen wäre. Immer aber auch abhängig von der Willkür königlicher Privilegien, eingezwängt zwischen dem staatlichen Reglement und den Vorschriften und Einmischungen seiner Zunftgenossen, war er auch der ganzen Unsicherheit der Politik und dem Auf und Ab der Konjunktur ausgeliefert, und so sah ihn München innerhalb weniger Jahre als stolzen Fabrikbesitzer und als bankrotten Gefängnisinsassen.

Johann Georg Hiltl wurde am 6. April des Jahres 1771 in München als Sohn des Hoftapeziers Georg Hiltl geboren. Von seinen Studien und Lehrjahren erfahren wir in seinen Lebenserinnerungen nur wenig: »Er studierte bis in die

Poesie und obgleich seine Geistesfähigkeiten und ein ausgezeichneter Fortgang, sein gutes moralisches Betragen ihn besonders empfahlen, verließ er die Studien, und wählte das Geschäft der Tapeziererey«. Hiltl machte bei seinem Vater – und daher wohl in den Hofwerkstätten – eine Lehre als Tapezierer, an welche sich einige Auslandsaufenthalte angeschlossen zu haben scheinen, von denen aber nicht gewiß ist, ob sie ihn nur außerhalb Altbayerns oder auch nach Frankreich oder Österreich geführt haben. 1794 kehrt Hiltl nach München zurück und lebte zurückgezogen nur seinem Geschäfte und dem Studium der Architektur, Mythologie, und des höheren Geschmacks für Industrie in seinem Fache. Dadurch erlangte er große Kenntnisse, und erwarb sich überall Zutritt zu den angesehensten Gesellschaften, denn man schätzte sein Talent, seine Industrie, und seine Bildung, die ihn vor dem gewöhnlichen Handwerker auszeichnete«.

Im gleichen Jahr tritt der erst 23jährige mit ersten eigenen Unternehmungen in die Öffentlichkeit. Dabei herrschten in München für den ehrgeizigen jungen Mann eher ungünstige Verhältnisse und es schien in dieser Zeit kaum der richtige Ort zu sein, ein Unternehmen nach dem Vorbild der sogenannten Upholsterers wie in London oder der Marchants-Merciers in Paris zu gründen. Dies waren Geschäfte, die die gesamte Innenausstattung ganzer, besonders adliger Häuser besorgten und daher die Produkte verschiedener Handwerker unter einem Dach vereinigten. Es ist möglich, daß Hiltl diese Form des Geschäfts bei seinen Reisen kennengelernt hat; sie hatte sich seit der zweiten Hälfte des 18. Jahrhunderts in Frankreich und England etabliert und arbeitete vor allem nach dem Verlagssystem, indem sie Aufträge an kleinere Handwerksbetriebe vergab und deren Erzeugnisse ausstellte und den Kunden anbot. In München dagegen sorgten die Zünfte mit Hilfe des Magistrats für eine strenge Einhaltung ihrer Statuten, die auf die strikte Trennung der einzelnen Handwerkszweige bedacht waren. Ebenfalls war der Import von Luxusgütern untersagt und ausländische Waren durften die Stadttore nicht passieren. An Gewerbefreiheit war unter diesen Umständen nicht zu denken und ebenso war für Hiltl die Möglichkeit gering, einen Meistertitel zu erwerben und damit eine eigene Werkstätte eröffnen zu dürfen. Bereits 1792 waren in der Stadt 35 Tischlerbetriebe und 4 Tapezierer etabliert, zu denen noch 10 Tischler in den Vororten Münchens hinzukamen. (BayHStA, GR 830).

Trotz dieser wenig ermutigenden Umstände scheint der vielseitige versierte und über den neuesten Geschmack unterrichtete Hiltl der zugleich zeichnerisch und handwerklich ausgebildet war, gleich einigen Erfolg gehabt zu haben. Es war ihm gelungen, Zugang zu den Häusern wohlhabender Bürger und zur adligen Gesellschaft Münchens zu finden, so daß er hier seine Entwürfe für exklusive Möbel anbieten konnte. Die strengen Zunftbestimmungen unterlief er dadurch, daß er seine Möbel bei Schreinern außerhalb Münchens anfertigen ließ. Er beanspruchte die Hilfe des russischen oder des österreichischen Gesandten, um unter der Angabe, die Stücke gehören in deren Privatbesitz, die Möbel in die Stadt zu bringen; sie wurden dann während der Nacht von Hiltl in den Gesandtschaften abgeholt. Gelegentlich organisierte er aber auch selbst illegale Transporte und er berichtet, daß ihm während eines solchen zwei Bettladen, die er in Thalkirchen herstellen hatte lassen, konfisziert worden waren und eine Geldstrafe in doppelter Höhe von deren Wert erhoben wurde. Hiltl löste diese Möbel jedoch nicht aus, sondern schrieb stattdessen an den Magistrat einen höhnischen Brief des Inhalts, »der wohllöbliche Magistrat der Hauptstadt München könne sie behalten. Er wünsche, daß er darin recht ruhig schlafen und bald vernünftig erwachen möchte . . .«

Diese allgemein ungünstigen Umstände lassen Hiltl bald an seiner Arbeit zweifeln und verderben ihm die Lust auf weitere Unternehmungen. Angebote aus dem »Ausland« lassen ihn einen Ortswechsel in Erwägung ziehen. Er wird dieser Entscheidung aber enthoben, als seine Person durch den Baron Weichs, den Grafen Rumfort, den russischen Gesandten, und den Baron Bühler an den Kurfürsten Karl Theodor empfohlen wird. Nun nimmt die Karriere Hiltls ihre entscheidende Wende. Seine Durchlaucht, der Kurfürst empfängt ihn in einer Privataudienz und sichert ihm finanzielle Unterstützung und vor allem ein Privileg zur Eröffnung eines eigenen Geschäfts zu. Nur durch ein solches kurfürstliches Privileg war es möglich, dem Zwang der Zunftbestimmungen zu entgehen und als freier Unternehmer tätig werden zu können. Zur gleichen Zeit, am 24. November 1795, heiratet J. G. Hiltl die Tochter des hochangesehenen kurfürstlichen Hofmechanikus und Hofmaschinisten Josef Gallmayer, Theres Gallmayer. Sie bringt ein eigenes Kapital in die Ehe ein, das nun die Gründung eines eigenen, größeren Geschäfts ermöglicht. Hiltls umfangreiches Wissen und Können finden nun allgemeinere Beachtung und es gelingt ihm, mit ausgefallenen, modernen Möbeln und Dekorationswaren hervorzutrreten und so nehmen seine Geschäfte einen kontinuierlichen Aufschwung.

Im August 1796 wird sein Unternehmergeist jedoch erst einmal gebremst durch den Anmarsch der französischen Truppen, vor denen der bayerische Hof nach Sachsen flieht. Die Zeiten sind schlecht für den Absatz von Luxusgütern, zudem nun der Möbelhändler Hiltl verstärkt auch den Druck der Zünfte zu spüren bekommt, die mit Hilfe des Magistrats den aufstrebenden Unternehmer zu bremsen suchen. Das Problem, sich mit den Zünften auseinanderzusetzen und unter deren Anfeindungen leiden zu müssen, wird Hiltl während seiner ganzen Karriere nicht verlassen: Durch seine freien, die Grenzen des alten Handwerks mißachtenden Unternehmungen ist er für diese eine ständige Herausforderung, da er durch den Stil seiner Geschäfte den Sinn des alten Zunftsystems in Frage stellt. Als der Hof schließlich wieder nach München zurückkehrt, setzen sich wiederum einflußreiche Freunde beim Kurfürsten für Hiltl ein, um ihm die zugesicherte Unterstützungssumme und das Privileg eines Möbelhändlers zu verschaffen. Damit wäre die ökonomische Existenz Hilts endgültig gesichert gewesen, es kommt jedoch nicht zu der endgültigen Erteilung des Privilegs, da Karl Theodor am 16. Februar 1799 stirbt.

Vom Volk bejubelt tritt nun Kurfürst Max Joseph dessen Nachfolge an und mit ihm betritt der Reformminister Montgelas das politische Parkett. Hiltl reklamiert erneut seine Ansprüche und erhält bereits im Juli desselben Jahres durch kurfürstliches Edikt die Genehmigung zu einem »vollständigen Möbelhandel, ein freies Gewerbe in doppelter Hinsicht, das erste dieser Art . . .« Im Zuge der neuen Reformpolitik waren die Privilegien für Geschäfte abgeschafft worden und Hiltl wird so zu einem der ersten Nutznießer der neuen Gewerbefreiheit. Die finanzielle Unterstützung durch den Kurfürsten bleibt allerdingst aus, und da das Prinzip der Gewerbefreiheit von den Zünften keineswegs anerkannt wird, sieht Hiltl sich erneut deren Anfeindung und Beschwerden einzelner Zunftmeister an den Magistrat und an den Kurfürsten ausgesetzt. Obwohl ihm ein Angebot abermals eine Abwanderung ins »Ausland« in Erwägung ziehen läßt, wird er durch die Bitten seiner Frau und einflußreiche Freunde, verbunden mit dem Appell an seine Vaterlandsliebe, zum Bleiben in München bewogen. Es gelingt ihm nun auch, einige wohlhabende Privatleute zur finanziellen Unterstützung seines Unternehmens zu gewinnen. Entscheidend für dessen weitere Entwicklung ist es, daß er nun auch die ersten Aufträge für Lieferungen an den Hof erhält. In dem Ein- und Ausgabenbuch des kurfürstlichen Hofzahlamtes findet sich unter dem Datum des 31. Dezember 1799 folgender Eintrag. – Johann Georg Hiltl, Tapezierer und Meubles-Händler für abgegebenes Packpapier, Bronzeleuchter, messingene Rädeln, so anderes, 93 fl 35. – Noch diesem für Spalierung eines Zimmers der Gräfin Pappenheim 14 fl (BayHStA, HR II, Fasc. 315/3/6).

Nachdem Hiltl nun als Hoflieferant gelten kann, erscheint es folgerichtig, daß er jetzt auch mit einem neuen und spektakulären Möbelmagazin hervortritt. Dieses wird am 12. Januar 1800 mit folgender Kundmachung angezeigt: »Unterzeichneter findet es für nöthig, öffentlich bekannt zu machen, daß der von Ihm neu errichtete Meublierungsverlag von Sr. Churfürstlichen Durchleucht unserm gnädigst regierenden Landesherren Maximilian Joseph als dem Vater und Beförderer der Industrie, durch seine hohe General-Landes-Direktion schon im vorigen Jahre den 3. Juli 1799 bestätigt worden sei, deswegen glaubt er auch es auf seiner Pflicht zu haben, seinen Mitbürgern eröffnen zu müssen, daß dieses Magazin welches bereits den 12. Jänner 1800 das erstemal offen stund, nicht nur für gegenwärtigen Markt, sondern für immer offen bleiben wird, wodann jedem thätigen und talentvollen Künstler und Arbeiter frey steht, seine Kunststücke und Arbeiten entweder selbst oder durch Bekanntmachung in dem Meublsmagazin zum Kauf auszustellen und feil zu bieten. Ist die Arbeit nicht zuviel und nimmt selbe nicht gar zu großem Raum ein, so wird nicht nur allein nichts dafür bezahlt, sondern man wird sich überdies alle Mühe geben jedem fleissigen Mitbürger alle mögliche Abnahme zu verschaffen. Möchten doch meine Mitbürger mich mit recht vielen Stücken beehren und mich dadurch in

Ein- und Ausgabenbuch des Kurfürstlichen Hofzahlamtes, 31. Dezember 1799

den Stand setzen, jeden hierherkommenden Fremden zu überzeugen, daß Baierns Einwohner das leisten können, was im Auslande geleistet wird.

In dem Möbelmagazin selbst aber sind alle Gattungen Sessel, Kanape von verschiedenen Sorten Pferdehaaren, Atlas, Seide, Pers überzogen; Alle Gattungen Schränke und Kästen, Toiletten, Fußschämmel, Licht- und Ofenschirme, spanische Wände etc.; Wand- und Anzugspiegel; verschiedene Gattungen Tische; Bettstätte mit und ohne Aufsätze, sammt allem Zubehör. Uhren in verschiedenen Kästen und Formen; Girandols = und Wandleuchter, Lampen von Bein, Glas und Porcelain: Spielleuchter, Theebretter, Uhrenträger: verschiedene kleine Spiel- Nähe- und Arbeitskästchen etc. etc.

N.B. Auch nimmt man Bestellungen von alle dem an, was immer zu je einem Meublement gehört. Das Gewölbe im Apotheker Vogelschen Hause, rückwärts auf dem Frauen-Kirchhofe Nr. 27 den Markt über täglich von Morgens 8 Uhr bis Abends 7 Uhr am Abend hübsch beleuchtet offen außer Marktzeit aber, Sonn- und Festtage ausgenommen, von Morgens 8 bis 12 und von 1 bis 6 Uhr offen.

Joh. Georg Hiltl
Hoftapezierer und Meubelhändler« (MV 64076)

Dieses Möbelmagazin stellt nun in München das erste Geschäft von der Art dar, wie sie in Paris und London schon lange bekannt war. Es handelt sich dabei gleichsam um eine Vorform des modernen Einrichtungsgeschäfts, das alle Waren und handwerklichen Leistungen, die der Ausstattung einer Wohnung – in Teppichen und Tapeten ebenso wie in Möbeln und Dekorationsgegenständen – dienen, unter einem Dach anbietet. So kann das Hiltlsche Geschäft mit Recht als eine Sensation gelten und öffentliche Blätter im In- und Ausland anerkennen diese Leistung und empfehlen sein neues Magazin. Es nimmt nicht Wunder, daß der Neid und die Mißgunst unter den Zunftmeistern im selben Maße wie Hiltls Erfolg wachsen. Hiltl läßt sich davon jedoch nicht beirren, da sein Geschäft floriert und durch Bestellungen aus dem In- und Ausland unterstützt wird.

Schließlich bringt sogar die Besetzung Münchens durch französische Truppen unter General Moreau am 28. Juni 1800 einen Aufschwung für Hiltls Geschäft mit sich. Die französischen Besatzer schätzen seine Waren und es gelingt ihm kaum, der wachsenden Nachfrage Herr zu werden. Da der Hof zu dieser Zeit sich in Bayreuth befindet und keine großen Aufträge erteilt werden, beschließt Hiltl als flexibler Unternehmer eine große Anzahl einfacher Möbel herzustellen, um den Bedarf an benötigtem Mobiliar zu decken. Hierfür scheint er als Auftraggeber einen großen Teil der nichtzünftigen Tischler und andere Handwerker der Stadt beschäftigt zu haben; außerdem unterhält er selbst eine große eigene Werkstatt. Hierfür zeugt eine Beschwerde der Kistlerzunft an die königliche Polizeidirektion München vom Mai 1800, in der neben 30 Meistern und 2 Konzessionisten der »Tapezierer Hiltl« erwähnt wird, der »eine halbe Kompanie Gesellen hält« (BayHStA, MH 4039). Außerdem legt Hiltl mit seinem Kapital ein großes Warenlager an und unternimmt Reisen ins Ausland, um Waren einzukaufen und Kontakte zu knüpfen.

In diese Zeit fällt auch die von Hiltl selbst berichtete Anekdote, nach welcher er für sich in Anspruch nimmt, gleichsam der Entdecker des später berühmt gewordenen Physikers und Astronomen Fraunhofer zu sein. Am 21. Juli 1801 sei

die Werkstatt des Glasermeisters Weichsberger im Türken-
gässchen eingestürzt, wobei er nicht nur einen großen
Bestand an Spiegelgläsern verloren, sondern auch Weichsberger und seinen Lehrjungen Fraunhofer gerettet habe. Als
er danach während 4 Monaten die beiden in seinem Haus
verpflegte und versorgte, sei ihm die Begabung des jungen
Fraunhofer sofort aufgefallen. Er habe ihm die Möglichkeit
gegeben, Zeichenunterricht zu nehmen und dem Studium
technischer Veröffentlichungen, die sich in seiner Bibliothek
befanden, nachzugehen. Einen Besuch des Kurfürsten habe
er zum Anlaß genommen, diesen auf das Talent des jungen
Fraunhofer hinzuweisen und berichtet, dafür von jenem
300 Gulden erhalten zu haben, die der Weiterbildung des
Glaserlehrjungen dienen sollten. Er habe diese Summe an
Fraunhofer ausgehändigt und »Fraunhofer dankte Hiltl
solange er lebte«. Es ist interessant und begründet einige
Zweifel an der absoluten Glaubwürdigkeit Hiltls, daß dieselbe Anekdote, jedoch mit größerer Wahrscheinlichkeit,
auch von Joseph von Utzschneider, dem bedeutenden
Unternehmer und Begründer der feinmechanisch-optischen
Industrie Bayerns, berichtet wird.

Ebenfalls in das Jahr 1801 fällt die Entlassung von Hiltl's
Vater Georg, über die sein Sohn berichtet. Sie war von dem
Oberhoftapezierer Caré betrieben worden, der sich wieder-
holt über die Faulheit und Renitenz von Hiltls Vater
beschwert hatte (BayHStA MF 13498). Da sie in die gleiche
Zeit fällt, in der J.G. Hiltl seine ersten größeren Geschäfts-
erfolge erzielt und mit den ersten Hoflieferungen beauftragt
wird, die sicher den Neid des Oberhoftapezierers erregt
haben mögen, mag dies auch als ein indirekter Schlag gegen
Hiltl selbst bewertet werden. Bisher war es hauptsächlich
Caré vorbehalten gewesen, die Räume der Residenz und
Nymphenburgs mit französischen Luxuswaren auszustatten. Obwohl es Georg Hiltl zunächst gestattet worden war,
weiter in den Hofwerkstätten zu arbeiten, wenn er sich den
Anweisungen des Oberhoftapezierers nicht widersetze, gab
Caré sich mit dieser Entscheidung nicht zufrieden und
drängte in einem persönlichen Brief an den Kurfürsten auf
die Entlassung des Tapezierers Hiltl. Der Kurfürst bewilligte schließlich dessen Entlassung und so wurde Georg Hiltl
nach 48jähriger Tätigkeit bei Hofe am 24. Oktober 1801
entlassen, wobei ihm gleichzeitig ein kleines Auskommen als
Hofkapelldiener zugestanden wurde. Er muß allerdings weiter auch der Nebenarbeit als Tapezierer nachgegangen sein,
denn als er im Jahre 1810 eine Erhöhung seines Gehaltes
beantragt, tut er dies mit der Begründung, der zwischenzeitlich polizeilich verbotene Nebenerwerb sei für ihn notwendig, um ihm überhaupt ein Auskommen zu ermöglichen.
Man mag am Schicksal von Hiltls Vater ersehen, wie schwer
und unsicher selbst die Existenz eines Handwerkers war,
dem es gelungen war in den höfischen Werkstätten beschäftigt zu sein.

Hiltls Geschäft scheint die Zeit der französischen Besatzung
gut und sogar mit Gewinn überstanden zu haben. Als der
Friede wiederhergestellt ist, die Franzosen abziehen und
1801 auch der Hof aus Bayreuth zurückkehrt, erfolgen
wieder Bestellungen von allen Seiten. So ist Hiltl in der Lage,
am 10. Januar 1802 in neuen und größeren Räumen in der
Prannergasse »Die Ausstellung eines großen Möbelmagazins« zu eröffnen,»das jedem zugänglich war. Für München
eine neue Erscheinung« – wie er selbst berichtet. Es ist ein
Zeichen für das wachsende Ansehen Hiltls, daß auf seine

persönliche Einladung ihm auch der Kurfürst nebst Familie
und Hofstaat die Ehre eines Besuchs erweist und sich sehr
wohlwollend über das Magazin und dessen staatswirtschaft-
lichen Nutzen äußerst. Das Angebot in der Prannergasse
zeigt sich als ganz auf der Höhe der Zeit stehend, indem hier
unter anderem auch die ersten Lithographien, die ersten
Fabrikate der königlichen Eisengußwaren, z.B. die ersten
abgedrehten und polierten Kanonenöfen, sowie Fabrikate
der königlichen Porzellanfabrik in Nymphenburg ausgestellt werden. »Bayerische Gewerbserzeugnisse jeder Art«
und kunsthandwerkliche Objekte werden angeboten, nun
aber erweitert um eine Kunsthandlung im engeren Sinn, die
Gemälde, Druckgraphik und Skulpturen ausstellt. Das Hil-
telsche Magazin scheint sich sogar großer Beliebtheit bei den
Münchner Bürgern erfreut zu haben, da es alle Waren in
einer Qualität präsentierte, die dem Vergleich mit ausländischen Erzeugnissen standhielt. Hiltl war nun in der Lage,
seine geschäftlichen Aktivitäten über die Grenzen Bayerns
hinaus auszuweiten und seine Waren auch in der Schweiz
und über seinen Schwager, der Kaufmann in Triest war, in
Italien zu vertreiben.

Der große Erfolg Hiltls, der inzwischen zu einem der bedeutendsten Unternehmer und Arbeitgeber in der Stadt geworden war, läßt sich sehr gut aus den Dokumenten ersehen, die
ihn als Auftraggeber oder Abnehmer von handwerklichen
Erzeugnissen anführen. So begründet z.B. ein Schreiner
seinen Antrag auf Eröffnung eines Geschäfts vor allem
damit, daß er »auch bereits Arbeiten an das hiesige hiltlische
Meubles Magazin« (BayHStA, MH 4039) geliefert habe. Ein
Anderer beantragt eine Konzession für ein eigenes Geschäft,
da »ihn der hiesige Meubel Magazin Inhaber Hiltl hinrei-
chende Arbeit zugesichert« habe (ebd.). »Das mündliche
Zeugnis gab ihm der Meubel Magazin Inhaber Hiltl, dessen
Waren er großentheils mit Arbeit für sein Magazin versehen
werde«. (ebd.) Hiltl selbst betrachtet seinen großen
geschäftlichen Erfolg natürlich auch als einen Triumph über
seine in der Schreinerzunft organisierten Kollegen, an die er
nach eigener Angabe zwischen 1800 und 1803 die ungeheure Summe von 76 000 Gulden bezahlt habe – »beschämt
schwieg nun der Zunftgeist«. Aber selbst im Jahr 1803
gelang es der Opposition der Zünfte noch, durch ihren
Einfluß auf den Magistrat Hiltl das Bürgerrecht in München
zu verweigern, das ihm als gebürtigem Münchner zustand.
Erst als Hiltl sich direkt beim Kurfürsten beschwerte, wurde
es ihm auf dessen Anweisung hin zugestanden; nun sogar
unentgeltlich und ohne die üblichen Zahlungen, was als eine
besondere Anerkennung Hiltls durch den Kurfürsten anzusehen ist.

Glücklich, nun zu den Honoratioren der Stadt zu gehören,
und frei von jeder Verpflichtung gegenüber seinen Berufs-
kollegen, beeilt Hiltl sich nun, sich auch als loyaler Staatsbürger zu profilieren. Am 31. Mai 1802 legen zahlreiche
Handwerker der Stadt die Arbeit nieder, um gegen einen
kurfürstlichen Erlaß, »die Abwürdigung einiger Feiertage
und das Verbot einer Prozession« betreffend, zu protestie-
ren. Als nach mehreren Tagen die sogenannten ›Tumultanten‹ einen Protestmarsch planten, enschließt sich Hiltl, dessen Geschäft unter dem Streik leidet, persönlich einzugreifen. Er begibt sich nachts zur Stadtkommandantur, meldet,
es sei zu Auseinandersetzungen mit den Tumultanten
gekommen, und erhält 12 Infanteristen und 4 Mann Kavallerie zugewiesen, die er unter seiner Führung zur Beilegung

2.2.2 Der Tischler, G. M. Kirn, Esslingen 1836

des Aufruhrs einsetzen soll. Er besetzt darauf die Eingänge der Herbergen, in denen sich »die Masse von vielen Tausenden« einquartiert hat, täuscht vor, er habe eine größere Zahl Militär bei sich, und versucht, als Unterhändler die Streikenden zur Aufgabe ihrer Pläne zu bewegen. Es gelingt ihm, auf diese Weise die streikenden Handwerker festzuhalten, bis um 10 Uhr vormittags endlich mit Hilfe anrückenden Militärs die Tumultanten verhaftet und festgesetzt werden können. Nun wiederum setzt Hiltl sich für die Verhafteten ein und es gelingt ihm, für viele eine Begnadigung zu erwirken. Obwohl Hiltl, seiner allgemeinen Tendenz zur Selbststilisierung entsprechend, die Umstände seiner Heldentat zweifellos übertreibt, scheint er hier doch in einer Weise öffentlich hervorgetreten zu sein, die ihm den Dank des Staates und der Stadtkommandantur dafür eintrug, den Aufstand ohne Blutvergießen beigelegt zu haben.

Seine Geschäfte nehmen in den Jahren von 1803 bis 1805 einen kontinuierlichen Aufschwung. Er ist der erste in München, der in seinem »Tempel der bayerischen Industrie«, wie er sein Magazin selbst nennt, Gewerbeausstellungen veranstaltet und er ist nun auch in der Lage, mehrere Filialniederlagen, selbst im Ausland, zu eröffnen. So beantragt er z.B. im August 1805 die Gründung einer Filiale in Landshut, die ihm auch genehmigt wird, jedoch nur unter der Voraussetzung, einen dort ansässigen Bürger mit der Leitung zu beauftragen. (GR 275/16). An Feiertagen dekoriert und beleuchtet Hiltl sein Magazin und »verherrlicht das Bild des Kurfürsten«. Diese Beleuchtung der Stadthäuser war eine aus der Imitation höfischer Festbräuche hervorgegangene Gepflogenheit der Zeit, die von den wohlhabenden Bürgern, zu denen Hiltl nun gehört, befolgt wurde. In der 1805 in München erscheinenden »Beschreibung der kurbayerischen

Haupt- und Residenzstadt München« von Lorenz Hübner wird auch »das hiltlische Meubeln-Magazin in der Prannergasse« (463) erwähnt; »Jos. (sic!) Hiltl, der Erfinder, hat es prächtig angelegt, und es ist in den Dultzeiten in voller Beleuchtung zu sehen«. Auch vom Hof erhält Hiltl weiterhin Aufträge und so finden sich im Jahre 1803 im Ausgabebuch des kurfürstlichen Hofzahlamtes unter der Rubrik der Hauskämmerei folgende Einträge:

31. May 1803, dem Joh. G. Hiltl für Möbel   61 fl 36
31. Juli 1803 dem Meubles Händler Hiltl
um dafür gelieferte Ware laut Anlage   49 fl 24
Gedachtem Hiltl für ein zur Hauskämmerey
für die Prinzeß Charlotte abgeliefertes Bureau   66 fl
31. Dezember 1803. Dem Meubles Händler Hiltl
für zur Hauskämmerey geliefert vergoldete Nägel   8 fl 30
Noch dem für dahin abgegebene Meubles   101 fl
(BayHStA, HR II, Fasc. 315/316)

Die historischen Ereignisse des Jahres 1805 geben auch dem Leben des Geschäftsmannes Johann Georg Hiltl eine neue Wendung. In der Nacht vom 8. auf den 9. September flieht der Kurfürst Max Joseph vor den anrückenden österreichischen Truppen nach Würzburg. Bei der Schilderung dieser Ereignisse nimmt Hiltl für sich in Anspruch, als ein persönlicher Vertrauter des Kurfürsten gelten zu können. Er habe diesen bei seiner Abreise persönlich verabschiedet und von ihm den Auftrag erhalten, »die Stellung des Kurfürsten in München zu vertreten«. Auch wenn gegenüber diesen Angaben ein Mißtrauen angebracht zu sein scheint, so hat Hiltl doch zumindest eine angesehene gesellschaftliche Stellung eingenommen. In seinem Haus wohnte damals der Landes-Direktionsdirektor Baron Adam von Aretin, es wurde häufig von hochgestellten Staatsbeamten besucht und hier wurden auch geheime Aufträge und Effekten hinterlegt. Nach der verheerenden Niederlage der österreichischen Armee bei Ulm habe er, wie er berichtet, die Truppen Napoleons in München empfangen und deren Unterbringung und Verpflegung organisiert. Persönlich quartierte er die Generäle Walter Laurin und Graf Bernadotte, den späteren König von Schweden, zusammen mit 22 Offizieren, 16 Ordonanzen und 100 Pferden bei sich ein und versorgte sie auf seine Kosten 4 Tage lang in seinem Haushalt.

Am 26. Dezember 1805 war der Friede wieder hergestellt und der Hof kehrte nach München zurück. Napoleon hatte am 1. Januar 1806 Bayern zum Königreich gemacht, und zu Ehren des neuernannten Königs Max I. Joseph veranstaltet Hiltl einen Festzug und Feierlichkeiten, die den neuen Regenten verherrlichen – »der König dankte Hiltl mit Tränen in den Augen«. Auch zur Feier der Vermählung des französischen Prinzen Eugène mit der Prinzessin Augusta von Bayern am 13. und 14. Januar 1806 schmückt er seinen »Tempel der bayerischen Industrie« und veranstaltet Ausstellungen und Festlichkeiten, die drei Tage dauern.

Seit dem 19. Juni 1805 betreibt Hiltl bereits eine eigene Fabrik, die einzig für sein Magazin arbeitete. Er berichtet, es sei ihm kaum gelungen, die Nachfrage aus dem In- und Ausland zu befriedigen. Nach eigener Angabe war dieser Betrieb bald so angewachsen, daß er mehr als 100 Arbeiter, sowohl Gesellen als auch Meister, dort beschäftigte. Obwohl diese Zahl zweifelhaft erscheinen mag, bedenkt man, daß zur gleichen Zeit die Porzellanmanufaktur in Nymphenburg nur 38 Beschäftigte zählte, so steht doch außer Frage, daß sein Betrieb damals zu den Großunterneh-

men Münchens zählte. Im ersten Viertel des 19. Jahrhunderts hat es in Bayern nur 62 Industriebetriebe gegeben, die mehr als 50 Arbeiter beschäftigten; 10 davon waren in München ansässig (vgl. Spindler II, 1975, 789ff.). Indirekt belegt wird der Erfolg des Unternehmens auch durch die nicht ausbleibenden erneuten Beschwerden der Kistlerzunft an den König, wo sich die zünftigen Schreiner gegen die bedrohliche Existenz freier Produzenten wenden – »wenn die Zahl der Konzessionisten beynahe täglich erwächst, ganze Fabriken entstehen«. Die eigenen Verdienstmöglichkeiten seien gefährdet, unter das Existenzminimum zu sinken, wenn ein Unternehmer wie »Hiltl allein mehr Gesellen hält, als wir 30 Meister zusammen, und Arbeiten annimmt, die außer seiner Meublssphäre sind«. (BayHStA MH 4039) Die ersten Produkte seiner eigenen Fabrik macht Hiltl der königlichen Familie zum Geschenk. »Er verfertigte einen prächtig gearbeiteten Tisch, dessen Blatt aus mehrern Tausend Stückchen Holz künstlich zusammengesetzt, eine vielblätterige Rose bildeten. Ein Fries am Rande war ebenso in Holz künstlich eingelegt und enthielt die schöne Devise: Lange lebe zu Maxens Freude und Bayerns Glück unsre allgeliebte Königin Caroline«. Als Anerkennung seiner Arbeit und Dank für dieses Geschenk erhält Hiltl eine goldene Dose von der Königin. Der erfolgreiche Unternehmer Hiltl entwickelt nun auch Ambitionen auf politischem Gebiet und tritt zum Beispiel mit einem Entwurf zur Verbesserung des Strafarbeiterhauses hervor, dem er dem General-Kreis-Komissariat einreicht. Sicherlich nicht uneigennützig schlägt er vor, die Strafgefangenen gewerbliche Arbeiten verrichten zu lassen – ein Vorschlag, den er mit dem Vorteil finanzieller Ersparnisse begründet, der aber zugleich durchaus auch als ein Konzept zur Modernisierung des Strafvollzugs gelten kann. Hiltls Entwurf fand jedoch keine Anerkennung und wurde erst später wieder aufgegriffen.

Für das Jahr 1807 verbucht Hiltl einen Umsatz von 100 000 Gulden und meldet eine Zahl von 40 bei ihm beschäftigten Arbeitern. Er sieht sich nun in der Lage, ein großes Haus zu kaufen, und erwirbt das Anwesen in der Prannergasse 224 für 38 000 Gulden. Lorenz Hübner gibt in seiner Statistik 1805 den Grafen Haimhausen als den Besitzer dieses Hauses an. Von Seiten des Staates wurde Hiltl der Vorschlag gemacht, das alte Haus abzureißen und ein neues und größeres zu erbauen, das auch geeignet sein würde, zur Deckung des ständig steigenden Bedarfs an Büros und Verwaltungsräumen beizutragen. Dieser Vorschlag war verbunden mit der Zusicherung, zu diesem Projekt nach seiner Vollendung die Summe von 20 000 Gulden beizutragen. Hiltl willigte nicht ein, da er die Gesamtkosten des Hausbaus mit ungefähr 100 000 Gulden veranschlagte. Er unterbreitete seinerseits den Vorschlag, das Bauvorhaben zu realisieren, wenn ihm von staatlicher Seite 24 000 Gulden vorgeschossen werden würden; den Rest wolle er dann selbst aufbringen. Nach der Fertigstellung dann sollte ihm das Gebäude für insgesamt 100 000 Gulden abgekauft werden. Hiltl erreicht es, daß ihm dieser Finanzierungsplan schriftlich zugesichert wird, und beginnt mit dem Abriß des alten Gebäudes in der Prannergasse 224. Als der Neubau jedoch schon weit fortgeschritten war und Hiltls eigenes Kapital zur Neige geht, drängt er auf die Auszahlung der versprochenen 24 000 Gulden. Bedingt durch die chronische Finanzmisere Bayerns und die Explosion der Staatsverschuldung in dieser Zeit

5.1.214 Runder Tisch mit Darstellung des Nymphenburger Parkes, J. G. Hiltl, München nach 1824

wurde ihm dieses Geld von der Staatskasse jedoch verweigert. Da es für Hiltl aber kein Zurück mehr gab und der Bau schon zu weit fortgeschritten war, sah er sich nun gezwungen, private Kredite aufzunehmen und sich in die Hände »beschnittener und unbeschnittener Juden« zu begeben. Als einen dieser Gläubiger nennt er den Baron von Leyden, der ihm zu äußerst ungünstiger Kondition 24 000 Gulden lieh.

Trotz hoher Verschuldung und am Rande des Ruins gelingt es Hiltl, den Neubau in der Prannergasse gegen Ende des Jahres 1808 fertigzustellen. Hier eröffnet er nun nach zweijähriger Bauzeit am 29. Januar 1809 ein neues Möbelmagazin. Am Abend der Eröffnung erhalten nur geladene Gäste Eintritt in die prächtig erleuchteten Verkaufsräume und für die nächsten Tage wird der Besuch der königlichen Familie

11.1.3 Silberrelief König Max I. Joseph im Krönungsornat, München 1824

Rückkehr der königlichen Familie am 17. Mai 1809 herausgab. Sie ist verfaßt von Anton Baumgartner und enthält auch eine Lithographie, die die Fassade des Hauses zeigt, sowie eine ausführliche Beschreibung des Frieses, der jene schmückte. »Sein eigner Erfindungsgeist gab die Gedanken zu diesen Basreliefs, welche von dem Bildhauer Franz Schwanthaler auf eine kunstreiche Art ausgeführt worden sind, und den Beyfall aller Kenner sich erworben haben«. Neben Darstellungen, die die heldenhafte bayerische Armee unter Napoleons Führung verherrlichen und die Aussicht auf einen gesicherten Frieden preisen, wird in diesem Programm auch des Handels und des Gewerbes gedacht – »und unter Merkurs weit umfassendem Schutze wird man der Einfuhr vom Auslande die Waagschale halten, mit der Fülle inländischen Produkten, und der inländischen Fabrikate Veredlung«. (BayHStA MF 64076)
Trotz eines Jahresgesamtgewinns von 41 500 fl und obwohl er weiterhin 50 Arbeiter beschäftigt, ist die Schuldenlast, die Hiltl sich beim Bau des Hauses in der Prannergasse aufgeladen hatte, erdrückend. Er muß das Haus mit einem Verlust von 28 000 fl verkaufen. Anfang des Jahres 1810 aber scheint Hiltl sich von seinem finanziellen Rückschlag erholt zu haben und ist nun in der Lage, ein Anwesen in der Max-Vorstadt zu erwerben. Auch hier richtet er wiederum ein Möbelmagazin ein und läßt es anläßlich der Hochzeitsfeierlichkeiten für den Kronprinzen Ludwig von Bayern und Therese von Hildburghausen am 12. Oktober 1810 mit unzähligen Wachskerzen beleuchten. Außerdem wird eine »coloßale Säule« errichtet, über welches Ereignis man im Journal des Luxus und der Moden von 1810 liest: »Herr Hiltl, der berühmte Möbelfabrikant, welcher ob schon er weit vor den Thore an der Schwabinger Chausee wohnt, dennoch eine Gattung Obelisken hat errichten lassen«. (708) In den nun folgenden Jahren wird auch Hiltl durch die von den anhaltenden napoleonischen Kriegen verursachte Wirtschaftskrise betroffen. Ab 1810 wurde die Kontinentalsperre verschärft, wobei vor allem die Waren aus England mit sehr hohen Zöllen belegt oder sogar vernichtet wurden. Bei einer Durchsuchung, die in Hiltls Magazin vorgenommen wird, entdeckt die Polizei auch englische Waren; Hiltl gibt an, er habe diese ordnungsgemäß verzollt und sie gehörten jetzt zu seinem Besitz, sodaß die Polizei unverrichteter Dinge wieder abrücken muß. In seiner Darstellung seines Lebenslaufs markiert dieses Ereignis jedoch den Beginn der Schwierigkeiten, denen er sich nun zunehmend auch von staatlicher Seite ausgesetzt sehen wird. In der kommenden Zeit wird er sich immer wieder über Nachstellungen und Intrigen gegen seine Person beschweren, die darauf zielen, ihn beim Hofe in Ungnade zu bringen und seine Geschäfte zu ruinieren. Als das Zentrum dieser Intrigen bezeichnet er die Gräfin von Montgelas, die Frau des Ministers und bayerischen Staatsreformers. Schon früher hatte er sich deren Feindschaft zugezogen, als er sich weigerte, das Palais des »goldtreuen Ministers« in »verdeckter Staatsrechnung« zu möblieren. Später habe er sich dann deren Neid durch den Hauskauf und Neubau in der Prannergasse zugezogen, und sie habe ihn von da an mit ihrer Feindschaft verfolgt.
Im Jahr 1812 veranstaltet Hiltl die letzte Ausstellung seines Möbelmagazins, »nicht nur mit eigenen Fabrikaten, sondern auch mit Produkten anderer Künstler, Lithographen und Bildhauern«. Seine gefährdete Position als Hoflieferant versucht er nun dadurch zu festigen, daß er besondere Objekte

angekündigt. Einen interessanten Einblick in Hiltls Selbstverständnis als Geschäftsmann und Staatsbürger gibt auch der Ankündigung beigebene Text von Hiltl. »Es ist die Pflicht eines jeden, in seinem Kreis zu wirken, und seine Kenntnisse zur möglichsten Vollkommenheit auszubilden. Von diesem Grundsatze bin ich immer in meinen Unternehmungen ausgegangen, und werde auch denselben zu befolgen niemals aufhören: selbst muthwilliger Neid und unbesonnener Tadel werden nicht im Stande seyn, den Eifer und die Fortschritte meiner Industrie zu lähmen«. Auch dem patriotischen Stolz hinsichtlich der angebotenen Waren wird hier Ausdruck gegeben; es sollen nur Produkte verkauft werden, »welche ganz von Eingebornen nach neuen eigenen Ideen erfunden und bearbeitet sind. Ohne sie mit prahlerischen Ausdrücken anzurühmen, wird weder London noch Paris, bessere in dieser Art aufzuweisen haben«. (BayHStA, MF 64076)
Über das äußere des neuen Hiltlschen Hauses in der Prannergasse sind wir gut unterrichtet durch die gedruckte Broschüre, die Hiltl selbst anläßlich der Feierlichkeiten zur

zur Verherrlichung des Königspaares ausstellt. Bei dieser Ausstellung prunkten unter mehreren Produkten ganz besonders zwei Kästen aus Hiltls neu errichteter Kunstfabrik für seine Majestät den König und die Königin bestimmt, als Probe einer ausgezeichneten vaterländischen Fabrikation. Der künstlich gearbeitete Schreibkasten des Königs war von inländischem Maserholz und stellte eine Draperie von Sammet dar, so täuschend, daß jedermann darüber erstaunte und hatte inwendig die einfache Inschrift ebenfalls von Holz ausgelegt – die Erstlinge sind dem Herrn geweiht ... Schon bei der Ausstellung hatte Hiltl die Portraiten der königlichen Majestäten in Lebensgröße, sowie des Kronprinzen von dem berühmten Kellerhofen gemalt und in einer Art von Thronornat ausgestellt ... «

Auch diese Ausstellung wird – nach Hiltls eigener Darstellung – von der Gräfin Montgelas zum Vorwand genommen, ihre Feindschaft zu demonstrieren. Kaum hatte Hiltl eröffnet, war die Frau des Ministers vorstellig geworden und hatte sich über die fehlende Darstellung ihrer Person und der ihres Mannes, des Ministers, beschwert; außerdem äußerte sie ihren Unmut darüber, keinen solchen Kasten wie die königlichen Majestäten erhalten haben. Hiltl selbst deutet es als Zeichen beginnender Ungnade bei Hof, daß die Königin ihr Stück nach Monaten stark beschädigt zurücksendet. Der König weigert sich, den Schreibkasten als Geschenk zu akzeptieren und besteht trotz der Einwände Hiltls auf einer Bezahlung. Da es um die königlichen Finanzen schlecht bestellt ist, erhält Hiltl in 7 monatlichen Zahlungen je 100 fl. Hiltls eigene Angaben über die Jahre 1812 und 1813 – das Jahr seines ersten Ruins – sind nun einigermaßen widersprüchlich; er betont einerseits das unverminderte Florieren seines Geschäftes, andererseits die Zunahmen der Feindseligkeiten gegenüber seiner Person, durch die schriftlich auch sein Unternehmen in Mitleidenschaft gezogen wurde. »1812 arbeitet Hiltl nach obrigkeitlicher Gewerbserhebung im Jahre 1812 mit einer großen Anzahl eigener Gesellen, beschäftigt noch Meister in der Stadt und im Lande, verarbeitete jährlich ca. 24–30 000 fl in inländischen Material und setzt mehr als 100 000 fl vollendete Fabrikate bloß ins Ausland ab.« Während nun seine größte Einnahmequelle der Export zu sein scheint – »von Hiltls Arbeiten befinden sich an den allerhöchsten Höfen Fabrikate« – geht der Absatz in München zurück. Nach seiner Meinung haben es die Intrigen der Ministerin bewirkt, daß er bei Hofe und in den Kreise seiner potentiellen Auftraggeber in Ungnade gefallen war.

Von nun an werden es vor allem die immensen Schulden sein, die Hiltl sich besonders durch den Hausbau in der Prannergasse aufgeladen hat, die sein Geschäft in Schwierigkeiten bringen. Für das Jahr 1812 gibt er seine Außenstände mit 16 784 fl an. Die Verdienste durch Auslandsgeschäfte scheinen nicht ausgereicht zu haben, um diese Fehlbeträge auszugleichen. Die meisten seiner Schuldner sind hohe Staatsbeamte, über deren schlechte Zahlungsmoral Hiltl sich wiederholt beschwert. Unter ihnen befindet sich auch die Gräfin Montgelas, mit der es zu heftigen Auseinandersetzungen gekommen zu sein scheint, und die nun alles daran setzt, Hiltl zu Grunde zu richten. Nach seiner eigenen Darstellung war sie es, die es durch ihre Intrigen erreichte, daß seine Geschäfte in München zusehens schlechter gingen und auch keine Behörden mehr bereit waren, Hiltl öffentlich zu unterstützen.

Das Hiltl Haus an der Prannergasse, 1809

Es ist schwer zu beurteilen, welchen Einfluß die Gräfin Montgelas tatsächlich auf das folgende Schicksal Hiltl hatte. Ein weiterer Aspekt dieser Feindschaft mag auch sein, daß Hiltl sich als ein Parteigänger des Generals Wrede verstand, welcher der politische Widersacher des Grafen Montgelas war. Als es nun zu einer Art Aufstand unter Hiltls Arbeitern kommt, gibt es für diesen keinen Zweifel, daß er von der Gräfin angezettelt worden sei. Er führt dazu, daß ein großer Teil seiner Arbeiter aus seinen Werkstätten abwandert und dabei sein angespartes Kapital zurückfordert – angesichts seiner großen Schulden ein schwerer Schlag für Hiltl. Die Gräfin selbst hatte mittlerweile in Bogenhausen ein eigenes Möbelgeschäft gegründet, wo sie nun auch ehemalige Gesellen Hiltls beschäftigte und »trotz der vielen Widersprüche der gewerbeeinträchtigen Meister förmlich als Meisterin mit Gesellen« arbeitete und Hiltl Konkurrenz machte.

Am 10. Mai 1813 gibt Hiltl dem königlichen Stadtgericht München seinen aktiven und passiven Vermögensstand an; nach Abzug aller passiven Werte verbleibt ihm ein reines Vermögen von 22 737 fl. Es mag als ein letzter Beweis für das nach wie vor bestehende Ansehen Hiltls als Bürger gewertet werden, daß ihm im Februar 1830 durch den neuernannten Polizeiinspektor Franz Paul Döhner der Auftrag zur Aufstellung einer bayerischen Landwehr an den Grenzen Voralbergs und Tirols übertragen werden sollte. Das neue Königreich Bayern hatte diese Provinzen im Rahmen seiner Gebietserweiterungen nach dem französisch-österreichischen Krieg zugesprochen bekommen und wollte nun sein

11.1.4 Detail aus Tischplatte mit Darstellung der Übergabe des goldenen Pokals

dort stationiertes reguläres Militär abziehen. Hiltl lehnte dieses Angebot, erneut eine militärische Funktion zu übernehmen, jedoch ab.

Dies war ein entscheidender Fehler, denn es scheint nun, daß Hiltl die letzte Protektion beim Hof verloren hat. Am 21. Juli 1830 wird Johann Georg Hiltl verhaftet. Es werden ihm »staatsschädliche Kontakte« zu den Aufständischen in Vorarlberg vorgeworfen. Gemeinsam mit dem Kaufmann Ruf aus Vorarlberg wird er des Staatsverrats angeklagt und muß den Beginn seines Prozesses im Gefängnis erwarten. »Nach der Arrestierung ermuntert die Polizei Hiltls Arbeiter . . . nehmt was ihr schleppen könnt oder schlagt alles zusammen, denn der sieht das Tageslicht nicht mehr . . . Kein Wunder, daß so vieles gestohlen und mutwillig zerstört wurde, also ein enormer Schaden entstand.« Trotz dieser Rückschläge versucht Hiltl auch vom Gefängnis aus, wo er seinem Sohn Anton, der ihm täglich das Essen brachte, Anweisungen erteilt, die Geschäfte so gut wie möglich weiterzuführen. Während seiner Inhaftierung erkrankt Hiltl schwer an der Gicht und verliert das linke Augenlicht.

Nachdem Hiltl in einem ersten Verfahren am 23. März 1814 zunächst verurteilt wurde, geht er auf anraten seines Advokaten in Berufung und wird schließlich am 18. bzw. 24. Juni 1814 gemeinsam mit dem Kaufmann Ruf vom Obersten Gerichtshof für unschuldig erklärt. Mit der Begründung »er hätte seine Lage selbst verschuldet« werden ihm jedoch die Kosten des Gerichtsverfahren auferlegt. Erst am 28. Juni 1814 wird Hiltl auf direkte Anweisung des Königs hin aus der Haft entlassen.

Nach seiner Entlassung fährt er für einige nach Tage nach Landshut zu seinem Onkel Professor Mühlbühler. Hier konzipiert er eine Flugschrift, die er nach seiner Rückkehr im Juli durch seinen Sohn vom Obersten Appellationsgericht genehmigen und als Flugblatt verteilen läßt. Er teilt hierin das Ergebnis der Gerichtsverhandlung und seine erwiesene Unschuld öffentlich mit und gibt auch die Wiedereröffnung seiner Fabrik bekannt. Dieses Flugblatt erregt erneut Anstoß in hohen Kreisen, wo man veranlaßt, Hiltl wieder zu verhaften und seine Flugblätter zu konfiszieren. Es ist Hiltls Glück, daß er zu dieser Zeit bereits wieder einen bedeutenden Auftrag erteilt bekommen hat. Er soll das

Palais des königlich Großbritannischen Gesandten ausstatten, der es auch erreicht, daß Hiltl noch am selben Tag aus dem Polizeiarrest entlassen wird. Es wird ihm allerdings ein Polizist mitgegeben, der die Anweisung hat, ihn zu überwachen und an allen landesverräterischen Aktivitäten zu hindern. Der englische Gesandte unterstützt Hiltl auch, in dem er ihm gleich 2000 fl Vorausszahlung leistet und ihm am nächsten Tag durch seinen Legationsrat weitere 100 fl zukommen läßt. Darüberhinaus überläßt der Legationsrat ihm bei seiner Abreise alle bei ihm gekauften und bar bezahlten Möbeln, die er Hiltl zur freien Disposition zur Verfügung stellt und die Zahlung einstweilen aussetzt.

Obwohl dieser Auftrag der Beginn eines guten Neuanfangs hätte sein können, zeigt es sich nun, daß Hiltl jede weiterreichende Protektion fehlt. Er sieht sich daher zunehmend seinen alten Feinden in Magistrat und Stadtverwaltung und deren Nachstellungen ausgesetzt. Am 11. November 1814 fordert das Rentamt der Stadt München die Summe von 126 fl 53 für rückständige Gewerbs-, Schutz- und Häusersteuern. Hiltl bittet um Erlassung dieser Steuern, jedoch bereits am 23. Dezember 1814 drängt das Rentamt auf Auspfändung und Verkauf der Realitäten. Verzweifelt versucht Hiltl dem bevorstehenden totalen Ruin zu entgehen, indem er einen – allerdings vollkommen überzogenen – Antrag auf Entschädigung für seine durch die Haft entstandenen Verluste stellt. Seine Frau und sein Sohn übergeben diesen Antrag persönlich seiner Majestät dem König in dessen Sommerresidenz Nymphenburg; gleichzeitig entschuldigt Hiltl sich für sein Vorgehen bei dem Minister Montgelas, der sich nicht in dieser Angelegenheit übergangen fühlen sollte. In seinem Antrag fordert Hiltl als Ersatz für körperlichen Schaden 100 000 fl, als Entschädigung für entgangene Geschäftsgewinne 47 700 fl und einen Ersatz für sein verbrauchtes Vermögen, das am Tage seiner Verhaftung 24 484 fl betragen habe und von dem nichts verblieben sei. Es wundert nicht, daß Hiltls Forderung über insgesamt 172 184 fl nicht entsprochen und der Antrag abgelehnt wurde.

Von allen Seiten bedrängt, verbittert und ohne Aussicht auf Unterstützung oder ausreichende Kredite beschließt Hiltl nun, radikal seinen gesamten Besitz zu veräußern, um sich dadurch seiner Schulden entledigen zu können. »Vergebens waren Hiltls Bestrebungen, sich einigermaßen wiederzuerheben und er verkaufte alles nur Entbehrliche, z.B. Schmuck, Silbergeschmeide, alte Münzen, Uhren etc. Sogar die goldene Dose, die er von der Königin Caroline für die künstlerische Fabrikation eines Teetisches erhielt, mußte er hergeben«. Vom Erlös dieser Verkäufe erwarb er erneut Holz und andere notwendige Materialien, um wieder ein »vollständiges Möbelmagazin und Warenlager« einrichten zu können. Das erlöste Kapital war jedoch gering gewesen und obwohl seine Waren wieder schnell Absatz fanden, gelang es ihm nicht, so viel zu verdienen, daß er seine Schulden vollkommen hätte tilgen können.

Hiltls nächste Angabe über seine finanziellen Verhältnisse nennt den Betrag seiner Schulden mit 45 662 fl; sein gesamtes Vermögen, die beiden Häuser eingeschlossen, gibt er mit 62 499 fl an. Erneut wird er von Forderungen bedrängt, die jetzt direkt vom Finanz- und Justizministerium ausgehen; seine Hauptgläubiger sind das königliche Rentamt und die Nachkommen seines verstorbenen Anwalts. Hiltl sieht sich so gezwungen, seine beiden Häuser, die er für 30 000 fl gekauft und in die er 9 000 fl investiert hatte, zur Ablösung seiner Schulden zu offerieren. Er bietet an, die restlichen Schulden in jährlichen Zahlungen von 500 fl zu begleichen. Die Gläubiger bleiben aber unnachgiebig und zwingen Hiltl, ›Concours‹ anzumelden. Am 22. März 1816 wird öffentlich seine ›Gant‹, d.h. Konkursversteigerung, verkündet. Hiltl muß mitansehen, wie seine beiden Häuser jetzt für 18 000 fl verschleudert werden. Wohl nicht zu unrecht sieht er auch in dieser Transaktion eine Intrige von Spekulanten, da kurze Zeit darauf dasselbe Anwesen vom Staat den neuen Besitzern für 70 000 fl wieder abgekauft wird.

Einzig die Fabrikgerätschaften, Werkzeuge und einige Lagerbestände kann Hiltl aus der Konkursmasse für 7 000 fl erwerben, die er in jährlichen Raten von 400 fl abzuzahlen vereinbart. Am 30. März 1816 wagt es Hiltl abermals, ein Entschädigungsgesuch an das Finanzministerium zu richten, in dem er auch um Bereitstellung eines staatlichen Gebäudes und um eine finanzielle Unterstützung, die ihm helfe, sein Gewerbe wieder aufzubauen, bittet; auch dieses Gesuch aber wird abgewiesen. Er muß nun schließlich auch alle kupfernen Beizkessel und »Dampfmaschinen« verkaufen und verzeichnet nur am 28. November 1816 eine zweifelhafte Unterstützung durch die königliche Oberhofmeisterstabsökonomie, die »zwei massive Feuerfüße aus Bronze« abnimmt, »die im Einkauf 59 fl kosteten um 9 fl von Hiltl um dessen Leben zu fristen«. Hiltl berichtet aus diesem Jahr noch, daß er in der Vorweihnachtszeit eine besondere Idee gehabt habe, durch die es ihm gelungen sei, auf sich aufmerksam zu machen und immerhin geringe Einkünfte zu verbuchen. Gemeinsam mit seinem Sohn Anton fertigt er eine große Krippe wohl nach neapolitanischem Vorbild, die mit zahlreichen bekleideten Figuren und in einer naturgetreu dargestellten Landschaft das Weihnachtsgeschehen vergegenwärtigt. Die öffentliche Ausstellung dieser Krippe erfreute sich bald regen Zulaufs, der durch die Eintrittsgelder auch einen geringen Verdienst mit sich brachte.

In der folgenden Zeit scheint es Hiltl auch gelungen zu sein, wieder die Unterstützung einiger Privatleute zu gewinnen, wodurch er in der Lage war, Werkzeuge und Waren zu kaufen und auch die Möbelfertigung wieder aufzunehmen. Wir erfahren von ihm aber erst im Jahr 1817, daß er nun wieder ein kleines Geschäft als Ladenausstatter betrieben

11.1.4 Detail aus Tischplatte mit Darstellung der Übergabe ... mit der Geschäftskarte J. G. Hiltls

habe und nun auch wieder, wenn auch in bescheidenem Maße, mit Aufträgen versehen war. Hiltl hatte sich darauf spezialisiert »die alten häßlichen Krämerläden Münchens in hübsche Kaufläden umzuwandeln ... Er war der erste, der öffentliche Warenauslagen zierlich herstellte. Dies wurde mit großem Beifall aufgenommen ...« Aber auch diese Jahre sind schwierig; da Hiltl kaum über Betriebskapital verfügt, muß er Vorschüsse von seinen Kunden nehmen und kann daher nur zu niedrigen Preisen arbeiten. Sein einziger Mitarbeiter in dieser Zeit ist sein Sohn Anton und es kostet ihm große Mühe, diesen, der zur Armee einberufen werden soll, durch Beschaffung eines Ersatzmannes vom Militärdienst freistellen zu lassen. Auch in der folgenden Zeit versucht Hiltl wiederholt, eine Entschädigung für die ihm durch seine Verhaftung entstandenen Verluste zu erreichen. Obwohl der Graf Montgelas seit dem 2. Februar 1817 nicht mehr im Amt ist, werden diese Anträge durch das Finanzministerium und das königliche Staatsgericht alle zurückgewiesen; eine letzte Revision wird im Juli 1823 abgewiesen.

Seit 1815 erscheint in München der »Wöchentliche Anzeiger für Kunst und Gewerbsfleiß im Königreich Bayern, dessen Herausgeber der Münchner Kaufmann und Papierhändler Karl Zeller ist. Gleichzeitig im Jahre 1815 gründet Zeller ein »Commissions-Magazin«, mit dem er Hiltls alte Idee des Möbelmagazins wieder aufgreift und erweitert. Mehr als Hiltl begreift Zeller sein Magazin vor allem als eine Ausstellungsveranstaltung, die die Produkte unterschiedlichster Handwerker zum Verkauf anbietet. Seit 1817 wird Zeller das Lokal der »Harmonie« zur Verfügung gestellt, wo er nun in kontinuierlicher Folge einmonatige Ausstellungen veranstaltet. Konsequent hat er die Konzeption des Möbelmagazins erweitert und zu der Form einer allgemeinen Gewerbeausstellung entwickelt, die sich an dem Vorbild der Industrieausstellungen orientiert, wie sie in Paris seit der Jahrhundertwende jährlich veranstaltet wurden. Diese Ausstellungen vereinigen Produkte aller kunsthandwerklichen, handwerklichen und industriellen Gewerbe und Unternehmungen, die ihre Erzeugnisse sowohl zum An- als auch zum Verkauf hier unter einem Dach anbieten und damit zugleich einen guten Überblick über den Stand und die Entwicklung der gesamten Wirtschaft ermöglichen. Seit 1814 finden diese

Ausstellungen unter der Leitung des Polytechnischen Vereins München parallel zu der Landwirtschaftausstellung beim Oktoberfest statt. Diese Ausstellungen sind wichtige Ereignisse im Wirtschaftsleben der Landeshauptstadt München und von nun an finden sich auch regelmäßige Berichte in der Presse, die über das Angebot dieser Ausstellungen berichtet. »Seit der ersten, durch Hrn. Zeller im Jahre 1815 übernommenen Anlegung eines Commissions-Magazins für alle Kunst- und Gewerbeprodukte des bayerischen Vaterlandes und des damit in Verbindung stehenden polytechnischen Wochenblattes, und seit dem ersten Zusammentritt einiger Beförderer des vaterländischen Kunstfleißes zu einem polytechnischen Verein für Bayern, lag es in dem Plan jenes Unternehmers und dieser Gesellschaft von Zeit zu Zeit Ausstellungen der Kunst- und Gewerbeprodukte des Gesamtstaates Bayern zu veranstalten, damit, was das Vaterland hierin leiste, zu einer gemeinsamen Uebersicht, die nicht anders als erfreulich, belehrend, ermunternd auffallen könnte, dargeboten würde. Das stehende Zellersche Kunst- und Gewerbe-Magazin in München soll eine ständige solche Niederlage und Ausstellung für alle Künstler und Gewerbemänner des ganzen Königreiches, die daran Theil nehmen wollen, bilden; (Kunst- und Gewerbeblatt, Nr. 49, Dez. 1818).

Auch J. G. Hiltl nimmt an der im November des Jahres 1818 von Zeller veranstalteten Ausstellung teil. Die Sensation innerhalb seines neuen Angebotes sind Möbel, die in einer ganz neuen Technik dekoriert sind. Hiltl hatte, als erster in Deutschland, die aus England bekannte Technik des Umdrucks von Kupferstichen oder Lithographien auf Holz für sich entdeckt und auf diese Weise verschiedene Möbel dekoriert. Er scheint damit großen Erfolg erzielt zu haben, denn »der König und die Königin belobten laut die schön geordnete Ausstellung und Hiltls neue Fabrikate, ebenso die Kaiserin Charlotte von Österreich und Kronprinz Ludwig von Bayern«. Auch das Kunst- und Gewerbeblatt berichtet ausführlich über die Novitäten aus der Hiltlschen Werkstatt. »Der Meubelfabrikant Hiltl stellte diesesmal seine ersten Versuche, Kupferstiche auf Holz abzuziehen öffentlich aus. Diese an sich nicht ganz neue Erfindung ist das, was die Franzosen und schon früher die Engländer, auf Porzelain und Fayance anwendeten.

Aber eine solche Anwendung ins Große und in so vielen Formen ist ganz neu. Hr. Hiltl war der Erste, der in dieser Art Sessel und Kanapee lieferte, die in den Rücklehnen sehr hübsche Dessins hatten, besonders zeichnete sich ein großer runder Tisch von beinahe 5 Schuh im Durchschnitt in antiker Form aus, der durch gutgewählte und geschmackvolle Zeichnungen und durch seine übrigen Verzierungen, dem Auge angenehm zusprach. Er bereicherte überdies die Ausstellung mit Bilderrahmen, Anziehspiegelgestelle, und ganz großem Wandspiegel, die alle den besten Effekt hervorbrachten. Zugleich zeigte er jedem, der es verlangte, in kleinen Desseins, wie die Sache behandelt wird, damit man aus dieser Behandlungsart auf die Solidität dieser Arbeit schließen konnte. Diese neue Art Meubel zu verzieren, hat von mehreren Seiten Beifall gefunden, und dieser Beifall wird den Hrn. Hiltl gewiß aufmuntern, durch mancherlei geschmackvolle Abänderungen sein Magazin zu verschönern.« (Kunst- und Gewerbeblatt, Dezember 1818, Nr. 49 Spalte 807f.)

Im Anschluß an diese Ausstellung fertigte Hiltl einen klei-

nen Tisch für die Kaiserin Charlotte, den er selbst wie folgt beschrieb: »Das Tischblatt belegte er nach seiner neuerfundenen Art mit Kupferstichen wie ein Quodlibet und drückte sie vollendet aufs Holz über, darunter waren mehrere kleine Ansichten und Umgebungen Münchens, die Portraite des Königs und der Königin und das bekannte österreichische Volkslied, die erste Strophe – Gott erhalte Kaiser Franz unseren guten Kaiser Franz etc. – und eine kleine Devise worunter Hiltl seine Fabrikation und vaterländische Erfindung aller höchster Huld empfahl . . . – in tiefster Ehrfurcht ihrer kaiserlichen Majestät aller höchster Huld und Gnade empfiehlt sich Johann Georg Hiltl / Bayerischer Bürger und Möbelfabrikant«.

Diese wohl in einer kleinen Werkstatt und nur mit Hilfe seines Sohnes ausgeführten Arbeiten in der neuen Umdrucktechnik scheinen großen Anklang gefunden zu haben. Es gelingt Hiltl wieder, private Geldgeber zu finden, die ihm »trotz der praejudizierten gant« Kredit gewähren und so eine Weiterführung seiner Produktion möglich machen. Am 3. März 1819 wird eine weitere Ausstellung des polytechnischen Vereins eröffnet. Hiltl hat in der Zwischenzeit weiter Möbel gefertigt, die in dem Umdruckverfahren dekoriert waren. Das Kunst- und Gewerbeblatt berichtet darüber in seinem Kommentar der Ausstellung. »Nr. 7. Unser Meubel-Fabrikant Hr. J. Georg Hiltl, zeigte verschiedene neue Proben, seiner neuen Kunst, Möbel vermittelst Kupferstiche oder Steinabdrücke zu verzieren.

1) Einen Schreibkasten von sehr schönem inländischem Maser. Um Vorteile zeigt sich in Perspective eine uralte gothische Kirche. Oeffnet man den Schrank, so stellt sich der innere Theil einer solchen Kirche dar, und die Brieffächer und Schubläden bilden Kapellen. (vgl. Himmelheber 1987, Abb. 83, A.d.V.)

2) Ein Damen-Arbeitstischchen mit einem sehr gut gerathenen Quodlibet geziert.

3) Gemählde-Rahmen, ebenfalls durch Steinabdrücke decorirt.

Diese Arbeiten fanden allgemeinen Beifall. – Der Verfertiger wurde durch mehrere Bestellungen aufgemuntert und belohnt. (Kunst- und Gewerbeblatt, März 1819, Nr. 13, Spalte 197).

Hiltl scheint einstweilen in München der einzige Schreiner gewesen zu sein, der Möbel in dieser neuen Technik produzierte. Dadurch erhielt er zahlreiche Aufträge, die es ihm erlaubten, sein Geschäft zu vergrößern und am 27. September 1819 auch wiederum ein neues Möbelmagazin zu eröffnen. »Die öffentlichen Zeitblätter verkünden . . . Hiltls industriöses neues Beginnen«. Es zeugt von Hiltls ungebrochenem Unternehmergeist ebenso wie von seiner Phantasie und technischen Begabung, daß er bereits auf der nächsten Gewerbeausstellung am 31. Dezember 1819 wieder mit einer neuen Erfindung an die Öffentlichkeit treten konnte. »Hiltl erfand eine ganz neue Art von Holz-Mosaik, wodurch alles so dargestellt wurde, als wäre es von der Nadel gestickt und die auch wegen der Dauer in größerer Art, ganz besonders zu Fußböden im Zimmer, selbst in Gängen, Einfahrten, sogar auf Straßen, statt Steinpflaster angewendet werden kann. Die Erfindung war ganz neu, weder in Frankreich noch in England gemacht worden«. Auch das Kunst- und Gewerbeblatt berichtet im kommenden Jahr über dieses neue Angebot der Hiltlschen Werkstätten. »Hier verdient vor allem die neue Erfindung des Meubel-Fabrikanten Hrn.

Hiltl in München erwähnt zu werden; diese besteht in Verfertigung von Holz, Mosaik-Parquetböden, die aus kleinen aufrecht (über Hirn) stehenden viereckigen Quadraten von gebeiztem Holz bestehen, vermittelst welcher man alle Arten von Zeichnungen und Dessins auf das eleganteste hervorbringen kann. Auf diese Weise können wir die bei den alten schon so beliebten und fast allgemein angewandten Mosaik-Fußböden durch ein vaterländisches Gewerbe-Produkt bei uns wieder einführen. Denn zu Fußböden werden diese Mosaik-Parquets sehr vorteilhaft anzuwenden sein, da das aufrecht stehende Holz, wie bekannt, eine größere Tragkraft als das horizontalliegende hat. Diese eben so nützliche als sinnreiche Erfindung erhielt einen allgemeinen Beifall, und es ist sehr zu wünschen, daß Hr. Hiltl dieselbe bald im Großen anzuwenden Gelegenheit erhalte«. (Kunst- und Gewerbeblatt, Jan. 1820, Nr. 6, Spalte 47)

Hiltl findet nun auch zunehmend wieder öffentliche Anerkennung, die sich z. B. in der Verleihung einer silbernen Ehren-Medaille durch die Stadt dokumentiert. Sie wird verliehen mit der Begründung: »Als Anerkennung Hiltls Verdienste. Wegen Beförderung des Geschmacks in Meublen – etc. erhält solcher ein eigenes Diplom.« Nach eigenem Bericht hat Hiltl in dieser Technik eine kleine Probearbeit angefertigt, die er der Königin Caroline zu ihrem Namenstag, dem 28. Januar 1820, widmete. Sie trug in der Holzmosaiktechnik die Inschrift »Alles Heil und Gottes Segen überströme heute Caroline Bayerns beste Königin«; nach Hiltls eigener Angabe bildet diese Inschrift zugleich ein »Chronographikum« mit der Jahreszahl 1820; wenn man die in diesem Text enthaltenen lateinischen Zahlbuchstaben addiert, erhält man die Summe 1820. Diese Technik wäre vor allem bei größeren Aufträgen, wie z. B. der Ausstattung ganzer Häuser mit Holzfußböden, anwendbar gewesen, da Hiltl jedoch nach wie vor nicht das notwendige Kapital für eine Produktion im größeren Stil besaß, war er nicht in der Lage, aus seiner neuen Erfindung größeren Gewinn zu ziehen. Dazu kommt, daß nach seinen eigenen Angaben der Architekt Klenze seine Erfindung imitierte und Hiltl damit um die Anerkennung und den Ruhm brachte: er »lockte Hiltl das Geheimnis der Manipulation heraus und ließ es für den Hof nachpfuschen. Allein es gelang nicht ganz . . .«

Obwohl Hiltls Geschäfte recht gut zugehen scheinen, kann er sich ihrer und der damit einhergehenden Konsolidierung seiner Finanzen nicht erfreuen. Seine Gläubiger lassen ihm keine Ruhe und der Advokat von Platz klagt nun die jährlichen Raten von 400 fl ein und fordert Hiltl zur sofortigen Zahlung von 800 fl auf. Er droht Hiltl mit Pfändung, wogegen dieser am 27.12.1819 Einspruch erhebt mit der Begründung, die Ware sei nicht sein Eigentum, sondern das seiner Geldgeber. Es gelingt ihm auch, einen Bescheid zu erwirken, der die Zahlungen für 4 Jahre aufschiebt. Hiltl sieht unter diesen Umständen jedoch keine Möglichkeit mehr, neuerlich ein Möbelmagazin aufzubauen und einen entscheidenden Aufschwung seine Geschäfts zu bewirken. Da auch seine Gesundheit zu wünschen übrigläßt, beschließt er resigniert, sein Geschäft zu verkaufen. Er bezahlt allen Freunden, die ihn unterstützt hatten, ihr Kapital zurück und entläßt seine Gesellen und Arbeiter.

Obwohl nun die Hoffnung, noch einmal ein großes Möbelmagazin wie im ersten Jahrzehnt des Jahrhunderts aufbauen zu können, für Hiltl schließlich geschwunden ist, gibt er nicht vollkommen auf. Am Anfang des Jahres 1821 finden

wir ihn in einer kleinen Werkstatt wieder. »Zwei Gesellen und Hiltls Fleiß betreiben ganz klein ein gewöhnliches Gewerbe um den nöthigen Unterhalt zu erwerben«. Obwohl Hiltl sich nun weitaus bescheidenern Arbeiten ernährt als früher, ist er doch auch hier ganz aus dem Bewußtsein bedeutender Auftraggeber verschwunden. Im Jahr 1821 erhält der Bayerische Gesandte am Preußischen Hof Graf Rechberg die Aufgabe, die Feierlichkeiten für die Hochzeit der Prinzessin Elisabeth mit dem preußischen Kronprinzen vorzubereiten. Er erteilt Hiltl den Auftrag, die für die Festlichkeiten anfallenden Ausstattungsarbeiten zu übernehmen.

Da Hiltl selbst unter schweren Gichtanfällen leidet, ist er nicht in der Lage, die notwendige weite Reise nach Berlin auf sich zu nehmen und schickt seinen Sohn Anton dort hin. Dieser reist am 8. Oktober 1823 ab. »Hiltl selbst verfertigte in München alle Möbel, die vor ihrer Versendung nach Berlin jedermann besichtigen konnte. Da waren unter anderem drei Tische, die besonders Beifall fanden. Auf dem ersten war in Kupfer abgedruckt in Art eines Quodlibets die ganze königliche Familie, in der Mitte das hohe Brautpaar. Auf dem zweiten alle merkwürdigen Hauptplätze Münchens, die königliche Residenz etc. und alle Ansichten der Städte durch die die hohe Braut reiste bis nach Berlin. Auf dem dritten war die Umgebung Münchens, so der englische Garten, das Oktoberfest mit dem Pferderennen, das zu Ehren des hohen Brautpaares gegeben wurde. Tegernsee und verschiedene bayerische Landleute, als Tyroler in ihrem Nationalkostüm«. In einer Nummer des Münchner Tagblatts von 1829 lesen wir zu diesen Tischen: »Den 15. Oktober 1823 beschäftigte man sich bereits in der Stadt, die braunen mit Kupferabdrücken von der Kgl. Familie, und von den Umgebungen von München bezeichneten Tische zu sehen, welcher der Möbelfabrikant zur bevorstehenden Vermählung der kgl. bayer. Prinzessin Elise mit dem Kronprinzen von Preußen verfertigt hatte«.

Auch am preußischen Hof werden Hiltls Möbel mit Bewunderung aufgenommen und sein Sohn, Anton Hiltl, erhält vom preußischen König die Einladung, sich in Berlin zu etablieren. Anton Hiltl folgt dieser Aufforderung, da sie ihm die Gelegenheit verspricht, unvorbelastet in Berlin Karriere zu machen. Tatsächlich beantragt er die Ausbürgerung aus München, die durch einen Eintrag im Familienbogen des J. G. Hiltl dokumentiert wird: »Der Sohn Anton Hiltl erhielt durch allerhöchsten Suskript des königl. Hauses vom 14. Februar 1824 die Erlaubnis zur Annahme des preuss. Bürgerrechts, jedoch ohne Entlassung aus dem Untertansverband«. Es scheint Anton Hiltl in den folgenden Jahren gelungen zu sein, das Gewerbe seines Vaters in Berlin so erfolgreich weiterzuführen, daß er schließlich zum »kgl. Hoftapezierer und Dekorateur« ernannt wird. Sein Vater berichtet, er habe »sich die Gewogenheit der Königin und der ganzen kgl. Familie erworben, und der Bewohner Berlins und mehrer Städte Preußens. Er hat sich ein großes Vermögen erworben«. In Berlin scheint Anton Hiltl sich der beginnenden Stilrichtung des beginnenden Historismus angeschlossen zu haben, denn als hier 1844 die erste Ausstellung für den Bereich des deutschen Zollvereins stattfindet, wird berichtet, er habe ein »Sopha und zwei dazugehörige Fauteuils nach dem Stil aus der Zeit Friedrichs des Großen eingeliefert«.

Die Angaben von Johann Georg Hiltl über die folgenden

Jahre seines Lebens und den Fortgang seiner gewerblichen Tätigkeit sind nur noch spärlich. Als am 17. November 1823 der Kronprinz Ludwig zu Ehren des Hochzeitspaares »ganz München reichlich beleuchten« läßt, will auch Hiltl wie immer bei derartigen Feierlichkeiten nicht zurückstehen und beschließt, mit seinen Nachbarn, dem Weinwirt Vogt, eine aufwändige Dekoration herzustellen. Das ganze stellte einen Tempel im bayer. Stil in einem Gebüsch von Tannenbäumen dar. In der Mitte des Tempels das Bild der Braut reich mit farbigem Feuer beleuchtet«. Hiltl scheint sich in diesen Jahren vor allem mit der Herstellung und Dekoration von Möbeln in der bewährten und mit seinem Namen eng verbundenen Technik des Umdruckverfahrens beschäftigt zu haben. Im Jahre 1824 war das 25jährige Regierungsjubiläum von König Max I. Joseph. »Zum silbernen Jubiläum im Jahre 1824 von Max Josephs Regierungszeit ließ Hiltl die Becherübergabe des Magistrats an den König, sowie die Übergabe der kgl. Portraits in Silber getrieben an die Königin, lithographieren und trug es nach seiner Erfindung auf Holz über. Es war sehr gelungen und koloriert. Er verzierte es mit einer sehr fleißig gearbeiteten Kirm von schwarzem Holze, rein poliert etc. Am 16. Februar 1824 übergibt Hiltl diese Tafel dem Magistrat und ihrer Majestät der Königin; er erhält daraufhin vom Magistrat eine schriftliche Belobigung. »Die Abgeordneten des Magistrates und der Gemeindebevollmächtigten überreichten Sr. Majestät dem König zu allerhöchst ihrem Jubelfeste einen goldenen Pokal und ihrer Majestät das Bildnis unseres allergnädigsten Königs von Silber auf Holz übertragen, dargestellt, von Hiltl verfertigt, wird zur Aufbewahrung im Rathaus übernommen und den selben zugleich für die ausgezeichnete Arbeit als wohlverdiente Belohnung 200 Gulden bei der Gemeindekasse zu erheben angewiesen«. Auch dieser Erfolg aber hatte keine nennenswerten Konsequenzen und verkehrte sich, von der

Seite des Hofe aus, bald in sein Gegenteil. Die an die Königin überreichte Tafel wurde Hiltl zurückgesendet – »vermutlich war die Inschrift nicht nach dem Geschmack« – und Hiltl verkaufte sie resigniert an einen unbekannten Fremden.

Mit diesem deprimierenden Ende eines letzten Versuchs, sich bei Hofe neues Ansehen zu erwerben, enden die Aufzeichnungen Hiltls über seine gewerbliche Tätigkeit. Wir können annehmen, daß der nun bereits 53jährige Hiltl sowohl finanziell, als auch gesundheitlich künftig nicht mehr in der Lage war, sein Geschäft wieder zu vergrößern oder gar ein neues Möbelmagazin aufzubauen. Sicherlich hat er aber auch noch nach 1824 im kleinen Stil produziert und vor allem Möbel in der Umdrucktechnik hergestellt, auf die er sich spezialisiert hatte. Vielleicht verhalf ihm auch der Erfolg seines Sohnes Anton in Berlin zu weiteren Aufträgen. Für die folgenden Jahre seines Lebens und seiner gewerblichen Tätigkeit versinkt J. G. Hiltl nun wieder in der Anonymität, die das übliche Schicksal eines Handwerkers seiner Epoche darstellt und die er mit den meisten seiner Kollegen teilt. Das Adressbuch der Stadt München aus dem Jahre 1835 führt in dem Haus Theresienstraße 16 die Werkstätten Hiltls auf; für das Jahr 1845 ist seine Möbelfabrik unter der Adresse Schützenstr. 10 verzeichnet. Am 22. Oktober 1845 stirbt Johann Georg Hiltl im Alter von 74 Jahren an Altersschwäche. Abschließend wird in seinem Familienbogen noch vermerkt: »Nach dem Tod des Möbelfabrikanten Joh. Georg Hiltl wurde dessen Möbel-Fabrikation-Concession den 10. Februar 1846 vom Magistrat als erloschen erklärt«.

Für die Anregung zu dieser Studie und hilfreiche Hinweise danke ich Herrn Dr. H. Ottomeyer, Herrn Dr. B. Barth für die Redaktion und meinem Vater für seine Unterstützung bei der Arbeit im Archiv.

Dokumentierte und erhaltene Arbeiten

1. Schreibschrank oder Zylinderbureau, 1803, nicht erhalten; belegt durch: Ein- und Ausgabenbuch des Kurfürstlichen Hofzahlamtes (Kämmerei). »Dem Meubles-Händler Hiltl für ein zur Hauskämmerei für die Prinzess Charlotte abgeliefertes Bureau – 66 fl.« (BayHStA, HR II, Fasc. 3/7)

2. Zwei Schränke mit Darstellungen der vier Tugenden, vor 1812; Kirschbaum mit Umdruckdekor, Blindholz Tanne Höhe: 200, Breite: 128,5, Tiefe: 50,5; Lit.: Himmelheber 1983, Abb. 385, Text 97, ders. 1987, Abb. 50, Text 48 Standort: Regensburg, Fürst Thurn und Taxische Kunstsammlungen

3. Zwei Schreibschränke, vor 1820, nicht erhalten; belegt durch: Hiltl, Lebensumrisse: »Bei dieser Ausstellung prunkten unter mehreren Produkten ganz besonders zwei Kästen aus Hiltls neuerrichteter Kunstfabrik für seine Majestät den König und die Königin bestimmt, als Probe einer ausgezeichneten vaterländischen Fabrikation. Der künstlich gearbeitete Schreibkasten des Königs war von inländischem Maserholz und stellt eine Draperie von Sammet dar, so täuschend, daß jedermann darüber erstaunte und hatte inwendig die einfache Inschrift ebenfalls von Holz ausgelegt. (BStB, CGM 4949)«

4. Sitzgarnitur mit Tondi und Puttendarstellungen, 1818; Kirschbaum mit Umdruckdekor, Höhe: 97,5, Breite: 197, Tiefe: 65, Lit.: Himmelheber 1983, Abb. 389; ders. 1987, Abb. 104; Bahns 1979, Abb. 19, Text 48, Standort: Schloß Nymphenburg, Bay. Schlösserverwaltung, Amtsräume der Verwaltung, belegt durch: »Hr. Hiltl war der erste, der in dieser Art, Sessel und Kanapee lieferte, die in den Rücklehnen sehr hübsche Desins hatten, ... Die Posementirarbeit am Kanapee die keiner französischen nach steht ist vom hiesigen Posementier Hrn. Haslacher«. (Kunst- und Gewerbeblatt Nr. 4, 1818, Spalte 807)

5. Tisch mit Darstellung des Königs Max I. Josef und Königin Karoline, nicht erhalten; belegt durch: Hiltl, Lebensumrisse: »... Das Tischblatt belegte er nach seinem neu erfundenen Art mit kupferstichen wie ein Quodlibet und drückte sie vollendet aufs Holz über, darunter waren mehrere kleine Ansichten und Umgebungen Münchens, die portraite des Königs und der Königin und das bekannte österr. Volkslied, die erste Strophe – Gott erhalte Kaiser Franz unseren guten Kaiser Franz etc. – und eine kleine Devise, wodurch Hiltl seine Fabrikation und vaterländische Erfindung allerhöchster Huld empfahl ... – In tiefster Ehrfurcht sich Ihre kaiserlichen Majestät allerhöchster Huld und Gnade empfiehlt sich Johann Georg Hiltl/bayerischer Bürger und/Möbelfabrikant. ...« BayStB, CGM 4949)

6. Schreibschrank mit Darstellung einer gotischen Kathedrale, 1819; Kirschbaum, Ahorn, Wurzelmaser mit Umdruckdekor; Höhe: 158,5, Breite: 103, Tiefe: 51; Lit.: Himmelheber, 1987, Abb. 58, Text 47/48, Standort: Bay. Staatskanzlei München; belegt durch: »Einen Schreibkasten von sehr schönem inländischem Maser. Am Vorderteil zeigt sich in Perspective eine uralte gotische Kirche. Öffnet man den Schrank, so stellt sich der innere Teil einer solchen Kirche dar, und die Brieffächer und Schubläden bilden Kapellen«. (Kunst- und Gewerbeblatt Nr. 13, 1819, Spalte 197)

7. Teetisch mit Rosette in Mosaiktechnik, um 1805, nicht erhalten; belegt durch: Hiltl, Lebensumrisse: Er verfertigte einen prächtig gearbeiteten Tisch, dessen Blatt aus mehreren tausend Stückchen Holz künstlich zusammengesetzt, eine vielblätterige Rose bildeten. Ein Fries am Rande war ebenso in Holz künstlich eingelegt und enthielt die schöne Devise: Lange lebe zu Maxens Freude und Bayerns Glück unsere allgeliebte Königin Caroline ... Als Anerkennung erhielt Hiltl eine goldene Dose von der Königin«. (BayStB, CGM 4949)

8. Probestück Mosaiktechnik mit Stirnholzintarsie, um 1820, nicht erhalten; belegt durch: Hiltl, Lebensumrisse: »Hiltl erfand eine ganz neue Art von Holz-Mosaik, wodurch alles so dargestellt wurde, als wäre es von der Nadel gestickt und die auch wegen der Dauer in größerer Art, ganz besonders zu Fußböden im Zimmer, selbst in Gängen, Einfahrten, sogar auf Straßen, statt Steinpflaster angewendet werden kann. Die Erfindung war ganz neu, weder in Frankreich noch in England gemacht worden ...« »... von dieser neuen Erfindung, machte Hiltl eine kleine Probe, die er der Königin Karoline zu ihrem Namenstag den 28. Jan. 1820 widmete«. Sie hatte in Holzmosaik die Inschrift, die zugleich ein »Chronographikum« mit der Jahreszahl 1820 bildete«. Alles Heil und Gottes Segen überströme heute Caroline Bayerns beste Königin«. »Hier verdient vor allem die neue Erfindung des Meubel-Fabrikanten Hrn. Hiltl in München erwähnt zu werden; diese besteht in Verfertigung von Holz-Mosaik-Parquetböden, die aus kleinen aufrecht (über Hirn) stehenden viereckigen Quadraten von gebeiztem Holz bestehen, vermittelst welcher man alle Arten von Zeichnungen und Dessins auf das eleganteste hervorbringen kann. Auf diese Weise können wir die bei den Alten schon so beliebten und fast allgemein angewandten Mosaik-Fußböden durch ein vaterländisches Gewerbs-Produkt bei uns wieder einführen. Denn zu Fußböden werden diese Mosaik-Parquets – sehr vorteilhaft anzuwenden sein, da das aufrecht stehende Holz, wie bekannt, eine größere Tragkraft als das horizontalliegende hat. Diese eben so nützliche als sinnreiche Erfindung erhielt einen allgemeinen Beifall, und es ist sehr zu wünschen, daß Hr. Hiltl dieselbe bald im Großen anzuwenden Gelegenheit erhalte. (Kunst- und Gewerbeblatt, Nr. 6, 1820, Spalte 47).

9. Tisch mit Umdruckdekor, um 1820, Standort: Wien, Geymüller Schlösschen.

10. 3 Tische mit Umdruckdekor, 1823, nicht erhalten, belegt durch Hiltl, Lebensumrisse: »Hiltl selbst verfertigte in München alle Möbel, die vor ihrer Versendung nach Berlin jedermann besichtigen konnte. Da waren unter anderem 3 Tische die besonders Beifall fanden. Auf dem ersten war in Kupfer abgedruckt in Art eines Quodlibets die ganz kgl. Familie in der Mitte das hohe Brautpaar. Auf dem zweiten alle merkwürdigen Hauptplätze Münchens, die kgl. Residenz etc. und alle Ansichten der Städte durch die die hohe Braute reiste bis nach Berlin. Auf dem dritten war die Umgebung Münchens, so der englische Garten, das Oktoberfest mit dem Pferderennen, das zu Ehren des hohen Brautpaares gegeben wurde. Tegernsee und verschiedene Bayerische Landleute, als Tiroler in ihrem Nationalkostüm«. (BayStB, CGM 4949), »Historischer Tagskalender. Den 15. Nov. 1823 beschäftigte man sich bereits in der Stadt, die braunen mit Kupferabdrücken von der k. Familie,

11.1.5 Holztafel mit der Darstellung der Übergabe des goldenen Pokals, A. Edler, München 1824

und von den Umgebungen von München bezeichneten Tische zu sehen, welche der Möbelfabrikant Hiltl zur bevorstehenden Vermählung der Prinzessin Elise mit dem Kronprinzen von Preußen verfertigt hatte«. (Münchner Tagsblatt Nr. 315, Jg. 1829)

11. Zwei Dedikationstafeln mit den Porträts des Königs Max I. Joseph und der Königin Karoline, 1823; Ahornholz im Umdruckverfahren bedruckt; je Höhe: 38, Breite: 31,5; Lit.: AK Schinkel, Berlin 1982, Nr. 489 m. Abb.; Standort: Kunstgewerbemuseum Schloß Köpenick. Die Tafeln aus den Beständen des Hohenzollernmuseums zeigen jeweils in der Mitte die Porträts des bay. Königspaares in Medaillons des Rahmens Ansichten von München, welche die bay. Prinzessin an ihre Eltern und die bay. Heimatstadt erinnern sollten.

12. Zwei Tafeln mit »Darstellung der feierlichen Übergabe des goldenen Pokales«, 1824; Blindholz: Tanne, Furnier: Ahorn; Umdruckdekor, Höhe: 52,2, Breite: 61,5; Standort: Münchner Stadtmuseum. Belegt durch: Hiltl, Lebenserinnerungen: » . . . zum silbernen Jubiläum im jahre 1824 von Max Joseph regierungzeit liess Hiltl die Becherübergabe des magistrats an den König, sowie der Übergabe der kgl.

Portraits in Silber getrieben an die Königin, lithographieren und trug es nach seiner erfindung auf Holz über. Es war sehr gelungen und coloriert. Er verzierte es mit einer sehr fleissig gearbeiteten Kirm von schwarzem holze., rein poliert etc. Auf der Rückseite, die ganz rein poliert war, setzte er die vielsagende inschrift – Seit vielen verhängvollen Jahren hat die geschichte nur glänzend scheinende Waffentaten aufzuzeigen. Am 16. februar 1824 übergab Hiltl eine tafel dem Magistrat und eine ihrer majestät der Königin. Hiltl erhielt vom magistrat eine Schriftliche Belobigung. »Die Abgeordneten des magistrates und der gemeindebevollmächtigten Sr. Majestät dem könig zu allerhöchst ihrem Jubelfeste einen goldenen Pokal und ihrer Majestät das bildnis unseres allergnädigsten Königs von silber überreichen, auf Holz übertragen, dargestellt, von Herrn Hiltl verfertigt wird zur Aufbewahrung im Rathaus übernommen und demselben zugleich für die ausgezeichnete Arbeit als wohlverdiente Belohnung 200 gulden bei der gemeindekasse zu erheben angewiesen«. Die an die Königin überreichte Tafel erhielt Hiltl bald wieder zurück » . . vermutlich war die Inschrift nicht nach dem Geschmack . . . « »Hiltl verkaufte diese Tafel an einen unbekannten fremden«. (BayStB, CGM 4949)

13. Tischplatte mit Darstellung des Nymphenburger Parkes u. der Übergabe des Pokales, nach 1824; Blindholz: Kiefer, Furnier: Mahagoni, Ahorn, Säulen: Birnbaum schwarz gebeizt; Höhe: 78, Durchmesser: 100; Standort: Münchner Stadtmuseum (M 83/9)
14. Tisch mit »Darstellung der feierlichen Übergabe des goldenen Pokales . . «, nach 1824; Blindholz: Tanne, Furnier: Ahorn und Pappelwurz; Höhe: 78,5, Durchmesser: 101; Standort: Münchner Stadtmuseum (56/125)

Das Umdruckverfahren auf Möbeln
(Überdruck- oder Abziehbildtechnik)

John Brooks, Zeichner, Kupferstecher und zuletzt Leiter der Battersea-Manufaktur, erfand im Jahre 1750 das Umdruckverfahren (Transfer-printing). Durch diese Methode gelang es ihm, Kupferstiche zuerst auf »Battesea-Email«, dann auf Porzellan und später auch auf Steingut zu übertragen. Seine Technik wurde sofort von anderen Handwerkern übernommen, nachgeahmt und verbessert. Pierre Berthevin brachte die in England erfundene Technik bereits im Jahre 1770 nach Deutschland, wo er in Frankenthal mit dem Umdruckverfahren die ersten Unterglasurdrucke herstellte. Die vielfältigen Möglichkeiten, die sich durch diese neue Reproduktionstechnik ergaben, inspirierten viele Handwerker, ihre Produkte mit Bildern nach bekannten Vorlagen zu dekorieren. Porzellan mußte nun nicht mehr stückweise bemalt werden, sondern konnte nach einer Vorlage mit Hilfe der Umdrucktechnik schnell mit Ornamenten oder Darstellungen jeglicher Art versehen werden.
Im Jahre 1790 wendet man in England das Umdruckverfahren erstmals auf Holz an. Bei Geoffrey Beard ist ein Teacaddy abgebildet; auf dem Holz befinden sich allegorische Darstellungen, die mit der neuen Technik übertragen worden sind. Die noch unausgereifte Handhabung des Umdruckverfahrens läßt vermuten, daß die Anwendung sich auf kleinere Objekte und Darstellungen beschränkte.
Die erste mir bekannte Quelle im deutschen Sprachraum über das Umdruckverfahren auf Holz erschien 1804 in Erfurt: »Übersicht der Fortschritte, neuesten Erfindungen und Entdeckungen in Wissenschaften, Künsten, Manufakturen und Handwerken von Ostern 1802 bis Ostern 1803«. Dort heißt es unter dem Stichwort »Druckerei auf harte Massen«: Die Bürger Potter, Vater und Sohn, haben für die Einführung und Vervollkommnung der Kunst auf Glas, Porzellan, irdenes Geschirr, Blech, gefirnißtes Holz, so wie auf jede andere Materie, welche ihrer Natur oder Gestalt nach den Druck einer Presse nicht vertragen kann, zu drukken, den 24, Januar 1803 ein Privilegium erhalten. Das Zitat zeigt, welche Vorteile das Umdruckverfahren bot, und es läßt sich erahnen, welche neuen Möglichkeiten sich dadurch in allen Bereichen des »Kunsthandwerks« auftaten. Zu dieser Zeit gab es bereits eine Firma, die sich auf »Umdruckdekors in allen Anwendungsbereichen« spezialisiert hatte. Christoph Potter († 1817) hatte sich 1789 in Paris niedergelassen und dort das Umdruckverfahren eingeführt. Zwischen 1794 und 1812 erhielt er fünf Patente für die Entwicklung von Produktionsverfahren, einige davon zusammen mit seinem Sohn Thomas Mille Potter. (vgl. Dictionary of National Biography, Vol. 46, (1896), 214)

Auch Wiener Möbel aus dem Jahr 1810 von Michael Menner und Johann Härle waren mit Kupferstichdrucken versehen. Bahns erwähnt ohne nähere Angaben den Möbeltischler Böhlmann, der ebenfalls mit dem Umdruckverfahren experimentierte. Die Motive sind in der Regel englischen und französischen Vorlagenwerken übernommen; meist handelt es sich um allegorische Darstellungen oder um klassische Ornamente.
Im Jahre 1818 wird in München eine Gewerbeausstellung von Karl Zeller veranstaltet. Dort präsentierte der Münchner Möbelfabrikant Johann Georg Hiltl seine ersten Möbel, die mit übertragenen Kupferstichen versehen waren. Der Erfolg von Hiltl lag nun aber nicht in der Erfindung dieser Technik, wie oft fälschlicherweise angenommen wurde, sondern in seiner Art der Anwendung des Verfahrens und in der recht großen Produktion, die er damit eröffnete. Hiltls Angebot reicht . . . »von Sesseln und Kanapees,« die in den Rückenlehnen sehr hübsche Dessins hatten und geschmackvolle Zeichnungen und durch seine übrigen Verzierungen, dem Auge angenehm zusprach bis hin zu Bilderrahmen und Wandspiegel«. (Kunst- u. Gewerbeblatt, Nr. 49, 1818, Spalte 807)
Hiltl lieferte seine Tische »decoriert in der Art eines Quodlibet« vorwiegend an den Hof. Zu seinen Kunden zählten der Münchener, der Preussische, aber auch der Österreichische Hof. Im Jahre 1828 erhielt Franz Abbiati, Möbelfabrikant zu Mandello, Provinz Como, ein k.k. Privilegium auf die Erfindung: . . . alle Arten von Kupferstichen, sowohl kolorierte als auch nicht kolorierte, auf jede beliebige Gattung von Holz zu übertragen, und dadurch den Möbeln ein schöneres Aussehen zu geben«. Ein Jahr später beschreibt Stephan Ritter von Kees in einem Wiener Gewerbeblatt die Technik Kupferstiche auf Möbel zu übertragen. von Kees's Buch enthält die erste deutschsprachige Beschreibung des Umdruckverfahrens auf Möbel. (Systematische Darstellung der neuesten Fortschritte in den Gewerben und Manufakturen . . ., Wien 1829)
1830 erscheint in London bereits in fünfter Auflage G. A. Siddons »The cabinet Maker's guide«. Dieses umfangreiche Werk wurde ins Deutsche übersetzt und erschien 1835 unter dem Titel »G. A. Siddons' Prakthischer und erfahrener englischer Rathgeber« in der Reihe »Neuer Schauplatz der Künste und Handwerke«. In dem Abschnitt »Kupferstiche auf hölzerne Oberflächen zu übertragen« wird die Technik des Umdruckdekors auf Holz sowie auch auf Metall eingehend beschrieben. Setzt man voraus, daß bereits die früheren Auflagen des »Cabinet Maker's Guide« ebenfalls eine Beschreibung dieser Technik enthielten, würde es sich damit um die früheste Veröffentlichung des Umdruckverfahrens auf Holz handeln. Leider stand für diese Nachforschungen keine frühere Ausgabe des »Cabinet Maker's Guide« zur Verfügung. Auch das Erscheinungsjahr der ersten Auflage ist unbestimmt; Robert Mussey vermutet in seinem Artikel ›A History of »The Cabinetmaker's Guide«, daß die erste Auflage 1820 erschien.
Siddon empfiehlt folgendes Vorgehen:
Kupferstiche auf hölzerne Oberflächen überzutragen:
Nachdem das Holz (gewöhnlich Roßkastanie, Ahorn, Linde usw.) ganz eben gehobelt worden, trägt man eine dünne Schicht von dem besten Leim darauf, und sobald diese ganz trocken geworden, reibt man sie mit Schachthalm oder Glaspapier vollkommen eben ab. Dann wird eine Schicht

von weißem Akoholfirniß aufgelegt, wobei man die Vorsicht anwendet, daß man den Pinsel so wenig, als möglich, mehrmals über dieselbe Stelle führt und die Pinselstriche nicht kreuzweis überführt. Alsdann läßt man den Firniß trocken werden, und trägt nach einander, je nach der Dicke desselben, 3 bis 6 verschiedene Lagen davon auf.

Die Ränder des Kupferstichs werden bis dicht an denselben abgeschnitten, und nun legt man ihn, mit der Abbildung nach unten, auf einen saubern Tisch, wo man ihn mit einem Schwamme oder auf irgend eine andere Art gleichförmig befeuchtet. Sobald dieß geschehen, legt man ihn zwischen zwei Blättern Löschpapier, damit alles überschüssige Wasser beseitigt werde. Hierauf setzt man abermals eine Lage Firniß auf die Oberfläche des Holzes, und legt, ehe dieselbe trocken geworden ist, den befeuchteten Kupferstich mit dem Gemälde nach unten darauf. Um dieß zu bewirken, bringt man erst den einen Rand des Kupferstichs mit der Oberfläche des Holzes in Berührung, hält den entgegengesetzten Rand in die Höhe und wischt allmälig über die Rückseite des Kupferstichs, so daß keine Luft zwischen ihm und dem Holz bleibt, und sich keine Blasen bilden können. Hierauf legt man einen trockenen Bogen Papier darauf, und überfährt mit einem leinenen Lappen jede Stelle, so daß das Gemälde in einige Berührung mit dem Firniß kommt. Man muß dabei außerordentlich sorgfältig zu Werke gehen, weil sonst der Abdruck leicht verzerrt wird und mißräth. Alsdann läßt man Alles trocken werden, und sobald dieß vollkommen geschehen ist, befeuchtet man das Papier mit einem Schwamme, und reibt es mit den Fingern vorsichtig ab, so daß es sich in kleinen Rollen oder Welgern ablöst. Sobald man so weit gekommen ist, daß man nichts mehr wegnehmen kann, ohne Gefahr zu laufen, das Gemälde zu beschädigen, so läßt man dasselbe trocken werden. Beim Abtrocknen verschwindet das Gemälde ganz, indem die darüber liegende dünne Papierschicht undurchsichtig wird. Diese wird aber durch eine neue aufgesetzte Firnißlage so vollkommen durchsichtig, daß man von dem Papiere gar nichts mehr sieht. Man läßt nun wieder Alles vollkommen trocken werden. Sind kleine Stellen von der Zeichnung zufällig abgelöst worden, so muß diese mit feinem Lampenschwarz und Gummiwasser retouchirt werden, bevor der Firniß auf oben beschriebene Weise polirt wird, und eine neue Firnißschicht aufgesetzt werden, wobei man vorzüglich die retouchirten Stellen geschwind und leicht überfährt. Wenn diese letzte Firnißschicht vollkommen trocken geworden, lassen sich alle etwa hervorstehenden Theile des Papiers beseitigen, und der Artikel mit Schachthalm poliren, der 3 bis 4 Tage in Olivenöl eingeweicht worden. Das Oel beseitigt man dann mittels eines feinen leinenen Läppchens, worauf man Alles mit Stärke oder feinem Haarpuder überstreut, wodurch die letzten Ueberreste des Oels absorbirt werden. Den Puder wischt man erst mit der Hand und dann vollends mit einem feinen wollenen Läppchen ab; alsdann werden noch 3 bis 4 Firnißlagen aufgesetzt, von denen jede gehörig trocken werden muß. Sobald die letzte völlig trocken geworden (etwa nach 4 Tagen), polirt man die Oberfläche mit einem feinen wollenen Tuchlappen und der feinsten geschlämmten Kreide oder präparirtem Hirschhorn.

Die geschlämmte Kreide wird folgendermaßen bereitet. Man stößt die gewöhnliche Kreide mit etwas Wasser in einem Mörser, und nachdem sie gehörig fein zermalmt ist, schüttet man mehr Wasser zu, und läßt Alles 5 bis 6 Minuten stehen, da sich dann die gröbern Bestandtheile niedergeschlagen haben werden. Hierauf decantirt man die Flüssigkeit, in welcher die feinern Kreidetheilchen noch schweben, in ein anderes Gefäß, läßt den Niederschlag sich bilden und bedient sich dessen noch feucht zum Poliren. Trocken darf man ihn nicht werden lassen, weil er sonst eine Art Mörtel bildet, und wenn man ihn auch zerdrückt, doch leicht beim Poliren Streifen auf dem Firniß entstehen. Wenn man den letzteren indeß noch glänzender haben will, so muß man alle Ueberbleibsel dieser feinen Kreide mit Wasser abwaschen und das Poliren mit der nur befeuchteten innern Handfläche fortsetzen. Den höchsten Glanz erzielt man dadurch, daß man, nachdem Alles ganz trocken geworden, entweder im Sonnenschein oder im Ofen, noch eine dünne Firnißschicht aufsetzt, die sich, mit Beihilfe der Wärme, ganz gleichförmig über der Oberfläche vertheilt.

Kupferstiche in ihrer natürlichen Lage auf Holz zu setzen: Bei der eben angegebenen Methode werden die Kupferstiche verkehrt auf das Holz getragen, so daß die linke Seite zur rechten wird, und umgekehrt. Dieß hat in der Regel wenig zu sagen. Wenn es indeß darauf ankommt, einen Kupferstich in seiner natürlichen Lage aufs Holz zu setzen, so befeuchtet man ein Stück dickes Zeichenpapier von gehöriger Größe, und setzt auf dessen Oberfläche eine Lage dünnen Leims; nachdem diese trocken geworden, setzt man noch 2 bis 3 Lagen von demselben Leim auf, von denen jede vollkommen trocken werden muß. Hierauf präparirt man die Oberfläche dieses Papiers, um den Druck zu erhalten, auf dieselbe Weise, wie das Holz präparirt wurde, wie schon oben beschrieben worden ist, indem man mehrere Lagen Weingeistfirniß darauf setzt. Hierauf legt man den Druck auf und vollführt das ganze Geschäft, wie zuvor angegeben, bis zu dem Zeitpunkte, wo wir die letzten Portionen des Oels mittelst Stärke beseitigen. Nachdem nun das Holz zum Empfangen des Druckes durch eine Lage Leim und mehrere Lagen Firniß vorbereitet ist, wird das Blatt Zeichenpapier darauf befestigt, auf dessen präparirte Oberfläche der Kupferstich übertragen worden. Dieß geschieht, indem man erst eine Lage Firniß auf das Holz setzt, und so lange dieselbe noch klebrig ist, das präparirte Papier und den Kupferstich darauf legt, doch so, daß sich gar keine Luftblasen dazwischen bilden können. Sobald man glaubt, der Firniß sey hart geworden, befeuchtet man das geleimte Papier mit warmen Wasser und einem Schwamme; dasselbe läßt sich auf diese Art leicht abnehmen, und auch der Leim von der gefirnißten Oberfläche des Gemäldes auf dieselbe Weise beseitigen. Dann polirt man den Artikel mit präparirter Kreide auf die oben angezeigte Weise. Auf diese Art lassen sich Kupferstiche nicht nur auf Holz, sondern auch auf Metall usw. setzen. Die Anwendung der beschriebenen Techniken läßt sich an den erhaltenen Möbeln Johann Georg Hiltls nachweisen, wobei jedoch die Zusammensetzung des Firnisses nicht übereinstimmen muß.

Nach dieser Veröffentlichung erschienen in der einschlägigen Fachliteratur immer wieder Rezeptangaben zu dieser Technik. Das Prinzip bleibt jedoch erhalten, nur die Zusammensetzung des Firnisses ändert sich. Sandarac dient jedoch bei allen Firnissen immer als Basisharz. Offensichtlich galt Sandarac als besonders geeignet zur Herstellung eines klaren Firnisses.

Einige Veröffentlichungen seien hier aufgeführt: Praktische Anweisung zur Verfertigung der vorzüglichsten Polituren und Lackfirnisse. Nebst einem Anhange. Politur auf Marmorstein zu bearbeiten und Kupferstiche auf Holz, Glas und Metall abzuziehen. Stuttgart, 1836; Frankfurter Gewerbefreund Nr. 24, Frankfurt, 1842, 381; Heinrich Creuzburg, Lehrbuch der Lackierkunst, (erschienen in der Reihe »Neuer Schauplatz der Künste«, Weimar 1884, 287; L. Danino (Hrsg.), Neueste Erfindungen und Erfahrungen auf den Gebieten der praktischen Technik, Wien/Leipzig, 1908. Abschließend sei noch eine Passage aus Louis Edgar Andés »Die technischen Vollendungs-Arbeiten der Holz-Industrie . . . (1895), die die endgültige, industrielle Ausschöpfung des Umdruckverfahrens darstellt. Hier heißt es unter:

Decorieren von Holzarbeiten mittels Abziehbildern. »Abziehbilder, wie sie heute überall leicht zu haben sind, lassen sich, namentlich für billige Artikel, vorteilhaft anwenden und ersetzten für diese die Malerei vollständig. Eine bedeutende Firma in Deutschland fertigt speziell für die Decoration von Holzarbeiten Intarsien und dienen gewöhnlich französische Marquetterien als Vorbilder. Das Ornament stellt täuschend Holz oder Metall dar und setzt dunkelfarbiges Holz als Untergrund voraus. Derartige Abziehbilder verwendet man zur Decoration von Massenartikeln, Schatullen, Kästchen und dergleichen, doch ist die Verwendung auch für größere Arbeiten nicht ausgeschlossen.

11.1.4 Tischplatte mit Darstellung der Übergabe des goldenen Pokals, J. G. Hiltl, München nach 1824

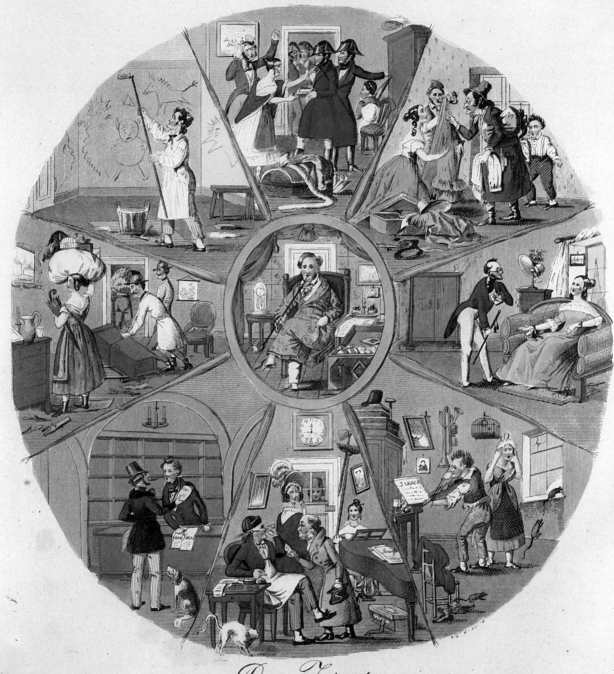

12.1.2 »**Der Zinstag**«, Wien 1840, Sammlung Böhmer

Vom schweren Leben zweier Polizisten

Wolfgang Brunbauer

Satirisch überzogen könnte man sagen: Die *Liberté* haben sie verkündet, doch die Polizei wurde geschaffen. Es war nämlich die sonst auf ihre Botschaft so stolze *République Française,* die im Jahre VII (1799) seit dem »Sturz der Tyrannei« das erste Polizeiministerium der Geschichte eingerichtet hat. Freilich: Der Primat der Gründung einer ein ganzes Staatsgebiet einheitlich umfassenden Polizeiorganisation gebührt eigentlich Joseph II. Der Habsburger hatte schon 1782 damit begonnen, das Sicherheitswesen seiner nichtungarischen Länder einem »Staatsminister in inneren Geschäften« zu übertragen. Doch sah er sich eben vor ähnliche Probleme gestellt, wie etwas später die Regierung der »Königsmörder« in Paris. Auch er mußte Breschen schließen, die seine radikalen Reformen – eine Revolution von oben – in die herkömmliche Ordnung gerissen hatten. Das so viel gelästerte *Ancien Régime* bedeute ja nicht nur Unfreiheit und Unterdrückung, sondern gewährte ebenso ein dichtes Netz sozialer Kontrollen zum Schutz von Gut und Blut gerade auch des kleinen Mannes. Solange Grundherren und Zunftmeister, ja jeder Vorstand eines »geschlossenen Hauses«, auch bei Taglöhnern und Häuslerbauern, Polizeigewalt über die ihm Unterstehenden besaß, genügten einige »Rumorknechte« und Gerichtsbüttel oder -schergen, um Rabauken sowie Bettler und Vaganten in die Schranken zu weisen. Erst mit dem Wegfall einer quasi subsidiär in der Gesellschaft ausgeübten Polizeigewalt brauchte man staatliche, d.h. zentral gelenkte Ordnungshüter.

Hierfür ein kleines Beispiel: Um 1810 häufen sich die Klagen ehrbarer Münchner Bürger. In den Nächten von Sonntag auf Montag und erst recht in den Freinächten zögen Horden betrunkener Handwerksburschen grölend durch die Stadt. Schaue jemand erschrocken aus dem Fenster, den Sturmläuten an der Haustür aus dem Schlaf gerissen hat, so werde ihm höhnisch »Wünschen wohl zu ruhen! Gute Nacht allerseits!« entgegengeplärrt. Solche »Exzesse« gebe es erst, seit die Gesellen nichtmehr bei ihren Meistern wohnen müssen, die darauf geachtet haben, daß jeder ihrer Hausgenossen rechtzeitig am Abend einpassierte. Die Polizei dagegen handhabe die Polizeistunde recht lax und greife überhaupt nicht scharf genug durch. Auch München hatte nämlich seit April 1799, also mit Beginn der Reformära Montgelas', staatliche Ordnungshüter. Seither gab es eine Polizeidirektion mit einem Polizeidirektor und sog. *Commissaires,* Leute mit akademischer Vorbildung, die die verschiedenen Ressorts in partieller Eigenverantwortung betreuten, sowie Offizianten, die hauptsächlich subalterne Schreib- und Registriertätigkeit verrichteten, während der Streifendienst von Polizeidienern wahrgenommen wurde, die bei den Stadttoren stationiert waren. Letztere wurden 1824 von Gendarmen abgelöst, verdienten, ehemaligen Soldaten, die in ihren Diszplin- und Personalangelegenheiten aber auch weiterhin der militärischen Führung unterstanden. Zeitweise hatte man große Schwierigkeiten, geeignete Leute zu finden. Entsprach ein Kandidat fachlich, d.h. hatte er eine für einen Offizianten erforderliche gut leserliche Handschrift oder konnte er Gedrucktes flüssig lesen, was von einem Polizeidiener erwartet wurde, so war er in der Regel moralisch völlig unzuverlässig und umgekehrt. Erst ab 1820 änderte sich die Lage. Plötzlich gab es mehr tüchtige Leute als Stellen. Dabei fiel immer mehr Schreibarbeit an. Man mußte also einen Ausweg suchen. Und zwar galt das für alle Behörden und in allen vergleichbaren Staaten. Statt der nicht genehmigten Beamten beschäftigte man sog. Diurnisten – Schreibkräfte, die ein Diurnum (diurnus täglich) also Taggeld erhielten und täglich entlassen werden konnten. Daß es sich bei diesen schreibenden Taglöhnern um gebildete und gewissenhafte Leute gehandelt hat, beweisen die von dieser Zeit an immer schöner geschriebenen Ministerialakten, eine Freude für jeden Archivbenutzer. Nicht wenige von ihnen sind wahre kalligraphische Meisterwerke.

Wenn den »unkontraktmäßigen Söldnern« dennoch im Lauf der Zeit immer verantwortungsvollere Arbeit aufgehalst wurde, z.B. die Buchhaltung ganzer Behörden, so deshalb, weil man wußte: Jeder dieser unterbezahlten und rechtlosen Tagschreiber hoffte, eines Tages dank hervorragender Leistung und eines außergewöhnlichen Glücksumstandes doch noch in eine fest verbeamtete Stelle hineinzurutschen. Wie hart der Lebenskampf der Diurnisten gewesen ist, zeigt das Beispiel zweier Münchner Polizeibediensteter, denen tatsächlich die Chance zuteil wurde, sich im Strudel geschichtsträchtiger Ereignisse zu bewähren. Der eine der beiden lag schon lange auf der Lauer. So bewarb er sich bereits am 5. Juli 1843 um eine, wie er glaubte, eben durch Tod frei gewordene Offiziantenstelle. Und zwar unter Berufung auf eine Zusage aus dem Jahr 1838, man werde gegebenenfalls auf ihn »bedacht« nehmen. Doch vier Wochen später, am 16. August, schrieb er ein weiteres Gesuch in der gleichen Sache:

»Im Hinblick auf die unterm 5ten v(origen) M(ona)ts eingereichte allerunterthänigste Vorstellung wage ich es, die damals allerehrfurchtsvollst gestellte Bitte zu erneuern, da nunmehr durch das gestern wirklich (sic) erfolgte Ableben, des k(gl.) Polizey=Offizianten Ostler diese Stelle bei der k(gl.) Polizey=Direction erledigt ist.« Wieso er den Kollegen schon sechs Wochen früher für tot erklärt hat, wissen wir nicht. Fest steht nur, ganz so pietätlos war seine uns etwas pietätlos anmutende Hast dann doch nicht. Schließlich tat er seit 13 Jahren den gleichen Dienst wie der Verbliebene, hatte dafür aber im Jahr statt 500 nur 365 Gulden erhalten. Und die auch nur, wenn er jeden Sonn- und Feiertag arbeitet, nie krank wurde und – sofern hinreichend Arbeit vorhanden war – für 35 Diurnisten, d.h. mit Tagesgagen von einem Gulden beschäftigte Schreiber. In den Jahren 1841 bis 1844 scheint das nicht durchweg der Fall gewesen zu sein. Laut Akten war der Bewerber auch einmal »Betriebskontrolleur« bei der Eisenbahn oder Diurnist auf der »Steuer=Cataster=Commission«. Dabei fühlte er sich, wie er am 5. November 1843 beteuert, nach wie vor dem Polizeidienst

»mit ausschließender Liebe zugethan«. Die Hoffnung, anderswo mehr zu verdienen, hatte sich zerschlagen. 1845 finden wir ihn wieder auf der Polizeidirektion – mit einem monatlichen Fixum von 36 Gulden. Doch ist er immer noch als »Polizey=Functionär« ohne feste Anstellung. Schließlich fehlte ihm das Geld für die Miete, die damals zweimal im Jahr (an Michaeli, 29. September, und an Georgi, 23. April) gezahlt werden mußte. Am 15. März bittet er »um Allergnädigste Unterstützung zu dem Georgi=Ziel=Hauszins«. In der Vergangenheit sei es ihm stets möglich gewesen, die nötige Summe auf die Seite zu legen. Nur diesmal habe der »fortwährend dauernde Winter die Ersparungen« aufgezehrt. »Bisher ungekannte Opfer«, die »bittre Entsagungen zu Folge hatten«, nötigten ihn, »ein bisher ungekanntes Mittel« zu wählen, um sich seine »gänzliche Unbescholtenheit« (das Freisein von Schulden, d. Verf.) zu erhalten. Karg von Bebenburg, der damalige Polizeidirektor, empfahl, ihm mit 50 Gulden unter die Arme zu greifen. Dabei lobte er nicht nur seinen Eifer und eine »entschieden treffliche Brauchbarkeit«, er bestätigte auch, daß der strenge Dienst auf der Polizeidirektion dem Bittsteller keine Nebenbeschäftigung gestatte, so daß er tatsächlich mit einem Diurnium von 36 Gulden auskommen müsse. Wahrscheinlich hätte er noch viele Gesuche geschrieben, in gestochener Schönschrift und unter der Beteuerung tiefster Ergebenheit, ohne Erfolg zu haben. Doch dann kam der gerade in München so turbulente Februar 1848. Plötzlich war nicht mehr Anciennität, also Dienst- und Lebensalter gefragt, sondern Leistung. Im konkreten Fall: ein ebenso diskretes wie entschlossenes Auftreten. Und kaum war die Mission beendet, da schrieb er schon sein neuntes (uns bekannte) Gesuch. Es datiert vom 21. Februar 1948 und zeugt, ungeachtet aller Demutsfloskeln, von einem nicht geringen Gefühl des Triumphes:

»Euer Königliche Majestaet geruhten Allerhuldreichst, bereits mehrere meiner allerunterthänigsten Eingaben um Anstellung, mit Allergnädigsten Signaten zu beglücken und, ich gebe mich der beruhigenden Hoffnung hin, gewiß nur in Berücksichtigung meiner seit Jahren bei der K. Polizey-Direction geleisteten ersprießlichen Dienste.

Habe ich bei mehreren Gelegenheiten jene Eigenschaften erprobt und bewährt, die mir für außerordentliche Fälle das allerhöchste Vertrauen erwarben, so glaube ich diesem in der jüngsten Zeit, durch die mir in Gesellschaft des K. Polizey=Offizianten Dichtl Allergnädigst anvertraute schützende Begleitung der Frau Gräfin von Landsfeld nach Lindau, entsprochen zu haben, da hierüber das Allergnädigste Wort Euer Königlichen Majestaet beglückend für uns lautete.

Wage ich hierauf die allerunterthänigste Bitte »um Allergnädigste Anstellung als Königlicher Polizey=Offiziant', zu wiederholen, so mögen Euer Königliche Majestaet Allergnädigst darin nur die Absicht zu erkennen geruhen, einem Dienst bleibend angehören zu dürfen, für welchen entschiedene Liebe und Neigung in mir wohnen . . .«

Und in der Tat – Karl Weber, dem Autor dieser Zeilen, kommt das nicht geringe Verdienst zu, zusammen mit dem erwähnten Dichtl, gerade noch rechtzeitig die Lola Montez fortgeschafft zu haben. Um Schlimmeres zu verhüten – ihr Haus war bereits vom Mob verwüstet worden – hatte der Magistrat am 12. Februar mittags per Anschlag verkünden lassen, »daß die Gräfin Landsfeld, nachdem sie gestern die

Haupt= und Residenzstadt München verlassen, heute Vormittags 11 Uhr von Pasing aus in Begleitung zweier Polizey=Bediensteter auf der Eisenbahn nach Lindau abgereist ist.« Aus Aufzeichnungen des Bürgermeisters Steinsdorf erfahren wir des weiteren, daß Lola vorher noch in Blutenburg, wo sie die Nacht zugebracht hatte, von Weber und Dichtl »das Verlangte«, nämlich Reisepaß und Reisegeld, ausgehändigt erhielt.

Wilhelm Dichtl, definitiver Offiziant seit 1838, stand rangmäßig natürlich höher. Dennoch dürfte die Leitung des Unternehmens bei Weber gelegen haben. Dichtl war nämlich seit Jahren mit der Registratur beschäftigt und hat, wie er am 3. Mai 1844 bemerkte, »nie wirklich Offiziantendienste« geleistet.

Weber hingegen hatte sich in dem wichtigen »II. Bureau« – zuständig für »Sicherheit und Sittlichkeit« – große Erfahrung erworben. Dichtl dürfte man nur deshalb hinzugezogen haben, weil er ebenfalls über gute Französischkenntnisse verfügte, und es bei Lola, die angeblich kein Deutsch verstand, zumal in einer so heiklen Situation, auf jedes Wort ankam. Bekanntlich hat sich dann auch kein Skandal mehr ereignet. Dichtl und Weber waren auch nicht, wie andere freiwillig gewählte Begleiter, von ihrem Schützling gekratzt oder sonstwie insultiert worden. Wie sehr höheren Ortes ihre Meriten geschätzt wurden, zeigt der Vorgang ihrer Beförderung. So rasch hat die bayerische Bürokratie wohl nie wieder reagiert. Ein historisch einmaliger Vorgang.

Weber hatte sein Gesuch am 21. Februar verfaßt. Bereits am Tag darauf empfahl Franz Xaver Marck, der damalige Chef der Münchner Polizei, dessen Annahme. Er meinte, Weber habe sich schon mehrfach in Missionen bewährt, insbesondere aber in der jüngsten. Er spreche gut französisch, habe eine hübsche Handschrift und ein »gutes Concept« und sei überdies in jeder Beziehung verläßig und verschwiegen. Es sei daher zu befürchten, daß er sich nun »um anderweitige Anstellung bewerbe, die ihm bei seiner entschieden vielseitigen Brauchbarkeit auch nicht entgehen könnte.« Da er verheiratet und nichtmehr jung ist, möchte er nicht ständig »Polizey-Functionär« mit einem Tagesgehalt von einem Gulden bleiben. Individuen, die so »geeigenschaftet« sind, sollten aber keinesfalls dem Polizeidienst entzogen werden. Der Präsident der Regierung von Oberbayern, ein Freiherr von Godin, wiederum war mit Marcks Urteil derart einverstanden, daß er das Dossier bereits am 23. Februar an das Innenministerium weiter leitete. Und so kam es, daß man schon am 2. März auf der Titelseite der *Münchner Politischen Zeitung* lesen konnte: »München, 1. März. Dem Vernehmen nach ist der functionierende Registrator an der hiesigen Polizei Dichtl, zum wirklichen Registrator und der Functionär Weber dortselbst zum Offizianten ernannt worden.« Laut Akten erhielt Weber ab 1. April 1848 das so lange ersehnte Offiziantengehalt (450 Gulden in bar und 50 in Naturalien: ein Scheffel Weizen und vier Scheffel Korn) und Dichtl noch 100 Gulden zusätzlich (525 in bar und 75 in Naturalien: zwei Scheffel Weizen und fünf Scheffel Korn). Außerdem durfte Dichtl jetzt die Uniform der Aktuare tragen, die er sich freilich auf eigene Rechnung anfertigen lassen mußte, und rangierte im Hof- und Staatshandbuch unmittelbar hinter den Rechtspraktikanten mit Universitätsdiplom und vor den Offizianten. Auch wenn beide eine Anstellungstaxe von 72 Gulden zu entrichten hatten, dürften sie sich, zunächst wenigstens, glücklich gefühlt haben. Auch

12.3.32 Das Nachtlager in Blutenburg, bei Hohfelder, München 1848

Dichtl hatte es bis dahin nicht leicht gehabt. 1803 in München geboren hatte er nach einigen Jahren Gymnasium als Marktschreier in Oberzell angefangen. Bis 1830 wollte er wiederholt beim Zoll fest angestellt werden. Um angenehm aufzufallen hatte er schließlich das Vaterunser, den Englischen Gruß und das Apostolische Glaubensbekenntnis »in lateinischer Sprache kalligraphisch bearbeitet«, um es dem Papst zum Geschenk zu machen. Als aber alles nichts half, war er dann doch in die Dienste der Polizei getreten, »wo das schmerzliche Bewußtsein, ein ganzes Leben lang ohne Aussicht auf stabile Anstellung oder Beförderung arbeiten zu müssen, nur durch den Gedanken erleichtert wird, daß ich meine Familie wenigst momentan vor Noth sichern kann.« Inzwischen Vater von sechs Kindern hatte er sich 1842, 1844 und 1845 um die Stelle eines »definitiven Registrators« bei anderen Behörden beworben. Daraus wurde nichts und so war auch Weber nicht vorangekommen. Der drei Jahre jüngere Heidelberger hätte mit seiner Vorbildung (acht Semester Medizinstudium) gute Chancen gehabt. Doch galt er, der ebenfalls 1830 als Diurnist angefangen hatte, bis 1835 als Ausländer. Erst die Ehe mit einer Einheimischen, einer Rottmeisterswitwe, hat ihm das Indigenat verschafft. – Ein anderer Badenser, der 1797 in Mannheim geborene Adolph Lacense, war 1844 nach 14 Jahren Diurnistentätigkeit gleichzeitig zum Offizianten ernannt und eingebürgert worden. Er hatte nicht heiraten »müssen«. Ihm hatte genützt, daß sein Vater und Großvater Kammerdiener bei Kurfürst Karl Theodor, dem Pfälzer Wittelsbacher, gewesen waren. – Doch Dichtls und Webers Erwartung vom Frühjahr 1848, endlich ihr Glück gemacht zu haben, sollte schon bald bitter enttäuscht werden. In Wirklichkeit ging es mit ihnen beiden von da an ganz rasch zu Ende. Am raschesten mit Dichtl. Er muß bereits im Januar 1850 gestorben sein. Das erste von vier Gesuchen um Witwen- und Waisenunterstützung stammt nämlich von Anfang Februar. Von seinen damals noch fünf unmündigen Kindern war das jüngste erst vier Monate alt. Die Akten verraten nichts von einem längeren Siechtum. Anders bei Weber. Dessen unaufhaltsamer physischer Verfall läßt sich bis zu seinem Tod am 5. Januar 1856 gut verfolgen. Die erste Nachricht stammt ebenfalls von 1850. Dichtl war eben erst begraben, da bittet Weber am 5. Februar um finanzielle Unterstützung. »Durch fortgesetzte übergroße Strapazen« leide er seit seinem 40. Lebensjahr an einer Krankheit, »deren Folgen Rückfälle umso mehr befürchten« ließen, »als die Veranlaßungen dazu nicht aufhörten«. Mit seinem Offiziantengehalt sei er außerstande, auch noch »kostspielige Krankheiten zu bestreiten«. Der Arzt bescheinigte Weber damals ein »hartnäckiges Unterleibsleiden, veranlaßt durch angestrengte Berufsarbeit«, das sich nur dann wirklich auskurieren ließe, wenn »alle veranlaßenden Schädlichkeiten« wie »angestrengter Dienst bei Tag und Nacht« wegfielen. Weber war damals, laut Polizeidirektor von einer »mehrwöchigen Krankheit genesen«. Bei Abwägung aller Umstände drängt sich einem die Vermutung auf, Webers Leiden sei, zumindest anfangs, stark seelisch bedingt gewesen. So fällt auf, daß seine interessante Denkschrift über die Wiederzulassung der 1820 verbotenen, gesundheitspolizeilich überwachten Bordelle das Datum trägt »Jenner 1850«. Weber muß demnach das umfangreiche Opus während seines Krankheitsurlaubes niedergeschrieben haben. Hatte er vielleicht Angst, Dichtls Nachfolge antreten zu müssen, was dann auch wirklich

geschah? Wollte er viel lieber »Bezirkscommissair« werden? Gewiß hatte er für die Aufgaben jener erst 1849 geschaffenen Beamtenstellen mehr Neigung: sich überall umhören, Kontakt halten mit Menschen aller Schichten und »über politische Zustände sicher und schnell Aufschluß geben« (Zwehl). Auch hätte er in dieser Position (600 Gulden Grundgehalt und 200 Gulden Wohngeld) wesentlich mehr verdient. Mit Nachdruck beruft er sich in der »Pro Memoria« titulierten Schrift auf eine 20jährige Erfahrung in Sachen »Sicherheit und Sittlichkeit«. Sicher wußte er, was wir heute aus den Personalakten erfahren, daß einige jener »Bezirkscommissaire« schon bald nach ihrer Ernennung völlig versagt hatten. Vor allem aber spricht für unsere These, daß Weber ganz kurz vor seinem Tod, am 7. Oktober 1855, zum Kontrolleur jener Beamten vorgesehen wurde. Und zwar mit der Begründung, der »im Polizeifache so erfahrene und ausgezeichnete Beamte« dürfe aus gesundheitlichen Gründen nichtmehr in der Registratur beschäftigt werden – »abgesehen davon, daß er für diesen Dienst gar nicht paßt«. Er selbst hatte diese Tätigkeit schon am 27. Februar 1853 »einen nagenden Wurm an meiner Gesundheit« genannt. Sein »sonst starker und robuster Körper« erliege der »gepreßten, mit ewigem feinen Staub geschwängerten Zimmerluft«. Ein Jahr davor war etwas von seiner tiefen Enttäuschung angeklungen. Als er wegen hoher Arztkosten erneut um eine Mietbeihilfe nachsuchen mußte, meinte er bitter, er blicke nun auf eine so lange Dienstzeit zurück, »ohne aber jene Anerkennung bisher mir erworben zu haben, welche mich der drückenden Nahrungssorgen einerseits, so wie der meine Gesundheit untergrabenden Anstrengungen anderseits entheben würde«. Vom Frühjahr 1852 bis Herbst 1855 weilte Weber jedes Jahr mehrere Wochen in der »Naturheilanstalt Brunnthal«. Sein »durch ein organisches Herzleiden bedingtes chronisches Astma humidum, verbunden mit einer weit gediehen plethora abdominalis« (Hämorrhoiden), so die ärztliche Diagnose vom 16. Mai 1853, konnte dadurch aber nur noch kurzfristig gemildert werden.

Waren Weber und aber auch Dichtl gewissermaßen Opfer der unter Ludwig I. so sparsam gehandhabten Personalpolitik? 1812 hatte die Polizeidirektion in München noch 11 Offizianten beschäftigt. Mitte der 30er Jahre glaubte man, trotz einer kontinuierlich anwachsenden Bevölkerung, mit drei auskommen zu können. Viel Arbeit verrichteten die billigen Diurnisten. Erst ab 1844 gab es wenigstens vier Offizianten – neben Dichtl und Lacense noch einen Georg Kammermeier und einen Jakob Rupp. Das Schicksal des letztgenannten ist besonders bezeichnend. 1799 in Bamberg geboren, war Rupp 1833, nach einer zehnjährigen Diurnistentätigkeit, zum Offizianten befördert worden. 1842 hatte man ihm dann die »Kaßa= und Rechnungsführung« übertragen. Aus seinen zahlreichen Gesuchen erfahren wir, daß diese Aufgabe bis 1819 von dem Inhaber einer Planstelle mit 900 Gulden Gehalt wahrgenommen worden war. Dann besorgte ein quieszierter Stiftungsadministrator die Polizeifinanzen, der dafür (zusätzlich zu einer Pension von 1 000 Gulden) im Jahr 300 Gulden Tantiemen bezog. Rupp hingegen hat man erst 1847, nach vielem Bitten und Betteln, solche in Höhe von bloß 200 Gulden bezahlt (bei einem Offiziantensalär von nur 500 Gulden). Im April 1850 wurden ihm dann Rang und Besoldung des Registrators zugestanden, aber einzig und allein in Anerkennung seiner ganz persönli-

12.3.28 Die Staatsmaschine, Anton Bauer, München 1848

chen Verdienste und ohne daß dadurch eine eigene »Taxbeamtenstelle« geschaffen worden wäre. Eine solche gab es erst wieder 1854, wobei aber die Bezüge von 700 Gulden nicht angehoben wurden. Nur daß halt Rupp ein dickeres Fell gehabt haben muß. Er blieb dennoch gesund und munter – bis zu seiner Pensionierung im Jahr 1872.

Weber, der bis 1850 Umgang mit oft recht unangenehmen Zeitgenossen hatte, scheint aber seine Verärgerung nicht nur in sich hineingefressen zu haben. Als er sich 1837 um den Posten eines Sekretärs im Innenministerium bewarb, hat ihm zwar die Regierung von Oberbayern fachlich ein gutes Zeugnis ausgestellt, glaubte dann aber doch noch anmerken zu müssen, »daß er in seinem Benehmen rauh und heftig sein soll«. 1848 war er sogar von einem verabschiedeten Soldaten Huber und einer gewissen Juliane Schmid aus München wegen »Amtsmißbrauchs« angezeigt worden. Pechmann, sein Chef, hatte ihn natürlich in Schutz genommen. »Verworfene Subjecte« hätten versucht, »diesen für die Sicherheit vorzüglichen Polizeibeamten zum Triumf des Eigenthumsgefährlichen Gesindels von seiner Stelle zu verdrängen«. Doch im Innenministerium hat man die Anzeigen so ernst genommen, daß man ein halbes Jahr immer wieder nachgefragt hat. Es wäre denkbar, daß es wegen jener Vorfälle bald darauf zu der fatalen Versetzung in die Registratur gekommen ist. Sonst hat sich von Webers Wirken nur noch eine schwache Spur erhalten – die Abschrift eines Vernehmungsprotokolls. Weber sollte Anfang Oktober 1844 herausfinden, was der Säklermeister Roeckl von einer Schmähschrift gegen König Ludwig I. wußte, die in Form eines sog. travestierten Vaterunsers »unter Personen der gebildeten Klassen« kursierte. Letztlich hatte man dann noch weitere 14 Münchner Bürger und Bürgerinnen, darunter zwei Ärzte ermittelt, die folgenden Text abgeschrieben und verbreitet hatten:

»Vater unser, der Du bist in Italien und Sizilien, und kommst nie in Dein Reich. Dein Wille geschehe weder im Himmel noch auf Erden. Bezahle unsere Schulden, wie wir die Deinigen bezahlen. Führe uns nicht in Versuchung durch Dahn und Lizius. Erlöse uns vom Übel Deiner Person.«

Dazu muß man wissen: Konstanze Dahn war eine verheiratete Hofschauspielerin und Karoline Lizius eine blutjunge, in der Schönheitsgalerie verewigte Sopranistin.

Es sei dahingestellt, ob Weber und andere Ordnungshüter die offizielle Empörung über die »beleidigenden Anspielungen und Anzüglichkeiten auf die jüngsten Reisen Seiner Majestaet« innerlich immer so ganz teilten. Jedenfalls war manches Schriftstück, das, wie am 3. Juli 1833 im Fall Rupp und Dichtl, darüber entschied, ob ein provisorischer Offiziant 456 Gulden und 15 Kreuzer erhielt oder nur 438 Gulden, in Perugia ausgestellt worden, in der Villa Colombella, dem Wohnsitz der Marianne Marchese Florenzi, deren eindrucksvolles Konterfei wir ebenfalls in der besagten Galerie bewundern können.

Doch sollte eines, gerechterweise, nicht übersehen werden: Von den insgesamt 12 Offizianten, die zwischen 1824 und 1850 auf der Münchner Polizeidirektion Dienst taten, hatten nur vier das Innenministerium mit Eingaben bestürmt – Lacense, Rupp, Dichtl und Weber. Die übrigen scheinen mit ihrem Los vollauf zufrieden gewesen zu sein. (BayHSTA: Personalakten MInn 36590 (Weber), MInn 40709 (Rupp), MInn 39395 (Lacense), MF 24699, MF 38414, Zoll A 333/15 (Dichtl); Webers »Pro Memoria« MInn 45109 (vgl. W. Brunbauer, Bayer. Skandalchronik, 1984, 58ff); »Vaterunser« als Schmähschrift MInn 45380/51ff; Bezirkskommissaire MInn 45036 (Aufgaben/Zwehl), Personalakten MInn 36649, MInn 40919, MInn 39513; Qualifikationstabellen von 1835 und Lohnlisten MInn 41069, MInn 41060. StadtAM: Steinsdorf/Denkschrift »Bürgermeister und Rat« 1422. – BStB: Bekanntmachung des Magistrats vom 12.2.1848 4 Bavar 3183/6. – Über Diurnisten bisher nur Josef Karl Mayr, Wien im Zeitalter Napoleons – in: Abhandlungen zur Geschichte und Quellenkunde der Stadt Wien VI, 1940.)

Er muß das besser verstehn.

„Herr Gensd'arme, lassen Sie doch diesen Armen frei gehen; der alte Mann mit einem Fuß kann Ihnen ja doch nicht ent=springen." —

„Ruhig! dieses Gesindel verstellt sich nur oft so."

Was ist ein Beamter?

Die Kinder mit Kartoffeln füttern,
Die spielen im zerriss'nen Hemd;
Vor jedem Glockenzuge zittern,
Ob nicht etwa ein Gläub'ger kömmt;
Und doch den gnäd'gen Herrn bedeuten,
Den man doch spielen muß zum Schein,
Das nenn' ich eine Stell' bekleiden,
Das heiß' ich ein Beamter sein!

J. Schwarz (1848)

Aus den »Fliegenden Blättern« Bd. IV, Nro. 94

7.0 Narrenhaus, Wilhelm v. Kaulbach, München 1835

»Die gute Polizey« – Gesundheitsfürsorge, Sauberkeit und Ordnung

Monika Bergmeier

»Alle Zimmer sind voll von Wanzenflecken. Sämmtliche Thüren und Verkleidungen sind ... sehr beschmutzt und unreinlich. Es gereicht zu keiner Ehre, wenn jemand diese Anstalt besucht, indem es von Ungeziefern zu unreinlich und eckelhaft aussieht.« (StadtAM Krankenhaus links der Isar 954 auch für die folgenden Zitate.) War das die bieder-männische Sauberkeit? – »Gesundheit« wurde seit dem letzten Drittel des 18. Jhds. zu einer allgemeinen Verhaltensnorm, zu einem Synonym für Disziplin, Rationalität. Die medizinischen Forderungen nach stabiler Ernährung, frischer Luft, Helligkeit der Wohnungen, ausreichend Schlaf und einem harmonischen Gefühlshaushalt entsprachen den Vorstellungen des Bürgertums, und der Staat nahm es als seine Aufgabe, durch das öffentliche Gesundheitswesen für das »Leben« seiner Untertanen zu sorgen. In Bayern nahm die Regierung seit 1799 schrittweise eine umfassende Reform des Medizinalwesens vor. Die Realisierung dieser humanitären Ziele erforderte jedoch die Überwindung vieler Vorurteile, was oft nur halbherzig gelang; Konflikte mit den eigenen Idealen entstanden, und nicht zuletzt beschränkten auch die Finanzen das Streben. Es gab Schattenseiten wie die Verhältnisse in der Gebäranstalt, die mit obigem Zitat beschrieben sind. Trotz aller Bedenken, »welche gegen die Errichtung eines Instituts dieser Art im gemeinen Volke« herrschten, fand sie Zuspruch bei den Frauen, jedoch nur, weil sie anfangs im allgemeinen Krankenhaus integriert und kein isoliertes Gebärhaus war: dies brachte der »weltlichen Ehre weniger Nachtheil«. Widersprüche zeigten sich auch bei der Handhabung der Aufnahmebestimmungen. Schwangeren Frauen, die nicht im Besitz der polizeilichen Personalnachweise waren, wurde die Aufnahme verweigert und nach Willen des Magistrats der oft beschwerliche Weg zurück in die Heimatgemeinde zugemutet, um diese Papiere zu besorgen. Die Stadt wollte sichergehen, daß die jeweilige Gemeinde die Kosten tragen würde. Folge aber war, daß viele Frauen erst nach Einsetzen der Wehen kamen, denn bei drohender Gefahr für Mutter oder Kinde erlaubte die Satzung die sofortige Aufnahme. Dennoch war dem Magistrat die geübte Praxis zu »lax«. Der »dirigirende Arzt« aber berief sich auf die »Natur und Bürger-Rechte« und bemerkte »Gerade diejenigen Hospitalitinnen, welche am längsten in der Anstalt sind, dienen ihre schlechte sparsame Kost durch Spinnen und andere Arbeiten am redlichsten ab. Freylich meinen einfältige Menschen, es könne in einem solchen Hause kein rechter Segen Gottes seyn, in welchem der Hausmeister in den pöbelhaftesten Ausdrücken schimpft und flucht, zwischen den Gemächern des Jammers nächtliche, lärmende Saufgelage hält, und sich sogar erfreut, selbst das Heiligste bey jeder Gelegenheit in den Schlamm seiner Gemeinheit herabzuziehen.« Auch sei nicht die Verweildauer zu lange, sondern die Anstalt zu klein, die Säle überfüllt, so »daß häufig 3 Schwangere in 2 Betten, u. noch überdies viele auf den Boden gelegt werden müssen«. Untragbar hielt er die Bestimmung, daß außer für die offi-ziellen »Armen« die Behandlung auch für die Frauen kostenlos war, die sich zum Unterricht für Hebammen und angehende Ärzte benutzen ließen: »Diese Herabwürdigung zur Maschine fällt den meisten ohne Vergleich schwerer, als die angestrengtesten körperlichen Arbeiten ... Wenn es auch kleinste, unsittliche, mitunter auch versunkene Menschen sind, so sind es doch Menschen, und zwar Menschen, welche schon deswegen für immer gestraft genug sind, daß sie Mütter wurden, und von ihren Verführern größtentheils ihrem Schicksale überlassen wurden. Oder sollen vielleicht diese, in jeder Beziehung höchst Unglücklichen anfänglich von Männern verführt und dann von andern Männern zu Tod gequält werden? Warum behandelt man das schwächere Geschlecht so barbarisch, und warum läßt man das stärkere, gleich wo nicht mehr schuldige, ganz ungeahndet?« Eine andere Aufnahmepraxis sei nicht handhabbar, ohne »die ganze Menschlichkeit« hintanzusetzen.

Die Verhältnisse besserten sich nur sehr langsam; 1838 mußte die Anstalt wegen einer Kindbettfieber-Epidemie sogar vorübergehend geschlossen werden. Ganz anders dagegen die Verhältnisse im allgemeinen Krankenhaus, das mit dem Neubau am Sendlinger Thore 1813 die zuvor in München bestehenden, meist in Händen geistlicher Orden liegenden Anstalten vereinigte. Als der Magistrat 1819 die Verwaltung übernahm, bestand es aus 54 Krankensälen mit je 12 Betten, 36 »Separatzimmern für bezahlende Kranke«, insgesamt für 700 bis 800 Personen, einer Kapelle, Apotheke, Badeanstalt und zwei großen Küchen. Aufnahmeberechtigt waren »v.a. Heimathsberechtigte der k. Residenzstadt München« (die Vorstadt Haidhausen errichtete 1834 ein eigenes Krankenhaus »Rechts der Isar«) sowie die »armen Kranken«, welche in dem »Genuß eines Almosens sich befinden« und kostenlose Behandlung erhielten. Es durften jedoch nicht unheilbare oder sehr langwierige Krankheiten sein (StadtAM Krankenanstalten 41). Von Anfang an gab es viel Lob, nur sehr langsam manche Kritik. Die Verantwortlichen waren bestrebt, dem sehr bedeutenden medizinischen Fortschritt dieser Zeit Rechnung zu tragen (für das Folgende StadtAM Krankenanstalten 45): Zwischen den Betten wurden die Alkoven entfernt, weil man »in ihnen vorzugsweise die Ursache der im Hause überhand genommenen Wanzennester zu finden glaubte«. Da »das Verschütten von Arzneien, Getränken, Speisen und anderer dergleichen Vorfälle, durch Uriniren, Laxiren, Ausspucken der Kranken u.s.w. ... nie zu verhüten werden können«, legte man im Erdgeschoß leichter zu reinigende Steinböden an. In ganz Europa berühmt war die Klinik durch das »Lufterneuerungssystem« Häberles, mit dem der typische Spitalgeruch »nach Ausdünstung der ganzen Hautoberfläche des Körpers, nach übelriechenden Geschwüren, Verbandsstücken, Exkrementen u.s.w.« gemildert wurde. In der Folge trat das Spitalfieber kaum mehr auf, während in Berlin noch 1848 Epidemien ausbrachen. Stolz war man auch auf die Entfernung der Leibstühle zwischen den Bettstellen und die Her-

4.1.4 Gedenkblatt auf die Beendigung der Choleraepidemie in München, 1836/37 und die Wiederkehr der Gesundheit, Starnberg 1837

4.1.5 Gedenkblatt auf die Beendigung der Choleraepidemie in München, 1836/37, Starnberg 1837

stellung eigener »Abtritts-Cabinette mit Ventilations-Vorrichtung«. »Sobald man nun den Deckel einer Retirade öffnet fließt sogleich ... frisches Wasser in den ... Schlund, reinigt dann denselben von Unrath und führt ihn in die grosse, von dem Hause entfernte Düngergrube.« Der hohe Wert der von Reichenbach konstruierten Wasserleitung wurde immer wieder betont; ihr verdanke die Klinik ihre Reinlichkeit. Ein »Schnellerhitzungsapparat« stellte immer Vorrath an warmem Wasser für die Reinigung und die Badeanstalt bereit. Diese bezeichnete die führende Gesellschaft der Ärzte in Wien 1848 gar als die »besteingerichtete die wir auf unserer Reise gesehen. Die Badewannen sind von Eichenholz mit Zinnplatten ausgefüttert, und auf eine sehr anständige Weise seitwärts durch hölzerne Wände, vorne durch Vorhänge gesondert, was leider in so vielen anderen Spitälern vermißt wird.« Auch für das geistige Wohlbefinden zumindest der »Patienten aus gebildeten Ständen in den Seperatzimmern, ... Studirenden, Polytechniker, Künstler etc.« war gesorgt; »politische Schriften oder erheiternde Lektüren« sollten Unterhaltung verschaffen »und sie zugleich von den Tagesneuigkeiten in Kenntnis setzen«. Was auch immer, sei es die Reinigung der Wäsche, des Eßgeschirrs, der Holzböden, der Matrazen insbesondere Typhuskranker: Der künftige Ruf Münchens als Stadt der

Hygiene unter Pettenkofer schien sich hier anzudeuten, denn die Wiener Ärzte konnten am Schluß ihrer Reise nur feststellen: »Allenthalben herrscht ... eine musterhafte unübertroffene Reinlichkeit und eine strenge, ... an Pedanterie grenzende Ordnung ...«. Über die Krankheitsarten ist nur wenig bekannt. Eine neue Abteilung für an Syphilis Erkrankte wurde 1831 eingerichtet. Nach 33 Jahren bat der Arzt um Entlassung aus diesem Amt, nachdem sein wissenschaftliches Interesse befriedigt und das spezielle Lehrobjekt ihm immer unangenehmer geworden war.

Die Influenza plagte die Münchner sehr häufig, 1837 wurden z.B. innerhalb von 8 Tagen 400 Kranke eingeliefert. Die »Geisel der Menschheit«, die Cholera, die München während der Epidemie 1832 noch verschont hatte, nahm 1836 ihren Anfang in der Klinik. Als im Herbst die ersten Fälle in Mittenwald auftraten, setzte der Magistrat wie 1832 (und später 1848) Maßnahmen in Kraft, um die Gefahr von Anfang an niedrig zu halten (vgl. StadtAM, Gesundheitsamt 39, 50, 64). Da als Hauptursache die unzureichende und schlechte Nahrung der »dürftigen Klasse« galt, wurden in jedem Stadtviertel Suppenanstalten errichtet; verschärfte Aufsicht sollte den Ausschank geringhaltigen oder verfälschten Bieres, den Verkauf unreifer oder fauler Kartoffeln und Früchte verhindern; im Benehmen mit dem Architekten

Friedrich Gärtner wurde speziell dafür gesorgt, daß die Bauarbeiter nicht »in den Genuß theilweise in Fäulniß übergehender Würste« kamen (StadtAM, Gesundheitsamt 45). Ein weiterer Augenmerk galt den Wohnungen, der Reinigung »stinkender Werkstätten, Dunggruben etc.«. Die Sanitätspolizei sollte für jede Wohnung ein Zimmer bestimmen, »in welches ein Erkrankter gebracht und die übrige Familie bis zum Eintreffen des Arztes bewahrt werden kann«. Familien, die »in dumpfen Kammern eng aufeinander wohnten« sollten anderweitig untergebracht werden – auch das eine Seite biedermeierlichen Wohnens. Jeder Stadtteil erhielt ärztliches und Pflegepersonal zugeteilt, für kostenlose Behandlung wurden »Besuchsanstalten« errichtet und als Kliniken zu verwendende Häuser bestimmt. Gegenstände die ein Erkrankter berührte, mußten weit aus der Stadt gebracht, Exkremente baldmöglichst entleert, Kleider und Bettstroh verbrannt, das Haus geräuchert werden. Für die Reinigung der Straßen stellte der Magistrat zusätzliche Arbeiter ein, die Totengräber wurden angewiesen, besonders lange, tiefe Gruben aufzuwerfen und diese nie mehr zu öffnen. Die Bevölkerung kam dem Aufruf nach Geld- und Sachspenden bereitwillig nach. Man bereitete sich auf das Schlimmste vor, obwohl die Münchner Politische Zeitung noch am 31.10.1836 »einen durchaus beruhigenden Verlauf« melden konnte (StadtAM Gesundheitsamt 2). So eindringlich die Ärzte auch mahnten, die ersten Anzeigen der Krankheit, eine Diarrhöe, nicht zu verschweigen und keinesfalls den in der Bevölkerung als Heilmittel angesehenen Glühwein zu genießen, so abschreckend die Zeitung Fälle schilderte, bei denen der Tod in nur 8 bis 10 Stunden eintrat: Die Ärzte wurden meist zu spät gerufen, die Zahl der Erkrankungen stieg täglich: in München vom 16. Oktober

4.1.2 Plan über die Verbreitung der Cholera in München, 1836/37, C. H. Wenng, München 1837

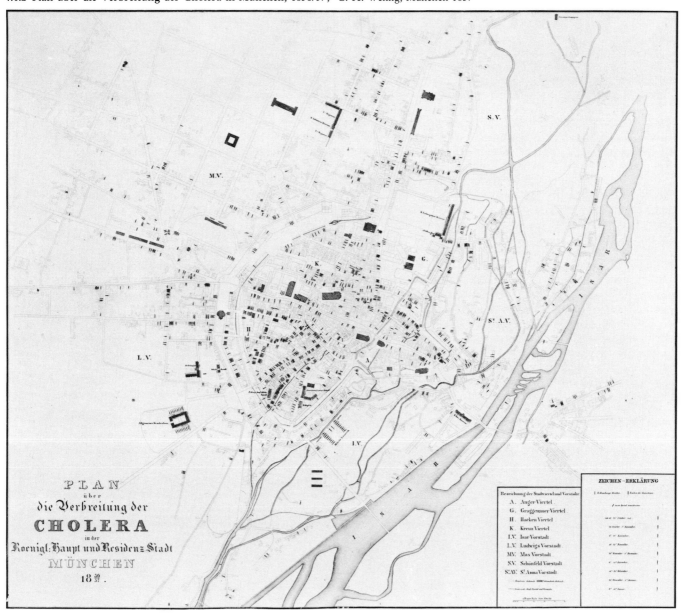

bis 27. November auf 902, davon starben 382, 218 befanden sich noch in Behandlung. In der Vorstadt Au lag die Sterblichkeitsquote über 50 %. Die städtischen Maßregeln hatten dennoch Erfolg; die Münchner Zeitung notierte, daß die Krankheit hier im Gegensatz zu den Erfahrungen anderer Länder »eine verhältnißmäßig große Zahl von Opfern in den wohlhabenden Ständen sucht«. Diese Thatsache erklärt sich durch von den Minderbemittelten Klassen mit ungetheiltem Eifer benutzte Offizial-Fürsorge, im Gegenhalt zu der Nicht-Aufmerksamkeit einzelner bemittelter Personen auf die hochgesteigerte Intensität des hiesigen Brechruhr-Characters«. Im Februar endlich konnte der Magistrat dem König danken: »Und so ist sie überstanden, die schreckliche Zeit, die weit mehr Unglück zu bringen drohte, als sie wirklich in München zu stiften vermochte«. Die ständige Anwesenheit des Königs in dieser Zeit bewirkte, daß »tiefniedergebeugten Gemüther aufgerichtet, in dem Vertrauen zu Gott gestärkt und von jener Furcht befreit, die der bösen Krankheit die größte Gewalt über die Menschen einräumt«. »Der Segen des Allmächtigen ruhte sichtbar auf den edelmüthigen Bestrebungen E. M.« (StadtAM Gesundheitsamt 56). Einen anderen Grund für den günstigen Verlauf nannte der Publizist August Lewald: »München riecht nach Hopfen«. (Lewald 1835, 48.) Ohne diesen warmen, würzigen, magenstärkenden Dunst wäre die Luft unerträglich, ein Reservoir von Entzündungen; »rauher athmen läßt sich keine«. München war bezüglich der Gesundheitsverhältnisse gefürchtet. Noch 1888 schrieb Johann Nußbaum über diese Zeit: »Viele Reisende, welche die großen Kunstschätze Münchens gerne länger betrachten . . . hätten, machten sich wieder schnell davon, wenn sie vom kleinsten Unwohlsein befallen worden waren, das sie in einer anderen Stadt gar nicht beachtet hätten. In München fürchtete man, krank zu werden. München war als ein Thyphosennest verschrien, obwohl genaue Berechnungen nachwiesen, daß der Thyphus doch nicht mehr und nicht schlimmer war, als in anderen großen Städten. Ein berühmter Mann erklärte diesen bösen Ruf mit den Worten: ›München ist eine so große Stadt, daß die Aufregung, der Tumult, die Verunreinigung so bedeutend ist, so günstige Bedingungen für den Thyphus schafft, wie es in den grossen Städten London, Paris, Berlin, Wien der Fall ist; aber auf der andern Seite ist München noch so kleinstädtisch, daß jedes . . . Vorkommnis, jeder Sterbefall in der ganzen Stadt besprochen wird‹« (v. Nußbaum 1888). Reisende kannten nur einen Rat: möglichst rasch die Münchner Lebensart anzunehmen, insbesondere das vorzügliche Bier zu trinken. Das Leben in München erschien im Vergleich zu Wien »geräuschloser, langsamer, einfarbiger« (Mayer 1840, 411, auch die ff. Zitate). Kein Münchner verstieß auch gerne gegen das polizeiliche Verbot für zu schnelles Gehen und Reiten in den Straßen; der Verzicht auf das Tabakrauchen in Straßen und Parks fiel da schon schwerer. Mußte München an »Reinlichkeit und Freundlichkeit« im Vergleich in Vielem zurückstehen, übertraf es schon in der Werktagstracht die Wiener und die Norddeutschen. Gänzlich »imponieren« aber konnte die Stadt »an schönen Tagen, wo die gastlich

geputzte Einwohnerschaft spazierengeht«. Sehr bequem waren die Straßen allerdings nicht: Die Pflasterung – überhaupt zunächst nur in der Innenstadt – bestand aus »kleinen Steinen« mit Kies und Sand, die kaum »mittelmäßiger Last« standhielten. Bei Regen klagten die Bürger über ungangbare Wege, in Sommertagen über Staub, der noch verstärkt wurde durch den allzu »großen Diensteifer der mit der Straßenreinigung beauftragten Dienstboten . . . diese kehren nämlich häufig, um alle Unreinlichkeiten gewissenhaft zu entfernen, auch allen Sand und Kies unter Erregung eines die Vorübergehenden sehr belästigenden Staubwirbels«, wobei noch dazu viele Kieselsteine verloren gingen (Salmann 1848, 24). Die Polizei bemühte sich, durch Verordnungen das Leben auf öffentlichen Plätzen behaglich, angenehm zu gestalten. Jeder mußte vor seinem Haus die Straße im Sommer morgens 7 und abends 5 Uhr mit Wasser begießen um die Staubbelästigung zu mindern, und den Unrath zur Einsammlung in die Mitte der Straße kehren. Um sich gegen den »die Luft verpestenden Gestank zu sichern, der durch das Austragen der Nachttöpfe, dann das Abführen und Ablaufen des Unrathes aus den Versitzgruben unvermeidlich entstehen muß, soll hiemit vor elf Uhr in der Nacht nie angefangen werden«, und bis 5, im Winter 6 Uhr früh vollendet sein. Man suchte »mit einem lobenswerthen Eifer überall und alles wegzuräumen . . . was nur irgend der Gesundheit nachtheilig oder dem Auge unangenehm sein könnte, doch geht man durch die Straßen am Färbergraben, das Schrannengäßchen und einige andere an den Kanälen liegende Straßen nur mit Ekel«, da die Anlieger ihre »gesammelte Unreinigkeit« einfach in den Kanal warfen. Auch in den Vorstädten »bedachte« man die Straßen nicht sehr »gewissenhaft«, benutzte sie »nur zu oft zu Niederlagen jeder Art Unreinlichkeit«. Dazu kamen noch viele auf der Straße ausgeübte Gewerbe, die den Vorübergehenden »mit Abscheu« erfüllten wie Schlachter oder ihnen »unangenehm« waren wie Gürtler, Kupferschmiede, Schäffler, Sporer, Seifensieder (alle Zitate Huber 1819).

Man kann sich vorstellen, wie empört der Münchner der Biedermeierzeit erst war, mußte er auf seinem Weg ein »Huren Institut« passieren, wie die Anwohner des Josephs-Spital-Thores und der Färbergasse: Dieses könne nicht im Sinne der Polizei sein, da »der Staat bei Aufstellung der Polizeybehörden nicht die Untergrabung, sondern die Beförderung und Aufrechterhaltung der Sittlichkeit, als nothwendigstes Attribut zur Erhaltung des Staates im Auge gehabt haben konnte . . . Wir erkennen die Zeichen der Zeit; aber eben deßwegen auch dringenste Nothwendigkeit, unsere strengen Pflichten als Familienväter, unsere Kinder nicht zu dereinst liederlichem Gesindel, sondern zu rechtschaffenen Menschen, sohin zu nützlichen Staatsbürgern zu erziehen, standhaft zu erfüllen«. Dieser »Auswurf der Menschheit« müsse schleunigst entfernt werden. Die Bewohner befürchteten eine Abnahme ihrer Gewerbe und ihres Wohlstandes: Die Färbergasse sei eine rege Straße und daher für kein Bordell geeignet, »welches höchstens in abgelegenen Gäßchen geduldet werden sollte« (StadtAM, Gesundheitsamt 134).

Vorsichtsmaßregeln gegen Ansteckung durch den Umgang mit Menschen.

Es giebt Krankheiten, deren Vorhandenseyn an einem Menschen man nicht sogleich erkennen kann, die dabei sehr leicht ansteckend und um so gefährlicher dadurch werden, je weniger man die Gefahr vor Augen sieht und dagegen auf seiner Hut seyn kann. Solche Krankheiten sind z. B. die so höchst beschwerliche und ekelhafte Krätze und die Schwindsucht, vor allen aber die sogenannte Lust- oder Liebesseuche, die verächtlichste und schrecklichste aller Krankheiten, die anfangs kaum merklich ist, nach und nach aber den ganzen Körper durchwühlt und den Menschen zu einem wahren Scheusale der Natur macht. Sie entsteht durch Ausschweifungen in der sinnlichen Liebe, ist erst vor ungefähr 350 Jahren nach Deutschland gekommen und bei uns einheimisch geworden, und hat sich seitdem so ungeheuer verbreitet, daß es beinahe keine Stadt giebt, in welcher diese Pest des menschlichen Geschlechts nicht im Finstern schlich. Besonders aber sind die größten Städte am meisten davon angesteckt. In ihnen nämlich giebt es feile verächtliche Dirnen in Menge, welche sich jedem thierischen Wollüstlinge zu verbotenem Genusse hingeben und leider von der Obrigkeit hie und da nicht einmal in Ausübung ihres schändlichen Handwerks gehindert werden. Viele, ja die meisten derselben, leiden an der giftigen Krankheit, von welcher wir reden, und pflanzen sie dann an Diejenigen fort, denen sie einen vertrauten Umgang gestatten. Indessen sind Diejenigen, welche sich alles sträflichen Umganges mit dem weiblichen Geschlechte enthalten, deswegen noch keineswegs vor jener Krankheit sicher. Sie steckt nämlich auch auf andere Weise, und zwar hauptsächlich dadurch an, daß man Theile des eigenen Körpers mit dem Körper der Kranken, oder mit Geräthschaften, die sie im Gebrauch haben, in nahe Berührung bringt.

Daher setze man sich niemals auf einen Stuhl, auf welchem kurz vorher eine andere Person gesessen hatte, zumal wenn er gepolstert und noch warm ist. Eben so setze man sich niemals bei Verrichtung natürlicher Bedürfnisse mit den blosen Schenkeln auf den Ort ihrer Befriedigung hin, sondern lege irgend einen Theil seiner Kleidung unter. Ferner vermeide man es, mit Personen, von deren Gesundheit man nicht auf das Festeste überzeugt ist, aus dem nämlichen Glase oder Kruge zu trinken und aus der nämlichen Schüssel mit ihnen zu essen. Auch darf man sich nur eines eigenen Zahnstochers bedienen, nie aber sich einen solchen von einer dritten Person geben lassen. Höchst gefährlich ist es ferner, aus einer fremden Tabakspfeife zu rauchen. Desgleichen ziehe man niemals fremde alte Kleidungsstücke an und am wenigsten Hosen; denn in diesen halten sich ansteckende Stoffe gar lange Zeit auf und aus ihrem Gebrauche entsteht daher nicht selten gar große Gefahr. Darum kaufe der junge

Handwerker niemals einen Rock, ein Paar Hosen, ein Hemd, oder sonst Etwas bei einem Trödeler, sondern schaffe sich diese Bedürfnisse, wenn sie auch mehr kosten, neu an, oder erwerbe sie von Personen, von deren Gesundheit man vollkommen überzeugt ist. Leichtsinnige Menschen bedienen sich wohl auch bisweilen eines fremden Schnupftuchs oder setzen die Mütze eines Andern auf, wodurch sie sich ebenfalls der Gefahr aussetzen, angesteckt zu werden. Eine Hauptregel ist die, daß man Niemanden, selbst den besten Freund nicht auf den Mund küsse, weil sich der Ansteckungsstoff durch die feine Haut, mit welcher die Lippen bedeckt sind, gar zu leicht mittheilt. Befindet man sich bei Personen, von denen man bestimmt weiß, daß sie mit der Krätze, der Lustseuche oder einer anderen sich fortpflanzenden Krankheit behaftet sind, so muß man natürlich um so größere Vorsicht anwenden. Namentlich darf man sich, ist man in ihrer Wohnung, nicht bei ihnen niederlassen und an einem dritten Orte sich wenigstens nicht neben sie setzen, sie auf keine Weise küssen, nichts an der Stelle anrühren, an welcher sie es vorher anfaßten, ihnen die Hand nicht geben, keine Speise von ihnen annehmen und sich überhaupt jeder näheren Berührung mit ihnen entziehen. Kann man jedoch letztere nicht vermeiden, so wasche man sich wenigstens sogleich die Hände.

Ueber die Heilung der Lustseuche will ich hier nichts sagen. Denn sie ist so schwierig, daß sie nur einem geschickten Arzte anvertraut werden darf, nicht aber einem einfältigen und gewissenlosen Quacksalber. Am wenigsten darf man sich jedoch selbst zu helfen suchen. Sollte daher Einer von euch von dieser Krankheit befallen werden, so entdecke er dieses sogleich einem erfahrenen Arzte und lasse sich nicht durch ein unzeitiges Schamgefühl, welches ihn leicht für immer um seine Gesundheit bringen, ja sogar ihm das Leben kosten könnte, davon zurückhalten; zumal wenn er sich von Ausschweifungen rein weiß und sich daher die Krankheit nicht durch eigene Schuld zugezogen hat. Herrschen an einem Orte andere ansteckende Krankheiten, wie z. B. Nervenfieber, so hüte man sich sorgfältig, in die Nähe Kranker zu kommen und beobachte die mäßigste Lebensweise. Namentlich genieße man sein Frühstück womöglich sogleich, nachdem man das Bett verlassen und gehe niemals nüchtern aus. Ein getroster und fröhlicher Muth ist ebenfalls ein gutes Vorbeugungsmittel gegen Krankheiten, während Furcht und Angst dieselben befördern. Herrscht eine ansteckende Krankheit in euerem Hause und man bedarf Euerer zur Krankenpflege, so entzieht euch derselben nicht, sondern erfüllt im Vertrauen auf Gott euere Menschen- und Christenpflicht. Er wird euch schützen.

C. Th. B. Saal, Wanderbuch für junge Handwerker oder populäre Belehrungen, Weimar 1842, 13. Kap., 178ff.

»Bürgerliches« Zimmer in der »Münchner Wohnkultur«, eingerichtet um 1935 (wiederhergestellt 1955) mit Möbeln aus der Münchner Residenz, Schloß Eichstätt und der Nürnberger Burg.

Von Stilen und Ständen in der Biedermeierzeit

Hans Ottomeyer

Begriff und Bedeutungswandel

Keine der kunsthistorischen Epochen, die fast ausnahmslos schlecht oder falsch benannt sind, wird so irreführend interpretiert wie das »Biedermeier«. Während niemand bei dem Wort Gotik etwa denkt, daß dieser Stil von den Goten erfunden worden sei, und es inzwischen zumindest in Fachkreisen klar ist, daß kaum ein wesentlicher Bezug zwischen Person oder Regierungszeit Ludwigs XVI. und dem Stil »Louis Seize« besteht, ist die Annahme verbreitet, daß der Begriff »Biedermeier« tatsächlich die Epoche beschreibe, auf welche man ihn anwendet.

Das Wort evoziert etwas von dem gemüthaften »deutschen Stilleben« der introvertierten Tugenden, welche man mit den 33 Jahren zwischen 1815 und 1848 verbindet und was dazu verführt, sie sich als eine Zeit der bürgerlichen Idylle vorzustellen.

Es wäre falsch, für die Zeit des »Biedermeier« einen Stil als den wesentlichen anzunehmen und so einer vermeintlich klaren und eindeutigen Darstellung zuliebe das Gewirr gleichzeitiger und dabei gegensätzlicher politischer Positionen, gesellschaftlicher Ideale und ästhetischer Stile zu verdrängen. Stattdessen gilt es, die komplizierten Verhältnisse unter diesen sich überschneidenden und divergierenden Strömungen aufzudecken und sie in ihrer ganzen Widersprüchlichkeit zu erfassen, um so ein konkretes Bild der Epoche zu zeichnen.

Die über dreißig Jahre von 1815 bis 1848 sind vor allem von dem außen- und gesellschaftspolitischen Pakt des Wiener Kongresses geprägt, der eine konservative Restauration einleitete, jede kritische Aktivität der Staatsbürger unterband und Deutschland eine Zeit fragwürdiger Ruhe verordnete. Zugleich und unterschwellig sind sie aber auch bestimmt von einer gärenden Unruhe unter den verschiedensten Oppositionellen, aus der sich nicht zuletzt eine ganze Kultur der Satire entwickelte, die sich teils in verdeckter Ironie, teils in offener Polemik äußerte und darin entscheidend zu der vorrevolutionären, vormärzlichen Stimmung beitrug. Diese Zeit der tief und bewußt empfundenen Unfreiheit mit ihren Tendenzen zum Rückzug in die Innerlichkeit oder zur Flucht in äußere Reisewut ging mit innerer Konsequenz auf die Revolutionen von 1830 und 1848 zu. Es ist also nicht nur eine Zeit der Stille, der Selbstbescheidung und reinen Innerlichkeit, wie es der Begriff »Biedermeier« vorgaukelt – die Zeit wird vor allem geprägt durch eine »Verschiedenheit des Gleichzeitigen« (Sengle).

Der Begriff des »Biedermeier« hat sich seit langem verselbständigt und transportiert unterschwellig ein ganzes Repertoire von Assoziationen und Vorurteilen. Hier soll er zunächst nur die allgemeine Bezeichnung der Epoche sein, die aber auch auch Vormärz, Restauration, Romantik oder Spätklassizismus genannt wird. All diese politisch-historischen oder stilgeschichtlichen Benennungen haben auf den Begriff des »Biedermeier« abgefärbt und machen es schwierig, ihn ohne Verzerrungen zu fassen.

Dabei begann die Sache recht harmlos und einigermaßen klar. Im Oktoberheft 1855 (Bd. XXI, Nr. 493 vgl. Kat.Nr. 1.1.32) der Münchner »Fliegenden Blätter« trug Heidelberger Studentenspott auf naives Kunstschaffen, gutmütige Bescheidenheit und vergnügtes Philistertum satirische Früchte. Der Mediziner Adolf Kußmaul (1822–1902) veröffentlichte unter teilweiser Mitarbeit des Juristen Ludwig Eichrodt (1827–1892) eine Persiflage unter dem Titel: »Auserlesene Gedichte von Weiland Gottlieb Biedermaier, Schulmeister in Schwaben, Erzählungen des alten Schartenmaier. Mit einem Anhange von Buchbinder Horatius Treuherz.« Die naivkomischen Gedichte, die in Fortsetzung bis 1857 erschienen, sind mit einer langen Vorrede versehen, in der die angeblichen poetischen Funde ironisch angepriesen und interpretiert werden. (Ausführliche Erörterungen bei Bahns 1979, 9ff und Geismeier 1979, 9ff). Da wird zuerst die Provinzseligkeit des Gottlieb Biedermaier geschildert, dem »seine kleine Stube, sein enger Garten, sein unanschaulicher Flecken und das dürftige Loos eines verachteten Dorfschulmeisters zu irdischen Glückseligkeit bescheiden genügen« (102). Dann heißt es: »Gemüthliche Biederkeit ist der Grundton, der durch diese Lieder zieht, eine naive Betrachtung der einfachsten Verhältnisse des Lebens, welche der raffinierte moderne Weltmensch gar nicht mehr zu erkennen vermag, eine Verehrung der Autorität und Ordnung, wie sie uns leider in den Wirrsalen der letzten Jahre ganz abhanden gekommen ist. Schade, daß nicht schon unser großer Schiller seinen wackeren Landsmann gekannt hat, er hätte gewiß nicht vergessen, in seiner Abhandlung über das Naive auch das Verhältnis der Biederkeit zur Idee des Schönen zu entwickeln, und die aesthetischen Begriffe des Biederschönen und Biedermaiern würden ihm nicht entgangen sein, welche somit uns aufzustellen übrig geblieben ist« (103).

Am Ende des Prologs aber verdammen die Schöpfer der Spottgestalt ihre eigene Kreatur und sagen das Ende voraus: »Beide aber, Biedermaier wie Schartenmaier werden bald zu den fossilen Überresten jener vormärzsündfluthlichen Zeiten gehören, wo Teutschland noch im Schatten kühler Sauerkrauttöpfe gemüthlich aß, trank, dichtete und verdaute, und das Übrige Gott und dem Bundestage anheimstellte. Dies künftigen Zeiten zu erhalten ist eine Pflicht, der wir uns hiermit entledigt haben«.

Doch hatten sich Kußmaul und Eichrodt gründlich getäuscht. Der mit den Abgesängen der Parodie zu Grabe getragene Dorfschullehrer erlebte eine fröhliche Wiederauferstehung und erfüllte mit Namen und Geist ein ganzes Saekulum, wirkte bis tief in die kritischen Wissenschaften und in die Gedanken und Sehnsüchte der Menschen des 20. Jahrhunderts. Auf die Frage »In welcher Zeit möchten Sie leben?« antwortet jeder zweite »Im Biedermeier!«. Was als Spott der realistischen Gründerzeit an der beschränkten Idylle der Väter begann, wurde noch am Ende des 19. Jahrhunderts zur versunkenen guten alten Zeit, die im goldenen Lichte der Erinnerung erstrahlte.

Was bedeutet aber »Biedermaier« zum Zeitpunkt seines

Auserlesene Gedichte von Weiland Gottlieb Biedermaier. Die
Schlacht von Leipzig. Fliegende Blätter, Bd. XXII, Nro. 505, 6 (1855)

Entstehens? Mit einer Distanz von etwa zehn Jahren
beschreibt »Biedermaier« mit der Genauigkeit der Karikatur
»die aesthetischen Begriffe des Biederschönen und Biedermaiern«, die sich in dem verlorenen Paradies kleinbürgeri-
cher Heimatidyllen, gefühlvollem Dilettantismus und unpo-
litischer Bonhomie wiederfinden. Die Münchner »Fliegenden Blätter«, illustriert von Spitzweg, Wilhelm Busch,
Moritz von Schwind, Pocci, Dyck und anderen, sind seit
ihrem ersten Erscheinen 1844 die eigentliche Heimat einer
ironisch-heiteren Naturkunde der versunkenen »Biedermaier«-Welt mit ihren Trivialitäten, Ängsten, Träumen, Moden,
Marotten und Phantasien. In ihnen tummeln sich neben dem
Dorfschulmeister Biedermaier eine ganze Legion von Maiern
und Meiern mit schaurig-schönen Namen, so der ebenfalls sehr berühmt gewordene Turner Kraftmeier, der ängst-
liche Philister Heulmaier, der Abgeordnete Piepmeier, der
feiste Herr von Speckmaier, der Jäger Schießmaier, der
Großhändler Silbermeier, der Hundedresseur Stockmeier
und so weiter und so fort. Man darf sagen, daß »Biedermeier« ein Begriff aus der Münchner Kunst ist und hier seine
Formulierung und erste Umsetzung fand. Enge Entsprechung erfährt die humorvolle Kritik an Zuständen des Vormärz in der bildenden Kunst. Eine wirkliche Malerei des
»Biedermeier« außerhalb eines verwaschenen Epochenbe-
griffs läßt sich an Gemälden Spitzwegs und Marrs ohne
Schwierigkeiten analysieren. Ohne Spott, aber in wehmuts-
voller Distanz erscheint die vortechnische Idylle in Zeichnungen und Gemälden von Ludwig Richter und Moritz von
Schwind. Eine Entsprechung in Aussage und Stimmung mit
dem »Biederschönen« wie in Gedichten Kußmauls und
Eichrodts, die auch nicht ausschließlich ironisch sind, sondern von Gefühlsüberschwang in Ironie umschlagen, kann
man in der bildenden Kunst konstatieren. Eine Anwendung

über die mit humoristischem Spott gezeichnete kleinbürgerliche Naivität des Kunstschaffens all dieser »Flickschuster
als Naturdichter« hinaus verbietet sich, und eine Auswei-
tung auf Architektur und Innendekoration erscheint zweifelhaft. Anders steht es mit den Produktionen in Schauspiel,
Oper, Musik, Malerei, Zeichenkunst und vor allem in den
angewandten Künsten der Dilettanten und ihnen zuarbei-
tenden ausgebildeten Künstlern. Durchgehendes Charakteristikum des »Biedermeier« wäre ein verunglücktes Verhältnis zwischen Anspruch und Medium, wie im Stil der Verwirklichung. »Biedermaier ist die unbewußte Biederkeit
gegenüber der bewußten..., die natürliche Einfachheit
gegenüber der künstlichen... Biedermaier... erheitert
unabsichtlich; selbst da, wo er das Gegenteil von Erheiterung bezweckt, muß der herrliche Menschenfreund noch
seinem Nächsten Freude machen und ihn ergötzen« (Vorrede... Fliegende Blätter Bd. 21, Nr. 493, 1855, 103).
Nach dem Abgesang auf den »Biedermaier« um 1855 bleibt
es erst einmal ruhig, bis eine neue Generation um 1890–1900
sich wehmütig der Großväterzeit entsinnt, sie im Gegensatz
zur eigenen Welt beschreibt und verherrlicht. Dieser Atavis-
mus steht im Zeichen einer Abkehr von den Vorstellungen
und Idealen der realistischen, unkünstlerischen, technisierten
Gegenwart der Gründerzeit, welche die tatenarme Gefühls-
seligkeit der Biedermeier abgetan und mit ihr aufgeräumt
hatte. (Die Biedermeier-Rezeption wird ausführlich behandelt bei Geismeier 1979, 25ff. und Deneke 1967). Ein
wesentlicher Anlaß zur erneuten Beschäftigung mit der Zeit
um 1815 war 1896 die Ausstellung zum 80jährigen Jubiläum
des Wiener Kongresses in Wien. Für die modernen Inneneinrichtungen suchte man nach dem langen Maskenfest der
Stile während des Historismus nach neuen Vorbildern und
diskutierte, ob eine Anknüpfung an die letzte geschlossene
große Stilepoche des Klassizismus wünschenswert sei und
welche Stilform die bessere Anwendung böte – der
anspruchsvolle »Style Empire« oder seine schlichtere
Variante, eben das »Biedermaier«. In diesem Orientierungs-
streit fiel das Wort Biedermeier häufig und hatte bald sein
»a« gegen ein »e« eingetauscht. Georg Hirth, Begründer und
Herausgeber der Münchner Zeitschrift »Jugend« schreibt in
bezug auf diese Diskussion: »Mit dem Sturz des großen
Korsen war... die freudlose Antike auf einmal abgetan,
fast verfehmt, und es begann jenes »gemütliche« sinnlose
Durcheinander, der »Biedermänner«, in Wirklichkeit ein
Verlegenheitsstil..., dessen Anspruchslosigkeit seinem
Mangel an wirklicher Kunst entsprach und der uns darum in
gewissem Sinne noch genießbarer erscheint als sein hochmü-
thiger Vorgänger«. (Das deutsche Zimmer, München-Leip-
zig 1898, 366-7).
In diesem Neuansatz auf der Suche nach einem deutschen
nationalen Stil liegt zugleich der Kern zu einer folgenschwe-
ren falschen Annahme. Hirth konstruiert – und darin folgen
ihm bis heute alle Autoren – eine politische Antithese und
ein klare zeitliche Folge zwischen dem französischen Empire
und dem deutschen Biedermeier. Diese ideologisch
bestimmte Kunstgeschichte baut um den politischen Wechsel von 1815 eine Chronolgie auf, die das Empire bis 1815
und dann das Biedermeier als vorherrschende Stile annimmt.
»Biedermeier« wird in dieser Diskussion überdies gleichgesetzt mit dem einfachen Einrichtungsstil des frühen 19.
Jahrhunderts, den man ohne Begründung, Erläuterung oder
Widerspruch mit »Biedermeier« verbindet, um Eigenschaf-

ten seines Begriffsumfeldes dann auf diesen Wohnstil zu übertragen. Er wird darum als ein positiv bewerteter Reformstil mit dem Bürgertum und seinen Tugenden verbunden: »Wenn hier eine Gesinnung Platz griffe, die nur das Einfache und Gediegene wählte, das Protzige vermiede und jeden Anschein des Täuschenden grundsätzlich abwiese, wie viel wäre dann schon gewonnen. Wir würden ein schlichtes Hausgerät von edlem Anstand und echter Vornehmheit, und zwar von echter Vornehmheit haben, nicht der gewollten talmi-aristrokatischen von heute. Ein Hausgerät von jener Unaffektiertheit und Wahrheitsliebe, wie es unsere Groß- und Urgroßväter hatten.« (Muthesius, in: Kunstwart, 17. Jg. 23, 1904, 473). Mit der Antithese zum Adel und in der zwangsweisen Verbindung mit dem Bürgertum hat der »Biedermeier« genannte Stil weitgehend unbegründete Wertungen erfahren, die als wiederholt zugeschriebene Eigenschaften die Vorstellungen seitdem begleiten. Auch in der Kunstgeschichte wurden die Einrichtungen des Biedermeier als Ausdruck eines bürgerlichen Stils festgeschrieben, worauf wiederum ihre Charakteristiken und ganze Reihen von Schlußfolgerungen aufbauten.

Als kunsthistorischer Epochenbegriff benennt Biedermeier den Zeitabschnitt von 1815, dem Ende des Wiener Kongresses, bis 1848, dem europäischen Revolutionsjahr. Im weiteren Verlauf des 19. Jahrhunderts sucht das Bürgertum sein Selbstbewußtsein durch die Annahme einer bürgerlich geprägten Kampf- und Aufstiegszeit zu festigen, und Biedermeier wird von einer Stilbezeichnung der Innendekoration zum feststehenden und üblichen Namen der Zeit von Restauration und Vormärz.

Grundlegend für die Geschichte der Epoche sind die literarische Quellensammlung von Georg Hermann (1913) und schließlich die große Kulturgeschichte von Max von Boehn (1922), in welcher der Autor ein differenziertes Bild von häuslicher Harmonie und politischer Unterdrückung zeichnet. Beide Arbeiten zwingen jeden späteren Autoren, errötend ihren Spuren zu folgen. Gleichzeitig schärft sich das Bild von Biedermeier als Stil, was bei Boehn und Hermann nahezu unbehandelt bleibt. I. A. Lux verfaßte, immer im Hinblick auf die fällige Reform des Kunsthandwerks in Jugendstil und Neoklassizismus, sein Buch »Von der Empire- zur Biedermeierzeit« (1906). Als Möbelstil wird Biedermeier bei Luthmer, Hermann Schmitz, Himmelheber und Bahns definiert.

Im 20. Jahrhundert verläuft die Begriffsgeschichte zweigleisig. Einmal werden in wachsender Erweiterung alle politischen und kulturellen Erscheinungen zwischen 1815 und 1846 unter »Biedermeier« verstanden, wobei es zu Vermischungen mit der Romantik kommt (Sengle 1971), zum zweiten wird Biedermeier in zunehmender Verengung des Begriffs als idealer bürgerlicher Möbelstil zwischen 1815 und 1830 definiert (zuletzt Himmelheber 1986, 87ff.). Epochenbegriff und Möbelstilbegriff divergieren wesentlich.

Eingebettet sind diese Definitionen und Vorstellungen in den allgemeinen sehnsüchtigen Traum von einem verlorenen bürgerlichen Zeitalter. Es wird ein Wunschbild heraufbeschworen, welches in ungestörtem Frieden, Wohlstand und Geborgenheit die Großfamilie in der wohlgeordneten reinlichen Stube bei Handarbeit und wertvollen Gesprächen evoziert. Die technische Zivilistion mit Unrast und Zerstörung bleibt in der Postkuschenzeit vor der Tür. Es ist zu fragen, wie weit die Wirklichkeit von der Idylle entfernt ist.

Bildnis des Gottlieb Biedermaier, Schulmeister in Schwaben, Fliegende Blätter, Bd. XXI, Nro. 493, 103 (1855)

Der Möbelbestand im Münchner Stadtmuseum

Mit über dreihundert Möbelstücken aus dem »Biedermeier« gehört der Bestand des Stadtmuseums sicherlich zu den umfangreichsten Sammlungen dieses Stils in öffentlichem oder privatem Besitz. Allein durch ihre Quantität kommt diesen Möbeln also schon ein gewisser Stellenwert in der Diskussion zu, was sich auch in vielen Publikationen niederschlug, in denen häufig Möbel des Stadtmuseums als Beispiele erscheinen. Sie wurden der gängigen Theorie folgend als bürgerliche Münchner Möbel der Zeit von 1820–1830 bewertet, die in all ihren Zügen von bürgerlichen Tugenden wie Ordnung, Schlichtheit, Nüchternheit, Nützlichkeit und klarer Schönheit Zeugnis ablegen. Die Aufstellung im Münchner Stadtmuseum mit den nach 1935 eigens konstruierten und 1955 rekonstruierten kleinen, gemütlichen Räumen der »Münchner Wohnkultur« tat das ihrige, um den Eindruck zu erwecken, daß in solcher Behaglichkeit die Vorvätergeneration der Münchner Bürger im Biedermeier gelebt hätten. Ein etwas gewundener Text am Eingang der »Münchner Wohnkultur« sollte diese Museumseinrichtung interpretieren, hätte aber äußerst mißtrauisch stimmen müssen; es hieß umständlich: »Die Einrichtungen stammen größtenteils aus dem Besitz wohlhabender Münchner Bürger, die sie dem Stadtmuseum schenkten, mit Ausnahme derjenigen der ersten Hälfte des 19. Jahrhunderts, die aus der Residenz kommen. Doch vertreten auch sie den bürgerlichen Charakter der Gattung, weil sie zwar im Auftrag des Hofes angefertigt wurden, aber nicht zur Ausstattung der königlichen Gemächer gehörten, sondern für den in der Residenz, im ehemaligen Wittelsbacher Palais, in den Schlössern Nymphenburg und Biederstein wohnenden Hofstaat

Polsterbank, München um 1800, Kirschbaumfurnier auf Fichte und Buche, mit Brandstempel CAB unter Fürstenhut.

bestimmt waren. Schießlich war unter dem Einfluß der Aufklärung die Hofhaltung auch in Bayern einfacher und ungezwungener geworden«.

Die Wahrheit ist, wie so oft, einfacher und klarer. Tatsächlich stammen von den über Jahrzehnte ausgestellten Möbeln und Ausstattungsstücken der ersten Hälfte des 19. Jahrhunderts alle bis auf wenige meist spätere Möbelstücke aus den Schenkungen Münchner Bürger aus königlichen bayerischen Schlössern. Die Spuren ihrer Geschichte sind deutlich ablesbar. Untersucht man die Möbel genauer, so findet man in den Schubladen und an den Rückseiten als Reste einer sorgfältigen Bestandsverwaltung die Inventarnummern in Ölfarbe und Kreide sowie die Etiketten mit Angabe des königlichen Schlosses, des Appartments, des Zimmers und der Inventarbuchnummer. In der Regel sind die Möbel häufig von einem Schloß ins andere transportiert worden, wie die wechselnden Ortseinträge erkennen lassen. Im Stadtmuseum sind sie seit 1935, als dessen damaliger Direktor Dr. Eberhard Hanfstaengl die Bayerische Verwaltung der Staatlichen Schlösser, Gärten und Seen überreden konnte, sich im Tausch gegen ein Lenbach-Porträt König Ludwigs I. von 169 Objekten zu trennen, die bis dahin im Garde-Meuble Depot der Münchner Residenz verwahrt worden waren. Für die Zeit zwischen 1929 und 1934 wurden sie bereits als Dauerleihgaben der Schlösserverwaltung im Stadtmuseum geführt. Der Verrechnungswert der Über-

nahme, der auch Teppiche, Uhren, Leuchter, Lüster und Kachelöfen umfaßte, wurde damals mit 11 875 Reichsmark veranschlagt.

Die Möbel, welche das Stadtmuseum damals so günstig übernahm, hatten bereits eine wechselvolle Geschichte. Mit der Neuschöpfung des Königreichs Bayern im Jahr 1806 vereinnahmte der neue Staat auch die alten Residenzen und Schlösser der ehemaligen reichsunmittelbaren Herrschaftsgebiete in Franken, Schwaben und in Teilen Österreichs. Im Gegensatz zu dem Kirchen- und Klosterbesitz wurden die Herrschaftssitze nicht aufgelöst und in Auktionen veräußert, sondern kamen in den Besitz der Krongutverwaltung. Ein Großteil der alten Herrschaftszentren wurde modernisiert und neu eingerichtet, um König Max I. Joseph und seiner Familie als Wohnsitze zu dienen. Der Minister Montgelas erwartete, daß der bayerische König wechselnd in den neugewonnenen Territorien residieren und so zu der Integration des neugeschaffenen souveränen Königreichs beitragen würde. Doch hatte er sich in seinem Herrn getäuscht, an dessen starker Bequemlichkeit und Reiseunlust sich die Pläne eines modernen Wanderkönigtums zerschlugen. Trotzdem, aber vielleicht auch deswegen, – um das Bereisen des Reichs nicht an fehlenden modernen Einrichtungen scheitern zu lassen –, wurden zahlreiche Nebenresidenzen rasch und mit hohem Kostenaufwand für einen etwaigen königlichen Besuch hergerichtet. Es waren die Residenzen, Schlösser und

Burgen in Ansbach, Aschaffenburg, Bamberg, Bayreuth, Eichstätt, Ellingen, Landshut, Nürnberg und Regensburg. Daneben bestanden in und bei München die Herzog-Max-Burg, das Clemensschloß, Nymphenburg, das Herzog-Wilhelm-Palais, Schloß Berg und später der Wittelsbacher Palast, die vom Hof möbliert und unterhalten wurden.

Die Neumöblierung der Nebenresidenzen vollzog sich bereits in den Jahren um 1810 und in den ersten damals angelegten Inventaren werden die neuen modernen Möblierungen mit schlichten Möbeln von Kirschbaumholz, Mahagoni und Nußbaum aufgeführt, die zum Teil bis heute im Stadtmuseum und bei der bayerischen Schlösserverwaltung erhalten sind. Von der Vervollständigung solcher neuer Ausstattungen legen die folgenden frühen Inventare bei der Schlösserverwaltung Zeugnis ab: Ansbach 1813, Aschaffenburg mit Schönbusch 1818/1819, Bamberg 1814, Bayreuth Neues Schloß 1813, Eremitage 1815, Berg 1816 und 1818, Landshut 1811 und 1814, Berchtesgaden 1821, Innsbruck 1808 und 1810, Tegernsee 1819, und Würzburg 1820, dann in München das Inventarbuch der Residenz von 1815 und 1820, Nymphenburg 1808, 1814 und 1818, Herzog-Max-Burg 1810, Wittelsbacher Palais 1849 (ein frühes Inventar für Nürnberg und Regensburg fehlt). Parallele Inventare zu denen der ehemaligen Krongutverwaltung und heutigen Bayerischen Schlösserverwaltung liegen im Geheimen Hausarchiv unter den Papieren des Obersthofmeisterstabs. Dar-

Ankleidezimmer König Max I. Josephs im südlichen Pavillon von Schloß Nymphenburg, Friedrich Ziebland 1820, Aquarell, Wittelsbacher Ausgleichsfonds.

Tischchen aus Schloß Aschaffenburg, wohl Mainz um 1805, Kirschbaum und Lindenholzfurnier auf Fichte.

unter sind auch frühe Inventare, so das für das Königliche Schloß Regensburg von 1811. Mit Hilfe dieser Unterlagen ist eine Eingrenzung der Datierung der Möbel, die in das Münchner Stadtmuseum kamen, ermöglicht. Leider lassen sich nicht mehr alle Objekte in ihrer Provenienz, Zuordnung und Datierung bestimmen. Das liegt an fehlenden Etiketten, die sich, wie alte Leimstellen zeigen, häufig lösten und an der hohen Ähnlichkeit der schlichten klassizistischen Möbel. Da heißt es etwa: »1 Comode von Nußbaumholz mit 3 versperrten Schubladen mit Bronzebeschläge 8 fl.« oder »4 Fauteuils von Kirschb. Holz, Sitz und Lehnen mit braungestreiftem Atlas, bezogen mit paille Stringen eingefaßt« (SV Inv. Nymphenburg 1818); hier muß jeder Identifizierungsversuch aufgrund der vagen Merkmale, die bei den Polstermöbeln nur den kostbaren Stoff würdigen, unterbleiben. Nur wenn es bei aufwendigen Möbeln umständlich heißt – und das ist leider nur bei späteren Inventaren der Fall –: »1 detto (Tabouret) von Kirschbaumholz mit geschnittenen 4 Löwenköpfen und 4 Pfoten mit blauem Tuch bezogen, worauf mehrere genähte Figuren von rothem Tuch, nebst Ham.(ans) Houße 8 fl.« (SV Inv. Nymphenburg 1825, 78), gelingt es im Schreibkabinett des Königs ein Möbel wiederzuerkennen, das heute dem Münchner Stadtmuseum gehört (M 35/2288 vgl. Kat.Nr. 11.2.1, Farbabb. S. 98). Leider führt ein solcher Eintrag nur zur Lokalisierung und zu einer Wertangabe und nicht zu einer genauen Datierung oder etwa dem Nachweis des Möbelschreiners. Doch auch dafür gibt es im reichen Bestand des Hauptstaatsarchives eine Möglichkeit: Zwar sind die Quittungen für die Residenzen, die mit den überlieferten Kabinettskassenbüchern der Zeit übereinstimmen, nicht mehr erhalten, aber von 1812/1813 an kontrollierte die Rechnungskammer, Vorläufer des Bayerischen Obersten Rechnungshofes, besonders sorgfältig die Ausgaben für die Schlösser der Bayerischen Krone und bewahrte Rechnungen und Quittungen der Handwerker und Lieferanten in ihrem Aktenbestand auf, der vor nicht langer Zeit an das Bayerische Hauptstaatsarchiv kam und so eine Lücke in der Überlieferung füllt (BayHStA Rechnungskammer 129-150 und ff.). Wie auch die ausführlichen Inventare der Residenz von 1815 und das Nymphenburger Inventar von 1818 ermöglichen die detaillierten Handwerkerrechnungen die Erkenntnis, daß die Hauptschlösser bereits um 1810 vollständig mit Möbeln und Ausstattungen eingerichtet waren, die dem entsprachen, was man üblicherweise mit »Biedermeier« beschreibt. Das ersieht man aus zahlreichen Instandhaltungs- und Reparaturrechnungen, die sich auf einen bereits älteren Möbelbestand beziehen, der nach Zahl und Art erwähnt wird.

Die einfachen Kirschbaum-, seltener Nußbaum-, Mahagoni- und Maserholzmöbel sind in allen Appartements der Schlösser gebräuchlich. Nur die »schönen Zimmer« der Königin Karoline, das heißt Salon, Audienzzimmer und Paradeschlafzimmer in der Residenz und die entsprechenden Gesellschaftsräume in Nymphenburg sowie das ältere Schlafzimmer des Königs dort hatten eine aufwendigere Ausstattung. Dort standen geschnitzte und vergoldete Repräsentationsmöbel, die Züge des gleichzeitigen französischen Empirestils aufweisen. Im Gegensatz zu den zugleich entstandenen einfachen Furniermöbeln haben sie jedoch einen anderen Ursprung. Die gefaßten Repräsentationsmöbel wurden nämlich von Bildhauern wie Michael Hautmann, Peter Schöpf oder Franz Xaver Schwanthaler gefertigt und geliefert, während die Gebrauchsmöbel von Schreinern stammen. Damit ist ihre gänzlich andere Machart zu erklären, die bisher mit einer chronologischen Abfolge, anderem Stilwillen oder sogar gegensätzlichen politisch-historischen Grundhaltungen ausgedeutet wurde.

Über die Instandhaltung eines umfangreichen Möbelbestandes hinaus, den man in der Hofsprache damals als »mobilier de service«, d.h. Gebrauchsmöbel, bezeichnet, legen die detaillierten Rechnungen vor allem für Nachbestellungen und Ergänzungen Zeugnis ab – wie größere Betten für die Prinzessinnen, ergänzende Konsoltische, Kommodenpaare, Tische für die Vogelkäfige, die das Königspaar zu Dutzenden benötigte, neue Sitzgarnituren, Spucknäpfe, Fußschemel, Nachtkästen, Leibstühle, Bidets und so fort und so weiter. In der Regel erfolgen die Lieferungen für die Münchner Residenz und Nymphenburg durch die Hofschreinerei Daniel, die von der Witwe mit zwei Gesellen geführt wird. Die Aufträge für einfache Möbel gehen nach Freising an den Kistlermeister Plöderl, der geringer bezahlt wird und dessen Rechnungen obendrein reduziert werden. Andere Schreiner kommen kaum zum Zug. Die Preisstruktur sieht um 1814 etwa wie folgt aus: eine Kirschbaumkommode oder ein Bettgestell kostet 30 Gulden, ein Kanapee bzw. »Tiwan« 25 Gulden, ein Stuhl 5 Gulden, ein Konsoltisch 9 Gulden, ein großer Tisch 30 Gulden. Mahagonimöbel erzielen einen ungleich höheren Preis; ein solcher kleiner Arbeitstisch mit

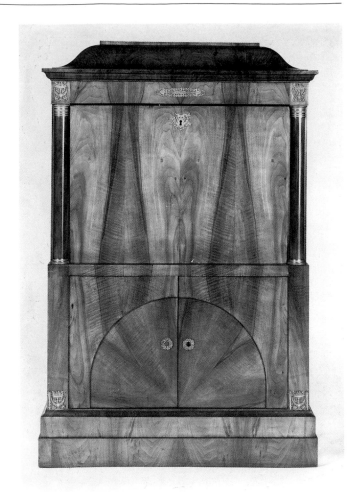

Schreibschrank aus Schloß Aschaffenburg, wohl Mainz um 1815, Nußbaumfurnier auf Fichte und Eiche.

vier Säulen kostet 36 Gulden (BayHStA Rechnungskammer 134, 4003, Oktober 1814, Daniel). Einige hochbewertete und dementsprechend ausführlich beschriebene und identifizierbare Möbel sind im Stadtmuseum erhalten, so ein runder Mahagonitisch mit Balustersäulenfuß und einer Platte aus Marmormosaik (30/1883; vgl. Kat.Nr. 4.2.12.13, Farbabb. S. 99). Die Tischlerarbeit für die ältere wohl italienische Mosaikplatte wurde am 30. November 1814 von der Hofschreinerei Daniel geliefert und mit 40 Gulden berechnet. Die vergoldeten Bronzeprofile und die sechs Rosetten lieferte der Silberschmied Jehle zuvor für 100 Gulden (Bay HStA Rechnungskammer 134, 3097 und 4029 vom 21.11.1814). Es ist charakteristisch, daß dieser Tisch aus der Münchner Residenz sonst in der Literatur mit einer durch stilkundliche Methoden erschlossenen Datierung »um 1825–1830« geführt wird (Himmelheber 1974, Abb. 45, 1986, Abb. 95). Einer solchen Datierungsverschiebung um 10 bis 15 Jahre sind die für den Hof entstandenen Möbel in der Regel unterworfen. Den in der Literatur vorgegebenen Stilkriterien folgend, datiert das Stadtmuseum einen repräsentativen Schreibschrank, der in der »Wohnkultur« stand und sich durch einen Löwen als Aufsatzfigur auszeichnet, um 1820–1830. (35/2165 vgl. Kat.Nr. 4.2.7.1, Farbabb. S. 322). Die Rechnung aber, welche der Münchner Kistler

Zimmer der Königin Therese im Aschaffenburger Schloß. C. Richard um 1840, Aquarell, Schloßmuseum Darmstadt.

Salon der Prinzessinnen Sophie und Marie in den oberen Hofgartenzimmern der Münchner Residenz, Wilhelm Rehlen 1820, Aquarell, Wittelsbacher Ausgleichsfonds.

11.2.1 Tabouret und Sessel aus Schloß Nymphenburg, München um 1805–10, Kirschbaum furniert und massiv, Blindholz Buche, zweifarbiger Seidendamastbezug.

Jakob Reichelmair für sein Musterstück, das er zuvor im Zeller'schen Möbelmagazin ausgestellt hatte und auf Wunsch des Königs in die Münchner Residenz lieferte, vorlegte, lautet auf ein ganz anderes Datum, nämlich den 17. Juli 1815. Das aufwendig konstruierte und sorgfältig mit Kirschbaum- und Maserholz furnierte Schreibmöbel wurde mit 30 Louis d'or berechnet und großzügig mit 330 Gulden bezahlt. Erst in den Gelben Zimmern der Residenz aufgestellt, kam der Schreibschrank gegen Mitte des 19. Jahrhunderts nach Schloß Bayreuth, nach 1918 wieder in die Residenz und dann 1935 in den Besitz des Stadtmuseums. Fehlinterpretationen der Möbel des Münchner Stadtmuseums mit Konsequenzen für die Biedermeierinterpretation sind durch die nicht klargelegte Provenienz und Datierung der Möbelstücke üblich geworden. Von einem weiteren Schreibschrank aus Kirschbaum mit Innenausbau von Maserholz heißt es (Abb. S. 96): »Schlicht und nobel in seiner Form ist auch ein Sekretär im Münchner Stadtmuseum, der im Unterteil in Form einer Blende wiederum ein großes Bogenmotiv aufweist. Sockel und Pilaster lassen ihre Entstehung aus Brettern spüren . . . Einen ähnlich gebildeten oberen Abschluß weisen zwei weitere Sekretäre auf, die wiederum aus bayerischem Hofbesitz stammen (Anm. 73 mit Verweis auf das zuvor genannte Stück von Reichelmair), so daß man hierin vielleicht die Eigenheit eines Münchner Meisters sehen kann«. (Himmelheber 1986, 50 Abb. 87 mit Datum 1820, vgl. auch Hermann 1965 Abb. 278.) Das hier interpretierte Möbel (35/2178) hat aber keine Münchner Provenienz, sondern zeigt alte und frühe Etiketten aus Schloß Aschaffenburg. Dort stand der Schreibschrank im Salon der Königin Therese, einem Saal im 2. Obergeschoß von Schloß Johannisburg, wie ein Aquarell im Darmstädter Schloßmuseum bezeugt (Abb. S. 97). In diesem Ambiente sucht man jede Biedermeiervertraulichkeit vergebens. Verarbeitungsmerkmale wie die feuervergoldeten Appliken und die Verwendung von Eiche als Blindholz deuten darauf hin, daß es sich um ein Mainzer Möbel handeln könnte, die häufig nach Aschaffenburg geliefert wurden. Der Schreibschrank muß gegen 1816 entstanden und geliefert worden sein, als das Schloß an Bayern kam, neu möbliert wurde und die Neuausstattung 1818/1819 abschließend inventarisiert wurde.

Interieuraquarelle, die leider erst seit 1820 üblich werden, sind ein zuverlässiges Mittel, um die Interieurs bayerischer Schlösser mit ihrer ursprünglichen oder originalen Einrichtung zu erfassen. Mit dem »Wittelsbacher Album« und verwandten Interieurbeständen in Potsdam, Darmstadt und Schloß Wolfsgaden ist diese Möglichkeit gegeben. Man erkennt, wie auch aus den Inventaren und Rechnungen, daß weitgehend vollständige und abgeschlossene Einrichtungen bereits vor dem Jahr 1820 bestanden. (Wittelsbacher Album, hg. Ottomeyer 1979 mit beigefügten Listen der verwandten Bestände an den genannten Orten und Ottomeyer, in: WB III/1, 1980, 371 ff.)

Die bayerischen Schlösser bargen einen unermeßlich großen Bestand an solchen »Biedermeiermöbeln«, von dem die Möbelstücke im Münchner Stadtmuseum nur einen Bruchteil darstellen. Die ehemaligen Ensembles aus den bayerischen Königsschlössern sind heute in alle Winde verstreut. Gebrauchsmöbel waren sie von ihrer Bestimmung her und sind es bis auf wenige Ausnahmen auch geblieben. Als die Schlösser und Residenzen zu Museen wurden, kamen sie nach

4.2.12.13 Marmortisch der Königin Karoline, Hofschreinerei Daniel und Silberschmid Friedrich Jehle, München 1814.

1918 als Objekte, die nicht zur Originalausstattung der Renaissanceanlagen oder Barockarchitekturen gehörten, in ein Münchner Zentraldepot und wurden auch schon bald dringend gebraucht, um die ausstehenden Gehälter der Beamten und Angestellten der Bayerischen Schlösserverwaltung anstelle von Besoldungen und Gehaltszahlungen auszugleichen, als nach der Revolution von 1918 der Staat zahlungsunfähig war. Auch in der folgenden Zeit wurden immer wieder Verkäufe von Garnituren und einzelnen Möbeln an Mitglieder der »Ehemaligen Königlichen Krongutverwaltung« durchgeführt, und wer Geschmack daran hatte, konnte sich günstig für den Eigenbedarf mit diesen Gebrauchsmöbeln par excellence eindecken. Zum Beispiel erhielt der Oberschloßverwalter in Regensburg von seiner vorgesetzten Behörde, dem bayerischen Finanzministerium, noch 1924 für 93 Goldmark einen Schreibsekretär, eine Kommode, ein Tischchen, ein Sopha, sechs Sessel, einen Tisch, einen Schrank und eine Staffelei überlassen mit der Auflage, die Möbel der ehemaligen Krongutverwaltung nicht weiter zu verkaufen (Kaufvertrag vom 12.12.1924 aufgrund einer Entschließung vom 19.11.1923 Nr. 66891). Mit einem anderen Teil des Bestandes möblierte man die Verwaltungs- und Diensträume der Bayerischen Schlösserverwaltung und ihrer Außenstellen, wo die Möbel bis heute noch in täglicher Benutzung sind. 1935 erfolgte die Abgabe aus dem Überfluß an das Münchner Stadtmuseum, dann 1944 wieder eine Abgabe an die Beamten und Angestellten, um den ausgebombten Verwaltungsmitgliedern die nötigsten Möbelstücke für ihre Wohnungen zu verschaffen. (Erzählungen nach soll damals der Stuhl für 1 Reichsmark, der Tisch für 3 Reichsmark und der Schrank für 4 Reichsmark zum Verkauf gekommen sein). Dies sollte aber die letzte Abgabe sein, denn im selben Jahr wurde schließlich das Residenz-Garde-Meubles Depot von Brandbomben getroffen und ging in Flammen auf. Weitere Teilbestände des großen Gesamtkomplexes waren schon zuvor an die Herzogliche Verwaltung und an den Wittelsbacher Ausgleichsfond gegangen, der die Möbel teils nutzt, zum Teil aber auch in den Dekanatszimmern im Obergeschoß von Schloß Berchtesgaden museal ausstellt. Aufgrund der geschilderten Lage ist es nicht verwunderlich, daß Ausstattungsstücke aus den bayerischen Residenzen bisweilen im Kunsthandel auftauchen; da die Inventaretiketten in der Regel entfernt sind, bleiben nur jene Möbel aus der Münchner Residenz kenntlich, die mit einer schwarzen Ölfarbmarkierung etwa: »A XIII. 29. 121« gekennzeichnet sind, wobei der Buchstabe und die römische Ziffer das Appartement, die nächste Zahl das Zimmer und die letzte die laufende Inventarnummer angibt. Dieser große, weitgehend datierbare und lokalisierbare Bestand einfacher, klassizistischer Gebrauchsmöbel stellt gängige Vorstellungen vom »Biedermeier« in Frage. Es läßt sich feststellen, daß diese Möbel bis auf wenige Ausnahmen schon zwischen 1806 und 1815 entstanden sind und daß sie erstaunlich früh in den königlichen Residenzen in großem Umfang vorkommen. Dies alles deutet auf einen Ursprung des Stils bei Hofe hin, und spricht schließlich dafür, daß man es hier ohne Abstriche mit einem Parallelstil zu den repräsentativen Staatsmöbeln des »Style Empire« zu tun hat und es sich daher verbietet, den einen Stil als imperial-französisch und den anderen als bürgerlich-deutsch in einen Gegensatz und eine entsprechende zeitliche Abfolge zu stellen (z.B. Geismeier 1979, 281).

Wie bürgerlich ist das Biedermeier?

Während die Kunstgeschichte unbefangen eine »bürgerliche Kunst« für die Epoche von 1815–1849 annimmt und davon ausgeht, daß Biedermeier ein rein bürgerlicher Stil sei, vom Bürger und für den Bürger erschaffen, verwendet die Geschichts- und Sozialgeschichtsschreibung den Begriff des Bürgerlichen ungleich vorsichtiger und kritischer. Das Bild von einem starken, wirtschaftlich und politisch einflußreichen Bürgertum in jener Epoche ist sicherlich eine Illusion und entstand aus der Sehnsucht nach einer ruhmreichen Vergangenheit dieses in Deutschland in seinem Selbstbewußtsein stets gekränkten und in seiner Rolle äußerst unsicheren Standes. Die Konstruktion eines sagenhaften goldenen Zeitalters im frühen 19. Jahrhundert diente der Selbstbehauptung in späteren umstrittenen Zeiten, ist Projektion der eigenen Wünsche. Es sollte argwöhnisch machen, daß die Hauptstärke der Kultur des »Biedermeier« Residenzstädte sind, – allen voran die Kaiserliche und Königliche Haupt- und Residenzstadt Wien, dann die Hauptstädte der deutschen Königreiche Berlin, München, Dresden, Stuttgart und schließlich die fürstlichen Residenzen wie Coburg, Kassel, Weimar, Karlsruhe, um die wichtigsten zu nennen. Bürgerliche Handelsstädte spielen eine geringe Rolle und von Frankfurt, Düsseldorf, Augsburg, Köln oder Leipzig hat man in dieser Hinsicht wenig erfahren. (Für die Tischler- oder Schreinerausbildung empfiehlt ein Wanderbuch von 1842 den Gesellen den Aufenthalt in Berlin, Karlsruhe, Kassel, Dresden, Erfurt, Gera, Hamburg, Mainz, München, Neuwied, Prag, Stuttgart, Weimar, Wien und Würzburg (C.T.B. Saal, Wanderbuch für junge Handwerker oder populäre Belehrungen, Weimar 1842, 251).

Wer war ein Bürger um 1820? Der viel- und mehrdeutige Begriff schließt den Stadtbewohner, das Mitglied des bürgerlichen Standes, mit ein, hat aber auch eine weitere Bedeutung bis hin zum Staatsuntertan und Menschen schlechthin, dem ›citoyen‹ und Weltbürger. In dem engeren Sinne, der hier wohl anzuwenden ist, schließt er die unselbständigen Arbeitnehmer aus, also all die Dienstboten, Handwerksgesellen, Fabrik- und Manufakturarbeiter, Tagelöhner, Gelegenheitsarbeiter, Straßenhändler, Vaganten bis hin zu den Erwerbslosen und Randexistenzen. Die kleinen Leute, später Proletariat genannt, nahmen an den bürgerlichen Rechten und Pflichten nicht teil. Die Mittelklasse integriert Besitz- und Bildungsbürgertum, wobei die neuen Verwaltungen und Administrationen des Staates und seiner Unterorganisationen einen relativ großen, neuen Anteil an Staatsdienern stellten, die dem Bildungsbürgertum zuzurechnen sind und das Bild gerade einer Residenzstadt wesentlich bestimmen. Die politische Gemeinschaft der Hausväter hatte im besten Falle gemeinsame Ideale: das individuelle Erwerbsstreben in offenem Wettbewerb, dazu der Wille zur kulturellen, politischen und gesellschaftlichen Freiheit, die sich in den politischen Vorstellungen des Liberalismus äußert. Doch: »Die ›bürgerliche‹ Emanzipation wird nicht von einer ›politischen‹ begleitet, sondern ständisch überformt und an die politische Tradition der vorrevolutionären Epoche zurückgebunden« (Haltern 1925, 11). Das gegen den Feudalismus entwickelte Leitbild von Privateigentum, persönlicher Leistung und individueller Freiheit setzt das deutsche Bürgertum nicht selbst durch, sondern übernimmt die Ansätze dazu als vom Staat festgelegte Prinzipien der französischen

Revolution, mit denen Napoleon das unterworfene Deutsche Reich auflöste und die er als politisches Vermächtnis nach seinem Sturz hinterließ. Die von den deutschen Souveränen von Napoleons Gnaden ihren Völkern gewährten Rechte und Freiheiten kamen den bürgerlichen Forderungen entgegen, waren aber in keinem Fall von den Bürgern durchgesetzt worden. »Mit der Reformzeit wird grundsätzlich die bürgerliche Gesellschaft heraufgeführt. Aber es bleibt doch ein starker Überhang der ständischen Gesellschaft erhalten. Das wird vor allem deutlich am Adel; er bleibt politisch und sozial noch lange ein Stand ... Ein Teil der ständischen Adelsvorrechte blieb erhalten, ja wurde zwischen 1815 und 1848 noch einmal verstärkt« (Nipperdey 1983, 256). In den Residenzstädten der 34 deutschen souveränen Fürsten bestimmten sich sozialer Status, gesellschaftliche Einflußnahme und politische Macht vor allem durch die Rangordnung gegenüber dem Herrscher und die Nähe zu seiner Person. In Bayern waren die Verhältnisse gemildert von einer durch Montgelas geplanten, aber nicht wirklich durchgeführten Adelsreform, die verdienten Besitz- und Bildungsbürgern, darunter vielen Künstlern, den persönlichen oder erblichen Adel einräumte und damit die für München eigentümliche Liberalität im Umgang der Stände und Klassen bestärkte. Was aber die »Hoffähigkeit« anging, also der Zulassung zu den Empfängen und Festen des Hofes, so wußte der angestammte Adel seine Privilegien gegenüber dem bloßen Briefadel zu wahren. Am Hof erhielt sich, eng mit den Hofämtern verknüpft, eine Insel aristokratischer Gesellschaft, jenseits aller Tendenzen zu einer von der Englandmode ausgehenden Verbürgerlichung der Lebensweise. Frack, Tee, Promenaden, Pferdesport und simplicity sind die Stichworte und es heißt: »Manche gutdenkende Reiche lieben in Möbeln und Kleidungsstücken eine edle Simplicität ...« (J. A. Weiß, über das Zunftwesen ... Frankfurt a.M. 1798).

Während sich die alten Kollektive sehr langsam aufzulösen begannen und Kirchenangehörigkeit, Standeszugehörigkeit und Zunftmitgliedschaft ihre lebensbestimmende Bedeutung verloren, nahm eine Klasse kontinuierlich an Bedeutung zu und drängte in die Schaltzentralen der Macht. Das nicht durch Geburtszugehörigkeit, sondern durch individuelle Leistung motivierte und selektierte Bildungsbürgertum besetzte die führenden Stellen in den Ministerien, Ämtern und Gremien. Höchste Ämter wurden zwar noch bevorzugt an Mitglieder des alten Adels vergeben, der seine Qualifikation aber zugleich auch aus persönlichem Bildungsstand herleitete.

Ein großer Teil der Münchner Bevölkerung gehörte zu dem umfangreichen Hofstaat, den Spitzen der Armee und dem Beamtenheer des Königsreiches Bayern; aufgrund seiner durch Ausbildung und Leistung bestimmten Berufsvoraussetzungen ist er dem Bildungsbürgertum zuzurechnen. 1829 zählt man in der bayerischen Residenzstadt 14 896 Hausstände, davon zählten 5 323 Familien zu Adel, Beamtentum, Militär und Geistlichkeit. Die 7663 restlichen Familien waren die der gewerbetreibenden Bürger und ihrer Schutzverwandten (Tornow 1977, 287). Einen Trennstrich zwischen dem zahlenmäßig geringen aber wohlhabenden und einflußreichen Großbürgertum und dem am Rande der Existenz dahinvegetierendem Kleingewerbe und Kleinbürgertum ist schwer zu ziehen, verbergen sich doch beide unter Begriffen wie »Handelsmann« oder »Negoziant«. Was aber

den Unterschied zwischen dem Kleinbürgertum und der oberen Mittelschicht ausmacht, ist als zentrale Unterscheidung zwischen »kleinen Leuten« und der »Herrschaft« die Verfügung über Gesinde und Personal. Die Trennlinie geht hier quer durch den Mittelstand.

Wie sieht es nun mit der materiellen Kultur der beschriebenen Klasse aus? Wer lebte behaglich in Biedermeiermöbeln? Vom König weiß man es, doch wie sieht es mit den Untertanen aus? Die für München traditionell sparsamen Einrichtungen schildert Friedrich Nicolai 1783 wie folgt: »Fast in keinem bürgerlichen Haus, das ich gesehen habe, war richtige, bequeme, zierliche Austheilung der Zimmer zu bemerken. Die Meublierung in bürgerlichen Häusern ist sehr simpel, viel simplerer, und zugleich viel unzierlicher, als man in einer Stadt, wo, wenigstens bey Hof und bey den Vornehmen von jeher viel Luxus gewesen war, vermuten sollte«. (Beschreibung einer Reise durch Deutschland und die Schweiz, Berlin 1783, Bd. 6). Bestätigt wird die extreme Einfachheit bei der Ausstattung der Münchener Wohnungen durch die Jugenderinnerungen von C. A. Regnet, der die durchschnittliche Behausung der Bürger gegen 1830 anschaulich und fern aller biedermeierlichen Behaglichkeit beschreibt: »Die häusliche Einrichtung des Münchners war damals unglaublich einfach. Die Zimmer des Bürgers, mochte er auch noch so wohlhabend sein, sowie die des kleineren Beamten, zeigten nur mit Kalk angetünchte Wände. Weiße Fenstervorhänge oder gar polierte Möbel erschienen als enormer Luxus, den sich nur wenige gestatteten. Mit Ölfarbe angestrichener Hausrath bildete die Regel. Ein Sopha, namentlich ein solches mit gepolsterter Rücklehne, war der Gegenstand des Neides aller Hausfrauen. Dagegen fehlte nur selten der lederbezogene Stuhl des Familienhauptes. Um die abgelegten Kleider im Bedürfnisfalle bequem zur Hand zu haben, hing man sie an die Thüre oder Wand, und an ersterer fand jeder Hausgenosse auch ein langes, schmales Handtuch zu beliebigem Gebrauche« (München in guter alter Zeit,, München 1879, 108).

Die Durchsicht von hunderten von bürgerlichen und unterbürgerlichen Haushaltsinventaren zwischen 1815 und 1848 brachte ähnliche Ergebnisse. Man glaubt München von einem Volk von Geistlichen bewohnt. Ob man das Inventar eines Lebzelters durchsieht oder das eines Branntweiners, eines Bräuherren oder das eines Händlers, immer das gleiche Ergebnis. Zimmer für Zimmer wird nach Heiligenbildern, Rosenkränzen, Kruzifixen, Weihwasserbecken, Wachsstökken, Fatschenkindeln und so fort dann auch eine fichtene Bettstatt, eine bemalte Kommode, ein einfacher Tisch und zwei Stühle, »davon der eine zerbrochen«, erwähnt. Auch bei Witwen von Adel oder reichen Bürgern sucht man vergebens nach bedeutendem Mobiliar, statt dessen ist wie im 18. Jahrhundert das Inventar von Privatkapellen aufgeführt und mehrere Garnituren Meßgewänder genannt, die »Biedermeiermöbel« und das charakteristische Zubehör aber kommen nie vor; neben den Fichtenholzmöbeln wird hin und wieder ein intarsiertes Möbel des vergangenen Jahrhunderts beschrieben (vgl. Artikel Wimmer, S. 129ff.). Daß sich kein Inventar eines »Biedermeierhaushaltes« fand, ist verwunderlich und kaum zu erklären, weiß man doch, daß ein heftig geführter Streit zwischen den Kistlern und den Tandlern tobte, wer neue Möbel aus Kirschbaum oder Nußbaumholz verkaufen durfte. (StadtAM Gewerbeamt 5177). Die Tandler versuchten, das einzig lukrative Geschäft des Pol-

Straßenverkauf von Tölzer Ware, aus: Anton Baumgartner, Münchner Polizeyübersicht 1805.

sterns selbst an sich zu reißen und ließen sich die Stuhl- und Sesselgestelle aus dem »Ausland« liefern. Alle Archivalien und Bildzeugnisse deuten darauf hin, daß im Münchner Bürgertum nicht gerade innovative Stilentwicklungen vorangetrieben wurden. Das Familienbildnis des Högerbräus Seidl von dem Bossierer Albani (Kat.Nr. 5.2.7 mit Farbabb.) von 1811 zeigt ein Interieur im reinsten Zopfstil, der um 1770 in Paris gerade aus der Mode geriet. Das Interieur entspricht im übrigen auf frappante, wenn auch unerklärliche Weise dem als Salon gestalteten Mittelfach eines Schreibschranks von David Roentgen von 1775/1776 im Wiener Museum.

In der minutiösen Darstellung eines Münchner Kistlerbetriebs von 1805 erblickt man als neueste Kreation gepriesen »einen fertigen Männerwaschtisch, worin oben ein Lesepult«, einen sogenannten »harlequin«, der in England um 1780–1790 letzter Schrei gewesen war (Baumgartner, Polizeibericht ... München 1806). Alle Münchner Bürgerporträts bis 1815, die zahlreich im Münchner Stadtmuseum vorhanden sind, zeigen als Bildaccessoire Möbel im Zopfstil, dem Frühklassizismus. Das Interieur, welches der Hamburger Akademieschüler Milde als Ambiente seines Selbstporträts zeichnete, bildet ein Münchner »möbliertes Zimmer«

Münchner Kistlerwerkstatt, aus: Anton Baumgartner, Münchner Polizeyübersicht 1805.

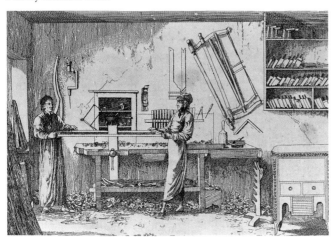

ab und zeigt im Jahre 1825 eine Mischung von Großväterhausrat und wenigen neueren Möbeln. Der Sessel mit seiner Housse stammt aus dem 18. Jahrhundert, der Tisch ist im Zopfstil, Kommode und Lehnenbank datieren wenig später aus der Zeit um 1800. Nur im anstoßenden, neudekorierten Zimmer erblickt man Stuhl und Lehnsessel aus der Zeit um 1820, die verraten, daß der neue Stil zu diesem Zeitpunkt bereits im »bürgerlichen« Milieu vereinzelt anzutreffen ist (Zeichnung 30306, Milde mit Monogramm signiert und »20. Oktober 25« datiert, Abb. S. 103). Da die Inventare im allgemeinen wenig hergeben, ist man bei der Bestimmung des Münchner Biedermeiermobiliars weiterhin auf die seltenen Zimmerbilder angewiesen. »Moderne Möbel« oder »Möbel im neuesten Geschmack«, ohne daß es sich dabei um geschlossene Einrichtungen handeln würde, finden sich sonst nur noch auf den Zeichnungen Petzls in seinem sentimentalen Tagebuch (Kat.Nr. 5.1.1–5.1.8) und den Interieurs der Wohnung Ludwig Schwanthalers im Zustand um 1850 (Kat.Nr.5.1.226/227 mit Farbabb.).

Es hat den Anschein, als ob der neue Stil für Gebrauchsmöbel zunächst von 1806 bis 1810 vom Hofe entwickelt und extensiv gebraucht, allmählich in den zwanziger und dreißiger Jahren des 19. Jahrhunderts in dem hofnahen Milieu der Residenzstädte Verbreitung fand. Man muß bei der Avantgarde des neuen Stils vor allem mit einer großen nichtbürgerlichen Klientel rechnen, die in den Münchner Nachlaßinventaren, die nur bei Erbstreitigkeiten erstellt wurden, nicht auftaucht. Das sind die juristisch erfahrenen Staatsdiener und der mit einem rigiden Erbrecht ausgestattete Adel. München beherbergte neben vielen Sitzen und Haushalten der königlichen Familie, wie der Residenz, dem Clemensschlössel, der Maxburg, dem Herzog-Wilhelm-Palais, dem Leuchtenberg Palais, Schloß Biederstein, dem Palais in der Fürstenstraße, eine große Anzahl von Adelshäusern, die dem vom Großgrundbesitz auf dem Lande lebenden bayerischen Adel gehörten. Dazu kamen, soweit damit nicht identisch, die stattlichen Häuser der Minister, der ersten Staatsbeamten und Generäle, die als Mitglieder der zentralen Behörden residenzpflichtig waren, also nach Dienstvorschrift in der Residenzstadt zu wohnen hatten. Dann gab es die stets wechselnde Schar der ausländischen Gesandten und Botschafter, die ihnen zugordneten Diplomaten mit ihrem Gefolge, die sich in repräsentativen Häusern einrichteten und die Einrichtung nach ihrer Rückberufung meist zurückließen, und eine quasi aristokratische Ausstattung im neuen Geschmack darf man sich wohl auch bei den reichsten Besitzbürgern vorstellen. Zumindest spricht die graphische Überlieferung dafür, daß der Brauer Georg Pschorr in der Bel-Etage seines Anwesens in der Sendlingerstraße eine stattliche »Biedermeier« Einrichtung besaß, die man ausgebreitet sah, als ihm 1848 die Möbel auf die Straße geworfen wurden (vgl. Kat.Nr. 12.5.3.5). Es sei daran erinnert, daß eine Zimmerausstattung in Kirschbaum mit Sekretär, zwei Kommoden, sechs Stühlen, einem Kanapee, einem Vitrinenschrank und dem Turmeauspiegel zwischen 150 und 200 Gulden kostete – eine Summe, die das Jahresgehalt eines niederen Beamten oder das Jahreseinkommen eines kleinen Handwerkers ausmachte und so für die meisten bürgerlichen Kreise und Normalverdiener niemals erschwinglich war.

Durch die angeführten Bildzeugnisse und Dokumente wird der Schluß nahegelegt, daß der »Biedermeier«-Stil seinen

Karl Julius Milde in seinem Münchner Zimmer, 29.10.1825, lavierte Federzeichnung, Hamburger Kunsthalle 30306 (Photo R. Kleinhempel).

früheren Ursprung bei Hof und seine erste Verbreitung im direkten Umkreis des Königs hat, wie es zum Beispiel das Inventar des Montgelas-Palais beim Verkauf an den König 1820 beweist. (BayHStA, GHA Nachlaß Prinz Carl). Nur allmählich ist die neue Mode dann über den Adel, der auch für seine Schlösser auf dem Lande einkaufte, in der Stadt in die Reichweite der finanziell besser gestellten Bürger gelangt. Die ungewöhnlich fundierten Forschungen von Heidrun Zinnkann zu den Mainzer Möbeltischlern des Biedermeier, die sich auf erhaltene Auftragsbücher einzelner Firmen stützen, kommt für den vielbeschworenen »bürgerlichen Stil« zu dem Ergebnis: »Es fällt auf, daß bis 1830 fast nur adelige Kunden außerhalb von Mainz vertreten sind und erst ab dieser Zeit auch mit einheimischen Bestellern gerechnet werden kann. Seit Mitte des Jahrhunderts sind schließlich die bürgerlichen Auftraggeber in der Überzahl« (148). Die bessere Mainzer Überlieferung bestätigt also, was die Münchner Spuren nahelegen. Die führende und tonangebende Schicht der Epoche ist nicht ein wirtschaftlich und politisch starkes Bürgertum, sondern eine Elite mit Herkunft aus altem aristokratischem Großgrundbesitz und aus dem Bereich des höfisch gebundenen Bildungsbürgertums. Die kapitalkräftigen Besitzbürger, die ihren Reichtum aus

Fabriken und dem Handel ziehen, begegnen uns hier erst ganz am Ende der Epoche. Ein Einblick in die Gewerbeakten der Zeit gibt einen Eindruck von dem verzweifelten Kampf der Fabrikanten, Handwerker und Händler um ihren Anteil am Wohlstand und von dem Verteilungskrieg, den sie untereinander und gegen den Staat führen, der sie mit seinen liberalen Neuerungen bedrohte, (vgl. Aufsatz Moll, Hiltl, S.57ff.). Die Industrialisierung, das Proletariat und mit ihm die Bourgeoisie zeigten sich erst in Vorboten, noch nicht als gesellschaftlich bestimmende Faktoren (Sombart 1958, 445). Wirtschaftsform und Gesellschaftsform stagnierten vor 1848 und verharrten in einem Zustand der Erwartung. Kredite waren meist nicht aufzutreiben und die Armut allgemein. »Wo man auch in die Briefe und Tagebücher hineinsieht, überall fehlt es, schlicht gesagt, an Geld, und die ewige Moralpaukerei Gotthelfs, z.B. in Bezug auf die heimlich kaffeetrinkenden Hausfrauen, entpuppt sich als bittere Notwendigkeit« (Sengle 1971, Bd. 1, 16). Das ökonomische und politische Erstarken des Bürgertums mit einer Schärfung des Selbstbewußtseins gegenüber dem Adel war erst den Jahrzehnten nach 1848 vorbehalten (Nipperdey 1983, 264). Die Biedermeierzeit ist als Epoche und als Stil nicht vom Bürgertum als führender Schicht bestimmt, man träumt nur

10.3.12 Die Mittwochsgesellschaft beim Diner im Hause eines Mitglieds, nach 1827, Bleistiftzeichnung.

von »bürgerlichen« Idealen, während Teile des Bildungsbürgertums die Forderungen der Revolution von 1848 vorbereiten und die »droits de l'homme et du citoyen« neuformulierten. Das gegen den Feudalismus entwickelte Ideal von Privateigentum und individueller Freiheit scheiterte zwischen 1815 und 1848 noch an Wirtschaftsformen, die nur wenig einbrachten, und einem allmächtigen Obrigkeitsstaat, der nur »Unterthanen«, aber keine mündigen Bürger akzeptierte. Die reale historische Grundlage der bürgerlichen Gesellschaft bleibt sowohl in der Ideologie der marxistischen Gesellschaftslehre, wie in der positivistischen Geschichtswissenschaft eigentümlich unklar. Zur konkreten gesellschaftlichen Situation und den spezifischen wirtschaftlichen Umständen, etwa Münchens, existieren kaum gesicherte Kenntnisse (vgl. Braatz 1977, Tornow 1977). Dies gilt auch für den Bereich der Volkskunde, die das städtische Bürgertum nur langsam und zögernd als Forschungsgebiet akzeptiert. Auch die Kunstgeschichte ist in aller Regel noch nicht zu den Inventaren und Rechnungen vorgestoßen, mit denen die englischen und französischen Wissenschaftler seit langem arbeiten und die von der trivialen Wirklichkeit Zeugnis ablegen. Man beschränkt sich meist auf Ideen, Begriffe, Formanalysen und Ideologien und ordnet die Dinge den Vorstellungen zu.

Die Einschränkung eines Stils und einer bestimmten Kulturleistung auf eine einzelne gesellschaftliche Klasse ist seit

jeher ein Unding. Der »Biedermeier«-Stil ist so aristokratisch oder so bürgerlich wie jeder andere Stil auch. Konzeption und Abnahme kommen aus den beiden führenden Gesellschaftsschichten, seine materielle Umsetzung und technische Realisierung findet er aber in dem Bereich zwischen Bürgertum und Kleinbürgertum. So schreibt Stifter von Biedermeiermöbeln: »Zwei so auserlesene Stücke wie den großen Kleiderschrank und den Schreibschrank mit den Delphinen dürfte man kaum irgendwo finden. Sie wären wohl wert in einem kaiserlichen Gemache zu stehen« (Nachsommer 1852).

Vom Krieg der Stile

Die Biedermeierzeit 1815–1848 kennt mehr Stile als das »Biedermeier«. Das Gewirr verschiedenster Stile mit deutlich gegensätzlichen Absichten und Ausformungen gilt für ganz Europa: Es gibt die Spielarten des aufgeklärten und rationalen Klassizismus, den mittelalterlichen Stil mit dem Heraufbeschwören feudaler Vergangenheit oder nationaler Urkraft, dann den Maskenreigen, die sich in ferne Welten fortsehnenden Stile wie »à la chinois« oder »à la turque«, in deren Heimatländern der Kaiser, Mandarin, Pascha, Sultan und überhaupt der Mann noch etwas galt, dann schließlich den Traum vom »Ancien Regime«, der sich seit 1822 im Wiederaufleben des in Süddeutschland kaum versunkenen »Rococo-Stils«, dem Stil der absoluten französischen Könige, manifestiert.

Versteht man diesen frühen romantischen Historismus als Methode und nicht als Phänomen eines pluralistisch und antagonistisch bestimmten Zustandes, dann können Geschichte und Kunstgeschichte in eine fruchtbare Konstellation treten. Was das geschichtliche Denken will, ist immer wieder das Hervorheben eines älteren, ursprünglicheren und besseren Zustandes, um sich damit gegenüber einer bestrittenen Gegenwart zu legitimieren und aus der Geschichte die erwünschte Autorität für die eigenen Ansprüche abzuleiten. Diese Legitimation aus der Geschichte ist die Funktion des romantischen Historismus. Eine bloße Beschreibung der verschiedenen möglichen Stile macht diese Epoche stärkster Auseinandersetzungen um soziale und politische Leitbilder nicht verständlich. Der Baustil eines Gebäudes und seiner Einrichtung ist immer der Ausweis der Rechtmäßigkeit seiner Aufgabe. Die Faszination, welche die pittoresken und vielfältigen Aspekte des späteren 19. Jahrhunderts ausüben, hat dazu geführt, daß die Anfänge des Jahrhunderts und sein Herauswachsen aus den Forderungen und Neuerungen des 18. und frühen 19. Jahrhunderts kaum Beachtung fanden. Den Zeitgenossen war das gleichzeitige Nebeneinander heterogener Stile schmerzlich deutlich und wurde oft beschrieben: »Unsere Hauptstädte blühen in allen möglichen Stilarten, so daß wir in angenehmer Enttäuschung am Ende selbst vergessen, welchem Jahrhundert wir angehören«. (G. Semper, 1834.) In den Kunstgeschichten der Stile jedoch wird aus Darlegungsgründen und aus didaktischem Eifer in der Regel eine lineare Abfolge der Stile konstruiert, die Allgemeingut geworden ist: Nach dem Stil Empire der bis 1815 dauert, kommt das Biedermeier und wird gegen 1835 vom Spätempire überlagert, dann erscheinen Neugotik, Neurenaissance, Neubarock und Neurokoko und man befindet sich damit schon weit im 19. Jahrhundert. Zumindest was die Stilphasen des Klassizismus angeht, gilt die Annahme, daß die Stile auseinander herauswachsen und ein quasi biologisches Leben haben: Frühzeit, Blüte, Spätphase, Ende. Diese Bilder, verknüpft mit der Vorstellung eines zeitlichen Nacheinander der Stile, gehen von der Idee eines »führenden Stils« aus, also des Stils, der jeweils eine Epoche dominiert, die Nebenstile zurückdrängt und der vollkommene Ausdruck seiner Zeit ist. Das mag für andere Zeitabschnitte nicht falsch sein, aber bereits die erste Hälfte des 19. Jahrhunderts wird im nahezu gleichen Maße vom Pluralismus des Nebeneinanders und der Stilmischung geprägt, wie die zweite Jahrhunderthälfte, bei der man nicht übersehen sollte, daß die Architekten dieser Zeit sich für bestimmte meist staatliche Bauaufgaben weiterhin der klassizistischen Formen bedienten. Die Architekturakademien sorgten für die Kontinuität des Jahrhunderts, die Schriftsteller und Tapezierer für die wechselnden Moden.

Den Widerstreit der Stile hat man in England früh als »battle of styles« bezeichnet und so die Antipathien zwischen Klassizisten, Gotikern und Romantikern beschrieben. In Frankreich nahm man die Sache nicht so ernst, sah vielmehr eine rasche Folge wechselnder Moden und Dekorationen als Spektakel und genoß den oft geistreichen Dialog der Stile. Nur einige alte Männer an der Akademie waren zutiefst beleidigt und verweigerten einander, die Grabrede zu halten, so der Secretaire perpetuel der Académie des Beaux-Arts Quatremere de Quincy dem Architekten Percier wegen seiner positiven Stellungnahme für die Polychromiethesen Hittorffs. Deutschland und insbesonders München fand als Ausweg aus dem Dilemma das polyhistorische Nebeneinander der Stile gleichsam ein Architekturlexikon, das alle möglichen Stile in loser Folge nebeneinanderstellt, ohne sich entscheiden zu müssen. Tags arbeitete Ludwig Schwanthaler am Modell der klassizistischen Bavaria, nachts saß er wie ein Ritter angetan unter dem Gewölbe seiner gotischen Humpenburg und trank mit Malern, welche die Renaissance der Renaissance erstrebten, auf das Wohl des Königs, der sie alle mit Aufträgen für seine gebaute, skulptierte und gemalte dreidimensionale Kunstenzyklopädie in München und Bayern versorgte.

In der herkömmlichen Abfolge sollen die Stile kurz benannt und charakterisiert werden. Der »Style Empire« wird mit der Person Napoleons verknüpft und kurzerhand mit dessen Herrschaftsdaten 1804–1814 verbunden. Jedoch hat diese repräsentative Variante des Klassizismus eine seit dem Direktorium kontinuierliche und ungebrochene Geltungsdauer von 1796 bis gegen 1840 und in einzelnen Fällen darüber hinaus. Der Empire-Stil macht wie alle Stile eine Wandlung durch und löst sich vom Filigran des graphisch bestimmten Groteskenstils, der aus dem vorhergehenden »goût étrusque ou arabesque« herrührt, allmählich ab und gerät in eine architektonisch additive Phase, die bis gegen 1825 gilt. Dann beginnt ein deutlich unterscheidbarer voluminöser Spätstil der unverändert noch um 1840 anzutreffen ist. Den »Style Empire« formuliert der an der Académie d'architecture und vor den Resten der römischen Antike und italienischen Renaissance ausgebildete Architekt Charles Percier, der seit seiner Rückkehr nach Paris erst als Bühnenbildner für römische Tugendspektakel arbeitet, dann für die tonangebende Pariser Gesellschaft, von 1796 an Inneneinrichtungen entwirft, schließlich ab 1797 für den General Napoleon Bonaparte und dann für ihn als ersten

Die Gotik in München! »Reise nach München«, – aus: Fliegende Blätter, Bd. II, Nro. 40, 126, (1846).

Konsul und Kaiser der Franzosen Architektur, Innenausstattung und Einrichtungsstücke bestimmt. Sein mehr mit der Klientel und den ausführenden Handwerkern befaßter Kompagnon und enger Freund Pierre F. L. Fontaine, der die Realisierung der Entwürfe Perciers besorgte, fungierte noch darüberhinaus als Chef der obersten französischen Baubehörde und Leiter des Hofbauamtes während der Regierungen der Könige Louis XVIII., Charles X. und Louis Philippe und diente schließlich noch der zweiten Republik fünf Jahre bis zu seinem Tod 1853. Beide bestimmten die Architektur und Einrichtung der Paläste Napoleons in Europa und der königlichen Schlösser in Frankreich und trugen dazu bei, über fünfzig Jahre einen Stil zu konservieren, der von Frankreich aus seine Geltung an allen Höfen Europas bewies. Auch durch seine ungewöhnlich erfolgreiche Architekturschule, die für die Wettbewerbe der Ecole des Beaux-Arts in Paris vorbereitete, gelang es Percier, seine Prinzipien, seine Motive und seine Kompositionsweise zu verbreiten. Seine zahlreichen Schüler arbeiten schon seit dem Empire als Architekten an den Höfen Europas, so Renié in Coburg, Ricard de Montferrand in Petersburg, Grandjean de Montigny und Famin in Kassel, später Klenze und Gärtner in München. Durch Fontaine, durch die Schüler und das Stichwerk »Recueil des décorations intérieures . . .« (1801–1812, mit Entwürfen von 1797 an) wirkt Percier mit seinen Formfindungen dominierend und stabilisierend auf die Ausstattung der europäischen Residenzen.

Die Dominanz des von Percier und Fontaine propagierten und von den Kunsthandwerkern getreu übernommenen Formenrepertoires schloß eine Formentwicklung auf sehr lange Zeit aus. Während das Kunsthandwerk des Ancien Régime in rasch aufeinanderfolgenden wechselnden Moden eine deutlich ablesbare Entwicklungsfolge bietet, ist es in den ersten Jahrzehnten des 19. Jahrhunderts oft nicht möglich, nur aufgrund von Formkriterien zu entscheiden, ob ein

Möbel oder eine Bronzearbeit etwa um 1810 oder um 1830 entstanden ist. Der einheitliche Block des offiziellen »guten Geschmacks« mit seinen heroisch-anspruchsvollen, kostspieligen und repräsentativ-steifen Ausstattungen hatte dabei von Anfang an zur Folge, daß einfachere, schlichtere und gebrauchstüchtigere Nebenformen vorkamen, darunter das sogenannte »Biedermeier«.

Überprüft man diese Prämissen an den konkreten Verhältnissen etwa der Münchner Residenz, ergeben sich folgende Strukturen. Seit 1804 bestimmten ihre Einrichtung der Architekt Andreas Gärtner und der Tapezierer Richard, die beide gegen 1780–1785 in Versailles gearbeitet hatten und einen hochentwickelten Klassizismus pflegten, der aus den Jahren unmittelbar vor der französischen Revolution stammt, aber dennoch die neueren Entwicklungen des französischen Empire aufzunehmen vermochte. Zwischen 1804 und 1816 realisierte der ältere Gärtner, bevor ihn Klenze ablöste, die Neugestaltung der Räume in den bayerischen Residenzen. Dort wird der Empirestil im engeren Sinne jedoch nur auf sechs Raumausstattungen angewandt und zwar den Salon, das Audienzzimmer und das Paradeschlafzimmer der Königin Karoline, das Ankleidezimmer des Königs mit seiner französischen Amaranthgarnitur und außerdem in Schloß Nymphenburg auf das Audienzzimmer und das Schlafzimmer der Königin. Charakteristisch für die drei erstgenannten Räume sind die ganz vergoldeten Möbel in Bildhauerarbeit, soweit die teilvergoldeten Vertäfelungen oder die Lyoner Seiden an den Wänden als Vorhänge und Bezüge. Alle anderen Räume kennzeichnen Möbel mit kostbaren exotischen Furnieren, luxuriösen Seidenbezügen und feuervergoldeten Bronzebeschlägen, die den Vorgaben des französischen Empirestils weitgehend folgen oder aber direkte Importe sind. Im Gegensatz zu den Kaiserpalästen Frankreichs fehlt das gefaßte und teilvergoldete Möbel in dieser ersten Phase der Möblierung völlig und in allen weiteren Räumen sind bereits schlichtere Möbel meist mit einheimischen Furnierhölzern zu finden. Das gilt bereits für das Schlafzimmer des Königs mit einfachsten Kastenmöbeln aus Erlenmaser und einer ungeschmückten straff geschweiften Sitzgarnitur aus Mahagoni (Kastenmöbel heute Schloß Berchtesgaden, Dekanatszimmer, Sitzgarnitur Schloß Aschaffenburg 2. OG). Solche Möbel sind als ein gleichzeitiger Nebenstil in den weiteren Räumen der Residenzen vertreten: in allen Nebenzimmern des Königs und der Königin, den Appartements der Prinzen und Prinzessinnen, den Diensträumen der Hofstäbe, den Appartements der Hofdamen und Hofbeamten bis hin in die Stuben der Bediensteten, wo nur in den Unterkünften der Diener, Heizer und Wäscherinnen die »feichtenen« Möbel aus Nadelholz anzutreffen sind.

Das sogenannte »Biedermeier« ist als ein zum Empire paralleler Sekundärstil also nicht als ein Gegen- oder Folgestil zu betrachten, wie allgemein angenommen wird. Der frankophile Alliierte Napoleons, König Max I. Joseph, hätte sich gewundert, wenn man die Ausstattungen in seinen Schlössern als offen franzosenfeindlich erkannt hätte. Franzosenfreundlich war sicherlich nicht die Ausstattung im »Style Empire« von 1818, die sich der bayerische Feldmarschall Wrede für sein Schloß Ellingen bei dem Ebenisten Werner in Paris bestellte, und von Geldern bezahlte, die er für seinen Anteil im Kampf gegen Kaiser Napoleon erhielt (vgl. WB III/2, 1980, Nr. 829). Wie in Ellingen gehen die Ausstattungen im Empirestil in Bayern kontinuierlich weiter. Eugène Beauharnais, Stiefsohn Napoleons und neuerlich Herzog von Leuchtenberg, richtet sein Palais an der Ludwigstraße in diesem Stil ein und braucht vergoldete, weißgefaßte und teilvergoldete Staatsmöbel sowie Furniermöbel entsprechend dem Rang der Räume. Teils werden die Ausstattungen von Jean-Jaques Werner aus Paris geliefert, teils nach Entwürfen von Klenze gegen 1820 von Münchner Bildhauern nach französischen Vorbildern des Empire geschnitzt, gefaßt und teilvergoldet. In den zwanziger und dreißiger Jahren behält dieser höfische Repräsentationsstil eine ohne Unterbrechung dauernde Gültigkeit; für die Staatsappartements der Residenzen bleibt er »en rigeur«. Auch die Neuausstattung von Vorkämpfern der Restauration bedient sich des Stils, der durch Napoleon und seine Architekten zur Norm wurde und nicht politisch interpretiert werden darf. Man findet ihn im Palais Royal Louis Philippes in Paris ebenso wie in Coburg, in Carlton House in London, im Palazzo Reale Turin, im Berliner Stadtschloß König Friedrich Wilhelm IV., in Kassel, in den Schlössern des russischen Zaren Alexander I. in und um Petersburg, in Caserta, Capodimonte oder den schwedischen Schlössern Bernadottes. Es sei auch daran erinnert, daß vor kurzem die neue Einrichtung des Präsidenten der Bundesrepublik im Palais Schaumburg durch einen Münchner Architekten mit Kasseler Empiremöbeln und in einem moderierten Empire Stil erfolgte. Der Stil der aufgeklärten Monarchien, hier des »König Lustig«, hat seine Fortsetzung bis in die Gegenwart gefunden.

Als König Ludwig I. 1835 den Königsbau nach langen Vorarbeiten beendete, handelte es sich bei der Ausstattung nach Entwürfen Klenzes im Empirestil nicht um eine Wiederaufnahme, sondern um eine der vielen Fortsetzungen des verbindlichen Staatsstiles der Monarchien und Regierungen Europas, der seine Geltung nie verlor. Das gilt selbst noch für Möbel und Beleuchtungskörper des Festsaalbaues in der Münchner Residenz in den vierziger Jahren. Als Klenze in den späten fünfziger Jahren noch den Auftrag erhielt, die Säle des von ihm errichteten Museumsbaues der Eremitage in Petersburg zu möblieren, griff er auf eben die Formen zurück, welche er für das Leuchtenberg Palais gegen 1820 und den Königsbau 1835 verwendet hatte. In Umformungen und in geänderten Ornamentinterpretationen hat der Bannkreis des »Style Empire« mit seinem Grundrepertoire von Formen, Ornamentmotiven und seiner Kompositionsweise über ein halbes Jahrhundert seine ungebrochene Geltung an den Höfen, in den Ministerien und den großen Palästen bewahrt und bedeutet eine lange Epoche des Verharrens nach der rasenden Jagd der sich stets erneuernden Stile während des 18. Jahrhunderts, bevor das Pendel zurückschlägt und die Stile der Vergangenheit im Rücklauf wieder erscheinen.

Was unterschied das »Empire« vom »Biedermeier«? Das »Empire« blieb der Wurzel seines Entstehens, dem Groteskenstil der Jahre zwischen 1770 und 1796 verbunden, der sich als »gout etrusque ou arabesque« auf römische Anregungen aus Antike und Renaissance bezog und sowohl architektonische Gliederungsmotive wie Sockelprofile, Gesimse, Säulen, Pilaster, Hermenpfeiler gebrauchte, aber auch mit addierten Ornamenten, die freischwebend in der Fläche stehen, wie Palmetten, Trophäen, Medaillons, Groteskengestalten, Tier- und Menschenfiguren, das auf Achse gebrachte Motivrepertoire der Groteskenmalerei als Anregung verarbeitete. Demgegenüber ist das »Biedermeier« oft auf die Fläche reduziert und arbeitet nicht mit den kräftigen Volumina und massigen Proportionen des »pathetischen Materialismus« (H. Heine), spart sich auch die erkennbar teuren Stoffe und extrem kostspieligen Appliken, exotischen Furniere, raren Marmorplatten, luxuriösen Vergoldungen und die üppig geschnitzten Partien, nach denen die Staatsrepräsentation in den grandiosen Empfangsräumen und Festsälen der Macht verlangte. Der »Style Empire«, den man als die durchgehende, in sich geschlossene staatliche Repräsentationsform des Klassizismus betrachten muß, bewirkt eine Entwicklung des Ornaments, wobei die filigranen, flachen, immer stilisierten Schmuckmotive des älteren von der Malerei bestimmten Groteskenstils verschwinden, sich von 1815 an zunehmend naturalistische Pflanzenformen bemerkbar machen und schließlich von 1820–1830 an schwere architektonische Grundformen und skulpturale krautige Dekorationen dominieren, die sich an römischer Baukunst und römischen Marmormöbeln des Kaiserreichs orientieren. Dieser palatiale Stil findet sich nur in Haupt- und Residenzstädten. Epizentren verschwinden und werden vom Sitz der Macht aus »künstlich« belebt, indem man ihnen wie Almosen einen Teil ihrer Geschichte zurückgibt, der in historisierenden Formen erscheint.

Das »Empire« war kein persönlicher Stil und es war kein Wohnstil. Die Monarchen des 19. Jahrhunderts hatten zumeist ihre Erziehung im Geiste Rousseaus erfahren und waren auf Einfachheit, Schlichtheit und persönliche Anspruchslosigkeit hin trainiert worden. Die persönliche Umgebung Kaiser Franz II., Kaiser Napoleons, König Max I. Josephs oder König Ludwigs I. war bereits vom Stil der Schlichtheit als ein Erziehungsergebnis der Aufklärung geprägt. Das manifestierte sich am deutlichsten an dem jeweiligen Arbeitszimmer als einem Raum neuen Typs, in welchem der Monarch die meisten Stunden verbrachte. Der französisch geprägte Stil der Paläste fand Entsprechung im Französisch als Hofsprache; für die Konversation bedienten sich auch vornehme bürgerliche Kreise des Französischen. Wie zur goldbetreßten Galauniform mit reicher Applikationsstickerei und blitzendem Ordensbehang sich die einfach geschnittenen Fräcke, soliden Tuchröcke und die abgewetzten Hausmäntel des Alltags verhalten, so verhält sich »Empire« und »Biedermeier« zueinander. Staatskleid und Alltagskleid erfüllen die Bedürfnisse derselben Personen, derselben Gesellschaftsschichten, und alle Theorien, welche daraus sich folgende und konträre Formen des Klassizismus konstruieren wollen, gehen vermutlich an den Tatsachen weit vorbei. Dieses offiziell verordnete Gepränge und die privat gelebte »vornehme Bescheidenheit« umfaßt die Kreise, bei denen man den Besitz von »Biedermeier«-Ausstattungen vermuten darf – nämlich den Hof im weitesten Sinn, Staatsdiener, hohe Geistlichkeit, obere Militärränge und das gebildete Besitzbürgertum wie auch das besitzende Bildungsbürgertum.

König Ludwig I. blieb bei all seinen antifranzösischen Ressentiments und bei allem »teutschen« Trachten den französischen Vorbildern seiner Kronprinzenzeit treu. Bei Wahrung der äußeren Form und unter Beibehaltung des Motivrepertoires suchte er die gültigen Formen des »Empire« mit anderen, meist antinapoleonischen und antifranzösischen Vorzeichen zu versehen. Wichtigste Eindrücke empfing er

Das Schreibkabinett der Königin Therese im Königsbau der Münchner Residenz, G. Seeberger, München 1836, Aquarell, Schloßmuseum Darmstadt.

bei seinem erzwungenen Besuch in der französischen Metropole, der ihn vom Januar 1806 an für sieben Monate mit den Bauideen, Museen und den grandiosen Ausstattungen im napoleonischen Paris konfrontierte. Im offenen Widerspruch hat er diese Architekturgedanken zugleich formal übernommen und inhaltlich abgelehnt. Die Formhülsen findet man in Bayern als antinapoleonische Denkmale und öffentliche Bauten wieder. In keinem Jahr wurde in Paris so intensiv geplant, ausgestellt und gebaut, wie im Jahr 1806, als der entscheidende Waffengang gegen Österreich gewonnen war und das neue Kaiserreich seine äußeren Formen suchte. Später brachten Klenze und Gärtner, die in Paris studierten, wieder neuere Architekturplanungen von der Seine an die Isar.

Die Liste direkter Parallelen zwischen Paris und München ist lang. Die Glyptothekfassade wurde von einem an der Ecole des Beaux-Arts prämierten Entwurf Vaudoyers geprägt, das Innere dann von den Antikensälen des Louvre mit ihrer Mamorverkleidung angeregt. Der Pariser Wettbewerb über die Frage, wie man die Fassade von St. Madeleine als »Temple de la Gloire« für die Gefallenen der napoleonischen Feldzüge weitergestalten solle, führte zu zwei beachteten Vorschlägen. Vaudoyer schlug vor, einen im Innern säulenumzogenen Rundbau mit Nischen »à la Pantheon« zu errichten, eine Anregung, die als antinapoleonische Befreiungshalle in Kelheim realisiert wurde und an die deutschen Befreiungskriege gegen das Joch Napoleons erinnern sollte. Das Projekt des Pierre Vignon, das auch gebaut wurde, sah vor, einen griechischen Peristyltempel über einem hohen Unterbau zu errichten, ein Bau, der wiederum an die Walhalla bei Regensburg erinnert. Die damals in Paris ausgebaute Achse Tuilerienpalast – Arc de Triomphe du Carroussell – Champs d'Elysée – Arc de Triomphe de l'Etoile fand ein Echo in München in der Konfiguration: Ruhmeshalle neben der Residenz – Ludwigstraße – Siegestor. Was in Paris an die Siege Napoleons erinnert, mahnt in Bayern an Siege über ihn. Die italianisierenden Bauten der Ludwigstraße sind eng verwandt mit dem Universitäts- und Verwaltungsviertel, das Percier und Fontaine 1813 gegenüber dem Palais du Roi de Rome auf dem Champs du Mars planten. In diesem Jahr war Friedrich Gärtner in der Schule Perciers eingeschrieben. Die Beispiele ließen sich fortführen und begründen, ob es sich nun um die Treppe in der Staatsbibliothek handelt, die sich auf die Luxembourgtreppe bezieht, oder um die Anlage der Appartements im Königsbau; die bis heute in München konsequent verdrängten und vergessenen französischen Vorbilder sind in der Regel beizubringen. Allerdings wurden sie durch das deutsche, griechische und römische Herleitungsvokabular des Königs und seiner Architekturen bewußt verschüttet.

Franzosen, die München und Bayern bereisten, erschien die Stadt Ludwigs I. wie ein Architekturmuseum aus der eigenen Vergangenheit. So schreibt Hippolyte Fortoul, der mit dem Architekten L. Vaudoyer zusammen reiste, in seinem Bericht »De l'art en Allemagne« (Paris 1841, 226) vom bayerischen König: »Pour lui, dans la première ardeur de ce projet, il dut aussi, à ce qu'il me semble, éprouver l'influence des grandes idées de Napoléon et de la France, qui pensait alors restaurer dans sa pureté le culte de l'art et de la civilisation antique; il voulut sans doute avoir dans le Walhalla un autre ... Panthéon, un autre Temple de la Gloire et dans M. de Klenze son Percier«. Gänzlich irritiert zeigen die Franzosen sich allerdings von dem bayerischen Architekturwörterbuch, dieser Enzyklopädie der Stile, das der König statt aus Stein und Marmor aus Lehm, Kalk, Sand und Wasser dreidimensional zur Erbauung seiner Untertanen errichten ließ. Während man in Paris Wechselbäder der Stile und Ideen gewohnt war, die sich wie Frühjahrs- und Herbstmode in rascher Folge jagten, von kurzer Geltung waren, um dann beim Auftauchen eines neuen Geschmacks als völlig »démodé« der Vergessenheit zu verfallen, konstruierte man in Bayern alle historischen Stile zwar friedlich nebeneinander, konnte aber nicht vergessen machen, daß hier eigentlich feindliche Systeme einander gegenüberstanden, nur in der Reproduktion pazifiziert. «Mais dans aucun autre pays il ne serait possible de rencontrer cette variété de systèmes et ce luxe de réminiscences que l'on trouve dans les constructions de la capitale de la Bavière. L'art nouveau de l'Allemagne est essentiellement historique ... Animée par les passions politiques et religieuses de ce pays-ci, elle est parvenue à réaliser à sa surface une histoire vivante et à peu près complète de l'architecture«. (ebd. 178.)

Der andere Stil neben dem Klassizismus, welcher die ganze erste Jahrhunderthälfte als Nebenform begleitet, ist die Neugotik, welche im Aufgreifen von historischen Motiven, dekorativen Anregungen und schließlich archäologisch exakten architektonischen Vorlagen aus Ritterzeit und Mittelalter eine Gegenwelt zu den klassizistischen Hauptströmungen entwickelt.

Süddeutschland kennt nicht die nahezu ungebrochene Tradition gotischer Bauten und Dekorationen, wie sie in England über das 17. Jahrhundert hindurch und vermehrt in Landschlössern oder Parkbauten im 18. Jahrhundert und 19. Jahrhundert zu belegen ist. Vor 1815 sind neugotische Konstruktionen sehr selten und dann als romantisch-altfränkische Zitate und als Übernahmen aus der englisch bestimmten Landschaftsgartenliteratur zu interpretieren, wie z.B. die gotischen Parkburgen und Freundschaftstempel rings um die Bettenburg im Fränkischen (vgl. WB III/2, 1980, Nr. 816, vgl. auch Götz, in AK Restauration, München 1987,

44ff.). Von 1815 an, mit dem Wiener Kongreß und im Zeichen der Heiligen Allianz, gewinnt dann die Rückkehr zu feudalen Vorstellungen und aristokratischen Lebensformen stark an Bedeutung.

Die Darstellung der Heiligen Allianz zwischen den drei Monarchen Zar Alexander I., Kaiser Franz I., und König Friedrich Wilhelm III. von Preußen als der Schwur der drei gerüsteten Ritter in einer gotischen Kirche zeigt programmatisch die politische Wende, nämlich die ausgerufene Restauration von Thron und Altar unterstützt durch einen Hilfspakt der Monarchen. Das Ritterturnier 1815 in der Hofreitschule in Wien, veranstaltet von den Söhnen des Hochadels in den Rüstungen ihrer Ahnen (vgl. Kat.Nr. 7.6.1) war Modell für ähnliche Scheingefechte der alten Dynastien, für das Fest der Weißen Rose 1829 in Berlin, in München und später noch in Regensburg in der Manege des Fürsten von Thurn und Taxis. Es ist eine offene Frage, wie weit das Königshaus in Berlin mit seinen frühen neugotischen Palais, Schlössern und Troubadourspielen Einfluß auf die Geschmacksbildung des Neffen und späteren Schwiegersohnes Kronprinz Maximilian von Bayern hat, der mit seinem Schloß Hohenschwangau von 1835–1848 und dem Wittelsbacher Palais von 1845–1848 die Hauptbauten der Neugotik in Bayern schuf. Der dynastisch geprägte Stil der Burgenromantik blieb nicht auf das Herrscherhaus beschränkt, sondern fand auch bei den Adelsgeschlechtern Bayerns Anklang. Man übte Gotik als Maskenstil bei Ritterfesten am Hofe (vgl. Kat.Nr. 7.6.2 mit Farbabb. S. 217) und verwandte ihn für adelsstolze Burgenbauten auf dem Lande, wenn man sich nicht damit begnügte, der alten Stammburg durch Sprengung ein ruinenhaft-romantisches Aussehen zu geben. Bei all dem ist das englische Beispiel gegenwärtig (vgl. Artikel Graf Egloffstein, in: AK Romantik und Restauration München 1987, 86ff.). Das Schorn'sche Kunstblatt berichtet seit seiner Gründung ständig über die Bestandsaufnahme mittelalterlicher Architektur und die gotischen Neubauten in England. In Deutschland sind die neugotischen Bauten sehr häufig und sicherlich dem offiziellen Klassizismus an Bedeutung und Bauvolumen fast gleichzustellen (vgl. Biehn, München 1970, Wagner/Rieger, München 1975, Himmelheber 1983, Kapitel: Romantischer Historismus 133ff.).

Neben dieser Spielart der Neugotik als Mittel der Selbstdarstellung des europäischen Adels, der mit Architektur und Ausstattung Herkommen und Ansprüche begründete, gibt es auch die Neugotik als neubelebtes künstlerisches Verfahren im Milieu der Künstler selbst. Das Ritterwesen im Kreis um Ludwig Schwanthaler, in den Münchner Künstlerkneipen und in den geselligen Vereinen war ein teils archaisches, teils anarchisches, teils antiklassisch-parodistisches Treiben von Künstlern, Literaten und Bohémiens, die tagsüber am Bild der klassisch geprägten Kultur in Bayern bosselten. Nachts hingegen prosteten sie sich unter Ritternamen aus Trinkhörnern zu und kultivierten Direktheit, Unmaß und Grobheit vergangener Kraftmenschen, die im Biedermeier bei Tageslicht nicht geduldet wurden. Die oberirdische und ernste Welt der Tugendhelden und Biedermänner fand ihre Entsprechung in dem unterirdisch spottenden Treiben der Wüstlinge, Trunkenbolde, Unholde, Zwerge und Riesen. Diese vitale Neugotik der Münchner Künstlerkreise manifestierte sich in der »Humpenburg« und in Burg Schwaneck des Professors Ludwig von Schwanthaler. Auch ist sie in allerlei Gerät und einigen Relikten des parodistisch wüsten Treibens überliefert (vgl. Kat.Nr. 7.3.10 ff.). In den Gesellschaften der seit 1819 bestehenden »Humpenau«, »Zu den drei Schildern«, »Humpenburg« und »Alt-England« feierte keine aristokratisch geordnete Gesellschaft, sondern »Ritter-Bünde« von Gleichen, die im Mummenschanz alle Standesunterschiede sozialer Rangordnung vergaßen. Hofzeremonienmeister Graf von Pocci war als Tischgenosse »Diepholt« dem »Storchenauer« gleichgestellt, unter welchem Namen sich der Bildhauer Schwanthaler verbarg.

Außer der feudalen Neugotik und der Künstlerneugotik gab es noch eine »Gebrauchsgotik«, die sich im Bürgertum von 1840 an verbreitet und das Erscheinungsbild nahezu aller Produkte veränderte. Kaum ein Adressbuchumschlag, eine Buchvignette, eine Speisekarte oder ein Kalender, die nicht neugotisch verziert wurden. Daß auch die neue Technik der Dampfmaschinen, Bahnhöfe und Glas-Eisenkonstruktionen sich bei ihrem ersten Auftreten in ein mittelalterliches Gewand kleidet, ist wohl eher in solchem Zusammenhang zu sehen, als daß es mit ideologischen Gründen zu erklären wäre.

In Ausstattungen und Möbelentwürfen läßt sich der Werdegang der Mittelalterrezeption nachvollziehen. Stühle aus Schloß Nymphenburg, in deren Rücklehnen sich schematisch Rundbögen auf der Hälfte schneiden und so Spitzbögen bilden, werden im Inventar von 1814 bereits als »gotisch« bezeichnet (vgl. Kat.Nr. 4.2.12.8). Das abstrakte Motiv von Spitzbögen schien hinreichender Grund für diese Bezeichnung. Für Innenarchitektur und Möbel in Hohenschwangau ist dann eine Form der Neugotik erreicht, bei der dekorative Motive der Architektur ohne Wahrung des Sinnzusammenhangs oder der Technik übertragen werden. Dieser Stil hier um 1835 hat seinen Namen »Abbotsford Period« nach dem Landsitz Sir Walter Scotts von 1822–1836 in England. Möbel in dieser Montagetechnik disparater dekorativer Elemente beschreibt Pugin, der für Windsor Castle auch einmal in diesem Stil sündigte, folgendermaßen: »A man who remains any length of time in a modern Gothic room, and escapes without beeing wounded by some of its minutiae, may consider himself extremly fortunate«. (The true principles of Pointed or Christian Architecture, London 1841). Pugins Kritik bewirkt bald eine konstruktive Phase neugotischer Möbelentwürfe, die sich an Material und Technik erhaltener mittelalterlicher Holzarbeiten orientiert und später in eine archäologisch korrektere Phase eintritt. Dem sind Entwürfe für den Wittelsbacher Palast und die Eichenmöbel des Lotzbeck'schen Schlosses Weyhern zuzuordnen (vgl. Kat.Nr. 8.1.12 mit Farbabb.). Im Kommentar Bürkleins zu seinen Möbeln für Weyhern wird als Begründung für diese Stilwahl hervorgehoben, daß die Gotik eine national-deutsche Kunst sei und deswegen einheimische Materialien dafür den Vorzug verdienten. Damit tritt zu den bereits genannten Bedeutungsebenen noch eine weitere, die zusammen mit den verwandten und entgegengesetzten Strömungen, die sich der mittelalterlichen Maske bedienten, wesentlich dazu beitrug, einen frühen Historismus in der Biedermeierzeit zu etablieren, der sich wenig vom Historismus der zweiten Jahrhunderthälfte unterscheidet.

Eine Kunstgeschichte, die diese gegensätzlichen Tendenzen wie auf einer Schiene hintereinander ablaufen läßt, versteht sich darauf, diesen Eindruck vom Nebeneinander des Ungleichzeitigen aufzuheben. Häufig wird auch übersehen,

4.2.12.8 Stuhl mit gotischen Bogenmotiven aus Schloß Berg, süddeutsch um 1810–15, Kirschbaumfurnier tw. auf Eiche.

Neugotischer Stuhl und Damenschreibtisch, wohl Wien um 1825, Birkenmaser auf Kiefer, Privatbesitz.

Feuervergoldete Bronzebeschläge für Schloß Weyhern, Anselm
Sickinger 1848–1850, aus: Zeitschrift des Vereins zur Ausbildung
der Gewerke 1, 1852, Abb. 5.

»Ein Salon im Rococo Style – Neuestes Möbelmuster« aus: Wiener
Theaterzeitung 1843, 36, No. 646.

in welchem Maße Neubarock und Neurokoko schon vor
1848 verbreitet waren, solche Ornamentformen bereits
gegen 1840–1845 allgemeine Geltung erlangten und von da
an die klassizistischen Gebrauchsformen und Ornamentmotive zunehmend überlagerten. Paris und Wien sind schon
gegen 1830 von Begeisterung über den neuen Stil erfüllt, der
Abwechslung zu dem offiziösen Klassizismus und dem
etwas düsteren »Style troubadour« bringt. Die Anregungen
gehen diesmal nicht von der sonst führenden Architektur
sondern von Tapezierern und Modegeschäften aus, deren
ephemere textile Produkte in der Mode »à la pompadour«
das seit erst vierzig Jahren vergangene »Ancien Régime«
feiern (ausführlich bei Zweig 1924 und in Beispielen bei
Ledoux-Lebard 1984). 1835 ist der neue alte Stil bereits recht
verbreitet. Kataloge der »Ersten allgemeinen Gewerbepro-
duktenausstellung« für Wien und auch der Katalog der
Münchner Kunstgewerbeausstellung aus diesem Jahr versi-
chern, daß der Stil »einheimisch« geworden sei. Über die
Wurzeln wird man sich damals zunehmend klarer. Nach
dem französischen Architekten Jacques François Blondel
und seinem epochemachenden Werk »De la distribution des
maisons de plaisance et de la décoration des édifices en
général« von 1737 heißt der Stil jetzt »Blondelscher Stil«.

Die Wiener »Zeitschrift für Kunst, Literatur und Mode«
bietet von 1836 an in Stichen immer wieder Einsicht in
üppige Interieurs im Neurokokostil. Nach 1840 produziert
man im Stil des 18. Jahrhunderts bereits kommerzielle Massenware und kaum ein Bilderrahmen kommt ohne Bandel-
werk, Muschelkartuschen und Treillagemotive aus. Auch
eine reiche Möbelproduktion für die Einrichtung großer
Häuser ist bezeugt, wie das Lichtenstein'sche Palais in Wien
von Leistler zwischen 1842 und 1847. Daß man wenig
erhaltene Möbel aus der Zeit zu kennen meint, liegt an der
Tatsache, daß diese Stücke, die sowohl von »Biedermeier«-
strukturen bestimmt sind, als auch eine intensive Verwendung von Rokoko- oder Barockmotiven zeigen, aufgrund
der geläufigen Stilvorstellungen und Vorurteile regelmäßig
in die Zeit nach 1850 datiert werden. Die Durchsicht des
präzis datierten Abbildungsmaterials im neuen Buch von
H. Zinnkann muß zu einer Revision dieser Ansichten führen. Neben spätklassizistischen Modellen tauchen um 1840
bereits verbreitet Formen des Neurokoko und Barock auf,
die bisher 20 Jahre später datiert wurden (1985, vgl. die
Seiten 275–7, 287–92, 301–6, 322–328, 333–6, 3435, 349).
Nicht unterschlagen werden soll aber auch die Neurenaissance, die in der Architektur zwar häufig zu belegen ist, aber
in den Innenarchitekturen und Ausstattungsentwürfen meist
vom Groteskenstil pompejanischer Prägung und anderen
Formen des Klassizismus bis zur Unkenntlichkeit überlagert
wird. Die Dekoration im Stil der italienischen, französischen
oder deutschen Renaissance sind seltener überliefert, und
systematische Forschungen dazu fehlen bislang ganz. Als
Heinrich Heine 1836 das neuerbaute Palais Rothschild in
Paris beschreibt, sieht er dort die reinste Renaissance: »Die
Renaissance, wie man das Zeitalter Franz I. benennt, ist jetzt
Mode in Paris. Alles möbliert oder kostümiert man jetzt im
Geschmack dieser Zeit, ja manche treiben dies bis zur
Wut . . . Was jenen Palast mit seinen Dekorationen betrifft,
so ist hier alles vereinigt, was nur der Geist des 16. Jahrhun-
derts ersinnen und das Geld des 19. Jahrhunderts bezahlen
konnte; hier eifert der Genius der bildenden Kunst mit dem

Bürgerliches Wohn- und Eßzimmer, 1846 (datiert auf dem Kalender), aus einem Album im Bayerischen Nationalmuseum.

Genius von Rothschild. Seit zwei Jahren wird an diesem Palast und seiner Dekoration beständig gearbeitet und die Summen, die darauf verwendet werden, sollen ungeheuer sein. Herr von Rothschild lächelt, wenn man ihn darüber befragt. Es ist das Versailles der absoluten Geldherrschaft« (Paris, 1.März 1836). Später 1841 in »Lutetia« überlegte Heine weiter: »Woher die Vorliebe für diese Zeit der Renaissance, der Wiedergeburt oder vielmehr der Auferstehung, wo die antike Welt gleichsam aus dem Grabe stieg, um dem sterbenden Mittelalter seine letzten Stunden zu verschönern? Empfindet unsere Jetztzeit eine Wahlverwandtschaft mit jener Periode, die ebenso wie wir in der Vergangenheit eine lechzende Quelle suchte, lechzend nach frischem Lebenstrank? . . . Doch wie wir heute die Politik den Kannegießern von Profession überlassen, so überlassen wir den patentierten Historikern die genauere Nachforschung, in welchem Grade unsere Zeit mit der Renaissance verwandt ist«; (Rezension: Meyerbeers Hugenotten, Paris, 11.12.1841).

Die späte Zeit des Biedermeier enthält bereits alle Züge des späteren Historismus, beherbergt alle Spielarten und Varianten der verschiedenen Stile; sie sucht permanent Erneuerung und verfällt dabei den Lebensformen der Vergangenheit. Dieses Unwohlsein in der eigenen Haut und die Sehnsucht nach einer eindeutigen und stilvollen Vergangenheit hat sich bis in unsere Gegenwart fortgesetzt. Im Verlauf der wachsenden Desorientierung an der Gegenwart kam auch das verstärkte Interesse an den Überbleibseln der Vergangenheit auf, die man abgesehen von den großen Kunstwerken der anerkannten Stile zusammen zu tragen begann. Es sammelte der gebildete und wohlhabende Dilettant über die Malerei hinaus jetzt auch Objekte des Kunsthandwerks und der Kleinkunst der neuentdeckten Stilepochen, die in die Repräsentations- und Wohnräume integriert wurden. Die Aura des Echten übertraf spürbar die Stilkopie und setzte ihr die Glanzlichter auf, welche jene entbehrte. Da die Souvenirs der Vergangenheit in aller Regel nicht in Serie und Paaren anzukaufen waren, sprengten die Einzelstücke bei ihrer Aufstellung die bis dahin gewohnte Symmetrie und Ordnung der Innendekoration und verschoben zusammen mit dem wachsenden Wunsch nach individueller Bequemlichkeit jeden architektonischen Bezug in den Wohnräumen. Was an Prinzipien der Innenarchitektur zerstört wurde, verdeckte die Kunst des Tapezierers mit üppigen Vorhängen, Schabracken, Decken und Behängen. Die Suche nach dem Stil, die Liebe zu den Versatzstücken der Geschichte erzeugte die hoffnungsloseste Stillosigkeit. Auch diese Form der Inneneinrichtung, als dritte Haut der Bewohner, entstand nicht erst in der Gründerzeit, sondern bereits in der ebenso widersprüchlichen wie fruchtbaren Zeit des Biedermeiers. Zeitgenössische Innenraumaquarelle überliefern das Tohuwabohu der Antiquitäten, »der schönen alten Stücke«, Familienandenken, Reisemitbringsel, Pflanzen, heterogenen Einzelmöbel in unglaublicher Präzision und räumen mit unseren Vorstellungen von den geordneten schlichten Einrichtungen der Zeit vor 1848 gründlich auf (vgl. Thornton 1984, Kapitel 1820–1870). 1836 schreibt Alfred de Musset bereits von Räumen, die sich wenig von den Innendekorationen unserer Zeit unterscheiden: »Die Wohnungen der Reichen sind Kuriositätenkabinette, der Eklektizismus ist unser Geschmack geworden; wir nehmen alles auf, was uns in die Hände kommt, – das wegen seiner Schönheit, jenes wegen seiner Bequemlichkeit, dieses wegen seines Alters, jenes gerade wegen seiner Häßlichkeit, so lebt man nur mit Schrott«. Ein ähnlicher Bericht über das Antiquitätensammeln im Biedermeier findet sich auch bei Adalbert Stifter im »Nachsommer« von 1857, allerdings folgert er aus dem authentisch nicht immer befriedigenden Zusammentragen alter Dinge – »man raffte Schreine, Betschemel, Tische und dergleichen zusammen, nur weil sie alt waren, nicht weil sie schön waren, und stellte sie auf« –, daß eine andere Methode vonnöten wäre, und zwar allein Dinge derselben Zeit in einem Zimmer zu vereinigen, »die also denselben Geist haben«. Mit dieser Suche nach dem puristischen Stilzimmer ist dann der Übergang zum nächsten Abschnitt erreicht.

Wohnräume und Möbel im »Biedermeier«

Unter dem Begriff »Biedermeier« sei in der Folge das ganze Spektrum der einfachen klassizistischen Gebrauchsmöbel in Schreinerarbeit verstanden, das zwischen 1805 und etwa 1850 in Residenzen und in den Häusern sehr wohlhabender Bürger verbreitet war. Daß die Möbel und die Innenarchitektur, die immer den Zusammenhang bildet, in dieser Zeitspanne eine Entwicklung von grandioser Schlichtheit bis hin zu hybrider Überfrachtung durchmachten, sei zunächst dahingestellt. Der Begriff ist nun einmal geprägt und umfaßt in seiner Anwendung sowohl die Anfänge, wie auch den Spätstil, der neubarocke und mittelalterliche Motive integriert. Aber man sollte nicht versuchen, mit der Stilbezeichnung »Biedermeier« einen Stil bürgerlicher Häuslichkeit und Selbstbescheidung zu verbinden, der im vermeintlichen Gegensatz zur französisch geprägten Hofkunst steht. Kein Möbel und kein Ausstattungsgegenstand ist ohne Berücksichtigung der konkreten Gesamtdekoration oder zumindest des Ideals der Innenarchitektur entstanden. In jedem Falle ist daher der Gesamtzusammenhang der Innenausstattung aufschlußreicher und aussagekräftiger als die stilistische Zuordnung des Einzelmöbels. Möbel sind fast immer in Pendants, Paaren, Garnituren und Ensembles entstanden, die Rücksicht auf die Harmonie und Einheitlichkeit des Raumes nahmen, für den sie erworben wurden. Ohne große Übertreibung läßt sich behaupten, daß ein Möbelstück mit Resten des Originalbezuges es erlaubt, den ganzen Raum zu rekonstruieren, für den es ursprünglich konzipiert wurde; so verbindlich waren die seit über einem Jahrhundert tradierten Prinzipien und Ziele der Inneneinrichtung für Typenbildung, Anordnung, Oberflächengestaltung und Farbkomposition. Diese Grundstrukturen, die im Idealfall erfüllt, im Kompromiß zumindest erstrebt waren, sollen in der Folge skizziert werden.

Die Räume einer Wohnung, eines sogenannten Appartements, folgen der herkömmlichen Anordnung: Vorzimmer auch Speisezimmer, Salon oder Wohnzimmer, Schlafzimmer mit Garderobezimmer und Kleiderkammern, Arbeitskabinett oder Kleiner Salon. Dieses Schema kann um weitere Salons und Kabinette erweitert werden; im Normalfall aber wird es um zwei oder drei Räume verringert, die dann Mehrfachfunktionen übernehmen, die man in der Möblierung aber nicht ausdrückt, sondern durch Standardisierung der Möbel zu verhehlen sucht. Dieses geschieht beispielsweise mit Kanapees, die zum Bett umzurüsten sind (vgl. Kat.Nr. 5.1.215), mit der Angleichung von Speisezimmer-, Salon- und Kabinettmöbeln oder Standardisierung der Stühle für mehrere Zwecke.

Zu jedem Raumtyp gehörte im Idealfall ein bestimmtes Möbelprogramm; die unempfindlich bezogenen Eßzimmerstühle, gepolsterten Salongarnituren mit repräsentativen Präsentationsmöbeln wie Vitrine, Etagère, dann Schreibschrank und Schreibsessel im Kabinett. Das Möbelvolumen wird nach Möglichkeit auf die Raumgröße abgestimmt. Nur noch selten besteht die Wanddekoration aus den extrem kostspieligen Seiden oder den immer noch teuren Wandbespannungen mit Kattun, stattdessen findet man in der Frühzeit meist die gestrichene Wand, die an den Rändern mit Tapetenbordüren abgefaßt ist und vortäuscht, es handele sich um die Fläche eines kostbaren Stoffes, der mit gewebten Borten abgefaßt ist. Fast immer stehen Feld und Abgrenzung in komplementärem Kontrast zueinander.

Komplementäre Farbgebung, die mit zwei gegensätzlichen Farben arbeitet, ist überhaupt das gültige Farbschema der Epoche. Diese Art der Farbharmonie findet sich als ein Erfahrungsprinzip bereits im späten 18. Jahrhundert. So kam beispielsweise im viel beachteten Paradeschlafzimmer der Madame de Recamier bereits die seltene Farbzusammenstellung Gelb-Violett vor, und auch sonst ist der Gebrauch zweier gegensätzlicher Farben mit Regelmäßigkeit um 1800 zu konstatieren (vgl. die Farbbeschreibungen im Text des Tafelwerks: Krafft & Ransonette, Plans coupes et élévations des plus belles maisons et hôtels, Paris 1771—1802). Es blieb Johann Wolfgang Goethe vorbehalten, 1810 die Erfahrungen künstlerischer Farbkomposition in ein Prinzip zu fassen, das er in seiner »Farbenlehre« niederlegte. »Die drey Grundfarben nämlich sind Roth, Blau, Gelb. Das Auge wird nicht durch eine derselben allein befriedigt, sondern fordert, wenn es die eine gesehen auch die übrigen, welche dann in ihrer Mischung erscheinen ... Die Hauptformel also ist: Gelb fordert Rothblau, Blau fordert Rothgelb, Purpur fordert grün und umgekehrt. Um diese Totalität gewahr zu werden, um sich selbst zu befriedigen, sucht das Auge neben jedem farbigen Raum einen Farblosen, um die

Großer Salon der Prinzessin Mathilde in den Hofgartenzimmern der Münchner Residenz, Franz Xaver Nachtmann, München 1831, Aquarell, Schloßmuseum Darmstadt.

Kleiner Salon der Prinzessin Mathilde in der Münchner Residenz, Lorenzo Quaglio 1832, Aquarell, Wittelsbacher Ausgleichsfonds.

geforderte Farbe an demselben hervorzubringen. Und hierin liegt das Naturgesetz aller Harmonie der Farben, ...« erklärt man im Schorn'schen Kunstblatt Goethe paraphrasierend dem interessierten Leser (21.9.1820, Nr. 76). In der Anwendung wird die Akzeptanz dieser Farblehre bestätigt: Zwei komplementäre Grundfarben werden von der Nichtfarbe Weiß begleitet, welche als das Neutrum die Farbwahrnehmung erst möglich macht. Im Farbsystem der Biedermeierräume werden die durch die Wandfarbe vorgegebenen zwei Töne auch in der weiteren Gestaltung verwendet und kommen in Furnier- und Holzfarben, Bezügen und Vorhängen in Wiederholung vor mit der Absicht, Einheitlichkeit, Geschlossenheit und Stimmigkeit des Raumes zu wahren. Welche Empfindlichkeit und Sensibilität gegenüber dem Wohnbereich entwickelt wurde, beweist eine Passage bei Adalbert Stifter, in welcher der durchaus sinnliche Traum und die nachgerade erotische Vorstellung von einem kostbaren und makellosen Raum entwickelt wird: »Das Zimmerchen war sehr schön. Es war ganz in sanft rosafarbener Seide ausgeschlagen, welche Zeichnungen in derselben, nur etwas dunkleren Farbe hatte. An dieser schwach rosenroten Seide lief eine Polsterbank von lichtgrüner Seide hin, die mit mattgrünen Bändern gerändert war. Sessel von gleicher Art standen herum. Die Seide grau in grau gezeichnet, hob sich licht und lieblich von dem Rest der Wände ab, es machte fast den Eindruck, wie wenn weiße Rosen neben roten sind. Die grünen Streifen erinnerten an das grüne Laubblatt der Rosen. In einer hinteren Ecke des Zimmers war ein Kamin von ebenfalls grauer, nur dunklerer Farbe mit grünen Streifen in den Simsen und sehr schmalen Goldleisten. Vor der Polsterbank und den Sesseln stand ein Tisch, dessen Platte grauer Marmor von derselben Farbe wie der Kamin war. Die Füße des Tisches und der Sessel, sowie die Fassungen an der Polsterbank und den anderen Dingen waren von dem schönen, veilchenblauen Amarantholze; aber so leicht gearbeitet, daß dieses Holz nirgends herrschte. An dem mit grauen Seidenvorhängen gesäumten Fenster, welches zwischen grünen Baumwölbungen auf die Landschaft und das Gebirge hinaussah, stand ein Tischchen von demselben Holze und ein reichgepolsterter Sessel und Schemel ... Der Fußboden war mit einem feinen grünen Teppiche überspannt, dessen einfache Farbe sich nur ein wenig von dem Grün der Bänder abhob. Es war gleichsam der Rasenteppich, über dem die Farben der Rosen schwebten. Kein Merkmal in dem Gemache zeigte an, daß es bewohnt sei. Kein Gerät war verrückt, an dem Teppiche zeigte sich keine Falte und an den Fenstervorhängen keine Verknitterung«. (Nachsommer, 1857, konzipiert 1835, Kapitel »Der Abschied«). Dieses unbewohnte und meist verschlossene Raumkunstwerk zeigt das Leitbild einer in der Farbstimmung harmonisch gedämpften Innenarchitektur, welche die matten Rot- und Grüntöne mit hellem Grau statt Weiß begleitet. Es kam sogar vor, daß man auch seine Träume baute, wie es der preußische König 1842 mit einem Neurokokoraum in Grün-Silber tat und seinem Architekten Persius die Anweisung gab: »Sie wissen, daß ich einmal von der Ausstattung dieses Zimmers geträumt habe und deshalb wollen wir die Sache durchsetzen«. (Nach Börsch-Supan 1976, 158–9 Abb. 70). Die Wirklichkeit aber war, verglichen mit literarischen und königlichen Träumen, ungleich trivialer. Die luxuriöse Seide blieb auch in Königsschlössern auf Paradezimmer beschränkt. Gegen Ende des Biedermeiers löste die gemu-

sterte Wandtapete wohl im Gefolge neubarocker und historisierender Tendenzen die glatte gestrichene Wandfläche ab. Die Imitation von Damasten mit Granatapfel- und Blattmustern setzt sich schon von 1835 an durch. Die im 18. Jahrhundert gebräuchliche Einheitlichkeit des im Raume verwendeten gleichen Stoffes für Wandbespannung, Vorhänge und Bezüge ist im frühen 19. Jahrhundert aufgehoben, da sich niemand mehr solchen Luxus leisten konnte oder wollte. Das hatte zur Konsequenz, daß die Vorhänge von der Wandfarbe im Farbton abgekoppelt wurden und oft im Weiß der Decke gehalten waren, was mit den einfachen und billigen Schleierstoffen aus Baumwolle möglich war. Als verkümmerte Reste des farbigen Seidenvorhangs kamen noch Vorhang, Überwürfe und Schabracken vor, welche nur einen oberen und seitlichen Abschluß bildeten. Die Möbelbezüge nahmen einen der beiden komplentären Grundtöne des Zimmers auf oder wiederholten beide in einem gemusterten Dessin. Die Durchsicht der bekannten Interieuraquarelle (Praz 1965, Thornton 1984, Börsch-Supan 1976) und der Inventare überzeugt davon, daß ungemusterte Wollripstoffe am häufigsten waren; dann folgen die anspruchsvolleren einfarbigen oder zweifarbigen Baumwoll- oder Wolldamaste. Für Speisezimmer und Sitzungszimmer waren Maroquin- oder Saffianleder auf den hier mehr als sonst strapazierten Stühlen üblich. Nicht mehr erhalten geblieben, aber zum Beispiel im Nymphenburger Inventar von 1818 bezeugt, sind Bezüge aus Manchester, Plüsch und Streifendamast. Roßhaargewebe kommen in bayerischen Inventaren nie vor und bleiben auf Frankreich als Produktionsland beschränkt. Ein Stoff allerdings, den es im 19. Jahrhundert nirgendwo und nie gibt, ist der sogenannte »Biedermeierstoff«, ein vielfarbiger Streifendamast mit Streublumenmuster. Hierbei handelt es sich um eine Fiktion des »Zweiten Biedermeier«, als man den Kunden zum Stilmöbel den angeblichen »Stilbezug« aufdrängte. Dieser Stoff, wohl eher ein Westenstoff, ist in keinem Fall stilgerecht, verunziert aber mittlerweile fast jedes originale Biedermeiermöbel. In nahezu jedem Fall, wie Inventar und erhaltene Rechnungen belegen, waren der Bezugsstoff und die Polsterarbeit teurer als das Gestell eines Stuhles oder Sessels. Das Sitzmöbel war lediglich ein Rahmengestell für die heute so wenig geachteten Bezüge, deren Wert im Biedermeier aber so hoch war, daß man sie durch Leinwandüberzüge – »Houssen« – wie neu zu erhalten suchte. Diese Schonbezüge befanden sich immer über den Möbeln und nur bei ganz besonderen Gelegenheiten, etwa der Anwesenheit hochstehender Besucher, scheint man diese Houssen kurz entfernt zu haben. Liegt der seltene Fall vor, daß die Gesamteinrichtung und die Preise eines Raumes überliefert sind – und das ist bei einem Inventar mit den eingetragenen Schätzpreisen der Fall –, dann erkennt man erstaunt, daß die Preise einer Zimmereinrichtung konträr zur heutigen Wertschätzung stehen. Den größten Posten macht immer der Trumeauspiegel aus, dessen Glas nach Quadratzoll mit Unsummen zu Buche schlug; es folgen Vorhänge und Teppich. Die Möbel bilden mit weniger als der Hälfte des Gesamtpreises den Schluß, wobei die Kastenmöbel stets teurer sind als Tische und Sitzmöbel, bei denen die Polsterung und der Bezug mehr kosten als das Gestell. Es wird immer wieder dargestellt, wie das Biedermeier eine neue Form des Wohnens entwickelt habe. Statt des höfischen »Cercle«, der Runde der Herren um den Kamin und

Kabinett der Kronprinzessin Marie in den oberen Hofgartenzimmern der Münchner Residenz, Franz Xaver Nachtmann 1842, Aquarell, Wittelsbacher Ausgleichsfonds.

der Sitzreihe der Damen entlang der Wand sowie der kleinen Gesellschaften an Spieltischen, bildet sich bei Hof gegen 1810 der Brauch, sich um einen zentralen runden Tisch zusammenzufinden. Während des gemeinsamen Gesprächs nahm man etwas zu sich, handarbeitete, schrieb oder las (ausführlicher: Ottomeyer 1982, 140ff. und Thornton 1984, 147–150). Diese häuslichen Gesellschaften von denen Hortense de Beauharnais, Königin von Holland, behauptet, sie bei Hof eingeführt zu haben, nachdem sie zuvor nur auf dem Lande üblich waren, finden sich auch 1807 für Wien beschrieben und hier wird deutlich, daß die neue Tugend schlicht finanzieller Not entsprang. Die großen Abendgesellschaften waren eben ungleich kostspieliger als die Runde von Freunden bei einer Flasche Wein, einem Glas Punsch oder einer Tasse Tee (Zeitung für die Elegante Welt 1807, Wien). Der Gesellschaftsraum wurde dadurch bleibend verändert. Ein runder Tisch in der Raummitte oder vor dem großen dreisitzigen Sofa wurde das neue Zentrum der ehemals in ihrer Mitte leeren Räume. Die schweren »meubles meublants«, die unverrückbar entlang den Wänden standen, verschwanden bis auf das schon genannte Sofa und wurden durch leichte Stühle und Sessel ersetzt, die man rasch umstellen konnte.

Doch sollte man sich nicht von den dargestellten gemütlichen, in warmen Farben gehaltenen Gesellschaftsrunden täuschen lassen und auf »Gemütlichkeit« im Biedermeier schließen. Diese guten Stuben und Paradezimmer wurden nur aufgeschlossen, wenn Gäste kamen. Das war am Sonntag nach der Kirche der Fall, wie Luise von Kobell bezeugt, und bisweilen an besonderen Festtagen. Oft war die »kalte Pracht« dann nicht mehr aufzuheizen. Der »gemütliche« Hausrock, die Kappe und Zipfelmütze, denen man im Biedermeier so oft in Darstellungen begegnet, waren bitter nötige Vorkehrungen gegen die eisigen Temperaturen in den Wohnungen während der kalten Jahreszeiten. Das Brennholzdeputat, der Münchner »Brennholzverein« und die Brennholzspenden an die Ärmsten der Armen waren Überlebenshilfen, wenn das Geld für diese nötigste Anschaffung ausgegangen war. Es hat fast den Anschein, als ob die so häufig gemalten Bilder, die von Licht und Wärme gleichsam durchdrungen sind, sehnsüchtige Phantasien waren, Träume von einem warmen und hellen Haus, das mit dem schwelenden Talglicht, der stinkenden Öllampe und dem kleinen Kachelofen in der Ecke kaum zu erhellen und zu erwärmen war.

Der Salon oder das Wohnzimmer, das während der Wochentage unbenutzt und ungeheizt blieb und dazu hinter geschlossenen Läden, Vorhängen und unter Houssen versank, war der Hauptraum, in den das Biedermeier alles investierte und dazu eine Vielfalt von Möbeln zwischen 1805 und 1810 weiter entwickelte und ausformte. Dafür sparte man an allen anderen Räumen. Allerdings ist die Zeit der großen einheitlichen Garnituren vorbei, in der alles in einem Stil, einem Material und einem Geschmack war. Einheitlichkeit bleib zwar noch das erkennbare Ideal, aber die Wirklichkeit sah anders aus. Die Holzsorte nach Möglichkeit wahrend, kaufte man sukzessive die Sitzgarnitur, den Tisch, das Kommodenpaar und die Trumeauspiegel, den Schreibschrank und die ihm entsprechende Vitrine, dann das eine oder andere Kleinmöbel wie Nähtisch, Etagère, Fußbank, Spucknapf. Für die Aufstellung galt noch im großen und ganzen das alte, während des 18. Jahrhunderts entwickelte

Prinzip der Achsensymmetrie, wurde aber aus Sparsamkeit zurückentwickelt. Wenn es irgend ging, stand jedem Möbel ein möglichst gleiches gegenüber. Pendants zu Kommoden, von Sekretär, Vitrine oder Bücherschrank, aber auch Schränke, die Kachelöfen imitieren (vgl. Kat.Nr. 4.2.8.5), sind erhalten. An die grandiose Verspiegelung der vier mittleren Raumachsen in der lichtdurchfluteten Architektur der Aufklärung erinnert noch der Trumeauspiegel auf dem Fensterpfeiler. In jeder Beziehung gelten hier die alten Prinzipien der Innenarchitektur aus der Sphäre der höfischen Überflußgesellschaft, wenn auch die Realisierung durch mannigfache Abstriche ein scheinbar anderes Aussehen hatte. Es ist bezeichnend, daß dieser Reduktionsstil in unmittelbarer Nähe zu Räumen entstand, in denen die Grundsätze des 18. Jahrhunderts noch volle Anwendung fanden.

Das Biedermeier erfindet keine neuen Möbeltypen, aber es kultiviert und entwickelt bestimmte Formen, die in dieser Epoche ihre Blüte erleben. Dazu gehört der Schreibschrank, der als »secrétaire en abattant« bereits gegen 1760 in Frankreich gebräuchlich war und den senkrechten Schubladenschrank, den »cartonnier« mit einer davon abklappbaren und gehaltenen Schreibplatte verbindet, ein platzsparendes Möbel also. Die Zweckmäßigkeit wird durch eine architekturhafte Gestaltung überhöht und vergessen gemacht. Es gibt Beispiele, die eine vollkommene Entsprechung zu der monumentalen Fassade eines griechischen Antentempels aufweisen. Ein solcher Hausschrein barg im Innern ein zweite kleine Fassade, gleichsam die Cella – den Tempelschrein –, in der das Geld und die Dokumente wie in einem Aerarium aufbewahrt wurden. Die deutschen Schreibschränke oder Sekretäre besitzen im Gegensatz zu den französischen Prototypen, die hinter einer mit vergoldeten Bronzen geschmückten, glänzenden Fassade oft nur gähnend leere, offene Fächer haben, ein reiches und kostbares Innenleben mit über 10 Schublädchen, einer kleinen Tür oder einem verspiegelten Mittelfach – oft wie ein kleines Zimmerchen gestaltet –, dann Geheimfächer und doppelte Böden, wohinter sich Wertsachen verbargen. Ein Möbel also mit inneren Werten. Reiche Furniere in Vogelaugenahorn oder Wurzelmaserholz, Säulchen, Giebelchen und Elfenbeinknöpfchen gliedern die innere Schubladenfront und laden den Blick zum Verweilen ein: »Er (der Vater) saß gerne an diesem seinem Sekretär und hing mehr oder weniger an jedem Kasten oder Schubfach desselben; ein besonders intimes Verhältnis aber unterhielt er zu einem hinter einem kleinen Säulen-Vortempel verborgenen Geheimfach, darin er, wenn die Verhältnisse dies gerade gestatteten, sein Geld aufbewahrte«, heißt es bei Theodor Fontane von einem Schinkel'schen Schreibsekretär aus Birkenmaser mit grünüberzogener Schreibplatte im pommerschen Elternhaus (Meine Kinderjahre, V. Kapitel, mit ausführlicher Schilderung der weiteren Einrichtung).

Dem Schatzhaus gegenüber lag das Museum. Die Servante, der offene Spiegelschrank, die Etagère, das offene Regal, oder die verglaste und verspiegelte Vitrine enthielten das Hunderterlei von Erinnerungsstücken, Souvenirs und zerbrechlichen Kostbarkeiten, das man präsentieren, herzeigen, anschauen und bewahren wollte. »Hier sammelten sich die Hochzeits- und Patengeschenke, die Kannen und Tassen, die winzigen ausgetüftelten Schnitzereien und Nippessachen, die vor Bruch und Staub zu schützen waren, die Andenken

4.2.7.5 Patentsekretär, wohl norddeutsch, um 1830.

der Freundschaft und Liebe. Besonders zahlreich und beliebt waren die bemalten Tassen, mit denen ein wahrer Luxus getrieben wurde. Mit ihren gefühlvollen Sinnsprüchen ergänzten sie die klangvollen Ereignisse der Stammbücher ...« (Kalkschmidt 1977, 33.) Im besten Falle entsprachen sich Volumen und Form des gegenüberstehenden Sekretärs und der Vitrine. Bisweilen übernahmen aber auch halbhohe Möbel die Funktion, die Erinnerungs- und Gebrauchsstücke zu bergen, die man sentimental um sich sammelte und in Bezug zur eigenen Person setzte. Die anderen Fixpunkte der »Guten Stube« waren der Trumeauspiegel über einem Konsoltisch oder einer entsprechenden Kommode und das Sopha, welches neuerdings mit einem runden Salontisch kombiniert wurde, der aus der Raummitte an den Ehrenplatz herangezogen wurde. Das Sopha oder Kanapee war vordem bei den Höfen des 18. Jahrhunderts als das aufwendigste und am besten gepolsterte Sitzmöbel im Zermoniell am höchsten bewertet worden und stand nur den Inhabern des Hauses und ranggleichen oder ranghöheren Gästen zu. Zum Sopha gehören in Vervollständigung der Garnitur als Regel sechs Polsterstühle. Armlehnsessel sind im Biedermeier, verglichen mit dem Frühklassizismus, äußerst selten und nicht Teil der Salongarnituren geblieben. Nur in größeren Eßzimmergarnituren kommen sie bisweilen als Ehrenplätze noch paarweise vor und natürlich werden sie als Arbeitssessel gebraucht. Auffällig oft hat man später diese Situation nachgebessert und die zur Bequemlichkeit fehlenden Sessel mit Imitationen in Stilkopie ergänzt. Bequemlichkeit war im frühen 19. Jahrhundert kein Argument. Die gesellschaftliche Norm verlangte das freie und aufrechte Sitzen ohne sich anzulehnen. Nur das Aufstützen des Unterarmes auf die Rücklehne des Stuhles scheint üblich gewesen zu sein, wie sich aus erhaltenen Darstellungen von Gesellschaftsszenen erkennen läßt. Ein Sessel hätte hier nicht viel Zugewinn gebracht.

Ein weiteres Motiv im Salon war der Nähtisch mit einem Stuhl, der am hellen Fenster stand. Oft war die Möbelgruppe auf eine Estrade oder einen Ansitz gestellt, um während der Arbeit den interessierten Blick auf das Straßenleben zu erlauben. Um selbst nicht dabei beobachtet zu werden, war die untere Fensterhälfte mit Gardinen abgespannt.

Eine Fülle von verschiedenen kunstvollen Tischtypen, die oft auf »mechanischen« englischen Vorbildern beruhten, sorgten auf kleinem Raum für die Verbindung von verschiedenen praktischen Zwecken und waren zugleich Zierde und Ablage. Klapptische, Teetische, Nähtische, Spieltische, Blumentische, Konsoltische, Beistelltische, Auszugstische, Waschtische, Nachttische, Toilettentische bereichern die sonst karge und sparsame Möblierung der Räume. Auf diesen raffinierten und spielerischen Möbeln liegt ein Hauch von Luxus, der sich durch einen vorgeschobenen Zweck und die Kombination von nützlichen Effekten gleichsam entschuldigt. Ein Ziertisch, der sich als Spieltisch ausklappen und als Feuerschirm senkrecht stellen ließ, war solch ein wandelbares Möbel (vgl. Kat.Nr. 4.2.7.6), ebenso ergab ein Ofenschirm, den man als Patentsekretär öffnen konnte, ein schönes und nützliches Möbel zugleich (vgl. Kat.Nr. 4.2.7.5). Weitere Verwandlungsmöbel sind Sophas, bei denen die gepolsterte Rückwand abgenommen werden kann, um ein Bett zu bilden, der Nähkasten mit dem eingebauten Klavier (vgl. Kat.Nr. 4.10.1) oder das sogenannte »Magazinsopha« mit den Schubladen im Sockel und in den Seitenlehnen.

Der Salon oder das Wohnzimmer ist der oft dargestellte Hauptraum der Wohnung, wie es aber in den Schlafzimmern aussah, ist ebensowenig überliefert wie die Eßräume für die täglichen Mahlzeiten. Arbeitszimmer haben in den Gemälden Kerstings ihren Porträtisten gefunden und die Kinderzimmer hat Voltz in Serien für die Verleger Renner und Campe oft dargestellt (vgl. Kat.Nr. 3.1.16).

Die Hauptrolle in allen Räumen spielt der leichtgebaute und rasch umzusetzende »Biedermeierstuhl«, dessen Formentwicklung von einer antiken Überlieferung ausgeht. Auf griechischen Vasengemälden, die man lange für etruskisch hielt, erkannte man einen bestimmten, oft wiederholten Stuhltyp, den sogenannten »Klismos«, der sich durch weit ausgestellte, dünne und geschweifte Beine auszeichnet. Die Rückenstütze wird von einer gebogenen Lehne gebildet. Dieses antike Ideal scheiterte an der materiellen Umsetzung. Aus der Zeit gegen 1810 sind zwar Stühle erhalten, die mit leichter zurückgenommener Schweifung den Vorgaben des »Klismos« folgen (vgl. Kat.Nr. 4.2.7.8), doch um stärkerer Belastung standzuhalten, werden schon bald die vorderen Beine geradegestellt und in ihrer Massivität verstärkt. Schließlich wird dann auch die Schweifung der hinteren Beine zurückgenommen (vgl. Kat.Nr. 4.2.12.11). Diese Entwicklung verläuft homogen und kontinuierlich und bildet eine brauchbare Datierungshilfe. Im Mittelfeld der Lehne werden ornamental gestaltete Rückenbretter eingesetzt, die in stilisierter Brechung Motive wie »Prince of Wales«-Feder, Rosetten, Palmetten, Lyra und gotische Bögen aus dem Repertoire der englischen Vorlagewerke zitieren.

Welche gemeinsamen Merkmale zeichnen nun die Möbel der Biedermeierzeit aus? In der ersten Hälfte des 19. Jahrhunderts überwogen die Formen des Klassizismus und man hat sich gewöhnt, die einfachen Schreinermöbel dieses Zeitabschnittes mit den Namen »Biedermeier« zu bezeichnen, sollte allerdings daraus keinen Begriff machen und ihn nicht ausdeuten. Die Formen des Frühklassizismus, der in Frankreich als »goût grec« von etwa 1755 bis 1775, in Deutschland von 1770 bis gegen 1800 gilt, unterscheiden sich von den Gebrauchsmöbeln des Klassizismus durch die überwiegende Anwendung geschnitzter, abstrakter Bauornamente, welche die Flächen als bloße Folie der skulpturalen Teile zurückdrängen. Dementsprechend kontrastierten auch die Vergoldungen mit der weißen oder pastellfarbigen Fassung des Holzes. Die Ornamentbetonung durch die aufgesetzten Metallappliken und durch die ornamentale Bildhauerarbeit zeichnet auch die Staatsmöbel des »Style Empire« aus.

Im Gegensatz dazu sind die sogenannten Biedermeiermöbel aus dem vorgegebenen Material, nämlich dem flachen Brett, heraus entwickelt. Das Rechteck gibt die Grundform ab: » ... die Geräte sind ja die Verwandten der Baukunst, etwa ihre Enkel oder Urenkel, und sind aus ihr hervorgegangen. Dies ist so wahr, daß ja auch unsere heutigen Geräte zu unserer heutigen Baukunst gehören. Unsere Zimmer sind wie hohle Würfel oder wie Kisten, und in solchen stehen die geradlinigen und geradflächigen Geräte gut« (Adalbert Stifter, Nachsommer, 1857). Die Analogie zur Wandgestaltung der Epoche ist tatsächlich frappant: Über einer Sockelleiste stehen beim Kastenmöbel die glatten Flächen, nach oben schließen Profile oder Stäbe das Möbel ab, wie das leicht profilierte Gesims eine Wand. Wirkliche Fassadenmöbel sind nur bestimmte Schreibschränke und Vitrinen nach

Architektenentwürfen, die ohne Rücksicht auf den einfachen Kasten, dem die schweren Architekturformen vorgeblendet sind, konzipiert sind. Ein Engländer schreibt kritisch: »We stick a slice of ancient greek Temple to a barn which is called breath & simplicity, than which nothing can be more absurd . . .« (C. R. Cockerell, Diary: nach Watkin, 1974).

Das wesentlichste und eigentümlichste Motiv am Biedermeiermöbel ist das Furnier, welches als Gestaltungsmittel alle anderen Mittel wie Form, Konstruktion und Ornament sich unterwirft. Glanz, Farbe und Struktur der Oberfläche werden als eigener Wert begriffen. Auf Ornamente, welche die Schönheit der großen gemusterten Holzflächen unterbrechen würden, wie Schmuckappliken, Griff- und Schlüssellochbeschläge, Schnitzteile, selbst Intarsien und Marqueterie wird so weit wie möglich verzichtet, um den Maserungsverlauf ungestört zu entwickeln. Die Flächenkunst des Furniers, das wie ein mikroskopischer Schnitt die Eigenart des Holzes erschließt, bestimmt weitgehend den Aufbau des Möbels und macht seine Qualität aus: Man schafft nur solche Oberflächen, die man auch entsprechend der Ausdehnung und Krümmung mit dem Furnier, das nur in bestimmten Größen und Stärken zur Verfügung stand, überziehen konnte. Als im späteren Verlauf maschinengesägte, und bald auch schon geschälte dünnere Furniere zur Verfügung standen, wurden standardisierte Formverfahren entwickelt, um die feine Holzschicht über einen Kern von Blindholz zu ziehen, den man nun in starkem Maße wölben und runden konnte. Diese gezielt gesuchten technischen Voraussetzungen machten die künstlerische Entwicklung nach 1830 möglich, die von schwellenden und stark geschweiften Flächen charakterisiert ist. In den meisten Fällen tritt die Blindholzkonstruktion nicht als »werkgerecht«, »materialecht« oder etwa »funktional« in Erscheinung, sondern bildet ein kompliziertes System von auf Rahmen und Füllung gearbeiteten und gegeneinander versetzten Brettern, das dem Furnier eine verwindungsfeste und ausdehnungsfreie Unterlage, die nicht »arbeitet«, bietet.

Auf die Vorbereitung der Blindhölzer wird äußerste Sorgfalt verwendet, um zu erreichen, daß sie so trocknen, wie es nötig ist, um ein weiteres Arbeiten des Holzes möglichst auszuschließen. Zeitpunkt des Baumschlags, Auslaugen in Flußwasser, Schnittführung im Holzstamm und das Trocknen der gesägten Bretter waren die Bedingungen. Mit neuen technischen Verfahren versuchte man, die lange Trockenzeit abzukürzen und durch verstärkte Ventilation und Behandlung mit Wasserdampf einen früheren Verarbeitungszeitpunkt herbeizuführen. Die Gewerbezeitschriften behandeln ausführlich die verschiedenen Verfahren und neuen Techniken der Trocknung, welche bezwecken, daß die teuren Furnierhölzer von der Tragkonstruktion nicht gesprengt und zerrissen werden.

Die Form des Biedermeiermöbels ist nicht aus der Grundkonstruktion entwickelt, sondern die Furnieroberfläche mit ihren eigenen Bedingungen schiebt sich als Medium zwischen die innere Konstruktion und die äußere Erscheinung. »Materialgerechtigkeit« oder ein einfacher Funktionalismus – »form follows function« – ist hier nicht gewollt. Eher wirkt die Furnieroberfläche wie ein kostbares farbiges Kleid mit einer schöner Materialstruktur, das über den Körper des Möbels geworfen ist und ihn eher verhüllt als offenbart. Man kann sogar sagen, nicht das Brett der Unterkonstruk-

Detail des Schreibschrankes von Jakob Reichelmair, München 1814 (Kat.Nr. 4.2.7.1 mit Farbabb.), Kirschbaum- und Maserholzfurnier, Blindholz Kiefer.

tion macht die Fläche aus, sondern das Furnier bedingt die Fläche. »Diese Art der Empfindung ist also von der einer rein zweckmäßigen, einer banalen »Sachlichkeits«-Kunst sehr verschieden.« (Schmitz, 1923, XXXVIII) Materialgerechtigkeit sah man vielmehr in der Oberflächenerscheinung der schönen Hölzer, die erst im Anschnitt, im Schliff und in der Polierung ihre verborgenen Eigenschaften offenlegten. Farbe, Wuchs, Struktur und Zeichnung der Holzfasern wurden durch das einfallende Licht als Maserungsbild erschlossen, das man in seiner naturhaften eigentümlichen Schönheit bewunderte. Es ist wieder der Maler und Dichter Adalbert Stifter der die Worte dazu liefert: »Sie sind viel schöner (die Furniere) als die ungefähre Malerei ausdeuten kann, mein Pinsel kann noch immer nicht den Glanz und die Zartheit und das Seidenartige der Holzfasern ausdrücken . . .« (Nachsommer 1857). Aber auch die sorgfältige Art und Weise, wie mit dem Furnier im Biedermeier umgegangen wird, kann bezeugen, welch hohe Wertschätzung man den gemaserten Oberflächen entgegenbrachte. Ganz profan und in der Praxis sieht man das an den Rechnungen, in denen von der Form fast nie die äußeren Merkmale vorkommen: »auf drey Schubläden«, »mit 4 Füß«, »mit 2 vorderen schwarzen Stäben« heißt es nur, das Furnier aber wird immer erwähnt und hinzugefügt, daß es »bolidiert«, mit Öl geschliffen oder gebeizt sei. Qualitätvolle Biedermeiermöbel zeichnen sich durch die verschiedensten Techniken der Furnierarbeit aus.

4.2.12.7 Kommode aus Schloß Nymphenburg, München um 1810, Nußbaumfurnier auf Fichte.

4.2.9.3 Chiffonière aus der Münchner Residenz, München um 1810–15, Kirschbaumfurnier und Eschenmaserfurnier auf Fichte.

Dabei sind in aller Regel die Holzblätter so angeordnet, daß der Maserverlauf vertikal als Kontinuum den Korpus überzieht und sich um die Mittelachse spiegelbildlich ergänzt, so daß ein klappsymmetrisches Furnierbild entsteht. Je nachdem, welche Hölzer man wählte und wie über die spezifische Holzfarbe und Faserstruktur hinaus der jedem Holzstamm individuelle Wuchs verläuft, ergeben sich charakteristische, individuelle und unterschiedliche Furnierbilder. Homogene Flächen erzielte man mit feinmaserigem Holz wie langsam gewachsenem Kirschbaumholz, kleinstrukturiertem Birnbaumholz, das auch geschwärzt vorkommt, oder – wenn man es sich irgend leisten konnte – mit Mahagonifurnieren. Mit langfaserigen stark gestreiften oder gewellten Hölzern von Mahagoni, Kirschbaum, Esche, später Nußbaum, konnte man symmetrische ausdrucksvolle Bilder anordnen, wie Fontänen oder Pyramiden, die sich in dem strähnigen Faserverlauf plastisch abzuzeichnen schienen. Sind jedoch unregelmäßig gewachsene, gerundete Astansätze einbezogen, bilden sich an der Oberfläche figürliche Konturen, die durch das Hell-Dunkel aussehen wie dunkle Gestalten. Diese phantastischen klappsymmetrischen Gebilde, in denen oft Astansätze wie Augen stehen, wurden allem Anschein nach bewußt gestaltet. Kommoden etwa im Besitz des Stadtmuseums mit einer Furnierzeichnung, die Schmetterlingen ähnelt, sind am Schlüsselloch mit Intarsien verziert, welche in dunklem Holz das Schmetterlingsmotiv wiederholen (vgl. Kat.Nr. 4.2.11.3).
Noch während der Zeit des Biedermeier entwickelte der Arzt, Okkulist und Literat Justinus Kerner (1786–1862) den 1857 publizierten Begriff der »Klecksographie«. Das sind zufällig durch Falten eines Papiers über die Mitte eines Tintenkleckses entstandene Gebilde, deren Ausdeutung der subjektiven Phantasie überlassen blieb, die hier Gestalten, Gesichter, Figuren hineinsah. »Oft den Klecksographer prellen/ Schwarze Geister durchs Verstellen,/ wechseln oftmals die Gestalten,/ Sie für andere zu halten, . . .« (J. Kerner, Höllenbilder, in: Die Klecksographie, 1857). Diese projektiven Verfahren wurden später zum Rorschach-Test der modernen Psychologie weiterentwickelt. Es gibt Möbel, die

als Furnierfläche oder als Furnierfeld intensiv gemaserte Hölzer zeigen, in denen deutlich solche figürlichen »Klecksographien« durch spiegelbildliche Zusammensetzung herausgearbeitet worden sind und Köpfe, Gestalten, Augen und Fratzen aufweisen, welche als die phantastischen Wesen erscheinen, die man hineinsieht. »Bemerkenswert ist, daß solche sehr oft den Typus längst vergangener Zeiten aus der Kindheit alter Völker tragen, wie zum Beispiel Götzenbilder, Urnen, Mumien usw. Das Menschenbild wie das Tierbild tritt da in den verschiedenen Gestalten aus den Klecksen hervor, besonders häufig das Gerippe des Menschen. Wo die Phantasie nicht ausreicht, kann manchmal mit ein paar Federzügen nachgeholfen werden, da der Haupttypus meistens gegeben ist . . . Bemerkt muß werden, daß man nie das, was man gern möchte, hervorbringen kann und oft das Gegenteil von dem entsteht, was man erwartet.« (J. Kerner, Vorrede, in: Die Klecksographie, 1857.) Bei Nußbaummöbeln der zwanziger und dreißiger Jahre begegnet man solchen Furniergemälden des öfteren. In derselben Zeit wurde Nußbaummaserungen auch mit schwarzer Farbe nachgeholfen, um zu einer besonders interessanten und ausdrucksstarken Zeichnung des Holzes zu kommen.
Eine andere Vorliebe dieser Epoche gilt den stark strukturierten Furnieren, die entweder schimmernde Wellen und Lichter aufweisen, wie Birkenholz, Ahorn und Esche, oder die flammende kleinteilige Zeichnung des Wurzelmaserholzes. Mit diesem nur schwer in Furnierblätter zu sägenden äußerst harten Holz der Wurzelknollen verschiedener Bäume wird ein ganz besonderer Kult getrieben. Während es im 18. Jahrhundert nur möglich war, kleine Stücke und schmale Streifen für Intarsien zu verwenden, erlauben jetzt die mit Wasser- und Dampfkraft getriebenen mechanischen

4.2.11.3 Kommode mit Schmetterlingsmotiven, Aschaffenburg um 1815, Kirschbaum- und Nußbaumfurnier auf Fichte und Eiche.

Kreis- und Bandsägen, größere Furnierflächen aus diesem zähen Holz zu schneiden. Mit großem Eifer suchte man die verwachsenen alten Wurzelknollen aufzufinden, welche das Material hergaben; wenn es sich nicht in ausreichender Menge und Qualität fand, verkrüppelte man die Bäume, um dieses begehrte Rohmaterial zu gewinnen. Von solchen Baumplantagen des französischen Ebenisten Jean-Jacques Werner wird berichtet (D. Ledoux-Lebard 1984, 627). In Stifters Erzählung »Nachsommer« bekommt ein Besucher eine Pflanzung in einer künstlich angelegten Sumpfwiese gezeigt, die dazu dient, das seltene Holz für einen Schreinerbetrieb zu gewinnen: »Wenn Ihr näher herzutretet, werdet Ihr sehen, daß diese Schößlinge aus dicken Blöcken, gleichsam aus Knollen und Höckern von Holz hervorwachsen, welches Holz teils über der Erde ist, teils in dem feuchten Boden derselben steckt . . . (es) entsteht ein solches Verwinden und Drehen der Fasern und Rinden, daß, wenn man einen solchen Block auseinandersägt und die Sägefläche glättet, sich die schönste Gestaltung von Farbe und Zeichnung in Ringen, Flammen und allerlei Schlangenzügen darstellt, daß diese Gattung Erlenholz sehr gesucht für Schreinerarbeiten und sehr kostbar ist. Da fand ich, der ich damals im Erkennen des Holzes schon mehrere Übung hatte, daß diese Blöcke zu den schönsten gehören, die bestehen, und daß die feurige Farbe und der weiche, seidenartige Glanz des Holzes, auf welche Dinge man besonders das Augenmerk richtet, kaum ihresgleichen haben dürften.« (Kapitel »Der Abschied«). Aufwendige Möbel bestehen häufig ganz aus Wurzelmaserholz. Sonst verwendete man das kostbare Material für Innenauskleidungen von Schreibfächern oder hervorgehoben an Gesimsen und Profilen. Die Kenntnis der damals so geschätzten Wurzelmaserfurniere ist heute nicht sehr weit entwickelt und die Holzart wird gewöhnlich auf Thujamaser, selten auf Pappelmaser bestimmt, aber, wie Inventare und auch schriftliche Quellen bezeugen, wurden noch viele andere Wurzelmaserhölzer verwendet.

Den Reiz des starken Oberflächenglanzes und der durchgezeichneten Materialstruktur hat eine große ungeteilte Furnierfläche gemeinsam mit der eigentümlichen Schönheit von

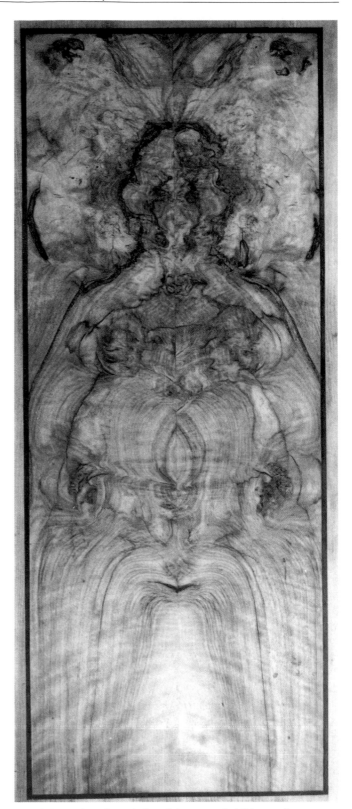

Detail eines Schrankes mit figürlichem Furnierbild, München um 1820, Privatbesitz.

Seide und Marmor, den beiden anderen Materialien, welche die ideale Einrichtung ausmachten. Im Biedermeier, als die Not der über fünfzehnjährigen Kriegszeit noch nicht ausgeglichen war und die technischen Erfindungen noch keine wirtschaftliche Umsetzung gefunden hatten, waren viele Abstriche nötig, um das Raumideal in die Realität umzusetzen und finanzierbar zu machen. Für die Wandgliederung wurden bereits Ersatztechniken durch Anstriche und Tapetenstreifen erwähnt, und auch bei den Möbeln waren solche Ersatztechniken nötig. Nicht verschwenderischer Überfluß einer Luxuskunst wird damals gezeigt, sondern das ehrliche Auskommen mit dem Gegebenen. Statt einer Aesthetik der Verschwendung findet sich die Aesthetik des Haushaltens im oekonomischen Einsatz der Mittel, um das erstrebte Erscheinungsbild zu erreichen. Die Lektüre der polytechnischen Journale und Rechnungen macht deutlich, daß man Ton und Materialbeschaffenheit des Mahagonis und anderer exotischer Hölzer über alles schätzte. Nur hatte man es meist nicht. Durch den lange anhaltenden Handelsboykott zwischen England und Frankreich, die Kontinentalsperre von 1806–1814, kam es zu einem Erliegen aller überseeischen Importe und eine Beeinträchtigung der wirtschaftlichen Beziehungen für die folgende Epoche, so daß man sich also mit einheimischen, sogenannten »indigenen« Hölzern behelfen mußte. Die Gewerbezeitungen bringen fortwährend neue »zuverlässige« Rezepte, wie durch Kochen mit Campecheholz, Einfärben, Beizen oder roten Polituren einfacher Hölzer in Mahagoniholz verwandelt werden können. Durch die Behandlung mit Öl, das tief in die Oberfläche eindrang, versuchten die Schreiner, Glanz und Maserungsintensität der exotischen Hölzer zu erreichen. Die Schellackpolituren, die sich seit Anfang des 19. Jahrhunderts zur Oberflächenveredelung durchsetzten, haben einen leichten Bräunungseffekt, die tieferen Schichten des Holzes lassen das Licht reflektieren und bringen so Maserung und Farbe zur besten Geltung. Da diese Färbungen und auch das Öl mit der Zeit verbleichen und sich verflüchtigen, ist die Annahme erlaubt, daß viele helle Möbel ursprünglich ein anderes starkfarbiges Aussehen hatten. Dunkelpolierte Nußbaummöbel können den Mahagoniton am längsten halten und sehen Mahagonimöbeln bisweilen zum Verwechseln ähnlich. Das zehn- bis zwanzigfach teurere Mahagoni und später oder in kleinen Mengen auch die anderen exotischen Hölzer wurden bis etwa 1830 bisweilen in München verarbeitet, wie auch aus den Gewerbezeitungen und den Hofrechnungen zu erkennen ist. Aber dies blieb immer eine ganz besondere Sache und erzielte höhere Preise. Eine merkantilistische und national orientierte Politik der Gewerbeförderung lobt in den Publikationen jedesmal die Verwendung einheimischer Hölzer, um von den teureren Importen loszukommen, die negativ auf die Außenhandelsbilanz schlugen.

Ganz ähnlich stand es um die extrem teuren feuervergoldeten Beschläge, die meist teurer waren als das Möbelstück, an dem sie zur Anwendung kamen. Man behalf sich damit, sie selbst herzustellen, statt sie aus Paris zu importieren. Die eigene Spezialausführung einer vergoldeten Bronzearbeit kam aber nur wenig günstiger als der Import, deswegen wichen Handwerker und Kunden auf unvergoldete Messinggüsse aus, dann auch auf ölvergoldete Zinngüsse, um zu Appliken zu kommen. Häufiger ist als Ersatztechnik die Ausführung mit vergoldeten und patinierten geschnitztem

Holz oder auch gehärtetem Papiermaché. Ein weiteres Ersatzverfahren sind die aus hauchdünnem Messingblech mechanisch gepreßten oder mit der Hand in eine Negativform gedrückten Beschläge, welche damals gebräuchlich waren. Am häufigsten aber ist der völlige Verzicht auf Beschläge aller Art. Schubladen und Türen besitzen oft keine Griffe und Handhaben, sondern können nur am eingesteckten Schlüssel oder der Unterkante der Schublade aufgezogen werden. Dieser gewollte Zustand, der die Furnierfläche nicht stört, wurde allerdings später häufig durch Aufnageln und Aufschrauben von Griffen, Knäufen und Schlüsselbeschlägen verändert, um ein praktischeres und reicher aussehendes Möbel vorzutäuschen.

Mehr als alle technischen Verbesserungen greift die beginnende Anonymität von Herstellung und Verkauf in die überlieferten Handwerksstrukturen ein. Meist waren Biedermeiermöbel Fertigmöbel, die vom Schreiner selbst oder seltener von privilegierten Händlern und den neuen Möbelmagazinen, die auch Kataloge verschickten, verkauft wurden. Die Produktionsform auf Vorrat und diese Vertriebsform bedingten eine Standardisierung der äußeren Form. Es sind eben keine Möbel mit individuellen Charakteristika und ausgeprägten Merkmalen, die auf persönliche Wünsche oder Eigentümlichkeiten eines Aufftraggebers Rücksicht nehmen. Bei den geltenden ästhetischen Vorstellungen und gesellschaftlichen Konventionen, die eine einheitliche Garnitur nach Holzsorte und Formbildung verlangten, war es notwendig für den Verkauf eines Möbels, eine Normierung oder eine »Passepartoutqualität« zu erzielen, die es möglichst vielen potentiellen Kunden möglich machte, ein solches standardisiertes Möbel oder eine solche Möbelgruppe zu erwerben und den bereits vorhandenen Stücken ohne Stilbruch beizufügen. Dazu bedurfte es der Einschränkung auf Grundmuster und wenige Holzarten. Diese Reduzierung der Eigenschaften bedingte über die Vereinheitlichung des Erscheinungsbildes, einen Klassizismus jenseits der Stilentwicklung. Die gültigen Formen dieser Konfektionsmöbel und die kanonischen Hölzer, Kirschbaum, Nußbaum, Mahagoni bleiben über lange Zeit festgeschrieben.

Die langsam aufblühende wirtschaftliche Entwicklung nach 1830 mit der wachsenden Bedeutung von Großbetrieben, wie der Dannhauser'schen Fabrik in Wien oder den Mainzer Fabriken Knussmann, Bembé und Kimbel macht in der historisierenden Spätphase des Biedermeiers eine modisch bestimmte Aufspaltung der Stile und eine Diversifizierung der Formen möglich, die dann, vermittelt durch Vorlagewerke, für die Verbreitung der neuen Tendenzen sorgen. Der Spätstil der Biedermeierepoche wird charakterisiert durch die Aufnahme historischer Motive aus dem Repertoire der barocken und mittelalterlichen Stile. Dabei ändert sich die Grundstruktur der Möbel vorerst nicht, sondern der gradlinige Aufbau wird mit überreichen Intarsien, Schnitzformen, Aufsätzen, Bekrönungsmotiven, Ausformungen und Appliken besetzt, die das Erscheinungsbild vom Schreinermöbel zum Bildschnitzermöbel hin wandeln. Häufig sind es schon die maschinell geschnittenen Profile, gedrechselten Stäbe und gewellten Leisten, die das Äußere des Möbels bestimmen.

Bisher hat man diese kompositen Möbel, bei denen oft die augenfällig historisierenden Ornamente dominieren, aufgrund der Vorstellung einer linearen Abfolge der Stilentwicklung in die Jahre von 1845 bis 1860 datiert. Hier haben die bemerkenswerten und konkreten Forschungen zu den Mainzer Biedermeiermöbeln überraschend Klarheit geschaffen und deutlich gezeigt, daß der Kompositstil bereits von 1835 an vorherrscht und auch für die Spätphase des Biedermeier mit einer Vordatierung um 15 Jahre gegenüber dem üblichen Verfahren zu rechnen ist. Ein weiteres Plädoyer für eine Frühdatierung des »Biedermeier« findet sich in einem Aufsatz über Pyramidensekretäre, die herkömmlich auf 1820–1830 geschoben werden, aber eng mit der Übernahme der sogenannten Revolutionsarchitektur durch Gilly und Gentz verbunden sind und wohl der Zeit um 1810 zugeordnet werden müssen (Faber, 1985, 62–66).

Nach der wirtschaftlichen Absatzkrise infolge Mißernte und Hungersnot 1846, der politischen Neuorentierung 1848 und durch die neuen Anregungen auf der Weltausstellung 1851 in London kommt es in der zweiten Jahrhunderthälfte zu einer Unterbrechung der Produktion, dann aber zu einer Verfestigung der nun akademisch korrekten Historismen und der Entwicklung neuer Materialien und Technologien, der die Kapitalkraft eines erstarkten Bürgertums oder besser der neuen »Bourgeoisie« zur Verfügung steht.

Bei der traditionellen Datierung von Biedermeiermöbeln oder besser von Möbeln des Klassizismus in der ersten Hälfte des 19. Jahrhunderts hat sich eine merkwürdige Masseverschiebung ergeben. Während die ersten zwanzig Jahre von 1800 auf 1820 nahezu ohne Ausstattung bleiben, massieren sich die Datierungen in die Jahre von 1820–1835, dem »eigentlichen« Biedermeier, um dann von 1835 – 1850 wieder ein Vakuum anzunehmen. Diese Datierungskonzentration steht im eklatanten Widerspruch zu dem allgemeinen Konjunkturverlauf, der für 1820 bis 1830 von einer Absatzkrise gekennzeichnet ist, die von vielen Firmenbankrotten begleitet wird (Zorn, AK WB III/1, 1980, 286–7, Abel 1974, 344–351).

Zylinderbüro aus Schloß Aschaffenburg, wohl Mainz um 1805, Kirschbaumfurnier auf Buche und Fichte.

Die Herleitung der Biedermeiermöbel

Als Justin Bertuch 1786 in Weimar das erste Heft seines »Journal des Luxus und der Moden« herausgab, schrieb er programmatisch: »Ein Meuble muß einfach und schön von Form sein, bequem und zweckmäßig zum Gebrauch, dauerhaft und sauber gearbeitet, und gut von Material sein, wenn man es für vollkommen erkennen soll. Das englische Ameublement, hat fast durchaus den Charakter, daß es solid und zweckmäßig ist; das französische ist leichter von Gehalt, mehr komponiert und in die Augen fallender . . . aber England wird doch sicher noch lange Zeit Gesetzgeber des Geschmacks in diesem Fache für ganz Europa bleiben« (41). England wurde nicht so sehr durch importierte Möbelstücke zum Vorbild, welche auf den Kontinent gelangten, als durch seine Vorlagewerke, die rasche Verbreitung, Aufnahme und Nachfolge fanden. Besonders die Stiche der Möbelentwerfer Georges Hepplewhite (gest. 1786) und Thomas Sheraton (1751–1806) hinterließen bis weit ins 19. Jahrhundert durch sinnfällige Vereinfachung des Aufbaus und technisches Raffinement der Erfindung bei den Verwandlungsmöbeln bleibenden Eindruck. Die Möbelentwürfe werden immer wieder kopiert und im Nachstich verbreitet, was zu einer zunehmend linearen Vereinfachung des Aufbaus führt. Die sogenannten »englischen« Möbel des späten 18. Jahrhunderts, die auch in Frankreich in Zusammenhang mit dem

Strohfeuer einer Englandmode, – der »Anglomanie« –, in den 80er Jahren entstanden, sind charakterisiert durch gerade Linienführung, flächige Formen und sparsames Ornament. Das Mahagoni- oder »satin-wood«-furnier kommt ungestört zur Geltung und nur wenige Profile und Beschläge in feuervergoldeter Bronze sind zur Abgrenzung und Betonung des architektonischen Aufbaus vorgesetzt. Denkt man sich diese nur aufgenagelten Appliken aber fort, steht häufig das Biedermeiermöbel nach Typ und Form in seiner Grundstruktur da. Es ist kein Zufall, daß diese Pariser Möbel fast sämtlich Arbeiten deutscher Ebenisten sind, die sich aus dem wirtschaftlich armen Deutschen Reich in die luxusstrotzende französische Metropole begeben hatten und den »goût anglais« nachgerade monopolisierten. Namen wie Molitor (Müller), Beneman, Weisweiler, Roentgen, Riesener, Oeben, die es zu Rang und Ansehen brachten, stehen für andere, die untergingen oder nur als namenlose Gesellen in den Pariser Werkstätten arbeiteten. Infolge des finanziellen Ruins, den die französische Revolution nach sich zog, dürfte die Rückwanderung deutscher Gesellen in die Heimat nicht ohne Folgen geblieben sein.

Das Fortleben des vorrevolutionären »englischen Stils« macht sich in Deutschland um 1800 an verschiedenen Stellen bemerkbar. So im Schlößchen Paretz, das für Königin Luise nach Entwürfen von Friedrich Gilly bei Berlin entsteht, bei den Einrichtungen von Gentz für den Weimarer Hof und den Möbeln, die für Herzog Wilhelm von Birkenfeld-Zweibrücken für seine Residenz in Landshut und sein Palais in München entstehen. Diese für deutsche Höfe gefertigten Einrichtungen und Möbel drücken insgesamt eine neue Hal-

4.2.7.3 Etagére, Anton Bembé, Mainz 1836, Nußbaumfurnier auf Eiche

tung aus. Statt des französischen »bon chère«, des ostentativen Einsatz aller Materialien, die sichtbar selten, kostbar und teuer sind, findet sich in diesem Übergangsstil zwischen dem in Deutschland weit verbreiteten Frühklassizismus oder »Zopfstil« und dem »Biedermeier« eine bewußte Zurücknahme repräsentativer Ausdrucksformen und der Verwendung aufwendig zu beschaffender Materialien. Dieser einfache Stil kommt in aller Regel im Kontext einer von England geprägten Kultur vor, die mit Landschaftsgärten, Gefühlskult und Zitaten aus englischer Kunst und Kultur verbunden ist. Souvenirs, Tee im Wedgwood Geschirr, Ganzfigurenporträt im Park, sentimentaler Roman, Frack und Zylinder sind die Paraphernalia einer Englandmode, die als neuer Stil der Schlichtheit, Einfachheit und Natürlichkeit ganz Europa ergreift, wobei die Vermittlung der Vorbilder selten direkt erfolgt, sondern zwischen Spanien und Leningrad, Stockholm und Neapel die merkwürdigsten Umwege und Krebsgänge geht. Bevor das Unheil des Nationalismus ausbrach, war die europäische Gesellschaft so beweglich und international wie dann lange nicht mehr. Die Kriege zwischen England und Frankreich und dessen Verbündeten 1799–1802, 1805, 1806–1807, 1809–1814 und 1815 dividierten Europa auseinander und warfen es auf nationale Entwicklungen zurück, die jedoch immer den Keim jener fruchtbaren Epoche unmittelbar vor der französischen Revolution in sich tragen und Stile der Zeit um 1785 aufgreifen, weiterentwickeln oder konservieren.

Alle Möbeltypen des Biedermeier nehmen zusammen mit bestimmten Formen des Umgangs und geselligen Zusammenlebens ihren Ursprung im »englischen« Stil. Patentsekretär, Kanapee, runder Sofatisch, Etagère, Stuhl mit durchbrochener Rückenlehne, Kastenmöbel ohne Mamorplatte, Mahagonimöbel, ungeschmückte Furniermöbel und so fort zeugen davon. Die Zeit der großen pompösen und geschlossenen Garnituren ist vorbei, denn kleine Gruppen von zueinander passenden Möbeln kommen dem neuen Lebensgefühl ungleich näher. Statt in großen hierarchisch gegliederten Gesellschaften trifft man sich nun im kleinen intimen Freundeskreis der Gleichgesinnten. Adalbert Stifters Vorstellung vom Wohnen regieren manische Ordnungsphantasien und die bescheidene Sehnsucht nach Klarheit: »Ich möchte eine Wohnung von zwei großen Zimmern haben, mit wohlgebohnten Fußböden, auf denen kein Stäubchen liegt; sanft grüne oder perlgraue Wände, daran neues Gerät edel massiv, antik einfach, scharfkantig und glänzend; seidene graue Fenstervorhänge, wie mattgeschliffenes Glas in kleinen Falten gespannt und von seitwärts gegen die Mitte zu ziehen«. (24.4.1834 Studien.) Was als Stil der Not und aufgelegten Bescheidenheit begann und sich retrospektiv an den letzten Positionen des ausgehenden 18. Jahrhunderts orientierte, das wurde durch einen Prozeß der Verinnerlichung und zunehmenden Identifizierung mit den äußeren Umständen zu einer bewußt vorgetragenen und ausformulierten These der gesuchten Bescheidenheit und nüchternen Sachlichkeit, die auch als ästhetische und moralische Tugenden begriffen werden.

Vom goldenen Zeitalter

Der Zugang zum Biedermeier bleibt weitgehend von den Ideen verstellt, die im »Zweiten Biedermeier« um 1900

formuliert und ausgestaltet wurden und den Blick auf die Wirklichkeit der Epoche 1815 bis 1848 bis heute verunklären.

Alle kritischen und präzisen Darstellungen – und dazu darf man die großen Biedermeierdarstellungen von Max von Boehn, Eugen Kalkschmidt, Günter Böhmer und Willi Geismaier rechnen, haben daran nichts ändern können. Zu groß war die Magie der nostalgischen Zeichnungen und Bilder von Spitzweg, Richter, Schwind, die Sehnsucht nach jener stillen, beschaulichen, durchsonnten Welt weckten, welche abseits von Störungen und Hektik, verursacht durch die neuen Techniken und bedrohlichen Industrien der Massengesellschaft, lag. Übermächtig bleibt auch gewiß in Zukunft das Heimweh nach dem verlorenen Paradies, einem Leben in Einklang mit der Natur, von dem die späteren Epochen durch den Grabenbruch der technischen Zivilisation und die Bevölkerungsexplosion nach 1850 getrennt sind. Alle Nachrichten über politische Unterdrückung und Unfreiheit, seuchenhafte Krankheiten und frühen Tod, wirtschaftliches Elend und soziale Not der Knappheitsgesellschaft vermögen nicht das projezierte Bild der letzten vortechnischen Zeiten zu trüben, als Landschaft, Wälder, Flüsse, Seen, Dörfer und Städte noch ein unzerstörtes, heiles Gesicht zeigten. Diese alles überragende Qualität macht das meiste an der Liebe zum Biedermeier aus, welche durch das Aufrechnen aller Fehler und Nöte kaum getrübt werden kann. Der große Zeitenbruch um 1850 wird im Gegenbild begriffen, das vom Biedermeier überliefert ist, und an dem aller Schriftstellerei und Geschichtsschreibung zum Trotz ausdauernd im Bewußtsein festgehalten wird, wie an einem Erbe, das endgültig verloren ist, aber einem eigentlich zusteht.

Die Vorstellungen von Biedermeier haben sich festgefressen. Jeder hat sein eigenes Biedermeier, über das zu reden und schreiben nichts ändern kann.

Allerdings bleibt das Biedermeier, was die Kunden der Möbel- und Kunstobjekte angeht, seinem Ursprung merkwürdig treu und bleibt auf die Schicht der Bildungsbürger, höheren Beamten und gutverdienenden Intellektuellen beschränkt, die als Klassen in eben dieser Zeit ihren sozialen Aufstieg erlebten und sich zu emanzipieren verstanden. Das Preisniveau der gut erhaltenen Möbel und Einrichtungen war stets so hoch, daß, bis auf die Epoche von 1850 bis 1890, die hohen Preise, die verlangt und auch bezahlt wurden, Biedermeier immer zu einem elitären Stil machten.

Andere Teile des Bürgertums haben mit demselben Gefühl für die Magie des Archetypischen allerdings die Gründerzeit als ihren »Omastil« adoptiert, der ihnen die gute alte Zeit wiederzubringen verspricht, Anciennität und Herkommen vorgaukelt. Die Flohmärkte haben Hochkonjunktur: »An dem Sammelsurium, das hier gesucht und gefunden wird, läßt sich ablesen, mit welchen Empfindungen von Verlust die Enkel des Bauhauses den Rechnungsbetrag für den Fortschritt zahlen. Noch der armseligste Zierrat muß herhalten, die Gehäuse einer ihr selbst überdrüssigen Moderne mit Vertraulichkeit aufzufüllen . . . Die Müdigkeit am Neuen zählt zu den Erkennungszeichen der Epoche«. (Jobst Siedler, Der lange Weg in die Häßlichkeit, in: FAZ 26.2.1983.) Die konservative oder nostalgische Pseudoidylle des bürgerlichen Stilzimmers und der Kult des Biedermeier sagt aber nichts über den Stil selbst aus, sondern gehört allein zu seiner Rezeptionsgeschichte.

Biedermeier ist ein klarer Epochenbegriff, um den Zeitab-

4.4.42 Dame vor dem Spiegel, Ferdinand Freiherr v. Lütgendorff-Leinburg, 1834, Würzburg, Städtische Galerie

schnitt von 1815 bis 1848 zu bezeichnen, aber als Stilbegriff ein Irrlicht: Einmal nimmt das Wort die Bedeutung eines Zeitstils mit der gleichen Dauer wie der Epochenbegriff an und schließt die Vorstellung einer bürgerlichen Idylle mit ein, dann wieder ist Biedermeier aber eine eingeengte kunsthistorische Stilbezeichnung, die nur auf nach stilistischen Kriterien datierte Möbel von 1815–1830 bezogen ist.

Die deutsche Kunstgeschichte aber ist in der Regel noch nicht zu den Inventaren und Rechnungen vorgestoßen, die von der trivialen Wirklichkeit Zeugnis ablegen, sondern beschränkt sich darauf, die Begriffe und Stile auszudeuten. Man ordnet die Dinge den Vorstellungen zu, die sich im Falle des »Biedermeier«-Begriffs zu einer Philosophie entwickelt haben, die kaum nach den Grundlagen und den historischen und materiellen Bedingungen fragt. Hinter der englischen und französischen Inventarforschung ist Deutschland um Jahrzehnte zurück.

Das Klischee eines neuen bürgerlichen Stils nach den Tugendbegriffen einer erstarkten Klasse, nämlich solide, einfach, ordentlich und sparsam in Verknüpfung mit einer politischen Wertung, beruht auf einer Fehleinschätzung von Ursprung und Entwicklung des »Biedermeier«. Die frühe Verbreitung des »Biedermeier« in Residenzen und Höfen lange vor 1815 ist zu offensichtlich, um diese Lehrmeinung der Kunstgeschichte mit Ausschließlichkeit fortzuführen. Mit den gleichzeitig gebrauchten Stilen des repräsentativen Spätklassizismus oder »Style Empire«, Formen der Neurenaissance, Neugotik und dem frühen Neubarock teilt sich das sogenannte Biedermeier Verbreitung und Geltungsdauer. Eine lineare Erklärung, die bestimmt, was zuerst und was danach kommt, muß notwendig für diese Zeit konträrer Legitimationsstile in die Irre führen. Eine Darstellung paralleler und untereinander vernetzter klassizistischer und historischer Stile, die sich wechselweise beeinflussen und bewußt widersprechen, ist sicherlich ein schwieriges und komplizertes, aber ein notwendiges Unterfangen.

Am problematischsten bleibt, daß der ausgeweitete und zugleich eingeengte »Biedermeier«-Begriff die Wertung und Betrachtung einer ganzen Epoche verstellt und eine Zeit scharfer Diskussion und einander entgegengesetzter Leitbilder zu einer ruhig dahinfließenden, ereignislosen, stillen, aber stilvollen Epoche vernebelt. Immer noch bleibt dem »Biedermeier« das anhaften, was bei der ersten Formulierung 1855 im Rückblick auf die eben vergangene Epoche gemeint war, nämlich die noch geltende Vorstellung von einem universalen Kulturbegriff. Er birgt zwar unausweichlich das Moment des Dilettantismus in sich, die Abkehr

davon aber führte zu einer heillosen Zersplitterung im Spezialistentum, das niemandem mehr etwas zu sagen hat. Die vergebliche Vertrautheit mit den Motiven und Regeln der Kunst, die Annahme, auch der Wohlmeinende könne, wenn er nur wolle, an Kultur mitschaffen, wird aus dem Biedermeier überliefert und zeichnet die Kunstprodukte mit den gemeinsamen Kennzeichen der versuchten, aber verunglückten Idylle aus.

Die Idylle ist das Bild von einer vorgeblich naturhaften und einfachen Kultur, welches einer von Grund auf verdorbenen und von der Zivilisation zerstörten Gegenwart zur Mahnung vorgehalten wird. »Kennzeichnend bleibt die Ausrichtung nach einem idealen unschuldsvollen Zustand (goldenes Zeitalter) und patriarchalischen Verhältnissen sowie das Auftreten weniger, meist vorbildlicher einfacher Charaktere«, so im Brockhaus. Doch die Idylle im Biedermeier und die Idylle vom Biedermeier zeigt immer wieder und allerorten Sprünge, durch welche die widersprüchliche Wirklichkeit hindurchscheint. Einen spöttischen Gegenzug, ein Stück Ironie, das alles in Frage stellt, können die Kunstwerke des Biedermeier nicht ablegen und werden dadurch charakterisiert.

Gilt das Wort von Horace Walpole »No fashion is meant to last longer than a lover« (1766, Briefe), dann ist man in Deutschland im frühen 19. Jahrhundert die lebenslange Ehe mit einer Mentalität und einem Stil eingegangen, der noch an Enkeln und Nachfahren Wirkung und Geltung beweist. Es mehren sich die Zeichen, daß auch die Gegenwart Züge eines deutschen Stillebens oder eines »Biedermeier mit Raketen« (Stern 1987) aufweist. Dies mag rechtfertigen, daß diese Ausstellung die Idylle zu stören sucht, indem sie das »Biedermeier« in seinen historischen Bedeutungen und gesellschaftlichen Bedingungen nachzeichnet und vom ewigen Biedermeier abzugrenzen trachtet. So heißt es schon 1855 (Fliegende Blätter, Vorrede zu: Auserlesene Gedichte von Weiland Gottlieb Biedermeier, Bd. 21, Nr. 493, 102) abgrenzend, aber nicht abschließend: »Es darf wohl von einer Ideenwelt Akt genommen werden, welcher heute auch der Philister zu entwachsen beginnt, dessen Weltanschauung aber der Boden gewesen ist, worauf jene Erzeugnisse gedeihen konnten. Aber auch dieser Boden hat die edlen Saamenkörner der »Poesie« zu eigenthümlicher Reife gebracht und eine Art Nadelholzbäume getrieben, unter deren traulichem Schatten selbst der modernere Mensch vorübergehend Erquickung findet. Das Verständnis gedachter Welt zu erleichtern, ihre friedlichen Gestalten und Spielräume zu veranschaulichen, taugt wohl für das Gebiet unserer Illustrationen.«

4.5.6 Ein Hofdurchgang am Rindermarkt, Peter Ellmer, München 1836

Biedermeiers Nachlaß – Untersuchungen von Münchner Nachlaßinventaren in der ersten Hälfte des 19. Jahrhunderts

Irmengard Wimmer

»Geborgenheit, Frieden, Bratäpfel in der Ofenröhre« (Böhmer 1968, 7). Ein trauliches Familienleben in behaglichen, bequem möblierten eigenen vier Wänden. Diese Vorstellungen verbindet man heute noch weitgehend mit dem Bild des Bürgers aus der ersten Hälfte des 19. Jahrhunderts, einer Epoche, deren politische, wirtschaftliche und soziale Spannungen mit dem verharmlosenden Begriff »Biedermeier« überdeckt worden ist.

Eine reichausgestattete Wohnidylle unter anderem mit Mobiliar aus edlen Hölzern, ist wohl damals (wie heute) nur gehobenen Kreisen, wie Adel, Geistlichkeit, höherer Beamtenschaft und einem vermögenden Bürgertum möglich gewesen. Jedoch könnte man, aufgrund der landläufigen Vorstellungen von einem biedermeierlichen Haushalt, auch in den Wohnräumen der minder bemittelten Schichten zumindest eine gemütliche Mobilierung vermuten.

Das Nachlaßinventar bietet wie kaum eine andere historische Quelle »rücksichtslose Offenheit« in der häuslichen und wirtschaftlichen Existenz eines Haushalts, »die in zu anderen Zwecken aufgestellten Inventaren oder z.B. auch in Testamenten sorgfältig versteckt oder doch verschleiert wird« (Striedinger 1899, 102). So bietet das Nachlaßinventar genauen Einblick in den Haushalt der Biedermeierzeit, sein Mobiliar, seine Ausstattung mit Gebrauchs- und Luxusgegenständen.

Folgende, von der wohlsituierten Bürgerin bis zur armen Magd reichenden Beispiele von Nachlaßinventaren sollen in Schlaglichtern das Mobiliar des biedermeierlichen Menschen in München erhellen und zeigen, inwieweit die pauschale Vorstellung einer reichmöblierten Wohnidylle für die Zeit des Biedermeiers zutreffend ist.

Als erstes Beispiel fungiert das 168 Seiten umfassende Nachlaßverzeichnis der wohlhabenden »Landes-Direktions-Raths-Wittwe Frau Franziska Romana von Köhln (Kölln), wohnhaft Fürstenstr. 6 vor dem Schwabingerthor in ihrer eigenen Behausung...« (StaatAM, AG München NR 1816/9/Lit. K). Der Wert der Haushaltsgegenstände ist mit 7995 fl beziffert und so zeigt im Rahmen dieses Aufsatzes das Köhlnsche Inventar die wertvollste Haushaltsausstattung. Auffällig an dieser Haushaltsauflistung ist jedoch die im Verhältnis zu Geschirr und Textilprodukten kleine Anzahl von Möbelstücken, deren Geldwert den 8. Teil der gesamten »Effektensumme« (Geldsumme der Gegenstände) einnimmt. Gemäß Nachlaßinventar muß das Anwesen in der Fürstenstraße 3 Wohngebäude umfaßt haben. Da die Auflistung der Gegenstände nur teilweise nach Zimmern geschehen ist, läßt sich die Anzahl der Räume und somit die Dichte der Möblierung nicht genau feststellen. Folgende Verzeichnisse der am reichsten möblierten Zimmer in 2 von 3 Gebäuden sollen Einblick in den Wohnkomfort der Ratswitwe geben:

ordinaire Wohnzimmer (Im Vorderhaus)

1 nußbaumener Aufsatzkasten	17 fl 40 kr
1 Schublade mit 6 Paar Kaffeeschalln u.a.	1 fl 27 kr
1 Schublade mit Bildern u.a.	35 kr
1 schwarz manschestene Hose u.a. ...	1 fl 45 kr
1 brauner Kasten	1 fl 10 kr
1 Korb mit Schachteln	27 kr
7 Vorhänge ...	2 fl 37 kr
6 grüne tuchene Sesseln mit gelben Bändern	14 fl
2 Fensterkißen	1 fl 32 kr
1 Schlaf- 2 ordinaire Sesseln u. 1 Hockerl mit grünem Tuch	6 fl 3 kr
6 Sesseln mit blauem Tuch	6 fl 3 kr
13 Fensterstangln	3 fl 3 kr
1 messingene Pfañe und anderes Eisenwerk ...	6 fl
Erdenes Küchengeschirr	32 kr
1 Aufwarttischel	1 fl
1 großes Kruzifix	30 kr
1 Hanguhr	36 fl 21 kr
1 detto	18 fl 3 kr
1 eisenes Tischl	2 fl
2 nußbaumene Tischln	1 fl 17 kr
1 schwarzer Kasten mit einem Altar	6 fl
verschiedene Theses mit Mappen	1 fl 15 kr
1 altes Regendach	1 fl 6 kr
1 eisenes Kastel mit Schubladen	1 fl 15 kr
2 Gemählde Johañ der Taufer u. der heil. Schutzengel ...	42 kr
1 Schachtel mit Kleinigkeiten	4 fl 59 kr
1 Schachtel mit 1 Theegeschirr ...	1 fl 36 kr
3 Degen	53 fl
1 Säbel	10 fl 30 kr
1 Weinheber u. 2 Scheeren	38 kr
1 ziñ. Nachtdopf	1 fl 52 kr
1 kupf. Pitsche (Behälter mit Deckel) mit 1 messingenen Pferd	2 fl 19 kr
....	....
1 Bettstatt 1 Strohsack 1 Matratze 1 Ober- 1 Unterbett, 1 Polster und 1 Kißen	62 fl 12 kr
1 Bettstatt 1 Strohsack 1 Matratze, 1 Ober- 1 Unterbett 1 Polster und 2 Kißen	73 fl 30 kr
1 Nähkiß u.a.	46 kr
1 Weihbruñkrügel u.a.	31 kr
1 Muttergottes von Bildhauerarbeit	1 fl 1 kr
....	...
1 feicht. Tischl samt 1 Stock	1 fl 7 kr
1 feicht. Tischl	48 kr
1 feicht. Bettstatt 1 Strohsack 1 Ober- 1 Unterbett, 1 Polster u. 2 Kißen	56 fl

1 Bettstatt, 1 Strohsack, 1 Matratze, 1 Polster 1 Kißen u. 1 Oberbett	70 fl
1 Tuch mit Vorhängen u.a.	1 fl 50 kr
6 Fenstervorhäng	3 fl 26 kr
1 Bettstattkleidung	8 fl 3 kr
1 Kißenziche (-überzug) u.a.	1 fl 49 kr
1 gingangene (Art gestreiftes Baumwollzeug) Bettstattbekleidung	5 fl 59 kr
1 schwarzes Kästchen	1 fl 12 kr
Verschiedene Gläser . . .	34 kr

Im Gebäude rechter Hand im Garten . . .

Im ersten Zimer

1 vollständiges Bett mit doppeltem Ueberzügen Bettstatt und Vorhängen ist ein Legat für die Köchin Aña Seidlin	50 fl
2 Tafeln Jesuiter vorstellend	4 fl 1 kr
2 detti	3 fl 25 kr
2 detti	1 fl 20 kr
2 große Gemählde	3 fl
1 Kruzifix u. 1 Vesperbild	2 fl 6 kr
1 Weihbruñkrügel	24 kr
1 Stockuhr	4 fl
3 Sesseln u. 1 Hockerl	2 fl 12 kr
1 Tischl	41 kr
2 Fenstervorhänge	50 kr
1 Spiegel	1 fl 1 kr
1 Glutpfañe u. 1 Feuerzange u. 1 Feuerzeug	30 kr
3 Streñ (Stränge) Garn	12 kr
1 Kasten mit verschied. Flecken u.a.	26 kr

Im 2ten Zimmer

2 Gemählde	2 fl 20 kr
2 Tafeln	30 kr
5 detti	1 fl 8 kr
1 Spiegel	2 fl 3 kr
1 Stockuhr	16 fl 12 kr
1 kleine detto	3 fl 12 kr
1 gelbes Kastel mit geistl. Büchern	4 fl
1 Sessel u. 1 Schamel	1 fl 4 kr
1 feichtene Bettstatt 1 Strohsack 1 Polster 1 Matratze 1 Unter- 1 Oberbett 1 Polster und 2 Kißen nebst Ueberzügen	40 fl
3 gelbe Bettvorhänge nebst Stangen	2 fl 24 kr
2 blaue Vorhänge	1 fl 5 kr
2 Leintücher	1 fl
1 Kapsel mit hl. Beño	50 kr
2 Fenstervorhänge	30 kr
1 ziñ. Nachttopf	49 kr
1 nußbaumener Schreibkasten mit Aufsatz	9 fl 36 kr
6 Paar baumwollene Strümpfe	3 fl 18 kr
. . . .	. . . .
2 gingangene Vortücher	2 fl 13 kr
3 Kücheltücher	44 kr
4 Nachtleibeln	42 kr
2 P. Strümpfe	37 kr

1 Schublade mit verschied. Faden u. Bänder	2 fl 36 kr
1 Fell u.a.	1 fl 3 kr
3 Ueberhemder	40 kr
9 weiße Schnupftücher	2 fl 10 kr
4 Halstücher	3 fl 25 kr
5 P. Handschuhe u. 2 Geldbeutln	31 kr
2 gestikte Halstücheln mit Silberspitzen	5 fl 15 kr
. . . .	. . . .
11 Schlafhauben	48 kr
. . . .	. . . .
3 Pfund weiße Wachskerzen	4 fl 13 kr
. . . .	. . . .

Im dritten Zimmer

. . . .	
1 Aufsatzkasten	7 fl
1 Schublade mit Kleinigkeiten	1 fl 24 kr
4 Tafeln u. 4 Stengeln Petschirwachs (Siegelwachs)	5 fl 15 kr
1 Schachtel mit 1 silb. Bichsel (Büchse)	2 fl 50 kr
1 silb. Messerbestök	3 fl 12 kr
1 meßinger Mörser	3 fl 7 kr
8 Wachskerzen	40 kr
1 Kruzifix, 3 Tafeln, 2 Leuchter u. 2 Maibüsche (Blumensträuße aus Papier als Altarschmuck dienend)	6 fl 45 kr
1 meßinger Lüster	5 fl 30 kr
6 lange u. 4 kurze Fenstervorhänge samt Stangen	9 fl 12 kr
1 ziñ. Weihbruñkrügel	24 kr
die unbefleckte Empfängnis von geschnizter Arbeit	3 fl 30 kr
4 Spiegeltafeln	4 fl 31 kr
5 solche	4 fl 31 kr
1 elfenb. Kruzifix	1 fl 15 kr
1 Kapsel mit Johañes Zunge u. 1 Muttergottesbild	1 fl 38 kr
6 P. Kaffeeschallen 1 Kaffee u. 1 Milchg'schir 1 Teeg'schir dañ 1 Zukerbichse	3 fl 8 kr
6 blau porzelaine Teller	1 fl 36 kr
2 P. Kaffeeschallen	2 fl 24 kr
1 Schlaf- u. 3 ordinaire Sesseln	4 fl 48 kr
1 großes Gemählde	2 fl 50 kr
3 geistliche Tafeln	2 fl 24 kr
1 Gemählde der hl. Hieronimus	1 fl 36 kr
1 großer Spiegel	15 fl 59 kr
. . . .	. . . .
1 Muttergottesbild mit 1 silb. Schein und Kronen	22 fl
1 silb. Kreuzpartikl pr. 20 Lth á 1 fl 24 kr	34 fl
1 feichtene Bettstatt mit Vorhängen 1 Strohsack, 1 Strohpolster 1 Matratze 1 Unter- 1 Oberbett 1 Polster u. 2 Kißen nebst Ueberzug	50 fl
3 kleine Magenkißeln	1 fl
1 grüner Vorhang	48 kr
1 persene (baumwollene) Decke	1 fl 40 kr
. . . .	. . . .

Eine eigene Hauskapelle, 2 komplette Altäre in Wohnzimmern, Meßgewänder und Eucharistiegeräte, unzählige geistliche Bildtafeln offenbaren eine dem christlichen Glauben und der Kirche eng verbundenen, frommen Dame. Insgesamt präsentiert sich der Haushalt der Ratswitwe als behaglich, jedoch nicht luxuriös eingerichtet.

Das zweite Nachlaßverzeichnis stellt den Haushalt der Gräfin Johanna Wilhelmine von Lamberg (StaatAM, AG München NR 1816/5/Lit. L) dar, das mit dem Umfang von 18 Seiten einen Bruchteil des vorherbeschriebenen Köhlnschen Inventars ausmacht, jedoch mit der Effektensumme von 3394 fl die Hälfte des Haushaltswertes der Ratswohnung erreicht. In den gräflichen Räumlichkeiten macht der Wert der Möbel den 6. Teil der Gesamtsumme des Haushaltsbestandes aus. Das Mobiliar ist etwas wertvoller als das im Ratsinventar. Das gräfliche Nachlaßinventar kommt der landläufigen Vorstellung der biedermeierlichen, bürgerlichen Wohnidylle ziemlich nahe und ist in seiner detaillierten Beschreibung und den interessanten Objekten auffallend. Es stellt allerdings nicht die Einrichtung eines glanzvollen Adelspalais dar, von denen, nach Meinung Lewalds (Lewald, 74), in München nur wenige zu verzeichnen gewesen sind. Das »Effektenverzeichnis der Defunkten (Verstorbenen) Gräfin Johanna Wilhelmine von Lamberg« formt das Bild von einer gutsituierten und kultivierten Dame in einer geräumigen 6-Zimmer-Wohnung mit »Wohnzimmer … ermlichen Zimmer … Schlafzimmer … Jungfernzimmer … Flötz … Gehaltenzimmer … Zimmer rückwärts … Garderobe … Küche … Speicher …« lebend. Durch den ersten Raum, das Vorzimmer der frommen Gräfin (»Crucifix, Madonna … von Altenötting«), der relativ geräumig gewesen sein muß, finden doch darin immerhin unter anderem 3 Kanapees und 20 Sitzmöbel Platz, gelangt man durch das Spielzimmer (»ermliches Zimmer … mit einem Spieltischgen«) ins Schlafzimmer, das noch für Andachtsstunden gerüstet ist (»Ein Bethstuhl, nebst 3 Tafeln«). Das »Zimmer rückwärts« hat wohl, wegen seines bunten Inhalts, als Abstellkammer gedient: neben »Brater … Spinnräder … Reise Koffer …« prangen »Zwey Büdet … 1 Spucklädel … Ein zinner Pot de Chambre …« und »Klistirsprizen«.

Ein reich sortierter Kleiderbestand und Wäschevorrat, einfache Gebrauchsgegenstände, Silbergeschirr, Pretiosen und eine Hausapotheke runden das Verzeichnis des Wohnungsinhaltes ab:

»Inventarium So auf zeitliches Hinscheiden der Hochgebornen Frau Johanna Wilhelmine Gräfin von Lamberg, gebornen Freyinn von Schönberg, von der aufgestellten, und gnädigst bestättiggen Testaments=Execution vorgenommen worden, am 20ten April 1816.«

Im Wohnzimmer der Frau Gräfin …

Ein elfenbeinrers Crucifix	55 fl
Eine Madonna in Holz von Altenötting	4 fl
Ein Pfeiler=Spiegel nebst Tischgen	6 fl
Zwey große Spiegel	30 fl
Ein gelbplüchenes Kanapée	24 fl
Ein Kanapée mit Atlasstoff überzogen, samt 6 Seßl	24 fl
Zwölf Seßl, und 2 Hockerl, dann 1 Kanapée	40 fl
Ein Tisch vom eingelegten Holz	5 fl

Im ermlichen Zimer

Zwey eingelegte KommodKästen	20 fl
1 Spieltischgen	3 fl
Ein Ofenschirm	2 fl
Ein feichthölzner Zusamlegtisch, nebst grünem Teppich	4 fl
Vier gestreifte Fenstervorhänge, nebst Bretter dazu	3 fl
Eine Stockuhr, die Stunden und Viertel schlägt	15 fl

Im Schlafzimmer

Zwey Spiegel	20 fl
Ein Absazkasten nebst einem Aufsaz als Glas-Kasten	15 fl
Ein Rollkasten	24 fl
Zwey kleine Pfeilerkästl	6 fl
Ein Absazkasten	24 fl
Ein Bethstuhl, nebst 3 Tafeln	12 fl
Eine feichthölzerne Bettlade, worin 1 Strohsack, 2 Matrazen, 1 Unter= und 1 Ober=bett, 1 Bolster, Kiß, und Couvertdecken, dann eine abgenähte Decke	60 fl
3 Tischgen	2 fl
Ein Aufwarter	1 fl 30 kr
Zwey Teppiche	40 kr
Ein Reisekofferl	40 kr
Ein Abwindhaspel	12 kr

Im Jungfernzimmer

Vier gelbplüschene Seßel, nebst einem Fauteuille	15 fl
Zwey Alkoven=Vorhänge	3 fl
zwei gestreifte Fenstervorhänge	1 fl 30 kr
Vier Fensterkißel	1 fl
Zwey feichthölzerne Kästen	8 fl
Ein feichthölzernes Tischgen	24 kr
Ein vollständiges Ehehalten Bett	30 fl
Ein feichthölzner Kleiderkasten	3 fl
Zwey Vorhänge	30 kr
Ein großr Reisekofer	3 fl
. . . .	. . . .

Im Zimer rückwärts

Zwey Spiegel	8 fl
Ein Pfeiler=Spiegel	5 fl
Ein Toilette=Spiegel	6 fl
Ein rundes Arbeits=Tischgen	3 fl
Ein Kleiderkasten	3 fl
Ein Gläserkästl	3 fl
Zwey Brater	1 fl
Zwey Büdet, nebst Klistirsprizen	4 fl
1 Spucklädel	40 kr
Fünf Spinnräder, und 2 Haspel	2 fl
Ein Reise Kofer	3 fl

Einer Detto	*3 fl*	
Ein detto sehr großer	*3 fl*	
Drey vollständige Betten á 20 fl	*60 fl*	
Ein Fauteuille	*1 fl*	
Eine blecherne Laterne		*40 kr*
Ein Lehnkiß, und eine Klöcklkiß	*1 fl*	
Ein zinner Pot de Chamer		*40 kr*

In der Garderobe

Zwei große Garderobe=Kästen	*5 fl*	
. . . .	. . . .	
Eine Hausapothecke	*1 fl*	
. . . .	. . . .	

Das dritte Beispiel zeigt die bescheidene Wohnung des kgl. geistlichen Rats Joseph Sambuga, der von 1797 bis 1803 als Erzieher von Kronprinz Ludwig gewirkt hat (siehe Conte Corti, 19, 24): In seiner 2 Zimmer umfassenden Wohnung künden »Komodkästen« und »Sekretär« aus Kirschholz (Zitate aus dem Nachlaß des kgl. geistl. Rates Joseph Sambuga, StaatAM, AG München NR 1815/47/Lit. S) – neben Nußbaum, das bevorzugte Holz der bemittelten Kreise – zwar von Wohlstand, aber die Kargheit des Nachlasses und vor allem die Rückforderung des aufgeführten Silbergerätes »... Nebenbei extradierte man daß von Joseph Keidel, kgl. Silberverwahrer zurückgefordertes Silberbesteck ...«, zeugen von Verarmung und Verschuldung des wohl ehemals gutsituierten Herrn.

Das vierte Nachlaßverzeichnis bedeutet einen weiten Schritt die Gesellschaftsleiter hinunter: Die Verlassenschaft des Schneidermeisters Joseph Stöcker (StaatAM, AG München NR 1842/83/Lit. S), wohnhaft am Althaimer Eck, veranschaulicht die einfachen Wohnverhältnisse der Handwerksschicht:

2 Oberröcke und 1 Tuchhose	*5 fl*	
2 Gillet (Brustfleck, mit Bändern am		
Oberkörper befestigt—		*48 kr*
1 Landwehr=Uniform Rock, nebst derlei		
Hose	*9 fl*	
1 silberne Sackuhr	*3 fl*	
1 vollständiges Bett mit Bettlade	*15 fl*	
1 feichtener Kleiderkasten	*1 fl 30 kr*	
1 weiteres vollständiges Bett mit Bettlade	*9 fl*	
1 Kinderbett mit Bettlade	*6 fl*	
1 feichterne Komod	*3 fl*	
2 feichtner Tisch	*1 fl 20 kr*	
5 Maßkrüge und 2 Halbekrügeln mit Zier		
beschlagen	*1 fl 30 kr*	
verschiedenes Küchengeschir		*48 kr*
2 hölzerne Truhen	*1 fl*	
1 alte Hanguhr		*48 kr*
2 alte Sessel		*24 kr*
	58 fl	

Das fünfte Nachlaßinventar, die Verlassenschaft des Melberhelfers (Helfer eines Mehlhändlers) Martin Lechner (StaatAM, AG München NR 1842/55/Lit. L) zeigt eine einfach möblierte Bleibe mit den nötigsten Wohnrequisiten, wie Hänguhr ... Tisch ... Stühle ... ein volständiges Bett ... Komod«, etwas Geschirr und Kleidung. Eine

7.4.14 **Münchner Volksleben,** Familienszene, Friedrich Kaiser. Karlsruhe um 1840

»Komod von Eichenholz« und ein geringfügiger Silberbestand, wie »ein alter blauer Sak mit 26 silbernen Knöpfe« und eine »silberne Schließe« signalisieren den Abstand zum armen mittellosen Arbeiter oder Dienstboten.

Auf derselben sozialen Stufe sind die Verlassenschaften des Hausdieners Jakob Gschwendtner (StaatAM, AG München NR 1842/55/Lit. G) und des Lohndieners Anton Misslböck, wohnhaft in der Graggenau (StaatAM, AG München NR 1842/91/Lit. M) einzuordnen und können als typische Beispiele eines Arbeiterhaushaltes mit leidlichem Auskommen angesehen werden:

»Verlassenschaft des Jakob Gschwendtners, Schaffner beim ›Abendsberger Boten‹, wohnhaft Weinberlhof 135

1 Hanguhr, 1 Kruzifix, 7 alte Tafeln		*36 kr*
1 alter Tisch, 3 Stühle, 1 Hängkasten		*1 fl 12 kr*
2 alte Betten mit Überzügen und Bett-Laden	*12 fl*	
Einiges Küchengeschirr		*42 kr*
1 alter Rock, 1 Hose, 1 Janker und 2 Hemden,		
1 Gilet, 1 Hut, 1 Paar Stiefel und 2 Tücher		*1 fl 12 kr*
Summa		*15 fl 42 kr«*

»Beiläufiger Bestand der Erbmaße ... des Misslböck Anton, Lohnlaquair beim Goldenen Hirsch ...«

»An Baarschaft, Pretiosen pp: hatte Defunkt (der Verstorbene) nichts hinterlassen. Der Rücklaß besteht aus einer gewöhnlichen Mobiliarschaft für 2 Zimern, nehmlich einen vollständigen Bett, 2 Komode, Kanape pp. die Wasch u. Kleidungsstücke sind von geringem Werth«.

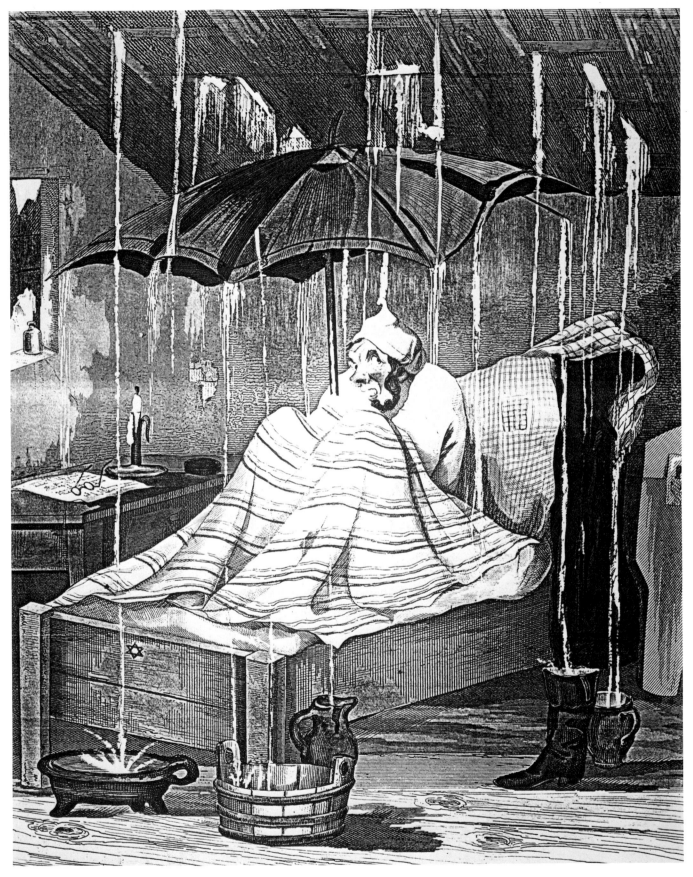

Für dieses Quartier begehrt der Hausherr zwey Hundert Gulden! aus: Wiener Theaterzeitung, 1843/2

Fast völlig möbellos präsentiert sich der Besitz der Dienstmagd Josepha Bauer (StaatAM, AG München NR 1834/22/Lit. B). Neben Wasch- und Kleidungsstücken, wird als Mobiliar lediglich eine Truhe – die Dienstbotentruhe – aufgeführt. Die erforderlichen Einrichtungsgegenstände, wie Bett, eventuell Kommode, sind wohl vom Dienstherren gestellt worden. Dieser geringe Mobiliarstand stellt für einfache Bedienstete keine Ausnahme, wohl eher die Regel dar:

»Beschreibung der Verlassenschaft ... der Dienstmagd Josepha Bauer, Dienstmagd 26 Jahre, wohnhaft vor dem Karlstor ..., Karlsplatz 6, rückwärts über 1 Stiege

1 Paar tuchene Halbstiefel	30 kr
ein Lila Uiberrock	2 fl
ein gestreifter wollzeugener Uiberrock	48 kr
ein alter Ridicul (Beutel) und ein Paar Handschuhe	12 kr
5 Pr alte Strümpfe und 4 Tücheln	30 kr
4 alte Fürtücher und eine weiße Haube	36 kr
ein schwarzer Chwal (Schal) mit einer Bordure	48 kr
ein weißwollener und ein rother Unterrock	1 fl
eine Truhe	1 fl 12 kr
Summa	7 fl 36 kr

Ein weiter Weg vom wohlsortierten Nachlaß der Ratswitwe Frau Franziska von Köhln und dem behaglichen »Biedermeierhaushalt« der Gräfin von Lamberg bis zum kargen Besitz einer Dienstmagd. Außer den drei ersten Beispielen ist wohl eine relative »Gleichförmigkeit des Besitzes an Möbeln, dem Wert und der (geringen) Zahl« (Zaborsky, 10) bei der Betrachtung der Nachlässe festzustellen. Bettstatt, Kommode oder Hängkasten, Tisch und Stühle sind als Durchschnittsmobiliar des Kleinen Mannes auszumachen.

Nach Betrachtung der oben beschriebenen und teilweise zitierten Nachlaßinventare muß wohl die landläufige Vorstellung einer durch alle Schichten gehenden reichmöblierten bürgerlichen Wohnidylle während der Zeit des »Biedermeiers« etwas korrigiert werden.

Anschließend soll noch auf den rechtlichen Aspekt der Nachlaßverzeichnisse, ihre Situation speziell im Münchner Staatsarchiv und ihre Verwendung zu wissenschaftlichen Zwecken eingegangen werden.

Das Rechtsinstitut der Inventur, Beschreibung und Verzeichnung des Nachlasses, d.h. der Liegenschaften, Mobilien, Aktiva und Passiva des Erblassers, ist seit dem 16. Jahrhundert in Bayern üblich gewesen (Heydenreuter 1970/80, 26f. und Striedinger 1899, 101). Stets mußte ein Anlaß zur Inventarisierung des Gutes vorhanden sein: einer der Erben oder ein Interessent muß seinen Wunsch oder sein Verlangen auf Inventarisierung bekunden (Löffler 1977, 121; Rechtsgrundlagen der Inventur siehe bei Roth 1872, 708ff.). Die Erstellung eines Inventars oder Nachlaßverzeichnisses bedeutet für den Erben eine Rechtswohltat d.h.: »Mit Errichtung des Inventars beschränkt sich die Haftung des Erben für die Erbschaftsschulden auf den Nachlaß: ›... daß der Erbe um die Erbschaftsschulden und Forderungen nicht weiter haftet, als sich die Kräfte der Erbschaft erstrecken‹« (Heydenreuter 1970/80, 26; siehe zur Haftung auch Roth, 712, Anm. 22 und 718ff.). Die Errichtung eines Inventars ist

nur dann zwingend geboten, wenn »... der Erben mehr seynd, und einer hierunter das inventarium verlangt, item bey minderjährig – oder abwesenden Erbsinteressenten, oder da ihrer Armuth halber den Creditoribus eine Verlusts-Gefahr zu besorgen ist, oder bey gemeinen einfältigen Bauersleuten, oder da wegen Unterschlagung der Steuer, Siegelamts-Gebühr und dergleichen Gefällen ein billicher Verdacht obwaltet, oder ein Testaments-Executor von dem Verstorbenen benannt wird ...« (Codex Maximilianeus Bavaricus Civilis von 1756, 3, 1, 18, 9; zitiert aus Heydenreuter 1970/80, 26; zu Verbot und Pflicht der Inventurerrichtung siehe Roth, 708f.). Die Inventur soll »... von der ordentlichen Obrigkeit (...) im Beisein des Actuarii und zweier glaubwürdiger Personen, wie auch mit Zuziehung der bei der Stell befindlichen Erben ...« (zitiert nach Striedinger, 101) errichtet werden. Ein ordentlich geführtes Inventarium soll folgende Einträge enthalten: 1. Name und Stand des Erblassers 2. Rechtsgrundlage der Inventureinrichtung 3. die beiden bei der Inventur anwesenden Zeugen 4. bewegliche und unbewegliche Nachlaßgegenstände 5. Forderungen und Schulden des Erblassers 6. Beerdigungskosten 7. Inventurkosten 8. Schätzung des Gesamtvermögens 9. Erben. Zu bemerken ist jedoch, daß diese Aufstellung in der Praxis häufig nicht exakt angewandt worden ist (Heydenreuter, 26f.).

Die Nachlaßakten von München aus den Jahren 1814/15–1850 sind aus dem damaligen Kreis- und Stadtgericht (Heydenreuter 1983, 119) vereinzelt und dann in größeren Schüben (1938, 1955) (Zur Aktenaussonderung, s. Ms. 14, München. Amtsgericht Abt. VIII, Vormundschaftsgericht u. Nachlaßgericht) ins Kreisarchiv München (Zur Archivorganisation in Bayern, Fitz, 1–10, hier speziell 4), heute Staatsarchiv München gewandert. Sie sind nur partiell erhalten: ein Teil ist als unwichtig eingestampft, ein anderer durch Herausnahme von Blättern verstümmelt (sog. Restakten), ein weiterer bis auf eine Seite, die Todesanzeige, reduziert (in sog. Sammelakten angelegt) worden (zum Aktenbestand siehe Akt des Staatsarchivs München über d. Aktenaussonderung). Die hier relevanten Jahrgänge sind von 1814/1815 bis einschließlich 1845 nach Jahren und alphabetisch, anschließend ebenfalls nach Jahren, aber nach Aktenzeichen geordnet.

Die Verwendung der Nachlaßinventare zu wissenschaftlichen Zwecken erfreut sich, trotz einiger Bemühungen seit dem Ende des 19. Jahrhunderts (siehe Striedinger 1899, 101; hier ist besonders Oswald von Zingerle zu nennen, der bereits 1909 etwa einhundert spätmittelalterliche adelige Inventarlisten herausgegeben hat), in der deutschen Forschung keiner großen Wertschätzung. Sie ist, im Vergleich zu romanischen Ländern, vor allem Frankreich, ohne System betrieben worden, obwohl sie besonders für Volkskunde, Kunstgeschichte, Wirtschafts- und Sozialgeschichte wichtige Aufschlüsse bieten könnte. Erst in neuerer Zeit sind – im Zuge eines neuen historischen Forschungsansatzes, nämlich die »Weltgeschicht« (Striedinger 1899, 102) »von unten«, sprich dem Volk aus zu ergründen – systematische Nachlaßbetrachtungen, hauptsächlich im volkskundlichen Bereich (u.a. Heidrich (1984) macht in seinem Buch auf ein Forschungsprojekt der Universität Münster aufmerksam, in dem städtische Inventarverzeichnisse vom 17. bis zum 20. Jahrhundert mit quantitativen Methoden aufgeschlüsselt werden, 14, Anm. 31) begonnen worden.

46 ## Die Verlassenschaft.

Am 4ten August 1843 verstarb im allgemeinen Kranken=
hause dahier, die ledige Taglöhnerin Barbara Hintermayer aus
Wassermungenau, ledig, mit Hinterlassung einiger unbedeutenden
Kleidungsstücke und Effekten; ohne Testament! — Fiat obsignatio!

Die einzigen, noch am Leben befindlichen Verwandten sind
2 minderjährige und 2 großjährige Halbgeschwister = Kinder.

Sofort wird eine Verlassenschaft eingeleitet, und die Erbschaft
von Seite der großjährigen Erbsinteressenten ausgeschlagen, für
die Minderjährigen aber von deren Kuratel unter der Rechts=
wohlthat des Gesetzes und Inventars angetreten, welch letzteres

gefertiget, und zugleich Termin zur Liquidation allenfallsiger For=
berungen anberaumt, in welchem sich 74 Gläubiger melden. —

Wegen mittlerweile entstandenen Kompetenzkonfliktes mit
der Heimathsbehörde werden die Akten der Post mehrmals
zur Versendung übergeben, sodann nach Erledigung dieses

Streites, sowie der Verlassenschaftsverhandlungen wird zur
Vertheilung der Massa, nach Abzug der Gerichtskosten ge=

schritten; worauf die Verlassenschaft in der Tabelle von
1847 als erlediget aufgeführt wird und die Reponirung der
Akten erfolgt. —

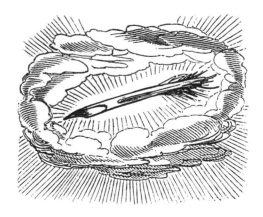

Die Verlassenschaft, aus: Fliegende Blätter V, Nr. 102, 46

Das Geburtstagsfest der Mutter, aus: 12 Blätter Kinder-Bilder zur Unterhaltung und Belehrung. I Heft für Mädchen, Blatt 11, Johann Michael Voltz, Nürnberg um 1823

Vergißmeinnicht – das Sinnige im Biedermeier

Barbara Krafft

Aus der Schöpfung reiner Gottesfülle
Ging mir einst dein sanftes Bild hervor;
Adel, Einfalt, zarte Wehmuths-Hülle
Schweb' um dich im schönsten Blumenflor.   (Stammbuchvers)

Das Bild biedermeierlicher Stimmung und Seelenkultur steht vor einem Fond aus Erbstücken des 18. Jahrhunderts. Strömungen aus der »Empfindsamkeit« haben die Erschütterung der Revolution und die Frostperiode des Klassizismus überdauert, weil sie Impulse der Innerlichkeit waren. Nun geht der Blick wie durch den Perlenschleier einer aufgetauten Fensterscheibe. Das Daseinsgefühl hat etwas Innenräumliches; der es gestaltet, ist der *private* Mensch. Gerade bei den Erben einer Zeit, die die Individualität kultivierte, muß man sich wohl vor Verallgemeinerungen hüten. Aber der elitäre Empfindungsluxus wich doch zusehends einer Massen-Ergriffenheit, und diese Masse setzte sich nicht aus lauter Originalgenies des Gefühlvollen zusammen. So kommt es, daß das Biedermeier mit den erborgten Stimmungen, Bildern und Metaphern hantiert, in welchen sich das 18. Jahrhundert den Seelenregungen auslieferte. Nun konsolidieren sie sich allmählich zugunsten einer heimeligeren Sicherheit im Dasein bis dorthin, wo anstelle der Emotion die Ordnungsliebe tritt, das »pasteurisierte Gemüt«, mit dem Arno Schmidt die Charakterisierung Adalbert Stifters pointiert.

Ein Grundton der Zeit war die kontrastarme, als angenehm ausgeglichen empfundene Zuständlichkeit der *Wehmut.* Justinus Kerner bezeichnet sie noch 1855 (in einem Brief an Ludwig I.) als Grundton der Natur. Das akustische Äquivalent dieser seelischen Gestimmtheit ist die Äolsharfe. Ähnlich ist der Bewußtseinsgrad des *Ahnungsvollen* eine vielgebrauchte dichterische Vokabel. Bezeichnen diese Begriffe einen Schwebezustand, wie um mit der Wirklichkeit nicht anzuecken, so zeigt ein anderer das Bemühen, sich mit und in ihr zu arrangieren: der Begriff des *Sinnigen.* Bezeichnenderweise fehlt das alte Wort in der Schriftsprache seit dem 17. Jahrhundert so gut wie ganz und taucht erst gegen Ende des 18. – bei Bürger, Goethe, Voß – schlagartig und häufig wieder auf. Im wesentlichen meint *sinnig* »zum sinnen, zu nachdenklicher und gemütvoller betrachtung, zum deuten und suchen eines innern sinnes geneigt« (Grimm, Bd. 16, 1905, 1179–1184). In Texten der Biedermeierzeit, nicht nur in den hochliterarischen, sondern gerade in den populären, begegnet das Wort auffallend oft und zwar in dieser positiven Bedeutung des durch Sinngebung sich Zurechtfindens in den Erscheinungen der Welt. Und wenn Heinrich Heine sich in der »Harzreise« (1826) mit einer schönen, vornehmen Dame unterhält und bemerkt »Sie war nicht geistreich, aber aufmerksam sinnig«, so ist das ein durchaus anerkennendes Urteil.

An den Ausdrucksformen ihrer Alltagskultur läßt diese tief beunruhigte und im Grunde disharmonische Zeit erkennen, daß sie sich der Kluft zwischen Ideal und Wirklichkeit sehr wohl bewußt war. Neben ihrer in Szene gesetzten Idyllik (in keiner anderen Epoche deckt sich der Begriff so mit seiner griechischen Bedeutung »Bildchen«) lagen die sonnenüberglänzten Abgründe des nicht mehr Geheuren. Neben dem vordergründig Harmlosen, Kindlichen, Possierlichen klafft das Kalte, Dämonische und Banale.

Aus aufgezwungener finanzieller und politischer Bescheidenheit, aus Resignation zog sich das Leben ins Häuslich-Familiäre und Innenweltliche zurück. Eben nicht in »großer« Architektur und Skulptur prägen sich die Stilmerkmale des Biedermeier aus, sondern im Möbel, in der intimen Landschaft, im Blumenbild und besonders im inoffiziellen Portrait, das sogar oder gerade einem verlorenen Profil, einer Rückenansicht das Gepräge eines Seelenbildnisses geben kann. Streublumen sind das Ornamentmotiv der Epoche. Das Kleine und Solide entspricht biedermeierlichem Charakter. Die Zeit liebt das Feierliche, aber nicht mehr im großen Gestus, sondern mit ausgeprägtem Sinn für das *kleine Pathos.* Die groß organisierten Gebäude gehen nach innen; Hans Sedlmayr stellt (speziell vom Wiener Biedermeier) in der Zuspitzung umso treffender fest: »Seine Kapelle ist die Kammermusik, seine innere Kathedrale die Symphonie« (Sedlmayr 1960, 281). Über alles wird in einem Epigramm reflektiert, das periodische Taschenbuch und die epische Kleinform der Novelle beherrschen die Literatur. In alledem erweist sich eine Struktur von auffallender Kleinteiligkeit.

Die häusliche Beschränkung bekommt ihren Sinn als enge familiäre *Bindung*, durch Empfindung füreinander. Ausbrüche aus dieser Enge des Gesichtskreises ins Exotische und Phantastische können in *Implosionen des Gefühls* umschlagen. Das Verhältnis der Ehegatten ist emotionalisiert; Elternliebe, Kindesliebe, Geschwisterliebe werden pädagogisch-moralisch zu Vorbildlichkeit stilisiert. Den Ahnungs-Zustand kultiviert die Werbung Liebender. Der freundschaftsverherrlichenden Dichtung der pietistisch geprägten »Empfindsamkeit« hatte die Romantik den neuen Bildnistypus des Freundschaftsbildes hinzugefügt (vgl. Lankheit 1952). Das Biedermeier übernimmt das Freundschaftsgefühl, mit Liebe nahezu gleichgesetzt, als Kultgegenstand, überträgt religiöse Kultformen und ihre Ikonographie darauf – stets auf Vor-Bildungen des 18. Jahrhunderts zurückgreifend.

Reliquien und Andachtsbilder der Freundschaft sind die liebevoll gewidmeten Souvenirs, ihre Tempel sind die Glasschränke und Servanten in den guten Zimmern: Möbel von charakteristischer Funktion und Erscheinung. Die Kultform der Freundschaft ist die Geselligkeit, das gemeinsame Spiel,

Musizieren, Vorlesen. Ihre Andachtsform ist die Erinnerung. Im Rückblick wird das unwiderruflich Vergangene auf die gleiche Stufe mit dem Unerreichbaren gestellt und mit der Ästhetik der Wehmut genossen.

Das sind Grundzüge der Epoche ohne regionale und standesgebundene Spezifika. Anschaulich gemacht werden können sie nur durch die Fülle der Einzelerscheinungen selbst, aus deren Vielgestalt sich erst etwas Einendes in dieser widersprüchlichen Zeit formt. In einer zusammengedrängten Aufzählung ohne wirkliche Einsicht in diesen Mikrokosmos muß sich eine Vergröberung ergeben, die den Gegenständen ihrer Struktur nach nicht gerecht werden kann. Biedermeier verträgt keine einfachen Schematisierungen. In seinen Bildern und Bildchen geht der Blick selten ins Grenzenlose, sondern er wird gehalten von einer intensiven Aufmerksamkeit.

Andenken erfordert Andacht. Friedrich Sengle prägte den biedermeierlichen Erkennungsbegriff der »Andacht zum Unbedeutenden«. Das »Unbedeutende« war gerade das Bedeutsame, Sinnerschließende. Andacht erfordert Sammlung. Stammbücher zum Beispiel sind solche Sammlungen. An ihrer spezifischen Symbolik erweist auch dieses griechische Wort seine Urbedeutung: symbolon meint die zusammengefügten Bruchflächen (etwa eines Ringes) als Erkennungszeichen zwischen Freunden. Hier werden die Bruchflächen der Epoche deutlich. »Dem melancholischen Prozeß des Entgleitens vertrauter und geliebter Gestalten, der Degradierung von Freundschaften in flüchtige Begegnungen, sucht das Stammbuch noch lange entgegenzuwirken – mit rührendem Trotz und redlichem Selbstbetrug.« (Böhmer 1973, 49f.)

Ganz unbeschadet kirchlicher Frömmigkeitsübung gibt es auch für die weltliche Pietas des Gemüts eine »religio«, das An-binden durch eine Gabe, ein Pfand. Dazu dienten ganz wörtlich seidene Bänder, mit langen Gedichten bedruckt – in Preußen eine so allgemeine und langlebige Sitte, daß ihr bereits eine eigene Ausstellung gewidmet wurde (AK Vivat, Berlin 1985). Angebinde sind Beutestücke der Erinnerung, ganz gleich, ob sich schwesterliche Anhänglichkeit in gestickten Hosenträgern oder die Harmonie von Freundesseelen in der Widmung eines Notenblatts manifestieren.

Am Souvenirkult konnte jedermann partizipieren. Nur die Ausdrucksformen waren von Persönlichkeit, Bildung und Geldmitteln abhängig – und von der zur Verfügung stehenden Zeit, um sich der Herstellung oder Betrachtung zu überlassen. Natürlich kamen verfeinerte Formen den – hier nicht so ohne weiteres abgrenzbaren – »gebildeten Ständen« zu, haben sich eher erhalten und bestimmen das heutige Bild von ihrer Zeit. Daß gerade bei *ihren* Freundschafts- und Höflichkeitserweisen über eine zwanghafte Vielfalt die Konvention und das Triviale hereinkommen, liegt auch auf der Hand. Da wurde mit Vorliebe Bedeutungsloses durch Verrätselung spielerisch bedeutsam gemacht: kaum ein Intelligenzblatt, ein Journal konnte ohne Charaden, Logogryphen, Rebus erscheinen; oft genug mit epigrammatischen Sticheleien gegen die Rätselwut der Leser im nämlichen Blatt.

Wenn aber die sinnige Form nur Skelett und Hülse abgibt, wenn Hohlheiten am Rande des Peinlichen und Lächerlichen balancieren, dann fehlt es dem Biedermeier nicht an Selbstironie, und die Satire ist auf kaum einem anderen Gebiet so aussagekräftig.

Lips Käutzlein's
Heerschau seiner Stammbuchblätter

Wer von Dir, o geneigter Leser, oder geneigte Leserin, hatte nicht einmal eine absonderliche Wuth, sich ein Stammbuch anzulegen, und die mannigfaltigen Blättlein vollschreiben zu lassen von Bekannten und Freunden, mit Verslein und Sprüchlein aller Art?

Wer von Dir, geneigter Leser, oder geneigte Leserin, nimmt nicht noch in einer einsamen Abendstunde, oder sonst in den Stunden, wo die Geister abgeschiedener Minuten sich mit Deinem Gedächtnisse besprechen, ein solches Stammbuch aus dem Papierstaubmantel hervor, und nimmt ein Blättlein nach dem andern, liest es, und manches Lächeln fliegt, wie ein Schatten der Erinnerung über Dein Antlitz? Nicht minder auch steigt eine Wolke auf die glatte Stirne, wenn ein kleines schwarzes Kreuz unter dem Namen uns erinnert, daß der Schreiber des lustigen, lebensfrohen Trinsprüchleins nicht mehr trinkt aus dem großen vollen Kelchglase des Lebens, sondern im tiefen Schlummer noch immer auf die Posaunen-Ouverture des beseligenden Gerichts wartet; oder, daß das heitere Mägdlein, welches mit zierlicher Hand einen seidenen, bunten Blumenfrühling einnähte und einstickte auf das zarte Papier; daß sie selbst in ihrem Frühlinge, und so zu sagen, noch in den Präludien ihrer Lebensmelodie herausgehoben wurde aus dem Blumenbeete ihrer Gespielinnen, und eingesenkt in das tiefe, dunkle Kämmerlein des Grabes!

Wie wird Dir nun aber gar zu Muthe, mein guter Leser, wenn Dir, in einem solchen Stammbuchs-Auferstehungs-Momente, ein Blättchen in die Hand fällt, worauf manch' süßes Wörtlein der Liebe steht, und jedes dieser Wörtlein gleicht dem grünen Flechthäubchen der Rose, aus dem das Knöspchen der Hoffnung, schamhaft erröthet, in absonderlich süßer Anmuth hervorguckt! Wenn dann, in der Erinnerung, alle jene Momente heraus steigen aus den eingesunkenen Gräbern der Vergangenheit, und sich vor Dich hinstellen, wie italische Blumenthäler, wie Maiabend-Himmel voll Regenbogen, wie ein Weihnachts-Abend voll Christbäume und Bescheerungen, wie eine Spielgruppe rosiger Kindlein, und die Seligkeit, die dazumal Deine Brust füllte, Dich übergießt von mal zu mal mit süßen Schauern; und da kam der Hohn des Schicksals und verschüttete die Blumenthäler und zerriß die Regenbogen und entblätterte die Christbäume und verjagte die rosigen Kindlein, und Du stehst nun allein mit Deiner hoffnungslosen, einst so reichen Liebe, ein gestürzter Gott auf dem Helena Deines öden Herzens!

Dann, o mein wehmüthiger Leser, legst Du still und seufzend das Blättchen zwischen die andern hin, legst Dein Stammbuch hin in das unterste Behältniß Deines Schreibtisches, und schließest es ein, wie man ein geheimes Weh tief in das Herz versenkt, und den schweigenden Mund darüber verschließt.

Wiederum auf der andern Seite, lieber Leser und liebe Leserin, wie oft bist Du nicht angegangen worden, Dich in dieß oder jenes Stammbuch einzuschreiben? Wie oft kamst Du nicht in Verlegenheit, hundertmal dasselbe schreiben zu müssen? Wie oft kamen Dir nicht immer dieselben Kraftsprüchelchen und Witzverse in die Hand, z.B. auf dem allerletzten Blättchen die Worte:

»Wer Dich mehr noch liebt, als ich,
Der schreib' sich hinter mich« –

welches ich einmal einem reisenden Stammbuch-Requisiteur
auf das erste Blatt schrieb; oder:

»Wenn's auch über's Kreuz sollt' seyn,
Mein Name muß in's Stammbuch 'nein!«
oder:
»Dein Stammbuch ist ein grüner Baum,
Gieb mir darauf als Blatt auch Raum.«
oder:
»Höre, was Dein Freund Dir spricht:
Wandle auf Rosen und vergiß mein nicht.«
oder:
»Die Liebe vergeht,
Die Freundschaft besteht!«

Und dennoch hat jeder Mensch einmal eine solche Periode, in
welcher er ein Stammbuch anlegt, und nicht eher Ruhe noch
Rast hat, bis er seine kleine Papierkolonie bevölkert hat, eine
Kolonie, die wenigstens das eine Gute hat, daß Toleranz und
Freiheit in ihr herrschen.
Ein solches papiernes nordamerikanisches Freistaatchen hatte
sich der Held unserer Erzählung, Lips Käutzlein, auch ange-
legt.

(Saphir 1832, Bd. 1, 7–9)

Das Denkmal im Schuber

Klug war der Mann, der sich das erste Stammbuch machte,
Und darin seiner Freunde dachte,
Denn wenn sie in der Noth, wie's oft geschieht, verschwinden,
So lassen sie sich doch im Stammbuch wiederfinden.
(Stammbuchvers)

Die »absonderliche Wuth« der *Stammbücher* hatte am
Beginn des Biedermeier ihren Höhepunkt erreicht. Etwa um
diese Zeit heißt es im Vorwort zu »Gesammelte Blumen in
Stammbücher für Freunde und Freundinnen« (³Ingolstadt
o. J.): »Die Sitte, Stammbücher zu führen, ist dem unbefan-
genen jugendlichen Gemüthe entsprossen, das die zarten
Bilder seiner süssesten Empfindungen ewig festzuhalten
wünschte. Noch uneingeweiht in die feinen Irrgänge der
Politick und Konvenienz waltet das Gefühl mit ungestüm-
men Drange in der jungen Brust, und seine Pfleglinge
Freundschaft und *Liebe* zaubern eine Feenwelt...« So
bezeichnend diese Herleitung aus dem subjektiven Gefühlskult ist, so reichen doch die realen Wurzeln viel weiter
zurück bis zu den Stammtafeln des Adels: Zum Nachweis
der Abstammung und Turnierfähigkeit wurden Geschlech-
terwappen in Stand- oder Stammbüchern versammelt. Die
Verbindung einer bildlichen Darstellung (zunächst das Wappen) und eines persönlichen Wahlspruchs (Devise) prägte
die Grundform der einzelnen Einträge.
Bereits seit der Reformationszeit waren auch in bürgerlichen
Kreisen Stammbücher gebräuchlich, in die sich Freunde und
Gönner einschrieben. An den Universitäten füllten Gelehrte
und Studenten ihre Stammbücher mit lateinischen und griechischen Inschriften. Die humanistischen Benennungen
»Philothek, Album Amicorum oder Ara Mnemosines« hinderten nicht daran, manche Zwistigkeiten in »Stichelsenten-
zen« auszutragen, oft zum Leidwesen des Buchinhabers.
Auch Handwerksgesellen hatten schon seit dem 16. Jahrhundert Stammbücher auf der Wanderschaft dabei.
Ihres Erinnerungswertes wegen stets in Ehren verwahrt und
daher in großer Zahl erhalten, werden diese Bücher als
kulturhistorische Quellen seit langem von Genealogen und
Autographensammlern ausgewertet. Eine zur überreichen
Einzelliteratur hinführende bibliographische Zusammenfassung findet sich bei Gertrud Angermann, »Stammbücher
und Poesiealben als Spiegel ihrer Zeit« (Münster 1971) – ein
Buch von über 500 Seiten, das ausschließlich Material des
18. bis 20. Jahrhunderts aus dem Bereich Minden-Ravens-
berg wälzt und mit der Fülle der Erscheinungsformen
(besonders des Spruchgutes) kämpft. Die volkskundliche
Studie von Alfred Fiedler »Vom Stammbuch zum Poesiealbum« vermittelt anschaulich den Begriff und seine Entwicklung; das lebendigste Profil des Phänomens – ohne
systematische Belege – ist Günter Böhmer zu verdanken
(»Sei glücklich und vergiß mein nicht«).
Zur Biedermeierzeit hatte das Stammbuch längst seine feste
Form: kleines Queroktav-Format, durch den hochentwik-
kelten Papierluxus (vgl. Pieske 1983) mit Blindprägung oder
türkisch Marmor, mit vergoldeten Prägeornamenten, Veduten, Spiegelchen, Papierborten und Goldschnitt verschwen-
derisch ausgestattet, durch einen Schuber (Saphirs »Staub-
mantel«) geschützt, aber nur noch selten als richtiges Buch

5.1.44 Stammbuchblatt, erste Hälfte 19. Jahrhundert

gebunden, sondern meist als Loseblattsammlung in einer Buchattrappen-Kassette vereinigt: Einzelblätter lassen sich leicht an mehrere »Inscribenten« gleichzeitig austeilen, erlauben das Einfügen vorgedruckter Blätter und ein womöglich mißratener oder ungebührlicher Eintrag muß nicht als irreversibler Makel das ganze Buch verderben. Auf Rücken oder Deckel steht »Denkmal der Freundschaft« oder »Der angenehmen Erinnerung«. Kerners Tochter Emma besaß ein Stammbuch in Form eines Kreuzes, wofür Mörike 1837 ein Eingangsgedicht verfaßte. Auch Fächer konnten Stammbucheinträgen einen – freilich beschränkten – Raum geben.

Mit dem Stammbucheintrag unternimmt man nichts geringeres, als auf den weißen Blättern – »Album« – sein eigenes Denkmal zu errichten. Man muß daher darauf achten, daß Inhalt und Form einander entsprechen, »... so werden die Inschriften die schönsten Blumen für Freundschaft, der wohlriechendste Weihrauch für die Hochachtung, der reinste Glanz des Ruhms, und der angenehmste Reiz zu Tugend. Darnach richte sich die Devise, die Unterschrift, und wo es ist, auch das Gemählde.« Wer einen unpassenden Spruch einträgt, läuft Gefahr, daß »das ganze Denkmal seinen erfreuenden Glanz verliert, und frühe schon auf seiner modernden Natur das graue Moos der Vergessenheit hervorkeimt und verbreitet«. Das rät F. W. Hölbe in seiner »Geschichte der Stammbücher nebst Bemerkungen über die bessere Einrichtung derselben für jeden, dem Freundschaft lieb ist« (Camburg a.d. Saale 1798).

Den Hauptteil des Stammbucheintrags macht ein Denkspruch aus, der dem Freunde mit auf den Weg gegeben wird. Schon seit dem 16. Jahrhundert gingen gedruckte Zusammenstellungen von Emblemen, Devisen, Sentenzen denjenigen zur Hand, die um einen solchen Spruch verlegen waren. Im 18. und 19. war man auf eigene Gedanken gar nicht mehr angewiesen, denn es gab Sammlungen mit Hunderten von »Stammbuch-Aufsätzen« in großen Mengen und immer neuen Auflagen. »Tempel der Liebe und Freundschaft« (Nordhausen 1818) oder »Vergißmeinnicht. Sammlung auserlesener Stellen ...« (hrsg. von Karl Müchler, Berlin 1811), so beispielsweise hießen die Spaliere, von denen man sich die Rosen der Poesie oder die soliden Äpfel praktischer Weltklugheit pflücken konnte. Fast immer anonym herausgegeben, schöpfen sie »aus den Werken der besten Dichter«, meistens ohne diese zu nennen. Denn unter den Sinnspruch will ja der Inscribent *seinen* Namen setzen. Selten nur geben sich die Büchlein anthologisch und sind als klassische Blütenlese mit Autorenangabe zu gebrauchen. Andere belehren zweckmäßig über die Anlage der Titelseite, den Ersteintrag (gelegentlich mit einer »Pönformel« gegen ungezogene Einschreiber) und die Seitengestaltung. Manche wenden sich an spezielle Abnehmergruppen, z.B. an die jungen Mädchen (Wilhelminens Stammbuch, oder kleine Gallerie schöner und großer Gedanken über Freundschaft, Liebe, Hoffnung und Menschenleben. Zur Bildung des Geistes und Herzens. Nördlingen o.J., ca. 1832) oder an die Herren Studiosi (Des Burschen Stammbuch, Düren 1835), letztere merklich mutwilliger, doch frei von Zoten (die tradierten sich von Stammbuch zu Stammbuch) und im vorgerückten Biedermeier mit weit weniger deutschem Eichenrauschen als während der Befreiungskriege. Wenn aber statt von einer Dichterpersönlichkeit die Autorität nur mehr von der gebundenen Form ausgeht, von der bloßen mnemotechnischen Einprägsamkeit

eines Reimgefüges, da ist der nur irgendwie wohltönenden Phrase und Banalität die Tür geöffnet: direkter Zutritt zu den Gemeinplätzen und »Irrgängen der Konvenienz«.

Nach dem Haupteintrag folgt üblicherweise eine Schlußformel wie »Diese wenigen Zeilen widmet zur Erinnerung Deine Dich aufrichtig liebende ...«, Datum und Unterschrift; oder: »Denken Sie, so oft Sie diese Zeilen durchlesen, an Ihren wahren Freund ...«

Der dritte Bestandteil des Stammbucheintrags, meistens schräg in die linke Ecke geschrieben, ist ein verkümmertes Relikt aus der hohen Kunst der Wappen- und Wahlsprüche, genannt »Symbolum«. Dieser vielschichtige Begriff meint hier den eigenen Wahlspruch (eigentlich »Devise«) des sich Eintragenden, den er als eine Art persönlicher Stempel dem Denkspruch noch aufdrückt. Die kunstvollen, knappen Devisen (deren Anfangsbuchstaben gern mit denen des Namens korrespondierten) sind im Biedermeier zu austauschbaren Sprüchen geworden, nur kernhaft-kürzer als der Haupteintrag, und in den Vorlagenheften unterschiedslos als Symbol, Devise oder Motto bezeichnet. Die eigentliche Funktion des Symbolum, nämlich als Erkennungszeichen der Freunde bei einem späteren Wiedersehen (sei es auch nur auf dem Stammbuchblatt) zu dienen, haben die »Memorabilia« übernommen, ein Hinweis auf gemeinsame, verbindende Erlebnisse. Memorabilia werden meist nur für männliche Stammbuch-Halter notiert und die Begriffe oft verwechselt. So findet man im Stammbuch Hirschberger (vgl. Kat.Nr 5.1.44) von 1827/32: »Symbol. Unsere Bruderschaft im chinesischen Turm.« und auf einem anderen Blatt: »Symbol. So wie mit dem Staube der Wind/So spielt mit uns das Schicksal. Mem. unsere fidole Abende im Löwengarten p.p. Die Bataille bey Nymphenburg.«

Der Zeitpunkt, zu dem junge Leute um einen Eintrag ins Stammbuch bitten, ist meistens eine Abschiedssituation, zunächst die Trennung von Eltern und Geschwistern; ein paar Jahre später zerstreut sich der neu geschlossene Freundeskreis am Studienort wieder in alle Winde, die Institutsschülerinnen scheiden voneinander, das Mädchen verläßt Familie und Freundinnen, um dem Bräutigam zu folgen. Diese Zeitspanne umfassen die meisten Stammbücher, und Abschied mit oder ohne Wiedersehenshoffnung ist eines der gängigsten Spruch-Themen.

Die Pflanze wird versetzt, so treibt so reift sie besser,
Und eine Blume wird auf fremdem Boden größer.

(1832)

Das Leben ist eine immer währende Reise voll trüber Abschiede und lächelnden Wiedersehens; und nichts in ihm ist bleibend als die Erinnerung, die von seiner irdischen Gränze den Thauschleier über den Markstein hängt, und zur Hoffnung wird, sich in die vergoldeten Rosenwolken des ewichen Morgenfrühlings hüllend. Zur Erinnerung an Ihren durchreisenden Freund ...

(1829)

Um Wünsche fürs Wohlergehen beim ferneren Erdenwallen, um Versicherung der Freundschaft, blumenreichen Lobpreis der Liebe, um Burschenlustigkeit, Tugend, Tod und Verklärung, auch religiöse Ermahnungen, kreisen die meisten der Denksprüche.

O selig, wer sein Erdenleben
Am lieben Freundesarm durchwallt!
Ihm wird zum leisen Frühlingssäuseln
Der Donner, der sein Haupt umhallt;
Ihm wird der Schwermuth Rabendunkel
Zu lichtem Morgensonnenglanz,
Zu Maienregen Hagelwetter,
Und Dorngeflecht zum Blumenkranz.
(*Mein Stammbuch, Der Erinnerung, Freundschaft und Liebe*
heilig. Nürnberg ³1840, Nr. 88)

»Wandle unter Harfentönen/nach dem Wonneziel des Schönen« – wenn solche hochgestimmten Unverbindlichkeiten
produziert werden, ist die Parodie nicht weit. 1825 brachte
der Hamburger Wurstmacherssohn und autodidaktische
Privatgelehrte Georg Nikolaus Bärmann (1785–1850) ein
Spiel heraus: »Die Kunst, ernste und scherzhafte Glück-
wunschgedichte durch den Würfel zu verfertigen«. Was
damit anhand einer Wurftabelle entstehen kann, liest sich so:

Zähle dich zu Glücksmatadoren,
Werd' in Lust, wie Apfelmost geboren,
Sei mit Glück, als ein Kapaun gespickt!
Knet' und backe dir das Leid zur Freude,
Mäste stets dich auf der fettsten Weide,
Bis dich Seligkeit zu Boden drückt!

Scherzen und Rätseln sind die Stammbücher nicht verschlossen; Beispiele für Akrosticha (Gedichte, deren Zeilenan-
fangsbuchstaben ein Wort ergeben) finden sich reichlich –
entweder auf Begriffe wie Erinnerung, Freundschaft, Denkmal usw. oder auf die gebräuchlichsten Mädchennamen.

Sterbe!
noch oft in den Armen eines hübschen Weibes; –

Verderbe!
nie eine gute Gesellschaft; –

Und brich den Hals!
noch mancher Flasche Champagner! –
          Stammbuch Reuter, 1829, MStM 42/99

Tausend Blumen, die uns binden,
Rosen auch – sie blüh'n und schwinden.
Eine nur will stets verweilen;
Und willst du die Blume finden:
Es gesteh'n sie diese Zeilen.
(*Vergißmeinnicht. Eine Sammlung von mehr als 300 Stamm-*
          buchs-Versen . . . Hersbruck 1856, 73)

Oft bemerkt man aber den Argwohn derer, die noch über
ihren Eintrag nachdenken, gegen das hohle Geklapper:

Auch ohne diese Zeilen werden Sie nicht vergessen
Ihren Freund und Leidensgefährten . . .«
          (*Stammbuch Hirschberger*)

Keine entlehnte Worte eines Dichters
Sondern ewige Dauer sey das Monument unserer
          Freundschaft
          (*Stammbuch der Clara Kreß v. Kreßenstein, 1813*)

oder aus einer Sprüchleinsammlung:

Schreib meinen Namen nur in deinem Herzen ein,
So wird für mich und dich kein Stammbuch nötig sein.

Auf das berechtigte Mißtrauen gegen die papierenen
Schwüre zielt die zitierte Erzählung von Saphir hin: Lips
Käutzlein, Sohn eines plötzlich verarmten Millionärs, klopft
bei allen freundschaftbeteuernden Inscribenten seines
Stammbuchs um Unterstützung an und wird in seiner Not
nur von dem nicht abgewiesen, der einst trotzig eingetra-
gen hatte: »Ich habe keinen Freund und will auch keinen . . .«
Herrliche Selbstironie eines Zeitstils ist die darin enthaltene
Schilderung von Lips' achtzehnjähriger Angebeteten Elodie:
»Eben saß sie wieder in einem Gewande, in welchem die
Reinlichkeit über die Armuth triumphirte, und kolorirte ein
Stickmuster voll chinesischer Figuren, und in dem gesenkten
Wimper hing eine Thräne, als könnte sie sich nicht von ihnen
trennen, und eine wehmüthige Melodie zog aus den halbge-
öffneten frischen Lippen, als Lips die Tür öffnete.« (Saphir
1832 Bd. 1, 38)
Neben den Stammbüchern, auch in Mischformen, wurden
handschriftliche Sammlungen individuell ausgewählter
Dichtungen angelegt, die Poesiealben. Dieser Begriff ging
auf die Spätlinge der Stammbuchsitte über, die um die Mitte
des 19. Jahrhunderts allmählich zu einer Gepflogenheit der
Schulkinder wurde. Der Erinnerungshort für Erwachsene
begann sich alsbald im Fotoalbum anzusammeln.
Zweck der Stammbücher für ihre Besitzer war es, sich im
Erinnerungsbild daran zu ergötzen, und dazu trug der *Bild-
schmuck* wesentlich bei. Die alte emblematische Einheit von
Wort und Bild zu gegenseitiger Sinn-Ergänzung war im
Biedermeier allerdings längst dahin. Repräsentative Stamm-
buchbilder ließ man beim Briefmaler anfertigen, für Massen-
ware kamen die graphischen Künste zuhilfe, wirklich *rüh-
rende* fertigte man selbst. Doch die Übergänge sind fließend.
Da gibt es Drucke in feinster Punktiermanier, etwa ein
Blumensträußchen oder einen Genius darstellend, die vom
Käufer bunt ausgemalt wie eine Originalzeichnung wirken.
Auffallen kann das erst, wenn sich in einer Kassette identi-
sche Motive finden, die freilich durchs Kolorieren oder
Durchstechen der Konturen noch verschieden genug ausfallen.
Offenbar von Göttinger Verlegern war im späten 18. Jahrhundert der Gedanke ausgegangen, eigens für Stammbücher
Blätter mit Ortsansichten zu drucken, in deren freiem Him-
melsraum die Einträge Platz fanden, später nur noch auf der
Rückseite. Es folgte eine Flut von Darstellungen aller Art
mit (nicht immer) geeignetem Bezug zu ihrem Andenken-
Zweck. Eine neue, von allzu religiösem und allzu morali-
schem Gewicht befreite Ikonographie übermittelte das emp-
findsame Zeitalter dem Biedermeier, Motive der schwebenden Erinnerungs- und Wehmutsstimmung: Unter dem Eindruck des Klassizismus dominierten noch die Urne und der
Freundschafts-Altar, der Säulenstumpf, der Freundschafts-
oder Weisheitstempel im Hain, die Ewigkeitsschlange, die
Trauerweide über Denk- und Grabsteinen, der sinnende
Spaziergänger in der empfindsamen Rindenschneide-Pose,
das Saitenspiel als Zeichen der Gleichgestimmtheit. Später
überwiegt die bunte Heiterkeit von dekorativen oder symbolisch sprechenden Blumen, verschlungenen Händen, Füllhörnern, Landschaftsidyllen, Ritterromantik; Genien bringen Girlanden, Amor zielt mit Pfeil und Bogen, das Lebens-
schifflein ist auf munterer Fahrt, Brückenbogen spannen sich
über das Wasser der Zeit und Trennung, die Ufer bevölkern
Allegorien von Hoffnung und Genügsamkeit, von Geduld
und Gottvertrauen.

Noch ein wahrscheinlich um 1850 zum fünften Mal aufgelegtes Nürnberger »Stammbuch der Erinnerung, Freundschaft und Liebe heilig« gibt im Anhang eine »Anleitung zu symbolischen Stammbuchzeichnungen«, die fast alle allegorische Personifikationen sind. Das Bändchen enthält ein buntes Titelkupfer, das man im Bedarfsfalle »zugleich als geschmackvolles Stammbuchblatt benützen kann«. Bemerkenswert für das Verständnis des Stammbuchblattes als Denkmal ist die (noch in der Tradition des Louis-seize stehende) Vorliebe für Monumentalformen im Kleinen. Die 3. Auflage von 1840 zeigt im Titelkupfer (bez. P. C. Geissler) einen Engel, der auf das in einen Felsen eingegrabene Wort »Freundschaft« weist. Das radierte Titel-Blättchen im Stammbuch Kreß (vgl. Kat.Nr. 5.1.44) monumentalisiert diese Dimensionen noch: In einer Parklandschaft führt ein Herr eine Dame zu einem proportional riesigen Felsen mit Bank davor; im Felsen ist der Rahmen einer Inschrifttafel ausgehauen, in deren Feld steht die handschriftliche Eintragung »Der Freundschaft! von Clara von Kreß«.

Kupferstecher, Radierer, Lithographen prägten diese Bilderwelt vor; dilettierende Stammbuchkünstler paßten sie ihren Möglichkeiten an. Fertig gekaufte Bildchen wurden bisweilen mit dem eigentlichen Stammbuchblatt durch einen Streifen Buntpapier zusammengeklebt oder über einem Seidenband festgestickt. Nach Gestalt und Aufdruck nähern sich diese Bilder oder entstammen direkt dem sinnigen Kosmos der Glückwunschkarten, dieser Vollmachten der Höflichkeit, die einem alles abnahmen, was man wichtigen Mitmenschen zum Neuen Jahr, zum Geburts- und Namensfest, zu Verlobung und Vermählung an Devotion oder Anzüglichkeit, an liebenswürdigem Scherz, galanten Seufzern oder berechnender Beflissenheit zukommen lassen wollte (vgl. Pazaurek 1908, Zur Westen 1921, Spamer 1930, Egger 1980). Das Wunschbillet als »Leitfossil« der Biedermeierzeit wurde durch seinen grenzenlosen Einfallsreichtum zum sich selbst fortbewegenden Prinzip immer neuer Inventionen. Seinen Höhepunkt erreichte es mit den Bildern, die sich durch Zug an einem Papier-»Hebel« völlig verwandeln (»Jalousiebilder«) oder vor allem bewegen ließen: Ein Gratulant macht zierlichen Kratzfuß, ein Vesuvausbruch fördert eine Gratulation zutage, ein neckisch-schüchternes Mädchen kann (dank der Transparenz des Papiers) vor der Neugierde des Betrachters erröten und wieder erblassen. Ein extrem kompliziertes Beispiel spannungsvoller, noch barock gedachter Ikonographie ist eine bei Trowitzsch & Sohn in Frankfurt/O. um 1830 hergestellte Zughebelkarte (Histor. Museum Hannover). Sie stellt einen Monopteros dar, der auf leichtes Ziehen am Papierstreifen hin einstürzt. Hat man die Unterschrift gelesen

Die Zeit, die alles in Trümmer bricht,
Bewahrt uns ewig doch –

und bricht dann der Tempel in sich zusammen, so erscheint an der Bildoberkante ein pyramidenförmiger Denkstein, dessen Inschrift fortfährt: »*der Freundschaft Himmelslicht*«. Vor allem eine Wiener Spezialität waren diese belebten Bilder und in den 1830–1850er Jahren die »Kunstbillets«. In Bayern waren sie Importware. Das bezeugt ein Inserat im Bamberger Intelligenzblatt vom 28. Dezember 1821, das R. T. Gütig, Buchbinder am Maximiliansplatz, einrücken ließ. »Ganz neue Neujahrs-Wünsche von Gold und Perlemutter, Silber, Gros de Naples [ein Seidengewebe], wie auch Zugbil-

leten von den *Neuesten* habe ich während den Feiertagen erhalten, hierunter befinden sich einzelne hier noch nicht gesehene Stücke, welche gewiß allen Nürnberger u. Augsburger, die von obigen Originalwünschen immer erst einige Jahre später copirt werden, vorzuziehen sind.«

Bei den schlichten Bildchen, die in die Stadtmuseums-Stammbücher eingefügt wurden, handelt es sich tatsächlich ausschließlich um Augsburger und Nürnberger Produkte von Ferdinand Ebner und Johann Daniel Herzberg (Augsburg) sowie von Friedrich Campe, Peter Carl Geissler, Georg Nikolaus Renner und Conrad Riedel (Nürnberg) (vgl. Brückner 1969).

Neben den professionell-perfekten Illustrationen verleihen Liebhaberarbeiten den Sammlungen das eigentliche gefühlvolle Relief. Dabei fällt auf, daß es sich großenteils um Techniken der »Klosterarbeiten« handelt, – die Ergebnisse sind *säkulare Andachtsbilder des Herzens*. Als geistliche oder weltliche Liebesgaben kennt man die kalligraphischen »Literalbilder«: Ornamente oder figürliche Darstellungen werden durch Schriftzüge sinnigen Inhalts gebildet (z.B. ein Christuskopf aus der Passionsgeschichte, ein Gelehrtenportrait aus dessen Biographie). Für das Stammbuch eines Fräuleins Katharina (MStM 34/1134) brachte ein Verehrer 1831 eine Tulpe aus den Worten seines Denkspruchs zu Papier: die Mühe des Lesens zwingt zu intensiverer Beschäftigung mit dem Widmer!

Häufig wird ein kleines Haaropfer gebracht, eine Locke oder ein Zöpfchen aufs Blatt genäht oder zusammen mit einem Seidenbändchen durch radiale Einschnitte im Papier geflochten. Klebearbeiten aus Moos, gefärbtem Stroh, bunten Federn waren ebenso nonnenklösterliche Kunstübungen wie die Bildchen auf skelettierten Eichen- oder Lindenblättern (das erreicht man durch sanftes Ausklopfen des Blattfleisches mittels einer Bürste; durch Auflegen einer Schablone kann man Muster im Blatt stehenlassen).

Eine der anspruchsvollsten Techniken der Andachtsbildchen

5.1.44 Stammbuchblatt, erste Hälfte 19. Jahrhundert

findet man weltlichen Inhalts in Stammbüchern: Nadelmalerei auf Seidenstoff sowie mit offenen Seidenfäden, leonischen Drähten und winzigen Pailletten auf Papier gestickte Bildchen, vorzugsweise Blumenarrangements. Der maschinell gelochte Papierkanevas erleichterte und vergröberte die Arbeit. Dem Nähkästchen nahe steht eine einfache und wirkungsvolle Technik, die dem Papier spitzenartige Plastizität vermitteln kann: die Nadelstichbilder. Konturen werden auf der Vorderseite, gemusterte Flächenfüllungen von der Rückseite her mit einer Nadel durchstochen, dann sparsame Effekte mit Wasserfarben aufgesetzt. Mehrere Exemplare lassen sich gleichzeitig stechen und das Kopieren von vielerlei Vorlagen liegt schon deshalb nahe, weil mit dieser Methode jede Art von Stick- und Schnittmustern von der Vorzeichnung auf den Stoff übertragen wurde: durch das gestochene Dessin wurde Graphit- oder Kreidestaub gerieben.

Die (nicht nur) klösterlichen Wunderwerke der papier- und pergamentgeschnittenen »Spitzenbilder« leben im Stammbuch fort als bescheidenere, aber phantasievolle Scherenschnitte (vgl. Metken 1978). Die große Manie des 18. Jahrhunderts, gemäß Lavaters »Physiognomischen Fragmenten« alle interessanten Köpfe als Portraitsilhouette zu sammeln, wird munter im Stammbuch tradiert. Gelegenheiten, sich silhouettieren zu lassen, boten sich durch reisende Scherenschneider, z.B. auf Jahrmärkten; die Kunst, im Profil das vermeintlich reinste, abstrakte Bild des Charakters zu erfassen, wurde aber auch im häuslichen Kreis geübt. War die Coiffüre zu duftig für das Scherchen, so tuschte man sie auf dem Papier nach (wenn nicht die ganze Silhouette in Tusche ausgeführt war). Durch modisches Beiwerk ließ sich der Schatten bunt beleben; die Studentensilhouetten tragen stets die Farben der Verbindung. Für Stammbuchzwecke war der Schattenriß prädestiniert, denn er war billig und ziemlich leicht zu vervielfältigen. Richtige Portraitminiaturen von Künstlerhand finden sich daher nur noch in sehr anspruchsvollen Freundschaftsalben, doch geschickte Dilettantenzeichnungen bleiben allgemein verbreitet.

Die Photographie löste diese Bildnistradition ab; es gibt schon um die Jahrhundertmitte erstaunliche Erinnerungsgegenstände in photographischer Technik, z.B. einen Ring als Verlobungsandenken mit einem Damenbildnis in Stereo-Daguerrotypie und entsprechendem Vergrößerungsglas (vgl. Kat.Nr. 5.1.28).

In manchen verspielten Formen berühren sich Stammbucheinträge mit Bilderrätseln. Es kommen Vexierbilder vor – im Liniengewirr eines Waldes ist etwa der Umriß Napoleons zu suchen. Manche Wunschbillets wollen mit großen Lettern verblüffen: »S N D nie unsrer Freundschaft Harmonie« reimt und versteht sich erst, wenn man die Konsonanten einzeln mit ihrem Vokal buchstabiert. Hier wird die Brücke zur Bilderschrift geschlagen, zum allgegenwärtigen *Rebus*, das im Biedermeier so beliebt war wie heute das Kreuzworträtsel, um die offenbar grassierende Langeweile zu vertreiben. »Der Rebus ist die Keilschrift unserer modernen Zeit geworden; bedienten sich die Völker in der Kindheit des Menschengeschlechts der Ziffernschrift aus Mangel an reicheren Ausdrucksformen, so erzeugt unser schriftreiches Zeitalter aus dem Ueberfluß seiner Redeformen diese spitzfindigen Sprachräthsel«, erklärt der Berliner »Rebus-Almanach für 1860 zur Unterhaltung für fröhliche Kreise und in einsamen Stunden«.

Von der intellektuellen, bildmagischen Hieroglyphik des Humanismus, von ihrem Vordringen in transzendente Bedeutungsschichten wollen die Rebus nichts mehr wissen. Das rein Spielerische erkennt man daran, daß die Begriffe nicht mehr durch ihr ganzes, bildliches Äquivalent ersetzt werden (beispielsweise »Bär« durch die Darstellung eines Bären), sondern daß sie nun mittels zurechtgestutzter Rudimente aus Lautwerten zusammengestückelt werden (also ein A und die Bärendarstellung für »aber«), oft in ganz widersinnigem, lächerlichem Bezug zum Bedeutungsinhalt. Bei religiöser Thematik verbietet sich dieses scherzando der Bilderschrift; zu ihrer Popularität dürften aber gerade die weit verbreiteten »Biblischen Figur-Sprüche« viel beigetragen haben, die der Augsburger Melchior Mattsperger 1685 unter dem Titel »Geistliche Herzens-Einbildungen« herausgegeben hatte und die vielerlei Nachahmung fanden. Als Gebetbuch-Einlegebilder für kindlich-fromme Gemüter intensivierten sie die Betrachtung von Bibelversen, indem sie »Hand« und »Harfe«, »Säule« und »Sonne« bildlich in den Text einfügten. In der säkularisierten »Hieroglyphik« des Biedermeier eignen sich verrätselte Bild-Texte gut zu Orakelspielen. Aus dem Kartenpäckchen von »Präciosa's Orakelsprüchen« (Leipzig um 1830/32) kann man sich den Ratschlag herausziehen: »Im Sch(Leier) der N(8) suche T(Rost) b(Ei)m R(Klingen) der (Gläser)«.

Das empfiehlt sich nun wohl auch angesichts der Überfülle dessen, was sie an Sinnigem und Gedankenlosem, an Empfindung und Empfindelei einschließen, die *»Stammbücher, die immergrünen Blätterkränze vom heiligen Baume der Erinnerung, die treuen Schatzkästlein mit den geweihten Rosen der Liebe und Freundschaft, mit den Denksteinen seliger Stunden, oft von Myrthengebüsch, oft auch von Thränenweiden beschattet, aber auf allen den goldgeränderten Blättchen die silbernen Sterne geistigen Beieinanderseins!«* (Damen Conversations-Lexicon, Adorf ²1846)

5.1.44 **Stammbuchblatt,** erste Hälfte 19. Jahrhundert

Das Paradies des Menschen ist sein Herz.
Was Lieb' in diesem Garten ziehet,
Sind Rosen und Jasmin für Kränze, Spiel und Tanz.
Ach! bald dahin verduftet und verblühet!
Nur was am Freundschaftsstrahl gedeiht,
Ist Lebenskost für Zeit und Ewigkeit.

Wohl dem, der frei von Schuld und Fehle
Bewahrt die kindlich reine Seele. —
Er wandelt frei des Lebens Bahn!

5.1.44 Stammbuchblatt, erste Hälfte 19. Jahrhundert

Anleitung zu symbolischen Stammbuchszeichnungen.

Anhänglichkeit, die verehrende: Eine weibliche Person, mit Rosen bekränzt, steht bei einem Ulmenbaum, um dessen Stamm sich Epheu rankt. Auf der anderen Seite ist eine sich nach der Sonne wendende Sonnenrose.

Arbeitsamkeit: Eine weibliche Person hat einen Bienenkorb neben sich, oben ein Stern, im Hintergrunde die aufgehende Sonne.

Dankbarkeit: Eine Figur gießt eine Opferschale auf einen Altar aus, in dessen Relief sich ein Storch befindet.

Demuth: Weibliche Figur in einfachem, weißem Gewande, verschleiert, den Blick zur Erde senkend, zu ihren Füßen ein Pfauenschmuck, ein Lorbeerkranz, eine Krone oder ein Füllhorn etc.

Dichtkunst: Appollo mit der Leyer von einem Lorbeerkranze umschlungen, oder auch dasselbe ohne Figur.

Eintracht: Concordia, weiß gekleidet, ist von Zweigen des Oelbaums bekränzt und trägt einen Bund Pfeile.

Ewigkeit: Eine im Kreise gewundene Schlange, das Ende ihres Körpers im Munde habend.

Freiheit: Ein Stab, welcher einen Federhut trägt, auf der Erde eine zerbrochene Kette und daneben ein Palmbaum.

Freundschaft: Zwei in einander verschlungene Epheukränze, oder: eine Ulme, von Epheu umrankt. Zwei in einander geschlungene Hände.

Friede: Ein Engel, welcher Palmblätter streut.

Fröhlichkeit: Eine jugendliche, weibliche Person, oder: zwei blühende Kinder hüpfend und mit freudigem Gesichte, mit Rosen bekränzt, und Rosen und andere Blumen ausstreuend.

Geduld: Weibliche Figur mit einem Lamm zur Seite und in der Hand ein Kreuz.

Gerechtigkeit: Weibliche Figur mit verbundenen Augen, in der einen Hand ein Schwert und in der andern eine gleiche Wage.

Geschwindigkeit: Fliegender Vogel.

Glaube, Gottvertrauen: Weibliche Figur, das Auge mit Zuversicht nach oben gerichtet, die Arme kreuzweis über die Brust geschlungen, zu ihren Füßen ein Rauchfaß und auf der Stirne ein Sternendiadem.

Glück: Fortuna steht flüchtig mit einem Fuße auf einer Kugel, ein Füllhorn im Arme enthält ihre Gaben.

Hoffnung: Ein Anker, von einem Kranze von Weinlaub und Weinblüthe und von vollen grünen Aehren umschlungen.

Kindliche Liebe und Dankbarkeit: Ein am Altar opferndes Kind.

Klugheit: Eine kriechende, aufschauende Schlange.

Liebe: Zwei sich schnäbelnde Täubchen auf einem Zweige, der durch ein rosenfarbiges Band mit Köcher und Bogen verbunden ist. Oder: Ein kleiner Knabe mit verbundenen Augen, eben den Pfeil vom Bogen abdrückend.

Mäßigkeit: Eine einfach bekleidete weibliche Figur, eine kleines Stück Brod in der einen, ein nur halb mit Getränk gefülltes krystallenes Gefäß in der andern Hand haltend. Am Arm ein Zaum.

Mildthätigkeit: Eine weibliche Person ihre rechte Hand theilnehmend auf die linke Brust legend, mit der linken Gaben austheilend.

Ruhm: Ein beflügelter Stab mit einem Lorbeerkranze.

Sanftmuth: Ein Löwe von einem Kinde an einem Bande geführt.

Scherz: Jugendliche, weibliche Figur oder Genius mit lachendem Gesichte, bekränzt mit Rosen, hält den Jocusstab, ein Stab mit verkapptem Kopfe und langen mit Schellen besetzten Ohren.

Schönheit: Ein blühendes Mädchen mit Rosen bekränzt und eine Opferschaale in der Hand.

Tonkunst: Zusammenstellung musikalischer Instrumente.

Tod: Ein geflügelter grauer, bärtiger Mann, die Sense schwingend und auf einem Todtenkopfe stehend. – Oder: Ein Genius mit abgebrannter, gesenkter Fackel und einem Cypressenzweig.

Treue: Eine weibliche Figur, einen Schlüssel in der Hand und zur Seite ein Hund.

Tugend: Ein geflügeltes Kind, welches Balsampappelblätter streuet, Blätter von eirunder, sägeartiger Form und grüner, unten in's Weiße übergehender Farbe.

Ueberfluß: Ein von Früchten überfließendes Füllhorn, zunächst eine Garbe und ein Weinstock.

Unschuld: Ein mit weißen Lilien bekränztes Kind.

Unsterblichkeit: Ein Schmetterling, wie er eben die Larve verlassen hat und emporfliegt.

Vorsehung: Zwei Engel, welche im schnellen Fluge ein Kind über tiefe Abgründe nach einer fernen schönen Landschaft tragen.

Wachsamkeit: Ein Hahn, ein Kranich oder eine Eule.

Weisheit: Schild der Minerva mit dem Medusenhaupt, dem Helm mit dem Sphinx und der Eule gruppirt.

Zeit: Eine Uhr, oder Sanduhr, von Flügeln getragen.

aus: Mein Stammbuch der Erinnerung, Freundschaft und Liebe heilig. Fünfte Auflage. Nürnberg. o.J.

Selam oder die Sprache der Blumen

> *Du weißt es ja, ich blühe gern*
> *Auf treuer Freundschaft Pfaden;*
> *Mein zartes Blau, mein goldner Stern,*
> *Prangt schon in gnug Charaden.*
> (Friedrich Kind in: Minerva, Taschenbuch
> für das Jahr 1812, Leipzig)

Durch die Blume gesagt: in sinnig verbrämter Umschreibung kann man Dinge aussprechen, die nicht so *unverblümt* herauswollen. Üppig geziert, zu dunklem Sinn neigend, ist die »blumenreiche« Rede, und wenn die Redeblümchen (lat. flosculus) durch leere Gebräuchlichkeit verdorren, bleibt von ihnen nur noch die Schrumpfform der Floskel übrig. Stammbuchverse sind ganz besonders beredte Beispiele dafür.

Die Blume selbst als natürlicher Dolmetscher des Schönen, als Metapher des Anmutigen, Beglückenden, der Jugend und des Lebens schlechthin, aber auch der Vanitas, ist ein Leitmotiv in biedermeierlicher Stammbuchpoesie und erst recht in ihrem Bilderschmuck. Rose und Lilie werden als allgemeinverständliche, traditionelle Gleichung für Liebe und Reinheit vorausgesetzt, ebenso das Veilchen für Bescheidenheit, auch Freundestreue. Diese einfache Blumensymbolik begleitet eine ebenso schlichte Farbensymbolik, im Münchner Stammbuch Clingensperg (vgl. Inv.Nr. 39/44 z.B. ein »Lob der Violetten Farbe (1801):

> *Farbe, die Zytherens Götterhand [= Venus]*
> *Einst erschuf aus blau und Morgenröthe*
> *Und damit des Veilchens Schmuck erhöhte ...*

Oft genug sind Blumennamen nur Haken, um Reime darin einzuhängen. Was wäre, wenn *Nelken* sich nicht auf *welken* reimte? Wo andere Blumen genannt werden, ist ihr Namenswortlaut einer Bedeutung gleichgesetzt.

> *Je länger je lieber und Immergrün*
> *Sie sollen der Freundin die Pfade umblüh'n.*

5.1.44 Stammbuchblatt, erste Hälfte 19. Jahrhundert

O wunderschön ist Gottes Erde,
Und werth, darauf vergnügt zu seyn;
Drum will ich, bis ich Asche werde,
Mich dieser schönen Erde freun.

Wer ewige Dauer von Liebe und Freundschaft beschwört, setzt einzig um der Benennung willen Immortellen (»Unsterbliche«) ein, das sind verschiedene strohblumenartige Pflanzen von eigentlich unlebendiger Ausstrahlung – es zählt nur der Wortlaut. Unter dem redenden Namen Stiefmütterchen war Viola tricolor wegen seines Fratzengesichts etwa seit 1600 bekannt. Aber seine überaus häufige, stets nur bildliche Verwendung kommt daher, daß auch im deutschen Sprachgebrauch die französische Bezeichnung Pensée (= Gedanke) allgemein üblich war. Die farbenspielende Blume, als Gartenform auch Tausendschön genannt, steht also fast immer wörtlich für »Gedanken«. Und es sind solche »Gedankenspiele«, wenn Franz v. Pocci in seinem humorvollen Bilderbuch »Viola tricolor in Bildern und Versen«, einem echt biedermeierlichen Spätling von 1876, die nachdenkliche, komische oder dämonische Physiognomie der Blütengesichter mit Helm oder Haarpracht auf die Schultern der verschiedensten Akteure setzt.

Unübertroffen an Beliebtheit ist wegen seines Namens – *selbstredend* – das Vergißmeinnicht. Noch häufiger als die Rose findet man es rebusartig eingesetzt gemäß der Anweisung in einem Heftchen »Stammbuchverse« (bei Oehmigke und Riemschneider in Neuruppin, o. J. 11):

> *Blau ist das Blümchen, das hier spricht:*
> *»Ich bitte Dich, vergiß mein nicht!«*
> *N.B. Hier drüber, darunter oder daneben male oder*
> *sticke man einige Vergißmeinnicht-Blümchen.*

– eine künstlerische Leistung, die auch jedermann zuzutrauen war. Die treuefarbene Blüte, die – gemäß vielen Interpretationen – mit ihrem inneren Stern einen treuherzigen Liebes-Blick aufschlägt, steht im allerweitesten Sinn für Erinnerung und Freundschaft, auch für einen Souvenirgegenstand selbst. (Heutzutage versteht man unter »Vergißmeinnicht« im übertragenen Sinn einen mit klassischen oder religiösen Zitaten durchschossenen immerwährenden Kalender zum Eintragen persönlicher Gedenktage – ein Evergreen im Buchhandel!) Die kulturgeschichtlichen Wurzeln und die verzweigte Bedeutungsbotanik des Myosotis (griechisch: Mausohr) hat Getrud Angermann zusammengestellt (Angermann, 1966). Im Rahmen einer allgemeinen Hochblüte der dichterischen Pflanzenreflexion (gerade auch in der hohen Literatur) in der Zeit nach 1800 ist das Vergißmeinnicht die *Schlüsselblume* des Biedermeier. Wo man es nur unter dem botanischen Namen kennt, holt man es sich sogar als Fremdwort aus dem Deutschen: In dem durch Grandvilles allegorische Blumendamen berühmten Werk »Les Fleurs animées« von Alphonse Karr und Taxile Delord (Paris 1847) wird Erinnerung (souvenir) personifiziert durch Myosotis, »que tous les gens éclairés prononcent vergiss mein nicht« (das alle aufgeklärten Leute »Vergißmeinnicht« aussprechen; Bd. 1 im Kapitel über Pensée).

In begrenzter Zahl sind noch einige Gewächse konventioneller Begriff, je nach Namen oder anschaulichem Charakter: Trauerweide und Zypresse umrahmen Wehmut und Grab, Efeu steht für stützebedürftige Anhänglichkeit. Insgesamt müssen die Pflanzen in der sinnigen Bilderwelt vielmehr Symbolik tragen als Tiere. Von den reichen Bestiarien der Emblematik sind außer dem treuen Hund wegen ihrer sanfteren Tugend fast nur noch Turteltaube und Schmetterling (= Psyche) übriggeblieben; die grimmigeren Tiere knurren in der politischen Karikatur.

Neben diesen allgemeinverbindlichen, nicht nur Gebildeten verständlichen Blumen-Sinn-Deutungen von gewissermaßen öffentlichem Charakter gibt es die höchst unterschiedlichen Glossarien der »*Blumensprache*« als geheime Verständigungsmittel zwischen Liebenden. Moral- und Erziehungsmaximen schrieben – bei zunehmender Prüderie im späten Biedermeier – vor, junge Frauenzimmerchen unter strengem Verschluß zu halten, und das erforderte gewiß nicht selten listige Mitteilungsmethoden, um eine zarte Bekanntschaft nicht abreißen zu lassen. Carl Spitzweg kostet in seinen Bildern wiederholt den erzählerischen Reiz dieser Situation aus: wenn etwa die altjüngferliche Tante das Billet doux abfängt, das der Student an einem Faden vom Dachfenster herabläßt, während die liebreizende Adressatin ihre Gedanken in ihre Handarbeit einnäht – oder wenn der Postillon d'amour hinter dem Rücken der eingenickten Aufpasserin dem Mädchen über die Gartenmauer winkt. Aber die Blumensprache als echtes Geheimvokabular ist von solch poetischer Umständlichkeit, daß ihre eigentliche Praxis in den Bereich des Gesellschaftsspiels und der Unterhaltungslektüre gehören dürfte.

Die Konversation ist im Idealfall so zu denken: Jede Blume steht stellvertretend für einen bestimmten Ausdruck oder ganzen Satz. Bindet man nun entsprechende Blumen in einen Strauß oder Kranz, kann man vor aller Augen damit eine Nachricht übermitteln, die nur der Empfänger versteht – vorausgesetzt, er kennt die jeweilige Bedeutung. Hierzu bedarf es einer vorherigen Vereinbarung zwischen den Korrespondenten, und es müssen die benötigten Blumen zur Hand sein – allein der Wechsel der Jahreszeiten bringt da schon erhebliche Verständigungsschwierigkeiten mit sich.

So liegt es nahe, die Blumenzwiesprache mehr auf literarischer Basis anhand vorformulierter Deutung, möglichst in zwei Exemplaren, zu halten. Blumenwörterbücher waren eine verbreitete Heftchenliteratur neben den Sammlungen von Stammbuch-Aufsätzen, oft mit diesen in ein und demselben Bändchen. Meist anonym und ohne Jahresangabe erschienen sie in solcher Massenhaftigkeit, daß sie im »Gesamtverzeichnis des deutschsprachigen Schrifttums 1700–1910« allein unter dem Stichwort »Blumensprache« acht Spalten einnehmen, andere Titel (z. B. »Sinnige Kränze und Sträuße«) nicht mitgerechnet. Sie wurden zerlesen und verbraucht, nur wenige haben sich in Bibliotheken retten können. Unter ihnen fällt das Buch von Johann Daniel Symanski auf, das 1821 in zweiter, vermehrter Auflage in Berlin herauskam: »Selam oder die Sprache der Blumen«. (Abb.) Aus Ungenügen an den bisherigen willkürlichen Blumendeutungen erstellte Symanski ein Kompendium der Pflanzensymbolik seit dem Altertum nach Schriftstellerzitaten nebst historischem Abriß der Blumensprachen.

Selam oder die Sprache der Blumen, J. D. Symanski, Berlin 1821

Durch die Türkei-Briefe der Gesandtengattin Lady Wortley Montagu (Letters from the East, 1763) und durch Hammer-Purgstall in den Pracht-Folianten »Fundgruben des Orients« (Jahrgang 1809) erhielt das Abendland Kunde von einer Zeichensprache namens »Selam«, die in den Harems gepflegt wurde. »Selam« heißt eigentlich »Heil- und Segens-Gruß«. Wohl mehr zum gebildeten Zeitvertreib denn als Geheimverständigung sandte man sich verschiedenste Dinge, also nicht nur Blumen, zu. Um die Botschaft zu ergründen, sagte sich der Empfänger den Namen des Gegenstandes vor und überlegte, welche bekannte Zeile aus der klassischen Dichtung sich darauf reimte und im speziellen Zusammenhang einen Sinn ergab. Lady Montagu behauptet: »Es giebt keine Farbe, keine Blume, kein Rohr, keine Frucht, Kraut, Stein, oder Feder, die nicht einen zu ihr gehörigen Vers hat; und sie können sich zanken, Vorwürfe machen, oder Liebes-Freundschafts- Höflichkeitsbriefe, selbst bis auf die neuen Zeitungen herumschicken, ohne ein einziges mal Dinte an den Finger zu bringen« (Deutsche Ausgabe Leipzig 1764, 202).

Der Versuch, diese preziös-anspruchsvolle Spielerei im Zuge der Orientmode einzudeutschen, mußte zur Banalisierung führen, aber die Sache wurde populär. Durch den Almanach »Pandora oder Kalender des Luxus und der Moden für 1787« erfuhr ein breiteres Publikum von der »Sprache durch Blumen« (48) und im Jahrgang 1789 folgte ein Wörterbuch der Selams (oder auf türkisch »Manehs«, 81). Als Beispiel für die Sinnfindung durch den Selam-Reim wird dort angeführt: »Gelbe Rübe, Ew'ge Liebe«. Der literarische Rang dürfte damit klar, nämlich in der Nähe von Abzählversen sein. Symanski, der Herausgeber der Berliner Zeitschrift »Der Freimüthige für Deutschland« und anderer satirischer Blätter war, versuchte in seinem Buch die wildwuchernden Formen der Blumensprachen zu veredeln und mit der Autorität namhafter Dichter zu belegen. Aus eigener Feder steuerte er ein Poem darüber bei, daß man die halbe Blumenwelt als Titel von zeitgenössischen Lyrikbänden und Almanachen findet, von »Malven« und »Cyanen« (= Kornblumen) bis zum »Heideblümchen«. (Die Masse der »Rosen«, »Veilchen« und »Vergißmeinnicht« erschien dann erst noch nach diesem Zeitpunkt!)

Einer ihm überlegenen Ironie geht Symanski freilich auf den Leim. In den »Noten und Abhandlungen zum besseren Verständnis des Westöstlichen Divans« (1819) bringt Goethe, »um nicht zu viel Gutes von der sogenannten Blumensprache zu denken oder etwas Zartgefühltes davon zu erwarten« ein scherzhaftes Selam-Beispiel, das die Beliebigkeit der Reimerei zeigen soll. Er erklärt die Korrespondenz ausdrücklich als »kleinen Roman«. Sie beginnt:

Amarante	*Ich sah und brannte.*
Raute	*Wer schaute?*
Haar vom Tiger	*Ein kühner Krieger.*
Haar der Gazelle	*An welcher Stelle?*
Büschel von Haaren	*Du sollst's erfahren.*
Kreide	*Meide.*
Stroh	*Ich brenne lichterloh.*
Trauben	*Will's erlauben.*
Korallen	*Kannst mir gefallen.*

Symanski löst aber die einzelnen Begriffe, soweit sie Pflanzen betreffen, aus dem Zusammenhang und fügt sie einzeln,

als des großen Goethe Meinung über die jeweilige Symbolaussage, in sein Blumenalphabet ein.

Unter Angabe der botanischen Bezeichnungen sämtlicher Gewächse nach Linnés Nomenklatur (denn die deutschen Namen sind ja oft mundartgebunden) und mit einem »rückläufigen« Register (Verzeichnis der Begriffe, die durch Blumen ausgedrückt werden) schöpft Symanski alle Spielarten seiner Materie aus. Er wird dadurch zur Quelle der ganzen kreuz und quer kompilierenden Heftchenflut.

Ein charakteristisches Beispiel trägt den Titel »Vollständige Blumensprache, der Liebe und Freundschaft gewidmet, oder neuester Selam des Occidents.« Nach dem Blumen-Alphabet folgt im Anhang »Das Orakel der Ringelblume«: Abzählsprüchlein beim Abzupfen der Blütenblätter, die nicht nur – wie bei Gretchen im »Faust« – die Antwort »Er liebt mich« liefern, sondern gründlicher ermitteln: werde ich überhaupt heiraten, wodurch werde ich Gegenliebe gewinnen, welchen Beruf hat der Zukünftige usw. Dann die »Blumen-Uhr« zur Vereinbarung einer Stelldichein-Stunde: Zwölf beliebige, dafür festgesetzte Blumen bezeichnen die Stunden, wobei ein weißes Seidenband Tages-, ein blaues Nachtstunden anzeigt. Symanski bemühte sich noch um eine botanische »Uhr« nach den tatsächlichen Stunden der Blütenöffnung. Anhand des »Blumen-Orakels« wird in geselliger Runde die verliebte Stimmung ermittelt: Eine uneingeweihte (!) Mitspielerin muß aus einer Anzahl Blumen eine wählen; die vorher festgelegte Bedeutung verrät, ob sie von heimlicher, flatterhafter, schwärmerischer oder gar koketter Liebe bewegt ist. Zu weiteren Unterhaltungsspielen dienen Charaden (Blumennamen sind zu erraten), es folgen Gedichte über Blumen und begleitende Devisen zu Blumengebinden.

Blumen-Charade

Wenn Dich ein hartes Schicksal traf,
Du armer Dulder, Du!
So ruft Natur Dir mild im Schlaf
Die beiden Ersten zu.

Und führt der Bräutigam die Braut
Zum Ziel, das er gehofft:
So nennt er sie daheim vertraut,
Mit meiner Dritten oft.

Spricht er alsdann – wie man wohl fragt –
»Liebest Du mich auch recht warm?«
Und sie spricht, was die Vierte sagt,
So ist er wahrlich arm!

Doch selig, wem des Liebchens Hand,
Von langem Schmerz erweicht,
Als zärtlicher Gefühle Pfand
Das schöne Ganze reicht.

> *aus: Vollständige Blumensprache, der Liebe und*
> *Freundschaft gewidmet, oder neuester Selam des*
> *Occidents. Für Alle, welche sich mit Zeichnen, Sticken*
> *und Sammeln der Blumen beschäftigen.*
> *Mit einem Anhange, enthaltend: Das Orakel der*
> *Ringelblume; die Blumen-Uhr; Blumen-Orakel; die*
> *Zeichensprache; Blumen-Charaden; Blumen-*
> *Gedichte; Devisen zu Blumensträußchen, Kränzen oder*
> *Bouquets; die Deutung der Farben. Nürnberg, 1842.*
> *Verlag der C. H. Zeh'schen Buchhandlung.*

Mit einer »Zeichensprache für zwei Personen, welche sich nur sehen und nicht sprechen können« stellt sich die Broschüre in die bis heute nicht ganz abgerissene Reihe jener Anweisungen, wie man z. B. Geheimschriften nach eigenem Code vereinbart. (Die Ergebnisse sind später in der Postkarten-Korrespondenz vielfach zu studieren!) Am Anfang dieser Reihe steht die im 18. Jahrhundert bedeutsame Fächersprache (die man in Paris und London in eigenen »Fächerakademien« erlernen konnte und die die Modekaiserin Eugénie wiederzubeleben versuchte) und an ihrem Ende stehen die diversen »Briefmarkensprachen«.

All die Hausmacher-Esoterik, die Namen- und Farbendeutungen, die Orakelhefte, Punktierbücher (neben den »Ziehkästchen« und »Orakelpuppen«, deren Rock aus Blättern mit Wahrsagesprüchen besteht, vgl. Hermann 1965, 199), Traumdeutungen, nicht selten in pragmatischer Verbindung mit (Liebes-)Briefstellern, Anstandsbüchern, Gratulations- und Polterabendvorträgen gehören mit in das Genre dieser massenhaften und ephemeren Ratgeber-Literatur.

Die Popularität der Heftchen bei der bildsamen Jugend machten sich Religionslehrer zunutze, indem sie die »Blumensprache in christlicher Übersetzung« herausbrachten. Die eignete sich naheliegenderweise nicht mehr für verschlüsselte Herzensmitteilungen, sondern zur belehrend-erbaulichen Lektüre. In München erschien anonym eine solche interpretatio christiana 1848 schon in zweiter, sehr vermehrter Auflage. »Der Ertrag ist für die armen Schulkinder in der Au bei München bestimmt«. Die Vorrede stellt klar: »Betrachtet die Lilien auf dem Felde . . . (Matth. 6, 28) [sicher bezogen auf die heimische Wappenblume des Auer Nonnenklosters]. Aber geht nicht zu den orientalischen Weibern, um die Sprache der Blumen zu erlernen, denn das ist ein Greul vor Gott.« Unter exegetisch-pädagogischen Sachgruppen wird Pflanzensymbolik durch Gedichte und Bibelzitate dargelegt. Gemminger nimmt in seine spätere, sprödere »Blumensprache in christlicher Deutung« (Regensburg o. J.) Gewächse auf, die in weltlichen Sträußen nicht vorkommen (z. B. Barbarazweige, ja sogar Eisblumen) und flicht liturgische Farbsymbolik ein.

4.2.13.57 Das sprechende Blumenkörbchen, um 1835

Von den spielerischen Möglichkeiten der Blumensprache profitierten die Bilderbogenhersteller (z. B. in Neuruppin) ebenso wie die Verleger von Gesellschaftsspielen, die oft Orakelcharakter haben. »Das sprechende Blumenkörbchen« läßt sich unter Glas gemäß Anleitung zu immer neuen Botschaften arrangieren (vgl. Kat.Nr. 4.2.13.57). Getrockneten und künstlichen Blumen kam bei solchen Sinn-Spielen sicher eine größere Rolle zu, als man heute im einzelnen nachweisen könnte. Auch die vielen Anleitungen in Handarbeitsbüchern zur Herstellung von Kunstblumen am eigenen Nähtisch dürften nicht nur im Dienste des Putzes, sondern auch manch sinniger Bedeutung gestanden sein. Eine rührende Kuriosität ist das »Immortellen- oder Immerschönen-Taschenbuch für die Entdeckungs-Jahre 1805 bis 1816 herausgegeben von J. G Berger« (1817 o.O.), gewidmet »dem Entdecker der Mannichfaltigkeit und Anwendung der unverwelklichen Pflanzenteile und Erfinder des Blumen-Mosaik, Herrn August Sadebeck zu Reichenbach in Schlesien«. Es berichtet über Kunststückchen aus (ganz gewiß nicht von Herr Sadebeck entdeckten) Trockenblumen, wie Landschaftsbildern, Denkmälern mit Goldinschriften, Verzierungen von Zuckerbäckerwaren. Dabei sind auch Vorschläge für eine »Immortellen-Blumenschrift«, ein Alphabet gemäß den Anfangsbuchstaben der wahlweise lateinischen oder deutschen Pflanzennamen – frei von Symbolik (vgl. Abb.) Entsprechend nebeneinandergeklebt können die Immerschönen wie normale Schrift fließend abgelesen werden, besonders mit ein wenig Übung.

Blumenschrift aus: Immortellen- oder Immerschönen-Taschenbuch, J. D. Berger, 1817

Die ungerechte Verteilung des ABC über die deutsche Flora wird aus der wunderschönen Invention eines Berliner Kreuzstich-Zählmusters mit einem großen bunten Kranz deutlich. »Die Anfangsbuchstaben der Blumen bilden das Wort Freundschaft«. Folgende nicht durchwegs geläufige Blumen werden bemüht: »1. Fabritia. 2. Rose. 3. Elychrisum. 4. Uvularia. 5. Nelke. 6. Datura. 7. Sonnenblume. 8. Caprifolium. 9. Hortensia. 10. Amaryllis. 11. Flieder. 12. Tulpe.« (Titelabbildung der Mappe von Heidi Müller »Rosen, Tulpen, Nelken . . .«, Stickvorlagen des 19. Jh., 1977).

Wie *wirklich* poetischer Sinn die nur geschwätzigen Floskeln der Blumensprache zum Verstummen bringt, zeigt ein Sonett, das in vielen Florilegien abgedruckt ist.:

Der Blumenstrauß.

Wenn Sträuchen, Blumen manche Deutung eigen,
Wenn in den Rosen Liebe sich entzündet,
Vergißmeinnicht im Namen schon sich kündet,
Lorbeere Ruhm, Zypressen Trauer zeigen;

Wenn, wo die andern Zeichen alle schweigen,
Man doch in Farben zarten Sinn ergründet,
Wenn Stolz und Neid dem Gelben sich verbündet,
Wenn Hoffnung flattert in den grünen Zweigen:

So brach ich wohl mit Grund in meinem Garten
Der Blumen aller Farben, aller Arten,
Und bring' sie dir, zu wildem Strauß gereiht:

Dir ist ja meine Lust, mein Hoffen, Leiden,
Mein Lieben, meine Treu', mein Ruhm, mein Neiden,
Dir ist mein Leben, dir mein Tod geweiht.

Ludwig Uhland.

Die Blumen- und Zeichenverständigung ist übrigens keine türkische Erfindung, sondern findet sich schon in der indischen Dichtung des 6. und in der japanischen des 11. Jahrhunderts. Die erstaunlichen Dimensionen der »Blumensprache« in der Literatur bis zur Gegenwart wurden, klug kommentiert, 1984 von Gerhard Bodeit (Leipzig) zusammengestellt in der Anthologie »Blumen – und wie du sie bindest, so wird nun erst ein Leben daraus«.
Tiefere Einblicke ins Blumenvokabular und seine Anwendung mögen die folgenden Texte bieten:

Selam oder die Blumensprache des Orients

Nachtkerzen: Gar leicht verstehen sich galante
Herzen
Nachtviolen: Ich fühl's, du hast mein Herz gestohlen
Narzisse: Pfeile sind mir deine Küsse
Nelken: Auch Schönheit muß wie jede Blüte welken
Nuß: Wie süß ist dein Kuß
Oleander: Das Schicksal trenne nie uns voneinander
Oleaster: Flieh der Lüge schwarzes Laster
Päonie: Mich schmerzt's, wenn ich dich weinen seh
Palmblatt: Aller Zwist ein Ende hat
Pantoffelblume: Dem Ehmann dies Symbol aus Floras
Heiligtume
Papageienfeder: Von Tag zu Tag wirst du blöder
Paternosterbohne: Du weißt, wo ich wohne
Pfeffer: Im Spiel der Liebe gibt's viel Nieten, wenig
Treffer
Pfirsichblüte: Du bist mir ein Idol der Schönheit und
der Güte
Pflaume: Du entzückst mich selbst im Traume
Preiselbeere: Deine Sanftmut ich verehre
Quitte: Gewähr mit nur eine Bitte
Ranunkeln: Wir sprechen uns, sobald die Sterne funkeln
Raute: Verzweifeln muß, wer deinem Eide traute
Rittersporn: Längst nahm ich dich schon auf das Korn
Robinie: Ich weich nicht von der Linie

Rosmarin: Betrübt muß ich von dannen ziehn
Salbei: Ich fühle mich von jeder Sünde frei
Sauerklee: Du lachst, indem ich hier vor Schmerz
vergeh

Deutsche Blumensprache:

Farnkraut: Du hast gesiegt, nimm deinen Lohn aus
meiner Hand
Federnelke: Du bist liebenswürdig, aber flatterhaft
Feige: Ich lege keinen Wert auf deine Gunst
Feigenblatt: Sittsamkeit gefällt überall
Feldkümmel: Munter ist die Hauptsache
Feuerlilie: Hüte dich vor Eifersucht, sie ist das Grab
der Liebe
Fichtenreis: Ich liebe vor allem die Beständigkeit
Fingerhut: Du erregst mein Mißtrauen
Flachsbüschel: Häuslichkeit geht über alles
Flieder, spanischer: Ich bitte um ein Rendezvous an
dem bewußten Ort
Flockenblume: Liebe verleiht auch dem Schwachen
Mut und Kraft
Frauenhaar: Wer viel verspricht, dem wird wenig
geglaubt
Gaisbart: Du sprichst die Unwahrheit
Gänseblümchen: Du bist außerordentlich niedlich
Gänsefuß: Du behagst mir heute nicht
Georgine: Deine Eigenschaften erregen Achtung und
Bewunderung
Gerstenähre: Du hast bei mir keinen Mangel zu
fürchten
Glockenblume: Ich zähle die Stunden, bis ich dich
wiedersehe
Gnadenkraut: Ich habe dir verziehen
Götterblume: Ich vergöttere dich
Hahnenfuß: Werde nicht zudringlich
Haselnußzweig: Ich werde dich bestrafen
Haselnußzweig mit Früchten: Kannst du das Rätsel
lösen, so errate meine Gedanken
Himbeere: Dein bloßer Anblick erfrischt mich schon
angenehm
Jasmin: Deine Geistesgaben erregen Bewunderung

Wörterbuch – nach den Bedeutungen geordnet
(Es muß jedoch stets der Pflanzenname aufgeschlagen
werden)

Abneigung: Alant, Distel, Dürrwurz, Gänsefuß,
Hanfblüte, Hederich, schwarze Johannisbeere,
Judenkirche, Mispel, spanischer Pfeffer,
Schlangenkraut, Unkraut
Achtung: Enzian, Georgine
Alter: Aschenkraut
Angst: Baldrian, Espe
Anmut: Balsamine, Meerzwiebel, Weidenröschen
Antwort: Grashalm
Anspruchslos: Brunnenkresse
Aufrichtigkeit: Alpenrose, Grasnelke, Zaunlilie,
Wiesenklee
Auskommen: Aprikose, Gerste
Bedauern: Zitronenmelisse
Begleiten: Goldlack, Hundeblume

Belauschen: Bohnenblüte
Beruhigung: Kamille
Bescheidenheit: Veilchen
Brief: Maßholder
Dank: Lavendel
Edelmut: Kamille römische, Mandel
Ehre: Lorbeer
Eifersucht: Feuerlilie
Einladung: Petersilie, Sellerie
Eitelkeit: Fünffingerkraut, Hafer, Knoblauch, Kohl-
rabi, Kürbis, Seidelbast
Erheiterung: Anemone
Festigkeit: Buche, Esche, Stechpalme, Tanne
Frendschaft: Kohl, Levkoje, Marienblümchen,
einfache Nelke, Rainfarn, Sonnenblume, Stiefmütter-
chen, Heidelbeere, Thymian

*Auswahl aus: J. M. Braun, Taschenbuch der Blumen-
sprache oder Deutscher Selam, Stuttgart 1843*

Briefmuster in Blumen

1. Antrag.
Perlblume!
*Africane. – Aurikel. – Augentrost. – Aprikosen-Zweig.
– Anemone. – Hungerblume. Hyacinthe. – Geisblatt.
– Moos. – Orangenblatt. – Grashalm.*

*Die hier bezeichneten Blumen in ein Sträußchen
gewunden, bilden folgenden Sinn:*

Göttin der Schönheit!
*Sag', wie ich mir den Weg zu deinem Herzen bahne;
denn nur in deiner Nähe bin ich glücklich.
Ich sah' dich – und mußte dich lieben, – ja ich liebe
dich unendlich! – Doch vergelte nicht mit Spott meine
treue Liebe, denn meine einzige Sehnsucht ist:
– dich zu besitzen.
Mein ganzes Herz gehört dir! – doch was habe ich zu
hoffen?
Verzweiflung ist mein Loos, beglückst du mich nicht
mit Gegenliebe!
Lasse mich bald Antwort wissen! u.s.w.*

2. Antwort.
*Goldhaar. – Grünkohl. – Hartheu. – Honigblatt. –
Hollunder. – Flatterrose. – Gänseblume. – Eiskraut. –
Löwenzahn. – Bocksdorn.*

Bedeutung:

*Du tändelst wohl nur mit mir, darum erkläre dich
bestimmt; denn ich hasse die Schmeichelei! – Willst du
etwa nur mich locken? O, so irrst du sehr an mir.
Doch willst du mich gewiß nicht täuschen, so wisse,
daß ich dir gewogen bin.
Kennst du aber nicht die wahren Gefühle des Herzens,
– dann gieb deinen Wahn auf, und – laß ab von mir.*

*Beispiele für Briefe, die – auch ganz ohne wirkliche
Blumen – anhand der Blumensprache-Heftchen
geschrieben und vom Empfänger entschlüsselt werden
können.*

*Aus: Allgemeine Blumensprache nach der neuesten
Deutung. Speyer und Grünstadt, 1837.*

Die weiblichen Kunstspiele

*Schafft was Gutes, ihr Schönen, so schafft ihr euch Ruhe des
Herzens:
Pallas Nadel treibt oft Amors Pfeile zurück.
(aus der Stammbuchvers-Sammlung »Tempel der Liebe und
Freundschaft«, Nordhausen 1818)*

Mit nichts kann man sich so unablässig in Erinnerung bringen, wie mit Gegenständen des täglichen Gebrauchs. Unter
den Widmungen der Damen- an die Männerwelt kommt da
dem Tabaksbeutel eine erste Stelle zu. Er ist immer zur
Hand, denn der Mann raucht Pfeife. Die teure und dandy-
hafte Zigarre war lange als »Szepter der Ungenirtheit« verpönt (Geismeier 1979, 71). Pfeifen selbst sind als Spiegel des
Welt- und Herzensgeschehens die Träger alles Denk-Würdi-
gen, in Meerschaum geschnitzt und auf Porzellan gemalt.
Einen ungewöhnlich originellen »Capuziner-Tobaksbeu-
tel . . . von braunen Taffent« hielt Georg Hieronimus
Bestelmeiers Nürnberger Magazin bereits um 1801 (als
Nr. 836) bereit: die obere Hälfte eines Mönchleins konnte
man an einer Kordel in die Höhe schieben und den unteren
Teil der Kutte mit Rauchtobak anfüllen. So ironisch sich
hier das geistliche Gefäß zur Farbe des Knasters verhält, so
gab man doch gewöhnlich einer praktischen Schlichtheit den
Vorzug. Die selbstgefertigten Tabaksbeutel sind auf Leder
oder Stramin gestickt, aus Seide gehäkelt und ledergefüttert;
am haltbarsten ist die kühl in der Hand liegende Perlenstrik-
kerei, ein mühevolles Verfahren, weil vor dem Stricken
zuerst das Muster nach einer Zählvorlage Perle für Perle
aufgefädelt werden muß. Dafür sieht dann der kontempla-
tive Raucher aus Füllhörnern Rosen und Vergißmeinnicht
rieseln mit dem fürsorglichen Wunsch »Wohl bekom das
Pfeifchen«. Sorglosigkeit exotischer Fernen beschwört die
Darstellung rauchender Türken oder Chinesen (vgl.
Kat.Nr. 4.20.32 und 4.20.31). Es geht auch ganz boden-
ständig zu: den Jagdfreund blinzelt der treue Tyraß aus
Perlenaugen an und über zartem Blumenschmuck weist der
Tabaksbeutel eines Metzgermeisters gekreuzte Schlachtbeile
und einen Ochsenkopf als Zunftzeichen neben der Inschrift
»Paulus Straub 1827« auf (vergl. Kat.Nr. 5.1.119). So viel
Fleiß und Geduld richteten sich ja auf eine sehr bestimmte
Person, weshalb ein großer Teil der hausgemachten Beutel
den Namen oder die Initialen des Beschenkten trägt, »einge-
hauen« zum Beispiel auf einem gestickten Denkstein im
Grünen.
Auch für Nichtraucher unentbehrlich: das Feuerzeug. Bis
sich die Sicherheitszündhölzer auf Phosphorbasis in den
1840er Jahren durchsetzten, war es mühsam, Feuer zu
machen, wenn sich keine Glut mehr im Herd vorfand. Die
notwendigen Utensilien wurden entweder in einem Feuer-
zeug-Kästchen bereitgehalten oder man trug sie bei sich in
oft von Freundinnenhand geweihten Feuertäschchen.
Monogramme, Erinnerungsmotive, Raucheridyllen auch
hier in verschiedenen Techniken, die Handarbeit gelegentlich vom Buchbinder oder Taschner konfektioniert. Diese
Täschchen enthalten den Feuerstein und den Stahl (mit
»Souvenir« oder Ornamenten geätzt, manchmal außen ans
Täschchen angearbeitet). Man schlägt beide aneinander und
läßt die abspringenden erhitzten Partikel auf Zunder oder
Zündschwamm schwelen, um daran Schwefelfaden oder
-hölzchen zu entzünden.

5.1.106 Pfeife mit Damenportrait in weißem Kleid, um 1840

5.1.104 Pfeifenkopf mit Damenbildnis mit schwarzem Schleier, 1840

5.1.119 Tabaksbeutel des Metzgers Paulus Straub, 1827

Hunderterlei andere Selbstverständlichkeiten des Alltags wurden durch Überzüge, Umschläge, Futterale zum persönlichen Souvenir geadelt: bestickt oder beperlt, bemalt oder beklebt findet man Spielkarten und Brillen, Schlüssel und Scheren, Nadeln und Fingerhüte, Notizbücher und Visitenkarten eingehülst.

Als Geschenk beliebt und als sehr variable Handarbeit nicht übermäßig zeitraubend waren Geldbörsen. Man konnte sie mit der Inschrift »Nimmer leer« an Metallbügel arbeiten, über einer stricklieselähnlich gezähnten Rundform wirken oder wie ein Kännchen häkeln, dessen Hals ein im Henkel gefangener Ring verschließt. Bei weitem bevorzugt waren die schlauchförmigen Geldkatzen mit einer Schlitzöffnung längs der Mitte, die durch verschiebbare Ringe gesichert wurde.

1828 meldet ein Wiener »Handbüchlein zur angenehmen und nützlichen Beschäftigung für junge Damen« von Charlotte L***: »Eine hübsche, obwohl ein wenig aus der Mode gekommene Art von Börsen sind die in Ananasform, die man von orangenfarbiger und grüner Seide in Schattierungen strickte.« Durch ein versetztes Zackenmuster ergibt sich eine ganz naturalistisch gezipfelte Ananas-Imitation mit grünem Blattschopf. Für die Lust an solch tropischen Spielformen hatte die Almanach-Epigrammatik eine Begründung parat:

Jegliche Würze vereint in ihrem Geschmacke die Süße:
Ananas, darum mit Recht schmücket die Krone dein
    Haupt.
        (Karl Philipp Conz im Taschenbuch für Damen,
                            Tübingen 1817)

Der vom Handgelenk baumelnde Taschenbeutel war ein so unentbehrliches Requisit der Biedermeierdame, daß man ihn als eine Art *Maßeinheit* der Epoche betrachten darf. Mit wehmütiger Ironie beklagt Jean Paul in Cottas Tübinger »Taschenbuch für Damen auf das Jahr 1820«, daß sich selbst die Literatur in dieses Format bequemen mußte: Es sei nur »der kleinste Nachtheil der Almanache, ... daß sie nicht, wozu sonst sogar das mittelmäßigste Buch, ja das schlechteste taugt, zu Makulatur werden können, weil in so kleine Blättchen nichts zu wickeln ist, als höchstens eine Nußschale für Affen oder sonst etwas in nuce ... In jedem Falle wär' es etwas, wenn man wenigstens den Namen Taschenbücher den weiblichen Taschen nachfallen ließe, und sie etwa, da Strick- oder Arbeitsbeutel statt jener getragen werden, schicklicher Strickbeutelbücher nennte oder Arbeitsbeutel- oder (will man lieber den modischen Namen) Ridikül- bücher.« (288f.)

Der Ridikül kam im Gefolge der Empire-Mode auf, deren hauchzarte Musselin-Gewänder keine Kleidertaschen dulde- ten. Obgleich sich das Wort von réticule (= Netzarbeit) herleitet, sorgten Aufwand und Gehabe um diesen Kultge- genstand dafür, daß man im Namen unschwer den lächerli- chen Anklang heraushörte. Die Galanteriewarenhandlungen überboten sich an Prachtvollem: Taschen und Arbeitskörb- chen in Form von Muscheln und Urnen, aus Eisendraht gewirkt oder mit Schildpatt gepanzert, Kunstgebilde aus Stroh, in Leder oder Pappmaché geprägt und mit Veduten verziert. Für solchen nur den Wohlhabenden erreichbaren Luxus wußte der rechtschaffene Hausfleiß Ersatz aus jegli- chen Stoffen und Garnkombinationen, aus geflochtenen Sei- denbändern und Lederstreifen. Der Handel hielt Drahtge- stelle zum Umspannen mit Wolle oder Chenille bereit (vgl. Abb.); für putzige Bagatellen mochten mit Seidenbeutelchen ausgefütterte Walnußschalen genügen.

Drahtformen aus: Enzyclopädie der sämmtlichen Frauenkünste,
C. Leonhardt und C. Seifer, Leipzig, 1833

Das Umwinden mit Wolle oder Garn.

4.19.18 **Stickvorlagen,** erste Hälfte 19. Jahrhundert

Hier war auch die Hauptdomäne der Perlenarbeiten, gereiht nach handkolorierten Zählmustern auf feinkariertem »Patronenpapier« (die schönsten kamen aus Berlin und Wien), welche auch der zur Jahrhundertmitte alles beherr- schenden Kreuzstichstickerei zu Vorlagen dienten. Neben der sinnigen Blumenwelt und der »Gedenke mein«-Ikono- graphie finden sich buntgeperlte aktuelle Gedächtnis- Motive; beispielsweise an das sehr dekorative Geschichtser- eignis, wie Prinz Otto 1832 als künftiger König der Hellenen nach Griechenland zog. Diese nationale Denkwürdigkeit schlug sich in allen Gattungen der Erinnerungszeichen nie- der: von Abschiedssäule (Ottobrunn) und Kapelle (Landes- grenze Kiefersfelden) über die populäre Graphik und eine vielköpfige Tabakspfeifenschar bis hin zum ganz privaten Lebewohl der Landeskinder, die in Ottos Gefolge zu einer ungewissen Zukunft aufbrachen (vgl. Kat.Nr. 11.1.35).

Das Erhabene und das Rührende konnten also auch an einem Arbeitsbeutel Gestalt annehmen. Darin enthalten war vielleicht eines jener »Ridikülbücher«, das nach einer Parodie des Spötters Saphir so betitelt sein mochte: »Seufzerbälge, gefüllt mit Schmetterlings- oder Silberbachschilfgelispel auf den Hesperidalen einer Mondfinsterniß. Ein Herzensange- binde für die Gönnerinnen lauer Thränen« (Saphir 1832, Bd. 2, 34).

Packten die Damen gehobener Schichten im geselligen Kreis ihre Handarbeit aus dem Beutel, so legten sie Geschmack und Vermögensverhältnisse dar: das Scherchen mit Perlmuttergriffen, die Stricknadelspitzen von Silberstiefelchen geschützt, das Nadelbüchslein gestaltet als silberner Hoffnungsanker oder Liebespfeil zum Einhängen in den Schürzenbund. Die Tätigkeit selbst war Ausweis der Erziehung in weiblichen Kunstfertigkeiten und mußte selbstverständlich mit graziöser Bewegung und in angenehmer Haltung ausgeführt werden. »Denn wenn eine Arbeit auch noch so mühselig seyn sollte, so erfordert doch der Adel und die Würde der Gestalt, allem, was vorgenommen wird, das Ansehen des Spiels zu geben. Nur der Söldner arbeitet mit grober Anstrengung – « heißt es im »Dritten Toilettengeschenk«, einem Leipziger »Jahrbuch für Damen« (1807, 180 f.). Die sich einer zarten Nadelei widmeten, konnten demonstrieren, daß sie es nicht nötig hatten, bei den gröberen häuslichen Arbeiten selbst Hand anzulegen.

Die Anmutspose der mit ästhetischem Tun nobilitierten Muße kennzeichnet einen seit dem späten 18. Jahrhundert häufigen Portraittyp: die (auch vom Adel geschätzte) bürgerliche Bildnisform der Dame, die am Stickrahmen sitzt, die zierliche Hand um das Schiffchen der Frivolitäten-Spitze (Occhi) spreizt oder von einer à-la-mode-Strickerei aufblickt. Auf manche Arbeiten brauchte man ja auch nicht unbedingt immer hinzusehen. Wenn das Muster so simpel war, wie der Handlungsfaden der Lektüre, konnte man sich ohne weiteres durch einen Roman »hindurchstricken«, während das Garn vom silbernen Knäuelhalter am Handgelenk abrollte.

4.15.6 Drahtkörbchen für Garn, wohl Carl Weishaupt, München um 1840

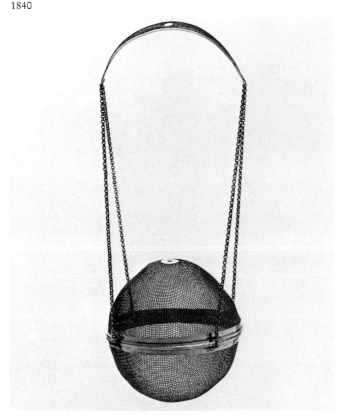

Die ständige Salon-Beschäftigung der Damenhände apostrophiert E.T.A. Hoffmann in seinem 1817 entstandenen »Sandmann«:
Die Automate Olimpia läßt sich von dem verblendeten Studenten Nathanael stundenlang alle seine literarischen Ergüsse vorlesen. »Aber auch noch nie hatte er eine so herrliche Zuhörerin gehabt. Sie stickte und strickte nicht, sie sah nicht durchs Fenster, sie fütterte keinen Vogel, sie spielte mit keinem Schoßhündchen, mit keiner Lieblingskatze, sie drehte keine Papierschnitzchen, oder sonst etwas in der Hand . . .« Nach der Entlarvung von Olimpias Automatenwesen verlangen dann manche von ihren Angebeteten, daß sie sich beim Vorlesen einer Handarbeit oder dem Möpschen widmen solle, damit man ihre menschliche Natur zuverlässig erkennen könne.

Gerade die zu Souvenirs prädestinierten Erzeugnisse sind es, die in pädagogisch ambitionierten Anleitungsbüchern von den nützlichen Textilarbeiten des Haushalts scharf als »weibliche Kunstspiele« abgegrenzt werden, als Luxus, wenn nicht gar als ein »Zeitverderben«. Kuriose Gebilde waren sie gewiß, die Beutel aus Gurkenkernen, die Blumentopfabdeckungen aus gestricktem Moos, die Körbchen aus Schneckenhäuslein und duftenden Gewürznelken. Die Ausübung solch standesgemäß-kunstfertigen Zeitvertreibs wurde daher gern als tätige Nächstenliebe motiviert. Bisweilen entsteht der Eindruck, es sei Daseinszweck der »Nothleidenden«, die »Wohlthätigkeitskränzchen« zu veranlassen, in denen all die sinnreichen Dinge verfertigt werden, mit denen man Bazare und Lotterien beschickte – die ihrerseits wieder als Informationsbörse für neue Modelle und Techniken inspiziert wurden. Die Aufzählung weiterer Möglichkeiten – aus der Fülle des Machbaren nur ein Ausschnitt! – soll daher eine »Correspondenz aus Paris« in der Stuttgarter »Allgemeinen Musterzeitung« (1847) übernehmen:
»So eben, beste Anna, kehre ich von der Ausstellung einer Armen-Lotterie zurück, bei welcher ich Gelegenheit hatte, sehr viele neue und elegante Arbeiten zu bewundern, von welchen ich jetzt auch sogleich ein wenig mit dir plaudern will. . . . In der Ausstellung sah ich . . . eine Menge Sopha- und Fußkissen aller Art, . . . Notizbücher, reich gestickte Albums, Taschentuch- und Handschuhe-Behälter, Brieftaschen, Nadelkissen, Pantoffeln von der verschiedenartigsten Form und Ausführung, Glockenzüge aus Perlen, gestricktem Moose etc., Cigarrenbehälter, Geldtaschen, Reisesäcke aus Straminstreifen, mit gepreßten, farbigen Saffianlederstreifen verbunden. Börsen, gehäkelte und gestrickte, von allen möglichen Formen und Bestandtheilen; Taschen, Fensterpolster, Fußbänke, Stühle, Fauteuils, Jagdtaschen und Jagdgürtel; Lichtschirme, in Seide gestickte, kleine Tische (Guéridons), Wandkalender, Schlüsselkästchen, Arbeitskörbe, von sehr großer bis zur kleinsten Dimension, Fußsäcke, gehäkelte, plattgestickte und in Stramin ausgeführte; Teppiche aller Art, mit Pelzfellen, auf Kaffeesäcke gestickt, gehäkelte, aus gestricktem Moose, mit farbigen Wollblumen, oder von ausgekämmter Wolle, wie ich dir einen in meinem letzten Briefe beschrieben; Wandkörbe, Holzkistchen, Lampenteppiche, Uhrständerchen, Hausmützen, Nähkissen, reich gestickte Gilets für Herren etc.« (55–57). Zu ergänzen wäre, daß sich das Moos aus grüngestrickten, gedämpften und seitlich wieder aufgetrennten Wollstreifen kräuselte, daß man Lampenuntersetzer in diesem Jahr mit einer gestrickten Hermelineinfassung arbeitete, und daß die Fensterpolster ein

sehr annehmliches Hilfsmittel beim Straßentratsch darstellten.

Entstammt diese Auflistung einer wahrscheinlich fiktiven Pariser Korrespondenz des späten Biedermeier, so findet man ganz ähnliche Zusammensetzungen von Werken des Kunstfleißes in München schon seit 1816 in den Inventaren des »Glückshafens«, der Warenlotterie beim Oktoberfest. Zugunsten der städtischen Armenpflege wurden dort (vermischt mit attraktiven Wertgegenständen als Köder) Handarbeiten von Knaben und Mädchen der Armenschulen ausgespielt, um deren Ausbildung, Erziehung zu »Industriefleiß« und zukünftige Erwerbschancen zu befördern. (AK Oktoberfest, München 1985)

Wegen ihrer Erinnerungs-Bedeutung im mehrfachen Sinn sollen die Mustertücher oder -streifen hier nicht fehlen. An ihnen erlernten die Mädchen nicht etwa das Sticken und Stricken, sondern sie waren Sammlungen von bereits beherrschten Techniken und Mustern (»Modeln«), die sinni-

gen Stammbuch-Motive vom Füllhorn bis zum Pensée-Stiefmütterchen vielfach variierend, und nicht zuletzt ein Vorratsschatz an Buchstaben zum Einmerken der Wäsche. Buntscheckiges Zeugnis des Sammelstolzes konnten die Modeltücher sein, oder aber, in reglementierter Einteilung, Ergebnis eines vereinheitlichten Handarbeitsunterrichts und somit Erinnerung an ein ganz bestimmtes Schuljahr. (Gokkerell, 1980)

Die Einbindung der »Kunstspiele« zu Geschenkzwecken in die Alltagswirklichkeit der Mädchenerziehung spiegeln die kleinen Schriften, welche in Fällen des Poesiebedarfs Beistand leisten: Ein undatiertes Wiener »Gedenkbuch der Freundschaft, Liebe und Achtung, oder Vergißmeinnichtkranz seliger Stunden der Vergangenheit«, das laut Vorwort »die schönste Lebensmoral in den kernhaftesten Denksprüchen« enthält, hat eine eigene Abteilung für Geleitworte »Bey Gemählden, Stickereyen und Geschenken«, meist auf dargestellte Rosen und Blaublümlein bezüglich. Friedrich von Sydows »Gelegenheitsdichter« (Sondershausen 1845) findet die rechten Worte, um eine »gestickte Fasanendecke zum Polterabend« zu überreichen. Ein als Lehrbuch mit Übungsaufgaben für Töchterschulen und Selbstunterricht seit 1828 vielfach neu aufgelegter »Briefsteller für die weibliche Jugend« von C. E. Hartmann enthält als Muster-Beispiel: »Clara übersendet ihrem Vater eine von ihr selbst verfertigte Börse«, und als Thema für eigene Stilübung »Eugenie beschenkt ihre Großmutter mit einer selbstgestickten Fußdecke«. Der Aufgabenstoff »Helene beschenkt ihre Aeltern mit der selbstgefertigten Stickerei zu einem Ofenschirme« als »sichtbarer Beweis ihrer Fortschritte in der Schule« schließt so: »Gern hätte Helene den Ofenschirm sogleich vollständig durch den Tischler herstellen lassen, wenn es ihr nicht an dem dazu nöthigen Gelde gefehlt hätte. Sie hofft jedoch, daß die Aeltern die Stickerei der dazu nöthigen Kosten für würdig halten werden, und bittet, diese Aufgabe zu übernehmen. Helene wird sich freuen, wenn ihr die Aeltern nur mit einigen Worten Nachricht geben, daß dieses kleine Geschenk nicht ohne allen Beifall aufgenommen worden sei, und empfiehlt sich.« (Leipzig [5]1853, 237)

5.1.121 Frau am Stickrahmen mit Tabaksbeutel,
Moritz von Schwind, München 1832–1834

Die weiblichen Kunstspiele.

Amalie Salden an ihre Nichten.

Heute, meine Guten, will ich Euch über Gegenstände unterhalten, die nicht unumgänglich nöthig sind, doch eine angenehme Unterhaltung und Erholung für Frauen sind und zugleich sehr niedliche Sachen bilden lernen.

Diese Dinge sind, im Gegensatze zu dem geistigen Luxus, ein Luxus der Industrie der Frauen.

Sehr schön sehen Blumenstöcke von verschiedenem Gewürz aus. Man macht einen Stamm, umwindet ihn mit grünem Papier und schneidet nun Blätter von grünem Papier, den Buchenblättern gleich, welche man preßt. Diese befestigt man an Stiele von grünumwundenem Draht und windet sie an den Stamm.

Nun schneidet man die Schaale einer Citrone wie Sonnenrosenblätter, trocknet sie und klebt sie mit Gummi tragant an ein grün überzogenes rundes Stückchen Zeug von der Größe eines Thalers. Ist dies geschehen, so überstreicht man den

Kelch der halbfertigen Blume mit Gummi tragant und klebt Pfefferkörner darauf: so hat man die Sonnenrose. Von klein geschnittenen Blättern der Orange bildet man Ringelblumen; die Staubfäden des Kelches werden eben so befestigt; man wendet stark gestoßenen Safran an.

Ferner umwindet man einen Stiel, befestigt, wie bei der Akazienblüthe, kleine Stielchen und an diese große Rosinen, oder gebrannte Kaffeebohnen. Weiße Rosen bildet man von der weißen Schaale der Citrone, und aus vielen Gewürznelken, die man zusammen bindet, entsteht, nachdem sie mit Gummi tragant überstrichen und mit Zucker und Zimmt bestreut sind, die Scabiose. Mit ganzem Zimmt, weißen Pfefferkörnern, ungebranntem Kaffee und anderm Gewürz kann man nun, nach eigner Phantasie, eine Menge Blumen bilden.

Bekannt sind Euch vielleicht die Blumenbouquets von verschiedenen Arten Rüben. Man bildet die Blumen, so gut es sich thun läßt, der Natur nach. Zu Ringelblumen wendet man Möhren, zu Päonien rothe Rüben, zu Christblumen weiße Rüben, zu streifigen Rosen Runkelrüben u.s.w. an. Diese ausgeschnittenen Blumen befestigt man an Draht, den man in dünne Grashülsen gesteckt hat; zum Laube sieht die Raute sehr gut aus.

Sehr hübsch sind Kästchen von Glas mit kleinen Vögelchen. Man zeichnet sich auf das Inwendige des Deckels kleine Vögelchen in Kontur vor, und sucht sich kleine Federn aus, die man, so daß sie kleine Vögel bilden, mit Hülfe von Hausenblase, mit welcher man das Glas überzogen hat, aufklebt. Nachher malt man sie, wo es nöthig ist.

Etwas, was der Malerei ähnlich ist, und doch von denen, die auch weniger Fertigkeit im Malen haben, gefertigt werden kann, sind Bilder von Moos und Baumrinde. Man zeichnet sich eine Landschaft nach einem guten Original und klebt im Vordergrunde das passende Moos über die gezeichneten Bäume mit Hülfe des aufgelösten Gummi tragant auf. Die Baumstämme, Hütten und Felsen macht man von Baumrinde. Diese muß sehr sorgfältig gewählt und abgeschnitten werden, daß sie möglichst dünn ist. In Gebirgsgegenden und auf Felsen findet man die passendste. Sehr gut zu brauchen ist auch die Buchenrinde, die man übermalt, sobald sie aufgeklebt ist. Den Hintergrund malt man, auch kann man im Vordergrunde der nöthigen Schattirung wegen manchmal nachhelfen. Will man den Boden recht täuschend haben, so überstreicht man ihn mit Gummi tragant und bestreut ihn mit klarem Kies. Auf die nämliche Weise fertigt man die Körbchen von Baumrinde, Moos und Immortellen. Glas und Rahmen verschönern dann das Ganze.

Eine andere Art von Mosaik besteht aus klein geschnittenen Stückchen Sammet oder Seide, die man auf passende Weise aufklebt.

Die Landschaften von Kork schneidet man nach dem Muster aus, bestreicht die Blumen, welche stehen sollen, auf der Seite, welche man nicht sieht, mit Gummi tragant und klebt den Kork ebenfalls mit Gummi tragant an.

Diese Arbeit ist viel mühsamer als die erstere und sieht nicht so schön aus.

Nun lebt wohl! Nächstens kommt der letzte Brief über Gegenstände der weiblichen Kunstfertigkeiten, bald ich selbst, um mich zu überzeugen, wie Ihr meine Mittheilungen benutzt habt.

aus: Encyclopädie der sämmtlichen Frauenkünste. Ein reiches Lehrbuch zur sichern Erwerbkunde und ein treuer Rathgeber in allen Fällen des weiblichen Wirkungskreises für Mädchen und Frauen von Caroline Leonhardt und Cäcilie Seifer. Leipzig 1833 (105–114)

»Erinnerung hat tausend stille Freuden . . .«: Das Souvenir

Dem Scheidenden ist jede Gabe wert,
Ein dürres Blatt, ein Moos, ein Steinchen aus der Quelle,
Daß er des Freunds gedenke, jener Stelle,
Wohin er ewig hin und hin begehrt;
Ein Zeuge bleibts, wie sinnig sie gewandelt.
So wird ein Nichts zum höchsten Schatz verwandelt.
                              Johann Wolfgang v. Goethe, 1818

Zum Souvenir kann jeder beliebige Gegenstand werden, wenn er nur mit der Erinnerung an einen Menschen, einen Ort, einen Anlaß verbunden ist. Für den persönlichen Erinnerungswert ist es nicht ausschlaggebend, ob das Souvenir mit einer sinnigen Form und Widmung ausgestattet ist. Ein wehmütiger Reiz geht jedoch gerade von Dingen aus, die deutlich das Signum eines ganz individuellen Andenkens tragen; aber woran? – das Erinnerte geriet in Vergessenheit. Was für ein kleiner Roman war es, von dem nur das Denkmal einer Porzellantasse übriggeblieben ist mit der Darstellung, nein mit dem regelrechten Portrait einer Geldbörse in Perlstrickerei und der nun aenigmatischen Umschrift »Großmüthige Belohnung einer Dieberey«? (vgl. Kat.Nr. 5.1.60)

5.1.60 Tasse mit Untertasse mit Darstellung einer Börse in Perlstrikkerei und den Worten »Großmüthige Belohnung einer Dieberey«, Berlin um 1820

Ein Souvenir ist etwas, was man in der Hand behält oder dem anderen in die Hand gibt, damit ein Abschied, eine Trennung nicht ganz vollzogen wird. Es ist eine Vergewisserung, ein Pfand gemeinsam durchlebter Vergangenheit an die

Zukunft. Oft genug werden freilich Hinterlassenschaften zu Erinnerungsstücken: Hut, Waffenrock und Tornister, ein Brief und ein Bildnismedaillon sind der ganze Besitz der »Armen Offizierswitwe« in der Dachkammer, worauf ihr Blick fällt, wenn sie die Augen von der Näharbeit erhebt, während ihre zwei kleinen Kinder schlummern. In virtuoser Seelenpenetranz hat Peter Fendi, der Wiener Meister des anekdotisch-rührenden Genres, diese Szene 1836 gemalt (Österreichische Galerie Wien).

In der Ambivalenz des Andenkens sowohl an Verstorbene als auch an lebend Zugeneigte gibt es eine Souvenir-Gattung, die leitmotivisch für die Gefühlskultur des 19. Jahrhunderts ist: die Haararbeiten. Aus den Haaren eines geliebten Menschen angefertigte Schmuckstücke und Bildchen besitzen den Charakter einer profanen Reliquie. Auch hier führt die Tradition ins 18. Jahrhundert zurück; aus England kam die Mode-Sitte, Freundschaft und Liebe durch Haar-Angebinde fester zu knüpfen und in speziellem Trauerschmuck die Erinnerungsnähe eines Toten durch den Anblick seines Haars zu beschwören.

Zur Directoire- und Empire-Zeit fand sich durch die Mode des römischen Tituskopfes manch eine zuvor griechisch aufgeschürzte Schöne plötzlich im Besitz von reichlich abgeschnittenem eigenem Haar. »Hier liegen sie nun neben mir, die guten Haare, die mir vor Zeiten so manche angenehme Viertelstunde vor dem Spiegel verschafften! Ich kann nun Haarketten, Bänder und Ringe daraus machen lassen, und alle meine Freunde reichlich darein kleiden.« (Drittes Toiletten-Geschenk, Leipzig 1807, 58). Die schlichteste Art des Haar-Souvenirs zeigten bereits die durchflochtenen Stammbuchblätter und eingeklebten Locken. Entscheidend für den Souvenirwert (der hier mehr als sonst in Amulettwert übergeht) ist es natürlich, daß das Haar auch wirklich von einer bestimmten Person stammt. In ihrer »Gründlichen Anweisung ... Haargeflechte ... zu fertigen« motiviert Emilie Berrin 1822 damit ihre Leserinnen zum Selbermachen; bei an professionelle Haarkünstler ausgegebenen Aufträgen habe man nie volle Gewißheit. So gehören einfachere Haararbeiten auch in den Bereich der »weiblichen Kunstspiele« (das Büchlein empfiehlt sogar eine List, wie man sich der Haare einer Person bemächtigt, die mit dem beabsichtigten Werk überrascht werden soll), aber die erhaltenen Exemplare sind großenteils so perfekt, daß man die Hand des Routiniers und im vorrückenden 19. Jahrhundert auch Maschinenarbeit erkennt. Armbänder wurden im Ganzen aus Haaren geflochten, mit goldenem Schlangenkopf und -schwanz zum Ewigkeitsring geschlossen oder mit Zwischengliedern (z.B. in Form von verschlungenen Händen) unterteilt. In Broschen schloß man geflochtene oder federartig aufgeleimte Ornamente ein, mit Staubperlen gezierte Initialen oder Blumengebinde, Haarstickereien auf Seide oder härene Trauerweiden über hingetuschten Grabmalen. Durch Hitzebehandlung gefügig gemacht und mit Schellack gebändigt schmiegte sich das widerspenstige Material zu Uhrketten, Châtelaines, Gürteln und Lesezeichen (vgl. Endres-Mayser/Gockerell 1980/81).

Die Übergabe eines Haargeschenks schildert Johann Heinrich Voß in »Luise«, einem ländlichen Gedicht in drei Idyllen. Zwar stammt es aus vorbiedermeierlicher Zeit (1795), doch beim zärtlichen Abschied zweier Freundinnen am Vorabend der Hochzeit wird sich für Luisens Töchter die Szene nicht viel anders abgespielt haben. Weil sie in der –

5.1.141 **Haarkette mit Kreuzanhänger,** Deutschland um 1820

erst in den letzten Jahren sorgsam erarbeiteten – Haarkunstforschung (Bibliographie in AK Letzte Reise, München 1984, 360) nicht zitiert ist, sei sie hier wiedergegeben. Amalia spricht zur bräutlichen Luise in der 3. Idylle:

Trauteste, nim das Gehenk, noch warm vom Busen der Freundin,/ Zum Andenken von mir: mein Nam' aus eigenem Haar ist/ Vorne geschränkt, und hinten die schöngeflochtene Locke:/ Daß du, den Schmuck anlegend, auch fern dich meiner erinnerst./ Sprachs, und band der Freundin das schöne Gehenk um den Nacken,/ Das, den goldenen Bord eirund mit Perlen umringet,/ Unter geschliffnem Kristalle das Haar und den Namen beschirmte.

Neben dem Miniatur-Portrait geht eine noch subtilere Andenkenform im frühen 19. Jahrhundert gern mit dem Haarschmuck einher: das Augenbildnis. Das Auge als Fenster der Seele, als Spiegel der Gemütsbewegung spielt in der empfindsamen Physiognomik eine ebenso wichtige Rolle wie etwa im Wunschbillet, wo unter einer Augendarstellung Schillers Turandot-Rätsel zitiert wird: »Kennst du das Bild auf zartem Grunde / Es gibt sich selber Licht und Glanz ...« Mit dem Augenbildnis auf Elfenbeingrund in Ringplatten oder Medaillons gefaßt, mit dem von (gemalten) Haarlocken oder zartem Nebelschleier umwölkten Blick war der ganze geliebte Gegenstand präsent. Wieder scheint die Invention aus England zu stammen, aber eines der schönsten Exemplare – an einem Haar-Bracelet – zeigt das rechte Auge der bayerischen Herzogin Amalie von Leuchtenberg, Tochter König Max' I. und Gemahlin von Napoleons Stiefsohn Eugène Beauharnais (AK WB III/2, 1980 Nr. 1164; Zick 1980).

Zum Stichwort »Haarmalerei, Stickerei« weiß das geprächige »Damen Conversations-Lexicon« (²1846) zu melden, erstere werde durch Aufstreuen feinstgeschnittenen Haars in allen verfügbaren Schattierungen auf leimbestrichene Flächen bewerkstelligt, analog der Samt-»Malerei« mit pulverisierter Seide, Wolle oder Sand. Bei letzterer, der Haarstickerei, ist die Arbeit »ganz wie bei der Kreppstickerei und ahmt die Sepiazeichnung, wie diese den Kupferstich nach. Baumschlag und Wasserdarstellung sind ihr Triumph.«

Landschaft zum Sticken mit Haaren und zum Nachbilden mit Kork und Moos.

Arbeitsvorlage aus: Encyclopädie der sämmtlichen Frauenkünste, C. Leonhardt und C. Seifer, Leipzig, 1833

Solch »artige Künstelei« entfernt sich durch die Verwendung verschiedenen Haars vom reliquienhaften Souvenir, andererseits ließen »kinderreiche Eltern … wohl gar Proben sämmtlicher Chevelüren als Nüancen anwenden und zu einem Erinnerungsfamilienbildchen verarbeiten«. Bis ins 20. Jahrhundert hinein hielten sich Haarbilder-Bouquets oder Kränze, die eine Photographie umschließen – vor allem als Totengedenken mit Namen und Datum, ebenso als Profeß-Erinnerung, denn der Eintritt ins Kloster ist ja der Tod für die Welt und mit dem Abschneiden des Novizenhaars verbunden. Wenn diese Trostbilder ästhetisch noch so reizvoll ausgeführt sind, geht doch meist etwas Elegisch-Sinistres davon aus, denn was materiell der Verwesung eine Weile Widerstand zu leisten vermag, ist doch nur ein klägliches Surrogat der Unsterblichkeit.

Den Haarbildern nah verwandt sind die in Glas und Rahmen verwahrten Hochzeits-Myrthenkränze und die silbernen oder goldenen Kränzchen der Jubelbräute (aus Metallpapier, leonischen Drähten oder Edelmetall). Die Sitte, sie nach der Feier als Wandschmuck aufzuhängen, nahm im späten Biedermeier ihren Anfang.

Alle Lebensstationen von der Geburt bis über das Dienstjubiläum hinaus wurden und werden von Andenken markiert. Zur Taufe gehörten – je nach Besitzverhältnissen – der Patenbrief, der Tauftaler, das gravierte Silberbesteck. Medaillen gibt es als Erinnerungszeugen für Kommunion, Firmung, Konfirmation, Vermählung. Von kirchlicher Seite gemahnten gedruckte Bilder und Bildchen an diese Ehrentage; ein Zwitter aus Andenken und Vollzugs-Quittung ist der Beichtzettel. Geburtstags- und Hochzeitsgeschenke tra-

gen außer der Widmung häufig Gratulationsinschriften, die wieder auf das Stammbuchvers-Repertoire zurückgreifen.

Eine besonders facettenreiche Kunst, die das Biedermeier vollendete und überwiegend zu Erinnerungsgaben gebrauchte, ist die der bemalten oder geschnittenen Gläser. An sinnigem Variationsreichtum – bei wechselseitigem Einfluß auf die Motivgestaltung – können sie nur den Wunschbillets an die Seite gestellt werden. Da gibt es Becher, deren Wandung so viele Ecken hat wie das Wort »ERINNE-RUNG« Buchstaben: in jede der zehn Flächen ist einer davon eingegraben (Spiegl 1981, 132). Da ist ein Glas mit gemalten Stiefmütterchenblüten (Pensées) übersät, und die Inschrift sagt »Elles sont tous pour vous« (All meine Gedanken gehören Ihnen). Bildnisgläser erinnern an die Züge verehrter Potentaten und liebvertrauter Angehöriger. Ungewöhnlich reich, aber für Art und Anlaß charakteristisch: auf zylindrischer Becherwand ein geschnittener Freundschaftstempel im Hain mit Opferaltar und Monogramm »AM«, gegenüber die Widmung »Zum Nahmensfest am 26ten July 1819« (woraus erhellt, daß die beschenkte Freundin Anna hieß) und, ungeachtet des zerbrechlichen Bildträgers, die Verse:

Der Freundschaft Dauer-Ewigkeit
Gemahlt an diesem Becher
Umschwebe stetts in Süßigkeit
Gereitzt durch Amors Köcher
Im Flug des Zephyrs Deine Brust
In paradisischer Oase,
Denk mein, trinkst Du aus diesem Glase
Mein Glück gränzt dann an Götterlust. K. S.

(Spiegl 1981, 68)

Ist der Gefühlswert vom materiellen Wert im Prinzip unabhängig, so macht uns doch eine schätzenswertere Stofflichkeit manches alte Souvenir heute faßbarer als die verwehten Herzensreliquien, das dürre Blatt, das Moos, das zerlesene Schriftstück. Dauerhaftere Erinnerungsstücke sind daher Schmuckgegenstände, besonders, wenn sie durch Inschrift oder (Familien-)Tradition einer bestimmten Person, einem Anlaß zugeordnet sind. Für Freundschaft, das schlechthin »Edelste«, wurde einer der subtilsten Ausdrücke gefunden in einer Kette (um 1820/1830) mit verschiedenen Edelsteinen, aus deren Anfangsbuchstaben sich das Wort »Freundschaft« aneinanderreiht (vgl. Kat.Nr. 5.1.142), also der gleiche Grundgedanke wie beim Berliner Kreuzstichmuster-Blumenkranz.

Bezeichnenderweise wurde es seit den Befreiungskriegen üblich, wenigstens den Erinnerungswert zu retten, wenn man den Goldeswert hingab: Bürger, die ihre Wertsachen spendeten, erhielten als Anerkennung Ringe, Armreifen oder Broschen (mit Vergißmeinnicht-Ornament) aus Gußeisen mit der Inschrift »Gold gab ich für Eisen« und manchmal mit Datum. Eigens als Erinnerungszeichen an diese eisernen Zeiten wurde 1813 das Eiserne Kreuz als preußischer Tapferkeitsorden gestiftet. Die bayerischen Teilnehmer der Kriege von 1813/1814 erhielten 1817 ein Militär-Denkzeichen in Gestalt eines Bronze-Kreuzes.

Als Gegengabe für Spenden ein Nichts in einen Schatz zu verwandeln, verstand auch der im württembergischen Weinsberg als Arzt niedergelassene Justinus Kerner. 1823 gründete er einen Frauen-Verein zur Erhaltung der Ruine Weinsberg, die unter dem Namen »Weibertreu« legendär ist.

5.1.16 Besteck mit Perlenstrickerei, erste Hälfte 19. Jahrhundert

(Als die Weiber von Weinsberg 1140 bei einer Belagerung ihre kostbarste tragbare Habe mit kaiserlicher Erlaubnis aus der Stadt retten durften, trugen sie ihre Männer auf dem Rücken davon). »Die Beiträge zu dieser Erhaltung der Burg wurden besonders dadurch bezweckt, daß man goldene Ringe, in welche ein Steinchen von der Burg der Frauentreue eingefaßt war, gegen sie verabreichen ließ.« (J. Kerner, zit. nach Marbacher Magazin 39, 1986, 20) Auch Königin Karoline von Bayern erhielt einen dieser Ringe mit der Umschrift »WEIBERTREUE«, die sich im übrigen als Verlobungsgeschenke besonderer Beliebtheit erfreuten. (Solch gemeinnütziger »Reliquienhandel« ist bis heute im Schwang, etwa wenn zur Finanzierung der Neueindeckung von Neuschwanstein Medaillen aus dem alten grünpatinierten Dachkupfer verkauft werden.)

Schwer ist auf dem Gebiet der populären Druckgraphik die Grenze zum Andenken zu ziehen: wo herrscht nur bilderfreudige Schaulust, wo erscheint die Schilderung einer Sensation aufhebenswert? Außergewöhnliche Erlebnisse konnte (nur als *ein* Beispiel) die Schaustellerei bieten. Während Kleinunternehmen ihre Ankündigungszettel nach der Vorstellung sparsam wieder einsammelten, gehörte bei größeren Attraktionen der Verkauf von Souvenirblättern zu den Einnahmequellen der Künstler. Als beispielsweise zum zehnjährigen Oktoberfest-Jubiläum 1820 die kühne Luftschifferin Wilhelmine Reichard aus Dresden einen Aufstieg wagen wollte, konnte man zuvor den Ballon im Rathaussaale besichtigen und Erinnerungs-Lithographien erwerben (AK Oktoberfest, München 1985, 213ff.). Blanchard und andere Aeronautik-Professionisten waren bei ihren Großveranstal-

tungen auch stets mit entsprechenden Kupferstichen bevorratet. Als Madame Reichard nach ihrer Luftfahrt bei Zorneding glimpflich landete, stand ihr übrigens das unangenehmste Abenteuer noch bevor: die herbeieilende Landbevölkerung versuchte sie in wahrem Souvenir-Jagdrausch all ihrer mitgeführten Habe zu berauben.

Erinnerungsblätter auf dynastische, politische oder kulturelle Begebenheiten seien hier ihres offiziellen Charakters wegen nicht eigens behandelt. Interessant ist aber der Schattenwurf großer Ereignisse in die Privatsphäre: Die Mitte zwischen Erinnerung und lehrreichem Spielzeug halten die ellenlangen Falt-Dioramen, darin man sich am Ludwig-Donau-Main-Kanal oder an der Nürnberg-Fürther Bahnstrecke sattsehen kann. Eisenbahndarstellungen lösen die Treue-Hunde- oder Wanderfalken-Ikonographie auf gestickten Reisetaschen ab; es gibt ein Nadelkissen in Form einer hölzernen Lokomotive, nicht ohne die Plakette »Souvenir« (vgl. Kat.Nr. 5.1.93), und burschikoser Witz versah einen Bierkrugdeckel mit der aktuellen Inschrift »Ein Liebhaber ohne Geld ist wie eine Lokomotive ohne Tender« (vgl. Kat.Nr. 5.1.61).

Womit wir bei der Reiseerinnerung wären, demjenigen Andenken-Aspekt, der in unserer mobilen Gegenwart fast ausschließlich synonym mit »Souvenir« ist. Das Reiseerlebnis zwischen Elternhaus und Pensionat oder Studienort, zwischen Stadtwohnung und Sommerfrische, der Aufbruch ins Eheleben, auch Walz und Bildungsreise spiegeln sich in den Stammbucheinträgen und zärtlichen Aufmerksamkeiten. Anders geartet sind Andenken von Pilgerreisen und Wallfahrten: Ansichten des besuchten Gnadenorts, Bilder

der dort verehrten Heiligen oder des Namenpatrons, Wachsartikel und Rosenkränze, aber auch weltlicher Tand, den die Devotionalien- und Jahrmarktshändler verkauften. Spezielle Ausprägungen haben die Mitbringsel von Fernwallfahrten, etwa die Olivenholz- und Perlmutterarbeiten aus Bethlehem und Jerusalem, die gepreßten Blümchen und Ölzweige von heiligen Stätten.

Eine vor der Zeit des Massentourismus häufige und souvenirträchtige Erlebnisform der besseren Gesellschaft war die Badereise. Der Gesundheit dienend, begünstigt sie einen Zustand nachdenklicher Selbstbesinnung im Wechsel mit Zerstreuungen; da ein Kuraufenthalt zum mindesten drei Wochen zu dauern pflegt, entsteht eine Vertrautheit mit dem Ort und mit anderen Badegästen, die womöglich in jährlichem Turnus erneuert wird. Badeorte, wo die elegante Welt verkehrte, waren zudem Umschlagplätze für Sekretärsposten, Dramenmanuskripte und heiratsfähige Töchter. Das klassische Badesouvenir stellt Dr. Franz Sartori im »Taschenbuch für Carlsbads Curgäste« 1817 vor: »Da das Wasser am Brunnen der fixen Luft wegen wirksamer ist, so wird es meistens auch da getrunken. Hierzu ist nun ein Becher nöthig, die man in Carlsbad überall aus Porzellan, Steingut oder Thon bekömmt, und deren einer ungefähr nicht gar ein Seidel [ca. 0,3 l] enthält. Sie sind geziert mit den Prospekten des Sprudels, des Neu- oder Theresienbrunnens, der Wiese [Karlsbader Prachtstraße], des Hirschensteins, des Posthofes, oder der Dorotheenaue, oder mit der Inschrift: Souvenir de Carlsbad, oder auch mit anderen Figuren, Blumen etc. mit oder ohne Gold, im Preise von 1 fl. bis 15 fl. W.W. [Gulden Wiener Währung]. Solch einen Becher bewahren sich viele Curgäste als ewiges Denkmal wieder erlangter Gesundheit, den sie 400 bis 500, auch 600 Mahl geleert haben.« (44) Gerade in den böhmischen Badeorten, aber auch – je nach Indikation – in Schlangenbad oder Schwalbach, Kissingen oder Homburg kaufte man die luxuriös geschnittenen Bade-Gläser: Fußbecher, Deckelkrüge, häufig die rocktaschengängigen flachen Gläser, die ihrerseits ein besticktes Lederetui erforderten.

Die Vorläufer der Ansichtspostkarte, kleine kolorierte Veduten des Bades und seiner Spaziergangs-Bannmeile (Radierung oder Lithographie), gab es an allen bedeutenderen Kurorten. Daneben die örtlichen Spezialitäten: »Die in Carlsbad verfertigt werdenden vorzüglicheren Artikel sind ... Messer, Scheeren, Näh- und Stecknadeln, Stiften, Fingerhüte, Eßbestecke und Zinnarbeiten von besonderer Güte. Das sind auch unerläßliche Geschenke, die man bey der Heimreise von Carlsbad seinen Freunden und Verwandten von Carlsbad mitbringen muß. ... In goldenen oder silbernen Zügen liest man auf vielen derselben: Souvenir de Carlsbad. – Zum Andenken. – Zur Erinnerung u.s.w.« (Sartori 1817, 49).

Auf den Abschied von einer Karlsbader Bekanntschaft, dem Grafen Paar, beziehen sich auch Goethes Zeilen, die diesem Abschnitt als Motto vorangestellt wurden. Das allgemeinsinnige »Steinchen aus der Quelle« kann hier speziell den »Sprudelstein« meinen, Sinterablagerungen des Sprudelwassers, die je nach Gehalt an Eiseneinlagerung weiß bis lebhaft violett, braun oder grau gebändert sind. Liebhaber der Mineralogie nahmen interessante Stücke für ihr Naturalienkabinett mit; ein eigener, seit 1759 belegter Handwerkszweig stellte aus Sprudelstein Souvenirgegenstände her, allerlei Kästchen und Briefbeschwerer, auch Schmuckstücke

in feiner Mosaiktechnik, für die millimeterkleine Steinchen in Schellack eingebettet, glattgeschliffen und poliert wurden. Als beliebtes, weil preiswertes Mitbringsel aus dem Egerland wurden die »Sandauer Dosen« durch den Fremdenverkehr weit verbreitet. Das sind rechteckige Schnupftabaksdosen aus Papiermaché, die durch Deckeleinlagen von Zinndraht und Steinmosaik sowie dank eines speziellen Lacks sehr elegant wirken.

Zu Reiseandenken gehören außer den mitgenommenen auch die am Reiseziel hinterlassenen: Kritzeleien, die sich Tisch und Wände seit der Antike gefallen lassen mußten, in erster Linie die mehr oder minder wohlplazierte Inschrift, man sei dagewesen. Der stammbuchkundige F. W. Hölbe (1798) behandelt bei der Sonderform der Gesellschaftsbücher (die, denkt man allein an die Chroniken der Münchener Künstlergesellschaften, ein Kapitel für sich sind) auch die Besucherbücher an hochfrequentierten Naturschönheiten, im besonderen die Gipfelbücher auf dem Brocken im Harz und auf der Schneekoppe im Thüringer Wald. »Ohnfehlbar erweckte den Gedanken, ein solches Gesellschaftsbuch zu halten, die Gewohnheit, daß die Ankömmlinge mit Kohlen oder Bleystift Verse und Namen an die Wände schrieben, wie fast kein Plätzchen mehr in dem Hause auf dem Schneekopf leer davon ist. Der reizende Anblick, die hier die offene Natur, ja mehr, die im Großen erscheinende Welt giebt, erzeugt da ein in Verwunderung ausbrechendes Vergnügen, durch welches alle Empfindungen, am meisten bey dem ersten Besuch solcher Orte, gespannt, und mit Lust angefüllt werden ... Die dabey erweckten, durch ihre Menge sich selbst verdunkelnden Gedanken ... erfüllen ganz unser Gemüth; und es ist der Weg der menschlichen Natur, daß sie alsdann aus sich die Empfindungen sich ergiesen und mittheilen läßt. Die Gesellschaft, die diese ergossenen Empfindungen aufnimmt, und andere wiederum dagegen giebt, erhöhet dasselbe noch mehr, indem ihre Zustimmung zu unserm Zustand ein Zeugniß ist, daß wir wahr empfunden haben ... Das ist wohl die natürlichste Entstehung und Absicht des Gedankens, in Gedenksprüchen den Genuß, der Erinnerung zu verewigen, und diese, weil sie an den Wänden zu leicht verwischt werden können, in einem, dem Stammbuch ähnlichen Buch zu sammeln ... So viele haben hier die offene Welt mit Entzücken genossen, so viele ... waren merkwürdige, berühmte Personen, ... so viele haben da ihre Kenntnisse vermehrt ... und ins Große erweitert, das ist auch für unsern Verstand eine Befriedigung, denn mit Sehinstrumenten pfleget man allmal den fernen Gesichtskreis zu erhellen.« (Hölbe 1798, 155–157).

Rechtfertigt Hölbe weitsichtig-philanthropisch diesen Brauch mit der erhabenen Naturschwärmerei des späten 18. Jahrhunderts, so läßt sich in unerbittlicher Nahsicht auch hier das Stammbuch-Phänomen der Sinnsuche zwischen Ergriffenheit und Banalität geißeln: Bei seiner 1824 unternommenen »Harzreise« nächtigte Heinrich Heine im Brockenhaus; vom Duft des Frühstückskaffees orientalisch gestimmt, bemerkt er: »Das Buch, das neben mir lag, war aber nicht der Koran. Unsinn enthielt es freilich genug. Es war das sogenannte Brockenbuch, worin alle Reisenden, die den Berg ersteigen, ihre Namen schreiben, und die meisten noch einige Gedanken und, in Ermangelung derselben, ihre Gefühle hinzu notieren. Viele drücken sich sogar in Versen aus. In diesem Buche sieht man, welche Greuel entstehen, wenn der große Philistertroß bei gebräuchlichen Gelegen-

Nadelbuch mit drei Szenen aus dem Theaterstück »Sieben Mädchen in Uniform«, um 1820, New York Cooper-Hewitt Museum, The Smithonian Institution/Art Resource, Schenkung Mrs. Lathrop Colgate Harper, 1957–180–45.

Nadelbuch mit drei Szenen aus dem Theaterstück »Sieben Mädchen in Uniform«, um 1820, New York Cooper-Hewitt Museum, The Smithonian Institution/Art Resource, Schenkung Mrs. Lathrop Colgate Harper, 1957–180–45.

heiten, wie hier auf dem Brocken, sich vorgenommen hat, poetisch zu werden. Der Palast des Prinzen von Pallagonia [skurrile sizilianische Barockanlage] enthält keine so große Abgeschmacktheiten, wie dieses Buch, wo besonders hervorglänzen die Herren Acciseeinnehmer mit ihren verschimmelten Hochgefühlen, die Comptoirjünglinge mit ihren pathetischen Seelenergüssen, die altdeutschen Revolutionsdilettanten mit ihren Turngemeinplätzen, die Berliner Schullehrer mit ihren verunglückten Entzückungsphrasen u.s.w. ... Das ganze Buch riecht nach Käse, Bier und Tabak; man glaubt einen Roman von Clauren zu lesen.«
Dieser H. Clauren (1771–1854, Pseudonym aus dem Anagramm seines richtigen Namens Carl Heun) war der Mode-Romancier des Biedermeier. 1816 mit dem Roman um das Schweizer Bauernmädchen »Mimili« berühmt geworden, blieb er, ob seines augenscheinlichen Zynismus viel kritisiert und parodiert, doch bis über 1830 hinaus der meistgelesene deutsche Unterhaltungsschriftsteller, weil er mit der Verbindung von süßlicher Schein-Naivität und frivolem Raffinement den Publikumsgeschmack mitten ins Blatt traf. Mimili trägt übrigens über dem schwellenden Miederli am Goldkettchen die Kugel, die man ihrem preußischen Kriegshelden Wilhelm aus den Rippen geholt hat – als Andenken. Im Namen des allgegenwärtigen Sinnblümchens gab Clauren ab 1818 jährlich ein Ridikül-Büchlein mit Novellen heraus: »Vergißmeinnicht. Ein Taschenbuch«, begleitet von jenen typischen Almanach-Illustrationen, die

ihren Reiz aus einem unverhohlen lasziven Weichzeichner-Effekt beziehen, als verschwämme der Blick in schwärmerischer Tränenfeuchte, ähnlich den mehr oder minder deutlich erotischen Lithophanien.
Der Ausgabe von 1830 stellte er eine Widmung voran, die mit den Strophen beginnt:

Blüthe die am Bache schmachtet
Mit verklärtem Angesicht,
Die nach Liebe sehnend trachtet,
Sanfter Stern, Vergißmeinnicht!
Blumenlippen, zarte Wesen,
Denen Frühling hold gelacht,
Liebe hat Euch auserlesen
In der blauen Zaubertracht.

Zarte Geister, ach, entsteigen
Euern Lippen an dem Bach,
Seufzen mit beredtem Schweigen
Die geheimsten Wünsche wach.
Süße Sprache, holdes Flehen,
Das an sanfte Herzen schlägt;
Das durch Thäler, über Höhen
Inn'ge Liebeslaute trägt! usw.

So bringt Clauren in rührungsbetauter Trivialität auf seine Art den Erweis, was Biedermeiers Symbolblume, das Vergißmeinnicht, ihrem unschuldigen Naturell nach wirklich ist: ein Sumpfgewächs.

5.1.45 – 50 Wiener Kunstbillets, Wien 1820 – 1835

SND nie unsere Freundschaft – das Wiener Kunstbillett

Thomas Roth

Im Jahr 1819 melden die »Vaterländischen Blätter« ihren Wiener Lesern: »Als eine ganze eigene, zwar schon im vorigen Jahr begonnene, aber in diesem Jahre sehr vervollkommnete Erscheinung dürfen die in Gold, Silber und Stroh gepreßten Neujahrs- und Namenstagsbillette erwähnt werden, welche hier in Wien in der Müllerschen Kunsthandlung am Kohlmarkt zu bekommen sind. Ungemein splendide Verzierung, geschmackvolle Wahl und Anordnung der Gegenstände, pünktliche Genauigkeit und Sorgfalt in der Verfertigung und ganz verständig angebrache Verse werden sie gewiß allenthalben beliebt machen. Doch sind nur jene Billette damit gemeint, welche mit J. E. (Joseph Endletzberger) bezeichnet sind, denn die noch existierenden Billette dieser Art sind geschmack- und kunstlose Nachäffung . . .« Schon den Zeitgenossen also hat die Besonderheit des »Wiener Kunstbilletts« gegolten, das in einer höchsten und raffiniertesten, freilich auch kostspieligsten Form eben von Josph Endletzberger verfertigt wurde. Als einigermaßen ebenbürtig kann nur noch sein Konkurrent Joseph Riedl gelten. Die »Aristokraten« unter der Gelegenheitsgraphik, die zu Neujahr, zum Geburts- und Namenstag überreicht wurden, hat man diese Glückwünsche genannt. Mit diesem besonderen Akzent klingt der biedermeierliche Kult des individuellen Glückwunsches aus, bevor die Massenware der illustrierten, oft noch gestanzten und geprägten Karte das Feld zu beherrschen beginnt. Die alten Druckorte Nürnberg und Augsburg konnten da nicht mithalten mit ihren Erzeugnissen: in ihrer kunstvollsten Form, für ein verwöhntes – und betuchtes – Publikum kamen die Karten aus Wien, sie wurden in allen europäischen Städten gehandelt. So berichtet etwa die Dresdener Abendzeitung 1825: »Die Neujahrsspielereien und Prunkbillette ziehen sich immer mehr ins Kostspielige. Wir hatten diesmal sogar Billette mit Gold und Perlmutter belegt, wovon eines auf zehn bis zwölf, auch zwanzig Gulden Wiener Währung zu stehen kam. In den Zieh- und Veränderungsbilletten hat die Müllersche Kunsthandlung den Vorzug. Ein Herr Kastner verfertigt kleine Bildchen, worin sich Blumensträuße und Blumenkränze von Papier künstlich und täuschend den natürlichen nachgeahmt befinden, welche allerliebst sind und viele Abnahme finden«. Und 1830 weiß die »Wiener Theaterzeitung«, daß fünfzehn neue Zugbilletts, die bei Bermann am Graben als Neujahrsgabe erschienen, »in Moskau und Petersburg so beliebt (seien) wie hier«. Und ihr Publikum war umfassend. So übersandte zu Ende des Jahres 1808 die Wienerin Marianne von Eybenberg an Goethe eine kleine Auswahl solcher Karten – »keine Kunstprodukte, aber doch, um Ihnen zu zeigen, daß es uns nicht an industrieuser Spekulation mangelt«. – Aus Weimar kam die Antwort: »Sie müssen sogleich den lebhaftesten Dank empfangen. Die zierlichen, nickenden, bückenden und salutierenden kleinen Geschöpfe sind glücklich angekommen und haben nicht nur mir, sondern ganzen Gesellschaften, in denen ich sie produziert, viel Vergnügen gemacht«. – Hier ist von Zughebelkarten die Rede, kleinen, flachen Papiermechaniken, in handgroße Kärtchen eingebaut, die Personen und Gegenstände beweglich und verwandelbar machten. Auch sie galten als Wiener Besonderheit, deren Erfindung Joseph Frister (1758–1832) zugeschrieben wird. Sie werden, wie in der Dresdner Zeitungsnotiz, des öfteren zusammen mit den Kunstbilletts erwähnt und beide waren eine Freude auch sehr ernsthafter, anspruchsvoller Zeitgenossen.

Vorbereitet war der Spielraum der künstlerischen Phantasie und der Markt für dergleichen Artikel durch eine lange Tradition des Neujahrsglückwunsches, beginnend als meist religiöses Blättchen im 15. Jahrhundert. Später verteilten dann eine ganze Reihe von dienstleistenden Berufen ihre Neujahrszettel – allein sie schon geeignet, eine Welt des Rokoko, des Biedermeier zu beschwören: Theaterdiener, Kellner, Sesselträger, Grundwachter und der Turmwächter von St. Stephan.

Recht genau sind diese Neujahrssitten mit Wunsch und Gabe in den »Repetitionsstrophen«, aktuellen Stegreifzugaben also, beschrieben, die Ferdinand Raimund am 4. Januar 1827 zu »Wurzels Arie« auf dem Theater in der Leopoldstadt sang. Es ist das bekannte »Aschenlied« in seinem kurz zuvor uraufgeführten »Romantischen Original-Zaubermärchen mit Gesang. Das Mädchen aus der Feenwelt oder Der Bauer als Millionär«. Der reich gewordene Waldbauer Fortunatus Wurzel, der in die Stadt gezogen ist, wird zur Strafe vorübergehend in einen alten Mann verwandelt, der als Aschenmann die chemisch weiterzuverwertende Asche einsammelt. Bei ihm will sich kaum jemand einschmeicheln, er hat keine Subalternen mehr und keine Herren, und so ist es nicht nötig, daß er sich »loskauft«, also eine der »Befreyungs-Karten vom Glückwünschen« erwirbt, die offensichtlich um einige Jahre früher üblich wurden als 1830, wie bisher angenommen. Sie wurden von Pfarreien oder Wohltätigkeitsvereinen gegen Spende ausgegeben und ersparten, sichtbar an die Türe geheftet, dem Erwerber Zeit und Geld, da er nun weder Glückwünsche aussprechen, noch entgegennehmen mußte, ein Mittel, das den Auflauf der im Rudel gehäuften Glückwünscher dämpfen sollte.

> » . . . Dem alten Jahr geht's schlimm,
> Kein Mensch spricht mehr von ihm.
> Ein neu's ist an der Tour,
> Dem macht man jetzt die Cour.
> Man jubelt und traktiert,
> Und alles gratuliert,
> Der Aschenmann sogar
> Wünscht auch das Neue Jahr!
>   Kein Aschen!
>
> Er kaufte sich nicht los,
> Der Zulauf war nicht groß.
> Ihm wünscht kein Domestik
> Zum neuen Jahr mehr Glück.
> Es schaut ja nichts heraus,
> Da bleibt ein jeder aus,
> Denn käm auch einer her,
> Was kriegt er zum Douceur –?
>   Ein Aschen!«

Dergleichen war nicht unbedingt eine Wiener Eigenheit: bis zum heutigen Tag ja überreichen in München Zeitungszusteller und Kaminkehrer Kalenderblatt und gedruckten Reim, um eine Trinkgeldgabe anzubahnen.

Aber auch privat war die Sitte, die guten Wünsche mit einer papierenen Kleinigkeit zu verbinden, sehr in Schwung gekommen, galt es mittlerweile als unbeholfen und einfallslos, bloß Worte zu gebrauchen. Fieberhafte Betriebsamkeit erfaßte hohen und niederen Stand, alles durchraste um die Jahreswende höchst geschäftig die Stadt, wie 1801 ein Beobachter notiert: »Ganz Wien ergießt sich aus seinen Häusern, alles läuft, fährt und bewegt sich bunt durcheinander, freilich, wer von bon ton ist, sollte erst am Vorabend oder gar am Neujahrstag selbst, und zwar ziemlich spät, Glück wünschen kommen, denn so lange vorher oder wohl gar vor Tisch gehen nach den Begriffen der großen Welt nur die Rotüre oder die Klienten; wer aber viele Bekanntschaften hat, kann unmöglich an einem Nachmittag und Abend auslangen, und so fängt denn das große Laufen und Fahren schon am vorletzten Tage des Jahres an«.

Vorausgegangen war dem ein entsprechendes Getümmel in den einschlägigen Geschäften. Franz Gräffer, ein Zeitgenosse Franz Grillparzers, berichtet im Rückblick aus dem Laden Joseph Eders, der unter anderem Jeremias Bermann, Joseph Frister, Johann Löschenkohl, Johann Neidl, Heinrich Friedrich Müller, Anton Paterno, Joseph Riedel und Daniel Julius Sprenger zu Konkurrenten hatte. »Der Sturm galt dem Hause zur Krone, weil sich in diesem Hause eine Kunsthandlung befand, wie sich denn daselbst, nur mit etwas geänderter Lokalität, noch gegenwärtig eine befindet. ›Josef Eder‹ war die Firmentafel. Der Sturm also galt den Neujahrsbilletten, solchen Neujahrsbilletten, wie man sie seit langem nicht mehr hat und nicht mehr haben will, und womit man Recht hat. Alle Leute wollten und mußten derlei Billette bei Eder auf dem Graben kaufen; alle Leute strömten also zu Eder, und daher ist der Auflauf leichtlich zu erklären. Man war wirklich in Gefahr, zu erdrücken oder erdrückt zu werden, und wie sich leicht erachten läßt, wurden viele, sehr viel solche Billetts nicht gekauft, sondern unbezahlt gelassen, vielleicht ein Sechstel der ganzen Masse. Der kleine, schmächtige Eder, seine voluminöse Frau und ein Personal von zehn bis zwölf Leuten (für mehr war im Hintergrund der zwei Ladentische nicht Raum): wie hätten die imstande sein können, einen ununterbrochenen, flutenden, strömenden Andrang von vielleicht hundert Liebhabern, Käufern und Gratisabnehmern zu befriedigen, zu überwachen, zu kontrollieren? Unter solchen Umständen blieb denn nichts übrig, als die Preise der Ware etwas höher zu stellen, was wohl mit möglichster Bescheidenheit geschehen. Auch am Neujahrstage selbst tobte dieser Orkan. Die für dergleichen Billetts während dieser paar Tage eingezogene Barsumme war dann freilich enorm, da sie Tausende betrug«.

Wien war für diese Kärtchen und Kunstbilletts der ideale städtisch-gesellschaftliche Rahmen, nicht nur wegen seines Käuferpublikums. Sieht man etwas genauer hin, so entdeckt man, daß Modisches nur in menschenverdichtetem Raum entsteht und schwingt und daß auch diese multiplizierte, oft schon zu Übertriebenheiten kippende Glückwunschkultur hier besonders begünstigt war. Vielfältige Formen der Höflichkeit wie auch des Glückwunsches sind immer auch ein Mittel, den Abstand zu halten und, besonders von unten nach oben, die Hierarchie zu wahren und ihre Anerkennung zu äußern. Erzwungen war das auch vom engen Leben in der Stadt, die die dichtest besiedelte ihrer Zeit in Europa war, denn erst nach dem Biedermeier fielen ja die Befestigungen, an deren Stelle die epochemachende Ringstraße verläuft und begann die Stadt in ihr Umland hinauszugreifen. Manches andere mag auch noch dazukommen, etwa der Volksglauben, daß man dem anderen möglichst zuvorkommen, ihm »das neue Jahr abgewinnen« müsse.

Was Mode förderte und Brauch verlangte, wurde im Wunsch nach Luxus noch gesteigert. Für diesen Personenkreis aus wohlhabendem Bürgertum und Adel verfertigte Endletzberger seine Billetts. Gerade das Geschenk für Betuchte sollte zwar nicht ohne Wert, aber sicher ohne Gebrauchswert sein. Der Beschenkte kann sich ja ohnedies alles kaufen – und es gilt zudem der Satz, daß ein gut erratenes Geschenk immer auch eine kleine Indiskretion bedeutet. Während man die volksläufigen Kupferstichkarten und Radierungen – die junge Lithographie spielt hier keine Rolle – schon um wenige Kreuzer erstehen konnte, mußte man für ein Kunstbillett wenigstens zwei Gulden, bei besonderen Bildern sogar zwanzig Gulden hinlegen.

Eine bedingte technische Vorlage fand das Kunstbillett in der »Wedgwood-Karte«, die in der zweiten Hälfte des 18. Jahrhunderts aufkam und in oft erstaunlich scharfer und detailreicher Prägung – mit Matrize und Patrize – ein plastisches Bild zeigt. Die besondere Leistung des Kunstbilletts ist nun, diese Prägung auf einzelne, oft sehr kleine Teile zu zerlegen und zu reduzieren, die dann als Collage zusammengesetzt werden, häufig auf einer zart eingefärbten Gaze, die in ein Rähmchen aus geprägtem Messingblech gespannt ist. Ist die Wedgwood-Karte in aller Regel farblos oder, meist in Teilen, einfarbig, etwa ein Terracottarelief nachahmend, so ist das Kunstbillett bis auf geringe Ausnahmen immer von hoher Farbigkeit beherrscht. Diese Farbigkeit wird nur dann knapp, wenn das eingesetzte Material anderes nicht zuläßt oder sogar, wie beim »Hüttchen« in geprägtem Stroh, »Bescheidenheit« anklingen soll.

Verwendet wird insgesamt verschiedenstes, ja abenteuerliches Material. Geprägtes und gestanztes feines Messingblech, Perlmutt, Fischschuppen, Stroh, feine Pflanzenteile, Glimmer, farbiges Glas. Wird geprägtes und gestanztes Papier verwendet, so werden die einzelnen Teilchen vor der Montage mit Deckfarben bemalt, was den plastischen und feindetaillierten Gesamteindruck wesentlich ausmacht. Übrigens wird man schwerlich zwei Billetts nach dem selben Entwurf finden können, die ganz deckungsgleiche Doubletten wären!

Das Zusammensetzen verschiedenartiger, farbiger Teile war keine völlig eigenständige Leistung des Kunstbilletts, ähnliches, wenn auch viel gröber, »stofflicher«, hatte ja schon das Spickelbild gemacht, und eine gewisse Verwandtschaft haben da auch jene farbige bestickten Wunschkärtchen aus der Zeit um 1800. Etwas besonders klein und einzelheitenfein zu machen, kaum vorstellbare Kunstfertigkeit in engsten Rahmen zu fassen, das war immer wieder künstlerischer Antrieb und technischer Ehrgeiz, der etwa in filigran geschnitzten Rosenkranzkugeln steckt oder in den Wachsbossierungen von Vater und Sohn Cetto – wie auch in den Kunstbilletts.

Vielfalt und Überschaubarkeit in einem formulieren diese kleinen Bildwerke, die späteren Betrachtern sogar manchmal als Ausdruck der erzwungenen Ruhe des Biedermeiers galten. Wir dürfen heute, da wir uns längst an eine Flut mit hohem Natürlichkeitsgrad bewegter Bilder gewöhnt haben, nicht vergessen, daß Endletzbergers Zeit dergleichen nicht kannte; das Tafelbild auf der einen und Kupferstich und junge Lithographie auf der anderen Seite beherrschten die Szene. Für alles, was über die flache Bildwirkung hinausging, war man nicht nur dankbar, sondern in höchstem Maß begeisterungsfähig. Solchen Reiz, den die Zughebelkarte durch Bewegung erreicht, bewirkt das meist stillebenartige Kunstbillett durch die Körperlichkeit der verwendeten Teile selbst, die, fertig zusammengesetzt, Bildtiefen und damit Schattierungen von zwei, drei Millimetern ergeben. Dann ist es aber auch die in den meisten Billetts eingesetzte Gazehinterspannung des Rähmchens, die, wenn sich der Blick auf die vielfältige Szenerie in der Hand richtet, den Hintergrund, die Umgebung und ihr Licht mit hereinspielen läßt. Und dann sind es in manchen Fällen noch Materialien von besonders hoher Tiefenwirkung, etwa das farbschleiernde Perlmutt, eine Spiegeleinlage oder das gewölbte Glas einer Goldfischglocke. Gelegentlich entleiht das Kunstbillett sogar Wirkung der Klappkarte: die Umhängetasche des Pudels ist beweglich, das Büchlein aufzuschlagen, das Innere eines Kürbisses zeigt, zwischen Anspielung und Glückwunsch, ein Kleinkind.

Weniger eigenständig ist das Kunstbillett in seiner Thematik: den Freundschaftsaltar, den Thyrsosstab mit Draperie, den Hund als Boten und den Blütenkranz, den Tempel und das Buchstabenspiel mit »SND nie unsere Freundschaft« – das alles gab es auch davor und daneben als gedrucktes Blättchen und als Zughebelkarte, die insgesamt ungleich mehr Themen kennen, ja, solche Neujahrsbillette wußten sogar, wie Joseph Richter in seinen »Eipeldauer Briefen« 1803 berichtet, technischen Fortschritt wie den optischen Telegraphen und Menschheitsheil wie die Pockenimpfung zu preisen.

Trotz mancher Verwandtschaft ist das Kunstbillett ohne seinen genau zu benennenden Erfinder nicht denkbar. Und dieser Erfinder hat es zugleich, von anderen nie eingeholt, künstlerisch und technisch vollendet. Johann Joseph Endletzberger wurde am 4. Februar 1779 als Sohn eines St. Pöltner Gürtlers geboren. Die Familie gehörte zu den angesehenen der Stadt, der Vater hatte, wie das Innungsbuch festhält, gewöhnlich zwei Lehrbuben, gehörte also zu den vielbeschäftigten Handwerkern. Er hatte, wie Ratsprotokolle und Kirchenrechnungen belegen, auch mit Gold- und Silberarbeiten zu tun, was gelegentlich zu Schwierigkeiten mit den einheimischen Goldschmieden führte. Noch war ja die Zeit strenger Zunftordnungen. Von den künstlerischen Arbeiten des Vaters ist sicher die Entwicklung Joseph Endletzbergers beeinflußt worden, wahrscheinlich hat er bei ihm die Technik des Gravierens gelernt. Jedenfalls finden wir ihn ab November 1800 als Gravierdiurnisten, also mit Schneiden von Prägestempeln befaßten Tagesarbeiter im Dienst des Wiener Hauptmünzamts, mit einem Tageslohn von 30 Kreuzern. Drei Jahre später geht er, ebenfalls als Gravierdiurnist, nach Prag und wird von 1807 bis 1809 in Kremnitz angestellt. Prag war ja, wie Wien, eine Heimat kleiner Kunstfertigkeiten, bedeutender Druckort von religiösen Bildchen wie von allerlei Gelegenheitsgraphik, ein Umstand, den man auch zu den Beeinflussungen Endletzbergers, zu den Quellen seiner Ideen wird rechnen dürfen.

Da ihn die zitierten »Vaterländischen Blätter« 1819 ausdrücklich nennen, muß Endletzberger einige Zeit vorher nach Wien zurückgekehrt sein. Undeutlich bleibt, wann und wie er die Technik des Metall prägenden Stempels für die Prägung und Stanzung von Papier abgewandelt hat. Ein Zusatz zum rückseitig vermerkten Namen der Schenkerin von Abb. 5.1.45 ist vermutlich als »[18] 18« zu lesen, es würde sich hier also um ein recht frühes Billett handeln, wofür auch die andeutungsweise plumpere Gestaltung spräche.

In den Akten des Finanzministeriums wird er erst 1832 wieder erwähnt, als er – biedermeierliche Titelei! – vom Ersten Gravierdiurnisten zum Vierten Graveuradjunkten befördert wird. Er bekommt 450 Gulden Jahresgehalt und 60 Gulden Quartiergeld – und wenn ein Kunstbillett wenigstens zwei Gulden, ein besonders ausgesuchtes sogar zwanzig kostet, dann stehen solche Beträge in bemerkenswerter Relation zum staatlichen Jahresgehalt ihres Herstellers, wobei sich heute kaum mehr ermitteln ließe, mit welchen genaueren Herstellungs- und Auflagezahlen der Künstler diese Staatsentlohnung aufgebessert hat. Seine Laufbahn beschließt er 1850 als Dritter Graveur mit 700 Gulden Gehalt und 160 Gulden Quartiergeld.

Nur wenige Münzarbeiten sind als von Endletzberger stammend in den Registern vermerkt, darunter sind einige Friedensmedaillen von 1814 und 1815. Ein Denkmal hat der Kunstfertigkeit Endletzbergers der Dichter Fritz von Hermanovsky-Orlando gesetzt, in seiner 1928 erschienenen skurrilen Erzählung »Der Gaulschreck im Rosennetz«. Der Hofsekretär Jaromir Edler von Eynhuf will seinem Kaiser zum 25jährigen Regierungsjubiläum ein von Endletzberger zu gestaltendes Tableau von 25 Milchzähnen überreichen, dem aber noch das Prachtstück fehlt, von der größten lebenden Schönheit stammend, der gefeierten Sängerin Höllteufel. Der St. Pöltner Handelsherr Rochus Groskopf gibt den Rat, auch hierfür den Meister zu bemühen und sich als Schmetterling auf einer Maskenredoute der Primadonna zu nähern. Von Karl Michael Kisler, der auch den Lebenslauf Endletzbergers erhellt hat, stammt der Hinweis, daß der Dichter in Rochus Groskopf den in Wien und lange Jahre auch in München lebenden Sammler Anton Pachinger porträtiert hat, dem einige Museen Bereicherung ihrer Bestände verdanken.

»Ja, Sie haben leicht reden! Ich habe ja noch nie mit einer solchen Person gesprochen – da werde ich viel zu schüchtern sein, und dann – wenn sie mich gar nicht bemerken wird!« – Nicht bemerken? Ah, da muß man eben eine Maske wählen, wo sie einen ja bemerken muß. Wissen S' was, Eynhuf, ich hab' da eine glorreiche Idee: Geh'n S' als riesengroßer Schmetterling, meinetwegen mit zwei Klafter hohen Flügeln, die macht ihnen der Endletzberger gewiß; das heißt, das Dekorative und den Mechanismus, daß auch ordentlich damit pledern können, das macht Ihnen mein Freund Degen, der Hofuhrmacher in der Weihburggasse! – Sie, das wird ein Aufsehen werden!« – Und deswegen eilt Eynhuf dann auch zum Meister – »Welch ein Staunen malte sich auf das Gesicht des trefflichen Künstlers, der die zartesten Gratulationskarten aus Seidentüll, Spinnweben, Gold und Perlmutter herzustellen wußte, als der junge Kavalier ihm etwas von oben herab zurief: »Nehme Er mir Maß zu einem Schmetterling! Schwalbenschwanz, natürlich auf Seide gearbeitet! Flügel zwei Klafter hoch ... Einen Zylinder mit Fühlhorn besorgen sie mir auch. Die sonst bei Schmetterlingen vorschriftsmäßig vorhandenen sogenannten Afterfüße können Sie weglassen . . .«

Am 9. Februar 1856 starb Johann Endletzberger, angesehen und nicht unvermögend. Es war das Jahr von Mozarts hundertstem Geburtstag und wie er wurde er auf dem St. Marxer Friedhof begraben.

Es ist nicht richtig, zu sagen, daß zu dieser Zeit aus den individuell hergestellten Glückwunschkarten gedruckte Massenware geworden wäre. Diese Ware hatte es längst schon gegeben, in Wien genauso wie in Nürnberg, Augsburg oder Prag. Endletzberger hatte nur – bei nicht geringen formalen und thematischen Gemeinsamkeiten mit dieser gedruckten Gelegenheitsgraphik – eine verfeinerte, kostbare Sonderform geschaffen, die etwa zwei Jahrzehnte ihr Publikum fand. Überschätzt wird auch der Würgegriff der Enthebungskarte. Hebamme der Kunstbilletts war sicher die Mode, die ihr überständig gewordenes Kind fallen ließ.

Bei Endletzbergers Tod waren die Kunstbilletts schon längst in den Vitrinen und Kassetten mit den Erinnerungsstücken. Von solchem Kult spricht auch manches verglaste Kästchen, das uns einen Endletzberger bewahrt hat oder, wie in Abb. 5.1, die durch Nägelchen entstandenen Befestigungslöcher.

Nicht nur von nicht üblem Kunstsinn, sondern auch einigem sammlerischen Weitblick, wie ihr heute zu bestätigen wäre, da sie zudem von Endletzberger noch gar nichts wissen konnte, ist da eine Verwandte des »Eipeldauers«, der 1803 in einem seiner »Briefe an den Vetter in Kagran« (der heutige XXII. Wiener Gemeindebezirk, über der Donau) antwortet: »Wie mir der Herr Vetter schreibt, möcht' sich d' Frau Mahm gern auf ihrer Mühl ein Zimmerl mit lauter Visitbilletern auspalieren – und da hat s' kein übeln Gusto, denn ich kenn z' Wien sogar gnädige Fraun, die ihr Kabinetl mit solchen papierenen Zetteln austappeziert habn«.

Enthebung vom Glückwünschen in München

Gegen 1830 hatte das Glückwünschen und -gegenwünschen solche Ausmaße angenommen, daß man auf ein Mittel sann, sich in allen Ehren davon zu salvieren und dabei den materiellen Aufwand in sinnvolle Kanäle zu leiten: Die Wiener konnten sich – bereits nach dem Vorbild anderer österreichischer Städte – durch eine »Befreyungs-Karte vom Glückwünschen zum Neujahre 1830« loskaufen; das dafür zu entrichtende Lösegeld kam den Armen zugute. Diese Karten wurden in den Zeitungen amtlich ausgeschrieben und pfarrbezirksweise ausgegeben. In München ist der Usus seit 1845 belegt; er hat sich erstaunlich lang, bis ins 20. Jahrhundert hinein, gehalten. In unserer Gegenwart liegt ein vergleichbarer Gedanke zugrunde, wenn trauernde Hinterbliebene oder sogar fortschrittliche Hochzeitspaare statt Blumenspenden eine Einzahlung auf das Konto einer wohltätigen Organisation erbitten.

Was sich die Münchner die »Enthebung von den lästigen Convenienz-Gratulationen« kosten ließen, kassierte der Armenpflegschaftsrat (die städtische Wohlfahrtsbehörde) zugunsten des »Holzvertheilungsvereins«. Welches Beharrungsvermögen man – völlig zu Recht – gerade dem Brauch dieser »Beglücks-Wünschungen« zutraute, verrät die Bekanntmachung, die im Revolutionsjahr 1848 in zwei Dezembernummern der Neuesten Nachrichten eingerückt wurde. »Obgleich sich die neueste Zeit von den alten Formen, welche das gesellschaftliche Leben durch eine lange Reihe von Jahren bildete, allmählich selbst zu entkleiden suchet, so erinert bei dem Wechsel des Jahres doch das in der Brust so Vieler noch imer wache Gefühl der Dankbarkeit, der Freundschaft und Hochachtung an einen alten aus diesen Gefühlen staamenden Akt oder Gebrauch, nämlich an die sogenannten neuen Jahres Wünsche.

Der Armenpflegschafts-Rath erlaubt sich daher im Interesse vieler dürftigen Mitmenschen, welche wegen Mangels an Mitteln sich im Winter kein Holz kaufen u. vor Kälte schützen können, auch pro 1849 an die Enthebungskarten von diesen Gratulationen zu erinnern, u. zur Erholung solcher Karten gegen Bezahlung des Minimal Betrages von 30 xr pr. Kopf, in denselben Localitäten wie früher, nämlich im magistratischen Gebäude im Thal Haus Nr. 1 (. . .) sodaň Sendlingergasse Haus Nr 64 (= Armenhaus) (. . .) einzuladen.

Gewiß Jedermann, welcher auf den mündlichen oder schriftl. Ausdruck obiger Gefühle Anspruch machen zu können glaubt, wird sich freuen, statt desselben einen wohlthätigen Zweck erfüllt zu wissen, da die Gaben nach zu liefernden Ausweiß an den Verein zum Ankauf von Holz für arme Leute abgeliefert werden. Die Namen der Eingezeichneten werden von Zeit zu Zeit veröffentlicht werden.« Das heißt, um die offizielle Wirkung einer »Neujahrsentschuldigung« zu erreichen, wurden alphabetische Namenslisten in mehreren Folgen abgedruckt.

War es, weil der mildtätige Mindesttarif noch unter dem Betrag lag, den ein einziges luxuriöses Kunstbillet verschlingen konnte, oder wollte mancher gar zu gern unter den sonst von Gratulanten bedrängten Wohltätern gefunden werden? Den Herzog Max in Bayern, den Innenminister v. Abel und Ceremonienmeister Graf Pocci, den Glasmalerei-Inspektor Ainmiller und Dr. Sulpiz Boisserée, den Lebzelter Ebenböck und den Hausmeister im Isartortheater, Anton Babenstuber, vereint das älteste Namensverzeichnis von 1845/46 mit Hofdamen, Hofschauspielerinnen, Seifen- und Regenschirmfabrikanten. 1213 Karten erbrachten damals den Erlös von 1391 fl 18 kr. Die Zeitungsverleger kamen übrigens erst in den 1890er Jahren auf die Idee, zugunsten der Armenpflege ihrerseits auf die recht erheblichen Inserationsgebühren zu verzichten.

(StadtAM, Wohlfahrtsamt 980: Abrechnungen und Spenderlisten, leider ohne ein Exemplar dieser Karten.)

B. K.

Mütter! Mütter heute schwören wir
Dank und Ehrfurcht für und für
Doch halt uns Eurer Liebe Werth,
Lebt lange, gut und froh.
Der Sohn, der Seine Mutter ehrt,
der wünschet sich's nur so. –
Ja halt' uns Eurer Liebe Werth,
Lebt lange, gut und froh!
Der Sohn, der seine Mutter ehrt,
der wünschet sich's nur so.
O Brüder schwört mit mir auf's neu
den besten Müttern hier;
Schwört Ehrfucht, Dank und stete Treu,
Und wünschet dann mit mir:
O Mütter! Bleibt euch immer gleich,
Lebt lange und vergnügt,
Bis Sehnsucht nach dem Himmelreich
Die Erdfreud überwiegt.
Doch eh' ihr euch nach Himmeln sehnt,
Gönnt uns noch süß und rein
Die Freude, die der Vater gönnt,
Einst Euer Trost zu sein.
Das Herz, das Ihr so fromm belehrt,
Schlägt nur für euch allein,
Je mehr wird's uns erfreun,
Und Gott, der fromme Wünsche kennt,
Und tausend Klagen stillt,
Giebt, wenn das Kind die Mutter nennt,
Schnell Hilfe, und erfüllt.
So lebt, o gute Mütter, lebt,
Lebt lange gut und froh,
Der Sohn, der treue Wünsche hegt,
Der wünschet es nur so.
Gott schütze Euch, O, lebet hoch!
Er lohnt euch Sorg' und Müh',
Lebt lange mit den Vätern noch
in steter Harmonie.
Und trifft uns einst das schöne Los
Der Eltern Schutz zu sein,
Macht Euch auch an den Enkeln groß,
Und weiht sie für Euch ein.
Führt sie in die Kapelle hier,
Und ist der Stifter hold,
So kehrt Ihr Herz und Aug', wie mir,
Für ihn zum großen Gott!
Und Du! Du oben! Höre Sie!
Lohn unsres Vaters Schweiß!
Lohn ihn für seine Sorg und Müh',
Lohn seinen Erdenfleiß.
Nun beste Mütter lebet hoch!
Nehmt unsren Dank, und wißt,
Wir ehren Euch als Greisen noch.
Wenn unser Aug' sich schließt.

Prolog zur Namensfeyer
Johanna Mayr und Johanna Reisacher; 24.5.1821, München
Bayerische Staatsbibliothek, Wiedemanniana

3.4.1 Der Teppichhändler, Johann Georg Christian Perlberg, 1837

Darstellungen von Sitte und Sittlichkeit – das Genrebild im Biedermeier

Barbara Eschenburg

Genrebilder sind Darstellungen aus dem Leben des Volkes. Das ist auch dem bekannt, der nichts von der entsprechenden kunsttheoretischen Literatur weiß. Die Tatsache, daß es für Bilder dieser Thematik einen zusammenfassenden Gattungsnamen gibt, weist darauf hin, daß hier nur ein Ausschnitt der möglichen menschlichen Handlungen angesprochen wird. Der (auch heute noch existente) Gegensatz von Volk und Regierung bzw. den sie vertretenden Personen hatte in der alten Kunst zu unterschiedlichen Darstellungsformen geführt. Die Taten der Herrschenden wurden, soweit ihnen ein offizieller Wert beigemessen wurde, in der jeweiligen Historienmalerei vorgeführt, auf die sich die Genremalerei als Pendant bzw. Gegenteil bezog. Genremalerei war besonders in Zeiten beliebt, in denen eine neue Herrschaftsform sich auf die bis dahin politisch unmündige Schicht des Bürgertums stützte, wie dies im 17. Jahrhundert in den protestantischen Niederlanden und im 19. Jahrhundert allgemein der Fall war. Solcher Neuorientierung waren sowohl in den Niederlanden wie in den deutschen Staaten des frühen 19. Jahrhunderts Kämpfe im eigenen bzw. im Nachbarland vorausgegangen, die nicht unbedingt eine Mitbeteiligung, aber doch eine Anerkennung des Bürgerstandes im allgemeinen oder sogar des Bauernstandes als nützlich erscheinen ließen. Die konstitutionellen Monarchien, die in den größeren deutschen Staaten nach 1815 eingerichtet wurden, hatten zwar den Zweck, die alte monarchische Herrschaftsform zu retten; sie gingen aber, nachdem diese Staaten sich in den Befreiungskriegen gegen Napoleon auf die Massen des Volkes und deren nationale Begeisterung hatten stützen müssen, ein neues vertraglich geregeltes Verhältnis zu den beiden unteren Ständen ein, indem sie ihnen die Repräsentation in der Ständeversammlung zugestanden. Gleichzeitig wurde dem Bürgertum eine unpolitische aber öffentliche Betätigung durch die Erlaubnis zur Gründung von Vereinen ermöglicht, in denen die Mitglieder intern durch die Verfahrensweisen ihre demokratischen Wünsche zum Ausdruck bringen konnten, ohne daß dies eine Wirkung auf die Staatsgeschäfte gehabt hätte (Tornow 1977, Langenstein 1983).
Während es literarische Vereine schon im 18. Jahrhundert in größerer Anzahl gab, sind die Kunstvereine bis auf wenige Ausnahmen eine Erscheinung der Epoche des Biedermeier bzw. der Restauration. Der im Jahre 1823 gegründete Münchner Kunstverein wurde in den Jahren bis 1848 einer der wichtigsten Umschlagplätze für die bürgerliche Kunst nicht nur in Bayern. Seit seiner Gründung waren die beliebtesten Themen der im Münchner Kunstverein angekauften und ausgestellten Werke Genreszenen und Landschaften. Kleines Format und eine liebevolle Detailmalerei dieser Bilder kennzeichnen den Geschmack der meist autodidaktisch gebildeten Künstler und kamen dem der Käufer aus dem mittleren Bürgertum entgegen. Erst mit wachsendem Reichtum und zunehmender Macht des Bürgertums nach 1848 wuchsen Format und Anspruch gerade der Werke dieser

beiden Gattungen. Zur selben Zeit begann auch der Kunstverein seine bis dahin beherrschende Stellung als Kunstvermittler an den freien Kunstmarkt abzutreten.
Aus der Sicht der idealistischen oder der Historienmalerei handelte es sich bei der Landschafts- und Genremalerei lediglich um Teilsparten der Kunst. Sie selbst dagegen verstand sich als die Kunst an sich, obgleich auch die Historienmalerei nur bestimmte Themen umfaßte, nämlich vor allem die Darstellung der als bedeutend angesehenen Ereignisse der Geschichte und ihre allegorische Ausdeutung. Seit dem 15. Jahrhundert hatte man ihr diese herausragende Stellung zuerkannt. Die Akademien schließlich hatten seit dem 17. Jahrhundert zur Festigung dieses Rufes entscheidend beigetragen. In München verdankte die Historienmalerei ihr ungebrochenes Prestige der Wertschätzung und Förderung durch den König. Wie schon in vergangenen Jahrhunderten war sein Instrument auf dem Gebiete der Kunstpolitik auch im frühen 19. Jahrhundert noch die Akademie. Die neuen öffentlichen Bauten, die Ludwig I. schon seit seiner Kronprinzenzeit in München errichten ließ, stellten große Wandflächen für eine Freskomalerei bereit, die in umfangreichen Zyklen welthistorische Zusammenhänge allegorisch und symbolisch veranschaulichte. Ihr galt zunächst auch die Vorliebe der Kritiker, waren sie doch selbst als philosophisch gebildete Intellektuelle Anhänger idealistischer Geschichtskonstruktionen.
Nicht nur, daß man in der Historienmalerei die Kunst an sich verwirklicht sah, die genannten Sondersparten wurden etwa im Schornschen Kunstblatt, dem wichtigsten Organ auf dem Gebiete der Kunstkritik zwischen 1818 und 1849, als bloße Kopien nach der Natur verschrien und mit dem Schimpfwort »naturalistisch« belegt. Denn man sah die Aufgabe der Kunst in der Wiedergabe des Ideals, welches man nach den seit dem 17. Jahrhundert dogmatisch verfestigten akademischen Theorien nur durch Auswahl der schönsten bzw. charakteristischsten Formen zu erreichen glaubte. Die Realität dagegen galt als Abweichung von ihrer wahren göttlichen Bestimmung, weshalb es Aufgabe des akademisch gebildeten Künstlers war, der sich allein mit Recht Künstler nennen durfte, die ursprüngliche Vollkommenheit durch seine Bilder wieder sichtbar zu machen. Dieser moralischen Aufgabe fühlten sich die naturalistisch orientierten Landschafts- und Genremaler wie auch Porträt-, Tier- und Stillebenmaler nicht verpflichtet. Doch hatten sich diese Künstler, die von dem Münchner Akademiedirektor und Kunstpapst Peter Cornelius abfällig als »Flechten und Moose am Stamme der wahren Malkunst« (Oldenbourg 1922, 112) bezeichnet wurden, einem anderen nicht weniger hohen Ziel verschrieben, das Naturwahrheit hieß.
Schon im 18. Jahrhundert hatte es Kritiker der akademischen Malerei gegeben, die ihr Mangel an Naturwahrheit vorwarfen. Doch wenn Diderot den Künstlern seiner Zeit empfahl: »Geht morgens in die Schenke; so werdet Ihr gewahr werden, wie in der Natur der Zornige sich aus-

drückt. Sucht öffentliche Szenen auf, macht Euch zu Beobachtern auf den Straßen, in den Gärten, auf den Märkten, in den Häusern, Ihr werdet richtige Begriffe von den wahren Bewegungen in Handlungen des Lebens erhalten« (Diderot, Versuche über die Malerey. Übersetzt von F. Cramer, Riga 1797, 16), so fordert er sie keineswegs auf, Genremaler zu werden, auch wenn gerade Diderot einer derjenigen war, der in seiner Zeit die Genremalerei zu schätzen wußte. Sein Ratschlag bezweckte vielmehr die Erneuerung der hohen Kunst, wobei seine Forderung noch ganz der Affektenlehre entspricht, die im 17. Jahrhundert durch Nicolas Poussin Eingang in die akademische Kunsttheorie der Franzosen fand (Friedlaender 1966, 35ff.). Zwar hatten sich die Genremaler des frühen 19. Jahrhunderts genau an die Orte begeben, die Diderot empfahl, doch hatten sie dabei alles andere im Sinn als eine zeitgemäße Erneuerung der Historienmalerei, die ja auch zu ihrer Zeit noch als die eigentliche Kunst galt. Ganz im Gegenteil war ihr Anliegen, die von ihnen bevorzugten und von den Akademien abgelehnten Themen als der hohen Kunst ebenbürtig anerkannt zu sehen. Zu diesem Zwecke setzte sich Albrecht Adam im Kunstverein bald nach der Gründung dafür ein, daß die Künstler nicht als Tiermaler oder Genremaler geführt wurden, sondern einfach als Maler.

Der abwertende Vorwurf, diese Maler seien bloße Kopisten der Natur, ist in zweifacher Weise zu modifizieren. Zum einen waren es die Naturalisten, die durch die Entwicklung einer die Handschrift des Künstlers betonenden Freilichtmalerei eine neue Idealität der reinen Malerei schufen, welche schließlich ihre radikalste Verwirklichung im Impressionismus fand. Auf der anderen Seite war die naturalistische Malerei nicht konzeptlos. Auch in ihr kommt eine Weltanschauung zum Ausdruck, durch deren Brille die Realität oft recht einseitig beleuchtet wurde.

Der Inhalt der Genremalerei des frühen 19. Jahrhunderts kommt schon in der deutschen Übersetzung des ursprünglich französischen Begriffes »genre« zum Ausdruck. Man sprach allgemein von »Sittenbildern«. Während genre zunächst nur Gattungsbild hieß, blieb dieser Begriff im 19. Jahrhundert an den bürgerlichen und bäuerlichen Szenen hängen, die die niederländischen Künstler des 17. Jahrhunderts in die Malerei eingeführt hatten (Immel 1967, 12ff. – Teske 1976, 5ff.). Deren Thematik wurde außerhalb der Niederlande, vor allem in Frankreich, dem im 17. und 18. Jahrhundert in Kunstkritik und Kunsttheorie tonangebenden Land, immer nur mit Blick auf die Historienmalerei bzw. die idealistische Malerei, die mit der Historienmalerei nahezu deckungsgleich war, diskutiert. Dies blieb so bis zu Friedrich Theodor Vischers »Ästhetik oder Wissenschaft des Schönen« (6 Bde. 1846–1857). Er schrieb zu diesem Thema: »Es walten also in beiden Zweigen (Historie und Genre) dieselben gattungsmäßigen Kräfte, dort zur Entscheidung gesammelt, hier nicht«. Dieses »hier nicht« wird folgendermaßen unter dem Stichwort »Sittenbild« ausgeführt: »Die Bedingungen des Geschlechtes, Alters, anthropologischen Zustandes, Standes und Geschäfts, Genusses, der *geltenden Formen* in Kostüm, Umgangssitte, Genuß, Trauer, Arbeit treten nun in ihrer ganzen Breite an seiner Erscheinung hervor und *in diesen Elementen* läßt denn auch die Individualität des Einzelnen ihre ganze Eigenart spielen ... Der Mensch des Sittenbildes ist *der zuständliche Mensch;* handelt er, so bewegt er doch nicht die Welt, schöpft nicht aus der

reinen Freiheit der Selbstbestimmung eine *Tat*, welche den Knoten des Komplexes, in welchem er als *Kind der Natur und der Sitte* eingeflochten lebt, mit straffer Hand und scharfem Schwerte zerhaut und einen neuen schürzt ...« (Vischer 1923, 377 und 378, Hervorhebungen B.E.). Derselbe Widerspruch, daß diesem Menschen fast alles fehlt, was zur Freiheit des Individuums gehört und er doch seine Individualität in solchen Verhältnissen verwirklichen können soll, taucht schon im Schornschen Kunstblatt von 1825 auf, wenn der Rezensent mit Bezug auf die Genre- und Schlachtenmalerei von Peter Heß und Karl von Heideck schreibt: »So ist zum Beyspiel die Wahrheit und Lebendigkeit, mit der das Nationale der verschiedenen Völker bis auf das Individuelle der einzelnen Charaktere in ihnen, des Franzosen, des Spaniers, des böhmischen Räubers, des Tyroler Schützen hervorgehoben und ausgebildet ist, bewunderungswürdig, und der böhmische Postknecht auf den Pferden des angefallenen Wagens ... ein Charakterbild, das niemand vergessen wird« (214), womit auch gleich eine Liste der beliebtesten Genrethemen aufgeführt wird. Ausgerechnet das Nationale wird hier zum Oberbegriff des Individuellen, obgleich die Individualität all dieser Figuren unterschiedlicher Nationalität – abgesehen von der unterschiedlichen Kleidung, die das Hauptaugenmerk beansprucht – nur in der immer gleichen Art des Zurechtkommens in Alltag und Krieg sowie des Sichbewährens im Beruf und in der Teilnahme an einer harmlosen, geregelten Festlichkeit besteht. Daß das Individuelle hier nichts Auszeichnendes, Besonderes ist, sondern nur die Variation von Typen beinhaltet, macht schon der gleichmäßig bunte Charakter all dieser Bilder deutlich, in denen alle Figuren mit gleicher Wertigkeit behandelt werden und die Aufmerksamkeit des Malers wie des Betrachters mit den toten Dingen teilen müssen. Schon dies unterscheidet solche Bilder von der Historienmalerei großen Stils, in der die Tat eines oder mehrerer hervorgehobener Personen im Vordergrund steht und diese auch den kompositionellen Mittelpunkt bilden.

Noch in Johann Georg Sulzers umfassender »Allgemeiner Theorie der schönen Künste« von 1792ff gab es weder das Stichwort Genrebild, noch das Stichwort Sittenbild. Seine Erläuterungen zum Begriff »Sitte« decken sich auch nur bedingt mit dem, was Vischer zum Sittenbild schrieb. Bei der Sitte handelt es sich nach Sulzer »um weniger in die Augen fallende Dinge, als die bewunderungswürdige Ordnung, durch welche alles, was zur Erhaltung und Fortpflanzung der Geschöpfe nötig ist, unvermerkt bewürkt wird«. Der Übergang zum Individuellen wird nicht gemacht. Doch ist auch hier das Sittliche die Anerkennung der als natürlich verstandenen öffentlichen und privaten Ordnung. Von Vischer wird darin allerdings nicht nur die Garantie der natürlichen Zwecke der Gattung gesehen, sondern auch die Selbstverwirklichung des Individuums, wenn er in diesem Element »die Individualität des Einzelnen ihre ganze Eigenart spielen« sehen will.

Der Zusammenschluß von gesellschaftlicher und natürlicher Ordnung wurde in der restaurativen Staatstheorie, deren wichtigster deutscher Vertreter Carl Ludwig von Haller ist, zur Doktrin erhoben. Die Diskussion um das Naturrecht, die im 18. Jahrhundert die Gemüter bewegt hatte und ihre politische Lösung in der Französischen Revolution fand, wurde von Haller folgendermaßen entschieden: Die als natürlich hingestellte Ordnung des patriarchalisch ausgerichteten monarchischen Staates ist die in der Familie keimhaft vorgebildete Ordnung Gottes selbst, womit der bestehende Staat als Verwirklicher des Naturrechts hingestellt wurde (Haller, Restauration der Staatswissenschaften, 6 Bde., Winterthur 1816–34).

Da also auf dem Gebiete der »naturalistischen« Genremalerei einem mindestens ebenso moralischen Anspruch genügt wurde wie in der idealistischen Historienmalerei – mit dem Unterschied, daß in ersterer das Volk als Bildgegenstand ausdrücklich anerkannt wurde, was manchem schon als Sakrileg erschien, auch wenn bei diesem Teil der Menschheit immer schon per definitionem auf seine Schranken hingewiesen wurde – gab es seit den dreißiger Jahren auch Kritiker, die der Genremalerei ebenfalls einen gewissen Idealismus bescheinigten. Carl Schnaase, der im Schornschen Kunstblatt von 1831 einen umfangreichen Aufsatz über die Genremalerei unter dem Titel »Über die Richtung der Malerei unserer Zeit« veröffentlichte, meinte sogar, daß hier im Gewande des Alltäglichen, Bekannten das Ideal des *Rein-Menschlichen* besser, das heißt allgemeinverständlicher zum Ausdruck käme als in den abstrakten oder gelehrten Formen der idealistischen Historienmalerei.

Dieser neuen Sinngebung entspricht, daß im frühen 19. Jahrhundert gegenüber den Niederländern des 17. Jahrhunderts eine sehr gezähmte Form der Genremalerei gepflegt wurde. Dort hatte es noch eine derbe Richtung des bäuerlichen und eine gehobene, veredelte des bürgerlichen Genres gegeben. Wie das Conversations-Lexikon von Brockhaus aus dem Jahre 1844 (65–67) bemerkt, überlebte im 19. Jahrhundert nur die letzte Form und wurde nun auch auf das bäuerliche Genre übertragen, aus dem alle Unflätigkeit und Grobheit ausgeschieden wurden. Schon die äußere gemäßigte Form bewahrheitet den neuen Begriff des »Sittenbildes« in seinem zweifachen Wortsinn.

Das historische Genre

Nicht nur, daß Historien- und Genremalerei inhaltlich immer gegeneinander abgewogen wurden, es wurden auch Übergänge zwischen beiden Gattungen bemerkt. Vischer widmet der von ihm als »historisches Sittenbild« bezeichneten, sich an die Historienmalerei anschließenden Abteilung der Genremalerei breiten Raum in seiner Ästhetik. Nimmt man ein Beispiel, das dieser Kategorie entspricht, etwa den »Einzug König Ottos von Griechenland in Nauplia am 6. Februar 1833« (Neue Pinakothek München), von Peter Heß 1835 gemalt, so merkt man jedoch, daß diese Bildform wenig mit der eigentlichen Historienmalerei zu tun hat, bei der die Tat des großen Einzelnen im Mittelpunkt steht. Man denke etwa an Wilhelm von Kaulbachs »Jerusalem« (Neue Pinakothek München). Der Entwurf dazu entstand zwischen 1836 und 1838, also etwa gleichzeitig mit dem »Einzug König Ottos«. Angesichts des von den Römern ins Land getragenen Krieges mit nachfolgender Hungersnot und Brandschatzung durch die eigene Bevölkerung, also in einer ausweglosen Situation, gibt der Hohe Priester in der Mitte sich und seiner Familie selbst den Tod. Damit ist der Untergang Jerusalems besiegelt, was in zwei Bildgruppen – links der fliehende »ewige Jude« und rechts die Rettung einer christlichen Familie – mit nicht zu übersehendem Antisemitismus symbolisch veranschaulicht wird (Menke, in: MK

Die Zerstörung Jerusalems durch Titus, Wilhelm von Kaulbach, München 1837–1846, München, Neue Pinakothek, WAF 403

BStGS, V, 1984, 209–213). Mit der Geste des Priesters ist die welthistorische Entscheidung besiegelt, die das Christentum zur Macht brachte und das alte heroische Judentum vernichtete, so die Aussage des Künstlers.

Das Bild von Peter Heß dagegen verzichtet auf jede philosophische oder welthistorische Deutung des Geschehens. Das dargestellte Ereignis deutet sich selbst. Vorläufer findet man in Illustrationen politischer Tagesereignisse, zu denen schon immer die festlichen Einzüge gehörten. In solchen Bildern wurde die Hauptfigur zwar zentral dargestellt, doch war sie immer nur Teil eines Zeremoniells und – auch wenn sich das ganze Zeremoniell um diese Figur drehte – keineswegs das aus freiem Willen handelnde Individuum der idealistischen Historienmalerei. So ist es auch in dem Bild von Peter Heß. Zwar sind die dem König zujubelnden Griechen in ihren malerischen Trachten viel individueller gezeichnet als der verhältnismäßig klein erscheinende junge Bayernprinz mit seiner militärischen Eskorte, doch haben sie in diesem Moment ihren Willen jenem abgetreten, indem sie ihm als König zujubeln. Sie sind die malerische Staffage einer sich als volksfreundlich gerierenden Herrschaft, die umso glaubwürdiger erscheint, je eigenständiger sich die Personen geben, die sich ihr unterwerfen. Und die Griechen hatten immerhin einen jahrelangen Freiheitskampf gegen die vorausgehende Herrschaft der Türken geführt, ehe sie sich von den europäischen Großmächten einen König zuteilen ließen. Hier liegt auch der entscheidende Unterschied gegenüber ähnlichen Darstellungen aus der Zeit vor der Französischen Revolution: Jetzt wird auf die psychische Anteilnahme des Volkes gegenüber der Herrschaft Wert gelegt. Seine Protagonisten erscheinen nicht nur als bunte Staffage, sondern können manchmal fast mit Hauptfiguren verwechselt werden. Dasselbe gilt auch für das von Vischer ebenfalls dem »historischen Sittenbild« zugeordnete Schlachtenbild, dessen Entwicklung von der Darstellung des Feldherrnhügels mit Fernblick über das Schlachtfeld fortführt zu einer reportageartigen Form, in der der Blick direkt ins alle Standesunterschiede einebnende Schlachtgeschehen gerichtet ist. Umge-

Ein Schweizer Gardist erzählt in seiner Heimat seine Erlebnisse während der Pariser Juli-Revolution von 1830, Johann Baptist Kirner, 1831, Kunsthalle Karlsruhe

kehrt gab es auf der Seite der Historienmalerei besonders in Frankreich, vor allem bei Ernest Meissonier, eine Form der Aktualisierung, die in Deutschland, wo man sich auf seine idealistische Historienmalerei noch nach der Jahrhundertmitte etwas zugutetat, abfällig von der konservativen Kritik als »genremäßig« bezeichnet wurde.

In Johann Baptist Kirners Bild »Ein Schweizer Gardist erzählt in seiner Heimat seine Erlebnisse während der Pariser Juli-Revolution von 1830« (Kunsthalle Karlsruhe, 1831) ist das historische Geschehen weit in den Hintergrund gerückt. Von Auflehnung gegen die Ordnung, das Thema der Erzählung, ist nichts zu spüren. Vielmehr wird ihre ewige Dauer gerade durch das Verhalten der Dorfbewohner im Wirtshaus bestätigt. Es sind alles passive Zuhörer, die sich durch die Renommiererei des Weitgereisten von ihrem Alltag erholen. Dabei kommt es dem Maler auf die Wiedergabe der verschiedenen Kleidungen, Haltungen und Gesichtsausdrücke an. Der unterschiedliche Reflex des Erzählten auf den Gesichtern der Personen verschiedenen Alters und Geschlechts ist das Thema, wobei jeder der Dargestellten die ihm im Leben zugewiesene Rolle durch seinen Ausdruck bestätigt. So drückt die Mutter bei dem Gedanken an die Gefahren solcher Ereignisse ihr Kind an sich. Die beiden Alten, die alles schon hinter sich haben, schmiegen sich aneinander. Die eher damenhafte Frau im Vordergrund nimmt mehr höflichen Anteil, während die junge Frau im Hintergrund offenbar einen Brief in der Hand hält, der ihr ihre unmittelbare Betroffenheit mitteilt. Am meisten beeindruckt von der Erzählung ist der halbwüchsige Junge, der am liebsten sofort aufspringen würde, um sich den Kämpfenden anzuschließen, was man jedoch seiner Jugend zugute halten muß. Das Kind schließlich übersetzt alles in aufregendes Spiel. Dieses Gemälde ist fast eine Bebilderung der oben angeführten theoretischen Äußerungen zum Sittenbild, und zwar ohne die satirischen Züge, die ähnliche Themen durch englische Maler, etwa David Wilkie, erfahren hatten.

Auch in Moritz Müllers »Szene aus dem Tiroler Krieg von 1809« (Neue Pinakothek München), im Jahre 1834 gemalt, wird der Krieg, der sich im Hintergrund abspielt und Anlaß der Szene ist, ganz auf den zwischenmenschlichen Aspekt

reduziert: die Trauer der Tochter um ihren verwundeten Vater. Um das Rührende zu betonen, waren die Betroffenen solcher Schicksalsschläge – und als solche erscheinen die Genrefiguren bei allen historischen Ereignissen – am liebsten junge Schönheiten, deren Unschuld durch Haltung und Lichtführung unterstrichen wurde. Wenn so das Erhebende zum effekthascherischen Rührstück wurde, bei dem oft der erotische Reiz wichtiger war als die Erhabenheit des Gefühls, war dies den Kritikern, die auf der anderen Seite den Naturalismus angriffen, auch wieder nicht recht. Besonders der wegen seiner bengalischen Beleuchtungen als Feuermüller bezeichnete Moritz Müller mußte sich den Spott der Kunstbeobachter gefallen lassen, auch wenn sein Publikum ihn deshalb nicht weniger schätzte (Schornsches Kunstblatt 1834, 206; 1838, 171).

Wenn man doch zuweilen heroische Taten einzelner aus dem Volke zeigte, so waren es meist ferne, märchenhafte Gestalten. Auf diese Wilderer in den fernen Bergen, die italienischen Räuber oder die griechischen Freiheitskämpfer durften die braven Bürger ihre Träume von heldenhaftem Aufbegehren projizieren. Nur in Düsseldorf gab es ganz im Gegensatz zu München Werke, die den vorhandenen Protest gegen Staat und Ausbeutung darstellten. Hierzu gehören Wilhelm Joseph Heines »Gottesdienst in der Zuchthauskirche« von 1837, Carl Wilhelm Hübners »Die schlesischen Weber« von 1844 oder sein »Jagdrecht« von 1846 sowie Johann Peter Hasenclevers »Arbeiter vor dem Magistrat« von 1848 (alle Kunsthalle Düsseldorf). Einige dieser Bilder, vor allem Heines »Gottesdienst« und Hasenclevers »Arbeiter«, sprengen den Rahmen der Genremalerei. Diesen Werken fehlt auch das üblicherweise zur Genremalerei gehörende folkloristische Element. Hier werden Individuen gezeigt, an deren standesmäßiger Unterscheidung der Betrachter kein Behagen finden soll. In Hübners Bild der »Schlesischen Weber« wird das Volk mit den Mitteln der Historienmalerei wiedergegeben. Dies ist eine Besonderheit der Düsseldorfer Schule, wo der ehemalige Nazarener Wilhelm von Schadow gleichermaßen die Historien- und die Genremalerei förderte. Der ebenfalls in seiner Jugend den Nazarenern in Rom zugehörige Peter von Cornelius, der 1824 Münchner Akademiedirektor wurde, hatte dagegen nur Verachtung für die Genremalerei übrig, weshalb sich die Vertreter dieser Richtung hier auf eigene unakademische Wege begeben mußten.

Marktbilder

Während die Genrebilder der Niederländer des 17. Jahrhunderts nie reine Zustandsschilderungen im Sinne der Definition Vischers waren, sondern Umsetzungen alter moralisierender Themen in das gegenwärtige Alltagsleben – zum Beispiel Verbildlichungen von Tugenden und Lastern (Renger 1970, Renger 1986) –, hat die süddeutsche Genremalerei umgekehrt ihren Ursprung in dem seit dem 18. Jahrhundert erwachten Interesse für die heimatliche Landschaft und ihre Bewohner, wobei man sich für die Bildgestaltung zunächst bekannter Kompositionsformen vorzugsweise der Niederländer bediente. Vor allem Lorenz Westenrieder hatte eingehende Beschreibungen des Volkslebens veröffentlicht und die Maler seiner Zeit auf die heimische Landschaft als Bildthema hingewiesen, die er für ergiebiger hielt als die bis dahin üblichen Akademierezepte und Kopien nach alten

Szene aus dem Tiroler Krieg von 1809, Carl Friedrich Moritz Müller, 1834, München, Neue Pinakothek

Meistern (Westenrieder, Werke, Bd. 1, 1831, 231; Hardtwig in: AK Landschaftsmalerei, München 1979, 58). Ein solcher Themenbereich kam dem Interesse der Künstler entgegen, die, obgleich bei den Akademien nicht anerkannt, doch sich lieber dem freien Künstlerleben widmen wollten als dem väterlichen Handwerk mit all seinen zunftmäßigen Beschränkungen. Im Sinne der Anregungen Westenrieders war dafür gesorgt, daß kein Stoffmangel aufkam, auch wenn damit noch nicht das Absatzproblem dieser Werke gelöst war. Doch gab es unter den Bürgern ein breites Interesse an solchen »naturalistischen« Schilderungen des Volkslebens, und mit der Gründung der Kunstvereine war zunächst beiden Seiten gedient.

Entstanden war die neuere Genremalerei aus der Verbindung von Landschafts- und Tierporträt mit der Trachten- und Uniformstudie. Dabei war das Interesse für die Lebens- und Wirtschaftsformen der heimischen Bevölkerung einerseits durch die Suche der Aufklärer nach einer ursprünglichen Lebensweise, andererseits durch die von den Staaten aufgegriffenen Bestrebungen der Physiokraten zur Effektivierung der Landwirtschaft geweckt worden. Die in Bayern im Jahre 1794 durchgeführte Volkszählung gestattete Einblicke in die Lebensverhältnisse der entferntesten Landstriche und abgelegensten Gehöfte (AK WB III/1, 290ff.). Das Interesse an den Fremden und der Vergleich mit der eigenen Bevölkerung wiederum war durch die Napoleonischen Kriege geweckt worden, die massenweise Soldaten aus den verschiedensten deutschen Staaten sowie aus Frankreich durch die heimischen Gebiete geführt hatten (Adam, Aus dem Leben eines Schlachtenmalers, 1886).

Wie in den »Begegnungsbildern« (Wichmann 1970) Wilhelm Kobells die Herkunft von der Trachten- und Uniformstudie kaum verdeckt ist – die Vertreter der verschiedenen Stände und Nationalitäten sind nur durch minimale Handlungen miteinander verknüpft – so bleibt in Domenico Quaglios Bild vom Münchner Viktualienmarkt (vgl. Kat.Nr. 2.3.1) von 1824 das rein sachliche Interesse an lokalen Gegebenheiten unmittelbar sichtbar. Obgleich Marktbilder seit dem 16. Jahrhundert zum innersten Themenkreis der Genremalerei gehören, ist dies kein Genrebild im eigentlichen Sinne des 19. Jahrhunderts. Es entstand als Dokumentation über die Verhältnisse vor Abriß des Heilig-Geist-Spitals, das mit seinen Ökonomiegebäuden das Marktgeschehen im Hintergrund begrenzt. Dieses ist vorwiegend in Grautönen ohne die anekdotischen Zutaten vorgeführt, die spätere Werke dieses Themenbereichs auszeichnen. Beispiel eines späteren Marktbildes ist etwa Benno Adams »Viehmarkt im bayerischen Gebirge« (Neue Pinakothek München) von 1839, in dem der Maler sein Interesse an der Beziehung der Geschlechter anläßlich des Marktgeschehens bekundet. Und Theodor Wegener nützt im Jahre 1842 eine Marktszene in der Nähe des Viktualienmarktes dazu, eine kleine moralisierende Geschichte über ungerechte Verdächtigungen gegenüber einem unschuldigen Kind zu erzählen, wobei der im Hintergrund versteckte eigentliche Missetäter ungestraft ausgeht (vgl. Kat.Nr. 6.1.17).

Wie sehr sich alle Formen der Genremalerei des frühen 19. Jahrhunderts von der des späten 18. unterscheiden, soll der Vergleich von zwei Marktszenen in der Münchner Neuen Pinakothek vorführen: Die »Jahrmarktszene« von Karl Kaspar Pitz (1793), einem der Maler aus der Zweibrükker Zeit Karl Theodors, und Friedrich Anton Wyttenbachs »Dult in München« von 1838 (vgl. Kat.Nr. 3.4.10). Beide Werke sind Jahrmarktsdarstellungen mit Schaustellern. Das spätere Bild unterscheidet sich schon durch die genaue Lokalisierung von dem früheren, das eine mehr prinzipielle Zusammenstellung einer Kirche mit öffentlichen und privaten Gebäuden aufweist. Auch bei der Kleidung macht Wyttenbach viel genauere Unterscheidungen nach Berufsständen als Pitz. Trotz der Porträttreue gibt er eine fast zeitlose Darstellung des Marktgeschehens, indem das Momentane hier nichts Spezifisches enthält, sondern jederzeit wiederholbar erscheint. Diese prinzipielle Wiederholbarkeit drückt sich in der ungestörten Ruhe des Geschehens aus, das seinen Reiz vor allem durch die delikate, helltonige Farbigkeit erhält. Zweifel an der sozusagen ewigen Ordnung der Dinge gibt es nicht, auch wenn der ärmlich gekleidete Knabe vorn durch sein Pfeifen und freches Aussehen möglicherweise auf die Ungebundenheit des Lebens der Schausteller, zu denen er wohl gehört, hinweisen soll und damit eine Alternative zum geordneten bürgerlichen Leben andeutet. Doch erscheint diese Variante keineswegs als Eingriff in die Ordnung, sondern als pittoreske Ergänzung wie die »Savoyardenäffchen«.

Von Pitz dagegen wird unübersehbar ein Moment vorgeführt, in dem die Ordnung schon rein äußerlich ins Wanken kommt. Durch das Scheuen der Pferde vor dem Planwagen gerät alles in Bewegung. Die Zauberobjekte der Schausteller fallen um und geben das mechanische Geheimnis ihrer wunderbaren Wirkung preis. Doch daß in der gestörten Ordnung schon vorher nicht alles in Ordnung war, darauf hat Barbara Hardtwig (MK BStGS, III, 1978, 317–318) hinge-

Jahrmarktszene, Karl Kaspar Pitz, 1793, München, Neue Pinakothek

wiesen, wenn sie eine antiklerikale Tendenz in dem Bild feststellt. Denn an die Kirchentür hat ein Wunderdoktor seine blasphemische Anzeige geheftet und davor ein Gerüst für seine Schauwunderheilungen aufgestellt. Diesem Treiben sieht der Pfarrer unter der Kirchentür mit anklagendem und doch gottergebenem Blick zu. Daß hier offenbar ein Angriff genereller Art auf die Ordnung geführt wird – sei es nun mit oder ohne Billigung des Künstlers – scheint durch das an die Symbolfigur der Französischen Revolution erinnernde Mädchen vorn angedeutet zu sein, das – wie bei Wyttenbach der Knabe – den Schlüssel zum Verständnis zu bergen scheint. Kompositionell ist das störende Ereignis Anlaß, die Personen in physiognomische und gestische Bewegung zu bringen. Ihre Zusammenstellung ist nicht einfach durch die Vielfalt des Markttreibens begründet, sondern es handelt sich um absichtsvoll ausgesuchte Prototypen für die Darstellung einer Konfrontation, bei der die verschiedene Interpretation von Wunder eine Rolle spielt. Offenbar geht hier die Respektlosigkeit vor dem Wunder in seiner sakralen Bedeutung einher mit einer allgemeinen Chaotik. Das Bild könnte

also durchaus auch eine Warnung vor der Unordnung enthalten, ohne sich mit dieser zu identifizieren. Es verkörpert sicher eine pädagogische Absicht und findet darin seinen über das Momentane hinausweisenden Sinn. Bei Wyttenbach dagegen ist das Markttreiben Garantie für das reibungslose Nebeneinander der Gegensätze, die durchaus in der Gegenüberstellung der einfachen Leute links mit Dame und Mönch rechts sowie der Bürger mit den Schaustellern vorkommen. Darin liegt der Anspruch auf Zeitlosigkeit dieses Bildes. Es bringt deutlich zur Anschauung, warum Biedermeier und Genremalerei auch im allgemeinen Verständnis fast Synonyme sind.

Familienbilder und Bilder bürgerlicher Gesellschaften

Neben Wirtshaus- und Marktbildern, die zum ursprünglichsten Themenkreis der Genremalerei gehören, nehmen, anders als bei den Niederländern des 17. Jahrhunderts, die

6.1.17 Szene auf dem Blumenmarkt, Theodor Wegener, München 1842

privaten, familiären Beziehungen breiten Raum ein. Wie schon angedeutet, gehörte die Hochschätzung der Familie als Keimzelle des Staates zur restaurativen Staatsdoktrin. In Meyer's Conversations-Lexicon heißt es im 9. Band von 1847 unter dem Stichwort »Familie« (809) gestützt auf Rottecks Staatslexikon (Bd. V, 385 ff.): »Die Familie ist als die früheste und von der Natur selbst veranstaltete Verbindung mehrerer Menschen zu einem gemeinschaftlichen Leben die Grundlage aller später zu Stande gekommenen umfassenderen, aber auch künstlicheren, socialen Institute. Durch die Erweiterung des Familienkreises entsteht, wo der dazu erforderliche Grad der Humanität und Civilisation erreicht ist, das bürgerliche oder politische Gemeinwesen, der Staat, dessen ursprünglichste und einfachste Form, die patriarchalische, dem Familienleben geradezu entnommen ist. Aber auch da, wo die Menschen schon in einem geordneten und geregelten Staats- und Gemeinwesen unter sich verbunden sind, bildet die Familie fortwährend die Basis, welche dem bürgerlichen und staatlichen Leben zur festen Unterlage dient, den unerschöpflichen Boden, aus welchem die gesellschaftlichen Bildungen ihre nährendsten Säfte ziehen.« Der Gesellschaftsvertrag spielt, wie man sieht, zur Erklärung des Staates keine Rolle mehr. Vielmehr erscheinen die privaten Beziehungen – Freundschaft, Liebe, Mutterliebe – die etwa bei den frühen protestantischen Romantikern Hinweis auf einen Innenraum der Seele waren, der jenseits der äußeren Verhältnisse Größe und Würde des Individuums bezeugte, nun als Bestätigung der Naturgemäßheit der sittlichen Ordnung des Staates. Da diese Vorstellung besonders anschaulich am Bild einer naturverbundenen ländlichen Bevölkerung verbildlicht werden konnte, ist es nur konsequent, daß die Bauern, anders als bei den alten Niederländern, nun nicht mehr als ungebildete und unflätige Tölpel dargestellt wurden, sondern als Menschen mit einer ursprünglichen Gesittung; sozusagen als beispielhafte Verkörperung einer sittlichen Urbefähigung, die die Aufklärer am Menschen entdeckt hatten, um ihn gegen die Ansprüche der kirchlichen Dogmatik zu verteidigen.

Von dem bei den Aufklärern unterstellten Gegensatz ist allerdings in den biedermeierlichen Bildern nichts mehr zu spüren. Im Gegenteil, wie schon bei den katholischen Romantikern Ferdinand Olivier, Karl Philipp Fohr oder Franz Pforr ist Frömmigkeit im christlichen, ja katholischen Sinne gerade ein Ingredienz der Naturgemäßheit des familiären Lebens, erkennbar etwa in den Bildern Lorenzo Quaglios, der sich dieses Themas, ähnlich wie der Dresdener Adrian Ludwig Richter, besonders angenommen hat. In oder vor seinen Bauernhäusern erscheint das Gebet als adäquate Reaktion auf alle Fährnisse. Es beendet den Tageslauf, in dem Mann und Frau die ihnen zukommenden Plätze einnehmen, er bei der Arbeit draußen, die sich seinen wettergebräunten Zügen eingeprägt hat, sie als liebliche Mutter und Hausfrau bei Kindern und Herd. Von den Härten des Landlebens ist in Quaglios Gemälden ebenso wenig zu spüren wie in Wilhelm Kobells Almbildern oder in den Idyllen Ludwig Richters. Im Genrebild, das das bürgerliche Leben zum Inhalt hat, wird das Zusammenleben in der Familie und die Begegnung auf kleinen privaten Geselligkeiten als die Möglichkeit für das persönliche Glück vorgestellt. Die Gattungen des Interieurs und des Familienporträts können hier mit dem Genrebild verschmelzen, indem etwa die Familie eines Silberschmieds (vgl. Kat.Nr. 5.2.31) anläßlich der Geburtstags-

Eine Symphonie, Moritz von Schwind, München 1852, München, Neue Pinakothek, WAF 1017

feier des Familienoberhaupts vorgestellt wird und so das innige Verhältnis der Mitglieder in dem sich wiederholenden Ritus mit fester Rollenverteilung zur Anschauung kommt. In einer 1839 von Moritz Müller gemalten »Musikalischen Abendunterhaltung« (vgl. Kat.Nr. 10.3.1) entführt die Musik, unterstützt von den Reizen einer jungen Sängerin, die Zuhörer in andere Sphären, wenn auch einige weniger feinfühlige Herren mehr den Äußerlichkeiten zugetan bleiben. Gesellschaftliches Ritual und persönliche Erfüllung erscheinen hier nicht als Gegensätze, sondern bedingen sich gegenseitig.

Moritz von Schwind hat dasselbe Thema in seiner »Symphonie« von 1852 (Neue Pinakothek München) durch eine Fülle von Anspielungen synästhetischer Art auf die Stufe der idealen Kunst erhoben und damit ein Werk geschaffen, in dem das Selbstverständnis des intellektuellen Bürgertums der Biedermeierzeit an ihrem Ende noch einmal exemplarisch zum Ausdruck kommt. Beethovens Chorphantasie op. 80, aufgeführt im privaten Kammermusikkreis von Schwinds Freunden, wobei Schubert die musikalische Leitung hat, ist der Auslöser für eine in mehreren Bildern vorgeführte Liebesgeschichte zwischen der Sängerin und einem jungen Mann, der, offenbar in jeder Weise von der Glücksgöttin begünstigt, die Künstlerin schließlich als seine Frau auf sein Schloß entführt. Daß Schwind sein Bild für exemplarisch hielt, drückt er in einem Brief an einen Freund aus, dem er schreibt, er habe zeigen wollen »wie der anständige Teil unserer Zeit aussieht« (an Schädel, Stoessl 1924, 287), womit er ein Bild der Innerlichkeit gegen die Äußerlichkeit seiner Zeit gestellt haben will.

Das Italiengenre

Darstellungen des italienischen Volkslebens, die allgemein sehr beliebt waren, nehmen gegenüber anderen Genreszenen eine Sonderstellung ein. Künstler, die sich auf dieses Gebiet verlegten, konnten sich an den Gemälden der deutschen Klassizisten und Nazarener in Rom wie auch an den Darstellungen der französischen Genremaler aus der Ingresschule orientieren, deren bedeutendster Louis Léopold

Robert (1798–1835) war. Außerdem blickte man auf eine lange Tradition arkadischer Darstellungen zurück, deren Hauptwerke schon aus dem 17. Jahrhundert stammten.

Die italienischen Szenen ermöglichten somit eine idealistische Genremalerei und damit den Anschluß dieser Sparte an die hohe Kunst. Denn Land und Leute entsprachen der allgemeinen Überzeugung nach von sich aus dem Ideal, das hier etwas banal als »arm aber glücklich« oder mit Jean Pauls Worten über die Idylle als »Vollglück in der Beschränkung« (Vorschule der Ästhetik, 2. Aufl., 1812, § 75, 258) zu definieren ist. Gewöhnlich war schon das Leben im Freien dazu angetan, daß dem Betrachter die Naturgemäßheit dortiger Verhältnisse einleuchtete. Vor allem die scheinbare Unwandelbarkeit des Lebens der italienischen Bevölkerung trug zu diesem Eindruck bei, da schon von Malern früherer Jahrhunderte ähnliche Motive entdeckt worden waren.

Die italienischen Genredarstellungen etwa eines Michael Neher, Theodor Leopold Weller, August Riedel, Ludwig Catel, Friedrich Nerly u.a. zeigen in einer geglätteten Malweise Szenen, in denen schöne Menschen sich in angenehmer Beleuchtung in einer gesegneten, durch Ruinen und alte

Abruzzeser Bauern vor einer Schenke in Tivoli, Peter Heß, 1819, München, Neue Pinakothek, WAF 354

Studien deutscher Künstler neuerer Zeit in Rom, Wilhelm von Kaulbach, München um 1849, München, Neue Pinakothek, WAF 407

Gebäude malerisch bereicherten Natur bewegen. Alles macht den Eindruck harmloser, glücklicher Gesundheit. Ein Beispiel, ausnahmsweise eine Innenraumdarstellung, ist etwa Wellers »Mädchen, dem ein Ständchen gebracht wird« von 1838 (vgl. Kat.Nr. 7.1.7). Daß die Mutter oder Großmutter im rechten Moment eingeschlafen ist, ermöglicht der Natur, zu ihrem Recht zu kommen. Die kleine Unbotmäßigkeit beinhaltet keineswegs einen Angriff auf die Ordnung, sondern Natur und Sitte sind hier auf leicht ironische Weise in Einklang gebracht. Das Leben wird, wie häufig in den Biedermeierdarstellungen, als natürlicher Kreislauf vorgestellt. Gern wird die Beliebtheit solcher italienischer Szenen durch künstliche Beleuchtungseffekte zusätzlich zum natürlichen Licht noch gesteigert. Auf diesem Gebiet war August Riedel Spezialist, den die Kritik ähnlich wie Moritz Müller trotz prinzipieller Anerkennung mit manchen Warnungen vor zu großer Effekthascherei bedachte.

Bei einigen dieser Maler wird die Landschaft gleichberechtigt oder sogar bevorzugt gegenüber den figürlichen Darstellungen behandelt (vgl. Kat.Nr. 6.3.20–22). Zu ihnen gehört auch Karl von Heideck mit seinen italienischen und griechischen Genrebildern. Von Peter Heß gibt es um 1820 Zustandsschilderungen des italienischen Volkslebens, in denen das Anekdotische zurücktritt. Seine Werke zeichnen sich durch eine sonst in der Münchner Biedermeiermalerei kaum anzutreffende farbige Delikatesse aus. Die Farben sind etwa in dem Bild »Abruzzeser Bauern vor einer Schenke in Tivoli« von 1819 in der Neuen Pinakothek durch bräunliche Schattenpartien gebunden, die jedoch nirgends in Unfarbe versinken, sondern selbst reiche, gegenständlich bestimmte Tonstufen aufweisen, wobei die Farben der beleuchteten Objekte auf wenige, vielfach variierte Töne beschränkt sind und von Ocker zu Gelb und Rotbraun sowie von Weiß zu Grau reichen, wobei etwas leuchtendes Blau als Kontrast eingesetzt ist. Die Banalität der in den italienischen Genre-

szenen immer wiederkehrenden Motive – Mönche, tanzende Mädchen, Liebespaare, junge Mütter mit ihren Kindern – ist hier um realitätsbezogenere Figuren bereichert und erscheint zudem in eine Idealität der Farbe eingebunden, deren Zauber nicht aus der Thematik abzuleiten ist.

Die Klischeehaftigkeit der üblichen Italienbilder wird treffend von Wilhelm von Kaulbach in dem Pinakotheksfresko »Studien der deutschen Künstler neuerer Zeit in Rom« (zwischen 1848 und 1854, Neue Pinakothek München) kommentiert. Auf diesem Bild können sich die Künstler kaum vor der Flut der Genremotive – Landleute, tanzende Paare, Mönche, ihr Kind nährende Mütter – retten. Die Bilder kommen, eben wie allseits bekannte Vorstellungen – hier zum Thema Familie, Glück und einfaches Leben – wie von selbst.

Humor

Diese Satire über die Genremalerei findet ihr Pendant in einem spezifischen Humor, der seit den späten dreißiger Jahren in die Genremalerei Eingang findet, wie schon an Bildern von Weller und Müller zu bemerken war. In den früheren Werken dagegen herrschte sachlicher Ernst. Während etwa Franz Xaver Nachtmann in seiner Darstellung des Münchner Bockkellers aus den zwanziger Jahren (vgl. Kat.Nr. 6.1.16) versucht, einen Querschnitt des Publikums beim Besuch des Bockkellers in typischen Figuren bei typischen Handlungen wiederzugeben, gibt Johann Peter Hasenclever in seiner Darstellung eines Münchner Bierkellers von 1841 (vgl. Kat.Nr. 4.4.30) eine sehr persönliche Szene, die, leicht überzeichnet, seine Freunde und andere karikierte Personen umfaßt, welche sich um den Bierausschank drängen.

Der unheimliche Gast, Karl von Enhuber, München 1867, München, Neue Pinakothek

Diese karikierende Form der Genredarstellung wurde in München jedoch vor allem durch Carl Spitzweg heimisch, der sich mit seinem »Armen Poeten« 1839 in die Münchner Kunstszene eingeführt hatte (Nationalgalerie Berlin, Neue Pinakothek München). Mit diesem Bild griff er als Maler in die Kritikerdebatte um die Fachmalerei ein, indem er die Ideale der hohen, hier der epischen Dichtkunst, durch Konfrontation mit der mehr als unheroischen Wirklichkeit der Lächerlichkeit preisgab. Gleichzeitig wies er durch eine delikate Farbigkeit auf die Qualitäten hin, die eine realitätsbezogene Malerei vorweisen kann und deren Fehlen an der idealistischen Malerei der Cornelius-Schule sogar von deren Anhängern beklagt wurde.

In einem Bild wie dem »Witwer« von 1844 (Städelsches Kunstinstitut Frankfurt, Neue Pinakothek München) weist Spitzweg auf die Heuchelei der in den sittlichen Vorschriften befangenen Bürger hin, wenn der trauernde Herr über das Bild seiner Seligen hinweg den jungen Mädchen nachschaut, zu welchem Zweck er sein Gefühl anscheinend in den öffentlichen Park getragen hat. Später wird häufig die Enge der Welt der Spießbürger, die sich zuweilen ihrer seltsamen Umgebung angeglichen haben, ironisch mit der Weite der Natur konfrontiert. Die Bilder Spitzwegs beruhen gegenüber der vorausgehenden Genremalerei auf einer neuen psychologischen Einfühlung und Beobachtung, wenn zum Beispiel die weltfremde Verkrampfung des »Bücherwurms« auf seiner Leiter vorgestellt wird, der gar nicht so viel Bücher halten kann wie er lesen möchte. Spitzweg wie der Düsseldorfer Hasenclever, der nur für kurze Zeit in München war, haben in ihren Bildern neue Charaktere geprägt, die mehr Persönlichkeit besitzen als die bis dahin üblichen Genrefiguren. Es sind nicht mehr nur Typen, die man in bestimmte Stände, Altersgruppen und Berufssparten einordnen kann und die ein den Erwartungen an Alter, Geschlecht und Beruf entsprechendes Verhalten an den Tag legen, sondern es sind Personen, die eine gewisse Neugier erwecken, weil ihre Lebensumstände ihre Individualität bis zur Neurose geprägt haben. Der Künstler macht dabei in neuer Weise seine Distanz zu den von ihm vorgeführten Figuren deutlich, ein Zug, den die frühe deutsche Genremalerei nicht kannte.

In Heinrich Marrs »Heimkehr von der Großhesseloher Kirchweih« von 1844 (vgl. Kat.Nr. 4.4.33) schließlich wird eindeutiger als von Spitzweg Partei für das einfache Volk ergriffen, das, anders als die stutzerhaft verzärtelten Bürger den Naturgewalten offenbar trotzen kann. In diesem Bild ist das ehemals auf alle Gegenstände gleichmäßig verteilte Interesse einer Bewertung gewichen, die zuweilen, etwa in Karl von Enhubers unvollendetem Bild »Der unheimliche Gast« (Neue Pinakothek München) rassistische Züge annehmen kann, wenn hier die Dorfgemeinschaft in der Kneipe vor dem Fremden zurückweicht und ihre Solidarität gegenüber Eindringlingen auch durch entsprechende Sprüche an der Wand des Gasthauses klarmacht.

In der Malerei Franz von Defreggers kehrt sich das Verhältnis um, das in der vormärzlichen Zeit die Genremalerei charakterisierte. Während bisher die Bauern als Menschen wie die Bürger vorgeführt wurden, eine Nobilitierung, die ihnen im großen Stil erst im 19. Jahrhundert zuteil wurde, werden nun an ihnen als Menschenschlag besondere Qualitäten entdeckt, so daß noch die borniertesten Bräuche in Großformat darstellenswert erscheinen. Nun kommt nicht mehr das »Rein-Menschliche« auch oder sogar besonders gut am Bauern zum Ausdruck, sondern das nur »Allzu-Menschliche« wie Eifersucht, Prahlerei usw. wird geadelt und in seiner bloßen Faktizität bildwürdig, weil es als Teil des bäuerlichen Lebens erscheint.

12.3.7 Die Amazone – Spottbild auf Lola Montez, um 1848

Jenseits der biedermeierlichen Moral
Abenteuer Emanzipation: Lola Montez und Lady Digby

Gisela Barche

Den Frauen der Biedermeierzeit ist in München auf einmalige und sehr publikumswirksame Weise ein Denkmal gesetzt worden. Noch heute zählt die Schönheitengalerie Ludwigs I. auf Schloß Nymphenburg zu den beliebten Fremdenverkehrsattraktionen, und die Portraits der großartig – von elegant bis unschuldig – wiedergegebenen Frauen aus ganz Europa finden kommerzielle Verbreitung auf Postkarten, Tassen und Streichholzschachteln. Neu an der »Frauensammlung« des »Kunsteunuchen« – wie Heinrich Heine Ludwig I. bissig bezeichnete – war, daß, ohne Rücksicht auf den Stand, die Schönheit allein, verbunden mit dem Anschein eines tugendhaften Lebens, einziges Kriterium für die Aufnahme bedeutete (Hojer 1979).

Durch die Schönheitsgalerie zeigt sich, daß nun neben den traditionellen Kategorien zur Beurteilung der Weiblichkeit vor allem eine neue Perspektive dominant wird – der Blick auf die Schönheit. Die Frauen werden als ein glänzender Schmuckgegenstand präsentiert, den man zum Ansehen und zur Ehre der Familie vorzeigt. Es gab nur sehr wenige Frauen, die die äußeren Voraussetzungen und auch die psychische Kraft besaßen, aus einer Gesellschaft auszubrechen, in der sie nicht nur kein politisches Stimmrecht besaßen, sondern zugleich zeit ihres Lebens unter männlicher Vormundschaft standen: der des Vaters, des Ehemannes oder des Sohnes.

Obwohl in der Galerie in Schloß Nymphenburg 36 Bilder gezeigt werden, sind die meisten der Portraitierten, selbst zu ihrer Zeit berühmte Schauspielerinnen wie z.B. Charlotte von Hagn, in Vergessenheit geraten. Im Interesse des allgemeinen Publikums überlebt haben jedoch zwei Frauengestalten: Lola Montez und Lady Digby.

Beide Frauen waren nur kurze Zeit in München: Lola Montez hielt sich zwei Jahre hier auf, Lady Digby hatte nur einige Aufenthalte von zusammen mehreren Monaten. Es ist sehr typisch für die Situation der Frauen im Münchner Biedermeier und zugleich für die Rezeption dieser Epoche, daß nur diese beiden Ausländerinnen einem größeren Kreis bekannt sind. Man kann es noch schärfer sagen: die von den Münchnern verachtete und angefeindete Lola Montez ist letztlich die einzige Frau der Biedermeierzeit, die als historische Persönlichkeit im populären Bewußtsein geblieben ist. Das Interesse für Lola Montez ist dabei nicht nur auf den bayerischen Lokalpatriotismus beschränkt, sondern wird auch von englischen, französischen, sogar amerikanischen und australischen Veröffentlichungen bezeugt (Kristl 1973). Erst in diesem Jahrzehnt aber entstanden nach mehr als 130 Jahren zwei Texte – von Frauen geschrieben – die sorgfältig und an den Quellen orientiert ein neues Lola Montez-Bild entwerfen und versuchen, der historischen Realität gerecht zu werden (Dulz 1982, Wilhelms 1986).

Im folgenden sollen die wichtigsten Etappen des Lebenslaufes von Lady Digby und Lola Montez, den beiden Außensei-terinnen, konfrontiert werden mit dem traditionellen Werdegang ihrer Zeitgenossinnen aus der Ober- und höheren Mittelschicht. Nur so können das Streben nach Veränderung und die Ausbruchsversuche der hier erwähnten Frauen aus dem biedermeierlichen Schnürleib von Verhaltens- und Moralvorstellungen richtig eingeschätzt werden.

Lola Montez wurde 1818 als Maria Dolores Gilbert, Tochter eines irischen Leutnants, geboren und wuchs in Irland und Indien auf. Als die Mutter das eigenwillige Kind nicht länger erziehen wollte, schickte sie es nach England in die Familie des Stiefvaters. Nachdem sich dort Schwierigkeiten ergaben, wurden Pensionate in Paris und in dem englischen Kurort Bath für die Heranwachsende ausgewählt. Sie genoß damit eine relativ langdauernde Ausbildung, wie sie nur Frauen des Adels und des gehobenen Bürgertums geboten wurde. Diese zunächst anspruchsvoll wirkende Erziehung zeigt ein anderes Gesicht, wenn man den vermittelten Stoff untersucht. Er umfaßte andere Materien, als sie auf den Knabenschulen unterrichtet wurden. Die teuren Pensionate hatten das Erziehungsziel, die jungen Mädchen auf den Eintritt in die Gesellschaft und auf ihre zukünftige Rolle als Ehefrau vorzubereiten. Sprachen, Musik und Tanz wurden – ergänzt von »Toilette« – gerade soweit gelehrt, daß die zukünftige »Salondame« ihren Ehemann und ihre gesellschaftliche Umgebung auf reizende Weise zu unterhalten verstand. Lola Montez selbst kritisiert in ihren Memoiren scharf diese Form der Erziehung.

Ausbildungsmöglichkeit, die den höheren Töchtern – abgesehen von der Tätigkeit als Erzieherin – berufliche Perspektiven hätten öffnen können, gab es nicht. Jegliche weiterführende Bildung hing von Initiativen im privaten Bereich ab und alle Frauen, die im neunzehnten Jahrhundert intellektuell hervorgetreten sind, wurden innerhalb der Familie – meist vom Vater – in ein umfassenderes Wissen eingeführt. Jane Digby, 1807 in eine sehr wohlhabende Familie von englischem Uradel hineingeboren, erhielt die für ein junges Mädchen außergewöhnliche Chance, mit ihrer Gouvernante auf eine Grand Tour durch Europa zu gehen, einen Bildungsweg, wie er bis dahin nur für Männer üblich gewesen war (Allen 1980). Die Entwicklung zur späteren Eigenständigkeit, wie auch das Interesse an fremden Kulturen ist sicher hierdurch gefördert worden. An diese Bildungsreise schloß sich für die 16jährige die Einführung in die Gesellschaft – hier den englischen Hof – an und die elterliche Wahl eines vermögenden Ehemannes aus der gleichen Gesellschaftsschicht. Es entsprach den allgemeinen gesellschaftlichen Gepflogenheiten, daß auch Lola Montez mit 16 Jahren von ihrer nach sozialem Aufstieg strebenden Mutter mit einer »guten Partie« bedacht werden sollte: ein dreimal so alter, reicher englischer Richter wurde als Ehegatte für die Tochter ausgesucht. Das junge Mädchen jedoch flüchtete davor in eine überstürzte Ehe mit dem jugendlichen Liebha-

7.4.28 Lady Jane Ellenborough (geb. Lady Digby), Karl Joseph Stieler, München 1831, München, Schloß Nymphenburg, Inv.Nr. G. 381

Frauen seit der zweiten Hälfte des 18. Jahrhunderts halb bewundert, halb verachtet, einen gewissen Verdienst erwerben konnten: dem Theater. Das Theater hatte in den ersten Jahrzehnten des 19. Jahrhunderts, durch das zunehmende bürgerliche Interesse und durch landesherrliche Investitionen gefördert, einen bedeutenden Aufschwung gewonnen, wodurch es auch in bisher unbekanntem Ausmaß Arbeitsmöglichkeiten bot. Die Bühnenwelt stellte zwar einen gewissen Freiraum dar, aber auch hier waren Frauen den Männern in keiner Weise gleichgestellt; dies schlug sich nicht nur, wie bis heute, in der Bezahlung nieder, sondern betraf zugleich auch das Privatleben.

Die Gage war so niedrig gehalten, daß die Schauspielerinnen auch bei großer Einschränkung meist nicht einmal die aufwendigen Kostüme bezahlen konnten. Bezeichnend ist der Ratschlag eines Theaterdirektors zu dieser Notlage: »Aber liebes Kind, wer sagt Ihnen denn, daß Sie die Kostüme von der Gage beschaffen sollen? Wozu gibt es denn reiche Verehrer.« (Leinfellner/Teuchmann 1985, 89.) Auch die jungen Ballettänzerinnen, wie an den großen Theatern in Paris, erhielten absichtlich ein geringes Entgelt; man rechnete von seiten der männlichen Direkton auf das Zubrot durch erotische Kontakte mit den Herren Zuschauern.

Zugleich blendete aber natürlich auch der Glanz der Theaterwelt. Für die armen jungen Mädchen lag hier eine Kontaktmöglichkeit zur »besseren Gesellschaft« mit der Illusion, irgendwann einmal geheiratet zu werden.

Die mit dem Theater verbundene Aussicht auf gesellschaftliche Karriere war sicher auch für Lola Montez das Motiv, sich diesem Bereich zuzuwenden. Da ihre schauspielerischen Qualitäten für eine Theaterkarriere nicht ausreichten, entwickelte sie ihre Fähigkeiten auf dem Gebiet weiter, wo sie auch gesellschaftlich geglänzt hatte: dem Tanz. Der damaligen Mode folgend nahm sie Unterricht in spanischen Tänzen. Den vollständigen Bruch mit ihrer familiären Vergangenheit vollzog sie auch im Interesse beruflichen Erfolgs, indem sie eine ganz neue Biographie für sich erfand, in der sie sich als »Lola Montez«, in Spanien aufgewachsene Tochter eines spanischen Adeligen ausgab. Ihr Bühnenerfolg in verschiedenen europäischen Städten beruhte aber weniger auf der tänzerischen Begabung der Montez, als auf ihrer außergewöhnlichen Ausstrahlung. Intelligent und selbstbewußt verstand es die junge Frau, sich überall sehr geschickt in Szene zu setzen und die Aufmerksamkeit besonders des männlichen Publikums auf sich zu lenken. Ihre durch die Erziehung geförderte Fixierung auf Anerkennung durch Männer trat dabei immer wieder in Gegensatz zu ihrem Streben nach eigener Unabhängigkeit.

Das entscheidende Ereignis im Leben der Montez war ihre Liebesaffaire mit dem bayerischen König Ludwig I. von 1846 bis 1848; sie spielte sich gleichsam vor den interessierten Augen der gesamten europäischen Gesellschaft ab und wurde in der Vorzeit der Revolutionen mit großer Aufmerksamkeit verfolgt. Die Ausweisung der Montez und die Abdankung des Königs im Frühjahr 1848 zog dann ihre vollkommene Ächtung nach sich. Kein Geschehnis hatte bis dahin auch außerhalb Münchens eine solche Flut von unter der Hand verbreiteten Texten und Bildkarikaturen ausgelöst.

Das Gros der Karikaturen machte beide lächerlich: Ludwig I. als verführten alternden König und Lola Montez als aufreizende und nach sozialem Aufstieg strebende Tänzerin.

ber ihrer Mutter. Als diese Beziehung zerbrach und ihre Mutter sie verstieß, war die 24jährige gezwungen, sich in London ein neues Leben aufzubauen.

Auch die Heirat von Lady Digby mit Lord Ellenborough fand kein glückliches Ende. Die junge Frau brach aus ihrer Ehe aus und wandte sich einem jungen österreichischen Gesandten zu, mit dem sie kurze Zeit in verschiedenen europäischen Großstädten zusammenlebte. Der katholische Diplomat zog aber schließlich doch seine Karriere vor und verließ die geschiedene Protestantin, die ihm Kinder geboren hatte, da eine Ehe mit ihr ihn zu sehr kompromittiert hätte. Weil sie einmal gegen die Gesellschaftsregeln verstoßen hatte, war Lady Digby gezwungen, ein Leben fern von England und ihrer Familie zu führen. Jedoch verschafften ihr ihre Herkunft aus dem Hochadel und die Großzügigkeit ihres vormaligen Ehemannes die Möglichkeit, immer über ein eigenes Vermögen verfügen zu können und nie ganz aus der Gesellschaft ausgeschlossen zu sein. Sie befand sich damit in einer sehr privilegierten Situation, wie sie nur wenige Frauen erfahren haben. Die meisten Frauen mußten sich bei Ehelosigkeit, Witwenschaft oder Verstoßung durch den Ehemann wieder in das Asyl der eigenen Familie eingliedern. Ein verzichtgeprägtes Leben bei den Eltern oder der Familie eines Geschwisterteils war meist ihre einzige Existenzmöglichkeit.

Da Lola Montez dieser Weg verstellt war und sie sich auch kaum dafür geeignet hätte, war sie gezwungen, eigenes Geld zu verdienen. So wandte sie sich dem Bereich zu, in dem

des Verhalten, das sie nun zur Zielscheibe einer jedes Maß verlierenden Hetzkampagne werden ließ. Der Angriff richtete sich nicht so sehr gegen die liberale Parteinahme – zum Feindbild ist die Montez als die Frau geworden, die es wagte, aus dem herkömmlichen Rollenbild auszubrechen. Eine Frau, die sich erdreistete, wie Männer eine politische Meinung zu äußern und ihr Leben unabhängig und selbstbewußt zu führen, paßte nur in zwei Klischees: das des Mann-Weibs und Blaustrumpfs oder der verführerischen und männermordenden femme fatale.

So wird die Montez auch als Mann-Weib lächerlich gemacht: rauchend, eine sonst männliche Sitte, und mit der Reitpeitsche als Zeichen für ihr aggressives körperliches Verhalten, das ebenfalls nur bei Männern als selbstverständlich geduldet wurde. Am häufigsten aber wird sie wiedergegeben als die ewig Verführende, die mit ihren körperlichen Reizen die armen Männer zu sich lockt. Die Reduktion der Lola Montez auf ein rein sexuell ausgerichtetes Wesen geht noch weiter in der Vielzahl von erotischen Blättern, die oft im Bereich der Pornographie liegen. Für die männlichen Betrachter der Zeit verband sich mit dieser Bloßstellung zugleich die Unterlegenheit des weiblichen gegenüber dem männlichen Geschlecht.

Wie war nun diese Ächtung der Geliebten eines Königs überhaupt möglich? Diente Lola Montez nicht auch dazu, ein Exempel für alle Münchnerinnen zu statuieren, um sie von jedem aufbegehrenden Verhalten gegen die konservative patriarchalische Gesellschaft abzuhalten? Man denke nur zurück an die erste Hälfte des 18. Jahrhunderts, als die großen Mätressen der französischen Könige wesentlich die Politik mitzubestimmen vermochten. Nicht nur, daß diese Damen gesellschaftlich geschickter zu taktieren wußten als die Montez, auch die Moralvorstellungen und die sie tragenden gesellschaftlichen Kreise haben sich auf dem Weg ins 19. Jahrhundert verändert. Die doppelte Moral der alten Aristokratie widersprach den Tugendvorstellungen der sich immer stärker durchsetzenden bürgerlichen Gesellschaft. Eine Lady Digby, von altem Adel und wohlhabend, wurde nach anderen Maßstäben gemessen. Sie konnte sich den Männern zuwenden, die ihr gefielen und wurde deswegen nur von den allerhöchsten gesellschaftlichen Kreisen in England und Paris geschnitten.

12.3.9 Büste der Maria Gräfin Landsfeld, Konrad Eberhard, München 1847, München, Bayer. Staatsgemäldesammlung, Inv.Nr. B 129 (WAF)

Die Ausfälle, die wir in vielen Texten und Bildern gegen die Montez finden, übertreffen selbst bis dahin gewohnte beißendste Kritik. In der Kontrafaktur eines Vaterunsers wird die Montez nicht nur mit dem Teufel gleichgesetzt und als babylonische Hure, Inbegriff des Lasters, bezeichnet; der Text selbst endet: »Komm und laß dich massakrieren oder bleib draußen und laß dich woanders totschlagen . . .« (MSt 11, Proebst 1618; Fuchs 1904, Pulz 1982). Da fast alle Karikaturen anonym erschienen sind, können wir die dahinter stehenden Auftraggeber nur vermuten. Politische Hauptfeinde der Lola Montez waren ohne Zweifel die Kirche und konservative Adelskreise.

Lola Montez hatte sich ihre politischen und gesellschaftlichen Anschauungen in dem liberalen Klima der Pariser Boheme gebildet, wo sie auch in den 40er Jahren im Kreis der George Sand verkehrte. Besonderen Haß der Regierungskreise zog sie sich anläßlich der Entlassung des erzkonservativen und ultramontanen Ministers Abel zu, an der man ihr die Schuld gab. Hinzu kam ihr maßlos ehrgeiziges und die öffentliche Meinung nicht berücksichtigendes taktieren-

12.3.8 Ein erotisches Schattenspiel – Lola Montez tanzt für König Ludwig, wohl Moritz von Schwind, München 1848, Salzburg, Sammlung Derra de Moroda

12.3.48 Photographie (Talbotypie) der Lola Montez mit Zigarette, New York um 1860

und trotz aller Strapazen in unbekannte Gebiete vorzudringen. Die Montez lernte auf diese Weise nicht nur Indien, Europa und weite Gebiete der USA kennen inklusive des Wilden Westens; sie reiste sogar bis nach Australien.

Der Reiz des Fremdartigen führte Lady Digby nach ihrer Münchner Zeit als Ehefrau eines griechischen Grafen in dessen Heimat. Dort verliebte sie sich in einen früheren Banditenführer aus den Bergen, mit dem sie zeitweise sein einfaches Leben fern der Zivilisation teilte. Was zunächst als romantische Idee oder Spleen einer vermögenden Lady aussah, die es sich erlauben konnte, alternative Lebensformen unverbindlich auszuprobieren, erhält ein anderes Gesicht durch die Entscheidung der 47jährigen, nach Reisen durch die Wüsten Syriens einen Beduinenscheich zu heiraten und bis zu ihrem Tod mit 74 Jahren in Damaskus zu leben. Für europäische Orientreisende wurde die halbjährlich arabisch, halbjährlich europäisch lebende Frau zu einem willkommenen Interpreten der arabischen Kultur.

Lady Digby hatte an der schriftlichen Umsetzung ihrer Erfahrungen kein Interesse und war auch finanziell nicht darauf angewiesen. Anders sah die Situation bei Lola Montez aus, die nach ihrer Ausweisung aus Bayern aus Geldnot Memoiren veröffentlichte, in der sie ihre Sicht der verschiedenen von ihr besuchten Länder einfließen ließ.

Liebenswürdig, häufig scharfzüngig plaudernd widmet sie die meisten Seiten ihres Opus den Beziehungen zwischen den Geschlechtern. Immer wieder werden die geringe gesellschaftliche Bewegungsfreiheit der Frauen in aller Welt bedauert und deren Unterdrückung beklagt. Eingestreut sind Anweisungen für Frauen, wie sie größere Unabhängigkeit erlangen könnten, z.B. durch die Forderung nach Abschaffung der Konvenienzehe (Vernunftsehe). Sich selbst stellt die Montez – von Wunschdenken erfüllt – als der

Auch Ludwig I. entbrannte für die wunderschöne junge Frau, als sie in München weilte. Obwohl schuldig geschieden und Mutter einer unehelichen Tochter, widersprach ihr »Lebenswandel« nicht dem Tugendkodex der Schönheitengalerie. Bei Lola Montez, alleinstehend, bürgerlich, Ausländerin und ohne Vermögen brauchten keine Rücksichten genommen zu werden. Strenge bürgerliche Tugendmaßstäbe wurden auf sie angewendet. Verschiedene Male entkam sie nur knapp der Lynchjustiz und man hätte sie wohl am liebsten als Hexe verbrannt, an der bis Anfang des 18. Jahrhunderts üblichen Stelle beim Hexenturm nahe dem heutigen Platzl.

Einen weiteren Aspekt unkonventionellen Verhaltens in der Biographie der hier behandelten Frauengestalten bildet das Reisen. Lola Montez ebenso wie Lady Digby durchbrachen mit ihrem eigenständigen Reisen ein für Frauen bestehendes Tabu. Reisebeschreibungen bildeten zwar die beliebteste Literaturgattung ihrer Zeit, doch die Erfahrungen und Mühen des Reisens empfahl man nur Männern.

Bei beiden Frauen waren es zunächst die Verstöße gegen die gesellschaftlichen Regeln, die sie zwangen, auf sich gestellt Ortswechsel vorzunehmen und im Ausland in fremden Städten zu leben. Gerade das Reisen bot den Frauen die Möglichkeit, sich von der herkömmlichen Umgebung zu lösen, aus den gesellschaftlichen Normen auszubrechen und die eigene Unabhängigkeit zu erproben.

Lola Montez mußte zugleich immer wieder versuchen, auf ihren Tourneen als Tänzerin Geld zu verdienen. Darüber hinaus besaßen beide Frauen eine gewisse Abenteuerlust, die sie veranlaßte, die üblichen Reiseziele hinter sich zu lassen

Die Ausnahme.

Was männlich heißt auf dieser Erde,
Ist treulos, falsch und lügenvoll;
Das Weib seufzt unter der Beschwerde,
Da sie – den Mann noch lieben soll.
Den Mann! der ihr verspricht die Welt!
Und nicht ein Pfefferkorn ihr hält.

Doch einen – kenn' ich – Muster Allen,
Der ist von allen Fehlern frei;
Der läßt sich Eine nur gefallen –
Der ist ein Beispiel aller Treu'!
Doch, wo er lebt? – das weiß ich nicht!
Mir zeigt ihn einst ein – Traumgesicht.

Amalie Krafft
(Flora, Nr. 109, 1829)

Männlichkeit gleichberechtigt, ja dominierend gegenübertretende Frau dar, die berufstätig und finanziell gesichert von Männern aller Völker und Nationen umworben wird.

Die »Memoiren« der Lola Montez sind vor dem Hintergrund einer seit dem Ende des 18. Jahrhunderts zunehmenden Literatur von Frauen zu sehen. Dabei hatte die Montez jedoch weniger ernsthafte literarische Ambitionen, es ging ihr vielmehr um die Korrektur ihrer Biographie und um Reklame für ihre eigene Person.

Schreiben gab den Frauen zuerst die Gelegenheit, eigene Welten aufzubauen – gingen diese nun konform mit den herrschenden Vorstellungen oder brachten sie Ansätze von utopischen oder alternativen Lebensformen. Im 19. Jahrhundert findet sich nach dem Rückgang des Analphabetentums eine immer intensiver werdende Beschäftigung von Frauen mit Literatur. Die Zahl der Dichterinnen dieses Zeitraums soll um 2000 liegen, allerdings wurde nur wenig publiziert und die meisten Texte entstanden für die heimeigene Schublade; nur vereinzelt konnten sich Frauen durch den Verkauf ihrer Werke eine unabhängige ökonomische Existenz aufbauen. Hier sollte auch der Blick über die Grenzen in jene Städte nicht fehlen, die schon ganz andere weibliche Lebenskonzepte erlaubten. Erinnert sei zum Beispiel an die Marquise de Dudevant – George Sand – die in der Bohème von Paris gleichberechtigt ihren männlichen Schriftstellerkollegen gegenübertreten konnte, sowohl was die Anerkennung ihrer Romane als auch ihren persönlichen Freiraum betraf. Gedacht sei auch der Frauen, die nicht Eingang in die schriftliche Überlieferung gefunden haben und im Einerlei des täglichen Lebens auf ihre Träume von einem anderen Leben beschränkt blieben, aber auch jener, die versucht haben, – und sei es auch als Zirkusreiterin oder als Prostituierte, – ihren eigenen individuellen Weg jenseits der Gesellschaft und ihrer Normen zu gehen. Das gesellschaftspolitische Klima während des Biedermeier hat die Rolle der Frau im öffentlichen Leben wenig gefördert, ja sogar unterdrückt. Es sollte hier die Frage aufgeworfen werden, ob nicht die allgemeine Vorstellung von weiblicher Existenz einer Korrektur bedarf, die von der Idylle fortführt.

7.4.19 Die Dichterin aus: Fliegende Blätter, Bd. IV, Nro. 89

Die Dichterin.

7.4 Emanzipation

Soll ein Weib wohl Bücher schreiben,
Oder soll Sie's lassen bleiben?

Schreiben soll Sie, wenn sie's kann,
Oder wenn es wünscht ihr Mann,
Und befiehlt er's gar ihr an,
Ist es eheliche Pflicht. –
Aber Schreiben soll sie nicht,
Wenn es ihr an Stoff gebricht,
Oder an gehör'ger Zeit,
Oder gar an Fähigkeit,
Oder mit zeriss'nem Kleid. –
Schreiben soll sie früh und spät,
Wenn es für die Armuth geht,
Wenn sie sonst was Schlecht'res thät' –
Aber Schreiben soll sie nie,
Wenn durch ihre Phantasie
Leidet die Oekonomie. –
Und nun sag' ich noch zum Schluß:
Lebt in ihr der Genius,
Wird sie Schreiben, weil sie muß.

Gaben der flüchtigen Muse
von Ludwig Robert

Flora, Nr. 25, 12.2.1832

An der Kantonsschule auf Stein gez. von August Schöll
St. Gallen, 1858

Lith. Geb. Amstein.

Eisenbahn-Scene

9.1.22 »Eisenbahn-Scene« nach einem Aquarell von Johann Adam Klein, 1842, gestochen 1858 von August Schöll, Abb. 18

»Vivat die Lokomotive und alle Motion!« – Technischer Fortschritt in Wort und Witz des Biedermeier

Ulrike Laufer

Das Titelzitat dieses Textes stammt aus der 1844 in Leipzig herausgegebenen ironischen Komödie »Herr Buffey auf der Berlin-Leipziger Eisenbahn«. Der Autor Adolf Glassbrenner machte sich darin über die euphorischen Zukunftserwartungen, die die Intellektuellen des Vormärz in die Eisenbahn projizierten, lustig. Spätestens seit der Eröffnung der ersten Bahnlinie in Deutschland – 1835 zwischen Nürnberg und Fürth – war die dampfende Lokomotive für viele Zeitgenossen zum Symbol der neuen Epoche geworden. Hatte man nach den napoleonischen Wirren zwischen der viel belächelten Zopfzeit, d. h. dem Ançien Regime mit seinen überalterten Standes- und Kulturvorstellungen und der von Reformen und neuen Moden geprägten Gegenwart unterschieden, so setzte sich nun in den dreißiger Jahren die Unterscheidung zwischen der Postkutschen- und Dampfwagenzeit durch.

In zahlreichen Karikaturen wurde die ungleiche Konkurrenz zwischen der Pferde- und der Dampfkraft dargestellt (Abb. 1). Dahinter steckte mehr als nur die Schadenfreude gegenüber den Kutschern, die nun auf Passagiere und damit auch auf ihre Trinkgelder verzichten mußten. Hier wurde auch die Angst vor der Dampfkraft, die menschliche Arbeit so leicht und spielend zu ersetzen schien, deutlich.

Die Lokomotiven konnten unmittelbar wahrgenommen werden, die wirklichen Konkurrenten jedoch, die Dampfmaschinen in den ersten Fabriken, arbeiteten für die meisten Zeitgenossen unsichtbar und wurden ebenso wie auch andere Erfindungen auf dem Gebiet der Technik nicht direkt erlebt. Auf diese Weise wurde die Lokomotive zum Symbol des allgemeinen technischen Fortschritts, der immer mehr den Alltag zu verändern drohte und unerschrocken selbst in die biedermeierliche Häuslichkeit eindrang – wie der Landvermesser der königlich-bayerischen Eisenbahnkommission beim »armen Poeten« Lorenz Kindlein (Fliegende Blätter, 1844, Nr. 19, 149, Abb. 2). Keine der vorangegangenen Epochen war dermaßen mit technischen Erfindungen, mit sinnigen und unsinnigen Vorschlägen, überschwemmt worden wie die Zeit der Restauration und des Vormärz. Hier wurden die Voraussetzungen geschaffen für die nach 1850 auch im noch lange überwiegend agrarisch strukturierten Bayern einsetzenden Gründerjahre, für den industriellen Aufschwung der zweiten Hälfte des 19. Jahrhunderts. Karikaturen auf die Technik gab es selbstverständlich schon früher. Doch erst am Anfang des 19. Jahrhunderts blühte dieses Genre auf. Auch die Dichter und Publizisten blieben nicht teilnahmslos. »Technik als ideologien- und wertfreies, rein materiales Gebilde gibt es für die Zeit zwischen 1825 und 1850 noch nicht.« (Riedel, in AfKG 1961, 118.) Die im technischen Fortschritt bereits weiterentwickelten Länder lieferten oft die Vorbilder für die deutschen und österreichischen Karikaturen; in England z. B. die berühmten Karikaturisten Shortshank und Cruikshank sowie der in seiner frühen Erscheinungszeit so beißend komische Punch, in Frankreich u. a. Daumier, Grandville und andere Zeichner des Charivari (vgl. A. Klima, 1913 und H. Wettlich, 1917). In Deutschland und Österreich verhielten sich die Künstler zunächst eher zurückhaltend (vgl. auch AK Zug der Zeit II, 1985). Erst in den seit 1844 in München erscheinenden Fliegenden Blättern und anderen ungefähr gleichzeitig entstehenden illustrierten Blättern tauchen mehr und mehr technische Darstellungen und Karikaturen auf. Allerdings beschäftigten sich schon in den dreißiger Jahren einige der illustrierten Beiblätter der bekannten und in ganz Deutschland verbreiteten Wiener Theaterzeitung von Adolph Bäuerle mit technischen Themen. Diese Darstellungen waren noch sehr harmlos. Das mag sicherlich an der allgemeinen Verunsicherung, was nun von der neuen Technik zu halten wäre, gelegen haben, als auch an den künstlerischen Schwierigkeiten, mit denen die Künstler beim Zeichnen einer Maschine oder Lokomotive zu kämpfen hatten. Sehr unbeholfen gezeichnet ist die Eisenbahn z. B. auf einem Beiblatt der Theaterzeitung von 1843. Man sieht einen betroffen auf seine Uhr blickenden Familienvater, der mit Familie und Dienstmädchen am Bahnsteig steht, während im Hintergrund die verpaßte Bahn gerade noch zu erkennen ist (Satyrisches Blatt, Nr. 20, Abb. 3). Der Spott richtet sich hier nicht gegen die Technik sondern gegen den Menschen, der sich noch nicht an die von Pünktlichkeit geprägte Zivilisation des aufbrechenden technischen Zeitalters gewöhnt hat. Man hielt sich also vorerst mit Witzen und Kritiken über die technischen Erfindungen zurück. Vollends verging dem Biedermeier der Spaß, wenn die technologischen Errungenschaften außer Kontrolle gerieten. 1834 berichtete die Theaterzeitung höchst dramatisch von der Explosion eines Dampfbootes in Amerika (Abb. 4) und 1836 druckte sie den illustrierten Bericht einer verunglückten amerikanischen Luftschifferin ab. Nach ihrer eigenen Meinung war sie nur mit großem Glück davor bewahrt worden, »durch die Heftigkeit des Falles in Atome verwandelt« zu werden oder von Jägern, die die Verunglückte auffanden, als ein »böses Wesen« erschossen zu werden. Die Berichterstatterin hatte sich geschworen, »nie mehr jene Räume durchschiffen zu wollen, in welche Geldgierde und Ruhmsucht mich gezogen« (Wiener Theaterzeitung 1836, Nr. 84, 26. April, Abb. 5).

Der Traum vom Fliegen

Die Montgolfière erregte in besonderem Maße das Interesse des Biedermeier. Die Karikaturen über die Luftschifferei waren phantasiereicher und ungezwungener als jene über die Lokomotive. Die Zeichner nahmen nicht nur die zahlreichen Abenteurer der Lüfte aufs Korn, sondern auch die

Erfinder, die sich um die Verbesserung dieser neuen Fortbe-
wegungsart durch die Luft bemühten. 1843 erschien ein
satirisches Beiblatt in der Theaterzeitung mit der Darstellung eines Luftschiffers, der solange in der Luft hatte verweilen können, daß sich bei seiner Landung unter ihm die Erde
halb gedreht hatte und er auf der gegenüberliegenden Erd-
hälfte, dem »Land der Antipoden«, landete (1843, I, Nr. 17,
Abb. 6).

Besonders frei ging der Punch mit dem Thema Fliegen um.
1843 entwarf er richtige Luftstraßen mit Lufthäfen sowie
abenteuerliche, sogar mit Dampf betriebene Fluggeräte
(1843, 162 und 185, Abb. 7 und 8) und 1849 präsentierte er
eine drastische Darstellung der Freiluftschifferei unter win-
terlichen Verhältnissen (1849, Nr. 17, S. 213, Abb. 9).

Die Montgolfière hatte den jahrhundertealten Traum vom
Fliegen wieder angeregt. Das Witzereißen über die Luftfahrt
konnte den Zeitgenossen getrost leichtfallen, denn hier gab
es keine Konkurrenz mit bereits Bestehendem; Existenzäng-

Abb. 3

Abb. 1

Abb. 6

Abb. 4

Abb. 10

Abb. 5

Abb. 9

Abb. 2

Eisenbahnvermessung.

149

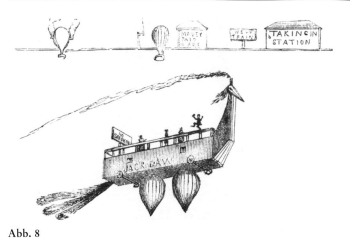

Abb. 8

Abb. 7

ste waren somit unnötig. Auch war der Himmel weit genug entfernt, so daß die Sache nur für die Ballonflieger gefährlich werden konnte. Als in jeder Hinsicht ungefährlich erschien den Zeitgenossen auch die Draisine, das neue »Fortbewegungsmittel für Fußgänger« – wie es eine technische Zeitschrift von 1834 formulierte. Daß Montgolfière und Draisine auch von mutigen Frauen bestiegen wurden, war eine weitere Gemeinsamkeit dieser sonst so grundverschiedenen Fahrzeuge. Die Frau auf der Draisine – mit manchmal großzügigen Rockeinblicken für die Passanten – wurde zum beliebten Thema der Karikaturisten (Abb. 10).

Der verkleinerte Abdruck des Gesichtes

Ganz andere, wohl sehr viel persönlichere Ambitionen hatten die Zeichner auf einem anderen Gebiet des technologischen Fortschritts, der Photographie. 1847 schrieb der Technikhistoriker Johann Heinrich Moritz von Poppe: »Zu den allermerkwürdigsten und bewunderungswürdigsten Erfindungen der Welt gehört die Fixierung der in der tragbaren dunklen Kamera, oder Camera obscura dargestellten Lichtbilder . . . Vorzüglich viel wird das Daguerreotypieren zum Porträtieren angewendet; auf keine andere Weise kann das Gesicht des Menschen so ähnlich gemacht werden, es ist gleichsam der verkleinerte Abdruck des Gesichtes selbst.« (Poppe, 1847, 596 f.) Eine lebensbedrohende Konkurrenz für die Lithographen, Kupferstecher, Holzschneider und Porträtmaler also! Wie die Daguerreotypie selbst, kamen auch die ersten satirischen Blätter auf diese neue Kunst aus Frankreich (vgl. MK Photogeschichte Salzburg 1968). Berufsneid und Existenzangst werden besonders in einer Lithographie von Maurisset aus dem Jahre 1839 deutlich. Auf dem Blatt drängt sich eine riesige Menschenmenge zu den Verkäufern der Kameras und zu den Daguerreotypisten. Man sieht etliche Galgen, an denen die arbeitslos und zu Vagabunden gewordenen Kupferstecher aufgehängt worden sind. An einem der abgebildeten Verkaufsstände werden bereits Papierabzüge angeboten und über der ganzen Szene schwebt die unvermeidliche Montgolfière. Sie zieht statt eines Korbes eine riesige Kamera in die Luft, während im Hintergrund ein Dampfschiff und eine Eisenbahn reichlich mit Kameras beladen werden (Abb. 11). Diese Darstellung ist, wie wir es

schon beim Thema Fliegen gesehen haben, erheblich von utopischen Vorstellungen durchdrungen; so wird z.B. durch eine Seiltanzszene die Bewegungsphotographie vorweggenommen. Ebenfalls aus Frankreich stammt die ins Deutsche übersetzte Lithographie »Der Daguerreotypeur«. Sie sollte wohl den Beweis für die Faulheit und Scharlatanerie dieses ungeliebten Konkurrenten bringen. Im zugehörigen Text wird der Photograph mit bekannten französischen Malern verglichen: ». . . Die pinselten nach der Natur. Der Maler, der hier schlafend ruht, Das alles mit dem Kasten thut. Von Pinseln ist hier keine Spur; Er stellt das Rohr sieht nach der Uhr. Und wenn vom Schlaf er dann erweckt, Das Kunstwerk schon im Kasten steckt. Das Todte sieht man rein und klar, Doch weh! wenn was beweglich war; Das schreibt der Daguerrotyp nicht hin, Das fehlt im Bild und ist nicht drinn. Ist jetzt nicht die Schlaraffenzeit? Ja selbst im Schlafe bringt man's weit!« (aus Aujour-d'hui, 15.3.1840, Abb. 12).

Montgolfière, Draisine, Photographie waren die wenigen Themen, die neben der überwältigenden Fülle von Karikaturen über die Dampfkraft, bzw. die Eisenbahn, im Genre der technischen Karikatur bestehen konnten.

Physik, Chemie und Chirurgie

In der ersten Hälfte des 19. Jahrhunderts beschäftigten sich die Zeichner nur selten mit anderen Erfindungen. Ein Grund dafür war sicherlich das mangelhafte technologische Wissen in dieser Zeit. Obwohl viele Journale und Zeitschriften allmählich dazu übergingen, kurze Notizen über Neuigkeiten auf dem Gebiete der Technik zu veröffentlichen, waren die wenigsten Bürger in der Lage, die technischen Zusammenhänge zu erfassen. Mit dem Fortschreiten der Biedermeier-Epoche erfaßte das Interesse an der Technologie jedoch immer breitere Kreise. Die Naturwissenschaften rückten in den Mittelpunkt des Interesses.

Abb. 11 oben
Abb. 12 unten links
Abb. 15 unten rechts

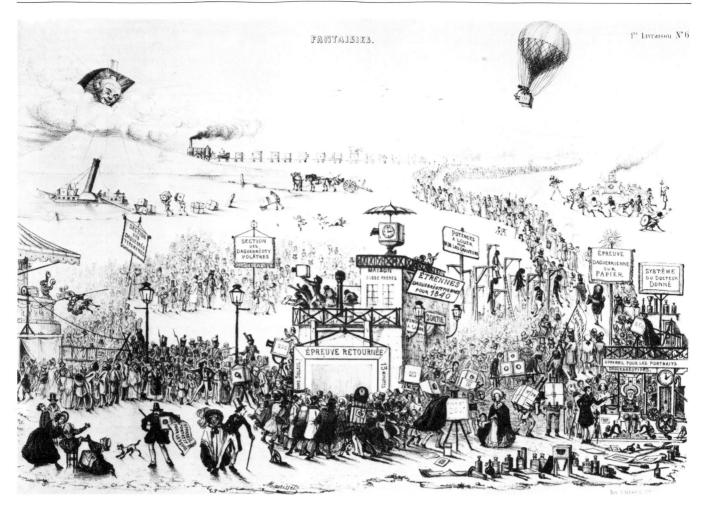

Die Ausbeute des Schwefeläthers.

Vor der Operation.

Nach der Operation.

Vor der Operation.

Nach der Operation.

Dummheit heilbar.

Keine Untreue mehr.

Abb. 13

192

Abb. 14

Die Schießbaumwolle.

Folgen der Verwechslung von Schieß- und gewöhnlicher Baumwolle.

Abb. 16

Die Leipziger Illustrierte Zeitung befaßte sich 1847 mit einer aufsehenerregenden Neuheit in der Chirurgie: der Narkose. In ihrer Bilderfolge »Die Ausbeute des Schwefeläthers« stellte sie bis dahin ungeahnte Möglichkeiten operativer Eingriffe dar – selbst Schönheitsoperationen konnten nun gefahr- und schmerzlos durchgestanden werden (1847, Nr. 194, 189 – Xylographie nach Münchner Entwurf, Abb. 13). Im gleichen Jahr brachte die Wiener Theaterzeitung eine Folge von satirischen Blättern auf die Grundsätze der Physik heraus (in Nr. 170, Abb. 14).

Erfindungen aus dem Bereich der Chemie wurden dagegen selten kommentiert. Erhebliches Interesse erregten die neuen Kerzen aus Stearin, die weniger tropften und rauchten als ihre Vorgänger aus Wachs und Unschlitt; die Theaterzeitung ließ sich dazu eine hübsche Illustration einfallen (1847, 2, Nr. 94, Abb. 15). Eine besonders »biedersinnige« Karikatur auf eine chemische Erfindung, nämlich die vom Baseler Chemiker Christian Friedrich Schönbein entwickelte Schießbaumwolle, erschien 1846 in der Leipziger Illustrierten Zeitung. »Die Verwechslung von Schießbaumwolle mit gewöhnlicher Baumwolle« zeigt ein explodierendes Nähkörbchen (349, Abb. 16) und beweist bei einem solchen Thema eine erschütternde Harmlosigkeit.

Wirklich betroffen reagierten die Zeitgenossen anscheinend nur auf die Dampfkraft. Wenn es auch viele noch nicht wahrhaben wollten, so spürte man doch, daß sich das Leben nun verändern würde. Dies war sicher ein Anlaß zu Beklemmung und Sorge, auch wenn zunächst vielleicht ein kindlich-naives Staunen und der Stolz, einer so fortschrittlichen und

erfindungsreichen Epoche anzugehören, überwog. Man ahnte, daß diese rauchende und stampfende Maschine mehr in Bewegung setzen würde, als nur die ihr angehängten Waggons.

Doch warum und wie die Lokomotive wirklich funktionierte, blieb den meisten Zeitgenossen ein Rätsel. Journalisten, die über ihre ersten Eisenbahnfahrten berichteten, gebrauchten nicht selten den Ausdruck »Zauberei« (nach Riedel, 102). Der Wiener Possendichter Johann Nestroy ließ in seinem Einakter »Die Fahrt mit dem Dampfwagen« 1841 seinen kuriosen Meister Kipfl wie folgt dozieren: »Ich lasse keinen Train aus, mich interessiert's, weil ich's versteh; ich kenn einen Maschinenmeister, der hat mir alles erklärt, ich weiß was der Dampf is, ich weiß was die Kohlen is, ich weiß jeden Bestandteil, nur das einzige, wie die Maschine gerad die Pferdekraft bekommt, das versteh ich noch nicht, darüber muß ich mit einem Roßhändler reden.« (Nach Riedel, 114f.) Nicht viel mehr Erfolg mit seinen Erklärungen hatte auch der Dorfpfarrer in W. Camphausens »Karikatur auf die Ungläubigkeit gegenüber der ersten Eisenbahn«. Auf seine abschließende Frage: »Habt Ihr mich nun begriffen, liebe Leute, könnt ihr euch jetzt die Wirkung der Dampfkraft, diese große Erfindung des neunzehnten Jahrhunderts, wodurch diese Maschine in Bewegung gesetzt wird, erklären?« Erhält er die Antwort: »Jo Herr Pastor, ävver ehr könnt sage, wat ehr wellt, e Pähd setzt doch dren (Ja Herr Pastor, aber ihr könnt sagen, was ihr wollt, ein Pferd sitzt doch drin)!« (Fuchs, 438.)

In einem Punkt irrte jedoch der aufgeklärte Pastor: die Dampfkraft war keineswegs eine Errungenschaft des 19. Jahrhunderts. Ohne die Erfinder des 18. Jahrhunderts, ohne Newton und Watt, hätte es nie eine Eisenbahnzeit gegeben. Doch für den Biedermeier paßte die Dampfkraft so ganz und gar nicht in sein Bild von der viel belächelten Zopfzeit seiner Väter.

Abb. 17

ITALIAN BRIGANDS AND ITALIAN RAILWAYS.

THE GREAT ENGINE MATCH.

Abb. 19

Herrschaft über Raum und Zeit

Daß nun eine neue Zeit angebrochen war, sollten – zumindest wenn es nach den Karikaturisten ging – möglichst alle Menschen zu spüren bekommen. Die berühmt-berüchtigten italienischen Wegelagerer, denen die unaufhaltbar vorbeirollende Eisenbahn fröhlich signalisiert »I cannot stop, call again tomorrow! (Ich kann nicht halten, versucht es morgen wieder!)« (Punch, 1847, Nr. 12, 103, Abb. 17), konnten sich ebenso wenig den modernen Zeiten entziehen wie die Bauern, denen auf den Feldern die Pferde durchgingen, wenn sich eine Eisenbahn näherte (Abb. 18). »Diese wie ein Raubtier ächzende Maschine unter schwarzem Rauch, Wirbelwind und umherfliegenden Steinkohlenschlacken« (Theodor Mundt 1835, nach Riedel, 102), die von den Dichtern auch mit Rhinozerossen und Elefanten verglichen wurde, erhielt im Volksmund schon sehr bald den Namen »Dampfroß«. Das Pferd war in der Vorstellung der Menschen von vornherein der unterliegende Konkurrent; so hatten die Pferde in der Karikatur von 1858 doppelt Grund wegzulaufen. Der eisenbahnbegeisterte Punch machte 1847 sogar den Vorschlag, in den beliebten Hindernisrennen die Pferde durch Lokomotiven zu ersetzen (Nr. 13, 20, Abb. 19).

Daß die euphorischen Vorstellungen der fortschrittsgläubigen Bürger in Utopien umschlugen, war nicht selten. In Wien erschien wohl um 1840 eine kleine Zeichnung mit dem Titel »Nichts ist mehr unmöglich«, die offenbar so gut gefiel, daß um 1850 daraus ein Brettspiel wurde (Abb. 20, vgl. 9.1.11). Alle aufregend neuen Fortbewegungsmittel dieser Zeit sind darin vereint: das Luftschiff, das sich hier steuerbar zeigt, das Dampfschiff und natürlich »das Locomotiv«. Durch die neuen Möglichkeiten des Reisens war die Welt kleiner geworden. Entfernungen zwischen Kontinenten wurden unbedeutend: Im Vordergrund der Darstellung diskutiert eine Gruppe von Bewohnern unterschiedlicher Kontinente miteinander. Und noch etwas anderes darf hier nicht fehlen: die Brücke und der Tunnel. Beides wurde von den Menschen des Biedermeier als unmittelbare Begleit- und auch Folgeerscheinungen der Eisenbahn, als unumstößliche Beweise von der Macht des Menschen im Maschinenzeitalter, der die Bedingungen der Natur scheinbar spielend bezwingt, angesehen.

Wie viele andere Gelehrte seiner Zeit war auch der Historiker Friedrich von Raumer nach England gereist und schilderte seine Erlebnisse mit der Bahn 1835 so: »Vorn der feurige Drache, stöhnend, schnaubend, brausend, bis die 20 Wagen an seinem Schwanze befestigt sind und er sie kinderleicht, mit größter Geschwindigkeit, über die waagerechte Bahn fortzieht. Durch Berge ist der Weg gebrochen, Täler sind aufgehöht, in die Nacht des überwölbten Hohlwegs wirft der Drache Funke und Flammen; aber trotz all der Gewalt und trotz allen Tobens lenkt der Mensch mit einem Finger das ganze Ungetüm nach Willkür.« (Nach Riedel, 111.) »Der Mensch bemächtigt sich immer mehr der Herrschaft über Raum und Zeit« heißt es schlichter in der Gründungseinladung der Nürnberg-Fürther Eisenbahngesellschaft 1833. Der Tunnelbau war damals etwas besonders Faszinierendes, die Fahrt durch den Tunnel für die ersten Zugreisenden ein nervenkitzelndes Abenteuer. 1845 versuchte der Punch, dieses Abenteuer in einer kleinen Bild-Text-Passage zu schildern, doch das betreffende Bild zeigt nichts anderes als ein vollkommen schwarzes Quadrat. Und

Abb. 41

Abb. 22

Abb. 24

wo Bergmassive durchbrochen wurden, da war es für ein Inselvolk nur noch ein kleiner Gedankensprung zum wasserfesten Schienenweg (Punch, 1848, Nr. 15, 264, Abb. 21). Für den französischen Karikaturisten J. J. G. Grandville war die Dampfkraft eine Macht, die sich bereits verselbständigt hatte. In seinem 1844 erschienenen Werk »Un autre monde« (Eine andere Welt) erhebt er die Dampfkraft in der Gestalt des Dr. Puff zu einem der Götter seiner neuen Welt. Dr. Puff macht die menschliche Arbeit entbehrlich. Er veranstaltet ein »Concert mécanico-métronomique, instrumental, vocal et phénoménal«, wobei statt der Musiker kleine Maschinen im Orchesterraum sitzen (Abb. 22 und 23). Dr. Puff interessiert sich, wie es sich für einen richtigen Gott gehört, für den Himmel, und um diesem näher zu sein, konstruiert er eine Art Bergsteigemaschine (Abb. 24), die seine Flugversuche erleichtern soll. In Grandvilles eindrucksvollem Buch befindet sich auch eine Karikatur auf die Leidenschaft der Zeitgenossen für die Astronomie und die Beliebtheit der Fernrohre in dieser Zeit. Von der Erdkugel starren eine Anzahl skurril gezeichneter Fernrohre ins All, um eine Sonnenfinsternis zu beobachten, die hier die sehr romantische Erklärung einer Umarmung von Sonne und Mond erhält. Beide hatten ihre Ehe ursprünglich auflösen wollen, doch die höchste Gewalt des Alls wollte einer ewigen Trennung nicht zustimmen und verurteilte sie dazu, sich in regelmäßigen Abständen zu treffen und zu umarmen. Eines dieser »Rendezvous« wird nun in der Karikatur von den neugierigen Weltenbewohnern taktlos und ungeniert beobachtet.
Das Schicksal der Bewohner dieses vermeintlichen technischen Paradieses endet schließlich tragisch. Sie müssen einsehen, daß der Mensch vom Dampf allein nicht leben kann. Gott ist von den Anmaßungen ihrer Götzen empört und erteilt Dr. Puff den Auftrag, eine große Arche zu bauen. Anders als der biblische Noah darf Dr. Puff selbst jedoch nicht mit an Bord gehen, er muß sterben. Das ist keine allgemeine Verurteilung der Technik. Im Gegenteil – Dr.

Puffs Arche verfügt über Dampfkraft und Schaufelräder. Grandville wollte wohl eher mit dieser Fabel seine Mitmenschen mahnen, behutsam mit den technischen Errungenschaften umzugehen. Er wies bereits 1844 darauf hin, daß eine falsche Technikgläubigkeit und -verherrlichung die menschliche Gesellschaft verderben kann.

Dampfkraft contra Dampfnudel

Nicht wenige Zeitgenossen neigten dazu, die unangenehmen und besorgniserregenden Zeiterscheinungen, wie z. B. Teuerungen und Arbeitslosigkeit auf den technologischen und industriellen Fortschritt zurückzuführen. Andere projezierten illusorische Zukunftserwartungen in die Technik. Der damals sehr beliebte, doch von der Zensur beargwöhnte Genredichter und Satiriker Adolf Glassbrenner machte sich nicht nur in der am Anfang zitierten Komödie darüber lustig. Schon 1838 schrieb der Berliner Spötter den Einakter »Eisenbahn« und ließ darin einen dieser blinden Optimisten, den Buchdrucker Kippemann, auf den Einwand seines Freundes: »Mir zweifelt noch . . . ob die Eisenbahnen überhaupt nich des Nutzens in der Anwendung entbehren . . .«, wie folgt deklamieren: »Wer kann das Wort ›Eisenbahnen‹ aussprechen, ohne deß er vor vier Jroschen Weißbier drinkt, wenn er ooch man noch sechs Dreier in de Tasche hat? Kinder, des is ja jar nich zu fassen, wie jöttlich des is! . . .

Abb. 25

Erklären des Jroße und Jöttliche in de Eisenbahnen, des kann ich nich; wer de Eisenbahnen nich fühlt, der war ursprünglich zum Rindvieh bestimmt worden, un is bloß aus Versehen Mensch geworden!« (Glassbrenner, Berlin, 2, 20.)

Die Fliegenden Blätter karikierten 1847 ein ähnliches Stammtischgespräch der »Dorfpolitiker«. Auf die Bemerkung des Magisters über den Fortschritt beim Bau des neuen Bahnhofs in München antwortet darin der Dorfschulze: »Wenn nur's Geld auslangt! Der Dampf ist verdammt theuer!« – Doktor: »Ach Gott! Es geht ja doch viel schneller! Ich wollt, man könnte überall hin per Dampf fahren.« – Der alte Wirt: »Ja, ja der Dampf! Zu meinen Zeiten hast nix von Dampfwagen g'hört! Alles ist ruhig sein Weg gangen; aber desto mehr Dampfnudeln hat's geben; und je mehr Dampfwagen herkommen, desto rarer werden die Dampfnudeln! Die Zeit wird immer schlechter! Ja, ja.« (1847, V., Nr. 119, 179.)

Der Brandanschlag auf den ersten Münchner Bahnhof am 4. April 1847, dem nicht nur der hölzerne Bau sondern auch mehrere Waggons und eine erhebliche Menge darauf lagernden Getreides zum Opfer fiel, darf in diesem Zusammenhang nicht übersehen werden. Es wurde vermutet, daß die unbekannt gebliebenen Täter die Eisenbahnen für die seit mehreren Jahren anhaltende Teuerung des Getreides verantwortlich machten, weil mit Hilfe dieses neuen Transportmittels noch schneller und mehr Getreide außer Landes gebracht und so die Teuerung in München weiter gesteigert werden konnte.

In den ersten Jahren der Eisenbahn beförderte man allerdings noch verhältnismäßig wenig Güter per Bahn, die Personenbeförderung war erheblich bedeutender. Unter den Reisenden waren wohl nicht wenige, die mit mehr oder minder gut verborgener Angst ihre Waggons bestiegen. Man fürchtete sich vor der ungewohnten Geschwindigkeit, obwohl die ersten Lokomotiven kaum mehr als 24 km/h erreichten. Bei dieser unerhörten Geschwindigkeit sahen die Reisenden bereits die Bahn entgleisen – eine solche Szene zeigte 1849 der Punch. Hier wird die Lokomotive allerdings als harmloser, gemütlicher alter Herr dargestellt (»Off the Rail«, 1849, Nr. 16, Abb. 25).

Tatsächlich machten bis 1850 Zusammenstöße und Entgleisungen 56 % aller Eisenbahnunfälle aus. Das lag sowohl an den fehlenden Sicherheitsbestimmungen als auch an der noch nicht ausgereiften Technik.

Die größte Sorge der Zeitgenossen, die schnaubende Kraft unter den dünnen Kesselwänden könne die Maschine zum Explodieren bringen, bewahrheitete sich dagegen nur selten. Lediglich ein Prozent der Eisenbahnunglücke in der ersten Hälfte des 19. Jahrhunderts waren auf derartige Katastrophen zurückzuführen.

Doch auch in München ereignete sich eine Dampfkesselexplosion, allerdings nicht auf der Eisenbahn sondern in einer Werkstätte. Einen Tag später, am 21.9.1848, berichtete die Münchner Politische Zeitung darüber: »Gestern ereignete sich in der Werkstätte des Hrn. Mechanikus Hofmann in der Bayerstraße ein bedaulicher Unglücksfall durch das Zerspringen eines neuen Dampfkessels, welcher zum ersten Male geheizt wurde. Ein Theil des Daches, alle Fenster und zwei Wände des Hauses sind zerstört, und der Graveur Henselmayer, welcher den Kessel verfertigt hatte, flog nebst einem Arbeiter in die Luft. Beide wurden weit weggeschleu-

dert. Ersterer blieb sogleich todt. Letzterer ist so schwer verletzt, daß keine Hoffnung auf Rettung mehr vorhanden ist.«

Romantik und Revolution

Zu den entschiedensten Gegnern der Eisenbahn gehörten die Dichter der Romantik, denen die neue Technologie so ganz und gar nicht in ihr Weltbild paßte. 1838 dichtete Nikolaus Lenau:

> *»Mitten durch den grünen Hain,*
> *Ungestümer Hast,*
> *Frißt die Eisenbahn herein,*
> *Dir ein schlimmer Gast.*
> *Bäume fallen links und rechts*
> *Wo sie vorwärts bricht;*
> *Deines blühenden Geschlechts*
> *Schont die rauhe nicht.*
> *Pfeilgeschwind und schnurgerad*
> *Nimmt der Wagen bald*
> *Blüt und Andacht unters Rad,*
> *Sausend durch den Wald.«*
> (Nach Riedel, 108.)

Konservative Denker und Politiker beobachteten argwöhnisch die Entwicklung in den weiter industrialisierten Staaten, vor allem in England. Hier waren die Auswirkungen des technischen Fortschritts auf Umwelt und Gesellschaft bereits unübersehbar.

Für rauchende Schlote, lärmende Fabriken und Verkehrswege sowie nach damaligen Begriffen übervölkerte Städte war ihnen »ihr« Deutschland zu schade. Geflissentlich übersahen sie dabei die wirtschaftliche und soziale Realität.

Deutschlands Geist, Gemüt und Seele – sie mußten bewahrt und gerettet werden. Joseph Görres war ein typischer Ver-

Abb. 27

Befleidung gegen Eisenbahnunfälle.

THE NEW FLOATING RAILWAY.

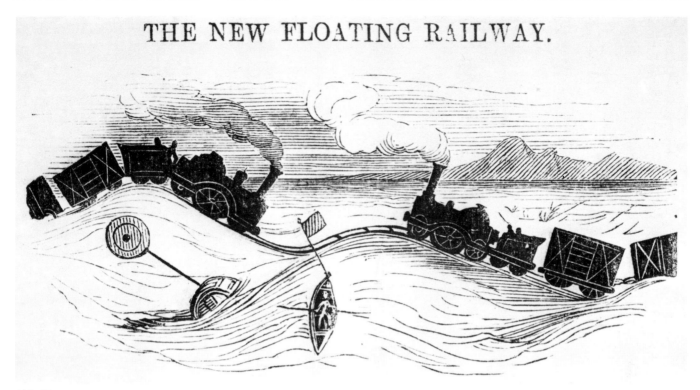

Abb. 21

treter dieser romantischen und konservativen Richtung; in Anlehnung an einen Paulus-Brief schrieb er: »Wäre ganz Deutschland mit Ringelbahnen belegt und flögen Dampfwagen zu Tausenden in ihm über Berg und Tal, würden alle seine Flüsse von den Dampfschiffen bis zum tiefsten Grund durchforscht, arbeiteten die Hebel sich müde in allen Winkeln, und wendeten sich um und um in allen seinen Straßen die Räder der Maschinen: was hülfe ihm alles, hätte es in dem klappernden Mechanismus die innewohnende Seele verloren?« (Nach Riedel, 120.) In diesem Zusammenhang ist einigermaßen erstaunlich, daß der sich später so radikal gebärdende junge Heinrich Heine ebenfalls zu den Kritikern der neuen Technik gehörte: »Deutschland ist jetzt fortgerissen in der Bewegung, der Gedanke ist nicht mehr uneigennützig, in seine abstrakte Welt stürzt die rohe Tatsache, der Dampfwagen der Eisenbahn gibt uns eine zittrige Gemütserschütterung, wobei kein Lied aufgehen kann, der Kohlendampf verscheucht die Sangesvögel und der Gasbeleuchtungsgestank verdirbt die duftige Mondnacht.« (Nach Riedel, 106.)

Auch viele einfache Bürger mochten die Notwendigkeit der technischen Neuerungen nicht gleich einsehen. Als die Münchner Schützengesellschaft ihre Schießstätte zugunsten des neuen Bahnhofs aufgeben bzw. verlegen sollten, argumentierten sie in einer Petition an Ludwig I., die Eisenbahn wäre ein unnützes Spielzeug finanzkräftiger und prestigesüchtiger Bürger und darüber hinaus noch weit gefährlicher als die Schießübungen. Das Geräusch des Schießens sei jedenfalls für die Anwohner angenehmer als das Wagengerassel und die zu befürchtenden Explosionen (nach L. Schrott, Biedermeier, 324f.). Auch fürchtete man – nicht

immer zu unrecht –, daß das Reisen mit der Eisenbahn der Gesundheit schaden könne. Weniger wegen des Tempos sondern vielmehr wegen der Rauchentwicklung, der die meisten Passagiere schutzlos ausgesetzt waren. Denn nur die erste Wagenklasse hatte verglaste Fenster und die Wagen der vierten Klasse waren nicht einmal überdacht. Zudem heizte die München-Augsburger Eisenbahngesellschaft statt mit teuren Kohlen, die nach Bayern importiert werden mußten, mit Torf und Holz, so daß nicht selten mit dem Rauch auch brennende Funken und Späne auf die Passagiere herabgingen. Als Spott auf die ängstlicheren Reisenden zeigten die Fliegenden Blätter 1855 ein »patentiertes Mittel, um ungefährdet auf ungesunden Eisenbahnen zu reisen« – nämlich nebenher zu wandern (Abb. 26, Fliegende Blätter, XXII, Nr. 505, 8).

Eine wesentlich praktischere Idee hatte um 1845 ein unbekannter Künstler, der die Eisenbahnreisenden mit dicken Polstern gegen Unfälle schützen wollte. Die Leipziger Illustrierte Zeitung zeigte 1847 einen Ausschnitt aus diesem Blatt (Abb. 27).

Doch konnten diese Bedenken einzelner Zeitgenossen die von dem relativ billigen Transportmittel Eisenbahn geweckte Reiselust der Massen nicht eindämmen. Bisher war das Reisen ein Privileg des höher gestellten Bürgertums, des Adels und der Fürsten gewesen. Jetzt war es auch breiteren Schichten der Bevölkerung möglich geworden, Stadt- und Landesgrenzen leichter, schneller und bequemer hinter sich zu lassen und damit buchstäblich den Horizont zu erweitern. Seiner Besorgnis über die möglichen Konsequenzen dieser neuen Mobilität gab König Ludwig I. in folgendem Gedicht Ausdruck:

199

Des Herrn Barons Beisele und seines Hofmeisters **Dr.** Eisele Kreuz- und Querzüge durch Deutschland.

Abb. 26

Abb. 31

Abb. 28

Abb. 32
Abb. 33

Abb. 29
Abb. 30

Wie der Thalerbauer in Starnberg zwei Kälber, die er in München einhandelte,

Abb. 37

*»Aufgehn wird die Erde in Rauch, so steht es ge-
    schrieben,*
Was begonnen bereits; überall rauchet es schon.
Jetzo lösen in Dampf sich auf die Verhältnisse alle,
Und die Sterblichen treibt jetzo des Dampfes Gewalt,
Allgemeiner Gleichheit rastloser Beförd'rer.
*Vernichtet wird die Liebe des Volkes nun zu dem
    Land der Geburt.*
Überall und nirgends daheim, streift über die Erde
*Unstät, so wie der Dampf, unstät das Menschenge-
    schlecht.*
*Seinen Lauf, den umwälzenden, hat der Rennwagen
    begonnen*
Jetzo erst, das Ziel lieget dem Blicke verhüllt.«

(König Ludwig I. von Bayern, Gedichte, IV, 275)

Karikaturen auf Eisenbahnreisen entstanden seit den vierziger Jahren gleich dutzendweise. Die Fliegenden Blätter
bedienten sich schon 1845 der köstlichen Figuren des jungen
Barons Beisele und seines Hofmeisters Dr. Eisele, um u. a.
auf deren »Kreuz- und Querzügen durch Deutschland« den
Widrigkeiten der Reise auf der Eisenbahn zu spotten. Mal
ging es um die zu langsame oder unorganisierte Gepäckbe-
förderung (Fliegende Blätter, II, Nr. 44, 160 und XII,
Nr. 269, 24, Abb. 28 und 29), dann um den dummen, gek-
kenhaft uniformierten Bahnbeamten (Fliegende Blätter, XI,
Nr. 264, 190 und IV, Nr. 81, 71, Abb. 30 u. 31). Es ist
bemerkenswert, daß sich bereits seit 1850 satirische Angriffe
auf die Langsamkeit der Eisenbahn häufen. Was den Bie-
dermeiern noch als Hexerei erschien, ging der nächsten
Generation schon viel zu langsam (Fliegende Blätter, XII,
Nr. 284, 160 und XXII, Nr. 514, 76, Abb. 32 u. 33).

Abb. 40

Abb. 34

Abb. 35

Abb. 38

Abb. 36

Abb. 42

Den betroffen der verpassten Eisenbahn nachblickenden Familienvater der Wiener Theaterzeitung von 1843 finden wir in den Fliegenden Blättern von 1847 in der Gestalt des Dechanten von Schwarzehorn wieder (IV, Nr. 141, 168, Abb. 34). Auch auf Hochwürden nahm die Eisenbahn keine Rücksicht, seine Privilegien als Honoration des Dorfes entschwanden im Dampf der Zeit.

Empfindlich reagierte das Großbürgertum und der Adel auf die neue Reiselust der unteren Stände, die durch die Eisenbahn ermöglicht wurde. Man beklagte auch den durch die Eisenbahn mit ihrem festen, geregelten Zeitplan verlorengegangenen Individualismus des Reisens, was sich bei der Salondichterin Ida Hahn-Hahn 1841 so liest: »... eine wirkliche Reise so zu machen, find ich ganz unanständig für einen Menschen. Er setzt sich dadurch zu einem Warenballen herab ... Menschliche Rücksichten werden auf einen Warenballen nicht genommen.« (Nach Riedel, 119.) 1854 sehen wir in den Fliegenden Blättern so einen reisenden weiblichen Warenballen abgebildet (XXI, Nr. 495, 120, Abb. 35). Die Dichterin war überhaupt mit der gesamten »Dampfwagenerfindung« nicht einverstanden, da »sie nivelliert und centralisiert, und das sind die beiden fixen Ideen derjenigen, welche sich Liberale nennen ... Für ein Geringes rutscht Greis und Kind, vornehm und gering, reich und arm, Mensch und Vieh auf Dampfwagen umher.« Dabei kamen die Eisenbahngesellschaften dem Standesbewußtsein und gesellschaftlichen Schranken dieser Zeit durchaus entgegen. Nicht, wie das junge Deutschland enthusiastisch gehofft hatte, wie ein geeintes Volk im gleichen Zug durchquerte man nun Europa, sondern streng nach Klassen unterschieden. Meistens waren es drei Klassen, in Bayern sogar vier. Diese vierte Wagenklasse und ihren mangelnden Komfort erprobten 1846 die tapferen Kreuz- und Querfahrer Eisele und Beisele in den Fliegenden Blättern (Fliegende Blätter, III, Nr. 57, 64, Abb. 36). Der »Illustrierte Dorfbarbier« des späteren Herausgebers der Gartenlaube Ferdinand Stolle brachte 1858 eine weitere Karikatur auf die Klassenunterschiede der Eisenbahn mit seinem Vorschlag einer fünften Wagenklasse (Illustrierter Dorfbarbier, 1858, 117, Abb. 37).

Obwohl das Eisenbahnwesen an sich den Erwartungen der Liberalen und Linken nicht gerecht wurde, machten sie doch die Lokomotive zum Symbol ihres Kampfes für eine bessere und freiere Gesellschaft. Insgeheim hofften sie vielleicht immer noch, daß ihnen die Eisenbahn bei der Verwirklichung ihrer politischen Träume helfen könnte – so wie sie in einer Karikatur die Mitglieder einer Volksversammlung vor den Verfolgungen der Polizei schützt (Fliegende Blätter, IV, Nr. 82, 79, Abb. 38). Die Lokomotive als übermächtige Gegnerin einer überlebten, veralteten Epoche und als Kämpferin für die neue Zeit wurde in den politischen Karikaturen zum beliebten Motiv. Noch 1860 zeigte einer der Münchner Bilderbögen des Verlags der Fliegenden Blätter eine derartige, hier sehr harmlos überhöhte Szene (Münchner Bilderbögen, Nr. 287, Abb. 39, S. 205). Die erste Ausgabe der Fliegenden Blätter vom 7.11.1844 zeigte in ihrer Titelvignette einen Vertreter der linken, fortschrittlichen Gruppen mit typischem Vollbart, der eine rauchende Lokomotive unter dem Arm hält. In der zweiten Ausgabe dieser Zeitschrift fehlte diese radikale, politisch anstößige Figur bereits. Der Punch liebte es, in den politischen Karikaturen seine fortschrittliche Gesinnung dadurch zu zeigen, daß er sich selbst als Lokomotive darstellte (1844, 83, Abb. 40). Sein Gegner wird in dieser Szene als einsamer Ritter Don Quijote lächerlich gemacht. 1845 zeigte der Punch einen von der Lokomotive »Time« (= Zeit) gehetzten Jagdreiter (Punch, 1845, 188, Abb. 41). Die englischen Jagdreiter hatten gegen die Eisenbahn protestiert, da diese sie bei der Fuchsjagd behinderte. So etwas konnte den Anhängern einer neuen Zeit nur lächerlich erscheinen.

Abb. 43

Die ausgebliebene Motion

Die Eisenbahn trug wesentlich dazu bei, die vielen Flugblätter, Broschüren und Aufrufe in den Jahren vor und während der Revolution 1848/49 zu verbreiten. Per Bahn reiste nun verbotene Lektüre schneller und unauffälliger über die Landesgrenzen als in den Felleisen der wandernden Gesellen. Der von Metternichs Spitzeln scharf beobachtete Revolutionär E. W. A. Held gab 1843 sein »Volksblatt für tagesgeschichtliche Unterhaltung« unter dem Titel »Leipziger Locomotive« heraus. Die Zensur stoppte sehr bald diese publizistische Fahrt. Doch Held gelang es zumindest noch sechs Monate, sein Organ als Monatsschrift weiterzuführen. Auf den verräterischen Titel »Locomotive« mochte er jedoch wiederum nicht verzichten.

Staatskanzler Metternich war bewußt, daß die Dampfkraft mehr als nur den industriellen Fortschritt mit sich führen würde: »Die Benutzung des Dampfes spricht sich in allen Richtungen als eine Umwandlung der staatlichen sowie der direct bürgerlichen Verhältnisse aus.« (Nach Riedel, 122.)

Die Hoffnungen der Anhänger eines sozialen und nationalen Fortschritts wurden in den Revolutionsjahren 1848/49 weitgehend enttäuscht. Die erwartete »Motion«, die sich in Technik und Industrie bereits durchgesetzt hatte, ließ im politischen Leben noch lange auf sich warten. Die allgemeine Enttäuschung über das langsame Manövrieren der Abgeordneten des Frankfurter Parlaments kam in den zeitgenössischen Karikaturen zum Ausdruck. Auch hier bedienten sich die Zeichner technischer Symbole – Dampfkraft und Maschine sollten wohl dem Unternehmen doch noch zum Erfolg verhelfen. (Fliegende Blätter, VII, Nr. 156, 107, Abb. 42 und »Frankfurter Parlamentsmaschine«, 1848, Abb. 43.)

Mariahilfkirche, Daguerreotypie von C. A. von Steinheil, München 1840, München, Deutsches Museum

Fotografie und optisch-feinmechanische Industrie in Bayern von 1800 bis 1850

Ditmar Albert

Man sagt, das neunzehnte Jahrhundert sei das längste Jahrhundert der Weltgeschichte gewesen, denn es habe mit der französischen Revolution begonnen und erst mit dem 1. Weltkrieg geendet. In Bayern sollte die neue Zeit 1801 mit der Landvermessung beginnen. Kurfürst Max IV. Joseph und sein Minister Montgelas strebten Reformen nach französischem Vorbild an und versuchten, eine moderne Infrastruktur ins Land zu schaffen. Dazu wurden moderne optische Geräte benötigt: Fernrohre, Theodolithen, Kippregeln.

Unternehmerpersönlichkeiten wie Joseph von Utzschneider (1763–1840), und der Ingenieur Georg von Reichenbach (1772–1826) wurden gezielt gefördert. Sie gründeten zusammen mit dem Uhrmacher J. Liebherr ein »Optisch-mathematisch-mechanisches Institut«, um die benötigten Instrumente herzustellen. Als die englische Kontinentalsperre gegen Napoleon die damals führenden englischen optischen Gläser unerreichbar machte, holte Utzschneider den Schweizer Glasschmelzer Pierre Louis Guinand nach Benediktbeuern und baute dort im säkularisierten Kloster eine Glashütte auf, die im übrigen noch heute zu besichtigen ist. Doch blieb die Qualität der Objektive und Okulare noch unbefriedigend. Es fand sich kein Linsenschleifer und Optiker, der den Ansprüchen Utzschneiders und Reichenbachs hätte genügen können.

Auf Empfehlung des hochangesehenen Paters, Astronomen und Physikers Ullrich Schiegg stellte man einen 19jährigen Spiegelmacher aus Straubing und Autodidakten als Schleifer von optischen Gläsern ein: Joseph Fraunhofer. Seinem Genie verdankte es München, zu Beginn des 19. Jahrhunderts nur eine kleine Residenzstadt, daß es sich zu einer Metropole des Instrumentenbaus der Wissenschaft entwickelte. 1807 wurde das »Mathematisch-Mechanische Institut« nach Benediktbeuern verlegt. Bereits 1809 trat Fraunhofer in die Leitung des Unternehmens ein, 1814 wurde er dann Teilhaber. Er verbesserte die Qualität der Glasmasse, er baute die Reichenbachsche Pendenschleifmaschine um und machte den berühmten »8-Lampenversuch«, bei denen er die »Fraunhoferschen Linien« in den Spektren verschiedener Lichtquellen festlegen konnte. Die berechnete Präzision seiner Prismen, seiner in Gläser geritzten Gitter und seiner Instrumente hatten diese entscheidenden Erkenntnisse möglich gemacht. Jetzt konnte Fraunhofer das Brechungsvermögen jedes neues Glasgußes bestimmen und durch Linsenkombinationen Objektive bauen, die keinen störenden Farbsaum mehr hatten. Dazu erlaubten das nun schlierenfreie Glas und die verbesserte Glasgußtechnik Linsen mit einem Durchmesser zu schleifen, der bisher unerreichbar gewesen war. Fraunhofers Fernrohre, seine Prismenspektralapparate, sein Heliometer für die Sternwarte Königsberg und vor allem sein Refraktor für den Astronomen W. Struve in Dorpat waren legendäre Wunder der Technik und Wissenschaft. Fraunhofer wurde zum Konservator der mathematisch-physikalischen Staatssammlungen, Mitglied der Akademie und Professor, obwohl er kein studierter Akademiker war. Er wurde Ehrenbürger Münchens und bekam den persönlichen Adel verliehen; aus aller Welt kamen Wissenschaftler, um ihn kennenzulernen.

So glänzend dieses Leben und seine Erfolge in den Augen der Nachwelt erscheinen mag, es war biedermeierlich – bescheiden in den engen Grenzen dieser Zeit. Für jeden Glasguß mußte Fraunhofer auf beschwerlichen Wegen nach Benediktbeuern fahren. Der schnellste Weg von Benediktbeuern zurück nach München war vor dem Bau der ersten Eisenbahnen die Fahrt auf der Isar. Auf einem solchen Rückweg im Jahre 1825 erkältete sich Fraunhofer, der nach einer langen Wanderung zur Isar erhitzt das Floß erreicht hatte, und erkrankte an einem Lungenleiden. Man weiß nicht, ob es Tuberkulose oder eine Glasmacherkrankheit war. Fraunhofer starb am 7. Juni 1826, erst 39 Jahre alt.

An seinem 200. Geburtstag, dem 6. März 1987 wurden Leben und Werk Joseph von Fraunhofers gebührend gewürdigt und dargestellt. Die Leistungen, die er als Wissenschaftler und optisch-feinmachanischer Verfahrenstechniker in einer nur zwanzigjährigen Arbeitszeit erbrachte, sind für die Nachwelt nach wie vor staunenswert.

Fraunhofer gab dem 19. Jahrhundert die Werkzeuge der Wissenschaft und begründete nicht nur die Spektralanalyse, die uns den Zugang zur Materie des Weltraums und der Zusammensetzung der Stoffe öffnete. Mit seinen Mikroskopen, die bereits die Grenzwerte der möglichen Vergrößerung optischer Systeme erreichten, konnten die Welten des Mikrokosmos ebenso sichtbar werden, wie Fraunhofers Fernrohre anfingen, den Weltraum zu erschließen. Mit seinem Dorpater Refraktor erweiterte sich in nur zwei Jahren die Kenntnis über die Zahl der Sterne um das Sechsfache.

Fraunhofer starb ohne Erben; nach dem damals gültigen Gesetz wurde sein wissenschaftlicher Nachlaß verbrannt. Einen Patentschutz kannte man noch nicht und daher hatte Fraunhofer nur das publizieren dürfen, was keinem Konkurrenten seiner Firma hätte dienen können.

Unter zwei Aspekten kann man die Firma »Utzschneider, Reichenbach und Fraunhofer« als Modell eines frühen Industrieunternehmens sehen. Erstens war hier das Zusammenspiel eines Unternehmers, eines Ingenieurs und eines Wissenschaftlers erfolgreich, und zweitens wurde der Name Fraunhofers zum Synonym eines Markenfabrikats. Man kaufte noch lange im 19. Jahrhundert kein Fernrohr, sondern einen »Fraunhofer«. In der Tradition Fraunhofers, entstanden zwei Werkstätten, die optische Geräte in München herstellten. Keine dieser Firmen hatte aber wieder ein solches Genie zum Mitarbeiter.

Joseph Fraunhofer, Bleistiftzeichnung von Vogel, München 1825

Wissenschaftler waren in der ersten Hälfte des 19. Jahrhunderts universeller und mit sehr vielen Arbeitsbereichen zugleich vertraut, die aus heutiger Sicht kaum eine Verbindung miteinander haben. So war der Engländer Henry Fox Talbot (1800–1877) als Mathematiker der Erfinder der Integralrechnung; er wird auch zu den vier Entzifferern der Keilschrift gezählt und er war der eigentliche Erfinder der Fotografie, so wie wir sie heute verstehen. Seine ersten Ergebnisse waren allerdings noch nicht sehr ansprechend.

In Paris dagegen hatte ein Theatermaler, Illusionist, Panoramabesitzer und Erfinder, Louis J. M. Daguerre (1783–1851) zusammen mit seinem Partner Nicephore Niepce (1763–1828) ein erstes wirklich praktikables fotografisches Verfahren gefunden. Er konnte auf polierten Silberblechen jene Bilder festhalten, die man schon seit etlichen hundert Jahren in der Camera Obscura zu beobachten und nachzuzeichnen gelernt hatte.

1727 hatte Professor Heinrich Schulze (1687–1744) in Altdorf bei Nürnberg die hohe Empfindlichkeit der Silbersalze auf die Einwirkung von Licht beobachtet. Um diese beiden wissenschaftlichen Erkenntnisse zu kombinieren, die Camera Obscura und die Silbersalze, bemühten sich am Beginn des 19. Jahrhunderts mehr als 30 uns heute bekannte Wissenschaftler, auch wissenschaftliche Dilettanten.

Als führender Wissenschaftler in München galt der Nachfolger Fraunhofers im Amt als Konservator der mathematisch-physikalischen Staatssammlungen, Professor Carl-August von Steinheil (1801–1877). Er gehörte schon einer neuen Generation an. 1837 reiste er auf Wunsch König Ludwig I. nach Paris um dort das Ur-Meter und das Ur-Kilogramm zu kopieren. Ob Carl-August von Steinheil seine ersten Informationen über die Erfolge Daguerres von seinem Pariser Kollegen, dem Direktor der Sternwarte, Dominique F. Arago, erhalten hatte, oder ob er aus einem noch vorhandenem Brief des Engländers Fox Talbot an die Bayer. Akademie in der dieser auf seine Publikation des »Photogenischem Zeichnens« hinwies, wissen wir nicht. Jedenfalls begann Steinheil zusammen mit Franz von Kobell (1803–1875), Professor für Mineralogie und Volksdichter, fotografische Experimente zu machen. Steinheil und Kobell spielten eine zentrale gesellschaftliche Rolle im München des Biedermeiers. Die beiden wissensdurstigen Herren bauten ein astronomisches Fernrohr um und richteten es im März und April 1839 auf die Frauenkirche und andere Münchner Gebäude. Auf dem mit Kochsalz und Silbernitrat präparierten Papier ergaben sich exakte, wenn auch leider negative Bilder, deren Tonwerte umgekehrt wie in der Wirklichkeit waren. Die hellen Lichtpartien waren sehr dunkel abgebildet, dunkle Teile des Motivs waren auf den kleinen Bildchen hell. Steinheil und Kobell experimentierten recht originell mit der neuen Technik. Sie kopierten offenbar Zeichnungen, die in berußte Glasplatten eingeritzt waren. Als die Bilder dann ausgestellt wurden, war es eine kleine Sensation in München, tatsächlich aber wohl kaum das Ergebnis einer unabhängig gemachten Erfindung, wie dies später eine auf nationale Erfolge bedachte Fotogeschichtsschreibung behauptete.

Eines aber ist gewiß: Das erste fotografisch aufgenommene Motiv in Deutschland war die Münchner Frauenkirche. Wir kennen sogar den Aufnahmestandort Steinheils: das Fenster seiner optischen Werkstatt in der Akademie der Wissenschaften, die im Jesuitenkloster neben der Michaelskirche untergebracht war (Gebhardt 1979). Im August 1839 hatten Steinheil und Kobell ihre Bilder öffentlich ausgestellt, im September dann sandte Daguerre einen Bilderrahmen mit drei Silberplatten als Beweis seiner Erfindung an König Ludwig I. Diese Bilder wurden im Oktober 1839 öffentlich gezeigt. Damit war die Fotografie endgültig in München eingezogen, und die Begeisterung über diese neuen Lichtbilder war hier – wie überall – groß.

Carl August von Steinheil wurde jetzt erst zu seiner besten Idee inspiriert: Er konstruierte die erste Kleinbildkamera. Eigentlich war es eine Miniaturkamera, denn sie hatte das Bildformat der heutigen Minox: 9/11 Millimeter. Die »Münchner Politische Zeitung« vom 31.12.1839 veröffentlichte viele Details dieser Kamera. Aus Steinheils Tagebücher kennen wir die Konstruktion. Zehn Exemplare ließ er bauen; erhalten hat sich davon keines. So sind wir auf Hypothesen angewiesen. Genau weiß man: Es war eine Ganzmetallkamera, die speziell als Taschenkamera gedacht war. Man konnte sie mit jedem Fernrohrstativ kombinieren, üblicher Weise aber wird sie mit einem sogenannten »Baumstativ« gezeigt, das dazu diente, die sehr langen, schweren Fernrohre, die bei der Benutzung in der Hand zitterten, zu fixieren. Diese Kamera war als »Sofortbildkamera« konstruiert, denn sowohl die Sensibilisierung (Lichtempfindlichkeit), wie die Entwicklung wurden in speziell dafür konstruierten Dosen in der Tasche, also etwa bei einem Spaziergang, vorgenommen. Betrachtet wurden die kleinen Bildchen mit einem speziellen Gerät, das sie optisch auf eine »natürliche« Größe brachte. Ein solches Gerät ist noch im Deutschen Museum erhalten. In dieser Konstruktion, die ihrer Zeit fast um ein Jahrhundert voraus war, steckten so viele feinmechanische und optisch-konstruktive

Fotografische Versuche von C. A. v. Steinheil und F. v. Kobell,
Frauenkirche, München 1839, München, Deutsches Museum

Ideen, daß es bedauerlich ist, sie hier nicht in voller Breite darstellen zu können.

Einige Hypothesen aber seien noch gestattet: In Wien konstruierte der Optiker Joseph Petzval (1807–1891) das erste moderne Objektiv, das bis heute als Projektionsobjektiv Bedeutung hat und im 19. Jahrhundert bis zur Erfindung der Anastigmate das absolut führende Kameraobjektiv war. Es war 17mal lichtstärker als die bis dahin verwendeten Objektive und brachte technisch den Durchbruch für den Beginn der Portraitfotografie, die das eigentliche Ziel dieser neuen Erfindung war, den Menschen im wirklichen Bild unsterblich zu machen.

Die erste Kamera, mit der man solche Aufnahmen mit einer Belichtungszeit von einigen Sekunden machen konnte, war die bekannte Kamera des Wiener Mechanikers Voigtländer, die 1841 fertiggestellt wurde. Sie gleicht in allen Konstruktionsmerkmalen der kleinen Steinheilschen Kamera. Da sich im Deutschen Museum ein Vorläufermodell in verkleinertem Maßstab befindet und da mit dieser Kamera ein Bild auf einer silbernen Lira-Münze aufgenommen wurde, läßt sich vermuten, daß hier ein Ideenaustausch zwischen Wien und München stattfand.

Für seine Kamera hat sich Steinheil vermutlich von den damals neuen bayerischen Halbguldenmünzen polierte »Schrötlinge«, also gestanzte aber noch ungeprägte runde Silberbleche geben lassen, die er dann als Aufnahmematerial für seine kleine Kamera benutzen konnten. Sicher ist: nach München kam das Versuchsmodell der Voigtländer Kamera und als dann die ersten der später serienmäßig gefertigten größeren Kameras ausgeliefert wurden, war es Steinheil, der damit die ersten in der Fotogeschichte bekannten »Schnappschüsse« von Münchner Straßenszenen machte. Auch diese Bilder sind erhalten.

Damit waren Steinheils Interessen an der Fotografie vorerst beendet. Seinen endgültigen Beruf fand er als Leiter und Erbauer des Telegraphienetzes in Österreich, später in der Schweiz. Er erfand die »Erdleitung«. Es charakterisiert die gedanklichen und auf eine weitgreifende Informationstechnik konzentrierte Zielsetzung der Wissenschaft in dieser Zeit, daß auch der Erfinder der drahtlosen Telgraphie, Samuel B. Morse (1791–1872) als erster in Nordamerika fotografierte. Als Steinheil als Minsterialrat 1851 wieder nach München gerufen wurde, soll ihn König Max II. aufgefordert haben, in der Tradition Fraunhofers eine optisch-astronomische Anstalt zu gründen. Unter seiner Leitung und später unter der seines Sohnes Hugo, baute die Firma Steinheil wissenschaftlich berechnete Kameraobjektive, die den Ruf Münchens als Stadt der Feinmechanik und Optik in aller Welt begründeten.

Die Ausübung der Fotografie war in ihren Anfängen, bis etwa 1855 – ebenso wie 50 Jahre später der Beginn der Kinematographie – mehr ein Jahrmarktsspektakel. Reisende Fotografen zogen durch die Lande und boten ihre Kunst an. Sie kamen aus allen Berufen; viele waren Kupferstecher, Miniaturmaler, Buchdrucker oder Porzellanmaler und erhofften sich von der neuen Lichtbildkunst einen guten Verdienst. Ein Maler aus St. Gallen in der Schweiz, Johann Baptist Isenring (1796–1860) hatte erst in Augsburg, dann 1840 in München fotografische Portraits gezeigt. Zur »Auer Dult« 1841 tauchte er mit seinem »Sonnenwagen« wiederum auf. Dies Gefährt war ihm, wie vielen reisenden Fotografen, Dunkelkammer und Unterkunft zum Schlafen und Wohnen zugleich. Die »Bayerische Landbötin« berichtete am 29. Juli: »Bis aner drei Vaterunser bett, wenn er's noch kann, is sein G'sicht schon abdruckt, wenn's a no so goarstig is.« Leider haben sich keine gesicherten Isenring-Portraits in München erhalten. Ein übermaltes Bild eines Mädchens im Münchner Fotomuseum wird ihm zugeschrieben.

Vor der Residenz, Daguerreotypie von C. A. von Steinheil, München 1840, München, Deutsches Museum

Kaufingerstraße mit St. Michaelskirche, Daguerreotypie von
C. A. v. Steinheil, München 1839, München, Deutsches Museum

Männerbildnis, Daguerreotypie von C. A. v. Steinheil, München 1840,
München, Deutsches Museum

Es waren zwei Verfahren, mit denen jene erste Generation von wandernden Fotografen arbeitete: 1. Die Daguerreotypie, genannt nach ihrem Erfinder Daguerre; 2. Die Kalotypie oder die Talbotypie, genannt nach ihrem Erfinder Talbot.

Daguerreotypien sind hochglänzend polierte, einem Metallspiegel gleichende Bilder. Es sind eigentlich Negative, die nur dann als Positive sichtbar werden, wenn sich bei der Betrachtung ein dunkler Hintergrund in dem polierten Silber spiegelt. Manche Daguerreotypien sind am Rand leicht bläulich oxydiert, manche sind zart coloriert, oft wurden diese damals sehr teuren Bilder kostbar gerahmt – wie Miniaturen des 18. Jahrhunderts.

Kalotypien sind Papierbilder, deren Positive von einem gleichgroßen Papiernegativ kopiert wurden. Die sichtbare Papierstruktur verhinderte glatte Flächen und eine so detailreiche Wiedergabe, wie sie für Daguerreotypien typisch ist. Daher wurden diese Bilder meist mehr oder weniger stark übermalt; vielfach sind ganze Hintergründe eingefügt. Nach ihrer Herstellung mit Kochsalz und Silbernitrat werden solche übermalten Fotografien etwas ungenau »Salzbilder« genannt.

In größeren Städten gab es zwischen 1840 und 1850 schon seßhafte Fotografen, die ihre Bilder mit ihrem geschriebenen Namen, mit kleinen Etiketten oder Prägestempeln signierten. Doch die meisten Fotografien aus dieser Zeit blieben anonym, da sie ihre Entstehung wandernden Schaustellern verdankten.

Leider waren in München kaum Daguerreotypisten tätig, die durch eine überdurchschnittliche Qualität erwähnenswert wären. Signiert hat der ehemalige Kupferstecher Anton Edler, von dem wohl sechs oder sieben Daguerreotypien erhalten sind. Andere eindeutig in München angefertigte Aufnahmen sind ohne Angabe des Autors.

Dennoch sind die gezeigten Münchner Daguerreotypien liebenswerte Dokumente des Biedermeier. Ein Portrait von sich anfertigen zu lassen, war ein wichtiges Ereignis und der Stolz des sich selbstbewußt darstellenden Bürgers. Kleidung, Haltung und die Aufmachung der Bilder zeigen, welchen Wert diese frühen Daguerreotypien für die Portraitisten besaßen. Als in München Ferdinand von Miller die Bavaria in Erz goß, war ein Münchner Fotograf ständig bemüht, die Fortschritte dieser Arbeit festzustellen. Dies wurde die erste systematische Bildreportage der Fotogeschichte, die Alois Löcherer (1815–1862) zwischen 1845 und 1850 aufnahm.

Löcherer gehörte nicht mehr zur ersten Generation der Fotografen. Er war bereits der erste Verleger von fotografischen Kunstreproduktionen und Portraits prominenter Personen und wurde der Lehrer von Franz Hanfstaengl (1804–1877), dem berühmtesten deutschen Fotografen des 19. Jahrhunderts und von Joseph Albert (1825–1886), dem ersten Hoffotografen Bayerns und Erfinder des Lichtdruckes durch den die Fotografie zum erreichbaren Jedermann-Bild wurde. Als nun die Gewerbezeit der Fotografie beginnt, ist das Biedermeier bereits zu Ende gegangen.

10.3.2 Silvesterabend im »Harmonie« Verein, Moritz Müller, gen. Feuermüller, 1858

»Museum« und »Harmonie« –
Zwei gesellig-literarische Vereine in München im frühen 19. Jahrhundert

Uwe Puschner

Zahlreich ist die Reiseliteratur, die das München der ersten Hälfte des 19. Jahrhunderts beschreibt; immer wieder wird dort das in vielfältigen kleineren und größeren »Vereinen« organisierte, aber auch in lockeren »Stammtisch«-Gesellschaften gepflegte »gesellschaftliche Leben« in der bayerischen Haupt- und Residenzstadt hervorgehoben. »Wohl nirgends in der Welt«, urteilt einer dieser Autoren 1843, »besteht eine solche Manie, kleinere und größere abgeschlossene Vereine zur geselligen Unterhaltung zu bilden, als eben hier. Dies erstreckt sich bis auf die öffentlichen Wirtshäuser, wo außer einzelnen Zimmern, selbst Tische und Plätze ihre abonnirten Gesellschaften und Gäste haben, welche den Fremden, unbekannt mit dieser ausgearteten Sitte, oftmals nöthigen, seinen nach eigenem Gefallen eingenommenen Platz zu wechseln, wenn diese Bevorrechteten später erscheinen.« (F. Schiller, 1843, 223).
Abgesehen von den nicht erfaßbaren »Stammtisch«-Gesellschaften zählte Ingo Tornow für die Zeit von 1800 bis 1850 mehr als 200 Vereine in München und seinen Vorstädten. Die Palette reichte von den geselligen und den Bildungsvereinen über die wissenschaftlichen Vereinigungen und die Vereine zur Förderung der Künste (Literatur, Musik, bildende Kunst) bis hin zu den Vereinen, die humanitäre Ziele – wie z.B. die Wohltätigkeitsvereine – verfolgten, und den verschiedenen Unterstützungsvereinen der Handwerker und Arbeiter; desweiteren bestanden ökonomische, religiöse und politische Vereine.
Am Beginn des modernen Münchener Vereinswesens, sieht man von der »Mildtätigen Gesellschaft« (ca. 1778/1779–1930) und den »Unterstützungsvereinen« für Feilenhauergesellen (ca. 1750–1872), Herrschaftsdiener (1782–1812) und Webergesellen (ca. 1790/1836–1865) ab, stehen die Gründungen der Gesellschaft »Museum« (1802–1947) und »Harmonie« (1802/1803–1834/1835). Beide gehören jenem spezifischen Typus des literarisch-geselligen Vereins an, der seit 1780 allenthalben in Deutschland entstand; wiewohl seine Hauptblütezeit in die erste Hälfte des 19. Jahrhunderts fällt, sind die Wurzeln in den Lesegesellschaften des 18. Jahrhunderts zu suchen.

Lesegesellschaften

»Das Lesen«, verkündet wie so viele der deutschsprachigen Zeitschriften zu diesem Zeitpunkt das »Münchner Intelligenzblatt« 1777 (179), »muß eine der vornehmsten, und liebsten Beschäftigungen seyn für jeden Menschen, der nicht ungestaltet bleiben, der sich selbst bilden, und vollkommner machen will. Das Lesen nützlicher Bücher kläret den Verstand auf, stärket die Vernunft, und bildet das Herz ...

Versäumen Sie das Lesen nicht.« Diese von der Bildungsidee und dem Nützlichkeitsdenken der Aufklärung ausgehende Aufforderung führte seit der Mitte des 18. Jahrhunderts zu dem Phänomen der »Leserevolution«. Wenn auch »Lektüre« immer wieder als »Erholungs- und Zerstreuungsmittel«, als »Nahrung zur Besserung des Herzens« und gar als »Lehrerinn des Lebens« erachtet, ja die Hoffnung gehegt wurde, daß durch Lesen »das wohlthätige Licht der Aufklärung auch in niedrige Hütten, und verkannte Winkel« eindringe (Mayr, 1788), so blieben kritische Stimmen über diese »Lesewut« nicht aus. Im Jahr 1800 schrieb beispielsweise Lorenz Westenrieder (1800, Bd. 6, 200 f.): »Die Erscheinung der itzigen Lesewut bey Volksklassen, die sonst wenig oder nichts lasen, und die auch itzt nicht lesen, um sich zu unterrichten, und zu bilden, sondern um sich unterhalten zu lassen, ist in Deutschland, seit der Erfindung der Buchdruckerey, eine ganz neue Erscheinung, und der Erfolg derselben ist nicht leicht zu berechnen; aber schlimm genug dürfte er seyn.«
Diese neue, nicht zuletzt auch von dem seit der Jahrhundertmitte expandierenden Bücher- und Zeitschriftenmarkt beeinflußte Leseverhalten führte zur Organisation des lesenden Publikums in »Lesegesellschaften«. Ihr Bestreben lag zunächst in der möglichst kostengünstigen Bereitstellung eines umfangreichen Lektüreangebots für den Einzelnen. Sie markieren jedoch auch »den breiten Aufbruch einer bürgerlichen Gesellschaft« (Dann 1977, 187), die sich in Lesegesellschaften zu gemeinsamer Lektüre, Diskussion und gesellschaftlicher Kommunikation zusammenschloß; insofern stehen die Lesegesellschaften im Vorfeld des sich dann vor allem im 19. Jahrhundert politisch artikulierenden (Bildungs-)Bürgertums und des modernen Assoziationswesens. Wie im gesamten Deutschland entstanden auch in Kurbayern und seiner Hauptstadt solche Zusammenschlüsse. Um 1781 bestand in München eine von Joseph Utzschneider initiierte »literarische Gesellschaft« und 1782 wurde ein Kassino gegründet.
Die Gesetzgebung in Zusammenhang mit der Aufdeckung und der Aufhebung des Illuminatenordens verhinderte jedoch in der bayerischen Hauptstadt wie in ganz Kurbayern die weitere Ausbildung von Lesegesellschaften; in Zusammenhang mit dem Verbot des Illuminatenordens wurden sie 1787 aufgehoben. Nach wiederholten Verboten von Geheimgesellschaften – hierzu zählten auch Lesegesellschaften – in den Jahren 1792, 1795 und 1799 wurden erst nach dem Regierungsantritt Kurfürst Max IV. Joseph – dem späteren König Max I. Joseph – zu Beginn des 19. Jahrhunderts in Kurbayern wieder literarisch-gesellige Vereinigungen zugelassen.

4.4.43 Lesendes Mädchen am Fenster, Moritz Müller, gen. Feuermüller, München, Städtische Galerie im Lenbachhaus, Inv.Nr. G. 10206

Entstehungsgeschichte

Die ersten Anfänge in München sind auf die Initiative des »Caffetier und Traiteur« Jean Battiste Vavocque zurückzuführen, der im März 1802 ankündigte, in seinem Kaffeehaus »ein Cassino für die gebildeten, aber unausgeschiedenen Bewohner Münchens nach dem Beyspiele von allen großen Städten Deutschlands zu errichten.« Mit einem umfangreichen Zeitungs- und Zeitschriftenangebot, der Möglichkeit zur Diskussion sowie der Unterhaltung der Mitglieder mit Spielen, Bällen, Diners und Soupers hoffte Vavocque, zum »Vergnügen und . . . Unterricht des gebildeten Münchner Publikums« beizutragen. (Churfürstl. Pfalzbaier. Intelligenzblatt 1802, Sp. 171–174). Nach Unbedenklichkeitserklärungen der Münchner Polizeidirektion und des geheimen Justizdepartements erhielt Vavocque im April 1802 die Konzession für sein »Cassino«.

Nach Vavocques frühem Tod bemühten sich sein ehemaliger Kellner Anton Grodemange und der Leihbibliothekar Theophilus Friedrich Lorenz um die Realisierung dieses Vorhabens. (BayHStA GL 2773 Nr. 1051). Ob das 1803 erwähnte »Cassino« ihre Schöpfung war, ist ungeklärt. Da weitere Nachrichten fehlen, scheint diese Gesellschaft nur von kurzem Bestand gewesen zu sein, zumal 1810 unter der Ägide des Oberrechnungskommissärs Stubenrauch eine in ihrer Mehrzahl aus Staatsdienern bestehende 68-köpfige Personengruppe um die Genehmigung zur Errichtung eines »Cas-

sinos« nachsuchte. Dieses Vorhaben, das sich – wie die überlieferten Statuten zeigen – in Intention und Organisation an die bereits existierenden Gesellschaften »Museum« und »Harmonie« anlehnte, scheiterte, da der Minister des Innern, Maximilian Graf von Montgelas, im Oktober 1810 seine Zustimmung – ohne dies zu begünden – verweigerte. (BayHStA GL 2773 Nr. 1051).

Die Gründung von »Museum« und »Harmonie«

Von Erfolg gekrönt waren demgegenüber die Gründungen des »Museum« und der »Harmonie«. Gemäß einer Meldung in der »Kurpfalzbaierischen Münchner Staatszeitung« (S. 1258) wurde das »Museum« am 4. November 1802 gegründet; wenig später nahm auch die »Harmonie« ihren Anfang. Die näheren Umstände, die zur Gründung des »Museums« führten, beschrieb rückblickend 1825 Joseph von Hazzi, einer der Mitbegründer: »Am Ende des vorigen Jahrhunderts hätte es mit dem Lesen auswärtiger Zeitungen, Zeitschriften und Bücher große Schwierigkeiten und Verlegenheiten gegeben. Es wären dadurch zwischen fünf und sechs Männern Lesezirkel entstanden, die derlei Schriften für sich zu erhalten suchten und einander mitteilten. Mancher Wissbegierige muß sich also mit drei bis sechs Lesezirkeln verbinden. Die Kostspieligkeit und die Unbequemlichkeit mit den Mitteilungen der Blätter brachte öfters unter ihnen den Wunsch zustande, eine größere Lesegesellschaft zu bilden. Unterdessen war auch schon damals der Name ›Gesellschaft‹ zu verdächtig, um diesen Wunsch realisieren zu können. Indes gelang es unter der gegenwärtigen Regierung, als man besonders auch den Grafen Rumford in das Interesse zog und er sich an die Spitze des Vorhabens im Jahre 1802 stellte. Für diesen Vorschlag kamen mit größter Mühe 165 Unterschriften zustande, und am 12. Oktober 1802 konstituierte sich also die Museumsgesellschaft mit der Wahl eines Verwaltungsausschusses. Daraus gehe hervor, daß die Gesellschaft nur einen großen Lesezirkel, eigentlich ein Lesekabinett, im Auge hatte.« (Festschrift, 1).

In ähnlicher Weise dürfte auch die nicht näher bekannte Gründung der »Harmonie« motiviert gewesen sein, wiewohl bei dieser Gesellschaft von Beginn an »gesellige Unterhaltung« stärker im Vordergrund stand. (Aurora 1805, 134 f.) Die Blütezeit beider Gesellschaften fällt in die ersten Jahrzehnte des 19. Jahrhunderts. Während die »Harmonie« um 1830 »unglückliche, ihren Untergang bezielende Bestrebungen zu bedauern hatte« (Flora 1830, 329 f.), die wenig später tatsächlich zu ihrem Ende führten, behielt das »Museum« das ganze 19. Jahrhundert hindurch seine dominante Rolle im Münchner Gesellschafts- und Vereinsleben inne.

Die Gründungsidee und -initiative, die zum »Museum« führten, scheint von jenen – auch für die Frühgeschichte des Montgelas'schen Reformstaates bedeutenden – Männern ausgegangen zu sein, die den ersten Vereinsausschuß bildeten: Johann Christoph Freiherr von Aretin, Andreas Michael von Dall'Armi, Sir Benjamin Thompson Graf von Rumford, Ludwig Friedrich von Schmidt (Kabinettsprediger der Kurfürstin), Fanz Joseph Wigand von Stichaner, Joseph Maria Freiherr von Weichs und Georg Friedrich Freiherr von Zentner; zudem mag auch Montgelas, der sich ebenfalls unter den 165 Gründungsmitgliedern findet, Einfluß auf die Realisierung des »Museums« genommen haben.

Statuten, Ziele, Organisation

Intention und Organisation beider Gesellschaften waren in detaillierten »Verfassungen« – im heutigen Sprachgebrauch: Vereinssatzungen – festgelegt.

Insbesondere auf Rumford, der zusammen mit Stichaner den Entwurf der ersten Statuten des »Museums« ausarbeitete, ist die Anlehnung an die Gesetze der großbritannischen, naturwissenschaftlich ausgerichteten »Royal Institution«, zu deren Gründungsmitgliedern er zählt, zurückzuführen. Jedoch bewegt sich die Verfassung des »Museums« – wie im übrigen auch diejenige der »Harmonie« von 1806 – ganz im Rahmen derjenigen der im gesamten Deutschland damals bestehenden literarisch-geselligen Museum-, Harmonie- und Cassino-Vereine.

Die Wesensverwandtschaft der ersten beiden Münchner »geschlossenen Gesellschaften« – wie dieser Vereinstyp mit eigenen Gesellschaftsräumen im 19. Jahrhundert bezeichnet wurde – dokumentieren ihre ersten, inhaltlich nur unwesentlich voneinander abweichenden »Verfassungen«. Bereits im Frühjahr 1803 lag die erste »Verfassung des Museums in München« im Druck vor. Danach ist »das Museum . . . seiner Hauptbestimmung nach ein literarisches Institut, das zugleich seinen Mitgliedern Gelegenheit zu einer gebildeten geselligen Unterhaltung darbieten soll« (§ 1). Neben literarisch(-musischer) Betätigung (§§ 2–6) nahm die Unterhaltung durch Spiel (§ 18 Abs. 8) und Konversation anfangs – und im Gegensatz zur »Harmonie« – noch eine untergeordnete Rolle ein. »Die Literatur«, betont ein Sitzungsprotokoll aus der Frühzeit des »Museums«, »ist durchaus die Hauptsache« (Festschrift, 2) – womit der Charakter einer Lesegesellschaft augenfällig wird. Allerdings stehen schon in den »Satzungen« von 1825 literarische und gesellige Unterhaltung gleichrangig nebeneinander; häufige Berichte von Bällen, Festlichkeiten, geselligen Veranstaltungen sowie vermehrte Ausgaben für Unterhaltungen aller Art belegen diesen Wandel.

Wie in der »Harmonie« konnten auch in das »Museum« »gebildete Männer aus allen Ständen« (Verfassung 1803, § 10) Aufnahme finden. Über die Mitgliedschaft eines Interessenten wurde durch Ballotage, einem geheimen Stimmverfahren, entschieden. Im Gegensatz zum »Museum« wurden in der »Harmonie« von Beginn an auch Frauen zu geselligen Veranstaltungen zugelassen; man sah dort »die Theilnahme des schönen Geschlechts . . . nicht nur für eine besondere Ehre, sondern für einen wesentlichen Gewinn an.« (Verfassung, § 18.) Auch das »Museum« folgte diesem Beispiel bald; in der zweiten Jahrhunderthälfte waren Frauen auch als Mitglieder zugelassen.

Die Verwaltung oblag in beiden Vereinen einem jährlich zu wählenden siebenköpfigen Ausschuß; seit 1825 übernahm die Geschäftsführung des »Museums« die gewählte zwölfköpfige »Versammlung der Vorsteher«, die in fünf »Comités« (Literatur, Innere Verwaltung, Rechnungs- und Kassenwesen, Vergnügungen, Revision) untergliedert war.

Obgleich diese »konstitutionelle« Element, wie es die Statuten von »Harmonie« und »Museum« widerspiegeln, auf ähnliche Entwicklungen verweist, die zu Beginn des 19. Jahrhunderts in Bayern und anderen süddeutschen Staaten stattfanden, so müssen die Wurzeln jedoch in der den Lesegesellschaften eigenen »konstitutionell-demokratischen« Tradition gesucht werden.

Mitgliederstruktur

Auch in der Mitgliederstruktur ähneln beide Vereine den Lesegesellschaften des 18. Jahrhunderts, obgleich die der »Harmonie« nur vage bestimmt werden kann.

»Jeder rechtliche, und gebildete Mann, ohne Unterschied der Geburt, des Ranges, und des Standes, kann Mitglied der Harmonie seyn« (§ 35), bestimmt die Verfassung von 1806; zu Mitgliedern können »gebildete Männer aus allen Ständen aufgenommen werden« (§ 10), besagt die Verfassung des »Museums« von 1803, und modifizierend heißt es in den Satzungen von 1825, daß »ein jeder gebildete und geachtete Mann« (§ 8) Aufnahme finden kann.

Dies betont einen ständeübergreifenden Charakter, der jedoch nicht verwirklicht wurde. Schloß die »Bildungs«-Prämisse die Mehrzahl der Münchner Bevölkerung von vorneherein aus, so schränkte der jährliche Mitgliedsbeitrag des »Museums« von zunächst 22 fl., später 25 fl., den Kreis möglicher Mitglieder zusätzlich ein. So führten beispielsweise die Initiatoren der 1810 projektierten »Cassino«-Gesellschaft an, »daß es bei weitem der größte Theil der Staatsdiener ist, dem es seine oekonomischen Verhältniße nicht gestatten, die schon bestehenden Institute (d.i. »Museum« und »Harmonie«), obgleich jedem unbescholtenen rechtlichen Manne der Zutritt gestattet ist, zu besuchen«. (BayHStA GL 2773 Nr. 1051). Und 1843 kündigte Johann Andreas Schmeller seine Mitgliedschaft im »Museum« »aus Sparsamkeit« – wie er in seinem Tagebuch vermerkte – auf. (Ruf, Bd. 2, 338).

Die Exklusivität des »Museums« verdeutlichen die erhaltenen Mitgliederlisten, in denen der Hochadel, die höheren Beamten und Offiziere, die vornehmsten Kaufleute, Künstler und Gelehrte vertreten waren. Die führenden Minister Bayerns – Armansperg, Lerchenfeld, Maillot de la Treille, Montgelas, Öttingen-Wallerstein, Rechberg, Reigersberg, Schenk, Thürheim, Zentner – in der ersten Hälfte des 19. Jahrhunderts gehörten dieser Gesellschaft ebenso an, wie die Mehrzahl der in München akkreditierten Gesandten; desweiteren zählten zu ihren Mitgliedern so bedeutende Persönlichkeiten wie Joseph von Fraunhofer, Leo von Klenze, Justus von Liebig, Karl von Piloty, Moritz Schwind, Karl Spitzweg, Heinrich von Sybel, um nur einige zu nennen.

Seine Mitgliederstruktur charakterisiert das »Museum«, das 1830 500 Mitglieder zählte, als »Oberschichtenverein« (Tornow, 219), in dem Adel und höhere Beamtenschaft dominierten.

Obwohl Doppelmitgliedschaften in beiden Gesellschaften häufig waren, stand die »Harmonie« stets im »gesellschaftlichen Schatten« des »Museums«. Sie »ist weit gemischter noch« als das »Museum« »und bei weitem nicht so anständig der Thon« dort, notierte Kronprinz Ludwig nach dem Besuch eines »Harmonie«-Balles im Oktober 1807 in sein Tagebuch. (GHA NL Ludwig I. I A 32). Und Sulpiz Boisserée (Tagebücher, Bd. 2, 146) charakterisierte sie 1827 gar als »Rauch- und Dampf-Gesellschaft« von »Juristen, Geschäfts-Männer(n), StaatsRat-Stricker(n) . . . (und) Oberkonsistorial-Räte(n) . . .«.

Trotz dieser abschätzigen Urteile stellte die »Harmonie« zusammen mit dem »Museum« jene beiden Treffpunkte dar, wo sich im ersten Drittel des 19. Jahrhunderts die vornehmere Münchner Gesellschaft einfand.

10.3.13 Gesellschaft beim Penglahmwirt, Simon Mayr, München 1830

Lektüre

»Sitze Abends nach meiner Art mit dem Rücken gegen den Lesetisch der Harmonie und lese . . .« (Ruf 1954, Bd. 1, 437), vermerkte Johann Andreas Schmeller am 13. November 1821 in seinem Tagebuch. Der Schöpfer des »Bayerischen Wörterbuches« beschreibt damit die ursprüngliche Intention von »Harmonie« und »Museum«, die beide in den ersten Jahren ihres Bestehens – wie der Münchener Polizeidirektor Markus von Stetten am 31. Juli 1816 an Montgelas berichtete – »beinahe reine Lesegesellschaften« waren. (BayHStA MInn 45773.)
Gemäß der ersten Vereinssatzungen des »Museums« von 1803 (§ 2 und 3) sollte das Lektüreangebot der Bibliothek

»die interessantesten in- und ausländischen Journale, deutsche, französische, englische und italienische Zeitungen, die Provinzialblätter von Baiern und den angehörigen Provinzen, und alle Produkte der vaterländischen Literatur (umfassen), insofern diese keine wissenschaftlichen Werke sind. Als Hülfsmittel werden die nöthigen Diktionäre, wissenschaftlichen Repertorien, topographische, statistische und historische Wörterbücher und Landkarten beigeschafft.« Beinahe mit den gleichen Worten wurde in der »Verfaßung der Harmonie« (§§ 2–4) von 1806 das Lektüreangebot umschrieben; jedoch fehlen weitere Informationen über die Bestände der »Harmonie«-Bibliothek.

7.6.2 und 7.6.5 Kostüme von einem Maskenball bei Hofe: Ivanhoe, Russie, Ecosse, Turquie d'Europe; Ignaz Kürzinger, München 1827 und 1835

Demgegenüber vermitteln zwei erhaltene Bibliothekskataloge (1818 und 1840) des »Museums« nähere Aufschlüsse über Umfang und Inhalt seiner Bibliothek. Deren Grundausstattung oblag dem Hofbibliothekar Johann Christoph Freiherr von Aretin und dem Kabinettsprediger Dr. Schmidt, die aus Säkularisationsgut, durch private Schenkungen und Kauf den Grundstock der »Museums«-Bibliothek schufen.

Der »Katalog der Bibliothek des Museums zu München« von 1818 umfaßt ca. 750 (1840: ca. 800) Nummern – Landkarten und Musikalien eingeschlossen – sowie rund 650 (1840: ca. 2000) Flugschriften, kleinere Abhandlungen und Fragmente. Dies entspricht 1818 einer Gesamtzahl von annähernd 2500 Bänden, wobei die Zeitungen und Zeitschriften den größten Anteil ausmachen, wozu jedoch August Lewald (Panorama, T. 1, 90 f.) 1835 bemerkt: »Das Lesezimmer des Museums hält, von allen ähnlichen Instituten in München die meisten Zeitschriften, indeß will das dennoch nicht viel sagen. Hier ist auch das einzige Exemplar einer englischen Zeitschrift anzutreffen: The Times, welches das Ministerium des Innern kommen läßt, und dann dem Museum für einen theilweisen Kostenersatz abgibt. Wie viele englische Blätter und Broschüren, wie viele americanische, legt hingegen die Hamburger Börsenhalle ihren Abonnenten hin?«

Insgesamt lassen die beiden Bibliothekskataloge »eine literarisch-universalistische Tendenz mit dem Ziel einer kräftigen Allgemeinbildung« (Tornow 1977, 64) sowie insbesondere ein reges Interesse an Politik und Zeitgeschehen erkennen; entsprechend gering waren demgemäß wissenschaftliche und belletristische Literatur repräsentiert.

Politische Foren

Obgleich in einem königlichen Schreiben 1819 »der wohltätige Einfluß« des »Museums« auf die »litterarische und gesellige Bildung« in München gelobt wurde (BayHStA MInn 46126), gerieten »Museum« wie auch »Harmonie« immer wieder in Konflikte mit den Behörden. So überlegte König Max I. Joseph im September 1808, zu einer Zeit als Bayern als Rheinbundstaat Bündnispartner Frankreichs war, das »Museum« zu schließen, nachdem sich der französische Gesandte Otto über die politischen Gespräche im »Museum« und den sich dort breitmachenden österreichischen Einfluß beklagt hatte. Es blieb jedoch dann bei einem Verbot politischer Gespräche in den Räumlichkeiten der Gesellschaft (Wertheimer, 1882, 214); einem erfolglosem Verbot, wie eine – von den zur Zeit des französisch-bayerischen Bündnisses als Haupt der pro-österreichischen Partei in München geltenden Kronprinzen Ludwig berichtet – Anekdote zeigt: »An einem Nachtessen bey einem Museumsballe im Fasching 1809 . . . sah ich an der unfernen Thüre einen Grafen . . . stehen, der uns für einen Spion galt. Ich erhob das Glas und trank: Der Teufel hohle alle Spionen . . .«. (Aus dem Leben König Ludwig I. von Bayern von ihm, 42; BStB Ludwig I.-Archiv 27.)

Besonders die Gesandten, die zumeist selbst Mitglieder – vor allem im »Museum« – waren, hatten hier die Möglichkeit, politische Neuigkeiten zu erfahren, da die Mehrzahl des höheren Beamtentums der Ministerien diesen Gesellschaften angehörten; »Museum« und »Harmonie« waren ihnen »offenbar . . . repräsentativ für ›öffentliche Meinung‹« (Tornow, 1977, 240) und wurden als »politische Stimmungsbarometer« betrachtet.

Nach den Befreiungskriegen, in der Zeit der Restauration, galten in den Augen der französischen, österreichischen und preußischen Gesandten in München »Museum« und »Harmonie« als Sammelpunkte der liberalen Opposition. So klagte der französische Geschäftsträger Chevaliers de St. Mars im Oktober 1817, das »Museum« sei »le principal foyer des nouvelles révolutionaires. On n'y trouve que les journaux de l'opposition de tous pays.« (Chroust, Bd. I/1, 36.) Drei Jahre später, Anfang April 1820, berichtete der preußische Gesandte nach Berlin, daß nach dem Bekanntwerden des Ausbruches der Revolution in Spanien in der »Harmonie« »der größte Theil der Gesellschaft zu einer Abendmahlzeit zusammengekommen (sei), um über den Sieg, welchen die Anhänger der Cortes über die königliche Gewalt errungen haben, ihre Freude auszudrücken. Sie haben dabei Toaste auf den Minister Agar, auf den General Ballasteros und auf die Cortes ausgebracht und einige sich sogar die Äußerung erlaubt: so müsse man es mit allen Souverainen machen. Mehrere haben sich Glück gewünscht, hier eine Constitution zu haben, worauf andere erwiderten: eine Constitution mit zwei Kammern sei keine Constitution.« Obwohl Außenminister Rechberg den Prinzen Karl ersuchte, den Vorfall seinem königlichen Vater zu hinterbringen, der »darüber im höchsten Grade entrüstet« war, blieben auch diese Vorkommnisse ohne Folgen. (Chroust, Bd. III/1, 253).

Auch hier machte sich anscheinend der Einfluß der zahlreichen in den Regierungsbehörden tätigen Mitglieder bemerkbar. Dies gilt insbesondere für das »Museum«, das wiederholt mit der Zensur in Konflikt geriet.

Noch 1811 betonte der damals für die Literatur zuständige Kabinettsprediger Schmidt: »In der Auswahl der Literatur für eine solche Gesellschaft bleibt das erste und einzige Gesetz, daß nichts Verbotenes gehalten und nichts Anstössiges verbreitet werde« – dieser Erklärung vorausgegangen war eine Rüge des Münchener Polizeidirektors, da im »Museum« ein indiziertes Heft der Berliner Zeitschrift »Der Freimüthige« aufgelegen hatte. (BayHStA MInn 45128.) Nach diesem geringfügigen Vorfall erhitzten vor allem die Affären »Spaun« und »Saphir« die Gemüter; beide fielen – eher zufällig – mit zensurpolitischen Wendepunkten – Karlsbader Beschlüsse (1819) und Pariser Julirevolution (1830) – zusammen. Obgleich sie bei den Gesandten Aufsehen erregten, blieben auch sie lokalpolitische Intermezzi und ohne Folgen für das »Museum«.

Der gebürtige Linzer Franz Anton Ritter von Spaun hatte in einem seiner zahlreichen polemischen Werke u.a. den Kurfürsten von Hessen als nicht »legitim« bezeichnet, was zu einem gerichtlichen Verfahren gegen ihn führte; obgleich er vom Münchener Stadtgericht freigesprochen wurde, entzog ihm das »Museum« 1819 die Mitgliedschaft. Aber schon zwei Jahre später (1821) lagen zwei neue Broschüren Spauns, die – nach Meinung des preußischen Gesandten – »das Gepräge eines ächt revolutionairen Geistes« tragen und »daher mit Recht gefährlich genannt zu werden« verdienen, im »Museum« auf (Chroust, Bd. III/1, 283 f.; Bd. II/1, 368 f., 466).

1830 erregte dann der Journalist Saphir mit seinen scharfen Kritiken – besonders am Hoftheater – und »seinen täglichen

Witzeleien auf Kosten eines jeden Menschen und jeder Behörde« den Unwillen des Königs und des österreichischen Gesandten, der nach Wien berichtete, daß Saphir »schon in der öffentlichen Meinung so viel gewonnen, daß die Gesellschaft »Museum« ihn eingeladen hat, zwölf Vorlesungen dramaturgischen und humoristischen Inhaltes zu halten.« (Chroust, Bd. II/2, 258 f.) Wenngleich – wie Innenminister Schenk dem König schrieb – Saphirs Vorträge zwar »witzig, obgleich ohne allen gediegenen Gehalt« waren (Spindler 1930, 130), stellte die Einladung dieses Journalisten doch ein Politikum dar, »da sie zum Ausdruck dafür wurde, daß eine neue Form von Öffentlichkeit, die den Maßnahmen der Regierung kritisch gegenüberstand, einen mißliebigen Journalisten stützte.« (Tornow 1977, 240).

Wiewohl einige Gründungsmitglieder des »Museums« dem Illuminatenorden sowie Freimaurerlogen angehört hatten, kann diese Gesellschaft jedoch keineswegs als Hort revolutionärer Ideen gelten; vielmehr »dürfte die Mehrheit der Museumsmitglieder eher regierungstreu gewesen sein, ganz gleich ob die Grundhaltung eher liberal oder konservativ zu nennen wäre.« (Tornow, 239.) Dies kann auch für die »Harmonie« gelten, wenngleich dort liberal-oppositionelle Neigungen stärker ausgeprägt gewesen zu sein scheinen.

Geselligkeit

Lektüre, Konversation, Vortrags- und gesellige Veranstaltungen waren die ursprünglichen Bedürfnisse, die zur Gründung von »Museum« und »Harmonie« geführt hatten. Schon nach wenigen Jahren hatte sich diese Reihenfolge umgekehrt; als Lesegesellschaften errichtet, wandelten sich beide Gesellschaften schon bald zu geselligen Vereinen. Dies wird besonders am Beispiel des »Museums« augenfällig, wo nicht nur der Anteil für Literatur an den jährlichen Gesamtausgaben sank, sondern auch in den mehrfach revidierten Statuten gesellschaftlichen Vergnügungen stetig breiterer Raum gegeben wurde. Neben Vorträgen, Rezitationsabenden und den seit 1807 vierzehntägig stattfindenden Konzerten hielt das »Museum« – wie auch die »Harmonie« – jährlich vielfältige Veranstaltungen ab: »Die gewöhnlich im Jahr statt habenden Unterhaltungen bestehen in Bällen während der Faßnachtzeit, und in Abendgesellschaften zur Zeit des Adventes, und der Fasten, wo sich durch Gesellschafts- und Kartenspiele, Musik und litterarische Mitteilungen unterhalten wird. Nebstdem, daß die Gesellschaft des Musäums die Namens- und Geburtsfeste der allerhöchsten Herrschaften durch Diners, Soupers und glänzende Bälle feiert, ergreift sie jede Gelegenheit, ihre Anhänglichkeit an das allerhöchste Regentenhaus dadurch zu erkennen zu geben, daß sie glückliche, auf die allerhöchste Familie und die Nation Bezug habende geschichtliche Ereignisse durch besondere Feste, verbunden mit Illuminationen, Transparenten, allegorischen Vorstellungen, Bällen und musikalischen Unterhaltungen, feiert« (Huber 1819, 320 f.).

Im Februar 1827 berichtete der französische Geschäftsträger begeistert nach Paris von einem dieser Bälle im »Museum«, an dem auch König Ludwig I. teilnahm, der schon als Kronprinz häufig Veranstaltungen dieser Gesellschaft wie der »Harmonie« besucht hatte: »Sept quadrille avaient été formées. Celle de la reine, tirée d'un roman de Walther Scott (Ivanhoe), avait produit beaucoup d'effet. Le roi a témoigné

le désir de voir de sa loge défiler ces quadrilles au bal public du théâtre qui avait lieu le lendemain et la reine a dû se soumettre à cette volonté. – Ces mêmes quadrilles se sont ensuite réunies dans le salon, attenant à la loge du roi, où le corps diplomatique avait été exclusivement invité...« (Chroust, Bd. I/1, 62).

Demgegenüber trat die »Harmonie« bescheidener auf; Bälle waren seltener als im »Museum«, ihre Mitglieder waren bemüht, durch eigene Beiträge das gesellige Vereinsleben zu bereichern. (Müller, München, T. 1, S. 354 f.; Flora 1830, Nr. 80, S. 329 f.).

Soziales Engagement

Schließlich muß noch – neben bildungs(politischer) und gesellig-unterhaltender Intention – auf das soziale und karitative Engagement dieses literarisch-geselligen Vereinstypus hingewiesen werden, den »Museum«, »Harmonie« und auch das um 1830 bestehende »Cassino« verkörpern; schon den Lesegesellschaften des 18. Jahrhunderts war es zu eigen gewesen. So bestimmten die verschiedenen Verfassungen des »Museums«, daß im Falle der Auflösung der Gesellschaft, der Gewinn aus dem Verkauf der Effekten und der Bibliotheksbestände dem Armen Institut der Stadt zufließen sollte, an das ohnehin jährlich Spenden abgeführt wurden. Auch die »Harmonie« wollte den Reinerlös ihres Gesellschaftsvermögens nach ihrem Erlöschen »wohlthätigen Zwecken« zuführen; ausdrücklich heißt es in der Verfassung von 1806: »Da Wohlthun das reinste Vergnügen gewährt, und ein frohes Herz am meisten zu wohlthätigen Empfindungen gestimmt ist, so wird bey den Mahlzeiten an den festgesetzten Gesellschaftstagen sowohl, als bey den außerordentlichen Banquets zu wohlthätigen Werken eine Collecte statt haben« (§ 19) – 1834 überwies die »Harmonie« einen Betrag von 27 fl. an die durch eine Brandkatastrophe zerstörte Stadt Wunsiedel. Auch im »Museum« wurde wiederholt nach Unglücksfällen für die Betroffenen gesammelt; im »Cassino« fanden 1830 Theateraufführungen statt, deren Erlös »zur Erleichterung und Unterstützung der beim Hauseinsturze (in München) Verunglückten und ihrer Hinterlassenen« beitragen sollte (Flora 1830, 330).

*

»Die gesellige und literarische Unterhaltung in München« – berichtet 1805 die Zeitschrift »Der Freimüthige oder Ernst und Scherz« – »ist so eben im Begriff, einen neuen Riesenschritt – unter den Auspicien unsers Staatsministers Freiherrn von Montgelas – zu thun. Seit ein paar Jahren haben wir einen Anfang mit öffentlichen Gesellschafts-Instituten – nach dem Vorgang jener im nördlichen Deutschland – gemacht. Wir besitzen ein Museum und eine Harmonie, beide dem gebildeten, und sich bildenden, Publikum, ohne Unterschied der Stände gewidmet« (Der Freimüthige oder Ernst und Scherz 1805, 209). Mit ihnen begann die – nun erfolgreiche – Organisation bildungswilliger Schichten Münchens im 19. Jahrhundert. Dabei besitzt insbesondere das »Museum« exemplarischen Charakter, steht es doch in Altbayern am eigentlichen Beginn der Gründung jener aus den Lesegesellschaften fortentwickelten literarisch-geselligen Vereine und am Anfang des modernen Assoziationswesens der bayerischen Hauptstadt. Die »Harmonie« erlosch um die Mitte der 1830er Jahre. Obgleich – wie sein dirigierender Vorstand Fürst Joseph von Thurn und Taxis 1841 bedauernd bekennen mußte – mit dem Jahr 1830 der »Kulminationspunkt« überschritten war (Festschrift, 31), zählte das »Museum« um 1840 noch zu den »drei großen Faktoren der Münchner Geselligkeit« (Fernau 1840/41, 30); und rückblickend erklärte eine Broschüre des »Museums«, daß diese Gesellschaft im 19. Jahrhundert »gewissermaßen der Mittelpunkt des geistigen Lebens Münchens, soweit es sich gesellig betätigte, war.« (Gesellschaft Museum 1911, S. 12). Aber

schon 1835 hat der für seine spitze Feder bekannte August Lewald diesen geselligen Charakter des »Museums« gebrandmarkt: »In einem Hôtel, das einst dem Fürsten Porcia gehört hat, ist das Museum, ein bedeutungsvoller Name, für eine unbedeutende Sache ... Man gibt hier einige Concerte und Bälle im Jahre, und alte Herren spielen Billard und denken an ›le bon vieux temps‹. Nichts wirkt widerwärtiger auf mich, als dergleichen häßliche dickbäuchige Roués, wie sie in unsern höheren Ständen angetroffen werden, mit lüsternen Augen und Zoten auf der Zunge« (Lewald 1835, 1, 89 f.).

Gute Freunde.

Welch' eine Freud' in einem Buch zu blättern,
Das einen schönen festen Einband hat,
Und einen Inhalt, der mit saubern Lettern
Nach allen Flanken streut des Guten Saat;
Wie muß erst der vor Lust die Händ' sich reiben,
Der ein so gutes Buch vermag zu schreiben.

Da nehmen wir z.B. Körner's Werke,
Wo jedes Blatt ist einen Goldschnitt werth!
Dies edle Zeugniß von Charakterstärke,
Von kühnem Sinn, von Leier und von Schwert!
Man könnte sich vor Freud' bewogen finden
So schöne Bücher gratis einzubinden.

Den Seume sollte auch kein Mensch vergessen,
Der auf die Tugend heut noch etwas hält,
Der an Neuschottland's Strand betrübt gesessen
Ein Biedermann, ein Dichter und ein Held,
Und der das große Werk sich unterfangen
Und ist zu Fuß nach Syrakus gegangen.

Und auch den alten Voß, der die Luise
Besungen hat und ihres Vaters Rock,
Den Schlafrock und den Flausrock und die Lise;
Die gute Kuh und den Kartoffelstock,
Ich würde gern noch heute Essig schlürfen,
Hätt' ich ein einzigmal ihn binden dürfen.

Ja, es ist wahr, was ich erst jüngst gelesen,
Daß gute Bücher gute Freunde sind,
Was ist der Mensch doch ein betrübtes Wesen,
Wenn er nicht Freund' und gute Bücher find't?
Viel lieber schläng' ich Gras und trüge Hörner,
Als ohne Seume sein und Voß und Körner.

Ja es ist wahr und lieber will ich sterben,
Denn der Gedanke macht mich beben schon,
Den Menschen trifft kein größeres Verderben,
Als einsam sein, wie einstens Robinson,
Und also hab' ich dieses Lied gedichtet,
Noch eh' mein Weib das Frühstück zugerichtet.

Lieder des Buchbinders Horatius Treuherz.
Fliegende Blätter, Bd. XXIII Nr. 208, 1856

Neuester Kosmopolitismus.

Nach der Melodie:
Frisch auf zum fröhlichen Jagen!

Vereine von allen Sorten,
Vereine kreuz und quer,
Vereine an allen Orten
Und immer mehr und mehr.
Drum steht nicht mehr so alleine
Und schließt euch redlich an!
Zu irgend einem Vereine
Gehör' ein deutscher Mann!

Vereine für Fasanen,
Für Eisen, Zink und Galmei,
Dampfkessel und Eisenbahnen,
Und Faschingsnarrethei;
Für Urbarmachen der Heide,
Für Lerchen- und Häringsfang,
Für Rübenzucker und Seide,
Für Turnen, Tanz und Gesang.

Vereine für Judenbekehrung
Und Emancipation,
Für fromme Volksbelehrung
Und Adelsrestauration,
Für Besserung der Verbrecher
Und Schafveredelung,
Für Mäßigkeit der Zecher
Und Lebensversicherung.

Drum steht nicht mehr so alleine
Und schließt euch redlich an!
Zu irgend einem Vereine
Gehör' ein deutscher Mann!
Es gönnen unsre Machthaber
Uns solchen und manchen Verein,
Für Deutschlands Einheit aber –
Das fall' euch nur nicht ein!

Hoffmann von Fallersleben, Deutsche Lieder aus der
Schweiz, Zürich und Wintertur (1843)

10.3.1 Musikalische Abendunterhaltung, Moritz Müller, gen. Feuermüller, München 1839

Guckkasten-Bilder bei heiterer Beleuchtung. Satyrisches Bild Nr. 59, Andreas Geiger Wien, Wiener Theaterzeitung 1846 mit Druckgenehmigungsvermerk der k. und k. Zensurbehörde

Biedermeierliches in der Musik

Gunther Joppig

»Der Verstand irrt, das Gefühl nicht!«
(Karl Maria von Weber)

Das Stichwort »Biedermeier« sucht man allerdings in Standardwerken wie Riemans Musik Lexikon Sachteil (1967) oder in der Enzyklopädie »Die Musik in Geschichte und Gegenwart« (16 Bände, 1949–1979) vergeblich, und auch unter den Einträgen »Romantik« taucht der Begriff nicht auf. Erst »The New Grove Dictionary of Music and Musicians« (20 Bände, 1980) führt das Stichwort mit Hinweisen auf zweite Aufsätze von H. Funck: »Musikalisches Biedermeier« (1936) und H. Heussner: »Das Biedermeier in der Musik« (1959). In der »Geschichte der Kunst« von Richard Hamann, Berlin 1933, wird unter der Überschrift »Biedermeier und Stimmungsnaturalismus« diese Epoche einleitend wie folgt definiert: »Nach der Kunst der Restaurationszeit, der auch politisch eine Aufhebung der durch die Revolution und die Freiheitskriege erworbenen Recht der Völker entsprach, erscheint die Kunst der Biedermeierzeit – seit etwa 1830 – als eine revolutionäre Rückwendung zur Natur und ihren Freiheiten, obwohl sie in der Form so bescheiden und wohlanständig ist, wie es nicht einmal der Zopfstil des 18. Jahrhunderts war.« (Hamann, 1933, 777.) Für das in 10 Bänden von 1927–1934 erschienene »Handbuch der Musikwissenschaft«, insbesondere den Band »Die Musik des 19. Jahrhunderts bis zur Moderne« von Ernst Bücken existiert das Biedermeier ebenfalls nicht, sondern definiert für die Musik der Beethovengeneration bis zu Franz Liszt und Richard Wagner die Begriffe »Romantik« und »Neuromantik«. Immerhin spricht Bücken von »restaurativen Tendenzen der Epoche« (Bücken, 1929, 3) und benutzt an anderer Stelle den Begriff Kleinkunst, der sich die Komponisten scharenweise angeschlossen hatten, und knüpft damit an die Ausführungen Hugo Riemanns an, der die auf Beethoven folgende Zeit folgendermaßen charakterisierte: »Vielmehr zieht ganz offensichtlich ein vorher weniger beachteter Kunstzweig in der nächsten Zeit nach Beethoven stark das besondere Interesse auf sich, und zwar nicht nur der bloßen Abwechslung oder des Kontrasts wegen, sondern vermöge besonderer Eigenschaften von hohem ästhetischem Werte, welche tatsächlich diese Kleinkunst – denn um eine solche handelt es sich – für längere Zeit zur Signatur einer neuen Epoche machen. Natürlich ist es kein Zufall, daß die Literatur der musikalischen Miniaturen zeitlich an die imposante Neuschöpfung des Kunstliedes durch Franz Schubert anschließt. Leitet doch Schubert selbst mit seinen Moments musicaux, Impromptus und vielen seiner Tänze und Märsche direkt in diese neue Literatur hinüber. Ja schon Beethoven hat mit den notorisch von ihm selbst ganz und gar nicht für Kinderspielzeug gehaltenen Bagatellen Op. 33, 119 und 126, auch mit den elf Mödlinger. Tänzen von 1819 und gar manchem Einzelsatze seiner großen Werke die Ablenkung des Interesses von der großen Linienführung auf die Miniaturarbeit vorbereitet.« (Riemann, 1913, 231.)

In diesem Sinne äußert sich auch Friedrich Blume in der bereits erwähnten Enzyklopädie unter dem Stichwort »Romantik« insbesondere über das Klavierstück, wobei er das Klavier an anderer Stelle als »das« romantische Instrument schlechthin bezeichnet: »Eine Besonderheit des 19. Jh. ist das lyrische Stück für Kl. (Klavier, A.d.V.), seltener für andere Instr. oder Kammerensembles, das sich aus der Entwicklung vom Menuett zum Charakterstück bei Beethoven, Schubert, Tomaschek, Worzischek u.a. allmählich herausgelöst hat und das nun unter den verschiedensten Namen auftritt (Bagatelle, Impromptu, Intermezzo, Elegie, Ekloge, Humoreske, Nocturne, Moment musical, Barcarole, Rhapsodie, Ballade, Dithyrambe u.v.a...« (Blume, 1963, 816). Erst Carl Dahlhaus fügte nach einem vorangegangenen Aufsatz gleichen Titels im »Archiv für Musikwissenschaft« (1974) einen Abschnitt »Romantik und Biedermeier« in den Band »Die Musik des 19. Jahrhunderts« (Dahlhaus, 1980, 139–146) ein, wehrt sich aber gegen die Etablierung des Biedermeiers als eigenständige musikgeschichtliche Epoche. »Die Restaurationszeit zwischen 1815 und 1848 insgesamt als Biedermeier zu kennzeichnen, wie es von Historikern der deutschen Literatur versucht wurde, ist in der Musikgeschichte offenkundig unmöglich, weil kein Grund besteht, die seit anderthalb Jahrhunderten feststehende Charakteristik Schuberts und Webers, Schumanns und Mendelssohns als »Romantiker« – oder jedenfalls als »romantische Klassizisten« (Mendelssohn) zu bezweifeln, mag es auch naheliegen, einzelne Phänomene wie die musikalische Geselligkeitsform der »Schubertiaden«, den Tonfall der Mendelssohnschen Lieder ohne Worte oder das innige Sentiment des Schumannschen Oratoriums ›Der Rose Pilgerfahrt‹ (1851) als vom Biedermeier geprägt zu empfinden. Das Schema einer Ablösung der Zeitstile, das von Ernst Bloch mit dem Bild vom ›Gänsemarsch der Epoche‹ verhöhnt wurde, ist auf das Verhältnis zwischen Romantik und Biedermeier in der Musikgeschichte nicht anwendbar.« (ebd., 139.)

Nach Dahlhaus manifestiert sich biedermeierliches Denken und Handeln in den Institutionen der nunmehr überall aufblühenden Musikvereine, Liedertafeln, den Singakademien und Musikfesten. »Die für das musikalische Biedermeier charakteristische Verquickung von bürgerlicher Repräsentanz Bildungseifer und Geselligkeit, die durch den Hang zu Enge und Gemütlichkeit eine spezifische Färbung erhielt, ist, wie sich zeigte, ein primär institutionsgeschichtliches Phänomen, von dem jedoch – und erst dadurch erscheint der Begriff des Biedermeier als musikhistorische Kategorie gerechtfertigt – greifbare kompositionsgeschichtliche Konsequenzen ausgingen. Ohne daß es einen musikalischen ›Biedermeier-Stil‹ als Bündelung von Merkmalen gäbe, die Loewe mit Spohr und Lortzing teilt und durch die sie sich sämtlich von Schumann unterscheiden, ist doch der

Scharade in Atzenburg, Leopold Kupelwieser, Wien 1821, Schubert-Museum Wien

Ton, den manche Werke anschlagen, und zwar Werke, in denen sich der ›Zeitgeist‹ besonders nachdrücklich manifestiert, unverkennbar ein ›Biedermeier-Ton‹.« (ebd.)

Damit trat das bildungsbeflissene Bürgertum in Bereiche ein, die früher vom Adel überwiegend wahrgenommen wurden – bekanntlich war noch Beethoven weitgehend auf die Legate und Pensionen seiner adligen Gönner angewiesen. Der Künstler und Komponist trat nicht mehr ausschließlich in hochherrschaftlichem Rahmen auf, sondern war gesuchter und gefeierter Mittelpunkt bei häuslichen Geselligkeiten. Anschaulich schildert uns Felix Mendelssohn-Bartholdy (1809–1847) seinen Besuch in München in einem Brief an seine Schwester Fanny vom 11. Juni 1830: »Grosse Soirée war nämlich gestern bei dem P. Kerstorf und Minister und Grafen liefen umher, wie die Hausthiere auf dem Hühnerhof. Auch Künstler und andere Gebildete. – Die Delphine Schauroth, die nun hier angebetet wird (und mit Recht), hatte von all' diesen Klassen ein Bischen; denn ihre Mutter ist Freifrau von und sie ist Künstlerin und sehr wohlgebildet; kurz, ich lämmerte sehr. Nämlich so, dass wir die vierhändige Sonate von Hummel zu allgemeinem Jubel

schön vortrugen, dass ich nachgab und lächelte und zuschlug und das As im Anfang des letzten Stückes für sie aushielt, ›weil ja die kleine Hand nicht zureichte‹ und dass die Frau vom Hause uns nebeneinander setzte, Gesundheiten ausbrachte und so fort.« (Hensel, 1879, 317f.)

Mendelssohn-Bartholdy wählte wohl nicht von ungefähr eine Komposition Johann Nepomuk Hummels (1778–1837), einem Schüler Mozarts, Haydns und Salieris, dessen Werke nach Mendel-Reissmanns Musikalischem Konversationslexikon von 1880 zwar nicht »Leidenschaftlichkeit . . ., wohl aber Schönheit und ruhige Klarheit der Form, die immerhin noch als der bessere Theil der Kunst gelten dürfen« auszeichnete. Seine »Ausführlich theoretisch-practische Anweisung zum Pianoforte-Spiel vom ersten Elementar-Unterricht an bis zur vollkommensten Ausbildung« (Wien 1828) trug nicht unwesentlich zu einer rasch um sich greifenden Begeisterung für das Klavierspiel bei. Hummels Klavierschule, deren Titel einen didaktischen Aufbau verspricht, hebt sich wohltuend von dem ab, was ein gewisser J. Sartorius in einem Brief an die Zeitschrift »Cäcilia« unter der Überschrift »Ein unvorgreifliches Bedenken über die itzige musikalische Kultur *à la mode*« vom 18. Juni 1825 über den wohl gängigen Musikunterricht seiner Zeit wie folgt belegt: ». . . man klimpert schon in einigen Monaten ein Tänzchen und singt eine Arie, ohne dass man nur vorher erfahren hat, wo man denn hinaus wolle, und wie man es im Grunde der Seele anzufangen habe. Mit dem trockenen Takt, mit den Tonarten, mit fortschreitenden Übungen, Fingersatz, Harmonielehre u. dgl. wird man nicht mehr geplagt; der Tonkünstler sagt es, wie man es gerade *hier oder dort* machen müsse, er spielt und singt es vor, und wenn es nun die Schülerin *auswendig* weiss, ist seine Lohnarbeit zu Ende. Ja, wir möchten es kaum rathen, anders zu Werke zu gehen, und etwa Pianoforte nach *Bach* zu lehren, denn die Musik gehört nur zu den *Nebenstunden,* und Mama schlägt das Töchterchen mit dem Kochlöffel auf die Finger, wenn sie *die Zeit* mit ihrem Klimpern verdirbt; denn die Männer brauchen tüchtige Hausfrauen, das heisst Koch-, Strick- und Spinnmaschinen, und keine Tonkünstlerinnen.« (Sartorius, 1825, 289 ff.)

Die Begeisterung für das Klavierspiel brachte nicht nur dem sich etablierenden Klavierlehrerstand und den Klaviermusikverlegern ökonomische Vorteile, sondern führte auch zu einer großen Nachfrage nach Klavierinstrumenten, die im Hinblick auf den Geschmack und die finanziellen Möglichkeiten dem nach praktischer Musikbetätigung hungerndem Bürgertum entgegen kamen. Zentren des Klavierbaus waren im ersten Viertel des 19. Jahrhunderts die Hauptstädte London, Paris und Wien. 1830 gab es allein in den Wiener Vorstädten Landstraße, Laimgrube und Wieden 80 Klavierhersteller. Es war daher nicht verwunderlich, daß viele Handwerksgesellen aus den deutschen Kleinstaaten in die Zentren der Klavierbauer auswanderten, um dort zu lernen; so Anton Walter (1752–1826), der aus Schwaben stammend, in Wien Haydn, Mozart und Beethoven belieferte und dessen Instrumente das »Jahrbuch der Tonkunst von Wien und Prag, 1796«, wie folgt rühmte: »Seine Fortepiano haben einen vollen Glockenton, deutlichen Anspruch und einen starken vollen Baß«.

Maria Anna (Nannette) Stein (1769–1833) verlegte 1794 die vom Vater ererbte Klavierbauwerkstatt von Augsburg nach Wien, nachdem sie den Pianisten Johann Andreas Streicher

Pianoforte, Anonym, um 1825, Privatbesitz

(1761–1833) geheiratet hatte, der 1782 durch seine gemeinsame Flucht mit Friedrich Schiller (1759–1805) aus Stuttgart nach Mannheim auch in die Literaturgeschichte eingegangen ist. Die in der Folge von der Firma »Nannette Streicher, née Stein« gebauten Instrumente erfreuten sich besonders in Süddeutschland eines guten Rufes.

Die überlieferten Bauformen der Tasteninstrumente des 17. Jahrhunderts wurden auch im Hammerklavierbau beibehalten. So entstand aus dem Cembalo der Hammerflügel als freistehendes Instrument für repräsentative Räume. Aus dem Clavichord, das wegen seines zarten Klanges »sonderlich zur heimblichen und lieblichen Musica alss vor der Tafell oder Im Gemach dienlich« (Berliner Hofkapellordnung von 1580), nicht als Konzertinstrument geeignet war, wurde das Tafelklavier abgeleitet.

Einer Schrift, die durch die erste Industrieausstellung zu München (1854) angeregt wurde, entnehmen wir bereits die vom musikalischen Standpunkt aus gesehene Bevorzugung der Flügelform: »Die älteste Art der einigermaßen erträglichen Clavier-Instrumente war wohl in *Flügelform* gebaut, unter den verschiedenen Benennungen: *Cembalo, Clavicembalo, Clavessin* (Clavecin) und in aufrechtstehender Form *Clavicytherium* etc., deren Entstehen man, ohne jedoch den Erfinder zu nennen, in die Zeit des 16. Jahrhunderts setzen will. Schon frühe wurde der *Flügel,* welcher seinen Namen von der Aehnlichkeit mit einem Vogelflügel erhielt und den Manche seiner damals nach hinten spitzen Form wegen sed male auch ›Schweinskopf‹ nannten und (s. Mattheson, Orchestre I. P. III. cap. III. § 4) auch ›Steertstück‹ hieß, allen anderen derartigen Instrumenten vorgezogen.« (Andrê, 1855, 15.)

Das Tafelklavier, in der soeben zitierten Schrift Piano genannt, kam dem Bestreben nach Raumökonomie schon eher entgegen. Es ließ sich – ähnlich wie das Biedermeiersofa – an die Wand stellen und bedurfte nicht des freien Raumes um zur Wirkung zu kommen. Wilhelm Busch (1832–1908) zeichnete es bevorzugt, wenn er den Virtuosen im »Münchener Bilderbogen« oder Fipps, den Affen sich darauf austoben läßt.

Dilettantenkonzert, Franz Graf von Pocci, München um 1835, Privatbesitz

In der instrumentenkundlichen Literatur belegte schon früh Georg Kinsky (1882–1951) ein Tafelklavier mit dem Firmenschild von Christian Gottlob Friederici (1750–1805) mit dem Biedermeier-Begriff: »Das hübsche Instrument zeigt typische Biedermeier-Ausstattung; Der Unterbau ist als Kommode eingerichtet und enthält vier große Schubladen.« (Kinsky, 1913, 27.)

Es scheint ein Wesenszug des Biedermeier gewesen zu sein, das Angenehme mit dem Nützlichen zu verbinden. Die Aussteuer unter dem »Höhere-Töchter-Instrument« aufzubewahren ist schließlich ebenso praktisch wie die Kombination mit einem Schreibsekretär, dessen Rolladen nicht nur Schubladen und Fächer verdeckte, sondern auch die unter einer ausziehbaren Schreibplatte ohnehin verborgene Klaviatur vor unbefugtem Zugriff schützte, zugleich aber das Musikinstrument zu einem Gebrauchsmöbel herabstufte, dessen Wert für die musikalische Praxis ohnehin ein nur geringer gewesen sein dürfte.

Eine andere, ebenfalls platzsparende Form geht auf das Clavicytherium zurück, einem aufrechten Cembalo mit vertikaler Anlage des Resonanzbodens, das an die Wand gestellt werden konnte. Nur wenige Instrumente dieser Bauform haben sich erhalten. Auf Christian Ernst Friederici (1709–1780) geht die Konstruktion eines aufrechtstehenden Hammerflügels zurück, den er »Pyradmide« nannte und der auf einem Kupferstich von 1745 wie folgt beschrieben wurde: »Abbildung eines Musikalischen Instruments genannt Pyramide, eigentlich ein stehendes Forte piano welches vor anderen drey vorzüge.

1. ein sehr leichtes Tractament

2. braucht man keines bekielens.

3. Hat es nicht mehr als einen Platz von drey Schuen nöthig. Solches hat erfunden und fertiget. Christian Ernst Friderici, Orgelbauer und Instrument Macher in Gera Anno 1745« (Pyramidenflügel, aufrechtes Hammerklavier von Christian Ernst Friederici, nach einem Kupferstich von Joh. Christian Müller, Gera 1745).

Die Erfindung des »Forte-Piano en Giraffe« wird sowohl von dem aus einer Würzburger Orgelbauerfamilie stammenden Martin Seuffert (um 1772–1847) als auch von der Firma »Wachtl & Bleyer« für sich in Anspruch genommen. Alle drei hatten bei Anton Walter in Wien gearbeitet, 1802 eine gemeinsame Firma gegründet und sich 1811 wegen des Urheberrechts an den von ihnen gebauten aufrechten Giraffenflügeln, Pyramiden-, Harfen- und schrankförmigen Flügeln zerstritten; sie arbeiteten fortan in getrennten Firmen gegeneinander. Nach dem Tode Jakob Bleyers (1778–1812) führte Joseph Wachtl das Geschäft noch bis 1832 weiter und gab dann das Gewerbe auf, während die Seuffertsche Firma von Friedrich Ehrbar (1827–1905) übernommen und unter seinem Namen weitergeführt bis heute besteht. Die metaphorische Benennung des »Giraffenklaviers« mag auch dadurch gefördert worden sein, daß im Sommer 1828 die erste lebende Giraffe in Wien zu besichtigen war. Sie löste geradezu eine »Giraffomanie« aus und den Paganini-Taumel ab. »Nach dem achten Konzert hatte er (Paganini) schon über 20000 Gulden verdient. Nur ein Konzert mußte er verlegen, weil im Tiergarten zu Schönbrunn zum erstenmal eine Giraffe zu sehen war, was ganz Wien auf die Beine brachte. Denn eine Giraffe ging den Wienern doch noch über Paganini« (Eduard von Bauernfeld, Wien 1828). Niccolò Paganini kurte daraufhin in Karlsbad und begab sich

anschließend auf Deutschlandtournee, die ihn im November 1829 auch nach München führte. Doch davon später.

Neben dem asymetrischen Giraffenflügel – nur eine symmetrische Doppelgiraffe von C. J. Nordquist, Stockholm 1826, hat sich ebendort erhalten – wurden auch Instrumente gebaut, die dem durch architektonische Stilmittel beeinflußten Möbelbau der Zeit eher entsprachen. »Wachtl & Bleyer« bauten ein der Doppelgiraffe ähnelndes Apollopiano; die norddeutschen Klavierbauer, allen voran der Berliner Johann Christian Schleip (Werkstattdaten 1820–1844) bevorzugten, wohl angelehnt an die Entwürfe des Londoner Architekten Robert Adam (1728–1792), die Lyraform. »Die Lyra, schon seit Robert Adam ein beliebtes Motiv und vom Klassizismus als willkommener Kontrast zu den sonst bevorzugten Geraden des Kubus häufig verwendet, behielt auch im Biedermeier einen Platz, besonders an Möbeln in Damenzimmern.« (Jedding, 1978, 136.)

Im Musikinstrumentenbau ist die Lyra als Bauform, Bauteil oder Dekor fortan nicht mehr wegzudenken und auch heute noch als Halterung für die Pedale im Flügelbau in stilisierter Form anzutreffen. Aus den aufrechten Hammerflügeln entstehen in der Folge durch Schräg- und Kreuzlage der Saiten die Pianinos, die anfänglich von der Bauhöhe her noch den Schrankklavieren glichen, allmählich aber auf echtes Kleinklavierniveau schrumpften, nachdem Jean Henri Pape (1789–1875) – eigentlich hieß er Johann Heinrich und stammte aus Sarstedt bei Hannover – sich 1828 ein »Piano console« in Paris patentieren ließ, das nur einen Meter hoch war. Mit der Biedermeierzeit starben auch die aufrechten Giraffen-, Lyra- und Pyramidenflügel aus, denen der Altmeister der deutschen Instrumentenkunde Curt Sachs (1881–1959) den folgenden Nachruf schrieb: »Der Aufrechte Flügel ist überhaupt ein Höhepunkt des Klavieräußeren. Mit neidvoller Bewunderung sehen wir die Fülle der verschiedenen, immer individuellen Lösungen, die Leichtigkeit des Aufbaus, die durchgeführte Linienführung, den Temperamentvollen Schwung der Umrisse, die lebendige Gliederung, die Wärme der edlen Hölzer und den Geschmack der Dekoration. Es darf aber nicht verschwiegen werden, daß der Ton niemals ganz befriedigt, daß ihm immer eine gewisse Stumpfheit anhaftet. Das ist der Grund, warum das schöne Instrument dem Pianino hat weichen müssen (Sachs, 1923, 50). In noch stärkerem Maß als das Klavier ist die Gitarre und ihre Musik in der ersten Hälfte des 19. Jahrhunderts symptomatisch für das Biedermeier. Sich schon durch ihre geringe Lautstärke weniger als Konzertinstrument eignend, dabei in den Grundbegriffen leicht erlernbar, stellt die Gitarre das ideale Liebhaberinstrument dar, das zudem auch von der Anschaffung her leichter erschwinglich war als das noch so einfache Klavier. Ernst Theodor Amadeus Hoffmann (1776–1822) konstatierte, daß ». . . man in jedem Hause, das nur irgend etwas bedeuten will, ein Klavier, wenigstens eine Gitarre findet.«

Kein Musikverlag, der nicht dutzendfach Lieder mit Gitarrebegleitung, Opernarrangements für Flöte und Gitarre oder Gitarre solo im Programm gehabt hätte. Besonders beliebt, wie einer Verlagsanzeige von B. Schott Söhne in Mainz 1824 zu entnehmen ist, waren Walzer: Nachtigallen-, Castagnetten-, Frosch-, Kuckuck- und Hops-Walzer für Flöte und Gitarre, oder Gesänge mit Gitarre z.B. von Peter Joseph von Lindpaintner (1791–1856), von 1812–1819 Musikdirektor des Isarthor-Theaters, mit den zu Herzen gehenden

Maiblumen-Walzer für das Piano-Forte. Der hochwohlgeborenen Frau Marie von Haber, geb. Herz gewidmet von H. M., Falter & Sohn, München 1841, Privatbesitz

Titeln: »Stille Liebe«, »Lied einer Nonne«, »Das Mädchen und die Blumen« und »An den Tod«, die gleich unter dem anonymen eher patriotisch gefärbtem Lied »Mei Schotz is a Reuter« angekündigt wurden. Nicht daß es nicht auch schon damals warnende Stimmen gegeben hätte. Franz David Christoph Stoepel (1794–1836), dessen »Münchener allgemeine Musik-Zeitung« und seine hiesige Anstalt nach »Logier's System der Musikwissenschaft und Composition« nur 1827/1928 bestand, stellte sich gegen die Bearbeitungswut in der bereits zitierten Zeitschrift »Cäcilia« mit folgendem Vergleich: »… wenn endlich (…) aus einem Duett oder Trio u. dgl. eine Oper zu machen, nicht wohl gedacht werden mag – (…) so sollte man vernünftigerweise wohl glauben, es werde kein ehrenhafter Musiker sich dazu verstehen, eine Oper, wie z.B. *Mozarts* Zauberflöte, *Cherubinis* Faniska etc. etc. für 2 Flöten, oder 2 Violinen, oder 1 Guitarre ohne Text etc., zu verarbeiten!! – Und doch, wie häufig das geschiehet, wir wissen es alle, darüber giebt das Handbuch der Musik-Literatur leider das unwiederlegbarste Zeugniss … Aber so in den Tag hinein und so so Alles arrangiren, wahrlich das kann kein Freund der Kunst gleichgültig mit ansehen. – Am Ende arrangirt man uns auch noch »die Jungfrau von Orleans« … für 4 oder 2 Personen, – oder für Eine, – oder auch wohl ohne Text, auf dass man sie doch in Krähwinkel auch sehen könne.« (Stoepel, 1824, 37 ff.)

War schon die Gitarre bei dem Drang in die Natur ein leicht mitzuführendes Musikinstrument, so kamen einfallsreiche Instrumentenbauer auf die Idee, diese soweit zu bearbeiten, daß aus einem getragenen und damit beim Wandern eher hinderlichem Gegenstand ein diese Tätigkeit erleichternder wurde. Die Spazierstock-Gitarre ist ebenso Ausdruck eines praktischen Denkens wie Flöten, Klarinetten, Violinen und Trompeten in dieser Bauform. Auch mangelnde Spielfertigkeit war leichter durch die zwangsläufig weniger günstigen akustischen Eigenschaften derartiger Konstruktionen zu entschuldigen, die ihre Wertschätzung auch eher aus der hochqualifizierten Handwerksarbeit beziehen. Besonders eindrucksvoll sind jene Stockinstrumente, deren Astknoten sich bei näherer Betrachtung als Tonlochklappen entpuppen. Carl Spitzweg (1808–1885), der liebenswürdige Beob-

achter seiner Mitmenschen mit, wie seine Briefe und Tagebuchnotizen erweisen, profunden Musikkenntnissen, hat in seinem bekannten Bild »Das Flötenkonzert« um 1860 die Szene eines unter schattigen Bäumen mit großem Ernst Flageolett spielenden Kavaliers dargestellt, dem die junge Begleiterin mit niedergeschlagenen Augen lauscht. Über eine musikalische Abendgesellschaft in Oberaudorf notierte Spitzweg sich: »Da ist ein Terzett – Violine, Guitarre und Flöte – und im Kreis der abendlichen Zuhörer neben den Münchner Gästen der Pfarrvikar und der Kooperator, ein junger Mann, in den alle Audorferinnen verliebt seyn könnten, der Mautner vom nahen K.K. Hüttenwerk und ein Revierförster.« (Albrecht, 1968/1980, 69/70.)

Der Wunsch nach Geselligkeit bei musikalischer Unterhaltung dokumentiert sich auch in dieser Schilderung. Dabei darf man den Klang der damaligen Instrumente nicht mit dem heutigen vergleichen. Die Mensuren der Gitarren waren kleiner, die Bohrungen der Flöten enger und die Darmsaiten der Violine empfindlicher; dafür müßte die Lärmbelastung der Umwelt bedeutend geringer gewesen sein, sonst wären die Sphärenklänge der Äolsharfe wohl kaum zu vernehmen gewesen, deren Saiten durch den Wind zum Klingen gebracht wurden. Schon Goethe dichtete in der Einleitung zum Faust »und mich ergreift ein längst entwöhntes Sehnen / Nach jenem stillen ersten Geisterreich / Es schwebet nun in unbestimmten Tönen, / Mein lispelnd Lied, der Äolsharfe gleich.«

Breitesten Schichten bekannt wurde das Instrument eher durch den Roman »Corinne« (1807) der Baronin Anne Louise de Stäel-Holstein (1766–1817), der sogleich durch die Übersetzung Friedrich von Schlegels (1772–1829) überall in Deutschland Verbreitung fand. In dem autobiographischen Roman ist vom Garten der »Corinne« die Rede, in dem nicht nur Wohlgerüche, sondern auch die Wohllaute der Äolsharfe die Sinne betäubten. »Gleichzeitig mit den ersten Vorläufern der literarischen und bildnerischen Romantik setzt auch für dieses in hervorragendester Weise romantische Instrument eine Blütezeit ein.« (Sachs, 1913, 16.)

Die Klänge dieser »Geisterharfe«, wie sie auch genannt wurde, wechselten je nach Windintensität. Für den Dichter Novalis – Georg Friedrich Philipp von Hardenberg (1772–1801) – steht die Aeolsharfe in seinen musikästhetischen Reflexionen für den Begriff der bewegten Natur und Eduard Mörikes (1804–1875) Gedicht »An eine Äolsharfe« regte nach Johannes Brahms (opus 15/5, 1858) noch Hugo Wolf (Mörike-Lieder Nr. 11, 1888) zur Vertonung an. Allerdings kam man wohl nur selten in den Hörgenuß dieses wunderlichen Klangkastens, wie sich noch im Musikalischen Conversationslexikon für Gebildete aller Stände nachlesen läßt: »Hauptbedingungen der vollendetsten Klangwirkungen dieses Instrumentes sind: dass keine belaubten Bäume oder hindernden Gebäude den klangerregenden Luftstrom in seiner einfachen Richtung irgendwie stören; dass wo möglich die Abendstunden zur Erregung dieses Tonreiches auserkoren werden, da dann am wenigsten die ungleiche Temperatur verschiedener Luftschichten oder sonstige Schallwirkungen die tönenden Wellenerregungen des Instrumentes zu beeinflussen vermögen; dass möglichst starke Saiten zum Bezug dieses Instrumentes gewählt werden, und dass der Eigenton des Sangbodens genau dem Tone der meisten im Einklange gestimmten Saiten desselben gleich ist,

Paganini der Hexenmeister, Johann Peter Lyser, Hamburg 1830,
Privatbesitz

indem letztere Bedingung nicht allein eine leichtere Ansprache der Töne, sondern auch die grösstmöglichst reine Intonation befördert, welche sich in einem Umfange von 4–6 Octaven dem Hörer kundgiebt (Mendel, 1870, 62).
Zuverlässiger funktionierten da schon die sich grosser Beliebtheit erfreuenden mechanischen Musikinstrumente, so der in der Eichendorff-Novelle »Aus dem Leben eines Taugenichts« (1826) erwähnte Leierkasten, eine lautmalerische Bezeichnung der Drehorgel, mit der sich häufig Kriegsinvaliden ihren Lebensunterhalt verdienten, die statt einer Invalidenrente zur Ausmusterung ein solches Instrument erhielten, das die Franzosen »Orgue de Barbarie« nannten. Aus den »Bemerkungen eines Kunstfreundes« der Allgemeine(n) Musikalische(n) Zeitung« von 1822 ist zu entnehmen, was sich auf den Straßen abgespielt haben mag: »Die Urältern eines Volkes, dessen Schicksal jetzt allgemeines Interesse erregt (Griechen), bestraften Vergehungen gegen das Schöne und Schickliche. Möchten sich doch die alten Gesetze dieser Nation, der wir ja einen großen Theil unserer Cultur verdanken, auch bey uns erneuern! Vielleicht (ich gebe mich dem tröstenden Glauben hin), vielleicht erlebe ichs noch, daß verstimmte Straßenorgeln confiscirt werden, wie unreife Kartoffeln, und daß ein Leyermann, der ein Stück in der Dominante schließt, aus der Stadt gewiesen wird, gleich einem Vagabunden. Denn Selbsthülfe, wie Sebastian Bach sie an einem Klavierspieler, der eine Dissonanz unaufgelöst ließ, durch handgreifliche Zurechtweisung nahm, ist ja verpönt: also muß eine Polizey ins Mittel treten, damit die Musikkundigen nicht verzweifeln; der Betenden und Addirenden nicht zu gedenken, denen durch einen ruchlosen Gassenhauer das Beten und Rechnen verleidet wird.« (Zeraschi, 1971, 97.)
Dagegen dienten die Vogelorgeln, die in Frankreich »Serinette« und in England »Bird Organ« genannt wurden ursprünglich der Abrichtung von Vögeln. Da das offensichtlich mühsam, wenn überhaupt erfolgreich war, baute man gleich Spielwerke mit Vogelkäfigaufsatz und darin sich bewegende, Liedchen trällernde künstliche Vögel. Ausgesprochen repräsentativen Charakter hatten dagegen Flöten- und Orgelwerke, die mit Hilfe bestifteter, auswechselbarer Walzen das seinerzeit gängige Repertoire an Ouverturen,

Opernmelodien, Menuetten, Walzern und Polonaisen zu Gehör brachten. Über all dem mechanischen Wunderwerk darf aber nicht vergessen werden, daß durch die Wechselbeziehungen zwischen Komponisten, Musikern und Instrumentenbauern fieberhaft nach neuen Ausdrucksmöglichkeiten und Verbesserungen am überlieferten Instrumentarium gesucht wurde.
Die Violine, bereits ein Jahrhundert zuvor durch das Stradivari-Modell ausgereift, versetzte in den Händen Niccolò Paganinis (1782–1840) ganz Europa in Ekstase. Paginini weilte im November 1829 in München und gab drei Konzerte, dazu ein weiteres bei Hofe in Tegernsee. Ludwig Rellstab (1799–1860), literarisch und musikalisch gleichermaßen gebildet, hörte ihn in Berlin und hat ihn und seine Wirkung wie folgt beschrieben: »Der Totaleindruck, den er, sein Erscheinen mit eingerechnet, auf mich gemacht hat, ist kein wohltuender. Es läßt sich ein dämonischer Eindruck ahnen; Goethes Mephisto könnte so Violine spielen. alle großen Geiger, die ich bisher gehört habe, sind etwas, haben ihren Stil, man kann ihnen folgen, und der mächtige Spohr, der süße Polledro, der feurig-gediegene Lipinski, der elegante Lafont haben mir, jeder nach seiner Art, freudige Bewunderung erregt. Paganini ist nicht er selbst; er ist Wollust, Wahnsinn, Lieblichkeit, Tändelei, Übermut, Hohn, glühender Schmerz, bald dieses, bald jenes. Die Töne sind ihm nur ein Mittel sich auszusprechen, und selbst die Rührung, die er bereitet, zerstört er im Augenblick durch grelle unschöne Striche und Risse, durch freche, unpassende Capriccios. Er kratzt und schabt manchmal ganz unerwartet auf den Saiten, wie wenn er sich schämte, einem edlen oder weichen Gefühl soeben gehuldigt zu haben, doch im Momente, wo man sich unwillig abwenden möchte, hat er Deine Seele schon wieder mit einem goldenen Faden umschlungen und droht sie Dir aus dem Leibe zu ziehen.« (Kapp, 1969, 120.)
Franz Liszt (1811–1886) erweiterte die pianistischen Möglichkeiten orientiert an Paganini um unerhöhte Dimensionen und rang den Klavierbauern immer präzisere und schnellere Mechanik ab. Nachdem er die bis dahin vorherrschenden französischen Erard-Flügel und englischen Broadwood-Flügel in Konzerten reihenweise demoliert hatte, eröffnete er den stabiler bauenden deutschen Klavierbauern neue Absatzmöglichkeiten, die diese, allen voran Steinway (Steinweg) in Amerika und Bechstein in Berlin, zu nutzen verstanden.
Aus den Memoiren von Hector Berlioz (1803–1869) wissen wir, daß es mit dem Orchesterwesen nicht überall zum besten stand. Auf München traf das jedoch in gar keiner Weise zu und wäre es Heinrich Joseph Bärmann (1784–1848) gelungen, Berlioz nach München zu holen – die Versuche scheiterten letztmalig 1854 – so hätte dieser sicherlich eines der besten Orchester vorgefunden. Neben Bärmann, der in der Kritik als »La première Clarinette de l'Europe« gepriesen wurde, wirkte hier Theobald Böhm, »einer der ersten Flötenvirtuosen Deutschlands« (Hermann Mendel 1872), der mit der von ihm konstruierten Flöte die Möglichkeiten schuf, sich dem Virtuosenkult zu stellen. Dagegen haben die Verbesserungen von Carl Bärmann (1820–1885) an der deutschen Klarinette, die dieser in Zusammenarbeit mit Münchner Klarinettenbauern erdachte, verhindert, daß sich die Böhmsystem-Klarinette auch in den deutschsprachigen Orchestern durchsetzte.

Gebrüder Müller, Tobias Hoser, Berlin 1832, Privatbesitz

Mit dem Streichquartett der Gebrüder Moralt (Joseph 1775–1855, Johann Baptist 1777–1825, Jacob 1780–1820 und Philipp 1780–1830) verfügte das Münchner Musikleben auch im Bereich der Kammermusik über ausgezeichnete Interpreten der Quartettliteratur von Haydn, Mozart und Beethoven, das für das ab 1831 auftretende Streichquartett der Gebrüder Müller aus Braunschweig Vorbildfunktion haben sollte.

Dennoch hatte es die leichtere Muse leichter, sich durchzusetzen, als die späten Streichquartette Beethovens, für die sich die genannten Quartette in exemplarischen Interpretationen einsetzten, denn 1835, zwei Jahre nach dem Auftreten des Müller-Quartetts, kündigten Plakate Johann Strauss-Vater (1804–1849) und sein Orchester an. »Der Münchener Aufenthalt stand im Zeichen besonderer Festesstimmung. Das Maximiliandenkmal wurde eben feierlich enthüllt, das Oktoberfest zum fünfundzwanzigsten Male abgehalten, und damit war für Strauß und seine Veranstaltungen die rechte Atmosphäre gegeben. »Nicht leicht« berichtete der Korrespondent der »Theaterzeitung«, »kann ich mich einer so enthusiastischen Aufnahme eines Tonkünstlers erinnern und der Beifall war oft bis zum Rasen. Was man hier an seinen musikalischen Produktionen besonders rühmt, ist seine Präcision, die seltene Harmonie seiner Blasinstrumente, das Feuer und Leben in der Ausführung und das richtige Maß, das er überall zu beobachten weiß. »Gestern« – am 10. Oktober 1835. »wurde ihm, was hier äußerst selten ist, vor seinem Gasthofe eine militärische Serenade gebracht«. Wie schon bei seiner ersten deutschen Reise wird dem Gast auch jetzt allseits überschwengliches Lob zuteil.« (Schönherr/Reinöhl, 1954, 130.)

Der Überschwang, der sich hier Bahn bricht, kam aber auch anderen Bereichen zugute. Kaspar Ett (1788–1847) gilt als der Wiedererwecker der alten Kirchenmusik, und was die Aufführung Beethovenscher Werke betrifft, kann man geradezu von musterhaften Interpretationen sprechen. Kein geringerer als Louis Spohr (1784–1859) zollt hier der Münchner Hofkapelle höchstes Lob: »München, den 12. Dezember 1815. Unser hiesiger Aufenthalt war reich an Kunstgenüssen. Den Tag nach unserer Ankunft war das erste Abonnementskonzert, von denen die königliche Kapelle jeden Winter 12, 6 vor dem Karneval und 6 in den Fasten gibt. Diese Konzerte werden sehr besucht und verdienen es. Das Orchester besteht aus einer einfachen Harmonie, wenigstens zwölf ersten, zwölf zweiten Violinen, 8 bis 10 Violen, 10 Violoncell und 6 Kontrabässen. Die Violinen und Bässe sind vortrefflich, die Blasinstrumente bis auf die Hörner ebenfalls. Man gibt gewöhnlich eine ganze Sinfonie (welches um so mehr zu loben ist, da es jetzt so selten wird und das Publikum so wenig Interesse dafür zeigt), eine Ouverture, zwei Konzert- und zwei Gesangsachen. Da die Münchner Kapelle sehr berühmt ist, so war meine Erwartung sehr gespannt; dennoch wurde sie durch die Aufführung der Beethovenschen Sinfonie in c-moll, womit man dieses erste Konzert am 20. November eröffnete, noch weit übertroffen. Es ist kaum möglich, ein Musikstück mit mehr Feuer, mehr Kraft und dabei größerer Zartheit sowie überhaupt genauerer Beobachtung aller Nuancen von Stärke und Schwäche zu exekutieren, und so machte diese Sinfonie einen Effekt, den ich ihr, ohnerachtet ich sie oft und gut, selbst in Wien unter Direktion des Komponisten gehört habe, kaum zugetraut hätte.« (Spohr, 1968, 203.) Die schwärmerische Beethoven-Verehrung privater Kreise, die sich in Hauskonzerten dokumentierte, hatte Moritz von Schwind (1804–1871) wohl vor Augen, als er im Rückblick auf eine Epoche 1852 sein Triptychon »Eine Symphonie« schuf, wobei das untere Drittel die Aufführung der Chorfantasie opus 80 für Klavier, Chor und Orchester von Ludwig van Beethoven, komponiert 1808 darstellt, die dem König Maximilian Joseph I. von Bayern gewidmet ist. Die Idealbesetzung, die Schwind malte, vereinigte die von Schwind besonders verehrte »Nachtigal von München« Karoline Hetzenecker, von 1839–1849 Mitglied der Hofoper, und den schon verblichenen Franz Schubert (1797–1828) als zweiten von links zwischen seinen Freunden, dem Sänger Michael Vogl und dem Dicher Franz Grillparzer. Das typisch Wienerische mit dem Münchnerischen unter dem Dirigat des Hofkapellmeisters Franz Lachner (1803–1890) so bruchlos zu vereinigen war zuletzt im Biedermeier möglich.

1.33 Äolsharfe, Süddeutschland um 1800

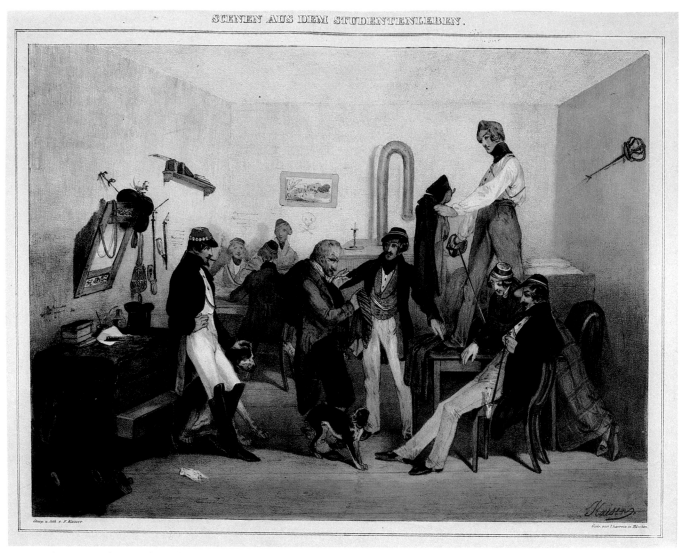

10.4.4a »Scenen aus dem Studentenleben – ach wenn die lieben Eltern wüßten . . .«, Friedrich Kaiser, Würzburg und München um 1830

Zwischen Freiheit und Zwang – Studentenverbindungen in München

Martin Schütz

»Bigotte und Obskuranten mag ich nicht, auch keine Kopfhänger. Die Jugend soll auf erlaubte Weise fröhlich sein. Raufereien dulde ich nicht. Kleiden können sich die Studierenden wie sie wollen« (zitiert nach Kurz 1908, 82).
Mit diesen programmatischen Worten empfing König Ludwig I. am 2. Dezember 1826 eine Delegation der Studentenschaft, die ihm zu Ehren einen Fackelzug durch die Straßen Münchens bis hin zur Residenz abgehalten hatte. Grund für ihre dankbare Anerkennung war die Verlegung der Universität von Landshut nach München, ein schon seit Jahrzehnten diskutierter, aber erst jetzt vom neuen König als eine seiner ersten Regierungshandlungen verwirklichter Plan zur Zentralisierung der wichtigsten Kulturinstitutionen in der königlichen Haupt- und Residenzstadt (Boehm 1975, 1012). Die unmittelbare Nähe zur Akademie der Wissenschaften mit ihren Attributen, den wissenschaftlichen Sammlungen, der Central-Veterinär-Schule, dem Polytechnikum, der Akademie der Künste, der Staatsbibliothek und der Archive, nicht zuletzt auch der Museen, erleichterte Professoren und Studenten ihre Arbeit und vermittelte neue Anregungen. Mit verbesserten Studienplänen, Neuberufungen bedeutender Gelehrter und großzügiger finanzieller Ausstattung stand der Universität abermals ein neuer Anfang bevor (Dickerhof 1972, 215–250): schon 1800 hatte man mit der Verlegung von Ingolstadt, wo die Hohe Schule 1472 gegründet worden war, in die romantische Musenstadt Landshut Ähnliches bezweckt, wenn auch die Gründe – Ingolstadt war eine wichtige und heftig umkämpfte Festung – andere gewesen sein mögen.
Waren es damals 172 »Akademiker«, die mit ihren Professoren und der gesamten Einrichtung auf Leiterwagen umzogen, so kamen diesmal 758 Studenten nach München. Noch im Laufe des Wintersemesters 1826/1827 vermehrte sich ihre Zahl auf 1630 und bereits vier Jahre später waren 1903 Studenten immatrikuliert (Personalverzeichnisse). Bei einer Gesamtbevölkerung von ca. 35 000 Einwohnern fiel diese Zahl im täglichen Straßenbild Münchens wohl ins Auge, zudem die Studenten – wie überall – sich als eigener Stand fühlend mit ihrer besonderen Kleidung, ihrem auffälligen Gehabe, ihren zum Teil sehr alten Sitten und Gebräuchen eine kleine Sensation darstellten, die sie auch gehörig zu inszenieren wußten.

Die vier »Landshuter Corps«

Getragen und erhalten wurde dieses »burschikose« Leben fast ausschließlich von den Mitgliedern der vier aus Landshut mitübersiedelten Studentenverbindungen, den Corps Suevia (gestiftet 1803), Bavaria (1806), Palatia (1813) und Isaria (1821), in denen etwa zehn bis zwanzig Prozent der gesamten Studentenschaft als Vollmitglieder korporiert waren. Darüber hinaus hielt sich eine unterschiedlich große Zahl (nach Kaufmann 1953, 156 bis 400) als sogenannten »Renoncen« an ein Corps. Sie besuchten dessen Veranstal-tungen, beanspruchten aber nur geringere Rechte und hatten auch weniger Pflichen wahrzunehmen. Wer sich keiner Verbindung anschloß, wurde in der Studentensprache als »Obskurant« bezeichnet.
Die »Corpsburschen«, in der Regel Studenten ab dem dritten Semester, bildeten (damals wie heute) das eigentliche Corps. Wöchentlich traten sie mindestens einmal zu streng demokratisch organisierten Conventen zusammen, in denen alle Angelegenheiten geregelt wurden. Nach bestimmten, selbstgesetzten Normen, den Statuten, wurde verfahren und abgestimmt, wobei das jüngsteingetretene Mitglied zuerst votieren mußte, um nicht von der Meinung der älteren beeinflußt zu werden. Die einfache Mehrheit entschied, nur bei Neuaufnahmen war Einstimmigkeit erforderlich. Am Ende des jeweiligen Semesters wurden die Vorstände, die »Chargierten«, für das nächste Halbjahr gewählt: der Senior, der die gesamte Verbindung leitete und nach außen zu vertreten hatte, der Consenior als sein Stellvertreter und Verantwortlicher für den Fechtbetrieb sowie der Sekretär, der den Schriftverkehr erledigte und die Kasse führte. Nicht an den Beschlußfassungen der Convente beteiligt waren die »Füchse«, Anwärter auf die volle Mitgliedschaft, die zunächst eine ein- bis zweijährige Probezeit durchliefen, bevor sie sich zum endgültigen Beitritt entschlossen. Denn einmal beigetreten (»recipiert«) sollte dieser Freundesbund für das ganze Leben gelten. Gerade hier, am »Lebensbundprinzip«, setzte die staatliche Kritik damals häufig ein. Eine enge Verbindung zwischen Studenten und »Philistern«, die bereits im Berufsleben standen, und der feste Zusammenhalt der Mitglieder sowohl während als auch nach beendeter Studienzeit barg nach Ansicht der Behörden anscheinend die Gefahr des »Staates im Staate« in sich. Die einschlägigen Gesetze von Regierung und akademischem Senat kennen bis weit in die Mitte des 19. Jahrhunderts Bestimmungen, daß mit dem Universitätsabgang die Mitgliedschaft in einer Verbindung automatisch erlosch.
König Ludwig I., einst selbst Student in Landshut und Göttingen, hatte richtig erkannt, daß hinter den Corps aber nicht Revolutionäre standen, die mit allen legalen und illegalen Mitteln die staatliche Ordnung umstürzen und eine »Studentenrepublik« schaffen wollten, wie dies den politisierenden Burschenschaften nachgesagt wurde. In der Regel fanden sich in den Corps junge Leute aus allen gesellschaftlichen Kreisen, die auf der Universität vertreten waren. Während sie die akademische Freiheit – oder was sie darunter verstanden – in vollen Zügen genossen, wollte diese Gruppe der Studentenschaft im besten Falle ein enges, freundschaftliches Band über alle religiösen, wissenschaftlichen und politischen Standpunkte hinweg knüpfen und aufrecht erhalten, Verantwortungsbewußtsein und Leistung fördern sowie überkommene Traditionen mit neuen Inhalten beleben. Comment (allgemeine Regeln über studentische Verhältnisse an einem Hochschulort) und Statuten (spezielle Gesetze einer Studentenverbindung), denen sie sich freiwillig unterordnete, regelten den gegenseitigen Umgang und waren

80

Naturgeschichte.

Homo studens.
Civis academicus sociarius (Ling. acad.)
Familie der *Rabiaten*.
Zu Deutsch: **Der Bursch.**

Homo studens.
Civis academicu} *Ling. acad.*
Anima obscura
Familie der *Pacaten*.
Zu Deutsch: **Der Obscurant.**

Kennzeichen: Trägt farbige Bänder und raucht immer an den Schildwachen vorüber.
Fundort: Halle, Leipzig, Göttingen 2c. auf Straßen, in Wirthshäusern, auf Fechtböden 2c.
Zweck: „Stürzen" (*Ling. acad.*)

Kennzeichen: Geht nicht los, trägt auch kein Band.
Fundort: In Hörsälen, Krankenhäusern, Dachstuben und Garküchen.
Zweck: Nachschreiben in den Collegien für sich und Andere — „ochsen" (*Ling. acad.*)

Aus den »Fliegenden Blättern«, Bd. II, Nro. 10

gegenüber notorischen Zuwiderhandlungen und Mißachtungen mit Strafmitteln bewehrt, die oftmals für die Persönlichkeitsbildung des Einzelnen weit wirkungsvoller waren, als das Eingreifen staatlicher oder universitärer Polizeibehörden.

Bigotte und Obskuranten, die durch besondere Farblosigkeit und übertriebenes Duckmäusertum hervorstachen, wollte der König nicht. Sollten die Studenten »auf erlaubte Weise fröhlich sein«, auch einmal laut polternd durch die Straßen ziehen und brave Bürger aus ihrem Biedermeiertum aufschrecken, wenn sie nur zu tüchtigen, individuell gebildeten, verantwortungsbewußten Mitmenschen wurden.

Anerkennung und Duldung

In diesem – trotz Karlsbader Beschlüssen – toleranten Geist begann das Münchner Studentenleben. Die Verbindungen, jahrelang behördlich verfolgt, waren nun offiziell respektiert.

Das Reskript vom 31. Juli 1827, die Duldung der Studentenvereine betreffend (Kurz 1908, 83 f.), machte nur noch verhältnismäßig wenig Einschränkungen: die Statuten, die nichts enthalten durften, »was der Religion, der Sittlichkeit, den Gesetzen des Staates, dem öffentlichen Anstande, dem Zweck des Universitätslebens, oder den Rechten dritter zuwiderläuft«, mußten eingereicht werden. Jeder wie immer geartete Zwang von Seiten der Verbindung auf ihre Mitglieder war verboten, insbesondere durfte »keine Vereinssatzung dahin zielen, den Zweikampf mit was für Waffen für erlaubt, oder gar in irgend einem Falle für nothwendig zu erklären«. Damit ist ein weiterer Kritikpunkt gegen die Studentenschaft – denn das Fechten betrieben seit alters her nicht nur die in Verbindungen organisierten Studenten, sondern alle, wofür die Universität auch eigene Fechtlehrer anstellte und einen öffentlichen Fechtboden, die »Publique«, unterhielt – vorgebracht. Doch waren es gerade die Verbindungen, die mit einem eigens dafür aufgestellten »Pauckcomment« Sorge trugen, daß die studentischen Mensuren, die sich vom Sinn und der Ausführung her wesentlich von den Duellen unterscheiden, nicht zu wilden Raufereien ausarteten, obgleich es aus jugendlichem Übermut und übertriebenem Ehrenstandpunkt zu manchem »Mensurunfug« kam. Regelmäßige Zusammenkünfte durften festgesetzt werden, aber nur »auf Tage und Stunden, an welchen dem Zweck des Universitätsberufs kein Eintrag geschieht«. Beim Corps Bavaria, das im Folgenden als Beispiel dienen mag, traf man sich normalerweise am Montag, Mittwoch, Freitag und Samstags abends. Polizeistunde war 23 Uhr, die auch strikte eingehalten wurde. Nur bei besonderen Anlässen, wie etwa einem »Kommers« zum Stiftungsfest, wurde sie um eine Stunde verlängert. Die regelmäßigste Veranstaltung war die »Kneipe«, ein abendliches Treffen in einem Wirtshaus, die sich aus dem alten »Hospiz« auf den jeweiligen Studentenbuden heraus entwickelt hatte. Hier wurden in einem offiziellen und einem inoffiziellen Teil alte Studentenlieder gesungen, manche Trinkgebräuche hochgehalten (einen eigenen »Trinkcomment« gab es allerdings bei Bavaria schon damals nicht mehr) und Reden vortragen. Das wichtigste war aber das Gespräch und der Gedankenaustausch unter den Corpsbrüdern. Je nach Anlaß – etwa im Fasching – wurden auch maskierte Unterhaltungen dargeboten. Etwas

10.4.5 Mensur auf einer Tenne, wohl Friedrich Kaiser, München um 1830

besonderes waren die sogenannten »Fama«-Kneipen, zu denen jedes Mitglied einen dichterischen oder musikalischen Beitrag zu leisten hatte. Diese wurden, geschmückt mit entsprechenden Karikaturen in einer Kneipzeitung gleichen Namens festgehalten und gestatten heute einen lebendigen Eindruck der Stärken und Schwächen damaliger Studenten. Im Sommer wurden »Suiten« angehalten, Ausflüge mit Kutschen in die nähere Umgebung Münchens, verbunden mit ländlichen Tanzunterhaltungen, im Winter »Schlittagen« und große Bälle. Unter den in altbayerischen Klosterschulen und Gymnasien herausgebildeten musikalischen Begabungen fand sich mancher mit großem Talent für das vom Corps geschaffene Amt des »Musikdirektors«, der unter den Mitgliedern sogar ein eigenes Orchester zusammenstellen konnte. Fackelzüge, Ausritte, pompös-feierliche Beerdigungen der Universitätsangehörigen – beinahe jede Woche nahm die Münchner Bevölkerung von den studentischen Ereignissen Kenntnis. Außerdem besuchte man die selben Lokale, in denen das von der Verbindung gemietete Nebenzimmer an den übrigen Tagen als normales Gastzimmer oder Tanzsaal diente. In den Kaffeehäusern wurde gemeinsam Billard, Schach oder Karten gespielt. Und manche Familie war stolz auf ihren »Herrn Doktor«, der bei ihr als Untermieter logierte und der »filia hospitalis« nachstellte, galten Akademiker doch als gute Partie. Zu Reibereien kam es hauptsächlich mit dem Militär und Handwerksburschen, in der Studentensprache »Knoten« genannt, die nach einer kurzen »Holzerei« aber in der Regel bei einer Maß Bier bereinigt wurden.

Die Dezemberunruhen 1830

Nachdem ein Auflösungsdekret von 1828 (Kohlhaas 1981, 41 f.), das nach einigen Mensurzwischenfällen erlassen worden war, anscheinend ohne praktische Auswirkung blieb, brachte erst das Jahr 1830 eine erste ernsthafte Gefahr für das Münchner Verbindungswesen. Die Furcht vor einer Revolution, wie sie in Frankreich die Bourbonen hinweggefegt hatte und in fast allen europäischen Ländern aufflackerte, ging ebenfalls in München, wenn auch unbegründet, um. Besonders die polnischen Freiheitskämpfer fanden unter den Studenten viele Sympathisanten, vor allem bei den Burschenschaften (Pölnitz 1930, 39f.).

Die Burschenschaft war 1815 ursprünglich aus dem Zusammenschluß aller »Burschen« an der Universität Jena in Opposition zur früheren, landsmannschaftlichen Gliederung der Studentenschaft entstanden. Bald aber hatte sie sich neben rein studentischen Fragen die Ziele der nationalen Einigungsbewegung in Deutschland zu eigen gemacht und vertrat, im Gegensatz zu den Corps, eine ausgeprägte politische Richtung. Größeren Einfluß auf die Studentenschaft hatte die burschenschaftliche Bewegung aber weder in Landshut (Wehner 1917, 22–28), noch in München (Pölnitz 1930, 32–44), wo es seit 1827 zwar eine Markomannia gab, von der sich 1829 eine weit bedeutungsvollere Germania abspaltete (Wehner 1917, 34ff.), doch setzte sie sich meistens aus sogenannten »Neubayern« zusammen (Mitgliederliste bei Wehner 1917, 37–40), deren überwiegender Teil sonst in Erlangen und Würzburg studierte, während die in München studierenden Altbayern – was Politik anging – wohl eher ruhigere Bahnen gingen.

Doch sahen die Polizeibehörden in diesen gereizten Tagen oft hinter noch so harmlosen Studentenulken »politische Tendenzen« und ließen sich eine genaue Überwachung des studentischen Lebens und Treibens höchst angelegen sein. Die Studentenschaft wehrte sich auf ihre Weise mit Beschimpfungen der Gendarmen, »Hansl«, »Krähwinkler«, »Staberl«, oder, wegen der Helme, »Kübel« genannt. Man rauchte aus überdimensionierten Pfeifen und zog direkt an der Schildwache vorbei, obwohl es doch in der Stadt verboten war. Einer wagte gar, mit einem Fernrohr in den Lauf der Kanone vor der Hauptwache am Marienplatz zu schauen, ein anderer ritt zu Pferd in das Englische Kaffeehaus am Maximiliansplatz, einmal um das Billard herum und verschwand wieder. Und beliebt war der laut hörbar vorgetragene Spruch des einen Studenten zum anderen: »Rebellier er nicht! Geh er auseinander!« (Kurz 1908, 93, 101f.).

Den Anlaß zum Zuschlagen – im wahrsten Sinne des Wortes – bot sich der Polizei in der Christnacht 1830 (Wehner 1917, 49–62; Pölnitz 1930, 41–45). Aus einem nichtigen Anlaß, einer »Katzenmusik«, die Germanen einem der ihrigen darbrachten, entwickelte sich ein allgemeiner Auflauf. Aus Wortgefechten mit der ruhegebietenden Polizei wurden Handgreiflichkeiten, die mit der Verhaftung von 59 Studenten endete. Die Unruhen, von Gerüchten und erregten Diskussionen begleitet, zogen sich mehrere Tage hin. Beruhigend auf die Studenten wirkten die Reden der Professoren Thiersch und Schelling, die erreichten, daß alle Studenten am 28. Dezember zuhause blieben, doch war der Stab schon gebrochen. Am 29. Dezember verfügte der König mit drastischen Maßnahmen die Schließung der Universität: »Bis zum 31. Dezember Mittag 12 Uhr müssen alle Universitätsstudenten, mit Ausnahme derjenigen, welche dahier domiziliert sind, ohne Nachsicht die Stadt München verlassen haben; wer diesem Befehle nicht nachkommt, hat zu gegenwärtigen, daß er mit Gewalt hinweggeschafft werde« (Kurz

1908, 107). Nach genauen Untersuchungen der Zwischenfälle sollten am 1. März alle unbelasteten Studenten von Neuem inskribiert werden und die Vorlesungen wiederbeginnen.

Zum Schutz der Studenten eilte der Rektor zum König, wurde aber nicht vorgelassen. Erst als eine Abordnung der Bürgerschaft vorstellig geworden war, hob der König seinen Befehl »bis auf weiteres« auf; nur auf die Mitglieder der Germania sollte er mit aller Schärfe angewendet werden. Die sowieso zahlenmäßig schwache Burschenschaft verschwand in der Folgezeit auch tatsächlich aus München und tauchte erst um 1848 wieder auf.

Garantie und Schikanen

Die akute Gefahr war gebannt! Nachdem sich die Wogen geglättet hatten, ging man daran, die im Reskript von 1827 in Aussicht gestellte Genehmigung der Statuten zu erreichen, was im April 1832 endgültig gelang: nun waren die drei Corps Suevia, Palatia und Bavaria »garantierte«, während Isaria, ins Fahrwasser der Burschenschaft geraten, verboten wurde. Lediglich der Passus über das »Philisterium« wurde gestrichen. Man behalf sich, indem man die von der Universität Abgegangenen »bloß« zu Ehrenmitgliedern ernannte. Lange konnte man sich dieser positiven Entwicklung aber nicht erfreuen: die Verbindungen blieben den Behörden ein Dorn im Auge und der Kleinkrieg begann von Neuem (folgendes nach Kurz 1908, 118–124; die politischen Hintergründe bei Pölnitz 1930, 64f.; allgemein Schmidt 1972, 251–270 mit zahlreichen Abbildungen aus der Zeit).

1833 wurde im Rahmen einer Neuorganisation des Studienbetriebs die »Kleine Matrikel« für solche Studenten eingeführt, die kein vollständiges Gymnasial- oder Lyzealabsolutorium besaßen (heute würde man Fachabitur sagen). Dies betraf Pharmazeuten, »Eleven der Zivilbaukunde«, Forstkandidaten, Polytechniker und Landwirtschaftsschüler. Gleichzeitig verbot man den Inhabern dieser kleinen Matrikel einer Studentenverbindung beizutreten. Diejenigen, die es doch taten, wurden bei den Corps als »Illegitime« geführt; viel waren es ohnehin nicht.

1838 ersann das nach dem neuen Innenminister benannte »Abelsche System« – mit der guten Absicht, die Allgemeinbildung der Studenten zu fördern, wenn auch unter Einschränkung der akademischen Lehr- und Lernfreiheit – das »philosophische Biennium«. Den speziellen Fachstudien wurden, wie in vergangenen Jahrhunderten, zwei Jahre genereller philosophischer Ausbildung vorgeschaltet. In dieser Zeit hatte jeder Student im Hörsaal einen bestimmten Platz einzunehmen und mußte sich entschuldigen, wenn er eine Stunde versäumte. Strenge Anwesenheitskontrollen sollten durchgeführt werden – mit dem Erfolg, daß, wenn der Professor die einzelnen Namen aufrief, jedesmal ein immer gleichstarkes, vielstimmiges »Hier!« ertönte. Einmal im Monat sollte der Professor alle Studenten prüfen und Fleißnoten vergeben. Das sittliche Betragen wurde unter die Aufsicht des »Ephorats« gestellt; erster, zum Glück recht generöser Ephorus wurde der berühmte Professor Görres, der zu seiner neuen Stellung gesagt haben soll: »Man hat mich vor eine offene Schachtel mit Flöhen gesetzt mit dem Befehl, dafür zu sorgen, daß keiner heraushüpft« (zitiert nach Kurz 1908, 120). 1847 wurde diese Einrichtung wieder

DAS FUCHSBRENNEN.

Was kommt dort von der Höh' &c.

Von der Wiege bis zur Bahre
Sind doch unsere Burschenjahre
Die fidelste Zeit. &c.

10.4.4e »Scenen aus dem Studentenleben – Was kommt dort von der Höh' . . .«, Friedrich Kaiser, Würzburg und München um 1830

aufgehoben und man kehrte zu der früheren Studienfreiheit zurück. Zunächst verbot man aber den Studenten, während dieser zweijährigen philosophischen Studien die Mitgliedschaft in Studentenverbindungen, in der Hoffnung, daß danach sowieso keiner mehr Lust dazu verspüre. Höchste Strafen, die Dimission von der Universität, waren bei Zuwiderhandlung angedroht. Ein wahres »Philosophenjagen« durch Universitäts- und Polizeibehörden begann. Man führte unvermutete Kneipvisitationen durch und verlangte von allen Anwesenden ihre Karte (= Studentenausweise). Rechtzeitige Warnung und eine Hintertüre im Lokal brachten den Behörden selten den gewünschten Erfolg!
So wurden jetzt, 1841, neu Karten ausgegeben, die nur an die »legitimen« Mitglieder der garantierten Verbindungen, in deren Farben gehalten, verteilt wurden. Wer also Abzeichen (Band und Mütze) trug, mußte die dementsprechende Karte vorweisen können, andernfalls durfte er sofort arretiert werden. Erfolg: augenblicklich verschwanden alle Studentenmützen aus Münchens Straßenbild und die Polizei wußte nicht mehr, wen sie kontrollieren sollte. Nachdem die Studenten sich vergeblich an den Senat der Universität gewandt

hatten, bewirkte erst eine direkte Eingabe an den König Abhilfe (Kurz 1908, 122–124).

Die Studenten – ein gesellschaftlicher und wirtschaftlicher Faktor

Die kleinlichen Schikanen der Behörden konnten den Verbindungen, die mehr und mehr ein fester Bestandteil von Universität und öffentlichem Leben geworden waren, auch nichts mehr anhaben. Ihre Mitglieder standen als Akademiker in hohen und höchsten beruflichen Positionen und bekannten sich auch offen durch ihre Teilnahme an den Veranstaltungen oder in Wort und Schrift zu ihrer Mitgliedschaft. Innere Struktur und äußerliches Auftreten waren für viele andere Gruppierungen und Vereine maßgebliches Vorbild. Die Corps ihrerseits zogen sich auch nicht ins stille Kämmerchen zurück, sondern nahmen lebhaft an den großen gesellschaftlichen Ereignissen dieser Jahre teil oder organisierten selbst glänzende Feste. Das Jubiläum des Corps Bavaria im Jahr 1841 beispielsweise wurde mit einem einwöchigen Festprogramm in Landshut begangen, wohin die Münchner Corpsbrüder mit einem großen Floß fuhren.

Gekleidet war der Student der 30er und 40er Jahre recht einfach und durchschnittlich. Nur die bunt karierten Westen, die auf den vielen erhaltenen Silhouetten aus dieser Zeit zu sehen sind, scheinen eine münchnerische Besonderheit gewesen zu sein. Auffälligstes Kennzeichen – neben Band und Mütze, deren Formen damals sehr variierten – war eine mächtige Pfeife, auf deren Porzellankopf das Verbindungswappen prangte. Wer eine besondere Anschauung verdeutlichen wollte, konnte dies auch mit seiner Kleidung zeigen: den polnischen Trachten und Uniformen nachempfundene Jacken (»Pekeschen«) und Mützenformen bereicherten das Straßenbild, wie früher der »Altdeutsche Rock« und der »Sandkragen« der Burschenschafter.

Bei feierlichen Gelegenheiten wurde die »Wichs« getragen, in der sich zahlreiche uniformähnliche Bestandteile aus den Freiheitskriegen zu Beginn des 19. Jahrhunderts erhalten hatten. Neben einer farbenprächtigen, reich verschnürten Jacke, einem »Schleppsäbel« und einer Schärpe in Verbindungsfarben gehörten dazu auch die »Kanonenrohre«, lange schwarze Stiefel mit Sporen. Bei Beerdigungen von Mitgliedern der Universität traten zudem »Chapeaux d'honneur« in Erscheinung, die napoleonische Zweispitze mit Kokarden und Federbüschen trugen.

Auch damals war das Studieren nicht gerade billig. Viele Studenten verdienten sich als Hauslehrer oder mit Korrekturlesen etwas dazu. In der Regel wohnte man zur Untermiete bei einer Familie oder einer Witwe, die damit ihren Lebensunterhalt bestritt. Gegessen wurde im Wirtshaus oder im Kaffee, das übrigens ein wichtiger Kommunikationsort im vormärzlichen München war (Beispiele bei Pölnitz 1930, 56 f., 88 f.). Reichte der Wechsel von den Eltern nicht aus, konnte man vom Corps eine finanzielle Unterstützung erhalten, wofür der »Großalmosenier« mit einer eigenen Kasse zuständig war, in die die reicheren Corpsbrüder freiwillig spendeten. Trotz aller guten Vorsätze und Ermahnungen der Eltern wird es wohl kaum einen »Burschen« gegeben haben, der nicht irgendwo »in der Kreide« stand. »Alte Burschen ohne Schulden – sind so rar wie alte Gulden« sagte schon ein Landshuter Stammbuchvers (Kurz 1908, 203). Zahlreiche Bestimmungen in den Universitätsstatuten (folgendes nach: Vorschriften über Studien und Disciplin, 1835, §§ 121–131) sollten die Studenten vor Leichtsinn bewahren. Unbegrenzter Kredit war nur für Kost, Wohnung, Möbel, Honorare der Professoren, Universitätsgebühren, Lohn- und Kostgeld eventueller Bedienter, Arzt und Medikamente sowie zum Studium notwendiger Bücher gestattet. Länger als ein Vierteljahr durften diese Schulden nicht gestundet werden, danach mußte der Gläubiger sofort klagen und der Student alles auf einmal zurückbezahlen. Andere Schulden waren ihrer Höhe nach begrenzt, so z. B. für Kaufmannswaren bis zu 36 fl., für andere Bücher bis 20 fl., Buchbinderlohn bis 5 fl., Schneider, Schuster und andere Handwerker bis 15 fl., Schreibmaterial bis 5 fl., Wäschelohn bis 10 fl., Frühstück bis 6 fl. etc. Wer einem Studenten mehr als die genannte Summe lieh, konnte nur den gesetzlichen Betrag einklagen, der Rest war verloren. Seit 1835 war Voraussetzung für die Klageerhebung der Eintrag in ein öffentlich aufliegendes Schuldenregister, in das Vermieter, Händler, Eltern usw. Einsicht nehmen konnten. Bis zur Abschaffung des privilegierten Gerichtsstands aller

Immatrikulierten – was endgültig erst mit der Einführung des Gerichtsverfassungsgesetzes für das Deutsche Reich am 1. Oktober 1879 geschah (Maack 1956, 66) – mußten auch solche zivilgerichtlichen Streitfälle vor den Universitätsbehörden verhandelt werden.

Mit den mittlerweile fast 2000 Studenten verband die Bürger Münchens also nicht nur gegebenenfalls Sympathie, sondern auch durchaus wirtschaftliche Interessen (Pölnitz 1930, 43 [für 1830] und 90 [für 1848]). Deutlich zeigten dies die kommenden, stürmischen Ereignisse der Jahre 1846 bis 1848.

Lola Montez und Studentenfreicorps

Die Tochter eines schottischen Offiziers, die sich selbst zu dem Beruf einer Ausdruckstänzerin eine spanische Herkunft und den Namen Lola Montez gegeben hatte, hielt sich seit 1846 nach einigen Gastspielen und Skandalen in anderen europäischen Städten in München auf. Der König war geblendet. »Schlank und zart wie die Gazelle« pries er sie, während andere sie als »ziemlich abgelebt« bezeichneten (zitiert nach Kurz 1908, 141). Ihr keckes Auftreten – sie scheute sich nicht, in aller Öffentlichkeit den Männern Ohrfeigen und Peitschenhiebe zu erteilen – und ihr Bemühen, in die Politik hineinzuregieren, verschafften ihr die Abneigung vieler; ihre Protektion höheren Orts brachte ihr aber auch eine Schar ergebener Anhänger. Die ihr im Weg standen, mußten gehen, angefangen vom Polizeidirektor bis hin zu Ministern und beliebten Universitätsprofessoren. Unruhen an der Universität waren die Folge, die sich noch vermehrten, als Lola sich eine eigene Studentenverbindung »zulegte«, die auffällig rasch, Ende Juni 1847, als Alemannia die staatliche Garantie erhielt (Kurz 1981, 57 ff.). Ihre rot-gold-blauen Farben leiteten die »Lolamannen« aus dem gräflich landsfeldschen Wappen ab und böse Zungen behaupteten, ihre roten Samtmützen wären aus einem Unterrock ihrer Gönnerin geschneidert (Kohlhaas 1981, 52). Die meisten Mitglieder waren bei anderen Verbindungen wegen unehrenhaften Verhaltens ausgeschlossen. Durch ihr arrogantes Auftreten sorgten sie für etliche größere und kleinere Zwischenfälle. Lärmen, Zischen und Geschrei begleiteten ihr Erscheinen im Hörsaal und machten den geregelten Ablauf einer Vorlesung zunichte, Schlimmeres wurde nur durch das persönliche Eingreifen des hochangesehenen Rektors Friedrich Thiersch verhindert. Die fünf Corps (mittlerweile hatte sich 1836 eine Franconia und neuerlich eine Isaria gebildet, die erst 1847 nach langem Hin und Her die staatliche Garantie bekam) verweigerten jeglichen Kontakt mit den Alemannen, steckten sie »in Verruf« und verlangten vom Rektor deren Verbot. Dabei wußten sie alle übrigen Studenten und viele Bürger hinter sich. In den letzten Januar- und ersten Februartagen war der Platz vor der Universität, ja die ganze Ludwigstraße bis zum Odeonsplatz immer wieder Schauplatz von Anti-Lola-Demonstrationen geworden, die der König auch auf sich bezog und die ihn schließlich am 9. Februar 1848 bewogen, mit ähnlich harten Maßnahmen wie 1830 die Universität zu schließen. Wie schon 18 Jahre vorher bewirkte erst eine Petition der Bürgerschaft, die den großen wirtschaftlichen Verlust für die Stadt beklagte, eine Milderung, dann eine Aufhebung des königlichen Befehls (Kurz 1908, 155). Mit vereinten Kräften konnte man Ludwig I. sogar dazu bewegen, seine Favoritin und die Alemannen des Landes zu verweisen – alles in allem eine herbe Enttäuschung für den 62jährigen Monarchen. Den Fackelzug, den ihm die Studenten nun aus Dankbarkeit darbringen wollten, lehnte er indigniert ab. Doch gewährte er noch zusätzlich am 18. Februar 1848 die »Assoziationsfreiheit«, die den Studenten gestattete, neben den bereits garantierten Corps weitere Verbindungen ins Leben zu rufen (Kurz 1908, 161, nach Pölnitz 1930, 94, ein »Versuch, die geschlossene Einheit der Studentenschaft zu sprengen«). Dies entsprach anscheinend einem akuten Bedürfnis, denn schon am nächsten Tag schossen Verbindungen aller Art wie Pilze aus dem Boden, die aber rasch wieder eingingen. Nur das Corps Makaria hielt sich. Kurzfristige Bedeutung hatte die Akademische Liedertafel, in der sich die politischen Elemente unter dem Vorwand der Pflege von Kunst und Musik sammelten (Pölnitz 1930, 94).

Fehlte den Auftritten der frühen Februartage zunächst die politische Brisanz, änderte sich der Ton spätestens seit Bekanntwerden der erfolgreichen Pariser Revolution Ende des Monats. Überall in Deutschland loderte das nationale Feuer, energisch wurden nun die Reformen gefordert, die so lange versprochen und noch nicht erfüllt waren: Abschaffung der Zensur, Öffentlichkeit und Mündlichkeit der Justiz, Verantwortlichkeit der Minister, Vereidigung des stehenden Heeres auf die Verfassung: Forderungen, denen sich am 3. März 1848 die Studenten nach einer allgemeinen Versammlung in der Aula mit über 700 Unterschriften anschlossen (Kurz 1908, 163f.). Gleichzeitig erbaten sie die Erlaubnis, ein eigenes Freicorps aufstellen zu dürfen, wie es später auch die Künstler, Polytechniker, Staatsdienstaspiranten, Bürgersöhne, Gelehrte, Beamte etc. taten. Zweck war die Wiederherstellung und Erhaltung der Ordnung in der Stadt gegenüber den allzu radikalen Kräften und bloßen Radaumachern, die die augenblickliche Situation auszunutzen versuchten. Von den Aktivitäten dieses Studentenfreicorps sei die Verteidigung des Münchner Zeughauses am 16. März 1848 durch die Kompagnien Bavaria und Isaria genannt, als große Volksmengen sich der dort gelagerten, z.T. noch mittelalterlichen Waffen bemächtigen wollten (Kurz 1908, 167; Pölnitz 1930, 103; Kutz (1986) 15–46).

Der Großteil der Münchner Studenten tat aber auch diesmal beim »Politisieren« nicht mit. Und wenn, behielten die gemäßigteren Kräfte die Oberhand, so daß es nicht – wie anderswo – zu einer Vereinigung mit dem Proletariat kam (Pölnitz 1930, 102, 106ff.; über den kleineren, radikalen Teil 92ff.). Wohl bildeten sich auch in München an der Universität eine »Repräsentanten-Versammlung«, an der sich anfangs alle Studentenverbindungen und die Nichtkorporierten beteiligten, doch schieden die meisten Corps schon bald wieder aus, als es nicht mehr rein um Münchner Hochschulangelegenheiten, sondern um Beteiligung an überregionalen, politischen Kundgebungen, wie dem zweiten Wartburgfest, ging. Zu dem gesamtdeutschen »Studentenparlament« reisten von acht vorgesehenen Delegierten für München nur zwei an. Auch der Münchner »Vertreter-Versammlung«, wie man die Repräsentanten-Versammlung jetzt unter Vermeidung undeutscher Fremdworte nannte, war kein gutes Los beschieden: im Januar 1850 verschwand sie und wurde durch einen aus direkten Wahlen hervorgegangenen »Studentenausschuß« ersetzt. Doch von den 1825 Studenten des Wintersemesters 1850/51 beteiligten sich nur noch 245 (= 13 %), im Sommersemester 1853 niemand mehr an den Wahlen, worauf auch diese allgemeine Studentenvertretung aufgelöst wurde (Kurz 1908, 173; Pölnitz 1930, 105ff.). Geblieben sind die studentischen Korporationen, die in den folgenden Jahren ihren Einfluß in der Studentenschaft erheblich steigern konnten und erst den totalitären Ansprüchen des Nationalsozialistischen Deutschen Studentenbundes (NSDStB) vor dem 2. Weltkrieg erlagen.

Burschenlied.

Ist ein Leben auf der Welt,
Das vor allem mir gefällt,
Ist es das Studentenleben,
Weil's von lauter Lust umgeben.
Gaudeamus igitur!
Hodie non legitur.
Lustig ist das Commersieren,
Musicieren und Spatzieren,
Lustig ist auch das Studieren.
Heute lustig, morgen froh,
Übermorgen wieder so,
Immer, immer frisch, frei, froh,
Juchheißa! heißa! ho hoho!
Lebt der Bruder Studio.
(. . .)

Ist ein Leben auf der Welt,
Das vor allem mir gefällt,
Ist es das Studentenleben,
Weil's von lauter Lust umgeben.
Ja, der Freude Sonnenschein
Lassen wir ins Herz hinein.
Uns geziemt vor allen Dingen,
Mit der Jugend leichten Schwingen
Zwanglos durch die Welt zu springen.
Heute lustig, morgen froh,
Übermorgen wieder so,
Immer, immer frisch, frei, froh,
Juchheißa! heißa! ho hoho!
Lebt der Bruder Studio.
(. . .)

Ist ein Leben auf der Welt,
Das vor allem mir gefällt,
Ist es das Studentenleben,
Weil's von lauter Lust umgeben.
Wenn auch ihr nicht fröhlich seid,
Laßt uns unsre Fröhlichkeit!
Jugend hat auch ihre Rechte:
Aber Fluch sei dem Geschlechte,
Das nicht ehrt der Jugend Rechte!
Heute lustig, morgen froh,
Übermorgen wieder so,
Immer, immer frisch, frei, froh,
Juchheißa! heißa! ho hoho!
Lebt der Bruder Studio.

Hoffmann von Fallersleben, Deutsche Lieder aus der
Schweiz, Zürich und Wintertur (1843)

11.3.25 Das Erwachen des deutschen Michels bis zum Jahre 1841, Gustav Kraus, München um 1841

»Das papierne Kalb oder die Preß- und Gewissensfreiheit« – Pressepolitik und Zensur unter Ludwig I.

Edda Ziegler

Im Oktober 1831 erschien in der Münchner Zeitschrift »Eos« eine Lithographie mit dem Titel »Das papierne Kalb oder die Preß- und Gewissensfreiheit – ein Ballet, nach dem französischen, bearbeitet von den fünfzig Deutschfranzosen mit Beihilfe des artistischen Instituts«; dazu ein die Darstellung interpretierender Aufsatz – beide anonym bzw. unsigniert.

Dargestellt ist in der Bildmitte der Tanz von sechs männlichen Figuren, drei davon mit Damen, um einen sog. »Ascensionsbaum«, einen Freiheits- oder Maibaum, der dem papiernen Kalb errichtet wurde, das auf der Fahne an seiner Spitze abgebildet und unschwer als Figuration der »Preßfreiheit« zu deuten ist. Begleitet wird dieser Tanz auf der rechten Bildseite von einem Geistlichen, der von Soldaten oder Polizei einer Laube zugetrieben wird, in der ein Brautpaar auf seine Trauung wartet. Größeren Raum nimmt die Gruppe auf der linken Seite ein. Sie schart sich um eine Art Jahrmarktsbude mit Trompetern und Ausrufer, die durch einen zweiten, kleineren Ascensionsbaum als »artistisch-literarisches Institut«, durch die schreibenden Figuren am langen Tisch und die zugehörigen Schrifttafeln als Redaktion der Zeitungen »Inland« und »Ausland« ausgewiesen ist. Dirigiert wird die Szene von der Figur mit Federhut in der Bildmitte, auf die sich die Blicke der meisten beteiligten Personen richten. Der Mann steht erhöht auf dem Podest des Ascensionsbaumes und setzt – mit sichtlicher Lust, die man auch als diabolisches Grinsen deuten könnte – die Druckerpresse in Gang, als deren Schraube sich der Fuß des Baums erweist.

Die Szene spielt vor den Toren einer Stadt, die sich unschwer als das München Ludwigs I. ausmachen läßt. Die Silhouette seiner Bauten umfaßt nicht nur den mittelalterlichen Stadtkern mit den charakteristischen Türmen der katholischen Kirchen, sondern auch die hellenistisch-unchristlichen Neubauten des Königs, deren Monumentalität die mittelalterlichen Sakralbauten fast zu dominieren scheint. Hinzu kommen die programmatischen Hinweise in Titel und Bildinschriften. Der auf die »Deutschfranzosen« spielt auf die 50 Abgeordneten der Zweiten Kammer des bayerischen Landtags vom Frühjahr 1831 an, die nicht nur, wie die Mehrheit des Hauses, dafür gestimmt hatten, eine Beschwerde gegen die Zensurverordnung vom Januar 1831 einzureichen, weil sie verfassungswidrig sei, sondern die darüber hinaus auch die Anklage des verantwortlichen Innenministers von Schenk gefordert und dessen Entlassung im Mai des Jahres auch erreicht hatten. Ein weiterer programmatischer Hinweis ist der auf das »artistisch-literarische Institut« und die Zeitungen »Inland« und »Ausland«, womit, kaum verfremdet, angespielt ist auf die publizistischen Unternehmungen, die der Stuttgarter Verleger Cotta auf Einladung des Königs in München gegründet hatte.

Dieses München ist – symbolträchtig genug – in die unmittelbare optische Nähe zu Paris, links im Bildhintergrund, gerückt. Die Attribute der Jakobinermütze, die Fahnen der Republik von 1792 und des Julius Tags von 1830, die der mit dem papiernen Kalb beigegeben sind, kennzeichnen Paris als das revolutionäre, über dem die Sonne bereits wieder scheint, während über München die dunklen Wolken noch nicht ausgestandener revolutionärer Unruhen drohen. Aufgeregtes Getümmel – sei es kriegerischer Massen, sei es aufgestörter Prozessionsteilnehmer – vor den Toren der Stadt und der Sturm auf die gotische Kirche auf der Anhöhe links verstärken den durch symbolträchtige Bilder erzeugten Eindruck einer bedrohlich angespannten Situation. Fügt man dazu schließlich den mit dem Titel vorgegebenen, nicht minder symbolträchtigen Verweis vom Ballett um das papierne Kalb auf den Tanz um das goldene Kalb des Alten Testaments, das, vom verwilderten, einem Gottlosen verfallenen Volk Israel als falscher Götze angebetet wird, so ergibt sich ein Symbolzusammenhang, mit dem eine enge Kausalität zwischen Pressefreiheit und Revolution konstruiert wird, wie sie geläufiges argumentatives Versatzstück verbaler Revolutions- und Liberalismuskritik der Restauration war. Dieser Zusammenhang erschließt das Blatt als karikaturistischen Bildkommentar zur pressepolitischen Situation in Bayern im Frühjahr 1831.

Der Zeitpunkt markiert eine Wende bayerischer Pressepolitik von einer sich als liberal verstehenden Phase weitgehender Zensurfreiheit zu einer Phase offener Repression mit präventiven Zensurmaßnahmen. Den Auseinandersetzungen um die »Preßfrage«, die dieser Wende vorausgingen, kam grundsätzliche Bedeutung zu. Daß die Kontroverse sich auf die Verfassungsfrage zuspitzen und daß sie einen so hohen Grad an Publizität erreichen konnte, dies ist wohl bedingt durch die Öffentlichkeit des Austragungsorts. Denn der Streit kulminierte in einer Fehde zwischen den beiden Münchner Blättern, die als Repräsentanten der politisch und weltanschaulich gegnerischen Gruppen gelten: Cottas »Inland« als offiziöses Regierungsorgan, in der Entwicklungsphase von 1831 aber verdächtig, Sprachrohr des Konstitutionalismus zu sein und Görres' »Eos«, Organ der romantisch-katholischen Restauration. In Karikatur und Aufsatz »Das papierne Kalb« erscheint diese Fehde wie in einem Brennspiegel.

Das Metternichsche Zensursystem

Der Begriff der »Preßfreiheit« hatte sich in Deutschland seit Beginn des 19. Jahrhunderts zu einem Schlagwort von vorher ungekannter gesellschaftlicher Brisanz entwickelt. Die Presse – und darunter verstand man zunächst nur die perio-

Das papierne Kalb oder die Preß- und Gewissensfreiheit, wohl K. Eberhard, 1831, M II/400

dische Presse, dann aber alle Druckschriften gleich welcher Veröffentlichungsform – war schon im letzten Drittel des 18. Jahrhunderts zu dem Medium geworden, über das sich Meinungen, Stimmungen und kritisches Räsonnement einer bürgerlichen Leserschaft erstmals wirkungsvoll artikulieren und verbreiten konnten. Über die Presse organisierte sich dieses Lesepublikum zur literarischen Öffentlichkeit. Sie nutzte die politische Machtposition, die der Presse damit zufiel, nach 1806, als das alte Reich zerbrochen war, dazu, konkrete Forderungen nach politischer Partizipation breiterer bürgerlicher Schichten zu formulieren. Diese Forderungen gipfelten in der Parole »Einheit und Freiheit«; ihr Herzstück war die Pressefreiheit.

Nach der Gründung des Deutschen Bundes jedoch wurden diese Erwartungen enttäuscht, als es Metternich 1819 – gegen den erheblichen Widerstand einzelner Länder – gelang, die »Karlsbader Beschlüsse« durchzusetzen. Das darin enthaltene Pressegesetz schrieb die Vorzensur für alle

Schriften von weniger als 20 Bogen (320 Seiten) Umfang vor und d.h. für den Großteil der Buch- und die gesamte Zeitungs- und Zeitschriftenproduktion. Damit war das alte System polizeilicher (und nicht juristischer) Kontrolle für Druckschriften wiedereingeführt.

Die Differenzierung nach dem Umfang der Druckschriften läßt die Schwerpunkte des Kontrollsystems erkennen. Der eine liegt auf der Überwachung aktueller politischer Äußerungen, für die Schriften von geringem Umfang und v.a. Periodika besser geeignet waren, weil sie schnell und in hohen Auflagen hergestellt und verbreitet werden konnten; der andere auf der schichtspezifischen Begrenzung des Buchmarkts. Der Gärungsstoff politischer Literatur sollte durch die Rezeptionsbeschränkung auf die zahlungskräftigen und d.h. die traditionellen, sozial gehobenen Leserschichten, die allein sich teure, weil umfangreiche Schriften leisten konnten, um seine Wirkung dort gebracht werden, wo man zurecht das gesellschaftliche Veränderungspotential vermutete: in einer auf die unteren Mittel- oder gar Unterschichten erweiterten Leserschaft.

Für Schriften von mehr als 20 Bogen Umfang war zwar nur eine Nachzensur obligatorisch (der sich weniger umfangreiche Bücher zusätzlich zu unterziehen hatten); das finanzielle Risiko aber, das mit dem Verlag dieser in der Herstellung kostspieligen Werke verbunden war, weil der Verleger die Gefahr entschädigungsloser Beschlagnahme einging, erwies sich als aureichendes Regulativ.

Mit den »Karlsbader Beschlüssen« wurden die traditionellen Mechanismen der Literaturkontrolle neu etabliert: Vor- und Nachzensur, Verbot, Privilegien- und Konzessionierungswesen. Zu diesen verhindernden Maßnahmen traten nun – als Erbe napoleonischer Pressepolitik – die fördernden, wie die Reglementierung der Lektürewahl und die Regulierung des Lesevorgangs. Das Metternichsche Zensursystem stellte die literarische Öffentlichkeit unter dreifache Kontrolle: durch die Zensur des eigenen Bundesstaates, durch das Einspruchsrecht jedes Mitgliedsstaates des Deutschen Bundes und durch das Einspruchsrecht der Bundesversammlung selbst.

Nach einer ruhigen Anfangsphase wurde die Zensur nach der französischen Julirevolution von 1830 und dem Hambacher Fest von 1832 weiter verschärft. Die Revolutionsfurcht löste eine Flut von Zensurbestimmungen aus, die über die Karlsbader Beschlüsse weit hinausgingen. Sie strebten die Zentralisierung des Kontrollsystems an. Zum Kulminationspunkt wurde der Bundesbeschluß gegen das »Junge Deutschland« vom 10. Dezember 1835, der nicht nur die bereits publizierten, sondern auch die künftigen, noch ungeschriebenen Werke von Heine, Gutzkow, Wienbarg, Laube und Mundt als den »Häuptern der Bewegung« verbot.

Obwohl dieses Edikt faktisch kaum angewendet und 1842 wieder aufgehoben wurde, war es nicht ohne Effizienz. Zum einen wirkte es abschreckend und demoralisierend auf die betroffenen Schriftsteller. Außer Heine hielt keiner der harten Konfrontation mit dem obrigkeitlichen Machtwillen stand. Zum anderen wirkte das Edikt als ideologisches Purgatorium. Die Auseinandersetzungen der literarischen Opposition mit der Obrigkeit wurden härter, die literarischen Formen und die Formen der Veröffentlichung wandelten sich. Geführt werden mußte die Auseinandersetzung nach 1835 vorwiegend vom Ausland aus. Der wirkungsmächtigere Teil oppositioneller Literatur entstand und erschien nun im französischen, schweizerischen oder belgischen Exil. Die Maßnahmen der Bundesexekutive konzentrierten sich deshalb in dieser Phase auf die Kontrolle des aus dem Ausland importierten deutschsprachigen Schrifttums.

Das Ende des Metternichschen Kontrollsystems brachte erst die Märzrevolution von 1848. Die Vorzensur wurde abgeschafft, die Literaturkontrolle – zumindest offiziell – aus der Polizeigewalt in den juristischen Bereich überantwortet.

Die vormärzliche Zensurpraxis lag trotz der beschriebenen Zentralisierungstendenzen in der Machtbefugnis der einzelnen Territorien. Die Länder hatten den Zensuralltag zu bewältigen. Sie richteten die entsprechenden Behörden – lokale, je nach Größe der Fachgebiete unterteilte Zensurkommissionen und diesen vorgesetzte Oberzensurbehörden – ein; sie formten die Gesetze, Verordnungen, geheimen und öffentlichen Verfügungen des Bundes in eine Zensur-Realität um, die den untereinander stark differierenden politischen Möglichkeiten und Notwendigkeiten der einzelnen

Congreß deutscher Zeitschriften, aus: Fliegende Blätter, Bd. II, Nro. 35

Gliedstaaten angemessen waren. Ihnen oblag die routinemäßige Prozedur des Zensierens; sie hatten die Buchmanuskripte, Zeitungs- und Zeitschriftenartikel, die ihnen von Verlegern, Redakteuren und Druckern vorgelegt wurden, fristgerecht zu beurteilen, hatten das Imprimatur zu erteilen oder zu verweigern und Streichungen in den Manuskripten vorzunehmen. Sie mußten jeden Zensureingriff intern begründen, strittige Fälle an die vorgesetzte Behörde weitergeben und in den Fällen, in denen Zensurgesetze übertreten oder Werke bei der Nachzensur verboten oder konfisziert worden waren, strafrechtliche Maßnahmen einleiten.

Diese Maßnahmen richteten sich in erster Linie gegen das betroffene Werk; als Streichungen oder Verweigerung der Druckerlaubnis bei der Vorzensur, als Verbot, entschädigungslose Beschlagnahme oder Vernichtung bei der Nachzensur. Sie trafen aber auch die an der Entstehung, Herstellung und Verbreitung des Werks Beteiligten. An erster Stelle wurden Autor oder Redakteur, an zweiter Verleger oder Herausgeber, an dritter Drucker und an letzter die Buchhändler verantwortlich gemacht. Die Verstöße wurden nach den jeweiligen Landesgesetzen mit Geld- oder Haftstrafen oder bis zu fünfjährigem Berufsverbot für Redakteure oder Herausgeber geahndet. Zuständig war jeweils die Zensurbehörde des Druckorts.

Die Tätigkeit eines Zensors, ausgeübt meist von Fachleuten der jeweiligen Sachgebiete, von Verwaltungsbeamten oder Juristen, war ein schlecht bezahlter Nebenberuf, der – trotz des Einsatzes Einzelner für Gerechtigkeit und staatsbürgerliche Loyalität – zudem als gesellschaftlich diskriminierend galt.

Bayerns Pressepolitik zwischen Verfassungstreue und Bündnispflicht

Ungeachtet der Allgemeinverbindlichkeit der »Karlsbader Beschlüsse« war die Zensurpraxis der einzelnen Territorien regional stark unterschiedlich. Sie war geprägt vom lokalen kulturellen Standard, der zwischen Nord und Süd, Ost und West, Stadt und Land stark auseinanderklaffte. Noch deutlicher aber war die Orientierung an den divergierenden innen- und außenpolitischen, fiskalischen und kulturpolitischen Interessenlagen.

Im vormärzlichen Bayern war diese Interessenlage bestimmt vom Grundkonflikt zwischen dem Streben nach Souveränität und der Abhängigkeit vom Deutschen Bund. Er spiegelt sich auch in den pressepolitischen Zielsetzungen Ludwigs I.

»Jedem das schöne Recht, zu sagen und zu schreiben, was er denkt, fari, quae sentiat, so lange der Anstand gewahrt; da wenn die Meinungen frei sind, nicht ausbleiben kann, daß die Wahrheit mit der Zeit die Oberhand bekömmt, welches Endergebnis nicht zu fürchten, da wenn es gute Regierung, sie nicht zu fürchten hat was die gesunde Vernunft sagt.«

Diese Grundsatzerklärung zur Presse- und Wissenschafts-freiheit aus der Rede, mit der Ludwig im November 1826 die Münchner Universität eröffnete, wird trotz des berüchtigten königlichen Schachtelstils gern zitiert als Beleg für die Liberalität des Monarchen. Die neuere Forschung, vor allem Tremls Untersuchung zur vormärzlichen bayerischen Pressepolitik, versteht jedoch diese Aussage als frühes Anzeichen für den Scheincharakter dieses Liberalismus und das Scheitern von Ludwigs Kompromißpolitik gesellschaftlicher Harmonie, die Spannungen und widersprüchliche Meinungen ausklammern und die Untertanen auf die Rolle gehorsamer Kinder eines wohlwollenden Vaters reduzieren wollte.

Als »Scheinliberalismus« analysierten schon zeitgenössische Kritiker die presserechtlichen Reformen der frühen Regierungszeit. Diese sollte sich bald als nur eine von mehreren Phasen wechselnder Orientierung erweisen, die die bayerische Pressepolitik seit Montgelas durchlief und in denen sie sich enger an die Metternichsche Bundespolitik gebunden zeigte, als dies dem ausgeprägten Souveränitätsstreben Ludwigs entsprechen konnte. Schwankungen und Widersprüchlichkeiten in Orientierung und Zielen zeigen sich als strukturell für die bayerische Pressepolitik dieser Zeit. Bedingt war diese Instabilität durch mehrere innen- und außenpolitische Faktoren, die in Wechselwirkung zueinander standen. Innere Spannungen in der bayerischen Regierung, die Spaltung des Innenministeriums in eine liberale und eine reaktionäre Richtung begünstigten den Einfluß Metternichscher Politik auf Bayern. Die Landtage verschärften das innenpolitische Klima und verunsicherten Regierung und König. Und in jedem Konfliktfall entschied die Regierung zugunsten der bundespolitischen Reaktion und zuungunsten der inneren Opposition.

Die unklare Rechtslage im Dilemma zwischen Bundesrecht und -pflicht einerseits und bayerischer Verfassung andererseits zeigt, daß der Konstitutionalismus unter Ludwig ein zweckhaft-formaler war, der seine Pressepolitik in eine andauernde Defensivhaltung brachte. Pressepolitik war unter Ludwig rechtsstaatlich nicht eindeutig gesichert; sie wurde nicht auf der Basis von Gesetzen betrieben, sondern auf Verwaltungsebene mit wechselnden, einander oft widersprechenden Instruktionen. Wie Zensur zu handhaben sei, das bestimmte der König. Die innenpolitische Berichterstattung sollte von der Zensur befreit und so als uneingeschränktes Recht der inneren Souveränität gestaltet werden. Außenpolitischer Rücksichten wegen sollte dies jedoch nicht auf dem Weg auffälliger Gesetzesänderungen geschehen, sondern durch Verwaltungsanordnungen. Ergebnis war die Aufhebung der Zensur für »nichtpolitische Zeitblätter« – nicht aber, wie oft behauptet, für alle periodischen Schriften, die sich mit Innenpolitik befassen.

Diese in einem neoabsolutistischen Herrschaftsverständnis begründete Politik wirkte sich trotz der Vordergründigkeit ihres Liberalismus zunächst positiv aus für eine freiheitliche Öffentlichkeitspolitik. Die liberalisierte Zensurhandhabung, die Aufhebung des Konzessionszwanges für buchtechnische Betriebe und der Übergang von präventiven zu förderndlenkenden Kontrollmaßnahmen ließen die Publizistik v. a. in München aufblühen. Viele Neugründungen trugen dazu bei, daß ein breiter als bisher gefächertes, jedoch stark fluktuierendes Angebot von Zeitungen und Zeitschriften entstand, darunter auch Blätter mit politisch und kulturell ambitioniertem Programm und Anspruch auf überregionale Verbreitung.

11.4.11 Genrebild/Redaction, Berlin um 1843, Sammlung Böhmer

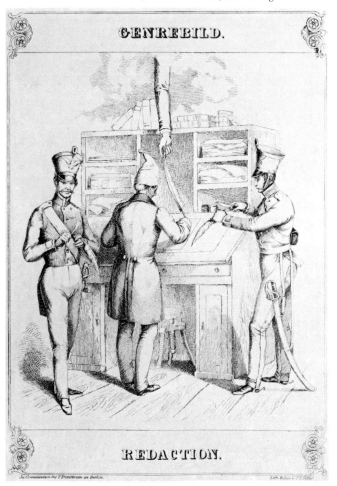

GENREBILD.

REDACTION.

Die Öffentlichkeit wurde auch in Bayern zu Forum und Kampfplatz für Pressefehden und politisierte Diskussionen. Es formierte sich allmählich ein Publikum, das Ansprüche an die Herrschaftsträger stellte und in dem sich verschiedene Interessengruppierungen, Meinungsrichtungen und Weltanschauungen artikulierten. Und es entstanden Presseorgane, die diese unterschiedlichen »Parteien« repräsentierten, darunter »Eos. Münchner Blätter für Literatur und Kunst« und »Das Inland. Ein Tagblatt für das öffentliche Leben in Deutschland mit vorzüglicher Rücksicht auf Bayern«, die Blätter, auf die Ludwigs Versuche der Meinungslenkung durch eine offiziöse Regierungspresse sich konzentrierten. Die Vorstellung, Pressepolitik nicht mehr ausschließlich präventiv zu betreiben, sondern durch aktiv steuernde Maßnahmen zu ergänzen oder gar zu ersetzen, war zwar liberalem Denken verpflichtet; die napoleonische Pressepolitik jedoch hatte die Regierungen der deutschen Territorialstaaten zugleich auch gelehrt, die Presse als politisches Machtinstrument zu gebrauchen.

Die Münchner Unternehmungen des Verlegers Cotta

Zur »umsichtigen Benützung . . . für höhere Staatszwecke« (Hormayr an E. v. Schenk, 21.10.1827; nach Steuer, 1931, 21) sollten nach Meinung von des Königs einflußreichstem Presseberater auch die Cottaschen Verlagsunternehmungen dienstbar gemacht werden, deren Übersiedlung nach München Ludwig schon seit 1822 betrieb. Vom Gewinn Johann Friedrich Cottas, des erfolgreichsten und angesehensten deutschen Verlegers seiner Zeit, erhoffte er sich die publizistische Grundlage, die ihm zur Verwirklichung seiner ehrgeizigen kulturpolitischen Ziele in München bisher fehlte. Bei Cotta stieß dieser Wunsch zunächst auf wenig Resonanz; zum einen aus ökonomisch-betriebswirtschaftlichen Gründen, zum anderen wohl auch, weil Cotta als erfahrener Verleger und Politiker dem liberalen Kurs der bayerischen Regierung schon früh mißtraute, nicht zuletzt wegen der zensurpolitischen Behandlung der verlagseigenen »Allgemeinen Zeitung«. Erst, als ihm weitgehende Privilegien, Steuer- und Zollvergünstigungen zugesichert worden waren, ließ Cotta sich endlich 1827 dazu bewegen, zwar nicht seinen gesamten Verlag nach München zu verlegen, wie der König dies eigentlich gewünscht hatte, aber doch eine Zweigstelle dort zu eröffnen. Das »Geographische Institut«, ein fabrikmäßiger drucktechnischer Betrieb v.a. zur Herstellung von Bildwerken, wurde unter dem Namen »Literarisch-artistische Anstalt« von Stuttgart nach München verlegt – das »Artistisch-literarische Institut« unserer Karikatur; ebenso die »Neuen allgemeinen politischen Annalen«, bisher ebenfalls Stuttgart, die Zeitschrift, in deren Redaktion Heine sein publizistisches Münchner Debüt gab. Dazu kamen als Neugründungen die bereits erwähnten Tageszeitungen »Inland« und »Ausland«, in deren Namensgebung sich Ludwigs pressepolitischer Grundkonflikt spiegelt. Cotta hatte vor allem dem Wunsch des Königs nach einem offiziösen Regierungsblatt nur zögernd, erst zum Anfang des Jahres 1829 entsprochen. Er sah wohl die Schwierigkeiten voraus, denen ein solches Unterfangen ausgesetzt sein würde – und an denen »Das Inland« nach dreieinhalb Jahren auch scheiterte. Die Zeitung stand von Anfang an im Konflikt zwischen ihrem Regierungsauftrag und den eigenen

Ansprüchen an einen kritischen Journalismus einerseits und den Angriffen der Reaktion auf ihre offiziöse Funktion andererseits. Dieser Konflikt erwies sich – trotz mehrfacher Redaktionswechsel und einer stark schwankenden Beeinflussung durch die von Richtungskämpfen zerrissene Regierung – als nicht eliminierbar. Er führte das Blatt Ende 1830 in eine Krise.

»Das Inland« hatte sich auf dem Münchner literarischen Markt nicht etablieren können. Es war in der einheimischen Presse auf beträchtlichen Widerstand gestoßen. Dieser war zum einen in der Konkurrenzangst vor der anspruchsvollen und privilegierten Neugründung bedingt, die für sich in Anspruch nahm, die öffentliche Meinung zu repräsentieren; zum anderen war er politisch begründet. Mit Cotta – darin gipfelten die Vorurteile – sei »ein ganzes Nest von Jakobinern« in München eingeschleust worden (Steuer, 1931, 83). Die Regierung hatte zudem ihre mündlich zugesicherte Absatzgarantie für eine Mindestauflage von 700 Exemplaren nicht eingehalten, so daß das Blatt finanziell aus dem Defizit nicht herauskam. Cotta fühlte sich daraufhin – übereinstimmend mit seinen Redakteuren – berechtigt, alle publizistischen Bindungen an die Regierung zu lösen. In der Eröffnung des Landtags von 1831 sah er eine Chance, der Zeitung durch eine kritisch-freimütige Berichterstattung eine größere Leserschaft zu gewinnen. Der neubayerische Jurist und Journalist Wirth schien Cotta ein Garant für den Erfolg dieser neuerlichen Kurskorrektur. Die vertraglichen Vereinbarungen Cottas mit Wirth und seine Vorschläge zur Neugestaltung des Blattes zeigen, daß diese vor allem der Rentabilität wegen vorgenommen wurde. Cotta ging damit allerdings zugleich auf offenen Konfrontationskurs zur Regierung, was, so, wie seine Münchner Periodika sich entwickelt hatten, nur aus der entschiedenen Absicht verständlich ist, eine endgültige Klärung seiner Münchner Verhältnisse herbeizuführen. Dies gelang innerhalb kürzester Zeit.

Wirth war zu diesem Zeitpunkt als politischer Oppositioneller kein unbeschriebenes Blatt. Daß der Innenminister seiner Einstellung als Redakteur des offiziösen Regierungsorgans hatte zustimmen können, ist nur aus der Umbruchsituation des Jahres 1831 heraus erklärlich, in der gleichzeitig Vertreter unterschiedlicher Richtungen und Interessen innerhalb und außerhalb der Regierung auf diese personelle Entscheidung einwirkten. Wirth machte »Das Inland« innerhalb weniger Wochen zum Sprachrohr eines konsequenten Konstitutionalismus. Er ist es, den die Lithographie als die Zentralfigur darstellt, die die Druckerpresse in Gang setzt. Wirths publizistischer Kampf gegen die ›Januarordonnanzen‹, gegen den verantwortlichen Minister von Schenk, gegen den Görres-Kreis, sowie seine ›Raisonnements‹, Leitartikel, mit denen er von der auf die absolutistische Arkanpolitik rekurrierenden Norm kommentarloser, ›neutraler‹ politischer Berichterstattung abwich, forderten den Protest der Regierung geradezu heraus. Gemäß ihrem Grundsatz mittelbaren zensurpolitischen Handelns verlangte sie von Cotta, daß er sich öffentlich in »Inland« von seinem Redakteur distanziere. Cottas Reaktion – er verweigerte dies und schlug vor, Wirth zu entlassen, die Zeitung der Zensur zu unterwerfen oder ganz einzustellen – zwang die Regierung, den Deckmantel ihres pressepolitischen Scheinliberalismus fallen zu lassen. »Inland« wurde ab 16.4.1831 der Zensur unterstellt. Es ist anzunehmen, daß Cotta darin den will-

»Wie man eine Zeitung macht?« aus: Fliegende Blätter, Bd. II, Nro. 38

kommenen Anlaß sah, sich ganz aus München zurückzuziehen. Mit Ende Juni 1831 stellte die Zeitung ihr Erscheinen ein, »Das Ausland« war bereits seit Anfang 1830 nach Augsburg verlegt und die »Politischen Annalen« waren Ende 1828 mit Heines Ausscheiden eingestellt worden.

In Zusammenhang gesehen mit den »Januarordonnanzen«, die die Vorzensur wieder verstärkten, bedeutet Cottas Rückzug aus München zugleich das Ende von Ludwigs Versuchen, Öffentlichkeitskontrolle über Meinungslenkung durch eine offiziöse Presse zu betreiben.

Ludwig I., Görres und der ›Eos‹-Kreis

Auch die Zeitschrift ›Eos‹ hatte zu diesem Zeitpunkt längst die königliche Gunst verloren. Daß das unbedeutende Unterhaltungsblatt zum Sprachrohr des politischen Katholizismus aufgestiegen war, ist ebenfalls im Zusammenhang mit Ludwigs Versuchen aktiver Pressepolitik zu sehen. Schon die Berufung von Görres zum Professor für allgemeine und Literärgeschichte an die Münchner Universität im November 1827, von Görres' Gönnern gegen erheblichen Widerstand der aufklärerisch-protestantischen Wissenschaftsvertreter, deren Kandidat Ranke war, als antipreußischer Akt durchgesetzt, galt den Zeitgenossen als Politikum. Denn die Berufung gründete sich weniger auf Görres' wissenschaftliche Qualifikation als auf die Erwartung, die der König und die Klerikalen unter Sailer, Baader und Döllinger in sein Engagement für die romantisch-katholische Restaurationsbewegung setzten.

Die Stärkung des romantischen Katholizismus war in dieser Frühphase von Ludwigs Regierung noch Teil seines kulturpolitischen Programms und wurde von ihm nicht als Widerspruch zu den Ideen des Liberalismus verstanden. Görres sollte der Kopf dieser Bewegung werden. Ausgewiesen war der vormalige Republikaner und Revolutionsenthusiast, Aufklärer und Kirchenfeind, der sich mit dem politisch

unabhängigen »Rheinischen Merkur« zur Zeit der Befreiungskriege als Publizist zur ›fünften Großmacht Europas‹ hochgeschrieben hatte, dazu durch seine Rückkehr zum Katholizismus. In seinen Dienst stellte er nun seinen wortmächtigen polemischen Journalismus.

Görres' publizistische Macht für München zu gewinnen, hatte Ludwig bereits mehrmals vergeblich versucht. Sein Plan, den 1816 von Preußen verbotenen »Merkur« zensurfrei in München erscheinen zu lassen, war an Montgelas gescheitert; gescheitert auch sein späterer Versuch, das führende Organ des Katholizismus, den ›Katholik‹, für den Görres in den 1820er Jahren schrieb, von Mainz nach München zu ziehen. Stattdessen sollte nun »Eos« zu Görres' publizistischem Sprachrohr werden.

Im Juni 1828 wurde das Blatt vom Kreis um Görres übernommen, darunter neben Sailer, Baader und Döllinger auch die Nazarener Overbeck und Cornelius, sowie der Mediziner Ringseis. Dieser Kreis stellte sich in der Zeitschrift als »Gesellschaft kundiger Männer in der Mitte Bayerns« vor, die – im Sinne der romantischen Staatslehre – die katholische Religion als Basis auch der politischen Verfassung betrachteten. Nach dem von Görres verfaßten Editorial (Nr. 92 vom 9.6.1828) waren sie, ohne ein genaueres Programm zu entwickeln, angetreten, um mit publizistischen Mitteln für die Erhaltung der alten, als gottgewollt verstandenen Ordnung und gegen deren Zerstörung durch die »revolutionären Kräfte Europas« zu kämpfen.

Ihren Kritikern im liberalen Lager jedoch galt diese Vereinigung als jesuitische Geheimgesellschaft mit breitem Einfluß auf das öffentliche Leben in Bayern, die sie unter dem diffamierenden Begriff der »Kongregation« öffentlich, aber erfolglos angriffen. Der ideologische Meinungskampf konkretisierte sich in der publizistischen Fehde gegen Cottas liberale Münchner Periodika.

Angegriffen wurde zunächst Heine, als Redakteur der ›Politischen Annalen‹, wegen der antireligiösen Haltung, der frechen und unernsten Schreibart seiner Feuilletons. Heine schrieb seinen beruflichen Mißerfolg in München (er hatte sich, wie Görres, jedoch vergeblich, um eine Professur an der Münchner Universität bemüht) dieser Polemik der »tonsurierten Hyäne«, wie er Görres titulierte, mit zu.

Angegriffen wurde dann vor allem »Das Inland«, seines privilegierten Status als offiziöses Regierungsorgan wegen. ›Eos‹ nahm immer von neuem die Widersprüche zwischen der Regierungspolitik und den politischen Aussagen des Regierungsblattes aufs Korn, um es dieser Gunst als unwürdig zu entlarven. Damit aber schrieb das Blatt sich viel schneller um die Protektion des Königs, als dieser sie »Inland« entzog. Schon im November 1829 zwang Ludwig die ›Eos‹-Redaktion geschlossen zum Rücktritt. Wenn es das Ziel des »Eos«-Kreises gewesen war, durch seine publizistische Wirksamkeit den Einfluß des politischen Katholizismus auf den König, auf die Grundsätze der Staatsführung, sowie auf die öffentliche Meinung zu verstärken, so muß dies als mißlungen gelten.

Der König protegierte weder die Zeitschrift noch Görres weiter. Ein Einfluß auf Regierungsentscheidungen ist in keinem Fall nachweisbar, wohl aber ein solcher von ›Inland‹. Der Wirkungsradius der Zeitschrift blieb regional sehr begrenzt und soll den Absatz von 150 Exemplaren nie überschritten haben. Und dies, obwohl »Eos«, was die literarische Qualität betraf, den mittelmäßigen Journalismus von ›Inland‹ vor allem durch die sprachliche Schlagkraft von Görres' Artikeln weit in den Schatten stellte.

›Das papierne Kalb‹ als politische Karikatur und literarisches Pamphlet

Im Oktober 1831, als »Das papierne Kalb« erschien, lag auch die zweite Phase der Fehde schon ein halbes Jahr zurück, und Cottas publizistische Münchner Unternehmungen waren seit mehr als vier Monaten eingestellt. Wieso dann im Oktober Aufsatz und Karikatur zu einem Thema, dem jede Aktualität fehlte?

Die Frage verbindet sich mit der nach der Urheber- oder Autorschaft von Text und Bild. Geht man davon aus, daß zwischen der Entstehung beider eine zeitliche Diskrepanz besteht, daß dem – wenn nicht schnell geschriebenen, so doch schnell konzipierten – Text die in ihrer Herstellung weit zeitaufwendigere Lithographie später nachfolgte, so könnten sich aus dieser zeitlichen Verschiebung zugleich Hinweise auf die Urheberschaft von Text und Bild ergeben. Die Priorität läge dann beim Text. Er hätte anregende, wenn nicht anweisende Funktion für den inhaltlichen, evtl. auch für den kompositorischen Entwurf der Zeichnung.

Wer das politische Programm der Zeichnung konzipiert hat, dies wird im Text selbst durch ein amüsant inszeniertes Rollenspiel verschleiert. Der Schreiber präsentiert sich als Interpret in der Rolle des neugierigen Konservativen, der sich über eine Karikatur entrüstet, deren Botschaft er – scheinbar – als liberale Propaganda rezipiert. Aus seiner Interpretation wird jedoch bald deutlich, daß diese Botschaft primär vom Text ausgeht, daß die Zeichnung seiner Gedankenführung bis ins Detail gehorcht. In Form einer Sehanweisung für das Bild, wie sie durch die zeitgenössische Bühne vorgeprägt war, enthüllt er Sinnzusammenhänge, die aus der bildlichen Darstellung selbst nicht mit solcher Eindeutigkeit zu erfahren sind.

Nicht nur, daß der Interpret im Text das auf die Trauung wartende Paar mittels lutherischer Bibel und Rosenkranz als ein gemischt-konfessionelles identifiziert, es als solches als unmoralisch wertet und damit eines der Hauptthemen in der publizistischen Fehde zwischen Liberalen und katholischer Restauration anschlägt, die Mischehe. Nachdem er die – aus seiner Sicht negative – Vorbildfunktion von Paris für die Münchner pressepolitischen Verhältnisse im Bild der verkehrten Welt gegeißelt hat, benennt er auch die Träger und Vermittler der Revolutionsideen. Es sind die schon erwähnten »Deutschfranzosen«, die wegen ihres erfolgreichen Widerstands gegen die ›Januarordonnanzen‹ zu Helden der liberalen Presse avanciert waren. ›Eos‹ hatte als einziges bayerisches Blatt gegen die Entscheidung der Kammer für eine Verfassungsbeschwerde wegen der ›Januarordonnanzen‹ als eine massive Manipulation durch die liberale Presse polemisiert und dabei speziell auf Wirth gezielt. Entsprechend wird er im »Papiernen Kalb« beschrieben als der »Director«, der »unvergleichliche Herr Liberalis«, »von dem alles abhängt, denn er drehet und drillet da mit seinem Preßbengel die allgemeine Meinung« (Eos Nr. 170 vom 26. 10. 1831, 683).

Wer da im Bild als abhängig vom publizistischen Wortführer dargestellt wird, auch das macht der Schreiber deutlicher als der Zeichner. Es sind die Repräsentanten der Öffentlichkeit; zum einen die Deputierten des Landtags, detailliert beschrieben als die Tänzer um das papierne Kalb, des weiteren Kirche, Polizeit und Justiz in Zusammenhang mit der Mischehenfrage, und es sind schließlich die Produzenten der öffentlichen Meinung selbst, die »Herren Doctores«, Journalisten und Brotschreiber im Dienst der Cottaschen Blätter. Der kleinere Ascensionsbaum, um den sie versammelt sind, wird als Baum der Erkenntnis gedeutet, wobei der Wert der von ihm vermittelten Erkenntnisse dadurch sehr zweifelhaft erscheint, daß das Bäumchen einem Nachttopf entwächst: »Was die Doctores in Hitze und Hast zu liefern haben, ist im Allgemeinen leicht zu sagen: Dämpfe und Phrasen für eine gewisse Camera obscura, und Vertilgungsmittelchen für die Königlich Gesinnten« (Eos Nr. 171 vom 28. 10. 1831, 687).

Das Bild von der Camera obscura zielt wiederum auf die liberale Zweite Kammer des Landtags. Mit ihm wird der Vorwurf des Obskurantismus pariert, den »Das Inland« gegen die »Kongregation« erhoben hatte und zugleich die aufklärerische Lichtmetaphorik im Sinne der Restauration korrigiert. Denn diese nahm die Sonne als Symbol der Wahrheit und Erleuchtung ebenso für sich in Anspruch wie die fortschrittlichen Bewegungen des Vormärz. »Eos«, die Morgenröte, hatte sich ihren Lesern bei der Redaktionsübernahme durch den Görres-Kreis selbst als »Gottgesandte, als Spur des sanften göttlichen Lichts und der Wahrheit« vorgestellt (Nr. 1, 1828, 1).

Diese Interpretationsbeispiele, die sich vermehren ließen, erlauben den Schluß, daß der Text die bildliche Darstellung nicht nur deutet, sondern daß sein Urheber diese auch in allen Einzelheiten konzipiert hat.

Welchen Part in diesem Zusammenspiel von Bild und Text hat nun der Zeichner? Die Karikatur wird nach inhaltlichen, stilistischen und kompositorischen Kriterien Konrad Eberhard zugeschrieben, einem der den Nazarenern nahestehenden Künstler der katholischen Restauration, die Ludwig I. nach München gezogen hatte. Die Aussagen, die im »Papiernen Kalb« zu den kirchenpolitisch aktuellen Fragen der Zeit gemacht werden, sind identisch mit denen anderer Werke Eberhards, wie z. B. mit denen des etwa gleichzeitig entstandenen Triptychons »Triumph der Kirche« (heute in Basel; die interpretatorischen und quellenspezifischen Hinweise auf Eberhards Werk verdanke ich Fritz Maier, München). Der in beiden Werken enthaltene Vorwurf, die Kirche werde staatlich bevormundet, richtet sich vor allem gegen König und Regierung.

Einen weiteren Beweis für des Königs Antiklerikalismus sah die katholische Restaurationsbewegung in seiner Bautätigkeit.

Statt des klassizistischen, als antikisch-heidnisch verstandenen Bauens hätte man viel lieber den ›altdeutschen‹, d. h. den gotischen Sakralstil ausschließlich gefördert gesehen. Auch diese architektonische Manifestation ideologischer Gegensätze – unbegrenztes Kirchenrecht in ›altdeutscher‹ Tradition auf der einen, Staatskirchentum, das sich der Antike nicht verschließt, auf der anderen Seite – sind einander in beiden Darstellungen spannungsreich und nahezu identisch in Komposition und Bildlichkeit gegenübergestellt: auf der Anhöhe links im Bild jeweils die gotische Kirche, rechts gegenüber die neuen Bauten des Klassizismus, von gottgesandtem Feuer bedroht.

»Das papierne Kalb« erweist sich damit, obwohl als Vehikel für eine publizistische Attacke konzipiert, in die kompositorische und inhaltliche Kontinuität von Eberhards Werk eingebunden. Als politische Karikatur hat das Blatt durchaus eigenständige Qualität. Es steht – ebenso wie der Begleitaufsatz – im Kontext zeitgenössischer publizistischer Tradition. Denn Zeitkritik in Form von Karikatur und literarischer Polemik gehört zu der neuen Schreib- und Publikationspraxis, die die Autoren unter den Bedingungen politischer Opposition im Vormärz entwickelten.

Der Autor, dessen Konzept die Karikatur bis ins Detail folgt, ist, wie gesagt, anonym geblieben. Dies entsprach der Publikationspraxis des »Eos«-Kreises. Den Leitsätzen nach, mit denen er die Redaktion übernommen hatte, schrieb man nicht um persönliche Ehre und materiellen Gewinn, wie es die literarische Konkurrenzsituation vom freien Schriftstel-

ler-Journalisten des Vormärz gemeinhin verlangte, sondern trat – im Dienst der guten Sache und bewußter Distanz zu den Publikationsgepflogenheiten des ›modernen‹ Schriftstellers – in den Kreis der Gleichgesinnten zurück. Nach dem erzwungenen Rücktritt des Kreises während der Zeit der königlichen Ungnade nach 1830 empfahl sich solche Zurückhaltung auch aus durchaus praktischen Gründen.

Eine Zuschreibung des Textes an Görres selbst erscheint zu gewagt angesichts einer wenig tragfähigen dokumentarischen Basis und einer Forschung, in der stilkritische Untersuchungen fehlen, die eine Differenzierung zwischen Görres' originaler Schreibpraxis und der denkbarer Epigonen innerhalb der Redaktion erlauben. Der unmittelbare zeitliche und thematische Kontext von Görres' Werk aber enthält Bilder und sprachliche Wendungen, die denen im Text des »Papiernen Kalbes« ähnlich, mit ihnen oft sogar identisch sind. Sie könnten eine solche Zuschreibung stützen.

Der zeitgenössische Leser wird die Karikatur – soweit er ihr Erscheinen bei der geringen Verbreitung von »Eos« überhaupt wahrgenommen hat – wohl als Epilog auf die publizistische Fehde vom Frühjahr 1831 verstanden haben. Damit scheint zwar die Sicht des Gesellschaftshistorikers bestätigt, in der die vormärzliche bayerische Publizistik die pressepolitischen Probleme mehr spiegelt als daß sie sie schafft (Treml, 1977, 131). Gerade dieser Epilog aber zeigt auch, daß »Eos« ebenso wie das von ihr attackierte »Inland« auf den kulturpolitischen Bereich und den Pressemarkt unmittelbar und aktiv einwirkte.

Die Eigendynamik, mit der sich die beiden publizistischen Kontrahenten aus der ihnen zugedachten Funktion als Meinungsmacher im Dienst der königlichen Pressepolitik herausentwickelten, macht zudem deutlich, wie wenig der König umzugehen wußte mit den publizistischen Mächten, die er gerufen hatte. Als diese daran gingen, Ludwigs Lippenbekenntnisse zur Pressefreiheit in publizistische Wirklichkeit umzusetzen, fiel dieser – bedrängt durch die politisch zugespitzte Situation nach der Julirevolution – zurück in die alteingeübten Handlungsmechanismen des Neoabsolutismus, griff zu den traditionellen Strategien präventiver Literaturkontrolle und machte die »freie Presse« mundtot.

Armes Bayern!

Wohl in jedem deutschen Lande
Steht noch eines Sängers Haus,
Singend seines Volkes Schande
Fliegen seine Lieder aus,
Und es theilen alle Herzen
Sangbegeistert seine Schmerzen
Nur; so viel in Dir auch leiern,
Du bist öde, kalt und leer!
Armes Bayern, armes Bayern,
Du hast keinen Dichter mehr!

Aus dem Fett der Mönche lodert
Nicht die Flamme Deines Ruhms,
Und Dein Christenthum vermodert
In dem Sumpf des Pfaffenthums;
Aller Lichtesfeinde Größter
Baute die verfluchten Klöster,
Daß sich Deinem Fluge bleiern
Anhängt der Jesuiten-Heer!
Armes Bayern, armes Bayern,
Du hast keinen Dichter mehr!

Weh! in deinen Kammern dreschen
Schau' ich Deine Besten Stroh,
In dem Hopfensaft erlöschen
Jedes heiße Ach und O,
Dumpfer werden Deine Geister,
Deine Zwingherrn dreist und dreister!
Vor dem Bild des allzutheuern
Königs kniest Du seufzerschwer:
Armes Bayern, armes Bayern,
Du hast keinen Dichter mehr!

Wohl schaut man von Deinen Bergen
In ein blühend Gartenland;
Doch von Deines Königs Schergen
Sind die Sänger draus verbannt!
Prangst Du auch in grünem Kleide,
Steckst du doch in tiefem Leide,
Denn nur von bezahlten Schreiern
Tönt es widrig ringsumher!
Armes Bayern, armes Bayern,
Du hast keinen Dichter mehr!

Aus dem kalten Steine baust Du
Dir kein warmes Lebenshaus;
Aus dem todten Steine haust Du
Große Todte Dir nur aus;
Leichen prangen dort in Galla
In dem Grabmal der Walhalla!
Aller Jugend, allem Neuern
Droht dies stumme Geisterheer;
Armes Bayern, armes Bayern,
Du hast keinen Dichter mehr!

Ob sie Deinen Namen schreiben
Mit Ipsilon oder I,
Wirst Du doch bei solchem Treiben
Deiner Ahnen würdig nie!
Ob des röm'schen Knecht's Gemeinheit
Schreit nach Deutschheit und nach Einheit,
Hetzt er deutschen Geist, den freiern
Doch mit seinem Mordgewehr:
Armes Baiern, armes Baiern,
Du hast keinen Dichter mehr!

Mit den allerschönsten Typen,
Auf dem saubersten Papier.
Reich versehn mit Participen
Gab dein König Ludwig Dir
In die fleh'nd gestrekten Hände
Seiner Dichtungen drei Bände;
Für Sechs Gulden ein'ge Dreiern
Gab sie Allerhöchst selbst – Er!
Armes Baiern, armes Baiern,
Du hast keinen Dichter mehr!

Verbotene Lieder von einem norddeutschen Poeten, 1844

12.1.9 »Der revolutionäre Bock«, München 1844

Krawall, Tumult, Unruhe – soziales und politisches Aufbegehren in München von 1830–1848

Eva A. Mayring

Biedermeier als Karikatur einer kleinbürgerlichen Idylle, des Rückzugs ins Private und Unpolitische verstanden, bezeichnet nur einen Teil des Lebens zwischen 1815 und 1848 (Böhmer, 1977, 9–11; Krüger, 1969, 9ff.). Dieselbe Zeit stand auch unter dem Zeichen zunehmender Politisierung. Entscheidend war das Jahr 1830. Die französische Julirevolution brach die vermeintliche Ruhe der Restaurationszeit. König Karl X. versuchte die innenpolitische Opposition in Frankreich durch staatsstreichähnliche Maßnahmen zum Schweigen zu bringen. Er hob die Pressefreiheit auf und löste die Abgeordnetenkammer auf. Der folgende Aufstand in Paris vom 27. bis 29. Juli leitete den revolutionären Regierungswechsel ein. Karl X. wurde abgesetzt und Prinz Louis-Philippe von Orléans von den Abgeordneten zum »König der Franzosen« proklamiert. Das Prinzip der Volkssouveränität erhielt in der neuen Verfassung vom 4. August 1830 gegenüber monarchischen Vorrechten mehr Gewicht. Die Verfassung erhob die Trikolore, Banner der Revolution 1789, wieder zur Nationalfahne, stellte die Pressefreiheit her und sah ein erweitertes Wahlrecht vor (Chastenet, 1976; Huber, 1965, 71–106). Die Julirevolution löste in ganz Europa revolutionäre Aufstände aus. Die südlichen Provinzen der Vereinigten Niederlande erklärten sich zum unabhängigen Königreich Belgien mit liberaler Repräsentativverfassung. Der Kampf um nationale Einheit und Autonomie stand in Polen und Italien im Vordergrund. In England wurde eine Wahlrechtsreform und in der Schweiz Verfassungsänderungen eingeleitet (Church, 1983; Weis, 1982, 370–389). Auch innerhalb des Deutschen Bundes kam es 1830–33 zu Unruhen. Protest in norddeutschen Städten richtete sich gegen Verwaltung, Polizei und Militär. In Braunschweig, Hannover und den bayerischen Nachbarländern Hessen, Sachsen, Reuß und Altenburg entstanden heftige Unruhen im städtischen Bürgertum und bei den Bauern. Sie konnten zum Teil ihre Forderungen durchsetzen. Kurhessen und Sachsen erhielten erstmals Konstitutionen, Braunschweig und Hannover neue Verfassungen mit städtischer und bäuerlicher Vertretung in den Landtagen; Agrar- und Steuerreformen wurden eingeleitet (Volkmann, 1975, 1–19; Weis, 1982, 391). Die Julirevolution 1830 war Signal für ein verstärktes Auftreten der politischen Opposition auf den süddeutschen Landtagen, in der Presse, in Flugschriften, Petitionen und Vereinen. Ziel war stärkere politische Mitsprache und Gleichberechtigung, Pressefreiheit, Öffentlichkeit und Mündlichkeit der Justiz, Geschworenengerichte, Erweiterung des Wahlrechts, Steuerreform, Abschaffung bäuerlicher Lasten und der Adelsprivilegien, ein Ausbau des Konstitutionalismus durch Ministerverantwortlichkeit, Budgetrecht und Gesetzesinitiative der Volksvertretungen, Vereidigung des Militärs auf die Verfassung. Gleichzeitig erließen die

Regierungen und der Deutsche Bund Gesetze und Verordnungen, um diese Bewegungen zurückzudrängen. Von einer einheitlichen Opposition kann man jedoch nicht sprechen. Neben die liberale Richtung des Besitz- und Bildungsbürgertums traten radikalere Richtungen mit republikanischen und demokratischen Ideen. Die Opposition der städtischen Unterschichten, der Handwerksgesellen, Taglöhner, und der kleinen Bauern nahm in den 40er Jahren an politischer Bedeutung zu.

Wirtschaftliche, soziale und politische Gegensätze und Spannungen des Vormärz schlugen sich auch in Bayern in Protesten und Unruhen nieder. Die Unzufriedenheit einzelner Bevölkerungsgruppen äußerte sich in Demonstrationen, Tumulten auf der Straße und Sachbeschädigungen – in den 30er Jahren vereinzelt, ab Mitte der 40er Jahre häufiger.

Im Herbst 1830 ereigneten sich einige der skizzierten Tumulte. Sie entstanden spontan und waren regional voneinander unabhängig.

Ein inhaltlicher Zusammenhang mit der Julirevolution existierte nicht, jedoch stimulierte die Nachricht von Revolutionen und Aufständen zu eigenen Aktionen unterschiedlicher Art.

In den bayerischen Städten und einzelnen Marktgemeinden kam es wie auch 1819 zu antijüdischen ›Hep-Hep‹-Tumulten, Morddrohungen gegen Juden und Eigentumsbeschädigungen. Ortsbewohner griffen Amtsstuben und Wohnungen von Verwaltungs- und Polizeipersonal an, forderten bessere Beamte und die Absetzung von unbeliebtem Gerichtspersonal, Gendarmen und Zöllnern. Allgemeiner Unmut mit der Obrigkeit wurde laut. Einzelne Tumulte waren von Rufen nach mehr ›Freiheit und Gleichheit‹ begleitet. Die Bevölkerung formulierte ihre Unzufriedenheit in Flugzetteln und Maueranschlägen. Die darin ausgesprochenen Drohungen mit Brandstiftungen und den Ankündigungen eines allgemeinen Aufstands sollten den Ernst der erhobenen Beschwerden unterstreichen (BayHStA MInn 45514, MInn 45519, MInn 45520, MInn 45521; StaatsA Nürnberg, Reg. Mfr., Abgabe 1968, II, 27; StaatsA Würzburg, Reg. Ufr., Abgabe 1943/45, Nr. 9853).

Vor allem in Nordbayern wurden Zolleinrichtungen beschädigt. Damit protestierten die Einwohner gegen die Beschränkungen des freien Handelsverkehrs von einem deutschen Bundesstaat in den anderen. Die erhobenen Zölle empfanden sie als zu hoch und verlangten ihre völlige Abschaffung (BayHStA MInn 45521; StaatsA Würzburg, Reg. Ufr., Abgabe 1943/45, Nr. 9834). Eine Veränderung der Situation wurde durch die Beseitigung der Binnenzölle zwischen den Staaten durch den 1834 gegründeten Deutschen Zollverein geschaffen.

Die Verteuerung der Lebensmittel, vor allem Brot, Bier und Fleisch war häufigster Anlaß zu Unruhen. Die Steigerung der Getreidepreise schlug sich auf die allgemeine Preisgestal-

11.3.26 Die Hunde als Revolutionäre, Friedrich Anton Wyttenbach, München 1842

tung nieder. Ursache dieser Schwankungen waren Mißernten, Viehseuchen und politische Krisen. Nach dem Teuerungsjahr 1816/17 kam es 1830–32, 1844 und 1847 zu weiteren Höchstpreisen (Seuffert, 1857; Vierteljahreshefte z. Statistik des Deutschen Reiches, 44, 1935, 1, 237–307).
1830 richtete sich der Protest vorwiegend gegen Bäcker und Metzger. Die Ortsbewohner forderten besseres und billigeres Brot. In einem in der Münchner Residenz gefundenen Handzettel hieß es im September 1830: »Wenn der Bayer. König anstatt seiner steten Abwesenheit von hier (unbekümmert seiner Wirtschaft zu Hause) die gegenwärthige Noth seiner noch bis jetzt gehorsamen und ruhig gebliebenen Unterthanen nicht und mit einemmale abhilft . . . so wird es ihm vielleicht schlechter noch ergehen, als dem König der Franzosen und dergleichen mehr.« (BayHStA MInn 45514, München 22. 9. 1830).
In Südbayern waren in den 40er Jahren die Bierkrawalle am landläufigsten. Den Auftakt hierzu bildete der Münchner Bierkrawall vom 1. bis 3. Mai 1844. Das gehaltvollere Sommerbier wurde vom 1. Mai an ausgeschenkt, der Preis war von fünf auf sechseinhalb Kreutzer pro Maß gestiegen. Am selben Tag entstand im Maderbräu ein Tumult, der sich über die ganze Stadt ausbreitete. Rund 2000 Menschen nahmen daran teil. Einzelne Gruppen stürmten 30 Wirtshäuser, zerschlugen Fenster, Tische, Bänke, Gläser und Krüge, griffen die Münze und Bäckereien an (BayHStA MInn 46128, München 6. 5. 1844, 10. 6. 1844). Den Bierkrawallen lagen jedoch neben der Bierverteuerung andere Ursachen zugrunde. 1844 fiel der Anstich des Sommerbiers mit der Hochzeit der Tochter Ludwigs I., Prinzessin Hildegard mit Erzherzog Albrecht von Österreich zusammen. Die Prachtentfaltung anläßlich der Feierlichkeit erregte nach den Beobachtungen des französischen Gesandten den Unwillen der Einwohner, da das Königshaus entgegen jahrhundertelanger Gepflogenheiten keine Begünstigungen für sie gab (GBF V, 4. 5. 1844, 57). Am 2. Mai demonstrierten mehrere Hundert vor dem Münchner Staatstheater. Die Festvorstellung wurde kurz unterbrochen, Panik brach aus, ein Teil des Publikums verließ das Theater (BayHStA MInn 46128).
Bierkrawalle ereigneten sich auch in den folgenden Jahren bis 1848 in München und seinen Vorstädten, aber auch in Burghausen, Schrobenhausen, Taufkirchen (BayHStA MInn 46128, 46424, 46425, 45606; StaatAM RA 15895, 21921). Sie waren häufig ein Ventil für soziale und politische Konflikte (Blessing, 1981, 357, 379–384). Im Juni 1844 kam es während der Festnahme eines Arbeiters beim Ingolstädter Festungsbau zu Auseinandersetzungen zwischen Gendarmen und Arbeitern; ein Arbeiter wurde dabei getötet. Daraufhin zerstörten mehrere hundert Lohnarbeiter Wirtshäuser und Bäckerläden in Ingolstadt (StaatAM RA 21921, Ingolstadt 16. 6. 1844, 18. 6. 1844). Während eines Bierkrawalls in Benediktbeuren drohte man »münchnerisch« zu handeln, die Tumulte vom Mai 1844 zu wiederholen. Eigentliche Ursache des Protests waren jedoch bevorstehende Arbeitsentlassungen des Glashüttenbetriebs (BayHStA MInn 46128, München 24. 5. 1844).
Beteiligt an den Tumulten waren überwiegend Taglöhner und Handwerksgesellen. Sie gehörten den wirtschaftlich schwächeren Bevölkerungsgruppen an. Wachsende Bevölkerungszahl und Übersetzung der Handwerkszweige verursachten Verarmung, eingeschränkte Aufstiegschancen und Verdienstlosigkeit (Schieder, 1979, 69f.; Bergmann, 1984,

321–334). Gegenüber den Preissteigerungen stagnierten die Taglöhne der Münchner Handlanger, Maurer und Zimmergesellen (Gerhard, 1984, 458–469, 477, 502f., 512f.). Die Polizeidirektion München und die Kreisregierung schlugen dementsprechend als Maßnahme, weiteren Unruhen vorzubeugen, die Erhöhung des Arbeitslohns, die Entwicklung eines Arbeitsprogramms und die Bewilligung einer zuvor gekürzten Teuerungszulage für niedere Beamte und Militär vor (BayHStA MInn 46128). Häufig nahmen Soldaten entweder aktiv an Tumulten teil oder solidarisierten sich als abgeordnete Sicherheitswachen mit den Protestierenden: 1844 in München, 1846 in Augsburg und Dillingen. Sie beklagten vor allem zu niedrigen Sold (GBF V, 18. 5. 1844, 63ff.; 11. 7. 1844, 72; 5. 5. 1846, 184f; GBP IV, 21. 6. 1844, 53; 10. 5. 1846, 180f.; GBÖ III, 21. 4. 1844, 259; 4. 5. 1846, 363).
Den Grund der Unzufriedenheit sah man in der Finanzpolitik Ludwigs I. Lebensmittelteuerungen, schlechte Bezahlung, hohe Steuern und Abgaben stünden im Gegensatz zu großen Geldausgaben für Bauten, wie die Walhalla, die Befreiungshalle und Ruhmeshalle, Reisen Ludwigs I. nach Italien und kostspieligen Frauenbekanntschaften. Soldaten, Taglöhner, der ›gemeine Bürger‹ müsse hungern. In Schmäh- und Drohbriefen äußerte man diesen Protest (BayHStA MInn 45380, MInn 45381, MInn 45378, MInn 46066). Ende Oktober 1844 waren auf dem Münchner Markt mehrere Zettel verbreitet: »Wenn das Bier bis in drey Tage nicht fünf Kreutzer kostet, so nieder mit der Regierung. Deutsche Vaterlandsbrüder. länger lassen wir uns nicht mehr auf den Kopf treten. Brüder – Hurra es lebe die Freiheit und nieder mit Herman« (der Regierungspräsident von Oberbayern Joseph von Hörmann) »und der schlechten Regierung« (StaatAM RA 15896, München 27. 10. 1844). In Anspielung auf die Situation in Frankreich vor Ausbruch der Revolution von 1789 lautete ein anonymes Flugblatt vom April 1846: »Die Vertreter des Willens des Publikums an die königliche Regierung von Oberbayern. Es wird die Anfrage gestellt, ob selbe wirklich durch hartnäckige und böswillige Belehrung auf Vertheuerung des Bieres, das hiesige Volk auf Äußerste zu bringen gesonnen ist. Hat nicht seither die Weltgeschichte so handgreiflich gelehrt, auf welche Art Aufstände und hiedurch gediegene Revolution entstanden sind? Wie entstand die französische – Durch erzwungene Theuerung des Brodes, . . . Hier ist's das Bier, ein Element in welchen der Bayer lebt.« (BayHStA MInn 45381). Daran schloß sich die Schilderung eines Aufstandsplans.
Die Bierpreise entwickelten sich zu einem Politikum. 1846 entschlossen sich Gesellen und Arbeiter zum Boykott: Sie bezahlten nur den vorher üblichen Preis, in einigen Wirtshäusern tranken sie kein Bier mehr (BayHStA MInn 45606, München 3. 5. 1846, 6. 5. 1846, 18. 5. 1846). Die Tumulte führten insoweit zum »Erfolg«, daß die Bierpreise gesenkt wurden.
Preissteigerungen, Nahrungsmittelknappheit und wachsende Armut waren die Ursache sogenannter Teuerungsexcesse (Blessing, 1981, 356–368). Während des Landtags 1845/1846 arbeiteten Regierung und Abgeordnete eine gesetzliche Neuregelung für die Festsetzung des Bierpreises aus. Große Teuerungen sollten nach Möglichkeit vermieden werden. Im Mai 1846 ermäßigten die Münchner Brauer von sich aus das Bier um 8 % (StaatAM RA 15831). Zu Zeiten einer unumgänglichen Preisveränderung und während des

16

Weltgeschichte.

Die Communisten.

„Ja, du redest immer von Gleichheit und Gütertheilen, allein ich setze den Fall, wir haben getheilt und ich, ich spare meinen Theil, doch du verschwendest den Deinigen, was dann?"

„Ganz einfach! Dann theilen wir wieder!"

Oktoberfestes traf die Regierung vorsorgliche Sicherheitsmaßnahmen. Die Militärgarnisonen wurden durch die Einberufung beurlaubter Soldaten verstärkt, das Bürgermilitär in Bereitschaft gestellt.

Die Frage, inwieweit ein ursächlicher Zusammenhang zwischen der Teuerungs- bzw. Agrarkrise und der Revolution von 1848/1849 besteht und das revolutionäre Verhalten einzelner Gruppen beeinflußte, ist umstritten. Die Krise wirkte sich jedoch durch wirtschaftliche Not und Verelendung der Handwerker und Taglöhner bis 1849 aus, und hierin »wird aber von Vertretern der neueren Krisen- und Revolutionstheorie ein in besonderem Maße Unzufriedenheit und revolutionäre Mißstimmung bewirkender Faktor gesehen.« (Bergmann, 1984, 334; s. auch Bergmann, 1979, 24–54.) Die Ereignisse zu Beginn der Revolution 1848 bis zum Rücktritt Ludwigs I. waren von Unruhen in München begleitet. Im wesentlichen wurden sie von Handwerkern, Taglöhnern zusammen mit dem Bürgertum getragen. Im Mittelpunkt standen politische Motive und die Person der Lola Montez. In Handzetteln und Maueranschlägen hatte man schon im Zusammenhang mit den Teuerungen Kritik an der Regierung Ludwigs I. erhoben. Darüberhinaus existierten auch rein politische Flugblätter, so im Juni 1845: »Bei den magistratischen und anderen Behörden, welche im Allgemeinen als Hauptmenschenquäler anerkannt sind, soll auch Mittel getroffen werden, das Mittel ist: Reform. Es lebe die französische Gesetzgebung. Es lebe die freie Erwerbsart . . . Es lebe Ludwig bei Reform mit uns – so ist der Wunsch vieler tausende.« (StaatAM RA 15896, München 17.6.1845.) In Schmähschriften griff die Bevölkerung seit 1847 Ludwigs Beziehungen zu Lola Montez scharf an. Über der Frage der Verleihung der Staatsbürgerschaft an Lola war es 1847 zum Rücktritt des konservativen Ministeriums Wilhelm Abel gekommen. Der politische Einfluß der Ultramontanen wurde zurückgedrängt. Die Entlassung des Philosophieprofessors Ernst Lassaulx, nachdem er im Senat der Münchner Universität eine Solidaritätserklärung für die zurückgetretenen Minister angeregt hatte, provozierte den Protest der Studenten. Am 2. März 1847 demonstrierten 6000 Münchner, wie der französische Gesandte berichtete, vor dem Haus der Lola Montez und der königlichen Residenz (GBF V, 2.3.1847, 238f.; s. auch GBP IV, 2.3.1847, 233f.; Spindler, 1979, 210–213). Das neue ›Ministerium der Morgenröte‹ leitete schon Ende 1847 liberale Reformen auf dem Gebiet der Pressezensur und des Justizwesens ein. Im Dezember 1847 verfügte Ludwig einen erneuten Ministerwechsel. Hinter der Ernennung Franz von Berks zum Innenminister vermutete man in der Öffentlichkeit den Einfluß Lola Montez (Spindler, 1979, 213f.). Anfang Februar 1848 kam es zu ersten Tumulten, die sich an der Stellung Lolas in der Gesellschaft entzündeten. Wie schon 1847 führten Zusammenstöße unter der Studentenschaft zur Schließung der Universität, die allerdings nach Demonstrationen der Münchner Bürger wieder aufgehoben wurde. Die Unruhe hielt jedoch an, Sachbeschädigungen, auch am Polizeigebäude wurden verübt. Am 11.2.1848 ordnete Ludwig die Ausweisung Lola Montez aus der Stadt an (GBF V, 9.–12.2.1848, 330–336; GBP IV, 10.–15.2.1848, 365–377).

Nun traten die seit den 30er Jahren in Landtagen, Flugschriften und in der Presse erhobenen politischen Forderungen in den Vordergrund. Am 21.2.1848 protestierten mehrere hundert Handwerker und Soldaten auf der Straße gegen den Innenminister Berks. Der »Deutsche Soldatenkatechismus« forderte das Militär zum Aufstand »auf der Seite des Volkes« zur »Vertreibung ›der gekrönten Unterdrücker und ihrer Anhänger‹ auf« (Calliess, 1976, 97). Die Nachricht von der erfolgreichen Pariser Februarrevolution und der Errichtung der französischen Republik am 24.2.1848 beeinflußte die weitere Entwicklung. Vom 2. bis 4.3.1848 ereigneten sich Straßentumulte. Das Regierungs- und Polizeigebäude, die Residenz, das Außenministerium, die Wohnung des Innenministers, die Staatsbibliothek, die Porzellanmanufaktur und der Bahnhof wurden angegriffen und Straßenbarrikaden errichtet. Unter den Rufen »vive la réforme« verlangte man Prinz Luitpold als neuen König (GBF V, 5.3.1848, 348; GBP IV, 8.3.1848, 402). Anonyme Anschläge wie »Auf ihr edlen Patrioten«, »Zu den Waffen! Macht's den Franzosen nach!«, »Freie Republik, Nieder mit den Gendarmen!« erschienen an den Mauern der Stadt (Birnbaum, 1984, 205). Das Bürgertum übernahm nun die führende Rolle, um seine politischen Forderungen durchzusetzen. Formuliert wurden sie am 3.3. in einer Adresse an den König, die auch von Reichsräten unterzeichnet war: völlige Abschaffung der Zensur, die Einführung der Öffentlichkeit und Mündlichkeit in der Rechtspflege mit Geschworenengerichten, ein Polizeigesetz, neues Wahlgesetz für die Landtagswahlen, ein Gesetz über die Ministerverantwortlichkeit, Vereidigung des Militärs auf die Verfassung, eine Volksvertretung am deutschen Bundestag (Abdr. Reiter, 1983, 56f.). Mit wiederholten Demonstrationen und Vorstellungen protestierten die Münchner Bürger gegen die zögernde Haltung des Königs und verlangten eine sofortige Einberufung des Landtags. Als am 4.2. in München der Generalmarsch zum Ausrücken der Truppen gegeben wurde, stürmte die Bevölkerung das städtische Zeughaus. Mehrere tausend Studenten, Handwerker, Taglöhner und Bürger standen bewaffnet auf den Straßen. Gleichzeitig bemühten sich Minister und Reichsräte, den König zum Einlenken zu bewegen. Noch am 4.3. wurde die Verfügung Ludwigs I., den Landtag für den 16.3.1848 einzuberufen, verkündet. Darauf legten die Münchner die Waffen nieder. Am 6.3.1848 erließ nach langen Beratungen Ludwig I. eine Proklamation, die die gestellten Forderungen erfüllte (Calliess, 1976, 99–101; Reiter, 1983, 63f.). Auch außerhalb der Hauptstadt wurden am 2./4. März 1848 Volksversammlungen gehalten. Nürnberg, Bamberg, Augsburg und Kempten sandten inhaltlich ähnliche Bürgeradressen wie die der Münchner in die Hauptstadt. Die königliche Proklamation 6.3.1848 wurde in den Städten als großer Erfolg gefeiert (Nickel, 1965, 44–46; Zimmermann, 1951, 239–245). Noch vor den revolutionären Aufständen in Österreich, Preußen, Baden, Württemberg war in München ein entscheidender Schritt des politischen Richtungswechsels der Revolution 1848/49 getan. Die Abdankung Ludwigs I. war zwar keine zwingende Folge der Märzrevolution, die Gegensätze zwischen König und Volk hatten sich jedoch schon zu sehr verhärtet (Spindler, 1979, 221f.; Hummel, 1985, 501f.).

12.5.2.21 Gedenkblatt auf das Jahr 1848, Bernhard Stange, München 1848

Bayerisch Schwarz-Rot-Gold oder die Schönwetterfahne auf der Feldherrnhalle

Ulrike Laufer

Während im Vormärz in Deutschland und auch in den pfälzischen und fränkischen Verwaltungsbezirken des bayerischen Königreiches immer wieder die allerdings verbotenen »deutschen Farben«, das Schwarz-Rot-Gold der Uniformen des Lützower Freicorps, sichtbar wurden, scheint es in München zu derartigen politischen Aufmüpfigkeiten kaum gekommen zu sein. Seit den Karlsbader Beschlüssen 1819 war die »deutsche Trikolore« ein öffentliches Ärgernis; Polizei und Staatsspitzel wurden angewiesen, nach Verstößen gegen das Verbot der Nationalfarben peinlichst genau zu fahnden. Bis zur Abdankung Ludwigs I. (20.3.1848) scheinen die Münchner Bürger keine Lust verspürt zu haben, sich den Wünschen und Empfindlichkeiten ihrer Obrigkeit zu widersetzen. Das Interesse an »Teutschland« überließen sie gern ihrem poetischen, idealistischen König Ludwig, der den Deutschen auf bayerischem Boden eine Ruhmeshalle bauen ließ – allerdings nicht an der nordbayerischen Grenze nach Deutschland gewandt, sondern im Osten an der Grenze zu Österreich.
Am 18.10.1830, dem Gedenktag der Völkerschlacht bei Leipzig, (vgl. AK Vorwärts, München 1986, 63 ff.) wurde in feierlicher Zeremonie der Grundstein »dieses deutschen Pantheons« gelegt. Die Münchner Honorationen ließen es sich nicht nehmen, nach Regensburg zu fahren, um bei der Feier dabeizusein (StadtAM, B. u. R. 557): »Dies ist ein Ereigniß, merkwürdig und wichtig für ganz Deutschland – für Bayern doppelt. München als die erste Stadt des Reiches wird und darf hiebey nicht gleichgültig bleiben.« Doch scheint es hier mehr darum gegangen zu sein, ein gesellschaftliches Ereignis miterleben zu wollen und dem König zu gefallen. Mit den flammenden Deutschland-Rufen und den Forderungen nach Einheit und Freiheit für ein deutsches Vaterland, wie man sie 1832 in der neubayerischen Pfalz auf dem Hambacher Fest vernehmen konnte, hatte diese Veranstaltung jedenfalls nichts zu tun. Die altbayerischen Nationalfarben hießen in dieser Zeit noch Weiß und Blau.

Ein Münchner reimte am 6. März 1848:

> *»Weiß und blau und blau und weiß*
> *Sind die Farben, die ich wähle;*
> *Treu und Liebe, Glück und Fleiß,*
> *Freud und Freundschaft, und der helle*
> *Heitre Himmel tragen, so wie ich,*
> *Diese Farben rein und säuberlich.*
> *. . .*
>
> *Weiß und blau, ein heilger Sinn,*
> *Sind die Farben, die ich wähle,*
> *Was ich gelte, was ich bin,*
> *Sagen sie der Welt zur Stelle.*
> *Nur der Bayer trägt voll Stolz zur Schau*
> *Dieses Blau und Weiß und Weiß und Blau.*
> *. . .«*

(Aus: BayStB Bavar. 2496z)

Doch in wenigen Tagen sollte alles ganz anders werden. Das Verbot der deutschen Farben wurde aufgehoben. Am 9.3.1848 erklärte der deutsche Bundestag in Frankfurt das Schwarz-Rot-Gold zu den offiziellen Farben des Deutschen Bundes.

Ferdinand Freiligrath dichtete am 17.3.1848:

> *»In Kümmernis und Dunkelheit,*
> *Da mußten wir sie bergen!*
> *Nun haben wir sie doch befreit,*
> *Befreit aus ihren Särgen!*
> *Ha, wie das blitzt und rauscht und rollt!*
> *Hurra, du Schwarz, du Rot, du Gold!*
> *Pulver ist schwarz,*
> *Blut ist rot,*
> *Golden flackert die Flamme!«*

Mit diesem revolutionären Hurra-Patriotismus waren die Münchner Bürger sicher nicht ganz einverstanden, zumal im gleichen Lied der friedliche Ausgang ihrer hauseigenen Revolution verhöhnt wurde:

> *»Das ist noch lang die Freiheit nicht,*
> *Die ungeteilte, ganze,*
> *Wenn man ein Zeughaustor erbricht*
> *Und Schwert sich nimmt und Lanze;*
> *Sodann ein weniges sie schwingt,*
> *Und – folgsamlich zurück sie bringt!*
> *Pulver ist schwarz,*
> *Blut ist rot,*
> *Golden flackert die Flamme!«*
> (nach Otto, 1982, 203 f.)

Da die Münchner Bürger mit der Erstürmung des Zeughauses und dem bewaffneten Marsch durch die Stadt ihre »Märzforderungen« (Einberufung des Landtags, Verantwortlichkeit der Minister, Pressefreiheit, Vereidigung des Militärs auf die Verfassung) am 3. März 1848 durchgesetzt hatten, war die Revolution für die meisten von ihnen beendet. Doch bei einem Teil der Bürgerschaft schien, wie auch überall in Deutschland, der schwarz-rot-goldene Funke Feuer entfacht zu haben. Immerhin hatte man am 3. März auch durchgesetzt, daß künftig nicht nur Abgeordnete der bayerischen Regierung, sondern auch Vertreter des Volkes zum Bundestag entsandt werden sollten. Auf den Straßen und in den Bürgerhäusern wurde die Frage nach den wahren Nationalfarben heftig diskutiert.
Eine der beliebtesten Tageszeitungen, die liberale Bayerische Landböbin, sah sich am 11.3.1848 genötigt, die Gemüter zu beruhigen: »Schwarz-Roth-Gold ist nicht das Zeichen des Umsturzes oder auch nur des allgemeinen und unbestimmten Begriffes von Freiheit u. dgl. – Davor bewahr' uns Gott! Schwarz-Roth-Gold bedeutet die Vereinigung – das innige Zusammenhalten Teutschlands – im Frieden wie im Kriege.

255

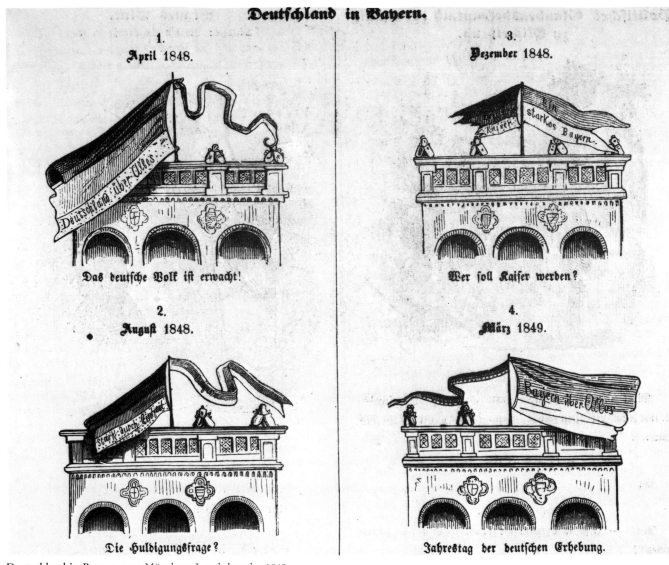

Deutschland in Bayern, aus: Münchner Leuchtkugeln, 1849

Jeder der Staaten, welche Teutschland bilden, hat seine eigenen Landesfarben, aber er wird ihnen Schwarz-Roth-Gold zur Unterlage geben; und Ehre und Preis dem Fürsten, der damit vorangeht! Blau und weiß auf schwarz-roth-goldenem Grunde werden also die Farben Bayerns sein!« Man darf wohl annehmen, daß weder Ludwig I. noch sein ihm am 20.3. nachfolgender Sohn Maximilian II. daran dachten, den Vorschlägen der Landbötin in irgendeiner Form entgegenzukommen.

Brave, unbescholtene Münchner Bürger übernahmen die Initiative. Bis dahin Unerhörtes, Unvorstellbares berichtete der Stadtchronist Destouches am 30. März 1848: »Man hatte bisher von den deutschen Nationalfarben schwarz, roth und gold nicht viel wissen wollen, ja sie waren, namentlich in München angeblich als republikanische Abzeichen so zu sagen verpönt, was die schnelle Annahme der bayerischen Farben, das Tragen derselben in Kokarden und Bändern am 6ten März d.J. deutlich beurkundete. – Allein, wie veränderlich ist alles in der Welt! Man fürchtete die Aufpflanzung einer sogenannten deutschen Fahne, man sträubte sich mit

aller Gewalt gegen dieses Tricolor und nur ›blau und weiß‹ und ›weiß und blau‹ jubelten die Münchner am 6. März 1848. Heute aber wenige Tage nach dem 6. März, versammelten sich Mittags 12 Uhr Tausend und Tausende vor der Feldherrnhalle, auf welcher von mehreren hiesigen Bürgern diese deutsche Fahne, doch aber mit einem . . . kleinen bayerischen Fähnlein aufgepflanzt wurde . . . Die sämmtlichen Gesangsvereine Münchens trugen in der Feldherrnhalle unter Musikbegleitung Arndts allgemein verbreitetes Lied ›Was ist des deutschen Vaterland?‹ vor.

Und als die deutsche Fahne lustig wehte auf der Zinne der Feldherrnhalle und die letzten Töne des Liedes kaum verhallt waren, da kam König Maximilian mit seinem königlichen Vater Arm in Arm durch die Ludwigsstraße und wurde auf dem ganzen Weg bis an die Treppe der königlichen Residenz mit lauten Aclamationen von dem Volke begrüßt. Was mögen sich wohl beyde Könige dabei gedacht haben?« Egal, was König Maximilian dachte, die aufregende Fahne flatterte in der Frühlingsluft. Leider ließ sich nicht feststellen, wer genau an dieser Aktion beteiligt war, doch liegt der

Verdacht nahe, daß Mitglieder der bei Destouches erwähnten Gesangsvereine dieses schwarz-rot-goldene Vergißmeinnicht auf die Feldherrnhalle gepflanzt hatten.

Die Wahlen für ein allgemeines deutsches Parlament in Frankfurt standen vor der Tür, die Begeisterung für Deutschland griff auch in der Münchner Bevölkerung immer weiter um sich, und der König und seine Regierung trauten sich nicht, die Fahne zu entfernen. Maximilian machte vorerst gute Miene zum schwarz-rot-goldenen Farbenspiel. Am 11.6.1848 ordnete er sogar für das bayerische Heer das Tragen der deutschen Kokarde an. Landwehr und Freicorps hatten sich schon längst solche Abzeichen an die Hüte gesteckt, an den traditionellen Fahnen sah man Fahnenbänder in den deutschen Farben. Wer politisch auf sich hielt, bekannte sich zu Schwarz-Rot-Gold. Bis zum Herbst 1848 dauerte diese Begeisterung noch an, um dann rasch zu verebben.

Noch viel weniger haltbar war allerdings das frühe Symbol bayerischer Deutschtümelei auf der Feldherrnhalle. Unter den Augen des Königs verblich die Pracht. Anscheinend wurde sie aus diesem Grund von den Beamten der Münchner Bauinspektion II eingeholt, was natürlich zu Protesten der Bürgerschaft führte. Am 7. Juli 1848 erreichte deshalb die Bauinspektion folgender allerhöchster Auftrag: »Seine Majestät der König haben zu befehlen geruht, alsbald dafür zu sorgen, daß auf der Feldherrnhalle die Flagge mit den deutschen Farben, aber nebst gehörig breiten und langen blau und weißen Flaggenbändern, wie diese gleich bei der ersten Aufstellung der fraglichen Flagge mit und an dieser angebracht waren, wieder aufgezogen werde ...« Um die Fahne zu schonen, erfolgte Anfang August ein weiterer Befehl: »Die Aufziehung der erwähnten Flagge hat bis auf Weiteres nur alle Sonn- und Feiertage und an den allerhöchsten Geburts- und Namensfesten, sowie bei anderen besonders feierlichen Gelegenheiten ... stattzufinden.« Diese Anordnung erhöhte aber offenbar die Unruhe in der Bevölkerung. Die Bürger hatten die Fahne nicht gestiftet, damit sie nun zu einem wittelsbachischen Festtagsfähnchen umgewandelt würde. Wenn der König sich ihre Morgengabe an die Deutsche Nation aneignete, sollte er auch dafür bezahlen und prompt stellten sie die Auslagen für Flaggengerüst und -stock in Rechnung. Der oberbayerische Regierungspräsident von Godin riet dringend, die Fahne wieder jeden Tag auf der Feldherrnhalle aufzuziehen. Statt der martialischen Speerspitze, die die Bürger für den Flaggenstock ausgesucht hatten, sollte allerdings lieber ein einfacher Knopf angebracht werden.

Die alte Fahne hielt jedoch dem täglichen Wind und Wetter nicht mehr Stand, sodaß Maximilian II. nichts anderes übrig blieb, als die unglückliche Bauinspektion mit der Anschaffung einer neuen, diesmal jedoch haltbareren Fahne zu beauftragen.

Mit dieser Aufgabe schienen die Beamten jedoch überfordert zu sein. In puncto Fahnenbeschaffung oder -herstellung stand das Münchner Gewerbe wohl erst in den Kinderschuhen, die Zeit der Fahnen war in München noch nicht gekommen. Im Oktober meldete die Bauinspektion: »Segeltuch in den benötigten Farben ist nirgends vorräthich ...«. Selbst wenn sie die Garne einzeln färben würden, könnten die angesprochenen Fabriken nicht dafür garantieren, daß die Farben hinterher stimmten. Der Tapezierer Pfeiffer überzeugte nun die Baukommission, statt Segeltuch Wollenzeug

zu nehmen. König Maximilian II. habe selbst auf früheren Reisen in Holland eine Qualität dieses Tuches für Flaggen in Hohenschwangau gekauft. Muster des damals gekauften blauen Stoffes und solche in schwarz, rot und gold wurden an allerhöchster Stelle zur Begutachtung vorgelegt. Obwohl das Rot mehr ein kräftiges Rosa und das Gold eigentlich ein Dottergelb waren, wurden die Stoffe genehmigt und die Fahne in Auftrag gegeben.

Die neue Fahne kostete der königlichen Staatsregierung schließlich 164 fl und 54 Kreuzer – ungefähr das Jahresgehalt eines unteren Beamten. Angesichts dieser ungeheuren Ausgabe erließ die oberbayerische Regierung eine detaillierte »Fahnenverordnung«: »Die deutsche Fahne auf der Feldherrnhalle ist täglich Morgens aufzuhissen und Abends abzunehmen. Bei Regenwetter, Schneegestöber und heftigen Winden unterbleibt das Aufhissen, hat jedoch beim Eintritte günstiger Witterung auch während des Tages zu geschehen; ebenso ist die Flagge bei Eintritte ungünstiger Witterung während des Tages abzunehmen.« (StaatAM AR 835/ Nr. 39.)

Auf diese Weise wurde die deutsche Fahne zum offiziellen Wetterbericht der bayerischen Staatsregierung für die Münchner Bürgerschaft. Natürlich sorgten die Vorgänge auf der Feldherrnhalle für Gesprächsstoff in der Stadt. 1849 nahm ein Münchner Witzblatt die Entwicklung der deutschen Fahne noch einmal unter die Lupe (Leuchtkugeln, Randzeichnungen zur Geschichte der Gegenwart, II, Nr. 4, 32). Die kleine Karikatur ist der letzte Beweis von der Wahrheit dieser harmlosen, aber charakteristischen Episode Deutschlands in Bayern anno 1848.

Münchner Geographie

Dem berühmten Galiläi, wenn er jetzt in München lebte, könnte es ergehen wie es ihm vor Jahrhunderten vor der Inquisition erging. Er behauptete nämlich: »Die Erde dreht sich um die Sonne.«

Aber im Buch der Richter steht, daß Josua sagt: »Die Sonne steht still.« Auf den Knien mußte er es abschwören, obwohl er in den Bart brummte: »Und doch dreht sie sich.« (die Erde)

Nun ist bekanntlich nach der festen Überzeugung der Mehrzahl der Münchner Bürger München der Mittelpunkt der Schöpfung.

Also muß sich auch die Sonne, Mond und Sterne, Europa, Deutschland und Bayern um München drehen.

Und München steht still.

Das ist einmal gewiß, daß München Deutschland ist; denn Bayern liegt in München, Deutschland in Bayern, also liegt Deutschland in München, und München ist also Deutschland.

Was folgt daraus?

Daß es nicht mehr als recht und billig, als daß Deutschland von jetzt an und für ewige Zeiten sich nach München richte, und dahin hat sich auch die Mehrzahl der hiesigen Bürger ausgesprochen.

Merkt es Euch Ihr Wühler, Ihr Demokraten Ihr Uebelgesinnten.

Finessen-Sepperl, Ein Blatt für schlechte Witze und Dummheiten sowie für höhere und niedere Politik, Nr. 18, 4. Mai 1849

12.4.17 »Münchner Freikorps«, Gustav Kraus, München 1848

»Eine neue Richtung hat begonnen!« – Revolution und Reform in München 1848/1849

Karl-Joseph Hummel

Die spanische Tänzerin und die Krise der Monarchie in Bayern

Die konstitutionelle Monarchie in Bayern geriet ab Herbst 1846 in eine schwere Vertrauenskrise, als König Ludwig I. (1786–1868) versuchte, das monarchische Prinzip in Regierung und Verwaltung wieder stärker zur Geltung zu bringen. Der persönliche Einsatz des 60jährigen Monarchen für die 26jährige spanische Tänzerin Lola Montez, die alsbald zur Gräfin Landsfeld aufgestiegen war, verstärkte diesen Autoritätsverfall bis zum Februar 1848 (vgl. dazu und für eine umfassende Darstellung der Revolution von 1848/1849 in München: Hummel 1987). Am 9. Februar 1848 ließ König Ludwig die Münchner Universität schließen, weil es dort im Zusammenhang mit der kleinen Studentenverbindung Alemannia, deren 18 Mitglieder enge persönliche Verbindungen zu Lola Montez unterhielten, zu Störungen gekommen war. Diese Verfügung bündelte die sehr unterschiedlich motivierte Kritik von Studenten und Professoren, von Münchner Bürgern und reformkonservativen Adeligen in einen spontanen öffentlichen Protest. Als Bürgermeister Kaspar von Steinsdorf daraufhin am 10. Februar 1848 »in Begleitung« von 2000 Bürgern König Ludwig I. in der Residenz aufsuchte, ging es aber nicht mehr allein um die Forderung nach sofortiger Wiedereröffnung der Universität, sondern auch um den Rücktritt verschiedener »Lola-Günstlinge«, wie des Innenministers, des Polizeidirektors und des Gendarmeriekommandanten, und um die Entfernung der Gräfin Landsfeld selbst.

Der damalige preußische Gesandte in München, Graf Bernstorff, bezeichnet die Münchner Februar-Ereignisse ausdrücklich als Revolution, denn das Volk habe dem König mit materieller Gewalt seinen Willen aufgezwungen (Chroust, BdprG, 376f., Schreiben an den preußischen König Friedrich Wilhelm IV. vom 15. Februar 1848). Die bayerischen Reformkonservativen um Fürst Karl Leiningen, Johann Caspar Bluntschli und die Gebrüder Rohmer zielten damals nicht auf die Abschaffung der Monarchie, sondern auf die Stärkung der Monarchie durch Reform von oben. »Es blieb kein Mittel, als den König zu forcieren, und ich gestehe, daß ich das Meinige dazu beigetragen habe, um wenigstens die konstitutionelle Monarchie zu retten«, schrieb Leiningen am 8. März 1848 an Prinz Albert nach England (Valentin 1910, 214). Leiningen handelte dabei durchaus im Einverständnis mit Kronprinz Maximilian, der den Münchner Bürgern in einem Brief aus Würzburg mitteilen ließ, er mißbillige die mit der Entfernung der Gräfin Landsfeld aus München verbundene Bewegung nicht und sei überzeugt, daß dieses Ziel »auf keine andere Weise ausführbar« gewesen sei (Kampf und Sieg 1848, 3).

Die Reform von oben – König Ludwig I. dankt ab

Die Zugeständnisse König Ludwigs vom 11. Februar 1848 dämpften die öffentliche Aufregung, die im wesentlichen auf die Haupt- und Residenzstadt München beschränkt geblieben war, zunächst erfolgreich. Die nachgiebige Haltung des Monarchen in diesen lokalen, personenbedingten Konfliktpunkten bekam nachträglich aber eine viel weitreichendere Bedeutung, als zwei Wochen später die revolutionären Ereignisse in Frankreich eine völlig neue Situation schufen. König Ludwig I. gab nun ohne erkennbaren Widerstand dem Drängen seiner Berater nach, jetzt die Initiative zu ergreifen und »sich aufrichtig und entschieden an die Spitze der Bewegung zu stellen«, statt sich von den Ereignissen treiben zu lassen (Zuber 1978, 245). Die Proklamation vom 6. März 1848, in der die Ständeversammlung zur Beratung verschiedener Gesetzesvorlagen (u.a. Pressefreiheit, Wahlrecht, Öffentlichkeit und Mündlichkeit der Rechtspflege, Judenemanzipation, Abfassung eines Polizeigesetzbuches, Vereidigung des Heeres auf die Verfassung) für den 16. März 1848 nach München einberufen wurde, lag durchaus noch in der Konsequenz dieser Ratschläge. Die Abdankung des Monarchen zugunsten seines Sohnes am 20. März 1848 entsprang dagegen einem einsamen Entschluß König Ludwigs, der die Stellung des Monarchen im System der konstitutionellen Monarchie qualitativ so verändert sah, daß sie mit seinem Selbstverständnis nicht mehr vereinbar war: »Treu dem, was ich immer geäußert, handelte ich: Ein König wie der von England würde ich nie sein . . . Nach unserer Verfassung, in welcher das monarchische Prinzip waltet, herrscht und regiert der König, das aber konnte nicht mehr sein, nachdem die Empörung gesiegt« (Brief an seinen Sohn Otto, den König von Griechenland, am 28. März 1848, in: Doeberl 3, 1931, 145). In einem Abschiedsgedicht, das besonders an die Münchner gerichtet war, brachte Ludwig I. seine persönliche Verbitterung über die »neue Richtung« ebenfalls deutlich zum Ausdruck: »Verlassen und traurig wandelnd zieh' ich in die Welt hinein, denn frei und groß nur handelnd mocht' ich euer König sein. Ich hab' euch sehr geliebt, ihr habt mich sehr betrübet, das schuf mir arge Pein« (BayStB, Bavar. 4296^z.).

Die Übergabe der Regierungsverantwortung an den 37jährigen Kronprinzen zu diesem unerwarteten Zeitpunkt verschaffte Maximilian II. (1811–1864) eine glänzende Ausgangsposition; »was im Munde Ludwigs Argwohn, Mißtrauen, Unzufriedenheit und Aufregung hervorgerufen hätte, das deutete man aufs Günstigste, weil es von den Lippen des neuen Königs kam, der als ›Konstitutioneller‹ den Thron bestiegen hatte. Der Thronwechsel in Bayern brachte dem Königtum unermeßlichen Vorteil. Wäre Lud-

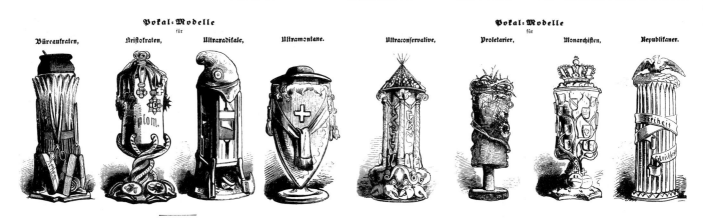

Pokalmodelle für die verschiedenen politischen Parteien, aus: Leuchtkugeln, Randzeichnungen zur Geschichte der Gegenwart III, 20 u. 22, 160/168

wig König geblieben, die Aufregung in München hätte notwendig fortgedauert und die Bildung einer republikanischen Partei sehr erleichtert.« (Diezel 1849, 147)

Max II. nützte diesen Startvorteil zu dem energischen, erfolgreich verlaufenen Versuch, sich an die Spitze der Revolution zu stellen, um sich einen bestimmenden Einfluß auf wichtige Entscheidungen zu sichern und gleichzeitig durch eine konsequente Reformpolitik die Initiative wiederzugewinnen.

Der Wahlkampf zur deutschen Nationalversammlung

Der Wahlkampf und die Wahl der Abgeordneten zur Frankfurter Nationalversammlung im April 1848 boten die erste Gelegenheit, die Taktik »weiser Mäßigung und kluger Zuvorkommenheit«, die die bayerische Regierung im März 1848 auch allen Außenbehörden empfahl (Kessler 1939, 46) anzuwenden und verlorenen Boden wiedergutzumachen. Für die Ausarbeitung und Verabschiedung des notwendigen Wahlgesetzes und den Wahlkampf selbst standen lediglich 21 Tage zur Verfügung. Für die Haupt- und Residenzstadt München wurden offiziell 94 830 Einwohner (mit dem Militär) angenommen; damit entfielen auf München zwei Abgeordnete, die in einem indirekten Verfahren zu bestimmen waren. Zunächst mußten die Wahlberechtigten am 25. April 1848 in 29 Urwahlbezirken 125 Wahlmänner für den Wahlkreis Oberbayern I und in 13 Urwahlbezirken 59 Wahlmänner für den Wahlkreis Oberbayern II, der außerdem noch die Landgerichte Au und München umfaßte, benennen. Für den ersten Wahlgang, in dem die absolute Mehrheit der abgegebenen Stimmen erforderlich war, waren 5 Stunden (8.00–13.00 Uhr) vorgesehen. Insgesamt gaben zunächst 6 901 Münchner ihre Stimme ab. Als in 30 Urwahlbezirken ein zweiter Wahlgang notwendig wurde, erschienen nur noch 2 825 Urwähler, im dritten Wahlgang in 8 Urwahlbezirken stimmten schließlich nur noch 715 Urwähler erneut ab. Bei der Wahl der beiden Abgeordneten am 28. April 1848 fiel die Entscheidung bereits im ersten Wahlgang. Auf Ministerialrat und Professor von Hermann (Oberbayern I) entfielen 64,7 %, auf Professor Fallmerayer (Oberbayern II) auf Anhieb 93,5 % der abgegebenen Wahlmännerstimmen. Dieses Ergebnis war nicht dem Zufall überlassen worden.

Der neue Innenminister Gottlieb Carl von Thon-Dittmer hatte bereits Anfang April 1848 alle »Gutgesinnten« zu einer engagierten Beteiligung an den Beratungen der zahlreichen sich jetzt bildenden politischen Clubs und Wahlkomitees aufgerufen, »damit Intelligenz und wahrer Patriotismus den allenfalsigen staatsgefährlichen Prinzipien und Tendenzen entgegenarbeiten«, auch wenn ein freies Assoziationsrecht gesetzlich noch nicht zugestanden sei (StaatAM, RA 57837, fasc. 3793, Schreiben vom 9.4.1848). In München konkurrierten dann vier Gruppierungen bei der Wahl zur Paulskirche um die Gunst der Wähler, der Volksverein zur Besprechung vaterländischer Angelegenheiten, der Bauhofclub, Verein für Volkswohl, die ultramontane »Postzeitungspartei« und das Ottsche Wahlkomitee unter Leitung des Grafen von Hegnenberg-Dux. Die letztgenannte Gruppe erließ zunächst zwei Aufrufe (Aufruf an die Wähler am Lande, Aufruf an die Wahlmänner), »ganz im Geiste des freisinnigen Fortschritts und in einer auf die verschiedenen Bildungsstufen berechneten Sprache abgefaßt« (AZ, Nr. 110, 9.4.1848, 1745) und verbreitete sie in 36 000 Exemplaren. 10 Tage vor den Urwahlen warnte das Ottsche Komitee in einem eigenen Aufruf an die Münchner Bürger vor der »Syrenenstimme einer deutschen Republik« und warb für die »Freiheit und Gesetzmäßigkeit« des konstitutionellen Königs Max II. (MPZ, Nr. 99, 17.4.1848, 395). Außerdem benannte das Komitee in einer »unmaßgeblichen Empfehlung« seine Wahlmännerkandidaten. »Das unterfertigte Comité ist . . . weit entfernt, auf die Stimme der Urwähler einen ausschließlichen Einfluß üben zu wollen«, gab den Urwählern für jeden Urwahlbezirk aber Vorschläge zur Hand, »um einer nachteiligen Zersplitterung der Stimmen vorzubeugen« (Der Bayerische Eilbote, Nr. 49, 23.4.1848, Beilage). Wahlentscheidend wurde in München eine sogenannte ›Vorbesprechung‹ der Wahlmänner; teils in getrennten, teils in gemeinsamen vierstündigen Beratungen einigten sich die versammelten Wahlmänner bereits am 27. April 1848 auf Kompromißkandidaten und hielten dazu förmliche Vorwahlen ab. Am 28. April 1848 konnte die Augsburger Allgemeine Zeitung das korrekte Münchner Wahlergebnis mitteilen, noch bevor die Wahl überhaupt begonnen hatte: »Fallmerayer wird als Abgeordneter vom zweiten Wahlbezirk gewählt werden . . . Im ersten Wahlbezirk hat man sich für Ministerialrat von Hermann als Abgeordneten entschieden ... Ich hege nicht den geringsten Zweifel, daß man morgen, auch wenn die Stimme einzelner Wahlmänner, die durchaus nach eigenem Sinne neben hinaus stimmen wollen, verlorengehen, mit entschiedener Majorität dem heutigen Kompromiß treu bleiben wird« (AZ, Nr. 119, 28.4.1848, 1879).

12.5.2.6 »Die politischen Parteien nach dem Charakter der Bärte«, August Friedrich Pecht, München 1848, Bamberg, Staatsbibliothek, Inv.Nr. M.v.O.L. I 305

Die revolutionären Abgeordneten aus München

Mit Friedrich Benedikt Wilhelm von Hermann (1795–1868) und Jacob Philipp Fallmerayer (1790–1861) entsandte München zwei für König Max II. akzeptable revolutionäre Abgeordnete nach Frankfurt. Von Hermann, der Begründer der wissenschaftlichen Statistik in Bayern und einer der damals bedeutendsten deutschen Nationalökonomen, war bereits seit 1833 ordentlicher Universitätsprofessor in München, seit 1835 Mitglied der Bayerischen Akademie der Wissenschaften, seit 1845 Ministerialrat. Von Hermanns schnelle Karriere in Wissenschaft und Verwaltung wurde dabei nicht zuletzt dadurch erleichtert, daß Ludwig I. ihn zum Lehrer des Kronprinzen Maximilian bestellt hatte. 1848/1849 beriet von Hermann König Max II. in wichtigen wirtschafts- und sozialpolitischen Fragen. An der Eröffnungssitzung der Paulskirche konnte der königsnahe Ministerialrat von Hermann beispielsweise nicht teilnehmen, weil er zur gleichen Zeit als ständischer Kommissar im Landtag das Referat zum Ablösungsgesetz zu halten und für Max II. eine Studie über die Lage und die Probleme des Proletariats in Bayern zu erstellen hatte. Von Frankfurt aus stand er in ständigem Briefwechsel mit dem Monarchen und verschiedenen Ministern und veröffentlichte als Korrespondent für Deutschlandpolitik in der Neuen Münchner Zeitung, die bis Juni 1848 noch als ›Münchner Politische Zeitung‹ erschienen war. Als Fräulein Wolff, die Verlegerin, damals in finanzielle Schwierigkeiten geriet, wurde das Blatt von der Regierung aufgekauft, erhielt einen neuen Namen und einen neuen Chefredakteur, erschien nach außen aber weiter als Privatorgan.

Der Wahlerfolg Fallmerayers war wegen dessen tiefgreifenden politischen Auseinandersetzungen mit dem Görreskreis und dessen unübersehbare Nähe zum Hof zunächst gefährdet. Immerhin hatte König Ludwig I. ihn im Februar 1848 gerade erst als Nachfolger des verstorbenen Josef Görres auf den Münchner Lehrstuhl für Geschichte berufen. Mit dem damaligen Kronprinzen saß Fallmerayer seit 1844 regelmäßig, oft über Wochen zusammen »res humanas skizzierend vom Anbeginn der historischen Kenntnis bis auf die Gegenwart« (Historisch-politische Blätter, 98, 1886, 541, Brief Fallmerayers an einen Freund vom 6.1.1847). In seinem Tagebuch berichtet Fallmerayer von mehreren Privataudienzen unmittelbar vor seiner Abreise nach Frankfurt. Fallmerayer entsprach auch noch als revolutionärer Abgeordneter dem Wunsch Max’ II., seine »berühmte Feder in den Dienst des engeren Heimatlandes zu stellen« (Deuerlein 1948, 59f.), veröffentliche in der Augsburger Allgemeinen Zeitung bestellte »Lamentoartikel« und gutachtete für König Max II. z.B. zur nationalen Frage. Fallmerayer spielte in der Paulskirche – im Gegensatz zu von Hermann, der zum Vizepräsidenten gewählt und zweimal mit der Bildung einer neuen Regierung beauftragt worden war – eine gänzlich unbedeutende Rolle. Dennoch wurde er im Herbst 1849 in den zeitlichen Ruhestand versetzt und sogar wegen Hochverrats steckbrieflich zur Fahndung ausgeschrieben, weil er bis zum Schluß an den Sitzungen des Stuttgarter Rumpfparlaments teilgenommen hatte. Als Fallmerayer nach vorübergehendem Aufenthalt in der Schweiz im April 1850 nach München zurückkehrte, hatte er nach dem inzwischen erlassenen Amnestiegesetz aber keine weitere Verfolgung mehr zu befürchten.

Für andere bayerische Wahlkreise läßt sich ein dem Münchner Ergebnis der Paulskirchenwahl vergleichbares Resultat nachweisen. »Wenn es in Bayern 1848/49 zu einer »Doppelherrschaft« gekommen ist, dann nicht, weil revolutionäre Herausforderer erfolgreich staatlich/gesellschaftliche Führungspositionen besetzt haben, sondern umgekehrt, weil staats- und regententreue Beamte in revolutionäre Versammlungen gewählt wurden. Von den 11 bzw. 14 Abgeordneten (mit Ersatzmännern) aus Oberbayern waren z.B. sieben Minister bzw. Ministerialräte in bayerischen Ministerien, wenn wir den späteren Vorsitzenden im Ministerrat, Graf Hegnenberg-Dux, hinzurechnen, sogar acht. Auf diese Weise waren sämtliche Ministerien direkt in Frankfurt vertreten«. (Hummel, 1985, 503)

Wirtschaftliche und soziale Reformen

Max II. sah die politische Krise des Frühjahrs 1848 in einem engen Zusammenhang mit wirtschaftlichen Schwierigkeiten und leitete aus der Hoffnung auf die Beruhigung der politischen Aufregung durch den Zusammentritt der Paulskirche auch die Hoffnung auf baldige wirtschaftliche Erholung ab. »Nicht minder beschäftigt Uns die Sorge für das Wohl der arbeitenden Klassen und für die hievon unzertrennliche Hebung des überallhin gestörten Verkehres. Soll dieses Ziel aber erreicht werden, so tut es vor allem not, daß Gesetz und Ordnung überall wieder die Herrschaft erlangen, und dadurch das erschütterte Vertrauen in die Ruhe des Landes wieder befestiget werde« (Königliche Entschließung vom

6. Mai 1848 in: Polizey-Anzeiger, 41, 24.5.1848, 521). Die erhoffte Normalisierung wurde durch verschiedenste Maßnahmen aktiv gefördert. Über die Notwendigkeit einer neuen Organisation der Arbeit gab es 1848 in München eine breite Übereinstimmung, »Societät« war auch hier das Zauberwort; für diese Hilfe zur Selbsthilfe mußte die Regierung unter den Münchner Gewerbsmeistern aber erst einmal das Bedürfnis wecken. Die Regierung war es zunächst, von der die Anregung zu einem lokalen Gewerbeverein auch in München ausging, der mit Hilfe der Erfahrung des regierungsnahen polytechnischen Vereins und finanzieller Unterstützung von staatlicher Seite »gedeihlich wirken« sollte (MPZ, Nr. 104/105, 22.4.1848, 416). Der polytechnische Verein erhielt die Aufgabe, »die vollständige Organisation der Gewerbevereine in München in die Hand zu nehmen« und die gewerblichen Kräfte zu zeitgemäßem Fortschritt zu vereinigen (Jahrhundertschrift, 1922, 105). Der vom Innenministerium dem polytechnischen Verein vorgeschlagene Ansprechpartner, der »Filialverein für Feuerarbeiter«, ein Kreis von 300 Gewerbsmeistern, wandte sich am 29. April 1848 »angesichts der mehr und mehr sich verschlimmernden gewerblichen Verhältnisse« in einer Eingabe an den Münchner Magistrat und formulierte einen ganzen Katalog offensiver und defensiver Ziele: die Meister forderten ein kommunales Arbeitsbeschaffungsprogramm, eine Neuordnung der Vergabepraxis bei Stiftungs- und Kommunalarbeiten, den Schutz des Magistrats gegen Gewerbeübergriffe und Mißbräuche in den eigenen Reihen, schließlich eine neue Arbeits- und Gesellenordnung.

Die Beschäftigungsprobleme des Jahres 1848 konnten sehr unterschiedliche Ursachen haben. Am 22. März 1848 z.B. wies die Regierung von Oberbayern alle Polizeibehörden an: »Da ferner die Stadt München zur Zeit mit Handwerksgesellen aller Art angefüllt ist, ohne daß denselben Arbeit geboten werden kann, so ist bis auf weiteres keinem Individuum dieser Kategorie das Visa hierher zu erteilen, und zwar unter ausdrücklicher Eröffnung des Arbeitsmangels (StaatAM, RA 35081, 22.3.1848). Am 12. April 1848 wurde diese Anweisung wieder korrigiert: »Nachdem gegenwärtig in München ein bedeutender Mangel an Schuhmachergesellen besteht, sind wandernde Schuhmachergesellen bei Visierung ihrer Wanderbücher hierauf aufmerksam zu machen« (ebd.). Hintergrund dieser neuen Verordnung war ein Arbeitskonflikt mit den Schustergesellen, in dessen Verlauf noch 196 Gesellen verhaftet und aus München ausgewiesen werden sollten. Die Polizeidirektion München hielt mehr Konkurrenz für nötig, »weil die hiesigen Gesellen die Erhöhung des Arbeiterlohnes zu erzwecken drohen« (StaatAM, RA 35081, 6.4.1848). Die Regierungsverlautbarung hatte diese Begründung freilich nicht so unverblümt weitergegeben, sondern festgestellt, zwischenzeitlich sei durch die eingetretene bessere Jahreszeit und die Ausrüstung der Truppen »das Bedürfnis der Aufnahme von Arbeiten aus den Gewerben der Schuhmacher, Schneider, Sattler, Schmiede, Taschner, Riemer und Schlosser nötig geworden« (ebd.). Tatsächlich hatte sich durch die Einberufung der Beurlaubten seit März 1848 die Zahl der Gesellen sehr vermindert und durch die Militärschuhlieferungen gleichzeitig der Bedarf stark erhöht, so daß nach Angaben der Schuhmachermeister in München 180 Gesellen fehlten. Die Regierung ersuchte deshalb die Behörden in Augsburg, Landshut, Regensburg und Ansbach, auf die Arbeitsmöglichkeiten in

München aufmerksam zu machen, und hoffte, durch den Ausgleich von Angebot und Nachfrage »die hiesigen Gesellen geschmeidiger zu machen« (BayHStA, MInn 46054, Bericht der Regierung von Oberbayern vom 12.4.1848).

Am 9. April 1848 hatte auch Max II. eine Initiative für die Bereitstellung neuer Arbeitsplätze ergriffen. »Die Verbesserung der Lage der arbeitenden Classe wird stets ein Gegenstand Meiner vorzüglichsten Sorgfalt seyn ... Ich beauftrage Sie sonach alle Eisenbahn-, Wasser- und Straßenbauten, soweit es nur immer die Mittel der Staatskasse gestatten, in Angriff zu nehmen, dann in ungehinderter Tätigkeit zu erhalten und dafür Sorge zu tragen, daß auch außerdem die Arbeitsquellen auf jede mögliche Art erweitert werden« (BayHStA, MInn 44273, Handschreiben König Max' II. vom 9.4.1848). Freilich waren die eingeleiteten Maßnahmen in München dann nicht sehr erfolgreich. Die Initiative zur Versorgung der Max- und Ludwig-Vorstadt mit fließendem Wasser scheiterte an Bedenken und Einwänden der vorbereitenden Baukommission. Auf den Aufruf an alle Meister, arbeitslose Maurer, Zimmerleute und Tagelöhner beim städtischen Bauamt zu melden, reagierten nur wenige Maurer und Zimmerleute und kein Tagelöhner, »deren man sehr notwendig hat« (Münchner Tagblatt, Nr. 115, 24.4.1848, 564f.). Diese geringe Nachfrage hing wohl auch mit der durch die städtische Finanznot bedingten geringen Entlohnung von 24 Kreuzern pro Tag zusammen. Die Lohnbedientenordnung vom 17. November 1847 sah beispielsweise eine Bezahlung von 24 Kreuzern für Dienstleistungen von *einer* Stunde vor, – dies war genau der Betrag des Wochenalmosens.

Sorge um Ruhe und Ordnung am 1. Mai 1848

Die Themen ›Arbeitslosigkeit‹ und ›Kaufkraft der Bevölkerung‹ standen Ende April 1848 im Mittelpunkt intensiver Beratungen zwischen den Bräuern, dem Magistrat, der Regierung von Oberbayern, dem Innenministerium und König Max II. selbst. Der Verein der Bierbrauer befürchtete nämlich, der kommende 1. Mai mit dem Ausschank des neuen Sommerbieres werde sicher wieder von denen benützt werden, »welche in dem Proletariat eine disponible Macht für ihre verwerflichen Zwecke erblicken« (BayHStA, MInn 46425, Schreiben vom 20.4.1848) und erklärte sich bereit, den am 1. Mai neu festzusetzenden Bierpreis um zwei Pfennig pro Maß zu senken, wenn gleichzeitig der Malzaufschlag um einen Pfennig pro Maß gesenkt würde. Der Bierpreis war in Bayern immer ein politischer Preis. Statt einer staatlichen Subventionierung, die sicher ähnliche Forderungen auch für Brot und Fleisch zur Folge gehabt hätte, gewährte man deshalb verschiedentlich zusätzlich zu Sold und Gehalt eine befristete Teuerungszulage für die Gendarmerie, für niedere Beamte, Kanzleiindividuen und Soldaten, damit jeder sein Bier auch bezahlen konnte und nicht aus Geldmangel gezwungen war, zu vorgerückter Stunde einen Krawall zu inszenieren.

Innenminister Thon-Dittmer stimmte im April 1848 der Befürchtung der Bräuer zu, weil es »viele Arbeits- und Erwerbslose gebe, welche bei jeder Form von Unordnung nur gewinnen könnten, und zusätzlich möglicherweise noch wühlerische und aufwieglerische Emissäre« (BayHStA, MInn 46425, Antrag an König Max II. vom 20.4.1848), finanziell wollten die staatlichen und städtischen Behörden sich an der Vorbeugung aber nicht beteiligen. Schließlich gestanden die Bräuer die Verbilligung auf 5½ Kreuzer pro Maß auch ohne den geforderten Ausgleich zu, die Behörden ordneten verstärkte Sicherheitsmaßnahmen an und besänftigten die Militärmannschaft durch erhöhte Löhnung. Der ruhige Verlauf des 1. Mai 1848 bestätigte nachträglich die Einschätzung, daß sich die Lage in München nicht nur oberflächlich wieder entspannt hatte.

Der Streik der Schustergesellen

Auch der Streik der Münchner Schustergesellen vom April/ Mai 1848 war kein neues Aufflackern revolutionärer Energien. »Die, freilich sehr bedauerlichen, Irrungen zwischen den hiesigen Schuhmachermeistern und deren Gesellen dürften in nicht ganz gut unterrichteten Blättern wieder als Folgen revolutionärer Umtriebe geschildert werden, was sie durchaus nicht sind« (Der Bayerische Eilbote, Nr. 66, 2.6.1848, 578). Dieser ursprünglich tarifpolitische und arbeitsverfassungsrechtliche Konflikt entwickelt sich erst zu einem von der Öffentlichkeit bemerkten Machtkampf, als die Verhaftung einiger Gesellen wegen »Exzessen« und »mannigfachen Ungebührlichkeiten« eine Solidarisierungswelle bei den anderen Schustergesellen auslöste. Als die Gendarmerie am 30. Mai 1848 ihre Drohung wahrmachte und unter Assistenz von zwei Infanterieabteilungen insgesamt 196 Gesellen verhaftete, von denen 120 noch am gleichen Tag in ihre Heimat abgeschoben wurden, gab es öffentliche Entrüstung über das rohe Vorgehen der Polizei, aber letztlich wußten sich die Meister nicht zuletzt dank der passiven Duldung dieser Verhaftungen durch die Bevölkerung bestätigt, hatten sie doch »die wahrhaft beruhigende Überzeugung gewonnen, welch festen Fuß der Sinn für Ordnung und Gesetzmäßigkeit dahier bereits wieder errungen hat. Der gesunde Sinn der Bevölkerung stimmt darin überein, daß massenhafte Auflehnungen in einem geordneten Haushalte in keiner Weise geduldet werden können und dürfen« (Neueste Nachrichten, Nr. 57, 4.6.1848, 437f.).

König Max II. geht in die Offensive

Ermutigt durch entwarnende Berichte zur öffentlichen Sicherheit und Ordnung aus dem Innenministerium eröffnete Max II. ab Sommer 1848 die Gegenoffensive »zur Wiederherstellung einer möglichst selbständigen Zuständigkeit der Regierung« (StadtAM, BuR 1663, Mitteilung des Innenministeriums vom 10.8.1848). Max II. wünschte ab sofort die energische Anwendung aller gesetzlichen Mittel (BayHStA, MInn 46129, Schreiben Max' II. vom 10.8.1848) und forderte in deutlichen Worten ›vertrauensbildende Maßnahmen‹ in der Pressepolitik und durch die Gründung monarchischer Vereine. »Es ist Zeit, daß etwas geschieht... Wirken Sie durch Pfarrer, Lehrer, Beamte, vorzüglich Landrichter, dahin, daß das Gefühl der Liebe zum Vaterlande gehoben erhalten werden, damit es den Wühlern nicht gelinge, durch Vorschieben der Frankfurter Beschlüsse die bayerische Nationalität zu untergraben... Benützen Sie die historischen Vereine« (BayHStA, MInn 46129, Schreiben vom 19.8.1848).

12.5.3.4. »Handelsministerium in spe!« – Karikatur auf Innenminister von Thon-Dittmer, München 1848

Die beschriebene Wende in der Politik Maximilians ab Sommer 1848 hängt auch mit einem in diesen Wochen durchgeführen Revirement seiner Berater zusammen. Der Einfluß des sich immer deutlicher liberal-demokratisch profilierenden, früheren Staatsministers Fürst Oettingen-Wallerstein und des noch bis Mitte November 1848 amtierenden Innenministers Thon-Dittmer ging zu Ende, Max II. wandte sich jetzt entschlossen konservativen Ratgebern außerhalb der Regierung wie Karl von Abel, Wilhelm Dönniges und Karl Maria von Aretin zu. Diese Berater zeichneten in der Öffentlichkeit das Bild eines entschlossenen, mutigen und offensiven Monarchen; tatsächlich ist Max II. eher zögerlich und ängstlich gewesen, den Belastungen seines Amtes physisch und psychisch nicht immer gewachsen. Diese Diskrepanz war für die Zeitgenossen nicht erlebbar, Max II. baute auf seine wieder unwidersprochen akzeptierte Amtsautorität. »Wo es gilt, Gesetz und Ordnung aufrechtzuerhalten, kann nicht länger Langmut und Nachsicht walten« (Polizey-Anzeiger, 41, 24.5.1848, 521f., Königliche Entschließung vom 6.5.1848).

Der »Schatzkrawall« und die »Verschwörung der Demokraten«

Die öffentliche Ruhe und Ordnung wurde dennoch am 21. August 1848 durch den »Schatzkrawall« und im September 1848 durch die »Verschwörung der Demokraten« vorübergehend gestört. Ende August 1848 waren die Münchner durch Meldungen beunruhigt, der Staatsschatz befinde sich nicht mehr in der Residenz, sondern sei an Lola Montez gegeben worden. Vor dem Hintergrund der damaligen ernsten Liquiditätsprobleme der städtischen Sparkasse waren diese Gerüchte für viele ein weiteres Indiz für den bevorstehenden Staatsbankrott. Bürgermeister Dr. Bauer hatte bereits am 30. Mai 1848 der städtischen Sparkasse die Annahme neuer Spargelder verbieten lassen, solange sie die Rückzahlung der alten nicht garantieren könne. Nach der Verabschiedung des neuen Sparkassengesetzes vom 4. Juni 1848, das die Sparkassen von dem Zwang befreite, einen Großteil ihrer Einlagen der Staatsschuldentilgungskasse zur Verfügung zu stellen, stiegen die Kündigungen der Sparkunden rasch weiter an und summierten sich Ende Juli 1848 bereits auf 900 000 fl. Jetzt blühte das Geschäft mit der Angst. Als die Sparkasse die Einlagen nur mehr in Raten von 10 Gulden pro Kunde zurückzahlen wollte, verkauften verunsicherte Kleinsparer sogar ihre Sparbücher an Spekulanten und nahmen einen Abschlag von bis zu 40 % dabei in Kauf. Der Bürgerverein befaßte sich am 12. August 1848 in einer Sondersitzung mit der Lage der Sparkasse und ließ ein Gutachten erstellen. Die städtischen Behörden vermieden jede öffentliche Stellungnahme, verhandelten jedoch intensiv mit der Regierung von Oberbayern und versuchten – ohne Erfolg – in Basel und in Frankfurt einen neuen Millionenkredit aufzunehmen. Gleichzeitig wurden neue Statuten für eine neue Sparkasse ausgearbeitet, die dann ab Dezember 1848 eine erfolgreiche Tätigkeit aufnahm. Die Geschäfte der alten Sparkasse wurden eingestellt und bis Ende der 1850er Jahre abgewickelt. Nur vor diesem Hintergrund wird die Wirksamkeit der aus der Luft gegriffenen Parolen vom 21. August 1848 verständlich. Die gewalttätigen Auseinandersetzungen dieses Tages – etwa bei der Erstürmung eines Sitzungszimmers im Rathaus – beschränkten sich freilich auf einen einzigen Tag. Auch im Zusammenhang mit der Beerdigung von Philipp Willner kam es zu keinem weiteren Konflikt. Der Bäckergeselle aus Bischofsheim war am 21. August 1848 durch einen Schuß, dessen Urheber nicht feststellbar war, verletzt worden und später an seiner Verletzung gestorben.

Die erneute Radikalisierung der gesamtdeutschen Revolution im September 1848 führte auch in München zu verstärkten Anstrengungen der wenigen und gemäßigten Demokraten. Um die geringen Kräfte nicht länger zu zersplittern, vereinigten sich der Verein für Volksrechte und der demokratische Verein damals zu einer Organisation. Am 17. September 1848 hielten die Demokraten eine Volksversammlung mit etwa 1000 Teilnehmern ab, auf der vier Manifeste zur Frage der deutschen Einheit, zur Unterwerfung der bayerischen Regierung unter die Beschlüsse der Nationalversammlung, zum Abstimmungsergebnis der Paulskirche über den Waffenstillstand von Malmö und zum Vereinsrecht verabschiedet wurden. Außerdem distanzierten sich die Münchner Demokraten in aller Öffentlichkeit von den Septembermorden in Frankfurt. Als Max II. am

26. September 1848 Maßnahmen wünschte, die möglichen Krawallen während des Oktoberfestes vorbeugen könnten, stilisierte Innenminister Thon-Dittmer diese Volksversammlung von Neuberghausen zur »Septemberverschwörung der rothen Republikaner« und ließ neun führende Demokraten für vier Tage inhaftieren. Das Kriegsministerium erhöhte den Präsenzstand der Garnison auf über 5000 Mann Infanterie, um auf mögliche Demonstrationen gegen die Verhaftungen vorbereitet zu sein. Tatsächlich führte diese unnötige Provokation der Sicherheitsbehörden auch zu nächtlichen Demonstrationen und wertete die demokratischen Führer zu politischen Märtyrern auf. »Einer derselben, Advokat Riedl, wurde von der Seite seiner schwerkranken Frau gerissen, die von dem Eindruck der polizeilichen Brutalität den Tod nahm« (Diezel 1849, 222). In der regierungsamtlichen Presse wurde die Verantwortlichkeit für den Fehlschlag schließlich auf die Justiz abgewälzt. »Die beiden Maßregeln, Verhaftung wie Freilassung, sind lediglich und allein Sache der Gerichte, der Justiz gewesen, die darin vollkommen unabhängig, wie sie sein muß, gehandelt hat.« (NMZ, Beilage zu Nr. 82, 2.10.1848, 2)

»Ein Münchner Democrat im Gefängnis«, aus *Leipziger Illustrierte Zeitung*, 1848

In diesen Tagen fanden in München auch die turnusmäßigen Ergänzungswahlen für ein Drittel der Magistratsräte und Gemeindebevollmächtigten statt, interessanterweise noch nach den Vorschriften der Gemeindewahlordnung vom 5. August 1818. Danach konnten die lediglich 3 836 Wahlberechtigten ihre Vertreter nur aus dem Kreis der 1 410 Bürger des höchstbesteuerten Drittels bestimmen. Die Demokratisierung des Kommunalwahlrechts oder seine Anpassung an das Wahlrecht zur Nationalversammlung war kein Thema. Seit dem 26. September 1848 tagte der Münchner Magistrat in öffentlicher Sitzung; in der Folgezeit nützten aber nur einige wenige Bürger die neue Möglichkeit, persönlich an Ratssitzungen teilzunehmen.

Bierkrawall bei Pschorr

Zu den Ereignissen des 17. und 18. Oktober 1848 in München gibt es eine ausführliche Presseberichterstattung. »Dem Vernehmen nach haben am 18. d. Monats in München Pöbelhaufen die Bräuhäuser verwüstet und geplündert, Bäcker- und andere Läden erbrochen und sich daraus unentgeltlich versorgt, ohne daß die Behörden zur rechten Zeit einschritten« (BayHStA, MInn 46055, Schreiben vom 21.10.1848), schrieb der Reichsinnenminister von Schmerling an den bayerischen Bevollmächtigten von Closen. Als die Behörden dann einschritten, wurden 127 Personen verhaftet, 101 Zivilisten und 26 Militärangehörige. Unter ihnen befand sich auch der Schlossermeister Born, der einen Schustergesellen erschlagen hatte. Zu diesem Zeitpunkt hatten die meist betrunkenen, rund 150 Krawallmacher vor allem beim Bräuer Pschorr und in der Hofpfisterei beträchtliche Zerstörungen angerichtet. Pschorr präsentierte später für seine fast völlig aus dem Fenster geworfene Einrichtung und für die Beschädigungen an seinem Haus eine Schadenersatzforderung von fast 21 500 Gulden. Zum Vergleich: Bürgermeister Dr. Bauer bezog ein Jahresgehalt von 4 000 Gulden.

In der zeitgenössischen Diskussion über den Charakter der fraglichen »Bierszenen« und »Raubexzesse« hat sich die These nicht erhärten lassen, die Krawalle seien von Paris aus gesteuert, von Demokraten in politischer Absicht inszeniert und von einer Koalition radikaler Wiener Studenten mit bayerischem Pöbel durchgeführt worden. Diese Krawalle zielten nicht auf eine Veränderung politischer oder sozialer Verhältnisse. Mit Hilfe der Frustrations-Aggressionsthese kann dagegen das Verhalten der jungen Gesellen, Arbeiter und Soldaten durchaus plausibel gedeutet werden. Bei diesen meist jungen Menschen – die beteiligten Soldaten waren zwischen 15 und 32 Jahren – mit geringem Verdienst und ohne Familienbindung in der Hauptstadt entluden sich, wenn der Alkohol seine Wirkung tat, die Ressentiments gegen die wohlhabenden und einflußreichen Bräuer in gewalttätigem Imponiergehabe und Selbsthilfe (vgl. Blessing 1981 109ff.). Diese Erfahrung wurde im Oktober 1848 nicht zum ersten Mal gemacht. Durch das Versagen der Sicherheitsbehörden bekam der Pschorrkrawall des Jahres 1848 aber ein ungewöhnliches Ausmaß. Von daher wird es verständlich, wenn nach den Ereignissen der beiden Tage eine ganze Reihe folgenreicher Maßnahmen getroffen wurden, um eine Wiederholung solcher Vorfälle möglichst auszuschließen. Zunächst wurden drei personelle Konsequen-

zen gezogen. Gegen den Münchner Polizeidirektor von Pechmann wurde ein Disziplinarverfahren eingeleitet, der Stadtkommandant Generalmajor von Winter wurde durch General von Lüder ersetzt, der Regierungspräsident von Oberbayern, Bernhard Freiherr von Godin (1781–1866), wurde bereits am 24. Oktober 1848 »unter dem Ausdrucke der allerhöchsten Anerkennung seiner langjährigen, treu geleisteten Dienste« (Deutsche constitutionelle Zeitung, Nr. 289, 29.10.1848, 1151) in den Ruhestand verabschiedet. Zweitens wurde die Hauptinstruktion über das Zusammenwirken von Gendarmerie, Landwehr und Militärbehörden überarbeitet. Drittens wurden aus einem Acht-Punkte-Katalog zur organisatorischen Verbesserung und personellen Verstärkung der Polizei einige Vorschläge unverzüglich in die Tat umgesetzt. Die Stadtkommandantschaft wurde in die Stadtmitte verlegt; ab 15. Dezember 1848 arbeitete in jedem der acht Stadtviertel ein bürgernaher zusätzlicher Polizeikommissar, der auch in diesem Viertel wohnte. Viertens begannen Beratungen über eine Gesetzesvorlage zur Schadensersatzpflicht bei durch Demonstranten und Krawallmacher verursachten Schäden, die schließlich im Frühjahr 1850 verabschiedet wurde. Die Ansprüche Pschorrs wurden wegen verschiedener juristischer Streitigkeiten erst am 24. Mai 1857(!) durch Zahlung von 12 000 Gulden befriedigt, obwohl König Max II. bei einem persönlichen Besuch im Hause Pschorr die Staatshaftung akzeptiert und »tunlichste Berücksichtigung und baldigste Erledigung« empfohlen hatte. Fünftens wurden 16 der verhafteten Zivilisten wegen Diebstahls, Erpressung und Landfriedensbruch angeklagt. Die Urteile in diesem Verfahren wurden am 13. Juni 1849 verkündet. Ein Verfahren endete mit Freispruch, als Höchststrafen wurden in einem Fall 1 Jahr Gefängnis, in einem anderen 18 Monate Arbeitshaus ausgesprochen.

Die Krawalle Mitte Oktober 1848 und die in Reaktion darauf vorgebrachten Forderungen der Münchner Bevölkerung hatten die Regierung unter Zugzwang gesetzt – im Unterschied zum Frühjahr 1848 jetzt aber nicht mit Forderungen nach weitergehenden Reformen; die Bürger drängten vielmehr energisch auf Garantien für Ruhe und Ordnung, Schutz des Eigentums und Erhaltung des Status Quo – in einem Moment, in dem die Regierung dazu vorübergehend nicht in der Lage zu sein schien. Die Schlußphase des Landtagswahlkampfes stand durchaus auch im Zeichen dieser Bedürfnislage.

Die Landtagswahlen 1848

Die Urwahlen für den Landtag 1849 wurden am 30. November 1848 abgehalten. Am 5. Dezember stellten sich insgesamt 16 Kandidaten der Wahlmännerversammlung und erläuterten ihre politischen Vorstellungen, ohne daß auch diesmal wieder eine Vorabstimmung stattgefunden hätte. Dennoch erhielten am 7. Dezember 1848 die drei Abgeordneten des Wahlkreises Oberbayern I (Haupt- und Residenzstadt München) und die drei Abgeordneten des Wahlkreises Oberbayern II (Landgerichte Au, Bruck, Dachau, Ebersberg, München) bereits im ersten Wahlgang die notwendige absolute Mehrheit.

Eine Berufsanalyse der Wahlmänner zeigt – im Vergleich zur Paulskirchenwahl – interessante Unterschiede und erklärt zum Teil auch das Ergebnis der Abgeordnetenwahl. Von den 184 Wahlmännern der Wahlen zur Nationalversammlung wurden genau 50 % wiedergewählt. Der ›Militärstand‹ und die ›Geistlichkeit‹ hielten ihr Ergebnis; die Gruppen ›Beamte, Professoren, Anwälte‹ und ›Ärzte, Literaten, Künstler‹ wurden dagegen fast halbiert. Eindeutiger Wahlsieger wurde die Gruppe ›Handwerk, Handel, Gewerbe‹, die jetzt 67,4 % der Wahlmänner stellte.

Im April 1848 waren die Münchner Abgeordneten als Vertreter des *ganzen* Volkes gewählt worden. Schon während der Beratung des Landtagswahlgesetzes, das im wesentlichen dann dem Wahlrecht der Paulskirchenwahl entsprach, und verstärkt im Wahlkampf mehrten sich die Stimmen derer, die es »ganz natürlich (fanden), wenn politische Gesinnungsgenossenschaften, Corporationen und Standesgenossen dahin arbeiten, sich in der Kammer vertreten zu sehen« (Neueste Nachrichten, Nr. 242, 6.12.1848, 2921). In München standen dabei wirtschaftliche Gesichtspunkte deutlich im Vordergrund. Das Interesse der grundständig konservativen Bevölkerung für allgemein-politische Fragen hielt sich nicht nur bei den Interessenvertretern des am 21. September 1848 gegründeten Allgemeinen Gewerbevereins sehr in Grenzen. Die klare Linie der Regierung in der entscheidenden Frage des Widerstands gegen die Gewerbefreiheit wurde von der überwiegenden Mehrheit der Münchner als eine willkommene Fortführung der defensiven, den Status Quo sichernden Kommunalpolitik begrüßt. Konsequenterweise traten in München nach den Wahlmännerwahlen nicht nur Kandidaten der fünf politischen Gruppierungen auf, die sich inzwischen herausgebildet hatten. Neben den Ultramontanen (Verein für konstitutionelle Monarchie und religiöse Freiheit), dem konstitutionell-monarchischen Verein und dem Bürgerverein für Freiheit und Ordnung, der für die konstitutionelle Monarchie auf dem Boden der Märzerrungenschaften eintrat, konkurrierten der demokratische Verein und der Vaterlandsverein, der Mitte November 1848 von Mitgliedern des liberalen Flügels des Bürgervereins und Mitgliedern des demokratischen Vereins gemeinsam gegründet worden war, – und zusätzlich die Vertreter des Gewerbestandes und des Militärstandes. Gewählt wurde in Oberbayern I und II schließlich ein Angehöriger des Beamtenstandes (Ministerialrat Feder und Graf Hegnenberg-Dux), ein Angehöriger des Gewerbestandes (Schlossermeister Wiedermann und Schreinermeister Glink) und je ein Angehöriger des Militärstandes und der Geistlichkeit (Obrist Kratzeisen und Pfarrer Geyer). Daß diese sechs Münchner Abgeordneten alle monarchisch-konservativ gewesen sind, war sicher kein Zufall, aber auch der liberale Alternativvorschlag hatte sich an die berufsständische Dreiteilung gehalten. Bei aller Überspitzung beschreibt der folgende Gedichtauszug schon ein Stück Wirklichkeit Münchens am Ende des Jahres 1848:

> »Ja, freilich gab's der Narren noch genug,
> Die fromm an Deutschlands Einheit noch geglaubt,
> Des Bessern ließen wir uns gern belehren,
> Das Volk will Ruhe nur und sich ernähren.
> Der Wühlereien ist man endlich satt,
> Der Kern des Bürgertums hat sich erklärt.
> Wenn er nur billig Bier und Knödel hat
> Und redlich sich von noblen Kunden nährt,
> Dann mögen Schlosser in der Kammer sitzen
> Und Kistler über den Gesetzen schwitzen.
> O München, dreimal hochbelobte Stadt!
> Welch Kontingent hast du uns doch geschickt.
> Die Bahn der Politik war dir zu glatt,
> Das ›Täglich Brod‹ hat deine Kraft erstickt.
> Herrgott im Himmel! steh für uns ins Feld!
> Laß uns den Heintz nur und den Lerchenfeld«.
> (Neueste Nachrichten, Nr. 248, 12.12.1848, 3009)

Mit Geyer, Glink, Kratzeisen und Wiedermann stellte München vier Abgeordnete für die Abelsche Fraktion der Rechten, Dr. Feder und Graf Hegnenberg-Dux gehörten dem rechten Zentrum an. Wie wenig repräsentativ dieses Münchner Wahlergebnis für ganz Bayern war, zeigt ein Vergleich mit der Sitzverteilung im Landtag 1849:

12.5.4.18 »Ein Landtagsabgeordneter wie er sein soll?«, München 1849

Carricaturen Cabinet.

	Abgeordnete	Rechte	Rechtes Zentrum	Linkes Zentrum	Linke
Oberbayern	22	12	9	–	–
Niederbayern	17	5	8	1	1
Pfalz	19	–	–	–	19
Oberpfalz/ Regensburg	15	5	9	–	–
Oberfranken	16	–	1	7	8
Mittelfranken	17	–	3	3	11
Unterfranken/ Aschaffenburg	19	–	2	3	14
Schwaben-Neuburg	18	1	6	3	7
Summe	143	23	38	17	60
München	6	4	2	–	–

Der neue Landtag wurde am 22. Januar 1849 feierlich eröffnet. Als in der Adreßdebatte die Forderungen der Linken und des linken Zentrums mit 72 : 62 Stimmen angenommen wurden, sich bereitwillig den Beschlüssen der Paulskirche unterzuordnen, die bereits rechtskräftig beschlossenen Grundrechte sofort in Bayern einzuführen, sowie eine parlamentarisch verantwortliche Regierung unter Aufhebung des Staatsrats in Bayern einzuführen, erklärte das Ministerium Bray-Steinburg am 8. Februar 1849 seinen Rücktritt. Daraufhin vertagte sich das Parlament bis zum 19. Mai 1849, um die Bildung der neuen Regierung abzuwarten und dieser eine gewisse Einarbeitungszeit zuzugestehen. Als der Landtag dann aber mit der gleichen Mehrheit von zehn Stimmen auch der neuen Regierung von der Pfordten das Mißtrauen aussprach, wurde das Parlament am 10. Juni 1849 aufgelöst. Mit insgesamt nur 23 öffentlichen Sitzungen hatte dieser Landtag die wenigsten Beratungen seit 1819, die meisten der in der Thronrede Max' II. angekündigten Vorhaben blieben deshalb unerledigt.

Das Ende der Revolution in Bayern

Unmittelbar nach dem Ende des alten Landtags trafen König Max II. und sein Innenminister von Zwehl Vorkehrungen, um sich nach den Neuwahlen auf eine Regierungsmehrheit im Maximilianeum stützen zu können, d.h. »den wahren Ausdruck der Volksmeinung zu erzielen« (BayHStA, MInn 44366, Schreiben von Zwehls an alle Regierungspräsidenten vom 15. Juni 1849). Die ländliche Bevölkerung sollte durch eine Vermehrung der Wahlkreise relativ höheres Gewicht bekommen; der Wahltermin sollte am Ende der Feldarbeiten liegen, um eine hohe Wahlbeteiligung auf dem Land sicherzustellen. »Bei wenigen und ausgedehnten Wahlbezirken kennen sich die Leute nicht mehr und die Wühler haben gewonnenes Spiel. Auch ermatten die gutgesinnten Wahlmänner aus der Volksklasse, wenn es mit der Wahl 2 bis 3 Tage dauern kann, und geben ihre Stimme auch Demokraten, um nur nach Hause zu kommen« (ebd.).

In München verliefen die politischen Fronten jetzt analog der Kräfteverteilung im alten Landtag. Auf der einen Seite kandidierte eine konservativ-liberale, regierungsnahe Gruppierung, zu der sich der im Mai 1849 neu gegründete Großdeutsche Verein, der konstitutionell-monarchische Verein für Freiheit und Gesetzmäßigkeit, der ultramontane Verein für konstitutionelle Monarchie und religiöse Freiheit und der Allgemeine Gewerbeverein zusammengeschlossen hatten, auf der anderen Seite stand der sog. ›Wahlverein‹ der Linken und des linken Zentrums.

Bei einer Wahlbeteiligung von knapp 50 % endeten die Urwahlen und die Wahl der Abgeordneten am 24. Juli 1849 mit einem von der Dezemberwahl 1848 deutlich abweichenden Ergebnis. Bei der Wahlmännerwahl konnte sich als einzige die Gruppe ›Beamte, Professoren, Anwälte‹ verbessern und sich mit 26,1 % auf den 2. Platz hinter die Gruppe ›Handwerk, Handel, Gewerbe‹ (62,5 %) setzen. Von den im Dezember 1848 gewählten sechs Münchner Landtagsabgeordneten kehrte schließlich nur Graf Hegnenberg-Dux ins Parlament zurück. Vor allem der »ehrenwerte Gewerbestand« in München hatte verstanden, daß die Regierungskoalition mit kompetenter Prominenz verstärkt werden mußte, und gezeigt, daß ihm »des gesamten Vaterlandes

Interesse vor allem am Herzen liegt« (NMZ, 25.7.1849, Beil., 1). Die Haupt- und Residenzstadt München wählte Bürgermeister von Steinsdorf, Freiherr von Lerchenfeld und Ludwig von der Pfordten ins neue Parlament. Da von der Pfordten auch in Erding gewählt worden war, rückte für ihn als 3. Abgeordneter aus München der Bierbrauer Sedlmayr nach. Der Wahlkreis Oberbayern I entsandte neben Graf Hegnenberg-Dux den Dachauer Landrichter Gäßler und den Stadtschreiber Moser (Au). Die Zunahme der Regierungskoalition von 60 auf 83 Abgeordnete ist vor allem auf das Anwachsen des rechten Zentrums zurückzuführen; insofern lag diesmal das Münchner Wahlergebnis genau im gesamtbayerischen Trend. Mit Ausnahme von von der Pfordten finden wir im Landtag 1849/50 alle Münchner Abgeordneten im rechten Zentrum.

Mit der neuen regierungsfähigen Mehrheit im Rücken hielt König Max II. die Zeit für gekommen, eine erste Bilanz der Revolution 1848/49 in Bayern zu ziehen. Am 27. August 1849 forderte er Innenminister von Zwehl zu einem genauen Bericht über den Zustand des Königsreichs Bayern »in Folge der Märzbewegung des Jahres 1848« auf. Von Zwehl verschickte daraufhin einen Zwölf-Punkte-Fragekatalog an sämtliche Regierungspräsidenten, Polizeidirektoren, Bürgermeister, Landrichter und an den Vorstand des Allgemeinen Gewerbevereins. Bürgermeister Dr. Bauer (München) antwortete ausführlich auf zwanzig Seiten, präsentierte jedoch eine Mischung aus Wahrheit und subjektiver Einschätzung, die einer heutigen Überprüfung nicht in allen Punkten standhält. Dr. Bauer resümierte: »In München fand also die Märzbewegung in dem von der politischen Propaganda vermeinten Sinn keinen Boden und wird ... auch keinen Boden finden ... Der altbayerische Charakter ist viel zu bieder, als daß er sich beirren läßt; er wirft das Gute nicht weg, solange er vom Besseren nicht überzeugt ist. – So wie die Stadt, so ist auch das Volk der Umgegend« (StaatAM, RA 15879, 10.9.1849).

»A Ruh woll'n mir hab'n!« Karikatur auf die Münchner Bürger am Ende des Revolutionsjahres 1848, Bamberg, Staatsbibliothek

A RUH WOLL'N M'R HAB'N!

Mir habn unser Stadtgricht, unser Polizei, unsern Amtlaß, unser Oktoberfest, unsere Bratwürst, und unsern Bock allerweil ghabt, und woll'n a Ruh hab'n!

1 Die Epoche

Die Zeit zwischen dem Wiener Kongreß 1814/1815 und der europäischen Revolution von 1848 wird mit den Namen Restauration, Vormärz und Biedermeier beschrieben.

Mit Restauration meint man die Wiederherstellung der europäischen Monarchien und Fürstentümer nach den Anstürmen der französischen Revolutionsheere und der napoleonischen Truppen. Der französische Kaiser Napoleon hatte es in diktierten Friedensverträgen durchgesetzt, daß sich der alte Verband des »Heiligen Römischen Reiches Deutscher Nation« auflöste und in eine Vielzahl souveräner deutscher Einzelstaaten zerfiel. Ebenso verwirklichte Napoleon die von der Aufklärung geforderten Reformen in Deutschland. Daran änderte der Wiener Kongreß unter der Aegide Metternichs zwar nichts, versuchte aber Throne und Altar durch ein Bündnis der Monarchen gegen Unglauben, die Forderung nach einem einigen Deutschen Reich und gegen die Gefahr nationaler Kriege in Europa zu sichern. Der Staatskanzler des österreichischen Kaiserreiches erreichte es, den von ihm erstrebten Zustand in Deutschland für 33 Friedensjahre festzuschreiben. Die Zeit der Restauration war für Deutschland die Aera Metternichs.

Das Kunstschaffen der Epoche wird von der alles überragenden Gestalt Goethes geprägt, der durch sein dominierendes Beispiel und seine Forderungen in allen Bereichen zum Epigonentum oder Widerspruch zwang.

Bayern erlebte in dieser Zeit zwei Könige. Der erste König, Max I. Joseph, verstand es, das ererbte Altbayern mit den neugewonnenen Landesteilen in Franken und Schwaben zu einem modernen Staat zu formen; so war Bayern seit 1818 der erste deutsche Staat mit einer konstitutionellen Verfassung. Sein Sohn König Ludwig I. setzte die Politik der Reformen – allerdings in autokratischerem Stil – fort, bis er, durch Forderungen des Landtags und des Volkes veranlaßt, zu einer immer konservativeren Politik fand, die aber in der Revolution von 1848 scheiterte und ihn zur Abdankung zwang.

Der Begriff Vormärz beschreibt die dauernde politische Auseinandersetzung um die Verwirklichung der demokratischen Rechte der Bürger und die nationale Einheit Deutschlands, die in der versuchten Revolution von 1830 und der vorerst gelungenen von 1848 gipfelte.

»Biedermeier« schließlich meint aus der Sicht der beginnenden Gründerzeit um 1855 jene »vormärzsündflutlichen Zeiten, wo Teutschland noch im Schatten kühler Sauerkrauttöpfe gemütlich aß, trank, dichtete und verdaute, und das uebrige Gott und dem Bundestage anheimstellte«. Dieses Bild war verbunden mit dem verlorenen Paradies einer bürgerlichen Beschaulichkeit, die sich nach innen kehrte und in gefühlvollem Dilettantismus und politischer Bonhomie erging.

In den Münchner »Fliegenden Blättern« wird der Name »Biedermaier« zuerst gebraucht und in den Texten und Illustrationen dieses satirischen Blattes zeichnen Literaten und Künstler das Bild einer von der Realität gestörten Idylle der bürgerlichen Ideale, Vorstellungen und Rollen. »Biedermeier« in seinem ursprünglichen Sinn beschränkter Beschaulichkeit »erheitert unabsichtlich; selbst da, wo es das Gegenteil von Erheiterung bezweckt«. Damit wird ausgedrückt, daß im Biedermeier die großen Begriffe und Ereignisse mit kunsthandwerklichen Techniken und in kleinen Bildchen ihre Umformung und scheinbare Bewältigung finden.

H.O.

1.1

1.1 Napoleon *

Giacomo Spalla (Turin um 1775–1834 Turin), Turin, 1808, bez. auf der Rückseite: Spalla Sculpsit 1808, weißer Marmor, 67 (mit Sockel), Lit.: AK WB III/2 1980, Nr. 370, München, Bayerische Staatsgemäldesammlungen (WAF B. 26)

Spallas Napoleon-Büste zeigt das Portrait des Kaisers mit eckig beschnittenem Bruststück in klassizistischer Auffassung. Bemerkenswert ist die an dem Vorbild der Napoleon-Büsten Canovas orientierte heftige Wendung des Kopfes, durch die ein trotzig-entschlossener Ausdruck erzielt wird, in dem aber auch etwas von der Melancholie aufscheint, die die Zeitgenossen übereinstimmend in der Erscheinung des Kaisers bemerkten. Der aus Turin stammende Bildhauer Giacomo Spalla war seit 1807 Hofbildhauer Napoleons und hielt sich 1807 und 1809 auch in München auf. Für die hiesige Residenz fertigte er eine Büste Max I. Josephs und die Statue eines verwundeten Philoktet an. Spallas Napoleon-Büste wurde von Max I. Joseph erworben und es ist möglich, daß es sich hierbei um diejenige handelt, die zeitweilig in der Akademie aufgestellt und mit einem Lorbeerkranz aus Bronze gekrönt war.

Für beinahe zehn Jahre ist die Geschichte Bayerns wesentlich durch den ›Kaiser der Franzosen‹ bestimmt worden. »Freut Euch des Friedens, singt mit Jubelton, preiset den Kaiser Napoleon« – so beginnt ein Friedenslied aus dem Jahr 1805, aus dem sich auch die Begeisterung des Volkes für die Allianz mit Frankreich ersehen läßt. In München zogen die französischen Truppen als Befreier von der österreichischen Bedrohung ein und hier verlieh Napoleon dem Kurfürsten die Königswürde; er vergrößerte Bayern territorial und wertete es zu einem selbständigen Staat auf. So war Bayern auch besonders dafür prädestiniert, ein positives Napoleon-Bild zu tradieren, hat es doch

unter seiner Herrschaft die größte Entfaltung seiner Macht genossen.

Napoleon Bonaparte wurde 1769 in Ajaccio auf Korsika geboren und machte, nach militärischer Ausbildung in Frankreich, eine rapide Armeekarriere in den Kriegen der Revolution und des Direktoriums. Nach dem siegreichen Abschluß des Italienfeldzugs und der ägyptischen Expedition erlangte er durch den Staatsstreich vom 18./19. Brumaire 1799 die Stellung eines ersten Konsuls und hatte damit die gesamte Regierungsgewalt auf seine Person konzentriert. In den folgenden Jahren entwirft Napoleon das Programm einer umfassenden Reformpolitik für Frankreich, in dem nach einem streng zentralistischen Ordnungssystem sowohl die Verwaltung als auch das Rechtswesen, das Schulwesen und die Armee neu organisiert werden. Die Grundprinzipien dieser neuen Ordnung waren schon in der französischen Revolution entstanden, reale Erfahrung für die Bürger wurden sie aber erst in dem stabilen Staat Napoleons, dessen Initiative noch in den heutigen Strukturen der Verwaltung und Rechtsordnung Frankreichs fortwirkt. Am 2. Dezember 1804 krönt Napoleon sich schließlich zum ›Kaiser der Franzosen‹. Nach der Niederwerfung Österreichs und Preußens in den Jahren 1804 und 1805 und dem Bündnis mit Rußland steht Napoleon nun auf dem Zenit seiner Macht.

Schon 1803 hatte Napoleon das Alte Reich aufgelöst, durch den Reichsdeputationshauptschluß Deutschland neu geordnet und das Chaos der barocken deutschen Landkarte zu Gunsten einer kleinen Zahl lebensfähiger Mittelstaaten beseitigt, die er ab 1806 durch den Rheinbund fest an Frankreich band. Auch in diesen Staaten wurden umfassende Reformen nach französischem Vorbild durchgeführt, durch die die deutschen Kleinstaaten erstmals eine einheitliche Verwaltung und auf der Basis des ›Code Napoleon‹ eine moderne Rechtsordnung erhielten, die auch das einfache Volk in den teilweisen Genuß der Bürgerrechte brachte. Durch die Bauernbefreiung und die Aufhebung der Zünfte, verbunden mit der Gewerbefreiheit, wurden die Voraussetzungen für eine neue und dynamischere Gesellschafts- und Wirtschaftsordnung gelegt. Mit diesen Errungenschaften brachte die napoleonische Besatzung auch den modernen Gedanken der natürlichen Einheit einer Nation mit nach Deutschland, ohne den gerade die von der vaterländischen Propaganda der Freiheitskriege beschworene nationale Einheit aller deutschen Völker nicht denkbar gewesen wäre.

Eine Napoleonfeindliche Stimmung entstand in Deutschland erst, als dieses sich zusehends als französische Kolonie behandelt sah, die menschlichen und materiellen Konsequenzen der fortdauernden Kriege erdrückend wurden und die Wirtschaft, durch Steuern und Kontinentalsperre belastet, dem Ruin entgegenging. In den Jahren von 1807 bis 1812 beherrscht Napoleon mit Ausnahme Englands beinahe ganz Europa. Die französische Hegemonie beginnt aber zu wanken, als nach ersten Aufstän-

den in Spanien auch England seine Kriegsanstrengungen intensiviert und Rußland sein Bündnis mit Frankreich aufkündigt. Der russische Feldzug der großen Armee wird zu einer Katastrophe, Preußen und Österreich wenden sich erneut gegen Napoleon und so sieht dieser sich überall zum Rückzug und schließlich 1814 zur Abdankung gezwungen.

Die Rückkehr Napoleons von seinem weniger als einjährigen Exil auf Elba und die Erneuerung seiner Herrschaft über Frankreich bleiben eine Episode von 100 Tagen. Er nimmt zunächst den Krieg gegen die Allianz seiner Gegner wieder auf und erst die Niederlage von Waterloo am 18. Juni 1815 besiegelt sein Schicksal endgültig. Napoleon wird auf Lebzeiten auf die Atlantikinsel St. Helena verbannt, wo er seine Memoiren verfaßt und am 5. Mai 1821 stirbt.

Obwohl der Wiener Kongreß und die Herrscher der Restauration Napoleons Ächtung und die Wiederherstellung der europäischen Verhältnisse in ihrer vornapoleonischen Form mit äußerstem Nachdruck betreiben, bleibt das Andenken des ›Kaisers der Franzosen‹ nicht nur in Frankreich unvergessen. Jedes seiner Worte wird überliefert, die Zahl der Napoleon-Biographien wächst und die Dichter bemühen sich ebenso wie volkstümliche Liederschreiber, den Nachruhm des Verbannten von St. Helena zu mehren (vgl. Mythos Napoleon, S. 452 f.). Indem mit zunehmendem zeitlichem Abstand der Haß seiner zahllosen Feinde verblaßt, wird Napoleon immer mehr zu einer mythischen Gestalt, die man an der Seite Goethes als Genie der Epoche verehrt. Seinen äußeren Ausdruck findet dieser Kult des toten Kaisers schließlich im Dezember 1840, als der Leichnam Napoleons nach Paris überführt und unter großen Feierlichkeiten im Invalidendom bestattet wird. Victor Hugo dichtet zu diesem Tag: »Leuchte in der Geschichte vom triumphalen Kaiserlichen Begräbnis wie eine Fackel! Daß das Volk Dich immer im Gedächtnis behalte . . .«
 B. B.

1.2 Johann Wolfgang von Goethe *

Christian Daniel Rauch (Arolsen 1777–1857 Dresden), bez. auf der Rückseite: Ch. Rauch, Carrara Marmor, 114, Lit.: Bloch 1973, 207 ff.; 1976, 13 ff., München, Städtische Galerie im Lenbachhaus G 94/37

Rauch, der zu seiner Zeit als der bedeutendste Bildhauer Deutschlands galt, lernte Goethe 1820 durch die Vermittlung Tiecks und Schinkels kennen. Die lebensgroße Marmorbüste des alten Goethe, die 1821 auch in Bronze gegossen wurde, ist charakteristisch für Rauchs klassizistischen Stil, den er in der Nachfolge Schadows, Canovas und Thorwaldsens ausprägte, und bildet das erste Werk innerhalb einer Reihe von weiteren Goethe-Porträts, die das Bild des greisen Dichters zu einem festen Typus ausprägten.

Als Goethe am 22. März 1832 in Weimar stirbt, war diese Hauptstadt eines kleinen und armen deutschen Herzogtums mit kaum mehr als 6000 Einwohnern für einige Jahrzehnte eine Weltmetropole gewesen – nicht ihrer politischen oder wirtschaftlichen Bedeutung wegen, sondern als die Residenz eines Dichterfürsten, der von hier aus eine Epoche beherrschte. Goethe war die überragende Gestalt, die ein Zeitalter – das fruchtbarste und an bedeutenden Autoren reichste – der deutschen Literatur dominierte. Er war der Wortführer des Sturm und Drang gewesen, die Inkarnation der Klassik und auch die Romantiker verstanden sich, wenn auch nicht ohne kritische Distanz, als seine Schüler: so scheint es, wenn auch dieser Begriff von einer gewissen Verlegenheit zeugt, nicht ungerechtfertigt, von dem Zeitraum zwischen 1770 und 1830 als von der ›Goethezeit‹ zu sprechen.

Diese Goethezeit überschneidet sich mit der Epoche des Biedermeier, von ihrem Geist aber scheint auf jenes nur wenig überkommen zu sein. Der ›Weimarische Musenhof‹ des Herzogs Karl-August, dem Goethe als dessen Freund und Minister seit 1775 vorstand, war als ein höfisches Zentrum der Kunst und des Mäzenatentums mit seiner liberalen und aristokratischen Stimmung ganz eine Erscheinung des achzehnten Jahrhunderts. Goethe hat von hier aus mit der Weimarer Klassik ein weit über die Literatur hinaus wirkendes Kunstideal etabliert, das mit dem Begriff der Kunst überhaupt in einer Weise identisch wurde, die den zeitgenössischen Künstlern ebenso wie denen der nachfolgenden Generation nur eine beschwerliche Existenz erlaubte.

Die Klassik vertrat ein Kunst-Ideal, das an Winckelmanns aus der Antike gewonnener Ästhetik orientiert war und zugleich einen Kultur und Natur versöhnenden Begriff der Humanität implizierte. Im Gegensatz zu der Romantik, deren Gefährdung durch eine übersteigerte Subjektivität Goethe sah, sollte in der klassischen Kunst alles Individuelle in einer umgreifenden und allgemeingültigen Form aufgehoben sein. Immer mißtrauisch gegenüber der ›grauen‹ und abstrakten Philosophie, stellt Goethe die Einheit des Menschen in das Zentrum seiner Dichtung, die Sinnlichkeit und Vernunft, Individuum und Gesellschaft als Elemente einer möglichen Harmonie vorzustellen versucht.

So tritt er nicht nur mit seinen Dichtungen ins Bewußtsein der Zeitgenossen, sondern ebenso mit seinen kunst- und naturwissenschaftlichen Studien, in denen er zu erstaunlichen und wegweisenden Ergebnissen kommt. Vor allem ist es aber seine außerordentliche Lebenstüchtigkeit, die ihm neben dem Ruhm des Dichters auch gesellschaftlichen Erfolg, Macht und Reichtum einträgt, und ihn zum Gegenstand der Bewunderung macht. Seine Omnipräsenz in der Epoche ist nicht zunächst die eines Schriftstellers oder Intellektuellen, noch weniger die eines weimarischen Ministers, sondern die des Menschen Goethe, der alle diese Aspekte in seiner Person vereinigt und darin alle Bereiche seiner Gegenwart durchdringt. Goethe selbst war sich der Tatsache bewußt, daß in seinem Leben eine ganze Epoche durch-

1.2

messen und deren wesentliche Dimensionen in seiner Gestalt verdichtet zu haben. »Ich habe den großen Vorteil«, sagt er zu Eckermann, »daß ich zu einer Zeit geboren wurde, wo die größten Weltbegebenheiten an die Tagesordnung kamen und sich durch mein langes Leben fortsetzten, so daß ich vom Siebenjährigen Kriege, sodann von der Trennung Amerikas von England, ferner von der Französischen Revolution und endlich von der ganzen napoleonischen Zeit bis zum Untergang des Helden und den folgenden Ereignissen lebendiger Zeuge war. Hierdurch bin ich zu ganz anderen Resultaten und Einsichten gekommen, als allen denen möglich sein wird, die jetzt geboren werden.«

Goethe scheint sein Leben nicht für durchwegs glücklich gehalten zu haben, war sich aber in großem Maße der überindividuellen Bedeutsamkeit seines Lebenswegs bewußt und kommentierte seine Biographie selbst wiederholt als ein Exempel der menschlichen Existenz überhaupt. Es ist darüber hinaus ein einzigartiges Phänomen und von allergrößter Bedeutung für das bis heute fortwirkende Goethebild, daß er als lebender Dichter bereits von der zeitgenössischen Ästhetik – sei es Schellings oder Schillers, Hegels, Moritz' oder Humboldts – als der Repräsentant der höchsten Stufe der Kunst der ästhetischen Vollkommenheit in der Moderne propagiert wird.

Als sein eigener Autobiograph ist es nicht zuletzt Goethe selbst, der ein ›klassisches‹ und überlebensgroßes Goethebild maßgebend prägt und tradiert und sich selbst dadurch in immer größere Distanz zu seinen Zeitgenossen bringt. Diese Ferne hat mit Goethes Alter immer mehr zugenommen und ist ihm schließlich selbst zur Einsamkeit geworden.

Die einzigartige Berühmtheit des Dichters, der auch Ludwig I. von Bayern huldigte, indem er durch Klenze dem »Heros der deutschen Literatur« eine Einladung nach München überbringen ließ, der jener im übrigen nicht folgte, darf nicht darüber hinwegtäuschen, daß sie mit der Zeit zugleich eine Abnahme der tatsächlichen Bedeutung Goethes und seines Einflusses mit sich brachte. Goethe selbst mußte sehen, daß von seinen späten Werken – selbst vom ›Faust‹ – nur wenig Notiz genommen wurde und gab die Hoffnung auf, sich noch einem großen Publikum verständlich zu machen. Nicht ohne Starrsinn verweigerte sich der Olympier zunehmend der Auseinandersetzung mit neuen ästhetischen Strömungen, die er als Abfall vom Stilideal der Klassik ablehnte, und wurde dabei unfreiwillig zum Symbol eines starren Klassizismus, der den nachkommenden Künstlern als eine überlebte und alle Produktivität abtötende Norm erscheinen mußte. Heine kritisierte dieses ›Goethentum‹ der epigonalen Klassizisten und hebt es nachdrücklich von Goethes eigenem Werk ab, jenen »teuern Schöpfungen, die vielleicht noch leben werden, wenn längst die deutsche Sprache schon gestorben ist und das geknutete Deutschland in slawischer Mundart wimmert: unter jenem Ausdruck verstehen wir auch nicht eigentlich die Goethesche Denkweise, diese Blume, die im Miste unserer Zeit immer blühender gedeihen wird, und sollte auch ein glühendes Enthusiastenherz sich über ihre kalte Behaglichkeit noch so sehr ärgern; mit dem Wort »Goethentum« deuteten wir oben vielmehr auf Goethesche Formen, wie wir sie bei der blöden Jüngerschar nachgeknetet finden, und auf das matte Nachpiepsen jener Weisen, die der Alte gepfiffen.«

Der alte Goethe stand in der Mitte des Biedermeier, äußerlich führte er ein beschauliches Leben im Provinzstädtchen Weimar mit dem Blick auf den Garten, seiner Natur nach aber war er dieser Epoche ganz fremd. Die Wohnzimmer des philisterhaften Bürgertums waren nicht seine Welt, dessen Resignation und Unterordnung ebensowenig wie seine Sehnsucht

nach der Vergangenheit und sein Kult des Privaten. Umsomehr war das Biedermeier – vielleicht im vagen Bewußtsein seiner eigenen Kleinheit – dazu berufen, noch zu seinen Lebzeiten und gleichsam aus der Froschperspektive den Kult Goethes zu betreiben. Er resultierte, anders als die Kritik Heines, wohl kaum aus einem lebendigen Verständnis des Dichters, sondern erging sich statt dessen in seiner passiven Verehrung; Stifter malte sich für einen lauen Sommerabend aus, man »nähme auf ein Stündchen Vater Goethe zu Händen«, – man applaudierte den zahllosen sentimentalen Vertonungen seiner Gedichte und erwarb eine Gesamtausgabe seiner Werke, die von nun an ebenso wie die Büste des Dichters ein ›must‹ des kultivierten Haushalt sein würde.

Mit der halbgebildeten Lesekultur des Biedermeier eng verknüpft ist eine ebenso dilettantische wie exzessive Schreibkultur, die Goethe nun eine neue Popularität verleiht, indem sie ihn zum Sentenzenlieferanten der Gelegenheits- und Stammbuchdichtung macht. Die Literatur ist in dieser Situation zum Epigonentum oder zur Opposition verurteilt, aus der allein sich eine neue und eigenständige Dichtung artikulieren kann. Börne fragt: »Wem hätte Goethe nicht weh getan, wer hätte nichts an ihm zu rächen?« und diese Rache formuliert sich nun in einer universellen Kritik, die vor allem Goethes konservative Haltung und sein mangelndes politisches Interesse anprangert. War er der Restauration als zu liberal und zu heidnisch und der deutsch-nationalen Bewegung als zu weltbürgerlich suspekt gewesen, so gilt er den jungdeutschen Demokraten nun als ein Parasit des Ancien Régime und als der reaktionäre Tyrann der kulturellen Welt, den es zu stürzen gilt.

Dies allerdings war eine Arbeit, welche die Literatur auch nach Goethes Tod für einige Zeit beschäftigen sollte und die dabei nur ein negatives Indiz seiner Unsterblichkeit ist. Heine beschreibt diese Situation nicht ohne Sympathie für das Schicksal der Goetheschen Dichtung und mit weitem Blick in die Moderne: »Das Prinzip der Goetheschen Zeit, die Kunstidee, entweicht, eine neue Zeit mit einem neuen Prinzipe steigt auf, und, seltsam! . . . sie beginnt mit Insurrektion gegen Goethe. Vielleicht fühlt Goethe selbst, daß die schöne objektive Welt, die er durch Wort und Beispiel gestiftet hat, notwendigerweise zusammensinkt, so wie die Kunstidee allmählich ihre Herrschaft verliert, und daß neue frische Geister von der neuen Idee der neuen Zeit hervorgetrieben werden und gleich nordischen Barbaren, die in den Süden einbrechen, das zivilisierte Goethentum über den Haufen werfen und an dessen Stelle das Reich der wildesten Subjektivität begründen.«   B. B.

1.3 König Maximilian I. Joseph von Bayern

Jakob Daniel Burgschmiet (Nürnberg 1796–1858 Nürnberg) nach Johann Baptist Stiglmaier (Fürstenfeldbruck 1791–1844 Mün-

chen), Nürnberg, 1826, bez.: Gegossen. Von. I. BURGSCHMIET. MDCCCXXVI / IN NÜRNBERG; Bronze (Hohlguß) schwarze Lackpatina, 58, Lit.: Volk in: AK WB III/2, Nr. 1302 mit Lit., München, Bayerisches Nationalmuseum R 6987

Die Porträtbüste gibt den ersten bayerischen König, der von 1799–1825 regierte, in dem verbreitetsten und nach Aussagen der Zeitgenossen am besten getroffenen Typ wieder, den der Bildhauer Johann Baptist Stiglmaier Anfang 1825 modelliert hatte. In Stiglmaiers Formulierung setzte sich das Altersporträt des Monarchen überall durch und wurde das Erinnerungsbild an den am 13./14. November 1825 verstorbenen König. Auch der Berliner Bildhauer Rauch bediente sich anfangs widerstrebend, dann akzeptierend der Stiglmaierschen Form, die dem eigenen Modell überlegen war. Stiglmaiers Büste wurde in zahllosen Gipsausführungen verbreitet, die in vielen Sammlungen erhalten sind und durch den Künstler mit einem geprägten Metallplättchen »STIGLMAIER / FECIT / MONACHII.« autorisiert wurden. Diesem Modell folgt auch der Nürnberger Bronzeguß, den der Nürnberger Magistrat 1835 König Ludwig I. als Probe des erneuerten Kunstfleißes der Stadt als Geschenk überreichte.

Pfalzgraf Max Joseph aus der Wittelsbacher Nebenlinie der Herzöge von Zweibrücken trat 1799 das Erbe des Kurfürstentums Pfalz-Bayern an. Der neue Kurfürst brachte einen fertigen Plan für eine Neuorganisation des Staates und die Männer mit, die das Konzept in die Tat umsetzten. In seinem Auftrag verwandelte der Erste Minister Montgelas das feudal geordnete Reichsterritorium in ein modernes Staatswesen nach den Vorstellungen der Aufklärung. In raschem und bisweilen brüskem Vorgehen stellte der Staat die Gleichheit aller vor dem Gesetz und vor der Steuer her, wurde die Säkularisierung der Kirche und ihres Besitzes vollzogen, fand die Reorganisation der Armee, Regierung und Verwaltung statt, wurde die Grundherrschaft abgeschafft und die adelige Gerichtshoheit weitgehend aufgehoben. Man führte die allgemeine Schulpflicht und Wehrpflicht ein. Die Auflösung des alten Staates wurde durch die Allianz mit Napoleon gegen Österreich beschleunigt, die Bayern auch den Zugewinn von Franken, Schwaben und ehemals österreichischen Gebieten brachte. Bayern kämpfte an der Seite Napoleons in Wien, in Polen und Rußland bis zur Wende 1813/14, als es die Allianz wechselte und dem europäischen Bündnis gegen Napoleon anschloß, das nach den Entscheidungsschlachten von Leipzig und Waterloo im Wiener Kongreß Europa neu verteilte. Bayern kam durch das geschickte Taktieren des Königs und seiner Berater im Konflikt der politischen Mächte glimpflich davon. In einer Konsolidierungsphase zwischen 1815 und 1825 entstand hier die erste Verfassung, welche dem Volk ein beschränktes Mitspracherecht einräumte. Bayern wandelte sich unter der Regierung Max I. Josephs vom aristokratisch geprägten Reichsgebiet zum souveränen und konstitutionellen Königreich. Die persönliche Zurückhaltung im Lebensstil und der Regierungsweise ließ den König viele Konflikte meistern und offene Widersprüche gütlich beilegen. H.O.

1.4 König Ludwig I. als Kronprinz

Nach einer Marmorbüste von Bertel Thorwaldsen (Kopenhagen 1768–1844 Kopenhagen); gegossen von Johann Baptist Stiglmaier (Fürstenfeldbruck 1791–1844 München), Neapel, 1821, bez. auf der Brustbinde: LUDWIG KRONPRINZ VON BAIERN ROM DEN XXIX APRIL MDCCCXXI (rückseitig) ERSTER GUSS J.B. STIGLMAIER'S IN NEAPEL 5. NOV. 1821; Bronze, grünlich schwarz patiniert, 65, Lit.: AK BaKuKu 1972, Nr. 1613, München, Städtische Galerie im Lenbachhaus

Die Büste zeigt den jugendlichen Ludwig in antikisierend-idealer Gewandung. Obwohl Thorwaldsen als Porträtist weniger dem Individuellen als dem Ideal-Typischen nachspürte, gelang es ihm, in dem Bildnis des Kronprinzen sowohl seine Empfindlichkeit als auch herrische Zielstrebigkeit auszudrücken. Neben dem 1818 gefertigten Originalmodell Thorwaldsens (Thorwaldsen-Museum, Kopenhagen) existieren noch zwei von ihm eigenhändig ausgeführte Marmorexemplare (Thorwaldsen-Museum, Kopenhagen; Staatliche Antikensammlung, München), sowie eine weitere Bronzereplik in den Nibelungensälen der Münchner Residenz. Bei dem hier gezeigten Bronzeguß von Stiglmaier handelt es sich nachweislich um den ersten geglückten Guß des Gründers der im 19. Jahrhundert berühmten Münchner Gießhütte. Stiglmaier hielt sich zu der Zeit zum Studium des Bronzegusses bei Rhigetti in Neapel auf, wo er mit einem Stipendium Königs Max I. Joseph seine Ausbildung vervollständigen sollte.

Geboren am 25. August 1786 gegen Ende der Epoche des Absolutismus, gehört Ludwig, Prinz des kleinsten wittelsbachischen Territoriums von Pfalz-Zweibrücken, dann Kurprinz und schließlich Kronprinz »... zur alten und neuen Zeit und in zwei Jahrhunderte«, wie er später selbst bekannte (Spindler, Bd. 4/1, München 1979, 92). Er wächst auf in dem Zeitalter der alles verändernden Französischen Revolution und der napoleonischen Kriege; er kommt in der Epoche der Restauration zur Herrschaft, wird von der bayerischen Revolution 1848 seines Thrones entsetzt und stirbt in der Ära der Expansion des bismarckschen Reiches. Kriege und Revolution prägen fast ein Drittel seines Lebens.

Bereits mit drei Jahren mußte er infolge der Auswirkungen des Pariser Umsturzes von 1789 mit seiner Familie aus Straßburg fliehen, um zehn Jahre im Exil nicht mehr zur Ruhe zu kommen. Jene intensiv erlebten Flüchtlingsjahre, zusammen mit dem Einfluß seiner deutschempfindenden Mutter, haben Ludwigs heftiges Nationalgefühl, das für ihn zeitlebens kennzeichnend war, geweckt.

Der im Jahre 1815 von Ludwig verfaßte Entwurf einer freiheitlichen Verfassung für Bayern, welche »allen Volksklassen« gerecht werden sollte (Weis, in: AK Vorwärts, Nürnberg, 1986, 22) und erstmals auch der großen Mehrheit der Landbevölkerung das aktive Wahlrecht zusprach, ist das wichtigste staatspolitische Schriftstück aus seiner Kronprinzenzeit und begründete seinen Ruf als liberaler Kronprinz. Diesen Kurs hielt Ludwig auch in den Jahren seiner Regierung bei. Doch betroffen von der französischen Revolution 1830 und vom Verlauf der Sitzungsperiode des Bayerischen Landtags 1831 ging Ludwig nach fünf Jahren einer vorsichtigen Reformpolitik zu entschiedener Reaktionspolitik über. Aber auch in der Ära ausschließlicher Defensive suchte er strenge Wahrung der Kron- und Staatssouveränität mit idealistischer Förderung des deutschen Nationalgedankens zu verbinden.

Die Innenpolitik Ludwigs ist gekennzeichnet von umfassenden Bildungsreformen und einer Konsolidierung der Finanzen, mit deren Hilfe er München zu einem künstlerischen und wissenschaftlichen Zentrum machte. Durch die entschiedene Parteinahme für den Deutschen Zollverein förderte er zudem weitblickend Bayerns wirtschaftliche Entwicklung. Außenpolitisch dagegen war der Spielraum Ludwigs als ein in den Deutschen Bund eingegliederter Souverän beengt. So erwiesen sich nicht nur seine Bemühungen um Rückgewinn der rechtsrheinischen Pfalz als aussichtslos, wie ihm auch die Einrichtung der griechischen Monarchie und die Königswürde seines Sohnes Otto nur vorübergehend die gewünschte Anerkennung als europäische Macht brachte. U.K.

1.5 Fürst Clemens Wenzeslaus von Metternich *

Johann Schaller (Wien 1777–1842 Wien), 1826, weißer Marmor, 68, Lit.: Schorns'ches Kunstblatt, 1842, Nr. 61, 242; AK Vorwärts Nürnberg 1986, Nr. 112, München, Bayerische Staatsgemäldesammlungen (WAF B 25)

Schallers Büste des Fürsten Metternich zeigt ein realistisches Porträt des österreichischen Staatsmannes, der im Entstehungsjahr dieser Darstellung auf dem Höhepunkt seiner Macht stand. Der bayerische König Ludwig I. hat diese Büste für sein erstes Walhalla-Projekt bestellt; sie weist die für diese Porträtbüsten typische Größe, Grund- und Sockelform auf, die Johann Gottfried Schadow in seiner Büste König Friedrich II. von Preußen 1807 entwickelt hatte und die für die folgenden Aufträge für dieses Konzept verpflichtend blieben (vgl. AK WB III/2, Nr. 48). Hatte Napoleon der Epoche des Biedermeier die Prämissen vorgegeben, so ist es Fürst Metternich, der ihr wie kein anderer Staatsmann das Gesicht gab. Wie Napoleon, sein größter Gegner, den er jedoch persönlich sehr achtete und dessen Porträt er in seinem Arbeitszimmer immer vor Augen hatte, ist Metternich geprägt durch das Erlebnis der französischen Revolution. Er hat in diesem

1.5

Ereignis immer die Wurzel aller Bedrohungen der Ordnung und des Friedens in Europa gesehen und seine gesamte Politik als eine Abwehr dieser Gefahren verstanden. Undenkbar wäre die Epoche des Biedermeier ohne die lange Periode des Friedens, die Metternich nach den Napoleonischen Kriegen durch seine weitblickende Politik begründete und sicherte; ohne ihn kaum denkbar wäre aber auch die zweifelhafte Beschaulichkeit dieser Zeit, deren Bürger Metternich totale Abstinenz von der Politik verordnete und die darin bereits den Keim zu den Revolutionen von 1848 trug.

Umstritten war Metternich zu seinen Lebzeiten nicht weniger als in der späteren Geschichtsschreibung, wobei das vorherrschende negative Bild seiner Person vor allem aus einer deutsch-nationalen oder in der Tradition 1848 stehenden liberalen Perspektive gezeichnet wurde, was es nicht eben leicht macht, neben seinen persönlichen Mängeln und politischen Fehlern auch seine eigentümlichen Qualitäten und historischen Verdienste zu würdigen. Bereits Napoleon hat Metternich früh als den »größten Lügner des Jahrhunderts« bezeichnet, der ihm selbst als Verbündeter suspekt und verhaßt war, und als Vater der Restauration ist er auch allen Demokraten, Liberalen oder Sozialisten des Jahrhunderts ein bevorzugter Gegenstand des Hasses gewesen. Dabei repräsentiert er den vollendeten Typus eines Aristokraten des Ancien Régime – als eleganter Weltmann, als gebildeter Liebhaber der Künste ebenso wie schöner Frauen, als Rationalist, Förderer der Wissenschaften und als Virtuose der Macht. So nimmt es nicht wunder, daß er Goethe gefallen hat, der nach einer Unterredung mit Metternich schrieb, er gehöre »zu den Personen, die auf den obersten Stufen des irdischen Daseins der höchsten Bildung teilhaftig geworden und deren Eigenschaften uns die tröstliche Versicherung einflößten, daß Vernunft und Menschlichkeit die Oberhand behalten, und ein klarer Sinn das vorübergehende Chaos bald wieder regeln werde.« Metternich selbst, der während seines ganzen Lebens mit einem außerordentlichen Selbstbewußtsein und der ungebrochenen Gewißheit seiner eigenen Unfehlbarkeit begabt war, begriff sich als »der Arzt im großen Weltspital«, dessen Diagnosen kein einziges Mal gefehlt und dessen Therapien immer die richtigen gewesen seien.

Clemens Wenzeslaus Fürst von Metternich wird am 15.5.1773 in Koblenz geboren. Nach sehr vielseitigen Studien kommt er 1794 nach Wien, wo er indirekt die Französische Revolution erlebt, deren unversöhnlicher Gegner er zeit seines Lebens bleiben wird. Er sieht in ihr die historische Katastrophe schlechthin, die Quelle allen Übels, die die Gefahr birgt, sich über ganz Europa auszudehnen und mit ihren »modernen Ideen« einen universellen Umsturz zu bewirken. Dies zu verhindern und das Prinzip der dynastischen Legitimität zu verteidigen, wird das leitende Prinzip seiner politischen Überzeugung und das Ziel aller seiner politischen Maßnahmen bleiben.

Metternich macht in Wien eine brillante diplomatische Karriere und wird nach einigen Jahren der Tätigkeit als Gesandter in Berlin und Paris 1809 zum Staats- und Konferenzminister und schließlich zum Leiter des Auswärtigen im Kabinett des Kaisers Franz I. ernannt. Während der Zeit der napoleonischen Hegemonie über Europa betreibt er eine vorsichtige Politik gegenüber Frankreich, innerhalb derer er auch die Heirat Napoleons mit der Prinzessin Marie-Louise fördert, und versucht, soweit als möglich die Selbständigkeit Österreichs zu wahren. Als die habsburgische Monarchie sich im Sommer 1813 der Preußisch-Russischen Allianz gegen Napoleon anschließt, übernimmt Metternich die Führung des diplomatischen Kampfes gegen das französische Kaiserreich.

Nach der Niederlage und Abdankung Napoleons stehen die Sieger vor der schwierigen Aufgabe, dessen Umgestaltung Europas rückgängig zu machen und die alte Ordnung wiederherzustellen. Der Kaiser von Österreich beruft den Wiener Kongreß ein, der vom 16.9.1814 bis zum 9.6.1815 dauert, und Metternich wird zu der dominierenden Gestalt dieser Konferenz. Sein Ziel ist es, nach dem Chaos der vergangenen Kriege eine universelle Friedensordnung in Europa zu etablieren, die auf den Prinzipien der Legitimität der Herrscher und des Gleichgewichts der Mächte ruht.

Metternichs eigentliches Interesse hat immer der Außenpolitik gegolten und hier erwies er sich als ein genialer Diplomat, dem Europa als sein »Vaterland« galt und dessen höchste Absicht es war, die Interessen der europäischen Großmächte auszugleichen und in einem stabilen Frieden zu sichern. Dabei erwies er sich freilich auch immer als der Kabinettspolitiker des 18. Jahrhunderts, der nie vergaß, Sachwalter des Monarchen und des Systems zu sein, dem zu dienen er sich entschlossen hatte.

An der Stelle des nicht wieder zu belebenden Deutschen Reiches konzipiert Metternich den Deutschen Bund, der die deutschen Staaten unter der Führung Österreichs und Preußens

zu einem losen Verband vereinigte und die Maximen der Restauration zur verbindlichen Grundlage der Politik machte. »Die Zeit schreitet in Stürmen vorwärts. Ihren ungestümen Gang gewaltsam aufhalten zu wollen, wäre ein eitles Unternehmen. Nur durch Festigkeit, Mäßigung und Weisheit, durch vereinte und in der Vereinigung wohlberechnete Kraft, seine verheerenden Wirkungen zu mildern: das allein ist den Beschützern und Freunden der Ordnung noch übrig geblieben. Dieses Ziel läßt sich sehr einfach bezeichnen, es ist heute nichts mehr und nichts minder als die Erhaltung des Bestehenden.«

Der internationale Friede sollte durch die sog. ›Heilige Allianz‹ gesichert werden, die Österreich, Preußen und Rußland vereinigte und auf ein gemeinsames Programm nach den Grundsätzen christlicher Moral einschwor; diese idealistische Basis wurde unterstützt durch die universale Drohung der gemeinsamen militärischen Intervention, die überall da stattfinden sollte, wo Revolutionen oder Machtveränderungen die Stabilität des Systems in Frage stellen würden.

Seinen traurigen Ruf als »Fürst von Mitternacht« hat Metternich sich durch seine Innenpolitik erworben. Hier zeigt er sich als ein Wächter der Restauration, dem häufig das rechte Augenmaß für notwendige Neuerungen und Reformen fehlt. Mit wahrem Haß wendet er sich gegen alles was er für »moderne Ideen« hält, die ihm samt und sonders als verderbliche Früchte der Französischen Revolution gelten. Die Ermordung des reaktionären Dichters und Diplomaten Kotzebue 1819 durch den Studenten Ludwig Sandt liefert den äußeren Anlaß, ein für den Deutschen Bund einheitliches Instrument zur Unterdrückung aller reformistischen oder nationalistischen Bestrebungen zu schaffen. Metternich betreibt die Verabschiedung der ›Karlsbader Beschlüsse‹, die sich vor allem gegen die Presse, die Intellektuellen und die Universitäten richten. Eine universelle Zensur, allmächtige Polizei und ein Heer von Spitzeln waren die Folge. Der Begriff des ›Metternich'schen System‹ wird bald auch für die Zeitgenossen zum Synonym für Unfreiheit, Unterdrückung und willkürliche staatliche Übergriffe. Österreich und Deutschland werden nun für 30 Jahre in jenen Zustand biedermeierlicher Ruhe gezwungen, die eine lange Friedenszeit um den Preis politischer Entmündigung erkauft hat.

Bei einer Würdigung der innenpolitischen Verdienste Metternichs darf aber auch nicht übersehen werden, daß er nicht nur der starrsinnige Unterdrücker aller fortschrittlichen Bewegungen war, sondern auch die eher unpolitische Tendenz der Mehrheit der Bevölkerung durchaus richtig erkannt hatte und ihr eine Epoche gesicherten Friedens und wirtschaftlicher Blüte verschaffte. »Soziale Revolutionen, einen gewaltsamen Umsturz der bestehenden Regierungsformen und deren Ersatz durch unbekannte Größen wünscht heutzutage niemand, denn die heutige Welt ist viel zu erpicht auf materiellen Genuß und industriellen Gewinn, um diese Güter schalen Theorien zuliebe auf's

Spiel zu setzen. Im Gegenteil: was man mit Bestimmtheit und allgemein will, ist ein versöhnender, ruhiger, bequemer Friedenszustand, und wer ihn den Völkern verbürgt, ist ihnen – bei der, wir können es uns nicht verbergen, ziemlich allgemein vorherrschenden Gleichgültigkeit gegen höhere Prinzipien – willkommen.«

Auf dem Höhepunkt seiner Macht ist Fürst Metternich 1821, als er zum Haus-, Hof- und Staatskanzler ernannt wird, 1826 dann noch zum Präsidenten der Ministerialkonferenzen, und nun alle wichtigen Regierungsfunktionen unangefochten innehat. Alle diese Ämter behält er auch, als Kaiser Franz I. 1835 stirbt und sein als schwachsinnig geltender Nachfolger Ferdinand I. die Kaiserwürde übernimmt. Erst die Revolution 1848 in Wien, die nicht zuletzt durch Metternichs starren Konservatismus verursacht wurde und deren erstes prominentes Opfer er wird, zwingt ihn, alle Ämter niederzulegen und sich dem Zorn des Volkes durch die Flucht nach England zu entziehen. Nach kurzem Aufenthalt in Deutschland kann er aber schon 1851 wieder nach Wien zurückkehren, wo er schließlich noch einmal zum privaten Berater des jungen Kaisers Franz Josef I. wird. Der »rocher de l'ordre« – wie er sich selbst noch wenige Tage vor seinem Tod in ungebrochenem Selbstbewußtsein bezeichnete – stirbt im Alter von 86 Jahren am 11. Juni 1859. B.B.

1.6 Pfeifenkopf mit Porträt Kaiser Napoleons in grüner Chasseursuniform

um 1830, Porzellan, Montierung: Messing versilbert, 20,5, Lit.: vgl. de Basily-Callimaki, 1909; 61/468

Das Bildnis des französischen Kaisers folgt im Grundtyp der Fassung des Malers J. B. Isabey, allerdings in spiegelverkehrter Form, was für die Umsetzung durch eine graphische Vorlage spricht. H.O.

1.7 Pfeifenkopf mit Szene aus dem russischen Feldzug 1812

Nach einem Motiv von Albrecht Adam (Nördlingen 1786–1862 München), wohl Manufaktur Schney, um 1830, bez.: Bleimarkierung blau, eingemarkte Nummer auf der Schnurbefestigung 8, Porzellan, 13, Lit.: AK WB III/2, 519; AK Adam München 1981, Nr. 411; 769

Bildmotiv nach »Voyage pittoresque et militaire de Willenberg en Prusse jusqu'á Moscou fai en 1812« einer Lithographieserie des Augenzeugen Albrecht Adam, die 1827–1833 in München verlegt wurde. Das entsprechende Blatt ist bezeichnet als »Sur la route à Wiamza le 20 Août« (Nr. 86 Bd. 2) und zeigt an einem heißen Hochsommertag den Prinzen Eugéne de Beauharnais, der mitleidig eine bayerisch Soldatenfrau mit ihrem auf dem Vormarsch geborenen Säugling anspricht und sich übe seinen Adjutanten nach dessen Ergehen erkun digt. Auf der staubigen Straße reitet ein bayerisches Kavallerieregiment, das, durch Bündnispflicht gezwungen, mit dem Heer Napoleons gegen Moskau zieht.   H.O.

1.8 Pfeife mit Napoleon in der Schlacht vor den Schanzen von Borodino 1812

wohl Berlin, um 1830, bez. auf dem Fuß: 8, Porzellan bemalt, Meerschaumeinsatz mit Ebenholz und Horn; Neusilbermontierung, 21,5; 61/1111

1.9 Pfeife mit Kaiser Napoleon beim Brand von Moskau 1812 ∗

wohl Berlin, um 1840, Porzellan bemalt mit Meerschaumeinsatz; Ebenholz, Horn, Silbermontierung, 38; 61/1108

1.10 Pfeifenkopf mit Angriff der alten Garde bei Waterloo

wohl Berlin, 1840, bez.: BM 1840; Meisterstempel: CS im querliegenden Rechteck, Bleimarkierung blau, Porzellan, mit Meerschaumeinsatz, Silbermontierung, 17; 61/1110

1.11 Pfeifenkopf mit Porträt von Feldmarschall Blücher in Grisaillemalerei

um 1820 bez. Preßmarke auf Porzellan: 33, Porzellan, Deckel: Neusilber, 11,5; 61/502

1.12 Pfeife mit Porträts von Blücher und Wellington im Relief

Manufaktur Bruckberg bei Ansbach, 1821, Inschrift: La belle Alliance, Kopf: Porzellan, teils vergoldet, Stiel: Palisander, Horn, 37; 61/531

Der Pfeifenkopf zeigt die reliefierten Brustbilder des »alten Haudegens« Leberecht Blücher, Fürst von Wahlstatt, und des späteren Diplomaten Arthur Wellesley, Duke of Wellington. Die beiden Kriegshelden haben Napoleon I. in der entscheidenden Schlacht bei Waterloo am 18. Juni 1815 geschlagen. Die englische Armee unter Wellington erwartete bei »Belle Alliance« den französischen Angriff. Nach schweren Verlusten auf beiden Seiten kamen die Preußen unter Blücher zu Hilfe. Dankbar wurden die beiden Feldmarschälle auf unzähligen Tabakspfeifen verewigt. Der keulenförmige Porzellankopf muß der einst fürstlichen, seit dem Jahre 1807 aber rein privaten Porzellanmanufaktur Bruckberg nahe bei Ansbach zugeschrieben werden. Hier wurden unter dem Besitzer Friedrich Löwe Tausende von Pfeifenköpfen hergestellt. Ein bisher kaum bekanntes Musterbuch vom Jahre 1821 zeigt genau solche Pfeifenstummel mit den beliebten Porträts von Blücher und Wellington. Sie wurden auch alleine, also nicht als Paar, angeboten. Ein solcher Pfeifenstummel mit einem einzelnen Brustbild ist deutlich mit »Blücher« bezeichnet. Von dem »Blücher« lassen sich frühere Ausführungen mit leicht veränderter Modellierung nachweisen. Schließlich ist der vergleichbare Pfeifenstummel mit den beiden Kriegshelden auch mit gekreuzten Lorbeerzweigen, aufgehender Sonne und mit der Beschriftung »La belle Alliance« dargestellt. Eine gleiche Anordnung findet sich auch in blauer Masse in sogenannter Wedgwood-Imitation. Die gepreßten Porträts wurden auf den rohen Pfeifenkopf mit etwas Schlicker festgedrückt. Von den Porträts hatte man die Glasur ferngehalten, durch die besondere Masse ist der Bisquiteindruck entstanden.   W.M.

1.9

1.16

1.13 Humpen auf den Wiener Kongress und das Bündnis der drei Monarchen

Böhmen, 1814, farbloses und blaues Überfangglas, geschliffen; im Boden eingelassene Medaille aus Zink(?), bez. Aschau(?) Wappenstein; K 57-441

Konischer, unten bauchiger Humpen auf abgesetztem Standring mit Schliffdekor auf der Wandung. Die Medaille mit Darstellung dreier Monarchen zu Pferd: Friedrich Wilhelm III. von Preußen, Alexander I. von Rußland und Franz I. von Österreich, über ihnen schwebender Genius mit Siegerkranz, zu ihren Füßen die Inschrift: EUROPA / PER VOS LUX TENEBRIS / A IOVE SPARSA MEIS / MDCCCXIV; verso Auge Gottes, umgeben von drei Kronen, im Wolkenkranz.   C.S.

1.14 Pfeife mit Ansicht des Grabes von Napoleon auf St. Helena

nach 1821, Inschrift: Insel St. Helena, Kopf: Porzellan bemalt (Grisaille), Stiel: Horn u. Buchsbaum, 25; 61/459

Die Silhouette des Kaisers zeichnet sich zwischen den Bäumen rechts des Grabes als Vexierbild ab.

1.15 Pfeife mit Kaiser Napoleon über dem Erdball stehend, sein Kopf von einer Gloriole umgeben

um 1830, Inschrift: Händel seinem Neubronner, Kopf: Porzellan, Neusilbermontierung, Stiel: Weichselholz, 23,5; 61/469

1.16 Pfeifenkopf mit Sinnbild auf die bayerische Verfassung von 1818 ∗

München, um 1820, im Bild bez.: »Magnus ab Integro saeculorum nascitur ordo«, Porzellan, 11, Lit.: Kobler, in: AK WB III/1, 114ff.; 28/381

Bayerischer Verfassungswürfel (als Symbol für: nach allen Seiten gleich) mit Löwe, Verfassungsurkunde, Eule, Helm und Fahne vor der Silhouette Münchens, Inschrift auf dem Würfel: Charta bavariae.   H.O.

1.19

1.24

1.30

1.17 Pfeifenkopf mit Kerkerszene aus Goethes Drama »Götz von Berlichingen«

um 1830, Porzellan, eingemarkte Nummer am Fuß: 31; 11; 61/525

1.18 Pfeife mit einer Darstellung nach Schillers Gedicht: Der Gang nach dem Eisenhammer

Manufaktur Bruckberg – Ansbach (Hinweis W. Morgenroth), um 1820, Inschrift: Der Gang nach dem Eisenhammer, Kopf: Porzellan mit versilberter Kupfermontierung, Stiel: Palisander und Horn, 31, Lit.: Hofmann 1923, 615: 1813 Motiv bezeugt für Christian Adler in Nymphenburg, 112

1.19 Pfeifenkopf mit Szene aus Schillers Drama »Die Räuber« ✳✳

München, 1848, Inschrift: »X. Bram, Herbst, ihrem C. Bram, München«; rückseitig: »Schwarz. wie herrlich die Sonne dort untergeht! Moor. So stirbt ein Held. Anbetungswürdig. Da ich noch ein Bube war, war's mein Lieblingsgedanke, wie sie zu leben, zu sterben wie sie. Es war ein Bubengedanke.«, Porzellan, bemalt, Montierung: versilbert, 21; 61/540

1.20 Pfeife mit Porträt von König Max I. Joseph von Bayern

wohl Manufaktur Bruckberg, Ansbach, um 1820, Inschrift: »Heiligenstein seinem Freunde Fleischmann«, Kopf: Porzellan, Patérelief, Montierung: Vermeiltechnik, Stiel: Palisander, Horn, 26, Lit.: vgl. AK WB III/2 1980, Nr. 967 (für die Form); 39/334

1.21 Pfeifenkopf mit König Max I. Joseph vor Schloß Tegernsee mit seinen Wachtelhunden

wohl Manufaktur Bruckberg, Ansbach, nach 1827, Porzellan, Deckel: Silber feuervergoldet, 9,3, Lit.: vgl. AK WB III/2 1980, 1317–1318; 64/440

Die Darstellung folgt einer anonymen Stichvorlage, dem Titelkupfer von: Ernst Aug. Fleischmann, Charakterzüge und Anekdoten als Bilder der Güte und Wohltätigkeit aus dem Leben Maximilians I. Joseph König von Bayern, München 1827.

1.22 Pfeifenkopf mit Stammtafel der Wittelsbacher bis auf König Ludwig I. von Bayern

wohl Manufaktur Nymphenburg, München 1836, Porzellan, 13,5; A 78/251

Der Pfeifentyp mit einer minutiösen kalligraphischen Bemalung ist in Privatsammlungen mehrfach erhalten geblieben. Die Schriftmalerei folgt einer graphischen Vorlage.

1.23 Pfeifenkopf mit Porträt König Ludwig I. von Bayern in bayerischer Generalsuniform

wohl Manufaktur Nymphenburg, München, um 1840, Inschrift: Ludwig I König von Bayern; Porzellan bemalt, Deckel: Silber, Meisterstempel »LS« in querliegendem Rechteck, Garantiestempel, 13; 61/471

1.24 Pfeifenkopf mit König Ludwig I. und seiner Familie, das Gemälde »Ankunft König Ottos von Griechenland« betrachtend; nach einem Gemälde von Dietrich Monten ✳✳

Manufaktur Schney, nach 1833, Bleimarkierung, blau, eingemarkte Nummer an der Schnurbefestigung: 9, Porzellan, Deckel wohl Silber, 21; XI^d 187

1.25 Pfeifenkopf mit Darstellung des Einzugs des Königs Otto von Griechenland in Korinth

nach 1833, bemaltes Porzellan, 12,5; 49/243

1.26

1.28

1.29

1.26 Pfeife mit Porträtbüste des Kronprinzen Maximilian; im Stiel Porzellanteil mit Darstellung von Schloß Neudeck ∗

Süddeutsch, 1840, bez.: »Neudeck«; Kopf: Porzellan, bemalt, Montierung: Messing versilbert, Stiel: Palisander, Porzellan, 36,5; 61/550

1.27 Pfeifenkopf mit Dame in griechischer Tracht und Diadem, wohl Amalie von Oldenburg, Königin von Griechenland

1840, bez.: »Neusil GT«, Kopf: Porzellan, Deckel: Neusilber, 13,2; 58/694/5

1.28 Pfeife mit einer Szene aus dem polnischen Freiheitskrieg: Der Abschied vom Vaterland ∗

nach 1842, Inschrift: »Zur Erinnerung an das Jahr 1842«, auf dem Grenzstein »POL«, Kopf: Porzellan, Stiel: Weichselholz, schwarzes Horn, insgesamt 40,5; Kopf 21,8; 61/583

Ein polnischer Offizier zieht vor einem beschädigten Grenzstein seinen Hut, um ihn eine trauernde Gruppe von Offizieren, darunter ein Mann in polnischer Nationaltracht. Im Hintergrund Ulanen und abziehende Truppen. Motivvariante zur Pfeife mit der Aufschrift »Finis Polonia« (61/584). Bildmotiv nach einem Gemälde von Heinrich Monten: Finis Poloniae. Abschied der Polen vom Vaterlande 1831, Öl/Lwd., Nationalgalerie Berlin.   H.O.

1.29 Pfeifenkopf mit Porträt des Reichstagsabgeordneten Blum ∗

nach 1848, eingemarkte Nummer an der Schnurbefestigung: 10, bemaltes Porzellan, 15; 61/483

1.30 Pfeifenkopf mit Erstürmung der Düppeler Schanzen durch bayerische Truppen 13.4.1849 ∗∗

1849, bez.: Namensliste des beteiligten bayerischen 7. Infanterie Regiment Pappenheim »Am 13.4.1849 Oberst Saalmüller, Maior Ziegelwalner, Hauptleute...«, Porzellan, 11,5; L 1395/1

1848 drohte das Herzogtum Schleswig-Holstein durch Personalunion an das Königreich Dänemark unter Friedrich VII. zu fallen. Daraufhin protestierte der Deutsche Bund und setzte seine Truppen gegen Dänemark in Marsch, um die Zugehörigkeit Schleswig-Holsteins zu Deutschland zu sichern. Nach Interventionen der Großmächte Rußland und Frankreich gegenüber Preußen, das den größten Teil der Bundestruppen stellte, kommt es zu wiederholten Waffenstillständen und erneuten Kriegshandlungen, die erst 1852 beigelegt werden können.   H.O.

1.31 Teller, Goldrand mit kalligraphischer Inschrift ∗∗ **Abb. Umschlagrückseite**

München, Nymphenburg, 1822, bez.: halbe Stempel römische Ziffern, Inschrift auf dem Teller: Die/Bestimmung des Menschen ist:/Wahrheit/Erkennen/Schönheit/Lieben, gutes Wollen und das beste Thun/Lebe um zu lernen und lerne um zu Leben/Dem/Vater/Land/Ein Weiser bleibt noch auch wenn er einsam weinet/Beglückter als der Thor der jauchzend fröhlich scheinet/Ihm wird der Schmerz zur Lust und dem die Lust zum Schmerz/geschrieben von J.P. Sedlmaier P.S. München 1822; im Goldrand unten: Nur Bewusstseyn treu erfüllter Pflicht giebt/uns Ruhe, giebt uns sänfte Freuden, tröstet uns wenn wir in/Kummer leiden, und verlässt uns einst am Grabe nicht. SEY DAS WAS/DU SCHEINEST; Porzellan; Ø 25; 36/2039

1.32 »Auserlesene Gedichte von Weiland Gottlieb Biedermaier«, Fliegende Blätter Nr. 493, 1855

Lit.: Eichrodt, 1911 und 1981; Böhmer 1968, 9–13, L 205

Die Epochenbezeichnung Biedermeier geht auf die Serie »Auserlesene Gedichte von Weiland Gottlieb Biedermaier, Schulmeister in Schwaben, und Erzählungen des alten Schartenmaier. Mit einem Anhange von Buchbinder Horatius Treuherz« zurück, die von Nr. 493/1855 bis Nr. 618/1857 in den Fliegenden Blättern mit Illustrationen von Eduard Ille erschienen. In der Einleitung zum ersten Gedicht heißt es: »Wohldenkende Leute haben es unternommen, in dem verheißungsvollen Schutte der deutschen Provinzialpoesie nachzugraben, um durch Auffindung kostbarer Schlacken der Literaturhistorie einen angenehmen Beitrag zu liefern.«

Im wesentlichen verbergen sich hinter Biedermaiers Dichtungen »Die sämtlichen Gedichte des alten Dorfschulmeisters Samuel Friedrich Sauter, welcher anfänglich in Flehingen, dann in Zaisenhausen war und als Pensionär wieder in Flehingen wohnt, Karlsruhe 1845«. Das Porträt Sauters, der 1848 starb, ziert deshalb das erste Gedicht »Frühlings-Lieder«. Verfasst wurde die Serie durch den Professor der Medizin Adolf Kußmaul (1822–1902) und den Dichter und Amtsrichter Ludwig Eichrodt (1827–1892), die die Gedichtsammlung in Anlehnung an die Sauter'schen Verse erweiterten. Ungeachtet der verschiedenen Urheber hat Eichrodt nur unter seinen Namen 1869 den Sammelband »Biedermaiers Liederlust, Lyrische Karikaturen« veröffentlicht.

Warum man um die Jahrhundertwende gerade das Pseudonym der Verfasser dieser harmlosen Gedichte als die Bezeichnung der nur vermeintlich so idyllischen Vormärzzeit wählte, ist zwar nicht geklärt, aber nachvollziehbar. Daß man aber Biedermeier nicht mit »ai« schreibt, geht wohl auf Fritz von Ostini zurück, der 1904 seine »Lieder eines Zeitgenossen« unter dem Titel Biedermeier (mit ei) herausgab. F.D.

Klagelied

des Schulmeisters Jeremias Birkenstecken um den hingegangenen Freund

O Spektakel, welch ein Schrecken!
Das ist Trauersiegellack.
Jeremias Birkenstecken,
Bürste deinen schwarzen Frack!

Welche Botschaft! Biedermaier,
Dieser Edle, lebt nicht mehr!
Bindet Flor an meine Leier,
Denn der Vorgang schmerzt mich sehr.

Bindet Flor an Hut und Hauben,
Daß die Träne besser fließt,
Niemand wird die Nachricht glauben,
Bis er's in dem Blättle liest.

Gott! hätt' ich das können ahnen,
Daß der große Mann verschied,
Als wir eben in dem Schwanen
Sangen sein Kartoffellied!

Morgen wird man ihn begraben,
Schlag halb zehn Uhr, denn genau
Will es das Gesetz so haben:
Unsere weise Leichenschau.

O muß alles denn von hinnen,
Was da schön und edel ist,
Dieses bringt mich schier von Sinnen,
Solch ein Dichter, Mensch und Christ!

Nein, wer wird sich da nicht grämen,
Wenn er einen Freund verliert?
Namentlich, muß er vernehmen,
Daß man ihn halt falsch kuriert.

Darf der Bürger denn nicht klagen,
Wo selbst die Regierung klagt,
Die ihm erst vor wenig Tagen
Die Medaille angesagt?

Klaget, klaget, liebe Leute,
Denn das Klagen ist erlaubt,
Wenn der Tod als seine Beute
Einen Biedermaier raubt.

Ludwig Eichrodt

1.33 Äolsharfe

Süddeutschland, um 1800, Gehäuse aus Nadelholz; Resonanzkorpusdeckel aus Riegel-Ahorn mit drei stoffbespannten ovalen Schallöchern; 2 mal 15 im Einklang gestimmte Saiten unterschiedlicher Dicke und Spannung; keilförmiger Resonanzkorpus, in doppelt trichterförmiges Gehäuse eingesetzt. Zwischen Resonanzkorpus und Gehäuse verlaufen die Saiten; ca. 112; 40-209

Schon im Zusammenhang mit König David erwähnt, erlebte die Äolsharfe Ende des 18. und Anfang des 19. Jahrhunderts eine bedeutende Renaissance.

Die Zeitgenossen schätzten den bei leichtem Wind ätherisch fernen oder bei stärkeren Böen unheimlichen Klang der in den Gärten aufgestellten oder aufgehängten Äolsharfen, besonders in sentimentalen Stunden. Verherrlicht wurde das Instrument etwa in Gedichten von Mörike und Goethe (Äolsharfen, 1822). M.K.

An eine Äolsharfe
(Eduard Mörike, 1837)

Angelehnt an die Efeuwand
Dieser alten Terasse,
Du, einer luftgebornen Muse
Geheimnisvolles Saitenspiel,
Fang an,
Fange wieder an
Deine melodische Klage!

Ihr kommet, Winde, fern herüber
Ach! von des Knaben,
Der mir so lieb war,
Frisch grünendem Hügel.
Und Frühlingsblumen unterwegs streifend,
Übersättigt mit Wohlgerüchen,
Wie süß bedrängt ihr dies Herz!

Und säuselt her in die Saiten,
Angezogen von wohllautender Wehmut,
Wachsend im Zug meiner Sehnsucht,
Und hinsterbend wieder.

Aber auf einmal,
Wie der Wind heftiger hervorstößt,
Ein holder Schrei der Harfe
Wiederholt, mir zu süßem Erschrecken,
Meiner Seele plötzliche Regung;
Und hier – die volle Rose streut, geschüttelt,
All ihre Blätter vor meine Füße!

2 Münchner Leben in Zahlen

»Die Bevölkerung der Hauptstadt beträgt mit Einschluß des Militärs und der Studierenden etwas über 80000 Individuen, die der Vorstadt Au etwas über 10000, von Haidhausen 4500, von Giesing 2000 im Ganzen etwa 96000 Seelen ... Die Bevölkerung vermehrt sich nicht aus sich, sondern durch Einwanderung und Ansiedlung.« (J. H. Wolf, Ortsgeschichte und Statistik, München 1838, 62.) Seit dem Anfang des 19. Jahrhunderts war die Einwohnerzahl Münchens rapide angestiegen, 1814 hatte man in der Hauptstadt noch 35765 und in den Vorstädten – ohne die Au – 10396 »Seelen« gezählt (BayHStA, MInn 45440). Nach der Eingemeindung des ehemaligen Landgerichts Au, also der Au, Haidhausens und Giesings, gab es 1854 bereits über 100000 Münchner. Dieses schnelle Bevölkerungswachstum ist allerdings nicht vergleichbar mit dem sprunghaften Anstieg der Münchner Einwohnerzahl in der zweiten Hälfte des 19. Jahrhunderts, denn um 1900 war München dann bereits eine halbe Millionenstadt (Schattenhofer 1984).

Von den 1849 registrierten 96398 Münchnern gehörte rund ein Siebtel, nämlich 14049, dem hier stationierten Militär an; Soldaten und Offiziere, wie auch die vielen Studenten der Münchner Hochschulen zählten nach damaligem Verständnis nicht zu den eigentlichen Einwohnern der Stadt und unterschieden sich von diesen auch durch ihre eigenen persönlichen Rechtsverhältnisse. Wie setzte sich aber nun die Münchner Einwohnerschaft zusammen? Anhand der statistischen Erhebungen, die die Regierung regelmäßig der Münchner Polizeidirektion abverlangte, lassen sich einige genauere Angaben machen (vgl. zum Folgenden StaatAM, Polizeidirektion, Nr. 960). 1824 lebten in der Münchner Innenstadt 40547 Menschen, in den Vorstädten Schönfeld, St. Anna, Isar-, Ludwigs- und Maximiliansvorstadt insgesamt 17076, in der Au und Giesing 8502 und in Haidhausen 3465. Unter den 57623 Seelen der Innenstadt und der unmittelbar zu München gehörenden Vorstädte waren 53909 Katholiken, 2831 Evangelische, 291 Reformierte und 592 Mosaisten (d.h. Juden) registriert. Die Gruppe der 20 bis 30jährigen machte mit 12877 Personen den größten Anteil an der Bevölkerung aus. Unter den 1840 in München gezählten 82736 Einwohnern waren 468 Adelige, die von Renten lebten, 8311 fanden ihr Auskommen durch Hof-, Staats-, Stiftungs- und grundherrliche Dienste, 32553 standen in anderen höheren Diensten, widmeten sich der Wissenschaft oder Kunst oder taten gar nichts, d.h. sie lebten wie die oben aufgeführten Adeligen als Rentiers von den Erträgen ihrer Vermögen oder ihrer Immobilien. Insgesamt läßt sich aufgrund der polizeilichen Volkszählung von 1840 feststellen, daß etwa die Hälfte der Bevölkerung beruflich in keiner Beziehung zu Industrie und Gewerbe der Stadt standen, also der unproduktiven Klasse angehörten; dazu kamen dann noch Studenten und Militärpersonen. 1832 zählte man innerhalb Münchens noch zwei Familien, die von der Landwirtschaft lebten, zehn betrieben neben ihrem Gewerbe Landwirtschaft, 1013 gewerbetreibende Familien besaßen

ein eigenes Haus, was 2703 gewerbetreibenden Familien nicht vergönnt war.

Allein im Januar 1835 kamen 4161 Fremde in die Stadt. Da nimmt es nicht Wunder, daß schon damals in München das Gaststättengewerbe florierte. 35 Gasthöfe für die gebildeten Stände, 181 für das einfache Landvolk, 155 Speisewirtschaften und Garküchen, 191 Schenkwirte und Billiardhalter sowie 38 Musikanten, die gewerblich in Wirtshäusern und Gastschenken aufspielten, zählte man 1847 (StadtAM, GA 107); sicherlich waren auch die Einheimischen nicht unerheblich an dieser »Wirtschaftsblüte« beteiligt.

Allgemein gesehen ging es den meisten Gewerbetreibenden in München gut, abgesehen von den durch Mißernten verursachten Teuerungsjahren 1816/1817 und der zunehmenden Inflation und Gewerbekrise der vierziger Jahre, in denen gerade die städtischen Unterschichten in Not gerieten. Der Schock der gewaltigen Teuerung 1816/1817 hatte dazu geführt, daß die Preise der »ersten Lebensbedürfnisse, Fleisch, Brod, Mehl« von der Obrigkeit kontrolliert und festgelegt wurden, 1829 sah man davon wieder ab. Nach Auskunft der Münchner Zeitschrift »Flora« (Nr. 248, 1829, 1009) hatte bis dahin ohnehin die öffentliche »Taxation« der Lebensmittelpreise, die allwöchentlich in den Tageszeitungen bekannt gegeben wurde, bis zu 30 Prozent über den realen Marktpreisen gelegen. Nach Aussage der gleichen Zeitschrift verkauften auch viele Bierbrauer das Bier unter dem amtlich festgelegten Bierpreis (Nr. 88, 1830, 361), der in diesem Jahr für eine Maß Winterbier bei vier Kreuzern lag (ein Gulden = 60 Kreuzer, ein Kreuzer – 60 Heller). Sommerbier durfte erst ab dem 1. Mai ausgeschenkt werden und war immer etwas teurer, da es wegen der besseren Haltbarkeit stärker gebraut wurde. Für ein Pfund einfache, aus Italien importierte Salami zahlte man den stolzen Preis von einem Gulden und 12 Kreuzern, für ein Viertelpfund Tabak (westindischer Canaster) 20 Kreuzer, für das Pfund mit Vanille verfeinerter Schokolade einen Gulden und 12 Kreuzer, ein neuer Diwan aus Nußbaumholz konnte 96 Gulden kosten (alle Angaben aus Flora, 1830). Dies alles aber waren Luxusartikel, die sich kein einfacher Arbeiter, Geselle oder Dienstbote leisten konnte, denn der Tageslohn eines Zimmermanns lag 1820 ungefähr bei 40, der eines Maurers bei 36 und der eines Taglöhners bei 30 Kreuzern (StadtAM, Gewerbeamt 4189a). Dieser Taglohnverdienst relativiert sich, wenn man bedenkt, daß daraus auch der Lebensunterhalt an Sonn- und Feiertagen sowie während witterungs- und krankheitsbedingtem Arbeitsausfall bestritten werden mußte.

Auch bei den Beamten läßt sich kein genaues Einkommen ermitteln, da ihr Gehalt durch Getreidezuwendungen ergänzt wurde. So erhielt der Professor für medizinische Chemie Max von Pettenkofer 1847 neben 700 Gulden Jahresgehalt noch zwei Scheffel Weizen und sieben Scheffel Korn (Schattenhofer, 1984). Pettenkofer zählte damit zu den Spitzenverdienern unter den Beamten. Aus der ersten Hälfte des 19. Jahrhunderts sind zahlreiche Klagen der Beamtenschaft über zu niedrige Gehälter überliefert; gerade die Gruppe der unteren Beamten, wie die Volksschullehrer, war auf Nebeneinkommen angewiesen. Wer einen eigenen kleinen Kraut- oder Gemüsegarten am Haus oder vor den Toren der Stadt besaß, konnte sich glücklich preisen. Selbst in der »Großstadt« München gab es im Biedermeier noch sehr viele Gartenbesitzer.

Nur zehn bis zwanzig Prozent des Jahreseinkommens verschlangen die Mieten (vgl. Angaben bei Schattenhofer, 1984, 63), dafür wohnte man weniger luxuriös und auf kleinerem Raum. Der Speisezettel war monotoner, auch wenn den gut situierten Familien – den Anzeigen der Lebensmittelhändler in den Zeitungen zufolge – alle denkbaren Delikatessen von weither zur Verfügung standen. Insgesamt kann man davon ausgehen, daß die unteren Einkommensschichten den größten Teil des Verdienstes für den Kauf von Nahrungsmitteln verwenden mußten. Der Rest reichte dann gerade für Miete, Brennholz und Kleidung. Bei steigenden Lebensmittelpreisen bestanden für solche Haushalte kaum Möglichkeiten, durch das Kürzen anderer Ausgaben die höheren Kosten auszugleichen.

Neben den amtlich anerkannten Grundnahrungsmitteln Fleisch, Brot, Mehl sowie Bier, gab es auch noch sogenannte »unentbehrliche Spezereyartikel«, die nach dem damaligen Verständnis zu einer normalen Haushaltsführung gehörten: Zucker, Kandis, Pfeffer, Reis, Oel aber auch Kaffee und Tabak (StadtAM, GA 5274). Die Versorgung der Münchner mit Frischwaren besorgten 1847 297 Viktualienhändler, darunter allein 55 Obst-, 13 Kartoffel-, 7 Geflügel-, 7 Butter- und 5 Wildprethändler sowie acht Stadtfischer (StadtAM, GA 107). Noch bis 1853, dem Jahr der Eröffnung der neuen Schrannenhalle an der Blumenstraße beim Angertor, wurde jeden Samstag auf dem Marienplatz der Schrannentag abgehalten; sowohl die privaten Haushalte als auch die Brauer, Bäcker und Mehlhändler versorgten sich hier mit Getreide (vgl. zu allem folgenden Schattenhofer, 1984, 74ff.). Der Fischmarkt wurde 1831 vom Marienplatz auf den Viktualienmarkt, wo zu diesem Zweck ein neuer Fischbrunnen errichtet worden war, verlegt. Der Fischkonsum ging in dieser Zeit allerdings erheblich zurück, wogegen sich der Fleischverbrauch von 1819 bis 1843 um 230 Prozent steigerte (Birnbaum, 113). Seit 1826 fand in München ein täglicher Viehmarkt auf dem späteren Bauplatz der Schrannenhalle statt. Frische Milch erhielt die Stadt von den Bauern der umliegenden Dörfer wie Schwabing, Bogenhausen, Sendling und Giesing. Mit Wagen oder auch zu Fuß brachten die sogenannten »Milchweiber« ihre verderbliche Ware jeden Morgen in die Stadt. Das immer knapper und teurer werdende Holz konnte auf den Holzmärkten vor dem Isar-, Karls- und Sendlingertor eingekauft werden. Seit 1837 besaß München auch einen eigenen Hopfen- und einen Wollmarkt.

Mit der Verlegung des Viktualienmarktes vom Petersplatz in den Hof des Heiliggeistspitals 1807, dem Erwerb des Geländes durch die Stadt 1823 und dem Abbruch der Spitalgebäude 1828 wurden allmählich die verschiedenen kleineren Märkte der Blumen-, Kräutel- und Eierverkäufer hier zu einem großen täglichen Markt konzentriert. In der Folge erweiterten sich sowohl der Platzbedarf als auch das Warenangebot ständig. Von 1828 bis 1906 gab es daneben noch den sogenannten »Neuen Viktualienmarkt«, wo die vom Heiliggeistplatz ausgeschlossenen Viktualienverkäufer, die mehr als sechs Stunden Fußwegs weit von München entfernt wohnten, ihre Ware anbieten durften.

Aus der Jahresstatistik geht hervor, daß z.B. in den Jahren 1835/1836 auf dem Viktualienmarkt 513 Pfund Schmalz, 293 Pfund Butter, 7166800 Eier, 10669 alte und 54601 junge Hühner, 1209 Indiane (Puter), 4851 Kapaunen (verschnittene Masthähne), 90495 alte und 90495 junge Gänse, 22750 alte und 20118 junge Enten, 18292 Tauben und 9992 Spanferkel verkauft wurden (Seuffert, 494). Im gleichen Jahr vertilgten die Münchner und ihre Gäste 11459 Mastochsen, 5864 Stiere und Kühe, 1193 junge Rinder, 73611 Kälber, 15285 Schafe, Ziegen und Böcke, 2457 Mastschweine, 16754 »gemeine Schweine« und 2129 Frischlinge (Seuffert, 492). Dazu muß angemerkt werden, daß zu dieser Zeit Schaffleisch am billigsten war, gefolgt von Kalb- und Rindfleisch, und die Schweinefleischpreise immer am höchsten lagen.

U. L.

Münchener politischer Barometer

Es gibt Barometer verschiedner Art
Woran man den Witterungswechsel gewahrt.

Das interessanteste Exemplar,
Das stellen wir hier den Lesern dar.

Es ward erfunden am Isarstrand
Im gerstengesegneten Bayerland.

Der Münchner ist der Beständigkeit Bild
So lange das Bier vier Kreuzer gilt.

Auch steht's noch gut um die Loyalität,
Wenn der Preis um zwei Pfennig höher geht.

Doch steigt die Geduld ihm bis an den Hals,
Vertheuert ihm das Wetter Hopfen und Malz.

Geht aber der Preis über fünf hinauf
Dann ziehen finstere Wolken herauf.

Und das gute, fromme Münchener Kind
Heult laut um die Wette mit Sturm und Wind.

Und die gute fromme, gläubige Stadt.
Die immer mehr Durst als Hunger hat,

Braust auf wie des Meeres Wogenschwall,
Und München hat seinen Bier-Crawall!

Leuchtkugeln, Randzeichnungen zur Geschichte
der Gegenwart, Bd. III, 1849

2.1 Münchner Bevölkerung

2.1.1 Das Tal in München mit Verkehr und Marktgängern ✶✶ Abb. S. 29

Heinrich Adam (Nördlingen 1787–1862 München), München, 1838, bez. u. l.: H Adam 1838, Öl/Holz, 51 × 69, Lit.: AK München und Oberbayern, Linz 1971, Nr. 121. AK Adam, München 1981/2, Nr. 169 m. Abb.; 34/206

Von den drei in der Ausstellung gezeigten Ansichten des Tals in München (Domenico Quaglio 1825, Ferdinand Jodl 1835) ist diejenige von Heinrich Adam die späteste. Sie wurde 1838 im Münchner Kunstverein ausgestellt (Jahresbericht 1838, Ausst. Nr. 186). Adam nimmt fast den gleichen Standpunkt ein wie Quaglio, richtet seinen Blick jedoch mehr auf die rechte Straßenseite, so daß der Schöne Turm und die Fassade des Alten Rathauses mit den schon ziemlich verblaßten Malereien von Augustin Demmel (1778/79) nebeneinander erscheinen und auf der linken Seite die Fleischbank und der Turm des Alten Peter hinter der Fassade des Heiliggeistspitals verschwinden. Man sieht, wie die Rathausfreitreppe rechts gegen den Stadtbach – heutige Sparkassenstraße – durch eine Mauer abgeschirmt war. Anders als seine Vorgänger belebt Adam die Straße nicht nur durch typische Figuren aller Stände, sondern macht sie zum Begegnungsort der Bevölkerung von Stadt und Land. Die Szene wird von einer dreispännigen Postkutsche beherrscht, die von einem reitenden Postillon durch das Straßengetümmel gelenkt wird. Rechts im Vordergrund versuchen ein Bauer und ein Metzgergeselle ein Rind zu bändigen. Eine ländlich gekleidete Frau mit einer Hennensteige auf dem Rücken läuft an ihnen vorbei in die Stadt.

Links von der Kirche verabschiedet sich ein Handwerksgeselle von seinen Eltern oder seinem letzten Meisterpaar. Neben ihnen streben einige gut gekleidete Bürger der Kirche zu, während dahinter Getreidesäcke von einem Pferdegespann abgeladen werden, um sie im Stadtwaaghäusl zu wiegen und anschließend in dem seit 1825 als Obst- und Getreidehalle benutzten Spital einzulagern. Bäuerinnen gehen mit Traglasten und Schubkarren auf den Markt. Ein Bauernpaar in Oberländer Tracht fährt einen zweirädrigen Karren in die Stadt. Die Hausfrau mit ihren beiden Kindern im mittleren Vordergrund kehrt, von der Magd mit einem vollen Einkaufskorb begleitet, nach Hause zurück.						B.E.

2.2 Berufe

2.2.1 Münchner Handwerker ✶

Friedrich Voltz (Nördlingen 1817–1826 München), nach Vorzeichnungen von Johann Michael Voltz (Nördlingen 1784–1858 München),

2.2.1

2.2.1

München, um 1833, bez. u. l.: Augsburg bei V. Zanna & Co., Radierungen; 20,7 × 25; M II/ 3812, 1–8

1. Der Müller
2. Der Bäcker
3. Der Wagner
4. Der Küfer
5. Der Fleischer
6. Der Brauer
7. Der Schuhmacher
8. Der Schneider

Die Serie bestand ursprünglich aus zwölf Blättern, die wahrscheinlich als Anschauungsmaterial für den Unterricht der Kinder gedacht waren. Dafür spricht auch ihre Edition beim Verlag Zanna in Augsburg, der im frühen 19. Jahrhundert etliche sogenannte »Kinderbelustigungen« oder Lehrbilder herausgab. In der Darstellung des Schneiders ist noch deutlich Zusammengehörigkeit und Ineinanderübergehen von Wohn- und Werkstatträumen zu erkennen. Im Laufe des 19. Jahrhunderts wurde

2.2.2

2.2.2

2.2.2

der Arbeitsbereich zunehmend von der Privatsphäre getrennt.

Die Szene beim Bäcker spiegelt die Situation vieler Hausfrauen dieser Zeit wieder, die zwar über Kuchenformen verfügten und den Teig zuhause selbst anrührten, das Ausbacken der Kuchen aber noch den Bäckern überlassen mußten, da ihre eigenen Herde dazu nicht ausgerüstet waren. U. L.

2.2.2 Die verschiedenen Handwerker mit ihren Werkzeugen und Erzeugnissen *

G. M. Kirn, Esslingen, 1836, bez.: »J. F. Schreiber, Esslingen a. N. 1836«, Kupferstiche, koloriert, Lit.: AK Industriezeitalter, I, 4, Augsburg 1985, 111, Nr. 338, München, Deutsches Museum, 24 III c/1937/38 – 207

Aus der ungefähr dreißig Blätter umfassenden Reihe wurden hier der Tischler, der Schlosser, der Spengler, der Kupferschmied, der Goldarbeiter, der Tuchmacher, der Sattler, der Buchbinder und der Bäcker ausgesucht.

Der Esslinger Verlag von J. F. Schreiber war bekannt für besonders gute Lehr- und Unterhaltungsbilder für Kinder. Die im Bildrand dargestellten Werkzeuge und Produkte des jeweiligen Gewerbes unterstreichen noch den didaktischen Charakter der Einzelblätter. Die Nummern und Buchstaben an den Gegenständen gehörten wahrscheinlich zu verlorenen technischen Erklärungen. Im Gegensatz zur vorhergehenden Serie sind die Werkstätten hier schmucklos und rationell ausgestattet, die private Atmosphäre ist verschwunden. Von unsichtbarer Kraft getriebene Transmissionen in der Tuchmacherwerkstatt deuten bereits die Industrialisierung an. U. L.

2.2.3 Das Anwesen des Hofzimmermeisters Heilmaier an der unteren Lände *

Wohl München, um 1820, Aquarelle, je 32,5 × 52,5, M I/1795 und M I/1796

Die erste Ansicht zeigt das Heilmaiersche Anwesen im Lehel im Blick nach Norden. Es lag an der linken Isarseite nördlich der Zweibrückenstraße, zwischen der Floß- und der Fabrikstraße.

An der unteren Bildmitte beginnend, verläuft die Floßstraße, die zur Entstehungszeit der Blätter noch »An der unteren Lände« heißt, nach rechts hinten. Ein Pferdewagen, mit Holzlatten beladen, biegt gerade in den Hof des Heilmaierschen Besitzes ein, gefolgt von einem Paar in oberbayerischer Tracht. Er ist durch die Axt, die er über der Schulter trägt und über die er Seil und Jacke gehängt hat, als Holzfäller zu erkennen. Nicht nur auf dem Hof, sondern auch auf der rechten Straßenseite sind Zimmerleute mit dem Bearbeiten von Holz beschäftigt. Zu viert plagen sie sich mit einer großen Säge ab, ein anderer arbeitet mit der Axt, während im Vordergund zwei Kinder miteinander raufen. Hinter dem Heilmaierschen Hof liegt der Materialschuppen des königlichen Hofbrauamts, links im Hintergrund, auf der anderen Seite der Fabrikstraße, die königlich privilegierte Kottonfabrik. Auf der Floßstraße kommt dem Betrachter ein Paar entgegen, sie im grünen Empirekleid mit einem schwarzen Hut und er in bayerischer Soldatenuniform.

Das folgende Blatt zeigt das gleiche Anwesen aus einem anderen Blickwinkel: Man sieht den Hof jetzt von der Fabrikstraße aus, dahinter sieht man über die Isar hinweg auf den Gasteig mit Kirche und dem Leprosenkrankenhaus.

Auf dem Zimmererhof herrscht reges Treiben: Vor einem Holzgerüst, das als Modell zum Zuschneiden von Brettern dient, stapelt ein Zimmermann die schon zugesägten Balken; er trägt, wie die anderen auch, eine Lederschürze. Neben ihm schlägt ein anderer eine Nut in den Balken. Links an den Fichtenstämmen steht ein

2.2.3

2.2.2

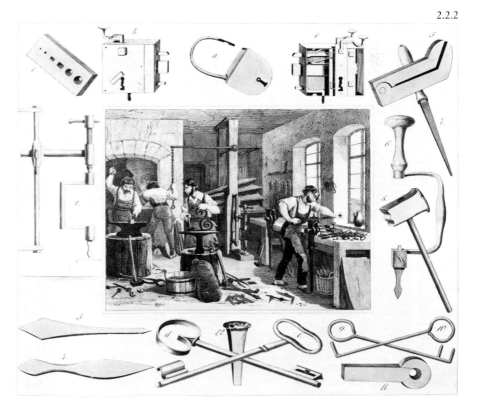

Wandererarbeiter, der einen anderen Mann, der uns den Rücken zuwendet, etwas fragt. Ein weiterer Wanderarbeiter kommt die Straße entlang. Mit zwei Grauschimmeln, die Fichtenstämme ziehen, ist ein Mann gerade in den Hof geritten. Schräg hinter ihm ein Mann mit einem Stock über der Schulter, bei dem es sich vom Alter her um den Meister handeln könnte.

Auf der anderen Straßenseite rechts die Gastwirtschaft »Zum Ketterl«, die 1819 von Franz Xaver Schmidt gepachtet war, dahinter befand sich – auf dem Bild nicht zu sehen – die untere Lände, der Anlegeplatz für die Flöße, an dem ein Großteil des Holzes angeliefert wurde (vgl. dazu Schattenhofer 1984, Abb. 61).

Im Jahre 1818 ist das Heilmaiersche Anwesen im Besitz des Hofzimmermeisters Martin Heilmaier, der im darauffolgenden Jahr gestorben ist; der Betrieb wurde von (seinem Sohn?) Joseph Heilmaier übernommen, der Besitz ging an seine Witwe Eva über. Im Jahre 1842 gehört das Anwesen der Familie Stitzinger.

Die Scheune ist nach der 1819 neu eingeführten Hauszählung »212« numeriert, eine Datierung der Blätter vor dieser Zeit somit ausgeschlossen; die Zuschreibung der Blätter an Wilhelm von Kobell im Maillingerkatalog ist sicher irrig.   S. W.

283

2.3.1

2.2.4 Karikaturen auf das Verhalten der Stände

Peter Ellmer (Haimhausen 1785–1873 Freising), um 1830, bez.: l.o. und l.u.: Ellmer, No. CXXXIX, Lithographie, koloriert, 22,9 × 40, C 76/12 = 37/1221

Bilderbogen mit Illustrationen in zwei Reihen übereinander: Höherer Beamter wird gegrüßt, Angeklagter vor dem Richter, Chemiker und höherer Beamter im Gespräch, zwei sich begegnende Bürger und ein Bittsteller vor Beamten.

2.2.5 »Plan der Königl. Haupt- und Residenzstadt München« »Gasthöfe, Wein = Kaffee = Chocolade und Methhäuser, Bierbrauereien, Gast = Tafern = und Bierwirthschaften« »Zweite sehr vermehrte und verbesserte Anlage«

Gustav Wenng, München, um 1850, bez.: »Entw. und ausgeführt von Gustav Wenng, Lithographie mit farbigen Markierungen,

35 × 43, Lit.: Universal-Handbuch von München 1845, 301ff., Z 43 (D1)

Nach dem Universal-Handbuch von Vincenz Müller waren die vornehmsten Gasthöfe in München das »Zum goldenen Bären« in der Fürstenstraße, »Zum goldenen Hirsch« in der Theatinerstraße und der Bayerische Hof am Promenadeplatz, dessen »großartiger Prachtbau« hier besonders hervorgehoben wird. Ausgesprochene Gasthöfe für den »Mittelstand« waren im Thal zu finden, wo sich auch eine besonders große Zahl von Gast- und Bierwirtschaften feststellen läßt. Das Gleiche gilt für die Sendlinger-, Neuhauser- und Weinstraße.

U.L.

2.2.6 Lohnkutscher und Bettlerkind

August Franz Schelver (Osnabrück 1805–1844 München), München, 1830, bez. u.M.: Ein Münchner Lohnkutscher, bez. u.l.: gezeichnet von A.F. Schelver 1800, bez. u.r.: herausgegeben u. gedr. von J.B.C. Foertsch, Lithographie, 20,3 × 27,9, Lit.: MK Proebst 1968, Nr. 1776, P 1776

2.2.7 Modell der Flößerwirtschaft »Zum Ketterl« an der Isar

Glasmaler Martin Zill/München, 1930–40, Holz, bemalt, 14 × 28,5 × 27,5; 42/259

In den Flößerwirtschaften »Zum Ketterl« und »Zum Grünen Baum« am linken Isarufer nördlich der Ludwigsbrücke kehrten die Flößer ein, die hier »An der Länd« haltgemacht haben, um ihr Floßholz zu verkaufen und die mitgeführte Ware umzuschlagen. Beide Wirtschaften, die sich auch des regen Besuchs der Münchner erfreuten, wurden 1887 für das Areal der »Deutsch-Nationalen Kunstgewerbe-Ausstellung 1888« abgebrochen.

F.D.

2.2.8 Modell der Situation am Stadtsägmühl- und Gewürzmühlbach in der St. Anna Vorstadt

um 1850/60, Holz, bemalt, 17 × 60,5 × 34, Lit.: Wenng, München (1851) St. Anna Vorstadt, Plan Nr. 2; München und seine Bauten nach 1912, 1984, 738

2.3.2

Dieses zeitgenössische Modell, über dessen ursprüngliche Bestimmung nichts bekannt ist, veranschaulicht detailgetreu das bürgerlich-gewerbliche Leben an den Stadtbächen. Das Anwesen des Steinmetzmeisters Blum (Schulgasse 2) erkennt man an den im Hof gelagerten Steinbrocken. Die sicherlich vorhandenen Steinsägen oder Hammerwerke werden durch das Rad im schmalen Gewürzmühlbach angetrieben. Schreinermeister Wirbser (Schulgasse 1) betreibt die mächtigen Wasserräder seiner Säge durch den Stadtsägmühlbach. Seine Spezialität waren maschinell geschliffene Wellenprofile. Bis zur Einführung der Elektrizität waren die Stadtbäche links der Isar die einzige wirtschaftliche Möglichkeit zur Energiegewinnung für die zahlreichen Mühlen- und Handwerksbetriebe. Zugleich dienten die Bäche der Abwasserbeseitigung. Am Modell erkennt man die kleinen Toilettenhäuschen, die über den Bachrand ragen. Zur Wasserversorgung mit Grundwasser steht neben jedem Gebäude ein Pumpbrunnen.

Als weiteren Betrieb zeigt das Modell das Anwesen des Gärtners Bauer (Brudergang 1) mit Frühbeeten. Das häusliche Leben der Stein-

metzfamilie wird in der Abfolge der Gartenanlagen lebendig: dem Obstgarten folgt ein Ziergarten mit ländlichem Salettl und Kegelbahn. Über einen kleinen Skulpturengarten erreicht man den Gemüsegarten, um sich letztlich auf dem Sitzplatz in einem Baum zurückziehen zu können.

Diese kleinteilige Welt befand sich anstelle des heutigen Areals zwischen Liebigstraße und St. Annaplatz. Der Stadtsägmühlbach existiert heute noch unterirdisch von Straßen und Häusern überbaut. Der Gewürzmühlbach wurde 1958 aufgelassen.   F. D.

2.3 Märkte

2.3.1 Viktualienmarkt ✳✳

Domenico Quaglio (München 1786–1837 Hohenschwangau), 1824, bez. u.r. auf Kiste: D. Quaglio f. 1824, Öl/Lwd, 70 × 90,5, Lit.: Schorn'sches Kunstblatt 1824 (Nr. 94), 375 f.; Jahresbericht des Vereins München 1824

(Nr. 49) 14; AK Bakuku 1972, Nr. 1661; Trost 1973, Kat. 136, Farbtaf. IV u. Abb. 214 (dort weitere Lit.); AK WB III/2, 1980, Nr. 987, Abb.; 30/1678

Möglicherweise entstand das Bild, das 1824 im Münchner Kunstverein ausgestellt war, schon im Auftrag der Stadt, von der es 1930 zusammen mit seinem Gegenstück an das Münchner Stadtmuseum übergeben wurde. Anläßlich der Ausstellung von 1824 schreibt das Schorn'sche Kunstblatt: »Das Gemälde des Victualien-Marktes verdankt zunächst seine Entstehung dem Umstande, daß vor kurzem zur Bequemlichkeit und Verschönerung der Stadt einige alte, an jenen stoßende Gebäude eingelegt wurden, deren Andenken, oder vielmehr die Ansicht des Platzes, wie er früher gewesen, gleichwohl erhalten werden sollte... Den Platz zunächst umgeben mehrere alte Gebäude, wovon der zur Rechten an die Kirche zum heil. Geist stoßende Pfründtner-Saal nun hinweggeräumt ist. Rückwärts dieser Gebäude und über dieselben erhebt sich ein Theil der nahen St. Peterskirche mit ihrem Thurme, zur Rechten der Raththurm.« (375.)

Im Jahre 1823 war der Abbruch der Ställe und Ökonomiegebäude, die sich im linken Bildteil befinden, begonnen worden. Anlaß war die Verlegung des Spitals (gegründet 1253) in das Kloster der Elisabetherinnen. Die Spitalgebäude wurden zwar von ihren Insassen evakuiert, jedoch nicht abgerissen, wie das Kunstblatt suggeriert, sondern noch lange als Warenlager für Getreide, Früchte und Hopfen verwandt, bevor sie 1870 zur Fleischbank umfunktioniert und 1885 abgebrochen wurden.

Man sieht ganz rechts die Hl. Geist Kirche, dann das ehemalige Weiber- und anschließend das Männerhaus des Spitals. Die dazugehörigen Höfe, denen sich nach links zu noch der Wirtschaftshof anschloß, wurden seit 1807 als Viktualienmarkt verwandt, der zu diesem Zeitpunkt vom östlichen Ende des Schrannen-, des heutigen Marienplatzes, hierher verlegt wurden. Abbrüche weiterer Gebäude wie der Hl. Geistschmiede, der Spitalschreiberwohnung, des Bräuhauses, der Pfisterei und des Badhauses erfolgten im Jahre 1828.

Vor dem Alten Peter sieht man hinter den Spitalgebäuden das Kaffeehaus zum »Haarpuderwaberl«, später Café Neumayer. B. E.

2.3.4

2.3.2 Fischmarkt in München ∗

Lorenzo Quaglio (München 1793–1869 München), München, 1828, bez. u. r.: Lorenzo Quaglio pinx 1828, Öl/Lwd., 54 × 68, Lit.: Paluch, 1983, Nr. 222, Potsdam-Sanssouci, Staatliche Schlösser und Gärten, GK I 710

Das Gemälde zeigt den Schrannenplatz (den heutigen Marienplatz) im Jahre 1828 während des Fischmarkts. Man blickt nach Nordosten. Am linken Bildrand das Landschaftsgebäude, das 1865 abgerissen wurde und dem Neuen Rathaus Platz machte. Das Haus im Hintergrund in der Bildmitte stammt aus dem Jahre 1370; im Erdgeschoß befindet sich ein Laden: »Waren Lager von Joseph Langetmayer«. In großen wassergefüllten Holzbottichen werden die Fische frischgehalten, teilweise aber auch in Netzen direkt im Fischbrunnen. Auf dem Markt spielen sich verschiedene Szenen ab: Ganz links vorne sitzt eine junge Frau mit versunkenem Blick, sie trägt Dachauer Tracht. Rechts dahinter eine Verkäuferin, die für eine Witwe einen Fisch ausnimmt, ganz vorne am Bildrand bekläffen sich zwei Hunde. In der Bildmitte eine ältere Händlerin in Alt-Münchner Tracht mit Rokokohaube, die einen Fisch auf die Waage legt. Vor ihr bückt sich eine Verkäuferin vom Bottich nieder und holt einen Fisch für die ihr gegenüberstehende Frau heraus. Beide Frauen tragen die Münchner Tracht mit Riegelhaube. Vor dem Brunnen steht eine Frau mit einem Fasan in der rechten und einem von Gemüse überquellenden Korb in der linken Hand. Die Szenen im Hintergrund verlieren sich im bunten Markttreiben.

Dieses Gemälde, eines der bekannteren von Lorenzo Quaglio, zeigt seine Vorliebe für die detailgenaue Schilderung des Alltagslebens, das aber in der anekdotischen Darstellungsweise

und in der Behandlung des Lichts, mit dem eine stille, warme Stimmung erzeugt wird, den Alltag wiederum verklärt.

Der Fischmarkt fand nur noch bis 1831 auf dem Schrannenplatz statt, dann wurde er auf den Viktualienmarkt verlegt. S. W.

2.3.3 Isartor und Isarplatz mit Waren die in die Stadt geführt werden

Domenico Quaglio (München 1786–1837 Hohenschwangau), um 1810–12, Aquarell, Bleistift, 48,7 × 71,4, Lit.: Trost, 1973, Nr. 20; 40/1293

2.3.4 Die Finsteren Bögen am Marktplatz ∗

Karl Altmann (Feuchtwangen 1800–1861 München), 1826, bez. am unteren Bildrand Mitte l. auf dem Holzkasten neben dem freistehenden Pfeiler: C Altmann (ligiert) f. 1826, Öl/Holz, 31 × 35,7; II b/120

Karl Altmann erscheint 1825 zum ersten Mal im Mitgliederverzeichnis des Münchner Kunstvereins. Er ist 1826 mit vier Bildern erstmals auf Ausstellungen des Kunstvereins vertreten, eines der 1826 ausgestellten Gemälde trägt den Titel »Perspective durch einen Theil der Arcaden am Marktplatz in München« (Bericht des Kunstvereins in München, 1826, 9 u. 25, Nr. 426). Offenkundig handelt es sich dabei um das vorliegende Gemälde, mit dem u. a. sich

der Maler demnach im Kunstverein eingeführt hat. – Bei den von Verkaufstheken begleiteten Arkaden handelt es sich um die gotischen Laubengänge, die den Marktplatz an seiner Südseite vom Schleckergaßl (heute Rindermarkt) bis hin zum sog. kleinen Rathaus säumten: »In alter Zeit ruhten alle Häuser auf dem Marktplatz auf Bögen, die meist zu Kramläden verwendet waren, wie es an der Südseite jetzt noch der Fall ist, weshalb auch die Häuser an dieser Seite zu den ›Krämern‹ hießen.« (Regnet 1879, 44.) Dargestellt ist der östliche Teil der Lauben mit Ausblick auf das (Alte) Rathaus, von dem eines der hohen Fenster zu sehen ist, und sich davor ausbreitenden Kräutlmarkt. Bei den angebotenen Waren handelt es sich offenbar um Gewürze und Tuch. In einem der Läden unter den Finsteren Bögen soll Wilhelm von Kaulbach zum ersten Mal seiner späteren Frau Josefine Sutner begegnet sein, als sie im elterlichen Ladengeschäft Bänder verkaufte (Schrott 1963, 286). Im Gegensatz zu den Finsteren Bögen, die sich nach Norden öffneten, lagen die Lichten Bögen an der Nordseite des Platzes; die Außenansicht der Finsteren Bögen ist gut erkennbar auf Lorenzo Quaglios 1828 datiertem Gemälde »Fischmarkt in München«. Quaglio gibt zugleich auch einen Blick in die gegenüberliegenden Lichten Bögen frei. – Eine quadrierte Vorzeichnung zu dem Gemälde (Inv.Nr. 28/758 Bleistift auf Papier, sign. u. r.: C. Altmann, 20,5 × 17 cm) befindet sich in der Graphiksammlung des Münchner Stadtmu-

2.3.6

seums. Mit ihr wurde die perspektivische Darstellung der hintereinander gereihten Kreuzgratgewölbe festgelegt. Verändert wurde bei der Ausführung das nahezu quadratische in ein breites Format. Der Laubengang ist im Gemälde um ein weiteres – bildparalleles – Joch vertieft. Auf der Zeichnung fehlen der Ausblick links, sowie die Figurenstaffage im Vordergrund. M.M.

2.3.5 Inneres der Mauthalle

Carl Friedrich Werner (Weimar 1808–1894 Leipzig); 1831; bez. u.r.: C. Werner, Öl/Holz, 26,2 × 31,4; 39/1230

Im Zuge der Säkularisation war die Augustinerkirche an der Neuhauserstraße seit 1804 als Mauthalle, d.h. Zollager benutzt worden. Im Jahr 1831 stellte der Maler Carl Werner das Gemälde mit dem Titel »Innere Ansicht der hiesigen Halle im Augustinerkloster« aus. Allerdings ist der Kirchenbau resp. die Stuckdekoration verändert wiedergegeben. Die Gewölbe der Seitenschiffe tragen Stuckdekor, der heute noch im Obergeschoß der dort inzwischen eingebauten Läden gut zu sehen ist. Außerdem sind im Obergaden des Mittelschiffs Engelshermen, wo der Maler mit einfachen Lisenen die Joche trennt. Diese Veränderungen verwundern insofern, als die Bilder Carl Werners im Ruf einer hohen topographischen Zuverlässigkeit stehen. Ein 1828 datiertes Aquarell von Heinrich Adam in der Slg. Proebst des Münchner Stadtmuseums (P 319) zeigt die Mauthalle von außen. In Übereinstimmung mit unserem Gemälde öffnen sie zwei oben gerundete Torbögen gegen die Neuhauserstraße. Die

das südliche Seitenschiff belichtenden Rundfenster (Occuli) finden sich ebenfalls auf H. Adams Aquarell. – Carl Werner kam 1829 als Architekturstudent von Leipzig nach München. Er fand Zugang zum Kreis um Friedrich von Gärtner, befaßte sich jedoch seit 1831 ausschließlich mit der Architekturmalerei. M.M.

2.3.6 Milchmädchen und Soldat **

Emil Gottlieb Rittmeier (St. Gallen 1820–1904 Freudenstadt), 1844, bez. u.l.: E.R. 1844, Öl/Pappe, 26,3 × 23,3; 41/170

Hinter dem Monogramm E.R. verbirgt sich lt. Nagler 1880, II. Bd, 647, der Maler Emil Rittmeier, der zum ersten Mal 1837 zu seiner künstlerischen Ausbildung nach München kam. 1841–44 folgt ein zweiter München-Aufenthalt. Er war Schüler Wilhelm von Kaulbachs und stand in freundschaftlichem Verhältnis zu dem in München weilenden Dichter Gottfried Keller (1819–1890), der sich damals noch zum Maler ausbilden lassen wollte. (Im »Grünen Heinrich« hat Keller u.a. seiner Münchner Zeit ein Denkmal gesetzt.) – Der Darstellung junger Mädchen in der Tracht mit silbergeschnürtem Mieder und Riegelhaube in kleinformatigen Ölbildern oder Lithographien begegnet man häufig in den 1830/40er Jahren. Dieses Genre hat offenbar seinen besonderen Reiz auf die von weither nach München gewanderten Maler ausgeübt. Derartige Bildchen verkauften sich gut an durchreisende Fremde, da sie offenbar dem Zeitgeschmack entsprachen und im Reisegepäck leicht unterzubringen waren. Gerne wurde das Sujet noch durch eine männliche Figur

z.B. einen Studenten oder Soldaten erweitert, wodurch die Szene den Anlaß für eine harmlose Pikanterie erhielt. In unserem Fall ist es ein Soldat mit dem Raupenhelm der bayerischen Infanteristen, der im Begriff ist, einer als Milchmädchen kostümierten Schönen einen Kuß zu rauben. M.M.

2.3.7 »Milchmädchen aus der Umgebung von München«

Albrecht Adam (Nördlingen 1786–1862 München), München, um 1820, bez. u.M.: Milchmädchen aus der Umgebung von München. Lactières des environs de Munic; u.r.: Bey I.M. Hermann in München, Lithographie, koloriert; 25,6 × 31,4; M I/1891/9 (B)

Das Blatt wurde in der »Sammlung bayerischer National-Costüme« von Felix Joseph Lipowsky (Wiesensteig 1764–1844 München) herausgegeben.

2.3.8 Münchner Bierfaß

München, 1829, bez.: 1829/1 E 3 M, Holz mit Eisenringen, 67, ⌀ 53, Lit.: AK Oktoberfest, München 1985, Nr. 568, A 85/531

Auf den beiden Faßböden eingeschnittenes Münchner Kindl in Wappenschild, dazu: 1829/1 E 3 M. Die Bezeichnung nach der Jahreszahl gibt das Hohlmaß des Fasses an: 1 E entspricht einem bayerischen Biereimer zu 68,418 l, 3 M steht für drei bayerische Maß zu 1.069 l. Das Faß müßte also 76,34 l Bier fassen. Es ist wahrscheinlich das älteste erhaltene Münchner Bierfaß.

3 Kleine Leute
3.1 Gesellen, Dienstboten, Tagelöhner

Die städtischen Unterschichten jenseits des Bürgertums setzten sich größtenteils aus Dienstboten und Tagelöhnern zusammen. Von ihrer Arbeitskraft waren nicht nur die bürgerlichen Haushalte, sondern auch die Gewerbebetriebe abhängig. Das Ansehen eines bürgerlichen Haushalts stieg mit der Zahl der hier beschäftigten Dienstboten. Aus der Anzahl der in den Werkstätten und Läden beschäftigten gewerblichen Dienstboten – Gesellen, Gehilfen, Verkäuferinnen usw. – dokumentierte sich der Erfolg des Meisters oder Kaufmanns. Im Laufe des 19. Jahrhunderts gingen aus dem Kreis der Dienstleute und Tagelöhner die Arbeiter hervor, die als sozialer Stand wesentlich leichter zu erfassen sind, da ihr Arbeitsbereich genau definiert war.

Von den 1828/1829 in München erfaßten Einwohnern (Zivil und Militär) wurden 14300 zu den Gesellen, 1634 zu den Bedienten und Knechten und 14602 zu den Mägden gezählt. 14896 Familien lebten damals in München, das heißt, daß im Durchschnitt auf jede Familie eine männliche und eine weibliche Hilfskraft kamen. Im September 1832 arbeiteten von den ortsansässigen Dienstboten 94 in der Landwirtschaft, 7780 in der Industrie und 18627 in privaten Haushalten. Daneben gab es noch 2047 Familien, die vom Taglohn in der Industrie lebten, davon 930 (3728 Personen) »welche sich mit Holzhauen, Straßenarbeiten, bey Brauereyen ... Transport von Mobiliarschaft u. dgl., die Weiber durch Ausputzen, Reinigung der Zimmer, Waschen u. dgl. ernähren.« (StaatAM, Polizeidirektion Nr. 960.) Unter diesen »Industrietaglöhnern« waren übrigens 1193 ständig beurlaubte Soldaten zu finden. Als Familie oder Familienoberhaupt wurde »jede Person, männlichen oder weiblichen Geschlechts, welche ein eigenes, ausgeschiedenes nicht in Alimentation oder Almosen bestehendes Einkommen hat«, bezeichnet.
Die Dienstboten kamen vom Land in die Stadt oder aus kleineren städtischen Handwerker- und Tagelöhnerfamilien. Das Dienstbotendasein stellte in den meisten Fällen jedoch nur ein Durchgangsstadium vom Zeitpunkt der Schulentlassung (mit zwölf oder dreizehn Jahren) bis zur Heirat dar. Normalerweise heirateten Dienstboten mit dreißig oder noch mehr Jahren, da sie sich erst dann die nötigen Mittel verschafft hatten, um einen eigenen Hausstand gründen zu können, was wiederum eine amtliche Erlaubnis zur Ansässigmachung und Verehelichung voraussetzte (vgl. Aufsatz Heydenreuther, S. 23 ff.). Wichtigste Grundbedingung für die Erteilung einer amtlichen Heiratserlaubnis war der Nachweis eines gesicherten Einkommens, wobei auch Fleiß, Arbeitsamkeit und Tüchtigkeit des Bewerbers geprüft wurden: Dienstboten, deren Arbeitsbücher wenige Dienstwechsel und lange Arbeitsphasen bei dem gleichen Dienstherrn nachwiesen, konnten sich demnach bessere Chancen auf die Genehmigung ihres Gesuchs ausrechnen.

Seit dem Anfang des 19. Jahrhunderts häuften sich Klagen über verdorbene, anmaßende und treulose Dienstboten (vgl. z.B. Flora, 1829, 2, 10). Anscheinend behagte den jungen Dienstleuten das Leben im Haus ihrer Herrschaft immer weniger, da sie hier nicht nur bis auf wenige Freistunden ständig im Dienst, sondern auch unter strenger Kontrolle standen. Um dem Dienstbotendasein wieder zu neuem Ansehen und zu mehr Attraktivität zu verhelfen, vergab die Stadt seit 1829 jedes Jahr auf dem Oktoberfest Medaillen für besonders treue und bewährte Dienstboten. Für eine solche Ehrung kam nur in Frage, wer mindestens zwanzig Jahre in der gleichen Familie gedient und dabei ununterbrochen auch Kost und Logis in diesem Haushalt empfangen hatte. Ursprünglich wollte die Stadt für jedes Jahr fünf goldene (für 30 Jahre Dienstzeit) und zehn silberne (für mindestens zwanzig Jahre Dienstzeit) Preise vergeben. Da mit dieser Ehrung auch ein Anspruch auf Altersversorgung in einem städtischen Spital verbunden war, erhielt die Stadt soviele begründete Anträge Münchner Dienstboten, daß in den Jahren 1829 und 1830 149 Medaillen ausgegeben wurden (StadtAM, B. u. R. 622). Dienstzeiten von über 30 und manchmal auch 40 Jahren waren keine Seltenheit. Aus den amtlichen biographischen Angaben der Antragsteller geht hervor, daß der väterliche Haushalt der Dienstboten oft im gleichen sozialen Rang wie der herrschaftliche stand; unter den Anwärtern auf eine Preismedaille waren nur wenige Taglöhnerkinder zu finden. Nach dem Ansturm der ersten beiden Jahre wurden jährlich nur noch 14 bis 25 Personen ausgezeichnet, es meldeten sich jedoch regelmäßig etwa 50. Trotz bester Zeugnisse und Fürsprache der Dienstherrschaft hatten alle diejenigen, die verheiratet waren oder nachweislich über einen eigenen Haushalt verfügten, keine Chancen. Damit wollte die Stadt wohl dem unerwünschten Drang der Dienstboten zur Verselbständigung gegensteuern. Nicht immer aber war die amtliche Verweigerung der Eheerlaubnis Garantie dafür, daß nicht doch Lebensgemeinschaften und Familien gegründet wurden. Man fürchtete nun, daß sich diese »Kleine Leute-Haushalte« auf Dauer nicht allein unterhalten und dann dem städtischen Armenfonds zur Last fallen könnten.
Unter den von ihrer Herrschaft für eine Auszeichnung vorgeschlagenen Dienstleuten befand sich eine erstaunlich hohe Zahl von Gesellen. Tatsächlich galten viele von ihnen im Hause des Meisters als eine Art Diener, bevor sie sich selbständig machten (Müller 1981, 12 f.). 1832 schlug der Eisen- und Stahlfabrikbesitzer Lindauer seinen Obergesellen für eine Dienstbotenmedaille vor (StadtAM, B. u. R. 622/4). Die fehlende Freiheit und Abhängigkeit, die der Dienstbotenstand mit sich führte, veranlaßte im Laufe des 19. Jahrhunderts immer mehr junge Leute der Unterschichten dazu, ein Tagelöhnerdasein vorzuziehen oder in die Industrie abzuwandern (Müller, 24). Auch die häufigen Dienstwechsel

und längere, polizeilich eigentlich nicht erlaubte Pausen zwischen den Dienstphasen waren wohl in dem Wunsch nach mehr Freiheit und Selbständigkeit begründet. Normalerweise durfte der Dienst nur an vier »Zielen«, nämlich Lichtmeß (2.2.), Georgi (24.4.), Jacobi (25.7.) und Michaeli (29.9.) aufgekündigt, bzw. neu angetreten werden, obwohl die Dauer der vier Perioden sehr unterschiedlich war – von Jakobi bis Michaeli 66 Tage, von Michaeli bis Lichtmeß dagegen 126 Tage. Den Klagen der Herrschaften zufolge war es schwierig, im Winter Dienstboten zu bekommen, da sich vor allem die Mädchen und Frauen um die lange Dienstzeit drücken wollten. Die Münchner Polizeidirektion hatte schon 1824 versucht, die königliche Regierung auf diesen Mißstand aufmerksam zu machen und zu einer diesbezüglichen Reform der Dienstbotenordnung zu bewegen. Diese hatten jedoch nach Auskunft des Magistrats von 1842 nicht reagiert (StadtAM, B. u. R. 4190 a).

Es ist zweifelhaft, ob die weiblichen Dienstboten tatsächlich freiwillig während der harten Wintermonate ohne Dienst und damit auch ohne freie Kost und Wohnung blieben. Wo sollten sie sonst in der Stadt ein Dach über dem Kopf und ausreichend zu essen finden? Für die Gesellen gab es die streng nach den unterschiedlichen Handwerken getrennten Gesellenherbergen, wo nicht nur die sich auf der »Walz«, der traditionell vorgeschriebenen dreijährigen Wanderzeit nach der Lehre, befindenden Gesellen eine erste Anlaufstelle und Bleibe fanden, sondern auch die bereits länger in der Stadt lebenden und bei einem Meister in fester Arbeit stehenden Gesellen übernachteten. Schon 1811 hatten nach einer polizeilichen Umfrage manche Meister nicht mehr angeben können, wo sich ihre Gesellen in der Nacht aufhielten (Birnbaum, 1984, 164). Das Wohnen in den Herbergen war den Meistern verdächtig, vielleicht fürchteten sie unerwünschte Solidarisierungen unter ihren Arbeitskräften. Also versuchten sie, die Herbergen unter die Pacht der Zunft oder des Gewerbevereins zu bringen, um so die Gesellen besser kontrollieren zu können (Birnbaum, 1984, 165). Auch für die häuslichen Dienstboten sollten in den zwanziger Jahren

eigene Herbergen eingerichtet werden; diese Pläne scheiterten wohl daran, daß sich niemand dafür zuständig fühlte (Flora, 1829, 2, 10).

Ein normaler bürgerlicher Haushalt war von der Hausfrau in dieser Zeit nur mit Hilfe von Dienstboten zu bewältigen. Bestimmte Arbeiten konnte eine »anständige« Hausfrau, auch wenn das Geld noch so knapp bemessen war, offenbar unmöglich selbst verrichten. Aus diesem Umstand resultiert wohl das nervöse, larmoyante Verhalten der Bürger in der Dienstbotenfrage: Wenn man all diesen Beschwerden, Klagen und Hetztiraden gegen die Münchner Dienstleute glauben schenken will, erhält man unweigerlich den Eindruck, daß nicht die Diener von den Herren, sondern die Herren von den Dienern abhängig waren. Innerhalb der weiblichen Dienerschaft gab es feine Rangabstufungen: Auf der untersten Stufe standen die Kindermädchen, dann kamen die Stubenmädchen und dann die allgewaltigen Köchinnen.

Eine Schwangerschaft beendete diese Karriere jäh. Nach seiner sofortigen Entlassung drohte dem Mädchen die Abschiebung in die Heimatgemeinde, wenn es nicht das zweifelhafte Glück hatte, in die Münchner Gebäranstalt aufgenommen zu werden (vgl. Preußler, 1985). Hier wurde es vor und während der Geburt als Anschauungsobjekt für Hebammenschülerinnen und angehende Mediziner mißbraucht. Das Kind nahm ihr die Behörde weg und vermittelten es in eine Pflegestelle, für die die junge Mutter selbst aufkommen mußte. Ihre uneheliche Schwangerschaft wurde amtlich registriert, nur wenige Herrschaften waren noch bereit, das »gefallene« Mädchen in ihrem Haus aufzunehmen. Wenn es nicht das Glück hatte, als Amme sein Brot verdienen zu können, war es nun auf Tagelöhnerarbeit oder Verdienste als Zugeherin (z.B. Wäscherin oder Näherin) angewiesen. Nach Auskunft eines Münchner Polizisten 1850 verdienten solche Zugehfrauen nicht mehr als 12 bis 18 Kreuzer am Tag und brauchten, vor allem wenn sie uneheliche Kinder nebenher zu versorgen hatten, ein »Nebengeschäft«, das sich außerhalb der Sittlichkeit und Legalität bewegte (BayHStA, MInn 45109).   U.L.

3.1.1 Der Unteranger mit der Jakobskirche, auf der Straße ein Holzmacher

Franz von Paula Mayr (Donaualtheim 1778–1845 München), 1838, bez. u.l.: Mayr 1838, Öl/Lwd, 18 × 25, Lit.: Megele 1951, 54, 67, 81, 124; AK Klassizismus, München 1980, 107–111; 32/597

Man blickt vom Jakobsplatz in südlicher Richtung auf den Unteranger mit dem zwischen 1869 und 1871 abgebrochenen Angertor im Hintergrund. Die Gebäude auf der linken Straßenseite sind von links nach rechts: das alte, 1795 erbaute Hauptfeuerwehrgebäude, die Kirche St. Jakob am Anger mit der 1810 von Karl von Fischer entworfenen Außengestalt, anschließend das dazugehörige ehemalige Clarissinnenkloster und schließlich die 1820–1826 nach Plänen von Johann Nepomuk von Pertsch erbaute neue Fronfeste, das Strafarbeitshaus.

B.E.

3.1.2 Das Josephsspital, auf der Straße ein Hausierer

Franz von Paula Mayr (Donaualtheim 1778–1845 München), um 1838, Öl/Lwd, 18 × 25,3, Lit.: Rambaldi 1894, 127; Megele 1951, 17, 81; 32/598

Das Bild gehört zu der um 1838 entstandenen Serie von Münchenansichten. Es zeigt den Blick von Westen in die Josephspitalstraße. Links liegt das im Zweiten Weltkrieg zerstörte Josephsspital mit der Spitalkirche in der Mitte. Das Spital wurde 1614 gegründet und 1682 erneuert und erweitert.
Vor dem Spital läuft unter der Straße der Stadtgraben entlang. Er wurde 1879 aufgefüllt (Rambaldi 1894, 111) und ergab so die Trasse für die Herzog-Wilhelm-Straße. Am rechten Bildrand sieht man das Gasthaus zur Goldenen Ente, das spätere Volkstheater. Alle Gebäude haben einen hellgrauen Anstrich. Im Hintergrund erscheinen die Türme der Frauenkirche. Vorarbeit in Blei und Feder: MStM Z (A 6) 1055; Kopie in Öl von fremder Hand: MStM P 11241.

B.E.

3.1.3 Krankenhaus links der Isar

Franz v. Paula Mayr (Donaualtheim 1778–1845 München), 1838, Öl/Lwd, 18 × 29, Lit.: Megele 1951, 92; Hederer 1960, 70–71; Hederer 1976, 166–167; 32/599

Das Bild gehört zur Serie von 1838. Es stellt das von Karl von Fischer zusammen mit dem Mediziner Dr. Franz Xaver Haberl nach damals neuesten hygienischen Erkenntnissen entworfene Münchner Krankenhaus links der Isar in der Ziemßengasse 1 dar. Der Bau ging aus dem 1751–54 erbauten und mehrmals erweiterten Spital der Barmherzigen Brüder zu St. Max hervor. Nach einer Bauzeit von vier Jahren wurde der Neubau Fischers im Jahre 1813 als Allgemeines Krankenhaus eröffnet. Von der Fassade mit der Säulenstellung im Mittelrisalit, die man auf dem Bild Mayrs erkennt, blieb ein Teil im Nordflügel des heutigen Krankenhauses erhalten.

B.E.

3.1.4 Das Alte Waisenhaus mit einer Gruppe Waisenkinder

Franz von Paula Mayr (Donaualtheim 1778–1845 München), 1838, bez. u.r.: Mayr 1838, Öl/Lwd, 18 × 24,8, Lit.: Rambaldi 1894, 78; Zauner 1914, 352/3; Megele 1951, 49; 32/600

Das Bild gehört zu der um 1838 entstandenen Serie von Münchenansichten. Das hier dargestellte 1783 erbaute Findelhaus lag an der ehemaligen Findlingstraße, der heutigen Pettenkoferstraße an der Stelle der späteren chirurgischen Klinik. 1819 wurde das Findelhaus aufgehoben und der Komplex in ein Waisen- und Erziehungsinstitut für ältere Kinder umgewandelt. Dieses wurde schließlich durch das von Hans Grässel 1896/99 an der Waisenhausstraße erbaute neue Städtische Waisenhaus ersetzt.

B.E.

3.1.5 Das Hofkrankenhaus in Giesing, auf der Straße Tiroler Vagantenfamilie

Franz von Paula Mayr (Donaualtheim 1778–1845 München), 1838, Öl/Lwd, 18 × 24,4, Lit.: Megele 1951, 80, 92; 32/604

Das Bild gehört zu der zwischen 1837 und 1838 entstandenen Serie von Münchenansichten. Man sieht auf der rechten Straßenseite das 1690 von Bogenhausen nach Giesing verlegte Hofkrankenhaus, dessen Neubau aus dem Jahre 1746 stammt (Erweiterungsbauten 1756 und 1780). Das Hofkrankenhaus lag an der ehemaligen Mühlbachgasse etwa an der Stelle des heutigen Kolumbusplatzes. Als Hofkrankenhaus wurde es 1801 aufgehoben und existierte von 1803 bis 1859 als städtisches Irrenhaus weiter. 1877 wurde es versteigert und abgerissen.
Im Hintergrund links liegt die um 1200 erbaute alte Giesinger Dorfkirche. Sie wurde 1888 abgebrochen, nachdem 1886 die seit 1866 in der Nähe erbaute Hl.-Kreuz-Kirche fertiggestellt worden war.

B.E.

3.1.6 Am Gasteigberg, im Vordergrund Handwerksburschen und spielende Kinder

Franz von Paula Mayr (Donaualteich 1778–1845 München), München, 1838, bez. u.r.: Mayr 1838, Öl/Lwd, 18 × 24,5, Lit.: Megele 1951, 16, 18, 38; 32/605

Man blickt vom Lilienberg, der sich an die Isarbrücke anschließt, auf den Gasteigberg (= gacher, jäher Steig: Heerde, Haidhausen, 1974, 97). Links erscheint das Alte Isarbergbrunnhaus am Lilienberg (erbaut um 1550), rechts die Gebäudeecke des Sterneckerbräu, hinter der

sich das 1763 erbaute Observatorium, das 1796 Armenbesorgungshaus am Gasteig wurde, verbirgt. Links im Hintergrund erscheint das Leprosenspital (erstmals erwähnt 1213, abgebrochen 1861) mit der Nikolaus- und der Altöttingerkapelle.

B.E.

3.1.7 »Lehrbrief« des Mathias Pschorr

München, 1834, Radierung und Typendruck, 29,8 × 35,9; C 75/39 = 35/1547

Gesellenbrief für den Braugesellen Mathias Pschorr aus München, datiert München, den 10.12.1834, oben Illustration nach Gustav Kraus: Gesamtansicht der Stadt München von Osten. Mathias Pschorr war der Sohn des Pschorr-Bräuers Johann Georg Pschorr in der Neuhauserstraße 11. Diese Brauerei führte später sein Bruder Georg weiter, während er selber die Hacker-Brauerei in der Sendlingerstraße übernahm. Mathias Pschorr wurde 1800 geboren und 1834, im Jahr der Ausstellung des Lehrbriefes, Vater seines Sohnes Mathias Michael, der später die Brauerei übernahm. Daß Lehrbriefe erst lange nach Beendigung der Lehrzeit ausgestellt wurden, wenn etwa die Papiere für Ansässigmachungs- und Verehelichungsgesuche oder für die Meisterwerdung und Selbstständigmachung gebraucht wurden, kam vor allem dann vor, wenn die Söhne im Betrieb des Vaters ihre Lehrzeit absolviert hatten.

U.L.

3.1.8 »Lehr=Zeugnis«

1843, bez. u.l.: Pötzenhamer graviert, Lithographie, 32,5 × 40, C 75/51 = 35/2109

Gesellenbrief des Zimmermannsgesellen Josef Schmid aus der Au, datiert Au, den 1.5.1843. Oben Illustration: Löwe auf Sockel; im Hintergrund: Mariahilfkirche; rechts oben Papiersiegel.

3.1.9 Dienstzeugnis für einen Gärtner

1843, Tempera u. Handschrift auf Pergament, 31,2 × 43, C 75/44 = 30/507

Dienstzeugnis für den Gärtner Lorenz Mayer, ausgestellt von Martin Denk, Kunstgärtner des Grafen von Preysing-Lichtenegg-Moos am 1.12.1843. Rahmendekoration mit stilisierten Blumen, oben das Preysing Lichtenegg-Moos'sche Wappen. – Rechts unten Papiersiegel.

3.1.10 Wandertornister mit Riemen zum Überwerfen und Vordertasche

1. Hälfte 19. Jh., Rindsleder, gestanzt mit Blütenkreis, 59 × 14,5; 39/653

In solchen, manchmal auch größeren, eckigen, Tornistern trug der Geselle seine spärliche Habe auf der Wanderschaft mit sich herum.

An den Landesgrenzen wurden die Ranzen polizeilich strengstens untersucht, da man in ihnen neben den wenigen Kleidungsstücken verbotene aufrührerische Schriften der frühen Sozialisten und politischen Handwerkerverein aus der Schweiz und Frankreich vermutete. Für die Gesellen heißt es:

»Pflichten gegen polizeiliche Anordnungen und Personen

Da alle Wanderer unter polizeilicher Aufsicht stehen und die Gesetze, nach welchen sie sich zu richten haben, fast in jedem Lande verschieden sind, so ist es unumgänglich nothwendig, sich genau nach den Vorschriften zu erkundigen, welche an jedem Orte in Bezug auf die reisenden Handwerksgesellen gegeben sind. Denn die Nichtbeachtung derselben hat oft die unangenehmsten Folgen, von denen der sogenannte Schub, oder die Zurückweisung in das Vaterland, eine sehr gewöhnliche ist. Und gerade in unsern Zeiten sind die Polizeigesetze, welche das Fremdenwesen betreffen, strenger als jemals, um das Vagabundiren zu verhüten und zu verhindern, daß nicht übelgesinnte Menschen, welche in neuerer Zeit viel herumgewandert sind und friedliche Unterthanen gegen ihre rechtmäßigen Obrigkeiten aufgewiegelt haben, fernerhin ihr Wesen treiben können. Daher gilt fast überall die Bestimmung, daß der Reisende seinen Paß oder sein Wanderbuch an jedem Orte visiren lassen soll, an welchem er übernachtet, und der Kluge und Vorsichtige wird diese kleine Mühe nicht scheuen und sich gern in diese Anordungen fügen.

Dabei vergesset auch nicht, daß auch ihr alles Anstößige und Lächerliche, welches allerdings mancher Handwerksbursch in seinem Anzuge und seinem Betragen hat, auf das Sorgfältigste vermeiden müßt. Denn wolltet ihr euch z. B. nach Art der Studenten tragen, oder in einem glänzenden Stutzeraufzuge einhergehen, so würdet ihr dadurch eben so gewiß lächerlich werden, als man euch eines einfachen, bescheidenen und reinlichen Anzuges wegen stets als ordentliche Menschen loben wird. Wer sollte sich z. B. eines heimlichen Lächelns enthalten können, wenn er einen Schneider mit Sporen und Reitpeitsche, einen Barier mit einem Schnurrbarte, einen Maurer mit Manschetten, einen Bäcker mit Kanonen und Lederhosen oder einen Schornsteinfeger mit frisirten Haaren einherstolziren sähe? Auch in eurem Gange, euren Bewegungen und Reden dürft ihr euch nicht so geberden, als ob ihr vornehme, große Herren wäret und über eine Schaar Bediente zu gebieten hättet, während ihr doch nur dem bescheidenen Stande der Handwerker angehört und morgen Einem die Stiefeln besohlt oder die Beinkleider ausbessert, den ihr heute über die Achsel ansehet. Der Mensch macht sich überhaupt durch nichts lächerlicher, ja sogar verächtlicher, als durch ein ungeschicktes, unanständiges und mit seinem Stande nicht übereinstimmendes Betragen.«

C. Th. B. Saal, Wanderbuch für junge Handwerker oder populäre Belehrungen, Weimar 1842. U. L.

3.1.11 Wanderbuch des Geschmeidemachergesellen Franz Xavier Kölbl

Freising, 1826, Buchdruck in marmoriertem Papier, 32 Seiten unpag.; L 1962/229

Wanderbuch des Franz Xavier Kölbl, geboren 1806, Geschmeidemacher. Wandereinträge u. a. aus Olmütz, Breslau, Neumarkt, Meißen, Wurzen, Weimar, Brotterode, Mellrichstadt, Würzburg, Aschaffenburg, Augsburg und München. U. L.

»Bewahrung vor Wollust.

Der Wollust Reiz zu widerstreben,
O Christ! laß deine Weisheit seyn.
Bewahre, liebst du Glück und Leben,
Dein Herz vor ihrem Greuel rein.
Vor ihrer schnöden Lockung fliehn,
Heißt dem Verderben sich entziehn.

Die Wollust kürzet uns're Tage;
Sie raubt dem Körper seine Kraft;
Und Armuth, Seuchen, Schmerz und Plage
Sind Früchte ihrer Leidenschaft.
Der haßt sich selber, der sie liebt
Und sich in Ihre Fesseln gibt.

Sie raubt dem Geiste Muth und Stärke,
Schwächt den Verstand, der Seele Licht;
Sie raubt den Eifer edler Werke
Und Ernst und Lust zu jeder Pflicht.
Sie führet Reu' und bittern Schmerz
In das ihr hingegeb'ne Herz.

Der Mensch sinkt unter ihrer Bürde
Zur Niedrigkeit des Thiers herab;
Er schändet und entehrt die Würde,
Die ihm sein weiser Schöpfer gab;
Vergißt den Zweck, dazu er lebt,
Weil er nach andern Lüsten strebt.

So schimpflich sind der Wollust Bande.
Schon vor der Welt sind sie ein Spott;
Vor'm eigenen Gewissen Schande
Und Schande vor dem heil'gen Gott.
Der Laster Sclav' entfliehet nicht,
O Richter! deinem Strafgericht.

Du übergibst ihn dem Verderben
Schon hier, wer seinen Leib entweiht;
Und nie wird deinen Himmel erben,
Wer sich unreiner Lüste freut.
Drum fleh' ich demuthsvoll zu dir:
O schaff' ein reines Herz in mir!

Gib, daß ich allen bösen Lüsten
Mit Muth und Nachdruck widersteh'
Und stets, dawider mich zu rüsten,
Auf dich, Allgegenwärt'ger! seh'.
Denn wer dich, Gott! vor Augen hat,
Flieht auch verborg'ne Missethat.«

C. Th. B. Saal, Wanderbuch für junge Handwerker oder populäre Belehrungen, Weimar 1842.

3.1.12 Handwerksgeselle vor Kanzlist: »Komm Er um 4 Uhr wieder und bring Er/2 Gr. mit, saechsisch! versteht Er mich?« *

Kupferstich, koloriert, 23,8 × 18,8, Lit.: Böhmer 1968, 127 (Abb.), Slg. Böhmer

Komm Er um 4 Uhr wieder und bring Er 2 Gr. mit, sæchsisch! versteht Er mich?

3.1.12

Jeder Geselle war verpflichtet, sich bei seiner Ankunft in einer Stadt sofort auf der Polizeidirektion zu melden und sein Wanderbuch vorzulegen. Wer ohne Aufenthaltskarte in der Stadt angetroffen wurde, mußte mit Ausweisung oder Arreststrafe rechnen. Dieser gut ausstaffierte und gekleidete Geselle hat Pech und wird von dem hochnäsigen Federfuchser hinter der Kanzleischranke abgewiesen, da gerade die Mittagsstunde angebrochen ist. U. L.

3.1.13 Handwerksgeselle in einem Münchner Wirtshaus *

Karl von Enhuber (Hof 1811–1867 München), München, um 1850, bez.: d'apres C. v. Enhuber/Lithochromie e. Simon à Strasbourg J. Bürck lith.; rückseitig: Der Handwerksbursch Nr. 20120/6, Lithochromie, gelb gefirnist, 30,5 × 36 (48 × 43), Lit.: Müller 1845, 127; Friedmann, New Haven 1978; Privatbesitz München

Ein Handwerksgeselle auf der Wanderung mit zerrissenen Kleidern, staubigen Schuhen, Stock und Ranzen rastet auf dem Flur vor einer Wirtsstube. Er ist auf einem Schemel eingeschlafen, neben ihm die Pfeife, Pfeifenbeutel und geleertes Schnapsglas. Im Hintergrund trägt eine Kellnerin in Münchner Tracht vier Maßkrüge aus dem Keller an ihm vorbei in die Wirtsstube mit den bürgerlichen Gästen, dem Gast mit den zerschlissenen, schmutzigen Kleidern verwehrt bleibt. Branntwein war im Vergleich mit Bier das billigere Getränk und der Trost der Ärmsten.

Die Lithochromie ist die geschickte Imitation eines Gemäldes durch den lithographischen Druck mit mehreren Steinplatten nacheinander, die jeweils eine andere Farbe tragen. Die Leinwand als Bildträger und der Firnisüberzug macht diese graphische Technik von einem Gemälde unterscheidbar. H. O.

3.1.13

Szenen, die in zwei getrennten Folgen mit jeweils zwölf Blättern – eine für die Mädchen und eine für Knaben – veröffentlicht wurden. Die Kinderbilder erschienen 1823 bei Herzberg in Augsburg und zwischen 1820–1825 bei Renner & Schuster in Nürnberg und bei G. Ebner in Stuttgart. Zimmerbilder zur Unterhaltung und Belehrung waren bereits seit dem frühen 18. Jahrhundert verbreitet und beliebt. Dargestellt wurden vielräumige Häuser wohlhabender Familien mit nach dem jeweiligen Zeitgeschmack detailliert ausgestatteten Räumen, in denen Dienstboten die jeweils nötigen Verrichtungen vornehmen. Auf diese Weise entsteht auch in der Voltz-Serie der nicht ganz der Realität entsprechende Eindruck einer übergroßen Anzahl verschiedener Dienstboten in den bürgerlichen Haushalten.

Aus den beiden Folgen werden hier »Das Mittagessen«, »Die Kinderstube« und »Der Morgen« (Frühstückszimmer) gezeigt.   U. L.

3.1.17 »Die Kinderstube« *

Johann Michael Voltz (Nördlingen 1784–1858 Nördlingen), Augsburg, 1823, bez. u. r.: Augsburg bei Herzberg, Radierung koloriert, 18,9 × 26,4, Lit.: AK WB III/2, 1980, Nr. 956 c; B 136/30 = 30/2178

Der Dienstbote hatte keinen Anspruch auf ein eigenes Bett oder gar eine eigene Stube. Es war im allgemeinen üblich, daß die Kinderfrauen mit den Kinden in einem Raum schliefen oder sich miteinander das Bett teilten. In der hier abgebildeten Kinderstube beschäftigen sich zwei Kindermädchen mit den beiden Kleinkindern und dem Säugling der Familie. Die Porträts der Eltern hängen über den Kinderbetten im Hintergrund. Im Vergleich zum ersten Kinderzimmer (vgl. Kat.Nr. 3.1.16) ist dieses sparsam und karg eingerichtet. Voltz entwarf für die Serie mit häuslichen Szenen zwei verschiedene Kinderstuben, eine für die Mädchen- und eine für die Knabenfolge.   U. L.

3.1.14 »Wirths-Manier oder Manières de Aubergistes«

Anton Sohn (Kimratshofen 1769–1841 Lizenhausen bei Stockach), nach Vorlage von 1830, Ton, bemalt, 17,6 × 19,5/18,7 (Sockelbreite), Lit.: Seipel 1984, Abb. 151 (150), Konstanz Rosgartenmuseum, V–Z/09-003 (002)

Nach der Vorlage von Hieronymus Hess, »Wirtsmanier« (Aquarell 1830, Kupferstichkabinett Basel): ein janusköpfiger Wirt empfängt gleichzeitig händereibend einen reichen Engländer und weist einen armen Handwerksburschen von der Schwelle.   U. L.

3.1.15 Der billige Mittagstisch in der Suppenküche, Beilage der Wiener Theaterzeitung

Entwurf: Johann Christian Schoeller (Rappoltsweiler / Elsaß 1782–1851 Wien), Ausführung: Andreas Geiger (Wien 1765–1856 Wien), Wien, 1840, bez. o. M.: Wiener Scene, o. r.: N° 25, u. l.: Schoeller del., u. r.: Andr. Geiger sc., Wien im Bureau der Theaterzeitung. Rau-

hensteingasse N° 926; Kupferstich koloriert, 23,3 × 29,7, Lit.: Böhmer, 1974, Slg. Böhmer

Am Tisch neun Handwerksgesellen beim Mahl, in dem sich ein Schuh findet, im Hintergrund ein armer Student und ein Kind, das Knödel aufträgt.

Dialog: »Schiffsknecht. Aber Frau Magareth, das ist ja keine alte Henn, das ist ja ein alter Schuh! / Frau Magareth. Wer weiß's, von was der Mensch fett wird!«

3.1.16 Drei häusliche Szenen mit Dienstboten *

Johann Michael Voltz (Nördlingen 1784–1858 Nördlingen), Nürnberg und· Stuttgart, 1820–25, Radierungen, koloriert, 28,6 × 42, Lit.: AK WB III / 2, 1980, 509ff., Nr. 955 a–d, f–n; AK Industriezeitalter, I, Augsburg 1985, 53 f. und 102; Böhmer 1968, 75 (Abb.), München Slg. Böhmer

Der Maler, Reproduktionsgraphiker und Illustrator Johann Michael Voltz schuf um 1820 eine Serie von »Kinder-Bildern« mit häuslichen

3.1.18 »Der Besuch des Großvaters« *

Johann Michael Voltz (Nördlingen 1784–1858 Nördlingen), süddeutsch, um 1820–25, Radierung, koloriert, 28,5 × 42, München Slg. Böhmer

Das Blatt stammt vermutlich aus einer anderen Folge von Kinderbildern, vgl. Kat.Nr. Nr. 3.1.16 u. 17.

3.1.19 Drei Studien zu weiblichen Dienstboten

Franz Michael Neher (München 1798–1876 München), um 1830, Bleistiftzeichnungen, 15 × 17,5; 17 × 11; 15,6 × 14; M IV/1425 a, b; 1427

Zwei Dienstmädchen bei der Putzarbeit, ein Dienstmädchen beim Einkauf, Kindermädchen mit Kind an der Hand.

3.1.16

3.1.16

3.1.20 Dienstbotenbuch der Johanna Kranzberg

München; ausgestellt am 14.2.1827, Buchdruck, in bedrucktem Buntpapier, gebunden, 16 × 10,2, München, Stadtarchiv, B. u. R. 622,4

In dem Dienstbotenbuch sind 22 Paragraphen »Amtliche Erinnerungen« eingebunden. Danach war jeder Dienstbote verpflichtet, ein Dienstbotenbuch zu führen. Der Dienstvertrag galt als abgeschlossen, sobald der Dienstbote von seinem neuen Herrn das »Darangeld« angenommen hatte. Einige Paragraphen erinnern an die alten Gesindeordnungen des 18. Jahrhunderts:

». . . insbesondere soll er nie ohne Bewilligung seiner Herrschaft sich von dem Hause entfernen, noch weniger in oder außer demselben geheime, oder gar unsittliche Zusammenkünfte unterhalten (§ 11) . . . Gegen Dienstboten, welche in keinem Dienste bleiben, und sich durch Arbeitsscheue oder durch ein ausschweifendes Leben die Gelegenheit ihrer Unterkunft selbst entziehen, wird gehörig eingeschritten, und wenn sie nicht hieher gehörig sind, ihre Entfernung auf immer bewirkt werden« (§ 18). Während der Dienstzeit nahm die Dienstherrschaft das Buch in Verwahrung, um nach ihrer Beendigung hier ein beurteilendes Zeugnis über den Dienstboten einzutragen. Wer gegen diese Bestimmungen verstieß, mußte mit einer Arreststrafe von ein bis 14 Tagen oder einer Geldstrafe bis zu 15 Gulden rechnen.   U.L.

3.1.21 Dienstzeugnis mit Siegel für Susanne Laumer

1817, handschriftlich, 33,4 × 21,1; B 113/17 = 30/8

»Susanne Laumer, aus Reichenhall gebürtig, ist ein Jahr und sechs Monate bey Unterzeichneter in Diensten gewesen, und hat während dieser Zeit durch unermüdeten Fleiß . . . sich stets die vollste Zufriedenheit erworben. Dieses bezeugt ihr hiermit München am 1ten July 1817 Ernestine Gräfin von Montgelas.«

3.1.22 Dienstzeugnis

30.4.1822, handschriftlich, 33,8 × 20,8; B 113/ 32 = 30/9

»Der Mademoiselle Susette Laumer aus Reichenhall in Baiern gebürtig wird hiermit bezeugt, daß selbe seit dem August 1821 bis gegenwärtig als Kammerjungfer bey meiner Frau in Diensten gestanden, und sich während dieser Zeit durch besonderen Fleiß . . . ausgezeichnet habe . . . Schloß Stein K. Landgerichts Trostberg im Isarkreise den 30. April 1822. Max Emanuel Graf von Lösch . . .«

3.1.23 »Bekanntmachung. Dienstboten=Preise betreffend«

München, 21.4.1829, Buchdruck, einseitig, 33 × 18,5; München, Stadtarchiv, B. u. R. 622

»Es ist nur von treuen und ordentlichen Dienstboten zu erwarten, daß sie längere Zeit in dem nämlichen Dienste bleiben. Man hat sich daher veranlaßt gefunden, die Dienstboten hiezu durch Vertheilung angemessener Preise besonders zu ermuntern . . . Die Dienstboten, welche sich um diese Medaille bewerben wollen, oder statt derselben ihre Dienstherrschaften, haben sich längstens bis Ende des Monats Julius eines jeden Jahres schriftlich oder persönlich bei dem Magistrate darum zu melden. Der Magistrat wird sodann die nöthigen Erfahrungen einholen, und den ausgezeichnetsten Dienstboten, welche sich anmelden, unter Zustimmung der Gemeinde=Bevollmächtigten die festgesetzte Zahl der Medaillen zu erkennen, und sie ihnen bey dem Oktoberfeste behändigen.«

3.1.24 Dienstbotenmedaille

München, 1829, bez.: Der Magistrat der Königl. Haupt und Residenz Stadt München, Silber, ⌀ 18,5, Lit.: AK Dienstbare Geister, Berlin 1982; K 8707

Eine silberne Medaille wurde nach 20 Dienstjahren verliehen, eine goldene nach 30. In der Bekanntmachung über die Verleihung der Dienstbotenpreise heißt es in den Absätzen VII und VIII:

»Jeder Dienstbote, welcher die goldene Medaille erwirbt, erlangt dadurch zugleich das Recht, daß derselbe in dem Falle, wenn er durch Alter oder Gebrechlichkeit ferner zu dienen gehindert, und zugleich unvermöglich ist, in eines der hiesigen Spitäler unentgeltlich aufgenommen, und dann ganz versorgt wird. Auch auf die Besitzer der silbernen Medaille wird im Falle des Bedürfnisses zur Unterbringung in einem der hiesigen Spitäler besondere Rücksicht genommen.« Dienstbotenmedaillen werden noch heute verteilt. U. L.

3.1.25 Zeugnis für den Schlossergesellen Kleophas Mayer

Ausgestellt von Joseph Rombach, Schlossermeister, München, 12.6.1832, bez.: Bestätigung der Polizeidirektion vom 18.6.1832, Handschrift mit Siegel des Dienstherrn, 30 × 21,5, München, Stadtarchiv, B. u. R. 622,4

»Daß Kleophas Mayer Schlossergesell von Grumbach gebürtig im königl.: bayerischen Landgerichte Ursberg bey dem unterzeichneten Schlossermeister 30 volle Jahre in Arbeit sich befindet, und hat sich während dieser Zeit sehr fleißig u: arbeitsam betragen, wie auch ein sehr lobenswürdiges sittliches Betragen gepflogen, – derselbe genießt auch Kost, und Wochenlohn noch fort. – Solches wird also demselben zum Behufe der Verleihung des nachsuchenden hohen Magistratischen goldenen Dienstbothen = Preises hiemit mit meiner eigenen Handunterschrift, und Insigl zur Wahrheit attestiert.«

3.1.26 Zeugnis für Johann Schlickeneder von der Au

Ausgestellt von Franz Xaver Wittenberger Senior und J. Wittenberger, königl. Hofwachslichter Fabrikant, München, 24.7.1831, bez.: Bestätigung der Polizeidirektion am 27.7.1831, Handschrift und die beiden Siegel von Vater und Sohn Wittenberger, 30,5 × 21; München, Stadtarchiv, B. u. R. 622,4

»Dem Johann Schlickenrieder von der Au, k. Landgerichts München, wird hiemit auf Verlangen bezeugt, daß derselbe bey dem Unterzeichneten zwey und zwanzig Jahre, nehmlich vom Jahre 1810 bis 1822 bey dem Unterzeichneten Vatter, und vom Jenner 1822 bis jetzt bey dem Unterzeichneten Sohn, als Hausknecht im Dienste steht. Derselbe diente diese 22 Jahre ununterbrochen, und genißt nebst Kost und Lohn auch die Wohnung, und hat während dieser Zeit sich durch Treue und Fleiß als durch gutes moralisches Betragen dieses Zeugnisses würdig gemacht, was ihm hiemit zum Behufe der Erwerbung einer Medaille mit Unterschrift und Sigl bestättiget wird.«

3.1.27 Zwei Darstellungen mit Kellnerinnen von München *

Albrecht Adam (Nördlingen 1786–1862 München), wohl München, um 1825, bez. u.: Kell-

3.1.17

3.1.18

nerinnen von München. Sommelières de Munic/Bey I. M. Hermann in München, Lithographie, koloriert, 30,5 × 24,5, Lit.: AK WB III/2, 1980, 506f, Nr. 948; M I/1891, 3 und 4

Die Blätter wurden von Felix Joseph Lipowsky (Wiesensteig 1764–1844 München) in seiner »Sammlung bayerischer National-Costüme« herausgegeben. Der Jurist, Historiker und Archivar Lipowsky veröffentlichte in den zwanziger Jahren des 19. Jahrhunderts eine Reihe von bayerischen Trachtenbildern in mehreren Bänden. Die Lithographie Nr. 1891/3 erschien

zuerst, stieß aber, wie Lipowsky in seinem Vorwort zu den Bänden bemerkt, bei seinen Kunden auf Kritik, da der Kellnerinnenstand der beiden gut gekleideten jungen Frauen nicht zu erkennen sei. In der Wiederholung werden die Kellnerinnen nun in einer nur spärlich angedeuteten Kaffeehausstube gezeigt. Die Putzsucht und Prachtentfaltung der Dienstboten, namentlich der Kellnerinnen, wurde seit dem Anfang des 19. Jahrhunderts immer wieder beklagt. Tatsächlich gehörten Riegelhaube und Halsschmuck eher zur bürgerlichen Frauenkleidung. Im übrigen scheinen laut »Qualifica-

3.1.28

3.1.27

kritische Reflexionen zur realen sozialen Situation der beiden »Kontrahenten« sind nicht intendiert. Das Werk Geyers entsprach damit einerseits dem Geschmack eines breiten Publikums, andererseits muß es aber gerade deswegen als symptomatisch für eine Epoche gelten, in der sich die »Kommerzialisierung der Beziehungen zwischen Auftraggeber und Künstler« vollzog und in der sich die eigentlich schöpferischen Kräfte mehr und mehr in die Bohème zurückzogen (Lankheit 1980, 6).   U.S.

3.1.29 Münchner Taglöhner und Holzmacher

anonym, München, um 1820, Federzeichnung, aquarelliert, (a) 31,2 × 19,2, (b) 31,8 × 18,5; M II/379 (a u. b)

Tagelöhner mit Mütze und Schürze, vor einem Faß stehend sowie Holzmacher mit Zylinder, Stiefel, Lederschürze und Säge, der eben eine Prise nimmt.

3.1.30 Münchner Holzmacherweib * Abb. S. 22

Eugen Hess (München 1824–1862 München), München, 1848, bez. u.l.: Eugen Hess; u.r.: 1848, Tuschezeichnung, weißgehöht, 39 × 26, M III/320

Die realistische Darstellung der verhärmt aussehenden alten Frau in geflickter Kleidung entspricht der revolutionären Stimmung des Jah-

tions=Tabelle der Kaffee=Haeuser der königl. Haupt= und Residenzstadt München« von 1835 längst nicht alle Kellnerinnen eine so reiche Ausstattung, wie die hier abgebildete, besessen zu haben (StadtAM, GA 119).   U.L.

3.1.28 Der Türsteher und der Künstler *

Johann Geyer (Augsburg 1807–1875 Augsburg), 1846, bez. u.l.: Geyer pinx. Augsburg, Öl/Lwd, 67 × 57, Lit.: Boetticher 1891, 406 Nr. 20; Staudinger 1984, 107–108, Nr. 37; Regensburg, Fürst Thurn und Taxis-Kunstslg., St. E. 10594 (BG-Nr. 103)

Die im wahren Sinn des Wortes massiv demonstrierte Macht eines Türstehers, den die Krone über dem nicht näher bestimmbaren Wappen seiner Schärpe als Bediensteten eines fürstlichen Hauses ausweist, und die Reaktion eines jungen Malers darauf erhob Geyer 1846 zum

Bildgegenstand: Eingebettet in das scheinbar sichere soziale Gefüge eines adeligen Haushaltes und im kleinbürgerlich-übersteigerten Bewußtsein der Bedeutung seines Amtes, ist es dem feisten Lakaien geradezu ein Bedürfnis, dem sich ehrerbietig nähernden, Zutritt zur Herrschaft heischenden Künstler voll Verachtung zu begegnen.

Inspiriert durch eine Karikatur in den Fliegenden Blättern I, 1844, Nr. 8, 64, läßt Geyer den – üblicherweise zur Livréedienerschaft zählenden – Türsteher zum Klischee einer Berufsgruppe werden, die zum obligatorischen Personalbestand eines Fürstenhofes gehörte, jedoch durchaus im herrschaftlichen und großbürgerlichen Bereich anzutreffen war (vgl. Engelsing, in: Kellenbenz 1974, 161 ff.). Die Begegnung des monströs aufgeblasenen Dieners mit dem wohl nach Aufträgen suchenden Künstler bleibt damit zwangsweise im Bereich der harmlos-humoristisch erzählten Anekdote stecken,

res 1848, in dem sich auch bisher gleichgültige bürgerliche Kreise für die Situation der Unterschichten zu interessieren begannen. Das »Holzmacherweib« trägt auf dem Rücken ein hochgetürmtes Traggestell mit Armlehne und Bodenstütze. Womit die Frau hier hausieren geht, ist nicht zu erkennen.   U. L.

3.1.31 Wäscherinnen an der Isar *

Anton Höchl (München 1820–1897 München), 1842, bez.: A. Höchl 1842 (?), Öl/Lwd, 30,4 × 35,1; II b/109

Das Bild ist möglicherweise identisch mit der im Münchner Kunstverein 1843 ausgestellten »Partie an einer der alten Stadtmauern Münchens, 10 Zoll hoch, 12 Zoll breit« (Bericht über den Bestand und das Wirken des Kunstvereins München 1843, Ausstellung Nr. 39). Dargestellt ist der südlich des Viktualienmarktes gelegene, zur äußeren Stadtmauer gehörige Rundturm oder Scheibling sowie der zur inneren Mauer gehörige Fischerturm. Im Vordergrund der Roßschwemmbach, hier für die große Wäsche genutzt, der aus der Richtung der Frauenstraße kam und nach Nordwesten zwischen den ehemaligen Zwingermauern weiterfloß. Schon in den fünfziger Jahren existierten die links erscheinenden Häuserzüge nicht mehr, wie auf dem Bild des Viktualienmarktes von August Splitberger (MStM 64/16) erkennbar ist. Sie wurden offenbar in der Zwischenzeit zwecks Vergrößerung des Viktualienmarktes abgerissen.

In seinem Tagebuch schreibt der Maler, daß sein Bild »Rundturm mit dem alten Kamerlwirtshaus« während seiner Lehrzeit bei Neher im Dezember 1842 im Atelier entstand. Höchl war damals 23 Jahre alt und hatte zuvor an der Kunstakademie 1836/37 Architektur studiert, bevor er sich aufs Malen verlegte und von Januar 1841 an sich bei Michael Neher zum Architekturmaler ausbildete (StadtAM Hist. Verein Mss. 358 und 860 nach frdl. Mitteilung von Herrn Heimatpfleger Fritz Lutz).   B. E.

3.1.32 »Waschanstalt in der Herrenstraße in München.« * Abb. S. 50

Johann Resch (München 1819–1901 München), München, 1842, bez. u. r.: J. R. f 1842, Bleistiftzeichnung auf Pauspapier, 11,4 × 18; A 68/37 = 50/376

Diese Genreszene in der Münchner Waschanstalt in der Herrenstraße am Stadtbach bietet einen seltenen Einblick in das Milieu der Tagelöhnerinnen und Arbeiterinnen. Der Bildniszeichner, Lithograph und Aquarellist Johann Resch, der auch Karikaturen für die Münchner Bilderbögen zeichnete, legte allerdings weniger Wert auf eine realistische oder gar sozialkritische Darstellung. Die Szene gleicht vielmehr einer humorvollen Idylle. Eine der älteren Wäscherinnen leidet offenbar unter Zahnweh und hat sich ein großes Tuch um den Kopf gebunden. Im Vordergrund ist ein kleines Mädchen zusammen mit einem größeren am Waschzuber beschäftigt.   U. L.

3.1.28

3.1.33 Finessensepperl *

Anonym, 1820, bez.: Münchner Rarität./Finesen Seperl. 1820, Öl/Pappe, 28,4 × 23,8; 67/519

Bislang unbekanntes Porträt von Joseph Huber, genannt Finessensepperl (München 1725–1829 München) im Alter von 45 Jahren. Wegen seines zwergenhaften Wuchses von 1,30 m soll er keine Lehrstelle gefunden haben, so daß er, wie schon sein Vater, dem armseligen Gewerbe des Lohndieners nachgehen mußte. Seine Spezialität war das Überbringen heimlicher Botschaften in Liebesdingen. Überdies machten ihn seine bald harmlosen, bald hintersinnigen Aussprüche zu einer populären Figur. Eine Reihe auch heute noch gängiger Redensarten gehen auf ihn zurück, so z. B. »Umsonst ist der Tod. Und der kostet das Leben«. – Joseph Huber sorgte selbst für die Veröffentlichung seiner heute als »typisch münchnerisch« geltenden Sprüche in dem Bändchen »Der auf-

richtige und wohlerfahrene Finessen Mann . . .«, München 1818. Im Frontispiz eine ganzfigurige Darstellung des Finessensepperls mit Henkelkorb, darin Brotlaib und Weinflasche, sowie einem Krug, in der anderen Hand Brief und Blumenstrauß. Eine einseitig gepreßte Messingmedaille in der Staatlichen Münzsammlung geht eventuell auf diese Darstellung zurück. Die bekannteste der Darstellungen des Finessensepperls ist das Bildnis von Joseph Hauber, um 1810 (WV Nr. 74). – Eine zeitgenössische Schilderung des Finessenmannes als »kleinem Sonderling« liegt in dem Tagebuch eines Reisenden vor, das in das Bändchen von 1818 aufgenommen wurde: »In einer neuen blauen Feyer-Kleidung stand er vor mir, eine Kappe von schwarzem Sammet auf seinem Kopf, ein glänzendes Kreuz – mit Glassteinen besetzt an einer bunten Schleife – um den Hals, mit eben so schönen Schuhschnallen, auf die er selbst mit Wohlgefallen herabsah. – Ein kleines ausgetrocknetes Männchen mit einem dreifin-

3.1.31

3.1.33

gerbreiten Gesicht, aus dessen juchtenfarbigem Einband zwei runde Katzenaugen stieren. Gram und Kummer mögen wohl Furchen in die Stirn gegraben haben, aber die tiefen Falten um den, zu einem ewigen Lächeln gespitzten Mund, hat die Satyre selbst gezogen. Ein drolliges Gemisch von Schalkheit und Gutmütigkeit vereint sich in diesem Gesicht, welches unter seiner Kappe mit eiserner Gleichförmigkeit so kaltspöttisch auf uns Alletags-Menschen blickt.« M.M.

3.1.34 Finessensepperl

Joseph Hauber (Geratsried 1766–1834 München), um 1810, Öl/Lwd, 38,7 × 31, Lit.: AK WB III/2, 1980, Nr. 1005; II c/41

3.1.35 Bildnis eines alten Mannes auf dem Krankenbett *

Peter Ellmer (Elmer) (Regensburg 1793–1872 Freising), 1840, bez. o.l.: Elmer Maler von Haidhausen/bei München Ano 1840 den 11 (?) Feber, Öl/Holz, 20 × 26,7; Gm 86/4

Die wirklichkeitsnahe Schilderung eines Krankenlagers gibt offenbar den Blick in das Innere einer Haidhauser Herberge frei: Der von mehreren karierten Kissen gestützte Greis ist auf die Ofenbank gebettet. Stillebenhaft sind die Gerätschaften des alltäglichen Bedarfs zusammengestellt: zwischen Henkelkrug und irdenen Schalen wird ein Schöpfglas auf dem Kachelofen erhitzt. Auf dem Bord am Kopfende des Lagers zwei Glaskrüge für Wein resp. Bier, ein Brotwecken, irdener Teller mit Löffel, sowie Buch und Brille. Inwieweit Henkelkorb und neben dem Ofen aufgehängte Fäustlinge etwas über den Berufsstand des alten Mannes aussagen, ist nicht zu klären. Da in Haidhausen das Ziegelwesen von großer Bedeutung war (Heerde 1974, 73 ff.), könnte es sich um einen ehemaligen Ziegelarbeiter handeln, der im Tagelohn seinem Geschäft nachging.

Peter Elmer (Ellmer) hat mit diesem künstlerisch unbedeutenden Bildnis ein interessantes sozialhistorisches Dokument geschaffen, daß der Bezeichnung zufolge in des Malers Haidhauser Zeit entstanden ist. Ellmer war von 1818 bis 1846 in der östlichen Vorstadt ansässig und hatte hier eine Zeichnungsschule eingerichtet, die sich eines guten Ansehens erfreute (Birkmeyer 1971, 112–116). M.M.

3.1.35

Tagelöhner vor dem Kostor, Monogrammist A. W., München 1827

3.2 Hausierer und Straßenhändler

Wo kaufte man Anfang des 19. Jahrhunderts Kurzwaren, Spielzeug und Sämereien preiswert ein, wenn man nicht auf die großen Jahrmärkte (Dulten) warten wollte? Am besten gleich auf der Straße bei den zehn Landkramhändlern, die im Verzeichnis der »Herumziehenden Gewerbe« der Stadt aufgeführt wurden (StadtAM, Gewerbeamt 103–104/1). Vier von ihnen waren verheiratet und hatten Familie, der älteste, Jakob Aulinger, hatte drei Kinder und war 1749 geboren; er handelte mit Bildern und Kupferstichen. Walburga Faezler, geb. 1784, hatte zwei Töchter, war Witwe und verdiente den Unterhalt der Familie mit selbstgefertigten Wachsfiguren. Der im gleichen Jahr geborene Mathias Fleischmann, verheiratet, drei Kinder, vertrieb Kinderspielzeug und allerlei geschnitzte Holzwaren, ein fünf Jahre jüngerer Kollege zog mit Obstbäumen und Samen durch die Stadt. Verkauft wurden auch Leinwand von einheimischen Webern, »Galanteriewaren« (d.h. Luxusartikel der untersten Preiskategorie) und sogenannte »Nürnberger Waren«, dazu gehörte allerlei kunstvoll gefertigter, oft im Verlagssystem von Heimarbeiten produzierter Kleinkram wie etwa Pappmaché-Dosen, Buntpapier und Zinnfiguren. Natürlich wurde auf der Straße noch mehr verkauft: frische Kräuter, Torf und Holz konnten an der Haustür erworben werden. Gustav Kraus hat das bunte Gemisch der Münchner Straßenhändler in seinem »Local Strassen Concert« 1836 festgehalten (vgl. Kat.Nr. 3.2.1).

Ihre Kaufrufe vermischten sich mit den lauten Aufforderungen der zwölf in München konzessionierten Lumpensammler, die von Tür zu Tür zogen, um alte Kleider und Textilien (»Haderlumpen«) zu sammeln. Die meisten von ihnen hatten feste Abnehmer in den Münchner Papiermühlen gefunden. Manches konnte wohl auch noch bei einem Trödler eingetauscht werden. Die Sachen selber zu verkaufen, war den Lumpensammlern gewerberechtlich streng untersagt. Eine förmliche Gewerbekonzession brauchten auch die elf Münchner Straßenmusikanten. Sie kämpften gegen die Konkurrenz der von außerhalb kommenden fahrenden Musiker, die das Publikum mit unbekannten, neuen Liedern anlockten.

U.L.

Münchner Local Strassen Concert.

3.2.1

3.2.1 »Münchner Local Strassen Concert« *

Gustav Kraus (Passau 1804–1852 München), München, um 1836, bez. u. r.: lith. v. Gustav Kraus; u. M.: Verlag von Gustav Kraus in München, Löwenstrasse N 19, Lithographie, koloriert, 39,2 × 53,3, Lit.: Pressler 1977, 278, Nr. 415; AK Proebst, München 1968, 98, Nr. 1805; P 1805

In drei Reihen werden Straßenhändler, Hausierer und »Kleinunternehmer« mit ihren typischen Kaufrufen dargestellt.
Erste Reihe (von rechts nach links): Straßenmusikanten, Hafenbinder, Rührmilch- und Butterverkäuferin, »Graubita«-Salzverkäufer, Lumpensammlerin, Verkäuferin mit Schubkarren, Beerenverkäuferin, Scherenschleifer, Kräutlverkäufer; zweite Reihe: Aschenkäufer, Radiverkäuferinnen, Bilder- und Zigarrenhändler, Devisenverkäuferin, Maroniverkäufer, Sandhändler, Holzhändler mit Holzmacherpaar; dritte Reihe: Schuhputzer, Lohnkutscher, Sänftenträger, Kaminkehrer, Torfhändler und »Sämmtliche Collportici, die keine Geschäfte mehr m. können« – unter diesen arbeitslosen Hausierern befinden sich meist Bilderhändler mit ihren Mappen unter dem Arm. Gustav Kraus hat für diese Lithographie, die vermutlich zu den ersten, im eigenen Verlag herausgebrachten zählt, ein traditions- und schon seit

dem 18. Jahrhundert erfolgreiches Thema gewählt. Mit ähnlichen Typen und Anordnungen entstanden im 18. und 19. Jahrhundert vor allem in Nürnberg und Augsburg Kupferstiche und Lithographien mit Titeln wie »Wochenmarkt«, »Kaufrufe« etc. Etliche, auf die Hungerjahre 1816/17 entworfene Gedenkblätter folgten ebenfalls in Aufbau und Inhalt diesen Vorbildern. Für München ist eine solche Bildtradition sonst nicht nachweisbar. U.L.

3.2.2 Münchner Straßenhändler, in zwölf Blättern

Franz Michael Neher (München 1798–1876 München), München, um 1830–35, Bleistift, teilweise getuscht, ausgeschnitten und zu Kompositionen zusammengeklebt, je 9 × 15; M IV/ 1430 (1a–1s, 2a–2f)

Die Blätter tragen teilweise Titel wie »Besenbinder«, »Kraafts Erdbeer«, »Laternenanzünder«, »Dachauerin«, »am Holzmarkt«, »Milchmädl«, »Sägekleien«, dazu gibt es noch zwei weitere und drei unbetitelte mit Radiweib, Lumpensammler und Hausierer. Einige Figuren tragen Münchner oder Oberländer Tracht. Vielleicht sollten die verschiedenen Studien zu einer ähnlichen Szenenfolge wie Kraus' »Local

Strassen Concert« zusammengefügt werden, vgl. Kat.Nr. 3.2.1. U.L.

3.2.3 Kaffeehausszene mit Tabakwarenhändler

nach Dietrich Monten (Düsseldorf 1799–1843 München), München, um 1840, Lithographie, 14 × 19,2; M II/2301

Der Hausierer bietet seine Ware einigen Künstlern, die am Tisch sitzen, an; im Hintergrund Billardspieler; links Theke mit Kassiererin und Herr.

3.2.4 Münchner Volksleben: »I hob schon oft g'sagt i trink kan Bock nimermehr; – des is ober gwiss der letzte!«

Friedrich Kaiser (Lörrach/Baden 1815–1890 Berlin), Karlsruhe, um 1840, bez. u. l.: Kaiser; u. r.: Lith. v. P. Wagner in Carlsruhe, Lithographie, 35,1 × 26,7, Lit.: MK Proebst, München 1968, 1786; P 1786

Ein Radiweib hockt gegen eine Mauer gelehnt, vom Bockbier dahingerafft, abseits eines Biergartengetümmels. Die Radiweiber gehörten zu den Münchner Originalen, die besonders gern von Karikaturisten verspottet wurden. U.L.

3.3 Das Landgericht Au

Bis zum 17.5.1854 waren die Münchner Vororte jenseits der Isar – Haidhausen, Giesing und die Au – von München unabhängige, eigenständige Verwaltungsbezirke, erst dann wurden sie nach München eingemeindet. Wirtschaftlich gesehen gehörten sie schon seit langem zur Landeshauptstadt und waren von ihr abhängig, was allerdings im umgekehrten Falle auch gelten konnte, denn in diesen Vororten lebte ein großer Teil der für die Münchner Gewerbe dringend benötigten Zuarbeiter, Tagelöhner und Kleinhändler, die tagsüber in der Stadt ihr Brot verdienten und abends in ihre Dörfer zurückkehrten. Dies galt besonders für die Au, die im Gegensatz zu Haidhausen und Giesing nicht aus einem traditionsreichen Dorfkern hervorgegangen war, sondern sich erst nach der Ausweisung des Stadtproletariats durch den Münchner Rat 1642 gebildet hatte. Nach der Vorstellung der Münchner Ratsleute sollten sich damals die Bettler, Straßenmusikanten, Tagwerker und Lumpensammler jenseits der Isar in den Vororten ansiedeln. Den wenigen Grundbesitzern rechts der Isar kamen diese Leute gerade recht; sie erlaubten ihnen, sich auf den meist unfruchtbaren Böden an den Isarhängen anzusiedeln und erhielten dafür einen regelmäßigen Bodenzins sowie etliche Gebühren, die bei Besitzveränderungen fällig wurden.

Die meist unvermögenden neuen Siedler teilten sich den Besitz an einem Haus und nannten ihr Teileigentum Herberge, eine Besitzform, die schon früher in und um München bekannt war. Die Teilhaberschaft an einem Haus umfaßte ursprünglich wohl ein ganzes Stockwerk, wurde aber im Lauf der Zeit immer weiter verkleinert, so daß viele Herbergen bald nicht mehr als zwei Stuben umfaßten und sich in den einzelnen Häusern eine unübersehbare Gemeinschaft von Besitzern, Familienangehörigen und Schlafgängern befand, die seit dem Ende des 18. Jahrhunderts von der Polizei mißtrauisch, von den ersten Sozialhygienikern (vgl. Anselm Martin 1837) mit kritischer Sorge und von den Münchner Literaten mit folkloristischer Neugier (Adolph von Schaden 1836) betrachtet wurde. Die Gestaltung der Herberge nach innen und außen war Sache des jeweiligen Besitzers, was den Häusern einen malerischen, uneinheitlichen Charakter verlieh. Idealisiert und liebevoll detailliert dargestellt, dienten sie den Malern der 1831–39 in der Au errichteten Mariahilfkirche als beliebte romantische Staffage (vgl. Kat.Nr. 8.2.2).

Die gemeinsame Ansiedlung des ehemaligen Münchner »Straßengesindels« verlieh der Au eine, wenn auch sozial niedrig stehende, einheitliche Struktur, die den Auern Selbstbewußtsein und die Möglichkeit, nach eigenen Regeln zu leben, verlieh. 1824 hatte die Au bereits 8502 Einwohner (StaatAM, Polizeidirektion Nr. 960), denn im Laufe der Zeit waren immer mehr unzünftige Handwerker, Maurer und Zimmerleute wegen der billigen Wohnmöglichkeiten hierhergezogen: »Die Einwohner der Au gehören, der Hauptmasse nach, zu der ärmeren, zuweilen zu der ärmsten Klasse unserer Gesammtbevölkerung; es sind meistens Maurer, Zimmerleute, andere kleine Handwerker, Wäscher und unzählige Tagelöhner. Diese Leute führen eine eigene Lebensweise. Im Sommer findet die aufgehende Sonne sie alle schon auf den Beinen; die meisten der Familienväter ziehen nun mit ihren Frauen und größeren Kindern in die Stadt, um dort für Taglohn bis Abends zu arbeiten; die kleineren Kinder werden in die Vorstadtschule geschickt, wo sie auch zu Mittag bleiben und Suppe, auch Brod erhalten; die kleinste Jugend wird indessen in der neu errichteten Klein-Kinder-Bewahr-Anstalt untergebracht. Die einzige Erquickung, die sich der in der Stadt schwer arbeitende Auer erlaubt, besteht während der Mittagszeit lediglich aus einem Kruge Bier, einem Stück Brod und einem paar ungeheuren Rettigen; diese mehr als frugale Mahlzeit muß nachhalten bis zum späten Abend. Endlich schlägt die liebe heiß ersehnte Feierstunde. Die Auer kehren in die liebe Heimath zurück; in den aus der Stadt in die Au führenden Straßen, sowie auf den Brücken entsteht ein unbeschreibliches, nicht ganz uninteressantes Volksgewühl und alsbald zeigt sich in den Häusern und Straßen der den Tag über verödet gelegenen Vorstadt das regste Leben. Die Auer haben mit der vornehmsten Klasse der Gesellschaft gemein, daß sie wie diese, nur eine Hauptmahlzeit sehr spät am Abend halten, aber freilich sind ungeheure Schüsseln, mit dampfenden Kartoffeln gefüllt, häufig das einzige oder wenigstens das Hauptgericht, an welchem sich die arbeitsamen Vorstädter erlaben . . . Der Winter ist für die Auer eine schlimme Jahreszeit; dann hört der Verdienst bei den Bauten u.dgl. in der Residenzstadt auf, die wenigsten Familienväter haben daran gedacht, vom Verdienste des Sommers etwas zurückzulegen, und in manchem Haushalte tritt nun die bitterste Not ein. Man hilft sich indessen so gut es gehen will, man bettelt, borgt, hungert und schlachtet fette Hunde, die man sich auf eine höchst wohlfeile Art zu verschaffen weiß. Die Noth macht erfinderisch und die Auer sind speculativ, das muß man ihnen lassen. – Uebrigens ist es selbst dem solideren Auer der ärmeren Klasse ein durch aus nicht zu überwindendes Bedürfniß, sich je zuweilen en canaille zu betrinken, und –

gefährlich ist's den Leu zu wecken,
Doch der schrecklichste der Schrecken
Bleibt der Auer in seinem Rausche.«

(Schaden, 1836, 6–11.)

Diese von Zynismus nicht ganz freie Darstellung macht deutlich, daß die »Au« nicht nur ein Synonym für Vorstadtfolklore und frühes Klassenbewußtsein, sondern in erster Linie für Armut war (vgl. dazu auch Bauer/Graf, 1984). Mit Arbeitszeiten von elf bis zwölf Stunden im Sommer (gearbeitet wurde noch nach den natürlichen Lichtverhältnissen), – Fußwegen von etwa einer halben Stunde zur Arbeitsstätte, ungesicherten und unzureichenden Einkommensverhältnissen, Frauen- und Kinderarbeit, engen und überfüllten Wohnungen war für viele Bewohner der Au bereits während der Biedermeierzeit der Alltag des Industrieproletariats der Gründerzeit im späten 19. Jahrhundert Wirklichkeit geworden.

U.L.

3.3.6

3.3.1 »Plan der Koeniglichen Vorstadt Au«

Gustav Wenng, München, 1858/59, bez. u.r.:
Bearbeitet u. herausgegeben von Gustav
Wenng in München; u.l.: Druck v. Seb. Mirsin-
ger, Lithographie, 62,2 × 60,6; M III/12

Der Plan verdeutlicht die langgestreckte Ansiedlung der Au, die in acht Sektionen (hier
durch die verschiedenfarbigen Markierungen
der Häuser sichtbar gemacht) aufgeteilt war.
Zwischen den vielen kleinen Privathäusern und
den engen Gassen wirkt der übergroße, recht-
eckige Mariahilf-Platz mit der neuerbauten
Mariahilf-Kirche fast erdrückend. Die anderen
größeren Gebäude sind das »Straf=Arbeits-
=Haus« und die Bierbrauerei der Gebrüder
Schmederer mit dem in der Nähe liegenden
»Schmederer Keller«.
In der rechten unteren Ecke des Plans ist eine
kleine Karte »Übersicht des K. Landgerichts-
bezirkes Au und der Stadt München« angefügt.
Hier sind bereits die Eisenbahnlinien nach
Augsburg und Salzburg zu erkennen.
Der Plan wurde 1858/59 im »Topographischen
Atlas der Koeniglichen Haupt= und Residenz-
stadt München« veröffentlicht.   U.L.

3.3.2 »Lehr Brief« mit Ansicht des Mariahilf-Platzes und der Kirche von Westen

Vorstadt Au, 1848, bez. o.r.: 2 Stempel »Fünf-
zehn Kreuzer« und »Königreich Bayern«, Li-
thographie mit roter und goldener Farbe kolo-
riert, 35 × 49; C 75/46 = 37/1190/1

»Wilhelm Angerer, Sohn eines Metzgermeisters
in der Vorstadt Au wird in Kraft dieses öffentlich ausgestellten Briefes bezeugt, dass derselbe
mit Genehmigung der polizeilichen Obrigkeit
am 25. Jaener 1845 als Lehrling des Metzger
Handwerkes ordnungsmässig eingeschrieben
worden, und bei dem Meister der hiesigen Zunft
Simon Angerer in der Vorstadt Au vom gedach-
ten Tage an bis 7ten Februar 1848 das Metzger
Handwerk mit Fleiss und Pünktlichkeit erler-
net, und auch eine tadellose Aufführung gepflogen habe. Es ist deshalb obbemerkter Wilhelm
Angerer, nachdem die Zunft-Vorsteher seine
erlernten Kenntnisse geprüft und tüchtig befun-
den haben, unterm siebten Februar 1848 von der
Lehre frei, und zum Gesellen gesprochen worden. Geschehen in der Vorstadt Au am sieben-
ten Februar im Eintausend achthundert acht
und vierzigsten Jahre.«

Unter dem Text ist das Siegel der Metzgerzunft
angebracht, das mit einer Oblate mit sorgfältig
ausgestanztem Spitzenrand überklebt wurde.
Das Siegel lautet auf »Verein der Bürgerl.
Metzger/Vorstadt Au«. Die Zünfte bestanden
seit 1825 offiziell nicht mehr und waren in
Gewerbevereine umgewandelt worden.
Der Text wird von stilisierten Weinreben umrahmt. Zwischen den Ranken am rechten und
linken Briefrand sind Würste, Schinken, Metz-
gerwerkzeug und Tierhälften girlandenartig
komponiert. Der obere Rahmenrand wird in
der Mitte ausgefüllt vom Wappen der Vorstadt
Au, links und rechts davon befinden sich je
zwei Tierszenen.   U.L.

3.3.3 Mariahilfkirche von der Nordseite **

Anonym, nach 1855, (verwischte Signatur u.r.),
Öl/Lwd, 39 × 49, 62/208

Ansicht der Maria-Hilf-Kirche in der Au von
Nordosten von der Hochstraße aus. Diese auf
dem Isarhang entlanglaufende Straße entstand
aus dem ehemaligen »Fürstenweg«, dem Weg
zu den Leibgehegen der bayerischen Herzöge

(Rambaldi 1894, 114f.). Es herrscht Abendstimmung: Die im Westen stehende Sonne leuchtet durch die Fenster des Gebäudes rechts am Rand. Die Vorstadt Au unterhalb des Isarhanges liegt im Dunst der unzähligen rauchenden Kamine der »Herbergen«, in denen, auf engstem Raum zusammengedrängt, zahlreiche Familien von Handwerkern und Tagelöhnern die Abendmahlzeit kochen.
Links oben der 1855 durch August Deiglmayr errichtete Bau der Franziskanerbrauerei (Hochstraße 7: Megele 1951, 25).
Auf der Straße erkennt man das München in der ersten Hälfte des 19. Jahrhunderts typische Transportmittel: die einrädrige Schubkarre. Vorn ein Verkäufer von hölzernen landwirtschaftlichen Geräten und Geräteteilen.   B. E.

3.3.4 »Paul Fiedler aus Giesing bey München am 21ten Febr. 1829. Alt 75 Jahre.«

Karl Ludwig Seeger (Alzey-Rheinhessen 1808–1866 Darmstadt), 1829, Aquarell und lavierte Bleistiftzeichnung, 20,1 × 25,6; A 6853 = 30/1672

Drei Studien zu einem ganzfigurigen Porträt eines alten Tagelöhners mit breitrandigem Hut, langem Mantel und Axt über dem Arm.

3.3.5 »Christina Huber. beim . . . 134 N nächst der Schmerzhaften Kapelle.«

Karl Ludwig Seeger (Alzey-Rheinhessen 1808–1866 Darmstadt), 1829, bez. u.l.: Aus dem Nachlass von Carl Seeger/Blatt 30, Aquarell und Bleistiftzeichnung, 16,8 × 21,7; A 68/ 55 = 30/1673

Zwei Studien zum ganzfigurigen Porträt einer alten Frau in zerschlissener Kleidung, die Hände in einem geflickten Ledermuff versteckt, um den Kopf ein Tuch geknotet, darüber ein breitrandiger Hut.

3.3.6 Modell des Herbergsanwesens Krämerstraße 12 in der Au *

um 1910, Holz, Gips, Blech, 44 × 82 × 80, Lit.: Bauer/Graf 1984, 22f., 132, MStM

Die Herbergsanwesen in den ehemaligen Vororten Haidhausen, Au und Giesing, von denen heute nur noch wenige stehen, sind Ausdruck der Münchener Sozial- und Wirtschaftsgeschichte. Unter »Herberge« versteht man Stockwerke, Wohnungen oder Einzelzimmer, die nicht vermietet, sondern zu Eigentum verkauft wurden. Damit verbunden ist ein ideeller Miteigentumsanteil am Grund und allen zur Benutzung notwendigen gemeinschaftlichen Teilen des Gebäudes wie Dach und Hofraum. Im 18. und 19. Jh. verlangte die bayerische Gesetzgebung bei Ansässigmachungen den Nachweis von Besitz und ausreichender Erwerbstätigkeit. Dieser Status war innerhalb der Stadt durch die beherrschende Zunftverfassung nur schwer zu erreichen. Mit dem Erwerb einer Herberge konnten zugezogene Kleinhandwerker und Taglöhner im Vorfeld der Stadt Fuß fassen. Die Landesherrschaft und der Adel förderten die Schaffung von Herbergsanwesen auf ihrem Grund, da der Herbergsbesitz mit einem jährlichen Anteil an Bodenzins verbunden war.
Das Erscheinungsbild der Herbergsanwesen prägten im Laufe der Jahrhunderte die verschiedenen unter einem Dach lebenden Herbergsbesitzer, die ihren Hausanteil nach eigenem Ermessen gestalteten. Das Haus Krämerstraße 12 hatte sieben Herbergen. Es bietet mit seinen unterschiedlichen Fensterformen und Fassadenverkleidungen, den Dacherweiterungen und Anbauten ein gutes Beispiel.   F. D.

3.3.7 Modell der Herbergsanwesen Fischerstraße 1–4 am Isarsteilhang in der Au

um 1910, Holz, Gips, 36,5 × 77 × 68,5, Lit.: Bauer/Graf 1984; 30; 63505

3.3.8 Modell von zwei Herbergsanwesen in der Lohstraße in Giesing

um 1910, Holz, Gips, 24,5 × 50 × 48, Lit.: Bauer/Graf 1984, 153; Peter 1979, 66–71; I c/87

Das kleinere der beiden Anwesen, Lohstraße 3, enthielt 1889 drei Herbergen, eine in jedem Stockwerk. Die Parterrewohnung mit drei Zimmern und Küche maß 30 m², die beiden anderen hatten 28 und 16 m². Das Erdgeschoß und den ersten Stock bewohnten damals je vier, das Dachgeschoß zwei Personen. Zur obersten Wohnung führte ein separates, enges Stiegenhaus an der Giebelwand des Hauses. Aborte gab es keine. Die Fäkalien wurden mit großen Tonkübeln, umgangssprachlich »Daniel« genannt, in den nahen Mühlbach befördert.   F. D.

3.3.9 Modell der alten Giesinger Dorfkirche Heilig-Kreuz mit Pfarrhof und Herbergen an der Lohstraße

2. Hälfte 19. Jahrhundert, Holz, 23,5 × 40,5 × 26,5, Lit.: Bauer/Graf 1984, 150, 151; Bauer 1982, 150, 151; 28/1344

Die neue Giesinger Pfarrkirche Heilig-Kreuz wurde 1886 eingeweiht. 1888 mußte die alte Kirche dem Bau des neuen Pfarrhauses weichen. Die Zuordnung der Häuser an der Lohstraße entspricht nicht ganz der ehemaligen topographischen Situation.   F. D.

3.3.10 Modell des Hauses Nr. 15 an der Inneren Wienerstraße in Haidhausen

bez.: Ad Veritatem fecit Wilhelm Zink s. 1883, Holz, bemalt; 17,2 × 20,7 × 25, XII/3

Wilhelm Zink hat dieses Modell eines kleinen Haidhauser Wohnhauses aus der ersten Hälfte des 19. Jahrhunderts gefertigt, da es von der Stadt München auf Abbruch angekauft worden war.   F. D.

3.3.3

3.4 Fahrendes Volk

Das städtische Biedermeier vermittelt den Eindruck der Seßhaftigkeit, Bodenständigkeit, des bürgerlichen Wohlverhaltens in einer festgefügten, geordneten Welt. Diese Ideale der neuen Bürgerlichkeit des frühen 19. Jahrhunderts förderten und unterstützten Staat und Magistrat durch eine Reihe strengster Gesetze und Verordnungen über die Ansässigmachung und Heimatrechte. Doch soziale Not und Abenteuerlust brachten das polizeiliche Meldesystem immer wieder ins Wanken.

Da waren zunächst die im Lande umherziehenden Einheimischen, die zwar irgendwo einen festen Heimatort hatten, jedoch denkbar wenig Gebrauch davon machten. Viele von ihnen kamen aus dem alpenländischen Raum, aus wirtschaftlich schwachen Gebieten. Sie verkauften in Heimarbeit gefertigte Teppiche, Stoffe und Garne oder trugen auf ihren Hausiererkraxen sogenannte »Berchtesgadener War« – Behältnisse und Figürchen aus gedrechseltem Elfenbein oder Holz sowie Stroharbeiten – in die Städte. Andere verdienten als umherziehende Musikanten ihr Brot und brachten es dabei sogar zu einer gewissen Berühmtheit. Weniger begabte Musiker beeindruckten das Publikum mit aufregenden Liedtexten – 1836 und 1837 sah sich die Regierung des Isarkreises mehrere Male veranlaßt, ihre Polizeibehörden auf »umherziehende Alpen-Sänger« und die »Unzulässigkeit des Absingens sittenverderbender Lieder« hinzuweisen. Um den Vortrag von Liedern »höchst obszönen Inhaltes« an »öffentlichen Orten« zu unterbinden, hatten die Behörden vor der Erteilung der polizeilichen Bewilligung »von dem Inhalte der vorzutragenden Lieder Cognition zu nehmen«. (StadtAM, Polizeidirektion, Nr. 496/46.)

Noch mißtrauischer stand der Staat den ausländischen Hausierern gegenüber, die sich vor allem auf den Jahrmärkten zusammenfanden und mit den einheimischen Händlern konkurrierten. Spezereien (Gewürze), Garne in ungewöhnlichen Farben, schöne Tabakspfeifen, spanische Rohre, Schwarzwälder Kuckucksuhren, Knöpfe, Borten, Schmuck und vieles mehr, was z.B. 1805 auf der Dreikönigsdult in München angeboten wurde (vgl. Schattenhofer 1984, 66ff.), förderten nach Meinung maßgeblicher Politiker die Lust der Unterschichten nach »fremden Waaren« und beeinträchtigten die einheimischen Gewerbe (Rudhart 1826, II, 24). Zu

den unbeliebtesten und an den Grenzen besonders streng kontrollierten Hausierern gehörten die Juden. Eigentlich war ihnen der Hausierhandel sogar untersagt, doch blieb ihnen meist keine andere Wahl, da sie sich auch nach den liberalen Bestimmungen der bayerischen Verfassung von 1818 nur dort niederlassen und ein Gewerbe ergreifen durften, wo eine »Judenstelle« freigeworden war. 2505 jüdische Hausierer zählte Rudhart 1825 in seiner Statistik des Königreichs Bayern auf (ebd. I, 64).

Eine besondere Problemgruppe unter dem nichtseßhaften »fahrenden« Volk waren die Bettler. Die von dem zum Grafen Rumford geadelten Amerikaner Benjamin Thompson unter Kurfürst Karl Theodor am Ende des 18. Jahrhunderts in die Wege geleiteten drastischen Maßnahmen gegen das Bettlerunwesen hatten bereits wieder einen Teil ihrer Wirksamkeit verloren. Im Biedermeier stieg die Zahl der bettelnden Armen, die die Volksaufklärer des späten 18. Jahrhunderts als »Pest der Gesellschaft« angeprangert hatten, wieder an: 1817 konnten in München 518 Bettler gezählt werden, 1827 waren es allein in vier Monaten bereits 590 und die Bürger beschwerten sich beim Magistrat, weil sie sich im Englischen Garten von zu vielen Bettlern belästigt fühlten (BayHStA, MInn 46186).

Neben die mit ihren Waren oder Liedern durch die Städte ziehenden in- und ausländischen Personen traten die umherziehenden Theatergruppen und Schausteller. Sie waren nicht selten in dieses Leben hineingeboren worden und mit den klamaukhaften Possen, abenteuerlichen Kostümen, Tanzbären und dressierten Hunden von Kindheit an vertraut. Ihre Auf- und Vorführungen waren die Attraktionen auf den Jahrmärkten und öffentlichen Plätzen. Die fahrenden Schauspieler verkörperten nicht nur ein Stück Theatergeschichte, sondern verbreiteten auch den Nimbus einer verlockend fremdartigen Welt, der ihnen nicht nur bei den ärmeren Volksklassen, ihrem Stammpublikum, Attraktivität verlieh. Die vielen romantisierenden Gemälde mit Darstellungen umherziehender Schauspieltruppen, die in dieser Zeit entstanden, ließen sich in bürgerlichen Kreisen offenbar gut verkaufen und zeugen davon, daß die Sehnsucht nach dem Abenteuer auch beim behäbigen Bürgertum im Verborgenen blühte.

U.L.

3.4.1 Der Teppichhändler ** Abb. S. 168

Johann Georg Christian Perlberg (Köln 1806–1884 Nürnberg), 1837, bez. u. r.: I. G. Perlberg, Öl/Lwd, 60,3 × 73,6; II B/86

Das Gemälde erhält seinen Titel von dem Fieranten (fliegenden Händler) in der Zillertaler Tracht, der einen bunten Teppich aus Ziegenhaar, einen sog. Defereggenteppich vor den Gästen der überfüllten Wirtsstube zum Zwecke der Anpreisung aufgefaltet hält. Eine Hökerin in der Oberländer Otterfellmütze, die die Züge der damals in München bekannten »Nuß-Kathl« trägt, hält Naturalien, u. a. Nüsse feil. Die Kellnerin entspricht ganz dem verbreiteten Typus der »Jolie Bavaroise de Munich«. Die Soldaten tragen die bayerische Ulanen-Uniform, die 1822/5 nach Auflösung der Regimenter abgeschafft wurde (frdl. Hinweis M. Junckelmann).
Die Häufung von Motiven, der Detailreichtum, das Erschließen des Innenraums in immer neuen Varianten – sei es durch eine geöffnete Tür, ein Fenster oder einen Spiegel – scheint endlos zu sein. Die Kunstfertigkeit des Malers wird denn auch von dem zeitgenössischen Experten (Nagler 1835 – 1852, 255) folgendermaßen charakterisiert: »voll Leben, glänzend von Farbe und anziehend«. – Die Darstellung, die als Gegenstück zu Anton Evers »Münchner Wirtsgarten« von 1842 (siehe Kat.Nr. 4.4.30) angesprochen werden kann, idealisiert das Leben der kleinen Leute aus der folkloristischen Perspektive, spielt in vergangener Zeit und enthebt sich auf geradezu unangenehme Weise jeglichen Wirklichkeitsbezugs, nicht ohne den tumben Invaliden oder großsprecherischen Soldaten noch zu denunzieren.
J. G. Ch. Perlberg hat seine Ausbildung in Nürnberg an der Kunstschule erhalten und ist 1834 nach München übersiedelt. Im Gefolge des Prinzen Otto soll er nach Griechenland gereist sein, jedenfalls zeugt davon ein bei Nagler genannter literarischer Hinweis (Nagler, 1835–1852, Bd. 12, 255). Eine Lithographie, die der Mannheimer Kunstverein 1840 als Jahresgabe editierte, und die den Tod eines Palikaren-Fürsten im Kampf darstellt, ist ein weiteres Zeugnis des Griechenland-Aufenthalts. Im Jahr 1838 war Perlberg mit dem Gemälde »Albrecht Dürer in seiner Werkstatt« im Nürnberger Albrecht-Dürer-Verein vertreten. Ein Jahr zuvor – 1837 – war »Der Teppichhändler« entstanden. Bereits 1835 war Perlberg mit einem Gemälde ähnlicher Thematik im Kunstverein vertreten gewesen: »Eine Bräuhausstube«, das dem Bericht des Münchner Kunstvereins zufolge »Bauern und Soldaten in einem Wirtshaus« darstellte (Bericht des Münchner Kunstvereins 1835, 46; 1836, 57).

M. M.

3.4.2 Zwei Szenen in einem Münchner Bierkeller mit Bettlern und Tuchhändler

Philipp von Foltz (Bingen 1805–1877 München), München, 1829, bez. u. l. (spiegelschriftlich): Ph. Foltz; Lithographien, 32 × 23,5, Lit.:

MK Proebst, München 1968, Nr. 7121/2; P 1721/2

Die Blätter sind jeweils unten kommentiert, das erste mit Tuchhändler, bettelndem Kind und zechenden Studenten mit: »n-jo i bit gern ihn . . .« das zweite mit geigespielendem Bettler, zwei Bettelkindern und Zechern: »arm oder reich dem Schicksal gielt es gleich . . .«.

3.4.3 Blauschild, der Geschäftsreisende *

Anton Sohn (Kimratshofen 1769–1841 Zizenhausen bei Stockach), Zizenhausen, um 1830, bez. auf dem Zettel unten: Blauschild, le commis voyageur/Blauschild, Der Geschäftsreisende, Ton, bemalt, 20,9 × 12,4, Lit.: Seipel, 1984, Abb. 121, Konstanz, Rosgartenmuseum V-Z/ 09–021 (417)

In Packtaschen, am Mantel und Hut befestigt, führt der auf einem ziemlich überlasteten Pferd reitende Blauschild alles mit sich, was sonst nur der ganze Jahrmarkt bietet: Spielkarten, Federkiele, Laterna Magica, Stöcke, Kurzwaren, Stoffe, Essenzen und vieles mehr.   U. L.

3.4.4 Hausiererkraxe

süddeutsch, Holz, Eisen, Leder, 88 × 46 × 21, Burghausen, Heimatmuseum

Die Kraxe ist mit elf Ladenschubladen und einer seitlich zu öffnenden Tür ausgerüstet. Um das Tragen zu erleichtern, wurde ein Lederschutz für den Rücken angebracht.   U. L.

3.4.5 Der Jude und die Torwache **

Dietrich Monten (Düsseldorf 1799–1843 München), München, 1824, bez. u. l.: Monten, Öl/ Holz, 23,8 × 29,8, IId/210

Dietrich Monten, der seit 1821 Schüler von Peter von Hess an der Münchner Akademie war, hat sich als Historien- und Schlachtenmaler einen Namen geschaffen. Das vorliegende, das Alltagsleben von seiner düsteren Seite schildernde Bild ist im Werk des Malers wohl eher ein Nebenprodukt. Dieses kleine Gemälde ist aus der intensiven Beschäftigung mit der Vielfalt der Uniformen der bayerischen Armee hervorgegangen. Es war im Jahr 1824 unter dem harmlosen Titel »Die Torwache hält einen Juden an« im Münchner Kunstverein ausgestellt. Wenig später war der Maler mit dem bei J. M. Hermann in München erschienen lithographischen Werk »Die Bayerische Armee nach der Ordonanz vom Jahre 1825« beschäftigt. – Ein Jude, der sowohl durch die physiognomische Charakterisierung wie auch durch den längst aus der Mode gekommenen Dreispitz als solcher typisiert ist, wird während einer Paßkontrolle vor einem Stadttor von einem Chevauxlegers im Vorübergehen geschnitten, und damit verächtlich gemacht. Das beifällige Lächeln der die Szene beobachtenden Soldaten entspricht der patriotischen Gesinnung des Malers. – Das Bild ist Beispiel für einen vulgären Antisemitismus, wie er schon zu Be-

3.4.3

ginn des 19. Jahrhunderts in Schriften wie »Wider die Juden« von Carl Grattenauer u. a. zum Ausdruck gekommen war.   M. M.

3.4.6 »Gottes Wunder, wie bin ich ach eingegangen«; Szene am Schweizerischen Zollamt

Anton Sohn (Kimratshofen 1769–1841 Zizenhausen bei Stockach), Zizenhausen, Ton, bemalt, 16 × 21,9, Lit.: Seipel 1984, Abb. 131, Konstanz, Rosgartenmuseum V-Z/10-010 (033)

Die Gruppe gehört in eine Reihe von Judendarstellungen, die Anton Sohn seit 1827 anfertigte. Trotz der typischen, den beiden Juden hier beigegebenen Attribute (z. B. die charakteristische Nase des Älteren), erscheinen die Juden im Verhältnis zu den seit 1830 verbreiteten Hetzkarikaturen hier relativ harmlos dargestellt.   U. L.

3.4.7 Tabakschachtel mit dem Reliefbildnis von drei jüdischen Hausierern

Über Masse geformte Birkenrinde, 2,8 × 9,8 × 6,2; 61/566

Die Juden sind mit Dreispitzen, langen Hakennasen und Vollbärten charakterisiert.

3.4.8 Uhrenbild (Herzogenstadttor)

H. Sollmayr (Daten nicht bekannt), um 1830, bez. u. r.: H. Sollmayr, Öl/Kupfer, 56,8 × 43,4; P 11637

Die Identifizierung des Torbaues als zur Maxburg gehöriges Herzogenstadttor ist nicht sogleich einleuchtend, da der zwar signierende, aber unbekannte Maler die Proportionen der

3.4.5

Baulichkeit in dilettantischer Weise verzerrt wiedergibt. Der Zentralbau der Dreifaltigkeitskirche im Hintergrund läßt jedoch keinen Zweifel, daß es sich um den Turm der Maxburg an der ehem. Pfandhausgasse (heute Pacellistraße) handelt. Der an der (westlichen) Stadtmauer gelegene Torbau und die Brücke über den Stadtgraben befanden sich einst auf dem Gelände des heutigen Lenbachplatzes. Sie stellten die Verbindung zwischen dem herzoglichen Palast und dem – 1802 abgetragenen – Kapuzinerklosters her. Die Maxburg ließ Herzog Wilhelm V. bald nach seinem Amtsantritt 1579 erbauen. Sie umfaßte ursprünglich drei Hofhaltungen, die des Herzogs und seiner Söhne Maximilian und Albert. Im 19. Jahrhundert hatte Herzog Max in Bayern (1808–1888), hier seit 1823 bis zur Fertigstellung seines Palais an der Ludwigstraße 1826 Wohnung genommen. Der Name Herzog-Max-Burg geht jedoch auf Kurfürst Maximilian I. (1573–1651) zurück, der vor der Erbauung der Residenz hier wohnte. – Das Uhrenbild hat zwei Uhrblätter: das obere zeigt die Stunden, das untere die Viertel-

stunden. Der Maler hatte sich damit exakt an das Vorbild gehalten, denn der Turm der Maxburg hatte ursprünglich ebenfalls auf jeder Seite zwei Uhren (Hübner 1803, 262). M.M.

3.4.9 Schausteller auf dem Dultplatz

um 1830, Öl/Holz, 26,5 × 33,5, Lit.: AK WB III/2, 1980, Nr. 1031 Abb.; 56/262

Dargestellt ist das Gelände des heutigen Lenbachplatzes gegen die Westfront der Herzogmaxburg, deren Torbau und Turm am linken Bildrand erkennbar sind. Auf dem Platz davor, diesseits des Stadtgrabens, findet in einer kleinen Arena die Vorführung dressierter Hunde und exotischer Tiere statt, eine der Volksbelustigungen, zu denen auch das Kasperltheater zählte (vergl. Uhrenbild von H. Sollmayr, Kat.Nr. 3.4.8). Gerda Möhler (AK WB III/2, Nr. 1031) hat darauf hingewiesen, daß die kleine wandernde Tierschau sowohl Vorläufer des Zirkus, wie auch des Zoos ist. – Die dreimal jährlich stattfindenden Jahrmärkte (Dulten)

fanden ursprünglich bei St. Jakob auf dem Anger, dem heutigen St. Jakobsplatz, (gegenüber dem Stadtmuseum) statt. 1822 war den Dulten der untere Teil des damals sich noch südlicher – bis zum Karlsplatz hin – erstreckenden Maximiliansplatzes eingeräumt worden. 1872 wurde der Dultplatz aufgehoben, da der Platz durch die Maximiliansanlagen und angrenzende Neubauten eine repräsentativere Umgestaltung erhielt. Die Dult wurde in die Au verlegt. M.M.

3.4.17

3.4.10 Dult in München *

Friedrich A. Wyttenbach (Trier 1812–1845 Trier), 1838, bez.u.r.: A. Wyttenbach pinc. 1838, Öl/Lwd, 79 × 109 cm, Lit.: Boetticher 1901, Bd. II, 2, Nr. 4, 1043; MK BayStGS, V, 1984, 563–564; München, Bayerische Staatsgemäldesammlungen 7732

Das Bild, das 1838 im Münchner Kunstverein ausgestellt war (Jahresbericht 1838, Nr.326), ist eine Darstellung des alten Dultplatzes in München, des heutigen Maximiliansplatzes. Dort wurde die Dult von 1822 bis 1874 abgehalten (Megele 1951, 97). Rechts im Hintergrund erkennt man die Herzog-Max-Burg und die Türme der Frauenkirche. Davor sind Zelte und Marktbuden aufgeschlagen, in der Mitte auf einem erhobenen Podest werden bekleidete Äffchen vorgeführt. Der Markt hat Menschen der verschiedensten Stände zusammengeführt: Links stehen drei Hausknechte im Gespräch zusammen, daneben trägt ein Landmädchen in Gebirglertracht mit Isartaler Hut in einem Korb ihre Eier auf den Markt. Rechts dagegen drängen sich die Stadtbürger, die Männer mit Zylinderhüten, die Frauen mit Schutenhüten und bunten Kleidern, zwischen den Marktstän-

den und Händlern. Das bunte, in kühlen Tönen gehaltene Treiben wird durch die Grautöne der Gebäude und Schattenpartien am Boden sowie durch die Ockertöne der besonnten Partien, der Zelte und Marktbuden bestimmt. B.E.

3.4.11 Jahrmarktszene

um 1845, Lithographie, koloriert, 26,9 × 34,4, Slg. Böhmer

Auf diesem wohl für Kinder erstellten Schaubild sind von rechts nach links eine Spielzeugbude, Kegelspiel, Süßigkeitenverkäufer, Jongleur, Kasperltheater, Karussell, Würfelspiel, Seiltänzer, Schaukasten, ein Bär an der Kette mit Bärenführer, und ein Leierkastenmann dargestellt. Eine ganz ähnliche Szene wurde bei Böhmer, (1968, 190) abgebildet. U.L.

3.4.12 Bilderbogen mit zwei Jahrmarktszenen *

Neuruppin, um 1830, bez.u.l.: Nr. 151, Lithographie, koloriert, 43,8 × 35,6; Slg. Böhmer

In der oberen Szene zeigt ein Tierbändiger die Kunststücke seines Tanzbären, Affens und zweier paradierender Pudel. In der unteren Szene erfreuen sich Kinder und Erwachsene, darunter zwei Mönche, an Kasperles Spiel im Puppentheater. Neuruppin in Preußen war im 19. Jahrhundert Zentrum der Produktion volkstümlicher Graphik, wie z.B. Bilder- und Ausschneidebögen und Glückwunschkarten. U.L.

3.4.13 Bänkelsängerfamilie

Rosetti, um 1840, bez. im Schaubild: Rosetti fec., Lithographie, koloriert mit Gummiüberzug, 26,5 × 35,3, Lit.: Böhmer 1968, 198, Slg. Böhmer

Vater und Mutter singen zur Musik des Leierkastens, den der Vater bedient. Die Mutter hält den Stab mit den jeweiligen Bildern und Devisen, das Kind assistiert und fängt geschickt mit dem Hut von den Fenstern herabgeworfene Münzen auf, obwohl es noch nicht einmal der Saugflasche, die vor der Mutter auf einem Klapptisch steht, entwöhnt ist. Alle drei sind zerlumpt und tragen kein ordentliches Schuhwerk. U.L.

3.4.10

3.4.14 Vogelorgel (Serinette) *

Joseph Heimerl, München, 1. Hälfte 19. Jahrhundert; bez.: Jos. Heimerl, Musiker u. Vogl-Orglmacher, wohnt in der Wiener Straße Haus N.14 in der Vorstadt Haidhausen; Schlichtes Gehäuse aus Nußbaum/Nadelholz, Spielwerk Ahorn/Obstholz, 9 flötenartige Pfeifen aus Nadelholz mit den Tonhöhen f^2, g^2, a^2, b^2, c3, d3, es3, f3, g3, 26 × 19 × 15, Lit.: Ak Musica 1980; 79-75

Die Vogelorgel ist von ihrem Konstruktionsprinzip her eine vereinfachte Drehorgel. Eine Handkurbel mit Schneckengetriebe treibt die Holzwalze, auf der die Musikstückchen eingestiftet sind, und den Blasebalg. Über zweiarmige Hebel werden die Einzeltöne abgetastet und kleine Ventile zu den jeweiligen Pfeifen geöffnet. Die geringe Zahl der Pfeifen erlaubt nur einfache, einstimmige Melodien.
Ihren Namen bekam die Vogelorgel, weil sie Vogelstimmen imitiert, aber auch, weil eingesperrten Singvögeln damit durch wiederholtes Vorspielen Melodien beigebracht werden sollten. Neben den Vogelimitationen erklangen auf den Vogelorgeln bekannte Volksliedchen, quasi als gepfiffene Gassenhauer.

Mozarts »Vogl Stahrl« soll übrigens das Finalthema des Klavierkonzerts KV 453 gepfiffen haben. Mozart schrieb sich dazu auf: »Das war schön . . .« Auf der hier einliegenden Walze sind folgende Stücke gesetzt: 1. ein Wiener Walzer, 2. ein Ländler, 3. Aria, Heil unserm König, 4. ein Post Ländler, 5. ein halb Walzer, 6. ein Ländler. M. K.

3.4.15 Drehorgel

Hans Leitner, München, 2. Drittel 19. Jahrhundert; bez.: Hans Leitner Orgelbauer Maisach 165 b/München, Nußbaumgehäuse mit aufklappbarem Deckel, Schauseitenfüllung mit geschnitzter Miniaturdarstellung eines klassizistischen Orgelprospekts. 2 aufgesetzte Messingornamente. Messingbeschläge zur Verstärkung der als Standfüße ausgearbeiteten unteren Gehäuseecken. Kurbel, Clavisbalkenhebemechanik, Walzenachse und Verschiebearretierung aus Eisen, Schneckengetriebe aus Hartholz. Walze mit Messingdraht bestiftet. 20 im Bodenteil untergebrachte flötenartige Pfeifen aus Nadel- und Obstholz mit den Tonhöhen g^0, c^1, d^1, e^1, f^1, fis^1, g^1, a^1, h^1, c^2, d^2, e^2, f^2, fis^2, g^2, a^2, h^2, c^3, d^3, e^3; 42 × 40 ×24; MStM

Die Drehorgeln waren hauptsächlich Freiluftinstrumente, da die Drehorgelspieler in den Städten umherziehend ihrem Broterwerb nachgingen. Die Instrumente mußten leicht und trotzdem stabil gebaut sein, da sie einerseits leicht zu tragen, andererseits für den Dauereinsatz geeignet und gegen die Unbilden der Witterung geschützt sein sollten. Zu Beginn des 19. Jahrhunderts wurden Drehorgeln aber auch im Haus zu Tanzveranstaltungen eingesetzt.
20 Hebelchen tasten die Harmonien von der sich drehenden Walze ab. Verschieden lange Töne erhält man dadurch, daß man außer einzelnen Stiften für kurze Töne unterschiedlich lange »Brücken« oder »Klammern« in die Walze einschlägt. Die Melodie ist nach einer Umdrehung zu Ende, will man ein neues Stück zu Gehör bringen, muß man die Walze nach Anheben des Clavisbalkens geringfügig seitlich verschieben.
Die Musikstücke der Walze dieses Instruments: Donauwellen Walzer, Ländler, Hollandmeidchen Walzer, Ländler, Holzhacker Marsch, Schwarzwaldmädel. M.K.

3.4.14

3.4.16

3.4.12

3.4.16 »Das Duett, Le Duo, The Duett« *

Verlag Eduard Gustav May in Frankfurt/M.,
Frankfurt, um 1848–50, bez.u.l.: 1908; u.r.:
Druck, Verlag u. Eigenthum v. Ed. Gust. May
in Frankfurt a.M.; Lithographie, koloriert mit
Gummiüberzug, 32,5 × 43,8, Slg. Böhmer

Wirtshausszene mit musizierendem Paar; sie
singt und spielt auf der Gitarre, er begleitet sie
dazu auf der Querflöte, im Hintergrund eifrig
diskutierende Zecher mit teilweise grotesk ver-
zerrten Gesichtszügen. Die vordergründig
harmlos-komische Idylle beinhaltet eine versteckte Satire auf die Zustände im »politischen«
Frankfurt während der Sitzungen des Frankfurter Parlaments in der Paulskirche 1848/49.
Zwei Kutscher streiten mit den Peitschen fuch-
telnd mit einem Abgeordneten mit Kokarde am
langen Röhrenzylinder. Ein zweiter gleich gekleideter Volksvertreter wird gerade vom Wirt
zum Verlassen der Gaststube aufgefordert. Die
wahllos an die Wirtshauswände genagelten
Zettel mit Reklamen und Annoncen sind in
deutscher und in englischer Sprache abgefaßt.
Eine Austernreklame ist mit der Figur einer
Tänzerin geschmückt, deren Haltung an eine
Karikatur auf Lola Montez erinnert (vgl.
Kat.Nr. 12.3.22), auf einem anderen Zettel ist
aus dem Frankfurter Kunstverein ein »Gunst-
Verein« geworden. In Anspielung auf die laute
Auseinandersetzung steht unter dem Blatt der
spöttische Spruch: »Wo man singt, da laß Dich
ruhig nieder/Böse Menschen haben keine Lie-
der.« U.L.

3.4.17 Zirkustruppe auf der Reise **

Heinrich Bürkel (Primasens 1802 – 1869 Mün-
chen), München, um 1840, Öl/Lwd, 28 × 37,5,
München, Privatbesitz

Ein italienischer Wanderzirkus mit Kamel, Bären, Wasserbüffel und Rhesusaffen zieht aus
Bayern über eine Alpenstraße nach Italien zurück. Die Landschaft im Hintergrund erinnert
an den Chiemgau.
Eine quadratische Variante, 1835 datiert, mit
geänderter Landschaftsdarstellung befand sich
im Münchner Kunsthandel.

4.2.3.1

4.1 Die Bürger und ihr Hausbesitz

Residenzen, Adelspaläste, Klöster – wenn man den Reiseberichten des frühen 19. Jahrhunderts Glauben schenken will, prägten nur sie das Bild der bayerischen Metropole. Der bürgerliche Hausbesitz scheint in die Nebengassen oder Vorstädte verbannt gewesen zu sein. Bis 1802, als auch in München die Klöster aufgelassen und der Klosterbesitz verstaatlicht und verkauft wurde, war allein ein Viertel bis ein Fünftel des Münchner Grundbesitzes in geistlicher Hand gewesen (Schattenhofer, 1984, 165). Manche Klostergebäude wurden abgerissen, andere umfunktioniert, wie das Beispiel der Augustinerbrauerei zeigt. Nicht vergessen darf man den großen Anteil von Gebäuden, die dem Königshaus gehörten und fast ein Viertel der Grundfläche der Altstadt einnahmen. Da ist zuerst die Residenz mit ihren weitläufigen Baulichkeiten, dann die großflächige Maxburg, das Areal des Alten Hofes mit Münze, Hofpfisterei und Hofbräuhaus, das Herzog-Wilhelmpalais, das säkularisierte Jesuitenkloster mit St. Michael und etwas außerhalb das Prinz-Karl-Palais und das Clemens-Schlössel mit weitflächigen Gartenanlagen.

Bereits am Ende des 18. Jahrhunderts dehnte sich die Stadt flächenmäßig immer weiter aus; zunächst 1791, dann 1795, als man mit der Entfestigung der Stadt begann; Stadttore und -mauern fielen und nur das Sendlinger-, das Isar- und das Karlstor die Stadterweiterung überstanden. Die planmäßige Anlage neuer Straßen jenseits der ehemaligen Stadtgrenzen hatte schon unter Kurfürst Karl Theodor (1794 Bebauung des Rondells vor dem Karlstor und des Schönfelds) offensichtlich an den Bedürfnissen der Bürger vorbeigeführt – trotz des Versprechens der Steuerbefreiung fanden sich kaum Bauinteressenten. Nicht besser erging es ein Vierteljahrhundert später König Ludwig I. mit seiner Ludwigstraße (Schattenhofer, 1984, 62ff.). Der Münchner Wohnungsmarkt der ersten Hälfte des 19. Jahrhunderts war zwar nicht gesättigt, doch lagen die Baupreise und Mieten in den neu angelegten Stadtvierteln offensichtlich für die meisten »Zugezogenen« oder jungen Familien zu hoch. Sie zogen lieber in die Au, nach Giesing, Haidhausen oder in die angestammten Straßenviertel der Gewerbeleute und Taglöhner. Noch nach dem Adreßbuch von 1835 lassen sich dabei in manchen Straßen auffällige Berufshäufungen feststellen, wie etwa an der oberen und unteren Angerstraße, wo besonders viele Metzger ein eigenes Heim besaßen (198f.).

Nach dem gleichen Adreßbuch lassen sich 2787 private Hausbesitzer ermitteln; Gemeinschaftsbesitz, wie Versammlungslokale oder Herbergen der Gewerbevereine ist dabei nicht berücksichtigt. Besonders häufig tauchen in der nach der alphabetischen Reihenfolge der Straßennamen geordneten Liste die Namen der Adelsfamilie von Preysing und der Bierbrauerfamilie Pschorr auf. Eine stichprobenartige Untersuchung der Titel oder Berufsbezeichnungen widerlegt jedoch die Annahme, daß sich eine größere Häuserzahl in der Hand des Adels befand. Die Gewerbetreibenden sind eindeutig in der Überzahl. Dominierend erscheinen dabei die Wirte und Milchmänner, beides Berufe, die sehr oft in München vorkamen und in der Regel ein eigenes Haus voraussetzten. Das gleiche gilt für die Bierbrauer, Wäscher, Schlossermeister, Kaufleute, Zimmermeister, Metzger, Gärtner und Bäckermeister, die ebenfalls besonders häufig in der Liste der Hausbesitzer zu finden sind. Im Gegensatz zu den städtischen verfügten mehr staatliche Beamte über ein eigenes Heim. Gleichauf mit dem Adel liegt die Zahl der bürgerlichen Privatiers. Beachtlich erscheint der Anteil der Frauen, vor allem der Witwen, für die der Hausbesitz wohl zugleich die Altersversorgung darstellte. Hin und wieder fanden sich unter den Münchner Hausbesitzern auch einige Gesellen und Gehilfen, meistens allerdings mit dem Zusatz »und Consorten«, hier teilten sich also mehrere Personen den Besitz eines Anwesens, das nach dem damaligen Sprachgebrauch dann als »Herberge« bezeichnet wurde (vgl. S. 242, Sternstraße).

Natürlich unterschieden sich die Häuser nach Größe, Ausstattung und Zustand. Einen sehr guten Einblick in die Wertverteilung im Münchner Hausbesitz bietet das um 1820 angelegte Heberegister für steuerpflichtige Münchner (StadtAM, Steueramt 468). Grund- und Hausbesitz sind hier getrennt aufgeführt und es wird auch der geschätzte Wert der Gebäude angegeben. An der Spitze steht der königliche Advokat Jakob (Hausbesitz im Wert von 161000 Gulden), gefolgt von dem königlichen Geheimen Rat Josef August Thöning (120400), dem Händler Straßeburger (82997), dem Hofbankier Anton Elias Seligmann (52833), den Bankiers Nocker und Dall'Armi (44000), dem Geheimen Referandär und Unternehmer Joseph Anton Utzschneider (39000) und Landesdirektionsrat von Krempelhuber (24734) – zum Vergleich: Der Maurermeister Ignatz Rauch besaß ein Haus im Wert von 170 Gulden und zahlte dafür 34 Kreuzer Steuern, von dem Taglöhner Johann Schmid verlangte der Fiskus zehn Kreuzer für einen Haubesitz im Wert von 50 Gulden. Bei dem Letztgenannten handelt es sich vielleicht um einen Herbergsteilhaber, dem also nur ein gewisser Anteil an einem Haus zuzuordnen ist.

Nach den Steuerlisten von 1831 (StadtAM 589) entrichteten die meisten Grund- und Haussteuern der königliche Baurat Ulrich Himbsel (336,39 Gulden), der Bäcker Joseph Huber (259,15), der königliche Kämmerer Ludwig Graf von Arco (245,36), Elisabetha Strohammer (188), der Oberstkämmerer Karl Graf von Rechberg (162,56), der Kaufmann Ludwig Negreoli (155), der Eisenhändler Franz Glonner (132,9), der Großhändler Heinrich Sigmund Edler von Karsdorf (125,4), der Handelsmann Franz Xaver Eder (122,16), Schneidermeister Gerner (119,55), Seifensieder Peter Mair (116,58) und Proviantbäcker Joseph Zenger (115,14). Joseph Pschorr zahlte für drei Häuser in der Sendlingerstraße 108,27 Gulden im Jahr.

Diese Grund- und Haussteuer, die auch unbebauten Grundbesitz erfaßte, machte den Hauptanteil an den Einnahmen aus direkten Steuern aus (Wilhelm Volkert, Handbuch der bayerischen Ämter, Gemeinden und Gerichte 1799–1980, München 1983).　U.L.

4.1.1 »München 1835«, Stadtplan in 15 Blättern

Lithographien, teilweise koloriert; M II/23, 1-14

Mit roter Farbe sind auf diesem Plan sämtliche Neubauten und etliche Projekte von Georg Friedrich Ziebland eingetragen. Die meisten Neubauten befinden sich auf königlichem oder staatlichem Areal, nur wenige Bürgerhäuser sind in Rot gekennzeichnet.

Der Plan erstreckt sich im Norden bis zum Dorf Schwabing, im Westen bis zur Theresienwiese und darüber hinaus, im Süden bis Obersendling, bzw. Untergiesing und im Osten bis Haidhausen. U.L.

4.1.2 »Plan über die Verbreitung der Cholera in der Koenigl: Haupt und Residenz Stadt München 1836/37«

Carl Heinrich Wenng (Nördlingen 1787–1854 Stuttgart), München, 1837, bez. u.l.: Gez. und gest. v. C. Wenng in München, Steingravierung, 73 × 84,8, Lit.: MK Proebst, München 1968, 165, Nr. 1562; Krehnke 1937, 26ff.; P 1562

Die Geißel der Biedermeierzeit, die Cholera, breitete sich seit 1817 von Indien ausgehend in mehreren Wellen bis nach Europa aus. 1836/37 erreichte die Seuche von Italien kommend München. Der erste Erkrankungsfall ereignete sich am 12.8.1836 in der Ludwigs-Vorstadt, weitere vereinzelte Cholerafälle traten bis Ende Oktober auf. Am 23.11.1836 erreichte die Krankheit ihren ersten Höhepunkt mit 59 Erkrankungen und 26 Todesfällen. Nach einer weiteren kurzen Krise im Januar wurde die Epidemie im Februar endlich schwächer und schließlich ganz eingedämmt.

Der Plan bietet den Versuch einer wissenschaftlichen Erhebung über die Verteilung der Krankheits- und Todesfälle in den verschiedenen Vierteln der Altstadt (Anger, Graggenauer, Hacken, Kreuz) und der fünf Vorstädte (Isar, Ludwigs, Max, Schönfeld und St. Anna). Besonders gefährdet waren offenbar die Altstadtbewohner zwischen Neuhauser-, Kaufinger- und Sendlingerstraße. Gefährdet waren auch die Wirtshausgegenden und öffentliche große Wohnstätten, wie z.B. die Kasernen. Eine kleine Tabelle in der unteren linken Planecke bietet eine Übersicht über die Zahl der Todesfälle in den einzelnen Krisenwochen zwischen Oktober und Januar. U.L.

4.1.3 Modell des ehemaligen Donislanwesens mit Einrichtung im Biedermeierstil

wohl um 1900, bez. rückwärtig in Blei: unhygienische Zustände, Holz, Gips bemalt, verschiedene Materialien, 131 × 173 × 52, MStM

Bei dem Objekt könnte es sich um ein Demonstrationsmodell für Bau- oder Gewerbeschüler handeln. Die Einrichtung der Zimmer ist nur sehr spärlich angedeutet. In erster Linie werden hier die ungesunden und »unhygienischen

Zustände« des Abort- und Abwassersystems verdeutlicht.

Seit dem Auftreten der vermehrten Cholerafälle in Europa, vor allem in Ost- und Westpreußen zwischen 1826–1831, erhärtete sich unter den Medizinern der Verdacht, daß die Cholera nur in einem ganz bestimmten Milieu epidemisch werden konnte. Der hygienische Standort der Wohnungen, gesunde, von Kanalisationsdämpfen freie Luft und sauberes Wasser schienen die besten Voraussetzungen zur Abwehr der Krankheit zu bieten. Diese Erkenntnis setzte sich allerdings nur langsam durch und war bei den damaligen Wohn- und Kanalisationsverhältnissen kaum in die Praxis umzusetzen. Erst unter dem Einfluß Max von Pettenkofers, der seit 1847 als Professor der medizinischen Chemie an der Münchner Universität wirkte und nach der zweiten Choleraepidemie in München 1854 grundlegende wissenschaftliche Untersuchungen veröffentlichte, erhielt die Stadt ein geschlossenes Kanalisationsnetz und es wurden im privaten Wohnungsbau Maßnahmen zur Verbesserung der hygienischen Zustände ergriffen. U.L.

4.1.4 Gedenkblatt auf die Beendigung der Choleraepidemie in München 1836/37 und die Wiederkehr der Gesundheit * Abb. S. 86

Gall Renb., Starnberg, 1837, bez. u.r.: pinx. Gall Renb. in Starnberg, Aquarell und Gouache, 47,5 × 32,5; Z (C 14) 1855

In ovalem Feld der Genius der Gesundheit mit Räuchergefäß und Rosenstrauß, daneben: »Stand-Quartier in Bayern«. Zusammen mit dem Gegenstück (Kat.Nr. 4.1.7) handelt es sich hier wohl um persönliche Erinnerungsstücke eines genesenen Choleraopfers. In dem Blatt mit dem Untertitel »Convalescentia« werden die gesunde Luft (»Ventilationes, purgatio Aeris«), die Hilfe Gottes (Dei protectio) und die Maßnahmen der königlichen Regierung als Lebensretter gepriesen.

Adolph von Schaden lobte in seinen »Rückblicken«, 1838, den selbstlosen Einsatz der Ärzte, Privatleute und des Königs:

»In allen Stadtvierteln und Vorstädten sind eigene Amtslokale ausgemittelt worden, in welchen stets Choleraärzte, der an sie zu machenden Anforderungen um Hülfeleistung gewärtig, harren.

Zu deren leichtern Auffindung sind jene Amtslokale zur Nachtzeit von Außen durch rothe Laternen erleuchtet, deren ungewöhnlicher Glutschein aus weiter Ferne schon auffällt. Es haben diese rothe Laternen vor wenigen Wochen noch dazu gedient, beim Oktoberfeste auf der Theresienwiese den Lustwandlern zur Nachtzeit die Pfade anzudeuten, wo sie von Pferden und Wagen nicht gefährdet werden konnten. Vorerst waren diese rothen Laternen Signale der Lust und des Vergnügens, nun der Trauer und der Noth. Heute roth und Morgen todt, dieses ist das Schicksal der Menschen und jenes – der Laternen.

Uebrigens ist die prophilaktische Methode, ungemein zweckmäßig, viel weiter noch ausgedehnt worden, als auf die angegebenen Fälle. Nicht nur, daß in München nimmermehr von jenen unsinnigen Absperrungen die Rede gewesen, ging die Regierung sehr zeitig mit weiser Offenheit zu Werke. Der gebildete Theil des Publikums wurde über die Natur der Krankheit, und die Art, wie ihr zu begegnen, belehrt; für die geringern Klassen der Bevölkerung wurden wahrhaft väterliche Fürsorgen getroffen. In allen Gegenden der Stadt sind in bezeichneten Häusern zu allen Stunden im Tage kräftige Suppen, die Portion für einen Kreuzer, zu erhalten; Unbemittelten werden diese Suppen unentgeldlich gereicht. Eigene Kommissionen besuchten noch vor dem eigentlichen Ausbruche der Epidemie die Wohnungen der Armuth und die Gemächer des Jammer und Elendes. In solchen Wohnungen wurde nicht nur sogleich die höchste Reinlichkeit hergestellt, sondern deren Bewohner wurden neu und warm gekleidet, erhielten Leibwäsche, wollene Decken und Anweisungen auf Holz und Nahrung. Bei allen diesen Maßregeln trat durchaus keine kleinliche Sparsamkeit ein, und der wohlhabende Theil der Bevölkerung wetteifert noch immer, zum Besten der Armuth auf dem Rathhause ansehnliche Summen und große Vorräthe von Kleidung und Wäsche zu deponiren.

In diesen weisen und außerordentlichen Anstrengungen bleibt der Genius des königlichen Ludwigs unverkennbar und von ihm allein gingen die ersten großartigen und heilbringenden Ideen der so ungemein zweckmäßigen prophilaktischen Methode, in der Art der Anwendung für hießigen Platz aus. Täglich durchwandert der erhabene Monarch im schlichten Ueberrocke und ohne alle Begleitung die Straßen der Stadtviertel und Vorstädte; begegnen dem Könige zuweilen arme ausgehungerte oder dürftig gekleidete Kinder, führt der Landesvater die Kleinen selbst in seine Burg, läßt ihnen dort warme und kräftige Suppen reichen und entläßt sie nicht eher, als bis sie vom Kopf bis zum Fuße mit neuer und warmer Kleidung versehen worden sind. Daß landesväterliche Fürsorge solcher Art den Volksenthusiasmus für König und Vaterland zur höchsten Potenz steigert und steigern muß, ist wohl kaum zu bemerken nothwendig.«

Aus: Adolph von Schaden, Sentimentale und humoristische Rückblicke auf mein viel bewegtes Leben, Leipzig 1838. U.L.

4.1.5 Gedenkblatt auf die Beendigung der Choleraepedemie in München 1836/37 * Abb. S. 86

Gall Renb., Starnberg, 1837; Aquarell und Gouache, 48 × 32,5; Z (C 14) 1854

Gegenstück zu Kat.Nr. 4.1.4 mit dem Untertitel »Cholera morbus«. In dem ovalen Mittelfeld wird ihr »Abmarsch aus Bayern« dargestellt. Die Sanduhr des Todesengels ist abgelaufen, er verläßt mit der schwarzen Frau auf dem

Nacken im Licht des Unglückssterns (»stella fatalis«) das Land. Ein »Pro Memoria« erläutert die Geschichte der Seuche:
»Im Jahr 1836 herrschte in München die asiatische Brechruhr. Vom 16. 8ber bis 21. Jäner 1837 sind hieran 1968 Menschen erkrankt. 901 gestorben, daß bei 4000 durch Prophylaxis gerettet worden. Gott bewahr jedes land vor dieser fürchterlichen Seuche, in Italien, wo sie her kam Dona nigra, die schwarze Frau genañt.«

Im Gegensatz zu den vielen Kupferstichen, Hungersemmeln und volkstümlichen Collagen auf die Hungersnot 1816/17 sind Erinnerungsstücke an die Choleraepidemie sehr selten.

U.L.

4.1.6 Zettel des K. Hof- u. Nationaltheaters. »Großes/ Instrumental u. Vokalkonzert/ von Herrn/ Ritter Nicolo Paganini . . .«

München, 21. November 1829, Typendruck in Holzschnittbordüre, 37,4 × 27,5; MII/442

4.1.7 Hausbriefkasten

bez. XIc/12a: Rückseite: Speditionsetikett »Nymphenburg«, Fichte, mit weiß-blauem Rautenmuster bemalt, 46 × 35 × 25; XIc/12, a-b

4.1.8 Straßenlaterne

um 1830, Blech, 70 × 30 × 30; K 85/4

Mit dem Sonnenuntergange des zweiten Tages erreichte ich das Ziel meiner Reise, die große Hauptstadt, welche mit ihren Steinmassen und großen Baumgruppen auf einer weiten Ebene sich dehnte. Meinen verhüllten Totenkopf in der Hand, suchte ich bald das notierte Wirtshaus und durchwanderte so einen guten Teil der Stadt. Da glühten im letzten Abendscheine griechische Giebelfelder und gotische Türme; Säulenreihen tauchten ihre geschmückten Häupter noch in den Rosenglanz, helle gegossene Erzbilder, funkelneu, schimmerten aus dem Helldunkel der Dämmerung, wie wenn sie noch das warme Tageslicht von sich gäben, indessen bemalte offene Hallen schon durch Laternenlicht erleuchtet waren und von geputzten Leuten begangen wurden. Steinbilder ragten in langen Reihen von hohen Zinnen in die dunkelblaue Luft, Paläste, Theater, Kirchen bildeten große Gesamtbilder in allen möglichen Bauarten, neu und glänzend, und wechselten mit dunklen Massen geschwärzter Kuppeln und Dächer der Rats- und Bürgerhäuser. Aus Kirchen und mächtigen Schenkhäusern erscholl Musik, Geläute, Orgel- und Harfenspiel; aus mystisch-verzierten Kapellentüren drangen Weihrauchwolken auf die Gasse; schöne und fratzenhafte Künstlergestalten gingen scharenweise vorüber, Studenten in verschnürten Röcken und silbergestickten Mützen kamen daher, gepanzerte Reiter mit glänzenden Stahlhelmen ritten gemächlich und stolz auf ihre Nachtwache, während Kurtisanen mit blanken Schultern nach erhellten Tanzsälen zogen, von denen Pauken und Trompeten herübertönten. Alte dicke Weiber verbeugten sich vor dünnen schwarzen Priestern, die zahlreich umhergingen; in offenen Hausfluren dagegen saßen wohlgenährte Bürger hinter gebratenen jungen Gänsen und mächtigen Krügen; Wagen mit Mohren und Jägern fuhren vorbei, kurz, ich hatte genug zu sehen, wohin ich kam, und wurde darüber so müde, daß ich froh war, als ich endlich in dem mir angewiesenen Zimmer des Gasthofes Mantel und Totenkopf ablegen konnte.

Gottfried Keller, Der grüne Heinrich, (1854), Bd. 3, Kap. 10

4.2 »Das Ende eines Familienfests« – Wohnkultur im Biedermeier

Aus seinen Beständen zeigt das Stadtmuseum klassizistische und neubarocke Möbel, die in der ersten Hälfte des 19. Jahrhunderts entstanden. Sie sind in einer Zimmerfolge nach Art eines Appartements aufgestellt. Die Räume haben folgende Funktionen: Vorraum mit einer Dienstbotenkammer, erstes Vorzimmer, zweites Vorzimmer oder Eßzimmer, Musiksalon, Herrenkabinett, Salon, Damenschlafzimmer mit Ankleidezimmer, Damensalon mit Kinderzimmer. Der Charakter der Räume wird in der Möblierung ausgedrückt, die den Zweck der einzelnen Möbel zu berücksichtigen sucht. Eine solch reich möblierte Wohnung war außerhalb der finanziellen Möglichkeiten eines Bürgers und war mit ihrem Anspruch und Wert nur in den höchsten Gesellschaftsklassen zu finden. Die Ausstattungsstücke stammen aus den verschiedensten historischen Zusammenhängen und die Zusammenstellung bleibt fiktiv. Der Großteil der Möbelstücke aus der frühen Zeit von 1800 bis 1830 stammt aus dem Besitz der bayerischen Könige und ihren Residenzen in Bayern und Franken, was bei jedem Stück offengelegt wird. 1935 konnten die Möbel vom Stadtmuseum auf dem Tauschwege erworben werden und wurden lange als »bürgerliche« Möbel in der Wohnkultur gezeigt. Erst für die Zeit nach 1830 verfügt das Stadtmuseum über spätere Möbelstücke, die aus bürgerlichen Nachlässen stammen. Dieser Befund ist charakteristisch und es läßt sich belegen, daß »Biedermeier«-Möbel bereits zwischen 1805 und 1815 in großer Zahl für den bayerischen Hof entstanden. Wie weit das »Biedermeier« vom Ursprung her ein bürgerlicher Stil ist, wird damit in Frage gestellt. Wie in einer wirklichen Wohnung kommen hier ältere und neuere Möbel nebeneinander vor. Die Kombinationen sind, wie es auch ursprünglich war, oft nicht stilrein. Die alten Möbel stehen in den Vorräumen und Nebenzimmern, spätere Möbel nach der neuesten Mode in den Haupträumen und Kabinetten.

Die Stilentwicklung der Zeit von 1805 auf etwa 1850 reicht von schlichten geradlinigen Formen des Klassizismus bis hin zu gewölben und gedrechselten Möbeln, die in einer Spätphase von 1835 an mit Ornamentmotiven des Neubarock bereichert und überfrachtet werden. Die ganze Spannweite des stilistischen Wandels in der ersten Jahrhunderthälfte wird mit dem Begriff Biedermeier umrissen, wobei zwischen den Anfängen und der Endphase des »Spätbiedermeier« kaum vergleichbare Motive existieren. Viele der Möbel konnten aufgrund von Archivalien wesentlich früher als bisher üblich datiert werden.

In der Ausstattung wird versucht, die reiche Überlieferung an Einrichtungsstücken und Kunstobjekten im Zusammenhang mit der Raumeinrichtung zu zeigen. Mit Kostümen aus der Biedermeierzeit und Arrangements von Tafelgerät und Utensilien wird beabsichtigt, möglichst eine authentische Atmosphäre zu erwecken und den Zustand einer Zimmerflucht beim Ende eines Familienfestes nachzustellen. Die Illusion einer überreichen Feiertagsidylle entspricht zwar unseren Vorstellungen vom Biedermeier, hält aber mit einzelnen einer kritischen Überprüfung nicht stand; demnach erfordern die Objekte, die für eine Gesamtdekoration und für einen Gebrauchszusammenhang konzipiert und gestaltet sind, eine Annäherung an die Raumgestaltung der Epoche, welche wohl eine bessere Folie für das einzelne Stück abgeben kann, als der weiße Sockel und die weiße Wand.   H. O.

4.2.1 Entrée

4.2.1.1 Tisch

Süddeutschland, Fichte massiv, geschnitzt, grün, braun und gold gefaßt, 81 × 96 × 62, M 71/203

Der frühklassizistische Tisch steht auf Klotzfüßen. Eine umlaufende Fußleiste verbindet die nach unten verjüngten kannelierten Beine, die am Ansatz mit Triglyphen geziert sind. Die Zarge umläuft eine verkröpfte Randleiste und eine Breitseite ist mit einer Schublade versehen. Die originale Oberfläche hat eine Fassung in grün mit braunen und goldenen Partien. Solche Möbel wurden in München auf der Straße verkauft.

»Diese aus Feuchtenholz verfertigten, und mit Oehlfarbe, Blumen, und geistlichen Gegenständen angemalten Möbeln werden in Tölz von 7 Kistlermeistern verfertigt, und alle Quatember, so wie zu jeder Dultzeit auf Flößen auf der Isaar bis hieher gebracht, sofort von der Lende auf die Achse in die Stadt geführt. Sie sind meistens die Möbels der Bauern in hiesiger Gegend, der Domestiquen, und geringern Bewohner in der Stadt. – Eine solche 2 schläfrige Bettstatt kostet zum Beyspiel 5 fl., ein Stuhl 20 kr., eine Truhe 2 fl., – ein Schemmel 8 – 12 kr. – ein Tisch 12 kr., dann ein Kommod= und Kleiderkasten 2 – 3 – 5 fl.« (Anton Baumgartner, Münchner Polizey=Uebersicht, München 1805: 15. Juni 1805.) H.O.

4.2.1.2 Zwei Stühle

Süddeutschland, um 1805, Fichte massiv, geschnitzt, grün, braun und gold gefaßt, 85/50 × 46 × 34, M 71/ 202,1-2

Der ungepolsterte Stuhl gehört mit dem Tisch zu einer Garnitur und zeigt die gleichen antikischen Formen, die 1755–1775 in Paris als »goût grec« entwickelt wurden, in Süddeutschland aber noch um 1800 und bis 1810 gebräuchlich waren (vgl. Kat.Nr. 5.2.7). Die verjüngten Beine haben weite Kanneluren und geschnitzte Schuhe. Die Zarge ist nach unten gestuft und profiliert. Zwischen den beiden gestuften Querleisten der Lehne wird ein geschlitztes Mittelstück eingespannt. Auf den Ecken des eingetieften Lehnenrahmens sitzen geschnitzte Rosetten, die gelb gefaßt sind, da solche Appliken auf Metallformen zurückgehen. Der Stuhl folgt nur in der äußeren Form den um 40 Jahre älteren Mahagonistühlen mit feuervergoldeten Bronzebeschlägen, die ehemals im Bereich der Hofkunst entstanden. In billigem Fichtenholz wird das Vorbild des Luxusmöbels formal umgesetzt, die kostbaren Materialien bleiben ausgespart. H.O.

4.2.1.3 Zwei Spiegelblaken

München, um 1800, bez.: P. 75/539, Obstbaumfurnier, dunkel gebeizt, auf Kiefer, 49 × 38,5; 35/2136-37

Der rechteckige Rahmen mit den abgesetzten Ecken gehört noch dem Zopfstil an. Die Rosettenappliken fehlen. Die beiden Blaken stammen aus dem ehemaligen Besitz des bayerischen Königshauses. Ihre Provenienz läßt sich nicht genauer bestimmen, da die alten Etiketten verloren sind. H.O.

4.2.1.4 Trumeauspiegel mit Reliefschmuck

um 1810, Mahagonifurnier mit schwarz gebeizten Leisten, auf weißem Fond Gipsrelief in verschiedenen Tönen vergoldet, Glasfelder blau hinterlegt mit Goldmalerei, 200 × 73; 30/1892

Die Dekorationssysteme des Spiegels stammen noch aus dem 18. Jahrhundert. Während der architektonische Rahmen mit den aufgesetzten Rosetten noch dem Zopfstil angehört, stammt die polychrome Dekoration mit den figürlichen Reliefs und Medaillons aus dem späteren, zwischen 1775 und 1790 in Frankreich verbreiteten Groteskenstil.
Entsprechend dargestellt sind antikische Opferszenen und Medaillons mit den Trophäen der Diana. Der Trumeauspiegel stammt aus dem Nachlaß der Königin Karoline aus dem Schloß Biederstein in Schwabing. 1930 wurde der Spiegel von dem Auktionshaus Hugo Helbing erworben. H.O.

4.2.1.5 Kleiderständer

München, um 1830, bez.: K. Schloß Nymphenburg, südl. Pavillion App. II Zi.No. 10, Inv.No. 1, Kirschbaum massiv, 182; 35/2241

4.2.2 Dienstbotenkammer

4.2.2.1 Zwei Brettstühle

süddeutsch, 1823, bez.: A H 1823, Fichte z.T. farbig gefaßt, 91 × 46, Sitz: 34 × 44, M 73/ 391,1-2

Der im 17. und 18. Jahrhundert entwickelte Stuhltyp wurde noch lange im 19. Jahrhundert gebraucht. Die Bemalung mit dem Motiv der drei Rosen, Monogramm und Jahreszahl bezieht sich also wohl auf die Entstehungszeit des Möbels. H.O.

4.2.2.2 Kindersitz

süddeutsch, frühes 19. Jahrhundert, Fichte massiv, dunkelgrün gestrichen, 28 × 26 × 44; 43/199

Solche am Boden stehenden Sitze wurden dazu gebraucht, um Kinder ruhig zu stellen. Sie kommen bereits auf niederländischen Gemälden des 17. Jahrhunderts vor. Das Kind saß auf einem niedrigen Sitzbrett. Die vordere Kante ist mit einem aufgedoppelten Wulst versehen. Das Griffloch wird geschweift hochgezogen. Rückenlehnen und Seitenbretter sind herzförmig ausgesägt, um so eine Handhabe zum Tragen des Sitzgestells zu geben. H.O.

4.2.2.3 Nachttisch

süddeutsch, um 1840, Fichte massiv mit Anstrich in Nußbaummaser-Art, 75 × 44 × 40, M 73/ 388,b

Die Oberfläche des einfachen Möbels mit Schublade und Tür zeigt den originalen Nußbaummaseranstrich, mit dem das Fichtenholz gefaßt wurde, um eine Ausführung in der wertvolleren Furniertechnik vorzutäuschen. Der Effekt wird durch einen lasierenden Anstrich mit übereinander liegenden Farbstrichen in verschiedenen Braun-Schwarztönen erzielt. Diese kunstvolle Oberflächenbehandlung wird heute systematisch vernichtet. Um das Fichtenholz freizulegen, beizt man die Farbschichten ab und meint ein originales Bauernmöbel zu erhalten. H.O.

4.2.2.4 Tisch

wohl München, um 1840, Fichte und Kiefer, Platte grün, Gestell braun gestrichen, 73 × 87 × 51; M 81/86

Das einfache Gebrauchsmöbel mit sich verjüngenden, leicht geschweiften Vierkantbeinen und einer der Zarge vorgelegten Front ist noch original gefaßt. Der grüne Anstrich der Platte erinnert an einen Leder- oder Chintzüberzug, der rotbraune Anstrich des Gestells soll Mahagoni oder Nußbaum imitieren (als Prototyp vgl. Kat.Nr. 4.2.2.3). Der Griffknauf ist als Pflock aus Holz geschnitzt. H.O.

4.2.3 Vorzimmer

4.2.3.1 Kleiderschrank *

Süddeutschland, um 1805-10, Nußbaumfurnier auf Fichte, Einlagen Ahorn, Zwetschge, Birnbaum, einseitig furnierte Brettüren mit Stirnleisten in Buche, 204 × 165 × 67; M 71/48

Großer zweitüriger Schrank auf kantig verjüngten Füßen, Kranzgesims und aufgesetztem, profilierten Sockelrahmen. In die eingeschnittenen Eckschrägen sind Halbsäulen gesetzt mit Wulstbasis und Blattkapitell. Vor jeder Tür ein unteres verblendetes Feld zwischen Profilleisten (Sturz und Sohlbank). Darin befinden sich mit schwarzer Farbe gemalt Erzengel über den Wolken mit Gesetzestafeln. Darüber steht jeweils ein Hochrechteckfeld mit Sternmarketerie in gemalter Rollbandfassung; Formen geometrischen Trompe l'œils, die noch dem späten

18. Jahrhundert angehören. Der Täuschungseffekt soll noch durch drei aufgemalte Stubenfliegen und eine Raupe auf dem Rollband intensiviert werden. Profile, Leisten und Halbsäulen sind schwarz gebeizt, um den plastischen Charakter des Möbels zu betonen. Der Giebel wurde mit klassizistischen Rankenmotiven um eine zentrale Deckelvase bemalt.

Die Komposition des Schrankes verarbeitet verschiedenste Vorbilder und Anregungen sowohl in stilistischer als auch in technischer Hinsicht, die aus dem späten 18. Jahrhundert herrühren. Eine Ordnung der vielfältigen Motive gelingt durch die monumentale Gestaltung des Fassadenschrankes. Ein zweites, sehr ähnliches Exemplar wurde 1981 im Münchner Kunsthandel angeboten und befindet sich heute in Privatbesitz. Hier sind die Türen auch innen furniert und bemalt, die Insekten allerdings fehlen. H.O.

4.2.3.2 Sitzgarnitur aus Schloß Eichstätt (Sofabank und sechs Stühle)

um 1820, bez. Etiketten Sofa: P.E. Palais d'Eichstaedt, Chambre Nr. 20 No.7/P.E., Palais de E., Chambre Nr.4, Residenzmuseum München F.V. Abt. III, Raum Depot Garnituren AA 186; Etiketten Stühle: s.o., sowie K. Schloß Nürnberg Appart.: Hauptbau, Zimmer Nr. 15 Pr. Z., Inventar No. 13; Mahagonifurnier auf Ahorn, Intarsien Zwetschgenholz teilweise geschwärzt; Bezug: Kattun mit blaugrünem Rapport (um 1840–50); Sofabank: 90/ 43 × 155 × 55; Stühle: 88/47 × 44,5 × 42; Lit.: vgl. Himmelheber 1983, Abb. 348: Entwurfsblatt für Stuhllehnen G. A. Pohle Wien 1806, 35/2208 und 2203-7

Die alten Klebezettel auf der Sitzgarnitur belegen deren Geschichte. Sie wurde für das säkularisierte fürstbischöfliche Palais in Eichstätt geschaffen, das 1803 an Bayern gefallen war. Das Palais kam kurz nach 1816 an den Schwiegersohn des bayerischen Königs Prinz Eugéne de Beauharnais, den exilierten Stiefsohn Kaiser Napoleons, der den Titel eines Herzogs von Leuchtenberg und das Gebiet von Eichstätt erhielt. Er richtete sich in den Barockräumen mit klassizistischen Möbeln neu ein, die wohl in Franken gefertigt wurden. Die Räume waren, wie es einem Sommerschloß zukam, einfach ausgestattet. Zeitgenössische Skizzen im Besitz S.M. des Königs von Schweden stellen den spartanischen Einrichtungsstil dar. Die reich intarsierten Mahagonimöbel unserer Garnitur haben in diesem Kontext eine besondere Rolle gespielt. Die originelle, eigene Form der Rückenlehne bei den Stühlen kann für Wien 1806 nachgewiesen werden. Ähnliche ebenfalls intarsierte Schmuckmotive kommen an Mainzer Möbeln vor (vgl. Zinnkann 1985, Abb. 45), ohne daß weitere Hinweise für eine Lokalisierung nach Mainz sprechen. Das Münchner Stadtmuseum besitzt eine weitere Sitzgarnitur und eine Ankleidezimmergarnitur aus Schloß Eichstätt.

Nach dem Tod Eugéne de Beauharnais' 1824 fiel die Ausstattung des Schlosses an die bayerische Krone. Die Möbel wurden nach Nürnberg geschafft und standen dort in der Burg, bevor sie über ein Depot der Münchner Residenz 1935 auf dem Tauschwege ins Münchner Stadtmuseum kamen. H.O.

4.2.3.3 Kleiner Schreibtisch

süddeutsch, um 1805, Kirschbaumfurnier auf Mahagoni rot gebeizt, Blindholz: Kiefer, Messingappliken, grüner Wachstuchbezug, 76 × 69 × 43; M 73/413

Stark verjüngte Vierkantbeine mit Schuh und abgesetztem Würfel unter der Zarge. Diese ist in ganzer Breite mit einer innen vierfach geteilten Schublade versehen. Die überstehende Platte ist mit einem dunkelgrünen originalen Wachstuch bezogen, die Kanten sind mit einer durchbrochenen Messingleiste eingefaßt. Messingbeschläge in Palmettenform finden sich auch auf den Ecken und als Schild am Knauf der Schublade. Girlanden auf der seitlichen Zarge sind verloren. Während der Grundtyp des imitierten Mahagonimöbels noch aus den 80er Jahren des 18. Jahrhunderts stammt, zeigen die Appliken schon Einfluß des »Style Empire«. In Inventaren oft erwähnt, aber selten erhalten sind solche Chintzüberzüge, die einen teuren Lederbezug ersetzen sollen. H.O.

4.2.3.4 Trumeautisch mit Spiegel ✳

wohl Mainz, um 1820, Mahagoni furniert und massiv, teilweise geschwärzt, Ölbemalung und vergoldeter Stuck, 81 × 87 × 41, Lit.: vgl. Zinnkann 1985, 66/3458 und 3457

Trumeauspiegel und verspiegelte Konsoltische sind dazu bestimmt, vor einem Fensterpfeiler zu stehen. Sie setzen so die helle verglaste Fensterfront fort und vermehren das Licht im Raum durch die Reflexion des Lüsters in der Raummitte.

Das vergoldete Stuckrelief oben über der Spiegelfläche zeigt eine Szene aus dem griechischen Mythos von Amor und Psyche. Die eigentümliche Verzierung der Zarge des Konsoltisches kann mit Mainzer Arbeiten verglichen werden, die sich z.T. noch im Schloß Aschaffenburg befinden, das 1816 möbliert wurde. Diese Ornamenttechnik zeichnet sich durch die hellen stilisierten Blattfriese aus, die auf schwarzem Grund stehen (vgl. Tische und Kommoden bei Zinnkann 1985, Abb. 126, 127, 203, 204). Das anspruchsvolle Möbel zeichnet sich durch Mahagonifurnier und vergoldete Profile aus. H.O.

4.2.3.5 Spucknapf mit Klappmechanismus

um 1810, Nußbaum furniert und massiv auf Fichte, 96, Kasten: 29 × 29; M 71/207

4.2.3.4

4.2.4 Zweites Vorzimmer oder Speisesaal

4.2.4.1 Vierschübige Kommode aus der Münchner Residenz

wohl fränkisch, um 1815, bez. schwarze Ölfarbe: A. VIII.7; weiße Ölfarbe: A VIII 7. 121; Etikette: Königl. Residenz München Appart. VIII Zimmer No. 7 Inv. No. 13, Residenzmuseum München F. V. Abt III Raum : Dep. Lit. F A 94, L 472, Kirschbaumfurnier auf Kiefer, Einlagen Kirschbaummaserfurnier, Innenkonstruktion Fichte, Profile und Säulen Birnbaum, schwarz gebeizt, 94 × 130 × 65, Lit.: vgl. Himmelheber 1984, Abb. 400, – 1987, Abb. 124, 35/2240

Die Kommode mit vier Schubladen hat durch die schwarzgebeizten Gliederungsmotive eine intensive plastische Wirkung. Die drei unteren

4.2.4.2

Schubladen mit sichtbarem Laufrahmen, der nach vorne mit gerundeten und geschwärzten Leisten abschließt. Seitlich freistehende toskanische Säulen, die den vorgekragten oberen Schubladenteil scheinbar stützen. Überstehende Deckplatte mit angeschrägtem Rand in Wurzelmaser über geschwärzter Karniesleiste. Die vier Schlüsselschilde sind intarsiert. Das Furnier ist vertikal spiegelsymmetrisch über die ganze Front gezogen. Auf der Platte verläuft das Furnier quer dazu. Bereits um 1855 stand das Möbel in den »Gelben Zimmern« der Residenz. Es kann aber wohl nicht als Münchner Arbeit angesehen werden, da alle Charakteristika, wie schwarzgebeizte Teile kombiniert mit Wurzelmaser oder querfurnierte Platte, für die Herkunft aus einem der fränkischen Königsschlösser sprechen. H.O.

4.2.4.2 Sitzgarnitur (Bank, zwei Sessel, sechs Stühle) *

um 1810, bez. schwarze Ölfarbe: 2318; schwarze Schablonenziffern: 1698; Etikette: Kgl. Schloß Nymphenburg, Knaben – Küchen – Marstallbau, Zimmer No. 18, Inventar No. 4 (bzw. 5, 6–12) Residenzmuseum in München. Depot Garnituren A 199, Kirschbaum massiv und furniert, Baumwolldamast; Polsterbank: 95,5/45 × 167 × 62; Armlehnstühle: 95/47 × 58,5 × 50; Polsterstühle: 92/46 × 46,5 × 44,5; 35/2217-2221 und 35/2265-2268

Vierkantige nach unten verjüngte und leicht ausschwingende Beine. Die hinteren gehen in

die leicht geschweiften Stützen der Rückenlehnen über. Den rechteckigen Lehnenrahmen füllt Gitterwerk, das aus Halbkreisen und Viertelkreisen gebildet wird. Die Stäbe der Halbkreise berühren sich in einer Mittelscheibe. Das Lehnenmotiv ist von englischen Anregungen, den »lattice-back chairs« um 1800 geprägt. Halbkreise, die sich in einer Scheibe kreuzen, kommen etwa bei Thomas Hope um 1807 vor (Household Furniture and Interior Decoration, 375). Auch hier wird das Lehnenmotiv mit dem Grundtyp des griechischen Klismos, einem Stuhl also mit nach außen geschwungenen Beinen und gekurvter Rückenlehne, verbunden. Man versuchte damit, einen nur in der antiken Vasenmalerei überlieferten Möbeltyp nachzugestalten. Da die Inventaretiketten erst aus Schloß Nymphenburg im späten 19. Jahrhundert stammen, ist eine Zuordnung zu einem historischen Bestand nur schwer möglich. Die massive Verarbeitung von Kirschbaumholz ist bei gesicherten Münchner Möbeln sonst nicht üblich. H.O.

4.2.4.3 Runder Tisch auf Balusterfuß

süddeutsch, um 1815, Kirschbaumfurnier auf Fichte, Sternintarsie und Einlage auf der Kante Ebenholz, 78; ⌀ 140; M 71/146

Über die Provenienz des ungewöhnlich großen Tisches ist nichts weiter bekannt. Das Furnier der Platte geht von dem dunkel intarsierten Stern aus und setzt das geometrische Muster

mit seinen acht Spitzen im Maserungsbild des Kirschbaumfurniers fort. Die Ecken der überkragenden Kante sind mit Stäben aus Ebenholz versehen. Die achteckige Sockelplatte und der polygonale Balusterschaft sind auf den Rapport der Tischplatte bezogen. H.O.

4.2.4.4 Konsoltisch, – Anrichte aus Schloß Eichstätt

fränkisch, um 1820, bez. mit Etikett: P.E.D. de L. Residence d'Eichstätt Hotel No.4 Chambre No.9, 1 Et., K. Schloß Bamberg App. III Zimmer Nr. 7 Inventur Nr. 19. Klg. Schloß Bamberg Lit. c No. 125, Residenzmuseum München F.V. Abt. III Depot Lit. E M 44, L 405, Kirschbaumfurnier auf Kiefer, Säulen aus Kirschbaum massiv, teilweise geschwärzt, Marmorplatte, 87 × 155 × 70, Lit.: Hermann, 1965, Abb. 48–9; 35/2190

Der große Konsoltisch wurde eigens für eine bestimmte Mauernische oder Fensternische geschaffen, wie die unregelmäßigen Konturen der Seitenabschlüsse verraten.

Konsoltische mit Marmorplatte brauchte man üblicherweise zum Anrichten und Vorbereiten von Speisen im Eßzimmer von großen Häusern und Schlössern. Die Marmorplatte schützte dabei die Oberfläche vor Hitze und Nässe. Die alten Inventaretiketten erschließen die Geschichte des Anrichttisches; er kam von Eichstätt, der Residenz Eugéne de Beauharnais', Herzog von Leuchtenberg bis 1824, nach

Schloß Bamberg, das zeitweise von König Otto von Griechenland bewohnt wurde, und schließlich nach 1918 über die Münchner Residenz ins Stadtmuseum. H.O.

4.2.4.5 Etagere *

fränkisch, um 1816–24, bez. schwarze Ölfarbe: N. 102; Etikette: K. Schloß Würzburg Appart. L Zimmer Nr. 6 Inventar Nr. 6, Würzburg Schloß Inventar 1288, Residenzmuseum München F. V. III Depot Lit. 50, Kirschbaumfurnier auf Eiche und Fichte, Füße Kirschbaum massiv, 107; ⌀ 60; 35/2193

Der polygonale sechseckige Mittelschaft trägt übereinander drei runde Tabletts mit leicht hochgezogenem Rand, deren Durchmesser jeweils nach oben hin abnimmt. Der Pfosten wird von drei ausschwingenden Beinen getragen. Das Beistellmöbel, in England als »dumb waiter« im 18. Jahrhundert entwickelt – »a usefull piece of furniture, to serve in some respects in the place of a waiter, whence it is so named« (Sheraton 1803, 203) –, wurde später als Jardinière mißverstanden, mit Untersetzern ausgerüstet und über Jahrzehnte zusammen mit den Pflanzen gegossen, was eine umfangreiche Restaurierung nötig machte. Das Möbel stammt aus dem Schloß Würzburg und ist der Ausstattungsphase zuzuordnen, als Kronprinz Ludwig von 1816 bis 1824 mit seiner Familie das 1. OG im Südtrakt des fürstbischöflichen Schlosses bewohnte. Solche Möbel gehörten zu der Ausstattung eines Speisezimmers mit privatem Charakter und wurden wie auch ein Regal mit Eckpfosten »Etagère« genannt (vgl. z.B. Katalog Knussmann, um 1830). H.O.

4.2.4.5

4.2.4.6 Jardiniere *

Süddeutschland, um 1810, bez. Etikett: Baldeplatz 1, Kirschbaum massiv, Kirschbaumfurnier auf Kiefer, Messinggitter, 89 × 64 × 54; 58/839

4.2.4.7 Konsoltisch

Süddeutschland, um 1820, Kirschbaumfurnier auf Kiefer, Profile geschwärzt, Messingbeschläge, 87 × 69 × 39, Lit.: Himmelheber 1974, Abb. 34; Himmelheber 1987, 100; Bahns 1979, Abb. 55; 48/102

Das in der Literatur häufig abgebildete Möbel stammt aus einem Fürstenfeldbrucker Künstlernachlaß. Die Füße unter der Sockelplatte sind erneuert. Die Schweifung der diagonalgestellten Volutenbeine ist so gehalten, daß es möglich war, die Biegungen mit Furnier zu überziehen. H.O.

4.2.4.8 Trumeauspiegel, hochrechteckig in Plattenrahmen mit getrockneten Pflanzen

Süddeutschland, um 1820–30, Rahmen: Nußbaum, Spiegelglas neu, 127 × 64,5; XIc/110

Einfacher, flacher Rahmen mit 4 erhabenen, quadratischen, schwarz eingefärbten Eckplatten. An den Spiegel oben und unten 2 angesetzte, mit Holzleisten gerahmte und verglaste breite Felder mit Dekor: auf grauem Grund aufgeklebte, getrocknete Blumen, Gräser, Blätter und Schmetterlinge. H.O.

4.2.5 Küche

4.2.5.1 Küchenmöbel (Schrank mit Aufsatz, Kommode, Anrichte, Abstelltisch, Truhenbank, Hacklotz, Tellerbord, Trittleiterstuhl, Hocker)

wohl München, um 1850, Fichte massiv, Arbeitsplatte Ahorn, grauer Ölanstrich, M 71/135-147

Die einfachen Küchenmöbel verschiedener Herkunft und Machart sind durch einen grauen Anstrich zu einer scheinbar einheitlichen Garnitur zusammengefaßt. Die meisten Möbel haben unter der grauen Farbe noch einen älteren grünen, dunkelgrün maserierten Farbauftrag. Laut alten Etiketten befanden sich diese Küchenmöbel einmal in dem Haushalt Gewürzmühlstraße 17, 3. Stock im Lehel. (Vergleiche zum Typ der Möbel, zur Datierung und zur Aufstellung Kat.Nr. 4.5.27, II m. Farbabb.) H.O.

4.2.5.2 Tellerbord mit Vitrinenaufsatz

um 1800, Fichte massiv, hellgrün gestrichen, ehemals dunkel gebeizt, 67 × 41 × 14; M 71/188

4.2.5.3 Bemalter Tellerrahmen

19. Jh., Fichte, 67 × 99; 59/380

4.2.4.6

4.2.5.4 Faßgestell

19. Jahrhundert, Buche gebeizt und massiv, 64 × 67 × 51; M 72/312

4.2.6 Musiksalon

4.2.6.1 Salongarnitur aus der Eremitage in Bayreuth (Kanapee, sechs Stühle, Tisch) *

Schmid, wohl Mainz, 1835, bez. mit Blei auf Stuhl 35/2186: Schmid 1835 i.V.; auf Stühlen und Tisch mit schwarzer Ölfarbe: Er. 18.; mit grünem Stempel: S.B.; Etikett: K. Schloß Eremitage App. Sonnentempel rechts, Zimmer Nr. 6 Inventar Nr. 4–6, Residenzmuseum München F.V. Abt. III Depot B. A 138; auf Kanapee Etikette: K. Schloß Bayreuth II Etage Zimmer Nr. 2 Inventar Nr. 7, K. Schloß Bayreuth I Etage Zimmer Nr. 11 Inventar 7, Kgl. Schloß Bayreuth Lit.A. Nr. 35, Residenzmuseum München F.V. Abt. III Depot Garnitur A 183a; Kirschbaumfurnier auf Kiefer, Kirschbaum massiv geschnitzt, erneuerter Bezug; Kanapee: 97/57 × 170 × 57; Stühle: 90/45 × 48 × 42; Tisch: 80; ⌀ 118; Lit.: Hermann, 1965, Abb. 48–49; Bohns 1979, Abb. 25; 35/2182–9

Die Garnitur wird durch die aus dem Brett herausgearbeiteten geschweiften Formen charakterisiert, die auf der Fläche und auf den Kanten mit einem lebhaft gemaserten hellgelben Kirschbaumfurnier überzogen wurden. Wie Appliken sind geschnitzte Massivholzteile auf- oder eingesetzt, die als gondronierte Fächerformen wie Garbe, Palmette oder Federn gestaltet sind. Die Stühle mit halbrundem ge-

4.2.6.1

4.2.7 Herrenkabinett

4.2.7.1 Schreibschrank – ein Münchner Meisterstück **

Jakob Reichelmair, München, 1815, bez. mit Kreide: Gelbe Zimmer; mit schwarzer Ölfarbe: A XII.8.104; mit Etiketten: Königl. Residenz München App. VIII, Zimmer 4 Inv.Nr. 23, Kgl. Schloß Bayreuth; überklebt mit: Residenzmuseum München FV Abt III Dep. Lit. c. A 47, Schloß Bayreuth Appart. 1 Et. Damfl. Zimmer Nr. 9 Inv.Nr. 8, Kirschbaum massiv, Erlenwurzelmaserfurnier auf Fichte, Schubladen: Thujamaserfurnier auf Ahorn, 183/143 × 95 × 48; 35/2165

Das Schreibmöbel steht auf vier Klauenfüßen. Über einer umlaufenden Maserholzleiste befindet sich ein zweitüriger Schrankunterteil, der von zwei Pfosten flankiert wird, welche im oberen Teil schwarz gebeizte Säulen tragen. Sie fassen die abklappbare Schreibplatte ein, die ein rundbogiges Mittelfach zwischen korinthischen Säulen und flankierenden Schubladenreihen verbirgt. Die Rückwand des Mittelfaches ist verspiegelt, der Boden parkettiert und auf den gebeizten Seitenwänden sind Türen eingezeichnet. Die Schubladenfronten sind mit Wurzelmaserfurnier überzogen. Der Architrav hat eine an der Front durchgehende Schublade und schließt nach oben mit schwarz gebeizten dünnen Stabprofilen und einem ausschwingenden Karniesprofil. Der Aufbau darüber besteht aus drei Treppenstufen mit Maserfurnier sowie einem oberen Abschluß mit einer S-förmig geschwungenen Kontur und einem liegenden bayerischen Löwen als Aufsatzfigur.

Einer Nachricht von 1815 im »Anzeiger für Kunst- und Gewerbefleiß« (1. Jg. 1815, 70) zufolge stellte der Münchner Kistler Jakob Reichelmair sein nach den Zunftvorschriften erstelltes Meisterstück, einen »Schreibkasten«, im Zellerschen Möbelmagazin aus, wo das Möbelstück von König Max I. Joseph besichtigt und gekauft wird. Die Rechnung in den Akten der Rechnungskammer (HSTA, 134, 7071, 17.7.1815) erlaubt die zweifelsfreie Identifizierung des beschriebenen Möbels mit dem Schreibschrank im Münchner Stadtmuseum: ». . . gefertigt von Kirschb. und Maser mit bronzierten und vergoldeten Löwenklauen u. solchen Kapitälen a. d. Seiten d. Schreibklappe, und oben liegt ein Löwe, ebenfalls bronziert. Unter der Schreibklappe sind 2 Türchen und ober derselben eine Schublade angebracht. Der Einsatz hat an jeder Seite 4 kleine Schubladen zwischen welchen sich ein Portal nach der korinthischen Ordnung befindet oben und unten sind zwey Schubläden nach der ganzen Breite. Übrigens ist der ganze Einsatz mit Maser furniert und grün gebeizt und poliert.« Reichelmair verlangt 30 Louis d'or und erhält 330 Gulden vom König für sein Meisterstück, das zuerst in den Gelben Zimmern, einem Erdgeschoßappartement in der Münchner Residenz, aufgestellt wird. Später kommt das Schreibmöbel in das Schloß nach Bayreuth, das nur gelegentlich von der bayerischen Königsfamilie be-

polstertem Sitz zeigen die Grundformen des »Chaise en gondole«, bei dem die Streben der Rückenlehne halbrund von den Seiten vorne nach hinten empor geführt sind. Das Kanapee hat als Grundmotive gegeneinandergeführte Voluten als Füße und Seitenwangen. Die Linienführung mit gegeneinandergesetzten S-Kurven wiederholt sich am Rahmenabschluß der Rückenlehne. Die Tischplatte hat einen originalen frühen Ausziehmechanismus über einem oktogonalen Balusterschaft. Wie die Gesellensignatur auf einem Stuhl nahelegt, entstand diese Salongarnitur im Jahr 1835. Die Formen entsprechen der neuesten Entwicklung der Mainzer Schreinerkunst. Im gedruckten Katalog der Firma Bembé von 1836 findet sich unter Rubrik »Besseres Wohnzimmer« als Nummer 9 ein Stuhlmodell, das dem Bayreuther Stuhl entspricht. Kanapee und Sofa lassen sich in dem umfangreichen Angebotskatalog nicht nachweisen (Zinnkann 1985, 264 und 263–5; vgl. auch Ausführung 59). Ähnliche

4.2.6.1

Formen tauchen aber bei weiterer Mainzer Arbeiten der 30er Jahre auf (s.o. 91, 97, 98). Lieferungen an den bayerischen Hof lassen sich auch an einem signierten Konsoltisch von dem Mainzer Möbelfabrikanten Kimbel in Schloß Nymphenburg nachweisen.

In Bayreuth war die Garnitur auf zwei Schlösser verteilt. Tisch und Stühle standen in der Eremitage, das zugehörige Kanapee im Schloß. Nach 1918 kam die Garnitur im Münchner Residenzdepot dann wieder zusammen.

4.2.6.2 Ofenschirm mit Bildnis eines Griechen

um 1835, Nußbaum massiv und furniert, Blindholz Eiche und Kiefer, Wollstickerei, Seidenschnüre und -quasten, 150 × 90 × 50/9; 30/1887

Das Bildfeld des Ofenschirms zeigt in Wollstickerei einen Mann in prächtiger griechischer Tracht vor den Säulen eines dorischen Tempels, ein Gefährte im Hintergrund hält die wartenden Pferde. Wahrscheinlich ist damit König Otto von Griechenland gemeint. Das Rahmengestell besteht aus Balustersäulen über vier geschweiften Füßen mit einem akroterbekrönten Giebel. Es besteht große Ähnlichkeit zu dem Kanapee der Garnitur 35/2182-9 aus Wittelsbacher Besitz, das wohl auf Mainz lokalisiert werden kann (vgl. Kat.Nr. 4.2.6.1). Der Ofenschirm wurde 1930 von Dr. Ernst von Bassermann-Jordan erworben, der griechischer Generalkonsul war.

4.2.6.3 Notenpult aus gedrechselten Stäben

um 1850, bez. blauer Stift: Franz Brumby, München, Isabellastr. 6/II, Buche und Linde auf Nußbaum gebeizt massiv, 90; M 73/405

4.2.6.4 Spucknapf

um 1810, Kirschbaumfurnier auf Fichte, Füße Palisander, Kästchenoberkante Zwetschge, 7,4/7,5 × 31,8 × 30; 35/2246

Rechteckiges, schrägwandiges Kästchen mit eingelegtem Deckel, der sich beim Niederdrücken eines in einen Vierkantstab eingelassenen Stabes mit Vierkantknauf öffnet.

4.2.7.1

wohnt wird, und nach Aufhebung der Monarchie 1918 in ein Depot der Münchner Residenz, bevor es 1935 dem Münchner Stadtmuseum übereignet wird. Hier wurde der Schreibschrank dann irreführend in der »Münchner Wohnkultur« als bürgerliches Möbel präsentiert und spät datiert. H.O.

4.2.7.2 Vitrine

wohl norddeutsch, um 1830, bez. Etikett: Gustav u. Klara Ziegler Albrechtstraße 51/II, Nußbaum, furniert auf Kiefer, Stellbretter: Ahornfurnier, Verglasung; 148 × 102 × 52; 59/263

Das architektonisch konzipierte Möbel wird über einen durchgezogenen Sockel von toskanischen Säulen flankiert, die scheinbar das Kranzgesims tragen. Eine solche Gestaltungsweise findet sich an gesicherten norddeutschen Möbeln. H.O.

4.2.7.3 Etagere ** Abb. S. 124

Anton Bembé (Mainz 1799–1861 Mainz), Mainz, 1836, Nußbaumwurzelfurnier, Nußbaum massiv, Blindholz: Eiche, 146 × 72 × 52, Lit.: Zinnkann 1985, 264 »Speisezimmer« 8; 69/880

Über einem umlaufenden Sockel und einem Sockelkasten mit Tür ragen vier gondronierte Balustersäulen auf, die mit Gesimsleisten untereinander verbunden sind. Die Säulen werden mit Akroteren bekrönt, das Gesims mit à jour gearbeiteten gegenständigen Voluten, die in einem Palmettenmotiv zusammenstoßen. Die Rückwand des dreiseitig offenen Möbels ist verspiegelt. Auf den Füllungen der vorderen Gesimsleiste und der Tür im Sockel sind als Appliken Palmetten- und Rosettenmotive aufgesetzt. Das Möbel findet sich im Angebotskatalog der Firma Anton Bembé vom Jahre 1836 und wird dort alternativ in den vier »kanoni-

4.2.7.6

schen« Holzarten des Biedermeier angeboten, nämlich in Nuß- oder Kirsch-, Mahagoni- oder Ahornholz. Die Verarbeitung auf Eiche, sowie das ausgesuchte Nußmaserholz, das bei Mainzer Arbeiten öfters begegnet, sprechen dafür, daß es sich hier nicht um eine Kopie, sondern um eine Arbeit der Firma Bembé selbst handelt. Im Vergleich mit dem Angebotskatalog finden sich bei der Ausführung einige Änderungen, drei statt zwei Tabellare, und eine andere Gestaltung der Fronten zwischen den Balustersäulen. H.O.

4.2.7.4 Pfeifenhängevitrine

wohl Mainz, um 1835, Kirschbaum furniert und massiv, 95 × 62 × 12; M 73/383

Der Pfeifenschrank zeigt einige Motive, wie die gondronierten Ecksäulen und darauf gesetzten Schaftringen und die an der Basis und an den Kapitellen herumgezogenen Bänder, welche für eine enge Verwandtschaft mit der Etagère von Bembé aus Mainz sprechen. Die Papiertapete ist eine zweite oder dritte Überklebung, aber wohl noch ein Stück des 19. Jahrhunderts.

4.2.7.5 Patentsekretär ** Abb. S. 117

wohl norddeutsch, um 1830, Mahagoni massiv und furniert auf Eiche, Rückwand innen: Riegelahorn, Schubladen: Mahagoni mit Ahornadern auf Linde, 115/60 × 60 × 10, Lit.: vgl. Himmelheber 1983, 425; Himmelheber 1987, 224; Brahms 1979, 77ff.; 33/622

Das Möbel diente in geschlossenem Zustand als Ofenschirm, geöffnet als Schreibmöbel. Die Erfindung des platzsparenden Patentsekretärs geht auf die englische Entwicklung des »Screen Writing Table« zurück, die von Thomas Sheraton, The Cabinet-Maker's London Book of Prices London 1788, Abb. 15, zuerst publiziert wurde. Die Typen variieren. Der Berliner Schreiner Adolph Friedrich Vogt versuchte, sich den Sekretär als eigene Erfindung patentieren zu lassen. Für eine relativ späte Entstehung des Möbels im Stadtmuseum spricht der maschinengeschnittene Eierstab, der als Profil das Mittelfeld rahmt. Die Verwendung von Eiche als Blindholz, das Innenfurnier aus Satinholz spricht für den norddeutschen Ursprung des Schreibmöbels. H.O.

4.2.7.6 Spieltisch zum Aufklappen **

nach einem Modell von Wilhelm Kimbel (1786–1869), Mainz, um 1837/9, Nußbaummaserfurnier auf Kiefer, Nußbaum massiv, Innenausbau Eiche, Filzplatte, 77 × 43 × 86, Lit.: Zinnkann 1985, Abb. 19, 145, 253; M 71/224

Über vier geschweiften und diagonal gestellten Voluten beinen steht ein sechskantiger Flaschenbaluster als Mittelstütze für die aufklappbare und verschiebbare Tischplatte, die im Inneren mit einer runden Filzplatte eingelegt ist. Die Zarge der Längsseiten wird durch gegeneinandergestellte Voluten gebildet, die in einem runden Medaillon zusammenstoßen. Einen sehr genau entsprechenden Typ veröffentlichte der Mainzer Unternehmer Kimbel in seinem »Journal für Möbelschreiner« 2. J. 1837/39 Blatt 8. Eine ähnliche Ausführung in Mahagoni befindet sich in Mainzer Privatbesitz. H.O.

4.2.7.7 Schreibtischsessel der Herzogin Amalie Auguste von Leuchtenberg *

wohl fränkisch, um 1820, bez. Etikett: S.../ Duch...n/ Princes... Baviere, K. Schloß Regensburg App. HR I. Et. Zimmer Nr. 11 Inventar No. 21, Residenzmuseum F.V.III Dept. Lit. A II 158, Mahagonifurnier auf Kirschbaum, Saffianleder mit Goldprägung, vergoldete Nägel, 69/43 × 54 × 52; 35/2140

Der Polstersessel hat eine halbrund nach hinten geschlossene Zarge und Rückenlehne, mit aufgepolsterten Armlehnen. Die hinteren Beine sind geschweift, die vorderen als Säulen ausgebildet, welche die Armlehnen tragen. Wesentliches Schmuckelement sind die Reihen der Nagelköpfe, die den Lederbezug am Gestell befestigen. Nach Ausweis des alten Etiketts stammt das Möbel aus dem Besitz einer bayerischen Prinzessin, die zugleich Herzogin war. Das trifft nur auf Amalie Auguste, Prinzessin von Bayern zu, die auch Herzogin von Leuchtenberg war. Ihr Haushalt wurde von Franzosen geführt und verwaltet, was die Verwendung der sonst in Schloßinventaren nicht üblichen französischen Sprache erklärt. Es ist zu vermuten, daß auch dieses Möbelstück aus Schloß Eichstätt stammt und dann, wie auch die anderen Möbel dieser Provenienz, in eine andere bayerische Residenz kam (vgl. Kat.Nr. 4.2.3.2). H.O.

4.2.7.8 Drei Polsterstühle

um 1810, Kirschbaum furniert und massiv, Blindholz Eiche, Bezug roter und grüner Seidentaft, 45/90 × 48,5 × 42; 69/875, 1–3

Kantige, nach unten verjüngte, leicht ausschwingende Beine; die Hinterbeine gehen in die geschweifte, oben eingerollte Stütze der Rückenlehne über. Gerade Zarge mit umlaufender Randleiste. Rechteckiger Lehnenrahmen mit breitem Querbrett und vorgeblendeter, liegender Raute. Die Querleisten und Querstäbe der Rückenlehne sind profiliert. H.O.

4.2.7.9 Spucknapf mit Druckmechanismus

süddeutsch, um 1815, Kirschbaum massiv auf Fichtenboden, 81,5 × 29 × 24, MStM

4.2.7.7

4.2.8 Salon

4.2.8.1 Große Salongarnitur aus Schloß Biederstein *, **

um 1820, bez. Brandstempel: HME unter Herzogskrone; Etikett: Lit. E. Nr. 2, Kastenmöbel: Mahagoni furniert und massiv, Gegenfurnier Rüster, Blindholz Fichte, Marmorplatte; Sitzmöbel: Mahagoni furniert und massiv, Blindholz Buche, feuervergoldete Beschläge, blauer Samt mit vielfarbigem Druckdekor. Etageren: 156 × 90 × 54; zwei Kommoden: 92 × 122 × 64; Schubladenschrank: 152 × 90 × 48; Schreibtisch: 76,5 × 145,5 × 69; Kanapee: 99/46 × 180 × 52; zwei Sessel: 97,5/47 × 62 × 54; fünf Gondolstühle: 85,5/49 × 49,5 × 44; Lit.: vgl. Ledoux-Lebard 1984, 19, 340, 606, 627, 634; Dombarth, Schwabing 1967, Abb. 105; Sitzgarnitur 30/1875–92, Kastenmöbel 30/1887–88

Völlig in sich geschlossene Garnituren mit gleichem Furnier und in gleicher Art gestaltet gehören im »Biedermeier« zu den ganz großen Seltenheiten, die als Anschaffung sich nur die wenigsten leisten konnten. Die Salongarnitur des Münchner Stadtmuseums stammt aus fürstlichem Besitz, wurde bei der Helbing Auktion 1930 aus Schloß Biederstein erworben und trägt als Besitzerstempel das HME des Herzogs Max Emanuel in Bayern, des jüngsten Sohns des Herzogs Max in Bayern (1849–1893), der mit Amalie von Sachsen-Coburg-Gotha (∞ 1875) verehelicht war. Die Garnitur war in einem der Räume von Biederstein aufgestellt und es ist nicht zu klären, ob

4.2.8.1

die Möbel aus dem Nachlaß der Königin Karoline stammen und sich seit langem im 1828–30 erbauten Neuen Schloß Biederstein befanden, oder aber erst später aus Coburger Besitz oder einem der anderen Schlösser der Herzöge in Bayern dorthin übertragen wurden. Die Möbel sind in Verarbeitung und Fasson stark von Frankreich abhängig und finden Parallelen im Œuvre Jacob-Desmalters und Werners, von dem überliefert ist, daß er für den bayerischen Hof lieferte. Besonders die Stühle »en gondole« mit dem in die Rückenlehne eingesetzten Schild haben große Ähnlichkeit mit Stühlen aus dem Besitz des Eugéne de Beauharnais mit seinem Monogramm EB im Besitz des Wittelsbacher Ausgleichsfonds, die aus dem Leuchtenberg Palais stammen, das 1820/21 von Werner eingerichtet wurde.

Weitere Vergleiche sind mit zwei Sitzgarnituren aus Mahagoni und Wurzelmaserholz möglich, die aus der Münchner Residenz stammen und heute in den Schlössern Berchtesgaden und Aschaffenburg stehen (AK WB III/2, 1186). Diese zeichnen sich durch eine ähnliche Konstruktion und Linienführung aus, nur daß statt des Motivs des Doppelbalusters und der Vase Schaftringe zum Schmuck der Beine und geschweifter Seitenlehnen gebraucht sind. Man

möchte bei den drei Sitzgarnituren den gleichen Ursprung annehmen, ohne daß es sich entscheiden läßt, ob es sich um französische Importstücke oder deutsche Kopien nach französischen Modellen handelt. Eine Möbelgarnitur aus Ahornholz in Schloß Ismaning, einem Sommerschloß der Herzöge von Leuchtenberg, weist ebenfalls den bemerkenswerten, farbig mit Blumenkränzen und -girlanden bedruckten Samtbezug auf, der noch aus der Entstehungszeit der Möbel stammt.

Sitzmöbel und Kastenmöbel sind durch gemeinsame Motive verbunden. Dazu gehören die Rahmung durch seitliche Säulenmotive, die feuervergoldeten Schlüssellochrahmungen sowie das einheitliche Furnier aus gelblichem geflammtem Mahagoni, das sich durch goldene Lichter auszeichnet und sonst in München nicht verarbeitet wurde.

Es besteht auch die Möglichkeit, daß es sich um Kopien nach französischen Möbeln handelt, ein Verfahren, das am Coburger Hof um 1820 nachgerade üblich war. Dazu bediente man sich einzelner originaler Modelle, die, nachdem sie als Vorlage gedient hatten, wieder zurückverkauft wurden. Eine Verbindung nach Coburg ist durch die Gemahlin Herzog Max Emanuels in Bayern gegeben, die aus der Dynastie

Sachsen-Coburg-Gotha stammt und sehr wohl solche Möbel als Heiratsgut mitgebracht haben könnte.   H.O.

4.2.8.2 Ofenschirm mit Blumenvase und Fasan **

München, um 1820, Kirschbaum furniert und massiv, Profile geschwärzt, Papier und Pappe mit Temperamalerei, 158 × 84 × 49; 30/1893

Der Ofenschirm ist auf hellblauem Grund farbkräftig mit Blumenbouquets in einer griechischen Vase und auf der anderen Seite mit einem Fasan zwischen Blütenständen bemalt und stammt wohl aus dem Nachlaß der Königin Karoline. Er wurde auf der Auktion Schloß Biederstein 1930 erworben.   H.O.

4.2.8.3 Nähtischchen aus Schloß Biederstein *

süddeutsch, Wien?, um 1810, Mahagoni furniert und massiv, Schubladen innen Zeder, Messingreif, Stoffmalerei unter Glas; 76; ⌀ 41; 30/1886

4.2.8.1

Das aufwendig aus massiven exotischen Hölzern gearbeitete Möbel stammt mit einiger Wahrscheinlichkeit aus dem Nachlaß der Königin Karoline. Durch seine Machart nimmt es eine Sonderrolle ein, die jede Zuordnung erschwert. H.O.

4.2.8.1

4.2.8.4 Spucknapf

um 1820, bez.: »A. IX. 6. 121.« in schwarzer Schrift Etikett: F.V. Abt. III Raum Depot 6, Nußbaumfurnier und massiv, Birnbaum, schwarz gebeizt, Boden Fichte, 13 × 43 × 26; 35/2295

Der Spucknapf stammt aus der Münchner Residenz. Der Blecheinsatz ist verloren.

4.2.8.5 Schrank in Form eines klassizistischen Kachelofens

süddeutsch, um 1830, Weichholz weiß und gold gefaßt, 161 × 101 × 77, München Privatbesitz

Um der Vorstellung der Symmetrie, die jedem Einrichtungskonzept zugrunde lag, zu genügen, wurden solche Möbel häufig als Pendant für ein formgleiches Gegenstück geschaffen; hier war das Gegenüber wohl ein wirklicher Ofen. H.O.

4.2.9 Damenschlafzimmer mit Garderobe

4.2.9.1 Schrank **

um 1820, Nußbaumfurnier und Kirschbaumfurnier; Blindholz: Fichte; Füße, Kanten, Leisten schwarz gebeizt, 198 × 124 × 47; M 71/145

Bei dem Schrank sind Rahmen und Füllungen mit verschiedenem Furnier gearbeitet. Für die Felder wählte man Nußbaumholz, dessen spiegelbildlich geordnete Furnierfelder zu einem symmetrischen Bild angeordnet sind, das einer aufsteigenden Flamme ähnelt. Die plastischen Teile wurden schwarz gebeizt, um die Tiefenwirkung des Möbels zu verstärken. H.O.

4.2.9.2 Chiffonière aus der Münchner Residenz *

München, um 1810–15, bez. schwarze Ölfarbe: 2922; ovales Etikett: 2922; Etikett: Wittelsbacher Palast Etage E Zimmer Nr. 178, Residenzmuseum München F.V. Abt. III Depot Lit. O X H. 5. Kirschbaum auf Fichte, Einlagen gebeizt, 151 × 87 × 43, Lit.: Ottomeyer (Hg.) 1979, Abb. 28, 35/2132

Ein hoher Pfeilerschrank mit sieben Schubladen wird im französischen auch Semainiere genannt, weil man die Wäsche für jeden Wochentag darin bereitlegen konnte. Doch darauf war der Nutzen des praktischen Möbeltyps nicht beschränkt, wie die Geschichte dieses einfachen Möbelstücks zeigt. Es ist zuerst im Salon der Prinzessin Mathilde in der Münchner Residenz bezeugt (vgl. Abb. 113). Auf einem minutiösen Aquarell, das Lorenzo Quaglio 1832 von diesem Raum fertigte (vgl. 113), er-

4.2.8.3

kennt man links im Vordergrund die Chiffonière des Stadtmuseums. Darauf stehen drei Körbchen und darüber hängt ein Mädchenporträt. Insgesamt ist der Raum mit Teilen älterer Garnituren möbliert, von denen kein Stück ursprünglich zu einem andern gehörte. Das Stadtmuseum besitzt noch ein weiteres Möbel aus diesem Raum (Kat.Nr. 4.2.9.3).
Ein Jahr nach dem Entstehen des Erinnerungsbildes heiratete Prinzessin Mathilde 1833 den Großherzog Ludwig von Hessen und bei Rhein, ihr Appartement im 2. Obergeschoß des Hofgartenhaus wurde aufgelöst und das Möbel kam nach Ausweis des Inventaretiketts in den 1848 vollendeten und dann provisorisch ausgestatteten Wittelsbacher Palais. H.O.

4.2.9.3 Chiffonière aus der Münchner Residenz *, Abb. S. 120

wohl München, um 1815, bez. schwarze Ölfarbe: 2498; Etikett: Schloß Nymphenburg, Nördlicher Pavillon, Zimmer Nr. 3 Inv.Nr. 8. Kirschbaumfurnier auf Fichte, Platte: Eschenmaser, Messingbeschläge, 90 × 81 × 41, Lit.: Hermann, 1965, 279; 35/2231

Die niedrige Kommode mit sechs Schubladen und vierkantigen spitz zulaufenden Füßen hat einen sichtbaren Laufrahmen und leicht gerundete Ecken. Die Front zeigt ein intensiv gema-

4.2.8.1

4.2.8.2

4.2.9.1

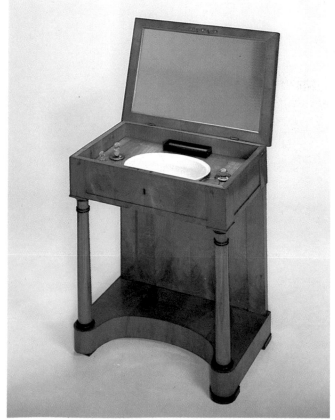

4.2.9.11

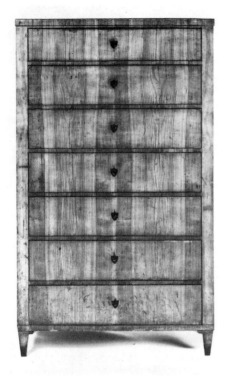

4.2.9.2

sertes welliges Furnierbild, das über die Schubladenfronten vertikal hinweggeführt ist. Die Deckplatte hat in ähnlicher Struktur das unruhige Wurzelmaserfurnier der »Blumenesche«. Das Möbelstück stammt aus demselben Raum wie die zuvor behandelte Chiffonière, nämlich dem kleinen Salon der Prinzessin Mathilde (vgl. Abb. S. 113), wo er 1832 durch eine Darstellung bezeugt wird. Später kam das Möbel in das Sommerschloß Nymphenburg.   H.O.

4.2.9.4 Bett

um 1815, Kirschbaum furniert und schwarz gebeizt, 100/40 × 107 × 230; 35/2242

Das Bettgestell ruht auf Kugelfüßen; die gleichhohen Wangen sind nach außen geschweift, um den Betthimmel offen zu halten. Dieser Möbeltyp, für Madame Récamier 1798 in aufwendiger Form wohl erstmals entwickelt, wurde seiner Ähnlichkeit mit einem Boot wegen »lit bateau« genannt und war die verbreitetste Bettenform während des Klassizismus. Das Möbel stammt aus der Münchner Residenz.   H.O.

4.2.9.5 Chaiselongue aus Schloß Nymphenburg *

München, 1810, bez. Etikett: Kgl. Schloß Nymphenburg, Kapellenbau Gardemeuble I Inv. 19, Kirschbaum massiv und furniert auf Ahorn, 101/42 × 170 × 77, Lit.: Behme 1928; 35/2237

»Chaiselongue« ist ein in Frankreich im späten 18. Jahrhundert entwickelter Begriff für das

ältere »Lit de jour« oder »day-bed«, einem gepolsterten Sessel mit verlängertem Fußteil, der im Schlafzimmer stand und am Tage zum Ruhen und Schlafen verwendet wurde, um das gemachte Bett nicht in Unordnung zu bringen. Seine Renaissance erlebte der Typ durch Sheraton und George Smith, die unter ihren publizierten Entwürfen auch diese Möbel abbilden. Die Chaiselongue aus Nymphenburg hat sechs kantige, nach unten dünner werdende und ausschwingende Beine, die an den Enden in die leicht ausgestellten Stützen der gepolsterten Rückenlehne und des gepolsterten Fußteils übergehen. Die Breite der hochaufgepolsterten Liegefläche wird zum Fußende hin schmaler. Die Armlehnen sind hoch an der Rückenlehne angesetzt und in einem S-Bogen zur Zarge hinuntergeführt. Der Bezug wurde erneuert.   H.O.

4.2.9.6 Vier Stühle aus der Nürnberger Burg

fränkisch, um 1810, Kirschbaum furniert und massiv, teilweise geschwärzt, Blindholz Kiefer, Messingrosetten, 48 × 45 × 40, Lit.: Hermann 1965, Abb. 279; 35/2172-6, 2278

Vierkantige, nach unten stark verjüngte geschweifte Beine; die hinteren gehen in die geschwungenen Stützen der Rückenlehne über. Die Rückenlehne ist gerundet. Zwischen dem gebogenen Kopfstück und der gebogenen Querleiste ist eine Scheibe mit Messingrosette zwischen zwei C-Bögen eingespannt. Das Mittelstück und die Abschlußleiste des Kopfstückes sind geschwärzt.   H.O.

4.2.9.7 Handarbeitstisch

wohl Franken, um 1810, bez. schwarze Ölfarbe: 50; Blei: Inventar Nr. 666 Zimmer 28 Oberstock; Etikett: K. Schloß Nürnberg Appart. Hauptbau, Zimmer Nr. 28, Part. Inv.Nr.

11, Residenzmuseum München F.V. Abt. III Raum Depot Lit. B M 128. Kirschbaumfurnier auf Fichte und Kiefer, teilweise geschwärzt, Schubladen Ahorn, 77 × 87 × 55; 35/2258

Vierkantig geschweifte Beine auf schwarzen Fußbrettchen sind untereinander durch hochgebogene Stege verbunden, die ein ovales Körbchen mit gestäbtem Rand und umlaufender Rahmenleiste tragen. Diese Teile sind geschwärzt. Die Tischplatte ist an den Ecken abgeschrägt und mit einer geschwärzten Randleiste versehen. In die Zarge mit Randleiste sind an den Seiten zwei Schubladen eingelassen. Das Möbel wurde aus einem älteren Wittelsbacher Bestand auf die Nürnberger Burg gebracht, bevor es in das Sammeldepot der Münchner Residenz und 1935 in das Münchner Stadtmuseum kam.   H.O.

4.2.9.8 Nähtischchen mit Wurzelmaser-Furnier

Haidhausen (München), 8.8.1844, bez.: Schublade außen: von Kistler in Haidhausen ent . . . . . . 8. August 1844 Jo Jochner; Schublade innen: Im Jahre 1844 aus Haidhausen; Schubladenrückseite: Jos. Jochner 1845 Dienerstr. bis 1888 Hausbesitzer; Nußbaum massiv, Thujamaser Furnier, Kirsch-Furnier, Nußbaum-Furnier auf Blindholz: Kiefer und Fichte, blauer Taft, 79,5 × 58; 86/38

Über geschwungenen, aus dem Brett geschnittenen drei Füßen ein sechseckiger Pfeiler mit Basis- und Abschlußprofil, welcher die Platte trägt; in Stärke der Zarge eine Schublade mit einem vorne aufklappbaren Nadelkissen; der untere Abschluß der Zarge mit einem doppelten Stab als Profil; der Rand der Deckplatte gerundet und wie die Platte mit Tujamaser furniert. Das Untergestell aus Nußbaum ist in Streifen schwarz bemalt, um das Spiel der Maserung zu verstärken.   H.O.

4.2.9.5

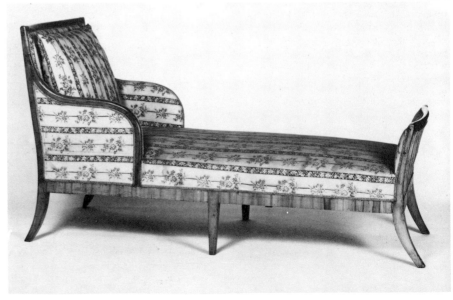

4.2.9.9 Einbeiniger Konsoltisch

Süddeutschland, um 1815, Kirschbaumfurnier auf Fichte, teilweise geschwärzt, Schablonenmalerei, 87 × 50 × 36,5; 48/103

4.2.9.10 Nachttisch aus der Residenz München

München, um 1810, bez. schwarze Ölfarbe: A. VIII. 10. 173; Etikett: Königl. Residenz München App. VI Zimmer Nr. 22 Inv.Nr. 13, Residenzmuseum München F.V. Abt. III Depot Lit. G. AA 90. Kirschbaumfurnier auf Fichte, Messingbeschläge; 82; ⌀ 39; 35/2244

Zylinder mit Türe, unten glatter Sockel und schwarz gebeiztes Rundprofil, oben umlaufende schwarz gebeizte Einfassung. Auf der Stellfläche ehemals ein rundes Metallplättchen, wohl zum Aufstellen des Nachtlichtes. Das Möbel stammt aus dem Appartement Prinz Karls.   H.O.

4.2.9.11 Waschtisch aus Schloß Aschaffenburg **

wohl Mainz, um 1815, bez. schwarze Ölfarbe: L.B. 124; Etikett: K. Schloß Aschaffenburg App. II Etage, Zimmer 114, Residenzmuseum München F.V. Abt. III Depot Lit. E.M. 45. Kirschbaum furniert und massiv, Blindholz Kiefer und Eiche, teilweise geschwärzt, 77 × 65 × 42; 35/2247

Der Waschtisch stammt aus der Einrichtung des alten kurfürstlich-Mainzer Schlosses für den bayerischen Kronprinzen, der zusammen mit seiner Gemahlin und den drei ersten Kindern im 2. Obergeschoß des Schlosses wohnte. Die Einrichtung von 1815 ist im Inventar von 1818 bezeugt und festgehalten. Das Möbel zeichnet sich durch die sorgfältige Verarbeitung aus, mit der die Effekte des Furniers kalkuliert sind. Zwischen der Rückwand und der Fläche der Sockelplatte sind scheinbare Spiegeleffekte vorgetäuscht und auf der Zarge werden Furnierpartien aus starken Ästen so gegeneinandergesetzt, daß sich Schmetterlingsmotive abzeichnen.   H.O.

4.2.9.12 Pfeilertisch mit Spiegelaufsatz

wohl München, um 1810, bez. Etikett: Residenzmuseum München, F.V. Ab. III, Raum: Depot Lit. D, M 12; Kirschbaumfurnier auf Fichte, Beine und Säulen in Kirschbaum massiv, 76 × 65 × 40; 35/2228

Ein Schubladentisch mit vierkantigen, extrem verjüngten und ausgestellten Beinen. Darauf sind zwei kugelbekrönte Säulen montiert, zwischen denen ein achteckiger Spiegel schwenkbar ist. Die Tischplatte wurde erneuert. H.O.

4.2.9.13

4.2.9.13 Toilettenspiegel *

wohl fränkisch, um 1815, bez. Etikett: Schloß Nürnberg, App. Hauptgebäude Zimmer Nr. 2 Pa... Inventar-nr. 28; Birkenwurzelmaserfurnier auf Eiche, geschwärzte Profile, Schubkasten innen Ahorn, 54, Kasten 45 × 36; 35/2292

Das kleine Toilettekästchen mit aufgesetztem Spiegel besteht aus einem rechteckigen Gehäuse und Schublade, Sockel und Abschlußprofil. Zwischen zwei aufgesetzten, vasenbekrönten Balustersäulen befindet sich der schwenkbare ovale Spiegel. Der Kasten und seine Aufbauten sind mit feinem Wurzelmaserfurnier überzogen, das aus Plättchen mit gewellten Rändern ausgeschnitten und lückenlos wieder zusammengesetzt ist.   H.O.

4.2.9.14 Bodenstandspiegel (»Psyche«)

wohl fränkisch, um 1810, Kirschbaum furniert und massiv, Blindholz Eiche; Spiegel: 102 × 69, Pfostenhöhe 118, Lit.: Hermann 1965, Abb. 174; 35/2123

Das Gestell aus stark gestreiftem Kirschbaumholz bei dem Splint- und Kernholzteile wechseln, ist im Unterteil durch ein Gitter aus verschränktem Stabwerk durchbrochen. Der glatte Spiegelrahmen zeigt auf der Rückseite in Temperamalerei auf Karton Psyche an einer Quelle und Amor auf einem von Schmetterlingen gezogenen Wagengespann. Der Ankleidespiegel für ein Damenzimmer stand ehemals in der Nürnberger Burg. Woher das Möbel letztlich stammt ist unklar, da Nürnberg als Krongutverwaltung eine Art Auffanglager für Möbel aus älteren Einrichtungen vor allem aus Ellingen diente.   H.O.

4.2.9.15 Trumeauspiegel, hochrechteckig in Plattenrahmen mit Segmentbogen und Relief mit Opferszene

wohl München, um 1810, Rahmen: Kirschbaumfurnier, Holzleisten dunkel gebeizt, vergoldeter Stuck, Spiegelglas mit facettiertem Rand, 139 × 56,5; 72 × 43; 48/112

Flacher Holzrahmen von schwarzen Leisten eingefaßt und gegliedert. 4 quadratische, schwarz eingefärbte Eckplatten. Unterer Ansatz mit schwarz lackiertem Kreuzbogenfries aus dünnen Holzstäben verziert, das mit Spiegelglas hinterlegt ist. Ähnliches »Maßwerk«-Dekor auch im oberen Spiegelansatz als seitliche Begrenzung eines vergoldeten, überglasten Stuckreliefs auf blauem Grund mit dem Motiv einer »Opferszene«. Abschluß durch Segmentbogenfeld mit vertieft eingelassener, schwarz lackierter Raute und bogenförmig gewelltem Band.   H.O.

4.2.9.16 Tischlichtschirm *

wohl München, um 1805, Gestell Mahagoni mit ausgesägtem Messinggitter und gedrückten Messingbeschlägen, beidseitig verglast, Seide, 57 × 44 × 17, 30/1870

Unter Seide ein Kupferstich mit der Silhouette des alten Schlosses Biederstein und des Dorfes Schwabing. Der Stich ist so ausgeschnitten, daß der Mond über dem See das Licht durchscheinen läßt.

Das Stück stammt wohl aus königlichem Besitz, es wurde von dem verwandten Hause Thurn und Taxis 1930 erworben, das wie das Stadtmuseum auf der Biederstein-Auktion und bei Vorverkäufen Objekte aus dem ehemaligen Besitz der Königin Karoline erwarb.   H.O.

4.2.9.16

4.2.9.17

4.2.9.17 Bidet aus Schloß Nymphenburg *

München, um 1790, bez. schwarze Schablonenschrift: 3214; Etikette: KGL. Schloß Nymphenburg Lit. A N: 17. K. Hauptmöbelkammer Lit. H.B. No. 1, Wittelsbacher Ausgleichsfonds, Depot N.burg F II Inv. S. No. 4. Nußbaum massiv, Blindholz Fichte, Bezug: gelbvioletter Seidendamast mit Rosettenmotiven, 83/44 × 31 × 47; MStM

4.2.9.18 Nachtstuhl aus Schloß Bamberg

süddeutsch, um 1815, bez. in Blei: Ludwig; blauer Farbstift: 986; Etikette: 986 I. 25, Bamberg K. Schloß Bamberg App. Parterre Zimmer Nr. 2–4, G.M. Inventar Nr. 5, Kgl. Schloß Bamberg Lit. H. No. 160, Residenzmuseum F.V. Abt. III, Raum Depot GM A 92. Kirschbaum furniert und massiv, Blindholz Kiefer, teilweise geschwärzt, Einsatz Porzellan fehlt, 48 × 45,5 × 45,5; 35/2245

4.2.10 Damenzimmer

4.2.10.1 Schreibschrank

um 1830, Mahagoni furniert und massiv, Blindholz Kiefer, Schubladen Eiche und Linde, 152 × 100 × 50; 66/209

Auf Brettfüßen rechteckiger Aufbau mit drei Schubladen und abklappbarer Schreibplatte; auf Rahmen und Füllung gearbeitet. Der Korpus ist wie ein Rahmen von einem Profil umzogen. Nach oben ist das Möbel mit einer umlaufenden, ausladenden Hohlkehle und einem zurückspringenden Sockelprofil für die obere Standplatte versehen. Möbel mit umlaufendem Rahmenprofil und gebauchtem Abschlußprofil sind für Mainz gesichert und datieren in die frühen dreißiger Jahre (vgl. Zinnkann 1985, Abb. 183, 212, 213, 214, 219, 263, 264). H.O.

4.2.10.2 Kommode

um 1835, Mahagoni furniert auf Kiefer, 95 × 90 × 49; 66/199

Bei der sorgfältig furnierten dreischübigen Kommode ergibt sich ein durchgehendes Furnierbild mit drei »Fontänen«, die über die weich profilierten und geschweiften Flächen hinweggeführt sind. Die technische Entwicklung eines dünnen Furnierschnitts und des Verleimens über gewölbte Flächen mit standardisierten Formen war gegen 1830 soweit gediehen, daß man nun in eine fabrikmäßige Produktion gehen konnte. (Zur stilistischen Zuordnung vgl. Kat.Nr. 4.2.10.1) H.O.

4.2.10.3 Vitrine mit Etagerenaufsatz

um 1845, Nußbaum furniert und massiv, Innenausbau Ahorn, Blindholz Fichte, 120/188 × 88 × 43, Lit.: vgl. Zinnkann 1985, Abb. 197; Himmelheber 1983, 665; 58/311

Der Typ einer ringsum verglasten Vitrine mit einem buffetartigen Aufsatz kam in den frühen 40er Jahren auf und ist in Mainz bezeugt. Damit verbunden ist eine komposite Mischung verschiedener Stilanregungen, wobei Renaissance- und Barockmotive als geschnitzte Schmuckformen dem Korpus additiv aufgesetzt werden. H.O.

4.2.10.4 Sitzgarnitur (Kanapee und vier Stühle)

München, um 1835, Nußbaum und Nußbaummaser furniert und massiv auf Nadelholz, erneuerter Rautendamast; Kanapee: 103/46 × 167 × 65; Stühle: 84/46 × 44 × 41,5; 66/521 und 66/522, 1–4

Im Querbrett des Stuhles sind bereits Formen des Neubarock erkennbar. Die Enden der vorderen Beine und die Stützen der Rückenlehne sind zu Voluten eingerollt. Das Kanapee ist mit den Stühlen in seiner Gestaltung nicht verbun-

den. Die brettartigen Teile sind mit sorgfältig gewählten Maser- und Astfurnieren überzogen, die einfachen plastischen Schmuckteile jedoch additiv aufgesetzt. Die reduzierten Formen (vgl. Kat.Nr. 4.2.6.1) lassen auf einen provinziellen Ursprung schließen. H.O.

4.2.10.5 Rechtecktisch

um 1840, Mahagoni massiv, Mahagonifurnier, Blindholz Kiefer, Schubladen innen Eiche, 74 × 129 × 77; M 71/225

4.2.10.6 Klapptisch mit Arabeskenintarsien

wohl München, um 1835, Palisanderfurnier, Intarsien Ahorn, 78 × 59 × 38; 48/104

Auf zwei Bügelfüßen, die mit einem gedrechselten Quersteg verbunden sind, stehen zwei sechskantige Flaschenbaluster, die mit ausladenden Volutenstreben den Kasten mit zwei flachen breiten Schubfächern tragen. Seitlich sind Klapp-Platten angesetzt. Alle Teile sind mit dem Filigran von Arabesken überzogen. Helle Intarsien auf dunklem Grund waren die große Mode der Jahre um 1835. Sowohl Franz Xaver Fortner wie Leonard Glink haben sich damals mit solchen Arbeiten einen Namen gemacht. Glink lieferte wohl nach Entwurf Klenzes für das Toilettezimmer der Königin Therese im rückwärtigen Königsbau eine Palisandergarnitur mit hellen Intarsien (Ludwig I. Ausstellung 1986 im Königsbau, ohne Katalog). Von Fortner sind ähnliche Arbeiten überliefert (Himmelheber 1983, Abb. 573/4). Aber auch der Berliner Karl Georg Wanschaff arbeitete in diesem Stil nach Entwürfen Schinkels (ebd., Abb. 515). Hell intarsiertes dunkles Palisanderholz war in Frankreich von 1825 an für etwa zehn Jahre neueste Mode (Ledoux-Lebard 1984, Vorwort). Der Typ des Klapptisches aber wurde in England entwickelt, von Sheraton propagiert und in Kopien über ganz Europa verbreitet. (Zu Intarsienarbeiten im Arabeskenstil vgl. auch Kat.Nr. 10.1.21) H.O.

4.2.10.7 Nähtischchen auf einem Fuß mit Blattwerk

um 1840, Mahagonifurnier auf Kiefer, Laufleisten Eiche, Fächer innen Ahorn, Knöpfe an Flachdeckeln mit Perlmutteinlagen, Nähkorb grüner Taft, innen blau tapeziert, 75 × 58 × 45; M 73/399

Das Necessairetischchen enthält eine eingebaute Spieluhr. Das Blatt ist in doppelachsiger Symmetrie sternförmig furniert. H.O.

4.2.10.8 Nähtischchen auf polygonaler Balustersäule *

um 1840, Mahagoni furniert und massiv, Blindholz Kiefer, Messingbeschläge, 75,5 × 49,5 × 37,5, Lit.: Zinnkann 1985, 187; 66/198

4.2.10.8

4.2.10.9 Betpult

süddeutsch, um 1830, Nußbaum furniert auf Fichte, Türen gegenfurniert, gedrückte Messingbeschläge, Messingringe und Schlüsselgriff, Leisten: Kiefer, 95 × 82 × 35; 1186/58

Betpult mit Schubladensockel, zweitüriger, von Pilastern flankierter Mittelteil und aufklappbares Pult als oberer Abschluß. Die Schublade des Sockels verbirgt eine Kniebank, die wiederum über ein Scharnier nach hinten aufklappbar ist. Das spiegelbildlich angeordnete Furnier zeigt Astmaserung und besonders intensiven Maserungsverlauf. H.O.

4.2.10.10 Hängeschränkchen für eine Andachtsfigur

süddeutsch, um 1840, Nußbaum, Blindholz: Fichte, teils farbig gefaßt, Sockel: Bronze, vergoldet, 97 × 36 × 25; M 86/53

Dem Hängeschränkchen ist eine Maßwerkfassade mit Wimperg und Fialenbekrönung im Stil des 14. Jahrhunderts vorgeblendet. Im Inneren zeigt der kleine Schrein die Form eines Chorgewölbes im 5/8 Schluß. Es ist innen blau-gold gefaßt; eine achteckige hölzerne Plinthe mit einer daraufsitzenden, ebenfalls achteckigen, feuervergoldeten Bronzestele dient als Sockel für eine Andachtsfigur. H.O.

4.2.10.11 Konsolspiegel, hochrechteckig in architektonischem Plattenrahmen mit aufgesetzten Halbsäulen

um 1830, Rahmen: Mahagonifurnier auf Fichte, vergoldeter Schnitz- und Stuckdekor, Spiegelglas mit facettiertem Rand, 145,5 × 70,5; 48/110

Auf einfachem, flachem Rahmen zwei vorgelegte Halbsäulen mit vergoldeten Teilen. Unterer Abschluß durch breitrechteckiges Feld mit 3 aufgesetzten, stuckierten Früchtekörben auf Laubwerk. Über dem Spiegelglas vertieft eingelassenes, quadratisches Feld aus Holz mit aufgesetztem, plastisch geschnitztem Vogel auf Weinreben. Abschluß durch flachen 3-Eck-Giebel auf vergoldetem, gedrehten Echinus. H.O.

4.2.10.12 Fußbänkchen mit Blumenstickerei

um 1820, Kirschbaum massiv, Bezug: Wolle mit Blumen bestickt, 58/789

Rechteckiges Kleinmöbel auf vier geschwungenen Füßchen mit seitlichen geschweiften Wangen, verziert mit jeweils vier Sprossen. H.O.

4.2.10.13 Hängeetagere

um 1845, Mahagoni und Eiche, nachträglich schwarz/gold gestrichen, 38 × 51 × 24; M 71/169

Wie zeitgenössische Interieuraquarelle bezeugen, waren an Schnüren aufgehängte Hängeregale dieser Art in den 40er Jahren äußerst beliebt und verbreitet. H.O.

4.2.11 Kinderschlafzimmer und Spielzimmer

4.2.11.1 Vitrinenschrank aus einem Prinzessinnenzimmer der Münchner Residenz *

wohl München, um 1810–15, bez. schwarze Farbe: 1792; Etikette: K. Wittelsbacher Palast Etage 13 Zimmer Nr. 68, Inventar Nr. 3, Kirschbaum furniert und massiv, z.T. geschwärzt, Blindholz Fichte, 170 × 132 × 47; 35/2224

Kasten mit zwei in zwei Feldern verglasten Türen, das Glas mit schwarz gebeizten Viertelstableisten gefaßt. Spuren einer Innenbespannung, wie sie bei Vitrinen im Biedermeier üblich war, sind vorhanden. 1848/49 wurde die Vitrine aus einer älteren Einrichtung in den Wittelsbacher Palast übertragen. Ursprünglich kommen sie aus dem Salon der Prinzessinnen und Zwillingsschwestern Marie und Sophie in den oberen Hofgartenzimmern der Münchner Residenz. Auf einem Innenraumaquarell von Wilhelm Rehlen von 1820 wird der Schrank zusammen mit seinem formengleichen Pendant abgebildet (vgl. Artikel Ottomeyer, S. 97;

4.2.11.1

Ottomeyer (Hg.) 1979, Tafel 11). Die Schränke zeigen auf dem Aquarell keine Schlüssellochfelder, die der Maler wohl vergaß, und eine grüne gefältete Bespannung; oben auf den Möbeln stehen Porträtbüsten, eine Vase und bronzene Kerzenhalter.

Die Prinzessinnen heirateten 1824 (Sophie) beziehungsweise 1833 (Marie); danach wurde ihr Appartement in der Münchner Residenz aufgelöst und die Möbel wurden auf andere Schlösser verteilt. H.O.

4.2.11.2 Zwei Kommoden aus Schloß Aschaffenburg * Abb. S. 121

wohl fränkisch, wohl 1815, Kirschbaum furniert und massiv, Gegenfurnier Eiche, Blindholz Fichte, 79,5 × 102 × 50, Lit.: vgl. Zinnkann 1985, Abb. 204, 7; 35/2238–39

Der Korpus ruht auf vierkantigen, nach unten verjüngten Beinen. Über der umlaufenden Sockelleiste zwei Schubladen auf sichtbarem Laufrahmen. Die Deckplatte liegt auf einer umlaufenden Leiste. Die besondere Qualität des Möbels besteht in dem schräg angeschnittenen Hirnholzfurnier, das zu stehenden Ovalen in der unteren Zone und zu Schmetterlingsformen auf der oberen Schublade geordnet ist. Daß hier bewußt Figuren im Furnierbild geschaffen wurden, beweisen die Schlüssellochumrandungen in Schmetterlingsform.

Diese Kommoden, welche Pendants bilden, stammen aus Schloß Aschaffenburg, das für den Kronprinzen Ludwig und seine Familie 1815 zum Teil neu eingerichtet wurde. Die Möbel können mit Mainzer Arbeiten verglichen werden. H.O.

331

4.2.11.7 Kindersprossenbett aus Schloß Nymphenburg *

München, um 1820, bez.: W. 1943; Etikett: K. Schloß Nymphenburg, Lit. G. No. 225, Kirschbaum furniert und massiv, 100 × 115 × 62; 35/2229

Der Typ eines Sprossenbettes mit einer abklappbaren und zu öffnenden Vorderfront ist eine neue Entwicklung, um Kleinkinder sicher und hygienisch unterzubringen. Eigene Kinderbetten hatte es bisher nicht gegeben. Kinder, die über das Säuglingsalter hinausgewachsen waren, kamen aus der Wiege mit ihren Bändern zum Festbinden des Kindes in eigene oder gemeinsame Erwachsenenbetten, wo sie vor dem Herausfallen nicht geschützt waren. Bei dem Sprossenbett handelt es sich um ein Reformmöbel, das bei hohen sichernden Wänden den Zutritt von Licht und Luft ermöglichte. Die Betten scheinen bereits seit etwa 1820 in Bayern verbreitet zu sein (vgl. Kat.Nr. 3.1.16). Die Provenienz erlaubt die Annahme, daß es sich hier um ein Bett für die Kinder Kronprinz Ludwigs handelt. H. O.

4.2.11.8 Kindertisch

um 1805, bez. Brandzeichen: A, Kirschbaum furniert, Blindholz: Fichte, Laufleisten: Kiefer, 58 × 73 × 51; 35/2225

Vierkantige, nach unten verjüngte Beine, gerade Zarge mit Schublade. Die Ecken der überstehenden Tischplatte sind gerundet. Das Möbel stammt aus einer der königlichen Residenzen, hat aber die Etiketten, welche die Provenienz verraten, verloren. Das Brandzeichen ist sonst unbekannt. Königin Karoline stattete ihre Zimmer gegen 1810 mit Miniaturmöbeln für die Zwillinge Prinzessin Elisabeth (1801) und Sophie (1801) sowie Prinzessin Sophie (1805) und Maria (1805) aus, die auch von den nachgeborenen Töchtern Luderika (1808) und Maximiliane (1810) weiterbenutzt wurden. Als Andenken an die inzwischen zu großen Kinder blieben diese Möbel in den Schlafzimmern der Königin in der Residenz und in Nymphenburg weiter stehen und sind in Inventaren und Interieuraquarellen bezeugt (Ottomeyer (Hg.) 1979, Tafel 4, 17). Aber auch in den Räumen der Prinzessinnen selbst blieben die Miniaturmöbel aus ihrer Kindheit stehen (ebd. Tafeln 10). Die Tische auf den genannten Aquarellen von 1820/21 sind untereinander äußerst ähnlich und entsprechen weitgehend dem Kindertischchen im Stadtmuseum. H. O.

4.2.11.9 Kindersessel aus der Münchner Residenz *

München, um 1815, bez. Etikette: Königl. Residenz München Appart. VIII Zimmer No. 9 Inventar No. 22, Residenzmuseum München F.V. Abt. III Raum Depot Lit. A I 674, Kirschbaum massiv, Blindholz Kirschbaum, erneuerter Bezug, 73/37 × 43 × 33; 35/2226

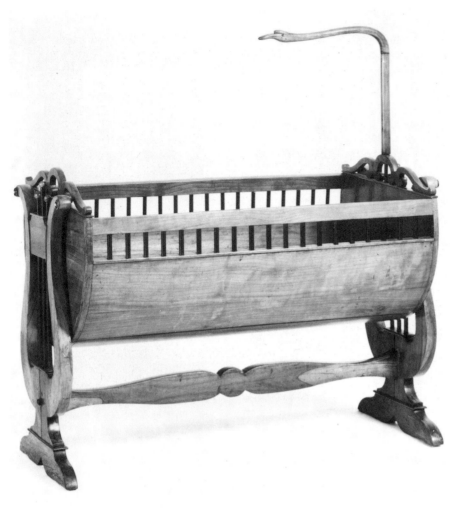

4.2.11.3

4.2.11.3 Wiege *

wohl süddeutsch, um 1830, Kirschbaum furniert und massiv, z. T. geschwärzt, 115/80 × 57 × 43, Lit.: vgl. Zinnkann 1985, Abb. 250; 67/3

Die halbrunde Wanne des Wiegenkastens hängt als Querschwinger beweglich zwischen zwei Ständern in Leierform und wird von einem Vorhanghalter in Schlangenform mit einem Schwanenkopf als Endigung überragt. Es sind Rundstabgitter auf die Seiten des Wiegenkastens aufgesetzt. Die Ständer werden mit einem brettartigen Doppelbaluster untereinander verstrebt. Eine sehr ähnliche Lösung kann fest gegen 1830 datiert werden (Angebotskatalog Firma E. Knussmann in Mainz). H. O.

4.2.11.4 Bettstatt mit Gitterwerkaufsätzen

um 1805–10, Kirschbaum massiv, z. T. gebeizt, 107 × 195 × 93; 64/1252

4.2.11.5 Kinderbett

Süddeutschland, um 1810, Nußbaumfurnier und massiv auf Kiefernholz, Messingknäufe, 90 × 118 × 49; M 71/187

Auf vier hohen kantigen und über Eck gestellten Beinen der rechteckige Kasten mit ringsum gezogenen Profilleisten. Die geraden Seitenwände sind mit dem durchbrochenen Gitterwerk sich überschneidender Rundbögen geschmückt. Die Schmalseiten des Möbels weisen eine konkave Schweifung auf. Die Seitenholme sind mit Messingknäufen besetzt, an denen sich das Wickelkind mit Bändern fest einbinden läßt. H. O.

4.2.11.6 Kindersprossenbett

süddeutsch, um 1820, Kirschbaum massiv, braun gebeizt; Knäufe, Rauten, Rundstäbe schwarz gebeizt, 71 × 124 × 63, XIc/98

Einfacher Typ mit durchgehenden fixierten Leitersprossen. Nach außen sind an den Schmalseiten liegende Rauten aufgedoppelt. Auf den nach unten verjüngten Pfosten sind oben Kugelknäufe aufgesetzt. Das Bett ist eine frühe Überweisung vom städtischen Fahrnisamt und wohl bürgerlichen Ursprungs. H. O.

Ein solcher Sessel, nur ohne Rückenpolster, wird bereits auf einem Aquarell von 1820 im Schlafzimmer der Königin Karoline in Schloß Nymphenburg zusammen mit einer Gruppe von weiteren Kindersesseln dargestellt (Otto-meyer (Hg.) 1979, Tafel 17, Aquarell von F. Ziebland). Miniaturmöbel kamen im späten 18. Jahrhundert auf und entsprechen einem Kult des Kindes, das man nun erstmals als eine eigene Persönlichkeit und als unverdorbenes Wesen begreift. Man versucht, Kindern ihnen eigene und ihnen gemäße Lebensformen zu gewähren.   H.O.

4.2.11.10 Kindersitzbank aus der Münchner Residenz

München, um 1815, bez. schwarze Ölfarbe: A XIII 26.68; Etikette: Kgl. Residenz München App. XIII Zimmer No. 20 Inv.Nr. 3, Residenzmuseum München F.V. Abt. III Raum Depot Lit AV. Erlenbaum massiv, neuer Bezug, 71/41 × 110 × 61; 35/2227

Die Polsterbank gehört mit dem Kindersessel Nr. 4.2.11.9 zu den Resten einer Garnitur aus den Prinzessinnenzimmern der Münchner Residenz. Die Kindermöbel sind wohl bewußt aus massivem Holz gearbeitet, um Beschädigungen vorzubeugen. Der bedruckte Baumwollbezug auf beiden Möbeln ist eine spätere Erneuerung.   H.O.

4.2.11.7

4.2.11.11 Kinderhochstuhl mit Lederbezug

süddeutsch, um 1820, Nußbaum furniert und massiv; Blindholz: Kiefer; Leder, 96/60 × 33 × 31; 31/187

Hohe kantige, nach unten verjüngte und ausschwingende Beine, von denen die hinteren in die Seitenstützen der rechteckigen Rückenlehne übergehen. Trapezförmiger, hoher, gepolsterter Sitzkasten, vorn mit Fußstütze und mit runder Öffnung zum Einschieben eines Töpfchens. Vorne zwischen den Armlehnen befindet sich ein Riegel, der mit Pflöcken verkeilt ist, um das Kind vor dem Herabstürzen zu sichern und ruhigzustellen. Der Typ ist in direkter Entsprechung für die Zeit um 1820 bezeugt (vgl. Kat.Nr. 3.1.16).   H.O.

4.2.11.12 Kinderhochstuhl mit Rohrgeflecht

Süddeutschland, um 1830, Birke massiv, Rohrgeflecht, 88/56 × 37,5 × 33; M 75/23

Die geschweiften stabilen Beine des Hochstuhls sind extrem weit ausgestellt, um ein Umstürzen zu vermeiden. Wie bei einem Eßzimmerstuhl ist der Sitz mit Rohrgeflecht bespannt, was weniger leicht verschmutzt als ein Polstersitz. Das nachgerade funktionale und bestechend einfach geformte Möbel ist die Fortentwicklung des Hochstuhls mit senkrech-

ten Pfostenbeinen und Binsensitz, der im 18. Jahrhundert entstand, als die Kinder an die Tafel der Erwachsenen gezogen wurden. In früheren Jahrhunderten standen die kleineren Kinder beim Essen, wie Bildzeugnisse häufig belegen.   H.O.

4.2.11.13 Zwei Sprossenstühle

wohl Italien, um 1840, Buche, blattvergoldet über ursprünglich gelbem Grund, 83/46 × 41 × 36, Lit.: Loudon, Encyclopädia (1833) 1087, Abb. 2000; 1186/59, 1–2

Kleiner leichter Sprossenstuhl, aus gedrechselten Stäben zusammengesetzt, welche die Doppelringe von Bambusrohr nachahmen. Füße ohne Zarge in den Sitzrahmen eingesetzt. Je zwei Verbindungssprossen vorn und an den Seiten, nach hinten nur eine. An der Lehne vier horizontale Sprossen, bei denen die oberen beiden durch 7 vertikale Sprossen verstrebt sind. Vergleichbare »Bambus«-Stühle stehen im Royal Pavillon in Brighton und datieren dort aus der Zeit um 1840. Solche Sprossenstühle wurden um 1800 von Sir Astley Paston Cooper, einem Orthopäden entworfen, um Kindern das aufrechte Sitzen anzugewöhnen. Der Stuhltyp war im 19. Jahrhundert weit verbreitet.   H.O.

4.2.11.14 Zwei Stühle

(vgl. Kat.Nr. 4.2.9.6, jedoch mit anderem erneuertem Bezug)

35/2172–74

4.2.11.15 Klavierdrehstuhl für ein Kind

München, um 1830, Nußbaum massiv, originaler zweifarbiger Seidendamast mit Seidenband und -kordel abgefaßt, 73/44; Ø 36; 35/2212

Der Drehstuhl mit geschweifter Rückenlehne hat eine höhenverstellbare hölzerne Spindel, die das Polster mit dem oberen Ring der kreisförmigen Zarge verbindet. Der Klavierstuhl stammt aus einem Depot der Münchner Residenz und aus dem ehemaligen Besitz des bayerischen Königshauses.   H.O.

4.2.11.16 Konsole für einen Glassturz

süddeutsch, um 1820, Kirschbaum und Birnbaum furniert und z. T. schwarz gebeizt, Blindholz: Eiche und Birke (?), 17 × 35 × 22; 35/2296

Rechteckiges Stellbrett über Würfelkonsole. Im Stellbrett eine Nut zum Einsetzen des Glassturzes. Solche Wandkonsolen sind auf den Bilderbögen von Johann Michael Voltz um 1820 häufiger zu erkennen. Das Stück stammt aus einer der Wittelsbacher Residenzen.   H.O.

4.2.11.9

4.2.12 Möbel in weiteren Räumen

4.2.12.1 Vitrinenschrank

München, um 1820, bez. schwarze Farbe: 2391; Etikette: K. Wittelsbacher P. . ., Etage: E, Zimmer No 185, Inventar No 9; Reste weiterer Etiketten aus kgl. Schlössern; Kirschbaum furniert und massiv, Einlagen geschwärzt, 151 × 125 × 40; 35/2179

Die Glastüren sind horizontal zweigeteilt und waren ehemals mit Stoff hinterspannt. Innen war der Schrank mit einer hellgrünen Papiertapete ausgekleidet. Die Machart entspricht Kat.Nr. 4.2.9.1 H.O.

4.2.12.2 Vitrine mit verspiegelter Rückseite

wohl süddeutsch, um 1830, Nußbaum furniert und massiv, oberes Profil Nußbaumwurzelmaserfurnier, 161 × 73 × 39,5; M 71/104

4.2.12.3 Vitrine

wohl München, um 1835, Nußbaum furniert und massiv, innen Ahorn furniert, Blindholz: Fichte, 161 × 73 × 39,5; M 71/37

Gradwandiger Rahmenbau auf vier gedrechselten Füßchen und vorgeblendetem Sockelbrett. Tür und Seitenwände verglast, die Rückseite verspiegelt. Die Vitrine stammt aus dem Münchner Nachlaß Ebenböck (Nr. 82). H.O.

4.2.12.4 Verglaster Bücherschrank

um 1840, Kirschbaum furniert und massiv, Blindholz: Fichte, mit Papiertapete ausgeklebt um 1910/20; 198 × 130 × 44; M 85/34

Hochrechteckiger Schrank mit profiliertem Gesims in Wellenschnitt. Im oberen Teil zu zwei Drittel verglast, unten auf Rahmen und Füllung geschlossen. Profile im Wellenschnitt, die auf der Maschine gefertigt wurden, waren eine Spezialität der vierziger Jahre und greifen eine alte Technik des 16. Jahrhunderts wieder auf. H.O.

4.2.12.5 Vitrine mit neubarocken Motiven

um 1840, Nußbaum furniert und massiv, Blindholz: Fichte, Schubladen Ahorn, Stellplatten weiß-grau gestrichen, 157 × 102 × 51; 46/87

Auf gedrechselten Füßen Schubladensockel und darüber dreiseitig verglaster Schrank mit Spiegelrückwand. Die vorderen Ecken gerundet und oben mit Blattkonsolen besetzt, die einen horizontal geschweiften Aufsatzkasten mit Schublade und vorkragendem profilierten Deckbrett stützen. Die Gläser werden von S-förmigen Voluten gerahmt, welche die Innenkante bilden. H.O.

4.2.12.6 Etagere aus Schloß Biederstein

um 1840, bez. Brandstempel: HME unter Herzogshut; Auktionsetikett: 1.056, Ahorn furniert und massiv, teilweise schwarz gebeizt, Blindholz: Fichte, 145 × 145 × 48; M 72/344

Offenes Regal mit vier Stellflächen mit Pfostenkonstruktion verbunden und verspiegelter Rückwand. Über sechs Füßchen Brettsockel mit abgeschrägten Ecken und darauf drei kannelierte Säulenpaare. Die Rückwand ist von kannelierten Pilastern flankiert. Flache Deckplatte mit umlaufender gewellter Leiste. Das ungewöhnliche Möbelstück stammt nach Ausweis von Brandstempel und Auktionsnummer aus dem Neuen Schloß Biederstein. H.O.

4.2.12.7 Kommode aus Schloß Nymphenburg ∗ Abb. S. 120

München, um 1810, bez. schwarze Farbe: 147; Etikettrest: Kgl. Schloß Nymphenburg Lit. E No 154. Residenzmuseum München F.V. Abt. III, Depot Lit. F. M 66; Nußbaum furniert und massiv, Blindholz: Fichte, Einlagen Mooreiche, 84 × 112 × 56; 35/2192

Der Korpus der zweischübigen Kommode auf vier hohen verjüngten Beinen ist völlig glatt gehalten und vertikal mit einem stark gemaserten Nußbaumfurnier überzogen. H.O.

4.2.12.8 Vier neugotische Stühle aus Schloß Berg ∗ Abb. S. 109

um 1810–15, bez. Stuhl 35/2115, schwarze Ölfarbe: SB 377; Schablonenzeichnung: K.S. Bg. 2 No. 8 In No 385; Etikett: Berg 39, K. Wittelsbacher Palais Etage A Zimmer 10 Nr. 4–8; Stühle 35/2116-8, schwarze Ölfarbe: 812/813/814; blaue Ölfarbe: 297; Etikette wie 35/2115; Kirschbaum furniert und massiv, Blindholz: Eiche bzw. Buche, teilweise Eisenwinkel, 89/46 × 47 × 43, Lit.: Himmelheber 1973, Abb. 401; 1983, 403; 35/2115–18

Die Stühle, von denen das Stadtmuseum noch zwei weitere besitzt (35/2262-3), sind in der Machart nicht homogen, sondern unterscheiden sich durch Ecklötzchen und verschiedenes Blindholz. Die Möbel stammen aus Schloß Berg, das bereits gegen 1810 eingerichtet wurde und im Inventar von 1816 (SV und Rechnungskammer BayHSTA 137) abschließend behandelt wurden. Die baulichen Veränderungen in Berg fanden 1810–16 statt (BayHSTA, MF 16556). Die Stühle zeichnen sich durch ein Gitterwerk der Rückenlehne von untereinander verschränkten Spitzbögen aus, die in der Epoche als gotisch verstanden wurden. Ähnliche Stühle stehen in den Büroräumen der Bauverwaltung in der Residenz: »6 Sessel a. Kirschbaumholz mit ausgeschweiften Rückenlehnen mit gotischen Bögen nebst dazwischen befindlichem Gitterwerk. Sitze mit grünem Safian bezogen und mit weiß und grün seid. Fransen besetzt.« (SV Inventar Residenz München 1815). Der Eintrag bezieht sich auf sehr viel ältere Stühle mit einem Brandstempel C A A unter einem Fürstenhut. H.O.

4.2.12.9 Zwei halbrunde Konsoltische

München, um 1805–10; bez. schwarze Ölfarbe: 2798; Etikett: K. Schloß Nymphenburg, Hirschgarten Nr. e Inv. w. 5, 8; Kirschbaum furniert und massiv, Blindholz: Fichte, 78 × 71 × 36; 35/2134-5

Die Tische stammen aus dem Schlößchen im Nymphenburger Hirschgarten und standen mit zwei weiteren im dortigen Salon und werden zusammen auf 24 fl. geschätzt (Bay. SV Inventar 1821/2). Ein dritter Tisch im Besitz des Stadtmuseums wurde an das Lenbachhaus ausgeliehen (35/2278). H.O.

4.2.12.10 Kommode aus Schloß Nymphenburg

München, um 1820, bez. schwarze Schablonenziffern: 1480; Etikette: K. Schloß Nymphenburg, Knaben, Küchen, Marstallbau, Zimmer Nr. 22, Inventar Nr. 3; Kirschbaum furniert und massiv, teilweise geschwärzt und schwarz bemalt, Blindholz: Fichte, 69 × 115 × 57; 35/2222

Dreischübige Kommode mit über einem geschwärzten Viertelstab gerundeten Ecken. Sichtbarer Laufrahmen, die Deckplatte mit geschwärzter Abschlußleiste. Die Schlüssellöcher sind mit gemalten gekreuzten Blattzweigen umrahmt. Die Maserung des Furniers wurde vertikal über die ganze Front hinweg gezogen und so als eine Einheit behandelt. H.O.

4.2.12.11 Vier Stühle

süddeutsch, um 1835, Nußbaum massiv und furniert auf Nußbaum als Blindholz, 46/87 × 46 × 44; M 85/69,1–4

Schmale leicht geschwungene Beine, halbrunde Sitzfläche, die Vorderzarge leicht gerundet. Die Rückenlehne ist S-förmig geschwungen, sie wird oben von einem breiten Querbrett mit Rundstab abgeschlossen. Ein schmaler konkaver Querstab mit Rosette in einer Ranke zwischen darüber- und darunterliegendem Kreis ziert die Rückenlehne. Die Möbel stammen aus einem bürgerlichen Haushalt, H.O.

4.2.12.12 Präsentationsstaffelei

wohl München, um 1830, bez. auf Klebezettel: Verlassenschaft W.I.M. d. Königin / Wittelsbacher Ausgleichsfonds, Dep. N.burg ES Inv. S. Nr. 2; Nußbaumfurnier und Nußbaum massiv, verschiedene Hölzer in Nußbaumart gebeizt und bemalt; 250 × 70 × 60; M 76/1

Die aufwendig gestaltete Staffelei diente dazu, ein besonderes Bild aufzustellen und hervorzuheben. Der Verstellmechanismus der Staffelei blieb rudimentär erhalten und erlaubt Höhe und Neigungswinkel des Gemäldes zu regulieren. Zwei Teller unter dem mit schwerem Akanthuslaub und Palmettenmotiven geschmückten Gestell waren dazu bestimmt, Blumentöpfe oder Vasen zu tragen, die das Gemälde schmückten. Die prunkvolle Staffelei stammt wohl aus dem Nachlaß der Königin Karoline, die 1841 starb. H.O.

4.2.12.13 Prunktisch mit Marmorplatte aus dem Besitz der Königin Karoline

Schreinerarbeit: Hoftischlerei Daniel; Bronzearbeiten: Friedrich Jehle (Meister in München 1810 – nach 1834), München, 1814, Mahagonifurnier auf Eiche und Fichte, Marmormosaik, feuervergoldete Bronzebeschläge; 80; Ø 84, Lit.: Himmelheber 1974, Abb. 45; 1987, Abb. 95; 30/1883

Die mit bunten italienischen Mosaikarten in einem geometrischen Sternmuster intarsierte Platte ist von einem breiten Bronzereif eingefaßt, der die Steinplatte mit dem hölzernen Fuß verbindet. Dieser besteht aus einem sechskantigen Vasenbalusterschaft mit Bronzeprofilen, der auf einer sechsfach gebogten Bodenplatte mit aufgesetztem polygonalem Karniesprofil steht.

Der Tisch war lange im Stadtmuseum als Teil der bürgerlichen »Münchner Wohnkultur« ausgestellt und in die Zeit um 1830 datiert. Aber er läßt sich ganz anders zuordnen und datieren.

Im Jahr 1814 lieferte am 21.11.1814 der Silberschmied Jehle für die Münchner Residenz die sechs großen Rosetten am Fuß des Tisches für 100 Gulden, sowie die verschiedenen Profile und Schrauben dazu. Die vergoldeten Bronzearbeiten hatte er in Einzelfertigung nach Art einer Silberarbeit gegossen und feuervergoldet. Die Schreinerarbeit kam kurz darauf am 30. November aus der Hofschreinerei Daniel: »Zu einer stainernen Blatte einen Mahagoni planchierten Säulen=Fuß, mit einem Sockel auch von Mahagoni, oberhalb des Fußes wo die Blate darauf ruht ein eichenes Parquetartiges Blat alles von, mühsamer Arbeit und bolidiert.« Der Preis betrug 40 Gulden und lag um mehr als die Hälfte unter der Bronzearbeit. (BayHStA Rechnungskammer 134, 4017 und 4003). 1821 ist unser Tisch dann als Ausstattung für das Toilettezimmer der Königin Karoline im Nymphenburger Schloß bezeugt, wo ihn Ernst von Bandel in einem Interieuraquarell gut erkennbar festhält (Ottomeyer (Hg.) 1979, Abb. 18). In dem kleinen Zimmer, in dem sonst noch die Garnitur in Art römischer Marmormöbel steht (Himmelheber 1983, Abb. 324, und ausführlich: de Groer, 1985, Abb. 326 – 28 Möbel von 1804/5). In dem kleinen, privaten Raum steht der Tisch in einer Ecke und dient zum Aufstellen von Geschirr und Geräten aus Silber. Der Tisch war Privateigentum der bayerischen Königin und kam 1825 nach dem Tod Max I. Josephs in ihr Schlößchen Biederstein. Vor dem Abbruch des neuen Schlosses Biederstein wurde durch die

Erben, die Herzöge in Bayern, die Ausstattung versteigert. Das Stadtmuseum kaufte 1930 den Tisch, der immer ein kostbares Einzelstück war, vom Auktionshaus Hugo Helbing. H.O.

4.2.12.14 Neubarocke Salongarnitur (Kanapee, vier Stühle, Tisch) *

1840–50, bez. blauer Stift: 250; schwarzer Schablonenstempel: K.S.Bg. B III Zi. No 6 Inv. No. 67, 68, 111, Kgl. Schloß Nymphenburg Lit. A. No. 34, Residenzmuseum München F.V. Abt. III Raum: Depot-Garnituren AA 182-3; Kirschbaum furniert und massiv, Blindholz Kiefer, bzw. Stühle Buche, Kanapee 103/50 × 173 × 67; Stuhl: 97/55 × 46 × 46; Tisch: 80 × 145 × 77; 35/2283-6

Auf die Grundformen des Kanapees und des Schaufelstuhls sind Rokokoornamente aufgesetzt, welche additiv das Möbel mit Schmuckmotiven bereichern ohne die Struktur zu ändern. Unter dokumentierten Mainzer Möbeln finden sich gute Vergleichsbeispiele dieses Stils in sehr ähnlicher Ausformung (vgl. Zinnkann 1985). Aus Schloß Berg und später Nympenburg kamen die Möbel über ein Depot in der Münchner Residenz 1935 in das Stadtmuseum. H.O.

4.2.12.14

4.2.13 Kleine Welt

Die »kleine Welt« – der »Mikrokosmos« – umfaßt eine weite Scala von kleinen und kleinsten Objekten, die nicht nur für eine Kinderwelt bestimmt, sondern durchaus zum Amusement der Erwachsenen gedacht waren. So sorgten die Bilderbögen und Belehrungsbildchen wie auch ihre Sonderform, die Ausschneide- und Anziehbögen, die für Gesellschaftsspiele verwendet wurden, für Unterhaltung von Jung und Alt. Würfel- und Kartenspiele, wo der Gewinner nur Glück haben mußte, Verwandlungs- oder Metamorphosenspiele, die durch phantasievolles Zusammenlegen unterteilter Bildkarten komische und groteske Figuren entstehen ließen, und Puzzle, die eine gewisse Kombinationsgabe und Geduld erforderten, zählten zu den beliebtesten Gesellschaftsspielen. In dieser Spielwelt faszinierte das Exotische und Fernländische. Spiele mit Titeln wie »Orientalisches Parquetspiel« und »Der kleine Chinese« zeigen spielende Haremsdamen und Darstellungen chinesischer Kinderbelustigungen, die eher den Vorstellungen der Vergnügungssuchenden als realen Begebenheiten entsprachen.

Ein weiterer populärer Zeitvertreib war das laienhafte Theaterspielen. Mit der Ausstattung eines Papiertheaters – Kulissen und Figuren wurden Ausschneidebögen entnommen – konnte dieser Belustigung in jedem Salon und Kinderzimmer nachgegangen werden.

Bilderbögen, die als Massenmedien zu einem wichtigen Informations-, Belehrungs- und Erziehungsmittel wurden, waren gewissermaßen eine bequem lesbare Zeitung des kleinen Mannes und des Kindes. So wurden Zeitereignisse wie Jahrmarkt, Feuerbrunst und Schiffsbruch, aber auch Alltägliches wie Kinderstube, Geburtstag und Spazierfahrt relativ getreu nach dem Leben geschildert.

Ein neuer erzieherischer Eifer, der wohl auf die Reformversuche von J. H. Pestalozzi (1746–1827) und seinem Schüler Fr. W. Fröbel (1782–1852) zurückzuführen ist, lenkt die Aufmerksamkeit der Erwachsenen auf das Kind. Kinderzimmer wurden mit einer Fülle von Spielsachen ausgestattet. Figuren aller Art, die von Zinnsoldaten über Holzpuppen zu mechanischen Spielereien reichten, sowie Möbel und Geräte »en miniature« wurden den Kindern zum Spielen aber auch zum Lernen angeboten.   I. H.

Figuren

4.2.13.1 Zinnfiguren: »Promenade in einem Garten«

Henrichsen, Nürnberg, 1828, Zinn, 4,5 × 12 × 9,5; A 85/529

4.2.13.2 Zinnfiguren: Gesellschaftsgarten in ovaler Schachtel

Henrichsen, Nürnberg, Zinn, 7,5 × 15,5 × 11,5, Lit.: AK Kinderstuben, München 1976, Nr. 680; 42/248

4.2.13.3 Zinnfiguren in Parklandschaft *

um 1835, Zinn, Holzschachtel mit Papierüber-zug, (Schachtel) 7,2 × 31 × 20, Lit.: AK Kin-derstuben, München 1976, Nr. 680; 63/5841, 1–180

Gruppe mit promenierenden und an Tischen sitzenden Figuren; Musikpavillon, Treillagebö-gen und Zaun in neugotischen Formen; der Brunnen entspricht dem Löwenbrunnen auf Schloß Hohenschwangau.

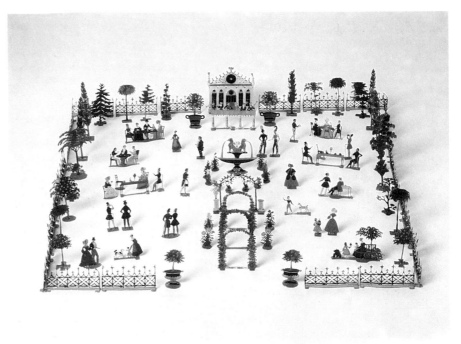

4.2.13.3

4.2.13.4 Spinnerin in Münchner Tracht

Oberammergau, 1. Hälfte 19. Jahrhundert, Fichte, geschnitzt, farbig gefaßt, 14,5 × 8,2 × 10, Lit.: Haller 1981, 126; A 76/427

4.2.13.5 Holzfigur eines stehenden Mannes mit Pfeife

Fichte geschnitzt und farbig gefaßt, 20,3 × 8,5 × 6,5; 68/124/2

4.2.13.6 Frau in Tracht mit Spitzentuch in der Hand und Riegelhaube

Fichte geschnitzt und farbig gefaßt, Spinnrad, 20,2 × 7,5 × 6,5; 68/124/1

4.2.13.7 Der alte Haudegen, seinen Feldherrn betrachtend

Anton Sohn (Kimratzhofen 1769–1841 Zitzen-hausen bei Stockach), bez.: L'ancien Grave en meditation, Ton, 11,6 × 15,7 × 13,5 (Breite des Sockels), Lit.: Seipel 1984, Abb. 110; Konstanz, Rosgartenmuseum, V–Z/10-203 (500)

Vgl. Artikel Mythos Napoleon. Die Napole-on-Legende in Deutschland, S. 452.

4.2.13.8 Beisele und Eisele *

19. Jahrhundert, Papiermaché, farbig bemalt, Kopf abnehmbar, 17,5/19,0; Lit.: Spamer 1935, 482, 33/683 und 684

Herr Baron Beisele und sein Hofmeister Dr. Eisele beleben auf ihren »Kreuz- und Querzü-gen durch Deutschland« von der Nr. 38 des Jahres 1846 bis zur Nr. 395 des Jahres 1853 die »Fliegenden Blätter«. Beisele trägt hellen Zy-linder, Reisemantel und karierte Hosen, Eisele ist mit langschössigem Frack, hochaufgestell-tem Kragen und hohem Zylinder bekleidet. Ihre Erlebnisse in den jeweiligen Städten kari-kieren zeitgenössische Zustände und Begeben-heiten, wobei die Komik ohne das damals aktu-elle Hintergrundwissen heute vielfach nicht mehr nachvollziehbar ist. Erfunden wurden die Figuren von den Verlegern selbst: Kaspar Braun hat sie gezeichnet, Friedrich Schneider schrieb die Texte. Zur damaligen Zeit müssen sich Beisele und Eisele als feste Typen großer Popularität erfreut haben. So verselbständigten sie sich als Nippesfiguren und als figürlicher Dekor für Porzellanteller u. a.   F. D.

4.2.13.8

4.2.13.9 Fliegende Blätter, Nr. 1

Verlag von Braun & Schneider, München 1844, 27 × 20,5, Lit.: Hollweck 1973, 14, Slg. Proebst

Der Künstler und Xylograph Kaspar Braun, ein gebürtiger Aschaffenburger (1807–1877), und der aus Leipzig stammende Buchhändler Friedrich Schneider (1815–1864) gründeten 1843 den Verlag Braun & Schneider, der vor allem durch die »Fliegenden Blätter« und die »Münchner Bilderbogen« in die Verlagsge-schichte einging. Die wohl dauerhafteste Erin-nerung hat sich das Unternehmen 1865 mit der Erstausgabe von Wilhelm Busch's »Max und Moritz« gesichert.
Die Fliegenden Blätter waren die weit über München hinaus abonnierte humoristische Wochenschrift bürgerlicher Kreise. Als Illu-stratoren waren in den ersten Jahrzehnten u. a.

4.2.13.10

Kaspar Braun selbst, Franz v. Pocci, Tony Muttenthaler, Carl Stauber, Carl Spitzweg und Wilhelm Busch tätig.
Wirklich satirische Schärfe ist in den Fliegenden Blättern nur selten zu finden. Sie waren ein ziemlich unpolitisches Blatt, dessen Textbeiträge harmlose Unterhaltung boten. Dies verschaffte den »Fliegenden« wohl die zahlreiche Leserschaft über Generationen bis in die 1920er Jahre. F.D.

4.2.13.10 Eisele und Beisele am Badischen Zollamt *

Theodor Sohn (1811–1876), Ton, 15,3 × 17,7/18,2, Lit.: Seipel 1984, Abb. 132, Konstanz, Rosgartenmuseum, V–Z/13-005 (035)

Ein Aquarell von Hess diente als Vorlage für die Ausformung des »Zollamtes« und der davor vollzogenen gründlichen Untersuchung von Baron Beisele und seinem Begleiter Herrn Haushofmeister Eisele.

4.2.13.11 Figur des Herrn Winter nach dem Vorbild aus den Fliegenden Blättern, Nr. 124, 1848

Pappmaché, Wachs, Glas, 32, Ø 14; A 78/661

4.2.13.12 »Herr Winter«, Münchener Bilderbogen Nr. 5

Zeichnungen von Moritz v. Schwind (Wien 1804–1871 München), Herausgegeben und verlegt von K. Braun und F. Schneider, München 1849, Holzstich, Schablonen-Kolorierung, 42 × 35, Lit.: Weber-Kellermann 1978, 305, Abb.: 336, München, Privatbesitz

Diese Bildergeschichte, die bereits 1848 in der Nr. 124 der Fliegenden Blätter erschienen war, zeigt den Winter als Personifikation in seinen verschiedenen Tätigkeiten. Auf einem Bild stapft Herr Winter durch eine verschneite Straße, einen Christbaum mit Kerzen im Arm. Obgleich noch nicht als solcher bezeichnet, tritt hier zum ersten Mal der Weihnachtsmann ins Weihnachtslicht der Kulturgeschichte. F.D.

4.2.13.13 »Der Gockel«, Münchener Bilderbogen Nr. 1

Gezeichnet und in Holz gestochen von Kaspar Braun, herausgegeben und verlegt von K. Braun und F. Schneider, München 1848, Holzstich, Schablonen-Kolorierung, 44 × 35, Lit.: Eichler 1974, München, Privatbesitz

Ein Bauernpaar findet ein Ei, aus dem ein Gockel schlüpft, der sich im Laufe seiner Aufzucht recht rabiat und lärmend zeigt. Dies alles bekümmert das Ehepaar nicht. Selbst als der Gockel, mit der schwarz-rot-gelben Kokarde am Hut Fenster und Laternen einschlägt, sagen sie: »Unser Gockel ist doch der Erste in der ganzen Stadt.« Doch dann wird der Gockel vom Grenadier »der stillauernden Gerechtig-

keit« übergeben. »Da haben der Mann und die Frau nichts mehr gesagt.«
Diese Bilderbogengeschichte steht für die politisch-biedere Haltung gegenüber der Revolution: Der Keim für gesellschaftspolitisches Aufbegehren liegt in der zu toleranten Haltung der älteren Generation, Aufruhr führt unweigerlich zur Bestrafung.
Dieser erste Bogen bildet eine Ausnahme bei den Münchener Bilderbogen, deren Themen in erster Linie die Kinder ansprechen sollten. Zweiwöchentlich kam ein neuer Bogen in kolorierter und unkolorierter Ausgabe heraus. Jeweils 24 Bogen wurden in Bände zusammengefaßt von denen bis 1898 50 erschienen. F.D.

Mechanische Figuren

4.2.13.14 Geigenspieler und junger Mann mit dressiertem Raben in einem Korb, mechanische Figuren auf einem Holzkasten mit Drehmechanismus

um 1830, 27 × 30,7 × 15, München, Puppentheatermuseum, 44.425

4.2.13.15 Tiroler Musikantengesellschaft, Kästchen mit Bewegungsmechanismus

um 1840, Holzkasten, kolorierte Lithographie, 23 × 26 × 8,5, Lit.: Moser 1962, 193, München, Puppentheatermuseum, 81/83

Nach dem Aufziehen des Uhrwerkes bewegen sich der Geiger, der Gitarrespieler, die Harfenistin und der Bub mit dem Tamburin. Seit dem frühen 19. Jahrhundert reisten alpenländische Sänger und Musikanten durch Europa und traten mit ihren folkloristischen Darbietungen vor das städtische Publikum. Berühmtheit erlangten ab den 1820er Jahren die fünf Geschwister Rainer aus dem Zillertal. Ein Teil dieser Familie bereiste von 1839 bis 1843 sogar Amerika. F.D.

4.2.13.16 Geigenspielende Affen in einem Salon, »Mechanisches Kistchen« mit Sandantrieb

um 1840, bez. u.l.: J.D., kolorierte Lithographie, Holzkasten, 23,5 × 31 × 9, München, Puppentheatermuseum, 44.140

Dressierte Affen waren den Benützern des Kinderspielzeuges von den Affen- und Hundetheatern bekannt, die ab dem frühen 19. Jahrhundert eine beliebte Jahrmarktattraktion waren. F.D.

4.2.13.17 Holzhacker, Figur mit beweglichem Arm

wohl Oberammergau, um 1840, Holz, geschnitzt und gefaßt, 17,5 × 10,5 × 6,5, München, Puppentheatermuseum, 44.063

4.2.13.18 »Großes Metamorphosen-Theater, in ernster und possierlicher Darstellung«

um 1850, bez. auf der Lithographie des Deckels: »Original-Eigentum G.W.F. & W.« (ev. G.W. Farber/Nürnberg), kolorierte Lithographien, auf Pappe kaschiert, Kasten: 7,5 × 37,5 × 28,5, Theater: 26,5 × 38,5 × 5, Figuren: ca. 15, München, Puppentheatermuseum, 45.665

In einem Holzkasten befindet sich ein kleines Theater mit Proszenium und Hintergrund, vor dem die sechs Figuren bewegt werden. Die Verwandlungsfiguren haben je zwei Oberkörper, die um die Hüfte gedreht werden können. So verwandelt sich eine Tänzerin in einen Bären, ein Ritter in eine Katze.
Überraschungseffekte ähnlicher Art finden sich bei den beweglichen Glückwunschkarten. Aber auch die Metamorphose-Figuren aus dem volkstümlichen Wandermarionettentheater gaben die Anregung für dieses seriell produzierte Kindervergnügen. F.D.

Puppen und Puppenspielzeug

4.2.13.19 Puppe mit lila Seidenkleid

Oberammergau, um 1825, Holz, Baumwolle, 25,5, Lit.: AK Kinderstuben, München 1976, Nr. 106; 39/970

Puppe mit Holzsockelkopf, geschnitzt und gefaßt, Flechtfrisur – teils angeschnitzt, teils aus gesteiften Flachshaaren, mit Steckkamm; weißer Stoffkörper, lilafarbenes Kleid.

4.2.13.20 Porzellanpuppe mit modischer Knotenfrisur

Berlin, um 1840, bez.: KPM – Berlin; Porzellan, 47, Lit.: AK Kinderstuben, München 1976, Nr. 113; 52/380

Porzellan-Sockelkopf, bez.: KPM – Berlin, Gesicht in Unterglasurmalerei, ebenso Unterarme, Beine mit gemalten Sandalen. Das Kleid der Puppe ist eine Kopie des Originalkostüms.

4.2.13.21 Puppe mit Pappmaché-Sockelkopf

um 1840/45, Pappmaché, Holz, Leder, 33, Lit.: AK Kinderstuben, München 1976, Nr. 117; A 76/415

Puppe mit anmodellierter Frisur, weißem Lederkörper, Unterarmen aus Holz, geschnitzten Händen, farbig gefaßtem Kattunkleid mit Spitzenkragen.

4.2.13.22 Puppe mit Porzellan-Sockelkopf

um 1850, Porzellan, Leder, 30, Lit.: AK Kinderstuben, München 1976, Nr. 135; A 76/416

Puppe mit anmodellierter Frisur und weißem Lederkörper und gemustertem Baumwollkleid.

4.2.13.23 Puppe mit Sockelkopf

Oberammergau, 1850/55, Holz, Stoff, 30, Lit.: AK Kinderstuben, München 1976, Nr. 136; 40/690

Puppe: Holz, geschnitzt, gefaßt, ebenso Unterarme und Beine, Stoffkörper, gemustertes Seidenkleid.

4.2.13.24 Verschiedene Puppen-Strohhüte

um 1840–1900, Stroh, Holzspanborte, Bänder, künstliche Blüten, Ø 3–23, Lit.: AK Von Kopf bis Hut, München 1984, Nr. 106; 42/247, 64/518, 65/771, 69/589, A 70/185, T 83/435

Schute, Florentiner, Kapotte, Matelot usw., mit Blüten und Bändern verziert.

4.2.13.25 Riegelhauben für Puppen ∗

München, um 1830–40, Gold- und Silberbrokat, Silber- und Goldspitze, Tüllspitze, gemusterter Brokat, Haubenrand mit gefältetem weißem Spitzenstoß, Lit.: AK Von Kopf bis Hut, München 1984, Nr. 105; T 83/432, 36/1251, 28/1652

4.2.13.25

4.2.13.28

4.2.13.26 Hutladen

süddeutsch, 1805, 74 × 74 × 65, Lit.: AK Kinderstuben, München 1976, Nr. 313; München, Bayerisches Nationalmuseum 30/1545

Ein Modesalon der Empirezeit in der Form einer klassizistischen Säulenarchitektur; ausgestattet mit zeitgenössischer Einrichtung und originalem Zubehör.

4.2.13.27 Puppenküche

wohl Rock und Graner, Biberach, um 1840, Blech, ca. 40 × ca. 60 × ca. 30; A 58/852

4.2.13.28 Puppenherd ∗

süddeutsch, Anfang 19. Jahrhundert, Schwarzblech, Messing, 41 × 47 × 27, Lit.: AK Kinderstuben, München 1976, 116, Nr. 327; A 76/136

Herd mit dachförmigem Aufbau und seitlicher Ofendurchsicht zum Warmstellen von Speisen. Ofentürchen Messing, Topfgarnitur aus Weißblech mit getreppten Messingdeckeln. Ehemals Crailsheim'scher Besitz.

4.2.13.29 Puppenkommode

wohl süddeutsch, um 1830, Kiefer mit Birnbaum furniert, 13 × 14 × 10,5, AK Kinderstuben, München 1976, 338; A 74/540

4.2.13.30 Kommodenmodell mit 3 Schubladen

1820–30, Nußbaumfurnier, Schubladen: Eiche, Blindholz, Kiefer, 18,6 × 23,4 × 12,1, MStM

4.2.13.31   4.2.13.37

4.2.13.31 Miniatur-Zylinderbüro *

Süddeutschland, um 1800, Nußbaum, 37 × 27 × 17; XI c/111

Solche Formen des späten 18. Jahrhunderts waren bei Möbeln aus Süddeutschland bis nach 1810 gebräuchlich.

Kleine Dinge

4.2.13.32 Miniaturkommode

wohl Berchtesgaden, frühes 19. Jahrhundert, Holz, Stroh, 23,5 × 16 × 10,3, Lit.: Bachmann 1985; 35/1455

Miniaturkommode, mit Strohintarsien beklebt, 6 Schubladen.

4.2.13.33 Herzdose

Berchtesgaden, frühes 19. Jahrhundert, Holz, Stroh, 8,2 × 7,5, Lit.: Bachmann 1985; XI d-211

Dose in Herzform, zwei Herzteile sind ausklappbar; mit Strohintarsien beklebt.

4.2.13.34 Dose

Berchtesgaden, frühes 19. Jahrhundert, Holz, Stroh, 8,5 × 5,4, Lit.: Bachmann 1985; XI d-210

Dose in Ovalform, ausklappbar, mit Strohintarsien beklebt.

4.2.13.35 Dose mit Rosenmuster

Berchtesgaden, frühes 19. Jahrhundert, Holz, Stroh, 1,5, Ø 5,4, Lit.: Bachmann 1985; 33/279

Gedrechselte Holzdose, Deckel mit Strohintarsien verziert.

4.2.13.36 Runde Schachtel mit Strohintarsien

wohl Berchtesgaden, frühes 19. Jahrhundert, Holz, Stroh, 7,2, Ø 11, Lit.: Bachmann 1985; 48/279

Runde Spanschachtel, mit Strohintarsien beklebt.

4.2.13.37 Strohintarsienkästchen *

wohl Berchtesgaden, 19. Jahrhundert, ausgeschlagen mit grün gemustertem Papier, 5,2 × 12 × 8; A 78/255

4.2.13.38 Kompaß in Eiform mit Strohintarsien beklebt

frühes 19. Jahrhundert, Pappe, Stroh, 6,5; Ø 3,7, Lit.: Bachmann 1985; XI d-231

4.2.13.39 Kästchen in Form der Arche Noah *

wohl Berchtesgaden, frühes 19. Jahrhundert, Strohintarsienarbeit, 17 × 26 × 7, Lit.: Bachmann 1985; 31/223

Arche mit abnehmbaren Haus, mit Strohintarsien beklebt.

4.2.13.40 Kleines Bügeleisen

1820, bez.: I.F. 1820, 7 × 8 × 4,5; MStM

4.2.13.41 Modellofen

Messing, schwarz bemalt, 12,5; Ø 8; 57/119

Unterhaltungsspiele

4.2.13.42 Unterhaltungsspiel »Hammer und Glocke«

um 1815, Kupferstich, koloriert, 9,7 × 7,1, Lit.: AK Kinderstuben, München 1976, 213, Kat.Nr. 716; Vogel 1981, 148; 39/1267/3

Im Schuber 5 Karten mit Schimmel, Glocke und Hammer, Glocke, Hammer, Kaufhaus. Beiliegend Spielanleitung.

4.2.13.43 Unterhaltungsspiel »Der Raubgraf«

um 1820, Kupferstich, koloriert, Spielplan: 37,8 × 37,5; 64/1308/1

Spieltafel, kaschiert, mit vom Mittelteil »Burg Scharfenstein« strahlenförmig ausgehenden Lauflinien. Würfelspiel mit handgeschriebener Spielregel.

4.2.13.44 Belagerungs-Spiel

um 1830, Kupferstich, koloriert; Spielfiguren: Holz, gedrechselt, Spielbogen: 31,2 × 34,1, Figuren: 4,2/3,8, Lit.: Vogel 1981, Abb. 150, A 76/437

Kaschierter Spielbogen, faltbar, dazu 28 Setzfiguren aus Holz-Soldaten.

4.2.13.45 Unterhaltungsspiel »Das Götterspiel«

um 1840, Kupferstich, koloriert; Schuber: 23,3 × 19,8 × 1,2, Lit.: Vogel 1981, 147; 62/706

Kaschierte Spieltafel, faltbar, im Schuber. Würfelspiel mit 72 Feldern. Dazu Heft mit Spielregeln und Erklärung, da das Spiel gleichzeitig belehrend wirken sollte.

4.2.13.46 Komisches Metamorphosenspiel für Mädchen **

um 1840, Lithographie, koloriert; Karten: 11,6 × 4,4, Lit.: AK Kinderstuben, München 1976, 214, Kat.Nr. 727; 32/519

Im Kästchen 36 Metamorphosenkarten, die verschieden aneinandergefügt werden können und lächerliche Figuren ergeben.

4.2.13.47 Unterhaltungsspiel »Die kleinen Chinesen«

um 1840, Lithographie, koloriert; Karten: 13,6 × 11,3, Lit.: AK Kinderstuben, München 1976, 214, Kat.Nr. 724; Vogel 1981, 40; 43/163

Kästchen mit 9 kolorierten Lithographien – Chinesenmotive mit gedruckten Würfelaugen. Im Kinderspiel lebt die Sympathie für die exotische Chinamode am längsten weiter. Was früher Vorliebe des Adels war (Meißener Porzellan, Schloß Pillnitz etc.), lebt für Bürgerkinder weiter.   U.Z.

4.2.13.48 Unterhaltungsspiel »Die kleine Stickerin«

gebraucht in München, um 1845, Lithographie, koloriert, Kupferstich, koloriert, Kästchen: 25,1 × 21,4 × 5,2; A 70/127

4.2.13.39

In München benützter Stickkasten, dessen ursprüngliche Einlagen verloren sind. Das Spiel läßt sich einreihen in die zahlreichen Beschäftigungsspiele, die kleine Mädchen auf das züchtige Leben einer Frau im Hause vorbereiten. Nähen, Sticken, Musizieren und Singen sollten ihre Beschäftigung sein, soweit die soziale Stellung dies zuließ. Die häuslichen Fleißarbeiten lebten in ungezählten Sticktüchern, Gürteln, Hosenträgern, Haustextilien, Tabaksbeuteln und Etuis weiter. U.Z.

4.2.13.49 Unterhaltungsspiel »Neues Bilder-Domino«

um 1840, Federlithographie, koloriert; Holz, Kästchen: 12,4 × 12,2 × 5,8, Tafeln: 5,3 × 2,6, Lit.: AK Kinderstuben, München 1976, 216, Kat.Nr. 733; Vogel 1981, 180; A 76/442

Im Holzkästchen 60 Dominosteine, kaschiert mit kolorierten Federlithographien.

4.2.13.50 »Rechnen-Lotto oder Neues lehrreiches Aufgabenspiel aus dem Ein-mal-Eins. Zur nützlichen Unterhaltung für Kinder und Erwachsene«

süddeutsch, um 1845, bez.: G.M., Lithographie, koloriert, Karten: a) 11,1 × 9,1, b) 5,5 × 2,4, Lit.: Vogel 1981, 148; 34/655

Im Pappkästchen Lottospiel: ein Unterhaltungsspiel mit verschiedenen Karten, die aneinandergereiht werden, um Gesamtfiguren zusammenzusetzen.

4.2.13.51 Unterhaltungsspiel mit Ankleidefigur »Die Königin des Maskenballs«

um 1830, Kupferstich, koloriert, Lithographie; Puppe: 14, Lit.: AK Kinderstuben, München 1976, 216, Kat.Nr. 735; Vogel 1981, 231; 64/ 74/1–14

Ankleidepuppe mit Unterkleidern und Korsett, dazu verschiedene Kleidungen und Holzständer zum Aufstellen der Ankleidepuppe.

4.2.13.52 Unterhaltungsspiel »Die Aussteuer der Puppe«

Kunsthandlung H.F. Müller, Wien, Kohlmarkt; Wien, um 1840, Kupferstich, koloriert, 26, Lit.: Kaut 1961, 24–25; Vogel 1981, 63; AK Kinderstuben, München 1976, 213, Kat.Nr. 713; A 76/468

Ankleidepuppe im Unterkleid, mit Kleidern, dazupassenden Frisuren, Accessoires. H.F. Müller war der erste kontinentale Hersteller und Vertreiber für Ankleidepuppen. Seit 1791 werden sie als die Neuheit aus England im Weimarer Journal des Luxus und der Moden gepriesen. Ankleidepuppen verloren seit dem Biedermeier als Mädchenspielzeug nie mehr an Beliebtheit. U.Z.

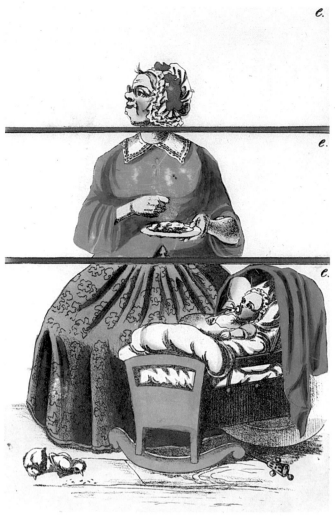

4.2.13.46   4.2.13.46

4.2.13.53 Drei Ausschneidebögen mit einem Salon, einem herrschaftlichen Park und einer Eremitenklause im Wald

verlegt bei J.C. Hochwind, München, um 1820, bez.: zu finden bei J.C. Hochwind in München, Lithographie, 40 × 32,5; München, Puppentheatermuseum, 80/247/1–3

4.2.13.54 Puzzle-Spiel

wohl München, um 1835, Kreidelithographie, Kästchen: 18,5 × 14,1 × 1,4; 32/232

31teiliges Puzzlespiel zum Zusammensetzen des Maximiliansplatzes, München, mit Dult und Dultbesuchern.

4.2.13.55 Kartenspiel mit Szenen aus dem Leben Ottos von Griechenland

um 1835, Kupferstich, koloriert, 9,8 × 5,1; Ic/137/1–36

36 Spielkarten mit verschiedenen Szenen: z.B. Aufstellung der griechischen Freiwilligen am Wittelsbacherplatz vor ihrem Abmarsch nach Triest, Einzug König Ottos in Nauplia, Inspizierung der aus Griechenland zurückgekommenen Chevauxlegers, Enthüllung der Otto-Säule usw.

Legespiele

4.2.13.56 Legespiel »Orientalisches Parquetspiel« ∗

um 1835, Lithographie, koloriert, Holzplättchen lackiert, Kästchen: 26 × 26 × 1,7, Lit.: AK Kinderstuben, München 1976, 214, Kat.Nr. 723; Vogel 1981, 150; 63/15611

Im Holzkästchen 158 Legeplättchen, die nach beiliegender Vorlage in geometrische Formen gelegt werden können.

4.2.13.57 Legespiel »Das sprechende Blumenkörbchen«

um 1835, Lithographie, koloriert, Tafel: 20,5 × 15,5, Lit.: AK Kinderstuben, München 1976, 215, Kat.Nr. 730; 1960/42

Schachtel mit eingelegter Steckfläche, deren leerer Blumenkorb mit beigelegten ausgeschnittenen kaschierten Blumenlithographien gefüllt werden kann. Eine Glasplatte schützt das gesteckte Blumenarrangement. Beigegeben Erklärung der Blumensprache.

4.2.13.58 Belehrungsbildchen ∗

G.N. Renner (Hrsg.), Nürnberg, um 1840, Kreide- und Federlithographie, koloriert, 42 × 64, Nürnberg, Germanisches Nationalmuseum, HB 27907, Kapsel 1212a

32 Darstellungen mit längeren Erläuterungen erzieherischen und erklärenden Inhalts.

4.2.13.46   4.2.13.46

4.2.13.59 Lehr- und Bilderbuch: Oscar's Jugendjahre. Eine nützliche und unterhaltende Erzählung mit 12 colorierten Bildern

Verlag Johann Peter Lotzbeck, Nürnberg, um 1840, 12 Lithographien, koloriert, gebunden, 17,7 × 22,3; A 84/155

Titel: 1. Der Mutter Geburtstag; 2. Die Lehrerin; 3. Die Kinderstube; 4. Die Menagerie; 5. Die Spazierfahrt; 6. Kindervergnügen; 7. Die kleinen Helden; 8. Wintervergnügen; 9. Die Reitbahn; 10. Der Exerzierplatz; 11. Das Luftlager; 12. Der Gang zur Kirche.

4.2.13.60 Schaukelpferd

deutsch, nach 1825, Holz bemalt, mit Roßhaarschwanz und Ledersitz, 55 × 121 × 33, Lit.: AK Kinderstuben, München 1976, Kat.Nr. 448; AK WB III/2, 445; 64/174

Pferdekopf aus Brett gesägt. Körper, Mähne, Satteldecke aufgemalt. Pinselschweif aus Roßhaar. Auf der roten Satteldecke Wappen: König-Chevauxlegers mit L (vgl. Wappen auf dem Gemälde: Christian und Karl Barone von Zweibrücken bei Posen von Albrecht Adam, MStM II a/227) dem Monogramm König Ludwigs I.

Kinderunterhaltung

4.2.13.61 Zwei Pferde und Wagen vom Karussell der Betz'schen Gastwirtschaft in Bogenhausen

um 1820, Holz, gefaßt, Pferde: 144 × 146 × 30; 137 × 163 × 33; Wagen: 100 × 195 × 125; Lit.: Dering 1983/84; XII/196

Das Karussell wurde um 1820 im Wirtsgarten der Gastwirtschaft als feststehender Bau aufgestellt. In einem zwölfeckigen Holzpavillon drehte sich eine ebenerdige Plattform mit den Figuren und Wagen, die von einem darunterliegenden Keller aus von Hand ausgeschoben wurde. Einen ähnlichen Karussellbau gab es seit 1813 auf der Praterinsel; – dies dürfte das Karussellangebot für die Münchener Kinder der Biedermeierzeit gewesen sein. Die transportablen Karussells der Schausteller kamen erst gegen die Mitte des 19. Jh. auf.

1921 wurde der Karussellbau abgerissen, die Figuren (fünf Pferde, ein Dromedar und ein Widder) sowie die sechs Wagen kamen ins Münchner Stadtmuseum. Soweit bislang bekannt, sind es weltweit die ältesterhaltenen Teile eines Karussells für Volksvergnügen.

Als 1913 das heute noch betriebene Karussell beim Chinesischen Turm im englischen Garten errichtet wurde, hat man für den Bau und die Konstruktion das Betz'sche Karussell zum

4.2.13.56

4.2.13.58

Vorbild genommen. Die Gestaltung der Figuren und Wagen sowie des gesamten Innenraumes ist ein sehr schönes Beispiel für das sogenannte »Zweite Biedermeier«.

F. D.

4.2.13.62 Marionettentheater mit Figuren

Italien und Süddeutschland, Figuren u. Bühne ca. 1840, bez.: »Zur Erinnerung an das von Papa Schmied im Jahre 1858 mit Übernahme des General Wilhelm v. Heideck'schen Privattheaters und unter dem Protektorate des Jugendschriftsteller Grafen Franz von Pocci gegründeten Münchner Marionettentheaters«; Bühne: Vorhängekulissen, viereckiger Rahmen mit Giebel, Holz; Kulissen: Hintergrund: Leinwand bemalt; Seiten u. Vorhang: Sperrholz bemalt; Figuren: Körper aus Holz; Gliedmaßen teils aus Blei, teils ausgestopft; Figuren: 24–38,5, Bühne: 144 × 157, Lit.: Riedelsheimer 1922; Krafft 1961; München, Bayerisches Nationalmuseum, NN 968,1–30

Das Heimmarionettentheater des Generals und Kunstmalers Karl W. von Heideck – ursprünglich gegründet (wie viele Theater der Zeit) zur Belustigung seiner Kinder, aber auch der erwachsenen Gäste des Hauses – war 1858 zusammen mit etwa 100 Puppen, der Theatermaschinerie und zahlreichen von Heideck selbst gemalten Dekorationen und Requisiten für 300 Gulden in den Besitz des Aktuars Joseph L. Schmid (1822–1912) übergegangen.

Dieser Fundus bildete zusammen mit einigen Puppen Schmids den Grundstock des berühmt gewordenen »Münchner Marionettentheaters«, dessen Ausstattung in Größe und Perfektion, sowie sein Marionettenstil und Repertoire zum Ausgangspunkt jeglicher Weiterentwicklung des neuzeitlichen Puppenspiels seit der Mitte des 19. Jhd. wurden. Das Vorbild J. Schmids und seines Hausdichters des »Kasperlgrafen« Franz Pocci wirkte nicht nur auf andere Münchner Bühnen, sondern zog Neugründungen im ganzen deutschsprachigen Raum nach sich, die den Einfluß »Papa Schmids« sogar bis in die USA trugen.

B. H.

4.2.13.63 Kinderwagen mit Faltdach

Schmiedeeisen; Verdeck: Leder, schwarz gefärbt, Innenauskleidung: schwarzes Wachstuch, Gestell: rot und schwarz lackiertes Holz, Wagenunterbau auf Feder-Lagerung, 110 × 95 × 70; 62/419

4.2.13.64 Kinder beim Blindekuh-Spiel

München, um 1830, bez.: K. P. M., Lithophanie, 24,5 × 22, MStM

Farbige Lithophanie mit Rahmen aus bronzenem Glas, in den Eckfeldern geschliffene Blumen.

4.3 Skulpturen

4.3.1 Reliefporträt Joseph (v.) Baaders und wohl seiner Schwester Amalie *

Konrad Eberhard (Hindelang 1768–1859 München), München, 1805; das Porträt Amalies am Halsabschnitt bez.: Eberhard fec. 1805, Marmor, 12 × 10; 11 × 9; 36/814 und 815

Obwohl nur das (fragliche) Porträt Amalie Baaders signiert ist, liegt die Vermutung nahe, daß beide Reliefs Werke des Bildhauers Konrad Eberhard sind. Gerade in den Jahren um 1805 waren derart schlichte klassizistische Porträts ein Hauptaufgabengebiet des von dem kurfürstlichen Hofbildhauer Roman Anton Boos ausgebildeten Künstlers. Joseph v. Baader, Bruder des Philosophen Franz v. Baader, wurde später ein Vorkämpfer des Eisenbahnwesens in Bayern und war Direktor des staatlichen Bergbau- und Maschinenwesens in Bayern. Er starb jedoch kurz vor der Eröffnung der ersten deutschen Eisenbahnlinie zwischen Nürnberg und Fürth im Jahr 1835.   N.G.

4.3.2 Reliefporträt

Bisquitporzellan, Holz, verglast, ⌀ 22,6; 33/203

4.3.3 Carl August Jacubetzky, Kammerfourier des Königs Max I. Joseph

Modell: Johann Peter Melchior (Lintorf 1742–1825 Nymphenburg); Bossierer: Adam Clair, München, um 1810, bez.: CA H G; und Nymphenburger Blindmarke, Rautenschild; Bisquitporzellan, ⌀ 14,8, Lit.: Hofmann 1923, 307, Abb. 283; 28/1298

4.3.4 Maximilian, Graf von Montgelas

um 1830–38, Alabaster, vergoldeter Holzrahmen, 19,3 × 15,2 (mit Rahmen); Ib/103

4.3.5 Porträtmedaillon des Geheimrats Johann Heinrich Joseph v. Kreutzer *

Franz Woltreck (Zerbst 1800–1847 Dessau), München, 1836, bez.: F. Woltreck I. H. v. Kreutzer München MDCCCXXXVI; Gips, Holzrahmen, ⌀ 31,6 (mit Rahmen), Lit.: Huber 1986, 71–84; I^b/11

Der in Zerbst (heutiger Bezirk Magdeburg) geborene Künstler war nach Studienaufenthalten in Paris und Rom, wo er 1833 auch Thorvaldsen porträtierte (Kat.Nr. 5.1.157), 1836/37 in München. Er schuf hier eine Vielzahl von Porträtmedaillons, die teilweise von Johann Baptist Stiglmayr in Bronze gegossen wurden. Neben vielen Künstlern und anderen »Notabilitäten« (Naglers Künstlerlexikon) porträtierte er auch den Kabinettsekretär Ludwigs I., den Geheim- und Staatsrat v. Kreutzer. Die Darstellung ist vielleicht das einzige erhaltene Bildnis Kreutzers, der von 1810 bis zur Abdankung Ludwigs in dessen Diensten stand.   N.G.

4.3.6 Porträt des Goldarbeiters Augustin Schütz

Wohl W. Dickoré, München, um 1840, bez.: Dickoré (?), Gips, Holzrahmen, ⌀ 16,8 (mit Rahmen); 40/366

Auf der Rückseite eingeritzt: »Porträt meines Jugendfreunds Goldarbeiter Schütz in München«. Die Inschrift stammt nach Aussage eines beigefügten Zettels von dem Nürnberger Buchhändler und Verleger Leonhard Schrag. Die Darstellung entspricht ganz dem weitverbreiteten Typus des biedermeierlichen Erinnerungsporträts. Der aus Landshut stammende Augustin Schütz (1777–1840 in München) erhielt am 20.6.1808 die Goldarbeiterkonzession des Münchner Goldschmieds Anton Winkler übertragen. 1825 erwarb er zusammen mit seiner Frau Franziska Polland das Haus Herzog-Spitalstraße 23.   N.G.

4.3.1

4.3.5

4.3.7 Büste Bonaventura Genelli

Ernst Julius Hähnel (Dresden 1811–1891 Dresden), München, 1837, bez.: E. Hahnel fec. 1837 Gips, getönt 54; I^b 104

Das Leben des Künstlers Bonaventura Genelli war im negativen Sinn beispielhaft für den Zwiespalt, in den eine idealistische Kunstauffassung in der Kollision mit den Gegebenheiten der Zeit führen konnte. Künstlerisch geschätzt, blieb er über weite Strecken seines Lebens äußerlich erfolglos. Das Jahrzehnt zwischen 1822 und 1832 brachte der 1801 in Berlin geborene Künstler ohne große Produktivität in Rom zu. Ein Großauftrag für Freskenmalereien für den Leipziger Buchhändler Härtel scheiterte an der mangelnden Übung Genellis in dieser Technik. Genelli war vor allem als Zeichner nach dem Vorbild von Asmus Jacob Carstens hervorgetreten. 1836 bis 1859 verlebte er schwierige Jahre in München. Eine Vermittlung an Friedrich Wilhelm IV. von Preußen durch Peter Cornelius scheiterte an Genellis eigenem Widerstand. Erst das letzte Lebensjahrzehnt brachte durch die Berufung an den Hof Herzog Carl Alexanders von Sachsen-Weimar die lang ersehnte Beruhigung in Genellis Leben. In München gehörte zeitweise der Bildhauer Ernst Julius Hähnel zum engeren Freundeskreis um Genelli. Paul Heyse setzte Genelli in seiner Novelle »Der letzte Kentaur« ein literarisches Denkmal, das in gewisser Weise der plastischen Darstellung Hähnels entspricht. Wie dort wird auch von Heyse der geniale Aspekt von Genellis Existenz betont: ». . . nie sah ich den Schatten von Erdennot und Sorge auf deiner olympischen Stirn, die wie ein Berggipfel über allem Gewölk sich in ewigem Aether sonnte.« N.G.

4.3.8 Büste Ludwig von Schwanthaler

Franz Xaver Schwanthaler (Ried 1799–1854 München), München, 1840–50, bez.: XS ligiert LUD.v.SCHWANTHALER/BILDHAUER, Gips, 22; MStM

Ludwig Schwanthalers Popularität in München entsprach es, daß sein Bild auch als Erinnerungs- und Gedächtnisporträt Verbreitung fand. Insbesondere in Künstlerkreisen und in den von Schwanthaler selbst weitgehend initiierten historischen Geselligkeitsvereinen war die Vorrangstellung des Bildhauers unbestritten. Der Kopftypus der Büste entspricht dem der ebenfalls von Franz Xaver Schwanthaler geschaffenen Marmorstatuette (Kat. 5.1.156). N.G.

4.4 Gemälde

Portrait

4.4.1 Familie Nockher *

Johann Nepomuk della Croce (Pressano/Triest 1736–1819 Linz), 1791, bez. u. M. an der Tischkante: J. della Croce pinxit 1791, Öl/Lwd, 95,5 × 174; L 1095

Die Nockher – deren Name heute noch durch den in München populären Nockherberg geläufig ist – waren eine weitverzweigte, durch Wohltätigkeit berühmte Münchner Familie, die es in Handels- und Bankgeschäften zu erklecklichem Wohlstand brachten. Die erste Münchner Generation der aus Hall in Tirol stammenden Familie waren die Brüder Joseph (gest. 1746 München) und Johann Georg (1693 Hall – 1766 München). Diese beiden gründeten 1731 die »Firma Gebrüder Nockher«, die ihren Sitz im Hause Rindermarkt Nr. 17, schräg gegenüber von St. Peter nahm. 1742 erbauten die Brüder ein Spital auf dem Anger, 1746 wurde die Spitalkirche mit dem Patrozinium »Jesus am Kreuz« geweiht. (Möglicherweise war der Weingastgeber Franz Thomas Nockher ein Bruder der beiden Handelsleute.) Ein weiterer Handelsmann, Johann Paul Nockher (gest. 1789) wird 1766 im Grundbuch genannt, desgleichen sein Bruder Joseph Ignatz (München 1769–1795 München). In der Generation dieses Letztgenannten verschwägerte sich die Familie Nockher mit den aus Trient zugewanderten Dall'Armi. Joseph Nockher (geb. München 1769), der vielleicht ein Sohn des Joseph Ignatz war, ehelichte 1782 Maria Teresa Elena Dall'Armi (München 1761–1849 München). Die Hochzeit wurde in der »Nockherschwaig« beim Dorf Harthausen (spätere Menterschwaige) gefeiert. 1786 starb der einzige Sohn des Johann Georg Nockher, Franz Xaver. Er hatte die Firma bis zu seinem Tod geführt. Offenbar aus Vernunftgründen verheiratete sich im gleichen Jahr die Alleinerbin des Bankhauses Maria Elisabeth Nockher (1750–1793) mit dem um 16 Jahre jüngeren Andreas Michael Dall' Armi (1765 Trient – 1842 München). Die Leitung dieser für München bedeutenden Bank war damit an Dall'Armi übergegangen, nachdem ihm 1787 sowohl die »Handlungs Gerechtigkeit Cession« wie das Bürgerrecht übertragen worden war. Die Familie starb 1820 mit Franz Nockher aus.

Das seinem Typus nach aus der Aneinanderreihung von Einzelportraits entstandene große Familienportrait wurde 1791 gefertigt. Demnach kann es sich bei der älteren Dame im Vordergrund durchaus um Maria Elisabeth Dall'Armi geb. Nockher handeln. Ihr Mann Andreas Michael Dall'Armi wäre dann der in einigem Abstand daneben sitzende Herr, der mit einem anderen sich devot verneigenden Herrn ein Schriftstück austauscht. Für die Identität Dall'Armis spricht ein als Kupferstich erhaltenes Portrait nach J.G. Edlinger (Graz 1741–1819 München). Das im Hintergrund nur angedeutete Portrait ist wohl sicher der 1786 verstorbene Franz Xaver Nockher. (Siehe das Salzburger Portrait der Familie Mozart von 178 . ., in dem J.N. della Croce ebenfalls das Portrait der verstorbenen Mutter zitiert.) Offenbar sind die übrigen Figuren sämtliche aus der Familie Nockher. Bisher liefern die Archivalien zu ihrer Identifizierung keine hinreichenden Belege. M.M.

4.4.2 Elisabeth Lebschée

Anonym (Joseph Hauber?), um 1811, Öl/Lwd, 64 × 51,2; 61/318

Laut Vorbesitzer soll es sich bei dem Bildnis um Elisabeth Lebschée geb. Schiller (Schmiegel/Posen 1780–1828 München) handeln. Sie war die Mutter des Münchner Malers und Lithographen Carl August Lebschée (Schmiegel/Posen 1800–1877 München), und Ehefrau des aus Rappoltsweiler im Elsaß stammenden Anton Joseph Lebschée (1770–1834), dessen Profession in den Personalmeldebogen mit Koch angegeben wurde (StadtAM PMB L 55). – Das Kostüm der Dargestellten entspricht der Mode des Empire und ist für Münchner Verhältnisse von auffallender Eleganz. Entsprechend den Pariser Modejournalen (z.B. Costume Parisien) ist es eindeutig um 1811 zu datieren. M.M.

4.4.3 Bürgermeister Franz von Paula Edler von Mittermayr

Franz Xaver Kleiber (München 1795–1872 München) 1827, bez. an der Tischkante: F. Kleiber pinx. 1827, Öl/Lwd, 77,5 × 62,7; 35/527

Im Inventarbuch wird der Dargestellte irrtümlich als Joseph von Teng (Passau 1786–1837 München) ausgewiesen. Teng war zwar Münchner Bürgermeister aber seine überlieferte Physiognomie ist mit der des vorliegenden Portraits nicht identisch. Eher scheint es sich um den Vorgänger Tengs auf dem Bürgermeisterstuhl, Franz von Paula von Mittermayr (1766–1836), zu handeln. Jedenfalls weisen das »Zum hohen Magistrat der / K. Haupt- und Residenz/Stadt München« adressierte Schriftstück und die Verdienstmedaille am Rock auf das Amt des Bürgermeisters hin. Mittermayr studierte in Ingolstadt Rechtswissenschaft und wurde 1791 als Innerer Rat in den Münchner Magistrat aufgenommen. 1799 wurde er durch Kurfürst Karl Theodor geadelt.

Seit 1804 war er Bürgermeister auf Lebensdauer. Die Verordnung über »die Verfassung und Verwaltung der Gemeinden im Königreich Baiern« von 1818 setzte an die Spitze des Magistrats der größeren Städte zwei Bürgermeister, von denen mindestens einer ein »rechtskundiger« Bürgermeister sein sollte. Einen solchen hatte die Stadt in Franz von Mittermayr, der dieses Amt bis zu seinem Tod 1836 bekleidete. Als zweiter Bürgermeister standen ihm Joseph von Utzschneider (1763–1840) von 1818–1823, Jakob Klar (1783–1833) von 1823–1833 und Joseph von Teng (1786–1837) von 1833–36 zur Seite.   M.M.

4.4.4 Die Eltern des Klavierbauers Bieler in München

Hahn, München, 1834, bez.: Gemalt im Jahre 1834 von Hahn junior, Öl/Lwd, 86 × 72, Musikslg. 61-5

Dargestellt sind Katharina Schmitter (München 1812–1888 München) und Alois Bieler (Ellingen 1804–1898 München) Eltern des Alois Bieler (München 1837–1898 München). Er hatte 1845 sein Geschäft in der Barerstraße 24 und betrieb neben Baumgartner und J. Mayer die Pianoherstellung in der Residenzstadt.   M.K.

4.4.5 Stadthauspfleger Haberschaden

Carl Friedrich Moritz Müller gen. Feuermüller (Dresden 1807–1865 München), um 1835, bez. auf dem Keilrahmen u.: M. Hebenschaden Stadtbaupfleger (sic)/ gem. v. ——— Feuermüller, Öl/Lwd, 29,4 × 23,8; 37/212

Anton Michael Habenschaden (1786–1857) war als Brotbeschauer und Stadthauspfleger (d.i. der Verwaltung des städt. Bauhofes) ein höherer städtischer Beamter. Er war als Zimmermann aus Pilenhofen bei Burglengenfeld nach München gekommen und ließ sich 1812, im Jahr der Eheschließung mit Maria Barbara Nikl, in München einbürgern. A.M. Habenschaden war der Vater des Malers Sebastian Habenschaden (1813–1868). – Das Gemälde ist eines der wenigen Porträts des sonst im Genre tätigen Malers C.F.M. Müller gen. Feuermüller, der 1834 von Zittau nach München auf die Akademie wechselte. Die für den Maler typische Beleuchtung, die Pose des Dargestellten, die den Augenblick vor dem ersten Schluck apostrophiert, sowie die Jagdkleidung rücken denn auch das Bildnis nahe an eine Genredarstellung.   M.M.

4.4.6 Bildnis der Wilhelmine Zellner

Anonym, 1835–40, Öl/Kupferblech, 15,8 × 12,2; 56/117

Der Beschriftung auf der Rückseite zufolge handelt es sich bei dem jungen Mädchen um die spätere Frau des seinerzeit berühmten Volksschriftstellers Hermann von Schmid (1815–1880), Wihelmine Eugenie Zellner. Die Archivalien berichten, daß H. von Schmid – der sich in den 1860er Jahren um die Gründung des Theaters am Gärtnerplatz verdient gemacht hat – im Jahr 1850 die Kaminkehrerstochter Wilhelmine Eugenie Maier (Moos bei Landau/Isar 1819–1892 München) in zweiter Ehe zur Frau nahm (StadtAM PBM). Wahrscheinlich war die 31jährige Wilhelmine bei ihrer Eheschließung mit Schmidt bereits verwitwet. Das Paar bewohnte ein »Eden« genanntes Häuschen mit weitläufigem Garten an der Tegernseer Landstraße. – Da sie ihre Verbindung lediglich als Zivilehe eingehen konnten – der kirchliche Segen wurde ihnen wegen der Trennung von Schmidts erster Ehefrau versagt – galt die Ehe zwischen Hermann von Schmidt und Wilhelmine Zellner nach damaligem Recht als nicht gültig (Hyacinth Holland in: ADB, 31, Leipzig 1890, 664 f.).   M.M.

4.4.7 Bildnis Maria Kaltenmoster ∗

Kaspar Kaltenmoser (Horb a. Neckar 1806– 1867 München), um 1840/43, Öl/Holz, 23,3 × 19,4; II c/170

Der aus Horb am Neckar stammende Genremaler Kaspar Kaltenmoser ist im Jahr 1830 zum ersten Mal in München nachweisbar. Der künstlerische Durchbruch gelang ihm 1834, nachdem der Kunstverein das Gemälde »Tyroler Bauernstube« angekauft hatte. (Schorn 1834, No. 52, 206). Früher ist auch seine Eheschließung mit der Münchner Bürgerstochter Maria Rechthaler (1807–1890) nicht anzunehmen (StadtAM PBM). Im Künstlerlexikon von Thieme-Becker wird seine Verheiratung »um das Jahr 1843« angegeben. (Bd. 19, Leipzig 1926, 485 f.) – Das in der Farbgebung sehr delikate Bildnis erhält durch die Pelzboa einen zusätzlichen kostbaren Akzent. Schmuckstücke werden nur zurückhaltend getragen. Das Gemälde legt die Vermutung nahe, daß sich der Maler mit der altniederländischen Bildniskunst auseinandergesetzt hatte.   M.M.

4.4.7

4.4.8

4.4.9

4.4.8 Unbekannte Münchnerin *

Anonym, um 1845/50, Öl/Lwd, 36 × 25,6; 68/1243

Das Bildnis dieser unbekannten jungen Frau ist unter den Darstellungen der Münchner Bürgersfrauen insofern bemerkenswert, als ihre Toilette keinerlei Anleihen bei der Mode der Vorjahre nimmt. Vom Kleid mit engen Ärmeln über den Tülleinsatz mit Spitzenkragen bis zum Schmuck – alles ist aus einem Guß und um 1845/50 anzusetzen.   M.M.

4.4.9 Buben mit Schaukelpferd *

Gottwald Kühn (Schmiedefeld 1794–1866 Nordhausen), 1825, bez. o.r.: . . . pinx: Kühn 1825, Öl/Lwd, 74,5 × 60,5; Gm 75/15

Der Familientradition nach handelt es sich um die Kinder des Oberförsters Wilhelm Hoffmann aus Schmiedefeld in Thüringen: Rudolf (1822–1871) und Albert (1823–1879), der es zum Apotheker in Plankenhain/Thüringen

brachte. Angeblich waren die Dargestellten Vettern des Frankfurter Arztes und Verfassers des Struwwelpeters Heinrich Hoffmann (1809–1894). – Das Soldatenspiel war ein beliebter Topos für das Kinderportrait der privilegierten Oberschicht. So hat Ferdinand Waldmüller Erzherzog Franz Joseph im Kindesalter in dieser Weise porträtiert (1832).   M.M.

4.4.10 Kinder am Spieltisch

Anonym, um 1837, Aquarell über Bleistift/Karton, 17 × 15,2; 67/4

Die bisher nicht identifizierten Kinder sind sicher Angehörige der Faimilie Posselt. Karl Posselt (Durlach 1768–1828 München), Revisor beim Obersten Rechnungshof und bei der Staatsschulden-Tilgungs-Kommission ist das erste in München nachweisbare Familienoberhaupt (StadtAM Familienbogen). Sein Bruder war der Rechtsgelehrte Ernst Ludwig (I) Posselt (Durlach 1763–1804 Heidelberg), von dem das Münchner Stadtmuseum zwei Bildnisse aus

der Hand Johann Georg Edlingers besitzt (Inv.Nr. 62/931 und 62/932) (Schenk, Edlinger WV Nr. 76 u. 77). Die physiognomische Ähnlichkeit zwischen Ernst Ludwig (I) und dem älteren Knaben ist unverkennbar. – Laut Münchner Adreßbuch waren im Jahr 1842 Ernst Ludwig (II) Posselt am Sendlingertorplatz 3 und Heinrich Karl (v.) Posselt in der Sonnenstraße 7 ansässig. Beide waren mutmaßlich die Söhne von Karl Posselt. Jedenfalls waren sie wie dieser hohe Finanzbeamte: Heinrich war Rat bei der »Steuer-Cataster-Commission«, Ernst Ludwig (II) »Rechnungskommissär am Central-Finanzamt«. – Ernst Ludwig (II) Posselt (Kaufbeuren 1794–1854 München) und seine Frau Augusta geb. Klick (Mannheim 1801–1848 München) waren die Eltern von Karl Ludwig August (München 1825–1881 München) und Luise Augusta (München 1834–1872 München). Wahrscheinlich sind diese die beiden dargestellten Kinder. Die Datierung des Bildes in das Jahr 1837 liegt aus kostümkundlichen Erwägungen nahe und steht in Übereinstimmung mit dem Alter von

Karl Ludwig und Luise Augusta Posselt. – Der landschaftliche Hintergrund mit der Frauenkirche hat weniger topographischen als idealen Charakter. Die sich den Baumstamm hinausrankende Malve war in der Gartenkultur der 1830er Jahre eine beliebte Modeblume.　M.M.

4.4.11 Eduard Karl im Alter von etwa 2 Jahren *

Georg Wilhelm Wanderer (Rothenburg 1804–1863 Nürnberg), um 1837, bez. Aufkleber r.: . . . Eduard Karl, gest. als Gutsverwalter auf/ Schloß – Friedau in der Steiermark./ Öl/ Lwd, 60 × 49,5; 48/328

Eduard Karl (München 1835–1902 Marburg lt. StadtAM PMB) war ältestes der drei Kinder der Lebzelterseheleute Alois und Maria Katharina Karl, und deren einziger Sohn. Seine Schwester Emerentia (München 1839–1857 München) wurde ebenfalls von Georg Wilhelm Wanderer im Kindesalter porträtiert. (Kat.Nr. 4.4.12). Ein Porträt des jüngsten Kindes, Aloisia (geb. 1843), ist nicht bekannt. – Die beiden Bildnisse der Kinder Karl sind nicht, wie bisher angenommen, gleichzeitig entstanden. Die Kindlichkeit des Knaben und seine Kleidung (vgl. Bildnisminiatur Geschwister Posselt von 1837, Kat.Nr. 4.4.10) legen eine Datierung um 1837 nahe. Beiden Porträts gemeinsam ist der motivisch reiche, kulissenhafte Hintergrund, der bei den übrigen bekannten Porträts Wanderers nicht eingesetzt wird. Der Bildausschnitt des Knabenporträts jedoch ist kleiner gewählt als beim Bildnis der Schwester. Auch dies ein Indiz für die Ungleichzeitigkeit der Porträts.　M.M.

4.4.12 Emerentia Karl im Alter von 2 Jahren *

Georg Wilhelm Wanderer (Rothenburg/Tauber 1804–1863 Nürnberg), 1841, bez. r. mit zwei alten Aufklebern: München den 14ten Dezember 1841 / ist die Emma gemalt worden./ Da war sie alt 2 Jahre 5 Monat./ Der Maler Wanderer hat sie gemalt./ Dieses Gemälde ist ein Geschenk der/ Frau Pauline Bögel, Witwe des städt. Oberinspektors Anton Bögel. Es stellt/ dar dessen Tante, Emerantia Karl, gest. als Zögling bei den engl. Fräulein/ in Nymphenburg in ihrem 18. Lebensjahr. Öl/Lwd, 59,5 × 49,5; 48/327

Emerentia (Emma) (1839–1857) war die Tochter des Lebzelters und Wachsziehers Alois Karl (1807–1848) und seiner Frau Maria Katharina geb. Ernst (1808–1853). Die verheiratete sich in zweiter Ehe mit Joseph Gautsch (1821–1890), der damit die dem Handwerksbetrieb gehörende Gerechtigkeit erwarb und der die – heute noch bestehende – Lebzelterei und Wachszieherei im Tal 8, Ecke Maderbräugasse weiterführte.
Das Bildnis Emerentia ist laut Aufkleber 1841 entstanden, das Kind war damals 2 Jahre 5 Monate.

4.4.11

Georg Wilhelm Wanderer aus Rothenburg ob der Tauber wurde nach seiner Niederlassung in München im Jahr 1837 neben Joseph Bernhardt einer der beliebtesten Bildnismaler des Münchner Bürgertums. Seine Porträts finden sich im Kunstverein besonders häufig ausgestellt.

4.4.13 Porträt der Johanna von Kaulbach **

Wilhelm von Kaulbach (Arolsen 1805–1874 München), München, um 1840, Öl/Lwd, 122,4 × 76; 56/244

Dargestellt ist Johanna, die älteste Tochter von Wilhelm und Josephine von Kaulbach, geboren am 4. Juli 1835, später verheiratet mit August Kreling, Direktor der Kunstschule in Nürnberg.　M.M.

4.4.14 Kinder an einem Fenster

Franz Dahmen (1790–1865 München), 1841, bez. r.: F. Dahmen, Öl/Holz, 18,9 × 16,1; 30/1901

Franz Dahmen erscheint 1824 erstmals im Mitgliederverzeichnis des Münchner Kunstvereins (1. Halbjahrs-Bericht über den Bestand und das Wirken des Kunstvereins in München, Ende Juni 1824, 10). Seit der Niederlassung in München war er am »Werk der Gallerien von München und Schleißheim«, hrsg. von Piloty und Flachenecker als Lithograph beschäftigt. Eine Tätigkeit als Zeichenlehrer am Kgl. Erziehungsinstitut lief dazu parallel. Daneben schuf Dahmen kleinformatige Genrebilder, die ihn bekannt machten. Das Gemälde, dessen Titel auch lauten könnte »Die Traubendiebe«, nimmt ein Kompositionsschema auf, das Dahmen aus der ihm durch seine Lithographentätigkeit wohlvertrauten niederländischen Genremalerei kannte: Halbfiguren in einem Fensterrahmen (vgl. Bl. 115 im »Werk der Gallerien . . .«: Gerard Dou, Die Magd mit dem Messingkrug). Dieses Motiv, das auch Johann

4.4.12

Jakob Dirner (1741–1813) bereits in den 1790er Jahren in dem Doppelbildnis seiner beiden Töchter (BStGS, Inv.Nr. 9481) aufgenommen hatte, scheint den Absichten der Malerei des Biedermeiers entsprochen zu haben: im Werk Ferdinand Waldmüllers (1793–1865) sind das »Bildnis eines Kindes in weinlaubumranktem Fenster« (1821) und »Kinder in einem Fenster« (1840) diesem Schema verpflichtet. Georg Friedrich Kerstings »Kinder am Fenster« sind im selben Jahr wie das Gemälde Dahmens entstanden (vgl. Schmoll in: Motivkunde 19. Jahrhundert, 1970, 13ff., Abb. 31 und 32). – Das Gemälde »Kinder an einem Fenster« war 1841 im Münchner Kunstverein ausgestellt als Eigentum von Herzog Max in Bayern.　M.M.

4.4.15 Ausritt Herzog Max in Bayern mit Gemahlin *

Heinrich von Mayr (Nürnberg 1806–1871 München), 1833, bez. u.r.: H. v. M./1833. Öl/Lwd, 46 × 54,5; 37/599

Herzog Max von Birkenfeld-Gelnhausen (Bamberg 1808–1888 München) vermählte sich 1828 mit Prinzessin Ludovika Wilhelmine (1808–1892), der zwölftgeborenen Tochter König Max I. Joseph und Schwester König Ludwigs I., in der Schloßkirche Tegernsee. Joseph Stieler hat das Paar in einem repräsentativen Doppelbildnis 1830 portraitiert (Hase 1977, Nr. 144). Der lebensfrohe Herzog, dessen Palais an der Ludwigstraße 1822–26 nach den Plänen Leo von Klenzes erbaut wurde (abgebrochen 1938), war ein begeisterter Reiter und Pferdekenner mit eigenem Hippodrom und zwei Bereitern. Als persönlichen Hofmaler hatte er Heinrich von Mayr, der 1825 aus Nürnberg gekommen war, engagiert. Mayrs künstlerisches Interesse galt der Pferdemalerei. Durch den kgl. Oberstallmeister von Kessling hatte er Zutritt zum Marstall des Hofes, aber auch zum Hippodrom des Herzogs gefunden. Offensichtlich hatte Herzog Max Beziehung zu

4.4.13

der Begleitung von Ludovikas Vater König Max befanden, ist 1833 datiert. Es hat mehr oder minder privaten Charakter. Ein repräsentatives Reiterbildnis des Herzogs von Mayr war 1835 im Kunstverein zu sehen (41, Nr. 123). Heinrich von Mayr avancierte zunehmend zum Hofberichterstatter des Herzogs, zumal als er diesen 1838 auf der Reise in den Orient begleitete. Die künstlerische Ernte dieser Reise waren »Malerische Ansichten aus dem Orient«, 1839 (10 Hefte mit Lithographien).   M. M.

4.4.16 Maria Therese Bernhart *

Anonym, um 1825–30, Öl/Lwd, 80 × 65,7; 51/269

Maria Therese Bernhard, geb. Ressle (München 1776–1841 München) war die Frau des Hofbibliothekars Johann Baptist Bernhard (Polling 1759–1821 München). – Die Darstellung zeigt sie bereits im Witwenstand, denn die mächtige, mit Bändern und Rüschen gezierte Haube erlaubt eine Datierung des Bildes erst nach 1825, nach dem zuerst in Wien derartige Kopfbedeckungen gleichwertig neben dem Hut in Mode kamen. Für München gibt das Bildnis der Frau Bernhart einen rein städtischen, vom Hof beeinflußten Typus an, der sich relativ frühzeitig von jeglichem Trachtenelement gelöst hat. (Vgl. auch Lorenzo Quaglio Portrait der Obersthofmeisterin von Redwitz, Lithographie, 1828. dat.) Möglicherweise deutet das Buch mit dem goldgeprägten Einband in ihrer Hand auf den Beruf ihres verstorbenen Mannes hin.   M. M.

Landschaft und Stadtbilder

4.4.17 Ansicht des Walchensees

Johann Christian Ziegler (Wunsiedel 1803 – 1833 München), 1824, bez. u. r.: Ziegler 1824, Öl/Lwd, 77 × 89; II d/233

Das 1824 datierte Bild war erstmals 1826 auf einer Münchner Kunstvereinsausstellung zu sehen (Jahresbericht 1826, Ausst.Nr. 242). Es zeigt den Walchensee von Südwesten mit dem Blick auf den Jochberg. Links unter dem Steilhang des Herzogstandes liegt der damals noch sehr kleine Ort Walchensee mit der Kirche St. Jakob und dem heutigen Gasthof zur Post. Gegenüber auf der Halbinsel im Schatten der Bäume erkennt man St. Anna im Klösters aus dem späten 17. Jahrhundert, eine Niederlassung der Eremiten vom Orden des Hl. Hieronymus. Es handelt sich um eine sehr getreue Porträtlandschaft, in der die Stimmung eines frühen Herbsttages eingefangen ist. Typisch für diese Zeit sind die Nebel, die aus dem Tal von Kochel über den Kesselbergsattel steigen und hier liegenbleiben, während es im übrigen über dem See ganz klar ist. Die Bäume zeigen noch kaum Laubverfärbungen, doch wird die frühherbstliche Stimmung durch die Figur des Jägers betont, der gemächlich pfeiferauchend, mit seinem Hund unterwegs ist.   B. E.

dem berühmtesten aller Pferdemaler, Albrecht Adam. Jedenfalls zeugt davon eine Notiz in den Berichten des Kunstvereins 1828, wonach Adam ein Gemälde »Herzog Maximilian in Bayern auf einer Spazierfahrt« ausgestellt hat (23, Nr. 99). Bald darauf war Heinrich von Mayr für den Herzog tätig geworden: 1829 entstehen 12 Gouachen »Equipagen Sr. Hoh.

des Herrn Herzog Max in Bayern« (Bericht KV 1829, 31, Nr. 24–35) und 1830 ein Gemälde »Schlittenfahrt des Herzog Max« (Bericht KV 1830, 28, Nr. 41). Das Gemälde mit dem Ausritt des herzoglichen Paares in einer bisher noch nicht genauer identifizierten Landschaft in Begleitung zweier Reiter und eines der Prince Charles Hündchen, die sich auch stets in

4.4.18 Das Asam-Schlößl in Maria Einsiedel bei Thalkirchen

Karl Schlotthauer (geb. 1803 München), 1829, bez. u.r.: KS (ligiert) 1829, Öl/Lwd, 24,7 × 29,8, Lit.: Nagler, Monogrammisten. Bd. IV, Nr. 842; AK München und Oberbayern. Linz 1971, Nr. 238 m. Abb.; 29/797

Das 1829 datierte Bild kann aufgrund des Monogramms (siehe Nagler) Karl Schlotthauer zugeschrieben werden. Stilistisch schließt es sich der Salzburger Romantik an, deren Hauptvertreter die Brüder Olivier waren.

Dargestellt ist das von Cosmas Damian Asam um 1729–32 für sich als Wohnhaus und Atelier umgebaute sogenannte Asam-Schlößl bei Thalkirchen. Man sieht die Seite des Hauses, während die Front durch Bäume verstellt ist, so daß nicht erkennbar ist, ob die barocke Illusionsmalerei zu dieser Zeit sichtbar war. Vermutlich war sie jedoch übertüncht.

Rechts im Hintergrund erblickt man am jenseitigen Isarufer vor dem Gebirge die Reste des 1796 abgebrannten Harlachinger Schlosses. Mit dem Regenbogen werden die Landschaft und ihre bäuerlichen Häuser sowie die liebevolle Begegnung der beiden Menschen im Vordergrund unter das Zeichen des Friedens und der Versöhnung gestellt. (Als solches taucht der Regenbogen etwa in Golters »Farbenlehre« von 1808 im Kapitel »Zur Geschichte der Urzeit« auf.) B. E.

4.4.19 Blick auf die Stadt München von Großhesselohe aus

Joseph Cogels (Brüssel 1785–1831 Leitheim/Donauwörth), 1822, Öl/Lwd/Holz, 47 × 65, München, Städtische Galerie im Lenbachhaus, G 10491

Die Ansicht zeigt das Flußbett der Isar mit ihren Steilufern vor München. Im Hintergrund erkennt man die Silhouette der Frauenkirche. Cogels, der seine Ausbildung in Aachen, Düsseldorf und Paris erhielt, war seit 1811 in München ansässig, wo er Aufträge für Landschaftsgemälde von König Maximilian I. Joseph und vom Herzog von Leuchtenberg bekam. Mit Vorliebe malte er in der Tradition der Niederländer ebene, weit hingebreitete Gegenden, Schlösser und ferne Städte, ebenso Marienbilder mit überraschenden Beleuchtungs- und Lichteffekten. U. K.

4.4.20 München und seine Umgebung *

Heinrich Adam (Nördlingen 1787–1862 München), München, 1842, bez. u.l.: HA/1842, Öl/Lwd, die Randansichten Holz/Pappe, 79 × 95,5, Lit.: AK Adam, München 1981, Nr. 172; 28/563

Das Bild war schon bei seiner ersten Ausstellung im Münchner Kunstverein im Jahre 1842 als Eigentum des Herzogs von Leuchtenberg ausgewiesen (Jahresbericht des Kunstvereins 1842, Ausst.Nr. 307), aus dessen Besitz es 1928 vom Münchner Stadtmuseum erworben wur-

4.4.15

4.4.16

4.4.20

de. Das Mittelstück zeigt den Blick vom jenseitigen Isarufer über die unteren und oberen Isarüberfälle auf die Stadt. Rechts am Bildrand erscheint noch ein Stück der Praterinsel. Seit Johann Jakob Dorners d.J. Bild von 1806/7 (BNM) bleibt diese Ansicht die am meisten gemalte Darstellung von München.

In den Randansichten sind die populären Ausflugsorte in der Münchner Umgebung, Schlösser und Wirtschaften dargestellt. Oben: Schloß Biederstein, Schloß Ismaning, Schloß Possenhofen. Unten: Schloß Schleißheim, Schloß Tegernsee, Schloß Nymphenburg. Links: die Wirtschaften von Neuberghausen und im Hirschgarten. Rechts: die Wirtschaften Menterschwaige und Großhesselohe. B.E.

4.4.21 Das Brunnthal

Carl Heinrich Wenng (Nördlingen 1787–1854 Stuttgart), um 1830, Öl/Lwd, 40,3 × 51,5, Lit.: AK Isar, München 1983, Nr. 518; AK WB III/2, 1980, Nr. 639; 51/438

Ansicht des kaum bebauten, unbewaldeten Isarsteilufers vor München; auf dem unbefestigten Weg Figurenstaffage. Im Hintergrund sind am rechten Isarufer die Bogenhauser Kirche St. Georg, am linken Ufer Gebäude, die zur 1808 von Adrian von Riedl gegründeten Neumühle gehörten, zu erkennen (diese Mühle wurde 1838 in »königliche bayerische privilegierte Ludwig-Walzmühle« umbenannt, ab 1879 erscheint sie dann als Kunstmühle der Tivoli-Aktiengesellschaft).

Zentrales Motiv ist das Brunnhaus beim ehemaligen Neuberghausen, unterhalb des heutigen Maximilianeums. Der auf Veranlassung von Max II Graf von Preysing-Hohenaschau für die Wasserversorgung des Preysing-Schlosses in Haidhausen um 1700 errichtete Wasserturm, war eines der ältesten Brunnenhäuser Münchens. 1859 wurde das Gebäude dann beim Bau des Maximilianeums abgebrochen.

Das Brunnenhaus und seine Umgebung war schon in der frühen Münchner Landschaftsmalerei ein beliebtes Motiv, das im Zuge der Ent-

deckung Münchens und seiner näheren Umgebung oft dargestellt wurde. Neben Wenng zeichneten und malten es J.G. v. Dillis, J.J. Dorner d.J., W. von Kobell und Max Joseph Wagenbauer (nach Hardtwig, AK WB III/2, 1980, Nr. 639). U.K.

4.4.22 Gartenhäuser der Isarvorstadt

Anonym, nach 1850, Öl/Lwd, 47 × 64,5; Z 8

Das bisher unveröffentlichte Gemälde zeigt das Gelände der Isarvorstadt, die hier noch den Charakter einer von Bächen durchzogenen Gartenlandschaft trägt. Als Standort kann die Ecke Holz-/Müllerstraße (zwischen ehem. Angertor und Sendlingertor) angenommen werden. Bei dem in der linken unteren Bildecke angegebenen Erdwall kann es sich angesichts des Blickwinkels nicht um einen zur Stadtmauer gehörenden Wall handeln. Er dürfte eine Hinzufügung des Malers sein, der den nach Süd-Südwesten gerichteten Blick aus einem

Fenster genommen haben dürfte. Im Vordergrund Gartengrundstück mit in einer Wegkreuzung stehendem Pumpbrunnen. (Vgl. Gustav Wenng, Topographischer Atlas von München, 1858, Bl. 42–43.) Dieses Grundstück war 1850 im Besitz des Bevollmächtigten J.B. Späth, damals noch ohne Brunnen (vgl. G. Wenng, Topographischer Atlas von München, 1850, Isarvorstadt, Pl. 1). Hinter dem weißgetünchten hohen Gartenhaus, das ebenfalls bei Gustav Wenng 1850 eingetragen ist, der Westermühlbach und die Westermühle (ehem. Pöcksteinmühle). Im Mittelgrund der Stadtbleichanger mit dem von einem Holzgeländer begleiteten Mahlmühlbach und einem polygonalen Gartenhaus. Jenseits des Mahlmühlbaches und gegenüber des Gartenpavillons zur Pulvermühle gehörende Gebäude. Hinter der Westermühle und von den hohen Bäumen fast verdeckt der spitze Turmhelm des Brunnhauses an der oberen Lände (abgerissen 1885) in Höhe der Schmerzhaften Kapelle. Am linken Bildrand hebt sich gegen die Gebirgskette und den Horizont die alte Giesinger Hl.-Kreuz-Kirche auf dem Isarhochufer ab, rechts von der Mitte die Harlachinger St. Annakirche. Am rechten Bildrand schließt die Zugspitze das Gebirgspanorama ab.   V.D./M.M.

4.4.23 Ansicht der äußeren Isarbrücke mit Blick auf München ∗∗

Ferdinand Bollinger, um 1814/15, bez. u.r.: F. Bollinger, Gouache, 42 × 54,5, Lit.: AK Isar, München 1983, Nr. 396; AK Klassizismus, München 1980, Nr. 18; G 82/19

Bei der hier abgebildeten Brücke, die sich – vom Standort des heutigen Deutschen Museum aus gesehen – über die Isar spannt, handelt es sich um ein Projekt. Nach dem Einsturz der um 1764 von Ignaz Gunetzrhainer erbauten äußeren Isarbrücke während des Hochwassers am 13. September 1814, welche die Kohlen-, später die sog. Museumsinsel mit der Vorstadt verband, wurde Carl Friedrich von Wiebeking (1805 von Montgelas als Leiter des Wasserbaus nach München berufen) mit der Planung einer neuen Brücke beauftragt. Der Bau der von ihm vorgeschlagenen Steinbrücke mit drei Bögen wurde zwar genehmigt, kam aber nicht über das Anfangsstadium hinaus, so daß man sich jahrelang mit einer Notbrücke behelfen mußte. Erst ab 1823 erfolgte unter der Leitung Klenzes der endgültige Bau einer neuen Brücke, die am Geburtstag Ludwig I., am 3. Mai 1828, endlich dem Verkehr übergeben wurde. Die »Ludwigsbrücke« blieb bis 1934/35 bestehen (Rehfus, in: AK Klassizismus, München 1980, 129).   U.K.

4.4.24 Schulhaus an der Luisenstr.

Franz v. Paula Mayr (Donaualtheim 1778 – 1845 München), (wohl 1838), Öl/Lwd, 18 × 25,8, Lit.: Rambaldi, 1894, 163; 32/602

Das Bild gehört zur Serie von 1838. Es gibt den Blick in die Luisenstraße von Norden. Das heute nicht mehr vorhandene klassizistische Gebäude auf der rechten Seite, Luisenstraße Nr. 3, wurde als Schul- und Feuerhaus im Jahre 1829 durch den Magistrat der Stadt erbaut, wie dies die Unterschrift einer Steingravierung von Fr. Riebel bezeugt (30/176). Architekt war Johann Ulrich Himbsel Neukirchen/Oberpfalz 1787 – 1860 München), der den Bau von 1828–1829 aufführte. Ab 1900 wurde die Volksschule Höhere Töchterschule.   B.E.

4.4.25 Das städtische Zeughaus am Heumarkt ∗∗

J. Helldobler (um 1840 in der Münchner Porzellanmanufaktur tätig), München, um 1840, Aquarell, 33,5 × 23, Lit.: Maillinger, Bd. II, 1876, Nr. 175; Dreesbach, 1977; M II/175 (B)

Das ehemalige städtische Zeughaus gehört mit dem alten Rathaus zu den Beispielen profaner bürgerlicher Baukunst der Spätgotik in München. Im Zusammenhang mit der Vergrößerung des städtischen Waffenarsenals wurde es 1491–93 von Lukas Rottaler zur Unterbringung der militärischen Ausstattung der Bürger errichtet. Helldobler zeigt den langen, zweigeschossigen Backsteinbau mit seinem steilen Giebeldach und über Eck gestellten, mit den in Landesfarben gestrichenen Burgunderdächern bekrönten Dacherkertürmchen sehr detailgetreu; selbst technische Einrichtungen wie Gaslaterne, Blitzableiter und Seilrollen fehlen nicht. An seinem Erscheinungsbild hat sich bis heute nur verhältnismäßig wenig geändert: lediglich die noch im 19. Jahrhundert benutzten Ladeöffnungen in der Mitte der Giebelfront wurden zu Fenstern geschlossen sowie das vorgesetzte Wachhäuschen abgerissen. Als man das Arsenal im Laufe der Zeit nur noch für repräsentative Zwecke verwendete, bzw. die Waffen nach der Erstürmung des Zeughauses 1848 zum »patriotischen Denkmal« erhoben wurden, entstand Mitte des 19. Jahrhunderts

4.4.27

4.4.23

aus dem Zeughaus ein erstes »Stadt-Museum« mit einem »ornamentum heroicum«. Als Anfang der 80er Jahre die Außenfassade des Zeughauses restauriert wurde, diente Helldoblers Aquarell als Vorlage für eine historisch richtige Farbgebung. U.K.

4.4.26 Maria-Hilf-Kirche in der Au (Uhrenbild)

Georg Wilhelm Wanderer (Rothenburg/Tauber 1804–1863 Nürnberg), 1840, bez. u.r.: G. Wdr. 1840, Öl/Kupferblech mit originalem gefaßtem Rahmen, 42 × 32,4, 34/419

Darstellungen der Münchner Bauten aus der Ära Ludwig I. waren durch eine Vielzahl meist kleinformatiger Stiche in Mappen (wie z.B. »Erinnerung an München« verlegt bei J.C. Hochwind) oder auch einzeln in Umlauf und wohl relativ billig zu erwerben. So erklärt es sich, daß der vielbeschäftigte Portraitmaler G.W. Wanderer dieses Uhrenbild mit der Darstellung der Maria-Hilf-Kirche (beg. 1831,

voll. 1839 im Todesjahr ihres Erbauers Daniel Joseph Ohlmüller) hergestellt hat. – Das Uhrenbild folgt einer Lithographie von Ludwig Lange (Darmstadt 1803–1868 München), die der 1837 erschienenen »Topographie und Statistik des Kgl. Bayer. Landgerichtes Au« von Anselm Martin als Frontispiz beigegeben war. An der Nordseite des Platzes steht noch die 1727–29 erbaute alte Maria-Hilf-Kirche. Der Abbruch erfolgte 1839. Somit ist dieses 1840 datierte Uhrenbild ein Zeugnis für die historisierenden Tendenzen des Biedermeiers. M.M.

4.4.27 Inneres der Michaelskirche ✳

Franz von Paula Mayr (zugeschrieben) (Donaualtheim 1778 – München 1845), Öl/Lwd, 80,2 × 62,9; 60/382

Das unsignierte und undatierte Bild ist vor allem aufgrund der Formen der weiblichen Mode um 1830 zu datieren. Es stellt das Innere der in den Jahren 1583 bis 1597 erbauten Jesuitenkirche St. Michael in München dar.

Möglicherweise ist es identisch mit einer Darstellung »Innere Ansicht der Jesuiten Kirche in München«, 29,5 Zoll hoch, 23,5 Zoll breit, von Franz von Paula Mayr, die 1831 im Münchner Kunstverein ausgestellt war (Jahresbericht des Münchner Kunstvereins 1831, Nr. 142, 37). Die trockene, kühle Farbigkeit und die Figurenbildung können diese Vermutung unterstützen. Auch die pünktelnde, etwas pedantische Malweise spricht für einen Kleinmeister als Autor. – Eine unbezeichnete Zeichnung vom Inneren der Frauenkirche im Münchner Stadtmuseum aus der Sammlung Zettler (Z(D1)745) vom Innern der Frauenkirche läßt eine ähnliche Auffassung von Figur und Architektur erkennen (Abb. 121 in: Zettler, 1918). B.E.

4.4.28 Der kleine Rathaussaal in München

Ferdinand Petzl (München 1819–1899 München), 1847, bez. r. (von fremder Hand): Ferd. Petzl, Öl/Karton, 25,1 × 33,4; Gm 83/29

Im Obergeschoß des sog. Gollierhauses an der Südseite des Schrannenplatzes (später Marienplatz) und neben dem Ratsturm war 1392 eine neue Ratsstube erbaut worden. Unmittelbar östlich anschließend entstand 1412/13 das Haus der Stadtwaage, in deren Obergeschoß eine weitere Ratsstube eingerichtet worden war. Sie diente dem vornehmen inneren Rat als Tagungsort und wurde dementsprechend innere Ratsstube genannt. – Dieser Gebäudekomplex, der sich nach der Erwerbung des Gollierhauses durch die Stadt im Jahr 1443 zum sog. kleinen Rathaus unter der Adresse Petersplatz No. 4 zusammenschloß (M. Schaftenhofer, 1972, 16 ff., Abb. 22) war vom Petersplatz her zugänglich. Diese Situation ist festgehalten in einem Gemälde von Ferdinand Jodl (1805– 1882), das den Platz im Jahr 1838 darstellt (MStM 52/85). – Die 1392 erbaute sog. große oder äußere Ratsstube wurde in späterer Zeit auch kleiner Rathaussaal genannt. Sie war mit einigem Aufwand zu einem repräsentativen Ratszimmer ausgestaltet worden: drei steingemeißelte Fensterumrahmungen, die mit Schnitzwerk gezierte Holztonnendecke sowie Wandmalereien. 1475 kam ein großer Nürnberger Messingleuchter hinzu. – Ferdinand Petzl stellt den kleinen Rathaussaal gegen Osten dar. Sein ursprünglicher Zustand ist weitgehend erhalten. Die Türen neben der Standuhr führen in die innere Ratsstube. Als im Jahr 1876 das Standesamt in das Kleine Rathaus verlegt wurde, wurde der Saal als Warteraum genutzt. – Eine kleinere Fassung dieses Gemäldes befindet sich in Münchner Privatbesitz. Es ist rechts bezeichnet: »Der kleine Rathaussaal in München/ gemalt von Ferdinand Petzl 1847«. Ein Gemälde mit dem Titel »Der kleine Rathaussaal in München« wurde am 16. Februar 1847 vom Kunstverein zum Zweck der Verlosung angekauft. (Bericht des KV, 1847). – Die Galerie Heinemann, München, stellte ein auf Pappe gemaltes Gemälde von Ferdinand Petzl »Im Münchner Standesamt« aus. Die Maße des dort ausgestellten Bildes betrugen 22 × 30 cm. (AK Münchner Malerei unter Ludwig I., 1921, Nr. 313, 44.)   M.M.

4.4.25

Münchener Vergnügungsplätze

Florian Dering

»Und was bewegt sie (die Münchner A. d. V.) dazu, ihre gewöhnlich bequemen, eleganten und gewohnten Räume zu verlassen? ihre Lust am Volksgetümmel? es findet keines Statt, und wäre es, sie sondern sich ja freiwillig wieder davon aus. – Nichts anders ist es, als das Einzige, das hier mächtig wirkt, das jeden in Bewegung setzt, die Conversation belebt, und selbst schönen Mädchenaugen noch höhern Reiz zu geben vermag – das Bier. –
Der Münchener geht in der Regel nicht spazieren, er geht nur nach irgend einem Wirthshause, wie man dieß sonst nur in kleinern deutschen Städten findet. Daher ist der köstliche englische Garten, in der nächsten Nähe der königlichen Residenz, so einsam, so ausgestorben. Keine größere Stadt, am wenigsten die Hauptstadt eines Landes zeigt diese Erscheinung. Man sollte glauben es gäb keine Dandy's, keine pflastertretenden Müßiggänger, keine cokettirenden Damen hier, keine Leute, die gern sehen, und sich eben so gern sehen lassen. Will man den englischen Garten auf eine passirende Weise belebt sehen, so besuche man ihn Sonntags Nachmittags. Dann wird er nach allen Richtungen durchzogen, aber wiederum nicht, um seiner selbst willen, sondern um das beliebteste Wirthshaus zu erreichen, und man wählt den Weg durch den Park, weil er Schatten bietet oder kürzer ist. Abends, wenn dann die Leute nach Hause gehen, und die bunte Reihe sich auf allen Fußwegen ausbreitet, heitere Gruppen durch alle Gebüsche schimmern, während der Fahrweg von Wagen und Reitern belebt wird, dann erscheint der Garten reizend und malerisch.« (Lewald, Bd. 1, 56.)
Anhand der Empfehlungen der zeitgenössischen »Führer für Fremde und Einheimische« lassen sich die beliebtesten Zielorte für sommerliche Vergnügungspartien zusammenstellen: Der Stadt am nächsten gelegen war der Prater auf der Isarinsel. Im Englischen Garten konnte man im Wirtshaus am Chinesischen Turm oder in Kleinhesselohe am See einkehren. Am Rande des Englischen Gartens zur Isar hin besuchte man den Paradiesgarten oder die Vergnügungsstätte Tivoli. In nördlicher Richtung erreicht man rechts der Isar das Wirtshaus in Bogenhausen, unweit davon das Schlößchen Neuberghausen, oder zog weiter bis Oberföhring. Im Süden führte der Weg am rechten Isarufer zuerst zum Harlachinger Wirtshaus, dann zur Menterschwaige. Südlich davon liegt auf dem linken Isarhochufer Großhesselohe. Die Ausflügler bewegten sich also weitgehend im landschaftlich reizvollen Flußbereich. Eine Ausnahme bildete eine Partie zum Hirschgarten nach Nymphenburg.
An fast allen diesen Orten befanden sich Tanzplätze als typisch-biedermeierliche Vergnügungseinrichtungen. Das Zentrum dieser runden Holzbauten bildete das Tanzpodium, umgeben von einer Balustrade. Ringsherum war Platz für Sitz- und Stehgäste, an einer Seite schloß sich das Musikerpodium an. Das schindelgedeckte Dach wurde von Holzsäulen getragen. Da die Seitenwände offen waren, konnte einerseits die warme Sommerluft durch das Gebäude ziehen, andererseits war man vor Regen geschützt. Von

diesen Tanzplätzen hat sich keiner erhalten. Zu Beginn des 20. Jh. existierten noch die in Oberföhring, Bogenhausen, Großhesselohe und Neuberghausen (Zell 64). Neben der Bewirtung bildete das Tanzen die Attraktivität der Ausflugsziele. So heißt es 1843: »Das Tanzen gehört mit zu den Hauptvergnügungen der Münchner; es wird hier und in der Umgebung mit wahrem Feuer betrieben. An allen Vergnügungsorten sind Tanzplätze errichtet, wo die untern Klassen sich an Sonntagen vergnügen. Aber auch in den höhern Gesellschaften kann man die Beobachtung zur Genüge machen, wie gern und leidenschaftlich die Münchner Damen tanzen; es scheint diese Vorliebe ihnen schon angeboren zu seyn.« (Schiller 249.)
Folgen wir nun den zeitgenössischen Führern zu einigen Vergnügungsplätzen. Im Gegensatz zu späteren Stadtführern, in denen die entsprechenden Lokalitäten nur noch in knapp gefaßten Auflistungen erscheinen, bieten die Schreiber aus der ersten Hälfte des 19. Jh. dem Leser farbige Beschreibungen als Anregung für seine Spaziergänge.
1810 wurde der Prater als stadtnahes Vergnügungsunternehmen von dem Wirt Anton Gruber gegründet (Gruber 12). Aus der Anfangszeit 1814 stammt folgende Beschreibung: »Ein von Gästen sehr häufig besuchter Lustort ist ferner der Prater. Dieser Belustigungsort liegt auf einer Insel der Isar, über welche zwischen Bogenhausen und Haidhausen eine Brücke führt. Er ist ein anmuthiges, von vielen Bäumen und Gebüschen beschattetes Plätzchen, mehr vom Volke und den niedern, als von höhern Ständen besucht. Ein Wirth ist dort etablirt; teutsche und russische Schaukeln; kleine Bauern = und Eremitagenhütten; verschiedene kleine Lauben und Spiele für die Jugend, sind dort angelegt. Das liebste und frequenteste Spiel ist das sogenannte Ringelstechen (Karussell). Das Werkzeug dieser Belustigung ist unter einer Rotunde angebracht. Den Umkreis bilden sechs kleine Gespanne, theils aus Pferden, theils aus Wagen bestehend; an einem Seitenpfahle ist ein Rad befestigt, woran die Ringe aufgehangen sind, welche mit einer Art kleiner Degen von den Fahrenden oder Reitenden, im kreisförmigen Umtriebe, herabgestochen werden. An diesem Vergnügen nehmen sehr gemischte Gesellschaften Theil; rings um diese Maschine ist eine Menge Zuschauer versammelt. Gebildete Stände besuchen diesen Ort, um sich an dem Anblick der fröhlichen Menge zu weiden. Am reizendsten erscheint dieser Platz, wenn man auf den gegenüberliegenden Precipicen (Abhängen) der Isar steht, und auf das bunte Gewühl vieler Hundert Menschen, die sich an schönen Tagen hier des Lebens freuen, herabsieht.« (Eisenmann, 176.) Hier befand sich auch ein »offener hölzerner Tanzsalon, der erste (?) in München, wozu die kgl. Polizeidirektion sehr gerne an Sonntagen sowie auch an Dienstagen und Donnerstagen, die Abhaltung von Tanzmusiken bewilligte«. 1834 wurden die Praterlokalitäten um einen großen Tanzsaal erweitert (Gruber, S. 13, 15). Seit 1866 befindet sich die Riemerschmid'sche Likörfabrik auf diesem Areal.

Der Weg zum Dorf Bogenhausen führte durch den Englischen Garten über die 1804 erbaute Brücke, Vorläufer der heutigen Max-Joseph-Brücke. »In dem Dorfe befindet sich ein Wirthshaus, welches sehr zahlreich besucht wird. Im Garten desselben ist ein Caroussel und ein bedeckter Tanzplatz aufgestellt, wo alle Sonn= und Feiertage den ganzen Sommer hindurch, ja auch im Frühherbste noch getanzt wird.« (Baumann, 187.) Hier handelt es sich um die spätere Betz'sche Gastwirtschaft an der Ismaningerstraße, an deren Stelle sich heute eine pharmazeutische Fabrik befindet. 1921 wurde der erwähnte Karussellbau und der Tanzplatz abgerissen. Die Karussellfiguren kamen damals ins Münchner Stadtmuseum.

In Bogenhausen ganz in der Nähe »der k. Sternwarte gerade gegenüber der Isar zu liegt das ehemalige Törring= und nachherige Hompeschschlößchen, genannt Neuburghausen (auch Neuberghausen), mit einem schönen Garten, und einem sehr besuchten Wirthshause. Dieses ebenfalls auf der Höhe liegende Schlößchen war seither einer der von der noblen Münchner Welt am meisten frequentierte Vergügungsorte, besonders an den Tagen, an welchen Streck, Musikmeister des k. Infanterie=Regiments Kronprinz, mit seinen Musikern und den Trompetern der Artillerie grosse pompöse Produktionen im Wiener=Strauß'schen Geschmack gab.« (Lindner, 62.) Der Lustbarkeit in Neuberghausen wurde 1863 ein Ende gesetzt, als König Max II. das Schlößchen erwarb und es zu einer Beamtenreliktenanstalt, einem Wohnstift für Töchter von verstorbenen Beamten, umbauen ließ (Zauner, 222). Anstelle des im Krieg zerstörten Gebäudes steht seit 1956 der Neubau einer Versicherungsgesellschaft.

»Vehringen (Oberföhring) auf dem rechten Isarufer gelegen, ist nur ¾ Stunden von der Stadt entfernt, und mehr als ein Drittel des Weges führt durch den englischen Garten, ist also sehr bequem auf einem mäßigen Spaziergang zu erreichen. Der Ort, wo sich die schöne Welt Sonntags, Montags und Donnerstags – die Vehringer Tage – versammelt, ist ein durch Bäume und einige Lauben beschatteter, ziemlich geräumiger Rasenplaz, der die Aussicht über den Strom, nach dem englischen Garten und der Stadt, und links, als Grenzenhüter der Landschaft, auf die baierischen Hochgebirge gewährt, die in der goldenen Sonnengluth des Abends sich sehr reizend darstellen. Zu diesem Reiz der Aussicht kommt noch für das junge Leben der einer ziemlich geräumigen, recht hübschen Rotunde zum Tanz. Da die Rotunde dem Boden gleich, und auf schlanken Säulen ruhend, nach allen Seiten offen ist, so überschauen die sizzenden Gruppen den lustigen Schauplaz, was sehr angenehm und unterhaltend ist. Uebrigens ist man hier auf den Rasenplaz gebannt, und hat keine weitere Ausflucht zum Spaziergehen, als das Herumwandeln zwischen den zahlreich besetzten Tischen.« (Müller, 1., 372.) Die Gastwirtschaft »Schloßwirt« in Oberföhring mit dem Tanzpavillon im ausgedehnten Wirtsgarten am Rande des Isarhochufers mußte erst 1972 den Neubauten des Hotel-Restaurants Bräupfanne und einiger komfortabler Wohnhäuser weichen.

Nach dem Ausflug in Münchens Norden spazieren wir nun in südlicher Richtung. »Eine starke halbe Stunde von Harlaching, aufwärts der Isar, liegt die Schwaige Harthausen, von dem früheren Besitzer Nockher die Nockherschwaige und nachher die Menterschwaige genannt, einer der angenehmsten und besuchtesten Lieblingsorte der Münchner. Hier stand das Dorf Harthausen, welches aber in den Kriegszeiten verschwand. Diese Schwaige mit einem geräumigen Hause, in dem sich ein grosser Saal und mehrere Zimmer befinden und das mit einem angenehmen mit Tischen und Bänken besetzten Garten versehen ist, ist mit einer Gastwirthschaft verbunden, die wegen ihrer guten Bedienung immer von Gästen zu allen Jahrenzeiten, zu Wagen und zu Schlitten häufig und gerne besucht wird.« (Lindner, 17.) Noch heute kehren die Radler und Spaziergänger im Biergarten des stattlichen Wirtshauses ein, das unter Verwendung des alten Gebäudes um 1900 zu seiner jetzigen Form erweitert wurde. Das wohl berühmteste Münchener Ausflugsziel ist Großhesselohe. Bereits 1782 schreibt Westenrieder: »Nach diesem Ort pflegen sich die Münchner seit undenklichen Zeiten des Vergnügens halber hinzu begeben, und einige Häußchen und Tische sind beynahe an dem äußersten Rand der hohen Bergwand erbauet.« (Westenrieder, 47.) Damit meinte er den Steilhang des Isarhochufers. »Dieser älteste und sehr stark besuchte Lustort der Münchner war bis zum Jahre 1808 Eigenthum des heiligen Geistspitals zu München, wurde in diesem Jahre an den Bürger und Caffetier Franz Schröffel verkauft, der es mit einem Tanzsaale im Freien, an dem Platze, wo ehemals eine Klause, Einsiedelei, stand, deren Bewohner Bier schenken durften, und welches Recht nach der Aufhebung der Einsiedelei dem jedesmaligen Besitzer blieb – verschönerte und mit neuen Oekonomie=Gebäuden auf der Schwaige versah. Sieben Jahre darauf wurde das auf 37190 fl. gerichtlich geschätzte Gut in der Lotterie ausgespielt. Von den Gewinnern kaufte es der französische Generallieutnant Graf Drouet d'Erlon und bewohnte es mit seiner Familie mehrere Jahre, errichtete daselbst eine Bierbrauerei und baute ein neues Gasthaus (das heutige Gebäude der Großhesseloher Waldwirtschaft) und ein neues Kellergebäude. Im J. 1835 brachte dieses Landgut Graf Montgelas käuflich an sich. ... Großhesselohe selbst liegt in einem schattenreichen angenehmen Wäldchen; es hat dem erwähnten Tanzsaale gegenüber am hohen Isarufer viele aneinander gereihte Gastlogen, die, mitunter ungemein possirlich mit Carrikaturen u. dgl. ausgeschmückt, zur Sommerszeit gewöhnlich an Privaten verpachtet sind. ... Man erhält in Großhesellohe alle Arten Erfrischungen, und in den Sommerstallungen können 300 Pferde untergebracht werden. Das jedes Jahr am Pfingsten statthabende Kirchweihfest zieht Tausende von Gästen nach diesem Vergnügungsorte, und es trifft sich sehr häufig, daß Spätterkommende weder Krug noch Glas, weder Tisch noch Bank mehr haben können.« (Lindner, 19.)

Wie sich der immerhin zweistündige Marsch nach München bei einsetzendem Regen gestaltet, hat Heinrich Marr 1844 auf seinem Bild »Heimkehr von der Großhesseloher Kirchweih« festgehalten (vgl. Kat.Nr. 4.4.32). Während die Fußgänger durchnäßt und mißmutig den Kalkofen im Isarbett passieren, reiht sich auf der Straße nach Thalkirchen die Kolonne der Kutschen. Am gegenüberliegenden Isarufer lädt die Menterschwaige zur nächsten Ausflugsplanung ein.

4.4.32

4.4.29 Szene in einem Sommerkeller bei München **

Johann Peter Hasenclever (Remscheid 1810 – Düsseldorf 1853), München, 1840, bez. u.r.: Hasenclever/München/1840, Öl/Lwd, 44,8 × 59, Lit.: Hasenclever-Bestvater, 1979, 15, 129, Kat.Nr. u. Farbabb. 9. Eine umfangreiche Arbeit zu Hasenclevers Werk wird von Knut Soiné in Bremen vorbereitet. L 1062

Die im Münchner Kunstverein unter dem Titel: Szene in einem Sommerkeller b. München im Jahre 1840 ausgestellte Nachtszene (Jahresbericht 1840, Ausst.Nr. 339) findet in einem augenblicklich nicht zu identifizierenden Münchner Bierkeller statt. Diese lagen in ihrer Mehrzahl auf dem Isarhang, an der Hochstraße, der Keller-, der Wiener oder der Rosenheimerstraße südöstlich von München. Von jedem von ihnen konnte sich, soweit sie frei genug lagen, ein ähnlicher Blick auf die Stadt mit der Frauenkirche bieten wie auf Hasenclevers Bild. Der nur für vier Jahre in München ansässige

Düsseldorfer Johann Peter Hasenclever schließt mit diesem wie mit seinen anderen Bildern an die Tradition des englischen Konversationsstückes an, zu dem schon seit dem 18. Jahrhundert eine karikierende Charakterisierung der dargestellten Akteure gehörte. Neben typisierten Personen wie der wachsamen Matrone mit ihrer Tochter und dem mit einer Kellnerin schäkernden Studenten, finden sich auf dem Bild auch Porträts von Hasenclevers Münchner Künstlerfreunden, worauf Hasenclever-Bestvater hinweist. Man erkennt deutlich an seiner zwergenhaften Figur und der Lockenmähne unter dem Hut den ebenfalls für einige Jahre in München lebenden Düsseldorfer Stillebenmaler Wilhelm Preyer (vgl. das Porträt Hasenclevers von Preyer in der Berliner Nationalgalerie, Inv. NG 1420).

Gegen die turbulente Szene, in der lautstark Biernachschub gefordert wird, kämpft eine Musikkapelle mit Trompete, Geigen, einem Cello und einem zur Trommel umfunktionierten Bierfaß an, während ein Mädchen schwär-

merisch das Feuerwerk in der Mainacht, in der das Bockbier ausgeschenkt wird, betrachtet – übrigens ein auch sonst beliebtes Motiv bei Hasenclever.

Zu dem Bild existiert eine Vorzeichnung (Feder und Blei) in der Staatl. Graph. Sammlung München (Inv. 1920: 132, Hasenclever-Bestvater Nr. 10).   B.E.

4.4.30 Münchner Wirtsgarten **

Anton Evers (Moritzberg/Hannover 1802– 1848 Hannover), 1841, bez. u.l.: E. (?) A. EVERG. 41. Öl/Lwd, 55,4 × 70,8; 61/347

Wie die Wiener das Leben vor den Toren der Stadt in den Volks- und Kaffeegärten genossen, so standen den Münchnern – und stehen noch heute – die Wirtsgärten offen. »Außer der Stadt in ihren nächsten Umgebungen und Vorstädten befinden sich mehrere Gasthäuser und Wirtsgärten wovon ... letztere in ihren angenehmen Lokalen und Gartenanlagen einen angenehmen Aufenthalt gewähren.« (Destouches,

4.4.29

1827, 330.) Friedrich Boetticher führt in den »Malerwerken des 19. Jahrhunderts«, Bd. I, 1, 297 unter den Werken des seit 1832 in München ansässigen Malers Anton Evers eine Lithographie des Titels »Der Wintergarten zu Schwabing, Szenen aus dem Münchner Volksleben« an. Dieses Blatt wurde nach dem vorliegenden Gemälde durch Th. Driendl lithographiert. – Unter den im Adreßbuch von 1842 aufgezählten fünf Schwabinger Wirtsgärten ist kein »Wintergarten«. Immerhin hatte es einen Bierwirt an der Winterstraße gegeben, die am südlichen Rand des Englischen Gartens zwischen dem Palais des Prinzen und der Isar ihren Verlauf nahm (spätere Prinzregentenstraße). Dieser Bierwirt trug allerdings den Namen »Zum Alletag«. Ob dieser zum ehem. Graggenauer Viertel gehörende »Vorzügliche Vergnügungsort« gemeint ist, oder ob die topographischen Angaben nur allgemeinster Art sind – wie in seinem übrigen der Genremalerei angehörenden Werk –, muß dahingestellt bleiben.

M. M.

4.4.31 Gasthausszene *

Jakob Munk (geb. um 1815), 1845, bez. u.l.: J. Munk/ 1845, Öl/Lwd, 30,3 × 25; 39/1349

Dieses Gemälde ist neben dem Bildchen von Emil Rittmeier (Kat.Nr. 2.3.6) ein weiteres Beispiel für den während der 1840er Jahre in München gepflegten folkloristischen Typus der Genremalerei. In Felix Joseph Lipowskys 1822–30 erschienenem Trachtenwerk tragen die beiden Blätter mit der aktuellen Münchner Stadttracht den Titel »Kellnerinen von München«. Offenbar verbreitete dies, aber auch Darstellungen wie Anton Evers »Münchner Wirtsgarten« (Kat.Nr. 4.4.30) die Meinung, daß die Münchner Tracht die traditionelle Berufskleidung der Kellnerinnen war. Da diesem Stand Koketterie zugebilligt wurde, durften sich seine Vertreterinnen die beliebten Darstellungen mit zuweilen etwas anzüglichem Inhalt gefallen lassen. – Jakob Munk, der 1832 Schüler an der Berliner Akademie war, war bisher bekannt als Vertreter der Berliner Genremalerei

(vgl. Nagler, 11. Bd., 1824, 124 f.). Mit diesem Bild könnte ein – bisher nicht bezeugter – Aufenthalt in München verbunden gewesen sein.

M. M.

4.4.32 Heimkehr von der Großhesseloher Kirchweih **

Joseph Heinrich Ludwig Marr (Hamburg 1807–1871 München), 1844, bez. u.l. (in die nasse Farbe geschrieben): O.H. Marr 1844, Öl/ Lwd, 53 × 71,5, Lit.: Jahresbericht des Kunstvereins München 1844, Verlosung 1845, Nr. 31; Schorn'sches Kunstblatt 26, 1845, 144; Oldenbourg, 1922, 137; Karlinger, 1933, 126, Abb. 61; ders. 1966, 40, Abb. 79; Spengler, 1971, 219–236, Abb., 241; IIb/87

Eine Reihe von Bürgern wird unterhalb des Isarhochufers bei der Heimkehr von der Großhesseloher Kirchweih von einem Gewitter überrascht. Rechts im Hintergrund rauchen zwei Kalköfen, auf der Anhöhe links sieht man die Menterschwaige.

4.4.31

Zur Großhesseloher Kirchweih schreibt Söltl in seinem Buch »München mit seinen Umgebungen«, München 1837 (413–414): »Hesselohe, ein beliebter ländlicher Vergnügungsplatz. Bis zum Jahre 1808 war es Eigenthum des heiligen Geistspitals zu München. In diesem Jahre kaufte es der Bürger und Kaffetier Franz Schröfl, welcher es durch Aufführung eines Tanzsaales im Freien auf dem Wirtschaftsplatze (hier war eine Klause, Einsiedelei, deren Bewohner Bier schenken durften.) und durch neue Oekonomiegebäude auf der Schwaige verschönerte. Nach sieben Jahren spielte er das Gut, welches gerichtlich auf 37,190 fl. geschätzt war, in der Lotterie aus. Von den Gewinnern kaufte es der französische Generallieutenant Graf Drouet d'Erlon, und bewohnte es als Asyl mit seiner Familie mehrere Jahre, errichtete daselbst eine Bierbrauerei und gestaltete den Wirtschaftsplatz durch Erbauung eines Kellergebäudes und eines neuen Gasthauses um. – Jetzt ist, seit dem Jahre 1835, Graf von Montgelas Eigenthümer dieses Landgutes. – Die reichlich begabte Kapelle daselbst blieb von der Veräußerung ausgenommen, und steht noch jetzt unter der Verwaltung des Stadtmagistrates von München. Am Pfingstmontage wird hier das Kirchweihfest gefeiert, an welchem Tage viele Tausende Gäste hinströmen. Den Wirtschaftsplatz begränzt am hohen Isarufer eine Reihe abgesonderter hölzerner Hütten (Logen), welche einzeln eigens vermiethet werden.«

Das 1844 datierte Bild Marrs wurde im Februar 1845 im Münchner Kunstverein verlost. Sein Gewinner war der Maler Friedrich Simon. Im selben Jahr wurde es im Schorn'schen Kunstblatt erwähnt. Es ist das einzige Werk Marrs, das in der Literatur Beachtung gefunden hat. Während sich bei Spitzweg, der als Humorist mit Marr vergleichbar ist, die Menschen mit ihren als engstirnig oder spießig vorgestellten Interessen angesichts der Natur lächerlich machen, beruht die Komik bei Marr auf der lächerlich wirkenden Hilflosigkeit der Festbesucher angesichts der Widrigkeiten der Natur, wobei besonders die stutzerhaften Stadtbürger aufs Korn genommen werden und die Kleinbürger eher der Natur angepaßt erscheinen.

B.E.

4.4.33 Das Pferderennen auf dem Münchner Oktoberfest

Peter von Hess (Düsseldorf 1792–1871 München), um 1810, Öl/Lwd, 72 × 104; II b/104

Dargestellt ist der geradezu dramatisch zu nennende Augenblick, wie eine Gruppe von Rennpferden vom linken Bildrand hereinprescht und den davonjagenden Spitzenreiter verfolgt. Das bunte Volksgetümmel im Vordergrund lenkt von diesem Geschehen mehr ab, als daß es darauf hinweist. Es steht im Gegensatz zu der militärisch strengen Ordnung um das Königszelt in der Bildtiefe. – Anläßlich der Vermählung des Kronprinzenpaares Ludwig I. und Therese von Sachsen-Hildburghausen am 17. Oktober 1810 veranstaltete die Kavallerie der Nationalgarde 3. Klasse ein Pferderennen auf der großen Wiese unterhalb des Sendlinger Bergs, die von diesem Zeitpunkt an »Theresienwiese« hieß. Im Auftrag des Münchner Bankiers und Majors der Bürgerkavallerie Andreas Dall'Armi (vgl. Kat.Nr. 4.4.1) stellte der 18jährige Akademieschüler Peter von Hess dieses Ereignis zunächst in einen in Kupfer gestochenen Erinnerungsblatt dar. Das vorliegende, etwa gleichzeitig entstandene Ölgemälde, zu dem sich eine aquarellierte Federzeichnung im Besitz der Staatl. Graphischen Sammlung, München befindet, ist dem Stich gegenüber etwas verändert. Die sich den Westrand der Wiese tribünenartig begleitende Anhöhe zusammen mit der zentralperspektivischen Sicht des Mittelgrundes betonen den amphitheatralischen Charakter des Geländes. Wie erwünscht dieser Eindruck des Hess'schen Gemäldes war, zeigt der »Plan der Rennbahn vom 17ten October 1810« von Ferdinand Schiesl (München 1775 – um 1820 München). Auf diesem Blatt ist der »Plan des Amphitheaters in Mailand« in stark verkleinertem Maßstab neben »Theresens Wiese« eingedruckt.

M.M.

4.4.34 Auf der Theresienwiese, um 1830

Caspar Klotz (Mannheim oder München 1774–1847 München), um 1830, Öl/Weißblech, 32 × 26,5; 36/1276

Während des Oktoberfestes waren auf der Theresienwiese am Rande der Pferderennbahn großgezimmerte Wirtsbuden sog. hölzerne Bierschenk aufgebaut, die gerne mit frischgefällten Fichten umstellt wurden. An der Flanke einer solchen Bude trägt sich diese »Nebenszene« des Einkaufs bei der Zwetschgenhändlerin zu. Solche Hökerinnen mit Obst oder auch Brot waren auf der Theresienwiese während des Oktoberfestes mit ihrem mobilen Verkaufsstand unterwegs. Sie fehlen denn auch auf keiner der Oktoberfestdarstellungen von Peter von Hess (Kat.Nr. 4.4.33), Wilhelm von Kobell und Heinrich Adam. Ebenso wie die kleinen Schausteller durften auch die Hökerinnen nur mit jeweiliger Erlaubnis des Magistrats ihren Handel treiben. (Möhler 1980, 190). – Auf der Anhöhe im Hintergrund (der späteren Schwanthaler Höhe) der Vogelbaum und das Schützenhaus. Mit dem von der Oktoberfestgesellschaft errichteten Vogelbaum wurde zwischen 1816 und 1875 das sog. Vogelschießen veranstaltet. Wurde der Vogel abgeschossen, durfte von den sog. Leggeldern ein kleines Feuerwerk abgebrannt werden.

M.M.

4.4.35

4.4.35 Keferloher Pferdemarkt *

*August Franz Schelver (Osnabrück 1805–1844
München), 1844, bez. u.r.: A.F. (ligiert) Schelver 1844, Öl/Lwd, 48,2 × 57,5; 39/571*

In Keferloh, einem Dorf drei Wegstunden östlich von München, wurde zusammen mit einem
Jahrmarkt einmal im Jahr – und zwar in den
ersten Tagen des September – der traditionelle
Viehmarkt abgehalten. Im Jahr 1821 sollen
5–6000 Pferde aufgetrieben worden sein, dazu
unzählige Schafherden, Hornvieh und Schweine. 20 bis 30000 Menschen sollen den Markt
besucht haben. (EOS 78, 1821, 311f.) Diese
Veranstaltung, die der Großhesseloher Kirchweih an Attraktion offenbar nicht nachstand
und ihrer bierseligen Derbheiten wegen einen
eigenen Ruf genossen hatte, wurde in der von
M.G. Saphir herausgegebenen Zeitschrift »Der
Bazar« Nr. 211, 1830, 290ff. ironisch als eine
der »Volksfreuden« beschrieben. Im Jahr 1835
erschien sogar eine Art Epos »Der Keferloher
Markt bey München komisch vorgestellt« von
C.L. Müller. Eine anonyme Lithographie
»Keferloher Markt« (um 1820) wird von Joseph Maillinger (Fürth 1831–1884 München)
folgendermaßen erläutert »Ein von München
stark besuchter Pferdemarkt, wo es lustig herging«. (M I/1884, 184.) Carl August Lebschée
(1800–1877) allerdings hat allein die ländliche
Idylle um die Dorfkirche, ohne alle Betriebsamkeit, in einem Kupferstich festgehalten, der
bezeichnet ist »Partie aus Keferloh nach Nat.
gez. 3. Sept. 1827«. Dennoch war es das pittoreske Getriebe des Viehmarktes, das die Zeitgenossen in seinen Bann gezogen hatte. »Das
Geschelle der Kuhglocken, das Wiehern der
Pferde, der Ruf der Schafe, das Getöse der
Menschen, unter welches sich die Töne der
häufigen Musikbanden mischen, der rasche
Gang des Handels, und die Bewegungen, die
über die Flur wog, läßt einen kaum zur Besinnung kommen. Was aber dem Ganzen die Farbe eines freyen Volksmarktes giebt, wie wir
solches noch in alten Gemälden betrachten,
sind die auf so vielen Punkten ausgestreuten
Buden der Landkrämer, die Küchen und
Mezgereyen, die Bierschänken und Brodwägen,
die Gukkästen und Marionetten, die wandernden Fiedler, Musikkanten und Poßenrei-
ßer, die Volkssänger und Taschenspieler, wo-
bey an anderer Stelle die Tanzplätze und Ke-
gelspiele eine andere Art von Munterkeit erhalten«. (EOS a.a.O. 312.) – Lt. Bericht des
Kunstvereins (1827, 23, Nr. 24) kam im Jahr
1827 ein Gemälde »Der Keferloher Markt« von
Carl Altmann (1800–1861) zur Ausstellung.
August Franz Schelver war im Jahr 1828 dem
Münchner Kunstverein beigetreten. Im selben
Jahr stellte er zwei nicht betitelte Gemälde
»nach Wouvermann« aus (Bericht KV 1828, 24,
No. 190/192). Mit der Darstellung von Pferden
in volkstümlichem Szenenzusammenhang trat
Schelver im Jahr 1837 mehrmals hervor. Die
Titel dieser Gemälde waren u.a. »Roßtäu-
scher« (Schorn Kunstblatt 1838, No. 44), »Ein
Viehmarkt« und »Jüdische Pferdehändler vor
einer Schmiede« (Bericht des KV 1837, Nr. 215
und Nr. 282), sowie »Pferdemarkt vor einem

4.4.36

4.4.37

bayerischen Wirtshaus«, das in Schorns Kunstblatt 1838, 55, No. 14 kritische Würdigung
fand. Die abschließende Bemerkung »Die Erfindung ist reich, natürlich und detailliert«
könnte auch auf das vorliegende, 1844 datierte
Bild angewendet sein. – Auf dem Platz vor der
romanischen Kirche, deren Patron, der Hl.
Aegidius, am, 1. September gefeiert wird, ist
das bunte Treiben des Pferdemarktes auch mit
seinen Auswüchsen bis hin zu einer Prügelei im
Hintergrund ausführlich geschildert. In dem
Gewimmel von Menschen ist durch eine gezielte Lichtführung der Schimmel hervorgehoben.
Dies ebenso wie das Gerätestilleben in der
linken und die Szene zwischen Käufer und
Verkäufer in der rechten Ecke sind Elemente

der altniederländischen Malerei, an der Schelver seinen »Naturalismus« geschult hatte.

M.M.

Genrebilder

4.4.36 Schmiede nahe Teisendorf mit Blick
auf den Watzmann und Schloß Staufeneck *

*Joseph Heinrich Ludwig Marr (Hamburg
1807–1871 München), München, 1836, bez.
u.r.: H MARR (ligiert) (18) 36, Öl/Holz,
29,7 × 41,1, München, Galerie Gisela Meier*

Die »Schmiede nahe Teisendorf« und die
»Rauferei im Wirtshaus« (vgl. Kat.Nr. 4.4.37)
gehören zu Marrs besten Werken. In ihnen

4.4.30

löste er sich von dem Kompositionsschema seiner früheren Bilder, in denen viele, wie aufgereiht wirkende Figuren im Vordergrund und eine kulissenartig aufgebaute Gebirgslandschaft im Hintergrund dominierten; in der »Schmiede« und in der »Rauferei« stellt Marr dem nahezu die Hälfte des Bildes einnehmenden Bauernhaus einen Ausblick auf das Bergmassiv des Watzmanns gegenüber, zugleich reduzierte er die Anzahl der Figuren und konzentrierte dadurch die Handlung. In der »Schmiede« bilden die rastenden Reisenden mit ihren Pferden, die in hellem Sonnenlicht und in warmen Farben gegeben sind, den Schwerpunkt der Darstellung.

In dem Bild folgt Marr dem Bildtypus des »Bayerischen Genrebildes«, das das bäuerliche Leben Oberbayerns zum Thema hat. Seine Blütezeit fällt in die 30er, 40er und 50er Jahre des 19. Jahrhunderts. Heinrich Bürkel wurde zu seiner führenden Figur, er prägte das »Dorfbild« mit seinen verschiedenen Motiven über 40 Jahre.

Auch Marr war in der »Schmiede« von Bürkel angeregt, sowohl im Bildthema als auch im Motiv des großen Torbogens, der sich ähnlich auf Bürkels »Dorfschmiede in Tirol« (Privatbesitz) aus dem Jahr 1827 findet.   P. V.

4.4.37 Rauferei im Wirtshaus ∗

Joseph Heinrich Ludwig Marr (Hamburg 1807–1871 München), München, 1838, bez. u.l.: H MARR (ligiert) (18) 38, Öl/Holz, 33 × 40, Lit.: Boetticher, I/2, 1901, 979, Nr. 6, München, Galerie Gisela Meier

Marrs Bilder, wie die »Rauferei im Wirtshaus« zeigen Szenen von bäuerlicher Direktheit, oft von derbem Humor: »scharf und lebendig schildert er Szenen aus dem Volksleben« stellte Rudolf Oldenbourg in seiner »Münchner Malerei im 19. Jahrhundert« (1922) fest. Am Hauseingang zwei raufende Bauern, andere Bauern sehen der Rauferei durch das Fenster zu. Links ein Ausblick auf den Königssee mit

einer Bootshütte und Blick auf den Watzmann. Durch das Haus mit den raufenden Bauern, den großen Baum sowie die kräftigen Farben wirkt die rechte Bildhälfte mit der Raufszene etwas zu stark betont. In den etwas linkisch wirkenden Figuren zeigen sich gestalterische Schwierigkeiten, die für viele Werke Marrs charakteristisch sind.

Auch im Thema der Rauferei war Marr von Heinrich Bürkel angeregt, so von dessen »Bauernrauferei« (1836; früher Kunstverein Danzig), die zwei Jahre vor Marrs Bild entstand. Ist die perspektivische Konstruktion des Bauernhauses in Bürkels »Bauernrauferei« auch präziser und sind die Farben stärker auf eine Gesamtwirkung abgestimmt, so wirkt Marrs »Rauferei« besonders durch die drastische Darstellung bäuerlichen Lebens.

Marr erhielt seine Ausbildung unter anderem bei Friedrich Rosenberg in Hamburg und an der Akademie Kopenhagen; ab 1825 setzte er dann seine Studien in München an der Kunstakademie fort.   P. V.

4.4.38 Tierdressur auf dem Land

Carl Friedrich Moritz Müller, gen. Feuermüller (Dresden 1807–1865 München), um 1845–50, bez. u.r.: M. Müller, Öl/Holz (Eiche), 32,9 × 37,2; II d/42

Die einzeln, d.h. nicht im Verbund mit einem Jahrmarkt von Ort zu Ort ziehende Kleintierschau war eine gängige Volksbelustigung in Stadt und Land. Sie bestand aus dressierten Hunden und Äffchen, sowie dem Personal, das sich aus dem Dresseur und einem Musikanten zusammensetzte. Unter der Rute des Dresseurs wurden vom »Hunde- und Affentheater« in historischen Kostümen ganze Szenen aufgeführt. Der Schauplatz war in der Regel vor dem Wirtshaus, das hier durch die al fresco Malerei neben der Eingangstüre als solches gekennzeichnet ist (vgl. auch Johann Adam Kleins Berliner Gemälde »Tierbändiger vor dem Wirtshaus«, dat. 1830, AK Landschaftsmalerei München 1979, 257, Nr. 159). Die Schausteller bedurften einer obrigkeitlichen Bewilligung, mittels der die zu bespielenden Gebiete unter den zahlreichen Truppen streng aufgeteilt waren. Durch die Auflösung der napoleonischen Armee waren Soldaten in Massen ihres Soldes verlustig geworden und versuchten nun ihre Not im Schaustellergewerbe zu lindern. Darauf könnte das auffällige Kostüm des Dresseurs hinweisen, der eine kurze, dicht mit Tressen besetzte Jacke, eine Form des sog. Dolmans der

Husaren trägt. Als Kopfbedeckung dient ihm eine Pelzkappe mit rotem Beutel, die ebenfalls Bestandteil der Husarenuniform gewesen war. – Für die Szene ist ganz allgemein die Miesbacher Gegend anzunehmen. Nicht zuletzt deuten Elemente der Tracht, wie der traditionelle Stöpselhut des Bauern und der erst gegen die Jahrhundertmitte in dieser breiten Form aufkommende grüne Filzhut der Bäuerin darauf hin.   M.M.

4.4.39 Der »Omnibus« zwischen Murnau und Seeshaupt **

Heinrich Bürkel (Pirmasens/Rheinpfalz 1802–1869 München), um 1859, bez. u.l.: HBürkel, Öl/Lwd, 26,5 × 37,5, Lit.: AK Bürkel 1969, 10; Bürkel, 1940 (mit Werkverzeichnis); München, Privatbesitz

Diese Stellwagen waren übergroße Kutschen, die man für wenig Geld zum Transport Vieler benutzte. In Paris waren sie seit 1825 üblich. Ihren Namen haben die Wagen, in denen man sich in zwei langen Reihen gegenübersaß, vom lateinischen »Omnibus«: Allen, weil sich jedermann ohne Unterschied darin fahren lassen konnte. Anspruch und Wirklichkeit stehen bei Bürkels Bild in komisch-heiterer Diskrepanz. Die Last des ungefügen Wagens auf dem unbefestigten Weg im bayerischen Alpenvorland ist so groß, daß die zwei mageren Gäule kaum

über die leichte Anhöhe kommen. Die Mitfahrer sind zum großen Teil ausgestiegen, um den wankenden Wagen zu erleichtern oder zu schieben und gegen das Umstürzen zu stützen. Ein Mönch ist auch darunter.
Im Werkverzeichnis Bürkels erscheinen Bilder mit solchen Themen des öfteren. »Ein Stellwagen fahrend. Ein Kapuziner stützt mit anderen«; rückwärts: »Stellwagen von Murnau nach Seeshaupt« 1858 (Nr. 699, Pappe 27 × 34 cm) oder »Der Stellwagen mit dem Franziskaner, fahrender« 1859. Wie immer hat Bürkel seine Themen variierend wiederholt. Auch die äußere Erscheinung der Bilder spricht für die Jahre um 1850, in denen der Maler das »Stellwagen«-Motiv behandelt.   H.O.

4.4.40 Abschied der Braut vom Elternhaus

Joseph Petzl (München 1803–1871 München), 1831, bez. u. M.: Petzl pinx./1831, Öl/Lwd, 70 × 61; 34/310

Hochzeitsbräuche gehören in den dreißiger Jahren zu den Lieblingsthemen Petzls. Sie werden von der Kritik immer mit Wohlwollen bedacht, so etwa das Bild »Tyroler Hochzeit« im Schornschen Kunstblatt 1831, 321: »Frisch, wacker und fröhlich, voll der sinnlichsten, liebenswürdigsten Laune.«
Dabei kommt es Petzl nicht darauf an, in welchem Land die Hochzeit stattfindet. Das Ko-

4.4.39

stüm bietet ihm immer Anlaß zu üppiger malerischer Gestaltung und das Ereignis ist Grund genug für die Wiedergabe der verschiedensten Reaktionen der teilnehmenden Personen, die alle eine gewisse Ursprünglichkeit für sich zu haben scheinen: so die gesittete Zurückhaltung der Braut, die Fürsorglichkeit der Eltern, die stürmische Laune der jungen Männer oder auch der wohl eifersüchtige Blick der durch den Haustürspalt blickenden Schwester. B.E.

4.4.41 Szene in einem Hof eines Athener Hauses

Carl W. v. Heydeck (Saaralben/Lothr. 1788–1861 München), 1838, bez. u.r.: C.v.Hdk. p! 1838, Öl/Lwd, 59,5 × 47,3, Lit.: Boetticher I.2, Nr. 18, 505; AK Bayern in Griechenland, München 1967, Nr. 70, 20; L 848

Das Bild gehörte ehemals der Neuen Pinakothek, in deren Katalogen es von Anfang an geführt wurde. 1927 kam es aus dem Wittelsbacher Ausgleichsfonds an das Münchner Stadtmuseum.
Die Darstellung des Innenhofes eines Athener Hauses mit dem Blick auf die Akropolis ist eine typische Genreszene der Zeit, in der das Leben von Mensch und Tier unter zwei Aspekten betrachtet wird: Liebe und Streit, Frieden und Kampf. B.E.

4.4.42 Dame vor dem Spiegel * Abb. S. 126

Ferdinand Freiherr v. Lütgendorff-Leinburg (Würzburg 1785–1848 Würzburg), 1834, bez. l. an der Mappe: 1834, Monogramm, Öl/Lwd, 92 × 77, Lit.: MK Städtische Galerie, Würzburg 1970, Nr. 136, Würzburg, Städtische Galerie Würzburg, Nr. E 2909-1942

Das Gemälde wirkt durch das ungewöhnliche Motiv des indirekten Porträts. Während die Halbfigur der Frau von Muhr in der hellen Spiegelfläche in Reflexion erscheint, ist die »wirkliche« Ganzfigur eine Rückenansicht mit verlorenem Profil. Das »Porträt im Spiegel« ist ein Typ des 19. Jahrhunderts. Das Accessoire verstärkt den Charakter des Indirekten, so der sinnende Amor mit dem ferntreffenden Bogen und das gedämpfte durch einen in das Fenster gestellten Gazerahmen auf den Toilettetisch fallende Licht. Mittels einer geschickten Lichtregie sind Hell- und Dunkelzonen so hintereinander gestaffelt, daß sich eine große Tiefenwirkung ergibt. Das seitliche Streiflicht modelliert das Rückendekolleté und die reich gebauschten Faltenzüge des spitzenbesetzten Festkleides. H.O.

4.4.43 Lesendes Mädchen am Fenster * Abb. S. 214

Carl Friedrich Moritz Müller, gen. Feuermüller (Dresden 1807–1865 München), bez. u.l.: M. Müller, Öl/Holz, 39,5 × 33, München Städtische Galerie im Lenbachhaus G 10206

Darstellung eines jungen Mädchens in volkstümlicher Tracht, das hinter einem geöffneten, weinumrankten Fenster auf dem Bett bei Kerzenschein in einem Buch liest. Mit dieser Genreszene, die zu den typischen, von künstlich Licht beleuchteten Nachtdarstellungen Müllers gehört – diese brachten ihm auch den Beinamen »Feuermüller« ein – schildert der Maler gleichsam ausschnitthaft den biedermeierlichen Traum vom bescheidenen, häuslichen Glück. Er bedient sich dabei des Typus des Fensterbildes in der Art der niederländischen Malerei des 17. Jahrhunderts, die das Hell-Dunkel als potentiellen Stimmungsträger einsetzt. U.K.

4.5 Graphik

Szenen, Münchner Promenaden und Spaziergänge

4.5.1 Plan des Englischen Gartens mit Ansichten der verschiedenen Orte

*Ludwig Emmert, nach J.B. von Sell, Druck N. Zach, München, um 1820, bez.: A. Das Palais Sr. Königl. Hoheit des Prinzen Carl von Bayern; B. Der Tempel; C. Der Wasserfall; D. Das Denkmal des Grafen von Rumford; E. Das Denkmal des Hofgarten Intendanten von Schell; F. Das Gastwirtshaus am chinesischen Thurm.
Plan / des engischen Gartens in München / mit königlich – Allerhöchster Bewilligung / nach original – Zeichnungen der / U. Hofgarten Intendanz / bearbeitet / vermessen von C. Effner/gezeichnet von I.B. v. Sell/graviert von L. Emmert. 59,5 × 84,2, Lit.: MK Proebst 1968, Nr. 1193; P 1193*

4.5.2 »Münchner Volksleben« –
1. Neuberghausen/Biergarten,
2. Am Karlsplatz/Schaubuden der Dult,
3. Ablösung der Residenzwache,
4. Nach der Messe/ vor der Theatinerkirche,
5. Hofgarten-Arkaden ** Abb. S. 37

München, um 1830–35, bez. u.r.: Herausgegeben v. I.B.C. Förtsch in München; Lithographie, koloriert, 16,2 × 24,2; M IV/775, 1–5

4.5.3 »Münchner Volksleben – Die Zahlenlotterie« *

Friedrich Kaiser (Lörrach 1815–1890 Berlin), München, um 1835, bez. u.l.: F. Kaiser, Lithographie, koloriert, 33,7 × 38, Lit.: MK Proebst 1968, 1813; M II/378.3

4.5.4 »Münchner Volksleben – Der Sommerkeller« *

Friedrich Kaiser (Lörrach 1815–1890 Berlin), München, um 1835, bez. u.M.: Gedr. v. J.B. Kuhn; u.r.: Kaiser; Lithographie, 26,4 × 33,5, Lit.: MK Proebst 1968, Nr. 1724; M II/378.1

4.5.5 »Münchner Bockfreuden« und »Heimreise aus dem Hofbräuhause«

Joseph Petzl (München 1803–1871 München), München, um 1840, Radierung, 23,2 × 21; M II/3035 und 3036

Vgl. Kat.Nr. 5.1.1.–5.1.8.

4.5.3

4.5.4

4.5.6 Ein Hofdurchgang am Rindermarkt ** Abb. S. 128

Peter Ellmer (Haimhausen/Obb. 1785–1873 Freising), München, 1836, bez. o.r.: P. Ellmer 1836/München, Aquarell, Lit.: MK Proebst 1968, Nr. 1466; P 1466

Die Ansicht zeigt einen alten gepflasterten Pack- oder Ladehof mit in den Wänden eingelassenen Steinringen zum Anbinden der Pferde. Das Haus aus dem frühen 18. Jahrhundert hat einen im zweiten Stock umlaufenden Balkon, der mit Blumentrögen und Blumentöpfen geschmückt ist. Eine Reihe exotischer Grünpflanzen steht im Hof zum Übersommern.

H.O.

4.5.7 »Münchner Volksleben. Der Chinesische Turm« *

Friedrich Kaiser (Lörrach 1815–1890 Berlin), München, um 1845, bez. u.M.: Gedr. v. I. Lacroix in München, Lithographie, 28,2 × 36,1, Lit.: MK Proebst, München 1968, Nr. 1204; P 1204

Die Lithographie zeigt einen komprimierten Ausschnitt eines Biergartens im Englischen Garten. Halbverborgen zwischen den Bäumen erkennt man im Hintergrund den Chinesischen Turm. Mittelpunkt der Szene sind zwei, die Blicke der umsitzenden Gäste auf sich ziehende Bürgermädchen, die von einem jungen Künstler gezeichnet werden. Da das Mädchenpaar in seiner Gruppierung wie in seinem Äußeren deutliche Ähnlichkeit mit dem von Engel formulierten Motiv »Die schöne Münchnerin« (M II, / 2514, vgl. Kat.Nr. 4.20.12) aufweist, wird hier von Kaiser vermutlich auf die Entstehung jener Engel'schen Zeichnung angespielt und die Szene dargestellt, wie Engel seine Modelle zeichnet und das populäre Blatt aus einer Skizze im Biergarten heraus entstand.   U.K.

4.5.8 »Die Maler auf der Alp«

Peter von Hess (Düsseldorf 1792–1871 München), bez. u.M.: Die Maler auf der Alp, Federlithographie, 19,5 × 22,6; M II/1332

Der Maler Peter von Hess und der Architekt Friedrich von Gärtner sind in dieser »autobiographischen« Skizze zu Besuch in einer Almhütte und in Gesellschaft zweier Sennerinnen. Ein Hirt bläst die Querflöte. Fußreisen während des Sommers in die Alpen gehörten damals zum Münchner Künstlerleben.

4.5.9 Der Abschied König Ottos von Griechenland am 6. 12. 1832 von seiner Familie in der Münchner Residenz

G. Bodmer (Homrechtikon/Kanton Zürich 1804–1837 München) nach einem Gemälde von Philiph Foltz (Bingen 1805–1877 München), München, bez. u.M.: Gedruckt in der I.G. Cotta'schen Lith. Anstalt in München v. Thomas Kammerer, Lithographie, 62,1 × 47,8, Lit.: MK Proebst 1968, Nr. 1552; P 1552

4.5.7

4.5.10 Heimkehr König Ottos I. von Griechenland in seine Heimatstadt München am 29.5.1836

Gustav Wilhelm Kraus (Passau 1804–1852 München), 1836, bez. u.r.: G. Kraus Lith. 1836; u. M.: Einzug Seiner Majestaet des Königs Otto I. von Griechenland / in München am 29. May 1836 Abends 7 Uhr; Lithographie, koloriert, 24,4 × 37,7, Lit.: Pressler 1977, 277–8, Nr. 414; MK Proebst 1968, Nr. 1560; P 1560

4.5.11 Die Rückkehr König Ludwigs I. aus Griechenland in der Neuhauserstraße

Gustav Kraus (Passau 1809–1852 München), 1836, bez. u.l.: G. Kr. fec.; »Feyerlicher Empfang Seiner Majestaet des Königs Ludwig, bei seiner Rückkunft aus Griechenland zu München am 14. April 1836«, Lithographie, koloriert, 25,7 × 29,2, Lit.: Pressler 1977, 276–7, Nr. 413; MK Proebst 1968, Nr. 1559; P 1559

Zeitenwandel

4.5.12 Immerwährender Wandkalender: »Ewig zerstört sich / und ewig erneuert / sich die drehende / Schöpfung und nur ein stilles / Gesetz, lenkt der / Verwandlung Spiel.«

um 1815–20, Lithographie in Holzkasten, 19 × 24,5; 68/1456

4.5.13 Napoleons Stufenjahre

wohl Johann Michael Voltz, Verlag: Friedrich Campe, Nürnberg, um 1818, bez.: Bonapartes Stufenjahre; Radierung, koloriert, 18 × 26,5, Lit.: AK WB III/2, 1980, 552 j; AK Hambach, Neustadt a. d. W. 1982, Nr. 25; Nürnberg, Germanisches Nationalmuseum HB 19203

Auf einer gestuften Brücke wird der Aufstieg und Fall Napoleons geschildert. Der Bogen spannt sich von der Jugend in Korsika über die Kadettenanstalt in Brienne zum Leutnant in Toulon, zeigt dann den General vor Arcole, den ersten Konsul der Republik und schließlich den Kaiser der Franzosen auf dem Gipfel seines »Ruhms«. Mit dem »Abschied von Spanien« beginnt der Abstieg des Korsen, der nach der Vertreibung aus Rußland von den Alliierten in Deutschland geschlagen wird und auf dem kleinen Eiland St. Helena mit den Seifenblasen seiner Großmachtträume gezeigt wird. Campe war nach den Befreiungskriegen der deutsche Verleger, der sich mit antinapoleonischen Karikaturen und Bilderbögen hervortat, und den Triumph der Restauration in seinen in hoher Auflage verkauften Blättern feierte, die sich zum großen Teil mit dem Sturz und der Vernichtung des politischen Gegners beschäftigten. H.O.

4.5.14 Die heilige Allianz der Monarchen – Allegorie auf den Wiener Kongress

»Nürnberg bei Fr. Campe« – Nr. 25 a, Nürnberg, um 1814–15, bez.: Die Wiederkehr des allgemeinen Weltfriedens/Nach zwanzigjähri-

*gem Blutvergießen kann sich nun die Mensch-
heit wieder der Früchte des Ackerkeims, des
Handels, der Künste und Wissenschaften freuen
und einer glücklichen Zukunft entgegensehen.
Radierung, koloriert, 31,2 × 38,2; Nürnberg,
Germanisches Nationalmuseum, HB 19550-
1316*

4.5.15 Neugotischer Wandkalender

1827, Typendruck, 50,5 × 37; M II/440

In einem Rahmen von gotischem Maßwerk
sind in Medaillons die Münchner Bauten abgebildet. Das Porträt des bayerischen Königs erscheint als Medaille.

4.5.16 Taschenkalender für das Jahr 1841

*J. Bloßield, Buchbinder, Verleger in der Lud-
wigstraße, Augsburg, 1841, bez.: »Kompendiö-
ser Sackkalender für das Jahr nach Jesu Christi
Geburt 1841 ein Gemein=Jahr von 365 Tagen«. Seide, Goldprägepapier, Papier, kolorierter Kupferstich, Spiegel; 8 × 4,8 × 0,6; A 86/
146*

Kalender in weißem Seideneinband, bemalt:
Vorderseite – städtisches Paar, Rückseite –
ländliches Paar, mit kolorierten Kupferstichen.

4.5.17 Die vier Jahreszeiten

*Weissenburg/Elsaß, 1830, bez.: Lith de Fr.
Wentzel à Wissembourg, Lithographie, koloriert, 19,8 × 14; München, Slg. Böhmer*

Le printemps/Der Frühling
L'été/Der Sommer
L'automne/Der Herbst
L'hiver/Der Winter
»Als Sinnbild der vier Jahreszeiten versüßt ein
Quartett lieblicher Damen den Gedanken an
die Vergänglichkeit.« (Böhmer).

4.5.18 Die vier Jahreszeiten

*Metz, um 1840, bez.: Fabrique d'Estampes de
Gangel, Metz »32«, Lithographie, koloriert,
43 × 29; München, Slg. Böhmer*

1. Le Printemps / El Primavera / Der Frühling
2. L'Été / El Estio / Der Sommer
3. L'Automne / El Otono / Der Herbst
4. L'Hiver / El Inverno / Der Winter

4.5.19 Vier Szenen von Verlobung, Hochzeit, Ehe und Familienglück ** *

*Nicolas Eustache Maurin (Perpignan
1799–1850 Paris), Paris, bez. u.M.: à Paris
chez A. Bes et F. Dubreuil imp édit rue Git-le-
Cœur II.; u.l.: N. Maurin, inv. et lith.; Lithographie, koloriert, 61,4 × 46,4, Lit.: AK Emancipatie, Brüssel 1980, 15, m. Abb.; München,
Slg. Böhmer*

LA CHAMBRE NUPTIALE. EL CUARTO DE NOVI
Das Hochzeitszimmer.

4.5.19

1. Das Geständnis – un tendre aveu – declara-
cion carinosa;
2. Das Hochzeitszimmer – la chambre nuptiale
– el cuarto de novios; *
3. Der Morgen nach der Hochzeit – un lendemain de noce – que tornaboda! *
4. Die Neigungsparthie – un mariage d'inclination – un casamiento por amor. **

Liebhabereien

4.5.20 »Vögel=Liebhaberey« Karikatur

*Nürnberg, um 1820, Kupferstich, koloriert,
29,3 × 23,4, Lit.: AK Deutscher Humor, Paris
1974; Slg. Böhmer*

Der Hausarzt verabreicht einem der Lieblinge
das probate Klistier, ein unentbehrliches Requisit biedermeierlicher Leibespflege.

4.5.21 Streichquartett Gebrüder Müller * Abb. S. 229

*Berlin, 1832, bez. u. M.: Berlin 1832; Gebrüder
Müller; Lithographie, 28,6 × 38, München,
Privatbesitz*

Die Brüder Karl Friedrich (*11.11.1797
†4.4.1873; erste Violine), Theodor Heinrich
Gustav (*2.12.1799 †7.9.1855; Bratsche), August Theodor (*27.8.1802 †20.10.1875; Cello) und Franz Ferdinand Georg (*30.7.1808
†22.5.1855; zweite Violine) gaben in den Jahren 1831 bis 1855 als Streichquartett erfolgreiche Konzerte in Deutschland, Frankreich,
Rußland, Holland und Dänemark. Als der
zweite Geiger dieses Quartetts starb, bildeten
die Söhne des ersten Geigers ein neues Quartett, das in der Meininger Hofkapelle geschlossen angestellt war. (Vgl. Aufsatz Joppig, 229)

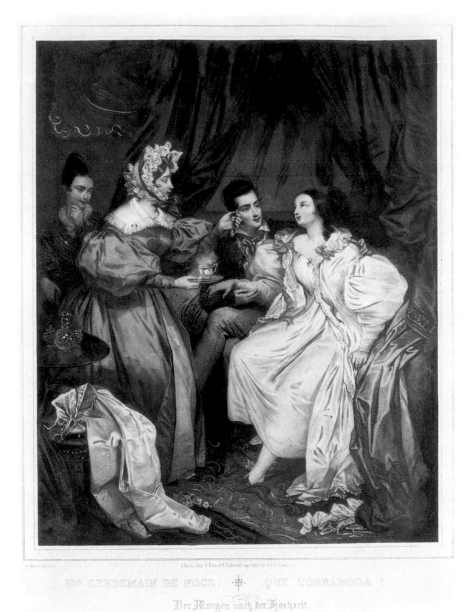

UN LENDEMAIN DE NOCE. QUE TORNABODA !
Der Morgen nach der Hochzeit.

4.5.19

zeigen also nicht die Wirklichkeit, sondern wie die Dinge sein sollen. Sie sind unerschöpfliche Quellen, um das Alltagsleben und den Gebrauch der Dinge während des Biedermeier zu begreifen, wenn man auch Abstriche machen muß, was die Verbreitung der gehobenen Lebensformen angeht, die hier vorgeführt werden. (Vgl. Kat.Nr. 3.1.16 ff.)

4.5.24 »Das Christkindlein . . .«

um 1820, Radierung, koloriert, 41,3 × 33; C 70/31 = 61/714

Ein auf Wolken stehender Engel im Strahlenkranz läßt aus 2 Füllhörnern Kinderspielzeug auf unter ihm stehende Kinder und ihre Eltern fallen. Zu beiden Seiten des Engels musizierender und singender Engelreigen.

4.5.25 Zwei Kinderszenen mit Hund und Papagei

um 1830, Federlithographie, koloriert, 33,7 × 20,2; Slg. Böhmer

Ein Junge gibt einem Hund Naschwerk, das Mädchen spielt mit einem Sittich.

4.5.26 Von guten und bösen Kindern (Knaben und Mädchen)

um 1840, Kreidelithographie, Tonplatte, koloriert, je 36,7 × 24, Nürnberg, Germanisches Nationalmuseum HB 29514 Kapsel 1298 a

4.5.27 Lehrtafeln für Kinder ∗∗

Verlag Schneider, Esslingen, um 1840, Lithographie, koloriert, 41,6 × 52,4; bzw. 38 × 49, Lit.: Hermann 1965, 42; Beenker 1984, 9.56; Slg. Böhmer

Tab. I. bürgerliches Interieur ∗∗, II. Küche ∗∗, III. Bürgerhaus mit Garten ∗, IV. Bauernhof, V. ländliches Interieur, VI. Dreschen, VII. Stall, X. Ernte, XII. Steinbruch, XIII. Fluß und Fischer, XIV. Hafen, XV. Marktszenen ∗.

4.5.28 Die Küche

um 1850, Lithographie, koloriert, 30,2 × 38,2; C 70/22 = 35/986

Innenansicht einer Küche: Hinter dem in der Bildmitte stehenden Tisch sitzt die Mutter und schält Äpfel. Von rechts kommt das Dienstmädchen mit 2 Wassereimern. Im Hintergrund schiebt die Köchin die Gans in den Ofenaufbau. Vorne links spielen 2 Kinder. Es handelt sich um eine geringfügig veränderte und modernisierte Version eines älteren Blattes. (Vgl. Kat.Nr. 4.5.27, II.)

4.5.22 Titelblatt zu einem Kochbuch

Eugen Napoleon Neureuther (München 1806–1882 München), München, 1846, bez. u.l.: E. Neureuther 1846, Radierung, 25,2 × 19,2, M II/2756

Zwei Szenen übereinander mit Arabesken umrandet. Oben: in gewölbtem Raum einer Wirtschaft speisende Gäste; unten: Küchenszene mit zwei Mägden und einer Köchin mit Waage in Pose der Justitia.

Bilder zur Belehrung

4.5.23 »Nähen und Stricken« ∗

Johann Michael Voltz (Nördlingen 1784–1858 Nördlingen), Stuttgart, um 1820–30, bez.: Stuttgart in der Ebnerschen Kunsthandlung, Radierung, koloriert, 23,5 × 31,5, Lit.: AK WB III/2, 1980, Nr. 954 mit Lit.; 32/473

Ihrem Belehrungscharakter entsprechend, sind die Szenen in idealtypischer Weise gestaltet,

N. Maurin, inv et lith. à Paris, chez A. Bès et F. Dubreuil, imp. édit. rue Git-le-Coeur, 11.

UN MARIAGE D'INCLINATION. UN CASAMIENTO POR AMOR.

Die Neigungsparthie.

Cassé frères, à St Gaudens. (Déposé)

4.5.19

Nähen und Stricken

Stuttgart, in der G. Ebnerschen Kunsthandlung

4.5.27

4.5.23

Tab. III.

4.5.29 »Der Schulmeister – Jugend hat keine Tugend«

Waldow jun. – Druck, C. Wilcke-Verlag, comp. u. lith. v. Benseler, Berlin, Lithographie, koloriert, 42,7 × 32,9, Lit.: AK Deutscher Humor, Paris 1974, Slg. Böhmer

Schulszene mit geigespielendem Schulmeister und ungezogenen Kindern, dazu das Gedicht: »Gehorsam ist die erste Kinderpflicht . . .«

4.5.30 Passionsblume

1817, bez. u.r.: Jos. Prestele, Aquarell, 48 × 35; Z (C 13) 1667

»Paßiflora alate. Geflügelte Paßionsblume. Blüthe im Monat Dezember 1817 im königl: botanischen Garten zu München.«

4.5.27

4.5.27

4.6 Drucke

4.6.1 Bayerisches Kochbuch für Fleisch- und Fasttage

Ign. Josef Lentner, München, 1813, bez.: Bayerisches Kochbuch für Fleisch- und Fasttage oder gründliche Anweisung, wie man das ganze Jahr hindurch einen Tisch von sechs Schüsseln mit Veränderung der Speisen auf eine geschmackvolle und wohlfeile Art bedienen soll; nebst Angaben aller Kochregeln und der übrigen nöthigen Vorkenntnisse der Kochkunst, München: Ign. Jos. Lentner, Buchhändler zum schönen Thurme, o. J. (1813), 270 Seiten, 10 S. Register. Beigelegt: Baierischer Küchenkalender auf das Jahr 1813. Hs. Eintrag des Besitzers: B. Pauer in Reichersbayern, 1813; Papier; 31/159

Die meisten Kochbücher des 19. Jahrhunderts wenden sich an die Frauen aller Stände oder betonen ihre Zuständigkeit sowohl für die »Herrschafts«- als auch für die »gemeine Küche«. Mit dem beginnenden 19. Jahrhundert kommt also das bürgerliche Kochbuch auf den Markt und erfährt in vielen Ausgaben rasche Auflagenfolgen. Die Autorinnen, nicht selten Köchinnen, blicken auf jahrzehntelange Kochpraxis zurück. Sie leiten ihre Rezeptfolgen mit Ratschlägen zur Reinlichkeit der Küche und des Kochens, zur Vorratshaltung, auch zum Einsparen von Heizmaterial, ein. Auf die damals geläufigen Werkstoffe für Töpfe und Vorratsgefäße – Irdenware, verzinntes Kupfer, Messing, Eisen, Emaille, Steinzeug und Steingut – wird verwiesen. Die küchenerfahrenen Autorinnen machen auf Vor- und Nachteile der verschiedenen Materialien aufmerksam. Die Leserin erhält Hinweise zur sorgfältigen materialgerechten Pflege allen Küchengeräts. Den Rezepten, meist zutatenreich und üppig, – erst in der zweiten Hälfte des 19. Jahrhunderts wird gespart –, folgen Wochen- und Jahresspeisepläne und Menüpläne. »6 Schüsseln«, also 6 Gänge, waren keineswegs die Ausnahme für den Speisezettel einer »normalen« Familie. Die Rezepte für Dampfnudeln, »Kindskoch« oder Kalbskopf sind ebenso selbstverständlich wie für Krebs, Kapaun, Schnecken, Schildkröten, die gesotten, gebraten und gekocht auf dem alltäglichen Speisezettel stehen. Krebse in allen Zubereitungsformen vom Strudel bis zur Sülze kommen auf den Tisch, bevor die Krebspest sie zum Luxusartikel der Reichen macht. In Reinen, Töpfen, Pfannen, auf Rosten, in Tiegeln und Casserollen werden die Speisen zubereitet. In vielfältigen irdenen und kupfernen Formen sollen saure und süße Sulzen erstarren, und es war Mode, den Hecht in Form eines Rehrückens zu sulzen. Nelken-, Rosen-, Lavendelöle oder -wasser werden den verschiedenen Speisen beigemischt. Rezepte geben Anleitung zur Herstellung kandierter Veilchen- oder Rosenblätter. Dieselben Blätter im Rohzustand verwendete die Köchin auch zum Färben der Speisen. Das Kochbuch wendet sich an die Köchin des Hauses und an die Hausfrau selbst, die, falls sie

über die nötigen Dienstboten verfügt, das Kochen und die Hauswirtschaft beherrschen soll, um das Personal sinnvoll anzuweisen.　　U. Z.

4.6.2 Handgeschriebenes Kochbuch

Marianne v. Bollé, Würzburg, 1824, handgeschriebenes Kochbuch, Umschlag braunes Marmorpapier, 192 Seiten, handpaginiert; 1948/41

Handgeschriebenes Kochbuch mit dem Titel: Kochbuch zum haeuslichen Gebrauch, das darin angegebene Maas und Gewicht, ist nach dem alten Würzburger zu nehmen, welches im Jahr 1821 noch statt hatte.
Verzeichnet sind Suppen, Hauptgerichte (Fleisch, Fischspeisen – Krebszubereitung), saure und süße Sülzen, Torten und Süßspeisen, Marmeladen, Speisenfolgen für »Fasten Dinees« und »Dinee für 16 Personen«. Inhaltsverzeichnis.

4.6.3 Baierisches Kochbuch

Maria Katharina Siegel, Regensburg, um 1825, Papier; A 85/349

Allgemeines bewährtes Kochbuch für Fleischund Fasttage, 7., ganz umgearbeitete Auflage von Maria Katharina Siegel, Köchin in Regensburg, 2 Th. (in I. Bd.), Regensburg: J. M. Daisenberger, um 1825
(1) Enth.: Leichtfaßliche und bewährte Anweisungen für alle Stände auf die vortheil= und schmackhafteste Art die Fleisch= und Fastenspeisen zu kochen, zu backen und einzumachen: Limonade, Mandelmilch und Punsch zu verfertigen, Tafeln nach der neuesten Art zu decken und zu transchiren nebst (2) Unterricht für die Hauswirtschaft verschiedene nützliche Sachen zu machen, und nützlich anzuwenden zum Einpöckeln und Räuchern des Fleisches, Brodbacken, Essigbrauen, Einmachen verschiedener Früchte, Hölzersparen, Lichterziehen, Seifensieden, Stärckemachen, Färben, Bleichen usw.
Kostete 1 Fl. (Gulden) 30 Kr.

Hier heißt es z. B.: Karpfen, Braxen, Forellen, Hechten, Schielen, Schleihen in der Sulz (Nr. 802, 438)

Man schuppe den Fisch ab, löse das Eingeräusch heraus, wasche ihn aus, salze ihn ein, und lasse ihn eine halbe Stunde ruhen; siede 2 Kälberfüsse in einer Maas Wasser weich, seihe die Brühe durch ein Serviet, damit die Fette zurückbleibt, lege den Karpfen in eine messingene Pfanne und dazu: 2 Zitronen und 3–6 Zwiebelscheiben, 2 Lorbeerblätter, Thimian, 2 ganze Nelken, und 3–6 Pfefferkörner, giesse ein Viertheil Wasser und drey Viertheile Weinessig daran, daß sie ober den Fisch zusammengehen, lasse es mitsammen eine halbe Stunde sieden. Wenn die Soß halb eingesotten ist – giesse man die Brühe von den Kälberfüssen daran, lasse es noch einen Sud aufthun, richte ihn auf die zum Auftragen bestimmte Schüssel, passire die Soß darüber, belege ihn mit einigen feingeschnittenen Zitronenscheiben und grünen gezupften Petersil, und lasse es an einem kühlen Platze sulzen.

4.6.4 Vollständiges Bayerisches Kochbuch

Maria Katharina Daisenberger, München, Passau, Regensburg, 1831, 736 Seiten, Lit.: Sachs 1982, Nr. 414; 1956/57

Vollständiges bayerisches Kochbuch für alle Stände. Von Maria Katharina Daisenberger, geborene Siegel, Köchin in Regensburg, 12. neuerdings verbesserte und vermehrte Auflage, München, Passau und Regensburg, 1831, 2 Th. (in I Bd.). Enthält in Teil 1: Kochrezepte, in Teil 2: Anleitungsbuch für das gesamte Hauswesen, vom Lichterziehen bis Bierbrauen, vom Herstellen von Kitt bis zu Hinweisen zur Krankenpflege bzw. den Rezepten für Hausmittel.

Hier heißt es z. B.: Nürnbergernudeln (Nr. 656. S. 319)

Man mache einen guten Teig, wie zu den geschnittenen Nudeln an, walze aus ihm Flecke so dünne als möglich, schneide sie in vier Theile, und blanchire sie ab. Dann lege man sie in frisches Wasser, mache von Butter und fünf Eyern ein Eingerührtes, gebe eine Handvoll Semmelbröslen, und ebensoviel gedünstete grüne Erbsen, Krebsschwänzeln und 3 Löffel voll Milchram, Zucker, Muskatblüthe, Champions, gezupften Hechten, 2 Eyerdotter dazu, und rühre alles gut durcheinander. Hernach streiche man den Farß auf die Flecke, rolle sie zusammen, schmiere eine Reine mit Krebsbutter, lege die Nudeln ordentlich darein, schlage zwey ganze Eyer in ein Quartel Ram, sprudle es gut ab, und begiesse die Nudeln damit, bestreue sie oben mit feinen Semmelbröslen, und giesse etwas zerlassene Butter darüber. Eine halbe Stunde vor dem Anrichten stelle man sie in den Backofen, und lasse sie backen.

4.6.5 Die Baierische Köchin in Böhmen

Maria Anna Neudecker, Salzburg, 1832 (6. Auflage), 522 Seiten, 8 Tafeln (mit Register), Lit.: Sachs 1982, Nr. 532–534; L 67/98

Ein Buch, das sowohl für Herrschafts- als auch für gemeine Küchen eingerichtet ist, und mit besonderem Nutzen gebraucht werden kann. Herausgegeben von Maria Anna Neudecker, gebornen Ertl. Sechste, verbesserte Auflage, vermehrt mit 10 neuen Speisezetteln, mit einer lithographirten Auftragtafel, und mit der neuesten einfachsten, faßlichsten Tranchirkunst.
1. Auflage 1805, Karlsbad. Hs. Eintrag: Aus dem Besitz der Therese Kirchner, bürgerliche Huffschmiedstochter in Aibling 1844.

Einige Proben:

Gesulzte Forellen oder andere Fische (Nr. 471, 224)

Man siedet Forellen schön blau in Wasser ab, gibt wieder kalten Essig daren, bis sie klar sind, spickt sie sodann in zwei Reihen, eine grün, und die andere roth mit Krebsschweifeln, lege jede Forelle in der Runde mit dem Rücken auf den Boden eines Modells, und gibt die Sulze darüber, welche auf folgende Art gemacht wird: Man nimmt auf zwei Maß Sulze zwei

Loth Hausenblase, löset sie, nachdem sie geklopft und fein geschnitten ist, in einen kleinen Tiegel mit Wasser auf, welches aber nicht sieden, sondern nur auf einer schwachen Gluth oder an einem warmen Orte stehen darf, bis die Hausenblase ganz aufgelöst ist; dann nimmt man ein Drittheil Essig, ein Drittheil Wein, und eben so viel schönen hellen Erbsensud, Zwiebeln und Gewürz, läutert dieß mit Eyerklar, und statt des Kälberfüßstandes, mit der aufgelösten Hausenblase, wie eine andere Sulze, und gibt es über die Forellen. Diese Sulze muß auch ganz hell bleiben. Beim Anrichten stürzt man eben die Sulze, wenn sie fest ist, auf die Schuessel heraus, und gibt es zur Tafel.

Eine Häringssulze oder Aspic (Nr. 479, 229)

Man macht eine schöne, hellbraune Sulze (nach Nr. 473), nur daß man in dieselbe Sulze gleich mit den Kalbs- oder Schweinsfüßen einen Häring auskochen läßt. Wenn die Sulze rein geklärt und abgeseihet ist, so putzet man noch besonders zwey Häringe rein, schneidet das Fleisch davon zu kleinen würftlichen Bröckeln auf, schneidet auch etliche in Essig abblanchierte Zwiebeln dazu, gibt es zusammen in eine passende Casserolle, oder in eine Sulzenform, gibt die Sulze darüber, läßt es an einem kühlen Orte stehen, stürzt es beim Anrichten auf die Schüssel, und gibt es zur Tafel.

Eine Veilchensulze (Nr. 483, 231)

Man siedet drey oder vier Hände voll abgezupfte Veilchen in einer Maß Wasser und etwas Zucker auf, gibt ganzen Zimmet, von zwey Limmonien den Saft, und den Hirschhornstand oder drey Loth Hausenblase darein, läutert es mit Eyerklar, läßt es durchlaufen, wie die nach Nr. 481, und gibt sie übrigens auf einer Sulzenschale zur Tafel.

Einen gesulzten Chaudeau oder Schwibs (Nr. 486, 232)

Man gibt ein Seitel weißen Wein in einen Topf oder in ein Häfelein, gibt 14 Eyerdotter, ein und ein halbes Loth aufgelöste Hausenblase, ein halbes Pfund Zucker, worauf vier Citronen und zwey Pomeranzen dazu, und quirlt dieses zusammen auf Kohlen zu einem dicken Chaudeau; dann gibt man eine obere Kaffeeschale voll Rum oder Arak dazu: indessen muß schon von 14 Eyerweiß ein steifer Schnee geschlagen, und sogleich in den heißen Chaudeau gemischt werden; der Topf muß gleich auf Eis oder in frisches Wasser gestellt, und so lange mit einem Löffel gerührt werden, bis es anfängt kühl zu werden; sodann wird es in eine Form gegeben, kühl gestellt, und wenn es steif ist, auf eine Schüssel herausgestürzt und aufgetragen.

Ordinärer Kugelhopf (Nr. 700, 335)

Man schlägt in einen Hafen acht Eyer, gibt ein Viertelpfund zerlassene Butter, nicht gar ein halbes Maß süßen Rahm, und etliche Löffel voll gute Hefen darein, rührt ein und ein halbes Pfund Mehl darunter, salzet es ein wenig, gibt es in ein Becken oder in eine Casserole, welche ausgeschmiert und ausgebröselt ist, läßt es aufgehen, bäckt es nach Nro. 698, und gibt es kalt zur Tafel.

4.6.6 Kochbuch für Sophie Säurle (1818–1870)

München, um 1835/40, handgeschriebenes Kochbuch, gebunden, Umschlag blaues Marmorpapier, unpag.; 1958/51

Suppen, Hauptgerichte, Mehlspeisen in Handschrift aufgezeichnet. Einliegend handschriftliche Einzelblätter mit Rezepten. Auch Rezepte nach Rottenhöfer.

4.6.7 Glaube, Hoffnung und Liebe. Ein vollständiges christkatholisches Gebet= und Andachtsbuch

Verlag Anton Herzog, Augsburg, Gebetbuch in roter Schachtel mit rotem Prägepapier, gotisierendes Muster, 320 Seiten, 1 Kupferstich; X a–35

Im Gebetbuch Hinweiszettel: Gebetbuch mit Schachtel welches König Otto von Griechenland bei einem Gottesdienste an der Grenze Bayerns von einer Bauersfrau entliehen hatte.

4.6.8 Andachtsübungen eines wahren Christen, darin überaus nützliche Morgen= Meß= Beicht= Communion= Vesper= und Abendgebethe . . .

München: Joh. Bapt. Oettl, bürgerl. Buchbinder nächst St. Peter, 1829, mit Prägepapier gebundenes Andachtsbuch, Goldprägung am Rücken, Silberschließe, 408 Seiten; 32/33

4.6.9 Zwei Taschenkalender für das Jahr 1822 mit verschiedenen Einbänden: rotes Maroquin; brauner Samt mit Silberfiligranrelief

John Georg Zeller (Innsbruck 1738–1811 Dresden), München, 1822, bez.: Taschenkalender für das Jahr 1822 mit zwölf neuen Theaterkostümen, S. Jahrgang«, a) 5,5 × 4,3 × 1,5; b) 5,5 × 4 × 0,9; XII/228 und 35/425

a) hellbrauner Samt, Umschlag mit Filigranauflagen auf Vorder- und Rückseite, inliegend: Taschenkalender für das Jahr 1822, J. G. Zeller, München
b) Taschenkalender in rotem Maroquin gebunden, Kalender für das Jahr 1822 mit 12 Theaterkostümen, J. G. Zeller, München.

4.6.10 Zwei Taschenkalender – 1836, 1842

Jos. Rösl, München, 1836, 1842, bez.: Taschenkalender für das Schaltjahr 1836 verfaßt von Alfred Bauer, Prof. der Physik, München, verlegt bei Jos. Rösl vor dem ehemaligen Schwabinger Tor Nr. 2; Taschenkalender für das Gemeinjahr 1842 München, bei Jos. Rösl k. Hofbuchdrucker dem k. Hofgarten gegenüber. Rotes Maroquin, Spiegel, Goldprägung, a) 8,6 × 6 × 0,6; b) 8,5 × 5,7 × 0,4; 43/6 und 52/499

4.6.11 Vier Lieder, gedichtet von Fr. Beck als Weihnachtsausgabe

Franz Graf von Pocci (München 1807–1876 München), München, 1836, Lithographie, ca. 20 × 23; M IV/2039, 1–6

Vier Lieder aus einer Serie von sechs mit Titelblatt, erschienen in München in der literarischen artistischen Anstalt: Fischerknabe morgens, Gebirgslust, Wasserfall am See und Sternennacht. I. H.

4.6.12 Notenheft: »Der Würfel als Compositeur – ein musikalischer Scherz«

München, um 1830, Lithographie, 17 × 26,5 (4 Blatt); A 7040 = 37/722

Verlegt bei I. Aibl, Rosengasse 6, München.

4.6.13 Liederbuch: »Sammlung ein und zweistimmiger Lieder, nebst einer kurzen Übersicht der wichtigsten musikalischen Zeichen u. Tonverbindungen; zum Gebrauche bei dem Gesangunterrichte in deutschen Schulen

Franz Xaver Klass, München, 1838, bez. Vorderseite u.r.: Staengl, 96 Seiten; P L 856

4.6.14 Notenheft: »Sammlung Neuer beliebter Lieder zur geselligen Unterhaltung eingerichtet für Singstime mit leichter Begleitung des Claviers oder der Guitarre.«

München, 31 Seiten; P L 1908

4.6.15 Notenheft: »Theater=Journal enthält Eine Sammlung vorzüglich beliebter Tonstücke aus den besten und neuesten Opern für das Piano=Forte ohne Text.«

München, bez. Vorderseite u.r.: Brand; P L 1947

IV. und VI. Heft:
1. Aria aus Freischütz: »Nein länger trag' ich«
2. Arietta aus Freischütz: »Kommt ein schlanker Bursch gegangen.«
3. »Österreicher Walzer«.
Verlegt bei Falter und Sohn, Residenzgasse Nr. 33.

4.6.16 Notenheft: »VI. Münchener Hof=Ball= und Odeon=Walzer componiert und für das Piano=Forte eingerichtet.«

Karl Stenzer, bez. Vorderseite u.r.: Brand, 2 Seiten; P L 1950

Verlegt in der K.B. Hof=Musikalien= und Musik=Instrumenten=Handlung von Falter und Sohn, Mainz und Paris, bei B. Schotts Söhne, Antwerpen bei A. Schott.

4.6.17 Notenheft: Sehnsucht nach dem Rigi Lied von A. Liste für eine Singstimme/Mit Begleitung des Pianoforte oder der Guitarre und einer obligaten Flöte.

A. Liste; eingerichtet von Theobald Böhm, bez. Vorderseite u.r.: Brand, 2 Seiten; P L 1951

4.6.18 Museum der eleganten Welt

Hrsg.: J. V. Müller; Druck: F. Seraph Hübschmann, München, 1836–39, Buchdruck, MStM

Modejournal mit Modekupfern und Beiträgen zu den Themen Mode, Theater, gesellschaftliche Ereignisse, sowie Anzeigen für verschiedene Waren. I.H.

4.7 Öfen

4.7.1 Gußeiserner Etagenofen

um 1850, Gußeisen, 220 × 70 × 33, K 86/53

Mit figürlichen und à jour gearbeiteten Reliefs

4.8 Lampen

4.8.1 Sechsarmige Ampel mit Löwenfigur aus der Münchner Residenz **

wohl München, um 1820, Bronze, feuervergoldet und grünpatiniert; Abschlußzapfen galvanisch vergoldet, MStM

Der geschlossene dunkle Schalenkörper ist mit feuervergoldeten Appliken besetzt; den Rand umzieht ein à jour gearbeiteter Palmettenfries, auf dem Widderköpfe aufsitzen und Ansatzpunkte für die Leuchterarme bilden, die als Akanthusvoluten ausgeformt sind. Die Schale ist nach unten mit Rosetten und Sternen besetzt. Bei dem »Artischocken«-Zapfen dürfte es sich um eine spätere Ergänzung handeln. Nach oben ist die Schale mit einem palmettenbesetzten Sockel geschlossen, der von der Figur eines bayerischen Löwen bekrönt ist. Die Aufhängung für die drei Ketten ist aus Kupfer getrieben und mit Palmetten und Federbüscheln bekrönt. Solche Bronzearbeiten wurden als Einzelstücke in Süddeutschland hergestellt, um sich von der mit arbeitsteiligen Methoden gefertigten französischen Produktion unabhängig zu machen. In der Form aber folgt diese Bronzearbeit weitgehend französischen Vorbildern; in der Ausarbeitung der figürlichen Teile und in der Ziselierung wird der Unterschied zu französischen Arbeiten deutlich. Häufig waren solche Lüster Ehrengeschenke der Handwerker an den Hof, um sich für weitere Arbeiten zu empfehlen. H.O.

4.8.2 Sechsarmiger Bronzelüster mit Adlerköpfen und Frauenhermen

Wien, um 1820, Bronze, feuervergoldet und patiniert, ca. 80; Ø 64; 66/3461

Jeder der Leuchterarme als Halbrund an den Reifen montiert, die Enden mit Adlerprotomen, Grotesken und geflügelten Frauengestalten versehen. Palmettenreif um den Mittelteil. Wie es auch beim »goût étrusque« um 1780 üblich war, ist der Leuchter mit Kettenbehang verziert. Ein ähnliches Modell ist im Hofmobiliendepot in Wien erhalten und sichert die Zuschreibung. H.O.

4.8.3 Lüster in Ampelform mit sechs Adlerkopfprotomen **

Wien, um 1820, Bronzeguß, vergoldet und schwarz patiniert, 104; Ø 43; L 924

Technische Verarbeitung und Komposition des Stückes lassen auf Wien schließen, wo Vorbilder aus der Groteskendekoration nur geringfügig von Vorbildern des französischen Empire überlagert werden. H.O.

4.8.4 Empire-Lüster aus dem Schloß Biederstein

süddeutsch, um 1810, Eisenblech, gefaßt und vergoldet, Glas, 90, Ø 40; 33/29

Kleiner Kronleuchter, der en miniature das ganze Repertoire seines Typus beinhaltet: den Korb aus geschliffenen Kristallteilen mit seinem Behang, den umlaufenden Reif mit sechs aufgesetzten Kränzen und Armen und einer zweistufigen Bekrönung mit aufragenden Palmetten. H.O.

4.8.5 Sechsarmiger Kristallüster

wohl München, um 1825, Eisenblech, grüngold gefaßt, facettierte Kristallbehänge, 95; Ø 75, 30/1894

Der Kristallüster in Korbform stammt aus der Auktion Helbing von Schloß Biederstein 1930.

4.8.6 Öllampe in Ampelform

süddeutsch, um 1820, Weißblech, ehemals grün gefaßt, 68 × 30; XII/186 (K 84/113)

Der umlaufende Ring mit dem durchbrochenen Rand dient als Ölbehälter; das Öl wird durch zwei abfallende Zuleitungen in den mittleren Brenner geführt; der Zufluß kann über eine Schraube reguliert werden. H.O.

4.8.7 Lüster aus dem Prinz-Karl-Palais

München, nach 1800, Holz, blattvergoldet, Eisenmontierung, 50 (mit Schaft), Ø 95; 48/66

Der Körper mit seinem konkav gebogenen Rand ist holzgeschnitzt und vergoldet. Auf den Wülsten der Leibung eine ornamentale Metallauflage. Am aufgesetzten Schaft befinden sich zwei Blattkelche; unten an der Ampelschale ein offener Kelch aus Akanthusblättern. Die sechs Leuchterarme sind aus kräftigem Draht mit geschnitztem Kerzenträger und Mittelstück. Der Korpus hängt mit 3 Messingketten an einem geschnitzten, sechszackigen Oberteil, das einer Schellenkrone ähnelt. H.O.

4.8.8 Kristallampe mit vier Leuchterarmen in Schlangenform

wohl Wien, um 1820, Kristall geschliffen, Holz blattvergoldet, Blech, 52; Ø 81; K 71/207

4.8.9 Zwei Bouillotte-Lampen

um 1820/30, Messing, Eisenblech, 62,5; Ø 36,5; 35/2168, 65 Ø 31 MStM

Der aus dem späten 18. Jahrhundert stammende Typus für Tischlampen wurde in Frankreich entwickelt und ist nach dem Kartenspiel Bouillotte benannt. Ein metallener, meist grüner Lampenschirm ist im Verhältnis zur Kerzenlänge und zur Regelung der Lichtkonzentration verstellbar. In der Regel haben die Lampen zwei bis drei Kerzenarme. In schlichter Form waren sie in biedermeierlicher Zeit verbreitet. Die wohl bekannteste Darstellung einer Bouillotte-Lampe in der Malerei findet sich auf Georg Friedrich Kerstings Gemälde »Lesender beim Lampenlicht« aus dem Jahr 1814 (Winterthur, Sammlung Oskar Reinhart). N.G.

4.8.10 Lichtschirm

Nußbaumrahmen; Holz, geschnitzt, vergoldet; Glas, Papierstramin, Wollstickerei, Goldprägeborte, 48 × 24,7 × 12,5; 28/303

Lichtschirm in Nußbaumrahmen, Füße aus Delphinkörpern. Der Lichtschirm zeigt in Wollstickerei auf Papierstramin die Darstellung eines Heiligen und ist mit Goldprägeborten umfaßt.

4.8.11 Lichtschirm

um 1820, Eisengestell mit grünem Seidentaft bespannt, 39 × 15, L/207

Ständer mit Kerzenhalter und Tropfring, Lichtschirm in Tropfenform mit grünem Taft bespannt.

4.8.12 Sechsarmige Hängelampe

süddeutsch, um 1830, Holz vergoldet, Blechketten, Schnitzarbeit, 120, Ø 66, K 84/115

Der Lüster in Ampelform ist mit sechs Armen bestückt, deren Ansätze mit Blättern umhüllt sind. Die Ampelschale, einem Metallvorbild folgend, ist mit Friesen und Profilen ornamentiert und unten mit einer Art Zapfen besetzt.

4.8.1

4.8.3

4.9 Uhren und technische Geräte

4.9.1 Pendule mit Amor auf einer Biga **

André-Antoine Ravrio (Paris 1759–1814 Paris), Paris, um 1810, Werk: Messing und Eisen. Zifferblatt blau/weiß/schwarz emailliert u. teilweise vergoldet. Gehäuse: Bronze, feuervergoldet u. mattiert. Sockel aus Griotte-rouge Marmor, 38 × 46,2 × 13,5, Lit.: Ottomeyer/ Pröschel 1986, I, 5.9.5 vgl. auch 5.9.2; II, 692 Abb. 18 a–c, MStM

Werk: Pendulenwerk mit Geh- und Schlagwerk; beide mit Federantrieb (umlaufende Federhäuser), Ankerhemmung mit Pendel in Fadenaufhängung. Schlagwerk mit Schloßscheibe; schlägt auf eine Glocke. Indikationen: Stunden und Minuten.
Gehäuse: Der in vielen Modellen Ravrios und Modellvarianten der Konkurrenz überlieferte Typ geht auf einen Auftrag zurück, den der Pariser Bronzier André-Antoine Ravrio zwischen 1806 und 1808 für die Prinzessin Caroline Murat ausführte. Bei Wagenkasten und Wagenrad wiederholen sich gußgleiche Formen, die den Werkstattzusammenhang beweisen. Die Darstellung des Liebesgottes auf dem römischen Wagen ist eine Anspielung auf seinen schnellen Sieg. P.F./H.O.

4.9.2 Pendule mit Malerin vor einer Staffelei

Jean-André Reiche und Claude Galle zuzuschreiben, Paris, um 1810, bez. handschr. mit schwarzer Ölfarbe auf dem Gehäuse »A.VII.9« u. ältere Nummer: »1736«, Werk: Messing und Eisen, Zifferblatt emailliert, Gehäuse: Bronze, feuervergoldet, Sockel schwarz patiniert, 43 × 28,5 × 14, Lit.: Ottomeyer/Pröschel 1986, I, 375 Abb. 5.15.5 u. 5.15.3; 35/2166

Werk: Pendulenwerk mit Geh- und Schlagwerk; beide mit Federantrieb (umlaufende Federhäuser). Ankerhemmung mit Pendel in Fadenaufhängung. Schlagwerk mit Schloßscheibe (Kadratur auf der Rückplatine); schlägt auf zwei Glocken. Indikationen: Stunden und Minuten.
Gehäuse: Bei diesen Pendulen des Empire wird die Zeitanzeige der Uhr zur Nebensache, die Figur des Gehäuses aber zum Hauptgegenstand der Komposition. Es ist schwer zu sagen, ob es sich um eine Genredarstellung oder eine Allegorie der »Pictura« handelt. Das Modell entspricht einer Zeichnung in einem gedruckten Katalog von Bronzearbeiten, die man mit Jean-André Reiche und einem Datum von 1807 verbinden kann. Die Ausführung der Entwürfe ist Claude Galle zuzuschreiben. Die Uhr stammt aus der Münchner Residenz, wo sie in den sogenannten »Charlottenzimmern« stand. P.F./H.O.

4.9.3 Pendule mit Figur der Flora

Paris, um 1820, bez. Werk gestempelt auf der Platine: 3 J P./405; Gehäuse trägt eine Inv.Nr. der Bay. Schlösserverwaltung: Königl. Schloß Nymphenburg, Gardemeuble I, 322. Ältere Nummer 2210 und T. 72, FVIII lit. V, 28. Werk: Messing und Eisen, Zifferblatt emailliert, Gehäuse: Bronze feuervergoldet, Appliken gegossen, feuervergoldet und aufgeschraubt, 38,5 × 29,5 × 11,5, Lit.: Ottomeyer/ Pröschel 1986, I, 394 Abb. 3.18.1 und 3.18.2; 35/2269

Werk: Geh- und Schlagwerk mit Federantrieb (umlaufende Federhäuser). Ankerhemmung mit Fadenaufhängung und Fadenregulierung. Schlagwerk mit Schloßscheibe; schlägt auf eine Glocke. Indikationen: Stunden und Minuten.
Gehäuse: In Komposition und Figurenstil entspricht die Pendule einer Gruppe von Pariser Uhren, zu denen die Modellzeichnungen in der Ecole des Beaux-Arts Paris und im Metropolitan Museum New York liegen. Der Bronzier kann bisher nicht bestimmt werden. Die Uhr stammt aus der Münchner Residenz und gelangte später nach Schloß Nymphenburg, bevor sie 1935 an das Stadtmuseum gegeben wurde. P.F./H.O.

4.9.4

4.9.4 Pendule mit Indikationen von Zeit, Kalender und Mondphasen *

Paris, um 1820/30, bez.: Joseph Minutti in München; feuervergoldete Bronze, punzierter (nicht ziselierter) Sockel, schwarzer Tournaier Marmor, Zifferblätter blau und weiß emailliert, goldene Sterne, 53,5 × 30 × 15, Lit.: vgl. Tardy o.J., III, 690, Abb. 3; II, 460, Abb. 2; De Groer 1985, 292, Abb. 558; Maurice 1976, II, 118, MStM

Werk: Geh- und Schlagwerk mit Federantrieb (umlaufende Federhäuser); Gehwerk mit Scherenhemmung und Kompensationspendel (Rostpendel). Schlagwerk mit Schloßscheibe, schlägt auf eine Glocke. Indikationen: – zentrales Zifferblatt: Stunden, Minuten und Datum. – Zifferblatt rechts unten: Wochentage mit den Symbolen. – Zifferblatt oben: Mondphase und Mondalter.
Die Uhr und das Gehäuse wurden in Paris hergestellt und in München von Minutti verkauft.
Bei M. Siebert, Adreßbuch von München und der Vorstadt Au (München 1842) wurden Joseph Minutti, Hofuhrmacher sen. und Joseph Minutti jun. erwähnt und aufgeführt, daß Joseph Minutti d. Ä. bereits gestorben sei. Weiteren Einträgen aus Münchner Stadtadreßbüchern von 1835, 1854 und 1857 ist zu entnehmen, daß Joseph Minuttis Geschäft bereits 1802 gegründet worden war und sich am Marienplatz (früher Schrannenplatz) befand. Später wird Minuttis Laden von dem Hofuhrenmacher Gustav Schulze übernommen. 1874 erscheint Gustav Schulze noch als Uhrenmacher in der Ledererstraße 4. 1879 firmiert Schulze dann unter dem erweiterten Eintrag: »Gustav Schulze (J. Minutti's Nachfolger), Hofuhrmacher, S.K.H. des Prinzen Ludwig Ferdinand von Bayern, Ledererstraße 4, Laden: Marienplatz 26«.　　　　　P.F.

4.9.5 Pendule in Form eines Venusaltars

Josef Minutti, München, um 1820, bez. auf dem Zifferblatt: Joseph Minutti München, Werk: Messing und Eisen. Zifferblatt emailliert. Gehäuse: Bronze feuervergoldet, ziseliert, sämtliche Ornamente aufgeschraubt, 28 × 13 × 10, MStM

Werk: rundes Vollplatinenwerk. Gehwerk, Stunden- und Halbstundenschlagwerk mit Federantrieb (umlaufende Federhäuser). Ankerhemmung mit Pendel in Fadenaufhängung (Feinregulierung, Vierkant über der »Zwölf«). Schlagwerk mit Schloßscheibe; schlägt auf eine Glocke. Indikationen: Stunden und Minuten. Gehäuse: Kanten des Sockels eingezogen; Ecken als Fackeln ausgebildet; alle allegorischen Formen sind auf den Kult der Venus bezogen (Taube, Fackel, Apfel, Myrthenzweige).　　P.F.

4.9.6 Wanduhr in Form einer Taschenuhr

Joseph Minutti, München, 1820, bez.: Joseph Minutti in München, Werk: Messing und Eisen, Zifferblatt emailliert, Gehäuse: Kupfer, ⌀ 38 MStM

Werk: Gehwerk mit umlaufendem Federhaus, Scherenhemmung mit Pendel; Ankerwellen in Schneiden gelagert (sehr starke Platinen). Indikationen: Stunden und Minuten.
Gehäuse: Das Gehäuse ist eine Münchener Gürtlerarbeit aus ursprünglich versilbertem Kupfer. Zu Joseph Minutti vergleiche Kat. Nr. 4.9.4.　　　　　　　　　P.F.

4.9.7 Pendule mit zwei Alabastersäulen

Joseph Minutti, München, um 1815, bez.: Joseph Minutti in München, Werk: Messing und Eisen, Zifferblatt emailliert, Gehäuse: Kirschbaum auf rotes Mahagoni gebeizt mit schwarzen Leisten und Schablonenmalerei. Säulen aus Alabaster. Appliken aus Messing gegossen und galvanisch vergoldet, 44 × 33 × 15; 30/1874 und 1873

Rundes Vollplatinenwerk. Geh- und Schlagwerk mit feststehenden Federhäusern und Stellungen. Ankerhemmung mit Pendel in Fadenaufhängung. Kadratur zwischen Zifferblatt und Platine. Schlagwerk auf eine Tonfeder. Indikationen: Stunden und Minuten. Das formgleiche zweite erhaltene Exemplar (fehlender Vasenaufsatz und Tonfeder) spricht für die Serienfertigung dieses Modells. Zu Joseph Minutti vgl. Kat.Nr. 4.9.4.　　P.F.

4.9.8 Pendule in Form einer Leier mit Widderköpfen *

Paris, um 1820, Werk: Messing und Eisen, Gehäuse: Eiche, schwarz lackiert und teilweise furniert; feuervergoldete Appliken aus Bronze, 50 × 25 × 18, MStM

Werk: Pendulenwerk mit Geh- und Schlagwerk; beide mit Federantrieb (umlaufende Federhäuser). Ankerhemmung mit Pendel.

4.9.8

Schlagwerk mit Schloßscheibe; schlägt auf eine Glocke. Glocke und Pendel fehlen. Indikationen: Stunden und Minuten.　　　P.F.

4.9.9 Pendule mit Löwenfigur *

Josef Biergans, wohl München, um 1835, bez. auf dem Zifferblattring: Josef Biergans, München, auf der Rückseite: D'ebroye 36 (?), gestempelt auf der Rückplatine, alte Residenznummer: A.XII 8; Werk: Messing und Eisen, Gehäuse: Bronze feuervergoldet und mit Haemathit hellbraun brüniert, 40 × 24 × 10, Lit.: Frieß/Pfeiffer-Belli, in: »Uhren«, München 1986, Heft 6; 35/2167

Werk: Geh- und Schlagwerk mit Federantrieb. Ankerhemmung mit Pendel in Fadenaufhängung. Schlagwerk mit Schloßscheibe; schlägt auf eine Glocke. Indikationen: Stunden und Minuten. Gehäuse: Pendule auf Sockel mit großen Akanthusblättern, auf den vorderen Ecken Sockelfries.
Josef Biergans ist für das Jahr 1835 mit Wohnung in der Weinstr. 15 nachzuweisen. Ab 1842 hat er sein Geschäft am Odeonsplatz 14 (Basargebäude). Seit 1861 erscheinen Josef Biergans senior und junior im Adreßbuch; junior hat seit 1875 sein Domizil in der Von-der-Tann-Str. 9. Der Vater ist ab 1876 Privatier, der Sohn erscheint in dieser Eigenschaft erstmals 1879. Das folgende verfügbare Adreßbuch von

4.9.1

Werk: Geh- und Schlagwerk mit Federabtrieb (umlaufende Federhäuser). Spindelhemmung mit Pendel. Rechenschlagwerk mit stündlichem und halbstündlichem Schlag auf eine Glocke. Indikationen: Stunden und Minuten.
Gehäuse: Die noch barocke Durchgestaltung der sonst korrekten Körperproportionen läßt an einen der älteren Münchner Bildhauer denken wie Franz Xaver Schwanthaler oder Peter Schöpf.
Henggeler wird um 1781 in München als Zunftmeister genannt. Am 2.10.1799 bewarb er sich um die Stelle als Hofuhrmacher in München.　　　　　　　　　　　　　P.F.

4.9.12 Pendule mit Kirschbaumgehäuse

Johann Martin Hengeller, München, um 1815, bez. auf der Rückplatine: J.M.Hengeller 777 Minch; Werk: Messing und Eisen, Zifferblatt emailliert, Gehäuse: Birnbaumholz, Appliken aus Messing getrieben, 31,8 × 23,9 × 11; 28/802

Werk: rechteckiges Vollplatinenwerk. Gehwerk mit Federantrieb (feststehendes Federhaus). Ankerhemmung mit Pendel in Fadenaufhängung. Indikationen: Stunden und Minuten.
Gehäuse: Uhrkasten auf vier ausgestellten Füßen, verziert mit Messingleisten, vier Rosetten und einer Vasenbekrönung.　　　　　P.F.

4.9.13 Pendule mit seitlichen Sphingen und Lyrapendel

Michael Dauer, wahrscheinlich Wien, um 1820, bez.: Michael Dauer in München, Werk: Messing und Eisen, Gehäuse: auf Mahagoni gebeiztes Kirschbaumfurnier, der Sockel oben Ahornholz mit Schablonenmuster, Bogen und Profile schwarz gebeizt, im Bogenprofil Perlmuttstücke, gepreßte Appliken und Vorsatzstücke, zwei Alabastersäulen, 57 × 35,5 × 14, 34/464

Werk: Vollplatinenwerk aus Messing. Geh-, Viertelstunden- und Stundenschlagwerk mit Federantrieb (feststehende Federhäuser und Stellungen, – fehlen teilweise). Ankerhemmung mit Pendel in Fadenaufhängung. Kadratur zwischen Platine und Zifferblatt. Schlägt auf zwei Tonfedern mit Resonanzkörper. Indikationen: Stunden, Minuten und Datum (1–31). (Variante von Kat.Nr. 4.9.14)　　　　　P.F.

4.9.14 Pendule

Joseph Thadeus Liebhardt, wahrscheinlich Wien (in München signiert), um 1820, bez.: Jos. Thadeus Liebhart in München, Werk: Messing und Eisen, Gehäuse: auf Mahagoni gebeiztes Kirschbaumfurnier, der Sockel oben Ahornholz mit Schablonenmuster, Bogen und Profile schwarz gebeizt, im Bogenprofil Perlmuttstücke, gepreßte Appliken und Vorsatzstücke, zwei Alabastersäulen, 59 × 39 × 15,5; 34/342

4.9.9

1879 enthält den Hinweis: Josef Biergans, Inhaber: Karl Schweizer, Odeonsplatz 14. Ab 1894 firmiert das Unternehmen als J. C. Schweizer, vormals Josef Biergans. Josef Biergans war unter der Regentschaft von Ludwig II. dessen bedeutendster Hofuhrmacher. Die Uhr stand 1855 in den Hofgartenzimmern der Münchner Residenz. Das sonst unbekannte Modell scheint eine Münchner Arbeit zu sein. (Dank Frau Dr. Angela Toussaint und Herrn Dr. Stahleder für die geleistete Archivarbeit.)　　　　　　　　　　　　　P.F.

4.9.10 Pendule mit griechischem Rossebändiger

wahrscheinlich München, um 1835, Uhrwerk gestempelt auf der Rückplatine: »L 852«, feuervergoldete Bronze, 44,5; 66/3459

Werk: Pendulenwerk mit Geh- und Schlagwerk; beide mit Federantrieb (umlaufende Federhäuser). Ankerhemmung mit Pendel in Pendelfeder (Feinjustierung der Pendelfeder mit Handrad auf der Rückplatine). Schlagwerk mit Schloßscheibe; schlägt auf eine Glocke. Indikationen: Stunden und Minuten.　　　P.F.

4.9.11 Wanduhr mit zwei grotesken Knabenfiguren und Blumenkorb

Johann Martin Henggeler, München, um 1800, bez. auf dem Zifferblatt: M. Henggeler/a Munich; auf der Rückplatine: J.M. Henggeler in München/654; Werk: Messing und Eisen, Zifferblatt emailliert, Gehäuse: Lindenholz geschnitzt und polimentvergoldet, Blätter und Blüten des Blumenkorbes auf Eisendraht montiert, 87 × 67 × 20, Lit.: Abeler 1977, 270; 34/309

Werk: Vollplatinenwerk aus Messing. Geh-, Viertelstunden- und Stundenschlagwerk mit Federantrieb (feststehende Federhäuser und Stellungen – fehlen teilweise –). Ankerhemmung mit Pendel in Fadenaufhängung. Kadratur zwischen Platine und Zifferblatt. Schlägt auf zwei Tonfedern mit Resonanzkörper. Indikationen: Stunden, Minuten und Datum (1–31). (Variante von Kat.Nr. 4.9.13)   P. F.

4.9.15 Pendule auf vier Delphinen

Wien, um 1820, Werk: Messing und Eisen, Zifferblatt emailliert, Gehäuse: Birnbaum schwarz gebeizt (einige Leisten fehlen), gedrückte Messingappliken, 46 × 28,4 × 13; 39/1142

Werk: Rundes Vollplatinenwerk. Gehwerk, Stunden- und Viertelstundenschlagwerk mit Federantrieb (feststehende Federhäuser mit Stellungen – Stellungen fehlen –). Ankerhemmung mit Pendel in Fadenaufhängung. Schlagwerk mit Rechenmechanismus; Kadratur zwischen Vorderplatine und Zifferblatt. Schlägt auf zwei Tonfedern. Indikationen: Stunden und Minuten.
Gehäuse: Gehäuse in Schildform und halbrunder Bekrönung auf vier vergoldeten Delphinen. Messingappliken mit Darstellungen von: Bacchushaupt, Tauben mit Lorbeerzweigen, Palmetten, Apollohaupt mit Lorbeergewinde.   P. F.

4.9.16 Bilderrahmenuhr

wohl Wien, um 1820, Werk: Messing und Eisen, Zifferblatt emailliert, Gehäuse: Obstholz polimentvergoldet, Glasscheibe, Zifferblattring aus Messing gepunzt, 53 × 46 × 17; 57/230

Werk: rundes Vollplatinenwerk. Gehwerk, Stunden- und Viertelstundenschlagwerk mit Federantrieb (feststehende Federhäuser mit Stellungen). Ankerhemmung mit Pendel in Fadenaufhängung (Feinregulierung – Vierkant über der »Zwölf«). Kadratur zwischen Platine und Zifferblatt; schlägt auf zwei Tonfedern (Wiener 4/4 Schlag). Indikationen: Stunden und Minuten.   P. F.

4.9.17 Portaluhr auf vier toskanischen Säulen *

Joseph Botzleiner, München, um 1830, bez.: Joseph Botzleiner in München; Werk: Messing und Eisen, Zifferblatt emailliert, Gehäuse: Kirschbaumfurnier auf Kiefer, schwarz gebeizte Leisten und Profile, gerändelte Basen und Kapitele aus Messing, 55 × 30 × 17; 34/341

Gehwerk, Viertelstunden- und Stundenschlagwerk mit Federantrieb (feststehende Federhäuser mit Stellungen). Ankerhemmung mit Pendel. Kadratur zwischen Zifferblatt und Platine. Schlagwerk kann mittels eines Hebels abgestellt werden; schlägt auf zwei Tonfedern mit Resonanzboden. Indikationen: Stunden und Minuten. Die Pendule stammt aus dem alten Josephsspital.   P. F.

4.9.18 Pendule in Stelenform mit Adlerapplike

Franz Patsch, München, um 1830–40, bez.: Franz Patsch in München; Werk: Messing und Eisen, Zifferblatt emailliert, Zifferblattring Messing gepunzt, Holz mit Messingapplike, 30 × 34 × 15,5; 1953/47

Werk: Gehwerk mit Federantrieb (feststehendes Federhaus mit Stellung). Ankerhemmung mit Pendel in Fadenaufhängung. Stündlich wird ein Spielwerk (fehlt) ausgelöst. Indikationen: Stunden und Minuten.   P. F.

4.9.19 Gerzabecksches Feuerzeug in Form eines Rundtempels

Johann Gerzabeck, München, bez. Gravur auf dem Ziehzapfen: Joh: Gerzabeck / inv. et fecit Monachii // N: 215; Glas, schwarz gebeiztes Holz, feuervergoldete Bronzebeschläge, Messing, gefaßtes Eisenblech, Säulen: brauner Aventurinlack, Appliken: Silber, 44,5 × 24,3 × 24,5; XII/281

Auf einem fast quadratischen Kastensockel ein zweistufig angelegter Stylobat; sechs Säulen umschließen zwei unterschiedlich hohe Glaszylinder; Gravuren am äußeren und kleineren: u.a. florale Elemente, das Brauerzeichen, sowie zwei ligierte Monogramme (IMC und ICC); unter der abhebbaren Kuppel der chemische Zündmechanismus; Kuppel innen mit goldener, außen mit schwarzer Farbe und Sternen gefaßt. Geprägte feuervergoldete Bronzeprofile als Rundfriese am Säulengebälk sowie am zweistufigen Stylobaten: mit floralen Elementen und zum Teil mit stilisierten Perlmetten, sowie Akanthusblättern.
Ein vergleichbares Stück befindet sich in Wittelsbacher Privatbesitz (vgl. AK WB III/2 1980, Nr. 1229, mit zusätzlichem Bronzebeschlag und Rundfries am Stylobaten, der hier aus Wurzelmaserholz gefertigt ist).   M. Kl.

4.9.20 Barometer

Fichte, gebeizt, 105 × 11 × 2,8; 34/1192

4.9.21 Wasserbarometer

19. Jahrhundert, Bayerischer Wald, farbloses Glas mit gekniffenen Auflagen, Holz, 21,5; Lit.: vgl. AK Gläser, Regensburg 1977, Nr. 379; K 58-782

Spitzovaler, rückseitig flacher Gefäßkörper mit s-förmiger Tülle, oben Aufhängeöse, seitlich Bandauflagen; auf Holzplatte montiert.

4.9.22 Wasserbarometer

19. Jahrhundert, Bayerischer Wald, farblos, lila-stichiges Glas mit gekniffenen Auflagen, 17,2; Lit.: vgl. Kat.Nr. 4.9.21; MStM

4.9.17

4.9.23 Augendusche

Wilhelm Scheinlein, München, um 1825, farbloses Glas, geschliffen und geschnitten; Bronze vergoldet, Perlmutter, 32; Ø 24; K 37-598

Apparat bestehend aus konischem Wasserreservoir und zylindrischem Behälter mit abnehmbarer Pumpvorrichtung, auf dem Deckel eingraviert »Augen/Tusche von Wilh. Scheinlein München«; dazugehörig eine zweite Augenbrause. – Laut Adreßbuch von 1835 war Wilhelm Scheinlein chirurgischer Instrumentenmacher in der Sonnenstr. 12.

4.9.24 Leseglas und Etui

Kupferdraht, Leseglas, Etui: geprägtes Leder, 12 × 7; Ø 6,5; A 74/552

4.9.25 Brille und Etui

versilbertes Kupfer, Gläser, Etui: Leder, 12; A 70/1258

4.9.26 Brille und Etui

1. Hälfte 19. Jahrhundert, Eisendraht, ovale Gläser, Etui: Pappe, 12,2; A 74/550

4.9.27 Brille Ludwig Schwanthalers mit Bestätigung von Graf Pocci **

um 1840/50, Lit.: AK Anziehungskräfte, München 1986, 67; MStM

4.9.28 Zwei Duellpistolen mit Perkussionsschloß und Zubehör im Kasten

F. Goerke, München, um 1840 brüniert mit Silberbeschlägen und Gravur; bez.: F. GOERKE IN MÜNCHEN; Zubehör aus verschiedenen Materialien, Kasten: 38 × 21, Kaliber 11,5; 29; MStM.

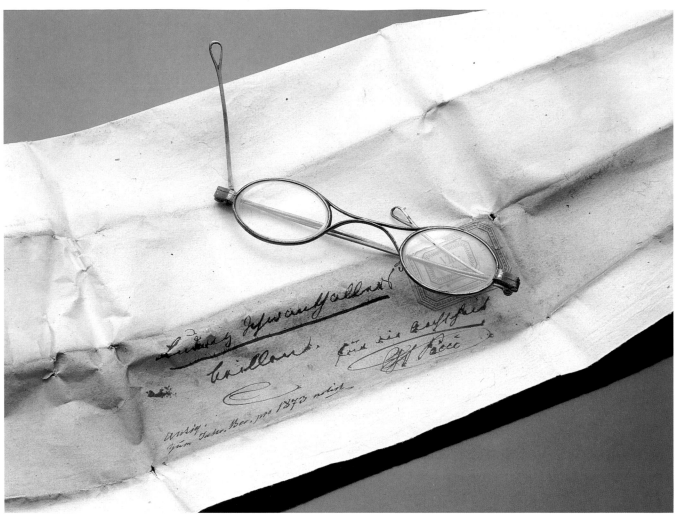

4.9.27

4.10 Musikinstrumente

4.10.1 Hammerklavier in Nähtischform

Süddeutschland, um 1830, Gehäuse Nußbaum furniert, ehemals mahagonifarben gebeizt, Klaviaturumfang: vier Oktaven, F–f³, Wiener Mechanik, Einchöriger Bezug, ab b¹ zweichörig, 77 × 74 × 50; 44-5

Im oberen Teil des Klaviers, unter der hochklapp- und aufstellbaren Deckplatte, befand sich ein herausnehmbarer flacher Nähutensilieneinsatz. Nach Entfernen des Vorsatzbrettes vor der Klaviatur konnte das Instrument gespielt werden. Das geringe Oktavmaß von nur 13,5 cm läßt vermuten, daß dieses Hammerklavierchen eine Art »Erziehungsmöbel« gewesen ist; die heranwachsende Tochter konnte sich bei seiner Benutzung in Nadelarbeit und Klavierspiel gleichermaßen ertüchtigen.   M. K.

4.10.2 Flötenwerk

Thomas Höß, Wien, um 1820, bez.: Thomas Höß in Wien; Rahmen- und Brettbauweise. Gehäuse aus Nadelholz, außen mit ungarischer Esche (Blumenesche), innen mit Ahorn gegenfurniert; Schlüsselschilde aus graviertem Perlmutt. Oberteil mit 2 Türen. Diese und Seitenfüllungen mit grünem Taft bespannt. In geöffnetem Zustand der Türen Rundbögen in Seitenwänden und Front sichtbar. An den Ecken kannelierte Rundsäulen, Kranzgesimsabschluß oben. Unterteil mit Sockel und aufgesetzten Pilastern. Front mit zwei Blindtüren, Einschubfächer für 15 Walzen, zwei seitliche Türen. Basisplatte mit Uhrwerk (Antriebsgewicht aus Blei, ca. 70 kg) und Mechanik. Windladenkorpus aus Lindenholz. Drei Register, mittels Schleifen über die Walze geschaltet: Flöte 8′, 44 Pfeifen c⁰–g³, forte; Flöte 8′, 34 Pfeifen b⁰–g³, mezzoforte; Flöte 8′, 44 Pfeifen c⁰–g³, piano; 8′-Baßregister, 12 Pfeifen C–H. Insgesamt also 56 vollchromatische Tonstufen. Pfeifen aus Ahorn/Fichte, ohne Stimmvorrichtung, runde Lochlabien, mit »frein harmonique«. Balganla-ge mit vier Schöpf- und zwei Magazinbälgen (für getrennten Winddruck). Zugehöriger Walzenschrank (nicht ausgestellt) mit 52 Walzen. 253 × 154 × 87; 51–9

Walzenspielwerke mit Flötenpfeifen, diese Vorläufer der Orchestrien, waren in der Lage, Kunstmusik höchsten Schwierigkeitsgrades mit unübertrefflicher Präzision wiederzugeben.

Die meist spiralförmig besetzten Walzen (die Spieldauer war nun unabhängig vom Walzenumfang) konnten Kompositionen aufnehmen, die gewagtestes Figurenlaufwerk und harmonische Kühnheiten verlangten, und sie virtuos abspielen.

Die musikalischen Möglichkeiten dieser Flötenwerke beeindruckten Komponisten wie Mozart, Haydn und Beethoven, die eine nicht unerhebliche Anzahl von Kompositionen für mechanische Musikinstrumente hinterließen. Beethoven erlebte 1822 die »Aufführung« seiner Fidelio-Ouvertüre durch eine Flötenuhr in einem Wiener Kaffeehaus. Beethoven, gerade von einer miserablen Aufführung des Fidelio im Wiener Kärnthnertortheater zurückgekehrt, bemerkte sarkastisch: »Sie spielt sie besser als das Orchester im Kärnthnerthor . . .« (Thayer-Riemann IV, Leipzig 1907) M. K.

4.10.3 Hammerklavier (Tafelklavier)

wohl Ignaz Joseph Senft, Augsburg, Süddeutschland/wohl Augsburg, um 1810, bez.: Graf Pocci/Spinett aus dem Besitz des Grafen Franz von Pocci, Gehäuse Nadelholz, Kirschbaum furniert. Beine Nadelholz. Klaviaturumfang F_1-c^4. Tasten mit Ebenholz und Knochen belegt. Hintere Tastenführung in Blockrechen. Kniehebel für Aufhebung in Blockrechen. Kniehebel für Aufhebung der Dämpfung. Stoßmechanik (vereinfachte Cristofori-Mechanik) mit nach hinten zeigenden, auf der Taste befestigten Hämmern und Übertragungshebel. Hammerenden in Messingkapseln gelagert, Hammerköpfe mit Leder belegt. Stößer, auf bleibeschwerten Dämpferarm wirkend. 81 × 126 × 40; XII/34

»Das Klavier ist seinem ganzen musikalischen Wesen nach ein bürgerliches Hausinstrument« (Weber 1972). Zu Beginn des 19. Jahrhunderts führte die Imitation von aristokratischen Gesellschaftsformen durch das bürgerliche Milieu auch zur explosionsartigen Ausbreitung des Klavierspiels. »Genau im Jahre 1800 schreibt die Allgemeine Musikalische Zeitung in Wien: ›Jeder spielt Klavier, jeder lernt Klavier‹. – Fünfundzwanzig Jahre später mokiert sich Charles Sealsfield über die Wiener Verhältnisse: ›Straßauf straßab hört man nur Musik. In jedem Bürgerhaus ist denn auch das Klavier das erste, was man erblickt. Kaum hat der Gast Platz genommen und sich an gewässertem Wein und Preßburger Zwieback erquickt, so wird das Fräulein Karoline oder wie sie sonst heißen mag, von den Eltern aufgefordert, dem Gast etwas vorzuspielen‹.« (Zitiert nach Hildebrandt 1985.)

Während die größeren Hammerflügel Statussymbole waren und das Konzertwesen eroberten, wurden die »guten Stuben« der unteren Klassen mit billig herzustellenden, einfachen Hammerklavieren ausgestattet. Noch günstiger war es, die alten, aus der Mode gekommenen

Klavichorde zu Billigklavieren umbauen zu lassen; das Gehäuse, die Saiten und die Klaviatur brauchten dabei kaum verändert zu werden.

M.K.

4.10.4 Giraffenflügel *

Gregor Deiff, München, um 1820, bez.: Gregor Deiff/Bürgerl. Orgel u. Instrumentenmacher in München, Gehäuse Nadelholz, Ahorn furniert und leuchtendrot auf Mahagoni gebeizt. Aufgesetzte Messinggußornamente, Messingleisten und -bleche. Obere Saitenabdeckung mit acht hölzernen Längsrippen, bronziert; dort zwei aufgesetzte Ornamente in Löwenform und Medaillon; oberer Abschluß als Rad mit 6 Speichen ausgebildet. Kniefüllung mit Segmentbogen und 8 Speichen. Vordere Konsolbeine mit eingesetzter Frauenbüste. Seitlich auf Gehäuse aufgesetzte Skulptur in Form einer lyraspielenden Frau. Belegung der Pedale: 1 Fagottzug, alternativ Pauke, 2 Dämpfungsaufhebung, 3 Moderator; Reparaturzettel: Reparirt von Joh. Bapt. Deiff j./Orgel und Instrumentenmacher in München/Februar 1840. ca. 200 × 120 × 60; 59-450

Tausendundeinenacht und der »Schwachstarktastenkasten«

Martin Kares

Zu Beginn des 19. Jahrhunderts, das aus dem fragilen, ans Cembalo erinnernden Pianoforte, einen eisenbewehrten, donnerndlauten »introvertierten Jet« machte. – »Die Saitenspannung – der Zug – den ein moderner Konzertflügel auszuhalten hat, beträgt 20 Tonnen. 20 Tonnen Schub tragen ein modernes Düsenverkehrsflugzeug in die Luft. Der Flügel ist also ein introvertierter Jet. Er kann zwar nicht fliegen, aber das kann er schon: ein Publikum erheben« (Hildebrandt, 1985, S. 371), zeichneten sich zwei interessante Strömungen im Klavierbau ab. Zum einen der kometenhafte Aufstieg des Hammerflügels und seiner Bespieler – Beethoven, Schumann, Schubert, Chopin, Liszt und andere große Komponisten der Zeit erklärten das Klavier schlichtweg zu ihrem Lieblingsinstrument und kreierten mit seiner Hilfe gar völlig neue Musikgattungen –, zum anderen der Niedergang des guten Geschmacks, dem das Klavier als Dilettanteninstrument in den »besseren Kreisen« der bürgerlichen Gesellschaft zum Opfer fiel.

Längst war dort das Idealbild eines Klaviers nicht mehr das einfache, zeitlos elegante Pianoforte eines Gottfried Silbermann oder eines Andreas Stein sondern das eines aufwendigen tönenden Prunkmöbels. Schlichte, eher praktisch veranlagte Geister bestellten ihren Flügel »im Schrank«, Globetrotter nahmen es auf Bordcasegröße zusammengeklappt mit auf die Reise oder hängten es sich um den Hals, andere ließen Klaviere in Schubladenkommoden, Näh- und Teetische, Sekretäre, ja sogar in Billardtische und Betten einbauen. Das Vielzweckmöbel feierte Triumphe.

Zum letzten Schrei in den zeitgenössischen Salons avancierten Giraffen- und Pyramidenflügel. Schon die Namen der Instrumente assoziieren Ungewöhnliches und lassen eine auf solchen Klavieren produzierbare exotische Klangwelt erwarten.

Die »Türkische Musik« hielt Einzug in die Konzertsäle und die deutschen Wohnstuben. Die Schwäche für den »Türkischen Stil« (als »türkisch« bezeichnete man damals praktisch alles fremdländisch-orientalische) entwickelte sich aus der Faszination, die die Nachrichten aus der befriedeten östlichen Mittelmeerregion auf die Bevölkerung Mitteleuropas ausübten. Orientalische Stilelemente fanden sich daher in der 2. Hälfte des 18. und im 1. Drittel des 19. Jahrhunderts in fast allen Bereichen der Kunst und des Kunstgewerbes, in der Mode und Malerei, bei Spielkarten, Zinnsoldaten und eben auch Musikinstrumenten (vgl. Harding, 1978, S. 121). Die Höfe hatten Vorreiterfunktion für den allgemeinen Geschmack, der Wiener Hof und Friedrich der Große etwa unterhielten türkische Musikkapellen und am Ende des 18. Jahrhunderts waren die türkischen Musikinstrumente, wie etwa Große und Kleine Trommel, Cymbeln verschiedener Größe, Becken, Schellenbaum und die Triangel fester Bestandteil der meisten Militärkapellen Europas.

Daß die Kunstmusik sich dem allgemeinen Trend nicht verschloß, versteht sich. Das Publikum zeigte sich von »Türkischen Märschen« in Opern (in den Inszenierungen wurden die »Türken« zur Verstärkung des optischen Effekts gerne gegen »Neger« getauscht . . .) und Orchesterstücken begeistert, und da die an Zahl stark zunehmenden Klavierspieler die »türkischen Effekte« auch in der Klaviermusik nicht missen mochten, verlangten sie spezielle Kompositionen und entsprechende Einrichtungen in den Instrumenten.

Der Hammerflügel in seiner senkrechten Form eignete sich besonders zur Dekoration und zur Beherbergung des verschiedensten Schlag- und Klangwerks, war doch im unteren Gehäuseteil hinter der Klappe genügend Platz für Einbauten vorhanden.

Die Giraffen- und Pyramidenflügel wurden also ab etwa 1800 der Phantasie des jeweiligen Erbauers und der zur Verfügung stehenden Vorlagen entsprechend aufgeputzt. Leichtgeschürzte Atlantinnen tragen da die Last der Klaviatur, lyraschlagende Nymphen finden sich liegend neben griechischen Amphoren und fußtrittbewegte Negerfigürchen schlagen mittels eines kunstvollen Hebelmechanismus Becken in Miniaturausgabe aneinander. Oft waren die Gehäuse dazu in leuchtendem Mahagoni-Rot gehalten (heute sind die damals verwendeten Farbbeizen leider fast völlig ausgeblichen), wovon sich aufgesetzte vergoldete Leisten und Figuren oder Messingbeschläge kontrastreich abhoben. Die äußere Gestaltung der so ausstaffierten Klaviere war gänzlich darauf abgestimmt, die Sinne des betrachtenden Zuhörers wie auch die des ausführenden und etwa auch improvisierenden Klavieristen gleichermaßen zu erregen, quasi um eine von außen nach innen gehende Stimulanzwirkung zu fördern.

Der Klangapparat dieser Salonflügel konnte die Biedermeier-Zeitgenossen schon beeindrucken: Mit bis zu acht Fußtritten oder Pedalen ausgerüstet kam der Arbeitsplatz des Pianisten dem des Organisten schon reichlich nahe. Hier nun eine kurze Vorstellung der möglichen »Veränderungen«. Vom Cembalo herübergerettet hatte sich der »Lauten-« oder »Harfenzug«, bei welchem mittels an die Saiten gepreßten Lederstückchen der Klang dieses Instruments imitiert wurde; die Pedale »Dämpfungsaufhebung«, »Verschiebung« und manchmal auch »Moderator« sind heute noch gebräuchlich. Speziell für die »Türkische-« oder »Janitscharen-Musik« kamen hinzu: »Fagottzug« – eine Leiste mit Pergamentröllchen drückt an die Saiten und bewirkt beim Anschlag einen rasselnden Klang, »Große Trommel« oder »Pauke« – ein filzgedämpfter Hammer schlägt auf den Resonanzboden oder auf eine in die Rückwand eingelassene Trommel, »Cymbeln« – dünne Messingstreifen werden gegen die Baßsaiten geschlagen und »Triangel« oder »Glocke« – üblicherweise besteht diese aus drei hochklingenden kalottenförmigen Glöckchen, die mit Metallstäben angeschlagen werden. Die Klaviere forderten, ausgerüstet mit einer solchen Verfremdungsmaschinerie, einem solchen »türkischen Feldlager« (Hildebrandt, 1985, S. 304), zu Programm- und Aktionsmusik geradezu heraus. John Cage hätte sich in unserer Zeit mit seinen »präparierten« Flügeln also durchaus auf eine »gewachsene Tradition« berufen können . . .

Vorbildfunktion für den Klavierbau dürfte in gewisser Weise der Orgelbau gehabt haben: der Cymbelstern (als pseudo-orientalisches Instrument, den Stern der Waisen aus dem Morgenland versinnbildlichend) und »Pauken«register tauchen schon vor 1700 in verschiedenen Orgeln als Nebenregister auf und erfreuten sich bis etwa 1850 großer Beliebtheit.

Es gab Komponisten, die in tatsächlich ernstzunehmenden Klavier-Kompositionen den Einsatz der oben beschriebenen verschiedenen Geräuschkulisseninstrumente forderten. »Fagottzug, Pauke und Glocke werden gelegentlich bei Märschen, Tänzen, Opernpotpourris, Programmusik und ähnlichen Stücken des frühen 19. Jahrhunderts vorgeschrieben« (Van der Meer, 1983, S. 254). Beethovens »Schlachtensinfonie«, op. 91, die dieser selbst für Klavier umschrieb, muß auf dem entsprechend bestückten Vertikalflügel zumindest interessant geklungen haben.

Die Zahl der mit »Türkischer Musik« ausgestatteten Instrumente gerade in Süddeutschland war groß, was etwa die noch relativ häufig in den Musikinstrumentensammlungen anzutreffenden Exemplare belegen. Die Klavierbauer rüsteten ihre Produkte eifrig mit dem populären »Spielwerk« aus und auf Wunsch auch nach. Manchmal allerdings auch »entgegen besserer Überzeugung, wie ein Brief von Johann Andreas Streicher vom 8. Dezember 1802 beweist, in welchem er alle diese ›Veränderungen‹ als ›bloße Spielereien‹ kategorisch ablehnt, aber zugleich auch bemerkt, daß der Klavierbauer sich gezwungen sehe, dieselben anzubringen, *weil das Publikum sie verlangt«* (Hirt, 1981, S. 18). Streicher sah, daß durch die Effekthascherei die wichtigeren Qualitäten eines Klaviers, nämlich Haltbarkeit, Klangschönheit und brillantes Spiel ermöglichende technisch perfekte Mechaniken, überdeckt würden.

Um das Jahr 1840 verabschiedeten sich denn auch die Pyramiden- und Giraffenflügel samt ihren Militärkapellenzutaten wieder aus der Musikgeschichte und machten Platz für ein hehres, edleres Klavierverständnis. Das Klavier als »heimlicher Held des 19. Jahrhunderts« mit dem – zuvor eher dekadenten – Pedal als Seele:

»Zwischen 1800 und 1900 (nicht auf den Glockenschlag genau, aber doch mit beträchtlicher Kalendertreue) vollzieht sich auf dem Gebiet des Klaviers (im Klavierbau, in der Klaviermusik, im Konzertwesen, in der Ausbildung eines breiten bürgerlichen Publikums, selbst noch im Bau von Musiksälen) eine so abenteuerliche Entwicklung, daß es keine Effekthascherei ist, wenn man sie geradezu romanhaft nennt. Um es mit aller Bravour zu sagen: Das Klavier hat nicht nur das Zeug zu einer Romanfigur, es ist so etwas wie der heimliche Held des 19. Jahrhunderts.« (Hildebrandt, 1985, S. 12.) und:

»Das Pedal ist die Seele des Klaviers: das konnte so apodiktisch und treffend erst in der zweiten Hälfte des 19. Jahrhunderts gesagt werden, als all dieser Janitscharenspuk mit seinem großen und kleinen Tamtam in der Versenkung verschwunden war. Der Satz konnte erst dann Gültigkeit gewinnen, als das Pianoforte den Firlefanz beiseiteließ und auf den eigenen Klang hörte, auf diesen immer stärker und voller, zugleich metallischer und abstrakter werdenden Klang, mit dem allein zu experimentieren und zu komponieren, zu nuancieren und zu balancieren interessanter war als alles Feldgeschrei, als alle ›getürkte‹ Apparatur« (Hildebrand, 1985, S. 304).

4.10.4

4.10.5 Orphika, ein Klavier zum Tragen *

möglicherweise Leopold Röllig/Wien, Süddeutschland oder Wien, um 1810, Gehäuse Nadelholz, mit Teakholz furniert. Saitenrahmen Esche, schwarz gebeizt. Klaviaturumfang c^0–c^3, Tasten mit Knochen und Elfenbein belegt. Wiener Mechanik (nach Stein/Augsburg, Hammerköpfe beledert; einchöriger Bezug). 110 × 35, Lit.: AK Musik, München 1951, Nr. 356; 44-9

Die Orphika ist eine besondere Form des Tafelklaviers. Carl Leopold Röllig erfand das Instrument 1795 in Wien und ermöglichte fortan auch den klavierspielenden Naturfreunden, ihren Neigungen außer Haus nachzugehen. Um die gleiche Zeit wurde auch das Reiseklavier (ein Tafelklavier in Kofferausgabe) populär.
M. K.

4.10.6 Violoncello *

Böhmen, um 1800, bez.: »Nicolaus Amatus, fecit/in Cremona 1663« (falscher oder gefälschter Zettel), Decke aus Fichte, Boden und Zargen aus Ahorn, Hals n.o., 96 × 60, Lit.: AK Musik, München 1951, Nr. 47; 40-318

Einst erlaubten die in die Streichinstrumente eingeklebten »echten« Herstellerzettel, im Vergleich die Merkmale der Meistergeigen und Geigenbauschulen zu erkennen und bildeten die Grundlage für die heutige Geigenforschung und für Expertisen. »Die leichte Auswechselbarkeit der Zettel hatte schon zu Anfang des 19. Jahrhunderts die Folge, daß sie systematisch aus den Instrumenten entfernt wurden, um in Sammlungen zu verschwinden und schließlich durch Verkauf an von Skrupeln nicht geplagte Personen ihren Weg in unechte Geigen zu finden, mit dem Zwecke, diesen einen Wert zu geben, der ihnen nicht zukam.« (Schulmann, 1961.)
M. K.

4.10.7 Viola *

Gregor Sidtler (München 1762–1800 München), München, 1799, bez.: Gregorius Sidtler fecit/Monachii Ao 1799 GS, Decke aus Fichte, Boden und Zargen (erniedrigt) aus Ahorn, ebenso Hals. Garnierung Ebenholz, 61 × 36,5, Lit.: AK Musik, München 1951, Nr. 259; 54-31

Gregor Sidtler führte als Titel »Geigen- und Lautenmacher der Hofmusik«. Er orientierte sich als einer der ersten deutschen Geigenbauer an Stradivari- und Guarneri-Vorbildern. M. K.

4.10.8 Violine *

Jakob Petz (1742–1824), Vils (Tirol), 1798, bez.: Jakob Petz/Geigenmacher zu Vils im Tyrol 1798, Decke Fichte, Boden und Zargen Ahorn, Garnitur Ebenholz. Hals n.o., 62 × 21, MStM

4.10.9 Violine, eckenloses Modell nach Chanot (1817) *

Hornsteiner, Mittenwald, 1822, bez.: . . . Hornsteiner/Mittenwald 1822, Decke aus Fichte mit zwei flammenartigen Schallöffnungen. Boden und Zargen Ahorn. Schallöffnungen, Schnecke und Saitenhalter entsprechen nicht dem Chanot-Vorbild. Griffbrett zur Erzielung eines größeren Halswinkels aufgedoppelt. 60 × 20,5, Lit.: AK Musik, München 1951, Nr. 392; 40-423

Der Physiker Ernst Florens Friedrich Chladini (†1827) lieferte mit seinen akustischen Untersuchungen die wissenschaftlichen Grundlagen für Geigenbauer, die ihre Instrumente unter Zuhilfenahme naturwissenschaftlicher Gesetzmäßigkeiten und losgelöst vom überkommenen Formendiktat herstellen wollten. Wichtigste Vertreter dieser Experimentatoren waren Felix Savart (1791–1841, Erfinder der Trapezgeige) und François Chanot (1787–1823). Chanot gab der Violine Gitarrenform, da seiner Meinung nach die Ecken des üblichen Violinenumrisses der Schwingung abträglich waren. Auch versuchte er durch diese Form die Zahl der durchlaufenden langen Holzfasern für die Schwingung möglichst groß zu halten. Chanots (und auch Savarts) Konstruktion zeigte sich im Vergleichstests selbst italienischen Meistergeigen überlegen: »Über Einladung der Section hat Herr Boucher zur Sitzung eine Stradivarius mitgebracht, die als eine der besten anerkannt ist, und da zugunsten dieser ausgezeichneten Violinen ein starkes Vorurteil besteht, hatte Herr Boucher, um ein unparteiisches Urteil zu ermöglichen, die Gefälligkeit, in einen benachbarten Raum zu gehen und die gleichen Stellen abwechselnd auf dem einen und dem andern Instrument zu spielen. Die ganze Kommission hat in drei aufeinanderfolgenden Versuchen immer geglaubt, die Stradivarius zu hören, wenn Herr Boucher die neue Violine spielte, und umgekehrt, wenn er die Stradivarius spielte. Dieser fortgesetzte Irrtum hat die Frage zugunsten der Violine von Herrn

4.10.6–9

Chanot entschieden, welche ohne den kürzeren zu ziehen, eine so starke Konkurrenz aushalten konnte, obgleich sie aus neuem Holz gemacht war, das erst vor zwei Jahren geschlagen war und vor sechs Monaten zum Verkauf zugerichtet war.« (Bericht im »Moniteur universel« vom 22.8.1817, zit. nach Kolneder, 1972.) Nicht zuletzt weil die Geigenliebhaberei zur Zeit des Biedermeier schon längst eine formästhetische Angelegenheit und der Marken-Prestige-Geschmack festgelegt war, hatten die Experimentiergeigen nie eine wirkliche Chance.
M. K.

4.10.10 Spazierstock-Violine *

Süddeutschland, 2. Drittel 19. Jhd., längshalbierter, ausgehöhlter Ahornstab, Ahorndecke mit sternförmiger Schallöffnung, Griff als Halsstütze ausgearbeitet, Deckel fehlt, 83 × 11,5 (Griff); ⌀ 4,5, 59-114

DAS SCHIFFLEIN
(Joseph Ludwig Uhland 1787–1862)
Als Quartettgesang mit Flöte und Horn vertont von Robert Schumann als op. 146 im Jahre 1849

Ein Schifflein ziehet leise
Den Strom hin seine Gleise;
Es schweigen, die drin wandern,
Denn keiner kennt den andern.

Was zieht hier aus dem Felle
Der braune Weidgeselle?
Ein Horn, das sanft erschallet;
Das Ufer widerhallet.

Von seinem Wanderstabe
Schraubt jener Stift und Habe
Und mischt mit Flötentönen
Sich in des Hornes Dröhnen.

Das Mädchen saß so blöde,
Als fehlt' ihr gar die Rede;
Jetzt stimmt sie mit Gesange
Zu Horn und Flötenklange.

Die Rudrer auch sich regen
Mit taktgemäßen Schlägen;
Das Schiff hinunterflieget,
Von Melodie gewieget.

Hart stößt es auf am Strande,
Man trennt sich in die Lande:
»Wann treffen wir uns, Brüder,
Auf einem Schifflein wieder?«

Joseph Ludwig Uhland beschreibt hier eine Zufallsmusik sich begegnender Reisender, die in einem Boot sitzend ihre Spazierinstrumente hervorzaubern.

Musikliebhabende und dazu romantisch verklärte Biedermeier-Naturfreunde hatten vielfältig Möglichkeit, bei ihren Ausflügen den sie überfallenden musikalischen Neigungen nachzukommen: Die Fülle der heute aus dieser Zeit überkommenen Spazier- und Tascheninstrumente läßt auf eine große Beliebtheit und Verbreitung schließen. In derben Knotenstöcken finden sich zierliche, an Tanzmeistergeigen erinnernde Kleinst-Violinen samt Bogen, beliebt waren in Spazierstöcke eingearbeitete Oboen, Klarinetten, Trompeten und vor allem Flöten. »... selbst würdige Hofräte und andere Standespersonen lustwandeln wie reisende Musikanten, und es ist schon gut vorstellbar, daß den einen oder anderen in all der Frühlingspracht Lust und Laune ankommen, von seinem Wanderstabe, der nichts anderes als eine Stockflöte ist, Stift und Habe (Spitze oder Zwinge, Griff oder Krücke) abzuschrauben, um flötend ein wenig mit den Vögeln des Himmels um die Wette zu tirilieren ...« (Janetzky, 1980.) M. K.

4.10.11 Doppel- oder Zwillingsgitarre

Peter Teufelstorfer (Wien 1784–1845 Budapest), Budapest, 1815, bez.: Peter Teufelstorfer/ fecit Pestini Anno 1815 No.; Decke Fichte, Boden und Zargen Ahorn, Hälse Hartholz, schwarz gebeizt. 2 Schallöcher mit Perlmutt umlegt. Stimmung der Saiten: E A d g h e^1 und G C f b d^1 g^1. 90 × 36, Lit.: Ak Musik, München 1951, Nr. 456; 43-69

Die gezeigte Gitarre entstammt der süddeutsch-österreichischen Instrumentenbautradition ihrer Zeit. Peter Teufelstorfer lernte das Gitarrenbauhandwerk in Wien.
Während die aus Spanien stammende breite Achterform der Gitarre Anfang des 19. Jahrhunderts auch in Süddeutschland Standard wurde, bildeten sich daneben bautechnische Sonderformen heraus: Die Lyragitarre (Frankreich), die Wappengitarre, die Doppelhals- und die Zwei-Griffbrett-Gitarre (alle Süddeutschland/Österreich); letztere Typen wurden meist von Virtuosen gespielt. M. K.

4.10.12 Gitarre

Stephan Thumhart (München †1860), München, 1840, bez.: Stephan Thumhart/Königl. Hof-Instrumentenmacher München anno 1840/wohnt im Rosenthal Nr. 14, Korpus aus Ahorn und Fichte; Saitenhalter Ebenholz, in

zwei Spitzen mit Knopf auslaufend; abnehmbarer Hals (n.o.); Randeinlagenspäne Ebenholz. Sieben Saiten, Stimmung C, E, A, d, g, h, e^1. 100 × 29 × 9,5; 61-111*

Die 7. Saite der gezeigten Thumhart-Gitarre ist eine letzte Reminiszenz an die ursprüngliche enge Verwandtschaft zwischen vielchöriger Laute und dann 6saitiger Gitarre. M. K.

4.10.13 Mandoline

Italien, evtl. auch Süddeutschland, 1. Hälfte 19. Jahrhundert, bez.: Reparirt Josef Thumhart/München 18.6 Nr. 11 Schäfflerstrasse Nr. 11, Decke aus Fichte mit ovalem Schalloch. Hochgewölbter mandelförmiger Korpus, innen auspapiert, aus 29 Spänen. Hals und Wirbelbrett mit Ebenholz und Knochenspänen furniert. Vierchörig mit 8 Saiten, 60 × 18 × 17, Lit.: AK Musik, München 1951, Nr. 291; 40-306

Die in Italien beheimatete Mandoline erfuhr ihre Verbreitung im 18. Jahrhundert durch ganz Europa. Anfang des 19. Jahrhunderts existierte eine berühmte Mandolinenschule in Wien, deren bedeutendster Vertreter Giovanni Hoffmann sich mit der Veröffentlichung von Mandolinenduetten einen Namen machte.
Wohl bekanntestes Beispiel für die Verwendung der Mandoline in der »ernsten Musik« ist die Serenade in Mozarts »Don Giovanni«. Auch Beethoven schrieb für die Mandoline, unter anderem eine »Sonatina per il mandolino, composta da L. v. Beethoven«. M. K.

4.10.14 Querflöte (Konische Ringklappenflöte)

Theobald Boehm (München 1794–1881 München), München, um 1832, bez.: TH. BOEHM/ A/ MUNICH, Dreiteilige Flöte (Kopfstück ohne Stimmzug, durchgehendes Mittelstück, Fuß) aus dunklem Holz (Kokos oder Grenadill) mit Silberringen an den Verbindungsstellen. Kleiner Holzgrat am Fuß zur Imitation eines Abschlußringes. Holzkappe (mit Silberring an der Innenseite) auf ein Holzgewinde geschraubt, dessen herausragende Achse mit einem Silberhütchen geschützt ist. Nahezu rechteckiges Mundloch am oberen Rand mit einer größeren ovalen Einbuchtung. Hölzerne Daumenstütze in silbernem, 4füßigem Sockel mit Justierungsschraube zur Höhenregulierung. Mechanik aus Silber. Ringklappensystem. C-Fuß; offene gis^1-Klappe, einzeln gelagert, mit Fingerplatte. 2 Triller: d^2 und c^2; c^2-Loch nicht verdoppelt. Messingfedern. Die Federn für die es^1-, fis^1- und b^1-Klappe ruhen auf einem kleinen runden Holzsockel. 68, Lit.: AK Boehm, München 1981, Nr. 77; 79-18

Theobald Boehms (1794–1881) Erfindungen für die Flöte waren so bahnbrechend und seine Umgestaltungen waren so radikal, daß seit ihm das Instrument einen neuen Namen hat: Boehmflöte. Boehms Instrumente waren »mit einer Eleganz und Genauigkeit gebaut, die

man sonst nur an Instrumenten zum astronomischen Gebrauche zu sehen und zu verlangen gewohnt war« (Leipziger Allgemeine Musikalische Zeitung, 1834).
Boehm erarbeitete 1832 mit seiner Ringklappenflöte eine völlige Neukonstruktion (wie auch 1847 mit seiner Zylinderflöte), die musikalische Vielseitigkeit und geniale Einfachheit in der Technik miteinander kombinierte.
»Boehm nahm ein Flötenrohr mit der üblichen konischen Innenbohrung, bestimmte seine Länge genauso, daß es den Ton c^1 gab, und suchte nun rein experimentell die richtigen Plätze für alle Tonlöcher einer chromatischen Oktave hinauf bis cis^2. Damit war die unbedingte Reinheit und Gleichheit der Töne für die unterste Oktave garantiert. Allerdings war eine ganz neue Schwierigkeit entstanden: Wie konnte das unabhängige Öffnen und Schließen dieser 13 Tonlöcher mit 9 Fingern – der rechte Daumen hält die Flöte – bewerkstelligt werden? – Diese Aufgabe löste das vielgerühmte ›mechanische Genie‹ Boehms auf stupende Weise. Nicht nur, daß es ihm mit Hilfe eines Ringklappensystems gelang, einzelnen Fingern ohne Positionswechsel doppelte Aufgaben anzuvertrauen: er brachte darüber hinaus die Finger in eine Reihenfolge, die mit der Halbtonskala korrespondierte. Das Ergebnis war eine chromatische Flöte und damit ein im Klang in der Griffweise tonartlich neutrales Instrument. Dieser letzte Punkt ist die eigentliche Jahrhundertleistung Boehms.« (Schmid, in AK Boehm, München 1981.) M. K.

4.10.15 Spazierstock-Querflöte in D ✳

Süddeutschland, 1. Drittel 19. Jahrhundert, Hartholz, gedreht und gebohrt, schwarz gebeizt. Knauf Elfenbein, Spitze Messing, 6 Grifflöcher oben, 2 seitlich, 1 Klappe aus Silber, 91; ∅ 3,7; 61-57

4.10.16 Spazierstock-Querflöte ✳

Süddeutschland, 1. Drittel 19. Jahrhundert, als Astimitat aus Buchsbaum geschnitzt und gebohrt. 6-teilig, zusammengesteckt. Knauf als Stimmvorrichtung ausgebildet, ausziehbar. Steckhülsen und Spitze Messing. 6 Grifflöcher, 1 Klappe. Untere Flötenöffnung seitlich in Astloch. 86,5; ∅ 3,9; 56-10

4.10.17 Spazierstock-Blockflöte in B ✳

Süddeutschland/Österreich, 1. Drittel 19. Jahrhundert, als Bambusrohrimitat gedrechselt, Knauf Horn, 8 Grifflöcher, 87; ∅ 2,7, Lit.: AK Musik, München 1951, Nr. 433; 9-394

4.10.18 Klarinette in A

Süddeutschland, um 1840, Zusatzmittelstück zum transponierten Spiel in B-Stimmung. Helles Buchsbaum/Horn/Messing, Klappen für b, cis^1, gis^1, a^1/h^1-Triller, 69, ∅ 7,8; 55-35

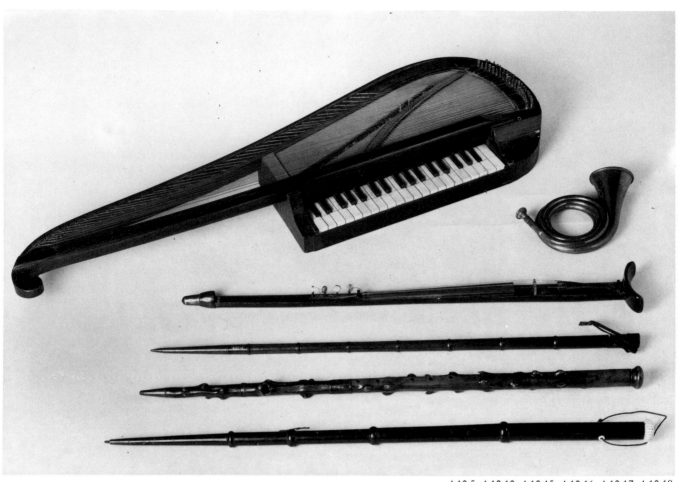

4.10.5, 4.10.10, 4.10.15, 4.10.16, 4.10.17, 4.10.19,

Durch die Reformen der Instrumentenbauer Iwan Müller und später Theobald Boehms entwickelte sich die technisch unbeholfene und klanglich unausgewogene Klarinette ab etwa 1810 zu einem in die Kunstmusik vollständig integrierten Instrument.   M. K.

4.10.19 Taschen-Posthorn *

Süddeutschland, 2. Drittel 19. Jahrhundert, Messing, getrieben, gelötet und gebogen. 4fache Windung, 20 × 20, ⌀ des Schalltrichters: 8,5; 41-308

Wohl zum leichteren Verstauen des Instruments in der Manteltasche ist der Schalltrichter des gezeigten Horns oval getrieben.
Um 1820 kamen auf den verbesserten Landstraßen (»Chausseen« genannt) die mit vier Pferden bespannten Eilposten auf, das Posthornblasen erfuhr einen besonderen Aufschwung. Die musikalischen Mitteilungen mittels Posthornsignalen wurden in Bayern erstmals 1839 durch eine »Signalordnung« amtlich geregelt.
»Der Hauptzweck des Posthorns besteht darin, die Annäherung postmäßiger Transporte anzuzeigen und solchen dadurch eine ungestörte

und schleunige Beförderung zu sichern... Außerdem aber dient das Posthorn dazu, die Annehmlichkeiten des Postverkehrs zu erhöhen, indem sich dasselbe zu dem Vortrage wohlklingender Melodien sehr wohl eignet, und werden besonders mehrstimmig vorgetragene Stücke die dankbare Anerkennung der Reisenden finden. Die Auszeichnung und die Belohnungen, welche das General-Post-Directorium den fertigen Hornbläsern zugesagt hat, wird die Postillons ohne Zweifel antreiben, jede müßige Stunde anzuwenden, sich auf dem Horne zu üben; aber auch das Ehrgefühl muß sie dazu bewegen, eine Bemühung nicht zu scheuen, deren treufleißige Anwendung sie beliebt macht, denn: wer Etwas kann, den hält man werth; – den Ungeschickten Niemand begehrt. So sey denn hinfort der Wahlspruch: kein tüchtiger Bläser, kein tüchtiger Postillon.« (Aus: »Über den Zweck des Posthorns« in: »Anweisung zum Gebrauche des Posthorns für die Königlich Hannoverschen Postillons«, Hannover 1832)   M. K.

4.10.20 Klappenhorn in C

Süddeutschland/Bayern, um 1840, Messing, getrieben und gebogen, Zahnschnittverlötung, Klappendichtung Leder. Klappen für H, cis, d, es, e, f. 53 × 21, ⌀ der Stürze: 15,5; 55-21

Bis zur Erfindung der Ventile ermöglichten die Klappen das Spielen tiefklingender chromatischer, nicht allzu schneller Passagen bei Blechblasinstrumenten.   M. K.

4.10.21 Zither (Primzither)

Georg Tiefenbrunner (München 1812–1880 München), Süddeutschland, um 1820, bez.: Reparirt Georg Tiefenbrunner in München 1849, Salzburger Form, Decke Vogelaugenahorn, Boden und Seiten Nadelholz, schwarz gebeizt. 4 Griffbrett-(Melodie-)saiten, 25 Begleitsaiten, 54 × 28 × 3,7, 79-64

Georg Tiefenbrunner (1812–1880), Hofinstrumentenmacher in München, war der bedeutendste Zitherbauer Münchens um die Mitte des 19. Jahrhunderts. Er erhielt von Herzog Max wiederholt die begehrte goldene Medaille für hervorragende Leistungen.

Adalbert Stifter hat in seinem Roman »Nachsommer« den inneren Zusammenhang von Landschaft, Brauchtum, Volksmusik und Zither reizvoll geschildert: »Ich lernte die Zither kennen, betrachtete sie, untersuchte sie und hörte auf ihr spielen und zu ihr singen. Sie erschien mir als ein Gegenstand, der nur allein in die Berge gehört und mit den Bergen ist . . .« »Von einem Jägersmann, welcher mehr ein Herumstreicher war, als daß er an einem Platze durch lange Zeit als ein mit dem Bezirke und mit dem Wildstande vertrauter Jäger gedient hätte, ließ ich mir eine Zither über das Gebirge herüberbringen. Er kannte . . . das ganze Gebirge genau und wußte, wo die besten und schönsten Zithern gemacht würden. Er konnte dies darum auch am besten beurteilen, weil er der fertigste und berühmteste Zitherspieler war, den es im Gebirge gab. Er brachte mir eine sehr schöne Zither, deren Griffbrett von rabenschwarzem Holze war, in welchem sich aus Perlenmutter und Elfenbein eingelegte Verzierungen befanden und auf welchem die Stege aus reinem glänzenden Silber gemacht waren. Die Bretter, sagte mein Bote, könnten von keiner singreicheren Tanne sein; sie ist von dem Meister gesucht und in guten Jahren und Zeiten eingebracht worden. Die Füßlein der Zither waren elfenbeinerne Kugeln, und in der Tat, wenn der Jägersmann auf ihr spielte, so meinte ich nie einen süßeren Ton auf einem menschlichen Gerät gehört zu haben . . . Ich ließ ihn gerne in meiner Gegenwart auf meiner Zither spielen, weil ihm keine so klang wie diese, und weil er sagte, sie müsse eingespielt werden. Er wurde mein Lehrer im Zitherspiel.«

». . . Er scheint von . . . seinem Musikgerät auch ergriffen und beherrscht zu sein; wenn er spielt, ist er ein anderer Mensch und greift in seine und in die Tiefen anderer Menschen, und zwar in gute.« ». . . Die Zither war ein lebendiges Wesen, das in einer Sprache sprach, die allen fremd war und die alle verstanden . . .«

»Gleich in den ersten Tagen meines Aufenthaltes ging ich auch mit meinem Jägersmanne . . . in das Echertal, wo der Meister wohnte, von dem der Jäger die Zither für mich gekauft hatte, und von dem ich auch eine für meine Schwester kaufen wollte. Dieser Mann verfertigte Zithern für das ganze umliegende Gebirge und zur Versendung. Er hatte noch zwei mit der meinigen ganz gleiche. Ich wählte eine davon, da in der Arbeit und in dem Tone gar keine Verschiedenheit wahrgenommen werden konnte. Der Meister sagte, er habe lange keine so guten Zithern gemacht und werde lange keine solchen mehr machen. Sie seien alle drei von gleichem Holze, er habe es mit viel Mühe gesucht und mit vielen Schwierigkeiten gefunden. Er werde vielleicht auch nie mehr ein solches finden. Auch werde er kaum mehr so kostbare Zithern machen, da seine entfernten Abnehmer nur oberflächliche Ware verlangten und auch die Gebirgsleute, die wohl die Güte verstehen, doch nicht gerne teure Zithern kaufen.«

4.10.22 Ziehharmonika (Konzertina)

Süddeutschland, um 1850, je 14 wechseltönige Druckknöpfe auf Baß- und Diskantseite, Baß- und Diskantgehäuseplatte Hartholz mit Farbmaserung, Balgfalten Karton mit Prägepapier beklebt, Lederzwickel. 14 × 14 × 14; 55-30

Selten hat ein Instrument einen solchen Popularitätszuwachs verzeichnet, wie die Ziehharmonika nach ihrer Erfindung Anfang des 19. Jahrhunderts. »Virtuosen und Komponisten sind ihm erstanden; aber der Schwerpunkt liegt in seinem Wesen als Volks-, vor allem als Schifferinstrument, das vielen Millionen einfacher Menschen die Feierabendruhe verschönt.« (Sachs, 1930.) M. K.

4.10.23 Mundharmonika

C. F. Doerfel und E. Dressler, Süddeutschland, Mitte 19. Jahrhundert, bez.: C.F. Doerfel / Steinfelser & Co. / E. Dressler, Kappen, Zungenträger und Zungen (2 × 8, wechseltönig) aus Messing. Zylinderförmiger Korpus aus Glas. 13,5, ⌀ 2,8; 73-22

1821 erfand der Musiker und Instrumentenmacher Christian Friedrich Ludwig Buschmann in Berlin den Prototyp der heutigen Mundharmonika, die »Aura«. Ursprünglich zum einstimmen von Klavieren und Orgeln gedacht, entwickelten Buschmann und später Matthias Hohner die »Aura« zum handlich einfach und billig herzustellenden Volksinstrument weiter.
M. K.

4.11 Porzellan und Lithophanie-Scheiben

4.11.1 Dessertservice mit farbigem Blumendekor **

Manufaktur Edouard Honoré, Paris, 1820–30, bez.: Ed. Honoré à Paris, Porzellan, bemalt, 3teilige Etagère für Konfekt, 35,5, ⌀ 23, Schale auf Fuß (Compotière), 11, ⌀ 25; 2 Henkelvasen (Speiseeisbehälter), 34, ⌀ 26; 2 Tortenuntersätze auf Fuß, 6, ⌀ 19; 2 durchbrochene Schalen mit Fuß (Corbeille), 10, ⌀ 24; 28 Teller mit Blumendekor, ⌀ 22; 42 flache Teller mit gold-rosa Rand, ⌀ 23; 14 tiefe Teller, ⌀ 23; 2 niedrige Tortenuntersätze, ⌀ 24; 2 dazu gefertigte Servierplatten, 5,5 × 45 × 29,5; 5,5 × 48 × 31 (rotes Rautenschild mit Bezeichnung: Nymphenburg; die rote Marke der Manufaktur Nymphenburg steht für nach Mustern anderer Manufakturen bemaltes Porzellan); 3 Tortenuntersätze, 7, ⌀ 28; 3 verschiedene Schalen auf Fuß (Corbeille, Compotière), 9, ⌀ 23; Zuckerdose, 17, ⌀ 18; 2 ovale Schüsseln, 6 × 24,5 × 13,5; Lit.: Danckert 1978, 360, Nr. 71; de Plinval de Guillebon 1972, 208–19, 316; K 76/ 23–28 und MStM

Die Dekoration besteht aus Bouquets und einzelnen Blütenpflanzen, die mit botanischer Genauigkeit wiedergegeben sind. Im Kontrast dazu steht der geometrische Dekor mit Goldstreifen auf rosa Fond und die Reliefbänder mit stehenden und gestürzten Palmetten.

Zum Gebrauch schreibt ein Zeitgenosse: »Gewiß! man konnte nichts Schöneres sehen, als die Präcision, mit welcher die Kellner ihr Dessert auftrugen, die Bewegungen auf den Flanken und ins Centrum gingen wie am Schnürchen, die schweren Zwölfpfünder der Torten und Kuchen, das kleinere Geschütz der französischen Bonbons und Gelees wurde mit Blitzesschnelle aufgefahren, in prachtvoller Schlachtordnung vom Glanz des Krystallüsters bestrahlt, standen die Guß-, Johannisbeeren-, Punsch-, Rosinentorten, die Apfelsinen, Ananas, Pomeranzen, die silbernen Platten mit Trauben und Melonen.« (Wilhelm Hauff, Der Mann im Monde, 1825.)

4.11.2 Fünfzehnteiliges, blau-goldenes Kaffee-Service

Manufaktur Nymphenburg, Form: nach F. v. Gärtner (Koblenz 1798–1847 München), um 1825, bez.: teilweise Preßmarken Rautenschild, Porzellan, Kanne 25,5; Milchkanne 19,7; Zuckerdose mit Deckel 17,3; Tassen und Untertassen: Tasse 8; ⌀ 7,5; Untertasse ⌀ 13; Lit.: Zur Form vgl. Deubner 1942, Abb. 30, XIᵈ/188

Die elegante Formensprache und kostbare Dekoration setzt die Tradition des Empire fort, legt aber – zusammen mit dem Fehlen von Benutzerspuren – die Vermutung nahe, daß das Service hauptsächlich in der Vitrine stand und für besondere Anlässe aufbewahrt blieb.

4.11.3 Fünfzehnteiliges, vergoldetes Kaffee-Service mit farbiger Blumenmalerei

Manufaktur Nymphenburg, um 1830–40, bez.: teilweise Preßmarken Rautenschild, Porzellan, bemalt, Kaffeekanne 23,4; Milchkanne 15,8; Zuckerdose 13,4; Deckelknauf fehlt; Tasse 8,8; ⌀ 7,6; Untertasse ⌀ 13,2; XII/163

Die bauchigen Formen von Kannen und Zuckerdose heben sich ab von den eleganten, um 1830 üblichen kelchförmigen Tassen mit Standring und Volutenhenkel.

Der Dekor ist aufwendig: die Gefäße sind insgesamt vergoldet – die Tassen auch innen. Um Gefäßbauch bzw. obere Tassenhälften verläuft ein schwarzes Band, oben und unten flankiert von Blattfriesen auf mattgoldenem Grund, darauf ein jeweils ähnlicher wiederkehrender dichter Kranz von Rosen und anderen Blumen und Blättern. Die Untertassen haben vergoldeten Fond, der Rand ist ganz mit dem gleichen Blumenkranz dekoriert.

4.11.4 Sechsteiliges weißes Kaffee-Service mit Goldrand

Manufaktur Nymphenburg, um 1840, bez.: Preßmarke Rautenschild, Porzellan, Tasse: 7, ⌀ 7,8; Untertasse: ⌀ 13; Milchkanne: 19; Kaffeekanne: 26; 63/17411/1-4

4.11.1

Tassen mit Schneckenhenkel und Maskarons; an der Vorderseite befinden sich Initialen in Blau-gold: R und B

4.11.5 Achtteiliges, weiß-gold-blaues Dejeuner-Service mit Ansichten der Münchner Innenstadt

Manufaktur Nymphenburg, um 1840–50, bez.: Preßmarke Rautenschild, Porzellan, bemalt, 38/1281/a-f

Weißes Tablett mit gold-blauem Rand: Rundbild umgeben von Blüten- und Schleifendekor mit Darstellung der Kaufingerstraße (Neuhauserstraße) mit Michaelskirche und Akademie: 2,5, ⌀ 35.
Kaffeekanne mit Darstellung des Marienplatzes mit Blick auf das Isartor auf der Vorderseite: 13, ⌀ 7,5.
Milchkanne mit Darstellung des Karls- und Kosttors vom Stadtgraben aus auf der Vorderseite: 11,5, ⌀ 6.
Zuckerschale mit Darstellung des Königsbaus der Residenz mit Hoftheater: 3,5 × 10, ⌀ 6,5.
Zwei Tassen mit Untertassen: Tasse 7,5, ⌀ 7,5; Untertasse ⌀ 13; mit Ansicht des Angertors und des Sendlingertors auf den Tassen.

4.11.6 Fünfzehnteiliges weiß-goldenes Kaffee-Service mit Ansichten von der Umgebung Münchens

Manufaktur Nymphenburg, um 1850, bez.: undeutliche Ritzmarke Rautenschild, Porzellan, bemalt, 6 weiße Tassen mit Ansichten von Schwaneck an der Isar, Menterschwaige, Föhring an der Isar, Jagdschloß Fürstenried, Neuberghausen an der Isar, Magdalenenkapelle (Nymphenburg). Die Ansichten sind mit Goldrand gerahmt und mit Blumenranken dekoriert. Tasse: 6,5, ⌀ 6,8; Untertasse ⌀ 13; Zuckerdose mit Deckel mit Darstellung des Lustschlosses Nymphenburg. Dose: 6, ⌀ 10,5; Deckel: ⌀ 9; Milchkanne mit Darstellung des Lustschlosses Schleißheim: 11, ⌀ 8; Kaffeekanne mit der Ansicht Münchens von der Südseite: 14,2; ⌀ 11; 35/1936-35/1944

4.11.7 Achtteiliges Dejeuner-Service mit Ansichten aus dem Englischen Garten

Manufaktur Nymphenburg, bemalt von Paul Böhngen, um 1810–16, bez.: Preßmarke Rautenschild, Malersignatur auf der Platte: Böhngen p.; Porzellan, bemalt, Tablett: 4,7 × 39 × 27; Kaffeekanne: 12,2 (ohne Deckel), ⌀ 7,5;

Milchkanne: 9,1 (ohne Deckel), ⌀ 6; Zuckerdose: 10 (ohne Deckel), ⌀ 7,7; 2 Tassen mit Untertassen: Tasse 6,7; ⌀ 6,2; Untertasse ⌀ 13; Lit.: Tablett vgl. AK WB III/2, 1980 Nr. 1091 e; 31/383/1-6

Auf jedem Stück befindet sich, in Goldrand gefaßt, eine Sepia-Miniatur mit Ansichten aus dem Englischen Garten.
Das Tablett ist an der Unterseite bez.: Residenz Stadt/München und Prospekten aus dem Englischen Garten.

4.11.8 Blau-goldene Tasse mit Untertasse, mit Blumenmuster

Manufaktur Nymphenburg, um 1820, bez.: Preßmarke Rautenschild, Porzellan, bemalt, Tasse: 6,2; ⌀ 6,5; Untertasse: ⌀ 13,5; XI^d/115

4.11.9 Zwei Tassen mit Münchner Ansichten

Manufaktur Nymphenburg, um 1840, bez.: teilweise Preßmarke Rautenschild, Porzellan, bemalt, 9, ⌀ 9, Lit.: AK BaKuKu 1972, Nr. 1690, 38/1258, 30/2144

4.11.13, 5.1.163, 4.11.14

4.11.10 Zwei Dessertteller

um 1850, Porzellan, bemalt; ⌀ 17, Lit.: AK BaKuKu 1972, Nr. 1690, 28/1613, 28/1614

Im Spiegel des einen Tellers ist eine Ansicht der Hofgartenfassade des Festsaalbaus, in dem des zweiten eine Ansicht des Nationaltheaters zu sehen.

4.11.11 Vier Tassen mit Münchner Motiven

Manufaktur Nymphenburg, um 1840–50, bez. 30/2144: »München«; Preßmarke Rautenschild mit Stern, eingeritzt: »5«, Stempel PWr., in schwarz: »München«; 38-1257: »Königsbau«: keine Fabrikmarke, geritzt »6« und »3«, in schwarz: Königsbau; XI^d/280: »Auerkirche«; Preßmarke Rautenschild, geritzt »1/5«, »6«, »3«, in schwarz: »Auerkirche« (die Auerkirche ist 1842 fertiggestellt worden); 38-1258: geritzte Schildmarke sowie »3«, »1/5«, in schwarz: »Max-Joseph-Platz«; Tasse 9,8; Untertasse ⌀ 15,6; Lit.: AK BaKuKu 1972, Nr. 1690; 30/2144, 38-1257, XI^d/280, 38-1258

gleiche Form wie 42/122

4.11.12 Zwei Bierkrüge mit Goldrand und Silberdeckel

Manufaktur Nymphenburg, um 1850, bez.: Preßmarke Rautenschild, Porzellan, bemalt, 13, ⌀ 10; 36/17, XI^d 242

Auf dem einen Bierkrug (36/17) Darstellung einer ländlichen Szene mit zechenden Bauern vor einem Hof auf der Vorderseite.

Auf dem anderen Bierkrug (XI^d/242) ist auf dem silbergefaßten Deckel eine Kellnerin in Münchner Tracht mit zwei Bierkrügen abgebildet.

4.11.13 Prunkvase mit Ansicht des Isartors **

Manufaktur Nymphenburg, um 1820, Porzellan, bemalt, 20,9; ⌀ 13,6, Lit.: vgl. Hofmann 1923 III, 639; 41/801

1823 entstanden nach Hofmann solche Prunkvasen mit den Ansichten des Isar- und Sendlingertors.

4.11.14 Prunkvase mit Ansicht des Sendlingertors **

Manufaktur Nymphenburg, um 1820, Porzellan, bemalt, 20,9; ⌀ 13,6; 41/802,1

Sockelvase mit geschwungenem Henkel und profiliertem oberem Rand, auf der Rückseite ein Löwenkopf mit Füllhörnern, auf der Vorderseite Ansicht des Sendlingertors mit Kreuzkirche und Staffagefiguren.

4.11.15 Zwei Übertöpfe mit Segelschiffen und chinesischen Masken

Mitte 19. Jahrhundert, Porzellan, Muffelfarbenmalerei, Golddekor, 16,5; ⌀ 18,2; 48/273-4

Konisch erweiterte Töpfe auf schmalem Standring. Randzone zwischen zwei Querrippen leicht konkav eingefaßt. Zwei Halteknäufe in Form von goldstaffierten Chinesen-Masken. Im Mittelfeld, gerahmt von Goldlinien, exotische Küstenlandschaft mit Segelschiffen und Städtesilhouetten. Goldränder. B.R.

4.11.16 Weibliche Trachtenfigur

Manufaktur Nymphenburg, München, um 1840, bez.: Nymphenburger Blindstempel, Rautenschild, Porzellan, 13,5; ⌀ 5,4; 32/489

Trachtenfiguren hatten in biedermeierlicher Zeit erheblichen Anteil an der figürlichen Produktion in Nymphenburg. Die weibliche Figur in bunt staffierter Tracht mit Riegelhaube und Gebetbuch spiegelt etwas von den in Tracht dargestellten Frauen und Mädchen der Schönheitsgalerie Ludwigs I.. Ganz allgemein war die Tracht durch die Betonung der Eigenart der bayerischen Stämme, die im Regierungskonzept Ludwigs I. verankert war, aufgewertet worden. Der Reflex dieser positiven Einschätzung läßt sich bis in die peripheren Zonen des biedermeierlichen Genres verfolgen. N.G.

4.11.17 Ratschkathl

Modell: wohl Eugen Napoleon Neureuther (München 1806–1882 München), München, um 1850, bez.: Nymphenburger Blindstempel (Rautenschild), Porzellan, bunt stafffiert, 15, Lit.: Hofmann, 1923, 561; 31/297

1847 übernahm der Maler und Zeichner Eugen Napoleon Neureuther die Leitung der Nymphenburger Manufaktur und war auch als Entwerfer für die Porzellanproduktion tätig. Zugeschrieben wird ihm unter anderem eine Reihe volkstümlicher Trachtenfiguren, die sich, wie im Fall der »Ratschkathl« an Münchner Originalen der Zeit orientieren. Die gezielte Produktion für den Geschmack eines breiten Publikums bedeutete auch eine künstlerische Einbuße, die sich im Widerspruch von Material und realistischer Wiedergabe verdeutlicht.
N. G.

Lithophanien

Durchscheinende Materialien als Bildträger gewannen im 19. Jahrhundert große Beliebtheit. Neben den Bemühungen um die Wiederbelebung der Glasmalerei, die im Barock ihre Bedeutung verloren hatte, waren es in biedermeierlicher Zeit die Lithophanien, die das Bedürfnis nach Bildern dieser Art stillen konnten. Sie wurden vor eine Kerze gestellt oder direkt ans Fenster gehängt. Nach der Erfindung der durchscheinenden Tafeln aus Bisquitporzellan in Sèvres, angeblich durch den Baron de Bourgoing, einen Diplomaten, der später auch am Münchner Hof tätig war, wurden in Deutschland Lithophanien vor allem in Berlin und Meißen hergestellt (jeweils seit 1828). Auch die Nymphenburger Porzellanmanufaktur nahm sich in den vierziger Jahren verstärkt die Produktion von Lithophanien an. Thematisch entsprechen die Bilder, deren unterschiedlich tiefes Relief unterschiedliche Plastizität bewirkt, dem allgemeinen Spektrum der Gebrauchsgraphik der Zeit. Genredarstellungen, Übertragungen berühmter Gemälde, Herrscher- und Prominentenporträts stellen die überwiegende Mehrzahl der in Lithophanien verbreiteten Themen. Auch technisch verbindet sich die Herstellung der Lithophanien direkt mit der Graphik. Kupferstiche wurden auf Wachsplatten übertragen, wobei die hellsten Partien am tiefsten ausgehoben wurden. Ein Gipsabdruck dieser Wachsmodel diente schließlich als Negativform für die Porzellanmasse.
N. G.

4.11.18 »Die schöne Münchnerin«

Nach einer Graphik von Carl Engel (Londorf-Oberhessen 1817–1870 Rödelheim), Bisquit, Bleiverglasung (lila), 27,4 × 22,2, Lit.: Schmidt, in: Volkskunst 2, 1984, 46ff.; 62/1022

Lithophanie mit Darstellung: Die Schöne Münchnerin am chinesischen Turm, in lila Bleiglasrahmung.

4.11.19 Porträt der Prinzessin Marie von Bayern

bez. Preßmarke: H, Lithophanie, Bisquitporzellan, Farbglas, 30 × 25,5; 33/694

4.11.20 Italienerin in einer Laube

München, um 1830, bez.: K. P. M. 135 N, Lithophanie, Bisquitporzellan, 32,5 × 28,5, MStM

Um die bildliche Darstellung ein Rahmen aus violettem und grünem Farbglas mit geschliffenem Dekor aus Weinblättern und Trauben, in den Eckfeldern Blüten.
N. G.

4.11.21 Knabe mit Hund

Lithophanie, Bisquitporzellan, 12,8 × 10,2; 63/12688

4.11.22 Madonna mit Jesus und Johannes (nach Raphael)

Lithophanie, Bisquit, farbiges Glas, Zinn, 24 × 20, Lit.: Schmidt, in: Volkskunst 2, 7, 1984; 58/741

4.11.23 Kirchenruine

um 1830, Lithophanie, Bisquitporzellan, Holzrahmung mit grünem meliertem Papier überzogen, Goldprägeborte, Griff: schwarzgebeiztes Holz, 38,7 × 17,6 × 3; 32/454

4.11.24 Sitzendes Mädchen in oberbayerischer Tracht

um 1850, bez.: PPM 73, Lithophanie, Bisquitporzellan, 16,1 × 13,5; 63/1774/2

4.11.25 Bäuerin mit Kind

um 1850, Lithophanie, Bisquitporzellan, 16,3 × 13,5; 63/12

4.11.26 Waldszene mit Hirten an einer Quelle

um 1850, Lithophanie, Wachs, Glas, Blechrahmen bronziert, 18,3 × 22, A 81/484

Modellierte Wachstafel in der Art einer Lithophanie; Wachs, mit Glas unterlegt.

4.12 Steingutmanufakturen

Im ersten Drittel des 19. Jahrhunderts erhöhte sich die Nachfrage nach Fayence- und Steingutgeschirr zunehmend und erheblich. Nicht nur die Porzellanproduktion in Bayern wurde durch den Massenbedarf an Steingut beeinträchtigt, auch die bis dahin übermächtig gewesene englische Konkurrenz konnte zurückgedrängt werden. 1826 gab es im altbayerischen Gebiet sechs Produktionsbetriebe für Steingut- und Fayencegeschirr mit mehr als zehn Beschäftigten, darunter die Firmen in Laim bei München und Schäftlarn. Das Überdruckverfahren zur Herstellung von Bildergeschirr wurde fast allgemein eingeführt. Die Betriebe stellten vorwiegend Kaffee-, Tee- und Tafelgeschirr mit bescheidenem Repräsentationswert für den kleinbürgerlichen Bedarf her.

N. G.

Zur Geschichte der Laimer Steingutmanufaktur (1792–1844)

Die Geschichte der von 1792 bis 1844 archivalisch nachweisbaren Steingutmanufaktur in Laim läßt sich aufgrund spärlicher Überlieferung bisher nur lückenhaft nachzeichnen. Ihre Gründung im letzten Jahrzehnt des 18. Jahrhunderts fällt in eine Zeit, in der durch schrittweise Lockerung der kurbaierischen Mauth-Gesetzgebung dem Siegeszug des begehrten rahmfarbenen englischen Steingutes auch in Bayern der Weg geebnet wurde.

Den »geld Ausfluß« für das »bishero importande (importierte) englische Steingut in das Ausland« gedachte nun die Reichsgräfin Elisabeth von Betschard, geb. Freiin Schenck von Castell, durch Gründung der ersten bayerischen Steingutmanufaktur zu »hemmen«.

Sie bittet daher ihren Gönner Kurfürst Karl Theodor in ihrem Konzessionsgesuch vom 18. September 1792 darum, auf »oeden Gründen« des ihr 1790 verliehenen Edelsitzes Laim je eine Manufaktur für »seiden Gewürch« und das »kostbare Englisch Steingut« errichten zu dürfen. Diesem Wunsche wurde auch vom Kurfürsten entsprochen.

Nach dem überraschenden frühen Tod der Manufakturgründerin 1796 in Prag geht der Sitz Laim samt beiden Manufakturen auf ihren Ehemann, den Obersten von Chamisso über. Dessen Verwalter Johann Georg Härtel läßt bis zum Jahre 1799 die technische Einrichtung der Manufaktur für mehrere tausend Gulden installieren. Am 4. Juli des gleichen Jahres (1799) wird der Laimer Besitz an Chamissos Schwager, Baron Johann Nepomuk von Berchem versteigert, der seine Erwerbung bereits drei Jahre später (am 3. Sept. 1802) an die Bamberger Hofratswitwe Carolina Kriebel (als Tochter Karl Theodors eine geb. Baronesse von Enzenried) weiterveräußert. Nach deren Eheschließung im darauffolgenden Jahre mit dem oettingen-wallersteinischen Hofrat und Leibarzt Dr. med. et phil. Joseph Reubel (1779–1852) geht die Laimer Steingutmanufaktur zu gleichen Teilen auch auf diesen über; nach dem Ableben Carolina Reubels im Jahre 1828 ist Dr. Reubel dann Alleinbesitzer.

Während die Reubels ihre kleine Fabrik zunächst dem genannten Gutsverwalter Härtel bzw. dessen Erben für zwanzig Jahre pachtweise überlassen, führt Reubel ab 1823 den Betrieb ein Jahr lang selbst, um ihn nach seinem Ruf auf einen medizinischen Lehrstuhl der Universität München im Jahre 1824 erneut Pächtern zu überlassen (überliefert sind uns die Namen Hagemann und Lauer).

Unter »Reubels Relikten«, seinen Söhnen Eduard Christian sowie Ferdinand August Reubel, muß die Laimer Steingutfabrikation etwa um 1840 eingestellt worden sein; 1844 stehen das große, zweistöckige, mit Ziegelplatten und Scharrschindeln gedeckte Fabrikgebäude und ein kleineres Nebengebäude, vermutlich das Brennhaus, bereits leer, um gegen 1845/46 abgerissen zu werden. Seit 1848 wird das gesamte Manufakturanwesen an der Einmündung der heutigen Agricolastraße in die Agnes-Bernauer-Straße nur noch landwirtschaftlich genutzt.

In Ermangelung einschlägiger Werkakten sind über die Laimer Produktionsverhältnisse, Art und Umfang des Fabrikationsprogrammes, auch über Namen von Werkführern und Arbeitern nur wenige Einzelheiten bekannt.

Der Montgelas-Statistik zufolge produzierten in Laim in den Berichtsjahren 1809/10 und 1811/12 zwischen 13 und 17 Arbeiter bei einem Materialverbrauch von 3.000 bzw. 4.000 fl. Waren im Wert von etwa 8.000 fl., die ausschließlich im Inland, d.h. im Königreich Bayern, abgesetzt wurden.

Einem Nobilitierungsgesuch Dr. Reubels vom 21. August 1818 entnehmen wir ferner, daß pro Jahr 52 Bände durchgeführt wurden, die einen amtlich taxierten Reingewinn von 5.980 fl. ergaben.

Bereits fünf Jahre später scheint die Laimer Manufaktur dann mit 25 Beschäftigten und einem Jahresumsatz von 10.000 fl. ihren wirtschaftlichen Höhepunkt erreicht zu haben. Hierfür spricht auch der Versuch Dr. Reubels, für seine Erzeugnisse neben seiner Münchner Warenniederlage auf dem Rindermarkt (die er 1836 dem »Liqueurhändler« Werling überträgt) auch in Augsburg eine Verkaufsstelle errichten zu dürfen – ein Unterfangen, das wegen Fehlens eines »Original-Fabrikprivilegiums« an der Bürokratie der damaligen Zeit zu scheitern drohte.

Über die technischen Einrichtungen, die Bauart der Öfen etc. der Laimer Manufaktur, deren Aussehen uns in einer Lithografie aus der Zeit um 1820 überliefert ist, haben sich leider keine Nachrichten erhalten.

Wie in allen deutschen Steingutfabriken war man auch in Laim darum bemüht, das bewunderte Vorbild der englischen »Cream- bzw. Queensware« nicht nur zu erreichen, sondern möglichst noch zu übertreffen.

Bereits 1803 berichtet der Zeitgenosse von Hazzi über die »artigen, wohlfeilen Sachen«, die in Laim fabriziert würden, wofür jährlich 4000 Zentner weißbrennende Tonerde aus Neuburg/Donau »herbeigeführt« wurden, seit 1810 dann auch aus den berühmten Kapseltongruben des Brentenberger Forstes bei Hemau verfeinert, schließlich noch durch echtes Kaolin aus Hirschau.

Ein Reisender berichtet 1816 bereits von allen Laimer »Gattungen von Koch- und Trinkgeschirren, welche dem englischen Steingute an Haltbarkeit und Schönheit nicht weichen« dürften.

Daß die englischen Vorbilder nicht nur hinsichtlich der Qualität und Schönheit von cremefarbenem »Scherben« und transparenter Bleiglasur nachgeahmt worden sind, sondern auch Form und Dekorationstechniken der englischen Ware kopiert wurden, beweist im Falle Laims u. a. die hübsche Milchkanne mit dem verspielten Flechtwerkhenkel und dem Deckelgriff in Blütenform, deren Vorbild annähernd 40 Jahre vorher in Leeds hergestellt wurde.

Für die charakteristischen braun/cremefarbenen Glasuren, die später auch in der Steingutmanufaktur Schäftlarn sehr beliebt waren, dürften die unmittelbaren Vorbilder allerdings in Sankt Pölten zu suchen sein, wo etwa gleichzeitig mit Laim ebenfalls eine Steingutmanufaktur gegründet worden war (1796). Durch den dort bis 1807 nachgewiesenen Fabrikanten Carl August Windschügel (um 1778 in Zweibrücken geboren als Sohn des Oberpfälzer Fayencearkanisten Andreas Windschügel), der zeitweise auch in Laim als »Director« tätig gewesen sein soll, ist eine Übertragung dieser Farbkombination durchaus vorstellbar.

Vermutung bleiben muß vorerst auch die Urheberschaft für die vielen Laimer und Schäftlarner Tassen mit applizierten weißen Bildnismedaillons meist adeliger Persönlichkeiten. Vieles spricht dafür, daß diese – auch auf Wedgwoods Jasperware zu findenden – Reliefauflagen von dem aus Schwaz in Tirol stammenden Bossierer und Porträtisten Johann Albaneder (Albani) geschaffen wurden. Zwischen 1785 und 1835 war der Künstler auch wiederholt in München, wo er nach Leitung der Steingutmanufaktur in seiner Geburtsstadt Schwaz (von 1802–1807) zwischen 1808 und 1815 u. a. die Manufaktur für »graues holländisches Steingut« (vermutlich Steinzeug) besaß und seine Frau Ursula Albani mit Amberger Steingut handelte.

Angesichts der im Stadtmuseum erhaltenen, überwiegend weißen bzw. braun-weiß dekorierten Restbestände einstiger Laimer Kaffee- und Teeservice darf nicht übersehen werden, daß in dieser Manufaktur auch Teller mit klassizistischen Durchbruchdekoren sowie den für das Biedermeier typischen Kupferstich-Umdrucken (beispielsweise auch mit Münchner Stadtansichten) gefertigt wurden, wovon sich allerdings nur weniges in Münchner Privatbesitz erhalten hat.

Zum Schluß dieser kursorischen Hinweise auf Laimer Steingut noch ein kurzer Blick auf ein sehr interessantes »Mehrzweck«-Gerät, das in seiner gelungenen Synthese aus Form und Funktion besondere Beachtung verdient: Die vierteilige »Nachtlampe« mit Bouillonschüssel aus dem Jahre 1817. Ihren primären Zweck erfüllte sich als Warmhaltegerät für die einsetzbare Terrine; darüber hinaus ermöglichten die seitlichen Luftschlitze eine Zweitfunktion als Beleuchtungskörper und schließlich war das Ganze in Form einer – ursprünglich ebenfalls auf englische Vorbilder zurückgreifenden – »Vase« mit den zwei flankierenden, gleichzeitig als Rauchabzug dienenden »Bocksköpfen« eine Zierde für jeden biedermeierlichen Haushalt.

Daß es sich hier um kein Unikat handelt, sondern um einen »Serien«-Artikel des Laimer Fabrikationsprogramms, ist durch eine weitere, bis auf etwas größere Luftschlitze fast identische »Bockskopfvase« erwiesen, die sich im Jahre 1922 noch in einer Stuttgarter Privatsammlung befand.

Somit erscheint gerade dieses Laimer Exponat wie kein anderes geeignet, den ausgeprägten Sinn »Herrn Biedermeiers« für praktisch-funktionale Behaglichkeit zu demonstrieren.

H. K.

4.12.1 »Nachtlicht« ✱✱

Steingutmanufaktur Laim, München/Laim, 1817, bez. a. d. Unterseite des Gefäßfußes: Fab. Laim; Steingut; 30, ⌀ 15; 42/366

Das urnenförmige Gefäß diente zur Warmhaltung flüssiger Speisen. Es besteht aus drei Teilen. Der Mittelteil über den Luftöffnungen des eigentlichen Rechauds ist zum Anzünden und Einsetzen der Kerze abnehmbar und nimmt seinerseits einen Boulliontopf auf, der die warm zu haltenden Speisen enthielt. Der an sich einfache Typus ist hier besonders aufwendig gestaltet. Die kräftig plastischen Widderköpfe, deren Hörner als Griffe für das Abnehmen des Aufsatzes dienen, unterstreichen die formale Eigenwilligkeit des gesamten Gefäßes.
N. G.

4.12.2 Kaffeekanne

Steingutmanufaktur Laim, München/Laim, Steingut; 22; 30/1560

Die bauchige Kanne mit Perlmuster hat einen zweifach ineinander geflochtenen Henkel mit Blatt- und Blütenwerk.

4.12.3 Teekanne ✱✱

Steingutmanufaktur Laim, München/Laim, um 1810, bez. a. d. Unterseite: Fab. Laim; Steingut; 18,5 (m. Deckel) × 15; 36/1090

Bauchige Kanne mit Schwanenhals als Ausguß; Henkel als stilisierter Vogelkopf.

4.12.4 Deckeldose mit Muschelhenkel

Steingutmanufaktur Laim, München/Laim, bez. a. d. Unterseite: Fab. Laim; Steingut, 9 × 14,5 × 8,5; 29/1035

Bei diesem Gefäß handelt es sich wohl um eine Zuckerdose.

4.12.5 Teller

Steingutmanufaktur Laim, München/Laim, um 1845, bez. a. d. Unterseite mit Pressmarke: Fab. Laim I.; Steingut, ⌀ 23,7; 32/568

Rand mit Vertiefungen und durchbrochenem, stilisiertem Blumenmuster.

4.12.7

4.12.9

4.12.6 Serie von Kannen ✱✱

Steingutmanufaktur Schäftlarn, Schäftlarn, bez. z. T. a. d. Unterseite mit Pressmarke: Schäftlarn; Steingut; 10–18; ⌀ 6,5–10; 29/392/4-8

4.12.7 Tasse mit Untertasse ✱

Schäftlarn, 1820/25, bez.: Schäftlarn; Steingut; 11,4, Untertasse: ⌀ 13, K 86/26

4.12.8 Tasse mit Untertasse

wohl Steingutmanufaktur Schäftlarn, Schäftlarn, Steingut, Tasse: 8, ⌀ 7,5; Untertasse: ⌀ 13,5; 29/166

4.12.9 Zwei Sahnegießer mit Umdruckdekor ✱

Steingutmanufaktur Schäftlarn, Schäftlarn, bez. 29/358 a. d. Unterseite: Schaftla. 6; 29/369 a. d. Unterseite: Schaftla. D; Steingut; 29/368: 10 × 5,5; 29/369: 8 × 5,5; 29/368 und 29/369

4.12.10 Sahnegießer mit Umdruckdekor

Steingutmanufaktur Schäftlarn, Schäftlarn, bez. a. d. Unterseite: Schäftl . . .; 12, ⌀ 6,7; 28/1279

4.12.11 Krug mit Zinndeckel und Umdruckdekor: Diana beim Bade

Steingutmanufaktur Schäftlarn, Schäftlarn, bez. a. d. Unterseite mit Pressmarke: Schäftla.; a. d. Zinndeckel Monogramm: WB; Steingut, 23,5 × 9; 66/2197

(Vgl. Krug 39/1315 mit gleicher Darstellung)

4.12.12 Teller mit Umdruckdekor: Rothirsch

Steingutmanufaktur Schäftlarn, Schäftlarn, bez. a. d. Unterseite mit Pressmarke: Schäfle; Steingut, ⌀ 25; 29/342

4.12.13 Schreibzeug

wohl Steingutmanufaktur Schäftlarn, Steingut, marmorierte Glasur, 19,5 × 11, MStM

Rundes Gefäß für Tinte mit drei Öffnungen für Federhalter und Tinte; Darstellung der Genien des Schlafes und des Todes, sowie zwei Porträtbüsten auf dem braun marmorierten Sandstreuer.
I. H.

4.12.14 Große Pastetenschüssel mit zwei Henkeln und Abzug unter dem Deckelgriff

Irdenware, grün-gelbe Glasur; 11, ⌀ 39; 34/1131

4.12.15 Zwei Schüsseln mit Henkeln und Deckelknauf

Irdenware, orange-gelbe Glasur; 10, ⌀ 24 bzw. 13,5, ⌀ 36; A 82/128; A 82/77

Beide haben starke Feuerspuren am Boden; bei der Schüssel (A 82/128) ist der Deckel nicht dazugehörig.

4.12.16 Schüssel mit Deckel und Knauf

bez.: 3. O (geritzt); im Deckel: 2; Irdenware, Marmorglasur orange-gelb, 14, ⌀ 26, A 82/40

4.12.3
4.12.6

4.12.17 Spardose

1847, bez. a.d. Oberseite: 1847 IBM AMK Irdenware, 34 × 14,2 (Fuß), 32/392

4.12.18 Backform mit 6 eingetieften Förmchen

Irdenware, gelb-orange glasiert, 38 × 24,3 × 5,2; 38/759

4.12.19 Durchschlag

Irdenware Ockerglasur, 8, ⌀ 31, Lit.: AK Industriezeitalter, Augsburg 1985, Nr. 183, 58/360

4.12.20 Topf

Steingut, 14, ⌀ 23, MStM

Der Boden ist mit Eisenblech und Drahtmaschen umzogen zur Halterung.

4.12.21 Verschiedene Abtropfformen für Käse

Irdenware, innen grün glasiert, 30/1663: 9 × 19; 29/1041: 9 × 17,3; 29/1042: 5,5 × 23; 30/1663, 29/1042, 29/10041

Die Formen sind innen als Trauben, Fisch und Löwen geformt.

4.12.22 Zwei Reinen (Saurüssel)

Irdenware, A 82/121: 26 × 14,3 × 6,6; A 70/18: 40,5 × 22 × 8,5; A 82/121; A 70/18

4.12.23 Bräter für Hasenbraten

bez.: gravierte Ziffer 95 auf beiden Teilen, Irdenware m. gelber Glasur, 65/945

4.12.24 Hasenbratenform (mit Hinterläufen und Rücken)

Irdenware, braun glasiert, 6 × 25; 39/3

4.13 Glas

4.13.1 Humpen mit Zinndeckel, aus einem sechsteiligen Satz

Wohl Bayerischer Wald, um 1830, bez. im Deckel: Engelmarke für Feinzinn; farbloses Glas mit Schliff und farbloser Transparentmalerei, Zinnmontierung, 23, ⌀ 15, K 37-1196

Konischer Humpen mit breitem Standring aus Zinn, auf der Wandung durch je vier Schliffbänder eingefaßter Eichenlaubzweig. Auf dem Deckel ligiertes Monogramm »MA«, Daumenhalte in Form eines Männchen machenden Hasen. C.S.

4.13.2 Tasse mit Untertasse

Wohl Schlesien, um 1820, farbloses Glas mit Schliff und Goldmalerei, Tasse: 7,9, Teller: ⌀ 12,8, Lit.: Philippovich 1976, 27, Abb. 12, 13; AK Edles altes Glas, Karlsruhe 1971, Nr. 180; K 72-506

Hohe Untertasse mit Keilschliffkranz im Spiegel, Steinelschliff und Goldrand auf der Fahne; die Tasse mit Schliffdekor aus Walzen, Kugelungen, Kreuzschraffur, Vertikal- und Horizontalbändern, der Mundrand vergoldet. – In der Biedermeierzeit wird auch aus Glas, da es billig ist, Kaffee oder Tee getrunken. C.S.

4.13.3 Schälchen, wohl ehemals zu einem Obstaufsatz gehörig

Nordböhmen, um 1840, farbloses Glas, innen und außen mit Zinnemail überfangen, facettiert und gekugelt, 8,8; ⌀ 11,3; Lit.: Pazaurek 1923, 359, Abb. 304; Spiegel 1981, 102, Abb. 106; MK Gläser, Regensburg 1977, Nr. 335; K 73-772

Auf hohem rundem Fuß, der umgeschlagene Schalenrand mit Vierfaß- und Kugelmuster. C.S.

4.13.4 Bowle mit Unterschale

Nordböhmen, um 1840, farbloses Glas mit Zinnemail überfangen und geschliffen, Bowle: 29,7; Unterschale: ⌀ 30; K 80-4

Unterschale mit Rosette im Spiegel, auf der Fahne gotisierendes Maßwerk- und Spitzbogenornament, das abgewandelt auf der Bowle wiederkehrt; der Deckel mit Schliffmuster aus Kugelungen und Oliven. Beispielhaft für den neugotischen Stil, der sich seit etwa 1840 auch beim Glas niederschlägt. Vgl. zum Stil Kat.Nr. 4.13.3. C.S.

4.13.5 Fünf Sektkelche

Wohl Bayerischer Wald, um 1800, farbloses Glas (unreine, von Blasen durchzogene Glasmasse) mit Schliff und Mattschnitt, 17,2; K 48/249

Quadratische Fußplatte und facettierter Schaft; auf dem Kelch Rautenmuster aus abwechselnd glatten und mattierten Feldern mit Sternen. C.S.

4.13.6 Senfglas, Essig- und Ölflasche aus einer Salatière

Bayerischer Wald, um 1860, farbloses Glas mit Schliff und Rotätze, Senfglas: 13,2; Flaschen: 17,2; Lit.: MK Gläser, Regensburg 1977, Nr. 395. – Vgl. auch die beiden ebenso dekorierten Humpen, Inv.Nr. XI d-251, XI d-252, mit Deckelfiguren aus Bisquit im Stil von August Kreling und Ludwig Foltz. K 58-394, 58-395-1,2

Vermutlich ursprünglich vierteilig. Die konische, zehnfach facettierte Wandung jeweils durch vertikale, gebogte rote Bänder unterteilt, die Flaschenhälse mit je zwei Wulstringen. (Ein Flaschenstöpsel fehlt.) C.S.

4.13.7 Zylindrischer Becher

Bayerischer Wald, Ende 18. Jahrhundert, farbloses gelbstichiges Glas mit Luftblaseneinschlüssen im Boden, facettiert und geschnitten, 12,2; ⌀ 7, Lit.: MK Gläser, Regensburg 1977, K 52-376

Auf der 15fach facettierten Wandung Adelswappen mit reicher Helmzier, auf der Rückseite ligiertes Monogramm CV unter Krone, unterhalb des Mundrandes lambrequinartige Borte. – Form und Dekor (Luftblasen, Facettierung, Borte) des Bechers entsprachen offenbar einem gängigen Typ im Bayerischen Wald, nur das Motiv (Wappen, Monogramm) mit Hinweis auf den Besitzer waren austauschbar. Vgl. ein stilistisch sehr ähnliches Glas in MK Gläser, Regensburg 1977, Nr. 374, ebenso den konischen facettierten Becher in der gleichen Sammlung mit Darstellung eines sprengenden Ritters vor mittelalterlichem Stadttor und mit im Boden eingelassenem Zwischengoldmedaillon. Vgl. auch Kat.Nrn. 4.13.8. C.S.

4.13.8 Zylindrischer Becher

Bayerischer Wald, Ende 18. Jahrhundert, farbloses Glas mit Luftblaseneinschlüssen im Boden, geschliffen und geschnitten, 13, ⌀ 7; K XI d-81

Auf der 16fach facettierten Wandung umkränztes und schleifenbekröntes Medaillon mit ligiertem Monogramm »WE«, unterhalb des Mundrandes Gehänge und lambrequinartige Borte. – Der Stil des Monogramms läßt darauf schließen, daß der Becher ehemals einem Mitglied der Wachszieher- und Lebzelterfamilie Ebenböck gehört hat. (Vgl. Kat.Nr. 4.13.9 und Kat.Nr. 4.13.7) C.S.

4.13.9 Fünf kleine und fünf große zylindrische Becher aus dem Besitz der Familie Ebenböck

Bayerischer Wald, Ende 18. Jahrhundert, farbloses Glas mit Luftblaseneinschlüssen im Boden, geschliffen und geschnitten; 8,4 / 11,8 (ein oberhalb der Lippe beschnittener Becher 11), ⌀ 5 / 6,8; Lit.: vgl. AK Wachszieher, München 1982, bes. 8ff., 33f; MStM

Auf der 14fach facettierten Wandung erscheint, jeweils ein Bienenkorb auf Sockel mit dem ligierten Monogramm »PE«, flankiert von einem Baum in angedeuteter Landschaft, unterhalb des Mundrandes umlaufende Girlande mit Bouquets und lambrequinartiger Borte. – Das Monogramm deutet auf den ehemaligen Besitzer, den Dingolfinger Lebzelter Johann Paul Ebenböck (1740–1806), dessen gleichnamiger Sohn 1804 nach München ging und dort die Familie seßhaft machte. Der Bienenkorb, ursprünglich Attribut des hl. Ambrosius, des Patrons der Lebzelter, die ja »Metsieder und Wachszieher in einer Person« waren, ist auch deren Zeichen, denn Honig brauchten sie für Lebkuchen und Met, Wachs für die Kerzen. C.S.

4.13.10 Humpen der Familie Ebenböck

Bayerischer Wald, Ende 18.Jahrhundert (Zinndeckel später, um 1830), farbloses Glas, geschliffen und geschnitten, Zinnmontierung, 19,3; Ø 8,5; Lit.: AK Wachszieher, München 1982, bes. 8ff., 33f; K 70-170

Die Wandung auf der Schauseite neunfach facettiert und mit Streublümchen verziert, der übrige Dekor wie bei Kat.Nr. 4.13.9. Im Zinndeckel eingelassenes Rundmedaillon mit Porträt Ludwigs I. und Inschrift »LUDOVICUS / BAVARIAE REX«, darunter das Monogramm »LA«, auf der Deckelinnenseite schwarzer Schriftzug »Ebenböck 3«. C.S.

4.13.11 Humpen mit Zinndeckel

Wohl Bayerischer Wald, um 1845, farbloses und rubinrotes Überfangglas, geschliffen und geschnitten, Zinnmontierung; 15,8; K 31-147

Deckelhumpen mit Bodenstern, auf der konischen Wandung Rundbogen-Facetten, darüber drei gerahmte Felder mit Ansichten des »K. Hof u. Nationaltheaters«, des Schlosses »Hohenschwangau« und des »neuen Flügels d. k. Residenz« mit den Türmen der Theatinerkirche im Hintergrund. C.S.

4.13.12 Flakon

Böhmen, um 1830-40, farbloses Glas geschliffen mit Gelbätze, rosa, lila und blauen Lasurfarben und Schnitt, 10, Lit.: Pazaurek 1922, 556, Abb. 301, MStM

Reichdekorierter, doppelkonischer Flaschenkörper und Stöpsel jeweils mit vorspringender, gezänkelter Kante; sechseckiger, gesteinelter Boden, auf der Wandungsunterseite stilisierte Blumenbouquets und Gräser in polygonalen Feldern. C.S.

4.13.13 Zwei Uranglasbecher **

Wohl Bayerischer Wald, um 1850, annagrünes Uran-Preßglas, 12,2 und 12,5, Lit.: Schack 1976, 291, Abb. 259; Rückert 1982 II, 312, Nr. 899, Taf. 290, (formengleiche Variante); K 64-825-1,2

Die fluoreszierenden, uranhaltigen Gläser kommen in den vierziger Jahren auf, die Bezeichnung »Annagrün« oder »Annagelb« geht auf den böhmischen Glasfabrikanten Josef Riedel zurück, der der angeblich von ihm erfundenen Glassorte den Namen seiner Frau Anna gab. – Wie allgemein üblich bei den frühen Preßgläsern (Erfindung um 1810) ahmt auch dieser Becher Schliffmuster, zum Beispiel Facetten und Walzen, nach. C.S.

4.13.14 Deckelpokal

Nordböhmen, um 1850, farbloses und bernsteingelbes Oberfangglas mit Schliff und Schnitt, 23,3; K 57-857

Reichgeschliffener Pokal mit Walzenstern am Boden, achtpassigem Fuß und facettiertem Schaft, auf der Kuppa Rundmedaillon mit Darstellung eines springenden Pferdes, seitlich davon sechs kleine Ovalmedaillons; überkragender Deckel mit bogigem Rand und rosettenförmigem Knauf. C.S.

4.13.15 Zwei Becher

Böhmen, um 1830-40, farbloses Glas mit Schliff, Gelbbeize, rosa und blauer Lasurfarbe und Schnitt, 9,4, Ø 6,5, Lit.: Vgl. zu den Symboldarstellungen MK Gläser, Regensburg 1977, Nr. 343; K 63-13440/1-2

Die zylindrische Wandung jeweils mit Bodenstern und Olivenschliffborte am unteren Rand, darüber drei Ovalmedaillons mit den Symbolen »Glaube«, »Hoffnung«, »Liebe«, umrahmt von stilisierten Blättern und Früchten. C.S.

4.13.16 Becher **

Böhmen, um 1830-40, farbloses Glas, innen und außen mit bernsteingelbem Überfang, facettiert und geschnitten, 9,5; Ø 7,2; K 85-21

Zylindrische, zehnfach facettierte Wandung mit fünf Bouquets aus stilisierten Stiefmütterchen, Rosen, Erdbeerblüten und Gräsern. C.S.

4.13.17 Deckelkrug

Böhmen, um 1840-50, farbloses Glas mit Schliff und Malerei in Transparentfarben und Silbergelb; 26,7; K XI-d-108

Deckelkrug mit achtpassigem Walzenschliff-Fuß und sechsfach durchgängig facettierter Wandung, im unteren gebauchten Teil sieben hochgeschliffene Ovalmedaillons, im oberen sieben reliefierte Hochovalfelder, jedes zweite mit gesteinelter Raute bzw. vollständig mit Steinelschliff, der Deckel mit bogigem, geschlägeltem Rand und konischem Knauf; das Ganze reich ausstaffiert mit bunter Blumenmalerei und gelben Ranken. C.S.

4.13.18 Deckelpokal

Böhmen, um 1830-40, farbloses Glas mit Schliff, Gelbätze, Lasurfarben und Schwarzlotmalerei, zum Teil radiert und geschnitten, 26, Lit.: Vgl. zum Dekor MK Gläser, Regensburg 1977, Nr. 344; Rückert 1982, 319, Nr. 914, Taf. 295; K XI-d-89

Deckelpokal mit gesteineltem Boden, auf polygonalem, zehnfach facettiertem Fuß und Schaft mit Nodus; die gleichfalls facettierte Kuppa mit zehn gekugelten Medaillons, abwechselnd blank und gefüllt mit Bouquets aus stilisierten Rosen, Vergißmeinnicht und Gräsern auf blauem bzw. rotem Grund; in den Zwickeln ausradierte Blattmotive in Rosa, Blau sowie Schwarz vor gelbem Hintergrund, die sich in ebensolchen, bis zum Schaft geführten und auch auf dem gebogten Deckel wiederkehrenden Arabesken fortsetzen. C.S.

4.13.19 Becher

Böhmen, um 1830-40, farbloses Glas mit Schliff, Gelbätze, Lasurfarben und Schwarzlotmalerei, teilweise radiert und geschnitten, 13; K 86-33

Glockenförmiger Becher auf polygonalem, gelbem Walzenschliff-Fuß, die Wandung unterteilt in drei Reihen versetzt angeordneter, gekugelter Medaillons, die abwechselnd blank oder mit Bouquets aus stilisierten Rosen, Päonien, Vergißmeinnicht, Veilchen vor altrosa, lila bzw. blauem Grund gefüllt sind; in den Zwickeln ausradierte Spiralranken in Gelb auf Schwarz. Vgl. Kat.Nr. 4.13.18 C.S.

4.13.20 Becher **

Wohl Böhmen, um 1830-40, farbloses Glas mit Schliff, Gelbätze und Lasurfarben; 10,5; Ø 7,5; K 57-852

Leicht konischer Becher mit achtstrahligem Bodenstern und Walzenschliff-Fuß, die Wandung in drei Reihen aus je acht von Kerbschliffbändern eingefaßten Quadraten unterteilt, die abwechselnd olivgrün und rosa bzw. gelb und blau lasiert sind. C.S.

4.13.21 Fliegenauffangglas

Wohl Bayerischer Wald, um 1870, farbloses Glas, Korkenverschluß, Glas: 16,5, Lit.: Vgl. MK Glas, Zürich 1969, 82 m. Abb., K 36-1326

Kugelflaschenförmig auf drei Füßen mit hochgestülptem, geöffnetem Boden. In die Auffangrinne wurde Zuckerwasser geschüttet. C.S.

4.13.22 Hinterglasbild – der protestantische Kabinettprediger L. Friderich Schmidt der Königin Caroline

süddeutsch, Anfang 19. Jahrhundert, bez.: L. Friderich Schmidt / zu Ihrer Majestät d. regir. Königin v. Baiern & Kabinets=Prediger, Hinterglasbild, 23 × 29, 61/10

Halbfigur im schwarzen Anzug und Buch in der Hand vor blauem Vorhang – weiße Umrahmung mit Inschrift. U.Z.

4.13.23 Hinterglasbild mit »Ansicht der zweiten Isar Brücke bey München wie sie nach dem starken Anlauf des Wassers den 13ten September 1813 Abends um halb 7 Uhr zusammen stürzte«

München, 1813, Hinterglasmalerei, 41 × 33,5, Lit.: AK Isar, München 1984, Nr. 360; 33/50

4.13.24 Hinterglasbild »Münchnerin«

südwestdeutsch, um 1820, bez.: Münchnerin; Hinterglasmalerei, 22,5 × 28,5; 35/1951

4.13.16, 4.13.13, 4.13.20

4.14 Schmuck

4.14.1 Kamm-Diadem und Steckkamm

Deutschland, 1800–1820, Metall vergoldet, facettierte Korallen, 14 × 6; 13 × 7,7; Lit.: Marquardt 1983, Nr. 229, A 73/529

4.14.2 Steckkamm

Deutschland, um 1820, Messing vergoldet, Perlen, helles Bein, 8 × 10,2; Lit.: Marquardt 1984, Nr. 118; Marquardt 1983, Nr. 231; A 71/145

Beinkamm mit ausschwingendem Aufsatz.

4.14.3 Steckkamm mit Kamee ∗

Deutschland, um 1830, Messing vergoldet, Email, Schildpatt, Muschel, 8,6 × 8,8; Lit.: Marquardt 1984, Nr. 130; Marquardt 1983, Nr. 240; A 71/144

Schildpattkamm mit einem Aufsatz, der Barock-Ornamente, eine Kamee und zwei heute leere, hochovale Fassungen zeigt.

4.14.4 Steckkamm

Deutschland, um 1830, Elfenbein, 13,5 × 8,3; Lit.: Marquardt 1984, Nr. 93; Marquardt 1983, Nr. 239; 66/2221

Leicht gebogener Elfenbeinkamm mit schlichtem, hochrechteckigem Aufsatz und gewölbtem Rand.

4.14.5 Perlencollier mit Diamantenschließe

Deutschland, um 1820, Gold, Silber, Email, Altschliffdiamanten, Perlen, 34,5; Lit.: Marquardt 1984, Nr. 85; Marquardt 1983, Nr. 16; 49/36

Acht Perlensträge mit einem hochrechteckigen, emaillierten mit Altschliffdiamanten »Holländischen Rosen« besetzten Verschlußstück.

4.14.6 Collier und Brosche im Rokokostil ∗

Deutschland, um 1845, Gold, Perlen, Türkis; Collier: 40; Brosche: 5 × 4,3; Lit.: Marquardt 1984, Nr. 212; Marquardt 1983, Nr. 51; A 75/31 und A 75/69

4.14.7 Brosche mit Porzellanmedaillon

Deutschland, 1820–30, Messing versilbert, Porzellan, 4 × 4,9; Lit.: Marquardt 1983, Nr. 308, 66/91/3

Auf dem hochrechteckigen Bild mit abgerundeten Ecken Darstellung einer Frau, die auf ihrer linken erhobenen Hand einen Vogel hält.

4.14.8 Brosche mit Vogeltränke

Deutschland, um 1825, Elfenbein, Stahl, 3,7 × 4,2; Lit.: Marquardt 1984, Nr. 124; Marquardt 1983, Nr. 307; A 77/616

Querovale, durchbrochen gearbeitete Elfenbeinschnitzerei. Drei auf einer antikisierenden Schale hockende Tauben bilden das Mittelstück; das Motiv geht auf ein römisches Mosaikbild zurück.

4.14.9 Paar Ambänder mit Seidenteilen

Deutschland, um 1820, Seidenkordel mit Stickeinsätzen, Metall vergoldet, 16,6; Lit.: Marquardt 1984, Nr. 71; Marquardt 1983, Nr. 135; 30/2009/2010

397

4.14.3

4.14.6

4.14.10

4.14.10 Paar Armbänder im Barockstil ∗

Deutschland, um 1830, Messing vergoldet, Glas, 17, Lit.: Marquardt 1984, Nr. 145; Marquardt 1983, Nr. 167; XII/267 g-h

Üppige, mit Blattwerk und Früchten verzierte Voluten und schmale Zwischenglieder in Form aufeinandergestellter Pyramiden.

4.14.11 Paar Armbänder mit Cannetille-Schließe

Deutschland, um 1830, Seidenband, Messing vergoldet, Glaspasten, kleine Perlen, 17, Lit.: Marquardt 1983, Nr. 155; 30/2011-12

4.14.12 Armband

Deutschland, um 1830, Messing vergoldet, Glasperlen, 15,8; Lit.: Marquardt 1984, Nr. 72; Marquardt 1983, Nr. 154; XII/405

Gitterartig aufgezogene, hellblaue und goldene Perlen.

4.14.13 Ring mit Emaillerosette

Deutschland, um 1800, Gold, Email, Perlen, 6,5; Lit.: Marquardt 1983, Nr. 423; A 73/481

4.14.14 Ring

Deutschland, um 1840, Gold, Email, Ø 1,9; Lit.: Marquardt 1983, Nr. 445; A 74/526

4.14.15 Buketthalter

Deutschland, 1830–40, Bronze vergoldet, Email, Perlmutt, 17,6; Lit.: Marquardt 1983, Nr. 474; 49/14

Die Fassung diente zum Anstecken eines Blumenstraußes.

4.15 Silbergerät

Münchner Silber

Die jeweils den einzelnen Stücken vorangestellten biographischen Notizen über Münchner Silberarbeiter aus der 1. Hälfte des 19. Jahrhunderts sollen als erster Schritt verstanden werden, eine Lücke der Münchner Kunstgeschichte zu füllen, die dadurch entstand, daß Max Frankenburger in seinem Werk über die Münchner Goldschmiede (Die Altmünchner Goldschmiede und ihre Kunst, München 1912) seine Betrachtungen mit dem Jahre 1800 abbricht. Die (wenigen) Einlassungen von Marc Rosenberg, Der Goldschmiede Merkzeichen, Frankfurt [3]1922 (=[3]Rosenberg) sind deshalb das bisher einzig Nennenswerte, was es zu diesem Thema gibt.

Aus dem Stadtarchiv München wurden folgende Archivalien konsultiert: Polizeimeldebögen (= PMB), Einbürgerungsakten (= EBA) und Gewerbeamtsakten für Silber- und Goldarbeiter. Darüber hinaus wurden die Häuserbücher Münchens (München 1958 ff.) sowie folgende Adreßbücher benutzt: Jos. Sigm. Reitmayr, Handels- und Gewerbe-Adreß-Taschenbuch. München 1818 (= A 18); Max Siebert, Adreßbuch von München. 1835 (= A 35), 1845 (= A 45), 1850 (= A 50).

M. Kl.

Anton Weishaupt

Geboren 1776 in Launz/Württemberg, gestorben am 23.3.1832 in München. Heiratet Therese Leismüller 1801 und erwirbt gleichzeitig als Goldschmiedegeselle die Leismüllersche Gold- und Silberarbeitergerechtigkeit. Die Eheleute kaufen am 5.6.1811 das Haus Dienerstr. 14 für 14817 fl. 1818 wird Anton Weishaupt als Hofsilberarbeiter erwähnt. Neben vier Töchtern werden zwei Söhne geboren: Carl und Max.

Zeichenmeister: 1812; Vierer: 1807/08, 09/10. Am deutlichsten sind die Werke Anton Weishaupts von denen seines Sohnes Carl dann zu unterscheiden, wenn beide ihre Initialen benützen. Daß das AW im Rechteck für Anselm Welde stehen könnte (Gerechtsame von 1804 bis 1835) ist unwahrscheinlich, da dieser Gold- und nicht Silberarbeiter war. Der in Versalien und Antiquaschrift ganz ausgeschriebene Namenszug (vgl. [3]Rosenberg Nr. 3581, nicht korrekt) scheint sowohl vom Vater wie auch vom Sohn Carl verwendet worden zu sein. Da es sich hier wohl um den gleichen Stempel handeln muß, sind Datierungen weitgehend nur über das Beschauzeichen möglich. Der kursiv abgekürzte Namenszug (W:haupt oder W:haupt) benutzt wurde nur von Anton Weishaupt benutzt, während der Sohn Carl den ausgeschriebenen kursiven Namenszug Weishaupt (in mehreren Versionen) bevorzugt hat (vgl. [3]Rosenberg Nr. 3582, nicht korrekt). M. Kl.

4.15.1 Kaffee- und Wasser(Milch)kanne

Anton Weishaupt, München, 1823, bez. auf Zarge: MZ: AW; BZ: Mü.Kindl m.23 (unten), Silber getrieben, punziert und ziseliert, Ebenholzgriffe, gegossene Maske, Wasserkanne innen vergoldet, 32 und 26,5; XI a/93/94

Die vasenförmigen Kannen greifen klassizistisches Form- und Ornamentrepertoire auf. An den Gelenkstellen werden die sonst glattwandigen Kannen von klassizistischen Blattfriesen durchbrochen. I. V.

4.15.2 Schöpfer

Anton Weishaupt, München, 1816, bez. MZ: W.haupt (kursiv); BZ: Mü.Kindl m.16 (unten), Silber gegossen, innen vergoldet, 37,5; Ø 8,5; 39/1197

Der glatt polierte Schöpfer hat einen spitz zulaufenden Griff. I. V.

4.15.3 Sechs vergoldete Silberlöffel im Etui

Anton Weishaupt, München, 1817, bez. MZ: »haupt« oder »W.haupt« (kursiv); BZ: Mü. Kindl m.17 (unten), Silber gegossen, vergoldet, Ornament ausgestanzt, Etui aus Saffianleder goldgeprägt, 14; 29/309

Löffel mit spitz zulaufenden Laffen und kannelierten Stielen, die an den Enden durchbrochen gearbeitet sind. I. V.

4.15.4 Zwei Salzschälchen mit Löffel *

Anton Weishaupt, München, 1824, bez. auf Zarge: MZ: WEISHAUPT; BZ: Mü.Kindl m.24 (unten), Silber getrieben, innen vergoldet, Löwensockel gegossen, 7,7 × 9,8, Löffel 8,6; 30/1707, 1708

Die ovale Salierenform mit Sockel ist eine seit dem Klassizismus wieder häufig verwendete Form. Als Sockel dient ein auf einem Podest ruhender Löwe, über dessen Rücken Palmenblätter aufragen, die den Gefäßkörper tragen. Die beigefügten Löffel haben schaufelförmige Laffen. I. V.

Bartholomäus Maierhofer

Geboren 1773 in Obersimbach/Ldkr. Landshut, gestorben am 15.6.1840 in München. Bekommt nach dem Meisterstück 1804 die Heiratslizenz, heiratet die Witwe von Joseph Wöstermayer (Westermayer) Barbara, geb. Welshofer, und übernimmt dadurch deren Silberarbeitergerechtigkeit. 1807 kauft er von Anastasia Pilon das Haus Thiereckstr. 2 (= Rückgeb. von Weinstr. 4). Übergibt am 14.6.1831 seinem Stiefsohn Joseph Westermayer die »wahre Silberarbeiter Gerechtsame«. Gilt seither bis zu seinem Tod als Privatier.

Zeichenmeister: 1830/31; Vorsteher: 1815–18. Wie bereits [3]Rosenberg in Nr. 3585 vermutete, kommt für die Marke BM im Rechteck in erster Linie Bartholomäus Maierhofer in Frage. Benedikt Merk (Meister 1814), der dieselben Initialen aufweist, war ausschließlich Goldarbeiter. Er muß deshalb bei der großen Anzahl der mit dieser Marke gestempelten Silbergegenstände unberücksichtigt bleiben. Der im Rechteck ausgeschriebene Namenszug in Versalien und Antiqua (MAIERHOFER) muß gleichfalls für Bartholomäus Maierhofer in Anspruch genommen werden, allerdings mit ›i‹, weshalb die entsprechende Marke bei Rosenberg Nr. 3583 nicht korrekt wiedergegeben ist. M. Kl.

4.15.5 Zwei Fisch- oder Pastetenheber

Bartholomäus Maierhofer, München, 1817, bez. MZ: BM; BZ: Mü.Kindl m.17; 13-löthig; Silber gewalzt, ausgestanzt, Ebenholzgriffe, 37,4 × 35,2; 73/868, 85–16

Auf den Schaufelblättern erscheint das Ganymedmotiv auf Medaillons, umgeben von stilisierten Ranken. I. V.

4.15.6 Zuckerschale

Bartholomäus Maierhofer, München, 1823, bez. auf Zarge MZ: MAIERHOFER; BZ: Mü.Kindl mit 23 (unten), Silber getrieben, gegossener Henkel, 16,7, Ø 13,4; XI a/100

Die Schale mit den hochgezogenen Henkeln (gegossene Löwenköpfe) ist in Anlehnung an antike Kantharosformen entstanden, die, im Klassizismus wiederverwendet, im Biedermeier in reduzierter Form Anwendung fanden. Das Ornament beschränkt sich auf einen Palmettenfries am oberen Rand zugunsten einer überschaubaren klaren Form. I. V.

4.15.4

4.15.7 Konfitürebehälter mit sechs Löffeln *

Bartholomäus Maierhofer, München, 1825/26, bez. auf Zarge und Löffelrücken MZ: BM; BZ: Mü.Kindl mit 25 (unten) auf Löffeln, mit 26 (unten) auf Zarge; Silber getrieben, punziert und ziseliert, gegossene Löffelhalterungen, Kristallglaseinsatz, 18, Ø 12,5; Lit.: vgl. Bottineau/ Lefuel 1965, XI a/83

Der vasenförmige Aufsatz über einem, auf Kugelfüßen ruhenden, Sockel ist eine in dieser Zeit häufig verwendete Form. Äußerst praktisch erscheint dabei die Verbindung mit Löffelhalterungen (für 12 Personen gedacht) und einem fein durchbrochen gearbeiteten Henkel. Das klassizistische Ornamentrepertoire wird hier zurückhaltend eingesetzt (Palmetten, Lotus, Löwenkopfspangen, Schlangen).
Das Gerät diente dazu, nach französischem Vorbild die Konfiture gemeinsam aus der Kristallschale zu essen. I.V.

4.15.8 Vier Salzschälchen (je zwei gleichartig)

Bartholomäus Maierhofer, München, wohl 1826; bez. auf Zarge MZ: BM; BZ: Mü.Kindl m.(2)6 (unten), Silber getrieben, innen vergoldet, 6,8, Ø 7,4; 7,1, Ø 7,7; 39/1005, 1006 und XI a/86 a u. b

Die runden Schälchen sind in einem Dreifußständer verankert, einer auf die Antike zurückgehende, seit dem Klassizismus wieder beliebten Konstruktion. Während das eine Schälchenpaar keinerlei Verzierungen aufweist, sind bei dem anderen Efeuranken, Rosetten und in Löwenpranken auslaufende Fußenden als ornamentale Akzente eingesetzt. I.V.

4.15.9 Kaffee- und Schokoladenkanne

Bartholomäus Maierhofer, München, 1824, bez. auf Zarge MZ: BM; BZ: Mü.Kindl m.24 (unten), Silber getrieben, ziseliert und punziert, gegossener Ausguß, kleine Kanne innen vergoldet, Ebenholzgriffe, 35 und 29,5, 39/587, 588

Die Kannenform nimmt antike Vasenformen, z.B. Amphora zu ihrem Vorbild. Während die eine Kanne die obere Öffnung direkt als Ausguß verwendet (Schnabelkanne), ist hier eine schmale, geschwungene Tülle mit Delphinspitze an den Gefäßkörper angesetzt. In beiden Fällen dienen Ebenholzgriffe als Henkel. Klassizistische Blattfriese zieren den Corpus an den Gelenkstellen. Als Deckelknauf sind Pinienzapfen aufgesetzt. I.V.

Carl Weishaupt

Geboren am 26.10.1802 in München, gestorben am 16.11.1864 in München. (Sohn von Anton Weishaupt.) Lernt in Paris und London das Handwerk des Silberarbeiters. Wieder in München seit August 1823 (letzte Ziffer unsicher), übernahm er am 5.8.1832 das »älterliche« Anwesen; gleichzeitig erfolgte die Aufnahme als Bürger und Silberarbeiter auf die »eigenthümlich erworbene väterl. derlei reale Gerechtsame«. Die Erbschaft des Anwesens Dienerstr. 14 beträgt im Anschlag 11000 fl. Erhält vom Magistrat am 18.4.1837 die Heiratslizenz mit Felizitas Kopp, Melberstochter von Haar. Kinder (u.a.): Max (Karl) (= Max jun.) (29.3.1838–4.10.1903) Silberarbeiter; Karl (Hypolyth) (7.11.1840–30.12.1910) zunächst Silberarbeiter, dann Kaufmann, später Farbenfabrikant und Privatier. Carl Weishaupt 1845 als Hofsilberarbeiter erwähnt.

Zeichenmeister: 1834/35, 48/49; Vereinsvorsteher: Marken und Stempel vgl. Anton Weishaupt. M.Kl.

4.15.10 Teekanne

Carl Weishaupt, München, 1833 oder 1835, bez. am Boden MZ: Weishaupt (kursiv); BZ: Mü.Kindl m.(33) (unten), Silber getrieben, Ebenholzgriff, gegossener Deckelknauf, 21 (m. Deckel) Ø 16 (Corpus), XI a/99

Die dickbauchige Kanne ist durch einen klaren Umriß gekennzeichnet; das Ornament ist auf Zarge und Rand zurückgedrängt; klassizistische Ziermotive herrschen vor. Den Deckelknauf bestimmt ein gegossener Schwan. Eine Silbermontierung mit Rosette befestigt den Ebenholzgriff am Kannencorpus. I.V.

4.15.11 Garnknäuel * Abb. S. 153

wohl Carl Weishaupt, um 1840, bez. auf verschlagener Marke am Bügelende: C.W.; Silber, Filigranarbeit am Bügel, 24; 30/2023

Zwei Drahtkörbchen sind an einem Bügel durch ein Kettengehänge miteinander verbunden. Solche Körbchen dienten zur Aufbewahrung der Garne bei Strickarbeiten und wurden am Arm getragen. I.V.

Max Weishaupt

Sohn des Anton Weishaupt, geboren am 18.6.1816 in München, gestorben am 15.4.1892 in München. Er lernte das Handwerk »in der Fremde« und wird seit dem 9.3.1838 wieder als »zu Haus« gemeldet. Er-

hält am 25.5.1841 nach Gesuch die Aufnahme als Bürger und Verleihung einer Silberarbeiterkonzession. 1842 wird ihm die Heiratslizenz mit Anna Maria Riederer aus Pfarrkirchen bewilligt. Wird zunächst als Silberarbeiter, später als Privatier bezeichnet. War zwischen 1862 und 1872 Gemeindebevollmächtigter. Mehrere Töchter, drei jung verstorbene Söhne.
Adreßbuch 1845: wohnt Rosengasse 12/III; Adreßbuch 1850: wohnt Rosengasse 5/0 + III; wohnt zwischen 1871 und 1878 am Promenadenplatz 3/III. Zeichenmeister: 1845/47, 52/53, 56/57; Vorsteher: 1849/50, 53/54, 59–68
Da Max Weishaupt eine eigene Werkstatt bzw. eigenes Geschäft besaß, stempelte er mit einer eigenen Marke: M.Weishaupt. Der kursiv ausgeschriebene Name im Rechteck ist auf ihn zu beziehen, während spätere Stempel in Frakturschrift wohl seinen Neffen Max jun. meinen.
M.Kl.

Joseph Westermayer

Geboren am 29.12.1797 in München, gestorben am 5.11.1871 in München. Nach dem Tod seines Vates Joseph Westermaier sen. wird Bartholomäus Maierhofer sein Stiefvater, der ihm 1831 die Silberarbeitergerechtigkeit überläßt. Etwa gleichzeitig heiratet er Maria Theresa Minutti und wird Vater von 7 Söhnen und 2 Töchtern. Er zieht in das Haus Thiereckgasse 2 ein, das er 1841 von Maierhofer erbt. Er kauft am 14.11.1852 um 800 fl die reale Jos. Sudtmayersche Silberarbeiter-Gerechtsame, die er am 30.7.1859 an seinen Sohn Ludwig Westermayer (30.12.1833–6.12.1890) weiterverkauft. Unklar bleibt, wann und an wen er seine eigene Silbergerechtigkeit verkaufte. Tatsache ist, daß er am 31.12.1866 um 11000 fl sein Anwesen in der Sendlingerstr. 23 an den Schmiedemeister Gabriel Schöllhorn verkaufte, und zu Lebzeiten noch als Privatier bezeichnet wurde.
Zeichenmeister: 1836, 54/55 (?); Vorsteher: 1841/42, 45 (?)
Noch in den fünfziger Jahren des 19. Jahrhunderts taucht in den Meister- bzw. Vereinslisten Joseph Westermayers Name mit dem Zusatz ›Mayrhofer‹ auf, was darauf hindeutet, daß das Geschäft weiter unter dem Namen seines Stiefvaters lief (möglicherweise war das Geschäft als Firma ›Mayrhofer‹ im Handelsregister eingetragen). Aus diesem Grund muß Joseph Westermayer seine Werkstattarbeiten nicht mit seinem eigenen Namenszug gestempelt haben. Im Unterschied jedoch zu seinem Stiefvater, der Versalien in Antiquaschrift und den Namen mit ›i‹ schrieb, bevorzugte J.W. ein kursiv gesetztes »Mayrhofer« mit ›Y‹ (vgl. ³Rosenberg 3584). M.Kl.

4.15.12 Kaffeekanne

Joseph Westermayer, München, 1835, bez. auf Zarge MZ: Mayrhofer (kursiv), BZ: Mü.Kindl m.35 (unten); Silber getrieben, innen vergoldet, gegossener Knauf und Ausguß, Ebenholzgriff, 27,5, ⌀ 11, 39/995

Die Kannenform erinnert an antike Vasenformen, wie z.B. Amphora; nur noch an den Gelenkstellen werden Godronierungen zur Verzierung eingesetzt. Der Deckelknauf als Pinienzapfen, der Ausguß in Form eines Greifenkopfes setzen Akzente. I.V.

4.15.13 Wärmeglocke und Speisewärmer *

Joseph Westermayer, München, 1846; bez.: R₃ 3584 u. R₃ 3468 mit Jahreszahl 1846, graviertes Besitzermonogramm: M.I.K.V.B. sowie MDCCXLV (= 1845), Silber, gegossen, getrieben und ziseliert, Glaseinsatz; 28,5, mit Henkeln 33,5, ⌀ 27,5; Bochum Privatbesitz

Das zweiteilige Gefäß, das zum Warmhalten der vorbereiteten und aufwendig garnierten Speisen gebraucht wurde, erfüllte seine Funktion durch luftdichten Abschluß und die Eigenschaft des Silbers, Wärme extrem lange zu halten. Die Dekoration des runden, profilierten und glatten Gefäßkörpers besteht nur aus einer Gestaltung der drei Griffe und der vier Füße mit schweren spätklassizistischen Ornamentformen, wie Palmette, Akanthuslaub und Voluten. Das Monogramm ist mit Max Joseph König von Bayern aufzulösen. Das späte gravierte Datum »1845« erklärt sich dadurch, daß Nachfertigungen für vorhandene ältere Service der Einheitlichkeit wegen üblicherweise den Besitzervermerk fortführen. Das Verfahren kann zum Beispiel am Service König Ludwigs I. in der Silberkammer der Residenz beobachtet werden. Die Wärmeglocke mit Speisewärmer ist Teil eines Tafelservices, das für den traditionellen »Service à la française« gebraucht wurde, bei dem die Speisen als Schauessen angerichtet waren. Die »plats montés« wurden in zwei Speisefolgen gedeckt und sie blieben symmetrisch geordnet während des Essens auf der Tafel aufgestellt. Weitere Teile dieses Services aus Wittelsbacher Besitz sind nicht bekannt geworden. H.O.

Ignaz Niederreiter

1805 wird Ignaz Niederreiter durch Übernahme der Gerechtsame des Joseph Eigenstiller (gest. 1803) Silberarbeiter und Bürger. 1838 erhält die Witwe finanzielle Unterstützung durch den Gold- und Silberverein.
Adreßbuch 1818: wohnt Fürstenfelderstr. 996 Die Marke (IN im Rechteck) wird bei ³Rosenberg nicht erwähnt. M.Kl.

4.15.14 Schöpfer

Ignaz Niederreiter, München, 1806, bez. MZ: IN; BZ: Mü.Kindl m.06; Silber, innen vergoldet, 36,5, ⌀ 9,1; 29/657

Friedrich Jehle

Geboren 1786 in München, gestorben am 8.8.1853 in München. Seine dreijährige Gesellenzeit verbringt er in Paris, Dijon und Straß-

4.15.13

burg. Übernimmt 1810 die Silberarbeiterrechtigkeit seines Vaters Engelbert J., nachdem dieser 1809 zum Hauptmann der mobilen Legion ernannt wird. F.J. wird 1845 neben Silberarbeiter auch als Leihhausschätzer genannt und stirbt unverheiratet. Nach langwierigen Erbunklarheiten kauft im August 1854 Ferdinand Harrach die reale Silberarbeiter-Gerechtsame für 900 fl.
Adreßbuch 1818: Burgstr. 177
Adreßbuch 1835 bis 1850: Burgstr. 9/0.
Die bei ³Rosenberg 3586 erwähnte Marke muß dahingehend ergänzt werden, daß der Namenszug kursiv erscheint. M.Kl.

4.15.15 Gemüselöffel

Friedrich Jehle, München, 1836, bez. MZ: Jehle (kursiv); BZ: Mü.Kindl m.36, Silber, 29,3 × 5,7; 39/1253

Georg Sanctjohanser

Geboren 1778 in Kirnberg über Schongau, gestorben am 23.5.1852 in München. Nach Erwerb der Streißlschen bzw. Ruedorferschen Gerechtsame im April 1812 wird er als Bürger und Silberarbeiter aufgenommen und erhält die Heiratserlaubnis mit Anna Schmidt aus der Vorstadt Au. Aus der Ehe geht als einziges Kind die Tochter Magdalena (15.4.1813 – 26.3.1898) hervor, die später den Kunst- und Historienmaler Ulrich Halbreiter heiratet, nach dem Tode des Vaters Besitzerin seiner Silberarbeiter-Gerechtsame wird und am 23.7.1887 die Firma Sanctjohanser's Erben als deren Inhaberin gründet.
Adreßbuch 1818: Dienerstr. 140; Adreßbücher 1835–1850: Dienerstr. 5/0 + I; Vorsteher: 1819/20, 21/22, 23/24, 25/26
Die Marke mit den Anfangsbuchstaben ist bei ³Rosenberg unter 3587 nicht korrekt wiedergegeben. Statt der großen Buchstaben erscheint ein G·St im Rechteck. In anderen Fällen ist der Namenszug dieser Marke zu G·St.Johanser im Rechteck erweitert. M.Kl.

4.15.16 Schöpfer

Georg Sanctjohanser, München, 1818, bez. MZ: G.St.Johans; BZ: Mü.Kindl m.18, Silber, Kelle vergoldet, 30,5, ⌀ 7,6; 39/1210

4.15.17 Gemüselöffel

Georg Sanctjohanser, München, 1830, bez.: MZ: G.St.Johanser/BZ: Mü.Kindl m.30 (unten), Silber gegossen, 28, 39/1208

Louis (= Ludwig) Wollenweber

Geboren am 10.7.1792 als Weinhändlersohn in Zweibrücken, gestorben am 22.9.1855 in München. Lernte bei Fritz in Straßburg, erhielt am 7.6.1818 in München die Meisterstückaufgabe, am 30.7.1818 das Bürgerrecht als Silberarbeiter und die Erlaubnis zur Ehelichung der Straßburgerin Karolina Schott. Zusammen mit seinem Bruder Georg Wollenweber kauft er am 15.10.1818 das Anwesen Theatinerstr. 36 für 23000 fl, das an den Handelsmann Gabriel Ulrich wieder verkauft wird. Durch Ratsbeschluß vom Magistrat wird ihm am 28.2.1826 zusätzlich eine Goldarbeiterkonzession zugewiesen. 1837 wird vom Magistrat die ihm verliehene Silberarbeiterkonzession als für erloschen erklärt. Eine Tochter, geb. 20.4.1831 in Schrobenhausen, heiratet den Zuckerbäcker Ludwig Gampenrieder.
Adreßbuch 1835: Theatinerstr. 38/II; Adreßbücher 1845 und 1850: Königinstr. 16
Louis Wollenweber hat neben dem Kürzel ›L.Wo.‹ nur mit den kursiv ausgeschriebenen Namenszügen »Wollenweber« bzw. »Louis« »Wollenweber« gestempelt (vgl. ³Rosenberg 3588). M.Kf.

4.15.18 12 Kaffeelöffel

Louis Wollenweber, München, 1819 u. 1824, bez. MZ: Wollenweber (kursiv); BZ: Mü. Kindl m.19 u.24 (unten), Silber gegossen, vergoldet, 15,8; 39/1009, 1–12

Die schlichten Löffel tragen auf ihrer Vorderseite ein Monogramm: »gRK.« I.V.

4.15.19 18teiliges Eßbesteck mit Etui

Louis Wollenweber, München, 1821, bez. hinten MZ: Wollenweber (kursiv); BZ: Mü. Kindl m.21, Silber gegossen, Messer und Gabel mit Ebenholzeinlage am Griff und Stahlklingen, rotes Lederetui, goldimprägniert, Löffel 21,2, Messer 24,2, Gabel 21,6; 41/135

Das 18teilige Eßbesteck setzt sich aus je sechs Gabeln, Messern und Suppenlöffeln zusammen; ein Löffel wurde ergänzt (Zeichen schlecht lesbar, vielleicht Augsburg). Die Messerklingen sind mit »KEII DHD« bezeichnet. I.V.

4.15.20 Sahnekännchen

Louis Wollenweber, München, 1822, bez. im Boden MZ: Wollenweber (kursiv); BZ: Mü. Kindl m.22 (unten), Silber getrieben, ziseliert, innen vergoldet; 12; 73/864

4.15.21 Zuckerstreulöffel

Louis Wollenweber, München, 1823, bez. hinten MZ: Wollenweber (kursiv); BZ: Mü. Kindl m.23 (unten), Silber gegossen, ausgestanzt, vergoldet, 22,6; ∅ 7,3; 39/999

Der schlichte aufgebogene Stiel mündet in die querovale Kelle mit ausgestanzten Ornamentmotiven. I.V.

4.15.22 Schöpfkelle

Louis Wollenweber, München, 1824, bez. MZ: Wollenweb (kursiv); BZ: Mü. Kindl m.24, Silber, vergoldet, Ebenholzgriff, 22,5, ∅ 5; 39/1000

4.15.23 Zwei Leuchter *

Louis Wollenweber, München, wohl 1825, bez. auf Fußplatte MZ: Louis Wollenweber (kursiv); BZ: Mü. Kindl m.(2)5 (unten), Silber gegossen, getrieben, punziert und ziseliert, 27,5 und 39/1195; 1196

Die Leuchterschäfte ruhen auf einem dreibeinigen Sockel, der aus Tierklauen gebildet ist. An den markanten Stellen ist klassizistisches Ornamentrepertoire eingesetzt (Palmetten, Godronierung). I.V.

4.15.24 Zwei Leuchter

Louis Wollenweber, München, 1825, bez. auf Zarge MZ: Louis Wollenweber (kursiv); BZ: Mü. Kindl m.25 (unten), Silber getrieben, ziseliert, 23, ∅ 9,2; 28/264,1–2

Die Aufnahme klassizistischen Formen- und Ornamentgutes spiegelt sich wider an den Übergängen von Fuß zu Schaft, die durch Godronierung und Lorbeerblattkranz betont werden und in den als Amphorenaufsätzen gebildeten Kerzentüllen. I.V.

4.15.25 Zwei Fisch- oder Pastetenheber

Louis Wollenweber, München, 1826, bez. oben MZ: Louis Wollenweber (kursiv); BZ: Mü. Kindl m.26, Silber gewalzt, ausgestanzt, Ebenholzgriffe, 35,2 und 34,2; 69/153 und 40/197

Die Schaufelblätter weisen ausgestanzte Ornamentmotive (Delphine und Ranken) auf. I.V.

4.15.26 36teiliges Eßbesteck * *

Louis Wollenweber, München, 1826/27, bez. hinten MZ: Louis Wollenweber (kursiv); BZ: Mü. Kindl m.26 (unten), Silber, graviert, dunkelbraunes Samtbezug mit lila Samtbezug, Gabel 20,5, Messer 26, Löffel 22, K 85-6/1–36

Das Tafelbesteck, bestehend aus je zwölf Gabeln, Messern und Suppenlöffeln, ist ganz glatt poliert und weist keinerlei Verzierungen auf. Auf den Messern ist das Wort »Vielweib« eingraviert. I.V.

4.15.23

4.15.27 Salzständer

Louis Wollenweber, München, 1827, bez. auf Zarge MZ: Louis Wollenweber (kursiv); BZ: Mü. Kindl m.27 (unten), Silber, innen vergoldet, gegossene Ringe und Appliken, 13,4, ∅ 14,2, XI a79

Die zwei runden Salzschälchen ruhen mit Kugelfüßen auf einer rechteckigen Sockelplatte auf; dazwischen erhebt sich der in Form einer klassizistischen Vase gebildete Haltegriff. Tuchgehänge und Widderköpfe entstammen dem Ornamentrepertoire der Zeit. I.V.

(Johann) Georg Wollenweber

Geboren 1788 in Zweibrücken, gestorben (durch einen Sturz aus dem dritten Stock seines Hauses) am 1.1.1829 in München. Heiratet (vor 1818) Magdalena Schott aus Straßburg. Die Witwe ehelicht im Oktober 1829 Karl Zahn, Juwelier in München.
Georg Wollenweber kauft 1818 für 2600 fl von Paul Adrian Gandrille dessen Handels-Gerechtigkeit und wird im November 1818 als Bürger Münchens aufgenommen. Als Galanterie- und Bijouterie-Waren-Händler wird sein Interesse für die Gold- und Silberproduktion geweckt. Er bittet im März 1823 um Verleihung einer Goldarbeiter- und Juwelier Concession. Nach offensichtlicher Ablehnung muß Georg Wollenweber, eigenen Angaben zufolge, 1823/24 in

4.15.26

der Werkstatt seines Bruders Louis gearbeitet haben, in der er unberechtigterweise mehreren Silberlöffeln seinen Namen aufpunziert hatte. Nach der im Streit erfolgten Trennung der beiden Brüder Ende 1824 kam es zu einer Anzeige der Zunft gegen Georg Wollenweber wegen Gewerbebeeinträchtigung und Urkundenfälschung. Der sich anschließende Rechtsstreit fand erst mit dem Vorschlag der Zunft ein Ende, daß er durch den Erwerb einer Silberbeiter-Gerechtigkeit oder Konzession sein illegales Handeln nachträglich legalisieren solle. Nach dem 2. Antrag erhält Georg Wollenweber am 30.3.1826 vom Magistrat eine Silberbeiterkonzession. Am 10.11.1828 verkauft er seine Handels-Gerechtigkeit um 2500 fl. Am 31.7.1825 kauft er das Anwesen Theatinerstr. 36 für 2700 fl. zurück.

Georg Wollenweber durfte erst ab 1826 eigene Stücke bestempeln. Seine Marke ist nur durch den Vornamen von seinem Bruder Louis zu unterscheiden: »Georg« »Wollenweber« kursiv im Rechteck. Fehlt bei [3]Rosenberg. M. Kl.

4.15.28 12teiliges Dessertbesteck

Louis und Georg Wollenweber, München, 1827–29, bez. MZ: Georg Wollenweber (Gabeln, Messer), Louis Wollenweber (Löffel) (kursiv); BZ: Mü. Kindl, m.27, 28, 29 (nur Löffel); Silber, vergoldet, Löffel 15,5, Messer 18, Gabel 18,5; 39/983

Karl Zahn

Geboren 1779 in Breslau, gestorben am 2.8.1865 in München. Bittet im Dezember 1824 um Stundung seiner Bürgerrechtsgebühren. Heiratet nach dem Tod seiner ersten Frau (15.11.1828) im Oktober 1829 die verwitwete Magdalena Wollenweber, die er bereits am 16.11.1829 durch Tod wieder verliert. Ob gleich die personengebundene Lizenz mit dem Tode erlischt, durfte Karl Zahn, der Zeit seines Lebens offiziell nur als »Juwelier und Bijoutier« bezeichnet wurde, die angeheiratete Silberbeiterlizenz (auch Goldarbeiterlizenz?) des Georg Wollenweber stillschweigend weiterbenutzen, da er als Alleinstehender fünf Kinder zu versorgen hatte. Im August 1846 bittet er den Magistrat, die von ihm »für seine Kinder« verwaltete Lizenz an seinen Stiefsohn Eduard Wollenweber (26.1.1822 – 29.12.1889) neu auszusprechen. Wohnte in der Theatinerstr. 36.

Der Stempel ZAHN & W(V)OLLENWEBER im Rechteck spiegelt kein partnerschaftliches Firmengeschäft wider, sondern den Zustand der nicht bestätigten Lizenzübernahme. Eine Datierung von 1827 mit dieser Marke, wie sie bei [3]Rosenberg 3590 vorgeschlagen wird, ist kaum denkbar. M. Kl.

4.15.29 Zuckerdose

Karl Zahn, München, 1837, bez. auf Zarge (schlecht erkennbar) MZ: ZAHN & VOLLENW.; BZ: Mü. Kindl mit 37 (oben), Silber getrieben, innen vergoldet, glatt poliert, gegossener Deckelknauf, 18,2 m. Deckel, Ø 11,5; 30/2237

Das kegelförmige Gefäß ist klassizistischen Traditionen verpflichtet. Die Verzierungen sind zurückgedrängt auf einen schmalen Lippenrand mit Blattfries und den Deckelknauf in Gestalt eines Pinienzapfens. I.V.

Bartholomäus Lederer

Geboren am 24.8.1787 in Grießenbach, gestorben am 22.5.1874 in München. Heiratet die Witwe Joseph Hürners, erhält dadurch dessen »Silberarbeiter-Gewerbs-Ceßion« und wird am 9.3.1819 als Bürger und Silberarbeiter aufgenommen. Er heiratet noch zweimal und verkauft am 13.7.1857 seine reale Gerechtigkeit an Franz Xaver und Anna Fuchs. Adreßbücher 1835 und 1845: in dem Schongerschen/Hürnerschen Haus Kaufingerstr. 21 (als Eigentümer); Adreßbuch 1850: Burggasse 5/0 + II. Erwirbt 1851 auf gerichtlicher Versteigerung für 11025 fl das Anwesen Hochbrückenstr. 4

Zeichenmeister: 1825, 28, 43; Vorsteher: 1830/31, 32/33.

Bartholomäus Lederer, der bei [3]Rosenberg nicht auftaucht, hat mit seinen Initialen und dem im Oval kursiv geschriebenen Namenszug B. Lederer gestempelt. M. Kl.

4.15.30 Dessertbesteck im Etui

Bartholomäus Lederer, München, um 1820, bez. MZ: BL (nur Löffel hinten); B. Lederer (Gabel, Messer Griff), BZ: Mü. Kindl o.J., Silber, ziseliert und punziert, orangefarbenes Lederetui mit Goldimprägnierung, Löffel 17; Gabel 16,5; Messer 18; 68/1502, 1–3

Das Dessertbesteck trägt auf dem Löffel das Monogramm AN. I.V.

Matthias Höldrich

Geboren 1793 in München, gestorben am 26.3.1876 in München. Erhält am 9.3.1821 als Geselle die Bewilligung zur Übernahme der Silbergerechtigkeit von Joseph Schorner. Heiratet am 29.2.1824 die Frisörstochter Anna Maria Lussi. Verkauft seine Gerechtsame um 2000 fl am 25.6.1845 an den Silberarbeitergehilfen Ludwig Rappolt aus Erding. Drei Jahre später veräußert er sein Anwesen samt Geschäft in der Windenmachergasse für 12000 fl. Seit dieser Zeit Privatier. Von seinen 4 Töchtern werden nur zwei älter als zwanzig Jahre. Adreßbuch 1835: Rosengasse 13/0 (Eigentümer von 1831–38); Adreßbuch 1845: Windenmachergasse 5/0 (Eigentümer von 39–48); Adreßbuch 1850: (als Privatier) Rosengasse 11/IV rückw.

Zeichenmeister: 1832/33, 34/35; Vorsteher: 1827/28

Meistername und Marke tauchen bei ³Rosenberg nicht auf. Der einzig bisher bekannt gewordene (verschlagene) Stempelabdruck läßt eine Antiquaschrift in Versalien erkennen: HOELDRICH. M.Kl.

4.15.31 Schale

Matthias Höldrich, München, um 1830–40, bez. Meisterzeichen: HOELDRICH (verschlagen); Beschlagzeichen: Mü. Kindl mit 2, Silber getrieben, punziert, ziseliert, 15,4 (mit Henkel), unten ⌀ 8,1, oben ⌀ 11; XIa/75

Runder, mit einer Hohlkehle versehener Standring, der in der Mitte zu einem Schaft führt. Glattwandige Halbungelschale, von zwei hochgestülpten Henkelschlaufen begrenzt. Am Lippenrand ein schmales Verzierungsband. M.Kl.

Joseph Straßer

Geburtsdatum unbekannt, gestorben am 31.7.1871. Heiratet im März 1822 die Witwe des Silberarbeiters Kajetan Weber und erhält dessen Silberarbeitergerechtigkeit. Durch Erbschaftsvertrag kommt die reale Gerechtsame an den Sohn Josef Straßer.
Adreßbuch 1835: Färbergraben 8/0 (Eigentümer ab 1831); Adreßbuch 1845: Färbergraben 4/0 + I (Eigentümer 1842–71)

Zeichenmeister: 1826, 1830; Vorsteher: 1837, 45/46

³Rosenberg erwähnt Meisternamen und Marken nicht. Joseph Straßer hat als Stempel sowohl den ausgeschriebenen Namen STRASSER (Antiqua) wie auch das Kürzel I.ST, jeweils im Rechteck benützt. M.Kl.

4.15.32 Sechs Kaffeelöffel

Joseph Strasser, München, 1837/1840, bez. MZ: STRASSER; BZ: Mü. Kindl m.37 (oben), Silber gegossen, 17; 39/1203

4.15.33 18teiliges Eßbesteck und Vorlegebesteck

Joseph Strasser, München, 1847, bez. MZ: I.ST; BZ: Mü. Kindl m.47 auf Löffeln; Silber gegossen, ziseliert, Stahlklingen, Löffel 20,9, Messer 24,5 Gabeln 21, Vorleggabel 29,2, Messer 33,2; 39-1002, 1–18 und 67/468, 1–2

Eßbesteck und Vorlegebesteck weisen die gleiche Ornamentik auf. Nur die Suppenlöffel sind bezeichnet. An den Griffspitzen sitzen Muschelornamente. Blumenranken verzieren die Grifflächen. Die Ornamentik gehört dem historischen Stil an. I.V.

Ludwig Seitz

Geboren am 9.10.1789 in Landshut, gestorben am 29.5.1843 in München (Todesursache: »Fehler in der Brusthöhle«). Übernimmt 1823 die Gerechtigkeit von Joseph Schmid, der sie aus Altersgründen um 1000 fl verkauft. Wurde vom Magistrat am 16.3.1824 als Bürger und Silberarbeiter aufgenommen und heiratet im Mai 1835 die Landshuterin Anna Maria Seitz. Nach seinem Tod geht die Gerechtigkeit an seine 3 Kinder über, nach dem Tod der beiden minderjährigen Töchter 1845 an die Ehefrau und den 7jährigen Sohn Ludwig, bis sie an den Gürtlermeister Christian Block gerät, der sie 1859 an Michael Niggl weiterverkauft.
Adreßbuch 1835: Sendlingerstr. 55/0
Zeichenmeister: 1828, 32; Vorsteher: 1834–36, 39/40
Der im Rechteck (nicht Oval, wie ³Rosenberg 3589 erwähnt) ausgeschriebene Namenszug L.SEITZ erscheint in Antiqua. Als 2. Marke führt Rosenberg noch die Initialen L.S. im Oval an. M.Kl.

4.15.34 Becher

Ludwig Seitz, München, 1842, bez. im Boden MZ: L.SEITZ; BZ: Mü. Kindl m.42 (oben), Silber getrieben, ziseliert, innen vergoldet, 7,8, ⌀ 7,2; 39/984

Der zylindrische Becher ist nach oben hin leicht ausgezogen; er ist glatt poliert und nur

4.15.36

am oberen Lippenrand mit einer Blattbordüre verziert. Solche Becher dürften wohl eher als Gedenk- und Taufbecher, denn für den Gebrauch bestimmt gewesen sein.　　I.V.

Joseph Weber

Geboren am 26.1.1799 in Ebersberg, gestorben am 7.4.1868 in München. Als Silberarbeitergeselle und mit 1100 fl Vermögen bittet er am 15.10.1828 um eine Konzession als Silberarbeiter, die er zusammen mit dem Bürgerrecht am 11.5.1829 erhält. Er heiratet am 26.8.1831 die Bierbrauerstochter Marianna Münsterer aus Langwaid über Rottenburg. Aus der Ehe gehen viele Kinder hervor, die meisten sterben jung. Im Juli 1862 verkauft er sein Haus. Nach seinem Tod wird die Konzession ›unter Curatel‹ gestellt. Als Curator wird Ciseleur Harrach angegeben.
Adreßbuch 1835: Rosenthal 16; Adreßbücher 1845 und 1850: Windenmachergasse 1/0 (Eigentümer von 1843–64)
Zeichenmeister: 1836/37, 40, 44/45, 47/48
Der bei ³Rosenberg 3591 erwähnte Stempel (J.Weber) taucht offensichtlich in mehreren Versionen auf, mal ganz in Versalien und Antiqua, mal in kursiver Schrift.　　M.Kl.

4.15.35 Teekanne mit Rechaud

Joseph Weber (Kanne), Georg Ch. F. Temmler u. Joh. A. Seethaler (Rechaud), München und Augsburg, 1810/1835, bez. an Zarge und Boden MZ: J. Weber/CFT – Seethaler (S 2638/ 2637); BZ: Mü. Kindl o.J./Pinienzapfen mit V (S 297), Silber getrieben, ziseliert, gegossener Ausguß, Ebenholzeinsätze, 22,5 (m. Deckel), 15,5 (Gestell), Ø 18,8; 33/283

Die glattwandige, dickbauchige Kanne steht auf einem ovalen, wahrscheinlich nachträglich angefertigten Stövchenuntersatz. Durch zwei Haltegriffe an beiden Seiten ist sie abhebbar. Der im unteren Drittel angebrachte Ausguß ist verschließbar. Godronierung und Blattfries sind zurückhaltend eingesetzt.　　I.V.

(Johann) Friedrich Gaupp

Geboren am 1.3.1801 in Kriegshaber bei Augsburg, gestorben am 4.5.1855 in München. Erhält 1830 vom Magistrat die Silberarbeiter-Conzession, der sie am 12.9.1843 als erloschen abschreibt.
Adreßbuch 1835: Knödlstr. 3/II; Adreßbuch 1845: als Privatier Sendlingerstr. 85/II
Zeichenmeister: 1838
³Rosenberg erwähnt neben dem ausgeschriebenen Namenszug GAUPP (Versalien in Antiqua) unter Nr. 3592 noch die Initialen ›FG‹.
　　M.Kl.

4.15.36 Kaffee- und Wasser(Milch)kanne **

Friedrich Gaupp, München, 1831, bez. auf Zarge MZ: GAUPP; BZ: Mü. Kindl m.31 (unten), Silber getrieben, punziert und ziseliert, gegosse-

4.15.40

ner Deckelknauf und Ausgußspitze, Ebenholzgriff, 29/23, Ø 7 (Hals), Ø 11,5 (Bauch), K 84-16, 15

Die vasenförmigen Kannen sind durch einen strengen Umriß gekennzeichnet; dabei ist der sonst glattwandige Corpus von klassizistischen Blattfriesen (Akanthusranken, stilisierte Blattformen) durchbrochen. An die Kaffeekanne ist ein Ausguß mit Hundekopf angesetzt, die obere Öffnung schließt mit einem planen Deckel mit Löwenaufsatz. Die Wasser- oder Milchkanne hat einen offenen Schnabelausguß.　　I.V.

Karl Stettmeyer

Als Schneidermeistersohn geboren am 8.12.1806. Beantragt nach Lehr- und Wanderjahren in Graz, Wien und Nürnberg sowie der Gesellenzeit bei Goldarbeiter Bollermann zur Fähigkeitprüfung als Silberarbeiter zugelassen zu werden, was ihm nach wiederholten Einsprüchen gestattet wird. Im Mai 1835 erwirbt er um 1000 fl die Ottingersche Gerechtsame, gleichzeitig wird ihm das Bürgerrecht zugesprochen. Karl Stettmeyer muß bis mindestens 1866 als Silberarbeiter tätig gewesen sein.

Adreßbuch 1835: Färbergraben 4/0; Adreßbuch 1845: Rosenthal 1/III; Adreßbuch 1850: Kaufingerstr. 26/0 + II rückw.
Altenhofstr. 1: August 1854: nach dem Tod des Vaters erben 3 Brüder das Haus, darunter auch Karl Stettmeyer. Noch im gleichen Jahr gibt er seinen Anteil an den Bruder Ludwig Stettmeyer, kgl. Hofmusikus, ab. Zeichenmeister: 1841–46, 53–56, 60/61, 64–66; Vorsteher: 1847/48, 57/58
Der Stempelabdruck mit dem Namenszug im Rechteck *Stettmeyer* (nicht bei ³Rosenberg) ist mehrfach nachweisbar.　　M.Kl.

4.15.37 Sechs Dessertlöffel

Karl Stettmeyer, München, um 1840, bez. MZ: Stettmeyer; BZ: Mü. Kindl o.J., Silber gegossen, vergoldet, 16,9; K 86-45/1–6

(Johann) Nepomuk Wagner

Geboren am 24.1.1816 in München, gestorben am 25.2.1867 in München. Als Konditorsohn wird er Silberarbeitergeselle und kauft am 9.11.1842 die reale Silberarbeiter-Gerechtsame

des Franz Ferchl um 2500 fl. Nachdem er im
Mai 1843 als bürgerlicher Silberarbeiter aufge-
nommen wurde, erhält er die Eheerlaubnis mit
Eva Dietrich am 23. März 1855. Er hat zwei
Söhne (Ludwig und Franz Alois).
Adreßbuch 1845: Schäfflergasse 18/0; Adreß-
buch 1850: Theatinerstr. 44/0 + IV
Kauft am 1.5.1858 für 39000 fl das Haus
Theatinerstr. 48.
Bisher bekanntgeworden ist die bei ³Rosenberg
nicht erwähnte Marke N.WAGNER (Anti-
qua). M.Kl.

4.15.38 Schöpfer

Nepomuk Wagner, München, 1846, bez. MZ:
N.WAGNER; BZ: Mü. Kindl m.46, Silber ge-
gossen, Ebenholzgriff, 33, ⌀ 8,7; 39/1205

4.15.39 Wachsstock

Johann Heinrich Mussmann (Meister seit 1822),
Augsburg, 1825, bez. am Corpus MZ: IM; BZ:
Pinienzapfen m.L (S 313), Silber getrieben, 11,
⌀ 8,5; 39/1218

4.15.40 Huilier *

Rom, um 1820, bez. auf Zarge MZ: M/MM;
BZ: ³R 3387, Silber getrieben, durchbrochener
Silberüberfang, gegossener Putto, Glaskaraf-
fen, 25,2 × 24; 7 (Körbchen), 22 (Glas); K 73/
917

Auf einer rechteckigen Sockelplatte, die auf
Kugelfüßen ruht, sind kreisrunde, durchbrochene Körbchen angebracht, die der Aufnahme
von gläsernen Öl- und Essigkaraffen dienen;
dazwischen erhebt sich als Haltegriff eine auf
einem Sockel stehende Säule, von Amor bekrönt. Den silbernen Überfang bilden Her-
men. I.V.

4.15.41 Schlüsselhalter in Lyraform

Silber; 65/743

4.16 Objekte
aus verschiedenen Metallen

Zinn

Einerseits entsprach das Material durchaus
bürgerlicher Bescheidenheit und das Beharren
auf traditionellen Formen, das die Zinnherstel-
lung kennzeichnete, einem Grundzug bürgerlicher Mentalität. Andererseits war der Markt
für Zinngegenstände seit dem 18. Jahrhundert
einer zunehmenden Konkurrenz der kerami-
schen Produkte ausgesetzt. Im höfischen Bereich spielte Zinn kaum eine Rolle. Im ländlichen Bereich dagegen gewann es gerade in der
Zeit nach den Befreiungskriegen zunehmend
an Bedeutung. Dort war es der hochwertigere
Ersatz für Holz- und einfache Irdenware. Die
überkommene Einbindung des Materials in
zünftisches Milieu und handwerkliche Produk-

4.16.1, 4.16.13

tionsform beinhaltete zugleich einen historischen Aspekt, der bereits in biedermeierlicher
Zeit und nicht erst in der eigentlichen Epoche
des Historismus wirksam wurde. N.G.

4.16.1 Schnabelstitze mit Monogramm P.E. *

Johann Baptist Knoll (1776–1855 München,
Meister 1805), München, ab 1805, bez. mit
Stadt- und Meistermarke: Münchner Kindl mit
IK, Zinn, 19,5; K 70-141

4.16.2 Kleine Schnabelstitze mit Monogramm P.E.

Johann Baptist Knoll (1776–1855 München),
München, ab 1805, bez. mit Stadt- und Mei-
stermarke: Münchner Kindl mit IK, Zinn, 15,2;
K 70-137

4.16.3 Zwei Maßkrüge

Johann Baptist Knoll (1776–1855 München,
Meister 1805), München, 1805, bez. mit Stadt-
marke: Münchner Kindl; l.: I; u.: 1805; a.d.
kleineren Krug: IK / 1805, Zinn, 13,8 und 11,2;
38/1465 und 38/1464

Vorn ein Medaillon eingraviert, in dessen Mitte
ein Wappen: im unteren Teil des Schildes Rauten, darüber ein gekrönter Löwe, darüber
»1 Mass«, beim kleineren Krug »1/2 Mass«,
seitlich und unten die Initialen R., St., E.

4.16.4 Schüssel mit Monogramm SA

Johann Baptist Knoll (1776–1855 München),
München, ab 1805, bez. mit Stadtmarke:
Münchner Kindl mit B/ Knoll/ München/ 1805,
Zinn, 8 × ⌀ 37,2, 38/1342

4.16.5 Leuchter-Paar

Johann Baptist Knoll (1776–1855 München),
München, nach 1805, bez. mit Stadtmarke:
Münchner Kindl mit 1805 und I.B. KNOLL,
Zinn, 28/1642

4.16.6 Fünf Teller mit Monogramm I. GS

Jacob Wimmer (1790–1824 München), Mün-
chen, ab 1818, bez.: Münchner Kindl mit IW
und 1818, Zinn, ⌀ 22,4; 28/1663

4.16.7 Dreizehn Teller

Bartholomaeus Pruckner (1800–1859 Mün-
chen), München, ab 1827, bez. mit Stadtmarke:
Münchner Kindl mit Initialen BP; Beischrift:
MÜNCHEN, Zinn, ⌀ 23,8, MStM

4.16.8 Drei Teller

Bartholomaeus Pruckner (1800–1859 Mün-
chen), München, bez. mit Stadtmarke: Münch-
ner Kindl mit Initialen BP; Beischrift: MÜN-
CHEN, Zinn, ⌀ 21,7, MStM

4.16.14

4.16.9 Großer Teller

Michael Groll (1837 Meister in München, gest. 1853), München, Mitte 19. Jahrhundert, bez. mit Stadtmarke: Münchner Kindl, darunter: M. GROLL, Zinn, ⌀ 42; 38/321

4.16.10 Kaffeekanne

bez. mit Engelmarke für Feinzinn innen im Boden, Zinn, 26; K 76/111

4.16.11 Kaffeefilter

Zinn, 16, ⌀ 11, MStM

4.16.12 Deckelkrug mit Monogramm P.E.

um 1820, bez. mit Stadtmarke innen im Boden: Münchner Kindl, Zinn, 18; K 70-144

Form und Größe der Marke weisen auf F.X. Kreitmann (Meister 1802, gest. 1822 in München), vgl. Hintze, VI, 116, Nr. 566.

4.16.13 Schnabelstitze mit gefächeltem Dekor und Blumenstrauß *

1822, bez. unter dem Schnabel graviert: J.G. Saemann/1822, Zinn, 26,7; K 84/85

4.16.14 Öllampe mit Glasaufsatz *

süddeutsch, um 1830, bez. mit Meistermarke: dreifachem steigendem Löwen, Zinn, 34 (mit Glasaufsatz); 65/246

Im 19. Jahrhundert hatten den steigenden Löwen als Meisterzeichen: Bernhard und Johann Gulielminetti, Kitzbühel (Hintze, VII, 1931, Nr. 993–995) und C.W. Kurtz, Stuttgart 1809–1869 (Hintze, VI, 1928, Nr. 1445).

4.16.15 Zwei dreiarmige Kandelaber mit Balustersäulenschaft

wohl München, um 1820, bez. auf Klebeetikett und mit schwarzer Ölfarbe: A. XII. 9, Bronze feuervergoldet, 47,5, ⌀ 23; 35/2148

Die beiden Bronzearbeiten aus der Münchner Residenz sind teilweise geschnitten und ziseliert. Alle umlaufenden Friese und Profile haben einen mechanisch geprägten Dekor. Die Art der Ziselierung erlaubt es, Frankreich als Herkunftsland auszuschließen und eine Münchner Gürtlerwerkstatt als Hersteller zu vermuten. Gesamtkomposition und Ornamente sind jedoch von Pariser Vorbildern angeregt und direkt davon abhängig. Die alten Inventarnummern weisen auf die Münchner Residenz als ursprünglichen Aufstellungsort. H.O.

4.16.16 Ein Paar vierarmige Kandelaber mit godroniertem Pfeiler und Adler-Bekrönung

Berlin, um 1825, Bronze patiniert, Teile vergoldet, 65,5, ⌀ 25, Lit.: vgl. AK Schinkel, Berlin 1982, 521: Entwurf Kandelaber, 275ff.; vgl. Ottomeyer/Pröschel, 1986, I, 410 Abb. 5.20.9. und 5.20.10; 35/2145–46

Die mit dem heraldischen preußischen Adler bekrönten Kandelaber zeigen das stilisierte voluminöse Akanthusblattwerk, welches für die Berliner Arbeiten des Spätklassizismus typisch ist. Sehr ähnliche Objekte sind nach Entwürfen Schinkels in der Berliner Bronzegießerei Miethe und Neffen entstanden. Die beiden Leuchter stammen aus der Münchner Residenz und sind wohl Geschenke anläßlich der Hochzeitsverbindungen der beiden Königshäuser 1823 oder 1842. H.O.

4.16.17 Ein Paar Kerzenhalter auf runder Basis mit Blätterkranz, Blüten und gondriertem Schaft

süddeutsch, um 1820, bez.: KRM, Messing z.T. patiniert, 30, ⌀ 13,5; 35/2213–14

Beide Leuchter stammen aus der Münchner Residenz und wurden 1935 vom Stadtmuseum übernommen. H.O.

4.16.18 Kaffeekanne auf 3 schmalen Beinchen

um 1820, Messingblech, 30,5, ⌀ 12, MStM

4.16.19 Deckelkanne

Messing, innen verzinnt, 76, ⌀ 15,5, MStM

4.16.20 Milchkanne mit Deckel und Henkel

Messing, innen verzinnt, 21, ⌀ 17,5; 2224

4.16.21 Vorratsbehälter mit Griff und Herz/Blattmuster auf dem Deckel

Messing, innen verzinnt, 36/28,5, ⌀ 23; 2109

4.16.22 Salzbehälter mit Muschelornament auf dem Deckel

Messing, innen verzinnt, 25/15, ⌀ 16; 2133

4.16.23 Zuckerdose auf Kugelfüßchen mit Schloß (urspr. mit Schlüsselschild aus Bein)

Messing, 24 × 22 × 17; 1337

4.16.24 Streudose (für Puderzucker)

Messing, 12, ⌀ 7; 1353

4.16.25 Kochtopf mit Henkel

Messing mit Kupferscharnieren, innen verzinnt, 15,5, ⌀ 21,5, MStM

4.16.26 Topf mit zwei Henkeln

Messing; Eisengriffe; Kupfernägel, 11,3, ⌀ 28,4; A 81/270

4.16.27 2 Pfännchen mit langem Stiel

Messing mit Eisenstiel, 58/438: 38, ⌀ 18,4; ohne Nr.: 55, ⌀ 17,5; MStM

4.16.28 Eierpfanne für 6 Eier

Messing, innen verzinnt, 25, ⌀ 32; 1033

4.16.29 Sturzform mit verschiedenen Förmchen, in Gestalt von Muscheln, Herz, Birne, Fisch, Traube etc. *

Messing verzinnt, 5, ⌀ 35; 1170

4.16.30 Sturzform mit heraldischer Lilie 2 Standfüßchen und Stiel

Messing, innen verzinnt, 40 × 17,5 × 9; 1070

4.16.29

4.16.31 Sturzform, längliches Oval in rechteckigem Rahmen mit Aufhängering

Messing, innen verzinnt, 30,5 × 20 × 4; 1167

4.16.32 Durchschlag mit Griff und Ring gepunztes Dekor

Messing (ehemals verzinnt), 8, ∅ 23,5; 2465

4.16.33 Durchschlag in Trichterform mit Stiel

1. Hälfte 19. Jahrhundert, Messing und geschmiedeter Eisengriff, 34,5, ∅ 11,2; 2537

4.16.34 Trichter mit Stiel

Messing mit Kupfer Nieten, 38 ∅ 10,8; 2506

4.16.35 2 Reiben

Messing und Eisen, 2351: 33,8 × 12 × 5,8; 2357: 35,8 × 13,4 × 7,5; 2351, 2357

4.16.36 Kesselhaken mit Verstellmechanismus

Messing, 59 × 84; 2582

4.16.37 2 Löffelhalter

Messing, 2591: 3,8 × 54; 2596: 3,4 × 53; 2591

4.16.38 Löffelbrett mit 12 Löchern und 4 Löffel

Messing mit Zinnlöffeln, 24 × 17, Löffel: 6,5; 111896

4.16.39 Besteck Abtropfbehälter mit Aufhängescheibe

Messing, 22,2/87, ∅ 10; 2141

4.16.40 2 Schöpfkellen

Messing mit Kupfer, bzw. Eisenstiel, 2565: 33, ∅ 9,4; 2561: 91,8, ∅ 10; 2561, 2565

4.16.41 3 Schöpflöffel

Messing mit Eisenstiel, A 85/18: 38, ∅ 9; 348: 33, ∅ 8,4; ohne Nr.: 35,7; ∅ 9; A 85/18; 348; MStM

4.16.42 2 Fischheber

1. Viertel 19. Jahrhundert, Messing, 2547: 30, ∅ 8,4; 2550: 34,3 ∅ 10,5; 2547, 2550

4.16.43 Unvollständiger Gewichtsatz mit Beschlagstempel 1780, 1820–1844. Sauhatz und Hirschjagd Darstellung

Ende 17. Jahrhundert – Anfang 18. Jahrhundert (benützt bis 1844 lt. Stempel), Messingguß gedreht, 11,5, ∅ 13,5; 1360

4.16.44 Gewichtsatz mit Nürnberger Beschauzeichen, Eichstempel 1806–36, gepunztes Sterndekor

1. Hälfte 19. Jahrhundert, Messingguß gedreht, 6,5, ∅ 86; 66/2502

4.16.45 Gewichtsatz mit bayerischem Eichstempel von 1831

Ende 17. Jahrhundert, Anfang 18. Jahrhundert (benützt bis 1831), Messingguß gedreht, 6, ∅ 4, MStM

4.16.46 Kaffeemühle mit Balustersäulchen

Mitte 19. Jahrhundert, Messing mit Holzknauf, Holzschublade, 13 × 16,5 × 16,5, MStM

4.16.47 Mörser mit Stössel (nicht dazugehörig)

bez.a.d. Unterseite: Serien Nr. 12, Messing, Mörser: 16, ∅ 19, Stössel: 28; 1942/232

4.16.48 Kohlerechaud mit Holzgriff

1. Hälfte 19. Jahrhundert, Messing, 7,5 × 28, ∅ 15; 2487

4.16.49 Kerzenhalterpaar mit gerautetem Schaft

um 1810, Messingguß reich punziert und gedreht, 25, ∅ 11; 1552

4.16.50 Kerzenhalter in Köcherform

um 1815, Messingguß reich punziert, 19, ∅ 10; 1569

4.16.51 Kerzenhalterpaar mit glattem Schaft

um 1820, Messingguß gedreht und sparsam punziert, 27,2, ∅ 10; 1723

4.16.52 Kerzenhalter mit rechteckigem Fuß und Schaft

um 1820, Messingguß punziert und gedreht, 20, ∅ 8; 1642

4.16.53 Kerzenhalterpaar mit kanneliertem, eiförmigen Schaft

um 1820, bez.: paar$\frac{1}{20}$, Messingguß vielfach punziert und gedreht, 16,5, ∅ 10; 1604

4.16.54 Kerzenhalter mit kanneliertem Schaft

um 1820, Messing, 28, ∅ 12; 1578

4.16.55 Kerzenhalterpaar mit kanneliertem Schaft und Blumendekor

um 1830, Messingguß reich punziert und gedreht, 17, ∅ 8,5; 1556

4.16.56 Kerzenhalterpaar mit geradem kanneliertem Schaft

um 1830, Messingguß punziert und gedreht, 24, ∅ 12; 1542

4.16.57 Patentkerzenhalter mit geriffeltem Schaft

1. Hälfte 19. Jahrhundert, Messing, 21, ∅ 17; 1805

4.16.58 Trageleuchter mit Vorrichtung zum Verstellen der Kerzenhöhe und Tropfteller

Messing, ∅ 12; 69/278

4.16.59 Kleiner Trageleuchter mit Vorrichtung zum Verstellen der Kerzenhöhe und Tropfteller

Messing, 8,5, ∅ 7; 2835

4.16.60 Trageleuchter mit Vorrichtung zum Verstellen der Kerzenhöhe und Tropfteller; Hebel als Muschel gebildet

Messing, 20, ∅ 12; 1799

4.16.61 Trageleuchter mit Vorrichtung zum Verstellen der Kerzenhöhe und Tropfteller mit Bogengalerie (Hebel fehlt)

Messing, 21, ∅ 17,5; 1819

4.16.62 2 Trageleuchter mit Vorrichtung zum Verstellen der Kerzenhöhe und Tropfteller

Messing, 1784: 20, ∅ 14; 1789: 21, ∅ 117; 1784, 1789

4.16.63 Wachsstockhalter

Messing gedrückt, 18, ∅ 10,5; 3664

4.16.64 Öllampe

Messing, 33, ∅ 12; 1843

4.16.65 Traglaterne mit Griff, Gürtelbügel und ausziehbarer Belüftung

um 1830, Messing, Glaseinsatz, 11,5 × 8; 2850

4.16.66 Traglaterne mit aufklappbarem Vorderteil

um 1830, Messing, Glaseinsatz, 15, ⌀ 7; 2988

4.16.67 Tablett für eine Lichtputzschere

Messing getrieben, 2,5 × 10,5 × 20; 1485

4.16.68 Streichholzbehälter mit Streichholzhalter, Reibfläche und Ablage

Messing, 18 × 11 × 4,5; 1850

4.16.69 Rasierbecher

Messing, ⌀ 23; 2615

4.16.70 Wärmflasche

Messing mit Zinnverschluß, 33 × 23 × 12; 2191

4.16.71 Runder Vogelkäfig

Messing, 48, ca. ⌀ 34; 57/225

4.16.72 Körbchen aus Messingdraht

Messingdraht, 16,5 × 22 × 13,6; 28/36

4.16.73 Samowar mit Widderköpfen als Ringhalter

Gürtlerarbeit, um 1810–20, Kupfer getrieben verzinnt mit Messinghahn, 49 × 25 × 30; 2626

4.16.74 Wasserkessel

Kupfer getrieben und verzinnt, Tülle, Griffhalterungen, Knauf gegossen, 27, ⌀ 24; 2347

4.16.75 Schokoladenkännchen mit seitlichem Griff

Kupfer getrieben, 16,5 × 20,5, ⌀ 8; 2117

4.16.76 Kanne in Form eines Fäßchens mit verriegelbarem Deckel und Ausguß

Kupfer, innen verzinnt, 34, ⌀ 23; 2094

4.16.77 Zwei Kannen mit verziertem Deckel

Kupfer, innen verzinnt; 160 mit Messingknauf, 177: 48, ⌀ 31,5; 160: 44, ⌀ 27; 177 und 160

4.16.78 Kanne

Kupfer getrieben und verzinnt, 41 × 19 × 32; 187

4.16.79 Kanne

Kupfer, innen verzinnt, 15,5, ⌀ 10; 2077

4.16.80 Zwei Kannen mit Profildekor

Kupfer, innen verzinnt, 2230: 15, 2029: 10,3; 2230 und 2029

4.16.81 Kännchen

Kupfer, innen verzinnt, 10, ⌀ 8; 2151

4.16.82 Satz von 2 kleinen Kännchen

Kupfer, innen verzinnt, 2060: 9,2, ohne Nr.: 3; 2060 und MStM

4.16.83 Bierkrug mit Deckel

Kupfer mit Messingknauf, innen verzinnt, 21, ⌀ 15,8; 410

4.16.84 Henkeltopf

Kupfer, innen verzinnt, 12, ⌀ 10; 2073

4.16.85 2 Kasserollen mit Henkel und Deckel

Kupfer, innen verzinnt, 2273: 12; 2274: 12; 2273 und 2274

4.16.86 2 flache Deckel mit Stiel

bez.: Monogramm DF bei 58/48 cm, Kupfer, innen verzinnt mit Schmiedeisen, bzw. Kupferstil, a: ⌀ 25; b: ⌀ 31; 58/48a und 48b

4.16.87 2 Pfännchen mit langem Stiel

Kupfer, 2420: 44,5, ⌀ 19,5; 2422: 61, ⌀ 14,5; 2422, 3811 und 2420

4.16.88 Schneckenpfanne (für 6 Schnecken) auf 4 Füßchen

Kupfer, 9,5/15, ⌀ 43,5; 1329

4.16.89 Fischform mit Standfüßen und Aufhängering ∗

Kupfer, innen verzinnt, Messingring, 30 × 27 × 6,2; 1210

4.16.90 Fischform mit Aufhängering

Kupfer, innen verzinnt, 32 × 13,2 × 4; 1062

4.16.91 Krebsform (Metallring fehlt)

Kupfer, innen verzinnt, 22 × 15 × 8; 677

4.16.92 Krebsform mit Aufhängering

Kupfer, innen verzinnt (geputzter Zustand), 26 × 18,8 × 7; 557

4.16.89

4.16.93 Krebsform mit Blatt/ Volutenornament und Aufhängering

Kupfer, innen verzinnt, 26,7 × 17,5 × 7; 1291

4.16.94 Schildkrötenform ∗

Kupfer, innen verzinnt, 26,2 × 16,5 × 5,5; 1198

4.16.95 Sturzform mit 3 laufenden Hasen

Kupfer, innen verzinnt, ⌀ 23; 1025

4.16.96 Schinkenform

Kupfer, innen verzinnt, 30 × 14,5 × 9,5; 1320

4.16.97 Traubenform

Kupfer, innen verzinnt, 32,5 × 13,5 × 5; 1181

4.16.98 Traubenform, Traubenmotiv mit naturalistischem Blatt

Kupfer, innen verzinnt, 25,9 × 17,2 × 6; 1147

4.16.99 Melonenform mit Aufhängering

Kupfer, innen verzinnt, 27,5 × 18,5 × 9,5; 665

4.16.94

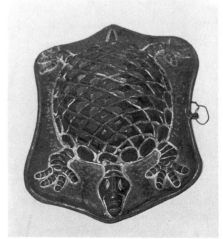

4.16.100

4.16.100 Ananasform mit Aufhängering und stilisierten Blättern *

Kupfer, innen verzinnt, 22,5 × 17,5 × 7,5; 554

4.16.101 Kleine Ananasform mit Aufhängehaken

Kupfer, innen verzinnt, 17,5 × 12,2 × 5,5; 1049

4.16.102 5 große Gugelhupfformen mit Rohr mit geometrischem Dekor

Kupfer, innen verzinnt, 599: ⌀ 27; 192: ⌀ 28; 1082: ⌀ 25; 1217: ⌀ 33; ohne Nr.: ⌀ 31; 599, 192, 1082, 1217, MStM

4.16.103 Kuchenform ohne Rohr

Kupfer mit Messing, Aufhängering, ⌀ 26; MStM

4.16.104 Kuchenform mit 6teiliger Blütenform *

Kupfer, innen verzinnt, Verbindungsstege Kupfer, ⌀ 31, MStM

4.16.105 Knettrog

Kupfer gepunzt, 85 × 37 × 13, MStM

4.16.106 Schüssel

Kupfer, innen verzinnt, 18, ⌀ 41; 91

4.16.107 Brotbehälter mit 2 Griffen: Löwenkopf mit Ring

Kupfer, innen verzinnt, 33, ⌀ 33; 14

4.16.108 Ovaler Weinkühler

Kupfer mit Messinggriffen, innen verzinnt, 24 × 44 × 32,5, MStM

4.16.109 Wasserzuber

Kupfer, innen verzinnt, 31, ⌀ 40,5; 36

4.16.110 Sandbehälter

1834, bez.: IAC 1834, Kupfer, innen verzinnt, stark verkalkt, 28/125, ⌀ 32,5; 2381

4.16.111 Wasserschöpfkelle

Kupfer, innen verzinnt, Eichenstiel, 10, ⌀ 13,5; 2119

4.16.112 Durchschlag auf hohem Fuß mit 2 Ringgriffen

1. Hälfte 19. Jahrhundert, Kupfer, getrieben und verzinnt, 17, ⌀ 25; 2362

4.16.113 Durchschlag mit Griff und Haken, innen gepunztes Dekor

Kupfer mit Eisen und Holzgriff (spätens), 48, ⌀ 20; 3806

4.16.114 Durchschlag in Trichterform mit Stiel und Hacken

Kupfer, 32,8, ⌀ 12; 2430

4.16.115 Löffelhalter in Herzform

Kupfer, 30 × 27; 1381

4.16.116 Kerzentrageleuchter mit 2 Tropfpfannen

Kupfer, 22, ⌀ 14; 2842

4.16.117 Bettpfanne mit gedrechseltem Holzstiel

Kupfer mit Messingring, Stiel: Eisen mit Holz, 83, ⌀ 25; 2393

4.16.118 Taschenwärmer für Kohle

Kupfer, 5,5 × 4,5; 1893

4.16.119 Kaffeekännchen: 2teilig mit Filteraufsatz *

Eisenblech, 13,8, ⌀ 6,1, MStM

4.16.120 Bügeleisen auf Gestell

Dominikus Zobel, Oberstdorf, 1852, bez. auf d. Rückseite d. Bügeleisens: verfertigt/Dominikus Zobel/von Oberstdorf 1852, Eisen und Messinggestell, Bügeleisen m. Ledergriff, Gestell: 8,5 × 29,8 × 11,5; Eisen: 15,5 × 23 × 7; 36/818

Bügeleisen mit Klappe auf der Rückseite für einen heißen Stein.

4.16.121 Bügeleisengestell; neugotisch

Eisenguß, 3,5 × 34,5 × 9,7; 65/947

4.16.104

4.16.122 Präzisionswaage mit Gewichten

Eisen, Nußbaum, ca. 24 × 51 × 13; 38/88

4.16.123 Hackbeil

bez. auf d. Messerblatt: HS mit Krone, Eisen, 26,5 × 10 × 1, Lit.: AK Produkt – Form – Geschichte. Stuttgart 1985, Nr. 1.18; 33/920

Die Marke HS mit darübersitzender Krone findet sich auch auf einem Rasiermesser von ca. 1848.

4.16.124 2 Spachteln, 1 große Gabel

Eisen, 36,4 × 6,2; 37,1 × 4; 41 × 6; A 85/22, 1–2; A 83/488

4.16.125 Waffeleisen

Eisen, 80,3, ⌀ 19; XI b 374

4.16.126 Zuckerbreche zum Zerkleinern des Zuckerhuts

Holzgestell mit Eisengerät; Holzgriff, Gestell: 38,5 × 24; Brecher: 36 × 12,5; A 85/23

4.16.127 Pfannenknecht

Süddeutschland, 19. Jh., Eisen gedreht, 19,5 × 39,5 × 23; XI^b 374

4.16.119

4.16.134

4.16.128 Zange

Eisen, 21 × 10, MStM

4.16.129 Schere

Eisen, 26,5, MStM

4.16.130 Kaffeemaschine mit Rechaud und Ablaufhahn

I. N. Steichele, Augsburg, um 1815, bez.: I. N. Steichele/in Augsburg (Firmenplakette), Gürtlerarbeit, Weißblech und Messingblech, 41 × 24 × 14,5, MStM

4.16.131 Tablett mit Ansicht Münchens von Bogenhausen aus (r. d. Isar)

um 1830–40, bez. auf der Rückseite: 28" (Zoll); u.r. am Stich: ges. von Th. Rausche, Blech, rot lackiert; mit Umdruckdekor, 5, ⌀ 54/70 (oval), MStM

4.16.132 Zwei grüne Blechvasen mit Darstellungen der vier Jahreszeiten

Frankreich, um 1840, Weißblech, grün lackiert mit schwarzen Umdrucken, 18,5, ⌀ 15; 28/304 und 305

Die quadratischen, doppelwandigen und in einer Hohlkehle ausschwingenden Gefäße ruhen auf vier Löwenmonopoden. Alle vier Seiten sind mit Darstellungen der vier Jahreszeiten in schwarzem Umdruckverfahren verziert. H.O.

4.16.133 Gestell für Lithophanie mit Kerzenhalter und Zündholzdose im rechteckigen Sockel

um 1840, Weißblech mit Perlmuttinkrustation (Palisander), in Imitation von Boulletechnik, 33,5 × 20 × 12; 29/284

4.16.134 Blechbehälter für Schreibfedern *

um 1830, Blech, grüngrundig, mit Umdruck, 22 × 4 × 2,1; A 77/621

Auf grünem Grund schwarze Lithographien: Schornsteinfeger, Schaf, Schmetterling, Schreibutensilien, Eichhörnchen, Früchtekorb usw.

4.17 Teppiche und Raumtextilien

4.17.1 Bodenteppich schwarzgrundig mit orangenen Achtecken und Rosettenmotiven

Frankreich, 1814, Wolle, Webtechnik, 274 × 332, Rapport: 62 × 67,5, Lit.: vgl. AK WB III/2, Nr. 589; Ottomeyer 1980, 382, Abb. 91; 35/2170

Der Teppich ist Teil eines aus Bahnen zusammengenähten Bodenbelages aus den ehemaligen Staatsratszimmern der Münchner Residenz. Die Rechnung dazu ist in den Rechnungshofakten des Hauptstaatsarchivs erhalten und auf 1814 datiert (vgl. Residenz Inv. 1845 Nr. 1703).
Die Einrichtung des Staatsratszimmers in der Residenz ist fast vollständig erhalten und wurde bei der Wittelsbacher Ausstellung im Völkerkundemuseum rekonstruiert; daß auch dieser Teppich existiert, war damals unbekannt. (Auch ein weiteres größeres Teilstück ist im Besitz des Stadtmuseums vorhanden.) H.O.

4.17.2 »Samtteppich« mit Flechtwerkmuster und Rosenbordüre

Linzer Teppichmanufaktur, Linz, 1818, bez. Etikett: Schloß Würzburg F (S 1) IV 6 Fenster; Wolle auf Leinen- und Rupfengarn, 256 × 325, Lit.: Heinz; 1955, Abb. III Kat.Nr. 7, 35/2201

Der Teppich stammt aus der Würzburger Residenz unter Ludwig I., in der der Kronprinz von 1816 bis 1824 mit seiner Familie in Würzburg lebte. Der Teppich kam später in die Münchner Residenz zurück (F.V. Abt. III Bildteppiche Bd. III W.B. 39).
Die Linzer Teppichfabrik existierte seit dem 17. Jahrhundert und produzierte wollene Fußteppiche auf bis zu 41 Jaquardwebstühlen, die maschinell betrieben wurden, wobei die Webtechnik der Samtherstellung ähnelte, daher der Name »Samtteppich«. Ein weiteres erhaltenes Exemplar dieses Teppichs befindet sich im Österreichischen Museum für angewandte Kunst. H.O.

4.17.3 Knüpfteppich mit purpurfarbenem Fond und einer Kassetten-Rosettengliederung in schattiertem Gelbgold

wohl Teppichfabrik Linz, um 1820, Wolle, 800 × 350, Lit.: Heinz 1955, 62ff.; Thornton 1984, 300; 35/2170

Der Bodenteppich, der ehemals den Fußboden von Wand zu Wand bedeckte, ist aus verschiedenen Streifen zusammengenäht.
Im Idealfall entsprach die Gliederung der Zimmerdecke mit ihren Motiven dem Bodenteppich, und auch die Raumfarben korrespondierten damit. Das Teppichfragment stammt aus der Münchner Residenz (F.V. Res. Mü. Abt. I Bildteppiche Bd. III W.B. 33). Ein ähnlicher, großteiliger Teppich in grün-violetter Farbstellung befand sich 1826 in der Wiener Hofburg. (Es existiert ein zweites Teilstück mit den Maßen: 345 × 195 cm). H.O.

4.17.4 Teppich mit beigem Fond mit oktogonen Rosetten und Akanthusbordüren

um 1840, Wolle, Petitpoint-Stickerei, 178 × 241, MStM

Der Teppich ist aus verschiedenen Bahnen und Randstreifen zusammengenäht. Die Achtecke sind mit naturalistischen Blumenbuketts gefüllt. H.O.

4.17.5 Weißgrundiger Bodenteppich mit farbigen Blumenbouquets und Mäandern

um 1840, Wolle, Knüpfteppich, 286 × 410, Rapport: 67 × 85, 35/2306

Zusammen mit einem weiteren Fragment desselben Spannteppichs stammt der Teppich aus der Münchner Residenz (Res. Mü. F.V. Abt. III, Bildteppiche Bd. III W.B. 37). H.O.

4.17.6 Teppich mit grünem Fond und Blumenmedaillon sowie Bordüre

wohl Axminster, England, um 1840, Wolle, Knüpfteppich, 243 × 347, T 87/49

4.17.7 Vorleger

Wolle (nach Art eines Kelims gewebt), 129 × 225, MStM

Mit Mittelnaht; weißgrundig mit zentraler Raute (rot) mit polychromen Zickzackfriesen und roter Randbordüre. Ähnliche Dessins finden sich auf Kaschmirschals. H.O.

4.17.8 Kinderspielteppich

1835/40, schwarzer Wollmusselin, bestickt mit naturgefärbter Wolle in Petitpoint-Stich, gesäumt mit schwarzen, gedrehten Wollfransen, 114 × 220/224; 36/1138

Kinderspielteppich nach Motivvorlagen aus Bilderbögen und Stichvorlagen des frühen 19. Jahrhunderts.
Darstellungen des Landlebens, der Häuslichkeit und der Exotik; z.B. Storch, Hirsch, der gefüttert wird, pickender Hahn und Gluckhenne vor dem Bienenkorb, Chinesen vor einem Tempel.

Die wichtigsten Produktionsorte für Stickvorlagen sind Berlin (die Firmen Wittich, Philipson, C.F. Ockel...), Nürnberg (Fa. Riedl) und Wien (Müller); vielfach ausgeführt wurden sie von den Offizinen in Augsburg.   L.G.

4.17.9 Immerwährender Kalender mit Stickerei

um 1830, Wolle auf Stramin, Goldpapierprägeborte, Holz, 24 × 28; 29/799

Halbstichstickerei mit Rosen, Füllhorn, Schäfer und Schäferin, Fuchs schnappt nach der Traube, Hasenpaar, Taubenpaar. Mittelteil immerwährender Kalender – Monat und Datum seitlich am Kasten verstellbar.

4.17.10 Verschiedene Klingelzüge

Leinen, Seide, Wolle, Messing, Perlstrickerei, Stickerei; T81/980, A74/20, 1963/8052, S58/104, 37/141

4.18 Von Mode und Moden

Modejournale und -zeitschriften, die seit dem späten 18. Jahrhundert populär geworden waren, fanden in der ersten Hälfte des 19. Jahrhunderts ein zunehmend größeres Publikum.

Wichtige deutschsprachige Journale sind in Weimar, Leipzig, Frankfurt und in Wien erschienen, so z.B. das »Journal des Luxus und der Moden« (Weimar 1786–1826), »Die Mode, Zeitung für die Elegante Welt«, (Leipzig 1801–1859), das »Journal des Dames et des Modes« (Frankfurt 1798–1848) und die »Wiener Zeitschrift für Kunst, Literatur, Theater und Mode«, (Wien 1816–1844). Ein solches Journal erschien auch in München: das »Museum der eleganten Welt« (1836–1839), das als typisch für die eher provinziellen deutschen Modezeitschriften gelten kann, die selbst nicht bahnbrechend wirkten, aber durch ihre Übernahme fremder Vorlagen die Pariser und Wiener Mode nach Deutschland vermittelten.

Die Modekupfer dieser Zeitschriften zeigten elegante Ensembles mit detaillierten Beschreibungen der Kleider und der dazugehörigen Accessoires. Diese modischen Kleider waren keine Phantasiekreationen, sondern in Schneiderateliers bereits gefertigte Modelle, die in den Zeitschriften als »dernier cri« gezeigt wurden. Natürlich zielten die Journale, die nicht nur zu Mode, sondern auch zu Theater, Literatur und gesellschaftlichen Ereignissen Beiträge beinhalteten, auf eine gehobene bürgerliche und adelige Leserschaft ab, die allein es sich überhaupt leisten konnte, einer ständig wechselnden Mode zu folgen.

So sind die abgebildeten Kleider meist äußerst aufwendig in der Wahl des Materials und der dazugehörigen Accessoires. Grundsätzlich darf man sich die Kleider dieser Zeit nie losgelöst von einer bestimmten Situation vorstellen, in der sie getragen werden sollten und für die sie entworfen waren, und ohne das gesamte und passend konzipierte Ensemble von Accessoires, wie Hüte, Beutel, Schirme und Schmuck. Ebenso war der sogenannte »Putz«, d.h. die Bänder, Schleifen, Spitzen und Rüschen, prägend für das modische Erscheinungsbild.

Die Maximen für diese Luxusmode wurden von den großen Ateliers in Paris, Wien und London vorgegeben und relativ einheitlich an Hand der Modekupfer, die oft in verschiedenen Journalen erschienen, verbreitet. So folgte die Mode zwischen 1815 und 1848 in ganz Europa einer recht einheitlichen Entwicklung, die an Hand der Journale, Bildquellen, Modekupfer und Porträts leicht zu verfolgen ist.

Daß diese äußerst eleganten Ensembles nicht immer in der Ausführung getragen wurden, wie sie ideal entworfen waren, dokumentieren die uns in den Sammlungen überlieferten Kleider. Die für den bürgerlichen Mittelstand in den heimischen Schneiderateliers angefertigten Kleider unterscheiden sich in Aufwand und Qualität oft erheblich von ihren Vorbildern. Da diese »Gebrauchsmode« auch nie auf dem allerneuesten internationalen Stand war, Kompromisse mit Traditionalismen eingegangen und die Kleider auch häufig nur durch Änderungen oder Hinzufügungen modernisiert wurden, ist es sehr schwierig, sie eindeutig in eine Entwicklungslinie der Mode einzuordnen und zu datieren.

Bedingt durch lokale und soziale Faktoren überlagern sich auch in der Mode während der Biedermeierzeit die verschiedensten Formen, so daß hier nur einige Grundtendenzen der Entwicklung angesprochen werden sollen. Bis circa 1820 zeigen die Kleider meist noch die hohe Taille der Empirezeit, die dann langsam tiefer rutscht und am Ende des dritten Jahrzehnts an ihrem natürlichen Platz sitzt. Gleichzeitig werden die Röcke immer weiter und fülliger und die Stoffe schwerer. In den dreißiger Jahren kommen dann zu den voluminösen und immer weiteren Röcken die ausladenden »Schinkenärmel« und ein breiter, oft schulterfreier Ausschnitt. Erst Mitte der vierziger Jahre werden die Kleider wieder etwas schlichter, die Ärmel schmaler und die Röcke in enge Falten gelegt.

Hermann Hauff schreibt zur Modeentwicklung der ersten Hälfte des 19. Jahrhunderts: »Man weiß, wie die platten und schüchternen Armbauschen, die man der Einfalt der griechischen Chemise oder Tunika gestattete, zum eigentlichen Puffermel aufschwollen, und wie dieser zum Gigot, und endlich zum ungeheuern Ballonermel auswucherte. Als das Extrem erreicht war, zogen sich die Ausladungen, schneller als sie sich gebildet, von der Büste zurück und quollen dafür, während die Taille wieder herunter rückte, in polarem Gegensatz an den Hüften über. Damit kehrte aber die Tracht im Wesentlichen vollkommen zum vorrevolutionären Typus zurück, und als bald der sogenannte Rococostyl im Ameublement aufkam, wurde eifrige, aber regellose Reproduktion alter Formen auch im weiblichen Costüm das Losungswort, und fast alle die phantastischen, malerischen und grotesken Formen, in welchen sich von Catharina von Medicis bis auf Marie Antoinette die weibliche Gestalt ausgeprägt, verschmelzen sich gelegentlich in der Tracht der vornehmen weiblichen Welt«. (Hauff, 1840, 28).   I.H.

4.18 Kleidung und Accessoir

4.18.1 Damenkleid mit Jacke

1820–25, flaschengrüne Seide, vordere Länge: 127, Saumweite 220, Jacke 32, Lit.: Kind 1985, 63, Nr. 9; 58/897 1 u. 2

Einteiliges Kleid. Glattes Mieder mit ovalem Ausschnitt. Rückenverschluß mit Haken und Schlingen. Vorne im Mieder links und rechts je drei Abnäher. In der Mitte zwei grüne Schmuckknöpfe und Verzierungen aus grünem Taft. Kurze, in Quetschfalten gelegte Puffärmel ohne Futter. Ungefütterter Rock aus fünf Bahnen vorne glatt, an den Seiten und hinten eng gereiht am Mieder angesetzt. Hinten Mitte Schlitz. Am Saum lose, wellenförmige Zierblende aus grünem Atlas, von Schlaufen gehalten. Wattierte Saumblende.

Kurze, hochgeschlossene Jacke. Vorderverschluß mit Haken und Schlingen. Spitzer Kragen mit Seidenkordelbesatz. Am Vorderteil beidseitig zungenförmige Zierapplikation aus grünem Atlas. Hocheingesetzter, an der Kugel gefältelter Ärmel mit Bündchen und Hakenverschluß. Die Jacke hat ein rosa Leinenfutter und ist wattiert.

Das Kleid ist mehrfach verändert worden. Das Oberteil wurde an mehreren Stellen erweitert, so ist zum Beispiel die mit Fischbeinstäbchen versteifte Hakenleiste am Rückenteil nachträglich eingenäht. Der Rock ist mit ausnehmend groben, sicher nicht ursprünglichen Stichen an das Mieder genäht. Die Jacke mit der kurzen Taille läßt erkennen, daß auch das Mieder des Kleides ursprünglich kürzer war. Als die Mode nach 1820 wieder die längere Taille vorschrieb, wird wahrscheinlich ein neues, längeres Mieder an den alten Rock genäht worden sein. Der

4.18.4

Rückenschnitt der Jacke erinnert mit der auf die Spitze gestellten Raute noch an die Mode um 1810. Allerdings schneiden die Armkugeln nicht mehr so tief in den Rücken ein; die Jacke läßt sich auf ca. 1815 datieren. P. K.

4.18.2 Festliches Damenkleid

um 1825, seidene Gaze-Iris, Kette rosa und gelb bedruckt, mit eingewebtem Querstreifen changierend in rot, schwarz und gelb, vordere Länge: 137, Saumweite: 240, Lit.: Kind 1985, 64; Nr. 10; 43/228

Einteiliges Kleid mit rosa Seidenkrepp gefüttert. Bandzug am großen, ovalen Ausschnitt. Rückenschnürverschluß mit zwei versteiften Ösenleisten. Rund um Ausschnitt locker drapierter Schalkragen, von gelben, rosa und rostroten Seidenschnüren auf den Schultern und vorne und hinten in der Mitte gehalten. Kurzer Puffärmel, teilweise geschlitzt, mit Seidenschnüren gerafft und gesäumt. An Mieder angenähte Taillenblende als Verlängerung. Verdeckt von Schärpe aus Atlasband, changierend von dunkelrot zu hellgelb. Hinten gebunden. Rock aus vier Bahnen vorne leicht und hinten enger gereiht. Hinten Mitte Schlitz. Kleidersaum mit wattierter rosa Atlasblende besetzt. Seidenkreppfutter am Saum mit Leinen verstärkt.

Der angenähte Spitzeneinsatz an den Ärmeln und am Ausschnitt ist nicht ursprünglich. Eventuell ist auch die Atlasschärpe nachträglich erneuert, da sie nicht genau dem Kleiderstoff entspricht. P. K.

4.18.3 Nachmittagskleid

1830–35, buntbedruckte Foulardseide mit Ranken- und Kartuschenornamenten, vordere Länge: 144, Saumweite: 266, Lit.: Kind 1985, 65, Nr. 11; L 920

Einteiliges Kleid. Mieder mit Bandzug am flachrunden Ausschnitt. Rückenverschluß mit Haken und Schlingen. Schulterbetonung durch Buckram gefütterten, aufgenähten Pelerinenkragen, der rechts und links vorne spitz auf den Bund zuläuft. Mit roter und grüner Schnurpaspel gefaßt (links erneuert). Am Ausschnitt vorne lose Querdrapierung, von Mittelkeil gehalten. Brustpartie mit Einlage. Ungefütterter, langer Ballonärmel, an der Kugel in dichte Falten gelegt, durch enge Manschette gehalten. Manschette mit Schnurpaspel gefaßt, und mit Haken und Schlingen zu schließen. Rock aus vier Bahnen gereiht, hinten an der Mittelpartie in engen Falten gelegt. Auf Buckram gearbeitet. Hinten rechts Schlitz. Am Saum 20 cm Stoff angesetzt. P. K.

4.18.4 Rot-weiß gestreiftes Damenkleid ∗

1837–40, rot-weiß bedruckter Baumwollstoff, vordere Länge: 136, hintere Länge: 143, Saumweite: 360, Lit.: Kind 1985, 66, Nr. 12; XII 411

Einteiliges Kleid. Mieder mit großem, flach-rundem Ausschnitt. Rückenverschluß mit Ha-ken und Schlingen. Vordere Mitte Stoff an der Brustpartie gereiht, zur Schulter hin locker dra-piert. Mieder vorne mit kleiner Schneppe und mit Schnurpaspeln verziert. Hinten an der Taillennaht angenähte Schleife. Tiefeingesetz-ter, langer, enger Ärmel, am Ansatz gefältelt und mit drei aufgenähten Volants. Mieder und Ärmel mit Leinenfutter. Ungefütterter Rock aus sieben Bahnen rundum eng gereiht, hintere Mittelpartie in Orgelfalten gelegt. Hinten Mit-te Schlitz. Rocksaum mit Leinen unterlegt.

P. K.

4.18.5 Damenkleid mit Blumenmuster *

ca. 1840, Baumwolle, 47/197

Damenkleid aus mit Blüten und Ranken be-drucktem Kattun. Rock und Mieder sind plis-siert, die Taille ist vorne spitz eingesetzt, was auf die Kleider des 18. Jahrhunderts anspielt und der Rokoko-Mode der 40er Jahre ent-spricht.

4.18.6 Damenkleid aus dunkelbraunem Taft

1845–50, Seidentaft, vordere Rocklänge: 104, Länge des Mieders: 50, Saumweite: 340, Lit.: Kind 1985, 66, Nr. 13; XII/267

Zweiteiliges Kleid. Das Mieder mit Bandzug am großen, ovalen Ausschnitt besteht aus zwei Hälften. Rückenschnürverschluß mit zwei ver-steiften Ösenleisten (Kordel neu), Vorderver-schluß aus Haken und Ösen. Vorne und hinten Schneppe. Seitennähte und vier Abnäher vorne mit eingenähten Fischbeinstäbchen versteift. Tiefeingesetzter Dreiviertelärmel bestehend aus Schulterstück, wattierter Puffe und zweifa-chem Volant. Gebogte Kante mit goldbrauner Seidentresse eingefaßt. Mieder mit Leinenfut-ter. Am Miederbund von innen angenähtes Wäscheband mit Haken, in die Rock mit Ösen eingehängt wird. Rock aus acht Bahnen, vorde-re Partie in Falten gelegt, hinten gereiht. Hin-ten Mitte Schlitz, Bund mit Haken- und Ösen-verschluß. Vorne rechts in Falte eingearbeitete Tasche. Rockfutter mit leichter Haareinlage, Saum mit Buckram unterlegt. Wollschnur als Saumstoß.

P. K.

4.18.7 Damenkleid mit Jacke

1845–50, grüner Seidentaftchangeant, vordere Länge: 139, Saumweite: 387, Länge der Jacke: 45, Lit.: Kind 1985, 68, Nr. 16; 69/170/1 u. 2

Einteiliges Kleid. Mieder mit kleinem, spitzem Ausschnitt. Vorderverschluß mit Haken und Schlingen. Mieder vorne in Falten gelegt, die sich zur Schulter hin verbreitern. In der Mitte unten gesmokt.
Am Halsausschnitt und am Verschluß Taftrü-sche. Hinten Mitte kleine, spitze Taillenver-längerung. Vorderteil mit Gaze, Rückenteil mit Leinen gefüttert. Vorne ist der Leineneinsatz nicht an der Seite befestigt und wird vor der

4.18.5

Brust geschnürt. In das Leinen eingenähte Fischbeinstäbchen. Kurzer, leinengefütterter, gerader Rock aus sechs Bahnen rundum in Orgelfalten gelegt. Vorne Mitte Schlitz und vorne rechts Tasche. Saum mit Leinen unter-legt. Kordelbesatz als Saumstoß. Brauner Stoffgürtel mit vergoldeter Schnalle möglicher-weise nicht original zugehörig.
Wattierte Jacke mit Leinenfutter. Kleiner Schulterkragen mit rotschwarzer Borte besetzt. Vorderverschluß mit Haken und Schlingen. Rote Zierknöpfe. Falten und eingenähte Fisch-beinstäbchen wie beim Kleid. Aufgenähter Gürtel aus Kleiderstoff. Sieben Zentimeter lan-ge Schoßtaille mit Seidenfutter, hinten in Fä-cherfalten gelegt. Langer Ärmel oben gesmokt und mit rotschwarzer Borte besetzt. Am Är-melbund zwei Knöpfchen.

P. K.

4.18.8 Damenkleid mit Pelerine

1845–50, grauer Seidentaftchangeant, vordere Länge: 148, hintere Länge: 154, Saumweite: 347, Lit.: Kind 1985, 68, Nr. 15; 57/516/1 u. 2.

Einteiliges Kleid. Hochgeschlossenes Mieder mit Vorderverschluß mit Haken und Schlin-gen. Hakenleiste, zwei Rückenabnäher und Seitennähte mit Fischbeinstäbchen versteift. Vorderteil an den Schultern dicht gereiht, an der Taille in der Mitte gesmokt. Taillenblende mit schwarzem Samtband besetzt. Glatter lan-ger Ärmel, an der Manschette mit zwei Reihen schwarzem, gaufriertem Seidenband besetzt. Mieder und Ärmel mit weißem Baumwollfut-ter. Rock aus sechs Bahnen in flache Falten, an der rückwärtigen Mittelpartie in Orgelfalten gelegt. Vorne Mitte Schlitz und vorne rechts

4.18.10

Tasche. Vorne in der Mitte von der Taille bis zum Saum drei Reihen schwarzes, gaufriertes Seidenband aufgenäht. Die beiden äußeren Reihen wellenförmig. Rock auf Buckram gearbeitet, Saum mit Shirting unterlegt. Wolltresse als Saumstoß.
Ungefütterte Pelerine aus vier Teilen zugeschnitten. Am Hals mit Haken und Ösen zu schließen. Ränder mit zwei Reihen schwarzer Borte besetzt. P. K.

4.18.9 Zweiteiliges Kleid mit rotem Paisley-Muster

1850, grün, rot, schwarz bedruckter Wollmusselin, vordere Rocklänge: 102, vordere Miederlänge: 43, Saumweite 300, Lit.: Kind 1985, 69, Nr. 17; XII/324, 1-2

Zweiteiliges Kleid. Hochgeschlossenes Mieder. Vorderverschluß mit Haken und Schlingen, Hakenleiste unten versteift. Vorne Mitte kurze Taillenverlängerung. Vorne pro Seite fünf Falten, die sich zur Schulternaht hin verbreitern. Brustpartie wattiert. Hinten innen am Miederbund zwei Haken, in die Rock eingehängt wird. Auf Leinen gearbeitet. Langer, eingesetzter Ärmel. Leinengefüttert. Am Ärmelsaum zwei Reihen schwarze Borte.
Rock aus sechs Bahnen mit glattem Bund. Vorne in breite Falten und hinten in Orgelfalten gelegt. Hinten Mitte Schlitz. Rechts vorne Tasche. Kordelbesatz als Saumstoß.
Ärmeleinsätze vom Ellbogen bis zum Handgelenk. Oben mit Bandzug, unten mit Haken und Schlingen. Baumwollfutter. P. K.

4.18.10 Schürze *

um 1810, Seidentaft, Lit.: AK Anziehungskräfte, München 1986; T 86/29

Blütenranken in Handstickerei auf weißem Seidentaft.

4.18.11 Unterkleid

1810–20, weißes Leinen, unten bestickt, vordere Länge: 132, Saumweite: 228, Lit.: Kind 1985, 62, Nr. 7; T 81/858

Einteiliges Unterkleid. Mieder mit Bandzug am großen, vorne geraden, hinten halbrunden Ausschnitt. Bandzug am Bund rückseitig zu schließen. Glattes Mieder mit vier Abnähern vorne. Hoch eingesetzter, an der Kugel in Falten gelegter, langer Ärmel. Rock aus zwei Bahnen vorne glatt und hinten gereiht. Hinten Mitte Schlitz. Am Saum Handstickerei mit weißem Leinenfaden in Platt- und Knötchenstichen. P. K.

4.18.12 Verschiedene Spenzer

Erstes Viertel 19. Jahrhundert, a) violett-grauer Taft, b) rosa Damast mit Rosenborte, c) blau-orange getupfte Baumwolle, d) rot-grün-blau karierter Baumwolldamast. Lit.: WB III/2, Nr. 941; a) T 85/69, b) 23/195, c) 44/731, d) 66/3367

Der Spencer oder Spenzer stammt aus der englischen Mode des späten 18. Jahrhunderts. Das kurze, knapp sitzende Jäckchen wurde über dem Kleid getragen und in der Regel vorne mit Haken geschlossen. Auf dem Kontinent waren Spencer bis in die zwanziger Jahre des 19. Jahrhunderts hochmodisch und wurden danach weiterhin getragen, bzw. aufgetragen. So zeigt ein Modekupfer aus dem Journal des Dames et des Modes aus dem Jahre 1825 ein Kleid mit eng anliegendem grünen Spencer (vgl. Pa 2685, München, von Parish-Kostümforschungsinstitut). I. H.

4.18.13 Mantel

1810–20, lila Seide gestreift, bedrucktes Baumwollfutter, ca. 130; T 86/96

Kaschmirschals

Der in der Damenmode der ersten Hälfte des 19. Jahrhunderts unerläßliche Kaschmirschal zeichnet sich durch eine außerordentliche Vielfalt der Formen, eine große Palette von Dessins, subtile Farbgebung und vor allem durch eine besonders feine Wollqualität aus. Für den echten »Kaschmir«-Schal mußte die Wolle zentralasiatischer Bergziegen, wilder Bergschafe oder Steinböcke verwendet werden, die im Vergleich zu europäischer Wolle ungleich feiner und weicher war, aber auch beträchtlich schwieriger zu gewinnen und daher außerordentlich teuer.
Bereits ab 1780 wurden große, oft mehr als drei Meter messende Langschals Mode, die man um den Hals wickelte oder über die Schultern und Arme drapierte. Vor allem in der Epoche des Empire mit ihrer sonst sehr schlichten Kleidung erfreuten sich diese Schals dann größter Wertschätzung als ein luxuriöses Schmuckstück der eleganten Dame. In großer Zahl wurden die Kaschmirschals – das Wort »Schal« bezeichnete ursprünglich die Webart und nicht das Kleidungsstück – aus Kaschmir und Indien nach Frankreich und England exportiert. Bald versuchten englische Webereien in Norwick, Paisley und Edinburg, die begehrten Produkte sowohl in der Webart und Musterung, als auch in der Wollqualität nachzuahmen; auch in Frankreich stellt man ab ca. 1800 Kaschmirschals her.
Ob Importware oder in Europa hergestellt, waren diese Tücher in Form, Farbgebung und Dessin der Diktatur der Mode unterworfen. Lange Stolen aus durchsichtigem einfarbigem Gewebe mit schmalen Ranken- und Blumenbordüren, häufig taucht auch das orientalische Palmwedel-Motiv auf, wurden zu den schmalen und leichten Kleidern des ersten Viertels des 19. Jahrhunderts getragen (vgl. Kat.Nr. 4.18.1). Sie werden mit dem zunehmenden Aufkommen der Viereckschals abgelöst durch andere Varianten, von denen nun Tücher mit Streublumenmotiven, Rosetten- oder Medaillonschals, gestreifte Langschals, sogenannte »Zebras«, besonders bevorzugt sind.
Zu der Mode der im Biedermeier breiter angelegten Röcke und Kleider mit ausladenden Ärmeln werden ab 1830 auch die Schals großzügiger angelegt. Viereckstücher mit Seitenlängen bis zu zwei Metern zeigen nun ausladende Palmwedel, die bis zu einem Meter groß sein können und eine vielfältige Farbenpracht entfalten. Man trug diese übergroßen Tücher oft doppelt übereinandergefaltet und breitete sie so über Schultern und Rücken, daß das Muster in seiner ganzen Pracht sichtbar war und die Fransen häufig den Boden berührten.
Nachdem sowohl der Schalimport aus dem Osten, als auch die einheimische Produktion ihre Hochkonjunktur in den Jahren zwischen 1850 und 1860 erlebt hatte, verlor der Kaschmirschal gegen Ende des Jahrhunderts hin schnell seine Bedeutung als ein luxuriöses und elegantes Modeaccessoire. Die Importware aus Asien war so fest und dicht geworden, daß man sie nur noch »Teppichschals« nannte und eher als Decken, denn als Kleidungsstücke verwendete; die in Europa hergestellten Kaschmirschals waren billige Industrieware und ein Massenprodukt, das die Aura des Exotischen und des Luxus längst verloren hatte. I. H.

4.18.14 Langschal mit »Buta«ornament an der Webbordüre

wohl Westeuropa, 1820–30, Twill (Wolle und Seide) broschiert, rot, grün, schwarz und weiß, aus mehreren Teilen zusammengesetzt, 259 × 141; 37/1578

4.18.15 Langschal mit Blüten und Blättern bedruckt

wohl Westeuropa, um 1820–30, Wolle, vierfarbiger Rollendruck, hell- und dunkelgrüne Bordüre mit Stempel aufgetragen; 232/238 × 42, MStM

4.18.17

4.18.16 Vierecktuch mit türkischem Muster auf hellem Grund

wohl Westeuropa, um 1820–30, Wolle und Seide lanciert, Fransen angesetzt; 156/130 × 142; 29/80

4.18.17 Vierecktuch mit Streublumen ✳

wohl Westeuropa, um 1830–40, naturfarbene Wolle, Blumen geschnitten, lanciert, 82/93 × 82, Lit.: Levi-Strauss 1986; 86, 29/81

Diese Art von Schals fand die Damenwelt des frühen 19. Jahrhunderts nicht so elegant wie die Tücher mit den orientalischen Mustern. Sie wurden hauptsächlich vormittags oder auf Landpartien getragen. Auf dem Gemälde der Hanne Wanscher von Constantin Hansen, 1835, im Statens Museum für Kunst, Kopenhagen (Levi-Strauss 1986, 86) trägt die porträtierte ein ähnliches Streublumentuch. I.H.

4.18.18 Vierecktuch mit Streu- und Bouquetblumenmuster

naturfarbener Wollmusselin bedruckt mit grünem und rotem Bouquetmuster, 164/190 × 168; 32/448

4.18.19 Verschiedene Damenstrümpfe

1. Hälfte 19. Jahrhundert, Baumwollgarn gestrickt mit Perlstickerei; 32/402, 44/454, 57/447, 68/1513/6, 32/405

Die aus feinem Baumwollgarn gestrickten weißen Strümpfe sind mit Perlstickerei – Monogrammen und Namen (so z.B. hier HWE, Maria Herold, H. Ehemann, Sophie Herold), Blumenmustern und Ornamenten – verziert. So ließen die etwas kürzeren Röcke der zwanziger und dreißiger Jahre den Blick auf die Damenknöchel, d.h. Strumpf und Schuh frei. I.H.

4.18.20 Verschiedene Damenkreuzbandschuhe

um 1820–30, Leder und Seide, schwarz- und cremefarbig, ca. 22, Lit.: Swan 1982, 38; 28/1293, 37/253, 68/762

Der einfache schwarze Schuh mit schmaler eckiger Form war hochmodisch im Paris der zwanziger Jahre und bestimmte fortan die Mode. Sowohl zum Ball- als auch zum Tageskleid trug man den absatzlosen Kreuzbandschuh, meistens aus Atlasseide. Leder fand hauptsächlich als Sohle und Spitze Verwendung. I.H.

4.18.21 Stiefeletten

um 1820–40, Seide und Leder; XII/404, 37/232

Beutel

In der Zeit des Biedermeier wurden kleine Beuteltaschen zu einem unentbehrlichen Accessoire der eleganten Damengarderobe. Sie waren bereits im späten 18. Jahrhundert und dann vor allem im Empire zu größter Beliebtheit gelangt, da sie es der Dame erlaubten, notwendige Utensilien wie Geldbeutel, Taschentuch, Flacons etc. mit sich zu führen. Die Mode, welche schmale und aus dünnen Stoffen geschneiderte Kleider diktiert hatte, die keine Taschen enthalten konnten, machte es der Dame unerläßlich sich dieses Requisits zu bedienen. Zunächst »réticule« genannt (frz. »Netz«, von lat. »reticulum«) wurde dieses Wort bald eingedeutscht und ist als »Ridicule« in das Modevokabular der Epoche eingegangen. Meist waren diese Beutel mit Petitpointstickerei, oder auch mit Glasperlen- oder Paillettenstickerei verziert, konnten aber auch aus Glasperlen gestrickt oder aus Metallfäden gehäkelt sein (vgl. Journal des Dames et des Modes, 1826). Eine andere Variante sind aus Eisendraht gesponnene netzartige Taschen, die in flachen rechteckigen (vgl. Kat.Nr. 4.18.26) oder auch runden Formen vorkamen. Im allgemeinen waren diese Beutel mit Baumwolle oder Seide gefüttert und mit einer oder mehreren Quasten an den Enden verziert. Ab 1820–30 werden die Beutel mit Bügeln und feinen Ketten versehen und nicht mehr nur mit einfachen Kordeln geschlossen. Als im zweiten Viertel des 19. Jahrhunderts die Kleider volu-

4.18.22

417

4.18.27

minöser und die Röcke weiter werden, verliert die Ridicule etwas an Popularität. Die Kleider konnten wieder mit Taschen versehen werden und der Beutel hatte nun nicht mehr eine rein funktionelle Bedeutung. Er gehörte aber weiterhin zusammen mit Schal, Hut, Sonnenschirm, Bändern und Spitzen zum modischen Putz. Die Regeln der Mode schrieben vor, daß Kleider und Accessoires in komplementären Farben gehalten waren; so kombinierte man z. B. 1826 ein grünseidenes Abendkleid mit einer roten Ridicule aus Samt, die der roten Samt-Bordüre des Kleides entsprach. (Ackermann's Repository of Arts, 1826.)   I. H.

4.18.22 Beutel in Vasenform mit Rosendekor *

um 1825, Baumwolle, Perlstickerei, 30; Ø 8,2, Lit.: AK WB III/2, 1980, Nr. 937; 60/404

4.18.23 Beutel in Vasenform mit Rosen und Streifendekor

um 1820–30, Seide, Perlenstrickerei, 27, Ø 7; 36/1271

4.18.24 Beutel in Vasenform

um 1820–30, Baumwolle, Perlstrickerei, 20 × 15; 61/1126

4.18.25 Beutel mit Darstellung eines Säulenstumpfes

um 1830, Baumwolle, Perlstrickerei, 28 × 17; 63/6111

4.18.26 Netzbeutel mit gesticktem Blumenmuster

um 1850, Eisendraht, Garnstickerei, Seidenfutter, 17,5 × 16,5; XII/175/7

4.18.27 Handtasche in Körbchenform mit Pailletten *

Seide, Pailletten, Kette und Bügel erneuert, 19,5 × 21; 54/996

4.18.28 Ledertasche in Vasenform mit gestanzten Ranken

Leder, rosa Baumwollfutter, Schließe: Lyraform, 17/28 × 20, Lit.: Foster 1982; XI d/265

Auch Leder wurde in der Herstellung von Ridicules verwendet: eine Tasche aus Maroquinleder in Form einer Lyra wird 1820 im »Journal des Dames e des Modes« beschrieben.

4.18.29 Geldbeutel mit Stiefmütterchendekor

um 1830, Seide mit Perlstickerei, 13,5/18 × 9,2; 59/543

4.18.30 Geldkatze mit Mäandermotiv und Fransen

um 1840–50, Baumwolle, Perlen, gestrickt, 22/ 30,5 × 7, MStM

Fächer

Die Fächermode zu Beginn des 19. Jahrhunderts zeigte gegenüber der des 18. keine großen Erneuerungen in Art oder Stil. Bevorzugt wurden zierliche sogenannte Brisée-Fächer – zusammenklappbare Fächer, deren einzelne gleichlange Stäbe unten von einem Dorn und oben von einem Band, meist aus Seide, zusammengehalten wurden. Die Stäbe sind vor allem aus Horn, Elfenbein oder Schildpatt gefertigt, das durchbrochen gesägt, geprägt und gelegentlich mit Blumenmustern bemalt ist (vgl. Kat.Nr. 4.18.32). Ein anderer beliebter Fächertyp waren die Faltfächer, wo auf einem Gerüst von Stäben ein gefaltetes Blatt montiert ist, das aus Pergament, Papier, Seide oder feiner Gaze besteht. Diese Materialien waren oft bemalt oder auch mit goldenen oder silbernen Pailletten bestickt.

In der ersten Hälfte des 19. Jahrhunderts gewann auch der Radfächer an Popularität, wo zwischen zwei Deckstäben ein rundes gefaltetes Blatt so befestigt ist, daß es beim Öffnen des Fächers sich in eine kreisrunde Fläche entfaltet. In größerem Format hergestellt, konnten diese Fächer als Kaminfächer gegen die Hitze des Feuers und als Sonnenschirm oder Parasolfächer gegen die Sonnenglut schützen (vgl. Kat.Nr. 4.18.37).

Im zweiten Viertel des Jahrhunderts gingen von Paris neue Impulse aus, die die Fächermode veränderten und das Repertoire der Fächerdekorationen erweiterten. Durch die neue Technik der Lithographie wurde es gegenüber der Malerei leichter und auch billiger, Fächer mit aufwendigerem Schmuck zu verzieren. So zeigen sie nun in kolorierten Lithographien auf Glanzpapier detaillierte biedermeierliche Genreszenen oder Darstellungen literarischer Themen, die oft noch mit zusätzlich aufgemaltem Golddekor verziert sind. Mit dem Aufkommen der historischen Barock- und Rokokobegeisterung werden gegen die Mitte des Jahrhunderts hin Darstellungen mit galanten oder mythologischen Szenen und Chinoiserien im Stil dieser Epoche beliebt.   I. H.

4.18.31 Briséefächer aus hellem Schildpatt

Anfang 19. Jahrhundert, Schildpatt, gesägt, Seidenband, 16; A 76/76

4.18.32 Briséefächer aus Schildpatt mit Vergißmeinnicht-Dekor

Anfang 19. Jahrhundert, helles Schildpatt, gesägt und bemalt, Seidenband, 16; 59/860/9

4.18.33 Faltfächer mit Paillettendekor

um 1810, Beinstäbe; Seide mit aufgenähten Pailletten und Perlmuttknöpfen, 24; 66/2719/1

4.18.34 Zwei Radfächer mit Schuber (Kaminfächer)

um 1830–40, Holz, schwarz lackiert, mit Perl-muttknöpfen; braune Seide; einer mit brauner Kordel und Quaste, 27 bzw. 26; 58/528; 33/267

4.18.35 Briséefächer mit Chinoiserien

Anfang 19. Jahrhundert, dunkles Schildpatt, mit Deckfarben bemalt, Seidenband, 15,3; 58/45

4.18.36 Briséefächer aus Schildpatt mit Rosen- und Vergißmeinnicht-Dekor

Anfang 19. Jahrhundert, helles Schildpatt, ge-sägt und bemalt, Seidenband, 15,7; A 75/51

4.18.37 Zwei Radfächer (Kaminfächer)

um 1830–40, Holz, schwarz lackiert; grüne Seide; grüne Kordel und Quaste. Holz, schwarz gebeizt; blaugrünes Papier; grüne Kordel und Quaste, ca. 30, 32/223; T 84/131

4.18.38 Briséefächer mit Spitzenverzierungen, auch »Jenny-Lind«-Fächer genannt.

um 1850, Beinstäbe, gesägt und geprägt, Ver-goldungen, schwarze Seide auf Pappe, creme-farbene Spitze, 28; T 84/106

4.18.39 Faltfächer mit Darstellung von vier Paaren in historisierenden Kostümen in einer Parklandschaft

Holz, braun gebeizt; Lithographie koloriert, auf Papier mit Blattvergoldung, 24, 84/56

4.18.40 Faltfächer mit Figuren in historischen Kostümen des 17. und 18. Jahrhunderts

um 1850, Beinstäbe, gesägt und teilweise ver-goldet; Lithographie koloriert, Vergoldungen, auf Papier; Messingbügel; 26,5; T 84/57

Auf der Rückseite des Fächerblattes ist eine Schäferszene im Stil des 18. Jahrhunderts.

4.18.41 Muff

um 1810, Seide, mit farbigen Pailletten be-stickt; Mittelmotiv: Getreidegabe: Sinnbild der Eintracht, 22 × 40; 37/1586

4.18.42 Knickschirm/Sonnenschirm ∗

erstes Viertel 19. Jahrhundert, grüne Seide mit Bordüre und Ringgriff, 67, Ø 52, Lit.: WB III/2, Nr. 933; Klein, 1950, 217, 324; 61/55

Der kleine Schirm, dessen Stil man beliebig knicken und arretieren konnte, diente zum Sonnenschutz.

4.18.43 Schute ∗

um 1835, naturfarbene Manilastrohborte, gel-bes gestreiftes Taftband, 23, Ø 20, Lit.: AK, Von Kopf bis Hut, München 1984, Nr. 86; 30/1966

Haubenhut mit Bandgarnierung, seitlicher Schleifentuff, am Hinterkopf Volant mit Stroh-besatz, Bindeschleife.

4.18.44 Schute mit Bandgarnierung

um 1830–35, graubeiger Karton in Strohbor-tenprägung, gemustertes graues Seidenband, 29, Ø 33; 63/7586

4.18.45 Mädchenschute ∗

um 1840, cremefarbene geblümte Baumwolle, rosa Pougéeseide, Taftband, 27, Ø 24, Lit.: AK, Von Kopf bis Hut, München 1984, Nr. 87; T 80/51

Haubenhut mit flachem Hinterkopf, um den Rand und über der Stirn Seidenrüsche. Seiden-futter in gelegten Falten. Seidenband als Gar-nierung, Bindeschleife.

4.18.42

4.18.43

4.18.45

4.18.46 Mädchenschute

um 1850, dunkelblaue Pougéeseide, Seiden-band, blauweiße Posamentenschnur, 18, Ø 14, Lit.: AK, Von Kopf bis Hut, München 1984, Nr. 89; 65/254

Haubenhut, Fasson über Draht gearbeitet und gereiht, Bandgarnierung und Volant am Hin-terkopf, Kanten und Schnurbesatz, Binde-schleife.

4.18.47 Mädchenhaube

Anfang 19. Jahrhundert, hellblaue Seide, Rips-band, weiße Stiftperlen, Stickerei, 19 × 18, Lit.: AK, Von Kopf bis Hut, München 1984, Nr. 3; 28/1291

Um den vorderen Rand Rosenrüsche mit Bin-deschleife, rückseitig kleine Schleife. Weiße Ornamente und Blütenranken in Stielstich, Plattstich, aufgenähter Schnur und Stiftperlen.

4.18.48 Mädchenhaube

um 1840/50, weißer Baumwollmull, Stielstich, Plattstich, Knötchenstich, Hohlsaum, 21 × 18, Lit.: AK, Von Kopf bis Hut, München 1984, Nr. 5; 31/242

Schlafhaube mit angereihtem Hinterkopf, unterer Rand mit Schnurdurchzug. Gestickte Blätter, Blüten und Ranken.

4.18.49 Schlafhaube

um 1840/50, weißer Baumwollmull, Stielstich, Plattstich, Languetten, Hohlsaum, 22 × 16, Lit.: AK, Von Kopf bis Hut, München 1984, Nr. 6; 31/243

Vordere Kante in Zackenform, am Hinterkopf angesetzte Rüsche mit gezackter Kante. Gestickte Blätter, Blüten und Ranken.

4.18.50 Frauenhaube

um 1830/40, cremefarbene Seide, Tüllspitze, Posamentenborte, Pailletten, Bouillon- und bunte Seidengarnstickerei, 19 × 16, Lit.: AK, Von Kopf bis Hut, München 1984, Nr. 4; T 83/473

Flachrundes Häubchen, seitlich leicht eingehalten, mit Bindeschleife. Kanten und Außennähte mit Borte und Spitze besetzt. Stickerei Blütenranken und Blätter.

4.18.51 Schute mit kleinem Halsteil

um 1850, blauer Seidenrips, blau-rotes Seidenband, 32, Lit.: AK, Von Kopf bis Hut, München 1984, Nr. 90; 31/237

4.18.52 Mädchenschute mit Rüschen am Hinterkopf

um 1850, grüne Pougéeseide, 20; Ø 20, Lit.: AK, Von Kopf bis Hut, München 1984, Nr. 91; 34/20

4.18.53 Herrenhausrock, 2reihiger Verschluß

Baumwolle rot/beige gestreift; 61/86

4.18.54 Herrenfrack aus dem Besitz Ferdinand von Millers

um 1840, Schwarzes Tuch, Seidenfutter, MStM

4.18.55 Faltzylinder

Hutfabrik Mathias Neukäufler, München, um 1815, schwarzer Haarfilz, 25 × 33 (gefaltet), Lit.: AK, Von Kopf bis Hut, München 1984, Nr. 37; XII/354

Nach oben verbreiterte Form. Krempe und Kopf mit Längsfalte zum flach zusammenklappen. Im Kopf Firmenschild mit Darstellung von Löwen, Wappen und Hüten sowie dem Hinweis »Wasserdichte Hüte«.

4.18.56 Flechtzylinder *

um 1820, Peddigrohr, beigefarbenes Roßhaar, 20, Ø 36, Lit.: AK, Von Kopf bis Hut, München 1984, Nr. 38; XII/13

Nach oben verbreiterte Form mit konkaven Seiten. Unterseite der Krempe mit grüner gefälteter Baumwolle besetzt. Nach Angaben des Vorbesitzers getragen von König Max I. von Bayern.

4.18.57 Herrenmütze

um 1840, dunkelgrünes Tuch, schwarz gelackte Pappe, schwarze Posamente, 7, Ø 24 (mit Schild), Lit.: AK, Von Kopf bis Hut, München 1984, Nr. 356; XII/353

Locker verarbeiteter Kopf aus sternförmig zusammengesetzten kleinen Stoffteilen. Über dem Steg eingehalten, rechts zwei Posamentenquasten, am Steg schwarze Borte. Stirnschild.

4.18.58 Beamtendegen aus der Zeit König Ludwig I.

Johann Strobelberger, München, um 1830, Bronze feuervergoldet, Perlmuttgriff, Lederscheide mit vergoldetem Bronzebeschlag, 87; 34/11/93 (wohl zu Uniform 34/11/93)

Auf dem Perlmuttgriff Strahlenkranz mit Ludwigsmonogramm und Königskrone; Akanthus-, Muschel-, Groteskenornamente und Motiv des bayerischen Löwen. Quaste mit Max I. Monogramm.

4.18.59 Beamtendegen aus der Zeit König Max I. Joseph

München, um 1815, vergoldete Bronze, Perlmuttgriff, Lederscheide mit vergoldetem Bronzebeschlag, 95; 40/565

Auf dem Perlmuttgriff Chiffre Max I. Joseph; antiker Kriegskopf als oberer Abschluß; groteskes Akanthus-Dekor und Motiv des bayerischen Löwen. Quasten mit Chiffre König Ludwigs I.

4.18.60 Herrenstock mit Silberknauf

1. Hälfte 19. Jahrhundert, Spanisch Rohr, Silber, 78,5; T 87/42

4.18.61 Herrenstock mit rundem Achatknauf

1. Hälfte 19. Jahrhundert, Haselnuß, Achat, Eisenzwinge, 89,5; T 87/43

4.18.62 Spazierstock mit geschnitzter Figur eines Cellisten *

1835, bez. auf der Unterseite des Knaufs: Münchner Kindl / 1835, Haselnuß, Messingzwinge, 95; 37/57

4.18.56

4.18.63 Herrenstock mit Hornknauf und Quaste

1. Hälfte 19. Jahrhundert, Spanisch Rohr, Horn, 86; T 86/189

4.18.64 Herrenstock mit Elfenbeinknauf

1. Hälfte 19. Jahrhundert, Spanisch Rohr, Elfenbeinknauf, Messingzwinge, 87; A 73/680

4.18.65 Herrenstock mit Horngriff und Messingring

1. Hälfte 19. Jahrhundert, Spanisch Rohr, Hornknauf, Messingzwinge, 88,5; T 86/155

4.18.66 Herrenstock aus Korkeichenrinde und Steinnußknauf

1. Hälfte 19. Jahrhundert, Korkeichenrinde, Steinnuß, 91; T 86/190

4.18.67 Herrenstock mit gedrehtem Schlangenkörper und geschnitztem Kopf

1. Hälfte 19. Jahrhundert, wohl Haselnuß, Zwinge erneuert, 93; 49/113

4.18.62

4.18.68 Babykleidung und Mützchen

1. Hälfte 19. Jahrhundert, Baumwolle, Perl-strickerei, 61; 1130, 37/624, 37/1755j, 31/519

4.18.69 Mädchenkleid

um 1810, weißer Mull mit eingewebten, rosa Musterstreifen und mit eingestickten blau-gelben Blumen, vordere Länge: 118, Saumweite: 210, Lit.: Kind 1985, 61, Nr. 5; T 81/882

Einteiliges, ungefüttertes Kleid. Kurzes, glattes Mieder mit großem, halbrundem Ausschnitt.

4.18.70 Kinderkleid mit Puffärmel

um 1830–40, naturfarbene Seide, 70; 29/72

4.18.71 zweiteiliger Knabenanzug: Hose/Jacke

um 1820, weißer Baumwollrips; 36/2018

4.18.72 Münchner Stadt- oder Bürgerinnentracht *

um 1820–30, Kleid: Seide, Baumwolle; Riegel-haube: Silberlamée, Stoff mit Goldstickerei; Kropfband: Gold, Perlen, Lit.: Ritz, in: AK WB III/1, 1980, 326–33; Kind 1985, 48ff.; AK, Kopf bis Hut, München 1984, Nr. 180; Kleid: A 71/49; Riegelhaube 55/135; Kropfband A 74/487

Zur charakteristischen Münchner Bürgerin-nentracht gehört ein meist seidenes buntfarbe-nes, in rock- und jackenartiges Oberteil geson-dertes Gewand und ein mit einer Kette ge-schnürtes Mieder. Dazu wurde eine Halb-schürze sowie ein großes Halstuch als Einsatz im Ausschnitt, meist aus dünnem weißem Stoff getragen. Die Riegelhaube – eine Goldhaube für verheiratete Frauen, eine silberne für Mäd-chen und die blauschwarze als Trauerhaube und Witwenhaube – und die Kropfkette ver-vollständigten das Trachtenensemble. Kind schreibt zu dieser speziellen Münchner Mode-erscheinung:

»Die Trachtenkleider waren aufwendig gear-beitet und kostbar und wurden in dieser luxu-riösen Form genau wie die modischen Kleider nur von privilegierten Bürgerinnen angelegt. Ihre Trägerinnen zogen sie den modischen Kleidern nicht aus Kostengründen vor, son-dern weil sie sich mehr den regionalen Tradi-tionen verpflichtet fühlten.« (Kind, 1985, 52.)
I.H.

4.18.72

4.18.72

4.19 Weibliche Handarbeiten

4.19.1 Nähkorb mit durchbrochenem Pfeilfries *

um 1810, Ahorn/Eibe, 19; ⌀ 22; 69/445

4.19.2 Nähkörbchen

um 1820–30, Baumwolle, Perlstrickerei, 12; ⌀ 18; A 77/464

4.19.3 Nähkästchen mit Nadelkissen *

1830, Pappe, Perlenstrickerei, Seide, 10 × 18 × 7, MStM

Das Herz spricht: »Ach, wenn ich nur das Kißchen wär, wo sie die Nadeln steckt hinein! Und stäche sie mich noch so sehr, Ich wollte mich der Stiche freun.« (H. Heine, Buch der Lieder, Lyrisches Intermezzo Nr. 37).

4.19.4 Nähkästchen mit Strohintarsien

wohl Berchtesgaden, um 1845, Holz, Stroh, Seide, 11 × 24,5 × 16, Lit.: Bachmann 1985; A 82/59

Nähkästchen, aufklappbar, Deckel mit Rosen-/ Vogelmotiv, Seitenteile Schachbrettmuster, in-nen mit blauer Seide gefüttert. Inhalt: Hand-arbeitsutensilien und Schnürhaken.

4.19.7 Nähkästchen mit Nadelkissen und Tischhalterung

1. Hälfte 19. Jahrhundert, Holz, Stroh, mit Halterung ca. 20 × 6,3 × 3,5, Lit.: Bachmann, 1985;
A 70/147

4.19.8 Nähkästchen mit Nadelkissen und Tischhalterung *

wohl Berchtesgaden, 1. Hälfte 19. Jahrhundert, Holz, Stroh, Samt; mit Halterung 20 × 18,5 × 6,5; A 70/148

Nadelkissen, auf Kästchen montiert, am Tisch zu befestigen. Kästchen mit Strohintarsien beklebt – Kinderszene, Hahn und Rosenmuster.

4.19.9 Nähkästchen mit Nadelkissen und Tischhalterung

1. Hälfte 19. Jahrhundert, Holz, Stroh, Seide; mit Halterung ca. 29 × 14 × 6,5, Lit.: Bachmann 1985; 42/119

4.19.10 Nadelbüchse in Urnenform *

Süddeutschland, um 1835, Buchsbaum, gedrechselt, 12, ∅ 4,5; 59/270/2

4.19.11 Nadelbehälter

Bein, gedrechselt, 12,7; 59/867

4.19.1

4.19.3

4.19.5 Nähkästchen in Form eines Säulenstumpfes

1846, bez. am Boden: Verfertigt von Mich. Edel senr. Kunstdrechsler in München 1846., verschiedene Obsthölzer, Elfenbein, Papier, Stoff, 15,5 × 11,5 × 11; München, Ulrich Nefzger

Der zur Aufnahme von Nähutensilien hohle Säulenstumpf mit dunkel eingelegter »Kannelierung« trägt als Deckel ein Nadelkissen, das mit schwarz-violettem Seidenstoff bezogen ist. Die Plinthe enthält ein flaches, mit hellgrünem Papier ausgeschlagenes Schublädchen. Schubladenknauf und vier winzige linsenförmige Füße aus Elfenbein.
Michael Edel ist im Stadtadreßbuch von 1845 als Kunstdrechslermeister in der Landschaftsgasse 10, 2. Stock, nachweisbar.   B. K.

4.19.6 Nähkästchen mit Nadelkissen und Tischhalterung

1. Hälfte 19. Jahrhundert, bez. in Bleistift: Franz Vogel . . ., Nußbaum, Ahorn, Nadelkissen bestickt, Elfenbeinknöpfe, 16 × 11 × 8; 36/2359

4.19.8

4.19.12 Nadelbehälter

Bein, gedrechselt, 9,3; A 71/83

4.19.13 Nadelbehälter mit Strohintarsien verziert

frühes 19. Jahrhundert, Pappe, Stroh, 7,5 × 3, Lit.: Bachmann 1985; A 86/145

4.19.14 Verschiedene Nadelbehälter an Ketten

1. Hälfte 19. Jahrhundert, Silber, ca. 16; XI d/ 35, 31/107, 31/101, 31/112, 31/116

Nadelbehälter, die z.B. als Füllhörner, Anker, Schwäne und Tauben geformt waren, konnte an mit Haken versehenen Ketten am Gürtel der Handarbeiterin getragen werden. I.H.

4.19.15 Garnknäuelhalter

Eisendraht, ziseliert, 23,5; ∅ 7, 39/1008

Der Bügel des Garnknäuelhalters wurde am Handgelenk getragen, das Knäuel in das runde Körbchen gelegt, um das Stricken und Handarbeiten so zu erleichtern. I.H.

4.19.16 Vorlagen für Weißstickerei auf Schnupftuchecken und Klappkragen

Lithographie, 33,5 × 50; 63/3226/92 und 93

4.19.17 Verschiedene Stickvorlagen **

1. Hälfte 19. Jahrhundert, Lithographie, koloriert; A 78/542/2 und 5

4.19.18 Verschiedene Stickvorlagen

1. Hälfte 19. Jahrhundert, Lithographie, koloriert; A 78/523/5, 8, 35, 36, 39

4.19.19 Verschiedene Stickvorlagen für Ornamente, Tiere und Buchstaben

um 1830, Lithographie, zum Teil koloriert; 36/ 1319

Die Blätter wurden nachträglich aufgeklebt und gebunden.

4.19.20 Stickmustervorlage mit Rosen, Nelken und Blattwerk

bei F. Campe, Nürnberg, um 1820, Kupferstich, koloriert, 11 × 32; B 113/19 = 59/905/14

4.19.21 Stickmustertuch mit verschiedenen Bildmotiven und Buchstaben

1814, Leinen, Stickerei, 47 × 29,5; 67/228

4.19.22 Stickmustertuch von Anna Burger

1848, bez. u. Mitte: Im Jahre Christi 1848 von Anna Burger, Leinen, Stickerei, 40 × 39; 61/1137

4.19.23 Stickrahmen

um 1840, Holzrahmen mit Bespannung und angefangener Stickarbeit; MStM

4.19.24 Bestickte Bänder

1835, bez.: FG 1835, Seide, Leinen, Stickerei, 4,3 × 23,2/94; 36/1268

Die Bänder mit perlgestricktem oder gesticktem Mittelmotiv und seidenen Ansätzen zum Binden wurden wohl als Wäschebänder oder Strumpfbänder verwendet (vgl. AK 200 Jahre Mode, Wien 1976, Nr. 630, 637). I.H.

4.19.25 Bänder mit Rosenmotiven **

um 1840, Leinen, Seide, Stickerei, 3,6 × 27,6/ 64,5; 40/1305

4.19.26 Sortiment für Perlenstrickerei **

1. Hälfte 19. Jahrhundert, Pappe, Marmorpapier, Glas, Elfenbein, 11 × 31,3 × 24,2; MStM

In der ersten Hälfte des 19. Jahrhunderts war die Verarbeitung von Glasperlen äußerst populär. Die Glaskügelchen wurden zu den kompliziertesten Blumenmustern aus Rosengehängen und Laubkränzen gestrickt und gestickt. Zu Beginn jeder Arbeit mußten die Glasperlen entsprechend der Farbverteilung auf einem Vorlageblatt abgezählt und aufgefädelt werden. Die in allen Feinheitsgraden und Farbschattierungen hergestellten Stick- und Strickperlen wurden von der Böhmischen Glasindustrie geliefert. So übten die Damen des Bürgertums fleißig die verschiedensten Nadeltechniken und produzierten an Hand gedruckter kolorierter Vorlagen (vgl. Kat.Nr. 4.9.16–20) vielfältige Muster auf Tabaksbeuteln, Ridicules, Glockenzügen, Nähkörben, Geldkatzen und Bändern.

In den Darstellungen werden Freundschafts- und Liebesmotive bevorzugt. Naturalistisch schattierte Blumen, Rosen und Vergißmeinnicht, Füllhörner, Bogen und Köcher, Menschen- und Tierdarstellungen, Musikinstrumente und Landschaften waren beliebte Themen. I.H.

4.19.27 Blumenmuster in Perlstrickerei

Perlenstrickerei, 4,1 × 16,5, MStM

4.19.28 Band mit perlgestrickten Rosenmotiven **

rosa Seide, Perlenstrickerei, 5,4 × 15,5/70; XI a/75

4.19.29 Band mit perlgestricktem Blumenkorbmotiv **

Seide, Perlenstrickerei, 5,2 × 20,7/74, MStM

4.19.30 Brillenetui mit Blumenborten und Tierdarstellungen in Perlstrickerei

bez.: Jessen; Pappe, Perlstrickerei, 15 × 5 × 3, MStM

4.19.10

4.19.26

4.19.17

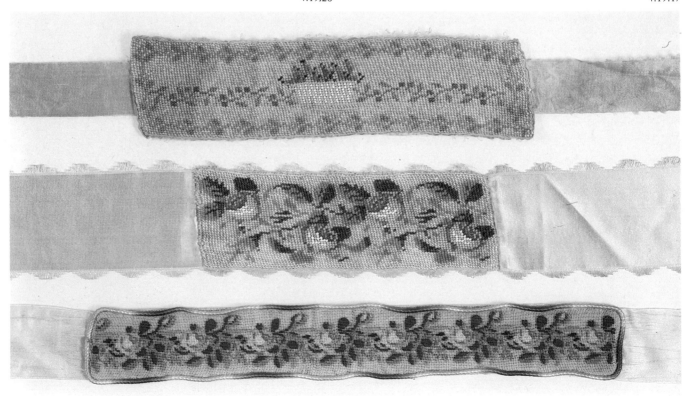

4.19.29, 4.19.28, 4.19.25

Das Herrenkabinett – im blauen Dunst

Bernhard Barth

»Das Rauchen macht dumm; es macht unfähig zum Denken und Dichten. Es ist auch nur für Müßiggänger, für Menschen, die Langeweile haben, die ein Dritteil des Lebens verschlafen, ein Dritteil mit Essen und Trinken und anderen notwendigen oder überflüssigen Dingen hinhudeln und alsdann nicht wissen, obgleich sie immer vita brevis sagen, was sie mit dem letzten Dritteil anfangen sollen. Für solche faule Türken ist der liebevolle Verkehr mit den Pfeifen und der behagliche Anblick der Dampfwolken, die sie in die Luft blasen, eine geistvolle Unterhaltung, weil sie ihnen über die Stunden hinweghilft«.

Unbeirrt von Goethes Verdikt widmete sich die Männerwelt des Biedermeier dem Tabakgenuß, und es scheint, daß der ›blaue Dunst‹ für sie untrennbar mit dem Kult der häuslichen Behaglichkeit verbunden war. Seit dem zweiten Jahrzehnt des Jahrhunderts hatte die Mode des Rauchens bei den Biedermännern aller Schichten einen außerordentlichen Aufschwung genommen, und wie wenige Gegenstände des täglichen Lebens konnte so gerade die langstielige Pfeife zu einem Symbol dieser Epoche werden.

Das Rauchen erfreute sich bald allgemeiner Beliebtheit, welche sich auch in Veröffentlichungen wie Friedrich Sternbergs ›Knasterkopfs Annehmlichkeiten und Freuden‹ (1834), einem Tabakbrevier und ›notwendigen und höchst nützlichen Taschenbuch für jeden Tabakraucher, dem seine Gesundheit lieb ist und der eine angenehme Unterhaltung wünscht‹ manifestiert oder in Moritz von Schwinds ›Album für Raucher und Trinker‹ (1844), das die Freuden des Rauchens an die Seite jener Tafel stellt und ironisch idealisiert. Indem das Rauchen sich einen festen Platz unter den männlichen Vergnügungen erworben hatte, beanspruchte es nun auch einen eigenen Raum im gesellschaftlichen, vor allem aber im häuslichen Leben. Die Pfeife wurde in Gaststätten zunehmend häufiger gesehen und eine eigene und neue Art von Gastwirtschaft verdankt dem Rauchen ihre Entstehung – die sogenannten ›Tabagien‹, in denen sich vor den Toren der Städte die kleinen Leute bei Tabak und Bier versammelten. Vor allem aber findet dieser Wandel seinen Ausdruck in den Wohnungen der Bürger, wo eigene Räume als Rauchzimmer eingerichtet werden, in denen Pfeifentische und Pfeifenschränke der Aufbewahrung der Rauchutensilien dienen. Hierhin ziehen sich die Herren zum Rauchen zurück – eine Neuerung in den gesellschaftlichen Gepflogenheiten, die sich etwas später in der Erfindung des Smoking manifestieren wird, der den Frack für die Zeit des Aufenthalts im Rauchzimmer ersetzen soll.

Die zeitgenössischen Darstellungen legen den Gedanken nahe, daß schon den Menschen des Biedermeier die Pfeife als ein Ausdruck ihrer Sehnsucht nach häuslicher Bequemlichkeit und Idylle erschienen sein muß. Als Requisit des täglichen Lebens bot sie willkommenen Anlaß für alle Arten der Ausgestaltung und Dekoration – und damit ein Feld der kunsthandwerklichen Betätigung par excellence. Die Pfeife des Biedermeier ist die zwei- oder dreiteilige Gesteckpfeife, die die ältere Tonpfeife ablöste; sie bestand meist aus einem Mundstück aus Horn, einem hölzernen Rohr und einem Kopf aus Meerschaum oder noch häufiger aus Porzellan, später auch aus Holz. Zu ihrer Dekoration wurden alle erdenklichen Materialien verwendet; Beschläge und Deckel aus Messing oder Silber wurden ebenso angebracht wie in hausfraulicher Handarbeit hergestellte Perlenstickereien zur Verkleidung der Pfeifenrohre. Besonders die Prozellanpfeife wurde zu dem dominierenden Typus der Zeit, da sie durch die Möglichkeit feiner Bemalung und Beschriftung unendliche Variationen der Gestaltung und Dekoration erlaubte.

So war die Pfeife auch geeignet, je nach der Üppigkeit ihrer Verzierung und nach den Motiven ihrer Bemalung Zeugnis von den Vorlieben und dem Wohlstand ihrer Besitzer zu geben. Pfeifen waren mit allen erdenklichen Motiven bemalt – mit Stadtveduten und Landschaften, Kopien nach alten Meistern oder mit Scenen aus dem täglichen Leben; ebenso aber auch mit patriotischen Motiven oder mit den Portraits von Feldherren und Herrschern zum Ausdruck der politischen Gesinnung ihrer Besitzer – oder mit erotischen Scenen zur ›picanten‹ Belustigung der Raucher. Pfeifen wurden als Freundschafts- und Liebesgeschenke ausgetauscht und mit persönlichen Widmungen versehen. Auf Grund ihres vielfältigen ästhetischen und materiellen Reizes waren sie auch in besonderer Weise dazu geeignet, zum Gegenstand der biedermeierlichen Sammelleidenschaft zu werden. Der zur gleichen Zeit entstehende Tourismus machte sie zu einem beliebten Souvenir, das man, mit der Darstellung der besuchten Stadt oder einer landestypischen Scene geschmückt, als Reiseandenken mit nach Hause nahm.

Pfeifen waren in allen Bevölkerungsschichten verbreitet und so gab es bald auch solche für alle Berufsstände, dekoriert mit charakteristischen Motiven aus der Tätigkeit der Handwerker oder Richter, der Fuhrleute, Jäger oder Studenten. Sie wurden dadurch auch zu Standes- und Gruppenzeichen, die dazu dienten, die Gesinnung ihrer Besitzer und ihre Zugehörigkeit zu Vereinen und zu gesellschaftlichen Gruppen zu demonstrieren. Ein besonderes Phänomen innerhalb dieser Pfeifengattung bilden die Pfeifen der Studenten; da bei dieser Gruppe das Rauchen sich größter Beliebtheit erfreute, gehörte die Pfeife bald zur obligatorischen Ausrüstung eines Burschenschafters, dienten ihre Bemalung und farbigen Quasten doch auch dazu, dessen Corpszugehörigkeit zu erkennen zu geben.

So, wie der Gegensatz zwischen der Welt des Privaten und der Öffentlichkeit die gesamten Ausdrucksformen des Biedermeier durchzieht, kennzeichnet er auch die Praxis des Rauchens; war es auf der einen Seite ein Ausdruck häuslicher Gemütlichkeit, so konnte es auf der anderen, angesichts des Verbots öffentlichen Rauchens, zu einer Demonstration des Widerstands und des Protests werden. Dieser Aspekt ist vor allem für die Tradition des studentischen Rauchens zu erwähnen, in dem dieser Beigeschmack von Opposition weiterlebte, den es in den Zeiten der Konstitution der Burschenschaften gewonnen hatte.

Mit dem Biedermeier hat sich das Rauchen als ein fester Bestandteil der gesellschaftlichen Vergnügungen etabliert und wird von nun an nicht mehr aus dem Repertoire des sozialen Verhaltens wegzudenken sein. So wird das Biedermeier auch zu der Epoche, in der das erste Rauchertheater eröffnet (1816) und die Raucherabteile mit Aschenbechern in den Königlich Bayerischen Eisenbahnen eingeführt wurden (1844); jedoch erst die Märzrevolution von 1848 sollte das Recht bringen, auch auf der Straße zu rauchen. Für ein weiteres Jahrhundert allerdings wird das Rauchen eine Domäne der Männerwelt bleiben – eine Tatsache, die durch den Skandal, den George Sands Zigarren machen sollten, nur bestätigt wird.

4.20 Rauchutensilien

4.20.1 Vom Rauchen und Trinken *

Moritz von Schwind (Wien 1804–1871 München), München 1832–1834, Radierungen, 17 × 11,5, Lit.: Libert, 1984, 74ff. (Abb.); Künstlers Erdenwallen, 9; Almanach von Radierungen von Moritz von Schwind, hg. v. O. E. Deutsch, München 1920; MII 3120

Moritz von Schwind war 1828 aus Wien nach München übersiedelt. 1832 bis 1834 führte er seinen ersten größeren Auftrag in München aus und beschäftigte sich mit der Ausmalung der Bibliothekszimmer der Königin Therese in den neuen Räumen der Residenz. In der gleichen Zeit schuf der passionierte Raucher diese Radierungen, die erst zehn Jahre später als Almanach in Zürich erschienen. Dabei wurden die einzelnen Bildchen jeweils von vierzeiligen Strophen Ernst von Feuchterslebens, einem Freund Schwinds, kommentiert.
Die Radierungen dienten auch als Vorlagenblätter für Pfeifenschnitzer. Solch kunstvoll geschnitzte Pfeifen entstanden aus Meerschaum oder auch aus Buchsbaumholz und waren begehrte Sammlerobjekte (vgl. Kat.Nr. 4.20.2).
U. L.

4.20.2 Pfeifenkopf mit Schläfern um eine Ofenbank *

nach Motiven von Moritz von Schwind (Wien 1804–1871 München), süddeutsch, um 1848, Birkenmaser, Silbermontierung, 8,5, Privatbesitz

In Grundmotiv der Bilderfindung entspricht der geschnitzte Pfeifenkopf einer Illustration, die Moritz von Schwind als Album 1844 herausgab (vgl. Kat.Nr. 4.20.1).

4.20.3 Pfeife eines Arztes mit Relief des Aesculap, Gott der Heilkunst

um 1815, bez.: »AESCULA«; Garantiemarke 13; Marke: 3 Türme in gotischem Schild; Kopf: Porzellan mit Patérelief, Biskuit, Montierung: Silber, Stiel: Kirschholz, Horn, japanische Fruchtkerne, 27; 61/464

4.20.4 Pfeife mit Engelskopf

um 1820, Kopf: weißes Porzellan, Messingmontierung mit Engelskopf (Relief); Stiel: Horn, Zwetschge, 33; A 74/422

Pfeifenkopf mit Riefelung; im Deckel Relief mit Engelskopf nach Raphaels Sixtinischer Madonna.
H. O.

4.20.5 Pfeife mit Insektenmotiven, wie Hummel, Maikäfer, Fliege, Marienkäfer, auf rötlichem Fond

Leonhard Geiser (Nürnberg 1776–1830), Nürnberg; wohl Porzellan aus Ansbach-Bruckberg, um 1820, Kopf: bemaltes Porzellan, vergoldet, feuervergoldete Silbermontur (Vermail) Stiel: Ebenholz, Horn, 24,2, Lit.: AK WB III/2, 1980, Nr. 979; 61/551

4.20.6 Tabaksdose mit Porträt des Insektenmalers Leonhard Geiser und Darstellungen von Insekten auf dem Deckel, auf dem Boden spöttische Szenen *

um 1840, bez.: »Leonhard Gaiser«; rückseitig: »Leonhard Gaiser/geb. zu Nürnberg den 8. Febr. 1776, im Zeichen des Wassermanns, studierte in den vorzüglichsten Bierinstituten daselbst. Zeichnete sich aus: Erstens als 24jähriger Liebhaber durch Treue; Zweitens als Volontair und . . . . bekannt durch Propprietait und Pünktlichkeit und lebt als . . . Insectenmaler in der . . . Gasse zu Nürnberg«. Auf dem Deckel neben dem Porträt Darstellungen von Insekten, auf dem Boden spöttische Szenen. Gedrechseltes Birnbaumholz, schwarz gebeizt, Deckel und Boden gelackte Lithographie, Loch im Boden, ⌀ 7,1, o.Nr.

Bereits in Naglers Künstler-Lexicon vom Jahre 1837 steht über Johann Leonhard Geiser: »Porzellanmaler zu Nürnberg, malte anfangs sogenannte Türkenbecher, späterhin zeichnete er sich aber vorzüglich als Insektenmaler aus. Solche Thiere brachte er auf Pfeifenköpfe an, so naturgetreu, dass sie zu leben schienen, nämlich Teufelspferde, Maikäfer, Hummel etc. Geiser hatte viele Bestellungen; allein seine Liebe zum Trunke liess es nicht zu, dass er früher den Pinsel ergriff, als die letzten Tage der Woche, so wie ihn überhaupt nur die Noth zum Malen zwang. Seine Werke sind daher nicht zahlreich, viele wurden zerbrochen. Dieser sonderbare Mann starb 1829 (?) in Armuth. Er hinterliess nichts als einen zerbrochenen Sessel, einen grauen Rock und etliche Pinsel.« Allerdings

4.20.1

4.20.2

4.20.6

4.20.1

sind weit mehr Nachahmungen als echte Geiser-Pfeifen erhalten. Die sklavische Wiederholung von immer gleichen Insekten ist in unterschiedlicher Qualität überliefert. Nach einer nicht stichhaltigen Überlieferung soll er seine Pfeifenköpfe mit einer Laus »signiert« haben. Seine untugendsame Lebensweise ist auf Tabaksdosen in mehreren Bildszenen mit spöttischem Begleittext festgehalten.

Nach einer Radierung von C. Wießner ist der 44jährige Insektenmaler mit verlebtem Gesicht, zugeknöpftem Rock und charakteristischer Schirmmütze dargestellt. Er wohnte in der Schlotfegergasse Nr. 3. Die Todesanzeige lautete: »Johann Leonhard Geiser, geb. den 8. Febr. 1776, gest. den 12. April 1830. Den 12. April morgens 9 Uhr schlug für unseren lieben Bruder, Schwager und Oheim, . . . rühmlichst bekannten Porzellan-Maler dahier, die letzte Stunde des Lebens . . . Sein Andenken wird bei uns und bei seinen Freunden nicht erlöschen . . .«   W. M.

4.20.7 Pfeife mit verschiedenen Insekten, darunter Libelle, Grashüpfer, Spinne, Maikäfer etc.

Leonhard Geiser zuzuschreiben (Nürnberg 1776–1830), wohl Nürnberg, 1820, Kopf: bemaltes Porzellan, Stiel: Weichselholz und Horn, 55; 52/399

4.20.8 Pfeife mit verschiedenen Insekten wie Libelle, Fliege, Hummel, Maikäfer, Spinne, auf rötlichem Fond

Leonhard Geiser zuzuschreiben (Nürnberg 1776–1830), Nürnberg, um 1820, Kopf: Porzellan, Silbermontur, Stiel: Palisander, Intarsien, Perlmutt, 29,5; 61/554

4.20.9 Pfeife mit verschiedenen Insekten, darunter Maikäfer, Fliege, Schmetterlinge, Hummel

in der Art des Leonhard Geiser (Nürnberg 1776–1830), wohl Nürnberg, um 1820, Kopf: Porzellan, Silbermontierung, Stiel: Horn, vergoldetes Kupfer, reliefiert, 32,5; 61/547

4.20.10 Pfeifenkopf mit verschiedenen Insekten, darunter verschiedene Fliegensorten, Maikäfer, Nachtfalter * *

im Stil von Leonhard Geiser (Nürnberg 1776–1830), wohl Nürnberg, um 1840, bez.: Silber-Meisterzeichen »H«; Garantiemarke »12«, Porzellan, Silbermontierung, Zinnreparatur, 11,5; 61/544

4.20.11 Kopf einer Pfeife »Die schöne Münchnerin«

nach einem Motiv von Carl Engel (Londorf [Oberhessen] 1817–1870 Rödelheim), München, um 1840, Porzellan, Montierung Kupfer versilbert, 11,5, 31/510

Münchner Mädchen mit silberner Riegelhaube und Kropfkette bei Bier und Rettich im Englischen Garten. Im Hintergrund die Türme der Frauenkirche. Das Mädchen trägt ein rotes Kleid und ein blaues Schultertuch. Es ist die Variante einer Lithographie mit nur einem Mädchen statt der ursprünglichen zwei nach Carl Engel (1817–1870), der von 1836–1840 in München ansässig war (vgl. Kat.Nr. 4.10.12; 4.20.13; 5.1.190; 5.1.191 mit Wiederholungen des Motivs). Die Originalzeichnung befindet sich in der Maillinger-Sammlung II, Nr. 2514 (eine Lithographie nach Engel von H. Kohler ebd.; M II/2516).

Ein entsprechendes Gemälde von Engel gehörte in der Mitte des 19. Jahrhunderts Graf Arco.   H. O.

4.20.12 Pfeifenkopf mit der »schönen Münchnerin« * *

nach einem Motiv von Carl Engel (Londorf [Oberhessen] 1817–1870 Rödelheim), München, um 1840, bemaltes Porzellan, Montierung: Silber; Stiel: Palisander, Horn, Ebenholz, 39; 62/669

Das äußerst populäre Motiv der beiden Münchner Bürgermädchen, das von Carl Engel zuerst gezeichnet wurde (M II/2514), findet sich ebenso in der Lithographie von Friedrich Kaiser »Münchner Volksleben – Der Chinesische Thurm« (vgl. Kat.Nr. 4.5.7). Häufig wurde anstatt des Mädchenpaares, wie es hier auf dem Pfeifenkopf erscheint, nur eine der beiden Figuren dargestellt (vgl. Kat.Nr. 4.20.11; 4.20.13; 5.1.190; 5.1.191).   H. O.

4.20.13 Pfeifenkopf mit Mädchenporträt in Münchner Tracht mit silberner Riegelhaube *

nach einem Motiv von Carl Engel (Londorf [Oberhessen] 1817–1870 Rödelheim), München, 1840, Porzellan, bemalt, 13,3; 61/4039

Vgl. Kat.Nr. 4.20.11, 4.20.12, Kat.Nr. 5.1.190, Kat.Nr. 5.1.191

4.20.14 Pfeife mit einem Tiroler Mädchen *

nach einem Motiv von Gottlieb Bodmer (Hombrechlikon 1804–1837 München), wohl Manufaktur Nymphenburg, um 1830, Porzellan, bemalt; Stiel: Horn, perlverziert, 43, Lit.: Staudinger, 1984, 69, Nr. 26; Nagler, 1860, Bd. 2,20; 61/470

Die Pfeife zeigt die Darstellung »Tiroler Mädchen« von Gottlieb Bodmer, das in den Fürst Thurn- und Taxis Kunstsammlungen in Regensburg erhalten ist. Es zeigt eine Tirolerin aus dem Innsbrucker Raum im Sonntagsstaat. Nach Nagler entstand das Gemälde 1827 in Kreuth am Tegernsee.   H. O.

4.20.15 Pfeifenkopf mit pfeiferauchendem Mann in Tiroler Tracht in weinumwachsenem Fenster * *

1840, eingemarkte Nummer auf der Schnurbefestigung: 8; blaue Bleimarkierung, Porzellan, bemalt, 12,5; 61/467

4.20.16 Pfeife mit Mädchen in Bäckerladen * *

um 1840, Marke auf dem Fuß; Nummer auf der Schnurbefestigung: 8, Porzellan, bemalt, Neusilbermontierung, 14; 35/918

4.20.17 Pfeife mit Familienszene – »Der Brief«

um 1840, Kopf: Porzellan mit versilberter Messingblechmontur; Stiel: Weichselholz, versilbertes Messingblech, schwarzes Horn, 37,1; Kopfhöhe: 20,4; 61/543

4.20.18 Pfeife mit Heimfahrt vom Wirtshaus * *

nach einem Motiv von Heinrich Marr (Hamburg 1807–1871 München), wohl München, um 1840, Porzellan bemalt; Horn; Silber und Neusilber, 31; 61/582

Das Sujet entspricht einer Lithographie von J. Bergmann nach einem Gemälde von H. Marr, datiert 1835 (MStM M II/2484). (Dasselbe Motiv auf der Pfeife 39/662). H.O.

4.20.14

4.20.14

4.20.13

4.20.19 Meerschaumpfeife

Kopf: Meerschaum, Silber; Stiel: Weichsel, Horn, Silber, Seidenschnur, 1950

An einen Meerschaumkopf

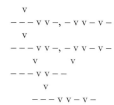

Sohn vom Schaume des Meers, lieblich
  gebräunter Kopf,
Mit der Pflanze gefüllt, welche Tabago nährt;
Dieses Band sei geweiht dir,
Das mit rosigen Wellen spielt,

Auf jungfräulicher Brust schneeigen Glanz
  einmal
Sanft zu röten. Umsonst! weil der bewunderte
Festschmuck dir am gehöhlten
Ebenholze verdient zu wehn.

Du, des Freundes Geschenk, tröstest die
  Einsamkeit
Unmutschauernder Herbstabende; du
  verströmst,
Gleich dem pythischen Dreifuß,
Oftmals Dampf der Begeisterung.

Nach Jahrhunderten wird, Herrlicher, dein
  gedacht;
Denn ich singe das Rohr, samt dem
  Medusenhaupt,
Dem aus silbernem Rachen
Balsamduftender Rauch entwallt.

Johann Heinrich Voss

4.20.20 Pfeifenkopf als Karikaturkopf mit Säufernase *

Meerschaum mit Silbermontierung, 9, Privatbesitz

4.20.21 Geschnitzte Meerschaumpfeife mit Tuchgirlande

um 1810, Garantie-Stempel 14 im Quadrat, Kopf: geschnitzter Meerschaum, Montur: Silber, Stiel: Weichsel, Horn, weißblaue Seidenschnur mit Troddeln, 62; A 79/277

4.20.22 Schwarzgefärbte Meerschaumpfeife mit Todes- u. Ewigkeitssymbolen: Schlange, Pyramide, Totenkopf, Sphinx, Schmetterling

um 1810, Kopf: schwarzgefärbter Meerschaum, versilberte Kupfermontur; Stiel: Weichsel, schwarzes Horn; schwarze Seidenschnur, 50; 70/290

4.20.23 Pfeifenkopf mit Husaren und ihren Mädchen *

um 1810, Meerschaumpfeife, Silbermontierung, 13,5, Privatbesitz

4.20.24 Pfeife mit Jagdutensilien *

um 1830, Meerschaum, Bernstein, 21,5, Privatbesitz

4.20.25 Geschnitzte Meerschaumpfeife mit Intarsien aus Perlmutt

wohl 1830, Kopf: Meerschaum, Montur: Silber, Stiel: Palisander, Intarsien Perlmutt u. Messingdraht, Horn, Kette, 32; A 74/381

4.20.26 Pfeife mit Guckkastenszene über Rocaillen *

wohl Wien, um 1800, bez.: Meistermarke F in Raute, Buchsbaum, Silbermontierung, 11,5, Privatbesitz

Hinter der Klappe des Guckkasten verbirgt sich ein Mann, der die Hose herunterläßt und sich in Form einer goldenen Spirale erleichtert. Neben dem Guckkasten steht der Schausteller und das zahlende Publikum, zum Teil in Tiroler Tracht. H.O.

4.20.16

4.20.15

4.20.10

4.20.12

4.20.18

4.20.20

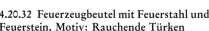

4.20.23

4.20.27 Pfeifenkopf mit Reiter vor einer Ruine *

um 1815, Nußbaum, 11, Privatbesitz

4.20.28 Pfeife aus Birkenholz mit Merkurdarstellung und silbernem Deckel in Form eines antiken Helmes, vorne Monogramm LCM

um 1815, bez. Garantiestempel: 12 im Herz; legiertes HM im quergelagerten Rechteck, Birkenholz geschnitzt, Silbermontierung; Stiel: wohl nicht zugehörig oder ergänzt, Horn, 28; 61/413

4.20.29 Tabaksbeutel mit stilisiertem Blumenkorbmotiv *

eingestrickte (?) bunte Glasperlen, Brokathäkelei, Seidenschnur, Innenfutter Baumwolle, 19,5; 61/773

4.20.30 Tabaksbeutel mit naturalistischem Blumenkranz *

um 1830, Perlstrickerei mit verschiedenfarbigen Glasperlen, Fond: Opalglas (Fransenbehang aufgelöst und schadhaft) gehäkelte Seidenschnur und Borte, Innenfutter Wildleder, 24; 64/1015

4.20.31 Tabaksbeutel mit rauchender Chinesenfamilie *

um 1830, Perlstrickerei mit bunten Glasperlen, Innenfutter: Leinen, Taftbesatz, 11,5; 29/74

4.20.32 Feuerzeugbeutel mit Feuerstahl und Feuerstein, Motiv: Rauchende Türken

um 1830, Seidenstickerei auf Leinen, Innenfutter Taft, geätzter Stahlbügel, 6,5 × 6,5; 70/312,1

4.20.33 Tabakschachtel mit Darstellung eines Jägers mit Hunden und erlegtem Wild, im Sonnenuntergang in einer Flußlandschaft *

um 1820/30, gelacktes Blech, Deckel bemalt, 2,2 × 13,5 × 8,7; 17 119(1)

4.20.34 Tabakschachtel mit Reliefansicht des Münchner Siegestores und Eichenornamenten

1850, »Siegestor in München«, über Masse geformte Birkenrinde, 3 × 9,7 × 4,2; 40/38

4.20.35 Tabakdose auf vier Löwentatzen

französisch, um 1840, schwarzlackiertes Weißblech mit goldenem Druckdekor, Zinkguß mit Ölvergoldung (Tatzen), 17 × 17 × 13,5; 33/682

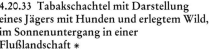

4.20.26

4.20.27

4.20.24

Die Grundform entspricht einem antiken Cippus, der Ascheurne der Römer. Im Inneren befindet sich eine Bleiplatte mit Griff, um den Tabak niederzudrücken, oben auf dem Deckel ein Zündholzbehälter mit Reibefläche. Die Friese sind mit Weinblattdekor verziert, auf den Breitseiten sieht man in lithographischem Umdruckverfahren Szenen aus dem Jägerleben, auf den Schmalseiten sind italienische Briganten dargestellt. H.O.

4.20.36 Zigarrenetui mit der Darstellung einer Königin in spanischer Tracht und zwei Hofdamen, die ihr Schmuck anlegen

1. Hälfte 19. Jahrhundert, Blech, bemalt, 12,9 × 7,9 × 1,5; A 83/315,2

4.20.37 Zigarrenspitze mit Liebespaar *

wohl Wien, um 1840, Meerschaum, Bernsteinspitze, 15,5, Privatbesitz

Über einer Rocaillekonsole auf einer Steinbank sich küssendes Liebespaar, das von Amor belauscht wird. Schöne Kostümdarstellung von Kleid und Frack und detaillierte Wiedergabe des Laubwerks.

4.20.38 Pfeifenkopfetui

um 1815, rotgefärbtes, goldgeprägtes Ziegenleder (Maroquin). Innenfutter Wollstoff, 14,7; Ø 5,7; 34/3

4.20.39 Intarsierter Pfeifenständer

wohl München, um 1835, Nußbaum massiv, Einlagen Ahorn, Blindholz: Fichte, 8 × 48 × 20,5; 61/408

Flacher Kasten mit Schubfach, auf gedoppeltem Fries mit einer Reihe von acht ausgesägten Ovalen, davor eine Rille, die rückwärtige Hälfte mit eingelegten Arabesken verziert.
Der Fries ist von einem aufklappbaren Rahmen aus Vierkantstäben umschlossen; an der Innenseite des Querstabes acht halbrunde Einkerbungen und acht Metallhaken. Zu Technik und Stil vgl. Kat.Nr. 10.1.21 H.O.

4.20.40 Gefäß zur Aufbewahrung von Kienspänen mit Blumen und Pflanzenornamenten in Perlstickerei *

Süddeutschland, um 1830, Fuß: Spiegel, Papier; Zylinderform mit aufgestickten Glasperlen, mit Papier ausgekleidet, Goldprägeborten, 14; Ø 6,5; A 78/480

4.20.41 Feuerzeug, bestehend aus Feuerstein und Feuerstahl

um 1840; 37/1741

4.20.29

4.20.30
4.20.31

4.20.37

4.20.33

4.20.40

431

4.21 Arbeiten aus verschiedenen Materialien

4.21.1 Obstmesserständer

Süddeutschland, Alabaster, Perlstickerei, Messing, 20, Standfuß: ⌀ 8,5; A 86/141

Alabasterständer für 6 Obstmesser. Fuß des Ständers mit Perlstickerei umlegt. Messingmontierung an Ständer und Messerhalterung.

4.21.2 Kunstblumenstrauß in Spiegelrahmen

um 1835, Baumwolle, Papier, Gräser, Spiegelglas, 41,5 × 46 × 5; 35/2181

Kunstblumenstrauß in Körbchen, aufgelegt auf Spiegel. Körbchen auf Moosboden, aus braunem Samt und Goldprägepapier, darin Blumenstrauß aus Rosen, Vergißmeinnicht, Maiglöckchen, Kornblume, Wicke und Gräsern. Spiegel getieft mit Goldprägepapierrahmen. Ehemals Wittelsbacher-Besitz und zwar aus dem Wittelsbacher Palais.

4.21.3 Blumenbukett in Kratervase unter Glassturz

um 1840, Gipsvase, Papier und Baumwollblumen, Glas, 39; ⌀ 21; A 86/133

Blumengesteck aus Efeu, Rosen, Winden, Maiglöckchen und Frühlingsblüten in Vase, auf Holzsockel gestellt, darüber der Glassturz.

4.21.4 Schatulle

Strohintarsien, Pappe; innen: blau/weißes Rautenpapier, 6 × 12,8 × 9; 35/1019

4.21.5 Schmuckschatulle

wohl Berchtesgaden, 1. Hälfte 19. Jahrhundert, Pappe, Stroh, 5,5 × 17,3 × 8,7, Lit.: Bachmann 1985; 35/1020

Schmuckschatulle, aufklappbar mit Fächereinteilung, mit Strohintarsien – Rosenmuster – beklebt.

4.21.6 Schmuckschatulle

1. Hälfte 19. Jahrhundert, Papier, Spiegel, kolorierte Lithographie, Glas, 2,5 × 8,7 × 6; 64/285

Schmuckschatulle aus hellblau bezogenem Karton, mit Gold- und Silberprägeborten, Deckel innen mit Spiegel, Oberseite mit kolorierter Lithographie – Fußgänger und Pferdegespann unter Glas.

4.21.7 Pappschatulle

um 1835, Pappe, rosa Papier, Spiegel, Goldmetallpapier, 4 × 14 × 9,1; A 70/107/1

Doppelstöckige Pappschatulle, mit hellblauem Prägepapier bezogen, mit Goldprägeborte umfaßt und dekoriert, mit rosa Papier gefüttert, im Deckel Spiegel.

4.21.8 Pappschachtel, wohl für Schreibutensilien und Schreibpapier

Süddeutschland, um 1840, Pappe, Marmorpapier (grau/gelb), 5 × 44,5 × 22; 31/224

4.21.9 Behälter für Schreibfedern

Süddeutschland, um 1840, Pappe, Marmorpapier, Stroh, 22; ⌀ 2,5; Lit.: Bachmann 1985; 63/8085

Behälter mit versch. farbigen Strohintarsien in Zick-Zack-Muster beklebt. Inhalt: 5 Federkiele, zugeschnitten.

4.21.10 Ovale Spanschachtel mit kolorierter Lithographie

um 1840, bez.: »Das Gespräch von Liebessachen kann uns viel Vergnügen machen«, Holz, Lithographie, 19,7 × 47 × 30; 58/147

Ovale Spanschachtel mit kolorierter Lithographie: 3 Frauen, wohl Münchnerinnen, mit Kind im Gespräch vor dem Garteneingang; seitlich mit Blumen auf blauem Grund bemalt.

4.21.11 Kerzenhalter

süddeutsch, um 1830, Ahorn gedrechselt, teilweise schwarz gebeizt, 35; ⌀ 16; XI/128

4.21.12 Spielkartenpresse *

Süddeutschland, um 1840, Mahagonifurnier mit Ahornfaden auf Buche, Seidenstickerei, Goldprägepapier, 17 × 23,5 × 12; XII-312

Presse, mit 2 Holzschrauben verstellbar, Oberteil mit Stickereieinlage – Landschaft –, Halbstich in Seide auf Seide, Rahmung – Prägeborte.

4.21.14

4.21.13 Vogelkäfig

um 1850, Nußbaum, 32,7 × 31,3 × 18,5; 48/59

4.21.14 Stiefelknecht *

Eichenholz, 56 × 14,6; 34/117

4.21.15 Einkaufskorb

1832, bez. auf der Vorderseite: 1832 WS, Stroh geflochten, mit farbigem Leder besetzt; 35/1483

4.21.16 Einkaufskorb

1837, bez. auf der Vorderseite: 18 V H 37; auf der Innenseite des Deckels Etikett: »Eigenthum von Baurat Gressel«, Stroh geflochten, mit farbigem Leder besetzt, 39,5 × 55 × 36; 35/1482

4.21.17 Einkaufskorb mit Deckel

1859, bez. auf der Vorderseite: Monogramm RN, seitlich datiert 1859, Stroh geflochten, mit Leder besetzt, ca. 43 × 42,7 × 31; A 77/599

4.21.18 Die Hl. Notburga

Süddeutschland, Anfang 19. Jahrhundert, Wachs, gegossen, bossiert, bemalt, Holzrahmen, 21 × 12 × 4; 74/584

4.21.12

5 Freundschafts- und Familienkult

Politische Bevormundung und wirtschaftliche Not zwangen das biedermeierliche Alltagsleben zum Rückzug ins Private. Die Suche nach Geborgenheit im häuslichen Kreis und geselligen Austausch mit Freunden brachte einen spezifischen Familien- und Freundschaftskult hervor. Das nicht standes-repräsentierende, sondern das inoffiziell-familiäre Portrait und das Gruppenbildnis beziehungsvoller Seelenindividualitäten gehören infolgedessen zu den wichtigsten Bildtypen des Biedermeier. Erschüttert von den durchlittenen Kriegszeiten und vom Nachschrecken der französischen Revolution war man sich der Gefährdungen der Zeit sehr wohl bewußt. Die Biedermeier-Generation versuchte das Bedrohliche durch reflektierte Idyllik zu befrieden, das Vergangene und Vergängliche durch wehmütiges Erinnern in ästhetische Dauer zu bannen.

Die öffentliche Auftagskunst gibt dieser Zeitstimmung durch die forcierte Denkmalpflege an historischen Bauten und durch die auffallende Vorliebe für Neuerrichtung von Monumenten zu erkennen. Im privaten Bereich übte man eine festhaltende und beschwörende Gefühlskultur, indem man sich mit Erinnerungsstücken umgab und beschenkte.

Souvenirs waren dem Gedächtnis an geliebte Personen, an wichtige Stationen des Lebenswegs (Taufe, Hochzeit, Jubiläum, Tod) oder an Orte (Reiseandenken) geweiht. Bezeichnenderweise wurden sakrale Kultformen darauf übertragen: sentimentale Souvenirs als säkulare Andachtsbilder des Herzens. Zeittypische Möbelstücke (Vitrine, Servante, Etagère) nahmen die Erinnerungsschätze auf. Charakteristische Phänomene dieser Gemütsmode hatte die Zeitströmung der »Empfindsamkeit« im späten 18. Jahrhundert vor allem an den Höfen Englands und Frankreichs vorgeformt. Bis in die breiten bürgerlichen Alltagsbereich Deutschlands waren diese Erscheinungen etwa gegen 1815 vorgedrungen. Als Gestaltungs- und Dekorationsformen verwendete man Memorialmotive wie Urne, Pyramide, Tempel, Altar, Säulenstumpf. Ursprünglich höfisch sind auch besondere Inventionen wie z. B. Trauerschmuck, aus Menschenhaar hergestellte Gegenstände oder Augenbildnisse. Als Souvenir kann grundsätzlich jeder beliebige Gegenstand gelten, der Erinnerungswert besitzt, vorzugsweise aber bestimmte Erzeugnisse des Kunsthandwerks (z. B. Pfeifenköpfe, Dosen, Schmuck, Glas und Porzellan mit Widmungsinschriften) und des häuslichen Kunstfleißes (wie Tabaksbeutel, Brieftaschen, Uhrkissen). Förmliche Ansammlungen von »Denkmälern der Liebe und Freundschaft« sind die Stammbücher, zu deren sinniger Bilder- und Gedankenwelt die vielgestaltigen Glückwunschkarten und -briefe gehören.

Von besonderem Quellen- und auch Stimmungswert sind Zimmerbilder. Detailgenaue »Aufnahmen« der heimatlich vertrauten Wohnräume wurden bayerischen Prinzessinnen mitgegeben, die an andere Höfe heirateten (Entstehung des Wittelsbacher Albums seit 1820). Ebenso schildern die späteren Darstellungen von bürgerlichen Interieurs, Künstlerateliers und Studentenbuden auch im übertragenen Sinn die Innenwelt einer Epoche.

B. K.

5.1 Vergißmeinnicht

5.1.1–8 »Petzls Erinnerungsgrillen«

Joseph Petzl (München 1803–1871 München), München, Bleistiftzeichnungen.

Das »Tagebuch« Joseph Petzls ist eine Sammlung von 236 Bleistiftzeichnungen, die, jeweils mit dem Datum versehen, in Skizzen, meist aber in vollendeten Bleistiftzeichnungen Situationen und Begebenheiten aus dem Münchner Leben und von den Reisen des Künstlers schildern (weitere Blätter Kat.Nr. 7.4.23). Auffällig im Vergleich mit anderen Skizzenbüchern und Reisemappen, welche die Wirklichkeit in Veduten und Ansichten festzuhalten suchen, ist es hier die Motivauswahl, in der das Ungewöhnliche, Heimliche und Vorübergehende gesucht ist. Meist sind es die sentimentalen Begegnungen, erhaschten Gelegenheiten und kurzen Bekanntschaften, die Petzl in seinen Zeichnungen überliefert. Die Bilder sind ein ungeahnter Schatz an Lebenssituationen und flüchtigen Szenen aus dem Alltag des Biedermeier, die Petzl als bewußten Gegensatz zum Objektiven und Faßbaren gewählt hat. Seine Reisen und damit auch dieses »Journal intime« führten nach Berlin, Dresden, Sachsen, Böhmen, Hannover, Schleswig, Dänemark und bis nach Schweden. 1831 kam er nach München zurück und ging dann nach Rom und Griechenland, um 1834 wieder in seine Heimatstadt zurückzukehren. Sentimentale gezeichnete Tagebücher scheinen in Münchner Künstlerkreisen kein Einzelfall gewesen zu sein. So berichtet Gottfried Keller im »Grünen Heinrich« von einem Album, das den Zeichnungen Petzls äußerst ähnlich ist:

»Er holte ein ziemlich großes Album vom besten Papier herbei, das in Leder gebunden und mit einem stählernen Schlosse versehen war. Mit dem Schlüsselchen, das an seinem Uhrgehänge befestigt war, geöffnet, zeigte sich Blatt um Blatt die Welt von Schönheit und zugleich der Verspottung derselben, wie sie nicht leicht wieder in solcher Weise sich zusammenfinden mag. Es war die Geschichte einer Reihe von Liebschaften, welche er erlebt und in das Buch gezeichnet hatte mit feinstem Stifte und im solidesten deutschen Stil, als ob Dürer und Holbein, Overbeck oder Cornelius den Dekameron illustriert und die Zeichnungen für den Grabstichel unmittelbar fertiggebracht hätten. Eine solche Geschichte bestand je nach ihrer Dauer aus mehr oder weniger zahlreichen Blättern; jede begann mit dem Bildniskopfe des betreffenden Frauenzimmers und einigen Variationen desselben in verschiedener Auffassung; dann folgte die ganze Figur, wie man wohl einer schönen Person zum ersten Mal auf dem Markte, in der Kirche oder im öffentlichen Garten ansichtig wird; dann entwickelte sich die Begegnung und das Verhältnis zum Helden, immer Lys selbst, bis zum Sieg und Triumph der Liebe, worauf der Niedergang sich einleitete mit Gezänkszenen, Abenteuern der einseitigen oder gegenseitigen Untreue bis zur unvermeidlichen Trennung, die entweder mit einer jähen Verstoßung des scheinbar zerknirschten Helden oder mit einer komischen Gleichgültigkeit beider Teile vor sich ging. In diesem Verlaufe glänzte besonders eine Anzahl Einzelfiguren von schmollenden oder weinenden Schönen als wahre kleine Monumente des anmutig strengen Stiles. Eine entfesselte Haarflechte, eine Verschiebung der Gewänder an Schulter oder Fuß erhöhte stets den Eindruck der Bewegtheit, wie das zerrissene flatternde Segel eines Fahrzeuges von überstandenem Unwetter Kunde gibt. Es war nicht zu entscheiden, ob diese tragischen Situationen eine andächtig mitfühlende Hand geschildert oder ob eine leise Ironie ihren Teil daran hatte; unbestritten dagegen strahlten die weiblichen Ehren einiger Wesen, welche auf der Höhe ihres Triumphes in mythologischen Gestaltungen verklärt wurden.« (3. Bd., II. Kapitel, 1854/5) H.O.

5.1.1 Junggesellenwirtschaft

München, Nov. 1829, bez.: Junggesellenwirtschaft im Nov. 1829, Bleistiftzeichnung, 10,1 × 8,5, A 164/34, 38/1544/60

5.1.2 Besuch einer Familie

Dresden, Dez. 1829, bez. u.r.: Dresd. am 10. Dec. 1829. Bleistiftzeichnung, 12,5 × 10,5; A 164/38, 38/1544/64

5.1.3 Belauschte Kußszene *

München, 1829, bez.: Jane. 1829. Wäre jeder Beichtvater so schön, Ich würde öfter beichten gehn. Bleistiftzeichnung, 9,6 × 11,7, A 164/21; 38/1544/47

5.1.8

5.1.3

5.1.4

5.1.4 Petzls Erinnerungs-Grillen *

München, Sept. 1832, bez.: Salzburg Sept. 1832 – Petzl hat Erinnerungs-Grillen Harfnerin that Vergangenes spielen, Bleistiftzeichnung, ca. 10,5 × 13,1; A 163/45, 38/1544/193

5.1.5 Paar auf dem Schützenball

München, Febr. 1832, bez.: Amalie. Schützenball 1832, Febr. Bleistiftzeichnung, ca. 13,9 × 10; A 163/25, 38/1544/173

5.1.6 Kostümball bei Graf von Armansperg

München, Febr. 1834, bez.: Ball bey G. Armansperg. Febr. 1834. B. Großschädel. Nauplia. Bleistiftzeichnung, 13,5 × 10,4; A 163/55, 38/1544/203

5.1.7 Rast unter einem Baum am Wege

München, Sept. 1835, bez.: †1845 Wytenbach. am Wege nach Eidling. Sept. 1835. Bleistiftzeichnung, 10,6 × 12,5; A 163/68, 38/1544/216

Dargestellt ist vorne links der früh verstorbene Maler Wyttenbach.

5.1.8 Petzl mit 2 jungen Damen *

München, Febr. 1836, bez. u.r.: 20/2, 1836, Bleistiftzeichnung, 10,9 × 12,6; A 164/4, 38/1544/222

Lebensstationen

5.1.9 Krug mit Darstellung der vier Jahreszeiten und der Lebensalter

nach 1841, Steinzeug, weiß glasiert, Deckel mit Zinnmontierung, 13,6; Ø 9,5, Lit.: AK Thorvaldsen, Köln 1977, Nr. 87–90; 39/634

Auf der Gefäßwandung kombinierte Darstellungen der vier Jahreszeiten und der Lebensalter nach Bertel Thorvaldsen. Thorvaldsen hatte 1836 das Thema in dieser Weise formuliert, nachdem er schon 1823 für den Grafen Schönborn Reliefs mit Jahreszeitendarstellungen geschaffen hatte. Für den Sommerspeisesaal im Neuen Schloß in Stuttgart bestellte König Wilhelm von Württemberg 1841 einen Satz der Reliefs. Der Krug ist ein Beispiel, wie Bildvorlagen der »Hochkunst« für eine kleinbürgerliche Gebrauchskultur verarbeitet werden konnten. Erstaunlich ist der Umstand, daß, obwohl

die Zuordnung der Bilder zu den einzelnen Jahreszeiten eindeutig ist, ihre Reihenfolge im Ablauf vertauscht wird: auf Sommer und Herbst folgen Frühling und Winter. Vergleiche hierzu den Steinzeugkrug mit Darstellungen der Lebensalter in Jagdszenen (Kat.Nr. 5.1.10).   N.G.

5.1.10 Krug mit Darstellung der Lebensalter in Jagdszenen

um 1840–50, Steinzeug, 12; Ø 10; A 202

Zu jeder der vier Darstellungen ein Trinkspruch:

*Kein grösser Gut
als frohen Mut*

*Nach Hetzen und Jagen
ein Drunk thut laben*

*Küsse in Ehren dem
Jäger nicht zuwehren*

*Es schenke uns Gott
einen sanften Tod*

5.1.11 Taufmedaille

bez. u.M.: DRENTWETT D.; u.r.: E.D., Silber, ⌀ 4,1, P 8681

Vorderseite: Die Taufe Christi durch Johannes den Täufer, Umschrift: JOHANNES HAT MIT WASSER GETAUFT. Rückseite: In gotisierenden Spitzbögen auf einer Tafel eine Taufkanne, darüber schwebt die Taube, Umschrift: IHR ABER SOLLT MIT DEM HEILIGEN GEIST GETAUFT WERDEN./ APOSTELG. 1.5.

5.1.12 Silberlöffel im Etui

Joseph Strasser, München, 1834, bez.: MZ: STRASSER BZ: Mü. Kindl m. 34 (unten), Silber gegossen, vergoldet, ziseliert, 21,6, K 78/ 252

Der Silberlöffel ist am Griff verziert; über einem Sternenkreis von 13 Sternen erheben sich eine Lyra und Blütenzweige. Auf der Rückseite ist graviert: Eva Straus/ihrer Taufpate/ Katharina Gruber/Großmutter/ihrem/Enkel. (ein Patengeschenk).   I. V.

5.1.13 Besteckgarnitur im Etui

Carl Weishaupt, München, 1839–40, bez.: MZ: Weishaupt (Löffel, Gabel) CW (Messer) BZ: Mü. Kindl m. 39 (Messer) 40 (Gabel, Löffel), Silber gegossen, graviert, grünes Etui mit Goldprägung an Ecken und rotem Samtbezug, Messer 24,2, Löffel 22, Gabel 21,1; K 85-1

Die Besteckgarnitur ist vermutlich als Taufgeschenk angefertigt worden. Am Löffel die großen Initialen »BW«.   I. V.

5.1.14 Taufbecher (mit Monogramm L.L.F.)

Bartholome Maierhofer, München, 1829, bez. auf Zarge: MZ: BM BZ: Mü. Kindl m. 29 (unten), Silber, getrieben, graviert, ziseliert, 10,4; ⌀ 7,4; 39/1001

Der pokalförmige Becher ist bis auf den mit Blattfries dekorierten Fuß und die eingravierten Initialen glatt poliert.   I. V.

5.1.15 Taufbecher (mit Monogramm IG)

Bartholome Maierhofer, München, 18 (2?) 7, bez. am Boden: MZ: MAIERHOFER BZ: Mü. Kindl m. (2?) 7 (unten), Silber getrieben, innen vergoldet, graviert, 10,3; ⌀ 8,3; 39/998

Der zylindrische Becher mit ausgezogenem Lippenrand ist glatt poliert. An seiner Vorderseite sind die Initialen IG innerhalb einer Rocaille- und Blütenkartusche eingraviert.   I. V.

5.1.16 Besteck mit Perlstrickerei **
Abb. S. 158

Erste Hälfte 19. Jahrhundert, Stahl, Perlstrickerei, Pappe, Goldpapier, 21 × 19; 37/1176

Die Griffe von Messer und Gabel sind mit Perlstrickerei besetzt; sie wurden in einer hellblauen Schachtel mit Goldborte verschenkt.

5.1.17 Kommunionsmedaille

Drentwett, bez. rückseitig u.M.: DRENTWETT, Silber, ⌀ 4,4; P 4785, 63/27

Vorderseite: Die Madonna in den Wolken stehend, auf ihren Armen das Kind, Umschrift: WER MICH FINDET, FINDET DAS LEBEN U. WIRD HEIL ERLANGEN VON DEM HERRN./SPRÜCW. 8. 35. (sic!); Rückseite: In einem gotischen Kirchenchor wird die Kommunion durch einen Bischof gespendet, vor ihm mehrere Erwachsene mit Kindern, Aufschrift: APOSTELG. S.V. 17.

5.1.18 Firmungsmedaille für Mädchen

August Neuss (1810–1869), um 1839, bez. u.M.: NEUSS, Silber, ⌀ 4,2; P 12054

Vorderseite: Frauenkirche in München, Umschrift: AEDIF:TEMPL:AD B:V:M MAR: MONACHII 1460 IN ECCLES:METROP: PROMOT: 1821; Rückseite: Firmung eines Mädchens im Dom, Umschrift: IMPONEBANT MANUS SUPER ILLOS ET ACCEPERUNT SPIRITUM SANCTUM A.AP. VIII V. 17.

5.1.19 Firmungsmedaille für Knaben

August Neuss (1810–1869), um 1839, bez. u.M.: NEUSS, Silber, ⌀ 4,3; P 3985

Vorderseite: Frauenkirche zu München, Umschrift: AEDIF:TEMPL:AD B:V:MAR: MONACHII 1460 IN ECCLES:METROP:PROMOT: 1821; Rückseite: Firmung eines Knaben im Dom, Umschrift: IMPONEBANT MANUS SUPER ILLOS ET ACCEPERUNT SPIRITUM SANCTUM.A.AP.VII V. 17.

5.1.20 Konfirmationsbecher

1834, 8; ⌀ 6,8, München, U. Nefzger

Schlichter konischer Becher mit abgesetztem Rand ohne Marke, in die Wandung eingraviert »Zur/ Erinnerung/ des heiligen Abendmahles/ am grünen Donnerstag/ in/ München den 27ten = März / 1834«, darüber die bayerische Königskrone.
Dieses offenbar von einem Mitglied der königlichen Familie gespendete Andenken steht in Verbindung mit der seit 1806 in München bestehenden protestantischen Gemeinde. Deren erste Kirche St. Matthäus in der Sonnenstraße war am Ludwigstag (25.8.) 1833 eingeweiht worden; auf den 27.3.1834 fiel also der erste Gründonnerstag dieses unter dem Schutz der evangelischen Königinmutter Karoline und Königin Therese stehenden Gotteshauses. Im 19. Jahrhundert wurde die Abendmahlsfeier am grünen Donnerstag noch festlicher begangen als (nach heutigem Usus) am Karfreitag,

und in der neuen Kirche war die Feier gewiß denkwürdig. Der Palmsonntag war damals Konfirmationstag, so daß der Becher vielleicht an die erste Teilnahme eines Konfirmanden am heiligen Abendmahl erinnert.   B.K.

5.1.21 Konfirmationsmedaille

Drentwett, bez.: Vorderseite u.M.: DRENTWETT F., zweiseitige Britannia-Metallprägung, ⌀ 3,1; P 8265

Vorderseite: Zwei Geistliche (Luther und Melanchthon?) verweisen auf eine auf einem Altar liegende Bibel, Umschrift: WACHET, STEHET IM GLAUBEN, SEYD MÄNNLICH U. SEYD STARK; Rückseite: In Palmenzweigen die Aufschrift: ZUM/ANDENKEN/AN DIE/CONFIRMA/TION.

5.1.22 Schmuck- und Souvenirkasten – ein Brautgeschenk

Johann v. Leutner (1776–1850 [?]), München, 1844, bez. a. d. mittleren inneren Schublade m. Nadelkissen: Braut= geschenk/gewidmet/meiner lieben Schwieger/tochter Anna v: – Leutner/geborene v: Mörl./verfertigt vom 68 jährigen/Schwiegervater/Johan v. Leutner/München den 21ᵗ. October/1844; Holz, Pappe, Papier, geprägtes Goldpapier, Spiegel, 45 × 46,5 × 32; 35/2327

Kasten in Form eines Tempels mit aufklappbaren Türen; innen verspiegelte Schubladenarchitektur mit verschiedenen Geheimfächern.
Der pensionierte Hauptmann Johann von Leutner wohnte 1842 mit seiner Ehefrau Sophie in München in der Lerchenstr. 40/2.

5.1.23 Achtteiliges Dejeuner-Service mit Golddekor und Gratulationsinschriften auf eine Heirat *

Manufaktur Nymphenburg, 1830, Preßmarke Rautenschild, Porzellan, XIᵈ/281

Teller: ⌀ 20,5
»Zum hohen/ Vermählungs=Feste/ des Titl. Herrn Peter Beier mit Jungf. Thekla/ geb. Neuhauser am 14=April 1830/ von Leonhard und Ursula Kaufmann/ Mög diese kleine Gabe Euch erfreuen/ aus wahrer Freunde Hand! – bleibt uns gewogen mild!/ Wen stets den Pfad des Glücks Euch wird bestreuen/ mit holden Gaben, – wo wird unser Wunsch erfüllt.«
Kaffeekanne: H 18,5 mit Deckel, ⌀ 7
»Wen auf des Lebens Bahn sich finstre Wolken thürmen/ Wen trübe, Nebel lagern auf dem düften Pfad;/ Dan wird beseeligend Euch treue Liebe schirmen,/ und goldner Morgen lacht wo Amors Fackel naht.«
Milchkanne: H 15,5, ⌀ 7
»Mag mächtig angefeucht vom Sturm die Flamme wüthen/ Das Gold geht reiner nur und glänzender hervor!/ Wen herbes Mißgeschick benagt des Lebens Blüthen/ Die Treu blüht schöner nur und kräftiger empor!«
Zuckerdose: H 13,5 mit Deckel; ⌀ 11

5.1.23

»Das Winzers Müh und Fleß die goldene Traube schmücket/ Der Ähren Fülle lohnt des
Landmanns Ämsigkeit/ so werde Euer Bund
mit Segen auch beglückt/ und blüh- durch
zarte kräftige Sproßen bald erfreut.«
2 Tassen mit Untertassen: Tasse: H 6; ⌀ 7,5;
Untertasse: ⌀ 13,2
1; »Nur Lust und Wonne lächte jeder Eurer
Tage;/ Es schalt der Freude Ton – verstume
jede Klage!«
2; »Mit Rosen soll stets der Pfad des Lebens
schmücken/ und jeder Morgen Euch mit neuer
Lust beglücken!«

5.1.24 Humpen mit Zinndeckel

*Wohl Bayerischer Wald (Zinndeckel) dat. 1828,
farbloses Glas mit Luftblaseneinschlüssen im
Boden und Schnitt; Zinnmontierung, 21,8, Lit.:
Vgl. Kat.Nr. 4.13.10, K XI-253*

Konischer Humpen mit Darstellung eines
Landhauses inmitten von Baumgruppen; auf
dem Deckel eingraviert »Holzmañ« und die
Jahreszahl »1828« zwischen Vermählungsrin-
gen, Daumenhalte in Form zweier sich schnä-
belnder Tauben.   C.S.

5.1.25 »Zur Vermählungsfeier unseres verehrtesten Principals Herrn Dr. Karl Wolf mit Fraeulein Karoline v. Günther«

1825, Typendruck, 41 × 31, M I/1930

Gedicht in einer Zierleisteneinfassung aus dem
Buchdruckergewerbe in Form eines Tempels.

5.1.26 Vermählungsmedaille

*August Neuss (1810–1869), bez. u. M.: NEUSS
F., Silber, ⌀ 3,3; P 4773*

Vorderseite: Ein unter einem blühenden Baum
stehendes Paar in antikischen Gewändern
reicht sich die Hände, Umschrift: DURCH
HERZLICHE LIEBE VEREINIGT; Rückseite: ein Feuer auf einem Altar, auf seinem
Sockel ein von zwei brennenden Fackeln
durchkreuzter Kranz, Umschrift: SEI UN-
AUSLÖSCHBAR DAS FEUER UNSERER
LIEBE.

5.1.27 Pfeifenkopf mit Münchner Damenbildnis, im Deckel: Reliefdarstellung, zwei Hände, darunter Inschrift: »La belle alliance« **

*Ansbach-Bruckberg oder München, um 1820,
Porzellan, Montierung: Vermeil, Messing vergoldet, 9, Lit.: AK WB III/2, Nr. 967, 39/660*

5.1.28 Familienbildnis im Etui

*Stereodaguerreotypie, grünes Etui mit lila Samt
ausgelegt, Zwischenplatte mit rotem geprägtem
Muster, 7 × 10; 86/511*

Zwei Löcher für Vergrößerungslinsen. Durch
die Linsen ist ein Ring zu sehen.

5.1.29 Kleiner Pokal mit Silhouettenporträts

*Johann Sigismund Menzel, Warmbrunn /
Schlesien, Ende 18. Jh., Farbloses Glas mit Zwi-
schengold-Medaillons, geschliffen, geschnitten
und gold bemalt, 12,2, Lit.: Trenkwald, Ausstellung von Gläsern, Wien 1922, 48, Nr. 85,
49, Abb. 8; AK Meisterwerke der Glaskunst,
Düsseldorf 1968/69, Nr. 269; AK Karlsruhe,
1971, Nr. 242; K 37–190*

Quadratischer Fuß mit stilisierter Blüte unter
dem Boden, facettierter Schaft mit Nodus und
Scheibe, die eiförmige Kuppa am Ansatz mit
Wabenmuster, auf der Wandung ein weibliches
und ein männliches Silhouettenporträt, einander gegenüberliegend jeweils in Schwarz vor
goldenem Grund und umrahmt von schleifen-
gebundener Früchtegirlande, unterhalb des
Mundrandes vergoldeter Perlfries.   C.S.

5.1.30 Hochzeitskranz

*1852, Silber vergoldet, ⌀ 9, Lit.: AK Kopf bis
Hut, München 1984, Nr. 143, 39/697*

Myrthenkranz mit Schleife als Erinnerungsga-
be zur Silberhochzeit. Gravierung: »8./5.27 –
8./5.52«

5.1.31 Visitenkartenetui

*um 1830, bez.: Zum Geburtstag, Satin mit
Goldpapierleisten und grünem Ledereinsatz,
innen vier Taftstreifen zur Halterung,
6,5 × 9,6; 33/630*

5.1.32 Untertasse »Zur Eriñerung an Weihnachten 1830«

*Manufaktur Nymphenburg, 1830, bez.: Preß-
marke Rautenschild, Porzellan, ⌀ 13,2; 34/451*

Untertasse, weiß mit goldenem Rand, in
schwarzer Schrift kursiv bez.: Zur/ Eriñerung/
an/ Weihnachten/ 1830.

5.1.33 Medaille auf Weihnachten

*Drentwett, bez. rückwärtig u. M.: DRENT-
WETT, Gipsabgüsse, ⌀ 3,8; 68/351, 1–2*

Vorderseite: Zwei Engel umschweben einen
Weihnachtsbaum, Umschrift: GLORIA IN
EXCELSIS DEO; Rückseite: Schutzengel mit
Kind, Umschrift: O SANCTE ANGELE CU-
STODI NOS AB OMNI MALO.

5.1.34 Weiße Tasse mit Goldrand und Dekor, mit Aufschrift: Zum Neuen Jahr

*Manufaktur Nymphenburg, um 1820, bez.:
Preßmarke Rautenschild, Porzellan, 6,5, ⌀ 6,5,
59/268/6*

5.1.35 Pfeifenkopf zum Dienstjubiläum eines Beamten »Zur Erinnerung an den siebten Mai 1841« im Eichenkranz

*München, 1841, bez. rückseitig: Liste der Be-
amtenschaft der verschiedenen Regierungsbe-
zirke, Porzellan; Neusilber, gemarkt S, 14,
XI^d/271*

5.1.36 Medaille zum 25jährigen Dienstjubiläum des Kgl. Kollegiendirektors I.B. Freiherr von Weveld, 4. März 1829

Bronze, ⌀ 3,3; P 5657

Vorderseite: Im Lorbeerkranz die Aufschrift:
DES/K.KOLLEG.DIRECTORS/FREIH.
I.B. von WEVELD/ JUBILAEUMS FEIER/
AM 4 TEN MAERZ/1829; Rückseite: Im Ei-
chenlaubkranz die Aufschrift: SEINEN
FREUNDEN/ ZUM ANDENKEN/ GE-
WIDMET

5.1.37 Beidseitig verwendbares Holzmodel zum Formen von Gebäck

*Süddeutschland, 1825, Andenken den 7ten Sept
= 1825, Nußbaum, geschnitzt, 17,1 × 19,3 ×
3; A 72/102/20*

Gebäckmodel, beidseitig verwendbar, bezeichnet: »Andenken den 7ten Sept = 1825«, auf der
gleichen Seite im längs-ovalen Rahmen Darstellung: Mann dressiert einen Hund – andere
Seite: eine Frau mit zwei Katzen.   U.Z.

5.1.38 »Tombeau musicale« des Johann Adolph Sommer für seine sechs Töchter

*Johann Adolph Nepomuk Sommer (München
1798–1867 München) und Lorenzo Quaglio
(München 1793–1869 München), München,
1853, Notenblätter, Lithographien koloriert
und ausgemalt, 26,5 × 38,5, Lit.: Hanns von
Gumppenberg 1929, 25ff., Paluch 1983,
Nr. 412–4, München, Privatbesitz*

Das Notenalbum mit dem Titel »Allerlei für's
Piano Forte seinen lieben Kindern zugeeignet
von Johann Adolph Sommer 1853« ist eine
Sammlung von kleinen Stücken für das Klavier,
die nach den Moden der vierziger Jahre bearbeitet und gesetzt sind. Die Notenblätter in
Handschrift und kolorierten Frontispize in Lithographie sind ein Geschenk, das Sommer an
seine Töchter und zwei Nichten gab und in
kleiner Auflage von Quaglio fertigen ließ. Das

437

Stifterbild steht als Halbfigur in einem Rosenkranz, aus dessen Blüten die Köpfe der sechs Mädchen erscheinen. Im Kranz findet sich auch die Signatur des Künstlers, der die Malerei und sorgfältige Kolorierung besorgte. Ein »Tabula ansata« darunter durchzogen von Vergißmeinnichtarabesken zeigt die Dedikationsinschrift, mit welcher der Vater das Album seinen Töchtern als Erinnerungsstück an ihn nach seinem Tode stiftet. Sonst weist das Album im Druck vorbereitete Grotesken im Stil des 13. Jahrhunderts auf, die jeweils mit Aquarellfarben ausgemalt und oft motivisch erweitert sind.

Musikstücke, die an eine bestimmte Person erinnern sollen, haben als »Tombeau musicale« Tradition in der Musikgeschichte.

Eine Prachtausgabe biedermeierlicher Klaviermusik

Der Band spiegelt den Zeitgeschmack, das pianistische Durchschnittsniveau und das Ausdrucksbedürfnis im Rahmen des bürgerlichen Musizierens in exemplarischer Weise wider. Das Sammelalbum, dessen Inhalt wir nachstehend aufführen, enthält bis auf wenige Ausnahmen Stücke von seinerzeit lebenden Komponisten, deren Lebensdaten sich heute nur noch mühsam oder gar nicht bibliographisch nachweisen lassen.

Stücke von Barockkomponisten, wie Johann Sebastian Bach, Georg Friedrich Händel oder Georg Philipp Telemann, ohne die heute kein Band mit populären Klavierstücken auskommen würde, fehlen vollständig. Die Wiener Klassiker sind – wenn überhaupt – in Bearbeitungen vertreten. Joseph Haydn erscheint gar nicht, Ludwig van Beethoven ist lediglich durch zwei Liedbearbeitungen aus der Feder Franz Liszts repräsentiert und Wolfgang Amadeus Mozart durch die Kuriosität seiner nur für bedingt echt gehaltenen ersten Komposition als Fünfjähriger. Franz Schubert teilt das Schicksal, nur in bearbeiteter Form dokumentiert zu sein, mit Beethoven und erst Karl Maria von Weber wurde noch für aktuell genug gehalten, mit einer Originalkomposition Aufnahme zu finden. Seine »Einladung zum Walzen« ist heute besser bekannt unter dem Titel »Aufforderung zum Tanz« in der kongenialen Orchesterfassung von Hector Berlioz.

Das vier Seiten umfassende Inhaltsverzeichnis in alphabetischer Anordnung mit jeweils herausgestellten, verzierten Versalien und Einträgen, die in der Schriftart zwischen Fraktur und modern anmutenden Typen wechseln, suggeriert vordergründig eine Überfülle von Stücken, die sich bei näherer Betrachtung aber auf etwa ein Viertel reduzieren lassen. Durch Einträge nach Komponist, Titel, Liedanfang und Gattung taucht ein und dasselbe Stück mehrfach auf, was an einem Beispiel gezeigt werden soll. Das Paradestück »Die Klosterglocken«, ebenso bekannt wie die späteren Charakterstücke »Frühlingsrauschen« op. 32 von Christian Sinding (1856–1941) oder das »Gebet einer Jungfrau« der achtzehnjährigen polnischen Komponistin Thekla Badarzewska-Bara-

nowska (1838–1861) erscheint unter den folgenden Einträgen:
Cloches du monastère, Les, Nocturne
Klosterglocken, Die
Lefébure-Wely, Les cloches du monastère
Les cloches du monastère
Nocturne, Les cloches du monastère
Nach Komponisten geordnet, ergibt sich der folgende Inhalt:
Beethoven, Ludwig van (1770–1827): Die Liebe des Nächsten, bearb. v. Franz Liszt / Vom Tode, bearb. von Franz Liszt
Berchtold, P.: Potpourri: »L'echo de l'opera« nach »Die Stumme von Portici« (Auber)
Beyer, Ludwig: Musikalische Promenade mit Melodien von Abt (Wenn die Schwalben heimwärts ziehen), Halévy (La dame de pique), Gumbert (In den Augen liegt das Herz), Reichardt (Was ist des Deutschen Vaterland?)
Bilse, Benjamin (1816–1902): Sturm- oder Barrikaden-Galopp
Blumenthal, Jaques: Les deux anges (Die zwei Engel) (1829–1908)
Blysberg, Chr.: Das Erwachen der Vögel
Brunner, Christian Traugott (1792–1874): Lichtbilder mit Melodien von Abt (Morgenwind so frisch und freudig), Kücken (Ach wär ich doch des Mondes Licht)
Döhler, Theodor (1814–1856): Notturno
Dreyschock, Alexander (1818–1869): La coupé / Notturno
Goria, A.: Etude de Concert
Herz, Henri (1803–1888): Letzte Gedanken (Carl Maria von Weber)
Kalkbrenner, Friedrich (1785–1849): La femme du marin (Die Meerjungfrau) Le fou (scène dramatique)
Kontski, Antoine von (1817–1899): Immer allein (Toujours seul)
Kuhe, Guil.: Chanson d'amour / Glockenspiel
Labrowsky: Etude
Lefébure-Wely, Louis James Alfred (1817–1869): Nocturne, Les cloches du monastère (Klosterglocken)
Leybach, Ignace Xavier Joseph (1817–1891): Notturno
Lindpainter, Peter Joseph (von) (1791–1856): Fahnenwacht
Mendelssohn-Bartholdy, Felix (1809–1847): Hochzeitsmarsch aus dem Sommernachtstraum
Meyerbeer, Giacomo (1791–1864): Marsch aus »Der Prophet«
Mozart, Wolfgang Amadeus (1756–1791): Erste Komposition des Fünfjährigen (Menuett)
Osborn: Perlenregen
Pauer, C.: Der Wasserfall
Rosellen, Heinrich: Träumereien
Schubert, Franz (1797–1828): Ave Maria, bearb. von Franz Liszt / Lob der Tränen, bearb. von Franz Liszt
Speidel, Wilhelm (1826–1899): Bilder aus dem Hochlande (Unwetter, auf dem See, Nach Sonnenuntergang), Wasserfahrt)
Taubert, Gottfried (1811–1891): La campanella, elegie et scène
Thalberg, Sigismund (1812–1871): Phantasie über Meyerbeers »Hugenotten«
Voß, Carl: Phantasie über Halévys: La dame de

pique / Salonstück
Weber, Carl Maria von (1786–1826): Einladung zum Walzen (Aufforderung zum Tanz) / Walzer aus »Oberon«
Die Musikstücke, dem gängigen Repertoire des 19. Jahrhunderts entlehnt, folgen in lockerer Weise dem Konzept, das in der Vorrede des Bandes auszugsweise so lautet:
Auf des Lebens Töneleiter
Schreitet sicher Ihr zum Ziele.
Reine Dissonanzen werden
In Octaven, Quinten, Terzen,
Eu're Freuden Euch gefährden
Und verletzten Eu're Herzen,
Die den wahren Tact durch's Leben
So in Freuden wie in Leiden
Einzig nur Euch sollen geben,
Tactlos seyn dadurch zu meiden«.
So fehlt es nicht an offensichtlich familiären Bezügen, worauf auch die Komposition »Friedas Bild« über den frühen Tod eines Familienmitglieds Lorenzo Quaglios hindeutet (vgl. Kat.Nr. 5.3.72C).

Eigentlich alle Stücke sind – wenn es sich nicht ohnehin um Bearbeitungen wortgebundener Musik aus dem Liedgut oder dem Opernrepertoire handelt – programmatischen Inhalts. Naturstimmungsbilder (Das Erwachen der Vögel, Bilder aus dem Hochlande, Der Wasserfall, Unwetter, Der Sturm, Nach Sonnenuntergang) und Lautmalerisches (Klosterglocken, La Campanella, Glockenspiel) stehen neben Sentimentalem (Chanson d'amour, Toujour seul, Salonstück) und Fabelhaftem (Die Meerjungfrau, die zwei Engel, Der Narr), wobei auch das Patriotische (Lindpaintners »Fahnenwacht«) nicht fehlen darf. Das Stück »Carneval von Venedig« geht auf eine Komposition der Schwestern Teresa (1827–1904) und Maria Milanollo (1832–1848) zurück, die ab 1838 als geigenspielende Wunderkinder in ganz Europa Aufsehen erregten. Den Beschluß des Bandes bildet Henri Herz in technischer Hinsicht anspruchsvolle Komposition »Webers letzte Gedanken«, die aus einer Introduktion und einem Thema mit fünf Variationen, einer Coda und einem Finale besteht.

Der ausgezeichnete Zustand der Handschrift – Einzeichnungen von Fingersätzen finden sich nur in der »Einladung zum Walzen« – läßt allerdings eher darauf schließen, daß der Band mehr als Zierde denn als Musiziervorlage gedient hat.   G.J.

5.1.39 Bildnisbüste der sechsjährigen Victoria Ebenböck († 1813)

München, 1813, bez. a.d. Rückseite: Victoria Ebenböck 1807 † 1813, Gips, 53 × 15,7 × 15,9, Lit.: AK Wachszieher, München 1981, 8; MStM

Victoria Ebenböck, Tochter des Lebzelters Paul Ebenböck und der Theresia Ebenböck, München. Die Skulptur erinnert an das verstorbene Kind.

»Ich hatte dich lieb, mein Töchterlein!
Und nun ich dich habe begraben,
Mach ich mir Vorwürf, ich hätte fein
Noch lieber dich können haben.

Ich habe dich lieber, viel lieber gehabt,
Als ich dir's mochte zeigen;
Zu selten mit Liebeszeichen begabt
Hat dich mein ernstes Schweigen.

Ich habe dich lieb gehabt, so lieb,
Auch wenn ich dich streng gescholten;
Was ich von Liebe dir schuldig blieb,
Sei zwiefach dir jetzt vergolten!

Zu oft verbarg sich hinter der Zucht
Die Vaterlieb im Gemüte;
Ich hatte schon im Auge die Frucht,
Anstatt mich zu freuen der Blüte.

O hätt ich gewußt, wie bald der Wind
Die Blüt entblättern sollte!
Tun hätt ich sollen meinem Kind,
Was alles sein Herzchen wollte.

Da solltest du, was ich wollte, tun
Und tatst es auf meine Winke.
Du trankst das Bittre, wie reut mich's nun,
Weil ich dir sagte: Trinke!

Dein Mund, geschlossen von Todeskrampf,
Hat meinem Gebot sich erschlossen;
Ach! nur zu verlängern den Todeskampf,
Hat man dir's eingegossen.

Du aber hast, vom Tod umstrickt,
Noch deinem Vater geschmeichelt,
Mit brechenden Augen ihn angeblickt,
Mit sterbenden Händchen gestreichelt.

Was hat mir gesagt die streichelnde Hand,
Da schon die Rede dir fehlte?
Daß du verziehest den Unverstand,
Der dich gutmeinend quälte.

Nun bitt ich dir ab jedes harte Wort,
Die Worte, die dich bedräuten,
Du wirst sie haben vergessen dort
Oder weißt sie zu deuten.«

Friedrich Rückert

5.1.40 Humpen mit Grabmal

Bayerischer Wald, Ende 18. Jh. bis Anfang 19. Jh., Farbloses Glas, geschliffen und geschnitten; Zinnmontierung, eingesetztes Hinterglasbild, 21,2, Lit.: MK Regensburg, 1977, Nr. 308; K 86-31

Zylindrischer Humpen mit reichdekoriertem Standring aus Zinn; auf der neunfach facettierten Wandung ein Urnendenkmal, rechts davon eine weibliche Gestalt (Personifikation des Todes?), die aus dort herunterhängende Lorbeerranke in Händen hält, zu beiden Seiten je ein Obelisk mit Zweig, unterhalb des Mundrandes Gehänge und lambrequinartige Borte. Auf dem Deckel eingelassenes, teilweise verwaschenes Hinterglasbild. C. S.

5.1.41 Medaille des Friderich Woschitka seiner verstorbenen Gemahlin Maria Anna

Franz Xaver Losch, 1819, Bronze, ⌀ 4,1; P 5665

Vorderseite: Brustbild der Maria Anna Woschitka im Profil nach rechts, Umschrift: MARIA ANNA WOSCHITKA GEB: VON HOFSTETTEN/GEB: 1763.10.OCT. VERM: 1793. 24. OCT: GEST: 1819. 10. SEPT:; Rückseite: Im Rosenkranz die Aufschrift: DER/ UNVERGESS-/ LICHEN darunter Aufschrift: IHR GATTE/ FRIDERICH WOSCHITKA/ K: B: OBERFINANZ-RATH/ U:IOHANNITTER ORD:/ KANZLER.

Freundschaftszeichen

5.1.42 Stammbuchblatt *

wahrscheinlich Wien, um 1810, Bleistift- und Federzeichnung, koloriert, 9,5 × 16,5, München, Barbara Krafft

Der dilettierende Künstler stellt in schwerem Ringen mit Perspektive und Schattenwirkung eine Bildhauerwerkstatt dar. Das Gelaß in abbröckelnder Butzenscheiben-Gotik wird in wunderlichem Gegensatz von antikisierenden Statuen und Torsi bevölkert. Der Meister selbst sitzt in kurzem klassischem Gewand mit Sandalen links an einem Tisch. Mit weitausholendem Schlegelschwung vollendet er soeben eine Platte mit dem Bild einer grämlichen Minerva und der Beischrift »AHME DIESER in der Weisheit nach«. In der ohne erkennbare Ursache tief verschatteten rechten Ecke thront auf einem Dreifuß ein »altdeutsches« Barett mit schwarzem Federbusch. Die Inschrift einer massiven Marmorplatte vorn in der Mitte deutet lapidar die Zueignung des Blattes an: »Geschwisterliebe«. B. K.

5.1.43 Stammbuchblatt

Bautzen, 1837, Gaze, Goldprägepapier, Glanzpapier, 15,7 × 9,8; A 78/92

Stammbuchblatt, Mittelteil mit Gaze unterlegtes Freundschaftsbild; aufgelegte Symbolzeichen aus geprägtem Papier.

5.1.44 verschiedene Stammbücher *

1. Hälfte 19. Jh., Prägepapier, Metallpapier, Handzeichnungen, kolor. Kupferstiche, X^h:160, 34/1134, 36/633, 36/635, 36/637, 39/44, 42/99, 1943/18, 59/761, 59/768, 63/12122, 66/2879/3 u. 4

Verschiedene Stammbücher der ersten Hälfte des 19. Jahrhunderts; teils gebunden, teils mit Einlegeblättern, die in verzierten Kästchen verwahrt werden. Die Andenkenblätter wurden selbst verfertigt, mit Sprüchen und Devisen beschrieben und mit erinnerungsträchtigen Symbolen verziert; dazu Widmungsblätter von Eibner, Herzberg und Poll in Augsburg und Riedel in Nürnberg. U. Z.

Moritz Gottlieb Saphir: **Die Blumen und ihre Namen oder Jedem das Seine**

Ich trage Blumen in die Stadt
Und bring' sie passend an,
Denn auch das kleinste Blümchen hat
Doch Sinn für Jedermann.
Und geh ich dann von Haus zu Haus
Mit Blumen ohne Rast,
So find' ich eine stets heraus,
Wie es sich gerade paßt.
Den Schönen bring ich in der Welt
Nur stets die Rosen dar,
Für Werber wird hinzugestellt
Das Blümlein Frauenhaar.
Für Mädchen bring ich Maßlieb ein
Und Männersieg zumal,
Und – sollt es eine Dumme sein,
Heißt Gänseblum die Wahl.
Dem Mädchen, das am Nähtisch sitzt,
Dem bring ich Fingerhut,
Doch die am Herd beim Kochen schwitzt,
Find't Löffelkraut auch gut.
Die an dem Teetisch niemals schweigt,
Klatschrosen geb' ich ihr.
Die reitet und zu Pferde steigt,
Find't Rittersporn bei mir.
Den faden Gecken weit und breit
Wird Fadenstrauch beschert
Und dem, der jede Schürze freit,
Die Klette gleich verehrt.
Wer bloß um Geld ein Mädchen wirbt,
Nach Gold und Gulden schaut,
Dem bring ich Goldlack, bis er stirbt,
Und Tausendguldenkraut.
Und wer als Held zu Felde zieht,
Dem reich ich Löwenzahn,
Wer aber zitternd feig entflieht,
Nimmt Fieberklee auch an.
Den wahren Dichtern reich ich froh
Die Immortellen dar –
Doch nennet sich ein Skribler so,
Dann zeig' ich Nesseln – klar!
Mit Stachelbeere wird bedacht
Der Rezensentenwicht,
Und wenn mein Schuldner mich verlacht,
Der kriegt Vergißmeinnicht.
Jedoch mir blüht in dieser Frist
Die schönste Blume hier,
Denn ihre güt'ge Nachsicht ist:
Die Kaiserkrone mir!

aus: Johann Daniel Symanski, Selam oder die Sprache der Blumen.

5.1.45 Wiener Kunstbillett mit einem Freundschaftsstempel ** Abb. S. 162

Joseph Endletzberger (St. Pölten 1779–1856 Wien), Wien, um 1825/30, bez.: J. E.; rückseitig beschrieben: Wilhelm Niederberger, Rähmchen aus geprägtem, dünnen Messingblech, Gazehinterspannung, Perlmutt, Messingblech, Papier geprägt, Deckfarben, 8 × 9,5, München, Privatsammlung

5.1.46 Wiener Kunstbillett mit Vergißmeinnicht-Kranz und zwei Tauben ** Abb. S. 162

In der Art von Joseph Endletzberger, Nachahmung, 1820–35, Geprägtes, metallfolienkaschiertes Papier, Gazehinterspannung, Glimmerbeklebung, Papier geprägt, gestanzt, mit Deckfarben bemalt, 6,8 × 8,3, München, Privatsammlung

Veilchen · Myrthen · Narcissen · Löffelskraut

Den Bescheidnen · einer Braut. · eitlen Gecken. · Jungen Herrchen.

Männertreue · Frauenhaar · Sauerampfer · Glockenblumen · Immortellen

Den Verliebten · Ehemännern · Eifersüchtigen · Schwätzern · meinen Freunden

Hier wähle sich jeder was ihm erfreut,
Doch Dir sey die letzte vom Herzen geweiht

5.1.42

5.1.44

5.1.47 Wiener Kunstbillett mit den Buchstaben »SND« ** Abb. S. 162

wohl Joseph Endletzberger, vielleicht auch Joseph Riedl, Wien, um 1820/30, Rähmchen aus geprägtem, dünnen Messingblech, Gazehinterspannung, geprägtes, dünnes Messingblech, Perlmutt, Papier, Deckfarben, 7,7 × 9,4, München, Privatsammlung

5.1.48 Wiener Kunstbillett mit Pudel mit Pfeife und Tasche ** Abb. S. 162

Joseph Endletzberger (St. Pölten 1779–1856 Wien), Wien, um 1825/30, bez.: J. E., Rähmchen aus geprägtem, dünnen Messingblech, Gazehinterspannung, geprägtes, dünnes Messingblech (Fackel), Papier geprägt, Deckfarben, 8,2 × 6,6, München, Privatsammlung

5.1.49 Wiener Kunstbillett mit Blumenkranz und Fackel ** Abb. S. 162

Joseph Endletzberger (St. Pölten 1779–1856 Wien), Wien, um 1825/30, bez.: J. E., Rähmchen aus geprägtem, dünnen Messingblech, Gazehinterspannung, geprägtes, dünnes Messingblech (Fackel), Papier geprägt, Deckfarben, 8,2 × 9,2, München, Privatsammlung

5.1.50 Wiener Kunstbillett mit Büchern und der Inschrift: »Was ich wünsche steht im Buche hier . . .« ** Abb. S. 162

Joseph Endletzberger (St. Pölten 1779–1856 Wien), Wien, um 1825/30, bez.: J. E., Rähmchen aus geprägtem, dünnen Messingblech, Gazehinterspannung, Perlmutt, Messingblech, Papier geprägt, Deckfarben, 7,8 × 6,8, München, Privatsammlung

5.1.51 Glückwunschkarte mit den Lebensaltern

Joseph Sidler (München, um 1813–20), München, um 1810, Klappbild, Kupferstich, koloriert, 10,3 × 8,1; 36/637

Hochrechteckige Glückwunschkarte – Gartenpforte – unter dem Pfortenbogen Klappauflage für drei verschiedene Einstellungen, die ein Liebespaar, ein Ehepaar mit Kinder und ein alterndes Ehepaar vorstellen. U.Z.

5.1.52 Widmungskarte

um 1835, Seide, Seidenmalerei, Goldprägeborte, 8,2 × 5,5; 1954/1153 g

Langrechteckiges Bildchen mit aufgelegter weißer Seide, diese mit Rosen und anderem Blumenwerk bemalt, in der Mitte gemalter Name »Joseph«. Eingerahmt mit punktierter Goldprägeborte. U.Z.

5.1.54

5.1.56 Ziehbild

Riedel, Nürnberg, 1823, Kupferstich, koloriert, 8,5 × 7,0, A 72/150/11

Ziehbild – Putti mit Blumenkörben und Rosengirlanden. Nach oben ausziehbar – ergibt den Wunsch: »Ihr Leben schmücke jederzeit Gesundheit, Glück, Zufriedenheit.«   U. Z.

5.1.57 Prunkvase ** Abb. S. 662

Manufaktur Nymphenburg, Modell wohl Johann Peter Melchior (Lintorf 1742–1825 Nymphenburg), um 1820, bez.: Preßmarke Rautenschild, Porzellan, 32 × 30; 36/1137

Auf der Vorderseite: Vergoldete Profilbüste im Relief in Lorbeer und Eichenkranz, darunter bez.: »Dem/ Retter/ meines/ Lebens«.
Auf der Rückseite: Wappen, darunter bez.: »Als Zeichen/ unbegränzten/ Dankes/ Carl Schmitz«
Wappen: Auf viergeteiltem Schild je diagonal gegenüber ein Äskulap-Stab und eine Fichte. Möglicherweise eine Dankesgabe des Inspektors der Nymphenburger Porzellanfabrik, Carl Schmitz (gest. 1824), an seinen Arzt.
Der Ausdruck von ethischen Betrachtungen, von Gefühlen wie Erinnerung an gemeinsame Zeiten oder Dank an den lebensrettenden Arzt werden – auf Porzellan – in der Unangemessenheit von Material und Aussage gewissermaßen verniedlicht: die Gegenstände sollen nicht allein schmücken, sondern auf den Betrachter erhebend und moralisch-erzieherisch einwirken.

5.1.58 Erinnerungsvase

Ab 1836, Porzellan, 24,5, 38-1222

In einem Ovalmedaillon auf dem hohen Gefäßhals befindet sich in Schwarz die Aufschrift: Belli/ ihrer/ Fany/ zur/ Erinnerung/ an die Jahre/ 1831 bis 1836.

5.1.53 Dankesbrief »Ihr geliebtes Töchterlein«

Tinte auf Papier, durchzogen mit silbernen Seidenbändchen, 23 × 19; A 85/269, 21

5.1.54 Papiercollage mit Initialen »E.P.« *

frühes 19. Jh., bez. rückwärtig: Philippine Laßeberg, Papier, gestochen und geschnitten, auf Pappe in gebeiztem Obstholzrahmen, 52,5 × 40; A 79/46

Die Collage besteht aus Blumen und Gräsern mit einer kunstvoll geschnittenen Schleife. Die in hellen Brauntönen gehaltenen Ornamente sind auf violetten Grund geklebt. Auf der Rückseite wurde der Rahmen offensichtlich ursprünglich mit beschriebenem einfachem Papier verklebt. Die Schreibweise läßt auf eine Entstehung der Collage im frühen 19. Jahrhundert schließen.   U.Z.

5.1.55 Ziehbild – Die vier Jahreszeiten

Theodor Vinzenz Poll (Augsburg 1770), Augsburg, 1821, Kupferstich, koloriert, 9,5 × 7,0; A 72/150/14

Ziehbild mit beweglicher Drehscheibe. Überschrift und Spruch in deutsch und französisch: Die vier Jahreszeiten. Darunter Drehscheibe mit vier Personendarstellungen der vier Jahreszeiten, die sich mit Spruch auf das Leben beziehen.   U.Z.

5.1.59 Tasse mit Gedenkinschrift und Golddekor *

Manufaktur Nymphenburg, 1819, bez.: Preßmarke Rautenschild, Porzellan, Tasse: 8,5; Ø 7,5, Untertasse: Ø 13,3; 38/1336

Inschrift auf der Tasse: Meiner lieben Christine zur Erinnerung an weibliche Sanftmuth und Freundlichkeit aus München 1819.

5.1.60 Tasse mit Untertasse mit Darstellung einer Börse in Perlstrickerei und den Worten »Großmüthige Belohnung einer Dieberey« * Abb. S. 155

Berlin, um 1820, bez.: Szeptermarke, Porzellan, bemalt, K 86/25

5.1.59

Freundschaftszeichen

5.1.61 Humpen mit Zinndeckel

um 1840, farbloses Preßglas, gemalter Dekor vermutlich später hinzugefügt, Zinndeckel mit eingesetztem Porzellanmedaillon, 17,5; K 86-32

Konischer Humpen, Porzellanmedaillon mit Darstellung eines sitzenden jungen Mädchens mit warnend erhobenem Zeigefinger und der Inschrift: »Ein Liebhaber / ohne Geld ist wie eine / Locomotive ohne Tender!«   C. S.

5.1.62 Humpen mit Zinndeckel

Bayerischer Wald, um 1830, farbloses Glas mit Luftblaseneinschlüssen im Boden, geschnitten; Zinnmontierung, 19; K 71-392

Konische Wandung, auf der Schauseite Amor vor Altar mit der Inschrift »Ich liebe die Freundschaft«, unterhalb des Mundrandes Gehänge und lambrequinartige Borte. Auf dem Deckel eingraviert »Therres Scherrer«.   C. S.

5.1.63 Humpen mit Zinndeckel

wohl Bayerischer Wald, um 1830, farbloses Glas mit Luftblaseneinschlüssen im Boden und Schnitt; Zinnmontierung, 22; K XI d-186

Konischer Humpen mit Altar auf der Schauseite, darin die Inschrift »Dein allein soll es sein«, rechts davon eine Frau mit durchbohrtem Herzen in Händen vor einem Blumenkorb, links eine Blattpflanze. Auf dem Deckel eingraviert ligiertes Monogramm »C. TS«.   C. S.

5.1.64 Deckelhumpen

Böhmen oder Bayerischer Wald, um 1830, farbloses Glas mit Schliff, Gelbätze, farblosen Lasuren und Schnitt; Porzellandeckel mit Aufglasurfarben, silbergefaßt und teils vergoldet, 17,5, Lit.: vgl. AK Regensburg, 1977, Nr. 338; K 28-1643

Konischer Humpen mit reichgeschliffenem Bodenstern und Rundbogenfacetten am Ansatz, die Wandung mit Steinelmuster und herausgehobenen Blattmotiven, feiner gesteinelt oder verziert mit Blütenzweigen vor rosa bzw. lila Grund, auf der Schauseite im gelben Ovalfeld Ansicht der Glyptothek. Im Deckel eingelassenes Porzellanmedaillon mit Darstellung eines zechenden französischen Soldaten, in dessen Mütze ein Storchenpaar brütet, zu seinen Füßen die Inschrift: »Der bewaffnete Friede«.   C. S.

5.1.65 Humpen mit Zinndeckel

wohl Bayerischer Wald, (Zinndeckel) dat. 1836, farbloses Glas, geschnitten, Zinnmontierung, 19,8; K 86-30

Annähernd zylindrischer Humpen; auf der Wandung Blumenbouquet, flankiert von je einem umrankten Obelisken, darüber Girlande, Gehänge und abschließende breite Borte. Auf dem Deckel eingraviert Zeichen der Schäffler (?) mit der Jahreszahl »36« und den Initialen »S.S.«   C. S.

5.1.66 Deckelhumpen des Reichsrat Julius von Niethammer

Bayerischer Wald, dat. 1838; Silberfassung mit Münchner Kindl, Jahreszahl (?) 8 und verschlagenem Meisterzeichen, farbloses Glas, teils rubinrot überfangen, geschliffen und geschnitten; Silberfassung, 15,8; K 37-19

Annähernd zylindrischer Humpen, die Wandung reichgeschliffen mit Rundbogenfacetten, stilisierten Lanzettblättern und Rosetten, auf der Schauseite Wappenschild und Spruch »Recht muß doch Recht bleiben«, auf dem silbergefaßten Deckel die Inschrift: »Zu Ehren v. Niethamerischen / erkämpften Rechts / 1838 / Tandem bona causa triumphat«. Wohl bezogen auf das Niethammersche Normativ von 1808.   C. S.

5.1.67 Fußbecher

Böhmen, um 1830, farbloses Glas, geschliffen, farbig lasiert und geschnitten, 15,2, Lit.: Vgl. MK Regensburg, 1977, Nr. 341; K 65-650,4

Polygonaler Walzenschliff-Fuß, abwechselnd mit lila, farblosen und gelben Feldern unter dem Boden, auf dem glockenförmigen, sechsfach facetierten und am Ansatz vorspringenden Becher sechs Ovalmedaillons mit Symboldarstellungen, jeweils vor lila bzw. gelbem Grund: Äskulapschlange, schnäbelnde Tauben, Füllhorn, Musikinstrumente mit Notenblatt und Spinnrocken, dazu die Inschriften: »Gesundheit«, »Liebe«, »Glück«, »u. Freud«, »Verlängere dein Leben«, im letzten Medaillon ligiertes Monogramm »PR«.   C. S.

5.1.68 Jagdbecher

Bayerischer Wald (?), um 1830, farbloses Glas, geschnitten, 10,2; K XI-268

Zylindrischer Becher, auf der Schauseite unter Königskrone Rautenschild mit Mittelschild, in ihm kleine Krone und zwei gekreuzte Zepter, auf der Rückseite ligiertes Monogramm »AB« in umkränztem Ovalmedaillon, darunter ein Jagdhorn.   C. S.

5.1.69 Becher, sog. Badeglas

Nordböhmen, um 1840, farbloses Glas mit weißem Zinnemail- und rosa Überfang, geschliffen, 11; K 73 901

Flacher, konischer Becher über ovalem Grundriß, die Wandung mit gotisierendem Schliffdekor und zentraler Rosette, die auf der Vorderseite die Initialen »G.M.« trägt.   C. S.

5.1.70 Zwei Gedenkbecher (Schlangenhautbecher)

Antoni I. Grill (Meister seit 1668) S1690, Augsburg, um 1670, bez. im Boden: MZ: Vogel, BZ: Pinienzapfen/Krankenhaus (Stempel), Silber getrieben, innen vergoldet, punziert und zisiliert, 9; D 7; XI a/72,73

Die geradwandigen, zylindrischen Becher haben eine punzierte Oberfläche, die den Gefäßkörper gleichmäßig umgibt. Ein schmaler Lippenrand bleibt frei für Widmungsinschriften. Ein Becher ist dem Lebensretter J. Asam gewidmet (»Dem Lebensretter J. Asam weihet diesen Becher zum immerwährenden Wohl J. Z., Mü, den 7.Dez.1820«); der andere »Zum Andenken der F.A. von I.Z.München im December 1820«. Die Inschriften und der Krankenhausstempel wurden den aus dem 17. Jhd. stammenden Bechern nachträglich zugefügt.   I. V.

5.1.71 5 Silberlöffel

München, 1823, bez. oben: MZ:NO BZ: Mü. Kindl m. 23, Silber gegossen, ziseliert, 14,5; 36/ 2307,7-11

Die fünf Löffel dienten wohl als Kaffeelöffel. Die Löffelgriffe zieren zwei Männerprofile in Medaillons, unter denen ein Handschlag darüber ein Lorbeerzweig abgebildet ist.   I. V.

5.1.72 Stickmustertuch mit Buchstaben und Zahlen

1837, bez. u. r.: Anna Patin 1837, Leinen, 37,4 × 25; T82/215/2

5.1.73 Stickmustertuch

1849, bez.: Zur Erinnerung an das Schuljahr 1849 beendet im März von Maria Hierteis; 40/ 461

5.1.75, 5.1.74

5.1.74 Beutel mit Seelandschaft und Freundschaftsmotiven *

Seide, Leinen, Stickerei, 28 × 19; 59/604

5.1.75 Kuvertbeutel mit verschiedenen Motiven: Blumen, Anker *

Seide, Leinen, Stickerei, 32,5 × 19,5; 30/1862

5.1.76 Seidentäschchen mit Haarsouvenir

um 1810, Seide bemalt, geflochtene Haarzöpfchen, 1951/580

Weißer Seidendoppelbeutel – wohl Freundschaftszeichen –, schwarz bemalt mit Monogramm, Rose mit Unterschrift »sans epine«, Hund mit Unterschrift »Fidelité« und Blumenranken. Beide Taschen mit Monogrammbändchen verbunden. Die Haarzöpfchen, die ehemals die Taschen mitverbanden, sind nur teilweise erhalten. Taschenquasten aus weißem Seidenbändchen mit eingebundenen blonden Haaren.

5.1.77 Lederetui mit Blumenstickerei

um 1835, braunes Leder mit eingelegter Blumenstickerei, 7 × 3,8; A 73/25/2

5.1.78 »Souvenir« Lederbeutel

braunes Leder, gestanzt mit Pflanzenmotiven, innen rosa Seidenfutter, 82/459

5.1.79 Bänder mit gestickten Rosen und Ranken

auf der Rückseite bez.: Die gurte der Stunden mit Kränzen umwunden, dem Freunde ein bleibendes ewiges Band. Z.K.« »So schmücke Dein Leben mit zarten Geweben mit Blüten und Blumen der Grazien Hand« Moiree Seide, bestickt, 4 × 23; 36/1269

5.1.80 Kuvertbeutel mit Perlstrickerei

bez.: H M, Seide, blaue Perlen, gestrickt, 13 × 20,5; 59/513

In Perlstrickereiarbeit Allegorie auf die Wissenschaft mit Globus, Fernrohr, Winkel usw.

5.1.81 Hosenträger mit Rosenmuster und Blätter mit Halter für Rückseite **

1817, bez.: linker: MW 18, rechter: CW 17, Perlenstrickerei auf Leder, 1778/481/1

5.1.82 Tiroler Sänger-Familie Rainer

Wilson, London, 25.7.1827, bez.: The Tyrolese Family Rainer. Songsters of Nature!!/In their new Costume Presented to them by His Majesty Georg the Fourth./ Before whom they had the honour to Performand were Sanctioned by his most distinguished Mark of Approbation./ Printed & Pub.ᵈ 25. July 1827 by S. Vowles, Lithographer. 3 St. Michael's Alley. Cornhill, London. Lithographie koloriert, 23,5 × 23, MSTM

5.1.83 Stickmustertuch mit Darstellung der Familie Rainer

1833, bez: F R / 1833, Leinen, bestickt, 54,4 × 38; 32/222

5.1.84 Tabaksbeutel *

wohl Süddeutschland, um 1830, Perlen, Baumwollgarn, 17,5 × 13,5; 29/867

Tabaksbeutel, ledergefüttert, außen Perlstrickarbeit, Motiv: Die Geschwister Reiner – Zillertaler Sängertruppe, die Europa bereiste. Grauer Grund mit Tisch und den drei Sängern in Zillertaler Tracht.

5.1.85 Andenkenpyramide mit Dame unter einem Glassturz auf einer Konsole *

Oberammergau, um 1820, Holz, gefaßt, 21 × 17,5 × 11,5; A 86/134

Pyramide mit Aufschrift »Verschönert ist des Lebens Glanz Blüht Unschuld in der Freundschaftsglanz«; Sockel mit Aufschrift »Zum Andenken«. Neben der Pyramide übernimmt biedermeierlich gekleidete Dame Blütenranke, die an der Pyramide befestigt ist. U.Z.

5.1.86 Kunstblumenstrauß mit Amor unter Glassturz **

süddeutsch, um 1840, Papier, Stoff, Gips, Glas, ca. 43; Ø 32; A 86/135

Blumenbukett in hochstieligem Korb unter Glassturz, Kunstblumengebinde aus Efeublättern, Rosen, Winden und Myrthe, mit Moos und Gräsern arrangiert. Obenauf blumenkorbtragender vergoldeter Amor.

5.1.87 Körbchen aus Gewürznelken *

1850, bez.a.d. Boden: Lebe glücklich Liebe/immerhin, deinen treuen/Freund u. denk/an Ihn/1850; Nelken, farbige Kugeln, Papier in versch. Farben, 6,2 × 20 × 15; 66/2495

Körbchen, aus Nelken und farbigen Glaskugeln geflochten, auf dem Boden Freundschaftsvers hinter Glas.

5.1.88 Kästchen mit Rosenmotiv

1. Hälfte 19. Jahrhundert, Pappe, Stroh, 5,7 × 12,5 × 9, Lit.: Bachmann, 1985; 35/1019

Kästchen mit aufklappbarem Deckel, mit Strohintarsien beklebt, auf Deckel Rosenmotiv, Seitenteile Zick-Zack-Muster.

5.1.89 Souvenirdose mit Musikszene

um 1835, Pappe, goldfarbener Blechrahmen, Lithographie, 2,4; Ø 8,5; 66/2496

Deckel mit Lithographie: Dame mit Laute und notenhaltendes Mädchen – unter Glas.

5.1.90 Schatulle mit Kranz aus Schmetterlingen

Süddeutschland, um 1835, Messingfüßchen, Halbstichstickerei, hellblaue Seide, Marmorpapier, Goldprägeborte, 6,5 × 22,3 × 14,4; A 83/293

Mit Marmorpapier bezogenes Kästchen, verziert mit Goldprägeborten, auf Deckel – unter Glas – Kranz aus Schmetterlingen, in Seide auf Stramin gestickt.

5.1.91 Schmuckkästchen

vermutlich Wien, um 1850, Holz, Pappe, Glas, geprägte Goldpapierborten, gedrücktes Messingblech u.a. Materialien, 26 × 33,5 × 13, München, Maximilian Fritz

Wohl Dilettantenarbeit aus teilweise vorgefertigten Elementen. Kästchen mit hellblauem Papier bezogen, alle Kanten mit geprägter, teils mehrfarbiger Goldpapierborte in verschiedenen Mustern beklebt. Auf dem aufklappbaren Deckel Prägeornament mit Lyra-, Eichenkranz- und Füllhornmotiv. Oben Schublade mit geprägtem Motiv der verschlungenen Hände, seitlich zwei Klappen mit Halterungen für Ringe. Mitte links und rechts Glastürchen vor samtgefütterten Fächern, darunter zwei muldenförmige Schubfächer hinter ornamentalen Blech-Beschlägen. Im Zentrum hinter silbergerahmter Glastür ein Baccus- und ein Amorknabe aus Blech gedrückt, darüber Goldpapier-Genius, durch drei Haken als Uhrenhalter adaptiert. Die Schmuckleiste unten trägt unter Verwendung eines Perlmutterplättchens ein Ornament aus Metall- und Glaskopfstecknadeln. Messing-Kugelfüße mit Weintraubenornament. Boden mit geprägtem rosa Papier überzogen. Durch die verwendeten Materialien und Motive stellt die Schmuckschatulle einen interessanten Übergang vom Kunstbillet zum Kleinmöbel dar. B.K.

5.1.92 Holzfigur, Münchnerin mit Riegelhaube

Oberammergau, um 1820, Fichte, geschnitzt, farbig gefaßt, 20,2 × 7,5 × 6,5, Lit.: Gröber, Oberammergauer Volkskunst, o.J.; Haller, 1981; 88; 68/124/1

5.1.93 Nadelkissen in Form einer Lokomotive *

bez.: vorn ovales Schildchen: Souvenir, Obstholz, schwarz gebeizt, 13 × 7,2 × 11; A 70/76

5.1.84

5.1.85

5.1.87

5.1.93

445

5.1.86

5.1.94 Beidseitig verwendbares Holzmodel zum Formen von Gebäck

Süddeutschland, Anfang 19. Jahrhundert, 15 × 19,5 × 1,5; VI/79

Gebäckmodel, beidseitig verwendbar: Darstellung einer Frau und eines Mannes in zeitgenössischer Kleidung. Alphabettafeln zum Ausformen von sog. ABC-Tafeln, die Kindern zum »Versüßen« des Alphabetlernens gegeben wurden. U.Z.

5.1.95 Holzmodel mit Früchtekorbmotiv und zwei Tauben, rückseitig eingebranntes Zeichen

Süddeutschland, um 1830, Ahorn, 10,7 × 8,6 × 1,7, A 72/105/7

5.1.96 Holzmodel mit Rosenzweigdarstellung

Süddeutschland, um 1830, Ahorn, 11,2 × 7,4 × 1,5, A 72/105/8

5.1.97 Keramikmodel mit der Darstellung eines Blumenkorbes; rückseitig die aufgemalten Buchstaben IR

Süddeutschland, 1. Hälfte 19. Jahrhundert, bez.: »IR«, Terrakotta, 8,4 × 8,8 × 1,5; 47/34

5.1.98 Eisernes Kreuz mit bemaltem Mittelfeld (Zither, Tirolerhut, Gewehr, Wanderstab)

Anfang 19. Jahrhundert, Weißblech bemalt, 17,7 × 17,7; 37/177

5.1.99 Pfeife mit Porträt eines Mädchens im grün-blauen Kleid vor grauem Hintergrund

wohl Manufaktur Schney, 1830, bez.: Guttenberg seinem Burckhardt; blaue Strichmarke, Kopf: Porzellan, Silbermontierung, Stiel: Weichsel, Horn; 33; 61/484

Schon im Jahre 1770 wurde angeblich für das Gedeihen der kleinen Porzellanfabrik Schney geläutet, wofür der Pfarrer 3 Taler erhielt. Allerdings muß aus verschiedenen Einwänden das Gründungsjahr 1770 angezweifelt werden. Beispielsweise bemerkte der thüringische Oberbrenner Andreas Martin in einem Schreiben vom Jahre 1802: »Auf besonderen Rufe des Herren Reichsgrafen von Brockdorff habe ich vor 20 Jahren meine bis jetzt fortgesetzte Porcellain Fabrique in dem gräflichen von dem Bambergischen Gebiete aber ganz umgebenen Orte Schnay etabliret . . .« (Staatsarchiv Bamberg, Rep. K3, FVIa Nr. 3718). Insgesamt ist also das Betriebsjahr 1782 wahrscheinlicher. Vorwiegend in den 30er Jahren des 19. Jahrh. ist das aufsteigende Unternehmen durch hervorragende Pfeifenköpfe aufgefallen. Als geläufiges Fabrikzeichen ist ein unterglasblaues »S«, später mit gekreuzten Strichen »$\frac{x}{S}$« über-

liefert. Teilweise wird in neuen Publikationen mit sehr zweifelhaften Begründungen auch das geschwungene »Stöber-S« einbezogen. Noch im Jahre 1836 schrieb der erfahrene Nymphenburger Porzellanmanufaktur-Inspektor Schmitz über die H. K. Eichhorn und Comp. in Schney u.a. »107 Arbeiter, Porzellainerden von Ebnath . . . Fabrikate: Pfeifenköpfe, Türkenbecher und Kaffee-Service-Stükke. Sehr erhebliche Porzellan-Malerei. 1000 Ztr. Waare im Werthe zu 50.000 fl. werden jährlich fabrizirt. Fabrikzeichen: Schney«. (Oftmals in die Masse eingedrückt). Er bemerkte dann weiter: »Die (Pfeifen)Stummel haben einen blauen Strich am Röhrchen.« Da nun auch überlieferte Tassen mit einem unterglasurblauen »PFS« erhalten sind, kann man mit großer Wahrscheinlichkeit die eingedrückte und unterglasurblaue »PFS« Fabrikmarke an den qualitätvollen Pfeifenstummeln der gewachsenen Porzellanfabrik Schney zuordnen. W.M.

5.1.100 Pfeife mit Damenporträt mit weißem Kopftuch und rotem Kleid vor Landschaftsgrund

Manufaktur Schney, um 1840, bez.: blaue Strichmarke: PSS; eingemarkte Nummer auf der Schnurbefestigung, Kopf: Porzellan, Stiel: Palisander, Horn; 37,8; 61/482

5.1.101 Pfeifenkopf mit Damenporträt mit weißem Kopftuch, blauem Kleid und brauner Jacke vor blauem Grund

wohl Manufaktur Schney, 1840, bez.: blaue Strichmarke, Porzellan, 14,5; 61/491

5.1.102 Pfeifenkopf mit Porträt eines Mädchens in rosa Kleid mit silberner Riegelhaube

München, 1820, Porzellan, 12,5, MSTM

5.1.103 Pfeifenkopf eines Mädchens in Münchner Bürgerstracht, mit Kropfkette und silberner Riegelhaube

um 1840, Porzellan, 13,7; 34/75

5.1.104 Pfeifenkopf mit Damenbildnis mit schwarzem Schleier und blauem Kleid ** Abb. S. 151

1840, bez.: Marke 8, Porzellan, 14,5; 61/487

Die sehr populäre, erfolgreiche Komödie »Fanchon, das Leyermädchen« von Vaudeville, 1788, gab einem bestimmten Mädchentyp eine neue Bezeichnung: Fanchon. Der Student Eduard Wedekind schrieb 1824 in sein Tagebuch:
»Ich habe einen Pfeifenkopf, worauf eine kleine Fanchon gemalt ist, den habe ich sehr lieb, weil er mich an sie erinnert, nicht als wenn wegen der Ähnlichkeit, aber weil sie sich wohl so zu tragen pflegte. Fanchon ist eigentlich ein Normalgesicht, das mit aller Ähnlichkeit haben

kann. Meine Landsleute necken mich wohl mit ihr, ohne doch nur zu ahnen, wie es eigentlich mit mir steht. Nun mache ich mir wohl den Spaß, sie zu fragen, mit wem der Kopf Ähnlichkeit habe. Der eine rät diese, der andere jene, die meisten meinen, es sei eine Berlinerin. Knille hat neulich das Rechte geraten und bemerkte, sie trüge sich oft so. Seitdem zeige ich ihn nicht mehr herum. – Leider hat der Kopf neulich einen Bruch bekommen; ich habe ihn zu einem hiesigen Maler gebracht und ihm eine gute Belohnung versprochen, wenn er mir gerade so einen Kopf wieder malen könnte.« (Houben, 1927, 157 ff.) U.L.

5.1.105 Pfeife mit Damenporträt im violetten Kleid vor grauem Grund

1840, Kopf: Porzellan, Stiel: Horn, 33,5; 61/486

5.1.106 Pfeife mit Damenporträt in weißem Kleid auf rotem Sessel vor grünem Vorhang ** Abb. S. 151

um 1840, bez.: Garantiemarke: 13; auf dem Fuß: Marke: 8, Kopf: Porzellan bemalt, Silbermontierung, Stiel: Ebenholz, Horn, 35; 61/498

5.1.107 Pfeife mit Damenporträt

1840, bez.: blaue Strichmarke PSS; eingemarkte Nummer auf der Schnurbefestigung, Kopf: Porzellan, Stiel: Horn, Palisander, 34,5; 61/495

Das Portrait zeigt wohl eine Schauspielerin in der Rolle der ›Norma‹ aus der gleichnamigen Oper von Bellini, wie ihre Bekränzung mit Weinlaub vermuten läßt.

5.1.108 Pfeifenkopf mit Porträt der Sängerin Sontag im roten Renaissance-Kleid mit großem Hut

1840, bez.: Sontag, Porzellan, Montierung Messing, versilbert, 13; 38/331

vgl. Kat.Nr. 7.4.35

5.1.109 Pfeifenkopf mit Silhouettenporträt

1845, bez.: Alshofer/Hoefs jun./Kaiser/Lahner/Lastinger/Muckenschnabl/Pernat/ihrem Kaufmann, Porzellan, 13,5; 28/1536

5.1.110 Pfeifenkopf mit Silhouettenporträt

München, 1845, bez.: Alkofer/Kaiser/Kaufmañ/Lahner/Lastinger/Muckenschnabl/Pernat/Ihrem Hoeß jun. seinem Kaufmañ, Porzellan, 15; 28/1537

5.1.111 Pfeifenkopf mit Silhouettenporträt

München, 1845, bez.: Lastinger seinem Kaufmann, Porzellan, 18; 28/1535

5.1.116

5.1.117

5.1.112 Pfeife mit Blumenbukett und »A Souvenir« und »Andenken«

Porzellanmanufaktur Nymphenburg, wohl München, um 1850, Kopf: Porzellan bemalt und vergoldet, Perlstickerei, Stiel: Horn, 43,5; 61/463

5.1.113 Schnupftabakfläschchen eines Eisenbahners

wohl Bayerischer Wald, um 1840, farbloses Glas mit rubinrotem Innenüberfang, geschliffen und geschnitten; Linden- oder Ahornholz geschnitzt, 8,7; Lit.: Vgl. MK Regensburg, 1977, Nr. 397/5; MSTM

Flacher Flaschenkörper; auf der Schauseite geflügeltes Rad, von dem Blitze ausgehen, darüber die bayerische Königskrone, auf der Rückseite eingraviert »Albert Zink k. Oberexpeditor«. Hölzerner Stopfen, bekrönt von zwei männlichen Figuren. C.S.

5.1.114 Feuerzeug im Etui mit Feuerstahl, Feuerstein und Zunder

1840, bez.: Dem andenken; auf dem Feuerstahl: Souvenir, Seidenstickerei auf Leinen, geätzter Feuerstahl, Innenfutter: Baumwolle, 8,2 × 6,5; 35/1386

5.1.115 Feuerzeugbeutel mit Feuerstahl und Feuerstein

bez.: Erinnerung, Häkelarbeit mit Baumwolle, Innenfutter: Taft, geätzter Feuerstahl, 7,5 × 7; 61/569

5.1.116 Tabaksbeutel mit Rosen: »Gedenke mein!« *

bez.: Gedenke mein!, Strickerei mit farbigen Glasperlen, Innenfutter: Roter Satin, 15,5 × 14; 17 75/323

5.1.117 Tabaksbeutel mit Monogramm TW und Blumenmotiven *

bez.: TW/Wandle auf (Rosen)/und (Vergiß-meinnicht)/Wohl bekomm das Pfeifchen. Braunes Baumwollgarn, bunte Perlen eingestrickt, Innenfutter: Wildleder, 18,5 ×12; 61/772

5.1.118 Tabaksbeutel mit Blumenkorb und Denkstein

1815–20, bez.: »L«, Wollstickerei auf Leinengewebe, Lederbesatz, 14,5; 959/560

5.1.119 Tabaksbeutel des Metzgers Paulus Straub mit Rosenkranz * Abb. S. 151

1827, bez.: Paulus Straub 1827, Perlstickerei mit bunten Glasperlen, Innenfutter: Taft, 19; XII/260

Der Beruf von Paulus Straub ist durch die Insignien des Metzgerhandwerkes – Rinderkopf, 4 gekreuzte Beile ausgedrückt.

5.1.120 Tabaksbeutel mit zwei Blumenkränzen: »Wohlbekom das Pfeifchen«

1830, bez.: MS, Wohlbekom das Pfeifchen, Perlstickerei mit bunten Glasperlen, zwei Beeren als Behang, Innenfutter: Waschleder, Lederbesatz, 19,3; MSTM

5.1.121 Frau am Stickrahmen mit einem Tabaksbeutel * Abb. S. 154

Moritz von Schwind, (Wien 1804–1871 Niederpöcking) München, 1832–34, Radierung, 17 × 11,5; M II/3120

vgl. Kat.Nr. 4.20.1

Visitenkarten

5.1.122 Visitenkarte La M^{ame} de Neubeck née Mlle de Lerchenfeld

Handschrift auf rosa Glanzpapier mit geprägtem Rand, 4 × 6,6; 68/202/124

»La Madame de Neubeck née Mlle de Lerchenfeld« ist der handschriftliche Eintrag auf einem mit Prägerand verzierten rechteckigen rosa Kärtchen – einer Visitenkarte des 19. Jahrhun-

derts. Ein noch einfacheres längliches Papier mit handschriftlicher Namenszeichnung gilt als der Ursprung der Visitenkarte, die im Frankreich Ludwigs XIV. »erfunden« wurde. Diese Kärtchen, unumgänglich für den gesellschaftlichen Verkehr nach und mit den Gesetzen feinster Umgangsformen, erleben ihre Blütezeit zwischen 1780 und 1815. Gedruckte Namenszüge ersetzten handschriftliche schon vor 1800. Einfache Kartuschen oder Allegorien, die auf Stand und Beruf des Besitzers Bezug nehmen, rahmen die Namen.

Der Kupferstecher Michael Mettenleiter († 1853) versorgt zum Beispiel Münchens und Passaus »bessere Gesellschaft« mit noblen, gestochenen Exemplaren.

Die Visitenkarten unserer Sammlung sind meist einfache rechteckige Papierblättchen, einige mit Zierrand und Goldschnitt, oder aus beschichtetem Papier. Meist sind die Namen gedruckt, selten noch handgeschrieben. Obengenannte Madame de Neubeck mag hier eine Ausnahme sein, doch die von ihr gewählte Prägeleiste übernimmt dafür eine der Lieblingsblumen der Zeit – die Winde. Minister Montgelas, die Hofbeamten und der Adel lassen die Visitenkarten mit Namenszug ohne Kartusche und Allegorie drucken.

Mit dieser einfachen unverzierten Form der Visitenkarte empfehlen sich auch Hofmaler und Juweliere ihren Kunden. U.Z.

5.1.123 Visitenkarte La Comtesse d'Arco

bez.: La Comtesse d'Arco / née Comtesse de Sensheim / Dame du Palais de S.M. la Reine, Papier, Handschrift, 5,2 × 7,8; 68/202/14

5.1.124 Visitenkarte Madame de Pillement

bez.: Madame de Pillement, née Marquise de Boisséson, Grande Maitresse de S.A.R. M^{ad} la Princesse Royale de Bavière. Papier, Handschrift, 4 × 7,6; 68/202/70

5.1.125 Visitenkarte Le Comte de Montgelas Ministre d'Etat

Papier, 5,1 × 8,6; 68/202/110

5.1.126 Visitenkarte M^{r} d'Abel

bez.: Ministre de l'Interieur et Conseiller d'état de S. M. le Roi de Bavière, Druck (sehr dünn) auf weißem Glanzpapier, 4,7 × 8,7; 68/202/88

5.1.127 Visitenkarte Eduard von Schenk, königl. bayer. Staatsrath und Minister des Inneren

3,6 × 7,5; 68/202/98

5.1.128 Visitenkarte F. J. Haedeer, königl. Ministerial-Rath und zweiter Präsident der Kammer der Abgeordneten

3,7 × 7,1; 68/202/94

5.1.129 Visitenkarte Dr. J. R. Ahorner, königl. bayer. Regierungs-Rath

3,3 × 6,8; 68/202/87

5.1.130 Visitenkarte Dr. Magnus Ant. Becherer, königl. Hofprediger und Schul-Inspector

schwarzer Druck auf weißem Glanzpapier, 4 × 8; 68/202/83

5.1.131 Visitenkarte Max Jos. v. Grauvogt, Oberaufschlagsbeamter

Papier, Handschrift, 3,4 × 6,4; 68/202/65

5.1.132 Visitenkarte Rudhart

weißes Papier, Handschrift, 4,8 × 7,4; 68/202/ 59

Georg Thomas Rudhar(d)t, Reichsarchivdirektor (Weismain 1792 – 1860). 1841 veröffentlichte er sein Hauptwerk »Älteste Geschichte Baierns und der in neuester Zeit zum Königreich Baiern gehörigen Provinzen Schwaben, Rheinland und Franken«. 1856 wurde er von König Maximilian II. mit der Leitung der Kommission zur Herausgabe der »Quellen und Erörterungen zur baierischen und deutschen Geschichte« betraut.

5.1.133 Visitenkarte v. Sabbadini

Handschrift, Papier, 3,3 × 6,4; 68/202/55

5.1.134 Visitenkarte v. M. Suitzel

bez.: Herzliche Glücks- und Segenswünsche zum heiligen Namensfeste von M. Suitzel, Papier, geprägt mit Blumenornamentik, 5 × 8,5; 68/202/126

5.1.135 Visitenkarte Joseph Muxel, Hofmaler

24.4.1830, bez.: Joseph Muxel k.b. Hof Maler. Log. am Max-Ther N°1454 im 1ten Stocke über der Wache, 3.4 × 6,3; 68/202/93

5.1.136 Visitenkarte Carl Zahn

München, bez.: Carl Zahn Juwelier et Wollenwebers Erben Theatiner Straße N° 66 in München, Glanzpapier, 3,7 × 6,4; 68/202/127

5.1.137 Visitenkarte v. Bartholomä Mayerhofer

bez.: Silber-Waaren-Lager von/Barthol ME Mayerhofer/Bürger und Silberarbeiter in München./am Frauen-Platz N° 2, Glanzpapier, 4,5 × 7,8; 68/202/129

5.1.138 Eintrittskarte für die Ständeversammlung, 1834

1834, bez.: Eintritts-Karte Charta Magna Bavaria auf die Tribüne dem Throne gegenüber im Saale für die öffentliche Sitzung der Stände Versammlung für das Jahr 1834, Papier auf Pappe, 6,5 × 10; 68/202/137

5.1.139 Eintritts-Karte für die Ständeversammlung, 1837

1837, bez.: Eintritts-Karte auf die Tribüne rechts im Saale für die öffentliche Sitzung der Stände-Versammlung für das Jahr 1837, Steingravierung, 6,7 × 10,1; P 1561

Souvenirschmuck

5.1.140 Haarcollier mit Zierschließe

Deutschland, um 1820, Gold, Email, Haar; 38, Lit.: Marquardt 1984, Nr. 86; 1983, Nr. 40; A 78/739

Vier geflochtene, feine, braune Haarsträge mit breitem Verschlußstück; Schnappschloß.

**5.1.141 Haarkette mit Kreuzanhänger ∗
Abb. S. 156**

Deutschland, um 1820, Haar, Metall, vergoldet, Kreuz: 35 × 23, Kette: 39, Lit.: Marquardt 1984, Nr. 88; 1983, Nr. 94; A 79/153

Kette und Kreuzanhänger aus geklöppelten »Haarperlen«.

5.1.142 Freundschaftskette

Deutschland, 1820–30, Gold, Edelsteine, Glasperlen, Email, L: 40,5, Lit.: Marquardt 1983, Nr. 32, München, Bayerisches Nationalmuseum, 58/34a

Die Anfangsbuchstaben der Steine ergeben hintereinander gelesen das Wort »Freundschaft«.

5.1.143 Haararmband mit Biedermeierblumen besetzter, rechteckiger Semilorschließe

Deutschland, um 1820, Haar, Semilor, Glas, 16, Lit.: Marquardt 1984, Nr. 91; 1983, Nr. 136; A 77/607

5.1.144 Haararmband mit Porzellanminiatur

Deutschland, um 1850, Haar, Gold, Porzellan, 18,2, Lit.: Marquardt 1984, Nr. 225; 1983, Nr. 223; A 77/38

Zwei aus Haartressen geflochtene Zöpfe, die an beiden Enden durch flache, mit Rokoko-Dekor verzierte Goldhülsen gefaßt sind. Achteckige goldgerahmte Porzellanminiatur als Verschluß-

stück (dargestellt ein geflügelter Putto nach Raffael).

5.1.145 Haararmband mit Porträt des Friedrich Braun

Porträt von Hermann Lau (Ottendorf 1822–1875 München), Deutschland, 1850, Haar, Gold, Miniaturporträt in Öl auf Elfenbein, Medaillon: 4,6 × 3,8, Band: 13,2, Lit.: Marquardt 1984, Nr. 250; 1983, Nr. 222; 34/ 746

Mit beiliegendem Gedicht. Aus vier Haartressen geflochtener, flacher Zopf, der an beiden Enden in Goldhülsen mit Rokoko-Dekor gefaßt ist. Das hochovale, goldgefaßte Miniaturporträt dient als Verschlußstück.

5.1.146 Haararmband aus zwölf Haartressen ∗

Deutschland, um 1850, Gold, Haar, 19, Lit.: Marquardt 1984, Nr. 224; 1983, Nr. 224; 30/ 2013

Die zwölf Haartressen werden durch sechs Trennstäbe in gleichen Abständen gehalten.

5.1.147 Haarschlangenarmband

Deutschland, um 1830, Haar, Gold, Rubin, Türkis, 20, Lit.: Marquardt 1984, Nr. 151; 1983, Nr. 171; A 75/71

Armband in Form einer sich in den Schwanz beißenden Schlange.

5.1.148 Armband

Deutschland, um 1850, Haar, Ø 6, Lit.: Marquardt 1983, Nr. 221, A 77/619

5.1.146

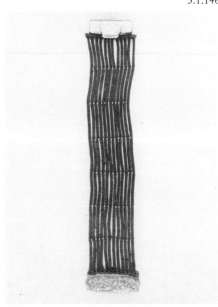

5.1.149

5.1.153

**5.1.149 Armreif mit Widmung:
Zum Geburtstag am 9. Dezember 1841** *

*Deutschland, 1841, Silber, vergoldet, facettierte
Granate, Ø 6,2; Lit.: Marquardt 1983,
Nr. 209; A 73/43*

5.1.150 Armband mit Perlenstickerei

*Deutschland, bez. auf der Schließe (Umschrift):
La belle Alliance 18 Juin 1815, Silber, Perlstik-
kerei auf Stoff, 18, Lit.: Marquardt 1984,
Nr. 132;, 1983, Nr. 70, 58/580*

5.1.151 Medaillonanhänger

*Deutschland, um 1800, Gold, Elfenbein, Perl-
mutt, blaues Papier, Glas, 6,5 × 5,3, Lit.: Marquardt 1983, Nr. 89, T 82/275*

**5.1.152 Broschenfassung mit fünf
auswechselbaren Ansichten von München
und Starnberg**

*Ölminiaturen von Josef Schertel (Augsburg
1810–1869 München), München, 1847, Silber
vergoldet, Ölminiaturen auf Holz, 3,4 × 4,7,
Lit.: Marquardt 1984, Nr. 248; 1983, Nr. 361;
34/1239*

Im originalen Lederkasten. Der Rahmen ist aus
vergoldetem Silber mit Rokoko-Dekor.

**5.1.153 Brosche mit Ansicht der Burg
Stolzenfels am Rhein** *

*wohl Berlin, um 1850, Stahl, Hinterglasbild,
3,3 × 3,9, Lit.: Marquardt, 1984, Nr. 289;
1983, Nr. 577; A 77/677*

5.1.154 Brosche

*Deutschland, um 1850, Haar, 3,6 × 4, Lit.:
Marquardt 1983, Nr. 391, A 77/392/7*

5.1.155 Brosche mit Porträt eines Mannes

*Porzellan: Manufaktur Nymphenburg, Mün-
chen, 1849, Gold, Porzellan, 4,7 × 3,7, Lit.:
Marquardt 1984, Nr. 249; 1983, Nr. 352; 37/
1378*

Denkmalkult

**5.1.156 Statuette
Ludwig von Schwanthaler** **

*Franz Xaver Schwanthaler (Ried 1799–1854
München), um 1840/45, Carrara-Marmor, 51,
Lit.: AK Schwanthaler, Reichersberg 1974, Nr.
302, I^b /40*

Franz Xaver Schwanthaler war in der Werkstatt seines berühmten Vetters Ludwig Schwanthaler tätig, deren Leitung er nach dessen Tod
1848 auch übernahm. Ludwig Schwanthaler
war ohne Zweifel der geschätzteste unter den
Münchner Bildhauern der ludovizianischen
Ära gewesen. Als Schöpfer der Bavaria, deren
Enthüllung er nicht mehr erlebte, sollte sein
Andenken weithin popularisiert werden. Franz
Xaver Schwanthaler schuf offenbar mehrere
Fassungen einer denkmalartigen Statuette, die
den Künstler sinnend, mit dem Modellierholz
in der Rechten, an das Kopfmodell der Bavaria
gelehnt zeigt. Das Exemplar des Münchner
Stadtmuseums stammt aus dem Nachlaß Franz
Xaver Schwanthalers. Auf dem Aquarell von
Gustav Seeberger (Kat.Nr. 5.1.227), das Lud-
wig Schwanthalers Wohnzimmer in Form ei-
nes Gedächtnisbildes zeigt, ist die Figur in zwei
verschiedenen Größen zu erkennen.   N.G.

**5.1.157 Statuette des Bildhauers
Bertel Thorvaldsen** *

*wohl Kgl. Erzgießerei München, München,
nach 1833, bez. auf dem Sockel: A. Thorvaldsen, Bronze, 43,5 cm, 32/215*

Die aus dem Nachlaß der Erzgießerei Ferdi-
nand Miller stammende Figur ist eine Bronze-
reduktion der heute in der Ny Carlsberg-
Glyptothek in Kopenhagen bewahrten Statue
des Bildhauers Franz Woltreck, die mit dem
Namen des Künstlers bezeichnet und mit der
Jahreszahl 1833 datiert ist. Woltreck hatte
Thorvaldsen in diesem Jahr während eines
Rom-Aufenthaltes porträtiert. 1836/37 ist
Woltreck in München nachweisbar, so daß anzunehmen ist, daß die Statuette in dieser Zeit
entstanden ist. Der in Rom lebende Bildhauer
Berthel Thorvaldsen, das europaweite Vorbild
klassizistischer Künstler, ist im Schlafrock dar-
gestellt, das Modellierholz nachdenklich ans
Kinn führend. Mit der Linken umfängt er ei-
nen Säulenstumpf, auf dem ein Figurenmodell
steht, das der 1808 entstandenen Statue des

Adonis (Bayerische Staatsgemäldesammlungen),
bis auf untergeordnete Details, sehr nahe
kommt.   N.G.

**5.1.158 Statuette des Reiterdenkmals
Kurfürst Maximilians I.**

*Kgl. Erzgießerei, München, nach 1839, Bronze
auf Granitsockel, 48,8 mit Sockel (39), Sockel:
9,8 : 14,3 × 33,3, Lit.: AK Thorvaldsen, Köln
1977, 206–08, Nr. 64; AK Vorwärts, Nürnberg
1986, 225, Nr. 336, 337; Wolf/Wolter 1925,
57f.; 59/390*

1830 beauftragte Ludwig I. Bertel Thorvaldsen
mit dem Entwurf eines Reiterdenkmals für den
Kurfürsten Maximilian I. Ausdrücklich wurde
die Richtigkeit des historischen Kostüms zur
Auflage gemacht, was Thorvaldsen veranlaßte,
Studien an Rüstungen des Münchner Zeughauses zu betreiben. Die Tradition der barocken
Reiterdenkmäler wurde so mit dem Historismus des 19. Jahrhunderts verknüpft, das Reiterstandbild zum dynastischen Denkmal und
darüber hinaus zur politischen Manifestation
eines konservativen Regierungsprogramms,
dem sich Ludwig mehr und mehr verpflichtet
fühlte. 1839 wurde das von Johann Baptist
Stiglmayr gegossene Reiterstandbild auf dem
Wittelsbacher Platz in München enthüllt. Bereits im selben Jahr bot die Kgl. Erzgießerei
Reduktionen des Denkmals in Gips und Bronze an. Eine Form der Verwendung solcher
Verkleinerungen von Großplastiken läßt sich
gerade im Falle der Statuette Kurfürst Maximilians I. nachweisen. Als Thorvaldsen 1841 auf
der Durchreise von Rom nach Dänemark
München besuchte, gab ihm die Künstlerschaft
ein Fest. Vor dem Künstler stand auf der Tafel
ein gotischer Pokal und eine Bronzereduktion
seiner Reiterstatue Maximilians I.   N.G.

5.1.157

5.1.159 Modell der Statuette des griechischen Admirals Andreas Vokos Miaulis

Johann Leeb (Memmingen 1790–1863 München), München, 1832, bez. auf der Rückseite schwer leserlich: Fecit . . . Leeb M(ünchen) IV. Dec/MLCCCXXXII, Gips, 60,5, Lit.: Lewald 1835, 194–213; I^b/9

Als Otto, Ludwigs I. zweitältester Sohn, 1832 zum König von Griechenland gewählt worden war, kam zur Huldigung des bayerischen Prinzen eine griechische Deputation nach München, unter anderen die Generäle Dimitri Kaliopulos, Kosta Buzaris und der Admiral Andreas Miaulis, der Seeheld des griechischen Befreiungskampfes. August Lewald gibt in seinem Panorama von München eine ausführliche Beschreibung eines Oktoberfestbesuchs dieser griechischen Deputation. Zu Admiral Miaulis heißt es dort: »In der Mitte stand die interessanteste Person, der kühne, schlaue, greise Miaulis, jener verwegene Admiral, den die Gewässer alle kennen, welche die griechischen Inseln und die türkische Küste anspülen; der seit Jahren mit dem alten, wilden Elemente vertraut, sich selbst dessen Charakter aneignete, seinen Felsen Trotz, seinen Wellen Muth, seinen Stürmen List entgegensetzte, und so stets auf gutem Fuße mit jenen tückischen Gewässern blieb . . . Dieser Mann war es, der mit zerstörender Feuermacht im Bunde, den schäumenden Brandungskessel durchschlich, und die nächtlichen Wogen in ein brennendes Meer verwandelte.« (202 f.) Johann Leeb fertigte Büsten der genannten Deputierten und darüber hinaus eine Statuette von Andreas Miaulis, die sich, von Stiglmeyer in Bronze gegossen und vervielfältigt, einer gewissen Beliebtheit beim Münchner Publikum erfreute. Die exotische Aura, die das Bild des griechischen Seehelden umgab, war hierfür wohl der Grund. Von Interesse ist die Datierung des Modells auf den 4. Dezember. Zwei Tage später nahm Otto Abschied von München und trat seine Reise nach Griechenland an.   N. G.

5.1.160 Napoleon auf der Vendôme-Säule * Abb. S. 11

Anton Sohn (Kimratshofen 1769–1841 Zitzenhausen), Zitzenhausen, bez.: Statue Napoleons auf der Vendôme-Säule, Ton, gebrannt und bemalt, 21,9 × 19,9 × 7,5; Konstanz, Rosgartenmuseum, V-Z/11-013

An der Stelle der heutigen Napoleon-Statue auf der Vendôme-Säule, die erst unter Napoleon III. aufgestellt wurde, befand sich dort seit 1810 eine, die den Kaiser und Sieger von Austerlitz in Generaluniform darstellte. Napoleon hatte an der Stelle des in der Revolution zerstörten Reiterstandbilds Ludwigs XIV. auf der Place Vendôme eine der Trajanssäule nachempfundene ›Colonne de la Grande Armée‹ errichten lassen, die von seiner Statue gekrönt wurde. Aus der Bronze der bei Austerlitz erbeuteten Kanonen waren hier auf umlaufenden Reliefs Scenen aus den Feldzügen der vergangenen Jahre dargestellt. Die Statue von Seuvre, die später im Invalidendom aufgestellt wurde,

5.1.156

zeigt den Kaiser der Franzosen in einer charakteristischen Haltung mit über der Brust verschränkten Armen und gehobenem, leicht gewendetem Kopf. Sie scheint bestätigen zu wollen, was Heine über Napoleon sagte: »Napoleon war nicht von dem Holz, woraus man Könige macht – er war von jenem Marmor, woraus man Götter macht.« Die Statue auf der Vendôme-Säule hatte ein wechselvolles Schicksal; nachdem sie bereits 1814 eingeschmolzen wurde, ließ Louis-Philippe sie 1833 erneuern; Napoleon III. ersetzte sie dann 1863 durch die heutige Statue von Dumont, die Napoleon in antiker Gewandung zeigt. Dieses Standbild wurde beim Aufstand der Kommune 1871 gestürzt und schließlich in der 3. Republik restauriert. B.B.

5.1.161 Schreibzeug in der Form des Sarkophags Napoleons

nach 1840, Eisenguß, schwarz patiniert, 11,8 × 9,7 × 6,1; Berlin, Deutsches Historisches Museum.

Das eiserne Schreibzeug ist eine, wenn auch beträchtlich veränderte Nachbildung des Sarkophags Napoleons im Invalidendom in Paris; auf dem Deckel ein Kissen mit dem Degen und dem Hut des Kaisers. Darunter ein Einsatz, der Tintenfaß und Streusandbüchse enthält, darunter ein anderer, der als Hochrelief den Toten in Generaluniform zeigt. Am 15. Dezember wurde die von der Fregatte ›La Belle Poule‹ aus St. Helena überführte Asche des dort 1821 verstorbenen Kaisers in einem triumphalen Zug zum Invalidendom geleitet und dort im Beisein des Königs Louis Philippe bestattet. In den folgenden Tagen drängten sich um den Sarkophag Hunderttausende, deren Napoleonbegeisterung bald zu einer Gefahr für das Regime des Bürgerkönigs zu werden drohte.
Nach Plänen des Architekten Visconti war im Boden unter der Kuppel des Invalidendoms eine runde Öffnung angelegt worden, durch welche man auf den aus rotem karelischem Porphyr geschaffenen Sarkophag blicken konnte. Über der Türe zu dieser Krypta wurden aus dem Testament Napoleons diese Worte angebracht: »Je désire que mes cendres reposent sur les bords de la Seine, au milieu de ce peuple, francais que j'ai tant aimé.«

B.B.

5.1.162 Modell eines Denkmals für Jean Paul

Ludwig Schwanthaler (München 1802–1848 München), München, um 1840, bez. am Sockel vorne: J.P. Richter, Gips, Lit.: Otten 1970, 132, Abb. 179–81; AK Vorwärts Nürnberg 1986, Nr. 345, 46, München, Bayerisches Nationalmuseum, 1930

Sowohl in Wunsiedel (1842–45), als auch in Bayreuth (1838–41) wurden unter wesentlicher Beteiligung Ludwigs I. Denkmäler für den Dichter Jean Paul (Friedrich Richter) errichtet. Im Gegensatz zu einer großen Büste vor dem Geburtshaus des Dichters in Wunsiedel entstand für den Gymnasiumsplatz in Bayreuth ein Standbild des Dichters als Vollfigur. Abweichend von dieser ausgeführten Denkmalstatue zeigt das Modell des Bayerischen Nationalmuseums den Dichter mit offenem Rock in realistischer, weniger goethehafter Auffassung. Das ausgeführte Denkmal erhielt die Inschrift: »Errichtet von Ludwig I. König von Bayern und Herzog von Franken«. Im Stadtmuseum Bayreuth befindet sich ein 60 cm hohes Gipsmodell für das Denkmal, das ebenfalls Ludwig Schwanthaler zugeschrieben wird.

N.G.

Mythos Napoleon – Die Napoleon-Legende in Deutschland

Bernhard Barth

Die ersten eineinhalb Jahrzehnte des 19. Jahrhunderts werden dominiert von der Gestalt Napoleons. Auch Deutschland und mit ihm beinahe ganz Europa stehen unter seinem überwältigenden Einfluß, der sich weit über die Grenzen der Politik im engeren Sinn hinaus erstreckt und alle Bereiche des Lebens erfaßt.
Wie nur wenige Gestalten der Geschichte ist Napoleon bereits zu Lebzeiten zum Mythos geworden. Am besten beschreiben seine eigenen Worte die mythische Dimension, in die er sich einordnete und in der das Napoleon-Bild der Epoche gründete: »Die großen Menschen sind wie Meteore, die glänzen und sich selbst verzehren, um die Welt zu erleuchten.« Während seiner ganzen Laufbahn hat Napoleon sich als ein Meister der Selbstmythisierung bewiesen und scheint darin einer Tendenz des Zeitalters entgegengekommen zu sein. Gerade deshalb läßt sich seine reale historische Existenz kaum von dieser fiktiven Gestalt trennen, da sie einen wesentlichen Anteil an seinem historischen Wirken hat und sicher mitentscheidend für seine Erfolge war.
In diesem Bild erscheint Napoleon als die Inkarnation der Macht und des Schicksals, wofür das Aperçu Hegels, er habe die »Weltseele zu Pferde« gesehen, nur der berühmteste Beleg ist. In der Stilisierung seiner Gestalt fließen die entscheidenden Tendenzen der Epoche ineinander: der Geniekult ebenso wie das Freiheitspathos der Französischen Revolution; der emotionale Nationalismus verbindet sich mit dem Ordnungsdenken und der Reformleidenschaft der späten Aufklärung – alle Elemente vereinigt in der Figur des unbesiegbaren

Feldherren und volkstümlichen Führers seiner Armeen. Napoleon erscheint damit als die große Integrationsfigur, der es gelungen war, alle diese Strömungen politisch zu vereinigen und die zugleich die Macht besaß, sie im Rahmen der französischen Hegemonie über Europa zu einer neuen historischen Realität zu machen. Vor allem aber ist er die Gestalt, die die Fähigkeit besitzt, sie alle in seiner Person zu repräsentieren und damit aus Ideen eine anschauliche Wirklichkeit zu machen. Als dieser Repräsentant der Einheit von Freiheit und Staat, von Volk und Macht, von Nation und Europa, wird er zum Gegenstand eines Mythos, den auch seine schließliche Niederlage nicht zerstören konnte.
Selbst ein engagierter Patriot wie Ernst Moritz Arndt zeigt, daß er sich dieser Faszination Napoleons nicht entziehen konnte, wenn er 1806 schreibt: »Man darf den Fürchterlichen so leicht nicht richten, als es die meisten tun in Haß und Liebe. Die Natur, die ihn geschaffen hat, die ihn so schrecklich wirken läßt, muß eine Arbeit mit ihm vorhaben, die kein anderer so tun kann. Er trägt das Gepräge eines außerordentlichen Menschen, eines erhabenen Ungeheuers, das noch ungeheurer scheint, weil es über und unter Menschen herrscht und wirkt, welchen es nicht angehört. Bewunderung und Furcht zeugt der Vulkan und das Donnerwetter und jede seltne Naturkraft, und sie kann man auch Bonaparten nicht versagen.«
Wie das negative Komplement zu dem Napoleon-Mythos, der den Kaiser als ein göttergleiches Wesen verehrte, muß das Napoleon-Bild der vaterländischen Agitation im

Deutschland der Befreiungskriege erscheinen. Dem Übermaß der vorhergehenden Verherrlichung entspricht nun die Unmäßigkeit der Diffamierung des Usurpators und Tyrannen. Sie ergänzt dessen positives Bild um seine äußerst polemisch gezeichneten Schattenseiten, wodurch die Gestalt des Franzosenkaisers jedoch nicht realer, sondern nur in ihr anderes Extrem gewendet erscheint. Dem Bild des göttlichen Heroen wird nun das einer satanischen Ausgeburt gegenübergestellt, dem Befreier der Unterdrücker, dem Konstrukteur des modernen Europas dessen universeller Verwüster und Zerstörer.

Diese extreme Polemik konzentriert sich jedoch hauptsächlich auf die Jahre der Befreiungskriege und weicht danach zusehends wieder einem positiveren Napoleon-Bild. Mit dem zunehmenden Abstand von der realen Bedrohung durch die französische Militärmacht, der sich nach der Verbannung und erst recht nach dem Tod Napoleons einstellte, wird es eher möglich, seine Bedeutung in der Dialektik ihrer Größe und ihrer Grenzen zu sehen. Immer mehr erhält seine Gestalt den Status eines gleichsam zeitlosen Symbols für das Genie der Macht, und in dieser Gestalt – sei es als Gegenstand der Verehrung oder des Abscheus – sollte sie die Zeit überdauern.

Im bezug zu seiner eigenen Biographie beschreibt Heinrich Heine diesen Prozeß der Mythologisierung Napoleons, der Loslösung seines Bildes aus den realen historischen Umständen und seiner Erhebung in den Parnaß ewiger Gestalten: »Manchmal überschleicht mich geheimer Zweifel, ob ich ihn wirklich gesehen, ob wir wirklich seine Zeitgenossen waren, und es ist mir dann, als ob sein Bild losgerissen aus dem kleinen Rahmen der Gegenwart, immer stolzer und herrischer zurückweiche in vergangenheitliche Dämmerung. Sein Name schon klingt uns wie eine Kunde der Vorwelt, und ebenso antik und heroisch wie die Namen Alexander und Cäsar . . .«

Entgegen dem gängigen Bild des deutschen Biedermeier ist es auch die Epoche, die die Legende Napoleons pflegt und seinen Kult ausprägt. Auf der einen Seite wurde der verbannte Napoleon zu einem Gegenstand sentimentaler Schwärmerei, auf der andern wurde er als Genie und Titan an der Seite Goethes verehrt. Das Bild des erst verbannten, dann toten Kaisers erhält um so mehr überdimensionale Züge, als die Bedeutungslosigkeit seiner Überwinder offenkundig wird. Sein Untergang erscheint nun als ein Sieg der Mittelmäßigkeit über das Genie, dem die kleinen Regenten der Restauration folgten, von denen keiner die Statur hatte, Napoleons Platz im Mythos der Macht einzunehmen. Je mehr der Staat die Gestalt anonymer Verwaltung und Bürokratie annahm, um so mehr mußte Napoleon als sein personifiziertes Genie erscheinen. Dazu kommt, daß während der Zeit der Restauration der Name Napoleons erneut zum Identifikationspunkt der Opposition wurde, für die er ein Gegenbild zu dem repressiven System und der Erstarrung

der politischen Welt repräsentierte. Es gehört auch zu der Dialektik der geschichtlichen Wirkung Napoleons, daß gerade durch die von ihm bewirkte Auflösung des alten ›Deutschen Reichs‹ dieser Begriff gleichsam frei und es dadurch möglich wurde, ihn als Utopie zur Leitvorstellung des beginnenden deutschen Nationalismus zu machen.

Es ist die Zeit seiner Verbannung, in der er seine Lebenserinnerungen niederschreibt, und der ersten Jahrzehnte nach seinem Tod, in denen sich die Napoleon-Legende ausbildet. Dabei ist es nicht zuletzt Goethe, dessen berühmte Begegnungen mit Napoleon zu einer symbolischen Schlüsselszene der Epoche stilisiert wurden, der durch seine Interpretation des Kaisers als eines genialen Individuums und als einer Inkarnation des Ordnungswillens die Leitlinien für das Napoleon-Bild des 19. Jahrhunderts vorgegeben hat. Das populäre Bild Napoleons als des Volkskaisers und Vaters seiner Armee wurde vor allem durch die Lieder des Pierre-Jean de Beranger geschaffen, die Franz von Gaudy und Adalbert von Chamisso ins Deutsche übertrugen. In der deutschen Literatur zeugen neben zahllosen anderen Texten vor allem Grabbes ›Napoleon und die hundert Tage‹ (1831), Wilhelm Hauffs Novelle ›Das Bild des Kaisers‹ (1828), das von Gustav Schwab übersetzte Epos ›Napoleon in Ägypten‹ (1828) und das von Schumann vertonte Heine-Gedicht ›Die Grenadiere‹ (1827) von Napoleons poetischem Nachruhm.

Auf der Ebene der populären Kultur entsteht in derselben Zeit eine immense Zahl von Veröffentlichungen, die die volkstümliche Verehrung Napoleons dokumentiert. Eine Flut von Anekdoten füllt die Zeitschriften, keines seiner Worte bleibt unüberliefert. Gedichte und Lieder entstehen und zahlreiche Biographien werden geschrieben und gelesen. Ein wichtiger Faktor dieser Popularität Napoleons sind zweifellos die vielen deutschen Veteranen aus den Ländern des Rheinbundes, für die die Teilnahme an den Feldzügen der ›Großen Armee‹ den Höhepunkt ihres ansonsten eintönigen Provinzlebens darstellt. So werden zahlreiche Napoleon-Vereine gegründet, die teilweise bis weit in das 19. Jahrhundert hinein bestehen, und auf dieser Basis kann noch 1837 ein »Liederbuch für die Veteranen der großen Napoleon-Armeen« erscheinen. Vor diesem Hintergrund wird auch die Fülle der kunstgewerblichen Objekte verständlich, die in der Zeit des Biedermeier Verbreitung finden. Es finden sich alle Arten von Büsten und Statuetten, Souvenirs und Sammeltassen halten das Andenken des Franzosenkaisers wach, und Gebrauchsgegenstände wie Tabaksdosen, Stockknäufe oder Pfeifen transportieren sein Bild durch den deutschen Alltag. Eher ironisch und karrikierend erinnert eine Serie von Figuren der Zitzenhausener Terrakottamanufaktur an die Vergangenheit der ›Großen Armee‹ und die Gegenwart der Krüppel und Veteranen, die den Titel »Napoleonische Legende« trägt.

Reisesouvenir
Ortsandenken

5.1.163 Prunkvase mit Ansicht von München ✳✳ Abb. S. 388

Manufaktur Nymphenburg, 1854 (Modell um 1822), bez.: Preßmarke Rautenschild, auf der Rückseite: DIE Mitglieder des/ Magistrates und des Collegiums der Gemeinde Bevollmächtigen/ Der/ Königl. Hochgeehrten zweiten Rechtskundigen/ Bürgermeister/Herrn Caspar von Steinsdorf/ Ritter des Civil-Verdienst-Ordens der Bayerischen Krone/ und des Verdienst-ordens vom Heiligen Michael/ am I-ten Januar 1854 die rechtskundigen Magistrats-=Raethe/ Dr. Radlkofer Jakob Ritter des Verdienstordens vom Heiligen Michael/ Klausner Ignaz Hemner Max/, Porzellan, 51; D 35 Lit.: AK Bayerischer Kunstgewerbeverein, München 1976, Nr. 64; zum Modell: vgl. AK WB III/2, 1980, Nr. 1235 m. Abb.; XI^d 25

Vasenmodell (Bauchamphora): Friedrich v. Gärtner um 1822.

5.1.164 Tasse mit Ansicht von München

Manufaktur Nymphenburg, um 1825, bez.: Preßmarke Rautenschild, Porzellan bemalt, 7; ⌀ 7,5; 38/1265

5.1.165 Tasse mit Ansicht von München

Manufaktur Nymphenburg, um 1830, bez.: Preßmarke Rautenschild, Porzellan, 9,4; ⌀ 7,6; 38/1262

Die kostbar dekorierte Tasse ist gleichzeitig als Souvenir, Vitrinenstück für den Sammler und als Blickfang der gutbürgerlichen Wohnzimmervitrine anzusehen.

5.1.166 Tasse mit Ansicht von München

Manufaktur Nymphenburg, um 1830, bez.: Preßmarke Rautenschild, Porzellan, 7; ⌀ 7,5; 38/1260

5.1.167 Tasse mit Ansicht von München vom Giesinger Berg aus

Manufaktur Nymphenburg, um 1830, Preßmarke Rautenschild, Porzellan, 7; ⌀ 7,9; XI^d/ 237

5.1.168 Tasse mit Ansicht von München vom Giesinger Berg aus

Manufaktur Nymphenburg, um 1840, bez.: Preßmarke Rautenschild, Porzellan, 6,2; ⌀ 9,1; 32/230

5.1.169 Pfeifenkopf mit Ansicht Münchens von der Schwabinger Wiesen, mit Blick auf den Neubau der Alten Pinakothek und der Ludwigskirche

München, um 1840, bez.: München, Porzellan, 13; 34/3

5.1.170 Pfeifenkopf mit Blick auf München über die Vorstadt Au hinweg

Manufaktur Nymphenburg, München, 1840, bez.: Porzellan, bemalt, 14,5; 38/335

5.1.171 Horndose mit Motiv des Marienplatzes in München

München, um 1800, bez. auf Deckelinnenseite: Markt zu München, Horndose, lackiert mit Schildpatteinlage, ⌀ 9,5; XII/245

5.1.172 Tabaksdose mit der Abbildung des Münchner »Schrannenplatzes«

München, um 1820, bez. rückseitig: Schrannenplatz zu München, Horndose mit Stich bedruckt, ⌀ 9; XI/d/48

5.1.173 Tasse mit Ansicht des Max-Joseph-Platzes

Manufaktur Nymphenburg, um 1825, bez.: Preßmarke Rautenschild, Porzellan, bemalt, 7; ⌀ 7,5; XI^d 173

5.1.174 Tabaksdose mit Ansicht des Max Josephs-Platzes

in der Art von Gustav Stobwasser (Berlin um 1835), wohl Braunschweig, um 1840, Pappmaché bemalt, lackiert, MStM

5.1.175 Tasse mit Ansicht des Obelisken auf dem Carolinenplatz

Manufaktur Nymphenburg, um 1830, bez. auf der Unterseite der Tasse: Obelisk; Preßmarke Rautenschild; Porzellan, bemalt, 7; ⌀ 8; 30/1711

Tassen mit Ansichten von Gebäuden, Plätzen und Denkmälern Münchens stehen in der langen, bis heute wirksamen Tradition des Andenkengegenstandes, ragen jedoch durch die Qualität der Ausführung gegenüber einem Souvenir hervor. Der »Biedermeier« wünschte die Welt überschaubar um sich herum in der Sicherheit seiner Wohnstube zu haben, hier in Form der »Sammeltasse« in beliebig fortzusetzender Anzahl.

5.1.176 Violette Tasse mit Golddekor und Ansicht der Residenz und des Hofgartens

vor 1840, bez. an der Vorderseite der Tasse: Die Königl. Residenz, Porzellan, bemalt, 7,5; ⌀ 9,3; 30/1777

Die Tasse ist vor Erbauung der Feldherrnhalle (1840) entstanden. Das zierlich gestaltete Exemplar ist wohl als Miniatur und kostbares Vitrinen-Schaustück anzusehen.

5.1.177 Tasse mit Ansicht des Schlosses Biederstein

Manufaktur Nymphenburg, um 1840, bez.: Preßmarke Rautenschild, Porzellan, bemalt, 7; ⌀ 7,6; 30/1857

5.1.178 Tasse mit Ansicht von Schloß Biederstein

Manufaktur Nymphenburg, um 1835, bez.: Preßmarke Rautenschild, Porzellan, bemalt, 9,5; ⌀ 9; 38/1223

5.1.179 Pfeifenkopf mit Ansicht des neuerbauten Wittelsbacher Palais

München, 1845, bez.: Wittelsbacher Palais, Porzellan, Montierung: Kupfer versilbert, 11; 38/1273

5.1.180 Pokal mit Ansicht der Frauenkirche

Bayerischer Wald, um 1840–50, farbloses Glas mit Schliff, Rotätze und Schnitt, 16,3, Lit.: vgl. MK Regensburg, 1977, Nr. 376, sowie in der gleichen Sammlung Inv.Nr. K 1950-83; K 28-1358

Polygonaler Walzenschliff-Fuß mit roten Bändern, vom Boden über Schaft und Nodus bis zur facettierten Kuppa aufsteigend; auf deren Schauseite Ansicht der »L. Frauen Metropol Kirche«, auf der Rückseite Verkleinerungslinse.

C.S.

5.1.181 Fußbecher mit Ansicht des alten Theaters in München

Bayerischer Wald (?), Anfang 19. Jh., farbloses Glas, geschliffen und geschnitten, 12,7; K XI d-38

Auf rundem Fuß mit Bodenstern konischer Becher, an seinem Ansatz Bogenfries, darüber Ansicht des »K. Alten Theaters in München«.

C.S.

5.1.182 Becher mit Ansicht des Kgl. Hoftheaters

wohl Bayerischer Wald, um 1825, farbloses Glas mit Schliff, Gelbätze und Schnitt, 11,4; K 30-1868

Glockenförmiger Becher mit Sechspaß unter dem Boden und abwechselnd gelbem und farblosem Walzenschliff-Fuß, der auf sechsfach facettierten Wandung Ovalmedaillons mit Ansicht des »K. Hoftheaters« (Nationaltheaters) bzw. mit sieben in Rosettenform angeordneten Verkleinerungslinsen, jeweils vor gelbem Grund, dazwischen je ein Ovalfeld mit Steinelschliff.

C.S.

5.1.183 Tasse mit Ansicht des Antikenmuseums

Manufaktur Nymphenburg, um 1840, Porzellan, bemalt, 9,7; ⌀ 9,2; 38/1259

5.1.184 Tasse mit Ansicht des Antikenmuseums

Manufaktur Nymphenburg, um 1848, bez.: Preßmarke Rautenschild, Porzellan, bemalt, 7,5; ⌀ 8,2; 30/1712

5.1.185 Kugelbecher mit Ansicht der Glyptothek

vielleicht Schlesien, um 1830, farbloses Glas, geschliffen und geschnitten, 7; ⌀ 6,8, Lit.: vgl. zur Form MK Regensburg, 1977, Nr. 305; K XI d-42

Kugelförmiger Becher mit Steinschliff unter dem Boden, Keil-, Zacken- und Olivenschliffkranz am Ansatz; unterhalb des Mundrandes Rechteckfeld mit Ansicht der Glyptothek, auf der Rückseite blumenumrahmte Verkleinerungslinse und die Inschrift »Die Glyptothek«.
C.S.

5.1.186 Fußbecher mit Ansicht des Maxtors

wohl Bayerischer Wald, um 1830, farbloses Glas mit Schliff, blauer Lasur und Schnitt, 13; K 38-1275

Flacher Fuß abwechselnd mit blauen Lasur- und Keilschliffeldern unter dem Boden; glockenförmiger Becher am Ansatz mit Facetten und Bogenfries, darüber »Ansicht des Max-Thor in München«, im Vordergrund der Maximiliansplatz.
C.S.

5.1.187 Teller mit Ansicht des Isartors

Manufaktur Nymphenburg, um 1840, bez.: Preßmarke Rautenschild, Porzellan, bemalt, ⌀ 20,8; 30/2238

5.1.188 Pfeifenkopf mit Darstellung des Münchner Krankenhauses; im Vordergrund Sänftenträger

Nach einer Lithographie von Carl August Lebschée (Schmiegel, Posen 1800–1877 München) in: »Malerische Topographie des Königreichs Bayern«, wohl Nymphenburg, nach 1830, Porzellan, bemalt; mit Maschendrahtstrumpf gegen Herausfallen der Asche; 39/663

Das Rauchen an öffentlichen Orten war deswegen untersagt, weil man fürchtete, daß brennende Flugasche ein Feuer verursachen könne. Der Drahtstrumpf war eine Schutzmaßnahme, mit der man das Verbot zu umgehen suchte.
H.O.

5.1.189 Tasse mit Ansicht des Chinesischen Turms

Manufaktur Nymphenburg, um 1815, bez.: Preßmarke (undeutlich) Rautenschild, Porzel-

lan, bemalt mit Sepiamalerei, 6,3; ⌀ 6,5, Lit.. vgl. AK WB III/2, 1980, Nr. 1091; 28/1299

5.1.190 Pfeifenkopf mit »der schönen Münchnerin« im Biergarten des Chinesischen Turms

nach einem Motiv von Carl Engel, Manufaktur Schney, um 1840, bez.: »Mainer . . . . ihrem Gerngroß«, Deckel mit Monogramm, graviert (BC) später zugefügt; Kupfer versilbert, 21; 61/ 474, vgl. Kat.Nr. 4.20.11; 4.20.12; 4.20.13; 5.1.191

5.1.191 Stickbild »Die Schöne Münchnerin« – nach einem Motiv von Carl Engel ✳

1840, bez. u. r.: Friederike Schleicher fec., Seide mit Perlen bestickt, Velourstücke, 50,5 × 44; 35/2097

Darstellung zweier Münchner Bürgermädchen an einem Biergartentisch im Englischen Garten bei Bier und Brotzeit. Im Hintergrund der Chinesische Turm mit Figurenstaffage. Eine breite Blüten- und Blätterbordüre umrahmt die Szene.
Vorlage für dieses Stickbild war die Lithographie nach Carl Engel (1817–1870), die eines der jungen Mädchen in Münchner Tracht mit silberner Riegelhaube und Kropfband zeigt (Originalzeichnung Maillinger Sammlung II 1876, Nr. 2514). »Die Schöne Münchnerin« war im 19. Jahrhundert ein äußerst populäres Motiv und wurde auf Pfeifenköpfen, Bierkrügen und Bierkrugdeckeln abgebildet, wobei bisweilen die zweite hintere Figur nicht mit dargestellt wird (vgl. Kat.Nr. 4.20.11; 4.20.12; 4.20.13).
U.K.

5.1.192 Pfeife mit Darstellung der Münchner Schießstätte

München, um 1820, bez.: Münchner Schießstätte, Kopf: Porzellan mit versilberter Messingmontur, unten Zinn; Stiel: Weichselholz, schwarzes Horn, 50; 250/61

5.1.193 Karaffe mit Ansichten verschiedener königlicher Bauten

wohl Bayerischer Wald, um 1850, farbloses Glas mit Schliff, Rotätze und Schnitt, 22, Lit.: vgl. Rückert, 1982, 327, Nr. 936, Taf. XXXIII; stilistisch: MK Regensburg, 1977, Nr. 376; K XI d-98

Zylindrischer Flaschenkörper mit Bodenstern, am Ansatz vorspringend mit gezänkeltem Rand, auf der Wandung vier gerahmte, von Weinlaub umrankte Felder mit Ansichten des »K. Hof u. Nationaltheaters«, des »Brunnens auf der Ludwigstraße«, des Schlosses »Hohenschwangau« und des »Neuen Flügels der Königl. Residenz«.

5.1.194 Fußbecher mit Münchner Ansichten

Bayerischer Wald (?) oder Nordböhmen, um 1840, farbloses Glas, teils bernsteingelb über-

5.1.191

fangen, mit Schliff, Gelbätze, Schnitt und Transparentmalerei, 13; ⌀ 6,8, Lit.: vgl. einen ähnlich dekorierten Becher in: Rückert, 1982, 326, Nr. 932, Taf. 300; K 30-1867

Becher auf bernsteingelbem Fuß mit geschlägeltem Rand, auf der Wandung je zwei Reihen mit sechs versetzt angeordneten, gekugelten und von Girlanden gerahmten Medaillons, die unten und oben leicht variiert Ansichten der Frauenkirche, des Monopteros, des Nationaltheaters, der Propyläen (oben: Feldherrenhalle), der Glyptothek (oben: Theatinerkirche) und des Siegestors zeigen. – Unter dem Boden wohl später hinzugefügter Schriftzug »München«.
C.S.

5.1.195 Fußbecher mit Münchner Ansichten

Bayerischer Wald (?), um 1830–40, farbloses Glas, mit Schliff, Gelbätze, Lasurfarben und Schnitt, 12,5, Lit.: Variante von Kat.Nr. 5.1.189; K XI d-72

Becher auf polygonalem Walzenschliff-Fuß und sechsfach facettiertem Schaft mit Nodus, auf der Wandung zwischen Vertikalfeldern drei hochreliefierte Rundmedaillons, die die Ansichten »Münchens« mit der Isar im Vordergrund und des »K. Hoftheaters« vor lila bzw. dunkelrosa Grund zeigen, auf dem dritten gelbgrundigen Medaillons ligiertes Monogramm »AM«.
C.S.

5.1.196 Fußbecher mit Münchner Ansichten

Bayerischer Wald (?), um 1830–40, farbloses Glas mit Schliff, Gelbätze, Lasurfarben und Schnitt, 13, Lit.: AK Isar, München 1983, Nr. 398; K 38-1276

Form und Dekor variieren Kat.Nr. 5.1.191. Die Walzenschliff-Felder unter dem Boden abwechselnd lila, farblos und gelb, auf zwei Medaillons die Ansichten »Münchens« und der »Neuen Isarbrücke«, der heutigen Ludwigsbrücke, das dritte gelbgrundige Medaillon unverziert.
C.S.

5.1.204   5.1.205   5.1.207

5.1.197 Tasse mit Ansicht von Großhesselohe

Manufaktur Nymphenburg, um 1825–30, bez.: Preßmarke Rautenschild, Porzellan, bemalt, 7; Ø 7,5; 31/333

5.1.198 Pfeifenkopf mit Floßlände vor der Gaststätte »Grüner Baum« bei München

bez.: Am grünen Baum, Porzellan, bemalt, 11,5; A 78/252

5.1.199 Tasche mit Darstellung von Schleißheim und Nymphenburg

um 1830, grünes Leder; Pergament, bemalt; Futter: rosa Baumwolle; 30/1947

5.1.200 Tasse mit Ansicht von Hohenschwangau

Manufaktur Nymphenburg, um 1840, bez.: Preßmarke Rautenschild, Porzellan, bemalt, 7,5; Ø 8; 30/1711

5.1.201 Souvenirdose mit Lithographie von Nürnberg

um 1835, bez. auf dem Deckel: Nürnberg MD, Pappmaché, gelb lackiert, Lithographie, 1,8; Ø 9; 59/860/11

5.1.202 Pfeife mit Ansicht der Stadt Straubing

nach 1831, bez.: Joseph seinem Fritz zur Erinnerung an den 20ten December 1831; Bildunterschrift: Straubing; Kopf: Porzellan mit versilberter Messingblechmontur, Stiel: schwarzes und helles Horn, 30,3; 61/468

5.1.203 Pfeifenkopf und Pfeifenstiel mit Ansicht der Stadt Lindau am Bodensee

um 1830, bez. auf eingemarkter Nummer an der Schnurbefestigung: 9; Kopf: Porzellan, bemalt, feuervergoldetes Silber (Vermeil), 14,3 × 23; 1950/107

5.1.204 Pfeife mit Ansicht der Stadt Landau ∗

um 1820, bez.: Landau an der Isar, Kopf: Porzellan, bemalt; Stiel: Weichselholzhorn; Deckel: Messing, versilbert, 36; 1950/106

5.1.205 Pfeife mit Ansicht des Klosters Holzen ∗

süddeutsch, 1820, bez.: »Holzen«, Kopf: bemaltes Porzellan, versilberte Messingmontierung, Stiel: Palisander, fein geschnitztes Horn, 32; 61/450

5.1.206 Pfeife mit Ansicht eines Schlosses und einer Kirche

süddeutsch, 1848, bez.: Mundigl S/M Schwiegervater Koller, Kopf: bemaltes Porzellan, Stiel: Ebenholz, schwarzes Horn, mit Seidenschnur, 41; 61/445

5.1.207 Pfeife mit Ansicht eines Dorfplatzes mit drei Kirchen, Klosteranlage und Mariensäule ∗

wohl süddeutsch, bez.: Liedl seinem Freund F. X. Pr., Porzellan, bemalt, Stiel: Ebenholz, Horn, 39; 1950/105

5.1.208 Lithophanielichtschirm mit Darstellung des Wallfahrtsortes Maria Eich

bez.: Wallfahrt Maria Eich; Biskuitporzellan, Bleiverglasung; Rahmen: Kirschbaum, 31,7 × 21,5; K 78/116

vgl. Kat.Nr. 4.11.17

5.1.209 Zwei Fußbecher

wohl Bayerischer Wald, um 1830, farbloses Glas, geschnitten, 14,2; Ø 6,5; K 30-2239, K 30-2240

Auf rundem Fuß leicht konischer Becher, auf der Schauseite jeweils gerahmte Ansicht der Wirtschaft »Bauer in der Au, Tegernsee« bzw. von »Dorf Kreuth«, auf der Rückseite je zwei Blumenbouquets.   C.S.

5.1.210 Die Altenburg bei Bamberg ∗

wohl Bamberg, um 1860, Haarmalerei, 21 × 27,5, Lit.: Georg-Ibel-Stiftung, Handzeichnungen Bamberger Maler, Bamberg 1973, Nr. 18, München, Barbara Krafft

Nach der um 1815 entstandenen Zeichnung von Friedrich Carl Rupprecht (1779–1831) fertigte Ludwig Schütze 1828 einen Kupferstich mit der Ansicht der Altenburg von Nord-Westen an, der die Vorlage für diese Haarmalerei gewesen sein dürfte. Eine Glasscheibe bedeckt eine zweite Glasplatte, auf der mit pulverfein gehäckseltem Menschenhaar von hellsten bis dunkelbraunen Schattierungen das Bild mittels Gummi arabicum aufgetragen ist, teilweise mit leichter Reliefwirkung. Gerade Linien (Brücke, Mauersimse, einzelne Quadersteine) sind aus längeren Haarabschnitten aufgeklebt. Träger-

5.1.210

platte hinterlegt mit weißem Papier, auf das ein Hauch von sepiafarbener Bewölkung aufgemalt ist. Es handelt sich offensichtlich um eine professionelle Arbeit.   B. K.

5.1.211 Nadelbehälter als Souvenir an Karlsbad

Karlsbad, Mitte 19. Jahrhundert, bez.: »Souvenir«, Stahl, Sprudelstein, 9, München, Barbara Krafft

Zierschlüssel aus gebläutem Stahl, im Schaft eingraviert der Name »Carlsbad« und ein Ornament. In den Griff ist ein längliches Stück weiß-braunviolett gestreiften Sprudelsteins eingefügt. Griff als Verschluß des Nadelbehälters abschraubbar.   B. K.

5.1.212 Fußbecher, sog. Badeglas

Böhmen, um 1840–50, farbloses Glas mit Schliff, Gelbätze und Schnitt, 14,5; K 48-248

Konischer Becher auf achtpassig geschliffenem Fuß, die Wandung unterteilt in zwei Reihen mit je sechs quadratischen Feldern, die die Ansichten des »Kaiserbrunnens«, des »Ludwigbrunens«, der »Residenz«, des »Kursaals i. Homburg v. d. H.« und des »Elisabethbrunnens«, im Wechsel mit ornamentalen Feldern, zeigen, auf einem davon die Namensinschrift »Julius Bechler«.   C. S.

5.1.213 Deckelkrug, sog. Badeglas

Nordböhmen, um 1840, farbloses Glas mit weißem Zinnemail- und blauem Kobaltüberfang, geschliffen und geschnitten, 18,7 × 12,8, K 1953-468

Konischer Krug mit Bodenstern und Schliff-Oliven, auf der Wandung inmitten von Blüten- und Blattmotiven drei Rundmedaillons, die beiden seitlichen mit Ansichten von »Salzbrunn« und »Altwasser«, im mittleren die Inschrift »Zum Andenken«; der Deckel mit Schliffmuster und facettiertem Knauf.

5.1.214 Runder Tisch mit aufgedruckten »trompe d'oeil« Darstellungen * Abb. S. 56, 63

Johann Georg Hiltl (München 1771–1845 München), München, nach 1824, Mahagonifurnier und Ahornfurnier auf Kiefer, Säulen: schwarz gefärbtes Birnbaumholz, 78; ⌀ 100; 1183/9

Auf einer dreimal segmentartig ausgeschnittenen Sockelplatte mit drei Füßen in Form gedrückter Kugeln stehen drei schwarz gefärbte Balustersäulen, darauf ruht die Tischplatte mit ihrer Zarge.

Auf der Tischplatte sind in einem Umdruckverfahren, wie übereinandergeschoben, die folgenden Graphiken wiedergegeben (um den Schein des wirklichen Übereinanderliegens zu erreichen, hat Hiltl graue Schattenstreifen an den Rand der Blätter gemalt):

Landschaft im Nymphenburger Park vor der Badenburg, von Karl von Skell; »Darstellung der feierlichen Übergabe des goldenen Pokals und silbernen Portraits II. königlichen Majestäten zur Jubelfeier des 16. Februars 1824 von dem löblichen Magistrat der Haupt- und Residenz Stadt München, gezeichnet von Ant(on) Edler«; Landschaft vor München mit Blick auf die Stadt; Geschäftskarte »Johann Georg Hiltl 1820«; Stickmuster mit drei Blüten; Tanzende griechische Figuren; Oktoberfest zu München mit Rennen; Kreidelithographie des Portals der

Frauenkirche; Stich aus einem Modejournal und viele weitere kleine Vignetten und Motive verschiedensten Gehalts, darunter sei hervorgehoben das Freundschaftslied »Unsere Herzen zu erfreuen, gab uns Gott den edlen Wein, darum dankt ihm Brüder . . .«

Dieser Tisch mit seiner charakteristischen Mischung von Darstellungen verschiedenster Art auf dem runden Bildfeld entspricht der Zeitstimmung des Biedermeier. Die bunt gemischte Bilderwelt der Platte konnte Assoziationen und Erinnerungen wecken.

Zu dem Tisch gehört noch eine wohl originale Fichtenplatte mit umlaufendem Band, die bei Benutzung über den Tisch gelegt wurde. Der Tisch kann datiert werden nach der Geschäftskarte von 1820 und nach der Darstellung des 25. Regierungsjubiläums des Königs Max Joseph 1824. Der Tradition nach war dieser Tisch ein Münchner Erinnerungsgeschenk an einen bayerischen Regierungsbeamten, der nach seiner Pensionierung nach Lindau zog.   H. O.

Zimmerbilder

5.1.215 Schlafzimmer in einer Leuchtenberger Residenz

Franz Xaver Nachtmann (Obermais 1799 – 1846 München), wohl München, um 1825, bez. u. r.: Nachtmann pinx., Aquarell auf Papier, 31 × 48; 57/532

Das ringsum wie ein Zelt mit einem gestreiften Stoff verkleidete Zimmer befand sich wohl in einer der oberen Etagen eines Palais des Herzogs von Leuchtenberg, Eugène de Beauharnais. Der Stiefsohn Napoleons, der die bayerische Prinzessin Auguste Amalie 1806 geheiratet hatte, besaß nach 1814 in Bayern das Leuchtenberg Palais in der Münchner Ludwigstraße, das Schloß Ismaning, das Bischöfliche Palais in Eichstädt und Burgen in der Umgebung. Alles spricht dafür, daß dieses Zimmer im unmittelbaren Bereich seiner Familie anzusiedeln ist. Auf der Kommode steht eine Porzellanbüste Eugène Beauharnais, gefertigt von der Manufaktur Nymphenburg gegen 1820 in Porphyrmasse (vgl. AK WB III/2, 1980 Nr. 1270 A), dann sieht man die großen Stiche mit der Krönung Napoleons in Notre-Dame und das Adieu des Kaisers von der Alten Garde in Fontainebleau. Die Büste auf dem Kamin stellt wohl Josephine, die Tochter Eugène de Beauharnais, dar. Die Einrichtung des Zimmers datiert in die Jahre um 1820. Bei den dunklen Mahagoni-möbeln handelt es sich wahrscheinlich um französische Importe, wie sie für die Ausstattung des Leuchtenberg Palais durch den Tapezierer und Ebénisten Werner bezeugt sind. Bemerkenswert ist die Ruheliege, die als Bett zurecht gemacht wurde. Es bleibt offen, ob es sich hier um das Zimmer eines Herren oder einer Dame handelt. So dekorierte Räume als »Militärzelt« oder als »Boudoir turc« in der französischen Innendekoration seit 1780 üblich (Schlafzimmer des Comte d'Artois in

Bagatelle, Badezimmer im Hôtel Récamier, Boudoir Josephines im Tuilierenpalast, Boudoir turc im Hôtel Beauharnais Paris usw.).

H.O.

5.1.216 Ankleidezimmer der Königin Caroline in den Hofgartenzimmern der Münchner Residenz *

Franz Xaver Nachtmann (Bodenmais 1799 – 1846 München), München, um 1820, Aquarell und Gouache, 17,1 × 27,5, Lit.: Ottomeyer (Hg.), 1979, Abb. 6; Potsdam-Sanssouci, Staatliche Schlösser und Gärten, Aquarellslg. 2273

Zu den rückwärtigen, dem Kaiserhof zu gelegenen Räumen gehörte auch das Ankleidezimmer. Es ist in seinen Farben auf Grün und Violett abgestimmt, eine schwierige Kombination, die konsequent eingehalten wird. Waschgeschirr, Schminktisch, Frisierstuhl und -tisch, dieser aus Wurzelmaserholz und mit einem aufklappbaren Mittelspiegel – im Besitz des Wittelsbacher Ausgleichsfonds –, lassen die Bestimmung des Raumes erkennen. Der rechteckige Tisch mit Palmettenkapitellen gehört zu den Bücherschränken und dem Sekretär des angrenzenden Blauen Kabinetts und ist wohl zusammen mit den beiden Handarbeitstischen herübergenommen worden, um dieses von Möbeln ein wenig zu entlasten. – Auf dem mit einem Spitzenüberwurf verkleideten Tisch rechts ist eine kostbare Toilettegarnitur aufgestellt. Es sind feuervergoldete Silbergeräte, die

der Straßburger Silberschmied Kirstein im Jahre 1786 angefertigt hat. Die Pfalzgräfin Auguste Wilhelmine von Zweibrücken erhielt sie als Geschenk zur Geburt des Erbprinzen, des späteren Königs Ludwig I. von Bayern. Nach dem Tod der Pfalzgräfin erbte ihr Gemahl Max Joseph die Garnitur und schenkte sie seiner zweiten Frau, Caroline von Baden, zu ihrer Hochzeit im Jahre 1797. Anläßlich dieses Ereignisses wurden alle Stücke mit dem Allianzwappen des Paares versehen. Caroline muß an der Garnitur sehr gehangen haben, denn, wie die Aquarelle ihrer Ankleidezimmer in Nymphenburg und Tegernsee zeigen, führte sie sie stets mit sich. Sie gelangte später in Habsburger Erbe und wurde nach dem Zweiten Weltkrieg in der Schweiz versteigert. – Das Hauptstück, den großen Spiegel, erwarb, zusammen mit einem Flakonverschluß, das Straßburger Musée des Beaux Arts. Die beiden Leuchter und eine große Puderdose gingen in die Sammlung des Baron Alain de Rothschild über. – Von dem Silberschmied Kirstein stammt auch eine kleine Terrine mit Besteck und Gewürzdose, die mit dem wittelsbachisch-badischen Allianzwappen versehen ist. In ihrem Zusammenhang mit der Toilettegarnitur Königin Carolines unerkannt, stehen die Stücke als Leihgabe eines Münchner Bankhauses in der Silberkammer der Residenz. – Die Wände des Ankleidezimmers sind mit einer kleinen Sammlung religiöser Bilder geschmückt, die die protestanische Königin hier zusammentragen hatte.

Durch die geöffnete Tür blickt man in das Schlafzimmer der Königin, mit einer kleinen Sitzgarnitur für die Kinder.
Im »Wittelsbacher Album« befindet sich eine ähnliche Version von Wilhelm Rehlen, 1820 datiert und signiert.

H.O.

5.1.217 Vestibül Schloß Tegernsee *

Franz Xaver Nachtmann (Bodenmais 1799 – 1846 München), 1829, bez.: Nachtmann fec. 1829, Aquarell und Gouache, 35,1 × 50,4, Lit.: vgl. AK WB III/2, Nr. 1194 mit Abb., Potsdam-Sanssouci, Staatliche Schlösser und Gärten, Aquarellslg. 2266

Das große Vestibül oder der Marmorsaal des Tegernseer Schlosses wurde noch unter König Max Joseph, von 1817 an von Leo von Klenze ausgebaut. Die Inspiration des Architekten an Vorbildern der Hochrenaissance wird in den farbigen Deckenmalereien deutlich. Aus dem Fenster fällt der Blick auf den Tegernsee. Dieses Blatt erschien unter dem Titel ›Vestibule‹ auch als Lithographie (ein Exemplar mit Staffagefiguren im Heimatmuseum Tegernsee). Nachtmann hatte das Aquarell bereits 1829 gemalt und 1840 verkleinert kopiert (Slg. Schäfer, Obbach 2295). In Potsdam befindet sich eine ganze Reihe von Interieuraquarellen, die Schloß Tegernsee darstellen und welche Neureuther und Nachtmann gegen 1830 für Königin Karoline anfertigten, die sie ihrer Tochter in Berlin schenkte. Prinzessin Elisabeth heira-

5.1.216

5.1.217

5.1.218

5.1.219

tete 1823 den preußischen Kronprinzen Friedrich Wilhelm (IV.). Die »Zimmerbilder«, die ihre Mutter, Königin Karoline, nach Berlin schickte, sollten eine Erinnerung an die bayerische Heimat sein.　　　　　H.O.

5.1.218 Salon in Schloß Tegernsee *

Franz Xaver Nachtmann (Bodenmais 1799 – 1846 München), bez.: Nachtmann; Aquarell und Gouache, 17 × 27,5, Potsdam-Sanssouci, Staatliche Schlösser und Gärten, Aquarellslg. 2280

Die säkularisierten Klostergebäude von Tegernsee kamen 1816/1817 aus dem Besitz des Grafen Drechsel in den des bayerischen Königs Max I. Joseph. Bis zum Tode des Königs 1825, der dieses Schloß im Sommer lange und gerne besuchte, waren die Räume mit äußerster Schlichtheit ausgestattet. Nur Möbel von Kirschbaumholz, Vorhänge und Bezüge aus einfachem Tuch, Leuchter und Schreibzeuge von Blech sind in den Inventaren aufgeführt (GHA Oberhofmeisterstab Rechnungen 1817–1820, SV Inv.Nr. 474 von 1819). Nach 1825 erhält die verwitwete Königin Karoline aus der Erbmasse ihren persönlichen Besitz aus den verschiedenen Residenzen und Schlössern ausgehändigt, den sie auf ihre privaten Sitze Biederstein in München und Tegernsee verteilt

(Ottomeyer, in: AK WB III/1, 1980, 387). Dabei wird Tegernsee üppig und reich ausgestattet. Diesen Zustand hält die Serie von Aquarellen in Potsdam-Sanssouci fest und übermittelt der preußischen Kronprinzessin Elisabeth die Lebensumstände ihrer Mutter in den minutiösen Erinnerungsbildern des Porzellanmalers Franz Xaver Nachtmann. Der Salon zeigt ein modernes Mobiliar um 1825 mit grünem Seidendamast bezogen. Die Form der zugehörigen Schaufelstühle deutet auf Wien hin. Der Schreibschrank ist ein älteres Stück um 1805 und zwischen Alabastersäulen mit einem Verkündigungsdiptychon auf den Flügeltüren verziert. Den Eindruck des Raumes, dessen Fenster auf den Wallberg und Rottach zugehen, prägt die gelb-grüne Tapete mit blauen Rosetten, die nach oben mit einem starkfarbigen Straußenfederfries abgefaßt wird.　　H.O.

5.1.219 Salon der Königin Karoline in Schloß Tegernsee *

Franz Xaver Nachtmann (Bodenmais 1799 – 1846 München), 1843, bez.: Nachtmann 1843, Aquarell und Gouache, 22,9 × 31,2, Potsdam-Sanssouci, Staatliche Schlösser und Gärten, Aquarellslg. 2269

Der Raum geht mit seinen Fenstern auf den Klosterhof. Die Einrichtung ist uneinheitlich

und vereinigt verschiedenste Stilelemente, zugleich Erinnerungsstücke aus dem Leben der Königin-Witwe, die auf dem Kanapee lesend dargestellt ist. Die vergoldeten Möbel Georges Jacobs, die Pendulen vor den Trumeauspiegeln mit der Minerva und dem Herzog von Zweibrücken (Ottomeyer/Pröschel 1986, I., 4.2.2) stammen noch aus dem Besitz ihres Schwagers Herzog Karl II. August von Zweibrücken. Auf diesen Stil von 1785 ist auch die Wanddekoration mit karmesinroten Seidendamastpanneaux abgestimmt, deren kostbarer Stoff sich in den Bezügen und Vorhängen wiederholt und in scharfem Kontrast zu dem grünen Wand-zu-Wand Spannteppich steht, der Produkten der Linzer Teppichmanufaktur ähnelt. Dem Biedermeier entstammten Kommoden, Vitrine, Tische und die Zeit kurz vor 1843 spürt man in der gotischen Tischlaterne und dem schwarzen Renaissancestuhl hinter dem mit einer Housse geschützten Kanapee. An den Wänden hängt eine kleine Gemäldegalerie. Auf dem Ehrenplatz ein Bild des verstorbenen Königs Max I. Joseph flankiert von Porträts der Enkel. Ihm gegenüber die Erzherzogin Sophie mit ihrem Sohn, dem künftigen Kaiser Franz Joseph, auf dem Arm; ein Gemälde von Stieler. Auch ein Gemälde, das heute im Stadtmuseum aufbewahrt wird, ist zu erkennen: ganz links oben hängt von Theodor Weller »Italienisches Mädchen dem ein Ständchen

5.1.220

gebracht wird« (vgl. Kat.Nr. 7.1.7). Das Erinnerungsbild entstand zwei Jahre nach dem Tod der Königin Karoline und beschwört mit der minutiösen Darstellung der Einrichtung etwas von der Persönlichkeit der Bewohnerin. H.O.

5.1.220 Ankleidezimmer oder Kabinett in Schloß Tegernsee *

Hubert Neureuther (geb. Mannheim 1813), bez.: Hubert Neureuther; Aquarell und Gouache, 19,2 × 29,5; Potsdam-Sanssouci, Staatliche Schlösser und Gärten, Aquarellslg. 2311

Der Eckraum liegt im 2. Stock des Schlosses und überblickt mit allen vier Fenstern den Tegernsee und die umgebenden Berge. Die einheitliche Raumgestaltung durch eine Papiertapete mit Sternenrapport und den über Trumeauspiegeln durchgezogenen weißen Musselinvorhängen wird durch ein zusammengetragenes, sehr individuelles Mobiliar aufgehoben und in das Gemütliche verwandelt. Auf dem Kachelofen erkennt man die Büste König Max I. Josephs von Stiglmaier, vor die wie eine Opfergabe eine Blumenschale gesetzt wurde. Sein Porträt hängt über dem Kanapee. H.O.

5.1.221 Schlafzimmer der Königinwitwe Karoline im Schloß Tegernsee *

Franz Xaver Nachtmann (Bodenmais 1799 – 1846 München), Aquarell und Gouache, 20,3 × 29,1, Potsdam-Sanssouci, Staatliche Schlösser und Gärten, Aquarellslg. 2281

Das Schlafzimmer mit dem großen Paradebett ist durchgehend mit einfachen, schlichten »Biedermeier«-möbeln ausgestattet, welche wohl der ersten Ausstattungsphase von 1817 auf 1820 angehören. Der wollene Bodenspannteppich mit »schottischen« Plaids entspricht diesem sparsamen Stil der Nebenresidenzen des bayerischen Königs. Vor dem Trumeauspiegel steht das Gerzabeck'sche Feuerzeug in Tempelform mit seinen Silberbeschlägen, das über die Auktion Schloß Biederstein 1930 in das Münchner Stadtmuseum kam (vgl. Kat.Nr. 4.9.19). H.O.

5.1.222 Schreibzimmer der Königin Therese in der Münchner Residenz *

Franz Xaver Nachtmann (Bodenmais 1799 – 1846 München), München, 1838, bez.: Nachtmann 1838, Aquarell und Gouache, 22,9 × 31,1, Lit.: Ottomeyer (Hg.) 1979, Abb. 25; Potsdam-Sanssouci, Staatliche Schlösser und Gärten, Aquarellslg. 2268

Bei seinem Regierungsantritt 1825 gab König Ludwig I. dem Architekten Klenze den Auftrag, einen neuen Trakt der Münchener Residenz zu errichten. 1826 wurde am Jahrestag der Schlacht von Waterloo der Grundstein gelegt, am Hochzeitstag des Königspaares 1835 der Palast bezogen. – Ludwig I. wünschte den Königsbau auf neue Weise gestalten. Statt mit kostbaren Stoffen, Vertäfelungen und Spiegeln sollten die Wände wie in der Antike und Renaissance durch Wandmalerei geschmückt werden. Er schätzte den Kunstwert höher als bloßen Materialwert. So entstand im Erdgeschoß ein Zyklus nach dem Nibelungenlied, die Gemächer des Königs schmückten Szenen aus antiken Werken, die Räume der Königin waren deutschen Dichtern gewidmet. – Für das Dekorationssystem des Schreibkabinetts der Königin dienten pompejanische Vorbilder. In einer Elegie auf die Ruinen dieser Stadt schrieb der König: »Holde Gemälde erfüllen die Wände jedweden Gemaches. Freundlich geziert ist der Hof, lieblich geschmückt ist das Haus und mit besseren Werken als jetzo der Fürsten Paläste.« Thema der Wandbilder des Schreibkabinetts sind Werke von Schiller, die in Wachsmalerei von Philipp Foltz und Wilhelm Lindenschmit ausgeführt wurden. – Man erkennt Szenen aus den Gedichten ›Der Gang nach dem Eisenhammer‹, ›Der Handschuh‹, ›Der Graf

461

5.1.221

von Habsburg‹ und ›Der Taucher‹. Im Gewölbe erscheinen Szenen aus ›Wilhelm Tell‹, der ›Braut von Messina‹ und dem ›Kampf mit dem Drachen‹. – Klenze entwarf nicht nur das System der Wanddekoration, sondern in den schweren Formen eines zweiten Empire auch das weiß-golden gefaßte Mobiliar. Es wurde größtenteils über die Zerstörung im Zweiten Weltkrieg hinweg gerettet und kam 1980 wieder zur Aufstellung. Proben des grünen Seidendamastes konnten geborgen werden, so daß es möglich war, den Stoff nachzuweben. Auch das Bodenmosaik aus Edelhölzern wurde in der alten Form wiederhergestellt. So konnte der Raum des Königsbaues in seinem ursprünglichen Zustand wieder erstehen. Ein weiteres Aquarell Nachtmanns von 1836 befindet sich im »Wittelsbacher Album« (WAF München). Eine weitere Ausführung erschien in Wien im Handel.   H.O.

5.1.223 Schlafzimmer in Schloß Tegernsee *

Franz Xaver Nachtmann (Bodenmais 1799 – 1846 München), 1828, bez.: Nachtmann fec: 1828, Aquarell und Gouache, 25,4 × 34,6, Potsdam-Sanssouci, Staatliche Schlösser und Gärten, Aquarellslg. 2270

Das Aquarell Nachtmanns dokumentiert bis auf die Rokokostukkaturen des älteren Raumes, der auf Wallberg und Egern blickt, eine geschlossene und homogene Innendekoration der Zeit um 1825. Die Papiertapete mit silbernen Sternen gibt den Grundton an, der in dem rot-goldenen Fries und der Bordüre des imaginären Vorhangs komplementär ergänzt wird. Die Möbelgarnitur, in deren Bezügen sich die Komplementärfarben wiederholen, ist vollkommen einheitlich gestaltet und scheint aus intarsiertem Mahagoni zu sein. Gemeinsames Charakteristikum sind die geschweiften vierekkigen Beine mit einer Blattvolute und Löwentatzen. Der anspruchsvolle Entwurf geht über die sonst vorgefertigten »Biedermeier«-möbel hinaus und ist möglicherweise Klenze zuzuschreiben, der als Architekt für das Schloß arbeitete und an Möbeln in den Vorzimmern des vom Empire abgeleiteten Königsbaus der Münchner Residenz ganz ähnliche Motive und Konstruktionsprinzipien erkennen läßt. Im Trumeauspiegel sieht man einen Betthimmel. Eine weitere Ausführung dieses Blattes befindet sich in der Münchner Sammlung Eugen Roth. Dieses Aquarell (24,9 × 34,3 cm) ist unsigniert und nahezu formgleich.   H.O.

5.1.224 Sterbezimmer der Königin Karoline in Schloß Biederstein *

Franz Xaver Nachtmann (Bodenmais 1799 – 1846 München), München, 1842, bez.: Nachtmann 1842, Aquarell und Gouache, 25,5 × 39,4, Potsdam-Sanssouci, Staatliche Schlösser und Gärten, Aquarellslg. 2272

Als Erinnerung an die im Vorjahr am 13.11.1841 verstorbene Königinwitwe Karoline fertigte Nachtmann für ihre Tochter Königin Elisabeth von Preussen das Interieuraquarell mit der Königin auf dem Krankenlager. Der Raum ist in dem von Klenze neu erbauten Schloß Biederstein, das auch in seiner Inneneinrichtung von Motiven der Neurenaissance bestimmt war. Wieder hat der Architekt die einheitliche Raumgestaltung vorgegeben, welche mit einer eigenwilligen Mischung von Möbeln und Einrichtungsgegenständen aufgehoben wird. An den Wänden hängen in symmetrischer Ordnung Gemälde und Lithographien mit Porträts der Kinder und Enkel. Das Aquarell Nachtmanns wurde auch in einer Lithographie verbreitet (gedruckt von B. Berner, Maillingerslg. M VIII/ 2000), dabei wird die Vorlesende nicht und Karoline als entschlafen dargestellt.   H.O.

5.1.222

5.1.225 Königin Karoline auf dem Totenbett in Schloß Biederstein *

1891, bez. u. M.: Gedr. v. Berner; mit der Beischrift: Ihr Lob wird nicht untergehn. Sie ist im Frieden begraben. Aber Ihr Name lebet ewiglich. Sir. 44, 12. 13.; Lithographie, 28 × 30, M VIII/2000

5.1.226 Die Wohnzimmer Ludwig von Schwanthalers und Franz Xaver Schwanthalers im Jahr 1848 **

Gustav Seeberger (Markt-Redwitz 1812–1888 München), München, 1856, bez. u. l.: G. Seeberger 1856, Aquarell über Bleistift, weiß gehöht, 33,5 × 47,8, Lit.: AK Schwanthaler, Reichersberg 1974, Nr. 317, Farbtafel XIII; 33/660 = C 55/17

Blick in das Wohnzimmer des Schwanthaler-Hauses, Schwanthalerstr. 2: In der Mitte des Raumes sitzen Franz Xaver Schwanthaler (gest. 1854) und seine Frau Josepha an einem runden Tisch. An der Wand links Schreibtisch, Empire-Sekretär mit Bücherregal; rückwärts

Kommode, auf der u. a. die Modelle der Viktorien aus der Befreiungshalle stehen, rechts weißer Kachelofen, darauf das Modell der Bavaria, Empire-Kommode, auf der u. a. die Modelle des hl. Florian und des hl. Georg von Thomas Schwanthaler stehen, und Divan. An den Wänden Bilder und weitere Entwürfe von Ludwig Schwanthaler.

5.1.227 Wohnzimmer Schwanthalers **

Gustav Seeberger (Markt-Redwitz 1812–1888 München), München, 1857, bez. u. r.: G. Seeberger 1857, Aquarell, 33,7 × 48, 33/661 = C 50/49

Blick in das Wohnzimmer des Schwanthaler-Hauses, Schwanthalerstr. 2: Im Vordergrund rechts, an der grün tapezierten Wand zwischen zwei Fenstern steht eine Kommode, darauf eine Uhr unter Glassturz. Zu beiden Seiten ein Stuhl. Davor ein Tisch, darauf eine Figur und Blumentöpfe. Im Hintergrund Biedermeier-Kommode mit Statuetten darauf. An der Wand drei Bilder und eine Figur. Links Blick durch

die Tür in das grün tapezierte Zimmer: links der Tür Sofa mit sitzender männlicher Figur (L. v. Schwanthaler). An der Wand dahinter Ahnenbilder (F. X. Schwanthaler, Josefa Schwanthaler, Sophie Schwanthaler), Büsten und eine Statuette.

5.1.228 Grundriß mit Wandaufrissen eines Studentenzimmers am St. Jakobsplatz in München *

Simon Baumgartner, München, 1838, bez.: Mein Logis am Heumarkt / Simon Baumgartner 1838, Feder aquarelliert, 24 × 28, München Privatbesitz

Der dreiachsige ältere Raum mit braunem Kachelofen, zwei profilierten Türen und einem einfachen Bretterfußboden ist im Gegensatz zu der drangvollen Enge eines Zimmers für vier Personen in klarer und nahezu erlesener Einfachheit eingerichtet. Die Wände haben eine grau-rot nach Art von Granit gefaßte Sockelzone, der grüne Anstrich wird mit einem roten Rosettenfries nach oben abgefaßt. Vor den

463

5.1.223
5.1.224

5.1.226
5.1.227

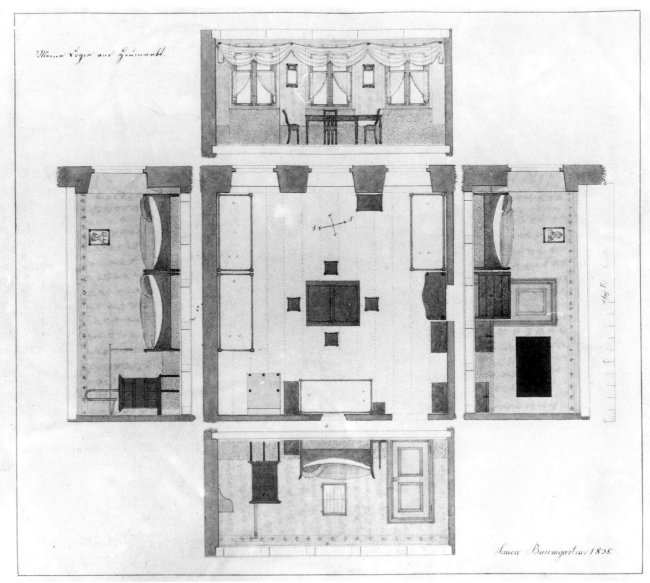

5.1.228

Fenstern hängt eine einfache durchgehende Musselindraperie. Die Stube ist mit schlichten braunen Möbeln ausgestattet: vier Betten, eine Kommode, ein Spucknapf, zwei Tischchen, vier Stühle mit grün-karierten Houssen und drei Reisetruhen. Zwei kleine Trumeauspiegel, eine schwarze Wandtafel und zwei Porträtstiche, wohl des Königs und der Königin, vervollständigen die bescheidene Einrichtung. Auch die Wiedergabe in der Zeichnung spricht für musterhaften Ordnungssinn und kühle Reinlichkeit, mit der ein Notquartier, das vier Menschen in einem Raum zum Schlafen, Wohnen und Arbeiten vereint, beschönigt wird. Das Haus lag an der Ostseite des heutigen St. Jakobsplatzes in einer Häuserzeile, wo sich jetzt das Altersheim befindet. Die Hauseigentümer dort waren Handwerker, Handwerkerwitwen und ein Gerichtsbeamter (Adreßbuch 1835). Die vier Bewohner des Zimmers wohnten bei einem von ihnen zur Untermiete. Wandtafel,

Reisetruhe, Spucknapf und das Trachten nach einer höheren Ordnung läßt auf Studenten schließen.   H.O.

5.2 Gedenke mein – Familienportraits 1770–1850

5.2.1 Familie Ruchte aus der Au ✳

Nikolaus Weiß (Rettenberg/Allgäu 1760–1809 Kempten), 1796, bez. o.r.: N. Weiß. Auf dem Hundehalsband: F.J.R. — 1796, Öl/Lwd, 83 × 113,5; IIc/209

Das mit Motiven der Stillebenmalerei reichlich ausgestattete, in der Reihung der Hauptfiguren aber ziemlich steife Bildnis weist die Dargestellten durch Beischrift als Angehörige einer Familie aus der Vorstadt Au aus. Der alte

Mann rechts hält einen Brief, dessen Adresse lautet: »Dem Gericht-Altenburgischen Amtsaman Johann Georg Ruchte in der Au«. Hauptfigur des Bildes aber ist die in strenger Frontalität dargestellte Frau in schwarzer Tracht und Witwenhaube, deren Tochter sich bei ihr anschmiegt und – offenbar als Trostgeste – der trauernden Mutter eine Nelke reicht. Das Haupt der Familie ist offenbar kürzlich verstorben. – Das Bild gilt als ein wichtiger Nachweis dafür, daß sich im Münchner Umland schon auf engstem Regionalraum eine Vielfalt an Kleidungsformen und -zubehör ausgebildet hat. Die Frauen tragen den hochgeschlossenen Spenzer über dem Mieder, dessen Geschnür eben noch sichtbar ist, und vor allem die das Haar nahezu ganz verhüllende Haube mit breitem gefaltetem Spitzenstoß (sog. Schneppenhaube). Je nach dem Stand der Trägerin handelt es sich um eine goldene oder schwarze Haube. Das nicht verheiratete junge

5.2.1

hält unter der Figur der Frau Lunglmayr ein Pentiment (Übermalung), eine offenbar ziemlich vollständig ausgeführte weitere weibliche Figur, die etwas erhöht saß und ebenfalls die Riegelhaube trug. (Gut erkennbar ist das linke Auge der Vorgängerin, das in Höhe des Haaransatzes an der linken Stirnseite der Anna Theresia Lunglmayr liegt.) M. M.

5.2.4 Kahnpartie

Joseph Hauber (Geratsried/Allgäu 1766–1834 München), München, 1812, bez. u. l.: Jos. Hauber fecit 1812, Öl/Lwd, 80 × 102, Lit.: AK WB II/2 1980, Nr. 1007, München Städtische Galerie im Lenbachhaus 4136

Joseph Hauber, ein sehr gefragter Porträtist des Münchner Hofes und der Münchner Gesellschaft, zeigt hier eine noch nicht identifizierte Familie bei einer Kahnpartie auf einem Gewässer. Das Bild erscheint auf den ersten Blick als eine realistische Momentaufnahme, doch der unproportionierte Nachen, der weisende Gestus des jungen Mädchens, auch die einem Bootsmann nicht entsprechende feine Kleidung des Familienvaters, deuten darauf hin, daß die Darstellung Haubers symbolisch für das Lebensschiff steht, das der Steuermann sicher durch alle Fährnisse lenkt. Die dominierende Rolle des Familienvaters, der die ihm anvertraute Familie sicher und kraftvoll über die Untiefen und Tiefen des Lebens hinwegführt, ist in dem Bild ebenso deutlich hervorgehoben, wie die passive Haltung von Gemahlin und Tochter, die sich dem Mann und Vater in seiner Zielsetzung fügen. U. K.

5.2.5 Johann und Josefa Wild *

Joseph Hauber (Geratsried/Allgäu 1766–1834 München), 1814, bez. in der Bildmitte und der Tischzarge: Joh (!) Hauber Pinxit/1814, Öl/Lwd, 104 × 125; 43/58

Johann Georg Wild (1770–1852) war Platzlbräu und mit Josefa Amberger (1777–1839) – angeblich in zweiter Ehe – verheiratet. (Sein Sterbejahr findet sich in der Literatur fälschlich mit 1853 angegeben.) Im ersten Jahrhundertviertel brauten in München 55 verschiedene Brauereien ihr Bier, eine für heutige Begriffe unvorstellbare Vielfalt. J. G. Wild war ein erfolgreicher Geschäftsmann, so daß er 1827 auch noch die »Nikolaus Hopfersche Brandtweinerei« übernehmen konnte, d. h. er ist durchaus als ein Vorgänger des fusionierenden Unternehmertums heutiger Tage zu nennen. Das repräsentative Doppelbildnis ist möglicherweise anläßlich seiner Verehelichung entstanden; jedenfalls war Weiß als Farbe des Brautkleides seit dem Jahrhundertanfang in Mode gekommen. Durch den nachdenklichen, forschend auf seine Frau gerichteten Blick des sein Bierglas erhebenden Mannes erhält das Doppelbildnis eine gewisse Spannung, die dem Werk einen bei Hauber sonst selten anzutreffenden Reiz gibt. M. M.

Mädchen trägt hingegen eine kleine, mit einem Silberstecker befestigte Haube auf dem Hinterkopf. – Es liegt nahe, in der Signatur des Bildes »N. Weiß« den Allgäuer Maler Nikolaus Weiß (1760 Rettenberg – 1809 Kempten) zu vermuten. Die überzeugende Einordnung des 1796 datierten Bildes in das Werk dieses Malers wäre noch vorzunehmen. M. M.

5.2.2 Familie Moralt

Franz Ignatz Oefele (1721 o. 1731 – 1797?), um 1795, Öl/Lwd, 122,3 × 100,5; 85/11

Adam Moralt (1741 [?] – 1811 München) war der Stammvater der Münchner Musikerfamilie Moralt. Er war 1778 als »Kalkant«, d. h. gehobener Orchesterdiener, mit der Kurpfälzischen Hofkapelle von Mannheim nach München übersiedelt und muß demnach auch die Uraufführung von Mozarts Oper »Idomeneo« unter der Leitung von Christian Cannabich miterlebt haben. 1795 verheiratete sich Adam Moralt in zweiter Ehe mit der Feldmochinger Lehrerstochter Maria Walburga Sacherbauer. Dies wird der Anlaß für das vorliegende Bildnis gewesen sein. Zwischen dem Paar die zwei Söhne aus der ersten Ehe: Joseph (1775–1855) und Johann Alois (1785–1858?). Über das Leben des Letztgenannten ist nichts bekannt. Joseph Moralt hingegen machte eine beachtliche Karriere als Violinist, später auch als Dirigent der Hofkapelle. Von den Zeitgenossen wird Joseph Moralt zu den vorzüglichsten Mitgliedern der Hofkapelle gezählt und ein »vortrefflicher Orchesterdirektor« genannt. (Müller 1817, 361). Zusammen mit seinen Brüdern Jakob (1780–1820), Philipp (1780–1830) und

Georg (1781–1818?) gründete er das Moralt-Quartett, das insbesondere wegen seiner Haydn-Interpretation weit über München hinaus berühmt war. Die Familie Moralt versorgte noch um die Jahrhundertmitte das Hoforchester mit neun Mitgliedern. M. M.

5.2.3 Franz Xaver Lunglmayr sen. mit Familie

Joseph Hauber (Geratsried 1766–1834 München), 1795, bez. l. M.: Hauber pinxit/Monachii 1795, Öl/Lwd, 125 × 103,6; 49/99

Laut Eintrag im Inventarbuch handelt es sich bei den Dargestellten um die Familie Franz Xaver Lunglmayr und nicht, wie angenommen, um Joseph von Lunglmayr. F. X. Lunglmayr war der Sohn eines Weinwirtes in Waidhofen bei Pfaffenhofen. 1746 bewarb er sich in München um das Bürgerrecht und die Zulassung als Weinwirt. Als frisch gebackener Torwirt schloß er 1747 seine 1. Ehe mit Anastasia Schiedl (1725–1788). (Die Bildnisse des Paares von George Desmarées sind ebenfalls im Besitz des Münchner Stadtmuseums.) Im Jahr 1791 – Lunglmayr ist inzwischen zum Magistratsrat aufgestiegen – verheiratete er sich in 2. Ehe mit der Bürgermeisterstochter Anna Theresia Lackner aus Grafing. Der Knabe dürfte der Sohn dieser Ehe, Franz Xaver, sein. Er sollte den Beruf des Kaufmanns ergreifen und in dem Lunglmayerschen Haus Ecke Schrannen-(Marien)platz/Dienerstraße eine »Handlung in Tuch-, Wollen- und Seidenwaren« einrichten. In diesem Haus, das zwischen 1777 und 1854 im Besitz der Familie war, befindet sich noch heute ein Textilkaufhaus. – Das Gemälde ent-

5.2.5

in München noch üblich war. Der Aufwand der Möbel setzt sich in der weiteren Zimmereinrichtung fort. Der Boden hat ein Intarsienparkett mit Wurzelholz und Zinneinlagen, darüber aus Marmorpapier geklebt eine Sockelzone, die Scagliolaarbeit imitieren soll, und aus Seidenbändern angeordnet eine Damasttapete. Wie eine Bühne ist das Familienbild mit Spitzenvorhängen gerahmt. Erwähnt sei noch das silberne Marienbild zwischen Seidenblumen unter dem Trumeauspiegel.

Die genealogische Familiendarstellung, die drei Generationen umfaßt, geht in Technik, Art und Komposition auf die in Süddeutschland üblichen »Nonnenzellen« oder sogenannte Bildstöcke zurück, Erinnerungsstücke, welche Töchter, die ins Kloster gingen, ihrer Familie zum Abschied schenkten.

In der Anwendung auf das mit allen Zeichen des Wohlstandes und Luxus versehene Familienportrait kommt in der alten Technik als neuer Inhalt die drei Generationen umfassende Großfamilie zur Darstellung.　　　H. O.

5.2.8 Die bayerische Hofdame Katharina Karoline Freifrau von Paris *

Franz Hubert Müller (Bonn 1784–1835 Darmstadt), 1816, bez. u. l.: F. Hubert. Müller.1816, Öl/Lwd, 152 × 118, Augsburg, Städtische Kunstsammlungen

Das repräsentative Halbfigurenporträt zeigt die königlich bayerische Hofdame im Ordensgewand und mit dem Orden der St. Elisabeth, der als Damenorden von der bayerischen Königin vergeben wurde. Sie betrachtet das Miniaturporträt ihres Gatten, des Freiherrn Johann Benedikt von Paris, der aus einem Memminger Patriziergeschlecht stammt. Die Dargestellte selbst stammt aus der Familie von Kiesow (geb. 1794).

Das höfische Bildnis verwendet alle äußeren Zeichen, um den vornehmen Stand der Porträtierten und ihren sozialen Anspruch hervorzu-

5.2.6

5.2.6 Familie Hengeller *

Anonym, um 1810/12, Öl/Lwd, 105,8 × 82,7; IIc/144

Dargestellt ist der Münchner Uhrmacher Johann Michael Hengeller mit seiner Frau, der Ingolstädterin Therese Gschwind (1775–1825) und seinen beiden Kindern: Maria Anna (geb. 1803) und Valentin Franz (geb. 1805). Vom Sohn weiß man, daß er das Handwerk des Vaters erlernte und im Jahr 1828 von der Gesellenwanderung nach München zurückgekehrt ist. Die Tischuhr in Form einer Lyra ist ein Hinweis auf die Tätigkeit Johann Michael Hengellers. Das Münchner Stadtmuseum besitzt von dem Uhrmacher Hengeller drei Uhren, eine Lyrauhr allerdings befindet sich nicht dabei.

Die Datierung des Bildes ergibt sich einwandfrei aus dem Kostüm von Mutter und Tochter, das sowohl farblich wie im hochgegürteten Schnitt der Mode des Empire entspricht. Stirnlocken, Haarkämme und Kreolenohrringe sind typische Eigenheiten des modischen Zubehörs der Stilstufe des Empire um 1810/12.

Zentrum dieses Familienportraits ist die sitzende Mutter, um die sich die beiden Kinder mehr oder weniger ungezwungen gruppieren. Die Figur des Vaters – hinter Frau und Tochter stehend – schließt die Gruppe zusammen und überhöht sie, womit die Vorstellung von der Autorität des Familienoberhauptes und dessen beschützender Funktion lapidar zum Ausdruck kommt.　　　M. M.

5.2.7 Die Hoegerbräufamilie Seidl **

Johann Albani (nachweisbar 1785–1835), München, 24.3.1811, bez.: Von Johann Albani fecit in München 1811 am 24 März, Wachsbossierungen in verglastem Holzrahmen, Holzkonsole, Seide, verschiedene Textilien, gefaßtes Holz, Bild: 55 × 63 × 18, Sockel: 25 × 54 × 20,2, Lit.: WB III, 2, 1019 mit biographischer Notiz von Peter Volk, Volk, in: Weltkunst 46, 1976, 2000 ff., Lorenz, 1985, 176, Abb. 48; 28/1611

In einem repräsentativ eingerichteten Zimmer präsentiert sich die Familie Seidl – Vater, Mutter, zwei Kinder vor den Ahnenportraits. Das Kartenbild zeigt – als bekleidete Wachspuppen und in einer Miniaturausstattung mit Möbeln und Hausgerät, den Vater Leonard Seidl (1753 Großdingharting – 1819 München), seine Frau Klara (geb. Kaeser) in Münchner Tracht und die beiden Kinder Rosalie (geb. 1805) und Leonard (geb. 1808). Als Bildnisminiaturen seitlich des zentralen Spiegels findet sich ein Bild des Großvaters Leonard Seidl (1726–1803 München, Wirt in Großdingharting) und der Großmutter Magdalena (geb. Wastian, 1729 Planegg – 1811 München). Die kostbare Zimmereinrichtung des Bierbrauers und Gastwirts im Tal Nr. 75 besteht aus einem Konsoltisch im Zopfstil, entsprechenden Stühlen und einem Spiegel mit Metallapplicken auf Naturholz. Die Garnitur entspricht dem frühklassizistischen Möbelstil, der als »goût grec« um 1770 in Frankreich entstand und um 1810 in bürgerlichen Kreisen

5.2.7

heben. Das Vorhangmotiv stammt sogar aus der Tradition des Herrscherporträts. Auf dem aufwendigen Empiremöbel steht eine vergoldete Porzellanvase mit einer Damaszenerrose. Über den Sessel ist als modisches Attribut ein kostbarer Kaschmirschal gebreitet.   H.O.

5.2.9 Münchner Bürgersfrau in goldener Riegelhaube

Anonym, München, bez.: Zum Namensfest schänk ich mich Dir, Öl/Lwd, 26,4 × 20,5; Gm 85/10

5.2.10 Mathias Widmann

Franz Sales Lochbihler (Wertach/Allgäu 1777–1854 Kempten) (?), 1826, bez. u. l.: FL pinx. 1826, Öl/Lwd, 82 × 65,3; 30/1517

Das 1826 entstandene Bildnis stellt einen weiteren Angehörigen der Münchner Baumeisterfa-

milie dar: Mathias Widmann. In zeitgemäßem dunklem Rock, den Arm auf eine zierliche Stuhllehne gestützt, versucht sich der Dargestellte dem eleganten Habitus des Architekten anzunähern. Trägt das (jüngere!) Bildnis Haubers von F. X. Widmann noch der Bodenständigkeit des aus dem Handwerk kommenden Baumeisters Rechnung, so zitiert der Maler dieses Bildnisses Versatzstücke wie die Säule, um so den Dargestellten als Repräsentanten einer höheren gesellschaftlichen Stufe, nicht mehr als Maurermeister, sondern als Architekten zu definieren.

Die Lebensdaten des Porträtierten lassen sich nicht ermitteln. Wahrscheinlich ist er der Sohn jenes Mathias Widmann, der 1795 die Maurermeisterkonzession erhält und sie sich 1804 nach der Verehelichung mit einer Schongauer Rotgerberstochter erneuern läßt. (StadtAM Bürgerrechtsakte 1795/130).   M.M.

5.2.11a Franz Xaver Widmann

Josef Hauber (Geratsried/Allgäu 1766–1834 München), um 1834, Öl/Lwd, 80,5 × 64,5; 30/1515

Angeblich handelt es sich bei dem Dargestellten um den Maurermeister Franz Xaver Widmann (1792 München – 1859 München), bei dem Gegenstück um seine Frau Magdalena (Kat.Nr. 30/1516).

Bauplan und Zirkel weisen eindeutig auf das Metier des Baumeisters, der ebenso wie seine Frau in vorgerücktem Alter dargestellt ist. Da der Maler Hauber 1834 68jährig stirbt, kann Widmann bei Entstehung des Porträts keinesfalls älter als 42 Jahre sein. Gleichwohl wirkt er älter. Die Identität des Dargestellten kann deshalb nicht als restlos geklärt gelten.

Franz Xaver ist der bekannteste aus der Münchner Baumeisterfamilie Widmann. Er

469

5.2.8

5.2.12 Magdalena Adam mit ihren Kindern Benno Raffael und Amalie

Albrecht Adam (Nördlingen 1786–1862 München), um 1815 (unvollendet), Öl/Lwd, 30,5 × 26,5, A 62a

Im Jahr 1812, vor dem Aufbruch in den russischen Feldzug, den er als Begleiter des italienischen Vizekönigs Eugène de Beauharnais, Herzog von Leuchtenberg, miterlebte, verheiratete sich Albrecht Adam mit der Fabrikantentochter Magdalena Sander (1793–1863). Das Paar hatte sich im November 1809 während Albrechts erstem Aufenthalt in Mailand kennengelernt. – Magdalena hält die Tochter Amalie (geb. 1813) auf dem Schoß und wendet sich dem hinter ihr stehenden Söhnchen Benno Raffael (geb. 1812) zu. In Anbetracht des kindlichen Spiels mit der Halskette erscheint eine Datierung des Bildes um 1815 gerechtfertigt; im Gegensatz zu AK Adam München 1981, Nr. 16, der eine Datierung um 1820 vorschlägt. Damit könnte das (nicht vollendete) Bild noch in Mailand entstanden sein. Im Juli 1814 war Albrecht Adam in Begleitung von Magdalena und den beiden Kindern nach Italien zu dem inzwischen seines Vizekönigtums enthobenen Herzog von Leuchtenberg gereist. Die Familie hielt sich mehrere Monate in Mailand auf und kehrte erst im Laufe des Jahres 1815 nach München zurück. – Die legere Kleidung sowie die ganz und gar unrepräsentative Gruppierung der drei Figuren vermittelt eine Entspanntheit, wie sie für das biedermeierliche Familienbild atypisch ist. – Der Familientradition zufolge handelt es sich bei den Dargestellten um Magdalena Adam mit den Kindern Benno und Amalie. M.M.

5.2.13 Selbstbildnis auf einem arabischen Rappen bei der Menterschweige

Albrecht Adam (Nördlingen 1786–1862 München), 1833, Öl/Lwd, 44,5 × 52,5, Lit.: AK Adam, München 1981, Nr. 21, A 8

Der vornehmlich als Schlachtenmaler berühmt gewordene Albrecht Adam zeichnete sich ebenso durch seine zahlreichen Genre- und Pferdedarstellungen aus. Dieses im Jahre 1833 entstandene Selbstbildnis war als Erinnerung an den Vater das Hochzeitsgeschenk des Malers für seine Tochter Amalie (1813–1892), sein 2. Kind. Sie vermählte sich im gleichen Jahr mit dem ratsbürgerlichen Handelsmann und Fabrikbesitzer (Leinwand, Färberei) Josef Wurmb (oder Wurm) (1797–1872).
Adam reitet einen Vollblutrappen, der in arabischem Stil aufgeschirrt ist. Man kann annehmen, daß dieses wertvolle Pferd nicht sein eigenes war, da in der Familiengeschichte von Luitpold Adam d. Ä. erst im folgenden Jahr, 1834, der Ankauf eines ersten Pferdes, eines Braunen, erwähnt wird (L. Adam d. Ä., 1949, 115).
(Eine Kopie des Gemäldes befindet sich in Münchner Privatbesitz.) U. K.

hatte offenbar beste Beziehungen zum Architekten König Ludwigs I., Leo von Klenze. Im Jahr 1825 baute er – auf eigene Rechnung und nach Plänen Klenzes – das Palais des Prinzen Ludwig Ferdinand von Bayern am Wittelsbacherplatz. Dem Adreßbuch von 1842 zufolge wohnten sowohl Klenze als auch F. X. Widmann in diesem vornehmen Stadthaus Fürstenstr. 1. Ab 1829 leitete F. X. Widmann den Bau der von Friedrich von Gärtner entworfenen Ludwigskirche. M.M.

5.2.11b Bildnis Magdalena Widmann

Josef Hauber (Geratsried/Allgäu 1766–1834 München), um 1834, Öl/Lwd, 80,5 × 63,8; 30/1516

Maurermeister Franz Xaver Widmann war in erster Ehe mit Magdalena Ruedorfer (München 1791–1838 München) verheiratet (seit 1815). Magdalena Widmann stünde also am Beginn ihres fünften Lebensjahrzehnts. Sie trägt die Münchner Festtagstracht mit weißer Halbschürze, Seidenspenzer, Brusttuch und silberner Kropfkette sowie der typischen Riegelhaube. Ihr Bildnis ist ein beredtes Beispiel dafür, wie lange sich die von der Mode des Empires beeinflußte Tracht gerade beim standesbewußten, wohlhabenden Bürgertum halten konnte, ebenso wie das Bildnis des Mannes, der sich in leuchtend blauem Seidenfrack und gelbgestreifter Weste altmodisch im Stil der Zeit zwischen 1812 und 1815 trägt. M.M.

5.2.14 Magdalena Adam mit den Töchtern im Garten

Albrecht Adam (1786 Nördlingen – 1862 München), um 1835 (unvollendet), bez.: von fremder Hand am u. Bildrand, Öl/Lwd, 42,8 × 48,8, Lit.: AK Adam, München 1981, Nr. 19, 114 und 147ff., A 118/7

Magdalena Adam (geb. 1793) mit den vier jüngeren Töchtern (von l. nach r.): Magdalena (geb. 1825), Wilhelmine (geb. 1827), Karoline (geb. 1823) und Luise (geb. 1829) auf einer Bank im Garten der Adamei.
Die Adamei war der Wohnsitz der Familie. Albrecht Adam hatte im Jahr 1824 ein Grundstück mit Gartenhaus in der Singstraße 13 (heute Schillerstraße) in unmittelbarer Nachbarschaft der Anatomie gekauft. 1829 wurde das Wohnhaus erbaut. Die Adamei blieb bis 1863 im Besitz der Familie.
Das – nicht vollendete – Gemälde ist ein Dokument für die Lebensweise der Familie im Biedermeier: der unmittelbar an das Haus anschließende Garten bietet mit seinen durch Buschwerk und Bäume gebildeten Nischen und Plätzchen einen beschaulichen Ort für Zusammenkünfte im Familienkreis. Der Garten ist erweiterter Wohnraum.   M.M.

5.2.15a Matthias Pschorr ∗ Abb. S. 32

Joseph Hauber (Geratsried/Allgäu 1766–1834 München), 1824, bez.u.r.: Josef Hauber pinxit 1824, Öl/Lwd, 82,3 × 62,5; 35/1120

Matthias Pschorr (1800–1879) war einer der beiden Söhne des vermögenden Bierbrauers Joseph Pschorr und seiner Frau Therese, geb. Hacker, die die Hackerbrauerei in die Familie gebracht hatte. Der ältere Bruder Georg (1798–1867) wurde vom Vater mit dem Pschorrbräu, Matthias mit dem Hackerbräu an der Sendlingerstraße bedacht. Den damals an der Landsbergerstraße bestehenden Sommerkeller teilte Joseph Pschorr in eine östliche Hälfte für Georg und eine westliche für Matthias. Dieser hat später seinen Besitz noch vergrößert um das Gasthaus zum Glasgarten an der Blumenstraße und den Stachusgarten vor dem Karlstor. 1850 verlegte Matthias Pschorr seinen Wohnsitz aus der Innenstadt (Hackerhaus) in die dem Glasgarten benachbarte Müllerstraße in der Isarvorstadt.
Während der Münchner Bierkrawalle hatten sich die Brüder Pschorr, vor allem Georg, besonderen Unmut zugezogen. Am 18. Oktober 1848 wurde das Pschorrbräu an der Neuhauserstraße gestürmt und die Einrichtung zusammen mit der Privatwohnung des Bräus innerhalb von zwei Stunden kurz und klein geschlagen (vgl. Kat.Nr. 12.5.3.5). Georg Pschorr ist auch Gegenstand einer satirischen Szene im Beichtstuhl, die ihm offenbar seine stark reaktionäre Haltung eingetragen hat (vgl. Kat.Nr. 12.5.3.7).   M.M.

5.2.15b Anna Pschorr ∗ Abb. S. 32

Joseph Hauber (Geratsried/Allgäu 1766–1834 München), 1834, bez.l.: Jos. Hauber/pinxit 1834, 82,5 × 62,8; 35/1121

Die aus Neuötting stammende Anna Rechel (1811–1884) heiratete 1834 den Hackerbräu Matthias Pschorr (siehe Kat.Nr. 5.2.15a). Ihr Bildnis, das wohl anläßlich der Eheschließung entstanden ist, zeigt sie in hocheleganter Toilette, die mit Riegelhäubchen und mehrgängiger Kropfkette noch immer Anklänge an die Münchner Festtagstracht bewahrt. Der Trachtenspenzer hingegen ist längst verdrängt. Man orientierte sich vielmehr an der internationalen Mode: Der Schnitt des Kleides ist nahezu identisch mit jenem, das die Marquise von Pallavicini auf dem von Joseph Stieler für die Schönheitsgalerie des Königs 1834 gemalten Porträt trägt. Das Bildnis der Anna Pschorr ist eines der letzten Werke Joseph Haubers, der noch im selben Jahr verstarb.   M.M.

5.2.16 Bildnis einer Unbekannten mit Strohhut

Anonym, um 1827, bez.r.: Altmünchnerin, Öl/Lwd, 40 × 31,1; II c/ 214

Sentimental geprägtes Bildnis einer Dame in eleganter Sommerrobe mit großem, von Bändern und Blumen geschmücktem Strohhut auf einer Rasenbank in Parklandschaft. Das erst kürzlich im Residenzmuseum erworbene Bildnis der Auguste Strobl, das Joseph Stieler 1827 schuf (Inv.Nr. G 372), zeigt ein ähnliches Gewand mit langem Gazeschal über kurzen Puffärmeln. Durch Strohhut und sog. Wiener Schal mit persischem Dekor weist der an sich dilettantische Maler auf eine gewisse elegante Prosperität der Dargestellten hin.   M.M.

5.2.17 Geschwister Mittermayr

Ignaz Kürzinger (München 1777–1839 München), 1830, bez.u.l.: J. Kürzinger 1830, Öl/Lwd, 72,5 × 58; 29/293

Dargestellt sind die jüngsten der sechs Kinder des zu seiner Zeit berühmten Hofopernsängers Georg Mittermayr (Furth [i.W.] 1783–1858 München) (C. Müller, Mainz 1817, 2. T., 366: »Mittermair – von der Natur mit einer selten herrlichen zu Herzen gehenden, Baßstimme von seltener Biegsamkeit ausgestattet – muß, durch seinen Eifer und seine Bescheidenheit, nothwendig der geehrte Liebling eines jeden Publikums werden, wie er es denn auch hier mit vollem Rechte ist«.) und seiner Frau Anna Lorenz (Ungarn 1790–1876 München). Es sind Maria (1822–1900) und ihr Bruder Xaver (1826–1852). Das Mädchen hatte das Talent des Vaters und wurde die herzogliche Kammersängerin Maria Viala (ebenso schlug der Bruder Eduard [geb. 1814] die Musiker-Laufbahn ein). Nach einer 1834 angetretenen Auslandsreise ließ er sich als Hofmusikus in München nieder (Adreßbuch 1842, 393). Xaver Mittermayr wurde Lehrer an der Lateinschule in Eichstätt (PMB M 233). – Das Mädchen bindet einen Blumenstrauß aus Rosen, Schlüsselblume, Nelke und Kornblume, die in der Blumensprache der Zeit die Bedeutung von Frische

5.3.9

und Jugend sowie von Zartgefühl einnehmen. Der Knabe fügt ein sog. Mausöhrchen (Vergißmeinnicht) hinzu, das für Zuneigung und Liebe steht. – Der Münchner Maler Ignaz Kürzinger gehörte ebenso wie die Familie Mittermayr dem Theater an: er war Hofschauspieler. Sein Geburtsjahr wurde bisher mit 1777 angegeben (Thieme-Becker XXII, 72). Die Archivalien belegen als Geburtsjahr 1784, als Sterbejahr 1842 (StadtAM, PMB).   M.M.

5.2.18 Bildnis Josephine Sutner ∗∗

Wilhelm von Kaulbach (Arolsen 1805–1874 München), 1831, Gouache auf Karton (?), 22 × 27; 38/529

Das Halbfigurenbildnis zeigt Josephine Sutner (11. September 1809 – 3. April 1896), die Braut des Malers, im Alter von 22 Jahren. Ihre Eltern, der Posamentierer Korbinian Sutner und seine Frau Katharina, betrieben unter den »Finsteren Bögen« am Schrannenplatz einen Laden, in dem Josephine Bänder verkaufte. Peter von Cornelius, auf dessen Betreiben Wilhelm Kaulbach 1826 von Düsseldorf nach München gekommen war, soll den Maler auf Josephine aufmerksam gemacht haben. Nach ihrem eigenen Bericht (Schrott 1963, 286) dauerte die Verlobungszeit volle sieben Jahre, ehe die beiden am 22. Juni 1833 in der Peterskirche heiraten konnten, und zwar gegen den Willen der inzwischen verwitweten Mutter der Braut. Unter den Hochzeitsgästen waren außer Peter von Cornelius auch Moritz von Schwind und Carl Friedrich Heinzmann als die engsten Freunde. Das Paar bezog eine »mehr als einfache« Wohnung in der Lerchenstr. 54 (heute Schwanthalerstr. 4) und ließ sich erst 1844, nach dem sich mehrenden Erfolg Kaulbachs, in der oberen Gartenstraße 16 ½ in der Schönfeld Vorstadt (heute Kaulbachstraße) nieder.   M.M.

5.2.19 Kreszenz Rombach **

Friedrich Hahn (Nürnberg 1804–1880 Nürnberg), um 1831–33, bez. u. l.: F Hahn (ligiert), Öl/Lwd, 72 × 58; 34/407

Kreszenz Rombach (1796–1869) war die Tochter eines Arbeiters an der städtischen Sägemühle. Offenbar war sie eine Schönheit. Jedenfalls verheiratete sich mit ihr im Jahr 1820 der reiche, um 20 Jahre ältere Schlossermeister Josef Rombach (1775–1849), der aus Freiburg im Breisgau zugewandert war. – Die Schlossermeistersgattin nimmt es an Eleganz durchaus mit der jungen Anna Pschorr (Kat.Nr. 5.2.15b) auf, deren Bildnis fast gleichzeitig entstanden ist. Anstelle des sog. Wiener Schals trägt Kreszenz Rombach die kokette Boa aus Schwanenfedern. Auch die über den Schläfen quellenden Lockenbündel zeigen, daß die Dargestellte im Bewußtsein ihrer Schönheit modische Einzelheiten einsetzte, die Zurschaustellung von prunkendem Schmuck aber wohlweislich vermied. – Friedrich Hahn war wie Georg Wilhelm Wanderer ein aus Nürnberg zugewanderter, vielbeschäftigter Bildnismaler, der im Kunstverein häufig ausstellte. (Die Daten des Künstlers verdanken wir dem Stadtarchiv Nürnberg.) Sein Bruder Georg Michael Hahn war ebenfalls Porträtmaler und seit 1833 Kunstvereinsmitglied. Im Gegensatz zu Wanderer deutete Friedrich Hahn den Hintergrund seiner Bildnisse gerne als idealisierte Landschaft. M. M.

5.2.20 Friedrich Freiherr von Zentner

Joseph Stieler (Mainz 1771–1858 München), 1831, bez. r.: Friedrich Freiherr von Zentner, Königl. bayerischer Staatsminister der Justiz. Reichsrat und seit der Wiederherstellung der Gemeinde-Verfassung erster Ehrenbürger von München gemalt von J. Stiehler 1831. Öl/Lwd, 29/756

Friedrich Freiherr von Zentner (Heppenheim a. d. Bergstraße 1752–1835 München) entstammte einer pfälzer Bauernfamilie und hatte sich nach Studien in Mannheim und Göttingen zunächst als Lehrer für Staatsrecht an der Universität Heidelberg niedergelassen (seit 1777). Er genoß die Wertschätzung Carl Theodors, der den jungen Wissenschaftler zur Aufgabe seiner akademischen Laufbahn zugunsten einer glänzenden politischen Karriere bewegen konnte. Ab 1799 ist Zentner hoher Ministerialbeamter in München. Als engster Mitarbeiter des Grafen Montgelas gilt er als der Verfasser der bayerischen Konstitution. Er nahm sich insbesondere des Bildungswesens (Universitätsreform) an und drang auf eine rigorose Durchführung der Säkularisation in Bayern. Nach dem Sturz Montgelas 1817 – an dem Zentner maßgeblich beteiligt war –, wurde er als Staatsrat in das Innenministerium berufen. Er war jedoch nicht, wie neuerdings behauptet, Minister des Inneren, sondern von 1823–1831 Staatsminister der Justiz und ab 1827 Ministerverweser am »Staatsministerium des k. Hauses und des Äußeren«. – Das Bildnis von J. Stie-

ler stellt den bayerischen Staatsmann in seinem Arbeitszimmer am Schreibtisch dar. Am aufgeschlagenen Kragen seines Rockes trägt er das Band eines Ritters des »Civil-Verdienst-Ordens«. Das Portrait ist im Jahre seines Ausscheidens aus dem Staatsdienst, 1831, entstanden und wurde laut Kunstvereinsbericht noch im gleichen Jahr im Münchner Kunstverein gezeigt. Nach diesem Gemälde hat Gottlieb Bodmer (Hombrechtikon/Schweiz 1804–1837 München) ein Bruststück lithographiert. M. M.

5.2.21 Antoinette Ott

Franz Napoleon Heigel (Paris 1813–1888 München), 1837, bez. u. r.: F.N.Heigel 1837, Aquarell/Karton, 17 × 20,5; 38/1511

Antoinette Ott war laut Aufkleber auf der Rückseite der Miniatur »Königl. Rat- und Geheimsekretärs-Gattin – Tochter des Kurfürstlichen Rat und Pfister Direktor Joh. Nep. von Schießl«. Sie war demnach die Frau von Johann Nepomuk Ott, der an der Obersten Baubehörde unter Führung Leo von Klenzes den Posten eines Geheim-Sekretärs innehatte. Franz Napoleon Heigel, Sohn des Malers Joseph Heigel (München 1780–1837 Paris) war bekannt geworden durch Bildnisdarstellungen Max I. Josephs, die er 1827 posthum im Kunstverein ausstellte. F. N. Heigel kehrte 1835 aus Paris, wo er im Salon beachtliche Erfolge mit seiner Miniaturmalerei hatte, nach München zurück. Er war ein ungemein schaffensfroher Porträtist. Seine Auftraggeberschaft kam aus dem Umkreis des Hofes. – Das Bildnis der Frau Ott stellt eine würdige Beamtengattin in gestärkter, rüschenbesetzter Haube und hochgeschlossenem, mit doppeltem Kragen besetztem Kleid dar. M. M.

5.2.22 Kinder der Häuser Habsburg und Wittelsbach *

Peter Fendi (1796 Wien – 1842 Wien), um 1837, Aquarell, 40 × 36, Regensburg, Fürst Thurn und Taxis-Kunstslg., St.E. 13 279

Mit seinem um 1837 zu datierenden Aquarell gelingt es Fendi, die Ansprüche eines höfischen Repräsentationsbildnisses mit der intimen Atmosphäre einer Kinderstube zu vereinen. Vor der nur schemenhaft angedeuteten Folie der für ein Herrscherporträt üblichen Requisiten erscheinen, zwanglos zu Grüppchen zusammengeschlossen, Prinzen und Prinzessinnen der Häuser Habsburg und Wittelsbach. Ihrem kindlichen Wesen gemäß zeigt der Wiener Maler seine kleinen Modelle eingesponnen in die Welt ihrer Spielsachen, wenngleich auch nicht unmittelbar mit diesen beschäftigt; von wenigen Ausnahmen abgesehen richten die Enkel der Königin Caroline von Bayern – das prachtvoll gerahmte Porträt der Großmutter ist rechts im Hintergrund zu erkennen – ihren Blick auf den Betrachter. Den in erster Linie repräsentativen Charakter des Aquarells verdeutlicht die Position des Erzherzogs Franz Joseph, des späteren Kaisers von Österreich:

begleitet von Herzog Ludwig in Bayern und Erzherzog Ferdinand Maximilian – die er beide überragt – nimmt er, seiner künftigen Würde entsprechend, den Platz unmittelbar vor der kolossalen Säulenformation und damit vor einem zentralen Bestandteil des Apparats eines Herrscherbildes. Die Identifizierung der übrigen Kinder kann nicht in allen Fällen mit letztendlicher Sicherheit erfolgen, jedoch dürfen der Junge links im Vordergrund als Erzherzog Carl Ludwig, die beiden kleineren Mädchen in der Bildmitte als Herzogin Helene von Bayern und Erzherzogin Maria Anna angesprochen werden. U.S.

5.2.23 Benno und Josephine Adam am Comer See *

Benno Adam (München 1812–1892 Kehlheim), 1842, Öl/Karton, 29,3 × 26,3, A 9

Benno Rafael, der älteste Sohn Albrecht Adams, verheiratete sich 1842 mit Josephine Quaglio (1821–1871), der Tochter des mit der Familie Adam befreundeten Malers Domenico Quaglio (1786–1837).
Das Ziel ihrer Hochzeitsreise war Verona. Am Comersee wurden einige Tage Rast eingelegt, und hier traf das Paar auch mit Albrecht Adam zusammen, der die Jungvermählten auf ihrer weiteren Reise begleitet haben soll. Die Darstellung bezieht sich auf die Begegnung von Benno und Josephine mit Albrecht, der auf dem Hocker sitzend mit dem Hund spielt. Zwei Vorzeichnungen zu dem Gemälde sind im Adam Archiv erhalten. M. M.

5.2.24 Selbstbildnis des Malers mit Gattin und Kindern *

Wilhelm von Harnier (München 1800–1838 Meran), Meran, 1838, bez. hinten auf dem Rahmen: 33, Öl/Lwd, 27,5 × 22,5, Lit.: Praz, 1965, 322, Garnerus, 1973, 63, Nr. 238, Köln, Wallraf-Richartz Museum 3264

Seit seiner Studienzeit hatte Harnier in der Malerei dillettiert, was sich auch in der Naivität der Auffassung und der Schlichtheit des Realismus dieses Bildes erkennen läßt. Er war Beamter gewesen, als er an der Schwindsucht erkrankte und in der Hoffnung auf Genesung zusammen mit seiner Familie – seine Frau sollte wenig später derselben Krankheit zum Opfer fallen – nach Meran reiste. Hier entstand 1838 dieses Familienbildnis, das er nach seiner eigenen Aussage als ein »charmantes erstes Genrebildchen« (Tagebuch Meran vom 4.3.1838) geplant hat und in den letzten Wochen seines Lebens als ein Erinnerungsbild für seine Familie ausführte. In guckkastenhafter Perspektive zeigt sich der Maler in einem Alkoven an der Staffelei sitzend, während seine Frau ihm zusieht und seine Kinder im Vordergrund spielen. Mit der gleichen naiven Detailliebe sind Mobiliar ebenso wie Kleidung und Kinderspielzeug dargestellt und verdichten sich zusammen mit den portraitierten Personen zum Zeugnis eines tragischen familiären Glücks. B.B.

5.2.25 Gedenkblatt an den Maler Wilhelm Harnier und seine Gattin Caroline

Franz Graf von Pocci (München 1807–1876 München), 1838, Radierung, 16,9 × 11,5; M IV /2013

In einem Rahmen aus Ästen und Blättern, bekrönt von einem Eselsrücken mit Kreuz, links und rechts jeweils ein Sarg mit Trägern, die drei weinenden Kinder mit der Inschrift: Zum Andenken / an / Wilhelm und Caroline / v. Harnier / ihren Freunden gewidmet / 1838 / F.P.
I.H.

5.2.26a Färbermeister Gsellhofer

Georg Wilhelm Wanderer (Rothenburg/Tauber 1804–1863 Nürnberg), 1839, bez.l.: G.W. (ligiert) Wanderer pinxit 1839, Öl/Lwd, 50 × 40,2; 38/368

Franz Paul Gsellhofer (1804–1868) wird in den Polizeimeldebögen als »bürgerlicher Färber aus Cham« geführt. Im Jahr 1835 erhielt er die mit Bürgerrecht verbundene Konzession für das Färberhandwerk. Im Jahr 1840 war er einer der sieben Färbermeister Münchens. Gsellhofer bewohnte mit seiner Familie das Haus Theatergasse 20, nahe dem Isartortheater, das bereits 1825 geschlossen war. Die Theatergasse wurde – noch vor dem Erscheinen von Wenngs Topographischem Atlas 1849 – aufgelassen und ging nunmehr begradigt als Verlängerung in die Westenriederstraße ein.
F. P. Gsellhofer ist ein typischer Vertreter des aus dem Umland zugewanderten Handwerkers, der es in München zu Wohlstand und einigem Ansehen gebracht hat. Der zwischen 1837 und 1850 in München tätige Maler Georg Wilhelm Wanderer (1804 Rothenburg – 1863 Nürnberg) war zu seiner Zeit der meistbeschäftigte Porträtist des aufstrebenden Kleinbürgertums in München.
M. M.

5.2.26b Antonia Gsellhofer

Georg Wilhelm Wanderer (Rothenburg/Tauber 1804–1863 Nürnberg), 1840, bez.r.: G.W. (ligiert) Wdr 1840, Öl/Lwd, 49,2 × 40,7; 38/369

Antonia Gsellhofer geb. Gentner (1819–1894) war Tochter eines Schneidermeisters in Wallerstein und seit 1839 mit dem Färbermeister Gsellhofer in München verehelicht. Das Bildnis zeigt sie als selbstbewußte Bürgersfrau, die sich der zeitgenössischen Mode entsprechend und unter Aufwendung kostbarer Stoffe und Schmuckstücke darstellen ließ. Auffällig ist der Verzicht auf jegliches Zitat der Tracht, wie Riegelhaube oder Kropfkette, an deren Stelle die modebewußte Färbersfrau eine dreifach geschlungene Erbskette trägt.
M. M.

5.2.27a Bildnis eines unbekannten Münchner Bürgers

Anonym, um 1845, Öl/Lwd, 63,5 × 51,8; IIc/249

Angeblich handelt es sich bei dem Dargestellten um einen Leibkutscher, deren es ausweis-

lich drei gegeben hat: Zum Hofstaat des Königs gehörten um 1845 die Leibkutscher Georg Schmidt und Philipp Krämer, die beide in der Marstallstraße im selben Haus wohnten. Im Marstall des Herzog Max war ein namentlich nicht bekannter Leibkutscher angestellt. – Der nach individuellem Geschmack frisierte junge Mann in braunem Gehrock mit Samtkragen, farbig gemusterter Seidenweste und schwarzer Halsbinde ist à la mode gekleidet. Die etwas penetrant wirkende Schaustellung der großen Busennadel und des um 1845 modernen Fingerringes gehen auf das Konto des anonymen Malers.
M. M.

5.2.27b Bildnis einer unbekannten Münchner Bürgerin

Anonym, um 1845, Öl/Lwd, 63,4 × 51,8; IIc/250

Die Frau des unbekannten Leibkutschers trägt zu dem – ihrem Stand gemäß – hochgeschlossenen Kleid Riegelhaube und Kropfkette, sowie einen Kreuzanhänger an einer breiten Erbskette. Über der Stuhllehne hängt der unumgängliche sog. Wiener Schal. Die Biederkeit der Dargestellten wird im übrigen nicht – wie bei anderen Porträts des Kleinbürgertums – durch Anleihen aus der von Paris und Wien bestimmten Mode zu überspielen versucht.
M. M.

5.2.28 Bildnis Rosina Pössenbacher *

Pankraz Koerle (München 1823–1875 München), wohl 1846, bez.u.M.: Koerle 1846 (?), Öl/Lwd, 109,5 × 80,9; 28/1091

Das bisher nicht veröffentlichte Gemälde stellt die Kistlerswitwe Rosina Pössenbacher geb. Altenbucher (Kronwinkel 1768–1845 München) dar. Sie war die Frau des Schreinermeisters Mathäus Pössenbacher (Besenbacher), der lt. Adreßbuch von 1818 (S. 357) in der Herzogspitalgasse 1250 wohnte. Als Rosina im Jahr 1845 an Altersschwäche stirbt, wird als Adresse jedenfalls die Herzogspitalgasse genannt. Ihr Sohn Mathäus war Buchdruckerei-Besitzer und wird 1841 als Mitglied des Kunstvereins geführt. Wahrscheinlich war sie auch die Mutter des ebenfalls dem Kunstverein angehörenden Hoftischlers Joseph Pössenbacher, der das Haus in der Herzogspitalgasse 10 bewohnte und sein Möbellager im Bazargebäude am Odeonsplatz hatte. – Das Altersbildnis der Rosina Pössenbacher ist in seiner Unmittelbarkeit unter den Porträts des Münchner Biedermeiers eine Ausnahme. Weitere Werke des Malers Pankraz Koerle von der Qualität dieses Bildnisses sind nicht bekannt. Anfänglich besuchte Koerle die 1837 von Joseph Bernhardt gegründete private Malschule. Zwischen 1845 und 1848 hielt er sich in Wien, auch bei Georg Ferdinand Waldmüller (1793–1865) auf. Stilistisch würde das Bild gut in die Wiener Zeit passen (Thieme-Becker 21, 176f.). Es würde sich dann um ein posthumes Porträt der 1845 verstorbenen Kistlerswitwe handeln. In späteren Jahren hing Koerle einer süßlichen Genremalerei an.
M. M.

5.2.29a Schuhmacher Stockmayr

Georg Wilhelm Wanderer (Rothenburg 1804–1863 Nürnberg), 1849, bez.u.l.: G.(ligiert)/Wanderer/pinx. 1849, Öl/Lwd, 43,6 × 35,5; 39/207

Das Münchner Adreßbuch von 1842 verzeichnet nicht weniger als 210 Schuhmachermeister. Darunter befinden sich zwei mit Namen Stockmayr: die im Dorf Schwabing geborenen Brüder Nikolaus (1796–1880) und Georg (1798–1879). Nikolaus, seit 1824 Münchner Bürger, und Georg, seit 1837 zur Münchner Bürgerschaft gehörig, verwitweten beide 1848. Der ältere Stockmayr verheiratete sich 1849 mit Anna Limbrunner, einer Schuhmacherswitwe aus der Maxvorstadt. Die Witwe verkaufte ihre Werkstatt in der Augustenstraße und besorgte fortan das an das Stockmayr'sche Hauswesen am Rindermarkt. – Georg Wilhelm Wanderer war einer der beliebtesten Bildnismaler der Münchner Handwerkerfamilien. Seit 1837 in München stellte er regelmäßig im Kunstverein aus. 1850 kehrte Wanderer zurück nach Nürnberg.
M. M.

5.2.29b Anna Stockmayr

Georg Wilhelm Wanderer (Rothenburg 1804–1863 Nürnberg), um 1849/50, bez.u.r.: Wanderer, Öl/Lwd, 44 × 35,7; 39/208

Die Witwe des Schuhmachermeisters Alois Limbrunner, Anna, geb. Janker (1819–1885) aus Roding in der Oberpfalz, schloß die Ehe mit Nikolaus Stockmayr im Jahr 1849. Das Bildnis ihres Bräutigams ist im Jahr der Eheschließung datiert, doch sind die beiden Porträts offenkundig nicht ganz gleichzeitig entstanden: die verschnörkelte Signatur des Frauenporträts unterscheidet sich unübersehbar von dem steifen Schriftzug des Männerbildnisses. – Der Maler versucht in keiner Weise die Herbheit der Dargestellten zu mildern. Das Bildnis offenbart eine Charakterisierungsweise, die für den Stil Georg Wilhelm Wanderers typisch ist, und wie sie offenbar von den Auftraggebern zu akzeptieren war. – Das Porträt der Anna Stockmayr ist ein weiterer Beleg für das Festhalten des Bürgertums an Elementen der Festtagstracht: auch hier trägt die Dargestellte noch Riegelhaube und Kropfkette zur modischen Toilette, wie bereits um 1834 Anna Pschorr auf dem Bildnis von Joseph Hauber (Kat.Nr. 5.2.15b).
M. M.

5.2.30 Unbekannte Münchenerin

Anonym, um 1845/50, Öl/Lwd, 81,4 × 68,1; 28/774

Das Bildnis dieser unbekannten Münchenerin ist ein Beispiel dafür, wie das Bürgertum gegen die Jahrhundertmitte bestrebt ist, seine Prosperität ungeniert zu demonstrieren. Prunkvolle Schmuckstücke wie die Garnitur aus Ohrgehängen und Brosche, vor allem aber die durchbrochen gearbeiteten Armreife sind um 1845

5.2.19

5.2.22

Familienfest um einen runden Geburtstag des Familienoberhaupts handelt. Man möchte annehmen, daß es Josef Westermayers 50. Geburtstag ist, womit für die Entstehung des Bildes das Jahr 1847 ermittelt wäre. Im Jahr 1849 ist Josef Westermayer bereits Privatier. Der älteste Sohn Ludwig hatte das Handwerk des Vaters erlernt, die übrigen Söhne waren Schlosser und Mechaniker geworden (Häuserbuch der Stadt München, Bd. II, 1960, 348). – Der anonyme Meister des Bildes, das durch seinen Detailreichtum für das Münchner Biedermeier unvergleichlich authentisch ist, wird im Umkreis des Wieners Georg Waldmüller zu suchen sein. Ob der Münchner Maler Pankraz Koerle, der sich zwischen 1845 und 1848 in Wien aufhielt und unter der Leitung Waldmüllers zur Genremalerei fand, als Maler des Bildes in Anspruch genommen werden kann, ist nicht auszuschließen. Koerle war seit 1847 Mitglied des Münchner Kunstvereins.   M. M.

5.2.32a Bildnis Carl Reiner

Otto Merseburger (Leipzig 1822–1898 Leipzig), 1848, bez. r.: Gemalt von Otto — Merseburger von Leipzig/zu München im — Januar 1848 für/seinen Freund Carl — Reiner., Öl/Lwd, 65,7 × 52,8; 65/637

Der Leipziger Maler Otto Merseburger besuchte in den 1840er Jahren die Münchner Akademie und war in dieser Zeit auch Kunstvereinsmitglied. Er sollte später auf dem Gebiet der Lithographie einer der gesuchtesten Portraitisten in Leipzig werden. – Während seines Münchner Aufenthaltes war er mit dem Juristen Carl Reiner (1823–1907) freundschaftlich verbunden. Der am Landgericht tätige Jurist wird von Merseburger mit einem togaähnlichen Überwurf dargestellt, der vielleicht als Hinweis auf die Verbundenheit mit der römischen Antike zu verstehen ist.   M. M.

5.2.23

der letzte Schrei, wohingegen die Uhr an der dicken Goldkette ein althergebrachtes Statussymbol ist. Ebenso ist das Kleid der Dargestellten von eher altmodischem Schnitt.   M. M.

5.2.31 Silberarbeiter Josef Westermayer und Familie ∗∗ Umschlagbild

Anonym (Pankraz Koerle, München 1823–1875 München?) 1847, Öl/Lwd, 106 × 87; 52/86

Dargestellt sind der Silberarbeiter Josef Westermayer (auch Wöstermayr) (München 1797–1871 München) und seine Frau Maria Theresia geb. Maierhofer (geb. 1803), sowie deren Kinder: der älteste Sohn ist Ludwig (1833–1890), die älteste Tochter Maria Barbara (geb. 1835) mit einem blumenumkränzten Gesteck in der Hand die Gratulation vortragend, zwischen beiden mit einer Schriftrolle Josef (geb. 1836), an den Vater geschmiegt Bartlmä (1839–1858), mit einem kleinen Blumenstrauß und auf dem Arm der Mutter Klara (geb. 1844) (Stadtarchiv PMB W 183). – Maria Theresia

Westermayer war die Tochter des Uhrmachers und Silberarbeiters Bartholomäus Maierhofer. Sein Stiefsohn Josef Westermayer hatte Maierhofers »reale Silberarbeiters Gerechtsame« übernommen, wurde damit Bürger und erhielt darauf die Heiratslizenz. Wie sich die Familie auf dem Gemälde präsentiert, hat es Josef Westermayer zu erklecklichem Wohlstand gebracht. (Die ursprünglich im Hause Maierhofers, Thiereckgäßchen Nr. 2 beim heutigen »Bratwurstglöckl« wohnende Familie wird 1849 als Besitzer eines großen Anwesens gegenüber der Bockhalle, Münzgäßchen/Lederergasse genannt; vgl. G. Wenng, Topographischer Atlas von München o. J. (1849/50). – An der Rückwand hinter dem Elternpaar zwei Lithographien und eine Miniatur: im Rücken der Frau Westermayer Lithographie nach Dietrich Monten von Gottlieb Bodmer »König Ludwig I. von Bayern im Kreise seiner Familie bei Betrachtung des Gemäldes: Einzug König Ottos in Nauplia von Peter von Hess« (dat. 1835). Als Mitglied des Kunstvereins (seit 1841) hatte Westermayer diese Blätter erworben. – Es ist anzunehmen, daß es sich bei dem dargestellten

der Familienidylle, und spielen vielleicht auf Rollen in der Familie an.   H.O.

5.2.34 Bildnis Ferdinand von Miller

Anton Geissler (geb. 1809), um 1850, handschriftlicher Aufkleber bez. r.: Bildnis des weltberühmten Erzgießers kgl. Erzgießerei Inspektor Ferdinand von Miller, geb. zu Fürstenfeldbruck 18ten Oktober 1813 am Tage der großen Völkerschlacht bei Leipzig. Nach Photographie im Kostüm des Erzgießers, in dem er die größten Erzgüße der kolosalsten Denkmäler Europas und Amerikas leitete... Gemalt von seinem 76 Jahre zählenden Arbeiter der 46 Jahre in derselben Anstalt an all diesen Arbeiten Tätig war, und von ihm der Maillinger Sammlung gegeben wurde im Dezember 1885/gez. Anton Geissler pens. Monteur/gemalt um das Jahr 1850/: Öl/Holz, 18,5 × 13, II c/16

Ferdinand von Miller d. Ä. (Fürstenfeldbruck 1813–1887 München) war seit 1844 Direktor der Königl. Erzgießerei an der ehem. Feld-, heute Erzgießereistraße. König Ludwig I. hatte hier 1824 ein großes Gußhaus errichten lassen, die Leitung hatte Johann Baptist Stiglmayr (Fürstenfeldbruck 1791–1844 München).
Als Nachfolger war Stiglmayrs Neffe Ferdinand Miller ausersehen und frühzeitig einer ausgezeichneten Schulung in Paris und in der Münchner Werkstätte unterzogen worden. Miller hat die wichtigen Güsse der Frühzeit der Münchner Erzgießerei miterlebt und war bei der Übernahme der Werkstätte seiner schwierigen Aufgabe gewachsen.
Das vorliegende Ölbild ist von dem pensionierten Monteur Anton Geissler aus Verehrung für den ehemaligen Dienstherren nach einem Foto des Münchner Photographen Alois Löcherer (1815–1862) entstanden.

5.2.24

5.2.28

5.2.32b Bildnis Henriette Reiner

Otto Merseburger (Leipzig 1822–1898 Leipzig), 1848, bez. u. l.: MO (ligiert) München 1848, Öl/Lwd, 54 × 65,7; 65/638

Otto Merseburger porträtierte im Januar 1848 nicht nur seinen Freund Carl Reiner, sondern auch dessen junge Frau Henriette geb. Huther (1832–1913). Das Bildnis hebt sich aus der vom bürgerlichen Biedersinn geprägten Münchner Bildnismalerei heraus. Die Lässigkeit, mit der die Dargestellte in einer fast den Rücken kehrenden, doch immerhin noch seitlichen Ansicht posiert, ist in der Münchner Portraitmalerei ungewöhnlich. Die Betonung liegt allein auf dem Gesicht, das sich durch eine starke Drehung des Kopfes zum Betrachter wendet. Auf die Darstellung von Statussymbolen wie kostbarer Robe und Geschmeide ist absichtsvoll verzichtet. Einziger Schmuck ist der Ehering, auch der Sonnenschirm ist ein schlichtes Exemplar. Zierat in diesem Bildnis sind allein die Pflanzen: Vergißmeinnicht und

Efeu – den Henriette Reiner als Kranz im Haar trägt – galten dem Biedermeier als Treuesymbole.   M.M.

5.2.33 Familienbild des Malers Enhuber **

Karl von Enhuber (Hof 1811 – 1867 München), München, 1850, bez.: K.v.E. / fec: 1850, Öl/Lwd, 63,5 × 87,5, Privatbesitz München

In einer Gartenveranda seines Sommersitzes in Söcking am Starnbergersee stellt sich Karl von Enhuber, kenntlich an der Schottenmütze, mit seinen zwei Kindern Karl und Maria sowie seiner Frau dar. Dazu gesellt sich der verwandte, ebenfalls in Pöcking ansässige »Realitätenbesitzer« Peter Paul von Maffei mit seiner Frau Carolina und seinem Sohn, der eine gefangene Bachforelle vorweist. Die Mutter am Klöppelkissen mahnt ihn. Die Damen haben ihre Kaschmirschals abgelegt. Der Blick geht über sommerliche Wiesen auf den Starnberg. Hund und Katze, Henne und Kücken gesellen sich zu

477

5.2.33

5.3 Gedenke mein – Miniaturen

5.3.1 Bildnis eines Mannes mit gepuderter Perücke und mit Pelz verbrämten Morgenrock, als Brosche gearbeitet, Bruststück, leicht nach links gewandt

um 1780 Wasserfarbe/Elfenbein, 3,8 × 3,0 im Oval, G 73/167

5.3.2 Silhouettenporträt eines Mannes mit Jabot und Zopfperücke, auf goldenem Grund, mit Goldkranz umgeben, als Goldschließe gearbeitet

um 1780, Eglomisé, hinterlegt mit blau-irisie-rendem Material, möglicherweise gefärbtem Perlmutt, 3,8 × 3,2 im Oval, XII/175/4

5.3.3 Porträt einer Frau mit goldener Riegelhaube, rotgepunktetem Mieder mit Brusttuch und Halsband

1789, bez. rückseitig: D. Kamerer 1789, Was-serfarbe/Pergament, 13,0 × 10,5 im Oval, 29/69

5.3.4a Porträt des Franz Paul Tillmetz, Apotheker in Passau, in blauem Rock mit plissiertem Jabot. Brustbild nach links

Passau, 1790, bez.: Erasmus Andorfer, Passau f. 1790, rückseitig: Frz. P. Tillmetz, Erasmus Andorfer f. 1790, Wasserfarbe/Elfenbein, 6,1 × 5,1 im Oval, XII/48/2

5.3.4b Porträt der Anna Tillmetz, geb. von Poschinger, Gattin des Vorigen, in weißem Chemisenkleid mit plissiertem Kragen und Stirnband. Brustbild nach rechts gewandt

wohl Passau, um 1800, bez. rückseitig: Spiegel angepaßt, Marie Freifrau von Polchingen, Was-serfarbe/Elfenbein; in Lederschatulle, Miniatur wendbar, mit Spiegel-Rückseite, 7,2 × 5,0 im Oval, XII/48/3

5.3.5 Silhouettenporträts einer Dame mit hochgebundenem, mit Schleifen verziertem Haar und eines Herrn mit Zopfperücke, umrahmt mit Girlandenband; in rotem Lederetui, Bildnisse im Profil, einander zugewandt

Georg Schrott (lebte um 1790 in München), München, um 1790, bez.: G. Schrott; Eglomisé,

Girlandenband mit rosa gefärbter Metallfolie hinterlegt; in rotem, achteckigem Etui, das mit Samt ausgelegt ist, 4,0 × 3,0 im Oval, 29/1037 und 1038

5.3.6 Silhouettenporträt einer Frau mit Spitzenjabot und Spitzenhaube, umrahmt mit ovalem Girlandenband. Profilbildnis nach links

Georg Schrott (lebte um 1790 in München), München, um 1790, bez.: G. Schrott f., rückseitig: Georg Schrott Silhoueter, Logiert zu München in der Sendling Gassen, im Hause Nro. 319 im Hafner Dallinger Hause neben dem Bader über zwey Stiegen vorwärts, Eglomisé, Girlandenband mit rosa gefärbter Metallfolie hinterlegt, 7,0 × 5,4 im Oval, 37/1177

Die Lebensdaten des Künstlers sind in der Literatur nicht zu finden. Allein die rückwärtige Beschriftung dieser Miniatur gibt Auskunft über Aufenthaltsort und -zeit des Silhouettisten in München. A.S.

5.3.7 Silhouettenporträt einer Frau, verziert mit ovalem Girlandenband. Profilbildnis nach links

Georg Schrott (lebte um 1790 in München), München, um 1790, bez.: G. Schrott f, Eglomisé, Girlandenband mit rosa gefärbter Metallfolie hinterlegt, 7,0 × 5,4 im Oval, 29/70

Über die Lebensdaten des Silhouettisten Georg Schrott konnten in der Literatur noch keine Hinweise gefunden werden. Jedoch bezeugt eine Beschriftung auf einer der Miniaturen, daß sich der Künstler um 1790 in München aufhielt (vgl. Kat.Nr. 5.3.6). A.S.

5.3.8 Silhouettenporträt einer Frau mit Mieder und Halstuch. Bruststück nach rechts

um 1790, bez. rückseitig: A. Pruska, Eglomisé (Blattsilber), 8,3 × 4,7; 31/29

5.3.9 Silhouetten einer Dame und eines Offiziers in einem Zimmer, durch dessen Fenster eine Stadtansicht Münchens sichtbar wird. Ganzfigurenbildnisse im Profil. *

Franz Joseph Weiß (lebte um 1770 in München), München, 1793, bez.: Joseph Weiß 1793, rückseitig: Joseph Weiß in München gemacht 1793. Eglomisé (Blattsilber) mit Schichtenbild, 11,0 × 7,7 im Rechteck, Lit.: Lemberger, 1910, 6–8, 31/489

Rechts neben dem Fenster befindet sich ein Bild mit einer Darstellung aus dem Englischen Garten, links eine Tafel mit dem Sinnspruch:

»Viel Wesen mach ich nicht/ der Falschheit bin ich feind/ wem Lustigkeit gefällt/ der ist mein Freund.« A.S

5.3.10 Profilbildnis des Joseph Ritter von Baader (1764–1835), Oberbergrat, Ingenieur und geheimer Rat, an einem Zeichentisch stehend *

um 1800, bez. rückseitig: Josef von Baader, Ingenieur, Eglomisé (spätere Ergänzung mit Wasserfarbe), 15,5 × 12,0, 37/210

Der in München gebürtige Joseph von Baader studierte zunächst Medizin und Technik; später erhielt er gemeinsam mit seinem Bruder Franz für die Jahre 1787/95 ein Reisestipendium nach England. 1798 wurde er Direktor des Maschinen- und Bergbaus in Bayern. – Baader wurde sowohl als Erbauer der Sole-Hebe-Anlage in Reichenhall, als »Vordenker« der Eisenbahn, als auch durch die Konstruktion der Nymphenburger Pumpwerke, die heute immer noch arbeiten, weit über Bayern hinaus bekannt. A.S.

5.3.10

5.3.11 Bildnis eines Mannes in blauem Rock, weißer, hochgebundener Halsbinde, Bruststück en face

um 1805, bez.: Saborey, Wasserfarbe/Elfenbein, ∅ 6,5; G 73/159

5.3.12 Bildnis eines Mannes mit gepudertem Haar und rot gestreifter Weste, Bruststück nach links

Johann Walch (Kempten 1757–1816 Augsburg), 1793, bez.: Walch 1793, Wasserfarbe/Elfenbein, ∅ 5,7; Lit.: Schidlof, 1964, 2, 861, G 72/179/7

Der aus Kempten stammende Künstler ließ sich nach einer dreijährigen Ausbildung in Genf und Wien, 1786 als Miniaturmaler in Augsburg nieder. Dort übernahm er 1806 einen Graphikverlag und baute diesen zu einem der bekanntesten Landkartenverlage aus. – Laut Inventarbuch handelt es sich bei dem Dargestellten um ein Mitglied der Familie Barth, die in Eichstätt und Schöllhorn bei Memmingen ansässig war. A.S.

5.3.13 a Bruststück des Anton Freiherrn von Streit (1748–1836), königlicher Kämmerer und Generalmajor **

München, um 1800, bez. rückseitig: Anton Heinrich Freiherr von Streit v. Immendingen kgl. bayr. Generalmajor, gest. 1836 München; Wasserfarbe/Elfenbein, 6,8 × 5,2 im Oval, Lit.: StadtAM/PMB; 30/1550

Dem königlichen Generalmajor und Kämmerer wurde 1835 der Ludwigsorden verliehen, eine Auszeichnung die seit dem 25. August 1827 von König Ludwig an alle Hof- und Staatsdiener, die 50 Dienstjahre erreicht hatten, verliehen wurde. A.S.

5.3.13 b Bildnis der Freifrau von Streit, geb. Gräfin von Leyden aus Affing, auf einem Sofa sitzend **

Joseph Kaltner (Nymphenburg 1758 – nach 1824), München, 1792, bez.: Kaltner 1792, rü.: Freifrau von Streit, geb. Gräfin von Leyden zu Affing, Mutter des Karl Freiherrn von Streit gest. zu München im Juli 1858, letzter seines Namens; Wasserfarbe/Elfenbein, ∅ 7,3; Lit.: Schidlof 1964, 1, 416, 30/1551

Der in Nymphenburg geborene Miniaturmaler Joseph Kaltner lernte bei Cuvilliés sowie an der Akademie in München und Paris. In Wien, wo er seit 1814 lebte, malte er hauptsächlich im Auftrag des Hofes und des Adels. A.S.

5.3.14 a Silhouette des Christoph Günther, gerahmt vor dem Stammbaum der Familie Fischer – Günther, Bruststück im Profil

um 1780, bez. rückseitig: mein Vater Christoph Günther, Scherenschnitt/Papier bedruckt und koloriert, 12,0 × 10,0; 43/13

5.3.14 b Silhouette einer Frau, wohl der Henriette Günther, vor einem Stammbaum, Bruststück im Profil

um 1800, bez. rückseitig: Meine Mutter Henriette Günther, Scherenschnitt/Papier bedruckt und koloriert, 12,0 × 10,0; 43/14

5.3.14 c Silhouette der Ernestine Fischer als Kind, vor dem Familienstammbaum. Bruststück im Profil

um 1780, bez. rückseitig: Ernestine Fischer als Kind, Scherenschnitt/Papier bedruckt und koloriert, 12,0 × 10,0; 48/15

5.3.13 a, 5.3.16, 5.3.13 b

5.3.14 d Bildnis des Johann Fischer (wohl 1740–1810), Käsehändler in München. Bruststück nach links

Caspar Anton Nelles (geb. 1807), München, um 1838, bez. rückseitig: Nelles, Johann Fischer, bayrischer Handelsmann in München geb. ca. 1740; gest. ca. 1810, Wasserfarbe/Elfenbein, 6,3 × 5,2; Lit.: StadtAM, PMB, 43/128

Johann Fischer ist Mitglied der Münchner Kaufmannsfamilie Fischer-Flunger und gründete gemeinsam mit Franz Anton Flunger 1795 in München ein Geschäft.   A. S.

5.3.15 a Bildnis eines Mannes in braunem Rock, Spitzenjabot und Zopfperücke. Brustbild nach links

München, um 1800, Wasserfarbe/Elfenbein, Ø 6,4; 31/39

5.3.15 b Brustbild einer Dame in blauem Kleid, mit weißem Spitzenkragen und Spitzenjabot, sowie einer mit blauem Band gehaltenen, weißen Haube. Bruststück nach rechts

Joseph Kaltner (Nymphenburg 1758 – nach 1824), München, 1812, bez.: Jos. Kaltner 1812, Wasserfarbe/Elfenbein, Ø 6,4; Lit.: Schidlof 1964, I, 416; 31/38

5.3.16 Familienbild des Bürgermeisters Utzschneider (1763–1840) mit Frau, Sohn, Tochter, seinem Onkel Andrée und Bischof Rieg ✶✶

München, um 1800, bez. rückseitig: Herr am Klavier Utzschneider, Lederfabrik in München, mit seiner Familie, hinter ihm Herr Andre, Sekret. d. Herzogin Marianne, Herr in blauem Rock Bischof Rieg, Wasserfarbe/Elfen-

bein, Queroval, 9,7 × 7,4, Lit.: NDB, 1, 409; Mackenthun 1958, XII/252

Familienbild des Josef Utzschneider (1763 – 1840) am Klavier sitzend in weißem Chemisenkleid, seine Frau, Amalie, geb. Walch (1758–1842); Klavier spielend, vermutlich deren Tochter und dahinter deren Sohn; hinter Utzschneider stehend, sein Onkel Andreas Andrée, Zahlmeister und geheimer Sekretär der Herzogin Maria Anna von Bayern (1722–1790).

Utzschneider ist bekannt als Techniker, Volkswirtschaftler, Generaladministrator der Salinen und zweiter Bürgermeister von München; er arbeitete in jungen Jahren bereits als Privatsekretär der Herzogin Maria Anna am Hof zu Potsdam bei Verhandlungen zwischen Preußen und Bayern; unter Karl Theodor zum Hofkammerrat ernannt, hat sich Utzschneider um die Austrocknung des Donaumoses verdient gemacht; unter Max I. Joseph wurde er geheimer Referendär und 1819 dann zweiter Bürgermeister in München.   A. S.

5.3.17 Profilbildnis des Clemens Alois von Baader (1762–1838), Theologe, Kreisschulrat, Oberschul- und Studienkommissar

um 1800, bez. rückseitig: Clemens Aloys von Baader, Dr. philos. u. theol. k. bayr. Kreisschulrat, Oberschul- und Studienkommissär, Mitglied der Akademien der Wissenschaften . . ., Wasserfarbe/Elfenbein, 5,6 × 4,3 im Oval, Lit.: Bosl 1983, 16; NDB 1953, 1, 476; II/c/59

Der Dargestellte, Bruder des Joseph von Baader, trat publizistisch für die Säkularisation und die kirchliche Reform in Bayern ein. Daher wurde er seit 1800 von der bayrischen Regierung in wichtigen Stellen des höheren Schuldienstes, zuletzt als Regierungs- und Schulrat, verwandt. »Das gelehrte Bayern« bzw. das »Lexicon aller Schriftsteller, welche Bayern im 18. Jahrhundert erzeugte«, sind seit 1804 als historiographische Nachschlagewerke bekannt (vgl. Kat.Nr. 5.3.10). A.S.

5.3.18 Bildnis einer Dame in grünem Kleid und Kapothut. Bruststück nach links

um 1800, Wasserfarbe/Elfenbein, 5,9 × 4,7 im Oval, 38/766

5.3.19 Bildnis einer Frau mit schwarzer Haube, plissiertem Schultertuch, Bruststück en face

um 1800, Wasserfarbe/Elfenbein, 4,2 × 3,4 im Oval, G 73/169

5.3.20 Profilbildnis einer Frau in Tracht, vermutlich der Katharina Aschbacher, geb. Krätz. Dreiviertelporträt nach links

München, um 1800, Wasserfarbe/Papier, in rotem Etui, 8,8 × 6,4 im Oval (Etui: 11,0 × 9,0), 58/959

5.3.21 Bildnis eines Mannes in hellbraunem Rock. Bruststück en face

Simon Klotz (Mannheim 1776–1824 München), München, um 1800, bez.: Simon Klotz fecit, rückseitig: Simon Klotz (Mannheim 1776 – 1824 München), Aquarell/Papier, 12,1 × 9,9 im Oval, 56/87/1

5.3.22 a Bildnis eines Mannes mit gepudertem Haar, Ohrring, in grauem Rock. Bruststück nach rechts

Mathias Klotz (Straßburg 1748–1821 München), München, 1803, bez.: M. Klotz 1803, Aquarell/Papier, 18,5 × 14,0; Lit.: Schidlof 1964, I, 433; 52/319

Der Maler kam 1778 mit Kurfürst Karl Theodor nach München und wurde durch seine Porträts, die er überwiegend für den Hof und das gehobene Bürgertum malte, bekannt. A.S.

5.3.22 b Bildnis einer Dame in weißem Chemisenkleid und weißer Haube. Bruststück nach links

Mathias Klotz (Straßburg 1748–1821 München), München, 1803, bez.: M. Klotz 1803, rückseitig: (Masch.) Klotz Mathias, 1748–1821, Aquarell/Papier, 18,5 × 14,0, Lit.: Schidlof 1964, 1, 432; 52/320

5.3.23 a Bildnis des Franz Xaver Gilg (1790–1873), königlicher Faktor im Zentralschulbücherverlag. Bruststück nach links ∗∗

Maximilian Schrott (Landshut 1783–1822 München), 1810, bez.: Schrott p. 1810, rückseitig: Franz Xaver Gilg, kgl. Faktor im Zentralschulbücherverlag, geb. am 8.8.1790, Miniaturausstellung Kunstverein Nr. 264, Wasserfarbe/Elfenbein, 5,7 × 4,6 im Oval, Lit.: Buchheit 1912, 77, 264: »Unbekannter Herr. Brustbild nach links. In mittleren Jahren. Blondes, gelocktes Haar, bartlose Züge. Das linke Auge etwas zugekniffen. Aquarell auf Elfenbein. Längsoval 60/48«, 31/41

5.3.23 b Brustbild einer Frau in weißem Chemisenkleid, wohl der Schwester des Heraldikus Gilg. Bruststück nach rechts ∗∗

um 1810, bez. rückseitig: Brustbild einer Dame in ausgeschnittenem, weißem Kleid. Schwester des Heraldikus Gilg, Wasserfarbe/Elfenbein, 5,6 × 4,5 im Oval, 31/40

5.3.24 Bildnis eines Artillerieoffiziers mit Verdienstkreuz der bayerischen Krone

Caspar Klotz (Mannheim 1774–1847 München), 1810, bez.: C. Klotz 1810, rückseitig: Nachlass von Amira, Wasserfarbe/Elfenbein, ⌀ 7,2; Lit.: Schidlof 1964, 1, 433; 66/1796/2

5.3.25 a Bildnis eines Mannes, vermutlich des Sebastian Würm

München, um 1810, bez. rückseitig: Sebastian Würm geb. Waldsassen, Wasserfarbe/Elfenbein, 6,7 × 5,2 im Oval, 52/493

Der Dargestellte ist als Münchner Bürger und Kontrolleur des Siegelamtes im Kreis Salzach bekannt. Gemeinsam mit seiner Ehefrau lebte er in der Landwehrstraße. Die Miniatur wurde ursprünglich als Anhänger getragen und erst später gerahmt. A.S.

5.3.25 b Bildnis einer Frau, vermutlich der Katharina Würm

München, um 1810, bez. rückseitig: Katharina Würm beg. Sulzbach i.d. Oberpfalz, Wasserfarbe/Elfenbein, 6,2 × 5,2 im Oval, 52/494

5.3.25 c Bildnis einer Frau in blauem Kleid, mit Perlenkette, Brosche und Ohrring, vermutlich der Franziska Brennhofer, geb. Würm, Halbfigur en face

um 1830, bez. rückseitig: Franziska Brennhofer, geb. Würm in Langwied, Wasserfarbe/Elfenbein, 7,5 × 6,0 im Oval, 52/495

5.3.26 a Ignatz Franzowitz (1765–1808), Münchner Hofsilberschmied aus Prag. Bruststück en face

München, um 1815, bez.: Maier, rückseitig: , Ignatz Franzowitz, Hofsilberschmied, Wasserfarbe/Elfenbein, ⌀ 4,9, Lit.: Bosl 1983, 217; II/e/3

5.3.26 b Anton Franzowitz, Uniform- und Ornamentsticker. Bruststück nach rechts

München, um 1810, bez. rückseitig: Anton Franzowitz, Silbersticker, Wasserfarbe/Elfenbein, 5,0 × 4,3 im Oval, II e/4

Der Dargestellte, Bruder des Vorigen, wohnte 1857–61 am Petersplatz in München und arbeitete dort als Uniform- und Ornamentsticker. A.S.

5.3.26 c Porträt der Gattin des Anton Franzowitz, in schwarzem Kleid, rotgemustertem Schultertuch, doppelreihiger Kette mit Kreuzanhänger. Brustbild en face

Joseph Petzl (1803 Pullach/München – 1871), München, 1834, bez.: Petzl 34, Wasserfarbe/Elfenbein, 4,8 × 4,0 im Oval, II e/5

5.3.27 a Bildnis eines Mannes, vermutlich des Malers Josef Neher (1776–1832). Bruststück nach rechts

Michael Neher zugeschrieben (München 1798 – 1876 München), München, um 1810, bez. rückseitig: Maler Neher, Wasserfarbe/Papier, 12,3 × 10,2 im Oval, 52/453

5.3.27 b Bildnis einer Frau, vor blauem Vorhang sitzend, vermutlich die Gattin des Malers Josef Neher, Bruststück nach links

Michael Neher zugeschrieben (München 1798 – 1876 München), München, um 1810, bez. rückseitig: Gattin des Malers, Wasserfarbe/Papier, 12,3 × 10,2 im Oval, 52/454

5.3.28 a Bildnis des Jakob Annetsberger. Ganzfigur vor landschaftlichem Hintergrund

Franziska Annetsberger (Dillisburg 1780 – 1819), München, um 1810, bez. rückseitig: Jakob Annetsberger, Sohn der kurfürstlichen Hofmalerin M. Franziska Annetsberger geb. Beckers, von ihr gemalt, Wasserfarbe/Elfenbein, 10,0 × 8,0, Lit.: Schidlof 1964, 1, 45; 38/1280

5.3.28b Bildnis der Wilhelmine Annetsberger, in weißem Chemisenkleid, ein Blumengebinde haltend

Franziska Annetsberger (Dillisburg 1780 – 1819), München, um 1810, bez. rückseitig: Wilhelmine Annetsberger, spätere Gattin des Forstmeisters Alois Regnier, gemalt von ihrer Mutter M. Franziska Annetsberger, geb. Beckers, kurf. Hofmalerin, Wasserfarbe/Elfenbein, 10,0 × 8,3, Lit.: Schidlof 1964, 1, 45; 38/1279

Eine rückwärtige Bezeichnung nennt die Malerin Franziska Annetsberger (1780–1819), die hier ihre Tochter malte. Die aus Dillisburg in der Rheinpfalz stammende Künstlerin arbeitete als Hofmalerin für die Kurfürstin Leopoldine von Bayern. A.S.

5.3.29 Porträt des Maximilian Josef Freiherrn zu Rhein (1780–1832), Jurist und späterer bayrischer Justizminister. Bruststück en face

Josef Heigel (München 1780–1837 Paris), um 1810, bez.: J. Heigel fec., Aquarell/Papier, 10,4 × 8,3 im Oval, Lit.: Hufnagel 1983, 73; zu Heigel: Lipowsky 1810, 1, 113; Lemberger 1910, 15/16; Schidlof 1964, 1, 342; II/e/7

Der Dargestellte trat nach Studien in Mainz und Würzburg 1814 als Jurist in bayrische Dienste. Bereits 1817 wurde er zum Vizepräsidenten des Untermainkreises ernannt, um 1826–1832 Regierungspräsident des Kreises (heutiges Unterfranken) zu werden. Vom 1.1.–21.10.1832 schließlich, wurde er unter Ludwig I. Staatsminister der Justiz. A.S.

5.3.30 Miniaturbildnis des Gustav Vorherr (1778–1847), Architekt und Bauurat. Bruststück en face

um 1810, bez. rückseitig: 1768–1844, kgl. bairischer Baurat Gustav Vorherr geb. . . . (unleserlich) zu Rothenburg a. d. Tauber, Wasserfarbe/Elfenbein, rückseitig, eingelegte Locke auf heller Seide, 4,7 × 3,8 im Oval, Lit.: Haushofer 1978, 368/369; II/c/68

Der Dargestellte, der nach mehreren Reisen durch Europa, erst 1809 nach München kam, wurde bald wegen der Einführung des »Sonnenbaus«, eines um die Sonnenstraße herum gebauten, »offenen« Bausystems (gegensätzlich zu den bisher eng aneinander gebauten Häusern), in München bekannt. Auch regte er 1821 die Konstituierung eines Komitees zur Landesverschönerung Bayerns an. A.S.

5.3.31 Bildnis eines Herrn in schwarzem Rock, mit goldenem Ohrring. Bruststück en face

Emil Orth (Heilbronn 1814–1876), um 1810, bez.: Orth:.p:, Wasserfarbe/Elfenbein, 6,5 × 5,0 im Oval, Lit.: Schidlof 1964, 2, 605; G 73/158

5.3.32 Bildnis eines Mannes in blauem Rock mit schwarzem Kragen; Bruststück nach links

um 1810, Wasserfarbe/Elfenbein, rückseitig mit einer Perle verziertes Haargeflecht, 6,7 × 5,6 im Oval, G 73/160

5.3.33 Bildnis eines Mannes, Bruststück nach rechts

um 1810, Wasserfarbe/Elfenbein, 5,3 × 4,5 im Oval, 51/337

5.3.34 Bildnis des königlichen Polizeioffizianten Thomas Eisele (1781–1841). Bruststück, leicht nach rechts gewandt

Peter Mayr (1758–1836 München), Augsburg um 1810, bez.: P. Mayr i. Augsburg, rückseitig: Thomas Eisele, kgl. Polizei offiziant, gestorben am 19. Dezember 1841 im 61ten Lebensjahre, Wasserfarbe/Elfenbein, 6,0 × 5,0 im Oval, Lit.: Schidlof 1964, 2, 545; 57/201

Der Dargestellte, in Lauingen geboren, war im dortigen Bezirk bis 1809 Polizeiaktuar, kam 1811 nach Ingolstadt und wurde 1813 in München Offiziant (niedriger Beamter im Polizeidienst). A.S.

5.3.35 Bildnis der Genoveva von Miller, in weißem Empirekleid, samtenem Gürtel, in der Linken ein Buch haltend; Kniestück vor landschaftlichem Hintergrund ✱✱

Maximilian Schrott (Landshut 1783–1822 München), um 1810, bez.: Schrott p:, rückseitig: Meister Schrott Maximilian (1783–1823), Wasserfarbe/Elfenbein, in vergoldetem Rahmen, 12,6 × 9,4 im Rechteck, Lit.: Buchheit 1912, 263; 31/42

Der aus Landshut stammende Maler ist bekannt für seine in heller und »zarter« Farbigkeit gemalten Bilder. A.S.

5.3.36 Bildnis einer Frau in schwarzem Empirekleid, mit schwarzem Schultertuch, siebenreihiger Kropfkette, Kreole und goldener Riegelhaube. Bruststück nach links

München, um 1810, Wasserfarbe/Elfenbein, 5,7 × 4,5 im Oval, 42/112

5.3.37 Porträt einer Dame in Witwentracht, geschmückt mit Goldbrosche und violettem Schultertuch; von lockig schwarzem Haar fällt ein Schleiertuch herab. Bruststück nach links

um 1810, bez.: Bourdon p., Wasserfarbe/Elfenbein (auch Rückseitenbild), 6,0 × 5,0 im Oval, Lit.: Buchheit 1912, 535–537; MStM

Rückwärtig ist eine Grisaille mit dem Profilbildnis des verstorbenen Mannes eingesetzt, dessen Rock mit dem Georgiritterkreuz geschmückt ist. Bez. (unter dem Ärmelabschnitt) »Bourdon p.« A.S.

5.3.38 Bildnis einer Frau in weißem Chemisenkleid mit roter Korallenkette und Ohrringen. Bruststück en face

um 1810, Kolorierte Silber-/Bleistiftzeichnung, 8,1 × 7,0 im Oval, 59/270/8

5.3.39 Silhouette eines bayrischen, Pfeife rauchenden Soldaten mit Kaskett. Profilbildnis nach rechts

um 1810 Eglomisé, 5,0 × 4,0 im Oval, 30/2246

5.3.40 Bildnis des Revierförsters Eustachius Dillis, Bruder der Maler Johann Georg und Cantius Dillis. Bruststück nach rechts

um 1810, bez. rückseitig: der Förster Eustachius Dillis, Aquarell, monochrom/Papier, 20,0 × 16,2 im Oval, 56/87/2

5.3.41 Bildnis einer jungen Frau in schwarzrotem Kleid mit eingesetztem Spitzenkragen und goldener Riegelhaube. Bruststück nach rechts

München, um 1810, Wasserfarbe/Elfenbein; in grünem, mit Monogramm »MA« verziertem Lederetui, 5,0 × 4,0 im Oval (Etui 8,0 × 5,5), 42/209

5.3.42 Wohl Bildnis der Ursula Cobres, geb. Weinmiller, mit goldener Riegelhaube, Bruststück nach rechts

München, 1811, bez.: M. Cobres, rückseitig: Ursula Cobres, geb. Weinmiller 1811, Wasserfarbe/Elfenbein; in mit grünem Samt ausgeschlagener, roter Lederschatulle, darauf das Monogramm »CA« ⌀ 5,0 (quadrat. Schatulle 7,0 × 7,0), 40/205

5.3.43 Porträt des 15jährigen Josef Reuther, später Apotheker in München (1799–1839). Profilbildnis als Schüler

Monogrammist P, München, 1814, bez.: P 1814, rückseitig: Joseph Reuter, Zögling des evangelischen Erziehungsinstituts 1813–19 . . ., den 18. März 1829, Wasserfarbe/Elfenbein, 6,5 × 4,0 im Oval, Lit.: StadtAM, PMB; XII/48/4

Joseph Reuther ist als Schüler des evangelischen Erziehungsinstituts dargestellt, in welches er 1813–19 aufgenommen wurde, nachdem sein Vater am 13.9.1813 beim Isarbrückeneinsturz tödlich verunglückt war. A.S.

5.3.44 Bildnis einer Dame in schwarzem Chemisenkleid, weißer Haube und Schultertuch, einen Mops auf ihrem Schoß haltend. Halbfigurenporträt en face

Anton Auer (1778–1814) (München 1778 – 1814 München), München, um 1814, bez.: pinxit Auer, Wasserfarbe/Elfenbein, ⌀ 5,0, Lit.: Lemberger 1910, 12; Schidlof 1964, 1, 52; G 72/179/6

5.3.23 b, 5.3.23 a, 5.3.35

Anton Auer arbeitete als Porzellanmaler an der Manufaktur in Nymphenburg und als Radierer in München. – Nach dem Inventarbuch gehörte die Porträtierte zu der Familie Barth aus Eichstätt und Schöllhorn aus Memmingen(vgl. Kat.Nr. 5.3.12).   A.S.

5.3.45 a Bildnis des Joseph Staudacher (1768–1837), königlicher Rat und geheimer Sekretär. Profilbildnis nach rechts *

München, um 1815, bez. rückseitig: J. Staudacher, Silber-/Bleistiftzeichnung/Papier mit Silberstiftgrundierung, weiße Linien und Höhen eingeritzt, Lippen- und Wangenrot in Aquarell, 6,4 × 5,0 im Oval, Lit.: StadtAM, PMB; Adreßbuch der Stadt München 1835, 115: Geheimer Sekretär im Staatsministerium des Inneren, königlicher Rat, im Tal Nr. 2 über 2. Stock; 42/103

Der gebürtige Münchner arbeitete unter Max I. Joseph als geheimer Sekretär im Staatsministerium des Inneren. Er wohnte mit seiner neunköpfigen Familie in der Herzogspitalgasse 22 und später im Tal Nr. 2.   A.S.

5.3.45 b Bildnis der Walburga Staudacher geb. Spökmaier (1769–1831), Ehefrau des Joseph Staudacher, verwitwete Bruner. Bruststück nach links *

München, um 1815, bez. rückseitig: Anna Staudacher, Silber-Bleistiftzeichnung/Papier mit Silberstiftgrundierung, weiße Linien und Höhen eingeritzt, Lippen- und Wangenrot in Aquarell, 6,4 × 5,0 im Oval, Lit.: StadtAM, PMB, 42/108

Walburga Staudacher lebte mit Ihrer Tochter aus erster Ehe, Ana Bruner als auch mit ihren 6 weiteren Kindern und ihrem Mann Joseph Staudacher in der Herzogspitalgasse in München.   A.S.

5.3.45 c Bildnis einer Frau aus der Familie Staudacher, wohl Ana Bruner (geb. 1790), aus erster Ehe. Bruststück nach rechts

München, um 1815, bez. rückseitig: Anna Maria Staudacher, Silber-Bleistiftzeichnung/Papier mit Silberstiftgrundierung, weiße Linien und Höhen eingeritzt, Lippen und Wangenrot in Aquarell, 6,4 × 5,0 im Oval, Lit.: StadtAM, PMB; 42/107

5.3.45 d Bildnis der Anna Maria Staudacher (1794–1856), älteste Tochter des Joseph Staudacher. Bruststück nach links

München, um 1815, bez. rückseitig: Anna Staudacher, Silber-Bleistiftzeichnung/Papier mit Silberstiftgrundierung, weiße Linien und Höhen eingeritzt, Lippen und Wangenrot in Aquarell, 6,4 × 5,0 im Oval, Lit.: StadtAM, PMB; 42/109

5.3.45 e Bildnis der Crescenza Staudacher (1800–1826). Bruststück nach rechts

München, um 1815, bez. rückseitig: Karoline Staudacher, Silber- und Bleistiftzeichnung/Papier mit Silberstiftgrundierung, weiße Linien und Höhen eingeritzt, Lippen und Wangenrot in Aquarell, 6,4 × 5,0 im Oval, Lit.: StadtAM, PMB; 42/105

5.3.45 a
5.3.45 h

5.3.45 b
5.3.45 i

5.3.45 f Bildnis der Amalia Staudacher (1802–1883), Bruststück nach links

München, um 1815, bez. rückseitig: Amalie Staudacher, Silber- und Bleistiftzeichnung/Papier mit Silberstiftgrundierung, weiße Linien und Höhen eingeritzt, Lippen und Wangenrot in Aquarell, 6,4 × 5,0 im Oval, Lit.: StadtAM, PMB; 42/106

5.3.45 g Bildnis eines Mädchens aus der Familie Staudacher, wohl Carolina (1804–1833). Bruststück nach links

München, um 1815, bez. rückseitig: Karoline Staudacher, Silber- und Bleistiftzeichnung/Papier mit Silberstiftgrundierung, weiße Linien und Höhen eingeritzt, Lippen und Wangenrot in Aquarell, 6,4 × 5,0 im Oval, Lit.: StadtAM, PMB; 42/104

5.3.45 h Bildnis der Augusta Staudacher (1806–1836), jüngste Tochter des Joseph Staudacher. Bruststück nach rechts ✳

München, um 1815, bez. rückseitig: Auguste Staudacher, Silber- und Bleistiftzeichnung/Papier mit Silberstiftgrundierung, weiße Linien und Höhen eingeritzt, Lippen und Wangenrot in Aquarell, 6,4 × 5,0 im Oval, Lit.: StadtAM, PMB; 42/110

5.3.45 i Bildnis des Wilhelm Staudacher (1808–1826), Sohn des Joseph Staudacher. Bruststück nach links ✳

München, um 1815, bez. rückseitig: Wilhelm Staudacher, Silber- und Bleistiftzeichnung/Papier mit Silberstiftgrundierung, weiße Linien und Höhen eingeritzt, Lippen und Wangenrot in Aquarell, 6,4 × 5,0 im Oval, Lit.: StadtAM, PMB; 42/102

5.3.46 Bildnis eines bayrischen Offiziers, wohl des Carl Graf zu Ysenburg-Philippseich, Büdingen, geb. 1796. Bruststücck nach rechts

um 1815, bez. rückseitig: Carl Graf zu Ysenburg Philippsberg I Büdingen, kolorierte Silber-/Bleistiftzeichnung, 7,5 × 6,3 im Oval, Lit.: Berchem 1913, 77; 40/1298

5.3.47 Porträt einer Frau in weißem Empirekleid, rot gemustertem Schal, bezeichnet als Freiin von Retberg, Schobinger von Schobing. Bruststück en face

Caspar Klotz (Mannheim 1774–1847 München), wohl Frankfurt, 1816, bez.: C. Klotz. 1816, rückseitig: Freiin von Retberg, Schobin-

ger von Schobing, Wasserfarbe/Elfenbein, 11,0 × 9,0 im Oval, Lit.: Schidlof 1964, 1, 433; Lipowsky 1810, 1, 152; II/e/8

Der Miniaturmaler Caspar Klotz, der 1794 im Gefolge des Kurfürsten Karl Theodor von Mannheim nach München kam, ließ sich nach verschiedenen Reisen durch Paris, Wien und mehrere deutsche Städte, 1812 in München nieder, um jedoch bald darauf nach Frankfurt a. M. weiter zu reisen. Es ist anzunehmen daß das Porträt dort entstand.   A. S.

5.3.48 Silhouettenporträt eines Ehepaares, vermutlich Joseph Blaim und dessen Gattin

um 1820, bez. rückseitig: Josef Blaim in Lemberg, Bruder der Frau meiner Mutter; Inschrift: Josef Blaim in Lemberg, Apotheker, Bruder der Katharina Aschbacher meiner Mutter, Druck/ehemals rosafarbenes, verblichenes Papier, 8,5 × 5,5; 58/958a und b

5.3.49 a Porträt eines Mannes. Bruststück nach links ✳

Heinrich Gottl, genannt »Gutekunst« (Tübingen 1801–1858 Stuttgart), um 1820, bez.: Gute Kunst Fecit, Wasserfarbe/Elfenbein, 8,0 × 6,5 im Oval; 52/267

5.3.49 b Porträt einer Dame in Witwentracht vor einem Vorhang, Halbfigur nach rechts ✳

Heinrich Gottl (1801 Tübingen–1858 Stuttgart), München, um 1820, Wasserfarbe/Elfenbein, 8,0 × 6,5 im Oval, 52/268

5.3.50 Porträt des Friedrich Baron von Hertling, bayrischer Generalmajor

um 1820, bez. rückseitig: Ferdinand Baron von Hertling, Major, gest. 10ten November 1823, Wasserfarbe/Elfenbein, 5,8 × 4,8 im Oval, Lit.: Berchem 1913, 25; 36/1250

5.3.49 b

5.3.51 Jugendbildnis des Dr. Karl Schneemann (1812–1850), Universitätsprofessor und Begründer der Poliklinik in München. Bruststück nach rechts *

Wohl Johann Conrad Ochlich (Nürnberg 1792; um 1840 in München), München, um 1820, bez. rückseitig: J. Ochl pi., Wasserfarbe/Elfenbein, 5,0 × 4,1 im Oval, Lit.: Nagler, Bd. 11, 1924, 408; 29/90

Der aus Bamberg stammende Karl Schneemann studierte in Würzburg und München, um später im Bereich Innere Medizin zu habilitieren. Auf sein Bestreben hin wurde am 1.12.1843 die Universitätspoliklinik in München durch eine königliche Entschließung und Schneemann zur Leitung derselben ernannt.   A.S.

5.3.52 Porträt des Bartholomäus Teuchlein (1787–1858), bürgerlicher Konditor aus der Rosenstraße in München. Brustbild en face *

München, um 1820, bez. rückseitig: Bartholomäus Teichlein, Zuckerbäcker (Rosenstr.), 1787–1858, Aquarell/Karton, 10,6 × 8,7 im Oval, XII/226

5.3.53 Bildnis des Max Deiglmayr (1800–1829), Conditor in München

um 1820, Öl/Lwd, 10,2 × 8,4 im Oval, 62/746

5.3.54 Profilbildnis der Anna Zentner, geb. Gräfin Topor Morawitzky (1789–1860). Bruststück nach links

München, um 1820, bez. rückseitig: Anna von Zentner, Wasserfarbe/Papier, im Oval, Lit.: Berchem 1913, 78; 40/466

Anna von Zentner war die Ehefrau des Friedrich Jakob von Zentner (1777–1847), der im Ministerium des Inneren als Generalmajor und seit 1835 als Oberst, im Generalstab eine gehobene Stellung einnahm.   A.S.

5.3.51

5.3.52

5.3.55 Bildnis einer Frau in blauem Kleid, mit Spitzen besetztem Brusttuch, silberner Riegelhaube, elfreihiger Kropfkette und »Kreole«. Bruststück, nach rechts gewandt

München, um 1820, Wasserfarbe/Elfenbein, 5,0 × 4,2 im Oval, XII/161/43

5.3.56 Bildnis einer jungen Frau in schwarzem Kleid mit weißem, plissiertem Kragen und silberner Riegelhaube. Dreiviertelbildnis nach links

München, um 1820, Wasserfarbe/Elfenbein, 5,5 × 4,5 im Oval, IIc/126

5.3.57 Porträt einer alten Frau mit blauem Schultertuch, goldenem Ohrring, silberner Riegelhaube

München, um 1820, Wasserfarbe/Elfenbein, 2,7 × 2,2 im Oval, 29/148

5.3.58 Bildnis des Josef Maria Edler von Stockhammern (1766–1844). Bruststück nach rechts

München, um 1820, bez. rückseitig: Josef Maria Edler von Stockhammern (1766–1844), Öl oder Temperamalerei mit Lacküberzug/ schwarz lackierte Holzdose, ⌀ 9,0; 62/1099

Der Dargestellte, ausgezeichnet mit dem königlichen Ludwigsorden, kann 1828 als pensionierter Major des 7. Linieninfanterieregiments nachgewiesen werden.   A.S.

5.3.59a Bildnis des Karl Freiherr von Stockhammern (1806–1841), praktischer Arzt in München. Bruststück, leicht nach rechts gewandt

1834, bez. rückseitig: 1834, Karl Freiherr von Stockhammern, geb. Neuburg a.d. Donau, 8.12.1806 – München 26.2.1841; vermählt mit Mathilda Bayr, Wasserfarbe/Elfenbein, später mit Überzug versehen, 5,7 × 4,6 im Oval, Lit.: Berchem 1913, 47; 62/1097

5.3.59b Bildnis der Mathilda von Stockhammern geb. Bayr, (1812–1877), in blauem Kleid mit weißem Spitzenkragen. Halbfigur, leicht nach links gewandt

Joseph Bernhard Einsle (Göggingen 1774 – 1829 Augsburg), 1835, bez.: E pinx. 1835 d. 29. Sept., rückseitig: Mathilda Bayr, geb. Oettingen i. Riss 21.2.1812 – gest. 27.3.1877 Tölz, Wasserfarbe/Elfenbein, 4,9 × 4,1 im Oval, Lit.: Berchem 1913, 47; Rückert 1984, 2900ff.; 62/1095

Die Dargestellte, verheiratet mit Karl von Stockhammern, wurde von dem bekannten Miniaturisten Joseph Bernhard Einsle gemalt.   A.S.

5.3.59c Bildnis des Ferdinand Maria von Stockhammern in Uniform (1805–1879). Bruststück en face

um 1840, bez. rückseitig: Ferdinand Maria von Stockhammern, geb. 3.12.1805 zu Ulm, gest. 28.3.1879 zu München, Wasserfarbe/Elfenbein, 8,0 × 7,0 im Oval, Lit.: Berchem 1913, 67; 62/1096

Der Dargestellte, Bruder des Karl von Stockhammern wird in der Uniform eines Offiziers der bayrischen Artillerie gezeigt.   A.S.

5.3.59d Bildnis der Therese Deisenrieder, Edle von Stockhammern (1815–1899), Halbfigur en face

um 1850, bez. rückseitig: Therese Deisenrieder 1848, 27.4.1815–1899 München vermählt 1851 mit Ferdinand von Stockhammern, Wasserfarbe/Papier, 11,2 × 8,6 im Oval, 62/1098

5.3.60 Porträt einer Frau in Tracht, mit Riegelhaube, Kropfkette und Ohrring; wohl Elisabeth Pschorr, geb. Blass. Bruststück nach rechts

München, um 1820, bez. rückseitig: Elisabeth Pschorr, geb. Blass, Silber-/Bleistiftzeichnung, Lippen- und Wangenrot zart aquarelliert, 8,7 × 6,5 im Oval, 38/323

5.3.49a

5.3.63

**5.3.61 Bildnis einer Frau in Tracht,
mit geschnürtem, rotem Mieder, grünem
Brusttuch, Kropfkette und goldener
Riegelhaube. Bruststück nach links, in Etui
eingelegt**

*München, um 1820, Wasserfarbe/Elfenbein;
in grünem, ledernem Etui mit Monogramm
»MW«, 5,0 × 4,3 im Oval, 36/1832*

**5.3.62a Bildnis der Fanny Freifrau von
Harold, geb. Freiin Krauss als Braut.
Bruststück en face**

*Andreas Gatterer (geb. Lienz 1810), München,
1825, bez.: A. Gatterer 1825, rückseitig: A.
Gatterer Freifrau Fanny von Harold, geb.
Freiin Krauss als Braut, Silberstiftzeichnung
koloriert, 14,7 × 12,0 im Oval, Lit.: Schidlof
1964, 1, 283; 49/2*

Der aus Lienz in Tirol stammende Maler studierte an der Akademie in München und ist als
Lithograph und Miniaturist bekannt.   A.S.

**5.3.62b Bildnis der Fanny Freifrau von
Harold, geb. Freiin zu Krauss. Bruststück
nach links**

*Andreas Gatterer (geb. Lienz 1810), München,
1838, bez.: A. Gatterer 1838, rückseitig: Freifrau Fanny v. Harold, geb. zu Krauss, Gatterer, Silberstiftzeichnung/koloriert, 14,0 × 12,0
im Oval, Lit.: Schidlof 1964, 1, 283; 49/3*

**5.3.62c Bildnis der Fanny Freifrau von
Harold, geb. Freiin von Krauss. Bruststück
nach rechts**

*München, 1849, bez.: Kordyts p. 1849 oder:
Kordyk p. 1849, Wasserfarbe/Bleistift/Papier,
13,0 × 9,0 im Oval, Lit.: Schidlof 1964, 1, 439;
49/4*

**5.3.62d Porträt der Emma Freiin von
Harold (1828–1841). Bruststück en face**

*München, um 1835, bez. rückseitig: M. fecit
Emma Freiin von Harold, Porzellanmalerei,
4,7 × 4,1 im Oval, Lit.: Berchem 1913; 49/12*

**5.3.63 Walburga Hitzelsperger,
geb. Schederer (1803 Tölz – 1868 München),
Schankwirtin zum »Grünen Baum«.
Bruststück nach rechts in braunem Kleid,
Brusttuch mit Anstecknadel, mehrreihiger
Kropfkette, Fingerringen und Linzer
Goldhaube ***

*München, 1826, bez.: Spitzer pinxit 1826,
(wohl eine Fälschung), rückseitig: Hitzelsperger, Schankwirt zum grünen Baum, Wasser-
farbe/Elfenbein, 7,8 × 6,5 im Oval, II c/42b*

Die Dargestellte betrieb seit 1824 gemeinsam
mit ihrem Mann, dem Landhüter und Bierwirt
Josef Hitzelsberger, die Münchner Gaststätte
»Zum Grünen Baum« in der Floßstr.   A.S.

**5.3.64a Doppelminiatur des Ehepaares
Parcus (Urgroßeltern von Frau Kannen-
gießer). Das wohl anläßlich der
Eheschließung entstandene Bild, zeigt links
Frau Parcus in einem Chemisenkleid, rechts
Herrn Parcus in dunklem Frack, auf einem
Sofa sitzend ***

*Joseph Bernhard Einsle (Göggingen 1774 –
1829 Augsburg), 1827, bez.: Einsle pinx. 3. Jan:
1827, Wasserfarbe/mit sehr dichtem und glattem Papier beschichtete Pappe (Elfenbein-
imitation), 11,0 × 14,0, München, Privatbesitz*

**5.3.64b Porträt eines Mannes in dunklem
Rock vor grauem Grund, wohl Mitglied der
Familie Parcus aus München**

*München, um 1830, wohl Wasserfarbe/Elfen-
bein, 8,5 × 6,5 im Oval, München, Privatbesitz*

**5.3.64c Porträt dreier Mädchen in
pfirsichfarbenem, hellblauem und rosarotem
Kleid aus der Familie Parcus**

*um 1850, Wasserfarbe/Elfenbein, Ø 11,0;
München, Privatbesitz*

**5.3.65 Porträt des Josef Reuther
(1799–1839), Münchner Stadtapotheker als
Bräutigam. Brustbild en face**

*München, 1827, bez. im Lederetui: Joseph
Reuther, Apotheker als Bräutigam; Wasser-
farbe/Elfenbein; in mit grünem Samt ausgeleg-
tem, rotem Lederetui, 5,2 × 4,5 im Oval, Lit.:
StadtAM, PMB; XII/48/5*

Der Dargestellte heiratete 1827 die aus Passau
stammende Apothekerstochter Josephine Tillmetz (1805–1879), deren Eltern Anna und
Franz Paul Tillmetz in der Miniatursammlung
des Stadtmuseums ebenfalls dargestellt sind
(Kat.Nr. 5.3.4 a–b). Der wohl aus Passau
stammende Joseph Reuther, erhielt erst 1831,
nachdem er 1830 eine Apotheke in München
gekauft hatte, die Bürgerrechte der Stadt. 1837
verlieh ihm der Münchner Magistrat das
»Großkreuz für Ausländer« für seine Verdienste um die Stadt.   A.S.

5.3.64a

**5.3.66a Karl Leonhard Khäser, bürgerlicher
Färbermeister zu München. Bruststück nach
rechts**

*München, um 1830, bez. rückseitig: mein
Großvater mütterlicherseits Karl Leonhard
Khäser, bürgerlicher Färbermeister in München. Marie Troseler, Wasserfarbe/Pergament,
7,6 × 6,4 im Oval, MStM*

Der Dargestellte wohnte mit seiner Frau in den
Jahren 1835–59 in der Oberen Angerstr. 56 in
München.   A.S.

**5.3.66b Walburga Rosalia Khäser,
geb. Oeggel (1792–1823), in dunkelblauem
Chemisenkleid mit hellem Schultertuch.
Bruststück nach links**

*Joseph Bernhard Einsle (Göggingen 1774–1829
Augsburg), München, 1826, bez.: E: pinx: An
26, rückseitig: Meiner Grossmutter mütterlicherseits, Walburga Rosalia Khäser, geb. Oeggel, Gattin des K. L. Khäser, gest. mit 28 Jahren, Marie Troseler, Wasserfarbe/Elfenbein, 6,2
× 5,2 im Oval, Lit.: Rückert 1984, 3211, 21,
MStM*

Der Miniaturmaler Einsle zählt nach Rückert
zu den »handwerklich« arbeitenden Porträtisten, die um 1800 das süddeutsche Bürgertum
im Bildnis festhielten.   A.S.

**5.3.67a Porträt des Johann Josef Willibald
von Hefner (1799–1862),
Gymnasialprofessor, Assistent des kgl. bayr.
Antiquariums und Mitglied der Bayrischen
Akademie der Wissenschaften**

*München, um 1830, bez. rückseitig: später Prof.
Josef von Hefner, gest. 16.9.1862, Wasserfarbe/
Elfenbein, 4,9 × 4,1 im Oval, Lit.: Hof- und
Staatskalender 1828, 40; 1833, 303; 1839, 380;
1840, 387; Hufnagel 1983, 168/169; II/e/9*

Der Dargestellte studierte Pädagogik und Phi-
lologie bei F.W. Thiersch in München. Bekannt wurde Hefner durch die von ihm durchgeführte Inventarisation der römischen Denkmäler und Funde in Bayern sowie der Ordnung
der Münzen und Antiquitäten des Antiquariums. – In den Jahren 1833/34 machte er sich
(gemeinsam mit dem Schulinspektor Dr. Fischer) um die Gründung der Kleinkinder-Be-
wahranstalten in Bayern verdient.   A.S.

5.3.72 a, b, c

5.3.67 b Porträt der Katharina von Hefner, Gattin des Josef von Hefner, geb. Straub (1803–1863). Bruststück en face

München, um 1830, bez. rückseitig: Katharina von Hefner, gest. 25.2.1863, Wasserfarbe/Elfenbein, 5,0 × 4,2 im Oval, Lit.: StadtAM, PMB; IIe/10

Die Dargestellte, Mutter von acht Kindern, heiratete am 31.1.1826 den Gymnasialprofessor Josef von Hefner. A.S.

5.3.68 a Porträt des Peter Birzer (1799–1857), Bäckermeister in München

München, um 1830, bez. rückseitig: Pirzer Peter (Pirzerbäck im Tal), Wasserfarbe/Elfenbein, später mit Überzug versehen, 5,3 × 4,3 im Oval, Lit.: StadtAM, PMB; 36/1792

Peter Birzer wurde am 29.5.1829 als Bäckermeister von der Stadt München aufgenommen und unterhielt die Bäckerei im Tal mit seiner Ehefrau Klara Birzer. A.S.

5.3.68 b Bildnis der Klara Birzer (1791–1867), geb. Schranz, Ehefrau des Bäckermeisters Peter Birzer

München, um 1830, bez. rückseitig: Pirzerbäkkerin, Gattin des Peter Pirzer, Wasserfarbe/Elfenbein, später mit Überzug versehen, 6,5 × 5,5 im Oval, 36/1793

5.3.69 Bildnis des Friedrich Peter Johann von Lippert (1799–1858), Zinngießer aus München. Bruststück en face

München, um 1830, bez. Monogramm rückseitig: FPJL, Öl/beidseitig grundiertes Papier, 5,5 × 4,0 im Oval, Lit.: StadtAM, PMB; 36/587

5.3.70 Porträt des Kaspar Scharrer (1779–1855), Lehrer an der Domschule in München

München, um 1830, bez. rückseitig: Kaspar Scharrer, Lehrer a.d. Domschule/München u. Vorsitzender des Vereins der Unterweisung der Witwen und Waisen, gest. 1855, Zeichnung mit schwarzem Stift/Papier, ⌀ 10,0, Lit.: StadtAM, PMB; VIf/10

5.3.71 Porträt einer Dame in Witwentracht, wohl der Freiin von Sickerer. Bruststück en face

um 1830, bez. rückseitig: Freiin von Sickerer, Wasserfarbe/elfenbein, 9,0 × 7,5 im Oval, 62/1100

5.3.72 a Bildnis des Lorenzo Quaglio (1793–1868), Genremaler. Bruststück nach rechts **

München, um 1830, Öl/Elfenbein, ⌀ 4,0, Lit.: Hufnagel 1983, 336; 40/551

5.3.72 b Bildnis eines Mädchens, wohl der Frieda Quaglio, Tochter des Lorenzo Quaglio. Bruststück en face **

München, um 1830, Öl/Elfenbein, 4,3 × 3,2 im Oval, 40/555

vgl. Kat.Nr. 5.8.38

5.3.72 c Bildnis eines Kindes in einem Kranz weißer Rosen. Bruststück nach links **

München, um 1830, Öl/Elfenbein, ⌀ 4,0; 40/552

Bildnis eines Knaben, umrahmt mit einem Kranz weißer Rosen. Erinnerungszeichen an ein früh verstorbenes Kind, wohl des Sohnes des Lorenzo Quaglio. A.S.

5.3.73 Bildnis der Mutter des Malers Michael Echter, mit Kropfkette und Riegelhaube. Profilbildnis nach links

Michael Echter (München 1812–1879), München, 1832, bez.: M: Echter 1832, im Etui: Unsere liebe Mutter nach dem Leben gezeichnet in ihrem 62. Lebensjahre, Silberstiftzeichnung, koloriert, 11,0 × 10,0 in rotem Lederetui, 36/2072

Das Profilbildnis greift das Vorbild Albrecht Dürers auf, der seine Mutter in gleicher Weise porträtierte; auch die Bildlegende paraphrasiert die Worte Dürers. A.S.

5.3.76 a,b

5.3.74 Bildnis eines Mannes in blauem Rock, weißem Hemd. Bruststück nach links

Johann Christian Schoeller (Ribeauville 1782–1851 Wien), wohl München, 1838, bez.: Schoeller 1833, Wasserfarbe/Elfenbein, in Rahmen aus geprägtem Leder, 8,2 × 6,2 im Oval, Lit.: Lemberger 1910, 13; Deutschmann 1980, 177 ff., 57/170

Der Maler, ursprünglich Buchhalter eines Kaufhauses in Augsburg, wandte sich erst seiner Ausbildung als Künstler zu, nachdem seine Firma liquidiert hatte. Er studierte an der Münchner Akademie, um später in der Schweiz, Paris und Wien zu arbeiten. Aus seiner Münchner Zeit sind einige Miniaturen bekannt. Am bekanntesten wurde er durch die »Theatralische=Bilder=Galerie« für einen Wiener Verleger. A. S.

5.3.75 Porträt des Dr. Franz Wild (1801–1845), Buchdruckereibesitzer in München. Bruststück nach rechts

München, um 1835, bez. rückseitig: geb. 5.9.1801 Dr. Franz Wild, Buchdruckereibesitzer Parcus und Redakteur des bair. Eilboten, gest. am 15.3.1845 mit 45 Jahren, Wasserfarbe/Elfenbein, 7,0 × 6,0 im Oval, Lit.: StadtAM, PMB; 43/187

Durch die Heirat mit der Buchdruckerswitwe Parcus, wurde Franz Wild 1836 vom Magistrat der Stadt München als Bürger und Buchdrukker aufgenommen. A. S.

5.3.76 a Bildnis des Ernst Freiherrn von Kramer (1806–1846), Dreiviertelporträt nach rechts, vor einem Sekretär sitzend ✱✱

Franz Napoleon Heigel (Paris 1813–1888 München), 1836, bez.: F. N: Heigel 1836, rückseitig: Freiherr von Kramer, Vater von Maximilian und Sigmund, Wasserfarbe/Elfenbein, 12,9 × 10,5, Lit.: Buchheit 1912, 51; 52/501

Freiherr von Kramer war Bankier in Landshut und ließ sich im Jahr seiner Hochzeit malen. Der zunächst in Paris und dann in München ausgebildete Hofmaler Franz Napoleon Heigel porträtierte auch dessen Ehefrau. A. S.

5.3.76 b Bildnis der Marie Freifrau von Kramer, geb. Livio-Poemer (1817 Petersburg – 1854 Landshut), Dreiviertelporträt nach rechts ✱✱

Franz Napoleon Heigel (Paris 1813–1888 München), 1839, bez.: F. N: Heigel 1839, Wasserfarbe/Elfenbein, 13,2 × 10,4, Lit.: Buchheit 1912; Genealogisches Handbuch 1952, 3, 9; 52/502

Die aus Petersburg stammende Tochter des Bankiers Livio-Poemer, wird hier im Pendant als Ehefrau von Ernst Freifrau von Kramer dargestellt. – Diese Miniatur wurde bereits 1912 im Münchner Kunstverein gezeigt. A. S.

5.3.77 a Porträt des Melchior Lechner (1802–1956), bürgerlicher Kornmesser in München. Bruststück nach links

Johann Ulrich Stähelin (St. Gallen 1802 – nach 1847), München, 1836, bez.: Stähelin 1836, rückseitig: Melchior Lechner, bürgerlicher Kornmesser in München 1803–56, Wasserfarbe/Elfenbein, ⌀ 6,3, Lit.: Lemberger 1910, 18; StadtAM, PMB; II e/1

5.3.77 b Franz Xaver Lechner (1804–1885), in schwarzem Rock, hellgelber Weste, geschmückt mit Krawattennadel und goldener Uhrkette. Bruststück nach rechts

Johann Ulrich Stähelin (St. Gallen 1802 – nach 1847), München, 1837, bez.: Stähelin 1837, rückseitig: Franz Xaver Lechner in München 1804–85, Wasserfarbe/Elfenbein, 5,7 × 4,6, Lit.: Lemberger 1910, 18; II e/2

Der in München ausgebildete Maler ist bis 1845 in der Stadt nachweisbar; später arbeitet er als Wandermaler und ist für Bildnisse in Öl und Aquarell bekannt. A. S.

5.3.78a Bildnis des Franz Anton Flunger (1750–1819), Handelsmann und Wechselgerichtsassessor in München. Bruststück nach rechts

Caspar Anton Nelles (geb. 1807); um 1830 Aufenthalt an der Münchner Akademie, München, 1838, bez.: Nelles 1838, rückseitig: Franz Anton Flunger, geb. 1750 in Bonn, gest. 1819 in München, brgl. Handelsmann und Wechselgerichtsassessor, Neuhauserstr. 10, Wasserfarbe/Elfenbein, 7,1 × 5,6, Lit.: StadtAM, PMB: nachweislich (Bozen 1750 – 1819 München), 43/126

Der aus Bozen stammende Franz Anton Flunger ist als Münchner Handelsmann bekannt. Gemeinsam mit Johann Fischer erhielt er 1795 vom Magistrat der Stadt München die Gründungsconcession für deren Geschäft in der Neuhauserstraße. Das Münchner Stadtmuseum besitzt das Porträtgemälde von Franz Xaver Kleiber aus dem Jahre 1817, welches als Vorlage für die Miniatur gilt.   A.S.

5.3.78b Bildnis der Walburga Flunger, geb. Fischer (1770–1836), Ehefrau des Franz Anton Flunger. Bruststück nach links

Caspar Anton Nelles (geb. 1807), München, 1838, bez.: Nelles 1838, rückseitig: gemalt 1838 v. Maler Nelles aus Bonn, W. Flunger, geb. Fischer (1770 München – 1836 München), brgl. Handelsmannsgattin, Neuhauserstr. 10, Wasserfarbe/Elfenbein, 7,1 × 5,6, Lit.: StadtAM, PMB; 43/127

Walburga Flunger war Mutter von 5 Kindern. Bildnisse von Franz Anton, dem ältesten und Max, dem Jüngsten, sowie Johann, wurden ebenfalls in Miniatur ausgeführt. Für die Ausführung dieser Miniatur diente das aus dem Jahre 1817 stammende Porträtgemälde von Franz Xaver Kleiber als Vorlage, welches sich im Besitz des Münchner Stadtmuseums befindet.   A.S.

5.3.78c Bildnis des Franz Anton Flunger (1804–1862), Handelsmann in München. Bruststück nach links

Caspar Anton Nelles (geb. 1807), München, 1838, bez.: Nelles 1838, rückseitig: gemalt von Nelles am 7.1838, Franz Anton Flunger brgl. Handelsmann, geb. 9.6.1804 in München, gest. 30.7.1862 in München, Neuhauserstr. 10, Wasserfarbe/Elfenbein, 7,1 × 5,6, Lit.: StadtAM, PMB; 43/129

Franz Anton Flunger wird in dem Adreßbuch von 1842 als Spezerei-Material- und Farbwarenhändler aus der Neuhauserstraße 10 erwähnt. Dieses Geschäft hatte er 1832 von seinen Eltern übernommen.   A.S.

5.3.78d Bildnis der Anna Maria Flunger, geb. Miller (1814–1859), Ehefrau des Franz Anton Flunger. Bruststück nach rechts

Caspar Anton Nelles (geb. 1807), München, um 1838, bez. rückseitig: Nelles. Bildnis Anna Flunger, geb. Miller, Handelsmannsfrau, geb. am 23.7.1814 in München, gest. 24.7.1859 in München, Wasserfarbe/Elfenbein, 6,3 × 5,2, Lit.: StadtAM, PMB; 43/130

Im Jahr 1838, dem Hochzeitsjahr von Franz Anton und Anna Maria Flunger, sind diese Miniaturen wohl zum Gedenken der engsten Familie in Auftrag gegeben worden.   A.S.

5.3.78e Bildnis des Johann Flunger (1800–1820), Sohn des Franz Anton Flunger

Wohl Pierre-Louis Bouvier (Genf 1766–1836 Genf), München, 1819, bez.: Buviner p. 1819, rückseitig: Johann Flunger, bürgerlicher Handelsmannssohn (1800–20) München, Wasserfarbe/Elfenbein, 5,7 × 4,5, Lit.: Buchheit 1912, 538/539; 43/132

5.3.78f Bildnis des Max Flunger (geb. wohl 1812), jüngster Sohn von Franz Anton Flunger, Bruststück nach rechts

Conrad Hitz (1798–1866) (Langnau/Schweiz 1798–1866 München), München, 1828, bez. rückseitig: Max, jüngster Sohn des Herrn Franz Anton Flunger, brgl. Handlsm. in Mü. u.d. Frau Gem. Walburga Flunger geb. Fischer, gemahlen von Conrad Hitz aus Zürich im Mai 1828, Aquarell/Papier, 14,0 × 11,1, Lit.: Schidlof 1964, 1, 361; 43/131

Der Dargestellte wurde von dem aus Zürich stammenden Maler im Mai 1828 gemalt. Dieser hatte seine Laufbahn als Dekorateur 1826 in einer Figurinenfabrik in Zürich begonnen. Um 1828 war er Schüler an der Münchner Akademie bei Hess und Cornelius. Er wurde insbesondere durch seine Porträts in Aquarell bekannt.   A.S.

5.3.79 Bildnis einer Frau, vermutlich der Maria Braun geb. Rollmann. Halbfigur en face

1840, bez.: P.F. Bodenmüller 1840, rückseitig: Marie Braun, geb. Rollmann, Aquarell und Bleistiftzeichnung/Papier, 13,7 × 11,6, G 76/43/2

5.3.80a Porträt des Johann Baptist Heindl (1792–1855), königlicher Vorstadtkrämer in München, mit dem von König Max I. Joseph gestifteten Militärdenkzeichen für die Jahre 1813–15. Kniestück nach links, neben einem Stuhl, auf ein Buch gestützt *

um 1840, bez.: C. Dorne, rückseitig: Johann Baptist Heindl, kgl. Vorstadtkrämer, gest. am 17.5.1855, im 65. Lebensjahre, Eglomisé mit weißem Grund, Details braunrosa, gold, blau und grau hinterlegt, 10,2 × 7,2, Lit.: StadtAM, PMB; Schreiber 1964, 120; XII/278

Der Dargestellte, ehemaliger Taglöhner und Soldat, erhielt den Orden wohl 1814. Dieser wurde als Denkzeichen des Königs Max. I. Joseph für alle Teilnehmer des Krieges 1813/14 gestiftet. Allein der Oberkommandierende Fürst von Wrede erhielt ein Sonderdenkzeichen des Königs, das Ehrenzeichen hier, zeigt auf dem Mittelschild der Vorderseite, sowie auf den Armen des Bronzekreuzes verteilt, die Inschrift »Für/die/Jahre/1813,1814«; das 35 mm breite Band war ursprünglich, wie im Bild noch zu erkennen, mit zwei hellblauen Streifen verziert.   A.S.

5.3.80b Porträt der Franziska Heindl, geb. Hartleitner (1802–1865), Gattin des Johann Baptist Heindl. Kniestück nach rechts, einen Schirm und ein Buch in Händen haltend *

München, um 1840, bez. rückseitig: Frau Anna Heindl, kgl. Vorstadtkrämersgattin, Eglomisé mit weißem Grund, Details grau, gold hinterlegt, 10,2 × 7,1, Lit.: StadtAM; PMB; XII/279

5.3.81 Silhouettenporträt eines Mannes. Bruststück im Profil

um 1840, gemalt, mit weißer und schwarzer Binnenzeichnung, 8,6 × 5,6; 58/53

5.3.82 Porträt eines jungen Mannes vor der Silhouette München, vor der Alpenkette. Halbfigur en face

München, um 1840, bez. rückseitig: ein unbekannter junger Mann, Aquarell/Papier, 21,5 × 17,0; 52/506

5.3.83 Bildnis einer Dame in weißem Kleid, mehrreihiger Goldkette, Ohrringen und silberner Riegelhaube; Bruststück nach links

München, um 1840, Wasserfarbe/Elfenbein, 8,4 × 6,5 im Oval, 30/1905

5.3.84 Bildnis einer jungen Frau in blauem Kleid mit Ohrringen und doppelreihigem Perlencollier, vor landschaftlichem Hintergrund. Hüftbild en face

um 1840, Öl und Tempera/Metall, partiell gefirnist; in Lederetui, 11,2 × 7,3; 42/111

5.3.85a Porträt eines Mannes in blauem Rock, blau-weiß-gelb gestreifter Weste und Uhrkette. Bruststück, leicht nach rechts gewandt

um 1840, bez. rückseitig: L.S., Wasserfarbe/Pappe, 7,1 × 6,0; 28/745

5.3.80 b

5.3.80 a

5.3.86

5.3.85 b Dreiviertelbildnis einer Frau in Witwentracht

um 1840, Wasserfarbe/Pappe, 7,2 × 6,2; 28/746

5.3.85 c Bildnis eines Mädchens in rotgestreiftem Kleid, mit Halstuch. In der Rechten eine Blume haltend. Dreiviertelbildnis, en face

um 1840, Wasserfarbe/Pappe, 7,1 × 6,0; 28/747

5.3.86 Bildnis eines Mädchens mit langen Zöpfen und schmalem Stirnband, vor hellblauem Hintergrund *

um 1840, Wasserfarbe/Elfenbein, 7,0 × 9,0; München, Privatbesitz

5.3.87 Doppelbildnis der Jungen Eduard und Ludwig Vicentini (zweier Kinder aus der Familie Parcus), einer hält einen Sperling in Händen

um 1840, bez. rückseitig: Eduard und Ludwig Vicentini, Wasserfarbe/Elfenbein, Ø 10,0, München, Privatbesitz

5.3.88 Bildnis eines Mannes vor hellblauem Hintergrund

München, 1842, bez.: Pollinger aus München p: 1842, Öl/Messing, 12,0 × 9,3; 29/794

5.3.89 Bildnis einer Frau in blauem Kleid, weißem Schultertuch, Kropfkette, Riegelhaube und Ohrring, auf einem Stuhl sitzend. Dreiviertelporträt nach rechts

Max Hess (München 1825 – 1868 Lippspringe), München, 1846, bez.: M. Hess 1846, rückseitig: gemalt von Max Hess, geb. 15.10.1825 in München, gest. 19.7.1868 in Lippspringe (Sohn des Peter Hess), Wasserfarbe/Papier, 12,6 × 9,5; Lit.: Schidlof 1964, I, 353/354; 38/1512

5.3.90 Bildnis eines Mannes in Uniform. Bruststück en face

Joseph Leudner (Oberkirch/Baden 1813 – 1853 München), München, 1849, bez.: L: 1849, Porzellanmalerei, 8,0 x 6,0 im Oval, 30/2215

5.3.91 a Bildnis eines Mannes, vermutlich des Josef Denselmoser, Gründer einer Osteria in München. Halbfigur, nach links gewandt

München, um 1850, bez. rückseitig: St. M., Wasserfarbe/Papier, 13,0 × 9,7; G 76/42/1

5.3.91 b Bildnis der Ehefrau des Josef Denselmoser in blauem Kleid mit weißem Spitzenkragen, geschmückt mit Ohrringen, goldener Kette und Brosche. Halbfigur nach rechts

München, um 1850, Wasserfarbe/Papier, 13,0 × 9,7; G 76/42/2

5.3.92 Kinderporträt mit weißem Federhut und rotem Kleid, vermutlich des Johann Carl Ludwig August Schmidt, als er dreieinhalb Jahre alt war. Dreiviertelporträt en face

Vermutlich Karl Augustin Müller (Meißen 1807 – 1879 Meißen), um 1850, bez. rückseitig: Johann Carl Ludwig August Schmidt als er dreieinhalb Jahre alt war, gemalt von Carl Müller, Porzellanmalerei, Ø 6,5, Lit.: Schidlof 1964, 2, 578; 53/289

5.3.93 Silhouettenbildnis des Herrn Schleich mit schwarzer Halsbinde und Vatermörderkragen

um 1850, bez. v.: Unsere Schattenseiten kennen die Leute immer am Besten, Schleich; Druck (Holzschnitt)/Karton, 9,3 × 6,5; 66/2532

5.3.94 Bildnis einer Frau in schwarzem Kleid und weißer Spitzenhaube. Dreiviertelporträt leicht nach rechts gewandt

um 1850, Aquarell/Papier, 20,9 × 15,9; 58/957

5.3.95 Bildnis einer Dame in mit einem Spitzenkragen besetztem, blauem Kleid

um 1850, Wasserfarbe/Elfenbein, 2,4 × 2,0 im Oval, G 73/164

6 Sein und Schein – Klassizismus, Naturalismus und Romantik

Seit sich die absolutistischen Staaten durch die Gründung von Akademien der Kunst und des Geschmacks angenommen hatten, gab es den Widerstreit zwischen der offiziell anerkannten und durch die Akademien geförderten Kunst und den Gegenrichtungen, die auf den Kunstmarkt verwiesen waren, sich aber in dem durch die Akademien monopolisierten offiziellen Ausstellungswesen einen Platz zu erobern suchten. Vorbild für alle späteren Akademiegründungen war die 1648 durch Ludwig XIV. eingerichtete Pariser Akademie. Die Münchner Akademie ist eine sehr späte Gründung und stammt erst aus dem Jahre 1808, nachdem vorher die kurfürstliche Zeichenschule akademieähnliche Funktionen erfüllt hatte.

Alle Reformen des Akademiestudiums in Deutschland – zunächst unter dem Einfluß der Lehren des Archäologen Johann Joachim Winckelmann und des Malers Anton Raphael Mengs, später unter dem der Romantiker, vor allem der Nazarener – hatten eines gemeinsam: Die Kunst galt als lehrbar, die Vorbilder der alten Malerei sollten die Kunstjünger auf den Weg der wahren Kunst führen. Und darunter verstand man die Verwirklichung des Ideals einer vollkommeneren als der bestehenden Welt durch die Malerei. Als Mittel dafür galt die Linie, die aus dem Gegebenen die ideale Form herausdestillieren sollte. Farbe in der Form einer malerischen Diktion dagegen war den Akademikern als Mittel der Subjektivierung und Ausdruck des schönen vergänglichen Scheins dieser Welt meist suspekt.

Die den Akademien adäquate Kunstform war seit dem 17. Jahrhundert der Klassizismus. Die Akademiker fühlten sich zu allen Zeiten als Vertreter der Kunst an sich, die sie allein in der Historien- bzw. der religiösen Malerei verwirklicht sahen. Alle anderen Zweige der Kunst, die die Akademien durch die von ihnen eingerichtete Hierarchie erst isoliert hatten, galten ihnen als niedrig, der Kunst im Grunde unwürdig. Dazu gehörten Landschafts-, Genre- und Porträtmalerei, Tier- und Stillebenmalerei.

Während der erste Münchner Akademiedirektor, Peter von Langer, noch einen mehr koloristisch orientierten Barockklassizismus vertrat, hatte sich mit der Berufung des Nazareners Peter von Cornelius im Jahre 1824 der Kult der im doppelten, d.h. ästhetischen und moralischen Sinne »reinen« Linie endgültig durchgesetzt.

Cornelius, der in Rom zusammen mit seinen Kampfgenossen ein entschiedener Gegner der alten Akademien war, machte sich wie die anderen Lucas-Brüder, die in der ersten Hälfte des 19. Jahrhunderts Direktorenposten an allen bedeutenden deutschen Akademien besetzten, zum Ziel, diese Institution von Grund auf im Sinne einer Erneuerung der deutschen Kunst zu reformieren, was ganz mit den Wünschen seines Landesherrn, Ludwigs I. von Bayern, übereinstimmte.

Eine als deutsch verstandene moralische Strenge in der Malerei sollte sich durch neue Aufgaben bewähren: die monumentale Freskomalerei, als deren naturgemäßes Prinzip man die eigene Programmatik einer linearen und flächigen Malerei sah. Man bediente sich zwar eines klassizistischen For-

menrepertois, das der Antike wie dem Klassizismus des 17. Jahrhunderts aber auch der altdeutschen Kunst nachempfunden war, doch waren die Inhalte romantisch: deutsche Sagen und Literatur sowie welthistorische Entwürfe über die Beziehung von Kunst, Religion und Nation. Unter Ludwig I. war die national orientierte Romantik mit klassizistischer Formensprache Programm der Akademien und der offiziellen Kunst. Literarische Themen aus Geschichtsepen und Erzählungen entzündeten die Phantasie und führten zu einer Verklärung der Vergangenheit und visionären Szenen.

Von den von der Akademie ausgeschiedenen Gattungen wurde zum Beispiel die Landschaftsmalerei in einer besonderen Form durchaus geschätzt, nämlich als »heroische« Landschaft, der durch mythologische oder historische Figuren Bedeutung verliehen wurde. Der ehemalige Feind der Akademien, Joseph Anton Koch, der, mit den deutschen Verhältnissen unzufrieden, in Rom lebte und arbeitete, wurde hierfür das Vorbild. Carl Rottmann war in München sein romantischer Nachfolger, der nicht mehr die arkadische Landschaft der glücklichen Hirten oder der Heroen malte, sondern, nach Griechenland verlegt, die Sehnsucht danach zum Thema seiner Landschaftsmalerei machte.

Den entscheidenden Einbruch in die heile deutsche Kunstwelt brachte im Jahre 1845 eine Ausstellung belgischer Historiengemälde. In ihnen wurde mit einem neuen, dem Theater abgesehenen Realismus die heroische Vergangenheit des gerade unabhängig gewordenen Landes verherrlicht. Mit dem direkten Appell dieser Malerei an sämtliche Sinne und Empfindungen des Betrachters konnte die etwas trockene deutsche Historienmalerei nicht mehr konkurrieren. Es wurden nun die verschiedensten Versuche ihrer realistischen Verjüngung gemacht. So gab Wilhelm von Kaulbach die bunte nazarenische Flächigkeit zugunsten eines Helldunkels auf, das den dargestellten welthistorischen Ereignissen mehr Dramatik und Bedeutsamkeit verleihen sollte. In der zweiten Hälfte des 19. Jahrhunderts war es schließlich der Wiener Hans Makart, der mit seiner neubarocken dekorativen Historienmalerei den romantischen Klassizismus auch in Deutschland endgültig besiegte.

Die Malerei der Akademien hatte sich dem hohen Ziel der Entwicklung einer echt deutschen Kunst von moralischer Strenge verschrieben, deren Wurzeln man in der Vergangenheit aufzudecken sich bemühte. Die Naturalisten dagegen, zu denen vor allem die Landschafts- und Genremaler zählten, hatten als Thema die reale Welt, die sie umgab – seien es nun heimatliche Orte und Landstriche, seien es deren Bewohner oder die Ereignisse, die das bürgerliche oder bäuerliche Leben prägten. Dabei wurden die Künstler zu Entdeckern von Land und Leuten und deren Gebräuchen, die man früher entweder nicht gekannt oder als selbstverständlich hingenommen hatte. Indem man nun das Augenmerk auf die Besonderheiten der eigenen Landstriche und Landsleute legte, stellten sich auch fremde Gegenden und fremde Landsleute in ihrer spezifischen Besonderheit dar. Ausgangspunkt für alle Naturalisten des späten 18. und frühen 19. Jahrhunderts war das Studium der niederländischen Landschafts- und Genremalerei des 17. Jahrhunderts. Der bayerische Kurfürst Karl Theodor von der Pfalz war ein engagierter Sammler dieser Kunst. In seinem Umkreis fanden sich Künstler zusammen, die über das Studium dieser Malerei zu einem eigenen, wirklichkeitsorientierten Naturalismus gelangten: so Ferdinand und Wilhelm von Kobell, die beiden Dorner oder Max Joseph Wagenbauer. Ausnahme unter den frühen Münchner Realisten blieb Johann Georg von Dillis, der eigentliche Begründer der Münchner Freilichtmalerei. Er orientierte sich nur vorübergehend an der niederländischen Malerei. Den eigentlichen Impuls empfing er durch Freilichtölstudien, die in Rom, wo Dillis vor und nach 1800 einige Jahre verbrachte, vor allem bei den Franzosen aber auch bei einigen Nordländern beliebt waren.

Die erste Generation der Münchner Naturalisten könnte man noch als Vedutisten bezeichnen, die mit eingehender Treue die Erscheinung von Landschaft, Mensch und Tier festhielten, wobei neben die panoramatischen Ansichten immer mehr die Darstellung von ungewohnten Winkeln des Landes und der städtischen Umgebung traten. In der napoleonischen Ära und danach hatten vor allem die Schlachtenmaler mit ihrem Interesse an bunten Uniformen, bewegten Menschenmassen und pittoresken Gruppierungen Konjunktur. Wilhelm von Kobell, Albrecht Adam, Peter Hess und Karl von Heideck sind hier vor allem zu nennen. Die beiden letzteren sind auch zugleich die Begründer der Münchner Genremalerei.

Da diese Künstler sich durch die Akademie nur mangelhaft vertreten oder sogar behindert sahen, suchten sie durch Gründung eines eigenen Austellungs- und Verkaufsforums ihre Stellung und ihren Absatz zu verbessern. In dem 1824 gegründeten Münchner Kunstverein dominierte von Anfang an die Landschafts- und Genremalerei. Porträt-, Stilleben-,

Tier- und Schlachtenmalerei waren in geringerem Maße ebenso vertreten.

In den dreißiger Jahren wurde der niederländische Einfluß in frischer »malerischer« Form erneut durch aus dem Norden zugewanderte Künstler nach München getragen, was in der Landschaftsmalerei eine freiere Malweise und ein neues Interesse an Bodenformen und Witterungserscheinungen brachte und den Bildern eine persönlichere Färbung verlieh. Es sind die ersten »Stimmungslandschaften«, die etwa Christian Morgenstern, Ernst Kaiser oder Louis Gurlitt und Heinrich Bürkel im bayerischen Gebirge malten.

In derselben Zeit erhalten romantische Tendenzen neue Bedeutung in der Architekturvedute und der Genremalerei, die beide damit ihren sachlich registrierenden Charakter zugunsten von mehr oder weniger effektvollen Stimmungen verlieren. So werden im Zusammenhang mit dem neugotischen Ausbau von Schloß Hohenschwangau und dem Bau der neugotischen Mariahilfkirche in der Au bei München gotische Gebäude und schließlich historische Staffagen in der Architekturvedute beliebt (Domenico Quaglio und Michael Neher). In der Genremalerei wird mit dem Griechenlandtourismus seit der Krönung des bayerischen Prinzen Otto zum König von Griechenland im Jahre 1832 der Idealismus des Italiengenres um den Exotismus der griechischen Thematik bereichert, wobei auch der Freiheitsheld und Abenteurer in der Münchner Genremalerei einen festen Platz erhält.

Mit der Aufhebung der innerdeutschen Grenzen nach 1848 und der Öffnung derjenigen zum Ausland verliert die naturalistische Malerei in den einzelnen deutschen Ländern ihren für die erste Hälfte des 19. Jahrhunderts typischen lokalen Charakter und nimmt Tendenzen der internationalen Malerei auf, wobei man sich besonders an England und Frankreich orientiert. B. E.

6.1 Naturalismus

6.1.1 Eine Mühle *

Georg von Dillis (Grüngiebing b. Wasserburg 1759–1841 München), Öl/Papier, 20 × 26; Gm 76/8

Dillis, ursprünglich zum Priester geweiht, später jedoch von dem Gelübde entbunden, war von 1808–14 Professor für Landschaftsmalerei an der Münchner Akademie und später als Kunstagent Ludwigs I. tätig. Seine in München und Italien entstandenen Ölskizzen gehören in Deutschland zu den frühesten Werken einer subjektiv geprägten naturalistischen Freilichtmalerei. Da noch immer kein Oeuvrekatalog zu seinem Werk existiert, ist jedoch eine Datierung äußerst schwierig. Bei dem vorliegenden Bild, einer im Schatten von Bäumen liegenden Wassermühle – man erkennt mindestens zwei Wasserräder – handelt es sich um eine Thematik, die mit der Wiederaufnahme von Motiven der niederländischen Landschaftsmalerei des 17. Jahrhunderts im Zuge

der Ästhetik des Malerischen und Pittoresken am Ende des 18. Jahrhunderts allgemein bis ins frühe 19. Jahrhundert hinein sehr beliebt war. Das Bild gehört wegen seiner gedämpften Farbigkeit – in der Grün nur andeutungsweise im Braun oder Ocker zu finden ist – wohl eher zu den frühen, gegen 1800 entstandenen Werken von Dillis als zu seinen Freilichtstudien der zwanziger und dreißiger Jahre.   B. E.

6.1.2 Der Hirschanger bei München

Georg von Dillis (Grüngiebing b. Wasserburg 1759–1841 München) oder Cantius Dillis (Grüngiebing b. Wasserburg 1779–1856 München), Öl/Karton, 22,5 × 29,8; Lit.: AK Landschaftsmalerei, München 1979, Nr. 93 m. Abb. 234–235; Gm 76/7

Dieses Bild in der Art der Baumlandschaften von Georg von Dillis, die in seinem Werk von der Frühzeit bis in die dreißiger Jahre immer wieder auftauchen, zeichnet sich durch eine gewisse Härte und ein besonders farbstarkes Grün aus, so daß man immer geschwankt hat,

ob man das Bild Georg oder Cantius zuschreiben sollte. Die gegenüber der »Mühle« (vgl. Kat.Nr. 6.1.2) hellere, buntere Farbigkeit läßt eine spätere Entstehung als bei jener vermuten, obgleich z.B. der Himmel in beiden Bildern sehr ähnlich aufgebaut ist.

Für die frühe Generation der Münchner Landschafter ist bezeichnend, daß sie vor allem in den stadtnahen Garten- und Waldlandschaften wie dem Englischen Garten oder dem Hirschanger und den Isarauen die Natur zeichneten und malten, wobei Bäume im Zusammenhang mit der Begeisterung für die Englischen Gärten und dem Kult des »Malerischen« zu den beliebtesten Motiven gehörten.   B. E.

6.1.3 Bei Ruhpolding

Cantius Dillis (Grüngiebing b. Wasserburg 1779–1856 München), um 1830, Öl/Holz, 42,5 × 52,6; II d/20 b

Im Werk des Cantius Dillis, das noch weniger als das seines Bruders systematisch erfaßt ist, gibt es schon in den zwanziger Jahren Motive,

6.1.1

6.1.4

die mit obigem Bild vergleichbar sind. So stellte er etwa im Münchner Kunstverein im Jahre 1826 eine »Ansicht einer Hochalpe« mit ähnlichen Maßen aus (Jahresbericht 1826, Ausst. Nr. 411). Die horizontale Lage der Pinselstriche in den Wiesen und Hügeln erinnert an Georg von Dillis Darstellung von Tegernsee aus dem Jahre 1825 (BStGS), doch ist die Farbigkeit bei ähnlicher Tonskala im vorliegenden Bild heller und leichter, so daß wohl eine spätere Entstehung anzunehmen ist.   B.E.

6.1.4 Oberbayrische Landleute (Drei Bauern vor dem Starnberger See) *

Wilhelm von Kobell (Mannheim 1766–1853 München), München, 1825, bez. u. M.: Wilhelm Kobell/München 1825, Öl/Lwd, 34 × 41,8; 29/580

Auf einer Anhöhe nordwestlich von Starnberg, die in etwa der heutigen Straße nach Hanfeld entspricht, begegnen sich drei Bauern in spezifischer Landtracht: jener mit übergehängter Joppe in der Oberländer Gebirgstracht, die beiden anderen in der Sonntagstracht des Münchner Umlandes. Im Mittelgrund und vor dem breit gelagerten See Schloß und Pfarrkirche Starnberg. Zu diesem Gemälde (Gegenstück zu Inv.Nr. 29/579) ist lediglich eine Kompositionsskizze in Privatbesitz erhalten (WV 1336). – Wilhelm von Kobell hatte die Professur für Landschaftsmalerei an der Münchner Akademie seit 1814 inne. Seit etwa 1820 gewinnt die menschliche Gestalt zunehmend das Interesse des Malers; es entsteht alsbald der den späten Kobell kennzeichnende Typus des Begegnungsbildes, dem auch dieses Gemälde und sein Gegenstück (Kat.Nr. 6.1.5)

angehören. Vor einer ideal gesehenen, gezähmten, aber dennoch in ihrer unverwechselbaren Identität charakterisierten Landschaft mit tiefliegendem Horizont und weitem Himmel sind die Figuren gleichsam statuarisch gruppiert. Dazu kommt der distanzierte Blick auf die Menschen, die in ihren minutiös dargestellten Volkstrachten letztendlich freundliche Staffage bleiben. – Im Jahr 1825 erschienen F.J. Lipowskis »Die National-Costume des Königreichs Bayern« mit 49 Lithographien. Die Mitarbeit Kobells an diesem Trachtenwerk ist nicht anzunehmen, aber der Maler hat einem zunehmenden Interesse der Zeit an den – damals erstmals auflebenden – Volkstrachten mit seinen »Begegnungsbildern« besondere Rechnung getragen.   M.M.

6.1.5 Oberbayerische Landsleute (Bäuerinnen vor dem Tegernsee)

Wilhelm von Kobell (Mannheim 1766–1853 München), München, 1825, bez. u. M.: Wilhelm Kobell/München 1825, Öl/Lwd, 33,9 × 41,5; 29/579

Auf der Anhöhe oberhalb des Gutes Kaltenbrunn am Nordufer des Tegernsees begegnen sich drei junge Bäuerinnen. Eine kleine Tuschfederzeichnung der Hamburger Kunsthalle, die dieses Motiv wiederholt, trägt rückseitig die auch unser Bild erläuternde Bezeichnung: »Zwey Mädger vom Gebirg das sitzende aus der gegend von Augsburg die landschaft die gegend von Tegernsee«. (S. Wichmann, WV Nr. 1342). Eine Kompositionsstudie (WV Nr. 1338) zu diesem Gemälde sowie eine Figurenstudie (WV Nr. 1341) befindet sich in Privatbesitz, eine detailliert ausgeführte Figurenstudie

im Kupferstichkabinett der Hamburger Kunsthalle. Ein Miniaturtondo nach diesem Gemälde bewahrt die Fürstl. Oettingen-Wallerstein'sche Kunstsammlung auf (WV 1461).   M.M.

6.1.6 Blick auf München von Nordosten

Wilhelm von Kobell (Mannheim 1766–1853 München), 1815, bez. u.l.: Wilhelm Kobell/ 1815, 23,1 × 31,3; Gm 76/56

Das Gemälde gehörte ehemals zur Sammlung des Herzogs von Leuchtenberg. Friedrich Voltz (1817–1886) hat es für den 1841 erschienenen Katalog »Gemäldesammlung in München seiner königl. Hoheit des Dom Augusto Herzog von Leuchtenberg und Santa Cruz, Fürsten von Eichstätt etc. etc.« radiert (48, Nr. 60, Taf. 225). Das Blatt trägt den Titel »Ansicht der Stadt München von der Ostseite«. Die Datierung ist mit »1815« wiedergegeben. Bei Siegfried Wichmann hingegen hat das – als verschollen bezeichnete – Bild den Titel »Hirten mit Herden an der Isar«. Die Datierung liest Wichmann »1816« (WV 1056, 391). Das Bild der Sammlung Georg Schäfer »Pferdebursche mit Flöte und Pferden im Uferwasser der Isar«, das man als Gegenstück des vorliegenden ansprechen kann, ist 1815 datiert (WV 1055, 390). Die Lesart »1815« dürfte deshalb auch für das Gemälde des Münchner Stadtmuseums richtig sein. – Die Isarlandschaft um Bogenhausen und Oberföhring ist ein bei W. v. Kobell häufig wiederkehrendes Landschaftsmotiv. Die Silhouette Münchens vom Ostufer der Isar aus gesehen erscheint erstmals in einer »um 1797« angesetzten Bleistiftzeichnung (WV 409, 241) mit Standort südlich von Bogenhausen, wohingegen er für das Gemälde nördlicher, nämlich unterhalb des am Isarhochufer gelegenen damaligen Dorfes Oberföhring etwa im Bereich des heutigen »Grüntals« anzusetzen ist. Das Gemälde der Sammlung Schäfer hat denselben Standort mit nahezu identischem Blickwinkel. Dieser Landschaftsausschnitt kehrt wieder auf der Zeichnung WV 1097 (um 1818) und dem Aquarell »Hütebub mit Pferden an der Isar« (um 1819). Vergleichbar ist hier auch die Überbrückung des Mittelgrundes durch ein Boot, resp. hier das Floß. (Vergl. im übrigen auch das Gemälde »Ansichten von München«, dat. 1806, von Johann Jakob Dorner d.J., das ebenfalls flußabwärts von Bogenhausen, jedoch vom Hochufer aus aufgenommen ist.) – Eine unmittelbare Vorzeichnung für das vorliegende Gemälde ist jedoch weder für die Landschaft, noch für die Staffagefiguren bekannt. Hütekinder mit ihren Viehherden kommen bei Wilhelm von Kobell häufig vor, ohne daß damit das soziale Problem dieser aus Vorarlberg und dem Allgäu zugewanderten kindlichen Saisonarbeiter auch nur im Ansatz gestreift worden wäre (vgl. dazu Kapfhammer, WB III/1, 1980, 311 ff.). – In dem Aufeinandertreffen der beiden Hütekinder und ihrer Tiere mutet das Bild wie eine Frühform der später für Kobell typischen Begegnungsbilder an.   M.M.

6.1.7 Landschaft mit Herde *

Max Joseph Wagenbauer (Grafing 1775– 1829 München), 1817, bez. u.r.: M. Wagenbauer/ 1817, Öl/Lwd, 27,7 × 39,2; Lit.: Heine 1972; Gm 76/39

Wagenbauer gehört zu den frühen Münchner Naturalisten. Er beginnt mit Aquarellen der näheren und weiteren Umgebung Münchens bis zum Alpenvorland, widmet sich schließlich aber mehr und mehr der Landschaft mit Tierstaffage. In der Auffassung der Einzelheiten wie in der Komposition ließ er sich von Bildern von Adrian van de Velde und Paulus Potter in der kurfürstlichen Galerie inspirieren. In seiner mittleren Zeit, in die das vorliegende Gemälde gehört, legt er den Horizont sehr niedrig, sodaß sich die Tiere mit ihrem Hirten teilweise vor dem Horizont abzeichnen. Die knorrige Form des Baumes und die einfache Hütte sind ebenso auf Potter zurückzuführen wie die plastische Gestaltung der Tierfelle mit einzelnen Lichtern. Neu ist dagegen die Bevorzugung des Gegenlichtes und der Versuch, eine bestimmte Witterungssituation und Tageszeit durch die Gestaltung des Himmels zu suggerieren. So steht die untergehende Sonne, die tiefe Schatten wirft, hinter der Hütte links, während der restliche Himmel durch graublaue Wolken verdü-

stert ist und rechts ein Regenschauer niedergeht. Laut rückseitigem Aufkleber war das Bild ehemals in der kurfürstlichen Galerie in Wien (Nr. 1352). Es kam 1976 aus Privatbesitz an das Stadtmuseum und ist noch nicht im Verzeichnis von Heine aufgenommen.   B.E.

6.1.8 Almlandschaft mit Kampenwand *

Max Wagenbauer (Grafing 1775–1829 München), München, um 1826/27, Öl/Lwd, 46 × 61, Lit.: AK Landschaftsmalerei, München 1979, Nr. 125; AK Romantiker, München 1985, Nr. 61; Heine 1972, WV-Nr. 491, 62, Abb. 84; München, Städtische Galerie im Lenbachhaus G 411

Auf einer Wanderung in den bayerischen Alpen malte Wagenbauer eine Aquarellskizze (Heine, WV-Nr. 490), nach der er dann das Ölbild »Kampenwand« ausarbeitete. Die Aussicht entspricht den natürlichen Gegebenheiten: Über der grünen Almen- und Baumzone ragen steil die charakteristischen hellen, grauweißen Kalkfelsen der Kampenwand auf. Sie reflektieren das warme Licht der bereits tiefstehenden Sonne. Licht und Dunkelstellen sind organisch über das Bild verteilt und strukturieren es. Die Vordergrundzone mit Hirt und

Vieh auf einem Bergplateau ist eingeschoben und erfüllt die Funktion, das malerische Gebirgsthema mit dem erwarteten Ambiente zu ergänzen. Über das »Staffieren« von Naturlandschaften äußert sich Wagenbauer selbst im Jahre 1823: »Daß durch die Staffage der Landschaft ein besonderes Interesse, ein eigenes Leben erteilt werde, ist wohl keinem Zweifel unterworfen . . . Nur ist wesentlich darauf zu sehen, daß sie jederzeit aus dem Motive der Landschaft selbst genommen, mit dessen Hauptcharacter zusammenstimmend gewählt, und endlich an der richtigen Stelle angebracht werde« (zitiert nach Heine, 17).   U.K.

6.1.9 Pullach mit dem Isartal

Simon Warnberger (Pullach/M. 1769–1847 München), um 1832, Öl/Holz, 43,5 × 54,3; Gm 83/5

Das Bild stellt den Blick vom Norden auf das Isartal dar. Am rechten Hochufer liegt Pullach, der Geburtsort Warnbergers, links die Burg von Grünwald. Im Hintergrund erscheint das Wettersteingebirge mit der Zugspitze. Das Bild ist eine kleinere, wohl etwa gleichzeitig entstandene Variante zu dem 1832 datierten Gemälde gleichen Themas in der Sammlung des

6.1.7

6.1.8

Fürsten Thurn und Taxis in Regensburg, das
im Jahre 1834 für diese Sammlung angekauft
worden war (Öl/Holz, 76 × 107, bez. u.r.:
1832, Inv.Nr. ST.E. 11030, siehe: AK Landschaftsmalerei, München 1979, Nr. 64 m.
Abb.). Gegenüber der größeren Fassung wurde beim vorliegenden Bild der Vordergrund
rechts verändert und der grüne Baum neben
dem abgestorbenen fortgelassen. Das Bild ist
typisch für Warnbergers Landschaftsauffassung in den dreißiger Jahren: Das traditionelle
Kompositionsschema mit rahmender Vorder-
grundkulisse und einer Form des Baumschla-
ges, wie sie schon auf Aquarellen aus dem
ersten Jahrzehnt des 19. Jahrhunderts auftaucht (siehe Aquarelle der Staatlichen Graphischen Sammlung in München), ist hier mit
einem neuen Realismus in den Einzelformen
z.B. der Bäume und vor allem der Lichtsitua-
tion verbunden: Gegenlicht, im Mittelgrund
zarte violettgraue und gelbe bis gelbgrüne Töne
(für Hinweise zur Chronologie danken wir
Barbara Hardtwig).   B.E.

6.1.10 Schneidemühle in Harlaching *

*Heinrich Adam (Nördlingen 1787–1862 Mün-
chen), bez. u.l.: H. Adam; Öl/Holz; 29 × 41,5;
Lit.: AK Adam, München 1981, Nr. 175
m.Abb.; 29/5*

Blick auf die unterhalb der Wallfahrtskirche
St.Anna in Harlaching an der Isar gelegene
Sägemühle (Schneidemühle nach damaligem
Sprachgebrauch).
Eine Getreidemühle wurde in Harlaching
schon im Jahre 1581 erwähnt. Nach W. Kohl
(1969, 37) waren üblicherweise den Getreide-
mühlen Sägemühlen oder andere Nebenbetrie-
be angeschlossen. Der »Schwaiger von Harlaching« betrieb seit dem 16. Jahrhundert eine
der drei Mühlen in der Au, die zwar nicht zum
Münchner Stadtgebiet gehörten, aber das Recht
hatten, bis zu einem gewissen Umfang Getreide
nach München zu liefern. Die Mühle wurde
1905 wegen Baufälligkeit abgebrochen (Megele
1951, 100).
Das undatierte Bild ist vermutlich Ende der
dreißiger oder Anfang der vierziger Jahre entstanden. Das im späten 18. und frühen 19.
Jahrhundert beliebte Mühlenthema – man griff
hier auf niederländische Vorbilder des 17. Jahrhunderts zurück – erscheint bei Adam nicht
wie üblich als Darstellung einer malerischen
Einheit der wilden Natur mit den Zeichen ihrer
Nutzung durch den Menschen, sondern trägt
Züge einer realistischen Vedute. Dieser sind
idyllische Element durch die Staffage der ba-
denden Knaben hinzugefügt.   B.E.

6.1.11 Isarauen unterhalb Schloß
Harlaching *

*Johann Jakob Dorner d.J. (München 1775 –
1852 München), 1843, bez. u.r.: J. Dorner/
1843; Öl/Lwd, 42 × 52,9; Gm 86/12*

Schloß Harlaching (erbaut nach 1700) am Rande des Isarhochufers, ehemals in unmittelbarer
Nachbarschaft der Wallfahrtskirche St. Anna,
war bereits 1796 abgebrannt. Für die Münchner Landschaftsmaler, zuerst für Johann Georg
von Dillis (1759–1841), war das Schlößchen
mit der umgebenden Auenlandschaft, die über
den Fluß hinweg den Blick auf das ferne Gebirge freigab, ein beliebtes Motiv, das die Maler zu
Studien in der Natur anzog. Außerdem mochte
der vermeintliche genius locii die Künstler inspiriert haben, denn es war die Meinung verbreitet, daß der Maler Claude Lorrain
(1600–1682) an diesem Ort vorübergehend
Wohnung genommen hätte. Claude galt den
Münchner Malern seiner klassisch-idealen
Landschaftsauffassung wegen als das große
Vorbild. – Barbara Hardtwig hat den Claude-
Mythos um Schloß Harlaching auf einen Irrtum zurückgeführt. (AK Landschaftsmalerei,
München 1979). Es soll sich um eine Verwechslung des Erbauers des Schlosses Marx
von Mayr, mit dem Sammler von Lorrain-
Gemälden in Regensburg, der ebenfalls Mayr

496

hieß, handeln. – Jedenfalls ist Johann Jakob Dorners d.J. Gemälde von 1843 ein später Nachklang der Claude-Verehrung in München. Dorner d.J., der, der Tradition seines Vaters und Lehrers folgend, an die holländische Landschaftsmalerei des 17. Jahrhunderts anknüpfte, gilt wegen der in freier Natur skizzierten und in die Malerei aufgenommenen heimatlichen Motive als bahnbrechend in der Münchner Landschaftskunst. In der Verwandlung der Isarauen in Höhe des heutigen Tierparks Hellabrunn in eine arkadische Landschaft mit Schäfer und Herden wirkt das hier gezeigte Gemälde aus der Spätphase Dorners wie ein Rückgriff auf die Landschaftsmalerei um 1800.

M.M.

6.1.12 München nach dem Gewitter ∗

Thomas Fearnley (Halden, Norwegen 1802 – 1842 München), München, 1831, bez. u.l.: Fearnley 1831, Öl/Lwd, 83 × 110, Lit.: AK Landschaftsmalerei, München 1979, Nr. 351; Willoch 1932, 84–85 m. Abb.; München Städtische Galerie Lenbachhaus, G 15032

Die Ansicht der Stadt von Thalkirchen aus gesehen entstand während Fearnleys ersten Münchenaufenthalten 1830–32. Einen ähnlichen Bildausschnitt zeigt das Gemälde »Blick von Oberföhring auf München« (1835/40) von Ernst Kaiser; doch im Gegensatz zu dieser Darstellung hat Fearnley durch die Gewitterstimmung, den verdorrten Baum und durch die unruhigen Linienführungen in der Bildkomposition sein Bild entschieden dramatisiert. Zu dem Bild existiert auch eine Vorzeichnung (Willoch, Abb. 85)

U.K.

6.1.13 Weidende Pferde im Gebirge ∗

Friedrich Voltz; (Nördlingen 1817–1886 München), bez. u.l.: F. Voltz, rückwärtig: Nachlaßstempel, Öl/Lwd, 53,3 × 69, Lit.: Jahresbericht des Münchner Kunstvereins 1886, 66–68 (Nekrolog); Regnet, Bd. 2, 1871, 294–304; AK Landschaftsmalerei, München 1979, Nr. 181; MK BStGS, V, 1984, 529–530; München, Bayerische Staatsgemäldesammlungen 12581

Das Bild muß in den vierziger Jahren gemalt worden sein. 1842 und 1843 tauchen im Münchner Kunstverein sogar drei Bilder mit weidenden Pferden von Voltz auf. Etwa maßgleich ist Nr. 56 »Pferde auf der Weide« auf der Kunstvereinsausstellung von 1843 (vgl. den Jahresbericht des Münchner Kunstvereins vom Jahre 1843). – Im Nekrolog in den Berichten des Münchner Kunstvereins vom Jahre 1886 heißt es, daß um das Jahr 1856 (sicher ist 1850 gemeint), als Rahl in München auftauchte, die Pferde- und Almbilder im Werk von Voltz seltener wurden, er sich dagegen mehr dem Dorf- und Hirtenleben zugewandt habe. Seit 1835 lernte Voltz, der 1834 nach München gekommen war, im Hause des Pferde- und Schlachtenmalers Albrecht Adam. 1841 war er zur Vervollständigung seiner Kenntnisse über Pferde auf dem Staatlichen Gestüt in Schwaiganger. Es ist sehr wahrscheinlich, daß das Bild zwischen 1841 und 1843 – dem Zeitpunkt von Voltz Italienreise – entstand.

B.E.

6.1.14 Gebirgslandschaft ∗

Ernst Kaiser (Rain an der Ach 1803–1865 München), 1845, bez. u. M.: E. Kaiser 1845, Öl/Lwd, 31 × 26, Gm 76/16

Ernst Kaiser gehört zu den Naturalisten der zweiten Generation, die sich seit den dreißiger Jahren durch den Norweger Thomas Fearnley zu einer Freilichtmalerei anregen ließen, in der sowohl der Bodenbewuchs als auch der Himmel und die Lichtstimmung stärker differenziert wurden als in den Bildern der älteren Generation. Zu diesen jungen Malern gehörten die Hamburger Louis Gurlitt und Christian Morgenstern, der Dresdener Christian Ezdorf und der Pirmasenser Heinrich Bürkel. Es kommt diesen Malern zunehmend auf das Momentane, Flüchtige der Naturstimmung an. So zeigt Kaiser in dem vorliegenden Bild einen seltsamen Farbkontrast am Himmel, indem er das gelbe Sonnenlicht über dem Horizont gegen eine dichte merkwürdig ockerfarbene Wolkendecke stellt. Im Vordergrund, zu dem sich in der Staatl. Graph. Sammlung in München eine Aquarellstudie befindet (Inv. II d/226) stehen leuchtendes Gelbgrün der Wiesen gegen Rotbraun der Bodenpartien und Graublau des

6.1.10

497

6.1.11

Himmels, wobei die Kleidungsstücke der beiden am Hang liegenden Menschen blau-weiß-rote Farbtupfen hinzufügen. Das Kolorit ist hier von allen traditionellen Rezepten befreit und von einer bis dahin in der Münchner Malerei nicht gekannten Zusammenstellung und Leuchtkraft. B.E.

6.1.15 Bockstilleben, mit Bockbierglas und Rettich ∗

Johann Wilhelm Preyer (Rheydt 1803–1889 Düsseldorf), 1839, bez. u.r.: JWPreyer, Öl/ Lwd; 39,5 × 39,5; Lit.: Jahresbericht des Münchner Kunstvereins 1840, Ausst. Nr. 196. Boetticher II, 1, Nr. 7, 325; AK Volksmusik in Bayern, München 1985, Nr. 210 (hier vor allem Informationen über den Bockwalzer und seinen Komponisten Carl Leibl 1784–1870); II b/ 112

Das Bild war ursprünglich Eigentum der Neuen Pinakothek. Es wurde noch während seiner ersten Ausstellung im Münchner Kunstverein von Ludwig I. erworben (rückseitig Aufkleber: Ludwig No. 293). Das Münchner Stadtmuseum erwarb das Bild vom Wittelsbacher Ausgleichsfonds im Jahre 1927.

Preyer ist der im altmeisterlichen Stil arbeitende Stillebenmaler der Düsseldorfer Schule. Seine den niederländischen Stilleben des 17. Jahrhunderts nachempfundenen Kompositionen mit Objekten wie Gläsern und Früchten auf einem Tisch werden durch Requisiten aus dem bürgerlichen Alltag des 19. Jahrhunderts aktualisiert. Während seines Münchenaufenthaltes von 1837 bis 1840 wird er zum Erfinder einer neuen Stillebenform, des Bockstillebens. In dem vorliegenden Bild hat er eine Reihe von Gegenständen versammelt, die sich eng auf die Münchner Bockbierzeit der Jahre 1838/39 beziehen: In der Mitte das mit dunklem Bockbier gefüllte Glas geht vermutlich auf die Erfindung eines bisher nicht identifizierten Münchner Künstlers zurück. Das Bock-Blatt ist eine genaue Kopie einer zweimal in der Woche während der Bock-Zeit erscheinenden humoristischen Zeitschrift vom Donnerstag, den 2. Mai 1839. Rettich, Salz, Brot und Wurst sind die Bestandteile der seit alters zum Bockbier eingenommenen Brotzeit, die im Münchner Bockkeller durch Radi- und Wurstweiber verkauft wurde. Auch die Dekorationen auf der Rückwand um den »Bockwalzer« sind keine freie Erfindung, sondern geben Dekorationen wieder, die den Bockkeller seit 1838 schmückten.

Sie wurden in einigen lithographischen Blättern zusammen mit dem Bockwalzer bei J.C. Hochwind veröffentlicht (P 1746 und 1747). Das Bock-Blatt 4, vom 12. Mai 1839 berichtet über diese Dekorationen um den Bockwalzer im Münchner Bockkeller. B.E.

6.1.16 Maibockausschank in einer Wirtschaft ∗∗ Abb. S. 25

Franz Xaver Nachtmann (Bodenmais 1799–1846 München), 1824, bez. auf einem Zettel am Boden u.l. v. der Mitte: »1824«, Öl/Holz, 46,2 × 60,5; 51/332

Der Bockkeller, in dem der Maibock ausgeschenkt wurde, befand sich laut Häuserbuch der Stadt München (I, 1958, Graggenauerviertel, 219) seit 1807 in der Alten Münze, Münzstr. 7, Ecke Platzl, nachdem der Münzbetrieb in die Neue Münze am Hofgraben 4 umgezogen war. Nach dem in München erscheinenden »Bockblatt« (2,1839,6) befand sich der ursprüngliche Bockkeller seit 1638 in einem Gewölbe des Alten Hofes und war über eine Brücke über den Pfisterbach zugänglich. Seit Nachtmanns Bild zeigen alle Darstellungen bis zu Peter Ellmers kolorierter Lithographie von

6.1.12

ca. 1840 (MStM P 1373) immer dieselben, wohl dreischiffigen Räumlichkeiten mit Kreuzgratgewölbe. Seit 1844 gab es offenbar Pläne, den Bockkeller zu erneuern (vgl. MStM P 1373: Lithographie »Zur Erinnerung an den Bockkeller anno 1844 im letzten Jahre vor seiner Demolierung«, wohl Außenansicht der Alten Münze). Doch noch 1849 bezeichnet Gustav Wenng das Haus Münzstraße 7 als Bockkeller (Topographischer Atlas von München). Es ist also anzunehmen, daß der Keller noch länger in Betrieb blieb.

Die Bockzeit, in der seit 1638 das dunkle Starkbier ausgeschenkt wurde, was zunächst nur die Hofbrauerei durfte (später gab es zwei Filialen am Schrannenplatz und im Tal), umfaßte 14 Tage vor und 14 Tage nach Fronleichnam (Bockblatt 2, 1839, 6). Der Bockkeller wurde zu dieser Zeit mit Birken geschmückt und man genoß die ersten Maitage, indem man nicht nur im Keller, sondern auch davor stehend das Bier zu sich nahm und die weit geöffneten Fenster Licht und Luft in die alten Gewölbe brachten. Zu diesem festlichen Anlaß trafen die Vertreter aller Stände bei Bier, Rettich, Würstchen und Harfenmusik zusammen. Auf Nachtmanns Bild erkennt man rechts hinten Studenten, in der Mitte stehen drei wohlhabende Bürger im

Zylinderhut beisammen, dazwischen sieht man einfache Leute in der Tracht der Gebirgler. Wie auf allen Bildern dieser Zeit beherrschen auch im Bockkeller die bunten Uniformen der Militärs das Bild: links ein Infanterist des Leibregiments, vorn links ein Cheveauxlegers mit Fouriermütze und rechts ein Leutnant des Kürassierregiments Prinz Carl (die Identifizierung verdanken wir Marcus Junkelmann).

Die alte Zuschreibung des Bildes an Nachtmann wird gestützt durch eine im Stadtmuseum befindliche Serie von kolorierten Lithos mit Kostümentwürfen zur Offiziersquadrille von 1827 (Z (B 28) 2205 a).　B. E.

6.1.17　Szene auf dem Blumenmarkt ✳✳
Abb. S. 175

Theodor Wegener (Rosikilde/Dänemark 1817 – 1877 Kopenhagen), 1842, bez. u.l.: T. Wegener München 1842, Öl/Lwd, 73 × 59,5; P 11633

Der dänische Maler Theodor Wegener hielt sich zwischen 1839 und 1843 in Deutschland auf, 1840/42 weilte er in München. Er war Mitglied des Kunstvereins und stellte dort im Jahr 1842 drei Gemälde aus: zwei Damenportraits und die »Szene auf einem Blumenmark-

te«. Der Münchner Kunstverein brachte das Gemälde 1843 zur Verlosung, es wurde dann vom Kunstverein in Augsburg angekauft.

Diese durch den Alten Peter im Hintergrund eindeutig in München zu lokalisierende Szene entspricht in ihrer episodenhaften Darstellungsweise den Wünschen des Münchner Publikums: Die alte Blumenhändlerin fordert unterwürfig kniend Ersatz für die zerstörten Blumentöpfe, während die Mutter des Knaben bereits das Geld abzählt. Die Magd liebkost das weinende Kind, indes sie der Anklage höflich lauscht. Im Hintergrund ein weniger gepflegtes, barfüßiges Kind mit umgehängter Schultasche, offenbar der Verursacher des Mißgeschicks. Diese verschränkte Erzählform, dazu die minutiös wiedergegebenen Einzelheiten – der Blitz-ab-leiter am Haus und das Katzenkopfpflaster aus Isarkieselsteinen sind nicht vergessen – und das leuchtende, die Grenzen zum Süßlichen gerade noch nicht überschreitende Colorit machen das Bild zu einem Prunkstück der Genremalerei. Der Münchner Blumenmarkt fand zwischen dem 19. März (Josephi) und dem 15. Oktober (Theresi) statt. Sein Standort war bis in das frühe 20. Jahrhundert Ecke Rosental/Blumenstraße am südwestlichen Ende des Viktualienmarktes. Auf den

6.1.13

Märkten (ebenso wie auf dem Oktoberfest) boten häufig Fieranten d. h. fliegende Händler, meist aus dem Oberland, die Waren an. Die Brämhaube mit dem Otterfell kennzeichnet die Blumenfrau als eine aus dem bayerischen Oberland gekommene Fierantin. Die »altmünchner« Tracht der Magd und das urbane Gewand der Mutter kennzeichnen den Stand ihrer Trägerinnen ebenso eindeutig wie minutiös.

M.M.

6.1.18 Armenspeisung in einer Klostervorhalle *

Lorenzo Quaglio (München 1793–1869 München), 1847, bez.: L. QUAGLIO. P. 1847; Öl/ Lwd, 76 × 89, Lit.: Paluch 1983; Potsdam-Sanssouci, Staatliche Schlösser und Gärten, GK I 6005

Das Gemälde zeigt den überdachten Vorhof eines Klosters, in dem zwei Kapuzinermönche stehen und Essen verteilen. Der ältere Pater reicht einer jungen Mutter, die einen Säugling im Arm hält, einen Teller Brei und einen Löffel. Neben ihr auf den Stufen sitzt ein Junge, der diesen Vorgang beobachtet, während er darauf wartet, selbst an die Reihe zu kommen. Rechts vor dem Mönch steht ein kleines Mädchen im Dirndl und bittet um Essen. Der jüngere Pater reicht einem weiteren Jungen eine Semmel aus dem Korb, den er unter dem Arm trägt. Rechts an der Hausmauer sitzt ein Wanderer auf einer Steinbank und löffelt den Brei aus der Schüssel, die er auf dem Schoß hält. Durch die halboffene Türe sieht man ins dunkle Innere des Klosters. An der linken Seite der Türe ein großes Holzkreuz mit den Arma Christi. Das Gemälde an der Wand über dem Wanderer zeigt die Bekehrung des Saulus. Rechts im Vordergrund am unteren Bildrand wird die Bildkomposition mit der Darstellung von Hausgeräten abgeschlossen: Eine Gießkanne, Reisigbündel, eine Schaufel, ein Eimer und weitere Kleinigkeiten. Zwischen den Stützbalken des Vordachs, die mit gotischen Ornamenten verziert sind, blickt man auf eine gebirgige Landschaft im Hintergrund.

Zu dem hier gezeigten Gemälde existiert eine Vorzeichnung in Aquarell (Paluch 1983, Nr. 437) und eine leicht veränderte Wiederholung aus dem Jahre 1853 (Paluch 1983, Nr. 493), bei der im Hintergrund eine Hügellandschaft mit einem Dorf dargestellt ist. Die Architektur ist in allen Bildern von einer Zeichnung des Kapuzinerklosters in Innsbruck übernommen, die Lorenzo Quaglio 1837 angefertigt hatte.

Von seinen Zeitgenossen wurde Quaglio weniger geschätzt, wie ein Brief Clemens von Zimmermanns an Ludwig I. vermuten läßt: »Was ferner E. K. M., bezüglich des Werthes der Bilder von Lorenz Quaglio, zunächst einer Bauernhochzeit, Allerhöchst geruhten mich fragen zu lassen, so kann ich leider nur in tiefster Unterthänigkeit erwidern, daß ich denselben keinen besonderen Kunstwerth zuerkenne, vielweniger sie noch als Preiswürdig für die neue königliche Pinakothek halte. In dem Falle übrigens daß E. K. M., in allergnädigster Berücksichtigung der mißlichen Lage Quaglios, sich allerhöchst geneigt finden sollten irgend ein Bild deßelben zu erwerben, so wäre ein solches im höchsten Falle mit 6–7 Louisd'or bezahlt.« (vom 11.1.1850, zitiert nach Mittlmeier 1977, 223).

Die klösterlichen Armenspeisungen waren in München bereits vor 1805 abgeschafft worden, Suppe an die Armen wurde in der Rumfordschen Suppenanstalt auf der Polizei abgegeben. In der Münchner Polizey-Übersicht von 1805 befindet sich ein Kupferstich Bollingers, der ebenfalls eine Armenspeisung zeigt, mit folgender Erklärung: »Die Väter des Ordens hatten wirklich die wohlthätige Absicht, mit dem, was von ihrem Tische übrig geblieben war, bedürftigen Menschen zur Nahrung einen Beytrag zu machen; allein sie konnten nicht hindern, daß sich unter diese Bedürftigen nicht viel fremdes müßiges Gesindel mischte, welches in der Hoffnung, sich auf diese Art etwas für den Magen zu verschaffen, sich auf Nichtsthun legte, und nicht selten nicht so fast der Suppe wegen, sondern in der Absicht hingieng, aus der Suppe ein paar andere Brocken herauszufangen.« (Baumgartner 1805). S. W.

6.1.19 Jäger und Sennerin im Gebirge *

Lorenzo Quaglio d.J. (München 1793–1869 München), 1824, bez. u.l. an der Bank: L.Q. 1824; Öl/Holz; 41,6 × 32, Lit.: 2. Halbjahresbericht des Münchner Kunstvereins 1824, Ausst. Nr. 91, Paluch 1983, 83; Gm 76/25

Zu dem 1824 im Münchner Kunstverein ausgestellten Bild existiert in der Münchner Staatlichen Graphischen Sammlung eine aquarellierte Vorzeichnung unter der Inv.Nr. 22791: »Anastasia Staudacherin von baierischden Zell 12. Sept. 1823« (AK Quaglio, München 1978, Nr. 37 m. Abb.).
Der Intimität der Szene entsprechend hat Quaglio den Ort der Begegnung der beiden Gebirgsbewohner durch Bäume, Zaun und Bank als umschlossenen Raum aus der Weite der Landschaft ausgegrenzt. Wenn im Gegensatz dazu Wilhelm von Kobell in der gleichen Zeit Gebirgsbewohner darstellt, so zeigen sie sich auf kahler Bergkuppe unmittelbar vor dem Himmel. Unendlichkeit des Landschaftsraumes bei gleichzeitigem Detailrealismus im Vordergrund kennzeichnen die Bilder Kobells. Der jüngere Maler dagegen schätzt eine mehr idyllische Naturkulisse. Seine Menschen sind nicht mehr nur Repräsentanten ihres Standes oder Berufs, sondern mit ihrer Begegnung wird eine kleine, den Kreislauf des Lebens charakterisierende Geschichte erzählt. B.E.

6.1.20 Die Heimkehr der Schnitter

Lorenzo Quaglio d.J. (München 1793–1869 München), 1826, bez. in der Mitte r. im Türrahmen: LQ. 1826. Öl/Lwd, 31,5 × 40,5, Lit.: Jahresbericht des Münchner Kunstvereins 1826, Ausst. Nr. 370 (Gegenstück Nr. 369); AK WB III/2, 1980, Nr. 756; Paluch 1983, Nr. 205, 94; 28/1694

Das Bild war 1826 im Münchner Kunstverein zusammen mit seinem Gegenstück »Die Rückkehr der Sennerinnen und Hirten von der Alm« ausgestellt. Die Personen tragen Fischbachauer/Bayerischzeller Tracht.
Die Heimkehr des jungen Schnitters zu Frau und Kindern wird bei Quaglio zur Darstellung idyllischen Familienglücks. Dieses ist einerseits durch das einfache, ja kärgliche Leben in der Natur bestimmt, andererseits durch die Religion: An der offenen Haustür sind auf einem Zettel die Anfangszeilen des Psalms 130 zu lesen: »Aus der Tiefe [rufe ich, Herr, zu dir]/ »Herr erhöre meine [Stimme]«.
Bis in alle Details zeigt das Bild, daß der Maler genaue Studien an Ort und Stelle betrieben hat, wobei er gewöhnlich die dem Städter fremden Trachten und Gerätschaften in Blei festhielt, bevor sie im Atelier zu einer Bilderzählung mit seinem Lieblingsthema – das bäuerliche (Familien)leben – verarbeitet wurden. Dennoch haben sich bis heute keine unmittelbaren Vorstudien zu dem Bild gefunden, wohl aber zahlreiche Zeichnungen zum bäuerlichen Leben der Gegend um Fischbachau und Bayerischzell. B.E.

6.1.21 Walchenseelandschaft *

Lorenzo Quaglio d.J. (München 1793–1869 München), 1834, bez. u.r. am Brunnentrog: Lorenzo Quaglio pinx. 1834; Öl/Lwd; 42,3 × 49,4, Lit.: AK BaKuKu, 1972, Nr. 1607; AK Landschaftsmalerei, München 1979, Nr. 166; Paluch 1983, Nr. 260, 108; II d/248

6.1.14

Der Eindruck der Geborgenheit, den die Walchenseelandschaft mit dem Herzogstand im Hintergrund vermittelt, wirkt wie die Erfüllung des Gebets der Familie vor der Kapelle (datiert über dem Fenster mit der Madonna »1779«). Der Friede unter den Menschen und in der Natur bezeugt die Zusammengehörigkeit von Naturverbundenheit und Religiosität, die schon die romantischen Bilder der in Salzburg tätigen Brüder Olivier charakterisierte. Quaglios Bild taucht in der älteren Literatur nicht auf. Boetticher nennt unter der Nr. 11 »Betende Landleute bei Gewitter«, 1834 auf der Berliner Akademieausstellung gezeigt, vielleicht eine Variante. B.E.

6.1.22 Ein Jäger, der bei einer Sennerin anklopft **

Theodor Leopold Weller (Mannheim 1802– 1880 Mannheim), 1836, bez. u.l.: T. Weller, Öl/Lwd, zwei Teile in einem Rahmen (Tondo: Öl/Kupfer), 50 × 68, Lit.: Boetticher, II/2, 1901, 993, Nr. 46; AK Weller, Mannheim 1981; München, Galerie Gisela Meier

Theodor Leopold Weller, am 29. Mai 1802 geboren, erhielt seine Ausbildung an der Münchner Kunstakademie (1818–1825) unter Peter von Langer. Obwohl er sich schon in München der Genremalerei zugewandt hatte, entwickelte er sich auf diesem Gebiet vor allem während seines Romaufenthalts in der Zeit von 1825–1833, wo er sich auf die Darstellung des italienischen Volkslebens spezialisierte.

6.1.15

»Theodor Weller (. . .) pflegt ein biedermeierisches italienisches Bauerngenre, ohne jene heroische Note, mit der Robert die Söhne der Campagne darstellte. Es ist ein harmloses Berichten von dem vergnügten Treiben der römischen Bauern, harmloser auch als bei Bürkel, bei dem sich der italienische Landmann immer dem Typus des Briganten nähert.« (Hamann 1914, 21.) Seine bekannteren Werke, wie z.B. die »Gauklertruppe auf der Piazza Montanara in Rom« (1829, heute im Thorvaldsen Museum in Kopenhagen) stammen aus dieser Zeit in Rom. Nach drei Jahren in Mannheim und Karlsruhe, mit Reisen nach Paris und Düssel-

dorf, kam er 1836 wieder nach München, im Entstehungsjahr des hier gezeigten Bildes.
In der ungewöhnlichen Form eines aus der religiösen Tafelmalerei stammenden Diptychons stellt Weller den Besuch des Gebirgsjägers bei einer Sennerin dar, wobei der Bildtitel mißverständlich ist, da der Mann mit seinem leuchtendroten »Leiberl« nicht direkt von der Jagd kommen kann.
Im linken Bildteil ist das Geschehen außerhalb der Hütte dargestellt. Vor dem Hintergrund einer Alpenlandschaft mit See, die sich nicht genau identifizieren läßt, steht der Gebirgsschütze an der Türe der Hütte und ist im

Begriff zu klopfen. Er trägt eine Tracht, die dem Tiroler Raum – möglicherweise Zillertal – zuzuordnen ist (nach freundl. Auskunft von Hr. Paul E. Rattelmüller), mit einem breiten Gürtel, der in Federkielstickerei eine Jahreszahl trägt, die teilweise verdeckt ist. Er blickt wie geistesabwesend auf den Betrachter, gespannt auf die Antwort auf sein Klopfen horchend. Im rechten Bildteil – im Inneren der Hütte – sitzt die Sennerin am offenen Feuer, sie ist barfuß und hat wie in Eile ihren Hut achtlos neben sich auf den Boden geworfen.
Während es aus dem Tiegel, den sie übers Feuer hält, dampft, blickt sie zur Türe, sehnsüchtig

auf das erwartete Klopfen lauschend. Die beiden Bildteile werden von je einem goldenen Bogen gerahmt, in dessen Zwickel sich ein Tondo mit der Darstellung des Liebesgottes Amor mit Pfeil und Bogen befindet. Eine Bleistiftskizze, die unter dem Rahmen verborgen liegt, zeigt, daß der Tondo zuerst als Dreieck geplant war. Mit diesem räumlichen Bezug – Eros schwebend zwischen den beiden Personen – spielt Weller auf die »reale« Beziehung des Paars an. Die Doppeldeutigkeit der Szene wird durch ein weiteres Detail hervorgehoben: Das Blatt über der Türe stellt den Sündenfall dar; Eva reicht dem Adam einen roten Apfel, während beide unter dem Baum der Erkenntnis stehen.

Die Anzüglichkeit der Darstellung gipfelt für die Hauptfiguren in einer Travestie auf die Verkündigungsszene: In der Zweiteilung des Bildes, in der Haltung und im Ausdruck der Sennerin, im Typ des Jägers, der dem Erzengel

Gabriel gleicht und in der Form des Dyptychons nimmt Weller italienische Darstellungen der Mariae Verkündigung aus dem 14. und 15. Jahrhundert auf; möglicherweise greift er mit der Figur des Amor auf die Tradition der Verkündigungsdarstellung zurück, welche das Christuskind in einem Lichtstrahl, der auf Maria fällt, realisiert.

Das Wechselspiel im inhaltlichen Bezug zwischen der realen Ebene der ländlichen Szene und der idealen Ebene einer Mariae Verkündigung wird im formalen Bereich wiederaufgenommen im Gegensatz des präzisen Naturalismus der dargestellten Szene zur klassizistischen Goldrahmung und der allegorischen Darstellung des Eros.

Das Gemälde erwarb der König von Württemberg. Ein Jahr später, 1837, fertigte Weller eine Replik des Bildes für die Kaiserin von Rußland.

S.W.

6.1.23 Büste Georg von Dillis

Johann Leeb, München, 1849, bez.: Central Gallerie Direktor/Ritter, Georg von Dillis; r.: sculp: J. Leeb 1849, Marmor, 56; K 86/58

Die Büste entstand mehrere Jahre nach dem Tod Georg von Dillis' (1759–1841). Sie ist jedoch an eine bereits zu Lebzeiten entstandene Gipsbüste des Galeriedirektors von Johann Baptist Stiglmeier angelehnt, die sich im Besitz der Bayerischen Staatsgemäldesammlungen befindet. Entsprechend der Ausführung in Marmor und wohl auch dem posthumen Entstehungsdatum gibt sich Leebs Fassung des Porträts stärker idealisiert. Dillis, seit 1790 Bildergalerieinspektor, seit 1822 K. Centralgaleriedirektor, war einer der engsten Berater Ludwigs I. als Kunstsammler. Seine Hauptleistung war die Gemäldeauswahl und Einrichtung der Alten Pinakothek. Mit Ludwig verband ihn der Grundsatz, nur »das Klassische« sei erwer-

6.1.18

6.1.19

bungswürdig. Als Künstler war Dillis dagegen einer normativen klassizistischen Aesthetik abgeneigt. Seit 1808 war er Professor für Landschaftsmalerei an der Münchner Akademie, mit deren Direktor, Peter Langer, er keinen Konsens in künstlerischen Fragen fand. Die Einfühlung in die Natur war ihm oberstes Prinzip. Dem entsprachen Zweifel an der Erlernbarkeit künstlerischen Gestaltens.   N. G.

Stadtansichten

6.1.24 Stadtplan: »Plan der Königl. Haupt- u. Residenz-Stadt München im Jahre 1840.«

Verlag von Mey und Widmayer in München, München, 1840, bez. u.l.: J. Stein, graviert durch Ferdinand v. Harscher. Eingeschrieben von Peter Mettenleiter; u.r.: Plan/Der Königl. Haupt-/und Residenz=Stadt/München/im Jahre 1840/Verlag von Mey und Widmayer/in München; Steingravierung; 63 × 80, Lit.: MK Proebst, München 1968, P 27; P 27

6.1.25 Vier Panoramaansichten Münchens vom Dach des Nationaltheaters

München, um 1820, bez. das kolorierte Blatt: Chr. Steinicken, Federlithographie, 34 × 64; P 189/2–4, P 190 koloriert

Bald nach der Fertigstellung des Nationaltheaters 1818 und noch vor dem Niederbrennen des Gebäudes 1823 hat ein Zeichner die vier Ansichten nach Nordwesten, Nordosten, Südosten und Südwesten gefertigt, welche die Stadt in dem Zustand noch vor den Umplanungen und Bauten durch König Ludwig I. anschaulich macht. Besonders deutlich wird in unmittelbarer Umgebung des Nationaltheaters die Münchner Residenz, welche noch nicht mit

dem Königsbau als Abschluß zur Stadt hin versehen ist, sondern Brandmauern zeigt. Im Hofgartenareal mit der Neuveste und dem Marstall steht bereits die Hofgartenkaserne mit ihrem Exerzierplatz, die bei ihrem Bau den heftigen Unwillen des Kurprinzen auslöste.
Die Blätter hat wohl ein Zeichner oder Geometer des königlich topographischen Büros angefertigt, denn die originalen Lithographiesteine dazu werden noch heute im Landesvermessungsamt aufbewahrt. Davon wurden in kleiner Auflage um 1960 Zweitdrucke gezogen. Das kolorierte Blatt der Südostansicht fertigte Christian Steinicke (München 1831–1896 München) um 1860. Es zeigt über den Dachfirst einen Blick über das Lehel und Haidhausen auf die Alpenkette. Das Panorama in südwestlicher Richtung bildet im Vordergrund das alte Törring-Palais, die Münze, den Alten Hof und die Türme der Stadtkirchen ab.   H. O.

6.1.26 Der Schrannenplatz in München gegen das Alte Rathaus, umgeben von 14 Randansichten (»Das Alte München«) *

Heinrich Adam (Nördlingen 1787–1862 München), München, 1839, bez. u.r. (auf der Plane des Pferdewagens): HA 1839, Öl/Holz, 80 × 96,4, Mittelbild: 41 × 58,2, Randbilder ca. 12,5 × 17 (quer), ca. 19 × 12,5 (hoch), ca. 12,5 × 12,5 (Ecken), Lit.: Jahresbericht des Münchner Kunstvereins, München 1840, Ausst.-Nr. 291; AK München und Oberbayern, Linz 1971, Nr. 105; AK Adam, München 1981, Nr. 170; 28/561

Die Ergänzung eines Haupt-(Mittel-)bildes durch Randansichten ist ein beliebter Bildtypus des 19. Jahrhunderts. Diese Darstellungsform kommt aus der Druckgraphik, beginnt schon in der Populärgraphik des 17. Jahrhunderts und führt schließlich zur Ansichtspostkarte. Randansichten sind keine beliebige Zutat, sondern gehören erläuternd zum Hauptbild, bieten zusätzliche Information und vervollständigen in ihrer additiven Reihung den Hauptschauplatz eines Bildes durch die Nebenschauplätze. H. Adam hat vier Bilder dieses Typus der Münchner Stadtdarstellung gewidmet: 1. vorliegendes Bild, oft als »Das Alte München (I)« bezeichnet (1839), 2. als Gegenstück dazu »Das Neue München« (1839; 28/562) Mittelbild: Max Joseph-Platz, 3. »Das Alte München (II)« (1843; II b/7) Mittelbild: Schrannenplatz gegen Westen, 4. »München und seine Umgebung« (1842; 28/63) Mittelbild: Gesamtansicht gegen Südwesten. Ist bei Adam das »Neue München« durch die ludovizianischen Neubauten definiert, so das »Alte München« durch den Hauptplatz, einzelne Stadttore und wichtige sehenswerte Sakral- und Profangebäude vom Mittelalter bis zum Klassizismus. Zum Mittelbild: Der Schrannenplatz gegen Osten mit dem Alten Rathaus. Der seit Oktober 1854 so benannte Marienplatz wurde noch im Anfang des 19. Jahrhunderts schlichtweg als Platz oder Hauptplatz bezeichnet, später dann bis zur Namensänderung als Schrannenplatz, weil an die-

sem Ort neben anderen kleinen Märkten (Eiermarkt, Kräutlmarkt) seit alter Zeit die »Schranne«, der Getreidemarkt abgehalten wurde. Einen solchen Markttag schildert Adam. Im September 1853 wurde die Schranne in die neuerbauten Maximilians-Getreidehallen (Schrannenhalle) längs der Blumenstraße verlegt. Es sind keine vergleichbaren gemalten zeitgenössischen Marienplatzansichten von dieser Qualität bekannt. Adam bewahrt hier noch ein gewachsenes Stadtbild, dessen Verfall, rapide Veränderungen und Traditionslosigkeit gerade durch ein falsch verstandenes Traditionsbewußtsein bereits ein Vierteljahrhundert später durch die Neugotik des Alten Rathaus-Umbaus und Neuen Rathaus-Neubaus (1861–64, ab 1867) eingeleitet wurde. Zu den Randbildern: Die 14 Randansichten verteilen sich auf vier hochformatige (rechts und links), sechs querformatige (oben und unten) und vier quadratische (Ecken). Die Anordnung der Motive folgt bis auf die Eckbilder einer eigenen Gesetzmäßigkeit. In den vier Seitenbildern sind Kirchen dargestellt. Der Michaelskirche links steht rechts die Theatinerkirche gegenüber, darunter Frauenkirche links und Salvatorkirche rechts. Von den jeweils drei Bildern der oberen und unteren Leiste sind die äußeren den alten Stadttoren gewidmet. Oben links das Kosttor, rechts das Sendlinger Tor, unten links das Angertor, rechts das Isartor von der Innenseite noch im Zustand vor der Restaurierung. Erst im »Neuen München« erscheint das restaurierte Tor als linkes oberes Eckbild. Die mittleren beiden Bilder der oberen und unteren Leiste sind wieder Gegenüberstellungen. Unten die »alte« Herzog Max-Burg, oben das »neue« Leuchtenberg-Palais, das jüngste aller dargestellten Gebäude. Die vier Eckbilder sind schlecht in einen Zusammenhang zu bringen, es sei denn, es man trennt das einerseits zur Stadt, andererseits zum Hofe gehörige. Oben links das Alte Rathaus von der Talseite (Adam malte es schon 1838 in einer großen Fassung, 34/206), rechts die Kürassier- oder Schwere Reiter-Kaserne an der Zweibrückenstraße. Unten links der ehemalige Heumarkt und jetzige St. Jakobsplatz mit der Heuwaage vor dem Städtischen Zeughaus (Münchner Stadtmuseum), rechts die Fassade der Residenz an der Residenzstraße. Diese Randansichten wiederholen sich z.T. und variiert in dem obengenannten »Das Alte München II« (MSt), in dem bei Boetticher I, 1, 1891) erwähnten, ehemals in der Neuen Pinakothek befindlichen Adam'schen Gemälde des Schrannenplatzes gegen Westen (1836, WAF BI 428) und in der motivisch gleichen Berliner Variante (1835, Staatl. Schlösser u. Gärten, Bln.-Charlottenburg).   V. D.

6.1.27 Das Tal gegen das alte Rathaus mit Hochbrücke *

Ferdinand Jodl (München 1805–1892 München), 1835, bez. u.r.: F. Jodl. 1835; Öl/Lwd, 49 × 61, Lit.: AK München und Oberbayern, Linz 1971, Nr. 120; Huhn 1893; Schattenhofer 1972; 49/121

6.1.21

Das 1835 datierte Bild ist vermutlich identisch mit dem im Münchner Kunstverein 1835 ausgestellten Bild von Jodl: Ansicht der Hl. Geistkirche und des Rathauses in München, 18 : 23 Zoll (Jahresberichts des Münchner Kunstvereins 1835, Ausst. Nr. 203).
Dargestellt ist der Blick von Südosten über das Tal zum Alten Rathaus mit dem Schönen Turm und zur Hl. Geist-Kirche. Das Bild legt Zeugnis dafür ab, wie sehr das Stadtbild und das Leben der Stadt durch die Vielzahl der von der Isar abgezweigten Stadtbäche geprägt war. Man sieht im Vordergrund die Hochbrücke, die über den an dieser Stelle zumeist unterirdisch verlaufenden Katzenbach führt. Heute erinnert noch der Name »Hochbrückenstraße« an diese Situation, die bis 1872/73 bestand.
Auch sonst läßt das Bild die durchgreifenden Veränderungen erkennen, die an dieser zentralen Stelle der Stadt seit der zweiten Hälfte des 19. Jahrhunderts durchgeführt wurden. Das ehemalige Spital an der Westseite der Hl.

Geist-Kirche wurde 1885 abgerissen, nachdem es schon seit 1825 nicht mehr als Spital benutzt worden war. Die Kirche wurde stattdessen um drei Joche verlängert und 1888 mit einer neubarocken Fassade versehen. Das Rathaus und der Schöne Turm mit seiner barocken Zwiebelhaube von 1671/72 zeigen noch die Fassadenmalereien von Augustin Demmel (1724–1789 München) aus den Jahren 1778/79. Die letzte Zutat war die Freitreppe von 1803. Die Malereien waren im Jahre 1860 ganz verschwunden. 1861/64 wurde durch Arnold Zenetti (Speyer 1824 – 1891 München) eine Regotisierung des Rathausaußenbaues durchgeführt, die eine Veränderung der Giebellinie und der Turmhaube einschloß. Im wesentlichen sind diese Baumaßnahmen des 19. Jahrhunderts noch für den heutigen Eindruck des Alten Rathauses bestimmend. (vgl. auch Domenico Quaglios Ansicht des Tales von 1824, Kat.Nr. 6.1.28)

B.E.

6.1.28 Blick auf das Alte Rathaus vom Tal ✳

Domenico Quaglio (München 1786–1837 Hohenschwangau), 1824, bez. u.l. auf einem der Säcke: D. Quaglio fecit 1824, Öl/Lwd, 70 × 90, Lit.: Zettler 1918, Nr. 149; Bayerland 20, 148ff.; Trost 1973, Nr. 135 u. Abb. 213 mit Lit.; AK WB III/2, 1980, Nr. 986; 30/1679

Dieses Gegenstück zu Quaglios Ansicht des Viktualienmarktes (vgl. Kat.Nr. 2.3.1) stammt ebenso wie jene aus dem Besitz der Stadt. Es wurde 1825 im Münchner Kunstverein ausgestellt (Jahresbericht 1825, Ausst. Nr. 120).
Offenbar ist es wie sein Gegenstück anläßlich der Verlegung des Hl. Geistspitals in das Kloster der Elisabetherinnen im Jahre 1823 entstanden, auch wenn sich an der hier dargestellten Seite von Kirche und Spital zunächst keine Veränderungen ergaben. Die Staffage vor den beiden Eingängen des Weiberhauses des Spitals weist allerdings darauf hin, daß das Gebäude zum Zeitpunkt der Entstehung des Bildes als

505

6.1.26

Lagerhalle für Obst und Getreide benutzt wurde.

Hinter diesem Gebäude erscheint das Stadt-waaghäusl und daran anschließend die untere Fleischbank. Im Hintergrund sieht man Turm und Chor der Peterskirche. Der Schöne Turm und das Rathaus zeigen noch die Fassadenma-lerei von Augustin Demmel aus den Jahren 1778/79. Rechts schließen sich an das Rathaus im Besitz der Stadt befindliche Gebäude an wie das bis 1859 als Stadtschreiberwohnung be-nutzte Haus Tal 1, außerdem die kgl. Polizei-direktion mit Wachposten davor.

B. E.

6.1.29 Das Kleine Rathaus am Petersplatz **

Ferdinand Jodl (München 1805–1882 Mün-chen), München, 1835, bez. u.l.: F. Jodl. 35, Öl/Lwd, 48 × 37, Lit.: Jahresbericht des Münchner Kunstvereins 1835, Ausst. Nr. 348; Schattenhofer 1972, 17; 52/85

Am 20. März 1777 wurde der die Peterskirche umgebende Gottesacker aufgehoben und der Platz nun Petersplatz benannt. Noch lange hielt sich die alte Bezeichnung »Peters-Freit-hof« und die im Volksmund dafür oft ge-brauchte Benennung »Petersbergl« betrifft ei-gentlich nur den Aufgang vom Viktualien-markt her. Die Szene des Bildes ist ältester Münchner Stadtgrund: eine eiszeitliche Schot-terterrasse über dem Stadtbach und dem »Tal« liegend, bebaut seit dem 11. Jahrhundert. Links erhebt sich der Chor der ursprünglich goti-schen Peterskirche in seiner barocken Gestalt von 1630–36. Das gotische Haus Nr. 5 rechts mit der charakteristischen Alt-Münchner Auf-zugshaube ist in dieser Gestalt schon im Sandt-nerschen Stadtmodell (1572) zu sehen und ge-hört wie die rückwärts anschließenden Bau-lichkeiten zum Komplex des sog. Kleinen Rat-

hauses. Hier schon außerhalb des Bildes, schloß sich rechts bis zum Abbruch 1880 die 1803 säkularisierte Wieskapelle an, ein beliebter Treffpunkt der Münchner Dienstmägde (vgl. die zwei Radierungen F. Bollingers in der Baumgartnerschen »Polizey=Uebersicht«, 1805 mit einer vollständigen Abfolge aller Bau-lichkeiten des Peters-Freithofes). Der Turm im Hintergrund, 1975 in karger Neugotik rekon-struiert, ist der Alte Rathausturm in seiner barocken Gestalt. Als Thalbrucktor war dieser Torturm ursprünglich das östliche Haupttor der Gründungsstadt. 1861–64 wurde er zu-sammen mit dem Alten Rathaus von A. Zenetti regotisiert. Im baulichen Zusammenhang mit dem Turm stehend, sehen wir in der Bildmitte in äußerst reizvoller Gruppierung das kleine Rathaus mit der Fassadenmalerei von 1641/42. Links das Stadtkammergebäude, später Stadtar-chiv mit dem kleinen Eckbau (Bureau des Stadtchronisten), darunter der zum Marien-platz führende Durchgang (als Treppenanlage

6.1.27

noch vorhanden). Das eigentliche Kleine Rathaus mit dem Kleinen Rathaussaal im Innern ist dem Turm direkt vorgelagert. Als »der Bürger Hofstatt« ist es gotischen Ursprungs und erscheint im Sandtnerschen Modell. Die Stiege davor mit dem langen abgeschleppten Dach besteht bereits seit 1415. An der Stiegenmauer, dort, wo der Mann mit Gehrock und Zylinder steht, befand sich der oft in Zeichnungen und Aquarellen des 19. Jahrhunderts dargestellte Löffelwirtbrunnen. Nach dem 1880 erfolgten Abbruch des gotischen Hauses Nr. 5 rechts, wurde die heute noch vorhandene Terrasse zum Viktualienmarkt hin angelegt, in deren Untergeschoß die bekannten Metzgerläden eingerichtet wurden. Das Kleine Rathaus erhielt als Anbau das ebenfalls neugotische Standesamt (1881). Das trotz oder wegen aller An und Umbauten immer noch reizvolle Ensemble hatte sich bis zur Zerstörung im 2. Weltkrieg erhalten.

V.D.

6.1.30 Innere Ansicht des Isartores gegen das Tal *

Heinrich Adam (Nördlingen 1782–1862 München), 1834, bez. u.l.: H. Adam 1834, Öl/Holz, 25,5 × 34,4; Gm 85/8

Das Isartor war im Zuge der Stadterweiterung und der Errichtung des zweiten Mauerringes gegen Ende des 13. Jahrhunderts erbaut worden. Zunächst »unteres Tor«, wird es seit 1374 das »Neue Tor« genannt, um seit 1432 als »Isartor« die Stadt gegen Osten zu öffnen. Mit der Schleifung der Befestigungswälle zu Beginn des 19. Jahrhunderts verfielen die Torbauten, sofern sie nicht überhaupt abgebrochen wurden. Erst König Ludwig I. erkannte erneut die städtebauliche Funktion der Torbauten und lenkte die Aufmerksamkeit insbesondere auf das Isartor, dessen Restaurierung durch Friedrich von Gärtner er veranlaßte. (Vgl. »Grund Plan und Situation der Isarthor-Thürme«, Aufnahme der vorhandenen Bausubstanz von

Muffat, um 1833; 35/1410). – Als mächtigstes und in seiner Substanz besterhaltenes der Münchner Stadttore war das Isartor vor seiner Restaurierung 1835 ein beliebtes Malermotiv. Domenico Quaglio 1812, Matthias Heim 1817, Joseph Carl Cogels 1824 haben das Tor von seiner Außenseite dargestellt. Heinrich Adam hat sich mit dem Torbau mehrmals beschäftigt. Eine kleine Radierung von 1829 zeigt die Stadtaußenseite (Z 535), ein Aquarell des gleichen Jahres die Stadtinnenseite gegen Osten (MK Proebst, Nr. 590, Abb. 18, 228). Diese Ansicht der Innenseite ist Vorlage zu der Lithographie »Innere Ansicht des Isarthores« und wird wieder aufgenommen als Randansicht in Heinrich Adams 1843 entstandenem großen Gemälde »Das alte München« (AK Adam, München 1981, Nr. 173). – Die vorliegende, aus unbekanntem Privatbesitz in den Kunsthandel gelangte Darstellung gibt das Isartor aus einer bisher nicht belegten Perspektive mit Blick auf den Hauptturm und das sich dahinter erstrek

6.1.28

kende Tal (sog. Thal Petri) wieder. Der nördliche Turm des Vorwerks – angeschnitten vom 1. Bildrand – und der isoliert stehende Hauptturm zeigen deutlich die Spuren des Abbruchs der die inneren und äußeren Torbauten einst verbindenden Zwingermauern und der sich von der Stadt her an den Hauptturm anschmiegenden Gebäude, u.a. des Zollhauses (vgl. Aquarell von Puschkin, um 1890, nach einer Darstellung des Isartores von 1780. Slg. Neuner 140). – Das Bild dürfte identisch sein mit dem Gemälde »Das alte Isarthor in München«, das Heinrich Adam 1834 im Münchner Kunstverein ausgestellt hatte (Bericht über den Bestand und das Wirken des Kunst-Vereins in München, für das Jahr 1834, 38, Nr. 30). M.M.

6.1.31 Vor dem Sendlinger Tor *

H.K., München, 1823, bez. u.r.: 1823 HK, Öl/ Holz, 15 × 20; II b/91

Weit bis in das letzte Drittel des 19. Jahrhunderts hinein war der Abschnitt der mittelalterlichen Stadtbefestigung zwischen Angertor und

Sendlinger Tor relativ ursprünglich erhalten geblieben. Das frühklassizistische Rondell auf dem ehemaligen Bastionsgelände bezog das Sendlinger Tor im Gegensatz zu den Plänen Thurns und Skells (1808/09) nicht in der Konsequenz ein, wie es beim Neuhauser (Karls-) Tor der Fall war. Es wurde weder abgebrochen wie das Angertor und das Schwabinger Tor (Kat.Nr. 6.1.34), noch wurde es ein »Opfer« ludovizianischer Denkmalpflege und romantischer »Verschönerung« wie das Isartor. So überliefert uns auch diese Ansicht eine friedlich-idyllische ante portas-Stimmung, wie sie ähnlich bei den Zeitgenossen G.W. Kraus, C.A. Lebschée und C. Heinzmann zu finden ist. Ein kleines Aquarell des Letzteren, datiert 1832 (II b/125), zeigt in Blickwinkel und topographischen Details überraschende Ähnlichkeiten, vor allem im Baumbewuchs bis hin zur hohen Tanne links. Es kann mit gutem Grund vermutet werden, daß sowohl Heinzmann, als auch der Monogrammist HK eine ältere, vermutlich druckgraphische Vorlage benutzt haben. Diese wäre ganz in der Nähe einer lavierten Federzeichnung von Matthias Heim, datiert 1816 (M I/1777) zu suchen, vielleicht war die

Zeichnung sogar selbst das Vor-Bild. Blickwinkel und Details wie der Schattenfall und einige Figuren der Staffage (die Wasserträgerin links, die an das Brückengeländer sich lümmelnden Soldaten der Wachmannschaft, das hinter dem Tor Sichtbare u.a.m.) sind von verblüffender Ähnlichkeit. Das seit 1319 erwähnte südwestliche Haupttor ist im Gegensatz zu D. Quaglios Radierung (1812, P 658) in seiner reduzierten Gestalt dargestellt. Der hohe Mittelturm wurde 1808 abgebrochen, die Brükke über den bei Quaglio deutlich sichtbaren, hier nur zu ahnenden Stadtgraben hat ein, auch noch in späteren Darstellungen immer wieder anzutreffendes hölzernes Geländer bekommen. Eingeebnet wurde das Gelände erst in den 1870er Jahren, wo auch die letzten Mauerreste rechts des Tores verschwanden. Die heute vor Ort noch sichtbare Zwingervertiefung wurde – allerdings durch die Durchführung des Oberangers in der Nachkriegszeit gestört – südlich des Tores mit der sog. Blumenschule (1876/77) überbaut. 1860 schuf A. Zenetti drei spitzbogige Öffnungen in der Tormauer und 1906 entstand der heutige große Bogen und die beiden Turmdurchgänge. Links über der Früh-

6.1.30

6.1.31

form einer Straßenlaterne (seit 1818) ist im Hintergrund der Turm der Allerheiligen Kirche am Kreuz (Kreuzkirche) zu sehen.　V. D.

6.1.32 Das Karlstor von der Neuhauserstraße aus ✳

J. (Joseph oder Jakob) Saal, München, um 1840, Öl/Lwd, 33 × 27,5; 58/863

Das 1315 vollendete Neuhauser Tor gehört zu den vier Haupttoren des alten München. Hier um das Jahr 1840 präsentiert es sich dem Maler in seiner nahezu noch mittelalterlichen Gestalt. Wie ein Riegel sperrt es den Stadtausgang der Neuhauser Straße im Zuge der Ost-West-Achse der historischen Salzstraße ab. Das Tor mußte man in dieser Enge passieren, um dann jenseits auf das Karlstor-Rondell, die Neuanlagen der Ludwigs- und Maximilians-Vorstadt und den Bahnhof (seit 1839) zu treffen. Nach der um 1810 erfolgten Demolierung der Mitteltürme beim Sendlinger- und beim Angertor, dem vollständigen Abbruch des Schwabinger Tores (1816/17) und angesichts des ruinösen Isartores vor seiner Romantischen Restaurie-

6.1.32

Gustav Seeberger (Markt Redwitz 1812–1888 München), 1843, bez. u.l.: G. Seeberger/München 1843, Öl/Lwd, 58,2 × 50, Lit.: AK München und Oberbayern, Linz 1971, Nr. 138; AK Landschaftsmalerei, München 1979, Nr. 194, 272, Farbabb. 356; 50/234

Das Bild wurde 1843 im Münchner Kunstverein ausgestellt (Nr. 396). Die Darstellung hat ihren Anlaß in Seebergers panoramatischen Zeichnungen der Aussicht vom Petersturm von 1841 für Karl August Steinheils auf dem Petersturm aufgestelltes Pyroskop (Z(B2) 185/1–8 und MK Proebst 1968, Nr. 162). Dazu schrieb der Verfasser der Biographie des Astronomen, Mathematikers und Physikers Steinheil in der Allgemeinen Deutschen Biographie (Bd. 35, 1893, 722): »Auf dem St. Petersturme zu München befand sich eine Feuerwacht; da zu dem Wachtdienst aber meist Webergesellen verwandt wurden, die nicht eben das größte Orientierungsvermögen besaßen, noch weniger aber gar mit irgend welchen complicierten Apparaten zu arbeiten im Stande gewesen wären, so trat der Magistrat der Stadt München an Steinheil mit der Bitte heran, einen möglichst einfachen Apparat zu ersinnen, der die jeweilige Brandstätte mit möglichster Sicherheit zu bestimmen erlaubte. Steinheil löste diese Aufgabe glänzend durch das Pyroskop.«
Seeberger malte von dem Bild eine 1844 datierte kleinere Variante, die sich heute in der Städt. Galerie im Lenbachhaus befindet (Öl/Lwd, 30,5 × 25,5, bez. u.l.: G. Seeberger 1844). 1850 folgte eine Komposition in Querformat in Aquarell für das König-Ludwig-Album (Bay StGs). Diese Komposition wurde eigenhändig von ihm lithographiert (M II/4388 Abdruck vor der Schrift). B.E.

rung (1833–35) war um 1840 hier noch am deutlichsten der Münchner Typus einer Torburg zu erkennen – bis zu jenem verhängnisvollen 15. September 1857, als eine Pulverexplosion das rechts neben dem Tor befindliche Haus des Eisenhändlers Oskar Rosenlehner (s. die Ladentafel) nachts um 22.30 Uhr in die Luft sprengte, wobei fünf Personen getötet wurden. Der stark in Mitleidenschaft gezogene Turm wurde daraufhin am 1. Oktober abgebrochen. C. Hohfelder hat das Unglück lithographisch geschildert (Nr. 58/879). Eine kleine, aber höchst detailreiche Fotografie des Münchner Fotografen H.T. Hudemann (wohl 1857, II b/128) zeigt noch den intakten Zustand kurz zuvor und beweist zugleich wie genau der Maler die architektonischen Details registriert hat. Aus einer Reihe von ungefähr gleichzeitigen zeichnerischen Ansichten des beliebten Motivs, worunter das Blatt C.A. Lebschées (II b/4) das repräsentativste, aber in der Wiedergabe der Tordurchgänge ungenaueste ist, kommt eine mit J. Saal bezeichnete, undatierte lavierte

Tuschzeichnung dem vorliegenden Gemälde so nahe (sieht man von der Überhöhung des Turmes ab), daß auch im Vergleich mit dem kleinformatigen Gemälde des gleichen Motivs von J. (Joseph oder Jakob?) Saal (Z 18) dessen Urheberschaft zweifellos sein dürfte. Links des Tores ist das ehemalige Wohnhaus des städtischen Zöllners, davor als Staffage Dachauer Bauernpaar und Handwerksgeselle. Das deutlich bezeichnete Gasthaus am rechten Bildrand ist der »Ober-Pollinger«. Der Neubau des heute noch unter diesem Namen bekannten Karstadt-Kaufhauses bezieht seit 1904/05 auch das Eckgrundstück Herzog Max-Straße mit dem reizvollen Turmerkerhaus ein. In Anlehnung an die Neugotisierung des Tores (seit 1797 Karlstor) durch A. Zenetti (1861/62) entstand visavis davon auf dem ehemaligen Turm- und Rosenlehnerareal ein Neubau in aufwendiger Neugotik (Café Danner), nach Umbau zum Hotel Deutscher Hof (1901/03) im wesentlichen noch erhalten.
V.D.

Joseph Carl Cogels (Brüssel 1785–1831 Leitheim b. Donauwörth), München, 1814, bez. u.r.: J. Cogels. 1814; Öl/Holz, 59 × 71, Lit.: AK München und Oberbayern, Linz 1971, Nr. 114; AK Landschaftsmalerei, München 1979, Nr. 186; II b/6

Noch über 20 Jahre nachdem Kurfürst Karl Theodor die Festungseigenschaft Münchens für aufgehoben erklärte (1792), war die Situation vor dem Schwabinger Tor völlig ungeklärt. Die Wallbefestigung Kurfürst Maximilians I., noch um 1750 auf J. Stephans Gemälde (Nr. 36/2168) im intakten palisadenbewehrten Zutand zu sehen, hatte ihre Funktion längst verloren und war desolat. Während bereits vor dem Sendlinger- und besonders vor dem Neuhauser (Karls-)Tor die Um- und Neubaumaßnahmen im Sinne der Öffnung der mittelalterlichen Stadt und der Schaffung einer repräsentativen Eingangsseite im Gange waren, sollte die von Cogels dargestellte Situation noch für zwei Jahre erhalten bleiben. Dieses Bild ist ein

6.1.34

wichtiges baugeschichtliches Dokument, entstanden quasi am Vorabend einer der größten Stadtbaumaßnahmen des frühen 19. Jahrhunderts: der Anlage der Ludwigstraße, hier speziell des Odeonsplatzes. Das auch Unteres Herrn-Tor genannte Schwabinger Tor, vollendet 1318/19 als nördliches Haupttor und vom Typus der dreitürmigen Torburgen, wie nur noch im Isartor erhalten, wurde 1816/17 abgebrochen. Den nunmehr freien Zugang aus der Stadt und vom Platz zwischen Theatinerkirche und Residenz zum Baugelände des späteren Odeonsplatzes zeigt dann 1822 D. Quaglios Gemälde »Die alte Reitschule mit dem Café Tambosi« (BayStGS WAF 786). Hier bei Cogels nähert sich eine von der Schwabinger Landstraße kommende sechsspännige Hofkutsche der Brückenwache vor dem Tor. Von der Stadtmauer durch den hier nicht sichtbaren Stadtgraben getrennt, steht rechts das Haus des Polizeipräfekten Maximilian von Stetten, daneben erhöht und gerade noch angeschnitten, das Chédéville-Schlößl, Landhaus des Gartenlieb-

habers und Direktors der ehem. Kurbayerischen Gobelinmanufaktur André Joseph Chédéville. Festungswälle und Bastionen waren ein bevorzugtes Baugelände für Adel und begüterte Bürger (sog. Bastionsschlößl). Links an das Tor schließen sich die Baulichkeiten der ehemaligen Kurfürstlichen Pagerie an. Ebenfalls angeschnitten sieht man links noch den Nordgiebel der Residenz und davor im Vordergrund den zum Hofgarten führenden Weg. Zwei Jahre nach dem Gemälde entstand Klenzes Hofgartentor. Auffällig ist die noch barocke graue Farbgebung der Theatinerkirche, die dann erst im Zusammenhang mit den Bauten des Odeonsplatzes ihren klassizistischen Ockerton bekam.   V.D.

6.1.35 Die Ludwigstraße ✶✶

Johann Baptist Kuhn (Durach 1810–1861 München), 1849, bez. u.r.: I. B. K. 49; Aquarell und Tempera; 14,5 × 20,5, Lit.: AK Land-

schaftsmalerei, München 1979, Nr. 189; Lehmbruch, in: AK Klassizismus, München 1980, 156; Lieb ³1982, 262ff.; 38/1484

Darstellung der Ludwigstraße in ihrem Bebauungszustand kurz vor der Errichtung der Feldherrnhalle (1841–44). Das Blatt zeigt die Straße mit Blick nach Süden zum Odeonsplatz; links ist das von Klenze erbaute Kriegsministerium (1827–30) zu sehen, rechts das ebenfalls unter seiner Leitung entstandene Herzog-Max Palais. Anstelle der heutigen Feldherrnhalle steht noch das alte Wirtshaus »Zum Bauerngirgl«, das im August 1840 abgerissen wurde. Klenze wählte für die Bebauung der südlichen Ludwigstraße den Typus des italienischen Renaissance-Palastes als Idealgestalt privater Stadtarchitektur. Ebenfalls einheitlich festgelegt wurde die Abfolge der Fassadenfarbgebung. Aufgrund der während der Planung entstandenen Konflikte zwischen Ludwig und Klenze, die sich aus der Diskrepanz zwischen Privatinteressen der Eigentümer und Mieter einerseits, der Größe und dem Habitus der gewollten Bauten andererseits ergaben, verzichtete Ludwig später auf jeden privaten Wohnbau für die Fortsetzung der Ludwigstraße und ließ 1829 Klenze durch den Architekten Friedrich von Gärtner ablösen. Dieser vertrat nun – zwar unter Beibehaltung des ursprünglichen Konzepts – statt dem »residenzstädtischen Renaissance-Klassizismus« Klenzes bei den folgenden öffentlichen Gebäuden den »Stil einer italienisch angehauchten Neuromantik« (Lieb, 62f.).

Die Anlage der Ludwigstraße, deren Planung bereits 1808 in Zusammenhang mit dem Wettbewerb für die nördliche Stadterweiterung (Max-Vorstadt) begann, geht ganz auf das persönliche Engagement des Kronprinzen und nachmaligen König Ludwig I. zurück und ist eine der städtebaulich bedeutendsten Straßenanlagen des 19. Jahrhunderts.

Aufgrund der vom Künstler vorgenommenen Datierung handelt es sich bei dem beiliegenden Blatt augenscheinlich um die Dokumentation eines mehrere Jahre zurückliegenden Bauzustandes. Eine fast identische Ansicht der Ludwigstraße von Kuhn, deren Entstehungsjahr hier aber mit dem dargestellten Bauzustand übereinstimmt, befindet sich im Kupferstichkabinett der Staatlichen Kunsthalle Karlsruhe (1840; Nr. P. K. I 553-22); durch die fehlende Unterteilung in Geh- und Fahrbahn kommt hier die forumartige Gestaltung der als langgestreckter Straßenplatz dargestellten Ludwigstraße noch stärker zur Geltung.　　U. K.

6.1.36 Odeonsplatz (Uhrenbild)

Anonym, nach 1844, Öl/Lwd, 64 × 86,7; P 11638

Aus dem Besitz der Familie von Miller, München.

Mit der Feldherrnhalle (1841–44) griff Friedrich von Gärtner in den Bereich der städtebaulichen und architektonischen Gestaltung der Ludwigstraße von Klenze ein. Gesucht wurde eine Lösung, die für den Fernblick von Norden als beständiger Schlußpunkt der Ludwigstraße wirken und Ruhe unter die Vielzahl der verwirrenden Achsen am alten Odeonsplatz bringen sollte. Zudem forderte Ludwig, für den Bau die Loggia dei Lanzi in Florenz als direktes Vorbild zu nehmen. Gärtner schuf mit dieser Architekturkopie – durch ihre gestraffte Pfeiler- und Attikaausbildung jedoch abstrakter als das florentinische Vorbild – einen harmonischen Übergang von Altstadt und Neustadt: die raumoffene Halle mit ihrem hohen Sockel und dem Kranzgesims mit Balustrade vereint die ausflutende Theatiner- und Residenzstraße mit dem Bewegungszug der Ludwigstraße und ist zugleich Bindeglied zwischen Theatinerkirche und Residenz. Die Graphiksammlung des Münchner Stadtmuseums besitzt eine Miniatur (Gouache) von Conrad Geyer (Nürnberg 1816–1893 München), die offensichtlich auf das Uhrenbild bzw. eine gemeinsame Vorlage zurückgeht (Nr. 28/1206). Geyer selbst möchte man die Erfindung der qualitätvollen Darstellung nur zögernd zuweisen. Im Katalog der Sammlung Proebst (Nr. 415) wird Gustav Seeberger (1812–1888) vorgeschlagen. Die Urheberschaft von Münchens berühmtestem Vedutenmaler Heinrich Adam (1787–1862) an der letztlich zu Grunde liegenden Vorlage ist gleichwohl nicht auszuschließen.　　U. K./M. M.

6.1.37 Konzert am chinesischen Turm im Englischen Garten mit Prinz Karl im Vordergrund eigenhändig sein Gespann fahrend

wohl Heinrich Adam (Nördlingen 1787–1862 München), um 1822, bez. u.r.: H.A., Öl/Lwd, 55 × 66, Lit.: AK WB III/2, 1980, 548, Nr. 1030, Abb.; Privatbesitz

Der Englische Garten, den die Bürger Münchens anfangs nur zögernd annahmen, wurde allmählich zum bevorzugten Aufenthalt an den Sonn- und Feiertagen. Die Gastronomie am Chinesischen Turm war durch das Platzkonzert der Militärkapelle eine besondere Attraktion, die Gäste und Spaziergänger anzog. Diese Szene reizte den Maler zu einer detailreichen und farbigen Schilderung, die im Vordergrund Prinz Karl eigenhändig sein Gespann fahrend zeigt. Zwei Bereiter begleiten ihn, der Soldat salutiert und Spaziergänger grüßen. Die reizvolle Darstellung Münchner Lebens kann, wie die Namenszeichen H. A. nahelegen, dem Maler Heinrich Adam zugeschrieben werden, der in vielfigurigen Ansichten sein Können zu beweisen versuchte.

Zum anderen findet sich 1825 im Nachlaß des Königs Max Joseph der Eintrag eines Gemäldes gleichen Themas »Das Gasthaus bey dem chinesischen Thurm mit vielen Figuren zu Pferd und zu Fuß« (Leinw. 1' 6" 6''' B. 2' 6" 1'''), hier identifiziert als Arbeit Franz Xaver Nachtmanns (GHA Nachlaß Karl 1/1–7 Gemälde Nr. 118).　　H. O.

6.1.38 Mariahilfkirche in der Au ∗∗

Ferdinand Jodl (München 1805–1882 München), 1841, bez. u.l.: F. Jodl 1841, Öl/Lwd, 45,2 × 36,4; 51/335

Vom Breiteranger im Südwesten fällt der Blick auf die erst seit zwei Jahren vollendete Mariahilfkirche in der Au. Im Vordergrund der Entenbach, in den ein Abwasserkanal mündet und der gleichwohl von zwei Frauen zum Waschen benutzt wird. Zwischen den Ufern und der Unteren Isargasse die kleinen und traditionellen Häuser und Herbergen der in der Au vorwiegend ansässigen Handwerker und Tagelöhner. Monumental im Gegensatz dazu wirkt der sich dahinter erhebende neugotische Bau der Kirche, der als ein Zeugnis für Ludwigs I. Engagement auch für den »altdeutschen Stil« von Daniel J. Ohlmüller gebaut worden war.　　B. B.

6.1.39 Zeichenstudien am Giesinger Berg ∗∗

Karl Krazeisen, um 1820, Aquarell, 20,7 × 26,8, Lit.: AK München und Oberbayern, Linz 1971, Nr. 217; 52/1 (B 36/27)

Partie in Giesing mit Gesamtansicht nach Norden. Die reizvolle Szene entstand am Giesinger Berghang oberhalb der Lohstraße, ein Ortsteil, der bis zum zweiten Weltkrieg dicht mit Herbergen bebaut war.　　V. D.

6.1.33

6.1.35

6.1.38

6.1.39
6.1.22

6.2 Klassizismus

6.2.1 Orpheus in der Unterwelt *

Johann Martin von Wagner (Würzburg 1777–1858 Rom), Rom, um 1810, Öl/Lwd, 60,8 × 73, Lit.: Ragaller 1979, 26; MK Martin-von-Wagner-Museum, Würzburg 1986, 214, Nr. 551; Nicolai 1921, 36; Würzburg, Martin-von-Wagner-Museum F 439 (K 512)

Orpheus, der thrakische Sänger und Leierspieler, hatte die Gabe, mit seinem Gesang wilde Tiere, Steine und Bäume zu bezaubern. Als seine Frau Eurydike stirbt, erlaubt ihm der Gott der Unterwelt, seine Frau aus dem Hades zurückzuholen. Aber Orpheus dreht sich um, ehe sie das Tageslicht erreichen und verliert sie für immer.

Das Gemälde, das nach den Worten des Künstlers den »Triumph der Musik«, welche selbst die Mächte der Unterwelt ergriff, verkörpern sollte (Nicolai, 36), zeigt im Zentrum den bekränzten, mit einer kurzen Tunika bekleideten Orpheus, an den sich Eros angstvoll drängt, als Sänger im Kreise der Bewohner der Unterwelt. Links von ihm thront das Götterpaar Hades und Persephone, die aufmerksam dem Gesang des Orpheus lauschen. Sie werden von Eurydike und den drei Furien flankiert, deren Fackeln erloschen sind; durch die Musik hat die Unterwelt sinnfällig ihre Schrecken verloren. Hinter den Eumeniden werden noch einige Köpfe der Verdammten sichtbar. Die rechte Bildhälfte wird durch die Figurengruppe der drei Büßer im Hades beherrscht: Sisyphus auf seinem Felsbrocken sitzend, der ans Rad geflochtene Ixion und Prometheus mit dem Geier. Daneben die Danaiden mit dem »Faß ohne Boden«, der Flußgott Styx und Charon, der Fährmann in seinem Nachen. Vorne im Styx stehend, Tantalos. Den Hintergrund der Figurenkomposition nimmt ganz eine große, zerklüftete Felslandschaft ein.

Martin von Wagner bezieht sich bei seiner Darstellung, die sich durch eine präzise plastische Durchführung der einzelnen Figuren auszeichnet, augenscheinlich auf Ovids Metamorphosen (Kap. X, 1–49). Bei dem vorliegenden Bild handelt es sich um eine Studie für das monumentale Orpheusbild, das Max I. Joseph wohl um 1808 (bereits erster Entwurf) in Auftrag gegeben hatte. (Das unvollendet gebliebene Gemälde verbrannte 1945 bei Kriegsende im Wagner-Museum.) Im Gegensatz zu der Ölskizze vereinfachte die Monumentalfassung die allzu große Dichte in der Figurenkomposition; zudem verschwand der Landschaftshintergrund.

Neben der Ölstudie von 1810 existieren zwei in Blei ausgeführte Vorzeichnungen Wagners, eine davon vom Künstler auf das Jahr 1808 datiert (HZ 3256 [D 71], 34,1 × 46,1; Blei; bez.: M. Wagner 1808. HZ 3260 [D 71], 19,6 × 50,2, Blei: als Fries!). U.K.

6.2.1

6.2.2 Juno *

Wilhelm von Kaulbach (Arolsen 1805–1874 München), München, 1830/31, Freskomalerei, auf Leinwand übertragen, 130 × 101, Lit.: MK BayStGS V, 1984; München, Bayerische Staatsgemäldesammlungen, 10433

Ab 1829 entwarf W. v. Kaulbach für den Festsaal des von Klenze erbauten Herzog-Max-Palais einen Zyklus von 16 Fresken, die das auf Apuleius zurückgehende Märchen von Amor und Psyche illustrierten. (Die Fresken wurden 1838 abgenommen und auf Leinwand übertragen, die Entwurfzeichnungen sind in der Maillinger-Sammlung des MStM erhalten; vgl. Menke, in: MK BayStGS V, 1984, 194ff.).

Thematisch ist in diesem Zyklus nicht so sehr die dramatische Entwicklung der Handlung, als die Entfaltung der Mythengestalten in den Stationen auf dem Weg der ihren Geliebten Eros suchenden Psyche.

Juno, die Mutter der Götter und Gemahlin des Zeus, thront in rotem Mantel über weißem Untergewandt auf einer Wolke. Sie hält ein Szepter als Zeichen ihrer Würde der Königin des Olymp, neben ihr ein radschlagender Pfau, das Sinnbild des Himmels. Mit der Rechten verweist sie Psyche auf Venus – die nächste Station ihres Weges – der schließlich durch das Erbarmen des Zeus mit der endgültigen Vereinigung der Geliebten enden wird. B.B.

6.2.3 Die Erziehung des Bacchus

Robert von Langer (Düsseldorf 1783–1846 München), 1835, bez. u. l.: R. v. Langer 1835, Öl/Lwd, 182,5 × 188, Lit.: Nagler 8, 1824², 212; Boetticher I, 2, 1891 Nr. 11, 843; Ludwig 1978, Nr. 38 m. Abb., 69; München, Bayerische Staatsgemäldesammlungen 7642

Robert von Langer, der Sohn des langjährigen Münchner Akademiedirektors Johann Peter von Langer, setzte den klassizistischen Stil seines Vaters in flächiger Vereinfachung fort. Da er ebenfalls an der Akademie Professor war, wurden seine Arbeiten auf allen Ausstellungen dieser Institution gezeigt, so die vorliegende schon im Jahre der Entstehung 1835 (Nr. 152). Zwar wurde das Bild nicht von Ludwig I. für die Neue Pinakothek erworben, sondern blieb bis in die zwanziger Jahre dieses Jahrhunderts im Besitz der Familie Langer, doch muß es sich einer gewissen Beliebtheit erfreut haben, da es auf den beiden großen allgemeinen deutschen Ausstellungen in München in den Jahren 1854 (Nr. 177) und 1858 (Nr. 659) gezeigt wurde.

In Langers Werk spielt neben der religiösen Malerei wie bei allen Klassizisten die antike Mythologie eine bedeutende Rolle. Im vorliegenden Bild stellt er den jungen Bacchus im Kreise von Faunen und Nymphen dar, die ihn zu dem erzogen, was er war: der etwas verweichlichte Gott des Weines und der Lebensfreude. B.E.

6.2.4 Anakreon und Anais *

Wilhelm von Kaulbach (Arolsen 1805–1874 München), 1840, Öl/Lwd, 118 × 93, Lit.: Boetticher II/1, 1898, Nr. 8; Müller I, 1893; München, Städtische Galerie im Lenbachhaus G 10255

Die Darstellung zeigt den lyrischen Dichter Anakreon (495–410 v. Ch.), der sein Buch mit der Aufschrift »Anakreon« in der Hand hält,

mit der Geliebten Anais im Arm; Eroten, die
Wein einschenken und Früchte herbeibringen,
umschweben das Paar. Rechts im Bild, dem
griechischen Dichter zu Füßen, ist die Lyra
angedeutet.

Nach der 5. Römischen Elegie Goethes ver-
sinnbildlichen die beiden Figuren »Poesie« und
»Liebe«. Der Kupferstecher Jacob Felsing gibt
jedoch – beeinflußt durch die Schriften Ana-
kreons, auf die der Buchtitel auf dem Gemälde
hinweise – zu seinem Nachstich eine andere
Deutung der Komposition; ihm zufolge sei
»die Gegenwart, welche dem Fingerzeig des
Amors folgt«, dargestellt (Müller, 409/10).
Nach Boetticher (II/1, 1898, Nr. 8) malte
Kaulbach noch zwei weitere Ölgemälde dieses
Themas, deren beider Verbleib unbekannt ist.
Bei dem vorliegenden Gemälde handelt es sich
möglicherweise um jene Version der Komposition, die Kaulbach bis zu seinem Tode in seinem Besitz behielt (nach Boetticher, 409), oder
um die vom Künstler verfertigte Replik (Müller, 549).

U. K.

6.2.5 Allegorische Gestalten der Baukunst, Bildhauerei und Erzgießerei

*Wilhelm von Kaulbach (Arolsen 1805–1874
München), München, 1851/52, bez. (Aufkleber
auf der Keilrahmenrückseite): Ludwig No. 549,
Öl/Lwd, 73,7 × 68,9, Lit.: MK BayStGS V,
1984; München, Bayerische Staatsgemäldesammlungen WAF 413*

Die Gruppe allegorischer Frauengestalten gehört in einen Zyklus von 19 detailliert ausgeführten Ölskizzen, die Ludwig I. als Entwürfe
für Fresken an der neuen Pinakothek 1847 in
Auftrag gab. Diese Entwurfsskizzen – sie sollten auch als selbständige Gemälde im Innern
der Pinakothek ausgestellt werden – feiern
Ludwig I. als Auftraggeber und Förderer der
Künste und stellen auch die bedeutendsten der
für ihn arbeitenden Künstler dar (vgl. Menke,
in MK BayStGS V, 231). In der Tradition der
gewöhnlich Architektur, Skulptur und Malerei
als die in der Akademie vertretenen Künste
zusammenstellenden Allegorien sind hier die
Allegorien der Baukunst, der Bildhauerei und
der Erzgießerei zu einer Gruppe vereinigt und
als Frauengestalten in historisierender Gewandung dargestellt. Lorbeerbekränzt sitzen sie
vor einer dorischen Tempelfront, jeweils durch
charakteristische Attribute ausgewiesen. Die
mittlere Figur ist durch Papierrolle, Griffel und
Zirkel als Architektur gekennzeichnet; zu ihrer
Rechten sitzt die Verkörperung der Skulptur,
die ein Modell der von Schwanthaler entworfenen Statue Ludwigs I. hält; auf der Gegenseite
ist die Erzgießerei dargestellt, die flüssiges Metall in eine Gußform gießt. Als Pendant zu
dieser Gruppe wurde auch ein anderer Entwurf
ausgeführt, der in ähnlicher Auffassung, jedoch
vor dem Hintergrund einer gotischen Architektur die Fresko-, die Glas- und die Keramik-
malerei darstellt. B. B.

6.2.2

6.2.6 Poseidon-Tempel in Paestum

*Leo von Klenze (Schladen/Harz 1784–1864
München), 1855, Öl/Lwd, 50 × 73, Lit.: Lieb/
Hufnagl 1979, G 63, 127; AK Ein griechischer
Traum, München 1985/86, 117ff., vor allem
132/133 (F. W. Hamdorf), und Nr. 6 m. Abb.;
66/2939*

Dieses Bild des sog. Poseidon- (eigentlich He-
ra-) Tempels in Paestum entstand aufgrund
einer Bauaufnahme, die Klenze auf seiner letzten Italienreise am 12.5.1855 zeichnete
(BayStB, Klenzeana IX, 12/31; Lieb/Hufnagl
1979, Z 423). Dargestellt ist der Blick quer
durch den Pronaos des Tempels an der zerstörten Antenmauer vorbei auf den älteren Hera-
Tempel, der, wie üblich, auf Klenzes Zeichnung
als »Basilika« bezeichnet ist. Laut Hamdorf
(AK Ein griechischer Traum, München 1985/
86, 132/3) wird »in dem Ölbild ... diese
Zeichnung gleichsam zum Idealbild einer Tem-

pelruine umgewandelt. Die Indizien für die
Konstruktion sind in dieser Darstellung noch
mehr (als in der Zeichnung) zurückgetreten.
Die Fluchten der Quadermauern und Säulen-
stellungen, Zerstörungsspuren, wie die zahllosen Löcher und Ausbrüche der Steine oder die
gefährlichen Verschiebungen der Quaderreihen
in den Cellamauern sind als Motive verselbständigt und zur poetischen Schilderung eines
endgültig verlorenen und verworrenen Zu-
stands verwendet.«

Zu dieser Poetisierung trägt einerseits das
Dämmerlicht in dem »Innenraum« bei, andererseits die Staffagefigur des Hirten, der mit
einem Stein zwei kämpfende Schlangen zu tö-
ten versucht. Alte allegorische Erinnerungen
an Darstellungen von Tugenden und Lastern
werden hier wach wie auch der Hinweis etwa
auf den mit Schlangen kämpfenden Priester
Laokoon.

Anders als die sizilianischen dorischen Tempel,

519

6.3 Romantik

6.3.1 Die Vautsburg am Mittelrhein *

Domenico Quaglio (München 1787–1837 Hohenschwangau), 1819, bez. u. l.: D. Quaglio 1819 M, Öl/Kupferblech, 63,5 × 49, Lit.: AK München 1979, Nr. 239; Biehn 1970, 130ff., Abb. 28; München, Städtische Galerie im Lenbachhaus G 4093

In den Jahren 1825–1829 wurde die Ruine Vautsburg bei Bingen im Auftrag von Prinz Friedrich Louis von Preussen wiederaufgebaut und wegen ihrer Lage über einem Fels in »Rheinstein« umbenannt; so heißt sie heute noch (weitere Namen waren: Vogtsberg, Vaitsberg und Pfalzburg). Das Gemälde hält den Zustand der Anlage vor dem historistischen Umbau fest. Es zeigt die Burg in der Ansicht von Süden; jenseits des Rheines, oberhalb von Lorch, ist die Ruine Nolling zu sehen. Ihre exponierte Lage auf dem steilen, zerklüfteten Felsen, welches durch die von Quaglio gewählte Untersicht verstärkt wird, läßt die Architektur kühn und »malerisch« erscheinen und entspricht damit der romantischen Burgenvorstellung, wie sie die Dichtungen Joseph von Eichendorffs, Friedrich de la Motte Fouqués, Ludwig Tiecks, Wilhelm Hauffs und anderer vermittelten – »Wie das Nest eines Vogels, auf den höchsten Wipfeln einer Eiche oder auf die kühnsten Zinnen eines Turmes gebaut . . .« (W. Hauff, Lichtenstein, 1826). Diese Verbindung von wildromantischer Landschaft und Architektur macht darüber hinaus die fließenden Grenzen zwischen Theater- und Tafelmalerei deutlich, die für das Werk Quaglios charakteristisch sind.

Quaglio, der, bevor er sich ganz der Ölmalerei widmete, von 1803–1818 als Hoftheatermaler in München tätig war, hatte schon früh seine Vorliebe für die Denkmäler der mittelalterlichen Vergangenheit entdeckt und seit dem zweiten Jahrzehnt des 19. Jahrhunderts zu Studienzwecken ausgedehnte Reisen unternommen, wo er vor allem Skizzen von mittelalterlichen Bauwerken schuf und später in lithographischen Mappenwerken publizierte. Diese bildhaften Eindrücke hat Quaglio in eigene Konstruktionen verwandelt, so bei der Restaurierung der Burgruine und dem Bau von Hohenschwangau 1835. Fälschlicherweise wurde noch bei Trost die von Quaglio dargestellte Anlage als Burg Stolzenfels am Rhein, die vom preußischen Kronprinzen zu dieser Zeit wiederhergestellt wurde, identifiziert; Bauvolumen, Aufbau und Lage des Bauwerkes widerlegen jedoch die frühere Bezeichnung (vgl. dazu Biehn 1970, Abb. 25 Burg Stolzenfels und Abb. 28 Burg Rheinstein). Der Ausbau bzw. der Wiederaufbau zahlreicher alter, verfallener linksrheinischer Wehranlagen durch Mitglieder des preußischen Königshauses, in deren Folge auch die Vautsburg rekonstruiert wurde, resultiert aus dem durch die Befreiungskriege erstarkten Nationalbewußtsein. Der Umstand, daß diese Burgen durch die französischen Truppen Ludwigs XIV. zerstört worden wa-

6.2.4

von denen exakte Bauaufnahmen Klenzes von seiner Reise von 1823 existieren, haben ihn die dorischen Tempel von Paestum, die er mehrfach auf seinen Italienreisen besuchte, erst in seiner Spätzeit nachhaltiger beschäftigt, und dies weniger als Archäologe, denn als Künstler. Dies ist um so erstaunlicher, als die gut erhaltenen Tempel von Paestum seit 1752 die Archäologen und Künstler anzogen. Seit der Mitte des 18. Jahrhunderts war der dorische Tempel ins Blickfeld gerückt. Durch die Mappenwerke von J. D. Roy und Stuart und Revett begann man anhand seiner Formen ein ganz neues Verständnis für die griechische Kunst zu entwickeln und diese gegen die römische abzugrenzen. Klenze hat sich vor allem in seinen »Aphoristischen Bemerkungen gesammelt auf seiner Reise nach Griechenland«, (Berlin 1838) theoretisch mit den Prinzipien des dorischen Tempels auseinandergesetzt. **B. E.**

6.2.7 Aphrodite führt Helena dem Paris zu *

Ludwig Schwanthaler (München 1802–1848 München) zuzuschreiben, München, um 1835, Carraramarmor, 50 × 74 × ca. 6,5, Lit.: vgl. Otten 1970, Abb. 137–8, auch 251; MStM

Das Hochrelief zeigt die Szene nach Homers Ilias, in der die Liebesgöttin Aphrodite dem trojanischen Prinzen Paris die geraubte Helena zuführt. Ludwig Schwanthaler arbeitete an einem Aphrodite-Zyklus für den Königsbau der Residenz, der eine ähnliche Kompositionsweise des Reliefs und der Figurenmotive aufweist. Die Physiognomien zeigen bei Schwanthaler Eigentümlichkeiten im Verschleifen der Stirn-Augenpartie und der tropfenförmigen Bildung der Augenkontur, die ebenfalls eine Zuschreibung dieses Reliefs nahelegen. **H. O.**

6.2.7

ren, gab ihrem Wiederaufbau zugleich eine nationaldeutsche und antifranzösische Bedeutung. U. K.

6.3.2 Burg Trausnitz *

Michael Neher (1798 München – 1876 München), 1839, bez.u.l.: MN (ligiert) 1839, Öl/Lwd, 57 × 48, Lit.: AK Münchner allgemeine deutsche Kunstausstellung 1858, 48, Nr. 1173; Boetticher, II, 1, 1891, 133, Nr. 14; MK BayStGS, V, 1984, 322; Regensburg, Fürst Thurn und Taxis-Kunstslg., Nr. St. E 3557 (BG.-Nr. 86)

Für die 1839 datierte Ansicht der Trausnitz ob Landshut wählte Neher den Blick von Südwesten, welchen der einstige Bergfried, der sog. Wittelsbacher Turm, dominiert. Dieser gilt neben dem Eingangstor und der Kapelle, die der Künstler schon 1838 gemalt hatte (MK BayStGS, V, 1984, 321–322), als einziger erhaltener romanischer Bestandteil der Burg, die Herzog Ludwig I. ab 1204 zu Schutz und Hut des Landes errichtete. Die »Landeshut« genannte Anlage entwickelte sich nicht nur zu einer »Herberge staufischer Kultur und Kunst«, sie war vielmehr bis zur Teilung des Herzogtums 1255 die »Repräsentantin des gesamten Bayern . . ., eines aufblühenden, maßgeblich in die Reichspolitik eingreifenden Staates (Stahleder, in: WB I/1, 1980, 243). Nur

konsequent erscheint es daher, wenn vor dem Hintergrund einer intensiven, von nationalistischem Gedankengut überfrachteten Auseinandersetzung mit dem Mittelalter das »Neue Bayern« des 19. Jahrhunderts (vgl. AK WB/III/1 1980) die Trausnitz wiederentdeckte, verkörperte sie doch wie kein zweites Bauwerk im jungen Königreich die große bayerisch-wittelsbachische Vergangenheit des Landes, an die es anzuknüpfen galt. Ein Jahr, nachdem Neher seine durch Lichtführung und Figurenstaffage bewußt »romantisierende« Ansicht der herzoglichen Residenz hoch über der Isar geschaffen hatte (vgl. AK Romantiker, München 1985, 94), begann sich König Ludwig I. um deren Erhaltung zu kümmern. U.S.

6.3.3 Das Innere der Trausnitzkapelle in Landshut

Michael Neher (München 1798–1876 München), 1838, bez.u.l.: MN (ligiert) 1838, Öl/Lwd, 70 × 57,6, Lit.: Allgemeine Deutsche Biographie 23, 1886, 391; Boetticher II, 1, 1901, Nr. 15, 133; Bleibrunner 1971, 31 m. Abb.; MK BayStGS V, 1984, 321–322 m. Abb. (C. Heilmann); München, Bayerische Staatsgemäldesammlungen 9465

Die Innenansicht der aus dem 13. Jahrhundert stammenden Georgskapelle der Burg Trausnitz

bei Landshut, dem alten Stammsitz der bayerischen Herzöge, im gleichen Jahr entstanden wie eine Innenansicht der Rüstkammer in Schloß Hohenschwangau (1838 auf der Berliner akademischen Kunstausstellung gezeigt), hat ihren Ursprung offenbar in der Beschäftigung des Malers mit der Wittelsbacher Ikono-

6.3.1

6.3.2

graphie und Geschichte durch seine Mitarbeit an der Innenausstattung von Schloß Hohenschwangau in den Jahren 1832–1837. Im Werk Nehers sonst unübliche Innenansichten gibt es nur in dieser frühen Periode. Das Bild ist heute ein Dokument für einen inzwischen verlorenen Zustand der Kapelle: der Verbindungsgang von der Empore zum oberen Altarraum aus der Zeit Wilhelms V. existiert nicht mehr.   B. E.

6.3.4 Die goldene Stube auf der Festung Hohensalzburg *

Max Ainmiller (München 1807 – 1870 München), 1843, bez. u. r.: Max Ainmiller 1843, Öl/ Lwd, 60 × 75, Lit.: AK Münchner allgemeine deutsche Kunstausstellung 1858, 22, Nr. 468; Boetticher I, 1891, 24, Nr. 25; Staudinger 1984, 57–60; Regensburg, Fürst Thurn und Taxis – Kunstslg., St. E. 10 928 (BG.-Nr. 99)

In penibler Feinmalerei, wie er sie als Porzellan- und Glasmaler in Nymphenburg gelernt hatte, gibt Max Ainmiller den Blick in die »Goldene Stube« der Festung Hohensalzburg wieder; zu Beginn des 16. Jh. unter Leonhard von Keutschach eingerichtet, bildete der Raum einen Teil der Wohnung der spätmittelalterlichen Salzburger Erzbischöfe. Dem in allen Details exakt erfaßten, prunkvoll ausgestatteten

6.3.4

Gelaß verleiht der Künstler durch eine an zeitgenössische Theatermalerei erinnernde Lichtregie sowie durch die im Durchblick zu einem Nebenzimmer erscheinende Gestalt eines Mönches stark stimmungshafte Züge (vgl. MK BayStGS V, 1984, 25). Die romantisch-verklärte Architektur sollte im Betrachter die Sehnsucht nach einem Mittelalter wecken, das Novalis in seiner einflußreichen, 1826 posthum veröffentlichten Schrift »Die Christenheit oder Europa« überschwenglich als goldenes Zeitalter, in welchem Frieden, Eintracht, Frömmigkeit und Liebe vorgeherrscht haben, pries. U.S.

6.3.5 In der Schlafkammer

Wilhelm von Kaulbach (Arolsen 1805–1874 München), 1846 bez. rückseitig: von Herrn Dir. v. Kaulbach im Jahre 1846; Öl/Lwd, 22 × 18; München, Städtische Galerie im Lenbachhaus G 12553

Das Gemälde zeigt eine junge Frau im Morgenkleid, die sich vor einem Vorhangbett das Haar

flicht. Links ein Toilettentischchen mit Spiegel sowie einer Öllampe und einem Nähkästchen. Rechts im Hintergrund ist ein aus spiraliggedrehtem Narwalzahn gearbeiteter Bettpfosten erkennbar; dieser wurde im Mittelalter mit dem Horn des Einhorn gleichgesetzt, dem Symbol der Keuschheit.   U.K.

6.3.6 »Ein eigener Herd ist Goldes wert« ∗ ∗

Hermann Dyck (Würzburg 1812–1874 München), 1847, bez.u.l. auf dem Wiegenbrett: 184.; u.r.: HDYCK f (ligiert), Öl/Lwd, 48 × 67; Gm 82/2

Hermann Dyck ist einer der vielseitigsten Münchner Künstler der ersten Jahrhunderthälfte. Er betätigte sich als Maler, Karikaturist (in den Fliegenden Blättern) und als Entwerfer von Gebrauchsgegenständen, wofür möglicherweise die verschiedenen Gerätschaften und Kleinplastiken auf dem vorliegenden Gemälde Zeugnis ablegen. Thematisch schließt das Bild

sich Dycks Sprichwortillustrationen und Karikaturen an. Möglicherweise ist es identisch mit dem 1847 vom Münchner Kunstverein für die Verlosung von 1848 angekauften Bild »Das Innere einer Försterwohnung« (Jahresbericht 1847, Ankäufe Nr. 44).

Offenbar handelt es sich um eine als Försterwohnung gebrauchte Halle in einem Schloß. Die Datierung MCCCCXIII unter dem Fresko verweist das Bauwerk in das frühe 15. Jahrhundert. Die Halle ist mit Jagdutensilien aller Art geschmückt und trägt an der Rückwand ein Jagdfresko in der Art von Münchhausens Lügengeschichten (zwei Bären werden durch einen Stoß auf einmal erlegt) oder der Darstellungen Dycks zu Hermann Margraffs in den Fliegenden Blättern seit 1845 Nr. 25 erscheinendem Lügenroman »Fritz Beutels wunderbare Fahrten und Abenteuer zu Wasser und zu Lande«. Dyck erfand dazu u.a. eine Illustration, in der ein Jäger drei Wappenlöwen mit einem Schuß erlegt.

Wie seine Karikaturen enthält das Bild vermutlich heute schwer entschlüsselbare Anspielun-

6.3.7

gen auf die politischen Verhältnisse in Deutschland vor 1848. Die ironische Inschrift am Kamin: »Ein eigner Herd ist goldes werth«, verweist auf ein Bedürfnis, das die »Försterfamilie« sich auf ungewöhnliche Weise erfüllen konnte: indem sie sich in für ihre Verhältnisse viel zu große feudale Räume einnistete. Vage Anspielungen auf die Heilige Familie (vor allem durch die unfertige Wiege am Treppenfuß und das Schreinerwerkzeug daneben) erinnern an das Unbehaustsein von Maria und Joseph, die ebenfalls für sich und ihr Kind eine unangemessene Herberge fanden. Erinnerungen an das umstrittene feudale Jagdrecht und das Wilderertum, die vom Volk anerkannte Reaktion auf ersteres, sind wohl nicht zufällig.　B.E.

6.3.7 Die Klosterkirche in Bebenhausen bei Tübingen *

Michael Neher (München 1798–1876 München), 1848, bez. u. l.: Michael Neher 1848, Öl/ Lwd, 48,6 × 59; Lit.: Boetticher II/1, 1898, Nr. 29, 133; II d/239

Die Skizzen zur »Klosterkirche in Bebenhausen« müssen auf Nehers Reise nach Tübingen, Maulbronn und Eßlingen im Jahre 1848 entstanden sein. Auf dem im Anschluß an diese Reise gemalten Bild erkennt man den für die Zisterzienserarchitektur typischen geraden Chorabschluß der Klosterkirche, die von der Ostseite aufgenommen wurde. Kloster und Kirche entstanden um 1200, im frühen 14. Jahrhundert wurde das große Ostfenster mit seinem gotischen Maßwerk in die romanischen Mauern, die man noch deutlich am Querhaus erkennt, eingebrochen und als letztes, kurz nach 1400, der Dachreiter hinzugefügt (Dehio). Man erkennt auf dem Bild auch deutlich die noch heute erhaltene Ringmauer des Klosters aus dem späten 13. Jahrhundert. Neher, der u. a. von Franz Reber in seiner »Geschichte der neueren deutschen Kunst« von 1876 (512) als der Begründer der malerischen Architekturvedute gefeiert wurde, die diese aus ihrer früheren linearen Erstarrung befreite, belebt das Bild durch eine weiche Beleuchtung und eine Staffage aus der Zeit des Dreißigjährigen Krieges: Zisterziensermönche begegnen Soldaten. H. Holland (Allgemeine Deutsche Biographie 23,

1886, 390) berichtet, daß Neher seine Staffagen zunächst auf über das Bild gelegte Glasscheiben skizzierte und so ihre genaue Position bestimmen konnte, bevor er sie in das Bild selbst übertrug.

Das Bild befand sich bis ins 20. Jahrhundert in der Neuen Pinakothek. Es trägt auf der Rückseite den Aufkleber der Sammlung Ludwigs I. (No. 450).　B.E.

6.3.8 Hochzeit Herzog Wilhelms V. mit Renata von Lothringen in der Münchner Frauenkirche 1568 *

Max Emanuel Ainmiller (München 1807–1870 München), Figuren: Moritz von Schwind (Wien 1804–1871 München), 1854, bez. u. r.: Max Ainmiller 1854, Öl/Lwd, 152 × 117; II a/27

Das Bild ist entweder eine Variante oder identisch mit dem bei Boetticher I, 1, 1891, Nr. 22 genannten gleichnamigen Werk, das 1854 von Herzog Max von Bayern seinem Schwiegersohn Kaiser Franz Joseph von Österreich geschenkt wurde. 1906 tauchte es auf der Glaspalastausstellung »Bayerische Kunst 1800–1850«

(Nr. 36) auf als im Besitz des Grafen von Lerchenfeld-Köfering befindlich. 1926 wurde es über den Kunsthandel durch das Stadtmuseum erworben.

Die von Max Emanuel Ainmiller und Moritz von Schwind gemalte Fürstenhochzeit von 1568 in der Münchner Frauenkirche dokumentiert die Geschichte der Regotisierung der Frauenkirche unter Maximilian II. in ihrem Anfangsstadium. Die beiden Maler stützen sich auf einen Stich aus dem Jahre 1568 von Nikolaus Solis, wobei sie den Hochaltar, der ab 1860 nach Entwürfen von Moritz von Schwind und dem Bildhauer Josef Knabl ausgeführt wurde, ergänzten. 1853 hatte sich Joachim Sighart in seinem in Landshut erschienenen Buch »Die Frauenkirche zu München« für die Regotisierung unter Zugrundelegung des Stiches von Solis eingesetzt. Die Genehmigung für die Restaurierung und die Entfernung des Bennobogens von Hans Krumper erfolgte im Jahre 1857, die Restaurierung des Chores begann 1860 (Mayer 1868, 267 ff.).

Vorzeichnung in der Staatlichen Graphischen Sammlung München (36,4 × 28,1, bez. u. r.: Max Ainmiller, Inv. 1921 : 13). – Darstellung der rekonstruierten Kirche unter Verwendung des Bildes von Ainmiller: Lavierte Federzeichnung von Jobst Riegel (15 × 9,7, etwa 1865, MStM). – Darstellung der Innenansicht der Frauenkirche in restauriertem Zustand: Wilhelm Gail, Gemälde im Freisinger Diözesanmuseum von 1861. – Von Ainmiller selbst existiert eine Ansicht mit dem Blick vom Chor auf den Bennobogen und die Orgelempore aus dem Jahre 1837 (Öl/Lwd, 115,4 × 87, bez.: M A 1837, Slg. Georg Schäfer, Obbach, Inv. 62449917). B. E.

6.3.9 Ein Spielmann bei einem Einsiedler ∗

Moritz von Schwind (Wien 1804–1871 München), bez. rückseitig: Aufkleber der Firma H. Leichtlin Carlsruhe . . . mit dem handschriftlichen Vermerk: v. Schwind, Öl/Pappe, 60,9 × 45,7, Lit.: AK Romantiker und Realisten, Karlsruhe 1965, Nr. 48; AK BaKuKu 1972, Nr. 1859; MK BayStGS, V, 1984, 458–459; München, Bayerische Staatsgemäldesammlung, 13029

In der Karlsruher Ausstellung »Romantiker und Realisten« von 1965 wurde das Bild, Weigmann 1906 folgend, um 1846 datiert. Es schließt sich den Landschaften der vierziger Jahre an, in denen häufig die Erinnerung an romantische Dichtungen wachgerufen wird, wie einige Werke der Schack-Galerie in München zeigen: 11586 »Nixen an der Waldquelle«, 11578 »Ein Einsiedler führt Rosse zur Tränke« oder 11579 »Einsiedler in einer Felsengrotte« (siehe MK Schack-Galerie, München 1969). Das auch bei seinem Altersgenossen und Freund Carl Spitzweg beliebte Eremitenthema beschäftigte Schwind schon in den dreißiger Jahren: siehe das Aquarell »der wunderliche Heilige«, (Kupferstichkabinett der Staatsgalerie Stuttgart, Cn 38). Für eine Datierung des Münchner Bildes in die vierziger Jahre spricht auch der Karlsruher Aufkleber auf der Rückseite, da sich Schwind von 1840–44 in Karlsruhe aufhielt.

In der Staatlichen Kunsthalle in Karlsruhe (2310) existiert eine Gesamtansicht im Gegensinn, wohl nach der eigenhändigen Radierung (Feder und Öl auf Papier, auf Leinwand aufgezogen, 39,5 × 31). B. E.

6.3.10 Ohrenbeichte ∗

Carl Kreul (Ansbach 1804 – 1867 Nürnberg), 1836, bez. u. l.: C. Kreul 1836, Öl/Holz, 66 × 54, Lit.: Boetticher, I, 1, 1891, 801, Nr. 11; Regensburg, Fürst Thurn und Taxis-Kunstslg., St. E. 11032 (BG.-Nr. 65)

6.3.6

6.3.8

Kreul versetzt mit seiner Darstellung einer Beichte den Betrachter zurück ins Mittelalter: Szenario, Bildgegenstand sowie die Charakterisierung des jungen Mädchens und des greisen Mönches beschwören das romantische Ideal des vorkonfessionellen Zeitalters herauf, in dem Frieden und Harmonie, Liebe und Eintracht das Leben der Menschen bestimmten, in dem noch nicht das »eingeschränkte Wissen dem unendlichen Glauben ›vorgezogen‹« wurde (Novalis, Die Christenheit oder Europa).

U.S.

6.3.11 Mademoiselle de La Vallière und Madame de Thémines am Grab einer Karmelitin

Jean-Louis Ducis (Versailles 1775–1847 Paris), Paris, wohl 1814, bez. rückwärtig: Ducis, Öl/ Lwd, 48 × 41, Lit.: Dictionnaire de biographie française, Bd. 11, Paris 1967, Sp. 1259, 1980, 43 (jeweils ohne Identifizierung mit dem Coburger Gemälde); Coburg, Schloß Ehrenburg, Nr. R 55

Eine junge Nonne im Habit der Unbeschuhten Karmelitinnen und eine modisch gewandete Dame in weitem Mantel sitzen, im Licht einer auf den Boden gestellten Laterne, an einem Brunnen und blicken auf das mit einem Blumenkranz geschmückte Steinkreuz eines frischen Grabes. Nach Angabe der auf der Rückseite befindlichen Inschrift ist – rechts mit dem weißen Schleier und der braunen Tunika der Karmelitinnen – Mademoiselle Louise-Françoise de La Vallière (1644–1710) dargestellt, die erste Mätresse Ludwigs XIV., die sich 1671 aus dem weltlichen Leben in den Konvent der Unbeschuhten Karmelitinnen im damaligen Dorf Chaillot bei Paris flüchtete und 1675 als »Sœur Louise de la Miséricorde« in das Karmelitinnenkloster in der Pariser rue St.-Jacques eintrat. Wie die Bildlegende ausführt, nahm Mademoiselle de La Vallière am Tage ihrer Aufnahme in das Kloster von Chaillot am Begräbnis einer jungen Nonne teil, mit der sie eine innige Freundschaft verbunden hatte; am Abend jenes Tages weilte sie – Tränen vergießend – mit Madame de Thémines am Grabe der Freundin.

Das auf der Rückseite auf einem in Trompe l'œil-Art gemalten Zettel von Jean-Louis Ducis signierte Gemälde geht auf den 1804 von Caroline-Stéphanie-Félicité du Crest Comtesse de Genlis veröffentlichten Roman »La duchesse de La Vallière« zurück, der in der ersten Hälfte des 19. Jahrhunderts in der französischen Malerei vielfachen Widerhall fand (Chaudonneret 1980, 27). Überdies waren Themen des klösterlichen Milieus sehr beliebt und verbreitet, speziell im Kreise der »Peintres Troubadour«, zu denen der aus dem Atelier Jacques-Louis Davids hervorgegangene Ducis als einer der führenden Vertreter gehörte. Die namentlich in den ersten drei Jahrzehnten des 19. Jahrhunderts in Frankreich wirkenden »Peintres Troubadours«, die schon während der Kaiserjahre Napoleons Beifall fanden und in der Ära der Restauration – auch aus ideologischen Grün-

6.3.9

den – erst recht zu offizieller Anerkennung gelangten, wählten bevorzugt historische Sujets, überwiegend aus dem Mittelalter, gelegentlich aus späteren Jahrhunderten. Die auch stilistisch stark retrospektiv ausgerichteten Maler orientierten sich teils an mittelalterlichen Miniaturen, teils an der holländischen Feinmalerei des 17. Jahrhunderts, etwa in der Art Gerard Dous (Chaudonneret 1980, 25). Das Coburger Bild – weniger graphisch angelegt als andere Werke des Malers – ist durch die brillanten Clair-obscur-Effekte der qualitätvollen Malerei ausgezeichnet; auch im zarten Sentiment der abendlichen Szene, die den Kontrast zwischen weltlicher Existenz und klösterlicher Abgeschiedenheit zurückhaltend andeutet, zählt das Gemälde zu den besten Leistungen Jean-Louis Ducis. Wahrscheinlich kann das Coburger Bild mit dem 1814 auf dem Pariser

Salon unter Nr. 350 ausgestellten Werk »Madame de La Vaillière et Madame de Thémines au couvent de Chaillot« identifiziert werden, das sich später in der Sammlung des Charles-Ferdinand Duc de Berry befand (dessen Gemahlin Marie-Caroline war eine passionierte Sammlerin der »Peinture Troubadour«: Chaudonneret 1980, 25 und 43) und bislang als verschollen galt. 1836 verkaufte der Pariser Händler Alphonse Giroux das Gemälde – zusammen mit 22 weiteren Werken – zum Preis von 600 livres an Herzog Ernst I. von Sachsen-Coburg und Gotha, der in jenen Jahren insgesamt etwa 70 Werke der zeitgenössischen Malerei in Paris erwarb (vgl. Kat.Nr. 7.1.6; Ankaufsakten im Staatsarchiv Coburg, A I 28b 16 E V Nr. 27; vgl. Seelig in: Erdmann (Hg.) 1982, 71 und 73, Anm. 102; ausführlichere Publikation in Vorbereitung).

527

6.3.10

Herzog Ernst I. (geb. 1784, reg. ab 1806, gest. 1844) – mit bemerkenswert sicherem Geschmack und dem Gespür für noch unerkannte künstlerische Talente begabt – zählt zu den bedeutendsten fürstlichen Sammlern und Mäzenen Süddeutschlands in der ersten Hälfte des 19. Jahrhunderts. Die unter Ernst I. – u.a. nach Plänen Karl Friedrich Schinkels – ab 1810 umgestaltete Stadtresidenz Ehrenburg in Coburg gehört der äußeren Erscheinung nach zu den wichtigsten Beispielen früher Neugotik, während die von dem Pariser Architekten André Marie Renié-Grétry entworfenen Innenräume eine äußerst geschickte Adaption des französischen »style Empire« darstellen (Renié trat auch als Vermittler der 1836 in Paris getätigten Gemäldeankäufe auf). Zudem kann das ab 1806 umgebaute Schlößchen Rosenau bei Coburg als eine der bemerkenswertesten Architekturen der Neugotik in Süddeutschland gelten. Als Gemäldesammler erwarb Ernst u.a. Werke der Münchner wie der Dresdner Malerschulen der Romantik, die heute etwa mit Arbeiten von Heinrich Bürkel und Carl Heinrich Crola in der Coburger Ehrenburg vertreten sind. Erst in seinen letzten Lebensjahren kaufte der Herzog die erwähnten Werke der französischen Malerei, die ein in Deutschland wohl singuläres Ensemble bilden. Insgesamt lassen sich die Ankäufe meist kleinformatiger Gemälde der Romantik durch Herzog Ernst I. am ehesten mit den Erwerbungen Fürst Karl Maximilian Karls von Thurn und Taxis vergleichen (vgl. Staudinger 1984). Doch im Gegensatz zu den Regensburger Gemälden gelangten die Coburger Ankäufe nicht in einer eigenen Galerie zur gemeinsamen Hängung. Vielmehr waren die Gemälde auf verschiedene Räume des Schlosses Ehrenburg und des Schlößchens Rosenau verteilt. Besonders die Rosenau, deren Ausstattungsprogramm durch ritterliche Themen bestimmt war, eignete sich speziell für die Aufnahme der Werke der französischen »Peinture Troubadour«. Dementsprechend stammt das Gemälde des Jean-Louis Ducis aus dem Schlößchen Rosenau.   L.S.

6.3.13

6.3.12 Der Minnesänger Frauenlob im Kreise von Frauen

Philipp Foltz (Bingen 1805–1877 München), Öl/Lwd, 66 × 101, Lit.: AK Deutsche allgemeine und historische Kunstausstellung, München 1858, Nr. 553; Boetticher I, 1, 1891, Nr. 22, 334; MK BayStGS, V, 1984, 146; München, Bayerische Staatsgemäldesammlungen, 7709

Der Minnesänger Heinrich von Meißen, genannt Frauenlob, starb im Jahre 1318. Er wurde als einer der zwölf Meister des Meistergesanges verehrt.
Im Nekrolog (Der Sammler 96, 1877, 5) heißt es, Foltz habe im Jahre 1842 u.a. den »Frauenlob« gemalt. Diese Datierung ist wohl nicht ganz wörtlich zu nehmen, entspricht jedoch der Tatsache, daß nach Einzelveröffentlichungen in den Quartalsblättern des ›Mainzer Ver-

eins für Literatur‹ seit 1831 im Jahre 1843 von Ludwig Ettmüller eine kritische Ausgabe der Werke Frauenlobs als 16. Band der »Bibliothek der gesamten deutschen Nationalliteratur« mit folgendem Titel herausgegeben wurde: Heinrich von Meissen des Frauenlobes Leiche, Sprüche, Streitgedichte und Lieder (Quedlinburg und Leipzig 1843). Es ist also durchaus möglich, daß das Bild von Foltz im Zusammenhang mit der Veröffentlichung der Werke Frauenlobs am Anfang der vierziger Jahre entstand.
Daß das Thema in den vierziger Jahren aktuell gewesen sein muß, zeigt ein auf der Münchner Akademieausstellung von 1845 unter der Nr. 77 ausgestelltes Bild von Ludwig Lindenschmit aus Mainz mit dem Titel »Das Begräbniß des Minnesängers Heinrich Frauenlob durch die Frauen in Mainz« (Tuschezeichnung, die zur Zeit der Ausstellung sich im Besitz der Erbgroßherzogin von Hessen befand).   B.E.

6.3.13 Der Tod des Götz von Berlichingen *

Leopold Schulz (Wien 1804–1873 Wien-Heiligenstadt), Wien, 1839, bez.u.r.: L. Schulz

1839, Öl/Lwd, 54 × 50, Lit.: Boetticher, II/2, 1901, Nr. 3; München, Städtische Galerie im Lenbachhaus, G 8326

Das Gemälde von Leopold Schulz bezieht sich auf den Schlußakt des Schauspiels von Johann Wolfgang von Goethe »Götz von Berlichingen mit der eisernen Hand« (1775): Ritter von Berlichingen stirbt als Gefangener im Gärtchen vor dem Turm in Heilbronn in den Armen seines treuen Knechtes Franz Lerse, umringt von seiner Frau Elisabeth und der Schwester Maria. Goethes Rückgriff auf einen mittelalterlichen Stoff entsprach ganz dem gesteigerten nationalen, deutschen Bewußtsein der Romantik.
Literarisch angeregte Darstellungen nehmen in der romantischen Malerei einen bedeutenden Platz ein. Zu den bevorzugtesten Themen gehörten neben dem »Nibelungenlied«, das in der Romantik zum Nationalepos erhoben wurde, vor allem die Dichtungen aus der deutschen Geschichte von Goethe, die einen starken Eindruck auf die Künstler jener Zeit hinterließen.
                    U.K.

6.3.14

6.3.17

6.3.14 Fanny Elßler in dem Ballett »Des Malers Traumbild« ✳

Frederik Storch (Kjerte/Fünen 1805 – 1883 Kopenhagen), 1845, bez. u. l.: F. Storch 1845, Öl/ Lwd, 113 × 91; Regensburg, Fürst Thurn und Taxis-Kunstslg., St.E. 10664 (BG.-Nr. 102)

Als Fanny Elßler (1810–1884), eine der größten Ballerinen der Epoche, am 21. April 1844 in Wien und kurze Zeit später in München in dem Divertissement »Des Malers Traumbild« vor das Publikum trat, wurde sie begeistert gefeiert: »Unbestritten ist Dem. Elßler die Einzige, die … bei all der edlen Grazie ihrer malerischen Stellungen so viel sprechende Mimik und so viel seelenvollen Ausdruck in ihren Tanz zu legen weis … Die Elßler tanzt nicht blos, sie declamirt ihre Pas, und jede ihrer Bewegungen, jedes Mienenspiel, jede Nuance ist Sprache und Poesie« (Allg. Theaterzeitung Wien, 23. April 1844, 406). Das von der Tänzerin selbst inszenierte Ballett hat die leidenschaftliche, aber zunächst hoffnungslose Liebe des Malers Leonello zur Gräfin Sant'Olivar zum Inhalt. Beflügelt von seinen Gefühlen, gelingt dem Künstler das »zum Sprechen ähnliche« Bildnis der Angebeteten, vor dem er sich seinen Träumen hingeben kann. Eines Tages sucht die Gräfin das Atelier des Meisters auf, um sich von der Lebendigkeit des Porträts zu überzeugen. Die Dame, »deren Erscheinen den jungen Künstler Anfangs, einem Traumbilde

gleich, überrascht und in sehnsuchtsvolle Täuschungen versetzt, beschließt diese Täuschung endlich zur süßen Wirklichkeit und beglückt den Liebenden mit Hand und Herz« (Allg. Theaterzeitung Wien, 23. April 1844, 406). Als Gräfin Sant'Olivar tritt Fanny Elßler im schlichten Ballerinentüll aus dem prunkvollen Bilderrahmen heraus vor den altdeutsch gekleideten Leonello. Damit aber fließen verschiedene Realitätsebenen ineins: die Tänzerin Fanny Elßler, die schon zu Lebzeiten zur Legende wurde, und die von ihr verkörperte Adelige stehen gleichberechtigt nebeneinander – in einer gleichsam traumhaften Sphäre.   U. S.

6.3.15 Quellnymphe

Ludwig Schwanthaler (München 1802–1848 München), München, um 1845, Gips, gegossen und bemalt, 61,5 (m. Sockel) × 23 × 32, Lit.: Otten 1970, Kat.Nr. 468, Abb. 109; München, Bayerisches Nationalmuseum, 69/67

Die Skulptur der auf einem von Wasser umspülten Felsen sitzenden nackten Quellnymphe ist eine verkleinerte Nachbildung der lebensgroßen Marmorstatue in Schloß Anif bei Salzburg. (Eine leicht veränderte Ausführung der lebensgroßen Figur in Bronze steht im Münchner Hofgarten.) Aus der gleichen Form wurde die Figur in Nymphenburg auch in Porzellan gebildet (Bisquitfigur, BNM 60/61). Als Ge-

genstück zu der Anifer Quellnymphe, wie es ein Schreiben Franz Xaver Schwanthalers vom 16. 11. 1852 belegt, entwarf Ludwig Schwanthaler die »Omphale«. Das Nymphenthema beherrschte Schwanthalers Arbeit seit den zwanziger Jahren; ob die ›Donaunymphe‹ für das Schloß Frauenberg in Böhmen, 1842–45, oder der ›Jäger und die Nymphe‹ für den Herzog von Devonshire, 1840–48, oder für einen unbekannten Auftraggeber die ›Dichtkunst‹, sie sind nahe Verwandte der Nymphe zu Anif.   U. K.

6.3.16 Modell zum Standbild der Omphale

Ludwig Schwanthaler (München 1802–1848 München), München, um 1845/46, bez. am Sockel des Thrones: LS; Gips, gegossen und bemalt, 59 (m. Sockel) × 22 × 33, Lit.: Otten 1970, Kat.Nr. 419, Abb. 102; München, Bayerisches Nationalmuseum 69/68

Auf Ovalsockel sitzende nackte Omphale auf gepolstertem antikisierendem Thronstuhl. Das Modell zeigt die lydische Königin, die Herkules zum Rollentausch überredet und sich seiner Waffen bemächtigt hat, mit den Attributen des Herkules, der Keule und der Löwenhaut. Die Figur wurde als Ausdruck romantischer Tendenzen in ihrer Formgebung interpretiert.   U. K.

6.3.18

Freiheitsromantik

6.3.17 »Kraxentrager« auf dem Pass *

Joseph Heinrich Ludwig Marr (Hamburg 1807–1871 München), München, 1835, bez. u.r.: H MAAR (ligiert) (18)35, Öl/Lwd, 38,2 × 51,4, Lit.: Hager 1977; München, Galerie Gisela Meier

Armut und Überbevölkerung mancher Gebirgstäler zwangen viele Bewohner des Alpengebietes, durch Hausiererhandel ihren nötigsten Lebensunterhalt zu verdienen. Als sogenannte »Kraxentrager«, die vornehmlich aus Berchtesgaden und dem Tiroler Raum stammten, zogen sie mit ihren meist selbstgefertigten Waren (Teppiche, Handschuhe, Steinöl, Schnitzereien, Holzwaren, Spielzeug, Eisenartikel, bäuerlichen Gebrauchsgegenstände, Uhren, Vögel usw.) oft durch ganz Europa und boten ihre Erzeugnisse feil. Schon als ganz junge Burschen, mit 14/15 Jahren, begannen diese Hausierer ihre Laufbahn, die sie mit einer Aura des Abenteuers und der Freiheit umgab.

Das Gemälde Marrs zeigt solche Kraxentrager mit ihren sich bis über den Kopf türmenden Buckelkraxen bei der Alpenüberquerung. Während drei der Männer nach dem beschwerlichen Aufstieg auf eine Paßhöhe rasten, schwenkt ein weiterer Hausierer seinen Hut, um die weiter unten mit ihrem Vieh ziehenden Bergbewohner auf sich aufmerksam zu machen. Im Hintergrund erstreckt sich die Alpenkette mit Gletschergebieten bis weit in die Ferne.

Der Hamburger Joseph Heinrich Marr kam erst 1825 nach München und wurde vornehm-lich durch seine Genreszenen aus dem oberbayerischen, tiroler und italienischen Volksleben bekannt.   U.K.

6.3.18 Wildschützen erschießen einen Jäger *

Hans Brunner (München 1813 – 1888 München), 1835, bez. u.l.: J. Brunner 1835, Öl/Lwd, 62 × 70, Lit.: Schorns Kunstblatt 1835, 231; Jahresber. über den Bestand und das Wirken des Kunstvereins in München während des Jahres 1835, 42, Nr. 156; Staudinger 1984, 73–74, Kat.Nr. 27; Regensburg, Fürst Thurn und Taxis-Kunstslg., St.E. 10666 (BG-Nr. 128)

Mit dem neuen Verhältnis des Menschen zur Natur entwickelte sich zu Beginn des 19. Jahrhunderts auch eine neue Beurteilung der Land-

6.3.22

bevölkerung, die nun zum Muster einer ursprünglichen, unverdorbenen Gesellschaft aufstieg. Parallel dazu entstand eine ausgeprägte Vorliebe für die Darstellung von Außenseitern eben dieser Gesellschaft, deren Leben als Synonym für ein freies Dasein außerhalb bestehender sozialer Konventionen und Zwänge gesehen wurde (Immel 1967, 321). Besonderer Beliebtheit beim Publikum erfreuten sich Szenen aus dem Leben von Wildschützen, zumal wenn sie, wie bei Brunner, sentimentaler Züge nicht entbehrten. Analog zur literarischen Gattung der Dorfgeschichte legt der Künstler seine Erzählung von einem Bauernmädchen, das auf Knien zwei Wilderer um das Leben eines in deren Händen gefallenen Jägers anfleht, sehr breit an. Als Mangel des ansonsten »reinen Dichtergefühls« Brunners empfand die zeitgenössische Kritik allerdings den Umstand, daß eben nicht durch die junge Frau »der Sieg über die rohe Rachsucht« herbeigeführt wird, sondern durch einen aus dem Hintergrund als Retter auftauchenden Waidmann (Schorns Kunstblatt 1835, 231). U.S.

6.3.19 Zwei Wildschützen *

Kaspar Kaltenmoser (Horb/Neckar 1806–1867 München), 1836, bez.u.r.: C. Kaltenmoser pinx. München 1836, Öl/Lwd, 58 × 45, Lit.: Staudinger 1984, 133–134, Nr. 47; Regensburg, Fürst Thurn und Taxis-Kunstslg., St.E. 10782 (BG.-Nr. 72)

In einer vollkommen theatermäßig wirkenden Inszenierung läßt Kaltenmoser zwei verwegen wirkende Wilderer vor der gewaltigen Kulisse steil aufragender Berge agieren. Im Unterschied zu ähnlichen Darstellungen Lorenzo Quaglios, dem es stets um die Charakterisierung einer individuellen Persönlichkeit geht – auf seinen Blättern ist häufig sogar der Name des Modells verzeichnet! – gibt Kaltenmoser in den beiden Burschen, die in deutlich gesuchten Posen wie erstarrt zu sein scheinen, gleichsam den ›Prototyp‹ des Wildschützen wieder. Das Bild der kraftstrotzenden Männer, die fernab jeglicher gesellschaftlicher Konvention ein abenteuerliches Leben im Einklang mit der Natur führen, entspricht dabei exakt jenen romantisch-verklärten Vorstellungen, die ein bürger-

liches Publikum von diesen Außenseitern des ländlichen Gemeinwesens pflegte. U.S.

6.3.20 Bayerischer Soldat vor einer französischen Schenke

Carl von Heydeck (Saaralben/Lothr. 1788–1861 München), 1839, bez.u.l.: C.v.Hdk pt 7/1839, Öl/Holz, 40,5 × 34,5; München, Städtische Galerie im Lenbachhaus

Mit der dargestellten Szene schildert Heydeck eine Begebenheit aus der Zeit der Befreiungskriege: vor einem Gasthaus mit ausgestecktem Reisigbuschen, auf dessen Fassade die Worte »An fidel Berger« und »BON LOGIS A PIED . . .« zu lesen sind, halten einige bayerische Chevaulégers und Infanteristen zu einer kurzen Rast an. Während ein Infanterist kniend aus einer Kanne, die ihm eine Magd hinhält, trinkt, schäkert ein abgestiegener Chevauléger mit dem jungen Mädchen. Im Hintergrund sieht man die Truppe bereits weiterziehen.

Der Maler und Graphiker Carl von Heydeck konnte sich in jungen Jahren nur kurz dem ausschließlichen Kunststudium widmen, da er bald darauf eine militärische Laufbahn einschlug. Bereits 1801 kam er auf die Militärschule nach München und seit 1805 kämpfte er als bayerischer Artillerieleutnant im preußisch-schlesischen und österreichisch-tiroler Feldzug, in Spanien und Portugal (1810/1813) und schließlich im griechischen Befreiungskrieg (1821/29). 1835 mit dem Rang eines Generalmajors aus Griechenland zurückgekehrt, widmete er sich in München ausschließlich der Malerei, wo er nach Quaglio und Hauenstein nun bei Ch. v. Mannlich studierte. Heydeck beschäftigte sich vor allem mit der Darstellung von Landschaften, Architekturen aus Griechenland, Kriegsszenen und Gefechten, an denen er selbst teilgenommen hatte, sowie Genreszenen. Albrecht Adam bezeichnete in seiner Autobiographie Heydeck und Peter Hess als seine großen Rivalen und rühmt von Heydeck, daß er gewisse veraltete Manieren aus der Zopfzeit in der Münchner Malerei beseitigt habe. »Der dunkle Vordergrund, der gewisse

Coulissenbaum und ähnliche Unarten verschwanden nach und nach . . .« (nach Thieme/ Becker, XVI, 1923 253). U.K.

6.3.21 »Spanische Guerillas in einem Fort«

Carl von Heydeck (Saaralben/Lothringen 1788–1861 München), 1840, bez. u. r.: C. v. Hdk pt 5/1840, Öl/Lwd, 70 × 93, Lit.: Boetticher II/1, 1898, 480, Nr. 22; München, Städtische Galerie im Lenbachhaus G 10574

Napoleons Übergriff auf Spanien im Jahre 1807 und die Ernennung seines Bruders Joseph Bonaparte nach erzwungener Abdankung der Bourbonen zum spanischen König (1808) führten zu einer nationalen Erhebung gegen die französische Fremdherrschaft. In gnadenlosem Guerillakrieg (1808–1813/14) errang das spanische Volk unter der Leitung der Zentraljunta schließlich mit Unterstützung englischer Truppen unter Führung Wellingtons seine Freiheit wieder. Jene Ereignisse wurden bei Heydeck wiederholt zum Sujet seiner Gemälde.

Das Bild zeigt den Innenhof eines Forts, in dem sich Guerillas und spanische Soldaten um einen Schwerverwundeten scharen, dem ein Priester die letzte Ölung gibt. Neben weiteren, den Hof belebenden Figurengruppen, sieht man im Hintergrund Soldaten, die das Fort gegen französische Angreifer verteidigen.
Heydecks Darstellung hat nicht den Anspruch einer authentischen Dokumentation, sondern ist vielmehr eine Umsetzung des Kriegsgeschehens in genrehafter Manier, die er jedoch »mit steter Aufmerksamkeit auf landschaftliche Umgebung und Klima, und mit treuer Auffaßung nach Verschiedenheit der Nationen verschiedenen physiognomischen Eigentümlichkeiten, Kostume und Lebensweisen . . .« behandelt (Nagler, VI, 1924, 395).
Die für den Künstler so charakteristische gefällige Anordnung der Figurengruppen und Landschaftsstaffagen gibt seinem Bild weniger den Charakter einer Momentaufnahme, als den einer für den Betrachter eigens gestellten Situation. (Der Bildtitel geht, wie das eigenhändig geschriebene Werkzeichnis bezeigt, auf den Künstler selbst zurück; eine Vorzeichnung

6.3.23

6.3.24

des Gemäldes – Bleistift, 56 × 88,5 – ist ebenfalls im Besitz der Städtischen Galerie im Lenbachhaus, München).

Der französische General Lejeune, der selbst am Spanienfeldzug teilgenommen hatte, malte ebenfalls große und stark beachtete Bilder für die Pariser Salons, die in ihrer zugleich detaillierten und hochdramatischen Darstellung den Kompositionen des bayerischen malenden Generals entsprechen (vgl. AK David – Delacroix, Paris 1974 Nr. 120).　　　　U. K.

6.3.22 »Szene aus dem spanischen Kriege« *

Carl von Heydeck (Saaralben/Lothringen 1788–1861 München), 1842, bez.u.r.: C.v.Hdk. pt /1842, Öl/Lwd, 71 × 91, München, Städtische Galerie im Lenbachhaus G 10575

Französische Soldaten vertreiben Guerillas mit Frauen und Kindern aus ihrem Unterschlupf. Mittelpunkt der Darstellung ist ein verwundeter Spanier mit entblößtem Oberkörper und Kopfverband, der auf einer Trage von seinen Kameraden vor dem Angriff der Franzosen in Sicherheit gebracht wird. Ein weißgekleideter Mönch drückt dem Verletzten ein Messer in die Hand. Die ganze Szenerie ist in helles Licht getaucht, das sich bei der zentralen Figurengruppe noch verstärkt. Mit Hilfe der geschickten, fast bühnenmäßigen Lichtführung, wie auch durch die verzweifelt aussichtslose Situation der Spanier aufgrund der Verwundeten,

Frauen und Kinder, erhöht Heydeck die Dramatik des dargestellten Moments.

Der spanische Freiheitskrieg (1808–1813/14) ist der Beginn des nationalen Widerstandes der europäischen Völker gegen Napoleons Herrschaftsanspruch und seine weltpolitischen Pläne. Wenngleich die Spanier in offener Feldschlacht den Heeren Napoleons nicht gewachsen waren, so erneuerten die Guerillas trotz allen Niederlagen immer wieder den Kampf. Heydeck, der selbst von 1810–1813 – zuerst auf französischer Seite, dann gegen Napoleon – in Spanien kämpfte, schildert in seinem Gemälde wohl die oft ausweglose Situation der spanischen Guerillas und versucht, Sympathie für den Freiheitskampf zu erwecken. (Der Titel des Gemäldes ist im Werkverzeichnis des Künstlers vermerkt; eine dem Bild zugehörige Vorzeichnung – Blei, 33,4 × 60, bez.o.l.: Nr. 143 – befindet sich ebenfalls in der Städtischen Galerie im Lenbachhaus, München).

U.K.

6.3.23 Piratengefecht auf offener See *

Niels Simonsen (1807–1885 Kopenhagen), 1841, bez.u.r.: N. Simonsen 1841 München, Öl/Lwd, 119,8 × 155,3, Lit.: Kataloge der Sammlung Lotzbeck München 1891 und 1927, Nr. 40; MK BaySTGS, V, 1984, 488–489; München, Bayerische Staatsgemäldesammlungen, L 848

Das Bild aus der Sammlung Lotzbeck war im Lotzbeckschen Palais am Karolinenplatz in München ausgestellt, bevor es 1935 als Leihgabe an die Neue Pinakothek kam.
Dargestellt ist ein unbeflaggtes Kanonenboot, dessen Besatzung offenbar aus französischem Militär und Matrosen besteht. Araber sind dabei, das Schiff zu kapern, wobei der Anführer in rotem Turban und rotem Umhang schon auf dem Deck voranstürmt. Das Bild entstand aufgrund von Eindrücken, die Simonsen, der sich zwischen 1834 und 1845 in München aufhielt, auf einer Algerienreise von 1840 empfangen hatte. (Schornsches Kunstblatt, 1841)
Algerien galt im 18. und 19. Jahrhundert als

Hort des Seeräubertums. Dies nahmen die europäischen Seemächte zum Anlaß, sich in die Angelegenheiten dieses Landes einzumischen. Ab 1830 führte Frankreich Krieg gegen Algerien, das sich 1847 im Anschluß an die Entscheidungsschlacht am Isly von 1844 gegen den algerischen Anführer Abd el Kader ergeben mußte. Im Bild Simonsens mischen sich historische Aspekte mit einer Piratenthematik im orientalischen Gewand, die durch Lord Byrons Epos »Der Korsar« von 1814 Eingang in die Malerei gefunden hatte.

B.E.

6.3.24 Frauenraub durch argentinische Indianer aus dem Zyklus »Der Überfall der Indianer« *

Johann Moritz Rugendas (Augsburg 1802–1858 Weilheim), um 1840, Öl/Lwd, 99 × 89, Lit.: Richert/Rugendas 1959; AK Rugendas in Mexico, Berlin 1984; Augsburg, Städtische Kunstsammlungen (Historischer Verein) 5186

Die Szene stammt mit großer Wahrscheinlichkeit aus der Serie von 25 Zeichnungen und Ölbildern: »Der Überfall der Indianer«. Rugendas malte diesen Zyklus nach einer Reise durch das Land der Araukaner. Die Araukaner wohnten im Süden von Chile und im Westen von Argentinien. Sie wurden wegen ihres kriegerischen Charakters bekannt. Sie erklärten sich bis 1883 von der Regierung Chiles unabhängig. Der Freund von Rugendas, Schriftsteller und zukünftiger Staatsmann Argentiniens, Sarmiento, nannte Rugendas Werk ein Heldengedicht der Pampa und sah in ihm ein würdiges Gegenstück zu Echevarrías Dichtung »Die Gefangene« (Richert 1959, 51). Das bedeutet aber nicht, daß Rugendas direkt nach diesem Gedicht seine Bilder gemalt hat. Nach Richert wollte Rugendas eine »Dramatische Gestaltung eines Stoffes aus dem Indianer Leben«. Er erkundigte sich dazu nach wahren Geschichten von geraubten Frauen.
Es handelt sich also um eine erfundene, dramatisierte Serie, die »Überfälle und Entführung von Frauen, die glückliche Flucht einzelner, das unglückliche Geschick anderer, die Kämpfe mit den Indianern, die Verhandlungen, die Rückga-

be der Entführten und endlich die Freude der Wiedervereinigung schilderte« (Richert 1959, 51). Rugendas hatte zuvor Serien gemalt aus dem Leben der Negersklaven in Brasilien und aus dem Leben der Indianer. Die Serie hatte großen Erfolg, so daß Rugendas des öfteren Bilder dieses Genres malte. Die Vorzeichnung zu dem Gemälde befindet sich im Völkerkundemuseum München. Die Datierung ist schwierig. Die Zeichnungen und erste Ölbilder wurden schon 1838 gemalt (AK Rugendas in Mexico, Nr. XVII, 47).
Johann Moritz Rugendas wurde 1802 in Augsburg geboren. Nach einer Lehre bei A. Adam bestand er 1817 die Aufnahmeprüfung an der Münchner Akademie, wo er die Klasse von L. Quaglio besuchte. 1821 bis 1825, mit 19 Jahren, erste Reise nach Brasilien als Illustrator des russischen Konsuls Freiherr von Langsdorff. 1826 Rückkehr nach Paris. Er beginnt dort die künstlerisch-wissenschaftliche Zusammenarbeit mit Humboldt. Dort lernte er die Maler Gérard, Gros, Vernet, Delacroix, David und Scheffer kennen. 1831–34 zweite Amerikareise nach Mexico. An den Mayaindianern von Palenque interessiert, beschäftigte er sich mehr mit vorkolumbianischen Kulturen in seinem monumentalen Werk: »Vues des Cordillères et Monuments des Peuples indigènes de l'Amerique«, »ein tragfähiges Fundament für die Amerikaforschung des 19. Jh.«. 1834 wurde Rugendas von Mexico aus politischen Gründen ausgewiesen und setzte die Reise in Richtung Chile fort. September 1835 reiste er in das Land der Araukaner, um Studien über den Charakter und die Gewohnheiten dieser Indianer zu machen. Vielleicht hatte er das Epos die »Araucana« von Alonso de Ercilla gelesen. 1836 Unfall und Kopfverletzung. Er litt sein ganzes Leben unter den Folgen dieses Unfalls. Bis 1845 Reise durch Peru und Bolivien. 1845–47 Reise durch Argentinien, Uruguay, Brasilien und Rückkehr nach Deutschland, wo er dank der Unterstützung von Humboldts Ölskizzen mit mexikanischen Motiven an König Friedrich Wilhelm IV. verkaufte und Reisestudien für seine Sammlung an den bayerischen König gegen eine jährliche Rente von 1 200 Gulden veräußerte.

N.M.

7 Fluchtwege

Das in sich geschlossene System des allgemeinen guten Geschmacks, der festgefügten Moralvorstellungen und nicht zuletzt die rücksichtslose Ausübung der Besitzrechte und Herrschaftsansprüche durch den Staat sowie die Grundbesitzer und Kapitaleigentümer führten bei vielen, die daran nichts ändern konnten und darunter litten, zur Abwendung und Flucht aus der beengten Welt des Biedermeier.

Nach außen fand die Abstimmung mit den Füßen statt und viele, die gesellschaftliche Not und politische Unfreiheit nicht ertrugen, wanderten aus. Ins Exil der neutralen Schweizer Republik und in die europäischen Metropolen, die großzügig Asyl gewährten, gingen bürgerliche Intellektuelle und demokratisch gesonnene Handwerker und suchten dort ihr Auskommen zu finden. Andere bestiegen die Schiffe nach Amerika, Afrika und Australien, um unter unbelasteten Bedingungen und in freien Verhältnissen ein neues Leben anzufangen.

Wieder andere wollten oder konnten sich nicht von den Verhältnissen des Alltags lösen, suchten sich aber Fluchtwege aus den philiströsen und bigotten Moralvorstellungen der engen Welt des Biedermeier. Manche lebten demonstrativ ein liederliches Bohèmeleben in der Umkehrung des Tageslaufes und im Gegensatz zu den bürgerlichen Tugenden Ordnung, Sauberkeit und Obrigkeitsgehorsam. Studenten und Künstler, gelöst von Familie und Heimatort, waren am ungehemmtesten und am ehesten imstande, ein geniales Leben ganz nach eigener Façon und im offenen Protest gegen die bürgerlichen Verhaltensnormen zu führen. Kraftmeier und Schlendrian fanden bei Humpen und einer Pfeife Tabak zusammen und stimmten in garstige politische Lieder ein. Man zeigte offen, daß man mit den »Philistern« und »Knoten« nichts gemein hatte.

Andere flüchteten vor der lichten und wohlgestalteten Welt der Staatskunst des Klassizismus in dunkle mittelalterliche Gewölbe, spielten die Ritterzeit nach und ergingen sich in Träumen über versunkene deutsche Größe und entschwundene Märchenwelten. Alles Ausgesonnene, Erdachte, Erträumte spielt in den Darstellungen des Biedermeier eine große Rolle und verrät die Phantasien der Epoche, die sich aus einer bestrittenen und trivialen Gegenwart in ein Anderswo fortträumte. Man suchte die fernen unbeschwerten Welten im sonnigen Süden und unter dem blauen Himmel Italiens und Griechenlands, oder sehnte sich in den Orient fort. Dieser Wechsel in eine andere Wirklichkeit vollzog sich durch Romane, Gemälde und Maskeraden, in denen ein Ideal von Glück und Abenteuer entworfen wurde. Wer das Vermögen besaß oder mit Stipendien ausgerüstet war, konnte die Reiche der allgemeinen Sehnsucht erkunden und von dort in Reisebildern und Reisebüchern den Daheimgebliebenen berichten.

Einige brachen mit den ihnen zugewiesenen Rollen in Familie und Gesellschaft und suchten für sich persönlich oder für die Allgemeinheit eine Änderung der rigiden Lebensformen zu erreichen. Emanzipation der Frauen, noch jenseits aller politischer Rechte, war eine Forderung, welche die Epoche bewegte und zutiefst verunsicherte. Während auf der einen Seite die patriarchalische Familie als Kernzelle der Gesellschaftsordnung ideologisch festgeschrieben wurde, brachen manche Frauen aus dem ihnen auferlegten Sittenkodex aus und führten ganz auf sich gestellt ein Leben jenseits bürgerlicher Moral als Schriftstellerinnen, Tänzerinnen und Schauspielerinnen. Die Flucht aus der Ständegesellschaft und ihren Rollenzuweisungen in Masken und gespielten Verwandlungen gehörten als Opposition zum Ordnungssystem des Biedermeier, das sich in seiner Ablehnung und im Gegenbild besser beschreiben läßt als in den bequemen Lebensformen der folgsamen Mehrheit.

H. O.

7.0 Narrenhaus * Abb. S. 84

gez. v. Wilhelm v. Kaulbach, (Arolsen 1804–1874 München) gest. v. H. Merz, München 1835, bez.u.l.: Erfunden u. gezeichnet v. W. Kaulbach, Verlag von C. A. Dempwolff. München; bez.u.M.: NARRENHAUS; bez. u.r. unter d. Leitung v. S. Amsler gest. v. H. Merz, Druck von Felsing, München; Kupferstich, 67 × 83, Lit.: Dürck-Kaulbach, 1917²; Görres (1835); Lehmann/Riemer 1978; Ostini 1906; AK Unter der Maske des Narren, Duisburg 1981; M II 2592

Das Narrenhaus, nach einer Bleistiftzeichnung von Wilhelm von Kaulbach aus dem Jahre 1830 (heute in den Staatl. Museen Berlin), ist in seiner Darstellungsweise einzigartig. Es spiegelt sich in diesem Stich die veränderte Einstellung der Gesellschaft zu den Geisteskranken wider: Aus dem potentiellen Verbrecher, der angekettet in Sondergefängnissen isoliert werden mußte, ist ein behandlungsbedürftiger Kranker geworden.

Zur Darstellung dieser Szene wurde Kaulbach durch die Besichtigung einer Heilanstalt angeregt. Er selbst sagte: »(. . .) und mich verfolgten diese unglücklichen Geschöpfe monate-, jahrelang im Traum und im Wachen. Es war wie eine Krankheit! Erst hier in München wurde ich das Bild los, indem ich mich entschloß, es aufs Papier zu bringen, und seht, so entstand das Narrenhaus!« (Dürck-Kaulbach 1917, 105.) Das Spiel mit der Rolle wird hier zur unheilvollen Fixierung, denn diese Menschen sind in ihren Wahnvorstellungen gefangen: »Links unten der spintisierende kleinstädtische Kannegießer, der sich für einen großen Philosophen hält, der »große Feldherr«, der sich einen hölzernen Kindersäbel um die Schulter gebunden hat und »Schlachten denkt« mit finsteren Plänen – eine Gestalt, wie sie in der Zeit nach den napoleonischen Kriegen gewiß in manchem Exemplar die Irrenhäuser bewohnte.

Darunter mit besonders einfältigem Gesicht ein Mensch, dem man den Schneidergesellen von weitem ankennt und der sich für einen Kaiser oder König hält mit seiner Papierkrone und einem dürren Ast als Zepter. Drei typische Vertreter des Größenwahnes. Daneben irgendein unglücklicher Projektenmacher, der irr über seinen Plänen und Berechnungen brütet. Rechts hinter ihm ein abstoßender Gesell, durch Ausschweifungen körperlich und geistig zugrunde gerichtet, im Gesicht und auf dem Kopf, den er mit höchst bezeichnender Gebärde kratzt, mit widrigem Ausschlag bedeckt. (. . .) Vor ihm eine verzweifelte Mutter, die ein Holzscheit, eingebunden in ein Linnen, in Schlaf zu singen sucht. (. . .) Links im Hintergrunde in dünkelhafter Würde ein älterer Mensch, dessen Züge stupiden geistigen Hochmut deuten, etwa ein vor lauter Besserwissen verrückt gewordener Kritiker. Ihn umhalsen zwei Weiber, die eine in ekelhafter Mannestollheit, die andere mehr in melancholischer Sehnsucht, vielleicht das Opfer unglücklicher Liebe. Dahinter ein böses altes Weib, Kupplerin, oder Ehrabschneiderin oder sonst was Liebliches. Zwei Vertreter des religiösen Wahnsinns, ein trauernder Schwärmer und ein eitler, selbstbewußter Prophet, stehen im Hintergrund der Gruppe.« (Ostini 1906, 62f.)

In dem im Vordergrund Sitzenden, der sein Gesicht verbirgt, soll Kaulbach sich selbst dargestellt haben, um seine Solidarität mit den Kranken auszudrücken. Beobachtet werden die Patienten von einem pfeiferauchenden Wärter, der einen Schlüsselbund in der Hand hält.

Dieses Werk, in dem das real Erlebte in intensiver Dichte zusammengefaßt wird, steht in Kaulbachs Schaffen als eine seiner großen Leistungen da, obwohl es durch seinen Realismus im Inhalt im Gegensatz zu seiner idealistischen Formgebung steht. Auch er selbst sah seine Begabung in diesem Bereich: In einem Brief an seine Verlobte Josephine Sutner aus dem Jahre

1831 schreibt er im Anschluß an einen Bericht über das Narrenhaus: »Es kommt aber nur darauf an zu bestimmen, was eigentlich die Aufgabe ist: Die Menschen darzustellen, wie sie wirklich sind – siehe Shakespeare – oder wie sie in einem exaltierten Kopfe idealistisch gebildet werden. Meine Muse bestimmt mich für das Erstere.« (Dürck-Kaulbach 1917, 157.)

Der Originalzeichnung wurden für den hier gezeigten Kupferstich die Mauer, das Anstaltsgebäude und die an der Mauer gehende Frau hinzugefügt. Der Stich erhält dadurch eine räumliche Definition, verliert aber die konzentrierte Eindringlichkeit, die das Original auszeichnet. Das »Narrenhaus« Kaulbachs fand große Publizität und wurde in ganz Europa bemerkt und von der Kritik gepriesen und ausführlich besprochen. Das breite Publikumsinteresse am Narrenhaus führte zu zahlreichen Nachdrucken mit dementsprechend schlechterer Qualität. So sind z.B. bei den Kupferstichen, die dem Traktat »Das Narrenhaus von Wilhelm Kaulbach nebst Ideen über Kunst und Wahnsinn« von Guido Görres beigegeben wurden, die subtilen Physiognomien so grob gestochen, daß sie zu Grimassen erstarren. Görres vertritt in diesem Buch eine religiöse Kunsttheorie, die eine Kunst um ihrer selbst willen verurteilt und eine Lobpreisung Gottes auch in der Darstellung verirrter, von Gott abgefallener Menschen verlangt. Aus diesem Grunde vermißt er beim Narrenhaus die Darstellung einer barmherzigen Schwester, mit deren »von heiliger Liebe erglühter Seele in diese Nacht des Elends und des Verbrechens ein Lichtstrahl aus einer höheren Welt herabgefallen wäre.« (Görres 1835, 93f.)

Görres gibt in diesem Traktat, das eine faszinierende Mischung aus beißender Gesellschaftskritik und katholischem Idealismus bildet, eine weitgehende Interpretation des Narrenhauses als Spiegelbild der Gesellschaft. Dies lag nicht in der Intention des Künstlers. S.W.

7.1 Fernweh – Italienfahrt und Orientreise

Mit der klassischen Sehnsucht nach den Denkmalen der Antike und dem milden Himmel Italiens hatte die deutsche Bildungsreise im 18. Jahrhundert begonnen. Die Romantik entdeckte dann die heimatliche Natur dazu als ein Medium der Dämonie und der Offenbarung und lenkte die historische Einbildungskraft auf die Burgruinen des Mittelalters. Das Biedermeier schließlich führte diese Tradition des Fernwehs und der Naturreligion vor allem in der Gepflogenheit des sonntäglichen Familienspaziergangs fort, entzündete seine Phantasie aber gerne an den malerischen Visionen mediterraner Farbenpracht und den literarischen Schilderungen exotischer Reiseabenteuer. Wenn auch nur von wenigen praktiziert – und wohl gerade deshalb – wurde die Vorstellung des Reisens in fremde Länder zum Inbegriff der Freiheit und der Flucht aus einem materiell ebenso wie geistig beschränkten Alltag.

Es war dies vor allem eine Flucht in Gedanken und Bildern, die sich ihre Erfüllung in dem Traum einer anderen Welt als der eigenen suchte, und in der das klassische Bildungsideal bald von einer pittoresken Mischung aus Abenteuer, Exotik und Erotik überlagert wurde. Angesteckt von einem in den ersten Jahrzehnten des 19. Jahrhunderts aufblühenden literarischen Reisefieber, das sich in Reisebildern, Reisebriefen und Reisenovellen entfaltete, und beflügelt von Stichen, Lithographien und Gemälden mit exotischen Sujets ergeben sich die Biedermänner dem Rausch der Ferne, auf die sich diffuses Freiheitsstreben projeziert. Dandys wie Fürst Pückler-Muskau oder Lord Byron hatten es ihnen vorgelebt und willig folgte ihnen die Phantasie aus der Provinz in fremde Länder.

Das wirkliche Reisen war den Bürgern des vortouristischen Zeitalters Strapaze und Greuel. War man nicht durch familiäre oder geschäftliche Notwendigkeiten gezwungen, so bewegte man sich kaum außerhalb des nahen Umkreises der Heimatstadt. Reisen war, auch als langsam die Postlinien perfektioniert wurden und gegen Ende der Epoche die Eisenbahn und das Dampfschiff mehr Luxus der Fortbewegung versprachen, außerordentlich mühsam, beschwerlich und zeitraubend. Mit wenigstens einiger Bequemlichkeit und in der Privatkutsche zu reisen war ein Privileg der Reichen, die auf die »deutsche Postschnecke« verzichten konnten. Aber auch sie zog es bis auf wenige künstlerisch oder abenteuerlustig veranlagte Ausnahmeexistenzen nicht in ferne Länder. Nachdem sie in ihrer Jugend vielleicht – und auch das gilt nur für die wenigsten – die im Rahmen der aristokratischen Bildung vorgesehene Grand Tour mit Italienfahrt gemacht hatten, beschränkten sie sich gewöhnlich darauf, jährlich zu einer Badereise aufzubrechen – wenn sie es nicht vorzogen, den Sommer in ihrem Landhaus vor den Toren der Stadt zu verbringen. In den Modebädern fand dann das Rendevouz der großen Welt und der Demi-Monde statt und man erholte sich zwischen Bällen und Landpartien am Spieltisch.

Die weniger Begüterten entdeckten die deutschen Mittelgebirge für sich als Ausflugsgebiete und überzogen sie an den Wochenenden mit einem Heer von Wanderern, wie dies Heine beklagt, der den Harz innerhalb kürzester Zeit in einen Massentreffpunkt der Berliner Kleinbürger verwandelt sah. Die ehemals avantgardistische Hinwendung zur Natur ist dem Biedermeier zum Allgemeingut geworden und man hat das Sammeln von Pflanzen, Mineralien und Käfern und Schmetterlingen als eine ebenso beschauliche wie lehrreiche Zerstreuung entdeckt.

Zu den eigentlichen Symbolfiguren der frühen Zeit des Reisens sind aber die Dandys und Künstler geworden, die auf der Suche nach dem Ideal Italien oder auf der Flucht vor Weltschmerz und Ennui die halbe Welt bereisten. Gewissermaßen erfunden haben das moderne Reisen die Engländer, die dem Spleen folgend das Reisen als sportliche Disziplin um seiner selbst willen betrieben und dabei weder vor dem Alpinismus, noch vor der Durchquerung orientalischer Wüsten zurückschreckten. »Sie reisen, um zu reisen. Sie wollen der Qual des Einerlei entfliehen, Neues sehen, gleichviel was, sich zerstreuen, obgleich sie eigentlich nicht gesammelt waren.« In dieser Perspektive wird die Welt zu einem Theater und Panoptikum, mit dem man die eigene Langeweile zu bekämpfen und sich Zerstreuung zu verschaffen sucht – und dies ist genau der Blickwinkel, der sich durch die Vermittlung der Kunst auch im deutschen Salon reproduzieren läßt.

Den ersten Platz in der Hierarchie der Phantasie-Reiseziele behält auch im Biedermeier Italien mit seiner traditionellen Anziehungskraft. Nicht nur die Zeugnisse der alten Kunst und Geschichte zogen aber in den Süden, sondern auch die idealisierte Vorstellung von der Anmut und Natürlichkeit des italienischen Volkslebens, die weniger der Realität, als vielmehr den Wunschvorstellungen des städtischen Bürgertums aus dem Norden entsprungen war. Maler aus allen Ländern versammelten sich in Rom und zogen ihren Verdienst daraus, die bis zu 15 000 fremden Besucher der Ewigen Stadt mit Souvenirgemälden zu versorgen; beliebt war nicht nur die Vedutenlandschaft, sondern vor allem das Genrebild mit den Szenen, die man sich unter »Volksleben« vorstellte. In dieser Kunst verwandelte sich Italien zunehmend von Goethes »Land, in dem die Zitronen blühn«, zu dem romantisch-pittoresker Abruzzenräuber und leichtgeschürzter toskanischer Landmädchen.

Neben Italien sind es vor allem Griechenland und der Orient, die das Interesse auf sich ziehen und der Phantasie eine bunte, exotische und geheimnisvolle Welt versprechen. Der griechische Freiheitskampf ab 1821 gegen die Türken erweckte die Begeisterung der gesamten europäischen Jugend – nicht zuletzt durch das ebenso spektakuläre wie malerische Engagement des englischen Dichters und Dandys Lord Byron. Von einer besonderen Griechenlandmode wurde gerade Bayern ergriffen, nachdem ein Wittelsbacher als Otto I. den Königsthron der Helenen bestiegen hatte, wodurch die folkloristische Kleidung der Griechen zum »dernier cri« der Münchner Maskenfeste avancierte.

Die Region der Phantasie schlechthin, deren Bild kaum durch wirkliche Kenntnisse beeinträchtigt war, bleibt in der Tradition des 18. Jahrhunderts der Orient – eine ebenso unbestimmte wie farbenprächtige Gegend zwischen Nordafrika und Indien.

Hier hatte man traditionell eine Vision von Macht, Luxus, Grausamkeit und Erotik lokalisiert, und man schwelgte mit Platen in fremden Namen, die es der Phantasie erlaubten, eine Orgie des Exotismus zu entfalten. »Schon war gesunken in den Staub der Sassaniden alter Thron./ Es plündert Mosleminenhand das schätzereiche Ktesiphon;/ Schon lang am Oxus Omar an noch manchen durchkämpften Tag,/ Wo Chosrus Enkel Jesdegerd auf Leichen eine Leiche lag.«

B. B.

7.1.1 »Der Wanderer« – nach einem Gedicht von Goethe *

Ernst Förster (Münchengosserstädt 1800–1885 München), 1832, bez. im Baumstamm: E F 18.., Öl/Holz, 56 × 42, Lit.: AK Landschaftsmalerei München 1979, Nr. 247; AK Deutsche Romantiker, München 1985, Nr. 130; Wasem 1981, 115ff. und 302ff.; Kaiser 1977, 38ff., München, Städtische Galerie im Lenbachhaus G 4430

Förster malte hier eine Szene aus dem gleichnamigen Gedicht Goethes (1772, gedruckt 1773), und zwar die Begegnung eines Wanderers mit einer jungen Mutter mit ihrem Kind und bezieht sich in seiner Darstellung auf die Anfangszeilen des Gedichtes: »Gott segne dich junge Frau/ Und den säugenden Knaben /An deiner Brust!/ Lass mich an die Felswand hier/ In des Ulmbaums Schatten/ Meine Bürde werfen,/ Neben dir ausruhen . . .« (Propyläenausgabe, Goethe, Sämtliche Werke, I, München 1919, 169).

Im Verlauf eines sich entwickelnden Dialogs bietet die junge Frau dem Fremden an, in ihrer Hütte zu rasten und mit ihrer Familie das Abendbrot zu teilen. Efeubewachsene Trümmer eines antiken Tempels, in welche die Bauersfamilie ihre Hütte eingebaut hat, veranlassen den Wanderer, sich kritisch mit dem Verhältnis von Natur und Kunst auseinanderzusetzen: er bezeichnet die Natur als Zerstörerin des schöpferischen Genius, erkennt aber zugleich in der Natur die Möglichkeit der geschichtlichen Wiedergeburt von Kunst und Geist und segnend verheißt der Wanderer im Kind, das ihm die Bäuerin vertrauensvoll in die Arme gelegt hat, solche Erfüllung (Kaiser, 39f.). Wenngleich die Verse bisweilen wörtlich illustriert sind, so ist das Bild nicht als reine Wiedergabe einer bestimmten Textstelle zu verstehen, sondern als Interpretation des gesamten Gedichts mit malerischen Mitteln: Der von »draußen« kommende Wanderer – Ausdruck des suchenden Menschen jener Zeit – tritt in eine südliche Idylle ein, wo er eine junge madonnengleiche Frau – zugleich Personifikation des Idyllischen – antrifft; nach einem labenden Trunk am Brunnen setzt er seinen einsamen Weg fort. Förster gibt den von Goethe unweit von Cumae in Süditalien lokalisierten Erlebnis durch landesübliche Tracht der Bäuerin, die Ruinen römischer Tempel und weinumrankten Bäume Ausdruck. Der Wanderer entsteigt einem düsteren, dichtbelaubten Waldtal und erblickt die Frau gleichsam als entrückte Traumgestalt. Angeregt zu dieser Darstellung wurde Ernst Förster wohl durch seine persönliche Bekanntschaft mit Goethe, den er 1825 in Weimar besuchte. 1833, kurz nach der Vollendung des Bildes, malte er in dem Schlafsaal der Königin im Königsbau der Münchner Residenz ein Fresko nach demselben Gedicht (1944 zerstört); hier wählte er jedoch für seine Illustrierung den Abschied des Wanderers von der jungen Frau (Wasem, 305).

U. K.

7.1.2 Ansicht von Capri *

Leo von Klenze (Brockenem/Harz 1784–1864 München), 1860, bez. u. l.: L. Klze 60, Öl/Lwd, 82 × 108, Lit.: Oldenbourg 1922, 239 m. Abb.; Hederer, Klenze, 1964, 167, 168. Abb. 64, 385, 416 Nr. 15 (m. älterer Literatur), 166 Abb. 63 (Vorzeichnung); Lieb/Hufnagl, 1979, G 68, Vorzeichnung Z 441; II d/208

Auf seinen vielfachen Italienreisen seit 1806/07 war Klenze auch mehrfach auf Capri gewesen. Ansichten von Capri und anderer süditalienischer Orte tauchen in seinem zeichnerischen Werk jedoch erst 1830 auf. Aufgrund dieser Skizzen entstand im Jahre 1833 ein erstes Gemälde, das den Ort aus größerer Entfernung zeigt (Lieb/Hufnagl 1979, G 30 m. Abb.). Zu diesem Zeitpunkt interessierte Klenze offenbar mehr die malerische Lage des Ortes als die charakteristische Architektur, bei der wohl schon aufgrund antiker Tradition die Räume mit Tonnengewölben versehen sind, da Bauholz knapp war. Erst im Jahre 1860 entstand die vorliegende Ansicht, die den Ort mit seiner eigentümlich orientalisch wirkenden Architektur in plastischer Verdichtung und durch die bildparallele Anordnung hinter einer Terrasse frontalisiert erscheinen läßt, wie dies für Klenzes Kompositionen seit den späten vierziger Jahren typisch ist. In dieser Zusammendrängung wirkt die Architektur des Ortes wie aus einem Guß, wobei die rund- bis spitzbogigen Fronten der Räume durch die Beleuchtung hervorgehoben werden. Um diese Einheit zu erreichen, hat Klenze die Kathedrale S. Stefano, die 1683 barock erneuert wurde, des barocken Schmuckes wieder entkleidet und sie unter Weglassung der Kuppeln über den Seitenschiffen, der Strebepfeiler und der Zierrate sozusagen auf ihr capresisches Ideal zurückgeführt. Deutlich erkennbar bleibt jedoch die Kuppel mit den in die Wölbung hineinreichenden Tambourfenstern, die allerdings etwas verkleinert wurden. Auf der Vorzeichnung der Staatl. Graph. Sammlung München (Lieb/Hufnagl 1979, Z 441) gibt Klenze die barocken Formen der Kirche noch richtig wieder. Der freistehende Campanile entsprach offenbar seinem Konzept und wurde daher naturgetreu ins Bild aufgenommen.

B.E.

7.1.3 Die Blaue Grotte auf Capri

anonym, um 1830, Öl/Lwd, 70 × 91, Regensburg, Fürst Thurn und Taxis-Kunstslg., St. E. 11 073 (BG.-Nr. 25)

Einer im 19. Jh. weit verbreiteten Tradition zufolge entdeckten am 18. August 1826 die Maler Ernst Fries und August Kopisch auf Capri die Blaue Grotte, die in dem 1838 veröffentlichten Exkursionsbericht den »Freunden wunderbarer Naturschönheiten« eindringlich beschrieben wurde: »Wir (Kopisch und Fries) benannten die Grotte die blaue (la grotta azzura), weil das Licht aus der Tiefe des Meeres ihren weiten Raum blau erleuchtet. Man wird sich sonderbar überrascht finden, das Wasser blauem Feuer ähnlich die Grotte erfüllen zu sehen, jede Welle scheint eine Flamme . . .« (A. Kopisch, Entdeckung der Blauen Grotte auf Capri, in: Italia 1838, zit. nach Schultze, 1973, 356).

Bereits zu Beginn der dreißiger Jahre hatte die »Feenwelt« der Höhle ein solches Maß an Popularität gewonnen, daß »kein Reisender Neapels paradiesische Gegend« besuchte, »der sich nicht dem wunderbaren Zauber dieser Grotte (hingab)« (Das Pfennigmagazin der Gesellschaft zur Verbreitung gemeinnütziger Kenntnisse 1839, zit. nach Schultze, 358); zahlreiche literarische Quellen legen davon Zeugnis ab. Im Gegensatz hierzu finden sich merkwürdigerweise nur sehr wenige Bilddokumente dieses Naturphänomens, die in der Regel das strahlend blaue Innere der Höhle mit dem Blick auf den Eingang, durch den das blendend helle Sonnenlicht eindringt, zeigen. Im Reigen der Grottendarstellungen kommt dem bislang unveröffentlichten Regensburger Gemälde aufgrund seiner Datierung vor 1834 (Zeitpunkt der Aufnahme in das Inventar der Thurn und Taxisschen Galerie) eine nicht unbedeutende Stellung zu, zählt es damit doch zu den frühen Belegen für die künstlerische Gestaltung des Sujets.

U.S.

7.1.4 Italienerin und ihr Kind

Michael Neher (München 1798–1876 München), München, 1826, bez. u. M.: M. Neher 1826, Öl/Holz, 45,5 × 34, Lit.: AK Landschaftsmalerei, München 1979, Nr. 246, München, Städtische Galerie im Lenbachhaus G 2413

Auf einer umrankten Terrasse sitzt eine junge Mutter mit Spindel und Rocken, die mit ihrem in einem geflochtenen Laufstall stehenden Kind spielt. Den Kopf in die Rechte gestützt, reicht sie dem Kind eine Orange. Im Hinter-

7.1.1

7.1.2

grund Ausblick auf eine flache Landschaft mit Architekturstaffage.

Diese idyllische Szene von Mutter und Kind entspricht in ihrer Darstellung dem traditionellen Bildthema: Maria mit dem Jesusknaben; das religiöse Thema wird hier gleichsam zum Genrebild transformiert.

Das Gemälde entstand kurz nach Nehers Aufenthalt in Italien. Dort hat er die Anregung zu seinem Bild empfangen, und daran erinnert er sich in seinem Münchner Atelier zurück. Die italienische Idylle erscheint in merkwürdiger Brechung durch diese zeitliche und räumliche Distanz.   U. K.

7.1.5 Öffentlicher Schreiber *

Theodor Leopold Weller (1802 Mannheim – 1880 Mannheim), 1833, bez. u. r.: 18 T/W 33, Öl/ Lwd, 58 × 52, Lit.: Jahresber. über den Bestand und das Wirken des Kunstvereins in München während des Jahres 1833, 46, Nr. 15;

Schorns Kunstblatt 1834, 153; Raczynski, II, 1836, 560; AK Münchner allgemeine deutsche Kunstausstellung 1858, 47, Nr. 1153; Boetticher, II/2, 1901, 992, Nr. 33; Müller/Singer, III, 1921, 850; Staudinger 1984, 277–280; Regensburg, Fürst Thurn und Taxis-Kunstslg., St. E. 3556 (BG.-Nr. 12)

Unter dem Eindruck Leopold Roberts (1794–1835) schildert Weller in seinem 1833 datierten und durch mehrere Studienblätter (StGSlg., 1926 : 124, 125, 1983 : 71; Städtisches Reiss Museum Mannheim, VI g, 140, Nr. 3.38) vorbereiteten Gemälde einen öffentlichen Schreiber, der vor seiner Behausung am römischen Nervaforum für eine junge Frau einen Brief ausarbeitet. Wiewohl der Künstler die Szene aus dem italienischen Volksleben mit minutiöser Genauigkeit gestaltet, geht es ihm doch um nichts weniger als um die reportagehafte Wiedergabe einer zufällig beobachteten Begebenheit, einer bestimmten sozialen Situation. Die armselige Existenz des Winkeladvo-

katen wird in erster Linie als malerische Qualität begriffen, das in bäuerlicher Tracht auftretende Mädchen erscheint »in der glühenden Flammentiefe des Künstlergemütes so fegefeurig gereinigt und geläutert, daß sie verklärt ›emporsteigt‹ in den Himmel der Kunst, wo … ewiges Leben und ewige Schönheit herrscht« (Heine, Schriften über Frankreich. Gemäldeausstellung in Paris 1831. Gesammelte Schriften Bd. III, Frankfurt 1968, 29). Die sehr überlegte Komposition, die Farbwahl und die Lichtführung tun ein übriges, um der Szenerie einen über jede Zeitlichkeit hinausgehobenen idealen Charakter zu verleihen. In welchem Maße das zeitgenössische Publikum derartige Wunschvorstellungen in die Realität hineinprojizierte, zeigen die Anmerkungen des Kritikers in Schorns Kunstblatt 1834, 153: Den »Zauber der Schönheit, den die Poesie den Bewohnern des glücklichen Landes (Italien) beilegt« und welcher auch die Gestalten Wellers auszeichne, erlebe ja der Reisende »hie und da an Ort und Stelle« mit eigenen Augen. U.S.

7.1.5

7.1.6 Am Grabe *

Jean-Auguste Franquelin (Paris 1798–1839 Paris), Paris, um 1830–40, bez.u.r.: Franquelin, Öl/Lwd, 60 × 50, Coburg, Schloß Ehrenburg, Nr. M 291

Ein bäuerlich gekleideter bärtiger Mann mit umgeschlagenem bunten Tuch und langem Stock, offensichtlich ein Hirte, der von einem zottigen Hund begleitet wird, blickt sinnend auf das einfache Holzkreuz eines frischen Grabes, um das ein Blumenkranz gelegt ist. Zu Füßen des Mannes lagert ein junges Mädchen in augenscheinlich italienischer Tracht, das mit gefalteten Händen zu dem Hirten emporblickt. Eine mächtige efeuumschlungene Eiche überfängt das Paar, das durch eine Steinmauer gegen den Mittelgrund abgesetzt ist. Im Hintergrund wird in der Ferne ein Kastell vor hohen Bergen sichtbar.

Die möglicherweise literarisch bestimmte Szene des Gemäldes, das Ernst I. von Sachsen-Coburg und Gotha 1836 in Paris bei der Händlerin Perrin in der rue de la Paix erwarb (zu den Ankäufen s. Kat.Nr. 6.3.11), läßt sich in ihrer Bedeutung nicht näher bestimmen; unklar bleibt auch die Beziehung des im Alter ungleichen Paares. In den Erwerbungsakten wird das Gemälde lediglich als »La Tombe« bezeichnet. Das Bild Jean-Augustin Franquelins, der im Atelier Jean-Baptiste Regnaults ausgebildet wurde, zeichnet sich gegenüber dem Werk des fast eine Generation älteren Ducis (Kat.Nr. 6.3.11) durch die stark malerische Auffassung der südländisch geprägten Szenerie durch das warme Kolorit und den vergleichsweise breiten Farbauftrag aus. Das Motiv der von Efeuranken umzogenen Eiche mag auch sinnbildlich – in der Bedeutung dauernder Freundschaft – zu verstehen sein. Ernst I. erwarb 1836 als weiteres Werk ein Historiengemälde Franquelins: eine Darstellung aus der Geschichte Ludwigs III.   L.S.

7.1.7 Italienisches Mädchen, dem ein Ständchen gebracht wird *

Theodor Leopold Weller (Mannheim 1802 – 1880 Mannheim), 1838, bez.u.r.: T. Weller, 1838, Öl/Lwd, 48,5 × 39, Lit.: Boetticher II 2, 1901, Nr. 52, 993; 51/440

Das Bild wurde 1951 aus der Sammlung Herzog Luitpolds von Bayern erworben. Es ist vermutlich mit dem gleichnamigen Bild von 1838 identisch, das sich nach Boetticher im Besitz der Königin Caroline von Bayern befand. Diese Tatsache wird durch ein Aquarell von F. X. Nachtmann von 1843 bestätigt, welches zwei Jahre nach dem Tod der Königin das Gemälde in ihrem Salon in Schloß Tegernsee an der Wand hängend darstellt (vgl. Kat.Nr. 5.1.219). In der Staatlichen Graphischen Sammlung in München befindet sich eine Vorzeichnung in Blei, die r.u. bezeichnet ist: »Okt. München 37« (38,5 × 26, Inv. 1926 : 123). Damit ist diese italienische Genreszene, die vermutlich auf Wellers Eindrücke seiner ersten Italienreise von 1825–1833 zurückgeht, im Atelier in München entstanden.

7.1.6

Mignon (aus: Wilhelm Meisters Lehrjahre)

Kennst du das Land, wo die Zitronen blühn,
Im dunkeln Laub die Gold-Orangen glühn,
Ein sanfter Wind vom blauen Himmel weht,
Die Myrte still und hoch der Lorbeer steht,
Kennst du es wohl?
        Dahin! Dahin
Möcht ich mit Dir, o mein Geliebter ziehn.

Kennst du das Haus? Auf Säulen ruht sein Dach,
Es glänzt der Saal, es schimmert das Gemach,
Und Marmorbilder stehn und sehn mich an:
Was hat man dir, du armes Kind, getan?
Kennst du es wohl?
        Dahin! Dahin
Möcht ich mit Dir, o mein Beschützer, ziehn.

Kennst du den Berg und seinen Wolkensteg?
Das Maultier sucht im Nebel seinen Weg,
In Höhlen wohnt der Drachen alte Brut,
Es stürzt der Fels und über ihn die Flut;
Kennst du ihn wohl?
        Dahin! Dahin
Geht unser Weg! o Vater, laß uns ziehn!   *Goethe*

7.1.7

Eindruck, daß Petzl sie in verkleinerter Form für die Fürstin Radziwill, ebenfalls in Petersburg, wiederholte (Holland, Allgemeine Deutsche Biographie 25, 1887, 546). Dieses Bild war im Münchner Kunstverein im Jahre 1837 ausgestellt (Jahresbericht 1837, Ausst. Nr. 316).

Das Thema vereinigt alles, was Petzl schätzte: griechische Folklore und die Darstellung von Hochzeitsfesten mit schönen Frauen in aufwendigen Kleidern. So war gleichzeitig mit dem ersten Bild im Jahre 1835 auch in der Münchner Akademie ein Bild »Eine Braut harrt ihres Bräutigams« (Nr. 208) ausgestellt und im Kunstverein ein der Beschreibung nach sehr ähnliches: »Ein ländliches Fest in Griechenland« (Schorn'sches Kunstblatt 1835, 230). Mit Recht sagt der Rezensent, daß es dem Maler vor allem auf die Pracht der Kostüme angekommen sei.

Petzl liebt den Gegensatz von einem halboffenen Innenraum (hier mit einem Wandbrunnen in türkischen Formen, vor dem die reiche Mitgift ausgebreitet ist) und einem in der Ferne stattfindenden festlichen Treiben, wobei gleichzeitig – nicht nur in seinen griechischen Bildern – durch diese zwei Räume Frauen und Männer getrennt sind. Alter Tradition entsprechend ist der umschlossene Raum den Frauen zugeordnet.

Petzls Bild ist ein Beispiel für den spezifischen Orientalismus, der in Bayern mit der Krönung des bayerischen Prinzen Otto zum König von Griechenland im Jahre 1832 begann. Dieses Ereignis setzte einen regelrechten Griechenlandtourismus in Gang, wobei man nicht nur die Landschaft und die antiken Ruinen, sondern auch das türkisch geprägte griechische Volksleben bestaunte. B. E.

Die Darstellung – einer jungen Frau wird ein Ständchen gebracht, während die ältere Aufsichtsperson eingeschlafen ist – stellt eine Verwandlung niederländischer Kupplerszenen aus dem 17. Jahrhundert dar. Die Alte war jedoch dort – umgekehrt wie hier – eine Kupplerin und keine Aufsichtsperson. Typisch ist diese biedermeierliche Übersetzung ins Familiäre, die zu manchen, erst in diesem Jahrhundert aufgelösten Fehldeutungen niederländischer Bilder geführt hat.

In der Münchner Malerei liebt besonders Carl Spitzweg ähnliche Szenen, wobei hier jedoch fehlgeleitete Liebesbriefe die Rolle des Ständchens übernehmen. B. E.

7.1.8 Abholung der Braut, griechisches Hochzeitsfest *

Joseph Petzl (München 1803–1871 München), 1835, bez.u.l.: J. Petz/l 1835, Öl/Lwd, 66 × 84, Lit.: Boetticher II, 1, 1901, Nr. 23, 254; L 1349

Von diesem Bild gab es mindestens zwei, wenn nicht drei Fassungen: die erste entstand im Jahre 1835 und war im Münchner Kunstverein ausgestellt (Jahresbericht 1835, Nr. 350). Kurz darauf wurde ein gleichnamiges Bild im Kunstverein in Hannover erworben, das schließlich der Staats-Minister und Erbland Marschall Graf von Münster in Derneburg kaufte (Bericht über die Wirksamkeit und Verwaltung des Kunst-Vereins für das Königreich Hannover 1. Mai 1835 bis dahin 1836, Ankäufe Nr. 302). Ob es sich bei diesem und dem Münchner Bild um das gleiche handelt, das von Boetticher und Holland als im Besitz des Fürsten Gargarin in St. Petersburg befindlich erwähnt wird, ist nicht mit Sicherheit zu sagen. Die erste Fassung machte jedoch so großen

7.1.9 Szene aus den griechischen Freiheitskämpfen

Carl W. von Heydeck (Saaralben/Lothringen 1788–1861 München), 1836, bez.u.l.: C. v. Hdck pt 4/1836, Öl/Lwd, 66 × 93,5; 51/439

Die Besatzung von zwei Booten geht an einer felsigen Insel an Land. Das Ruder des einen Bootes ist zerschmettert, das Segel des anderen durchschossen. Die Flüchtenden werden von zwei kanonenbewehrten Schaluppen unter englischer Kriegsflagge verfolgt. Ein Linienschiff, von dem die Beiboote ausgesetzt wurden, wartet in tieferen Gewässern auf die Rückkehr des Kommandos. Da die Engländer zugunsten der Griechen und gegen die Türken in den Freiheitskampf eingriffen, handelt es sich bei den Verfolgten wohl um Türken, wofür auch die immer wieder gezeigte gleiche Bekleidung mit weiten hellen Pluderhosen, nach vorne gekipptem Fez, breitem dunklen Gürtel und Weste spricht.

Zu dem Bild existiert in der Städtischen Galerie im Lenbachhaus eine quadrierte Bleistiftvorzeichnung (G 11992, 22 : 31,5) mit den eigenhändigen Bemerkungen: »3 mal vergrößert gemalt – April 1836« und »I.M. der Königin Karoline«. Das Bild kam aus dem Besitz der herzoglichen Familie in Bayern an das Stadt-

museum. Im eigenhändigen Werkverzeichnis Heidecks wird es unter der Nr. 99 geführt (laut Kartei Städtische Galerie im Lenbachhaus). B. E./H. O.

7.1.10 Das Löwentor von Mykene

Carl Wilhelm von Heydeck (Saaralben/Lothringen 1788–1861 München), 1830, bez.u.r.: C. v. Hdk. p. 1830, Öl/Lwd, 53,8 × 67,5, Lit.: Schorn'sches Kunstblatt 11, 1830, 243–244; Boetticher I, 2, 1891 Nr. 13, 505; AK Bayern in Griechenland, München 1967, Nr. 68, 20; AK Landschaftsmalerei, München 1979, Nr. 312, 331 m. Abb., II d/238

Im Kunstblatt von 1830 wird berichtet, daß Heideck nach einer in Mykene entstandenen Zeichnung ein Gemälde gleichen Themas in Rom ausgeführt habe. Es wurde 1841/42 aus der Sammlung Leo von Klenzes für die Neue Pinakothek erworben und kam 1927 ins Stadtmuseum.

Darstellungen vom Löwentor von Mykene gehören zum festen Bestand der Griechenlandansichten und finden sich ebenso in Frh. Otto Magnus von Stackelbergs »Vues pittoresques et topographiques« (Paris 1830–34) wie in Carl Rottmanns ab 1834 entstandenem »Griechenlandzyklus«.

Ludwig Lange schreibt 1854 im Führer zu Rottmanns Griechenlandzyklus in der Neuen Pinakothek über dessen gleichnamiges Bild: »Zwischen zwei Cyklopenmauern führt der Weg zum Thor der Atreusburg; hier war es, wo Agamemnon herrschte und wo zur Zeit des trojanischen Kampfes seine Gattin Clytämnestra weilte und ihres heimkehrenden Gatten schrecklichen Untergang bereitete.«

Im Gegensatz zu den Ansichten von Stackelberg und Rottmann rückt Heideck das Tor bildbestimmend ins Zentrum, so daß die Mauern, die darauf zuführen, wie ein Innenhof wirken.

Mit dem Hirtenidyll in der Palastruine wird ein Thema der italienischen Landschaftsmalerei auf eine Ansicht von Griechenland übertragen: Der zur arkadischen Thematik gehörende Hinweis auf den Fall menschlicher Größe, den die Ruinen geben, erhält sein moralisches Pendant in den sich mit Einfachstem bescheidenden Hirten, die unter dem südlichen Sonnenlicht, das die Farbigkeit des Bildes bestimmt, ein genügsames und zufriedenes geschichtsloses Leben führen. B. E.

7.1.11 Bildteppich mit einem Kosaken, der einen türkischen Standartenträger attakiert

wohl Frankreich, nach 1853, Stramin, Petit-point-Stickerei in Wolle, 255 × 255; XI d/246

Um das zentrale Bildfeld, das im Hintergrund eine Stadt auf der Krim mit der französischen Trikolore zeigt, ziehen sich 16 weitere quadratische kleine Bildfelder. Alle Bildfelder sind untereinander von Mäanderstreifen getrennt. Auf die Ecken sind aus Bändern gelegte Roset-

7.1.8

ten gesetzt. Von hinten links nach rechts zeigen die Bildfelder Pfauenpärchen, Mutter mit Kind, Papageien, einen schottischen Jäger, eine Herde, Urne mit Eule, zwei Mädchen, Mädchen auf Nachen, Bauernhaus, Kaufmann mit seiner Ware, Papagei, Kinderszene, Hirschpaar, Bäuerinnen, die eine Furt durchqueren, Katze und Hund.

Die Randmotive entstammen älteren Stickmusterbüchern. Das Mittelmotiv aber bezieht sich auf den Krimkonflikt, an dem die Heilige Allianz von 1815 auseinanderbrach. Grenzkonflikte zwischen Rußland und der Türkei führen zur Landung von Franzosen und Engländern auf der Krim, die Partei für die Türken ergreifen.   H.O.

7.1.12 Herzog Max in Bayern mit seinem Gefolge in der Wüste ∗

Heinrich v. Mayr (Nürnberg 1806–1871 München), nach 1838, Öl/Lwd, 65 × 90, Lit.: *Bruckmann III, 1981, 131 (Abb. 130); Staudinger, 1984, 171 – 175, Nr. 63; Regensburg, Fürst Thurn und Taxis-Kunstslg. St.E. 15 612 (BG.-Nr. 152)*

Als Herzog Max in Bayern (1808–1888) im Jahr 1838 zu einer Reise in den Orient aufbrach, suchte er damit in erster Linie »der ewigen Einförmigkeit des bis zur Unbequemlichkeit bequemen Alltagslebens, bei welchem man nicht mehr lebt, sondern nur vegetirt« zu entfliehen (Herzog Max in Bayern, Wanderung nach dem Orient im Jahre 1838, München 1839, 2). Geleitet von dem Wunsch, »das Leben und die Menschen und deren Sitten (nicht) nur aus todten Büchern oder durch die dritte Hand kennen zu lernen« (ebd.), erforschte der Wittelsbacher neben Palästina vor allem Ägypten.

Da die Kunst und die Kultur der Pharaonen seit dem späten 18. Jahrhundert in zunehmendem Maße zum hoffähigen Bildungsgut avan-

ciert waren, gehörte gerade dieses Land immer häufiger zum Programm der Grand Tour junger Adeliger. Begleitet u. a. von seinem Kammermaler Heinrich von Mayr, der die einzelnen Etappen der Reise in einem Skizzenbuch festzuhalten hatte, absolvierte der Herzog zunächst die obligatorische Nilfahrt, ehe er sich an der Spitze einer Karawane von Kairo aus zur Durchquerung der arabischen Wüste in Richtung Syrien aufmachte. Noch ganz der Tradition der klassischen Kavalierstour verhaftet, beauftragte Herzog Max nach der Rückkehr in die Heimat seinen Kammermaler damit, neben einigen anderen Episoden der Expedition auch diesem so überaus strapaziösen Ritt durch eine dem Menschen feindliche Landschaft ein ›Denkmal‹ mit Pinsel und Farbe zu setzen. Das 1864 in den Besitz des Fürsten von Thurn und Taxis gelangte Bild zeigt den Wittelsbacher hoch zu Roß, umgeben von seinen Weggefährten, darunter auch drei auf dem Kairoer Sklavenmarkt gekauften Negerjungen.   U.S.

7.1.12

7.1.13 Die Gelehrten auf Reisen

C. Geissler / /Heinrich Christian Wunder (1782 – 1832), Nürnberg bei Fr. Campe, bez.: C. Geissler del., Wunder fc., Kupferstich koloriert, 36,5 × 22,3, Slg. Böhmer

In der Art einer Krähwinkeliade (nach Kotzebues Komödie »Die deutschen Kleinstädter« 1803) werden die Gelehrten bei der Feldforschung in Afrika verspottet.
Die Forscher im Vordergrund – sehr konservativ nach der Mode des 18. Jahrhunderts gekleidet – sind mit Kästen für Mineralien, Fossilien, Raritäten und Antiquitäten ausgerüstet und gehen botanischen ebenso wie metereologischen und archäologischen Interessen nach. Hinter ihnen steht ein mit zahlreichen Orden geschmückter hoher Beamter, der den wahren Grund des Kolonialismus – romantischer Verbrämung – verrät. Er hält eine Schrift mit dem Titel »Project zur Entdeckung des verloren gegangenen Königreichs Utopia«, dessen weiteres Programm mit den Zielen »Goldausfuhr« und »Sklavenhandel« spezifiziert ist.

B.B.

Reiseutensilien

7.1.14 Reisetruhe mit Monogramm KMI und Datum 1831

süddeutsch, 1831, bez. a. d. Deckelvorderseite in weißer Farbe: K M I 1831, Weichholz, rot gestrichen, 62 × 97 × 52; 39/1051

Die Koffertruhe ist mit Eisenbändern umspannt und mit zwei Fallriegeln und beweglichen Eisengriffen versehen.

I. H.

7.1.15 Reisetasche mit Monogramm AM

Erste Hälfte 19. Jahrhundert, Pappe, Leder, Wollstickerei auf Stramin, Baumwollfutter, 62,5 × 54,5 × 20,5; 32/522

7.1.16 Reisetasche mit Jagdszene und gestickter Inschrift

1848, bez. a. d. Rückseite: Fr. Bissinger 1848, Wollstickerei auf Gewebe, Wollfutter, Messingverschluß, 45 × 45 × 16; 58/609

7.1.17 Reisetäschchen in Kofferform mit Trageriemen

geprägtes Leder auf Samt, innen rotes Leder, 9,5 × 23 × 12; 64/289

7.1.18 Reisemantel

braun/lila karierte Wolle, grünes Karofutter aus Baumwolle, XII/325

7.1.19 Sonnenschirm

Baumwolle mit Fransen (gelb/blau); Holzstiel und Griff, 31/36

7.1.20 Degenstock

um 1850, Holz, Horn mit Fingerhutzwingen, 93,5; T 86/52

7.1.21 Pistolenstock

um 1850, Spanisch Rohr, Horngriff, Messing- und Eisenzwinge, 83,5; T 86/266

7.1.22 Zwei Perkussionspistolen

39; VII b/34⁴

7.1.23 Kleine Taschenperkussionspistole

19,5; VII b/30

7.1.24 Reisepaß des Buchdruckergesellen Joh. Nep. Burghard

1850/51, 27 × 36, Freising, Heimatmuseum des Historischen Vereins Freising, 4252

Der Buchdruckergeselle Burghard »welcher über Frankfurt durch Belgien nach London zur Industrieausstellung ... reiset«, führte zusätzlich ein vom 6. Mai bis 21. Juni 1851 datiertes Reisetagebuch. I.H.

7.1.25 Reiseuhr

Johann Fischer, München, um 1810, signiert auf der Rückplatine: »Joh. Fischer in München«, Werk: Messing und Eisen, Zifferblatt emailliert; Gehäuse: Bronze guillochiert, gepunzt und vergoldet, 6,5; ⌀ 13; G 34/428

Werk: Gehwerk mit Federantrieb; Kraftegalisierung durch Kette und Schnecke. Spindelhemmung mit Unruhe und Spirale. Repetitionsschlagwerk für die Stunden und Viertelstunden (Rufschlagwerk, wird über Schnurzug ausgelöst); schlägt auf zwei Tonfedern. Indikationen: Stunden und Minuten. P.F.

7.1.26 Zwei Kompasse

Erste Hälfte 19. Jahrhundert, Kompaßmechanismus und Holzgehäuse, 1. 3,8, ⌀ 4,5 (Gehäuse); 2. 9,6 × 6,2 × 1,6; 1. 31/228; 2. 67/149

1. Kompaß in runder Holzschachtel mit Deckel, Kompaßanzeiger auf bemaltem Papier, runder Zierring (Papier) mit Rosen und Blättern bemalt, der die vier Himmelsrichtungen anzeigt.
2. Kompaß in längsrechteckiger Schachtel, innen mit bemaltem Papier verziert, auf dem Deckel Verzeichnis der Länder mit Längengraden (Lithographie).

7.1.27 Reiselampe

Max Weishaupt, München, 1863, bez. MZ: M. Weishaupt (kursiv); BZ: Mü. Kindl mit 63, Silber, getrieben, punziert, ziseliert, 7,6, o. ⌀ 6,5; 28/545

Runder glattwandiger, in der Mitte leicht nach innen gekehlter Körper; darauf ein am Rand mehrfach profilierter, im Zentrum vertiefter und mit einer Vorschiebe versehener Deckel. Ein geschweifter, zum Teil stilisierter Henkel, der im oberen Bereich als römischer Soldatenkopf ausgeformt ist. M.Kl.

7.1.28 Reisebecher im Etui *

Joseph Westermayer, München, 1852, bez. am Boden: MZ: Mayrhofer (kursiv), BZ: Mü. Kindl m. 52 (oben), Silber getrieben, vierteilig,

7.1.28

innen vergoldet, Lederetui mit rotem Samtbezug, 8, ⌀ 6,5; 38/1277

Der konische Becher besteht aus vier Teilen, die sich zusammenschieben und in ein flaches Etui einpassen lassen. Solche Becher zeugen von hoher Kunstfertigkeit der Goldschmiede und dienten wohl als Gedenkbecher, wie auch zur Mitnahme im Reisegepäck.
Lederetui mit eingeprägten Namen: C. WOLF, PL. SCHENK, LUDW. LANS, G.G. HESSELBLAGER (?), W. BEYBLACHIP (?), G.G. KOCH. I.V.

7.1.29 Pfeifenkopf mit Darstellung einer Überfallszene, ein Priester mit Sterbesakramenten weist ihn überfallende italienische Räuber zurück

um 1840, Porzellan, 13,5; 61/521

Wenn Du wieder eine Reise unternehmen kannst, so laß es hieherwärts sein, es ist wirklich merkwürdig. Von den Schönheiten des Meeres will ich nichts sagen, denn ich fürchte, wieder speien zu müssen, wenn ich zu viel dran denke, und dieses ist eine große Erniedrigung. Dem ersten Anfall von Entzücken bin ich glücklich entkommen.
Von Optschina aus war das Ganze eine graue, gleichgültige Masse, lustig aber sieht die Stadt aus und die Schiffe machten mehr den Eindruck des Fliegens als des Schwimmens. Die Figuren am Hafen sind merkwürdig genug und das Abfahren und Ankommen der Schiffe hielt mich stundenlang auf den Beinen. Abends wird alles wie verrückt, ein jedes schreit was möglich ist oder macht sonst einen Lärm. Ich fand es sehr behaglich, auch zu schreien.
Von Venedig kenn ich bis jetzt den Markusplatz, das andere sieht niederträchtig aus und stinkt, als ob das Wasser noch aus den Zeiten der Republik wäre. In so einer Gassen bleib ich heilig noch einmal stecken. Die Frauen sind aber über alle Begriffe schön ...

M. v. Schwind an M. Bauernfeind, Venedig 2.4.1835
(Künstlers Erdenwallen, Briefe von Moritz von Schwind, 1912, 11f.)

7.2 »Amerika, du hast es besser« –
Auswanderung, eine Abstimmung mit den Füßen

Der wie ein Stoßseufzer klingende Hymnus Goethes auf die Vereinigten Staaten von Amerika wurde 1830 in dem Münchner Unterhaltungsblatt »Flora« abgedruckt. Doch nicht erst in der Biedermeierzeit war Amerika zum real existierenden Utopia unzufriedener Untertanen geworden. Vor und während der französischen Revolution am Ende des 18. Jahrhunderts sahen nicht wenige Europäer in den amerikanischen Staaten die Gesellschaft der Zukunft. Am Anfang der Revolution glaubten sie noch, daß sich ihr Traum von Gleichheit, Freiheit und Demokratie nun auch in Europa verwirklichen würde. Nach der Errichtung der napoleonischen Diktatur sahen sie ihre Hoffnungen gescheitert. Einige ehemalige Anhänger der Revolution emigrierten nach Amerika, für andere blieb dies ihr Leben lang ein Traum. Madame de Staël, die berühmte Gegenspielerin Napoleons, hatte schon während der Schreckensherrschaft Robespierres in Frankreich erwogen, Europa zu verlassen, und einen beachtlichen Teil des Staates New York gekauft (Herold, 1982, 136). Dieses Vorhaben wurde noch mehrere Male während der napoleonischen Herrschaft in Anfällen von Europamüdigkeit erwogen und doch nie ausgeführt, denn sie wußte selbst zu gut, wie sehr sie noch an den Traditionen und Gesellschaftsstrukturen der alten Welt hing. In dieser ambivalenten Haltung stand sie nicht allein, viele europäische Gesinnungsgenossen beschränkten sich damals aus mancherlei Gründen auf die resignierende Bewunderung aus der Ferne.

Nach der Vertreibung Napoleons aus Europa, 1815, traten neben die Amerikabegeisterung zwei neue wesentlich konkretere Motivationen für die Auswanderung: die soziale Not nach den Hungerjahren 1816/1817 und die politischen Verfolgungen durch das Metternich'sche Polizeisystem.

Bereits während des 18. Jahrhunderts waren Deutsche, darunter vor allem Pfälzer und Schwaben, nach Amerika ausgewandert, um den erdrückenden Abgabeverpflichtungen zu entkommen und ihre soziale Lage zu verbessern.

In der ersten Hälfte des 19. Jahrhunderts stieg die Zahl der auswandernden Bauernsöhne, Landarbeiter, Gesellen, Dienstboten und Taglöhner weiter an, um 1854 einen ersten Höhepunkt zu erreichen. Die Reise war langwierig und mühsam, vor allem wenn man die billigsten Transportmöglichkeiten nutzen mußte. Bis zur Errichtung der ersten Eisenbahnen in den 1840er Jahren wurde der lange Weg zu den Auswandererhäfen, Bremerhaven, Amsterdam, Rotterdam, Le Havre zu Fuß oder per Postkutsche bewältigt. Auf dem Schiff erwarteten die Reisenden, die meistens die billigste Passage im Zwischendeck gebucht hatten, schmutzige und überfüllte Großräume mit Mehrbettkojen, schlechtes Essen, Seekrankheit und unhygienische Verhältnisse. Diese Strapaze dauerte je nach den Windverhältnissen etwa neun Wochen. Erst um die Mitte des 19. Jahrhunderts standen den Auswandererlinien Dampfschiffe zur Verfügung. Die Reedereien sahen in der Auswanderung ein willkommenes, profitables Geschäft.

Schon in den dreißiger Jahren wurden über Agenturen in den größeren Städten Pauschalreisen – Transfer zum nächsten Hafen, Schiffspassage, Reise zum Bestimmungsort in den Staaten – angeboten. Die Kosten mußten vor dem Antritt der Reise bezahlt werden und machten meist den größten Teil der Ersparnisse des Emigranten (Bargeld war knapp in dieser Zeit) aus, so daß er nun auf Gedeih und Verderb der Reederei ausgeliefert war. Um die Reisekosten zu senken, verpflichteten sich einige Auswanderer in Dienstverträgen bei der Reederei oder bei den jeweiligen Kapitänen, einen Teil der Schiffspassage nach der Landung in Amerika abzuarbeiten. Sie wurden dann in Amerika als Arbeitskräfte an Amerikaner verkauft. Um ihre Landsleute vor solchen und ähnlichen Praktiken zu schützen und ihnen eine erste Unterstützung in dem fremden Land zu bieten, gründeten bereits in Amerika ansässige Deutsche Gesellschaften mit Niederlassungen in den Häfen. 1834 ließ die Deutsche Gesellschaft von Maryland einen »Wohlgemeinten Rath ... an Deutsche«, »die irgend ein Interesse an der Auswanderung nach den Vereinigten Staaten von Nord-Amerika fühlen« in Baltimore drucken und in Deutschland vertreiben. Vor überschwenglichen Erwartungen oder einer Ausreise ohne ausreichende Ersparnisse wurde hier gewarnt: »In Deutschland giebt es einen Wust von Büchern über Amerika, theils geschrieben, um Geld damit zu verdienen und in dieser Absicht mit Bildern ausgeschmückt, die der Wirklichkeit nicht entsprechen, an denen aber der Enthusiast seinen Gefallen hat, und die er durch seine eigene Phantasie und durch gegenseitige Mittheilung mit Andern welche in seine Ideen eingehen, nur in einem noch übertribneren Lichte auszumalen sucht ... Will Jemand hierher kommen, der untersuche zuerst seine Vermögens-Umstände und berechne wohl, ob nach den Ausgaben der Reise bis an den Hafen, seinen Unkosten dort, und seiner Passage hierher, ihm noch genug überbleibe, um die Reise von hier weiter fortzusetzen, um nach Ankunft am Bestimmungsorte Land u.s.w. zu seinem Fortkommen zu kaufen ... Dann prüfe er auch seine Sinnesart; war er mürrisch und unzufrieden in Deutschland, so wird ihn diese Gemüthsart auch hier nicht verlassen, und er wird gewiß bald Ursache zu klagen finden und vielleicht über kurz oder lang sich zurücksehnen. Die Beispiele sind nicht selten, daß gerade diejenigen Menschen, die durch Unzufriedenheit mit den Regierungs-Verhältnissen daheim zur Auswanderung veranlaßt wurden, bald hier noch weit mehr zu tadeln finden, und gern zurückkehrten, wenn sie die Kosten der Rückreise bestreiten könnten.« (StaatANeuburg/D 6768.)

Doch ohne es zu wollen, gibt auch diese Borschüre ein gewichtiges Auswanderungsmotiv für unzufriedene Deutsche an: »Man kennt hier den Unterschied der Stände nicht, wie in Deutschland. Dem Handwerker stehen die höchsten Ehren-Ämter offen, wenn er die Gaben dazu mit Treue und Redlichkeit verbindet; dagegen wird der vornehme aber arme Müßiggänger bald zu der verworfensten Klasse herunter sinken.« Hoffmann von Fallersleben wurde in seinem Lied vom »Deutschen Nationalreichthum« noch konkreter:

»Hallelujah! Hallelujah!
Wir wandern nach Amerika.
Was nehmen wir mit ins neue Vaterland?
Wohl allerlei, wohl allerhand:
Viele Bundestags-Protokolle,
Manch Budget und manche Steuerrolle,
Eine ganze Ladung von Schablonen
Zu Regierungsproclamationen –
. . .

Kammerherrenschlüssel viele Säckel,
Stamm- und Vollblutbäume dicke Päckel,
Hund- und Degenkoppeln tausend Lasten,
Ordensbänder hunderttausend Kasten –
. . .

Schlendrian, Bocksbeutel und Perrücken,
Privilegien, Sorgenstühl' und Krücken,
Hofrathstitel und Conduitenlisten.
Neunundneunzighunderttausend Kisten –
. . .

Steuer-, Zoll-, Tauf- und Todtenscheine,
Pass und Wanderbücher groß' und kleine,
Viele hundert Censorinstructionen,
Polizeimandate drei Millionen –
Weil es in der neuen Welt
Sonst dem Deutschen nicht gefällt.«

Wer seine Verärgerung über diesen »Nationalreichthum« zu laut verkündete, konnte leicht in die Lage versetzt werden, auswandern zu müssen, um der Verfolgung durch die Polizei zu entkommen. Dazu gehörten viele Mitglieder der Burschenschaften, der radikal deutsch und demokratisch denkenden Studentenverbindungen, wie Karl und Paul Follen, und 1848 der badische Revolutionär Friedrich Hecker. Im übrigen sahen die Staaten die Auswanderung ihrer Untertanen mit gemischten Gefühlen. Der Verlust der Arbeitskraft und des von ihnen mitgenommenen privaten Vermögens war ärgerlich, also kassierten sie von den sich verabschiedenden Untertanen eine nicht unerhebliche Gebühr, etwa in Form einer »Nachsteuer« – in Hessen waren das zehn Prozent des Vermögens (Boehn 1911, 179 f.). Andererseits fürchteten sie wegen der wachsenden Zahl vermögensloser Proletarier soziale Unruhen und waren eigentlich ganz froh, einen Teil von ihnen auf elegante Art loszuwerden.

Obwohl auch sehr viele bayerische Bürger, vor allem aus der rheinischen Pfalz, nach Amerika auswanderten, blieb hier die Auswanderung offiziell bis zum Freizügigkeitsvertrag zwischen Amerika und Bayern, den Ludwig I. am 3.9.1845 unterzeichnete, verboten.

Schon 1844 war den Bayern die Emigration nach Texas durch den Erlaß der Nachsteuer erleichtert worden (StadtAM, Polizeidirektion Nr. 445).

Aus München und Umgebung, wie überhaupt aus ganz Oberbayern wanderten verhältnismäßig wenig Menschen aus. Von 1846 bis 1852 waren es gerade 256. Die meisten von ihnen waren Gesellen, Dienstboten oder Tagelöhner (vgl. Blendinger, in: Land und Volk 1964, 431 ff.).

1849 wurde in München eine Auswanderungsgesellschaft gegründet, die Auswandererzüge nach New York organisierte. Die Überfahrt sollte 23 bis 25 Tage dauern, Einschiffungshafen war Le Havre, »wodurch die oft so lange und gefährliche Fahrt auf der stürmischen Nordsee vermieden wird . . .« (BayHStA, MInn 43338). Diese Gesellschaft kam jedoch sehr schnell in Konflikt mit der Polizei, als sie ihre regelmäßigen Treffen in einer Tageszeitung ankündigte. Dies wurde als Verleitung und Aufmunterung zur Auswanderung gewertet und war in Bayern verboten. Die Reaktion des Innenministeriums auf die Initiativen dieser Gesellschaft macht deutlich, daß hier hinter der Emigration Protest gegen die politischen Verhältnisse des Vaterlandes, also eine Art Abstimmung mit den Füßen vermutet wurde. Besonders die für die Auswanderer gegebenen Abschiedsfeste hätten eine eindeutig politisch oppositionelle Färbung. Die Polizei wurde angewiesen, den Verein zu observieren und die bayerische Regierung verweigerte 1850 dem mit der Gesellschaft zusammenarbeitenden Reiseagenten Finlay die Erneuerung der Konzession. Eine geplante Auswanderung mehrerer Münchner Gesellschaftsmitglieder nach Dalton in Georgia kam nicht mehr zustande.   U. L.

7.2.1 Erinnerungstafel an nach Amerika ausgewanderte Bürger

Eduard Fröschle, Krumbach, 1846, bez.: Verzeichnis der von Krumbach u. Hürben zuerst nach Amerika abgereisten Jünglinge den 17ten April 1846; und 10 Namen, Öl/Eisenblech, 95 × 71, Lit.: AK Industriezeitalter I, 4, Augsburg 1985, 149, Nr. 491 (Abb.); Krumbach, Heimatmuseum

Das Namensverzeichnis wird eingerahmt von vier, wohl auf die Berufe der Auswanderer hinweisenden Handwerksallegorien an den Ekken und sechs Auswandererszenen an den Seiten, die teilweise in neugotischen Spitzbögen stehen. Dargestellt werden oben zwei große Segelschiffe auf ruhiger See, unten ein im Gewitter in Seenot geratenes Schiff, das vor eine Hafenanlage maurischen Stils geworfen wird. Den beiden linken Szenen mit den Darstellungen eines Handwerksgesellen und eines Fischers vor heimatlicher Landschaft stehen rechts das Bildnis eines Indianers vor Palmen und eine Jagdszene bei den Eskimos gegenüber. Illustrierte Zeitschriften, wie die Leipziger Illustrierte Zeitung oder die im gleichen Verlag herausgegebene Illustrierte Chronik, informierten interessierte Bürger schon in den vierziger Jahren in Wort und Bild über die Zustände und Ereignisse fremder Länder, besonders aber über Amerika. Illustrationen aus diesen Zeitschriften könnten als Vorlage für die oben beschriebenen Abbildungen gedient haben. U. L.

7.2.2 »Die Goldgegend am Sacramento-Flusse in Kaläfornien«

Eduard Fröschle, Krumbach, 1849, Öl/Eisenblech, 45 × 36, Lit.: AK Industriezeitalter I, 4, Augsburg 1985, 149, Nr. 492; Jackson, 1980; Krumbach, Heimatmuseum

1848 verbreitete sich die Nachricht von Goldfunden auf J. A. Sutters Besitz in Kalifornien. Hunderttausende machten sich dorthin auf den Weg, um ihr Glück zu suchen.

7.2.3 Auswandererszenen *

aus: Leipziger Illustrierte Zeitung, Leipzig, 1849, Holzstiche, reproduziert; München, Bayerische Staatsbibliothek 2° Per. 26/12

Morgengebet, Die Schiffsküche, Auswanderer auf dem Verdeck, Erklärung der Fahrt auf der Landkarte, Mittagsmahlzeit auf dem Vorderkastell, Schiffsbelustigungen an Bord der »Samuel Hop«, Inneres des Auswandererschiffes »Samuel Hop«. In zwei Reportagen berichtet die Leipziger Illustrierte 1849 von den Zuständen an Bord der Auswandererschiffe nach Australien und Amerika. U. L.

7.2.3

Der Auswanderer nach Amerika an seine Landsleute.

Freunde, bleibt hübsch fein im Lande,
Und ernährt Euch redlich dort.
Im amerikan'schem Sande
Kommt Ihr noch weit wen'ger fort.
Sonne auf den Pelz Euch brennt,
Plagen, die Ihr hier nicht kennt,
Regnen dort auf Euch herab,
Und das Geld ist da auch knapp.

Ließ mich, leider! auch verleiten,
Zog mit Weib und Kind dahin.
Tausend Meilen mußt' ich schreiten,
That's mit unverdroßnem Sinn.
Hoffte, in Amerika
Sei im Wollen Alles da,
Rittergüter klein und groß,
Nehme Jeder sich nur bloß.

Ach, wie soll ich Euch doch schildern
Meine Täuschung, meine Noth;
Bei den schön geträumten Bildern
Fehlte mir das liebe Brod.

Kläglich, auf der Reise schon,
Starb mein lieber kleiner Sohn,
Und mein Weib, erkrankt und matt,
Fühlte sich des Lebens satt.

Als nach Bremen wir gekommen,
Waren wir vor Kummer bleich.
Alles, was wir mitgenommen,
Zahlten für die Fracht wir gleich,
Und die Zehrung in dem Ort
Nahm den letzten Pfennig fort;
Nackt und kahl wie'n Felsenriff,
Stiegen wir hinein in's Schiff.

Eingepreßt im engen Raume,
Lagen wir zu Hundert da;
Und, bebert vom argen Traume,
Glaubten wir die Hülfe nah'.
Hunger, Durst und Uebelkeit,
Ungeziefer, wie geschneit,
Quälten uns bei Tag und Nacht,
Hätten fast uns umgebracht.

Endlich, nach viel trüben Tagen,
Sturm, Verzweiflung, Ungemach,
Schien die Rettungsstund' zu schlagen,
Nahte der Erlösungstag.
Fröhlich jauchzend hieß es da.
Wir sind in Amerika!
Und die eingepreßte Brust
Hob sich voll erneuter Lust.

Statt uns freundlich zu empfangen,
Wie wir thöricht es gedacht,
Wurden, mit den bleichen Wangen
Wir noch tapfer ausgelacht.
Ach, es weiß der liebe Gott,
Wie vom Hohn und kalten Spott
Unser armes Herz zerbrach
Manchen, manchen sauren Tag.

Was beginnen, was nun treiben
In dem unbekannten Land,
Wo gezwungen wir zu bleiben,
Niemand fast ein Obdach fand).

Ja, oft unsere Augen blind
Haben wir mit Weib und Kind
Nach der Heimath ausgeseh'n;
Doch das Unglück war gescheh'n.

Endlich trafen wir noch Herzen
Aus dem trauten Vaterland,
Die, erweicht von unsern Schmerzen,
Reichten uns die Bruderhand.
Doch ist unsere Arbeit schwer,
Und, Gott weiß! der Beutel leer;
Auch ist unser Trank und Schmaus
Nicht so gut als, wie zu Haus.

Freunde, laßt's Euch dringend sagen:
Bleibt in Eurem Heimathland,
Und ertragt mit Muth die Plagen,
Die Euch einmal schon bekannt.
Glaubt mir, in Amerika
Sind noch größte Leiden da,
Und wer Lust zur Arbeit hat,
Ißt sich auch zu Haus' satt.

Nürnberg, bei Renner u. Comp.

Schiffsbelustigungen am Bord des „Samuel Hop".

7.2.3

7.2.4 Der Hafen von New York

um 1840, bez.: Panoramic View of New York (Taken from the North River) Published by R. Havell, Sing Sing, New York, Lithographie, koloriert, reproduziert, 30 × 86, Lit.: AK 1844, Münster 1985; Bremerhaven, Deutsches Schifffahrtsmuseum

Das Panorama gibt die schon 1840 beeindruckende »Skyline« von New York, dem Haupteinwanderungshafen der amerikanischen Staaten, wider. Im Vordergrund Dampfschiffe, Fischerboote und Schoner.   U.L.

7.2.5 »Der Auswanderer nach Amerika an seine Landsleute« *

Nürnberg, um 1845, bez. u. r.: Nr. 549; u. M.: Nürnberg, bei Renner & Comp., Lithographie, koloriert, 44,2 × 35,1, Lit.: AK Industriezeitalter I, 4, Augsburg 1985, 150 Nr. 496; Nürnberg, Germanisches Nationalmuseum, 1298 a/ HB 24474

Seit 1845 häufen sich Warnungen vor übertriebenen Illusionen der Auswanderer: »Freunde laßt's Euch dringend sagen: Bleibt in Eurem Heimathland/ Und ertragt mit Muth die Plagen/ Die Euch einmal schon bekannt. Glaubt mir, in Amerika/ sind noch größre Leiden da/ Und wer Lust zur Arbeit hat/ Ißt sich auch zu Hause satt.«
Auf die politischen Gründe der Auswanderung wird in der langen Epistel nicht eingegangen.
U.L.

Goethe's Wunsch an die Vereinigten Staaten.

Amerika, Du hast es besser
Als unser Continent das alte,
Hast keine verfallene Schlösser
Und keine Basalte.
Dich stört nicht im Innern,
Zu lebendiger Zeit,
Unnützes Erinnern
Und vergeblicher Streit.
Benutzt die Gegenwart mit Glück!
Und wenn Eure Kinder dichten,
Bewahre sie ein gut Geschick
Vor Ritter-, Räuber- und Gespenstergeschichten!

aus: Flora Nr. 189, 21.9.1830

So erging's auch mir, und ohne zu wissen wie, befand ich mich plötzlich auf der Landstraße von Havre, und vor mir her zogen, hoch und langsam, mehre große Bauerwagen, bepackt mit allerlei ärmlichen Kisten und Kasten, altfränkischem Hausgeräte, Weibern und Kindern. Nebenher gingen die Männer, und nicht gering war meine Überraschung, als ich sie sprechen hörte – sie sprachen Deutsch, in schwäbischer Mundart. Leicht begriff ich, daß diese Leute Auswanderer waren, und als ich sie näher betrachtete, durchzuckte mich ein jähes Gefühl, wie ich es noch nie in meinem Leben empfunden, alles Blut stieg mir plötzlich in die Herzkammern und klopfte gegen die Rippen, als müsse es heraus aus der Brust, als müsse es so schnell als möglich heraus, und der Atem stockte mir in der Kehle. Ja, es war das Vaterland selbst das mir begegnete, auf jenen Wagen saß das blonde Deutschland, mit seinen ernstblauen Augen, seinen traulichen allzubedächtigen Gesichtern, in den Mundwinkeln noch jene kümmerliche Beschränktheit, über die ich mich einst so sehr gelangweilt und geärgert, die mich aber jetzt gar wehmütig rührte – denn hatte ich einst in der blühenden Lust der Jugend, gar oft die heimatlichen Verkehrtheiten und Philistereien verdrießlich durchgehechelt, hatte ich einst mit dem glücklichen, bürgermeisterlich gehäbigen, schneckenhaft trägen Vaterlande manchmal einen kleinen Haushader zu bestehen, wie er in großen Familien wohl vorfallen kann: so war doch all dergleichen Erinnerung in meiner Seele erloschen, als ich das Vaterland im Elend erblickte, in der Fremde, im Elend; selbst seine Gebrechen wurden mir plötzlich teuer und wert, selbst mit seinen Krähwinkeleien war ich ausgesöhnt, und ich drückte ihm die Hand, ich drückte die Hand jener deutschen Auswanderer, als gäbe ich dem Vaterland selber den Handschlag eines erneuten Bündnisses der Liebe, und wir sprachen Deutsch. Die Menschen waren ebenfalls sehr froh auf einer fremden Landstraße diese Laute zu vernehmen; die besorglichen Schatten schwanden von ihren Gesichtern, und sie lächelten beinahe. Auch die Frauen, worunter manche recht hübsch, riefen mir ihr gemütliches »Griesch di Gott!« vom Wagen herab, und die jungen Bübli grüßten errötend höflich, und die ganz kleinen Kinder jauchzten mich an, mit ihren zahnlosen lieben Mündchen. »Und warum habt ihr denn Deutschland verlassen?« fragte ich diese armen Leute. »Das Land ist gut und wären gern dageblieben,« antworteten sie, »aber wir konnten's nicht länger aushalten –«

Nein, ich gehöre nicht zu den Demagogen, die nur die Leidenschaften aufregen wollen, und ich will nicht alles wiedererzählen was ich auf jener Landstraße, bei Havre, unter freiem Himmel, gehört habe über den Unfug der hochnobelen und allerhöchst nobelen Sippschaften in der Heimat – auch lag die größere Klage nicht im Wort selbst, sondern im Ton womit es schlicht und grad' gesprochen, oder vielmehr geseufzt wurde. Auch jene armen Leute waren keine Demagogen; die Schlußrede ihrer Klage war immer: »Was sollten wir tun? sollten wir eine Revolution anfangen?« Ich schwöre es bei allen Göttern des Himmels und der Erde, der zehnte Teil von dem was jene Leute in Deutschland erduldet haben, hätte in Frankreich sechsunddreißig Revolutionen hervorgebracht und sechsunddreißig Königen die Krone mitsamt dem Kopf gekostet.

»Und wir hätten es doch noch ausgehalten und wären nicht fortgegangen,« bemerkte ein achtzigjähriger, also doppeltvernünftiger Schwabe, »aber wir taten es wegen der Kinder. Die sind noch nicht so stark wie wir an Deutschland gewöhnt, und können vielleicht in der Fremde glücklich werden.

. . . Zur Ehre der Menschheit muß ich hier des Mitgefühls erwähnen, das, nach der Aussage jener Auswanderer, ihnen auf ihren Leidensstationen durch ganz Frankreich zuteil wurde.

Heinrich Heine, Vorrede zum 1. Teile des Salon (1833)

7.3 Bohème und Künstlerleben

»Aber ungeschminkter Wahrheit treu zu bleiben, die Zügel der Phantasie und des Jugendübermuthes wurden wohl zeitweise leicht und leichter gehalten und es war von der Abspiegelung eines verklärten Rittertums des Jenseits in's Diesseits nicht immer die Rede. Die Richtung und das Gehaben der Humpenauer war mehr trinkbrüderlich, nicht ohne wesentliche Geneigtheit, der Neuzeit um jeden Preis vor die Stirne zu stoßen.« Mit diesen Sätzen versucht Franz Trautmann in dem 1858 in München erschienenen Bändchen »Ludwig Schwanthalers Reliquien« rückblickend und vorsichtig eine zu hehre Meinung von den gesellen Unternehmungen der Gesellschaft »Humpenau« zu korrigieren. Die am 25. August 1819 von Schwanthaler ins Leben gerufene Vereinigung war zwar keine reine Künstlergesellschaft, doch setzte sich ihre Mitgliedschaft vorwiegend aus künstlerisch und historisch orientierten jungen Männern zusammen. Schwanthaler selbst schrieb: »Armbrustschießen, Toaste, schöne Pokale, Verslein, Waldeslust, Geistererscheinungen füllten die Zeit.«

Carl Fernau (= Daxenberger) bemerkt in seinem 1840 erschienenen »Münchner Hundert und Eins« über die Treffen der Münchner Künstler: »Selbst die Norddeutschen lieben hier den Thee nicht, und das bayerische Bier macht an ihnen schnelle Eroberung«. Den Künstlertreffpunkt beim Stubenvollbräu findet er nur vergleichbar mit der »Michelangelo-Kneipe« in Rom. Der auf den ersten Blick übertrieben erscheinende Vergleich wird bei einer überlokalen Betrachtung der Veränderungen des Künstlerselbstverständnisses seit dem Ausgang des 18. Jahrhunderts plausibel. Das ungezwungene, später allerdings idealisierte Verhältnis des Kronprinzen Ludwig zu den Künstlern in Italien hatte wesentlich zu einer Aufwertung der Künstlerschaft beigetragen. Italien – nicht nur als Ort des Studiums der alten Meister, sondern als Gegenwelt zu den beengten deutschen Verhältnissen – wurde zunehmend eine obligatorische Station im künstlerischen Bildungsgang. Die Freisetzung der künstlerischen Individuen aus höfischen und teilweise auch bürgerlichen Bindungen erforderte eine Neuorientierung. Künstlerbünde und Kunstvereine entstanden, deren Wirk-

samkeit in erheblichem Maß auch geselligen Charakter hatte. Selbst die frommen Nazarener, die in Rom ihre Zuflucht im Kloster San Isidoro fanden, versuchten bisweilen die schmerzliche Empfindung der Künstlerexistenz in prosaischer Zeit im Alkoholexzess zu betäuben.

Gerade in München blieben das ganze 19. Jahrhundert hindurch die Künstlerfeste zentrale Ereignisse im gesellschaftlichen Leben der Künstler, denn hier konnte die künstlerische Existenz als wirkungsvolles Gegenbild zur geordneten Bürgerwelt ihr Recht behaupten. Umgekehrt förderte jedoch gerade die Kunst- und Künstlerpolitik Ludwigs I. den Typus des gesellschaftlich geachteten Honoratiorenkünstlers, der sich mit zunehmendem Ruhm den Niederungen des Künstlertreibens entzog. Daxenberger bemerkt lapidar zur Frequenz gesellliger Zusammenkünfte der Künstler: » . . . besonders die Verheirateten und die Professoren bleiben zu Hause.«

Die Flucht in die poetischen Welten des Mittelalters wurde vor allem im Umkreis Ludwig Schwanthalers angetreten. Mit einer gewissen Melancholie wurde dort im romantischem Identifikationsstreben der Rückweg in die Vergangenheit der nationalen Geschichte gesucht, manchmal humorvoll und selbstironisch, leise wehmütig, dann wieder grell und laut. Das Bekenntnis zum Mittelalter konnte sich – parallel zur Diskussion über Klassizismus und Neugotik – auch in der Negierung des kulturellen Gegenbildes, der Antike, aussprechen. Bekannt ist die Verbrennung der Grácia, – des Griechentums –, in Form einer Puppe durch den Kreis der »Bärenritterschaft« um Schwanthaler. Dennoch war gerade Schwanthaler ständig gezwungen, in seinem eigenen Werk und besonders in den Aufträgen für die baulichen Unternehmungen des Königs, diese Neigung zum Mittelalter zu neutralisieren, vielleicht die eigentliche Tragik seines Künstlerlebens. Seltener war in München der Typus, der sich nicht in die Gegebenheiten fügte. Benvenuto Genelli ist hierfür allerdings ein Beispiel: der Unverstandene, Unbeugsame, Erfolglose, der gerade deshalb die Nachwelt beschäftigte.

N. G.

7.3.1

7.3.1 Selbstbildnis mit dem Pudel Cerberus *

Albrecht Adam (Nördlingen 1786–1862 München), 1814, bez.u.: Albr. Adam 1814, Öl/ Lwd/Holz (Eiche), 24,4 × 16,7; A 11

Das 1814 datierte Selbstbildnis zeigt den Künstler in selbstbewußter, eleganter Pose, Staffelei und Malutensilien gleichsam wie Attribute neben sich, die Darstellung eines Reiters zu Pferd auf der Staffelei – Adam war zum Jahresende 1813 aus dem Rußlandfeldzug heimgekehrt. Die Pistolen an der Wand, der pelzbesetzte Rock auf der Stuhllehne und die Reisetruhe, vor allem aber der Pudel weisen auf diese nun hinter ihm liegende Station in den Diensten des Herzogs von Leuchtenberg, als dessen Schlachtenmaler er seit 1809 Napoleons Schlachtfeld bereist hatte. Nach der Abdankung Napoleons am 6. April 1814 war der Herzog von Leuchtenberg, Eugène de Beauharnais, seines Vizekönigtums in Italien enthoben worden. Für Albrecht Adam – er hatte bis dahin den Rang eines Offiziers – bedeutete dies zwar eine Zurückstufung in die Klasse der Kammerdiener, gleichzeitig eröffneten sich ihm nun eine neue Auftraggeberschaft (AK Adam München 1981, 72). – Sein Hund Cerberus hatte Adam vom Mai 1812 an auf dem russischen Feldzug begleitet. Den Verlust des Hundes auf dem Rückzug in Thorn und die Wiederbegegnung in Nördlingen, wohin sich Cerberus alleine durchgeschlagen hatte, schildert Albrecht Adam in seiner Selbstbiographie (Holland, 151 u. 257). – U. von Hase-Schmundt hat auf eine das Gemälde wiederholende Federzeichnung hingewiesen (AK Adam München 1981, 109). M.M.

7.3.2 Der Landschaftsmaler in seinem Atelier **

Eugen Hess (München 1824–1862 München), München, 1848, bez.u.r.: Eugen Hess / 1848, Öl/Lwd, 36 × 33; 29/821

Das kleinformatige Gemälde gewährt Einblick in ein Münchner Künstleratelier, das durch ein hohes Nordfenster erhellt ist. Der Maler im Morgenrock, türkischen Pantoffeln und Schottenmütze hat dem einfallenden Licht den Rücken gekehrt und liest mit verdüstertem Gesicht ein Schriftstück. Ringsum sind Malutensilien und Requisiten verstreut. Firnis- und Ölflaschen, Kaffeetasse, Malstock, Taschenuhr, Palette, Staffelei, Farbkasten, Papier, Helm, Dolch, Pfeifen, Kerzenleuchter, Kanarie und ein Schiffsmodell mit deutscher Fahne ergeben ein malerisches Durcheinander, das im Junggesellenhaushalt jede ordnende Hand vermissen läßt. Augenfällig sind die Ausrüstungsgegenstände des Künstlerfreicorps im Revolutionsjahr 1848 plaziert, nämlich das Infanteriegewehr, Säbel, Schärpe und der graue Zylinder mit deutscher Tresse, bayerischer Kokarde und Eichlaubbuschen (vgl. Kat.Nr. 12.4.17). Es ist bisher nicht gelungen, den porträthaft Dargestellten zu identifizieren. Weder die Porträtähnlichkeit, noch die Zugehörigkeit zum Corps, noch die Namen der Landschaftsmaler in München haben zu einem schlüssigen Ergebnis geführt. Bei dem graphischen Blatt an der Wand handelt es sich um das Gedenkblatt auf den Maskenzug der Künstler »Wallensteins Lager« von 1835 nach Entwurf Eugen Napoleon Neureuthers (vgl. Kat.Nr. 7.6.6). H.O.

7.3.3 Aus Künstlers Erdenwallen

Joseph Petzl (München 1803–1871 München) Verlag: J. Poppel und M. Kurz, München, um 1845, bez.u.r.: J.P.fec., Radierung, 15,5 × 13,5; Z (A 11) 2012/2

Aus der Serie von Joseph Petzl: Szenen aus dem Münchner Leben.
Ein nur mit einer Hose, Strümpfen und Baskenmütze bekleideter Künstler zieht mit einer Zange Nägel aus seinem Stiefel, um die Leinwand auf dem Rahmen befestigen zu können. Im Hintergrund zerbrochenes Holz, Säge, leere Staffelei, eine zerbrochene Statue, Hemd, Hut und Jacke. Im Fenster Efeu mit spärlichem Blattwerk, oben an der Fensterlaibung skizziertes Mädchenporträt mit einem kleinen Schleifchen an der unteren linken Ecke.
Darstellung zum »Erdenwallen« des Menschen waren in der Biedermeierzeit – etwa in der Form der Lebenstreppen oder der Ehebilder (»vor der Hochzeit«, »nach der Hochzeit«) sehr beliebt. Joseph Petzl stellte in seinen »Erinnerungsgrillen« (Kat.Nr. 5.1.1–8) etliche Szenen aus dem irdischen Schicksal des Menschen dar. Der Titel dieses Blattes kehrt in einer 1912 veröffentlichten Briefsammlung Moritz von Schwinds (Künstlers Erdenwallen, Briefe von Moritz von Schwind, hg. v. Walther Eggert-Windegg, München 1912) wieder, ohne daß ein unmittelbarer Bezug zwischen Schwind

und der Szene Petzls auszumachen wäre. Allerdings war auch Moritz von Schwind in seinen frühen Münchner Jahren (seit 1828) immer wieder vom Geldmangel bedroht gewesen, eine beabsichtigte Heirat scheiterte an seiner unsicheren finanziellen Stellung. Schwind befand sich also damals in einer ähnlichen Situation wie der Maler auf dem Bild, der seine Liebeshoffnung offenbar aus dem gleichen Grunde aufgeben mußte. U.L.

7.3.4 »Wenige Jahre aus dem Leben eines Künstlers« *

J. Stanley, 1850, bez.u.l.: Crayon Zeichnung v. J. Stanley, London Herring & Remington, 137 Regent Street, u.M.: Mit gesetzl. Schutz gegen Nachdruck; u.r.: Stahlradierung v. Brennhaeuser, Verlag der K.B. priv. Kunstanstalt v. Piloty u. Loehle zu München; Bildmitte: 1850 Aug. Munich, Stahlradierung, 60 × 44; G 85/31/57

Blatt aus dem König-Ludwig-Album, das dem abgedankten bayerischen König Ludwig 1850 anläßlich der feierlichen Enthüllung der Bavaria in München von den bayerischen Künstlern übergeben wurde. Die Darstellung steht in der Tradition der scherzhaften szenischen Gegenüberstellungen von Liebespaaren vor und nach der Hochzeit, wie sie im Biedermeier besonders beliebt waren und z.B. schon um 1815 bei Campe in Nürnberg herausgegeben wurden. Hier wird in der ersten oberen Szene ein Künstler mit seiner Geliebten beim idyllischen Stelldichein am Waldesrand vor romantischem Hintergrund, in der unteren jedoch als verzweifelter Familienvater von fünf Kindern in ärmlich beengten Wohnverhältnissen gezeigt. Efeu und Dornenranken umrahmen seine kümmerliche Existenz.
Dieses Geschenk an Ludwig war besonders sinnreich, da sich der ehemalige bayerische König während seiner Regierungszeit gerühmt hatte, die Künstler zu unterstützen und zu fördern. U.L.

7.3.5 Inneres der Humpenburg

Jobst Riegel (Nürnberg 1821–1878 München) nach Carl August Lebschée (Schmuggel 1820–1887 München), München, um 1840, bez.u.r.: gest. v. A. Riegel, u.l.: gez. v. C.A. Lebsché, Stahlstich, 30,5 (15) × 22,4 (9,8), Lit.: MK Proebst, 1968, Nr. 1477; P 1477

Ludwig Schwanthaler hatte bereits als Siebzehnjähriger am 25. August 1819 einen geselligen Bund gegründet, dem er den Namen »Humpenauer« oder »Humpenauer Gesellschaft« gab. Das verlorene Leben des Mittelalters sollte im Freundeskreis Schwanthalers und des Grafen Pocci wiedererweckt werden. Als der Bildhauer sein Atelier in die Lerchenstraße verlegte, gestaltete er sich 1835 einen Kneipraum in altdeutschen Formen, der den Zusammenkünften der »Humpenburger« diente. Spitzbogen und farbige Glasfenster, Mobiliar in mittelalterlichem Stil und Trinkutensilien aller Art bildeten den Rahmen für die heiteren Formen der Wie-

Aus dem König Ludwigs Album.

A FEW YEARS IN AN ARTISTS LIFE.

Wenige Jahre aus dem Leben eines Künstlers.

7.3.4

»Gesellschaft zu den drei Schilden« war die Vereinigung der Humpenburger weniger wissenschaftlich als literarisch und gesellig ausgerichtet.   N.G.

7.3.8 Die Humpenburg, Tischzeichen

um 1830, Gips, farbig gefaßt, Baumrinde, Zinnmontierung, 26, ⌀ 21; 53/470

Ludwig von Schwanthaler war einer der Mitbegründer der 1819 konstituierten Humpenauer, einem romantischen Ritterbund, der alte deutsche Ritterlichkeit wieder aufleben lassen wollte, und Besitzer der Humpenburg. In einem langgestreckten Haus in der Lerchenstraße, das Schwanthalers private Zimmer und drei große Werkstätten beherbergte, richtete er sich ein etwas tiefer liegendes »Gemach« ein, stattete es mit allerlei altertümlichen Trödel der Vorzeit aus und lud seine Münchner Ritterfreunde ein, von dieser »Humpenburg« Besitz zu nehmen. Alle Zusammenkünfte und Feierlichkeiten der Humpenburger fanden künftig in diesem Raum statt. Das Tischzeichen könnte entweder als Gabe eines Freundes später dazu gekommen, oder schon früher, noch in den Zeiten der Humpenauer, die sich auch in der »Xellnschaft der Humpenburg« zusammenfand, als eine Art Vereinszeichen benutzt worden sein.   U.L.

7.3.9 Deckelpokal aus der »Humpenburg« der Schwanthaler

Entwurf: Ludwig Schwanthaler (München 1802–1848 München), bez.: + und Meisterzeichen STORR, farbloses Glas, teilweise mit rubinrotem Innen- und Außenüberfang, geschliffen und geschnitten; Silberfassung mit verschlagenem Stempel, 42, Lit.: AK Schwanthaler, Reichersberg a. Inn 1974, Nr. 338; K 35-1622

Hochgewölbter Fuß mit Nodus, auf der zylindrischen Wandung das Münchner Kindl im Wappenschild, der Deckel verziert mit Schliffstern in Silberfassung und bekrönt von einem Schwan. – Der Pokal stammt nachweislich aus dem Inventar der »Humpenburg«, jener von Schwanthaler angeführten Künstlervereinigung, die ihren Sitz in der Lerchenstraße 2 hatte.   C.S.

7.3.10 Pokal in Gestalt des Bildhauers Ludwig Schwanthaler als Humpenburger *

München, um 1840, Bronze, 33,5; P 11875

Der Oberkörper der Figur, die den Bildhauer in humorvoll gemeinter Pose zeigt, ist abnehmbar. Ludwig Schwanthaler war die zentrale Gestalt mehrerer geselliger und musischer Vereinigungen, darunter der »Humpenau«, der »Humpenburg« und der »Gesellschaft von den drei Schilden«. Ernster Hang zur vermeintlichen Gefühlswelt des Mittelalters mischte sich gerade in den beiden erstgenannten Vereinigungen mit derb-fröhlichem Rittergebaren. In

derbelebung des Mittelalters. Viele der Mitglieder der Humpenburg waren jedoch auch in der wissenschaftlich und künstlerisch orientierten »Gesellschaft für teutsche Alterthumskunde« vertreten (Kat. 7.3.25).   N.G.

7.3.6 Chronik der Humpenburger

Franz Graf von Pocci, Ludwig Schwanthaler, München, ab 1818, bez.: Die hochl. Xellnschaft der Humpenburg, Feder, teilweise aquarelliert, Manuskript, gebunden in Pappe, bezogen mit brauner Leinwand, 35,4 × 23,6, Lit.: AK Vorwärts, Nürnberg 1986, Nr. 439, München, Staatsarchiv, Pocci Nachlaß Nr. 107

Das Manuskript enthält zahlreiche, teilweise kolorierte Federzeichnungen, ganzseitige Aquarelle aber auch Musikalien. Zu dem Kreis

um Ludwig Schwanthaler und Franz Graf von Pocci gehörten unter anderem Joseph Schlotthauer, Professor und Inspektor der königlichen Akademie der bildenden Kunst, der Literat Friedrich Beck und der Jurist Friedrich Hoffstadt. Alle fünf waren auch Mitglieder der 1831 in München gegründeten Gesellschaft für deutsche Altertumskunde.   U.L.

7.3.7 Trinkgelage der Humpenburger

Ludwig Schwanthaler (München 1802–1848 München), München, Federzeichnung, 18,5 × 42,5, Lit.: AK Aufklärung, München 1984, Nr. 269; S 51

Die geselligen Zusammenkünfte spielten eine nicht unwesentliche Rolle im Vereinsleben der Humpenburger. Anders als beispielsweise die

7.3.12

7.3.10

seinem Atelierhaus in der Lerchenstraße (Schwanthalerstraße) richtete Schwanthaler einen altdeutsch ausgestalteten Raum ein, die sog. Humpenburg, die den Zusammenkünften der »Humpenburger« diente. Das Fäßchen unter dem Arm des Porträtierten zeigt das Wappen der Vereinigung. Die Auffassung der Statuette spiegelt jedoch nur einen Zug der Bedeutung des Rückbezuges auf das Mittelalter in Schwanthalers Wesen. Der andere, die Neigung zu tiefer verstandener Mittelalterpoesie, die Schwanthalers Persönlichkeit gleichermaßen kennzeichnete, kommt in der Darstellung nicht zum Tragen.   N. G.

7.3.11 Fingerglied der Bavaria (Trinkhumpen)

München, um 1850, Bronze, 30, unterer ⌀ 16, Lit.: AK Vorwärts, Nürnberg 1986, Nr. 229; P 11877

Der Guß der Bavaria, des größten Bronzestandbildes seit der Antike, erlangte als technische Leistung der Kgl. Erzgießerei unter Ferdinand von Miller Weltruhm. Als Erinnerung daran wurden mehrere Abgüsse des vorderen Gliedes des kleinen Fingers der Figur gefertigt, die im geselligen Rahmen als Trinkgefäße verwendet werden konnten. Während der Feierlichkeiten der Enthüllung der Bavaria, am 9. Oktober 1850, reichte die Bürgersängerzunft König Ludwig I. einen Trunk aus einem der Pokale.   N. G.

7.3.12 Fingerglied der Bavaria (Trinkhumpen) *

München, um 1850, Ton, bronzefarben gefaßt, innen weiß glasiert, 26,5, unterer ⌀ 14,5; 29/571

Neben den Humpen aus Bronze (Kat. 7.3.11) wurden nach der Spitze des kleinen Fingers der Bavaria auch Tonhumpen hergestellt, die den Rückschluß auf eine verbreitete Beliebtheit des Motivs zulassen.   N. G.

7.3.13 Besteck

Hermann Dyck (Würzburg 1812–1874 München), München, um 1850, Lindenholz, Stahl, Messer: 29; Gabel: 26,5; Lit.: AK Kunstgewerbeverein, München, 1976, Nr. 327; Zeitschrift des Vereins zur Ausbildung der Gewerke Jg. 3, 1853, Nr. 1, Beschreibung der Kunstbeilagen, Blatt II; K 71–393/1–2

Das Regierungsprogramm Ludwigs I. hatte dem Trachtenwesen eine besondere Bedeutung im Rahmen der »Vaterlandskunde« gegeben. Trachten und volkstümliche Formen hatten besonders in Oberbayern darüber hinaus eine Anziehungskraft, die bis hinein in die Erneuerungstendenzen des Kunsthandwerks um die Jahrhundertmitte wirksam war. Hermann Dyck, der ab 1855 die »Zeichnungs- und Modellierschule« des Vereins zur Ausbildung der Gewerke leitete, veröffentlichte zu Beginn der fünfziger Jahre mehrere Entwürfe für Holzschnitzarbeiten des täglichen Gebrauchs, die die Aufgabe haben sollten, ». . . unsern heimischen industriösen Holzschnitzern zu Oberammergau und Berchtesgaden als Muster zu dienen, nach denen sie diese vielgebrauchten Geräthe mit Leichtigkeit in großer Zahl möglichst billig herstellen können.«   N. G.

7.3.14 Zwei Humpen besetzt mit Wappenschilden und Devisen

Carl Weishaupt, München, 1836, bez. u. a. Ring: Weishaupt und Münchner Kindlmarke von 1836, Birkenholz bemalt, mit Zinneinsatz, gefaßt in Silber, z. T. feuervergoldet, 14,5, ⌀ 4,7; 13,5, ⌀ 4; MStM

Auf dem einen die Devise: Thu freundlich mir
Bescheid, bin treu in Lust und Leid
auf dem anderen: Ich Englands Herold bringe
den Gruß Dir: trink und singe

7.3.15 Zwei Birkenstammhumpen

19. Jh., 46 und 51, A 72/232,1 und 2

7.3.16 Birkenstammhumpen mit Deckel

*München, 19. Jh., bez. in Blei auf dem Rand
die Signaturen von: Stuck, P.Rieth, Defregger,
v.Lenbach, Birkenholz, innen Harzüberzug,
55, MStM*

Überlassung des Künstlersängervereins nach
dessen Auflösung.

7.3.17 Bierkanne in historisierender mittelalterlicher Form mit Datum 1473

*München, erste Hälfte 19. Jahrhundert, Weiß-
blech verzinnt, 55,5 × 23; XIII/97*

7.3.18 Wangentisch mit gotischem Flachschnittornament

*alpenländisch, wohl 16. Jahrhundert, Zirbel-
kiefer massiv (dicht gewachsen), Platte Eiche,
81 × 119 × 68; 39/1232*

Brettwangen mit Füllung durch zwei Bohlen
verspreizt. Hoher Zargenkasten auf Gratleisten
eingeschoben. Abhebbare Platte mit gerundeten Ecken. Füllungen der Wangen mit Maßwerk in Reliefschnitt. Rings um die Zarge
Akanthusfries in Flachschnitt. Partien der
Längsseiten der Zarge und die Tischplatte sind
erneuert, die übrigen Teile wohl alt.   H.O.

7.3.19

7.3.19 Stangenpokal mit Deckel ✳

*Entwurf: Ludwig Foltz (Bingen 1809–1867
München), Ausführung: Fa. Villeroy & Boch,
Mettlach, Entwurf: Anf. 1830er Jahre, Ausführung: 1840er Jahre, Feinsteinzeug mit Platinauflage, ca. 40, Lit.: AK Kunstgewerbeverein, München 1976, 158, Abb. 161; Endres, II, Bd. 123,
1983, 293; Micus, 1986, 47–50; K 76/66*

Während seiner Studienzeit an der Münchener
Akademie, Anfang der 30er Jahre, hat Foltz
Kontakte zu »Ritterbündnissen« gehabt; Vereinigungen, in denen man sich durch Dichten
entsprechender Texte, durch Entwerfen von
Ritterburgen, durch Verkleiden und Zechen ins
Mittelalter zurückzuversetzen gesucht hat. So
ist Schwanthaler, Foltz Lehrer an der Akademie,
Gründungsmitglied der »Humpenau« und Philipp von Foltz, der Bruder Ludwigs, Mitglied
der »Humpenburg« gewesen. Dieser Pokal mit
einer spiralig um den Gefäßkörper angeordneten Abfolge von Trink- und Wirtshausszenen
sowie mit hierauf bezogenen Sinnsprüchen in
den Maßwerkfeldern dazwischen weist oben ein
Wappen mit einem kleinen Pokal darin auf.
Die »Humpenburg« und die »Humpenau« haben ganz ähnliche Wappen geführt, weshalb die
Vermutung nahe liegt, daß Foltz diesen Pokal
für einen solchen Verein Anfang der 30er Jahre,
noch kurz vor dem Zusammenschluß der Vereine zur »Gesellschaft für deutsche Altertumskunde« entworfen hat. Diese Gesellschaft tritt
1833 geschlossen dem »Historischen Verein für
Oberbayern« bei.   R.M.

7.3.20 Ansicht der Burg Schwaneck

Jacob, 1848, Aquarell, 28 × 22,5; M II 238

Über dem Isartal bei Pullach gestaltete Friedrich Gärtner in den Jahren 1844/45 für seinen
langjährigen Freund Ludwig Schwanthaler die
Burg Schwaneck im Sinn eines romantischen
Historismus um. Gärtner ging von der vorhandenen Bausubstanz aus und versah den Ausbau
mit neumittelalterlichen Details. Die Anlage
wird von dem quadratischen Bergfried beherrscht. Gärtner fügte diesem einen polygonalen Treppenturm an. Für Schwanthaler, dessen eigene Gedanken Gärtner für seine Entwürfe zugrundegelegt hatte, bedeutete der
Ausbau und die Einrichtung von Schloß
Schwaneck den Höhepunkt der Realisierung
seiner Mittelalterträume, die sich bis dahin am
deutlichsten in der Humpenburg konkretisiert
hatten. Das von Schwanthaler scherzhaft
»Burgstall« genannte Schwaneck diente ähnlichen geselligen Zwecken. Auch hier fand sich
eine aufwendige Einrichtung im mittelalterlichen Stil, um die Illusion des Burgenlebens der
»Vorzeit« perfekt zu machen.   N.G.

7.3.21 Schwanthalers Absage zu einem Fest auf Burg Schwaneck mit einer Zeichnung eines Humpenburgers mit erhobenem Schuh, der als Trinkhumpen dient

*Ludwig Schwanthaler (München 1802–1848
München), München, 5. Januar 1846, Blei und
Tinte auf Papier, 41 × 50,5; P 1990*

Schwanthaler schreibt:

»In Schwaneck drüben hör ich sagen
von Banqueten und Festgelagen
So Ihr allen Eurer bessten
Auf der Schwaige wollt bereithen
Dieweil ich nun selbst nit kommen kann
Schickh ich einen Reitersmann
Ueber den Staig und durch den Fluß
daß er Euch bringe meinen Gruß
Schickh auch mit einem rothen Stifel
Trinket draus es schmeckt nit übel
Denket daß ich guet gemeinet
und grueßt mir alle lieben Freund

scripsi Lud. Schwanthaler
am Tag vor heil. 3 König ao dni. 1846«

7.3.22 Kassette der Münchner Künstlervereinigung Stinkadorus

*München, 1820, Elfenbein, geschnitten und gra-
viert, Fichtenholz, Boden Eichenholz, dunkel
gebeizt, Messing, vergoldet, versilbert, 11,4 ×
27,1 × 18,6; 50/276*

Künstlerporträts bez.: K. Altmann. Bürkel.
Stieler. K. Eberhard. A. Adam. Klein. K.
Rottmann. Burkhard. Lanz. Habermann.
Quaglio. Kriehuber. Wurzbach. E. Stenze. In-
nenseite des Deckels: »Beim Tabakrauchen, bei
Frohsinn und Wein/Fallen dem Künstler Ideen
ein/Er malt sie auf Leinwand, er schnitzt sie in
Bein/Wie man hier sieht gar zierlich und fein.«
Der sich mit den Nazarenern verstärkt ausprä-
gende Gruppengeist bildender Künstler fand
auch in Deutschland eine vielfältige Resonanz.
Nicht zuletzt hatte der Italienaufenthalt des
Kronprinzen Ludwig in den Jahren 1817/18
und dessen ungezwungenes Verhältnis zu den
dortigen Künstlerkreisen dazu beigetragen, ge-
selliges Leben auch unter Münchner Künstlern
populär zu machen. Einige der vierzehn porträtierten Künstler gehören zu den Protagonisten der Münchner Kunstszene der ersten
Hälfte des 19. Jahrhunderts. Die Darstellung
ist wohl nach der Lithographie von Friedrich
Moosbrugger (Kat. 7.3.23) entstanden. Die
vereinfachten Formen der Gravierung lassen
auf die Vorbildlichkeit des differenzierteren
graphischen Blattes schließen. Sowohl das Äußere, als auch das Innere des Deckels zeigt eine
üppig eingesetzte Renaissanceornamentik, die
einer schematischen Auffassung der Abfolge
der Stilrezeptionen im Historismus des
19. Jahrhunderts widerspricht.   N.G.

7.3.23 Künstlervereinigung Stinkadorus

*Friedrich Moosbrugger (Konstanz 1804–1830
Petersburg), um 1820, Lithographie, 28 × 41;
M II/2165*

Das Blatt verdeutlicht die Anlehnung des geselligen Künstlerlebens an die Gebräuche studentischer Vereinigungen. Mützen, Waffen und
Humpen sind hier wie dort die gängigen Attribute männerbündischen Selbstverständnisses.
Auch die Gesamtkomposition ist an der Dar-

stellung studentischer Gruppen orientiert. Die Porträts dagegen sind in realistischer Deutlichkeit bemüht, die sensible Individualität der einzelnen dargestellten Künstler herauszuarbeiten. N.G.

7.3.24 Der Künstlertisch im Finkschen Kaffeehause in München * *

Wilhelm Ferdinand Bendz (Odense/Dänemark 1804–1832 Vicenza/Italien), München, 1832, bez.: W. Bendz München 1832, Öl/Lwd, 94,8 × 136,6, Lit.: Apollo Magazine, Sept. 1972, Abb. S. 212; AK Danish Painting, London, 1984, 165; MK Thorwaldsen Museum 1975, 192, Abb. 75; Kopenhagen, Thorwaldsen Museum

Das Gemälde von Bendz zeigt eine ungezwungene Abendgesellschaft von Münchner Künstlern, die sich im Kaffeehaus des Anton Fink in der Löwengrube Nr. 1 zusammengefunden hat. Die »Qualifakations=Tabelle der Kaffee=Häuser der königl. Haupt= und Residenzstadt München« von 1835 (Stadt AM, GA 119) beschreibt das Finksche Kaffee so: »Zwei tapezirte und elegant meublirte Zimmer«, in denen sowohl Bedienung als auch Bewirtung von bester Qualität waren und wo eine große Zahl von Zeitungen auslagen. »Die zahlreich anwesende Gesellschaft bestand aus Künstlern, Individuen vom jüng. Beamtenstand, einigen Studenten; Ton sehr anständig ... Das Finksche Caffeehaus ist bekanntlich ein Hauptzusammenkunftsplatz der hiesigen Künstler.«
Die Darstellung versammelt zahlreiche, später mehr oder weniger erfolgreiche Künstler, die damals eher eine Randgruppe unter den Münchner Malern bildeten und hauptsächlich als Landschafter hervortraten; unter ihnen befinden sich: Wilhelm Kaulbach, Heinrich Heinlein, Karl Altmann, Thomas Fearnley, Eduard Schleich, Heinrich Marr, Philipp von Foltz, Christian Morgenstern, Wilhelm Bendz und Joseph Petzl. B.B.

7.3.25 Statuten der »Gesellschaft für teutsche Alterthumskunde«

Entwurf: Friedrich Hoffstadt (Amorbach 1802–1846 Aschaffenburg), München, 1831, 36 × 27,8, Lit.: AK Vorwärts, Nürnberg 1986, Nr. 427; M II/457

Auf die Initiative des Juristen Friedrich Hoffstadt hin wurde 1831 in München die »Gesellschaft für teutsche Alterthumskunde von den drei Schilden« gegründet. Der nominelle Gründer war jedoch der Jurist Friedrich Freiherr von Bernhardt. Prominente Mitglieder wurden unter anderem die Bildhauer Ludwig Schwanthaler und Konrad Eberhard, der Maler Domenico Quaglio, der Architekt Joseph Daniel Ohlmüller, Graf Pocci und der fränkische Adelige Hans Freiherr von und zu Aufseß, der später nach dem Vorbild der Gesellschaft für deutsche Altertumskunde das Germanische Nationalmuseum in Nürnberg gründete. Bernhardt verfaßte auf der Grundlage von Entwürfen Hoffstadts die Statuten der Gesellschaft als einer Bruderschaft, die es sich zur Aufgabe machte, Kunst und Geschichte des Mittelalters zu erforschen, seine Denkmäler zu restaurieren, aber auch in den verschiedenen Künsten in dessen Geist weiterzuarbeiten. Für die Zusammenkünfte der Gesellschaft stellte Bernhardt ein Haus in der Lerchenstraße (später Schwanthalerstraße) zur Verfügung. N.G.

7.3.26 Zwei Neujahrsblätter der »Gesellschaft für teutsche Alterthumskunde«

Friedrich Hoffstadt (Amorbach 1802–1846 Aschaffenburg) und Karl Ballenberger (Ansbach 1801–1860 Frankfurt), München, a) 1835, b) 1838, bez. a) u.r.: gedruckt v. Ph.C. Stein Er...aM, Lithographien, a) 36 × 24,3; b) 36,7 × 24,3; Lit.: AK Vorwärts, Nürnberg 1986, Nr. 430 a und d; M II/466 u. M II 480

Die von dem Münchner Dichter und Gymnasialprofessor Friedrich Beck mit Versen ausgestatteten Blätter stellen in allegorischer Umsetzung das Programm der »Gesellschaft für teutsche Alterthumskunde« dar. Die »Alte Zeit«, flankiert von Jeanne d'Arc (»Glaubensmuth«) und Genoveva (»Lieb und Treu«) sollte der Gegenwart zur Aufgabe werden, die sich konkret durch den im Hintergrund dargestellten Kölner Dom ausdrückt, dessen Vollendung seit dem Beginn des 19. Jahrhunderts verstärkt gefordert wurde. Der Hintergrund der Figur des »Genius der Kunstliebe« verweist mit architektonischen Reminiszenzen an Nürnberg und Köln auf diejenigen beiden Städte in Deutschland, die für die Mittelalterrezeption der Romantik von besonderer, wenn auch unterschiedlicher Bedeutung waren. N.G.

7.3.27 »Das 19te und das 13te Jahrhundert« – Künstlermaifest des Jahres 1843

Eugen Napoleon Neureuther, München, 1843, bez.: Maifest der Künstler auf Schwanthalersburg, Lithographie, 54,3 × 39; M II/426

Höhepunkt im geselligen Jahresablauf der Künstler waren die Maifeste, die seit den beginnenden vierziger Jahren häufig veranstaltet wurden. Der Mai war von alters her der Monat, in dem sich die Aufbruchstimmung des Frühlings besonders naturnah in Festlichkeiten artikulierte. Der dem Zeitverständnis naheliegende Vergleich der eigenen Gegenwart mit dem Mittelalter wird in den Versen des gedruckten Dialogs und den Randzeichnungen ins humoristische gewendet. Mittelalterliche Ritter werden von Zeitgenossen des 19. Jahrhunderts aus jahrhundertelangem Schlaf geweckt. Verständigung zwischen der glorreichen Vergangenheit und dem weniger heldenhaften 19. Jahrhundert wird erst über die gemeinsame Trinkfestigkeit hergestellt: »Ob Jahrhunderte gehen durchs teutsche Reich/Im Durste sehen sie alle sich gleich« N.G.

7.3.28 Eine Münchner Künstlergesellschaft im Stubenvoll * *

Friedrich Schoen (Worms 1810–1868 München), 1844, bez.: F Schoen (ligiert) / px. München / 1844, Öl/Lwd, 92,5 × 119, Lit.: Kunstblatt 26, 1845, 144; Boetticher II, 1, 1901, Nr. 7, 631; Daheim 66, Nr. 22 v. 15.10.1929, 23f. m. Abb.; Pschorr Bräu München. Alt-Münchner Gaststätten (Texte Fr. X. Ragl o.J., 9–11 m. Abb.) II b/114

Das Bild »Künstlerkneipe beim Stubenvoll in München« wurde 1844 vom Münchner Kunstverein angekauft und von dem Privatier Kühbacher in Passau gewonnen (Jahresbericht 1844, Nr. 55). Es stellt das beliebteste Künstlerlokal Münchens dar, das am Unteranger Nr. 26 lag und im altdeutschen Stil eingerichtet war: Man erkennt auf dem Bild deutlich die neugotischen Stühle. Im Hintergrund sieht man in den Wandnischen Statuetten der 12 bronzenen Kolossalfiguren der Wittelsbacherahnen, die Ludwig von Schwanthaler seit 1832 für den Thronsaal des Festsaalbaues der Münchner Residenz schuf.
Zu dem Bild existiert im Münchner Stadtmuseum eine alte Umzeichnung mit Nennung der wichtigsten Namen der Dargestellten (Inv. 30/ 1939). Danach ist der stehende Wortführer mit dem Trinkhorn der Historienmaler Feodor Dietz, vorn am Tisch sitzt links, den Krug hebend, der Genremaler Karl von Enhuber, ihm gegenüber in Rückenansicht der Genremaler Heinrich Marr, hinter dem sich der Bildhauer Franz Xaver Schwanthaler (mit karierter Weste) dem Betrachter zuwendet, neben ihm stehend mit Schottenmütze der Genremaler Kaspar Kaltenmoser; hinten am Tisch sich zuprostend links der Lithograph Heinrich Kohler und rechts der Genremaler Nils Simonsen, stehend hinter Kohler der Landschaftsmaler Christian Morgenstern und in der linken Ecke, über die Stuhllehne zurückblickend, in Schottenmütze der Genremaler Friedrich A. Wyttenbach.
Der Maler Friedrich Pecht schrieb 1843: »Wir kneipten allabendlich im Café Scheidel an der Kaufingerstraße, während der größte Teil der jungen Maler im Stubenvollbräu sich zum ersten Male ein Lokal im gotischen Stil, eng, rauchig und unbequem, aber sehr romantisch geschaffen hatte, wo Feodor Dietz und Kreling (Historienmaler) das große Wort führten und es oft sehr wild und lärmend herging.«

In einer Adresse der Landauer an die Münchner Bürger war am 16.3.1848 (Mon. Nachlaß Pschorr) zu lesen: »Und Ihr, edle Künstler, die ihr in München die Wappenschilder aller deutschen Gauen zusammengehängt habt im Vorgefühl und als Symbol einer politischen Verschmelzung des gesamten deutschen Vaterlandes, ...« Dieses merkwürdige Lokal der jungen Münchner Künstlerschaft war also auch schon am Rhein bekannt. Die Verleger Gutsch und Rupp nahmen 1845 eine Lithographie von Heinemann nach dem Schoen'schen Gemälde in ihre Serie »Das neue Europa« auf. B.E./U.L.

7.3.2

7.3.24
7.3.28

7.3.29 11 Statuetten berühmter Maler

nach Modellen von Ludwig Schwanthaler (München 1802–1848 München), Nymphenburg, um 1840, bez.: SL ligiert, Nymphenburger Blindstempel Rautenwappen, teilweise auch S. und FB ligiert, gebrannter Ton, Lit.: Hofmann, 3. 1923, 563, 571; Otten, 1970, 42–44, 108; MStM

Bereits 1822 schrieb Ludwig I. an Georg von Dillis über seinen Plan, den projektierten Bau der Pinakothek durch »12 Mahler koloßale Bildsäulen in Nischen« als Galeriegebäude zu kennzeichnen. Im Verlauf der weiteren Planungsgeschichte wurden durch Anregungen von Dillis und Klenze schließlich 24 Malerstatuen als Attikafiguren projektiert, die Schwanthaler in seinem Atelier insbesondere von den Bildhauern Johann Leeb, Ludwig Schaller und Ernst Mayer ausführen ließ. Die Statuen wurden auch als Bronzereduktionen verbreitet. Das Atelier Schwanthalers arbeitete zu dieser Zeit auch gelegentlich für die Nympenburger Porzellanmanufaktur. Bereits 1831 verzeichnet ein Preiscourant »Statuen der Fürsten und Künstler nach Schwanthaler« als Figuren in gebranntem Ton. Das Thema war damit bereits vorbereitet. Ein Preiscourant aus dem Jahr 1850 nennt unter den Angeboten der Manufaktur ausdrücklich Schwanthalers Künstlerfiguren der Alten Pinakothek. Die 1844 datierte Darstellung der Künstlergesellschaft im »Stubenvoll« von Friedrich Wilhelm Schön (Kat. 7.3.28) zeigt einen Teil der Statuetten in der Funktion der Raumdekoration eines Vereinslokals.   N.G.

7.3.30 Büste Ludwig I.

Gips, 23, MStM

7.3.31 Die Wappentafel der Künstlergesellschaft zu den drei Schilden im Stubenvollbräu *

J. Scherer, 1838, bez.: Entw. v. J. Scherer – gedr. bey Hanfstängl – chr. Ruepprecht lith., Lithographie, 33 × 69, Lit.: Pocci, 1840, 425–9; List, 1922, 1–137; M II/418

In einer reichen Rahmung von neugotischem Sprengwerk mit aufgesetzten Fialen sind die Wappen der Künstler vereinigt. Die ausgefallene und zum Teil spaßige Heraldik ist auf die »Biernamen« – Verballhornung von Ritternamen – bezogen. In der Mitte steht ein Lukasschild als Zeichen einer Künstlervereinigung, darüber in Vierpässen Wappen der Maler, Bildhauer, Architekten und Stecher.
Der architektonische Rahmen wurde 1838 von Scherer für das Künstlerlokal entworfen. H.O.

7.3.32 Zwei Aufnahmediplome der Künstlergesellschaft im Stubenvoll für Franz Xaver Schwanthaler und Peter Herwegen **

München, 1848, Farbendrucke, lithographiert, 54,5 × 40,5; P 2082, M III 335

Spruch:
»Wer soll Meister sein? – der was ersann.
Wer soll Geselle sein? – der was kann.
Wer soll Lehrling sein? – Jedermann.«
Die nach dem Vereinslokal beim Stubenvoll-Bräuer am Anger benannte Künstlervereinigung war der Kern der späteren offiziellen Münchner Künstlervertretung. Das von Pflanzenwerk umrankte Diplom zeigt in seinem oberen Teil das Lokal der Zusammenkünfte, eine altdeutsch eingerichtete Stube, ein Ambiente, das Kneipwesen und Künstlerselbstverständnis, das Anschluß an die große Kunst der

Vergangenheit suchte, miteinander verband. Der beigefügte Spruch stellt die Verbindung zwischen dem Künstlertum des 19. Jahrhunderts und den handwerklichen Traditionen der Vergangenheit her. Das Wappen mit den drei Schilden ist das – nach Joachim von Sandrart – Albrecht Dürer von Maximilian I. verliehene Wappen, das auch die »Gesellschaft für Deutsche Alterthumskunde von den Drei Schilden« als Signet führte.   N.G.

7.3.33 Entwurf zu einer Adresse der Künstler an Ludwig I.

1840, Probedruck in Gold, 60 × 46, M II/2794a

Der Entwurf zeigt links unten die Allegorie der Kunstliebe mit Kindern umgeben von Attributen der Kunst, außerdem zwei Wiegen mit den Wappen der Künstlervereinigung Stubenvoll. Am Baumstamm zeigen Spruchbänder die Namen verschiedener Münchner Bauten, die unter Ludwig I. entstanden sind, auf.

7.3.34 Pfeife mit Potpourri verschiedener graphischer Blätter

Böhmen, 1820, Kopf: bemaltes Porzellan, Stiel: Weichsel, 34; 61/579

Als böhmische Spezialität wurden die ungewöhnlichen Pfeifenköpfe mit dem sogenannten Quodlibet, einem beliebigen Bildergemisch, angeboten. Hier findet sich ein Durcheinander z.B. von Kalenderblättern, Spielkarten, Musiknoten, Sinnsprüchen, Landschaften, Porträtskizzen etc. und als Blickfang oftmals ein Totenkopf, das ganze steht unter der Aussage »Memento mori!« – gedenke des Todes! Verstärkt wird diese Aussage durch Sinnsprüche wie »Wir blühen auf und welken wieder«. Beispielsweise hatte die böhmische Porzellanmanufaktur Schlaggenwald in der Prager Gewerbeausstellung vom Jahre 1831 auch einen Pfeifenkopf »mit Quodlibet« zu 4 Florin vorgestellt. Zum besseren Preisverständnis während dieser Zeit kostete z.B. eine Maß Bier ca. 4 Kreuzer, 4 Florin entsprachen 240 Kreuzern. Von diesen teuren Tabakspfeifen mit rundum verteilten Kleinbildern gibt es wahre Meisterwerke. Augenscheinlich mußten dabei die Maler die verschiedenen Motivtechniken beherrschen, deshalb wurden für besondere Bestellungen auch die besten Kräfte herangezogen. Zudem eignete sich das Quodlibet wegen seiner vielseitigen Anforderungen auch als Prüfungsstück für die Gesellenprüfung. Glücklicherweise trägt ein erhaltener Pfeifenkopf mit einem sorgfältigen Bildergemisch die seltene Signatur »Johann Hüttner Mahler im Schlaggenwald«. Der begabte 16jährige begann dort im Jahre 1810 seine sechsjährige Malerlehre und zeigte seine Vielseitigkeit auch durch überlieferte Blumenstücke. Natürlich wurden die auffallenden Pfeifenköpfe mit dem farbigen Quodlibet in unterschiedlicher Qualität auch von anderen Porzellanfabriken vertrieben.

W. M.

7.3.35 Pfeifenkopf mit Darstellung eines trinkenden Bettlers, mit der Devise »Ich hab mein Sach auf Nichts gestellt, drum ist's so wohl mir in der Welt« im Groteskenrahmen ✳✳

um 1850, bez. auf dem Fuß (Marke): 8, Porzellan, 18; 61/581

7.3.36 Pfeifenkopf, rundum mit fratzenhaften Gesichtern, Tieren, Pflanzen ✳✳

1840/5, Porzellan, bemalt, 10,7, 61/523

Die traumhafte und groteske Bildkomposition ist in schwarz-brauner Ton-in-Tonmalerei ausgeführt. Vor einer Folie von Erdreich und Blattwerk, die mitunter die Form von Gesichtern annimmt, bewegen sich kleine Menschengestalten, die spazieren, fischen und ruhen.

H. O.

7.3.37 Pfeifenkopf mit Vanitas Symbolen, Spielkarten und verschiedenen graphischen Blättern ✳✳

Böhmen, Porzellan, 12,5; 61/524

7.3.38 Kopf einer Pfeife mit gotischer Ehrenpforte, verziert mit Hebe und Ganymed sowie 15 Wappenschilden ✳✳

München, 1843, bez.: Supf W./Wallner/v. Wenzl/Wirthmann/Ratzinger/v. Dell'Armi/ Westermayer/Wurm/Supf F./Schmalz/Schaefer/Maistre/Rückl/ihrem Lippl/, Porzellan, 13,5; 61/513

Wappen von o.l. bis u.r. mit: Lanze/TYRANN, rotem Löwen/SUCCRO, Schiff/PASSERI, Rose/BERGAMO, rotem Pferd/ ADEPT, Bann/COAPLOU, drei blauen Lilien/MASTRO, schwarzem Adler/SCHNEPP,

Stern/CURTO, Bock/SEEHUND, Traube/ PEREGRINO, Kranz/Molch, Pyramide/ SPERKI, Zepter/TURCO, Schild.

7.3.39 Pfeifenkopf mit Wappen in den Farben Schwarz-Rot-Gold (v. u.), darüber ein Kaiser in gotischem Maßwerk, rechts und links von ihm Ausblicke durch gotische Fenster und Flußlandschaft

Böhmen, um 1850, bemaltes Porzellan, Montierung: Messing versilbert, 11,2; 61/507

7.3.40 Pfeifenkopf mit Altersporträt des Bildhauers Bertel Thorwaldsen

um 1840, bez. auf dem Fuß: 8, am Stiel PFH, Porzellan, bemalt, 13,5; 39/661

7.3.41 Meerschaumpfeife

Kopf: Meerschaum, Silber; Stiel: Weichsel, Horn, Silber, Seidenschnur; 1950

7.3.42 Geschnitzte Meerschaumpfeife mit Intarsien aus Perlmutt

um 1830, Kopf: Meerschaum, Montur: Silber, Stiel: Palisander, Intarsien Perlmutt und Messingdraht, Horn, Kette, 32; A 74/381

Die rechte Zeit

Der Morgen naht in süßer Farbenmischung,
Es siegt das Licht im frühen Dämmerstreit,
Da strömt ein neues Leben voll Erfrischung
In unsre Gruft, sie athmet weit.
Den milden Schein, den rosigen, zu trinken,
Entringt mein Liebchen sich dem Schlaf,
Vergebens will die Wimper niedersinken,
Als das geöffnet' Aug' den Liebsten traf.
Den Liebsten kann sie nicht, das Licht nicht missen,
Es schlägt das Herz in hoher Freudigkeit;
Gewiß, der Morgen ist die rechte Zeit,
Die rechte Zeit zu lieben und zu küssen!

Der Mittag naht, ich rett' aus seiner Schwüle
Mich eilends in das schattende Gemach,
Da sitzt die Liebste in des Zimmers Kühle,
Der Wärme giebt sie und der Liebe nach.
Verstohlen durch des Fenstervorhangs Seide
Belauschet uns ein heller Sonnenblick,
Daß ich auch diesen losen Zeugen meide,
Zieh' ich in's ferne Sopha sie zurück.
Da lehnt sie matt auf kühlen Seidenkissen,
Umfängt mich leicht im leichten Sommerkleid;
Gewiß, der Mittag ist die rechte Zeit,
Die rechte Zeit zu lieben und zu küssen!

Der Abend naht; wie seine Schatten locken!
Komm Liebste, komm hinaus in's Thal,
Getrieben wird, wie leichte Wolkenschatten
Zu Bette nun der letzte Sonnenstrahl.
Zu Ende ist des Tages lautes Treiben,
Zu Stille läd't die Geißblattlaube ein;
Im Lärmen wird die Liebe still stets bleiben,
Doch in der Stille wird sie lauter sein;
Kaum darf der Liebsten Aug' es wissen,
Wie Lieb' und Schaam so reizend sich entzwei't,
Gewiß, der Abend ist die rechte Zeit,
Die rechte Zeit zu lieben und zu küssen!

Die Nacht, sie naht, und mit ihr die Erhörung,
Denn Finsternis spricht Liebenden das Wort;
Gesichert vor des Tages bitt'rer Störung,
Empfängt sie mich am stillverwahrten Ort.
Es sucht der Mund den Mund, und ihn zu finden,
Leiht mir ihr Aug' den milden Zauberschein;
Es ist ein Flieh'n, ein Nah'n und ein Entwinden,
Und selbst das Sträuben spricht: »ich will'ge ein.«
Die Hände sind der Redekunst beflissen,
Im sanften Druck spricht Liebesdeutlichkeit,
Gewiß, die Nacht, sie ist die rechte Zeit,
Die rechte Zeit zu lieben und zu küssen!

M. G. Saphir, Humoristisch-satyrischer Bildkasten, 1832, 105

7.3.32

7.3.36

7.3.38

7.3.37

7.3.35

Wie die Humpenburg zu ihrem Namen kam –
oder August von Kotzebue und die neue Ritterzeit in München

Ulrike Laufer

August Friedrich Ferdinand von Kotzebue (1761–1819) war um 1800 einer der meistgespielten Komödiendichter an den deutschen Bühnen. Der erklärte Gegner Goethes und Feind der Romantiker verfaßte etwa 200 Stücke, die zwar schon damals von den Kritikern als seichte Trivialliteratur abgetan wurden, den Theaterdirektoren jedoch zuverlässig ein begeistertes Publikum und volle Häuser brachten (vgl. Glaser, Deutsche Literatur, 5, S. 321 ff.).

Das Theater spielte damals in der Gesellschaft eine viel bedeutendere Rolle als heute. Begriffe und Namen aus besonders beliebten und oft gespielten Stücken gingen in den allgemeinen Sprachgebrauch über, im geselligen Kreis wurden einzelne Szenenbilder nachgestellt und als Rätsel aufgegeben sowie kleine Lieder aus den Komödien ins Volksrepertoire übernommen. Viele dieser Stücke sind heute in Vergessenheit geraten, ebenso wie die Namen ihrer Dichter. Auch den Namen Kotzebue würde man heute kaum noch kennen, wenn dieser uns heute harmlos erscheinende Komödienschreiber nicht 1819 vom fanatisierten Burschenschafter Sand in Mannheim ermordet worden wäre. Kotzebue war 1785 als hoher russischer Staatsbeamter vom Zarenhof geadelt worden und nannte sich seitdem russischer Staatsrat von Kotzebue. Es gab Gerüchte, nach denen er als Geheimagent des als reaktionär und ultrakonservativ geltenden Zarenhofs fungieren sollte. Die satirischen Seitenhiebe in seinen Stücken sowohl gegen die Ideen der französischen Revolution, die, wie er meinte, zersetzend auf die deutsche Familie und den Staat wirkten, als auch gegen die Sehnsüchte der Romantiker, hatten ihn vor allem unter den Studenten nicht nur unbeliebt, sondern sogar verhaßt gemacht.

In einem seiner Stücke wandte er sich gegen die aufkommende Ritterromantik. Seit dem Ende des 19. Jahrhunderts war auf den deutschen Bühnen das »teutsche Mittelalter« immer beliebter geworden. Die Handlungen spielten sich nun in Burgverliesen, Kemenaten und auf Turnierplätzen ab, Burgfräulein, Raubritter, Knappen und lanzenschwingende Helden tummelten sich auf der Bühne. Romane gleichen Inhalts stimmten die Zuschauer schon zuhause auf diesen merkwürdigen Vergangenheitskult ein – und das nicht erst seitdem Ludwig Tieck in den Jahren 1799–1801 den Don Quijote von Miguel de Servantes übersetzt hatte, der dann schnell zum »Bestseller« des Biedermeier wurde. In Bayern liebte man zu dieser Zeit besonders die lokalpatriotischen Ritterdramen wie z.B. Babos Otto von Wittelsbach und Törrings Agnes Bernauerin (Glaser, Deutsche Literatur, 5, S. 324).

In die »Neue deutsche Schaubühne oder dramatische Bibliothek der neuesten Lust- Schau- Sing- und Trauerspiele«, zweiter Band, erschienen in Augsburg und Leipzig ohne Jahresangabe, nahmen die Herausgeber auch Kotzebues komische Oper »Hans Max Gießbrecht von der Humpenburg oder Die neue Ritterzeit« auf. Das Stück ist eine kräftige Satire auf die zu spät geborenen Anhänger deutschen Rittertums.

Hannchen, die Magd, führt in die Handlung ein: »Der gute Herr ist zufällig über die verdammten Ritter-Romane gerathen, und hat gelesen Tag und Nacht; nun ist ihm der Kopf so voll von Rittern und Knappen und Burgen und Humpen et caetera et caetera, und er hat sich dermaßen in das Mittelalter verliebt, daß unsere schöne neue Zeit ihm zum Ekel und Abscheu geworden, und er durchaus nur im 14ten Jahrhunderte leben will . . . Und betrachten Sie doch nur unsere Möbeln. Das allerliebste Conterfei der Ahnfrau des Geschlechts von Ellern hat der gnädige Herr hinter dem Schornstein hervorgeholt. Hier, wo sonst ein schwellender Diwan uns einlud, müssen wir jetzt an hohen harten Stühlen hinaufklettern. Alles Mahagoni ist verschwunden! und – was das ärgste ist – kein Spiegel mehr! wenigstens keiner von Glas. Sie sollen damals aus Venedig gebracht worden und sehr theuer gewesen seyn. Mit einem runden Stücke polirten Metalles müssen wir uns behelfen, oder in den Bach gucken, wie die arcadischen Schäferinnen . . .«

Der Ablauf des kurzen Singspiels ist simpel. Ein Rittmeister und sein Reitknecht kommen aus dem Krieg zurück in das Haus des Herrn von Ellern, dessen Tochter vom Rittmeister und dessen Magd vom Reitknecht geliebt wird. Doch Ellern hat inzwischen die Gegenwart soweit verlassen, daß er seine Tochter Elise, der er nun den »deutschen« Namen Gertrud gegeben hat, durchaus nicht mehr mit dem braven Rittmeister sondern nur noch mit einem echten Ritter verheiraten will. Der abgewiesene Freier greift daraufhin zur List. In der Rüstung seines Urahnes betritt er unerkannt als Ritter Panurgus von Donnerschwerdt das Haus seines zukünftigen Schwiegervaters, benimmt sich dort grobschlächtig wie ein echter Raubritter und fordert Ellern schließlich zum Turnier, auf dem er ihm dermaßen zusetzt, daß dem Biedermann alle Lust auf Ritterromantik vergeht. Er kommt zur Vernunft und der Rittmeister zu seiner wunschgemäßen Ehefrau. Seinen Rückzug in die Vergangenheit begründet Ellern im Laufe der Handlung so: »Wenn kein Glück in der Gegenwart zu finden ist, so soll man es in Zukunft oder Vergangenheit suchen. Die Zukunft ist den Sehern vorbehalten, folglich habe ich mir die Vergangenheit erwählt, wo noch deutscher Mut und deutsche Treue galten.« Dieser Hinweis auf die traurige Gegenwart in Deutschland läßt vermuten, daß Kotzebue den »Hans Max Gießbrecht von der Humpenburg« vor der Völkerschlacht von Leipzig 1813 während der napoleonischen Vorherrschaft in Deutschland geschrieben hat. Auch der Rittmeister kommt ja gerade aus einem Krieg. Doch auch nach der Vertreibung Napoleons aus Europa und der Herstellung der Ruhe und Ordnung nach dem Geschmack der Teilnehmer des Wiener Kongresses von 1815, der zur Enttäuschung vieler Bürger die Restauration, die Wiedereinführung alter Fürstenherrlichkeiten in Deutschland brachte, scheint längst nicht jeder mit der Gegenwart glücklich und zufrieden gewesen zu sein. Kotzebue hatte die Flucht in die Vergangenheit lächerlich machen wollen, doch in München wurde der Spieß umgedreht. 1816 erschien hier ein kleines, sehr dünnes Heftchen: »Hans Max Gießbrecht von der Humpenburg oder Die neue Ritterzeit, Eine komische Oper in 1 Akt von Kotzebue, Musik von P. Lindpaintner«. Dem Titel nach handelt es sich hier um eine Neuauflage der Augsburger Ausgabe. Doch weit gefehlt. Alle satirischen Bemerkungen, ja überhaupt alle Sprechtexte fehlen hier, so daß weder eine Handlung noch ein Sinn erkennbar wird. Lediglich die kräftigen Arien blieben erhalten. So wurde aus Spott Bewunderung und Verherrlichung der Ritterzeit, wenn z. B. Ellern, alias Hans Max Gießbrecht, singt:

> »Wie war es im herrlichen Mittelalter
> So einfach, traulich und wohlgemuth;
> Dem Ritter ein Schwerdt, dem Mönch ein Psalter,
> Dem Weib eine Spindel, und damit gut.
> Nicht hinter Feuergewehr verkrochen
> Erschien der Ritter im Felde nur.
> Nie ward des Mannes Wort gebrochen,
> Sein Handschlag galt für Eid und Schwur.
> Zwar konnt' er weder schreiben noch lesen,
> Doch fechten für der Freyheit Glück!
> Ihr schönen Zeiten seyd gewesen,
> O kehrt noch einmal mir zurück.«

Aber nicht nur die edle Seite des Rittertums wird in den Arien angesprochen, sondern auch das Raufen und Saufen, denn schließlich mußte der Rittmeister ja die Rolle des unkultivierten Raubritters übernehmen. Eines dieser Lieder spielt auf den sonderbaren Beinamen des Hans Max »von der Humpenburg« an:

> »Wer da will aus Gläsern nippen,
> O der netzt ja kaum die Lippen
> Noch mit Wein den struppichten Bart,
> Aber aus den schweren Humpen
> In das weite Maul ihn pumpen,
> Das heißt trinken nach Ritterart.
> Ja ihr möchtet aus Bouteillen
> Eine ganze Nacht durchschwelgen,
> Nüchtern bliebt ihr wie ein Fisch,
> Aber laßt ihr euch nicht lumpen,
> Sauft den Wein aus derben Humpen
> Ja, dann liegt ihr unterm Tisch.«

Zum echten Ritter gehört also eine erhebliche Trinkfreudigkeit und auch -festigkeit, neben Rauflust und Abneigung gegenüber dem zivilisierten Leben. Ein wunderbares Programm für gelangweilte Mitglieder der Münchner Gesellschaft. Wer Spaß daran hatte und es sich leisten konnte (dazu zählten allerdings in erster Linie etablierte Künstler, Adelige und Großbürgerliche) fand sich in privaten Rittervereinigungen zusammen. Dabei werden auch Kotzebues Lieder von der Humpenburg zum Vortrag gekommen sein. Der Name »Humpenburg« hat sich jedenfalls eingeprägt, denn schon zwei Jahre nach der Herausgabe des gekürzten Operntextes in München beginnen der Hofzeremoniemeister und Dichter Franz Graf von Pocci und der Bildhauer Ludwig Schwanthaler ihre Chronik der Humpenburg (vgl. AK Vorwärts, S. 283 f.). Die hochlöbliche »Xellnschaft der Humpenburg« kleidete sich in Rüstungen, veranstaltete Armbrustschießen und Gelage, wobei Humpen und schöne Pokale eine große Rolle spielten. Die Mitglieder der Gesellschaft nahmen phantastische Ritternamen an. Offenbar entstanden später oder auch gleichzeitig in München noch andere Ritterbünde, z. B. die Genossenschaft »Derer vom Bären«, die Humpenauer und ein aristokratischer Ritterbund bei Herzog Max in Bayern. Gegenseitige Raubritterspiele sind belegt (Schrott, S. 190 f.).

So hatte Kotzebue also zumindest in München gerade das Gegenteil mit seiner Satire auf die Ritterromantik erreicht. Die Lieder daraus lebten in den Köpfen und Kehlen der Münchner Don Quijoten fort.

7.4 Emanzipation der Frau –
»Den Wahnsinnigen und Unmündigen gleichgestellt«

In den Werken der Aufklärung des 18. Jahrhunderts war die Gleichheit der Menschen immer wieder betont worden. »Freiheit, Gleichheit, Brüderlichkeit« hieß die Parole der französischen Revolution 1789. Auch wenn »man« damit zunächst die gesellschaftliche Gleichheit von Adel, Klerus und Bürgertum sowie die Abschaffung der Stände gemeint hatte, der Ruf nach Gleichberechtigung von Mann und Frau ließ nicht mehr lange auf sich warten. Schon am Ende des 18. Jahrhunderts diskutierten fortschrittliche Männer »Über die bürgerliche Verbesserung des Weibes« (Th. G. von Hippel, 1792) und die Vor- und Nachteile der weiblichen Emanzipation. 1801 schrieb von Hippel: »Wenn mancher Biedermann bei diesem den Weibern erweiterten Würkungs-Kreis fürchtet, das andere Geschlecht werde aufhören jene Behaglichkeit in unsern Häusern zu erhalten, welche die Engländer mit dem viel bedeutenden Worte: confortable ausdrücken, so rufe ich ihm zu: fürchte nicht! da durch die Weiberverbesserung, die größere Abwechslung der Unterhaltung verstärkt und veredelt werden muß.« (Nachlaß über weibliche Bildung, Berlin, S. 13.)

»Verbesserung des Weibes« hieß zunächst einmal mehr Bildung für die Frauen und Mädchen. Allgemein erschöpfte sich diese bisher im Erlernen von Lesen, Schreiben, etwas Rechnen, dafür viel Religion und noch mehr Handarbeit und Hauswirtschaft. Eine Tochter aus »besseren Kreisen« lernte darüber hinaus noch Französisch, Zeichnen, Tanzen und Musizieren, damit sie sich zu einer unterhaltsamen Ehefrau und Gastgeberin entwickelte. Nun sollten die Frauen auch etwas über Literatur, Geographie, Geschichte und Politik erfahren. Die meisten Männer lehnten das jedoch ab, sie hielten hartnäckig an der Überzeugung von dem minderen Verstand der Frauen fest. Der Vater Spitzwegs, der in München für die Einrichtung einer Schule für Bürgertöchter ab dem 12. Lebensjahr gesorgt hatte, lehnte 1823 das Fach »Staatskunde« für die Bürgertöchter kategorisch ab und meinte, die Mädchen sollten lieber das Spinnen und Weben von Leinen erlernen. Diese Schule sollte auf das spätere Hauswirtschaften vorbereiten und den Mädchen keine Flausen in den Kopf setzen, die sie von dem Pfad der tüchtigen und tugendhaften Hausfrau abbringen könnten (Dostler, S. 18). In gutbürgerlichen Häusern, wo so viele Dienstboten vorhanden waren, daß die Hausfrau über Mußestunden verfügte, waren unzählige Handarbeiten oft die einzige weibliche Beschäftigung. Da gab es nichts, was nicht in feinster, komplizierter Manier kunstvoll bestickt oder bestrickt wurde. Das Zeichnen, das die »höheren Töchter« in den privaten Erziehungsinstituten, auf die sie von ihren Eltern unter schweren finanziellen Opfern geschickt wurden, um vor der Hochzeit den »letzten Schliff« zu erhalten, lernten, diente in erster Linie dazu, eigene Vorlagen für ihr Kunsthandwerk zu entwerfen. Nach der Juli-Revolution 1830 in Frankreich und mit der Verbreitung früher sozialistischer Ideen erhielt die Frauenemanzipation neue Impulse. Die Französin George Sand setzte diese Ideen in ihren Romanen, die übrigens teilweise in Bayern verboten wurden (BayHStA, MInn 25722 und BStB P. o. gall 2423⁵ und 1990ʳᵈ mit ehemaligen »Remot«-Nr.), in anschaulicher Weise um. Sie entstammte der Ehe eines jungen Adligen mit einer gesellschaftlich weit unter ihm stehenden Dame und wurde von der Großmutter erzogen. Die Großmutter sah in ihr den vermißten (ehelichen) Enkel und Ersatz auch für den früh verstorbenen Sohn und ließ ihre Enkelin in großer geistiger Freiheit aufwachsen. 1832 veröffentlichte George Sand ihren ersten selbständigen Roman »Indiana«, bereits ein Jahr später folgte »Lelia«. Begeisterte Kritiker hielten sie damals noch für einen Mann. In beiden Büchern behandelte George Sand die unerfüllte Liebe in Ehen, die ohne Liebe zwischen ungleichen Partnern (der sehr viel ältere Mann mit der jungen, unerfahrenen Frau) geschlossen worden waren. Die Sand plädierte leidenschaftlich für das Recht dieser Frauen, emotionale und geistige Erfüllung auch außerhalb der Ehe zu finden. Die Ehefrauen sollten nicht länger das Besitztum ihrer Männer sein.

Sie befolgte selbst diese Maximen, lebte ungeniert mit ihren Liebhabern zusammen, trug Männerkleidung, da diese auf nächtlichen Kneipenbummeln zusammen mit ihren Freunden, meist Studenten, praktischer war, und rauchte auch in der Öffentlichkeit, was sich zu dieser Zeit die Frauen nicht einmal zu Hause erlaubten. So wurde sie bald ebenso populär wie ihre Romane und zum Vorbild jeder »Emancipierten«.

Die Öffentlichkeit neigte dazu, Frauenemanzipation mit Verlust der Weiblichkeit gleichzusetzen. Moritz Saphir, zwischenzeitlich auch in München weilender Journalist und Satiriker, beschrieb diese »männlichen Weiber« in wenigen Sätzen so: »Am Tische trinkt sie ein Paar Gläser Wein, prüft ihn mit einer Kennermiene und mit der Zunge schmeckend, Abends klatscht sie im Theater wie ein Mann, und ruft laut: »Bravo!« oder spielt eine Partie Whist oder Hazard, und liest noch im Bette ein Buch über die Dressur der Pferde!« (Lyrisches, Humoristisch-satyrischer Bilderkasten, Stuttgart 1832, S. 196f.) Nach Saphirs Beschreibung gehörten zu den unweiblichen Beschäftigungen auch das Lesen von Tageszeitungen, die Beschäftigung mit Literatur, Billiardspielen und Fechten.

Zahllose Karikaturen beschäftigten sich in den dreißiger und vierziger Jahren des 19. Jahrhunderts mit diesen äußeren Formen der Emanzipation. Nur selten wurden die Forderungen nach Gleichberechtigung der Frauen in der Öffentlichkeit ernsthaft angesprochen. 1835 erschien in München eine anonyme Schrift »Ueber die Emanzipation der Frauen. Ein wohlgemeintes Wort«. Sklavenbefreiung, Religionsfreiheit und Frauenemanzipation gehörten danach unmißverständlich zu den wichtigsten Forderungen der Zeit: »Ein

Geschlecht, welchem man den großen Einfluß auf Staats- und Bürgerglück zugesteht, und zwar in der höchst wichtigen Leitung der ersten Erziehung und Bildung des Menschen, wurde bis jetzt zurückgesetzt, den Wahnsinnigen und Unmündigen gleich gestellt und vor den Gesetzen an Resignation verwiesen.« (S. 5.) Gelobt wird hier der Abgeordnete Duttlinger, der vor der badischen Kammer einen Antrag zur Verbesserung der rechtlichen Stellung der Frau eingebracht habe – »die badische Kammer steht diesmal wie immer an der Spitze der deutschen constitutionellen Verfassungen«.

Der anonyme Autor beklagt im folgenden die rechtliche und gesellschaftliche Unterdrückung der Frau: »Rechtliche Selbständigkeit ist den Frauen entzogen, die Verwaltung ihres Vermögens ist ihnen untersagt, ihre Geistes-Unmündigkeit wurde also von den Gesetzen anerkannt... Der Mann wählt sich oft nur das reiche Mädchen, um durch diese Wahl in Besitz und Verwaltung ihres Vermögens zu gelangen... Wenn man den geistigen Druck beobachtet, unter welchem gewohnte Staatseinrichtungen die Frauen erhalten, sollte man glauben, dieß Geschlecht sey kein Theil der Menschheit, nur untergeordnete Wesen, eine Art Parias, die, wie diese Kaste in Indien, nicht gleiche Vorrechte mit den übrigen Menschenklassen genießen...« Allerdings werden hier keine grundlegenden Reformen verlangt: »Für ein tausendjähriges Reich, ein Reich der Liebe und des Friedens, das noch kommen soll, wäre es nicht nothwendig, daß sich die Frauen unter eignem Schutze stellen oder daß sie ihre rechtlichen Ansprüche selbst vertreten; allein in unserer Zeit, wo Mißbrauch der Gewalt, Willkührlichkeit mit dem Egoismus stets mehr hervortreten, sollte man die Frauen von ihrer Unmündigkeit emanzipieren und sie über Gesetze unterrichten, die ihnen Zuflucht und Schutz gewähren.

Die Frauen sind gewiß nicht weniger fügsam, weniger geduldig und resigniert, wenn sie ihre Rechte kennen und sie beschützt wissen. Sie verlangen mit dieser Neuerung keine revolutionäre Freiheit;« (S. 12).

Insgesamt tat sich in der ersten Hälfte des 19. Jahrhunderts für die Verbesserung der Stellung der Frau noch nicht viel. Nur wenigen exponierten, meist im künstlerischen Bereich tätigen Frauen gelang es, sich über Konventionen hinwegzusetzen und ihr Leben nach eigenen Vorstellungen zu gestalten, ohne deswegen von der Gesellschaft ausgeschlossen zu werden. Neben den klassischen Vertreterinnen dieser Gruppe, den berühmten Tänzerinnen und Schauspielerinnen, gehörten seit dem Anfang des Jahrhunderts auch die vielen Schriftstellerinnen, wie z.B. Rahel Varnhagen von Ense und Bettine von Arnim. Doch auch Bettine kämpfte in ihrer Ehe mit dem Dichter Achim von Arnim immer wieder gegen dessen Versuche, sie in die Rolle der Geliebten, Hausfrau und Mutter zu drängen (vgl. AK Bettine, Frankfurt 1985, S. 65). U.L.

Nº 328.

Neu Ruppin, bei Oehmigke & Riemschneider.

Würde der Frauen.

Ehret die Frauen! Sie flechten und weben
Himmlische Rosen ins irdische Leben,
Flechten der Liebe beglückendes Band,
Und, in der Grazie züchtigem Schleier,
Nähren sie wachsam das ewige Feuer
Schöner Gefühle mit heiliger Hand.

Ewig aus der Wahrheit Schranken
Schweift des Mannes wilde Kraft;
Unstät treiben die Gedanken
Auf dem Meer der Leidenschaft.
Gierig greift er in die Ferne,
Nimmer wird sein Herz gestillt;
Rastlos durch entleg'ne Sterne
Jagt er seines Traumes Bild.

Aber mit zauberisch fesselndem Blicke
Winken die Frauen den Flüchtling zurücke,
Warnend zurück in der Gegenwart Spur.
In der Mutter bescheidener Hütte
Sind sie geblieben mit schamhafter Sitte,
Treue Töchter der frommen Natur.

7.4.1

7.4.1 »Ehret die Frauen« *

anonym, Neuruppin, bez.: N° 328/Neu Ruppin bei Oehmigke & Riemschneider, Lithographie, koloriert, 39,5 × 31,5; Slg. Böhmer

»Ehret die Frauen! Sie flechten und weben Himmlische Rosen ins irdische Leben, Flechten der Liebe beglückendes Band, und, in der Grazie züchtigem Schleier, Nähren sie wachsam das ewige Feuer Schöner Gefühle mit heiliger Hand.«

Das 1759 entstandene und durch theoretische Schriften W. v. Humboldts angeregte Gedicht Schillers erfreute sich in der Epoche nach 1800 größter Popularität, wurde unzählige Male zitiert – und daher auch zu einem beliebten Gegenstand der Parodie, deren bekannteste A. W. Schlegels »Schillers Lob der Frauen« ist.

»Ehret die Frauen! Sie stricken die Strümpfe, Wollig und warm, zu durchwaten die Sümpfe, Flicken zerrissene Pantalons aus; Kochen dem Manne die kräftigen Suppen, Putzen den Kindern die niedlichen Puppen, Halten mit mäßigem Wochengeld Haus.«

Schillers Gedicht stellt die unterschiedlichen Charaktere von Frauen und Männern in idealtypischer Weise dar, da er sie in ihrem Gegensatz für allgemeinmenschliche und überhistorische Gegebenheiten hält. Während die Männer als das aktive, aber auch gewalttätige, dabei unstete und in die Zukunft ausgreifende Prinzip der Menschheit aufgefaßt werden, realisieren die Frauen in ihrem eher passiven Wesen das beharrende Prinzip des Lebens; an Haus und Kinder gebunden leben sie in der Gegenwart und in einer engen Beziehung zur Natur. Darin sind sie aber auch der Wahrheit und der Kunst näher als die Männer und repräsentieren das versöhnende Prinzip innerhalb der Kultur. Der klassischen Auffassung Schillers ganz ungemäß stellt der anonyme Graphiker eine Szene aus dem weiblichen Leben dar, die ein Bild der Frau nach eher dekorativen als nach philosophischen Ansprüchen entwirft. Vor dem Hintergrund einer mittelalterlichen Burg wird eine im Stil der Dürerzeit gekleidete Dame von ihrer Magd mit einem Blumenkranz geschmückt. Die Darstellung im ›altdeutschen Stil‹ verherrlicht eine Auffassung des weiblichen Lebens, die nicht mehr den Gegensatz zu einem männlichen Prinzip thematisiert, sondern das Wesen der Frau in beschaulicher Selbstbezogenheit erfüllt sieht.　　B. B.

7.4.2 Lebenstreppe mit der Inschrift »auf wiedersehen«

Kemptsa, 1812, Aquarell, 16,3 × 27, Lit.: AK Die Lebenstreppe, Köln 1983; Slg. Böhmer

Darstellungen mit den verschiedenen Stufen der menschlichen Lebenszeit gab es schon seit dem 16. Jahrhundert. Seit dem Ende des 18. Jahrhunderts wurden sie auch in der breiteren Bevölkerung beliebt. Es bildete sich die Form der pyramidenähnlich auf- und abführenden Lebenstreppe heraus. Die Bilder dienten der Unterhaltung und dem Zeitvertreib,

7.4.3

aber auch der moralischen Belehrung. Mit der Schematisierung des Lebens wird dem Individuum geholfen, seinen jeweiligen Standort zu finden und als allgemeingültig zu akzeptieren. Auffallend ist hier, daß der Mann auf »der Höhe seines Lebens« mit etwa 50 Jahren und auch noch zehn Jahre später ohne Ehefrau gezeigt wird. Die Frau tritt in den zehn verschiedenen Altersstufen insgesamt nur viermal auf.　　U. L.

7.4.3 »Die Stuffenjahre des Menschen.« *

um 1815, Radierung, koloriert, 19,7 × 23,5, Lit.: AK Die Lebenstreppe, Köln 1983, München, Bayerisches Nationalmuseum, NN 4034

Hier wird die Lebenszeit des Menschen auf wirklichen Stufen von der Taufe bis zum Grab dargestellt, wobei Taufe und Grab unterhalb der Treppe zu sehen sind. Auf jeder Stufe stehen Mann und Frau »gleichberechtigt« nebeneinander. Ein Spruch erklärt allerdings die verschiedenen Stufen, ohne auf die Frau weiter einzugehen: »Fünf Jahr ein Kind./Zehen Jahr ein Knab./Zwanzig Jahr ein Jüngling./Dreßig Jahr ein Mann./Vierzig Jahr wohlgethan./Sechzig Jahr geht's Alter an./Siebenzig Jahr ein Greiss./Achtzig Jahr Schneeweiß./Neunzig Jahr der Kinderspott./Hundert Jahr Gnade bey Gott.«
In der Mitte des Blattes werden Frühling, Sommer, Herbst und Winter symbolisiert, um die Natürlichkeit und Zwangsläufigkeit des menschlichen Lebenslaufs noch einmal zu betonen.　　U. L.

7.4.4 »Die Stuffenjahre des Menschen«

anonym, um 1820, Kupferstich, koloriert, 18,4 × 26,4, Lit.: AK Die Lebenstreppe, Köln 1983, 131, Nr. 35; Slg. Böhmer

Das Blatt trägt den gleichen Spruch wie das Vorhergehende. Die Lebenstreppe spannt sich diesmal über die Erdkugel. Die Frau begleitet den Mann nur in den dreißiger und vierziger Jahren, also in der Zeit der Familiengründung und Kinderaufzucht. Diese Lebenstreppe war besonders beliebt und weit verbreitet, ein gleiches Blatt im BNM (1947/21, No. 1442) war in Prag bei Jacob Michellete erschienen.　　U. L.

7.4.5 »Das Stufenalter des Menschen«

Frankfurt, um 1845, bez.: Druck und Verlag von Ed. Gust. May Frankfurt a.M.; u.r.: Nr. 415, Lithographie, koloriert, 25 × 35,3; Slg. Böhmer

»Es wird das Leben in ZEHN STUFEN seit langer Zeit schon eingetheilt, Die sich euch hier in Bildern zeigen, wenn gern der Blick darauf verweilt.«
Eine klassische Lebenstreppe, vom Wickelkind bis zum Greis; auch hier tritt die Frau nur während der Familiengründung und Kinderaufzucht an die Seite des Mannes. Anstelle der Erdkugel ist eine Darstellung von Adam und Eva im Paradies getreten.
Der Verlag May in Frankfurt produzierte von 1845 bis 1849 bürgerliche Druckgraphiken als häuslichen Wandschmuck, daneben aber auch politische Karikaturen.　　U. L.

7.4.6

7.4.6 »Die drey Perioden des schönen Geschlechts« Beilage der Wiener Theaterzeitung *

Johann Christian Schoeller (Wien 1765–1856 Wien), Andreas Geiger (Rappoltsweiler/Elsaß 1782–1851 Wien), Wien, 1838, bez. o. M.: Wiener Scene, o. r.: N° 21, u. M.: Die drey Perioden des schönen Geschlechts, u. r.: And. Geiger sc./ Wien im Bureau der Theaterzeitung, Rauhensteingasse N° 926, u. l.: Schoeller del; Kupferstich, koloriert, 23 × 29; Slg. Böhmer

Das schöne Geschlecht wird hier zunächst als Mädchen, das sich an Bilderbuch, Puppenspiel und Weihnachtsbaum freut, dann als Matrone mit Schoßtieren, Freundinnen, altem Kavalier und Kartenspiel und schließlich im heiratsfähigen Alter gezeigt. Der »Damenzirkel« hat sich im biedermeierlichen Salon vereint. Alle drei Generationen üben sich in »anständigen«, gesitteten Formen des Müßigganges; die Beschäftigung der braven, kleinen Mädchen drückt bereits ihre späteren Lebensinhalte aus: Lesen, Kaffeetrinken, Kleidung und das Streben nach Glanz und Wohlleben, wie hier bei der Jüngsten nach der Pracht und der Vielfalt des Weihnachtsbaumes. Die junge Dame dagegen ist ganz damit beschäftigt, sich mit Hilfe einer

Freundin zu putzen, um den passenden Ehemann für ein angemessenes Leben zu ergattern. Besonders spitz wird die mittlere Gruppe der älteren Damen karikiert, sie werden hier gleichzeitig als Vertreter einer überkommenen Zeit angegriffen: der Gebrauch des Schnupftabakes bei den Damen und das Tragen von Zöpfen bei den Herren sind nun endgültig passé.

Die mehr oder weniger offenkundig gegen die Frauen gerichtete Bosheit dieses Blattes steht in einer langen und keineswegs auf das Biedermeier beschränkten Tradition. Der hier im Vordergrund stehende Vorwurf des Müßiganges resultiert noch aus den Maximen des aufgeklärten Bürgertums der Wende vom 18. zum 19. Jahrhundert, das gerade die Frauen dazu aufforderte, sich für die Gesellschaft – allerdings innerhalb ihres herkömmlichen Aufgabenbereiches – nützlich zu machen.   U.L.

7.4.7 »Kunstunterricht in einem Münchner Mädchenpensionat« **

Franz Xaver Nachtmann (Bodenmais 1799–1846 München), München, 1832, bez.: F. Nachtmann pinx. 1832, Aquarell, 48 × 70, Essen, Privatbesitz

Das Aquarell zeigt die Innenansicht eines Schulraumes, in dem gerade eine Zeichenstunde stattfindet. 24 Schülerinnen gruppieren sich um zwei Tische im vorderen und hinteren Raum. Den Tischen steht jeweils eine Dame vor, die die Mädchen beim Zeichnen beaufsichtigt. Die vordere Erzieherin trägt Witwentracht. Die Mädchen sind damit beschäftigt, mit schwarzer Kreide verschiedene Motive zu zeichnen, eines hat gerade ein Porträt des »Alten Fritz« kopiert. Deutlich werden hier drei der vier Fächer der Zeichenkunst gezeigt: Figur, Natur und Architektur; die Ornamentik fehlt. Das Bild weist einen sehr sorgfältigen, fast minuziösen Realismus auf, man könnte meinen, es handle sich hier um einzelne Porträts bestimmter Schülerinnen und Lehrkräfte. Die Köpfe der Personen erscheinen dabei bisweilen seltsam überproportioniert zu ihren Körpern, was den porträthaften Charakter der Darstellung noch unterstreicht. In der Mitte des Bildes ist der Kopf eines am Tisch sitzenden Mädchens oval herausgeschnitten worden, ihr Kleid ist unter dem Tisch noch zu erkennen, die Stelle wurde nachträglich unbeholfen ergänzt.

Als Genredarstellung nimmt der »Kunstunterricht« eine Sonderstellung in Nachtmanns

7.4.7

Werk ein, da von ihm bisher nur Porträts, Blumenstücke, Innenansichten und Landschaften bekannt sind.

Sein Werk ist noch wenig erforscht. Nachtmann wurde am 6.9.1799 als Sohn eines Oberrechnungskommissärs in Bodenmais geboren (StadtAM, Familienbogen). Von 1814 bis 1819 besuchte er die Kunstakademie in München. Auf Vorschlag und Wunsch Friedrich Gärtners wurde er 1822 Porzellanmaler für Blumen in der Manufaktur Nymphenburg. 1826 verließ er diese Stelle und lebte seitdem von privaten Aufträgen. Friedrich Gärtner, der seit 1822 Leiter der Nymphenburger Manufaktur war, hatte versucht, das künstlerische Niveau der Produktion zu heben. Dies erwies sich jedoch als unrentabel, das Niveau mußte wieder gesenkt werden; vielleicht ist dies der Grund für Nachtmanns Weggang. Wohl um seinen Lebensunterhalt zu verbessern, betätigte er sich nebenher als Zeichenlehrer. Zu diesem Zweck entwarf und veröffentlichte er Musterbücher (z.B. »Blumen- und Früchtestudien, nach der Natur gezeichnet und lithographiert, in 24 Blättern und 8 Umrissen«, München bei Hermann, o.J., BayStB 2° Art. 137ʸ). Dies erklärt wohl den authentischen Eindruck des Bildes. Es könnte sich hier um eine Mädchenklasse

handeln, die Nachtmann so vertraut war, daß er hier eventuell ein ganzes »Klassenporträt« schuf.

Es gilt also zu untersuchen, in welcher Schule sich diese Szene abgespielt haben könnte. Die hellen, nach dem Zeitgeschmack gestrichenen und einfach eingerichteten Räume befinden sich in einer Zimmerflucht eines oberen Stockwerks. Nach der Form der Türstöcke könnte das Gebäude etwa um 1700 errichtet worden sein. Auch der Fußboden wurde wohl erst vor kurzem mit modernem Muster neu verlegt. Kleidung und Haartracht der Mädchen (Cashmere-Schals, Spitzenkrägen, komplizierte Aufsteckfrisuren) weisen sie als »höhere Töchter« aus begüterten Kreisen aus. Die Kleider sind einfach, aber modisch und in unterschiedlichen Farben. Es kann sich hier also nicht um eines der staatlichen Erziehungsinstitute für Mädchen handeln, da sowohl im Max-Josephs-Stift (gegründet 1813) als auch im Nymphenburger Erziehungsinstitut, das 1835 an die Englischen Fräulein abgegeben wurde, eine einheitliche Schulkleidung Pflicht war. In der 1822 eröffneten städtischen Höheren Töchterschule waren laut Adreßbuch von 1835 Sophie und Franziska Fellner als Zeichenlehrerinnen eingestellt. Auch die anderen Lehrkräfte waren weiblich.

Auf dem Bild ist rechts ein mittelgroßer Herr zu sehen, der ein Buch in der Hand hält. Es wäre nun allerdings denkbar, daß der etwa 35jährige Mann Franz Xaver Nachtmann selbst ist – auch das Buch in seiner Hand könnte dem Format nach eines seiner eigenen Musterbücher sein – und es sich hier nur um einen Besuch Nachtmanns in der Schule, die übrigens der Vater Spitzwegs gegründet hatte, handelt (vgl. Dostler). Diese Töchterschule war bis 1833 im Gräflich-Seefeldschen Palais im Rosental untergebracht.

Sollte es sich hier aber tatsächlich um ein »Pensionat« handeln, wie der überlieferte Titel des Aquarells lautet, dann kommt auch diese Schule nicht in Betracht und es bleiben nur die verschiedenen privaten Erziehungsinstitute, von denen in Müllers Universalhandbuch von München 1845 nur die Schule der Philippine de Ditterich genannt wird. Hier gab es auch männliche Lehrkräfte, für den Zeichenunterricht war Karl Restallino zuständig. Gegen die Pensionatsthese spricht das sehr unterschiedliche Alter der Mädchen in dieser Klasse.

Sowohl für den Herrn als auch für die Damen gehörte es zu dieser Zeit zum »guten Ton«, zeichnen zu können. Für die Frauen war es eine willkommene Beschäftigungstherapie,

575

7.4.8

gleichzeitig waren sie so in der Lage, die Vorlagen für ihre kunstvollen Handarbeiten selbst zu erstellen.
In dem hier dargestellten Raum erhielten die Mädchen offenbar auch den Unterricht in anderen Fächern; in der städtischen Schule z.B. Religion, Deutsch, Geschichte, Erdkunde (auf Bayern beschränkt), Französisch und Kalligraphie. Natürlich mußten sie auch Arithmetik lernen, eine typische Rechenaufgabe steht noch auf der Tafel: »wenn 1 Pfund 23 fl (Gulden) 18 X (Kreuzer) 3 H (Heller) kostet, was kosten 29 Ztr. 60 Pfund und 18 1/2 Lth (Loth)«.
Auch wenn sich die hier abgebildete Szene nicht eindeutig einer Schule oder einem Gebäude zuordnen läßt, so bietet sie doch einen eindrucksvollen Einblick in die Welt der »höheren Töchter«. P.Fl./U.L.

7.4.8 »Le Roman« – »Ils se battent pour moi. . . Alfred m'enlevera. . . nous nous marierons« *

Paris, um 1835/40, bez.: Paris chez A.Poutin et Comp./ et Amsterdam chez J.M.L.Eigerman, Kreidelithographie, 39,9 × 31,8; Nürnberg, Germanisches Nationalmuseum, HB 24005/1299

Gegenwartsentrückt träumt ein junges Mädchen von dem Helden ihres gerade gelesenen Romans. In ihrem Wunschtraum duelliert sich dieser für sie, um sie schließlich auch zu heiraten.
In der ersten Hälfte des 19. Jahrhunderts wurde die lesende Frau – vor allem die Romane lesende Frau – oft in Satiren und Karikaturen angegriffen. Dieses Blatt enthält aber weniger beißenden Spott als lächelndes Verständnis für das junge Mädchen, das naiv von dem zukünftigen Erlöser aus ihrem Mädchendasein träumt. U.L.

7.4.9 Münchner Bürgerin beim Kaffeetrinken, Vorzeichnung und Lithographie *

Carl August v. Lebschée (Schmuggel 1800–1877 München), lithographiert von Albrecht Adam (Nördlingen 1786–1862 München), um 1825, bez.: München bey Hermann u. Barth, Zeichnung, Bleistift und Tusche/Lithographie, koloriert, 27 × 21,5 und 30,5 × 24,5; Lit.: AK WB III/2, Nr. 945 f.; Zeichnung: MIV/1068, Lithographie: MI/1891/2

Vorzeichnung und Endprodukt erscheinen gegengleich, das Intérieur wurde leicht verändert. Dargestellt ist das Zimmer einer wohlhabenden, biedermeierlich eingerichteten Familie. Die begüterten Verhältnisse, in denen diese junge Frau lebt, zeigen sich besonders an ihrem Schmuck (mehrreihiges Halsband, lange Kette mit Kreuzanhänger, sog. Kreolen-Ohrringe, breites, üppiges Armband und Ringe) und dem kostbaren Cashmere-Schal, auf dem sie nachlässig lehnt. Trotz ihrer modischen Kleidung hält sie an der traditionellen Münchner Riegelhaube fest.
Kaffeegeschirr und das aufgeklappte Buch auf dem Schoß der Frau lassen auf ein Leben in Müßiggang schließen. Die kunstvoll aufgetürmte Frisur, das spielerische Deuten der Hand auf das Dekolleté (mit dem Kreuz!) und der herausfordernde Blick verleihen der Dame etwas Kokettes und Pikantes. Ganz sicher wird hier nicht der Idealtyp der bürgerlichen Frau im Biedermeier dargestellt. Die Unterschrift auf der Lithographie »Eine moderne junge Frau von München. Une jeune femme de la Classe bourgoise d'aprésent à Munic.« läßt darauf schließen, daß es dem Verlag nicht um eine moralisierende oder dokumentarische Darstellung ging, sondern um ein auch im Ausland gut verkäufliches Blatt.
Die Lithographie erschien allerdings auch in der »Sammlung bayerischer National-Costüme« von Felix Joseph Lipowsky (1764–1844), der diese ausschließlich zur Dokumentation der verschiedenen bayerischen Trachten zusammengestellt hatte. U.L.

7.4.10 »Heuraths-Fischerei«

Wien, um 1840, Lithographie, koloriert, 20,9 × 31,8, Lit.: AK Populärgraphik, Paris 1974, Nr. 70; Slg. Böhmer

Heiratslustige Junggesellen konnten mit Schmuck, Geld, Doktortiteln oder schneidigen Uniformen leicht eine Ehefrau ködern. Nach dem Spruch unter der Abbildung waren aber auch diese glücklichen Heiratskandidaten vor einem Mißgriff nicht gefeit: »Der Goldfisch hat gut angebissen / Er wird dem Helden nicht entwischen / Makrelen und Forellen zart / Die schwimmen da von seltner Art. / Doch mancher fängt sich nur zur Reue / Sich einen Weißfisch oder Schleie.« U.L.

7.4.11 »Der Baum der Liebe«

Verlag Gustav Kühn, Neuruppin, um 1840, bez.u.l.: Nr. 2250, Lithographie, koloriert, 43,6 × 33,8, Lit.: AK Populärgraphik, Paris 1974, Nr. 69; AK Die Frau im Korsett, Wien 1984, Nr. 99, 145 (Abb.); Slg. Böhmer

Mit Stangen, einer Leiter oder gleich durch Umsägen des Baumes versuchen junge Frauen,

7.4.12

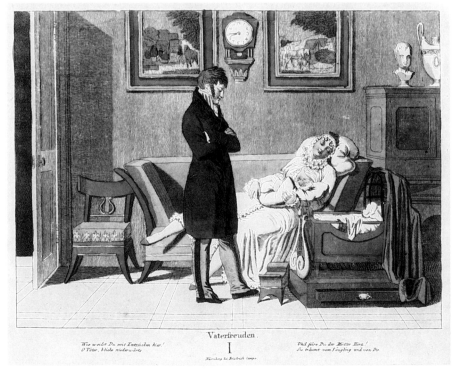

sich einen Ehemann vom »Baum der Liebe« zu pflücken. Die begehrten Objekte der Liebe schauen diesem Treiben gelassen und teilnahmslos zu.

Ein ähnliches Blatt aus Wien, Druck und Verlag von C. Barth, erschien mit einem anderen aber sinnverwandten Text. Das Wiener Blatt stellt die gesamte Szene als Traum von acht heiratslustigen Mädchen dar: »Doch ach! in ihrer größten Freude o. Jammer, / Entschwinden die herrlichen Träume, / Die Mädchen erwachen in ihrer Kammer, / Wo giebt es solch prächtige Bäume?«

Diese Blätter verarbeiten in lustiger Manier die Angst der Frauen »sitzen gelassen zu werden«. Nur als Ehefrauen fanden sie soziale und materielle Sicherheit und wurden sie als vollwertige Mitglieder der Gesellschaft anerkannt, deshalb heißt es hier im Text: »Lieber einen Alten dann, / Als am Ende keinen Mann . . . Wenn er's noch so arg auch treibt, / Wird am Ende doch beweibt.«   U. L.

7.4.12 »Vaterfreuden« *

bei Friedrich Campe, Nürnberg, um 1820, bez. u. M.: Nürnberg bei Friedrich Campe, Radierung, koloriert, 19,9 × 29,5; Nürnberg, Germanisches Nationalmuseum H B 25891/ 1234

»Wie weilst Du mit Entzücken hier!
O Vater, blicke niederwärts
Und feire Du der Mutter Herz!
Sie träumt vom Säugling und von Dir«

7.4.13 »Die irdische Mutter« und »Die goettliche Mutter«

Franz Napoleon Heigel (Paris 1813–1888 München), Carlo Restallino (Domodossola 1776–1864 München), bez. u. l.: Aquarellgemälde v. F.N. Heigel; u. M.: Steinzeichnungen v. C. Straub; u. r.: Tuschzeichnung v. C.Restallino, 25 × 42; G 85/31/142

Die zwei Ovalbildnisse, die jeweils eine Mutter mit Kind zeigen, sind nebeneinandergestellt. »Die goettliche Mutter« von Restallino nimmt als Vorbild die »Madonna della Seggiola« in Florenz von Raffael, wo ähnliche Motive im Tondo, der Komposition und im Motiv des gestreiften Kopftuches vorkommen. »Die irdische Mutter« von Heigel zeigt das himmlische Vorbild ins Irdische übertragen. Die Mutter in Morgenkleid und Haube präsentiert auf einem Spitzenkissen den in Spitze gekleideten Säugling. Das innige Aneinanderschmiegen der Raffael-Paraphrase ist einem kühl distanzierten Nebeneinander bei Heigel gewichen, bei der das Kind nur als Attribut eines gesellschaftlichen Anspruchs scheint.   H. O.

7.4.14 Familienszene (Münchner Volksleben) * Abb. S. 132

Friedrich Kaiser (Lörrach 1815–1890 Berlin), Karlsruhe, um 1840, bez. u. r.: Lith. v. P. Wagner in Carlsruhe; u.l.: Kaiser, Lithographie, 34,6 × 26,6, Lit.: MK Proebst, München 1968, 185; P 1765

7.4.9

In einer einfach eingerichteten bürgerlichen Wohnstube wird ein Kleinkind von der Mutter ins Bett gebracht. Der Vater wischt ihm mit dem hinteren Rockzipfel der Mutter den Mund sauber: »Laß dir's Maul abwischen! weñ d'Mama zu faul ist.«   U. L.

7.4.15 »Die sieben Bitten der Ehefrauen an ihre Männer« *

bei G. N. Renner & Comp., Nürnberg, um 1840, bez. u. M.: Nürnberg bei G.N. Renner & Comp., Lithographie, koloriert, 43,2 × 34,6; Nürnberg, Germanisches Nationalmuseum H B 24308/1234a

7.4.16 »Galerie der ehemaligen »Münchner Schönheiten.«

um 1840, Lithographie, 17,5 × 32; B 10126 (31/479)

Sieben mahnende Beispiele, daß »Hoffahrt vor dem Fall kommt«. Den hübschen jungen Münchnerinnen wird hier vorgeführt, was sie erwartet, wenn sie sich mit Stolz und Übermut gegen eine passende Heirat wehren. Das Blatt könnte eine Anspielung auf die Schönheitengalerie Ludwigs I. sein. Auch manchem hier porträtierten Mädchen sagte man nach, es sei durch die Aufmerksamkeit des Königs verwöhnt und zu stolz geworden, um eine »standesgemäße« Ehe einzugehen.   U. L.

7.4.17 Vor und nach der Toilette

um 1855, bez.: 08/798 und 58/217 (alte Fabrikationsnummern); in Blei: »27« und weitere verwischte Bezeichnungen, Porzellan, nach dem Brennen gelackt und bemalt, ca. 18,5, Sockel: 15 × 21; Privatbesitz

Frauenfigur, links als alternde Frau im Hemd, rechts als fertig zurechtgemachte Schöne mit gefärbtem Haar, geschminkt und mit jungen Zügen, vorteilhaft gehobenem Dekolleté und einer reichen Ballrobe, die in Stufen über eine Krinoline gerüscht ist.   H. O.

Die sieben Bitten
der Ehefrauen an ihre Männer.

I. Bitte.

Lieber Mann! der Du sitzest auf dem Sopha u.
qualmest, sey nicht so schläfrig u. schweigsam,

Frau will unterhalten seyn,
Langeweil ist Plage;
Schlafen sonst ja Beide ein
Noch am lichten Tage!
Sage mir nur, wie es kam,
Sprachst zuviel als Bräutigam!

II. Bitte.

Und brumme nicht jedesmal wenn der
Schneider od. die Putzmacherin komt

Dann ist schweigen an der Zeit,
Wenn ich mich staffire,
Einen Hut, ein neues Kleid
Kaufe und probire.
Das giebt aber viel Gebrumm',
Kümmer ich gleich mich nichts darum!

III. Bitte.

Lasse meinen Willen ge-
schehen u. mische Dich nicht in
meine Angelegenheiten

Sey vernünftig lieber Mann
Und laß mich gewähren,
Gehen Dir ja so nichts an
Deiner Frau Affairen,
Geht es recht nach meinem Kopf
Bist Du auch ein guter Tropf!

IV. Bitte.

Gib mir Geld, wenn ich welches
brauche und frage nicht allemal, wozu.

Goldner Schatz, Du weißt es doch
Daß ich nichts verschlempre,
Und doch heißt Du ewig noch
Daß ich viel vertempre
Schlag es aus dem Sinne Dir,
Gib den Cassenschluß sei mir!

V. Bitte.

Und vergib mir meine Schulden, wenn
ich einmal nicht ausgereicht habe.

Kommen Gläub'ger angerannt,
Werde nur nicht wüthig,
Mache nur nicht Spott und Schand'
Bist ja sonst so gütig,
Ewig will ich dankbar seyn
Ziehe nur dein Beutel ein!

VI. Bitte.

Und führe mich nicht in Versuchung, das wäre sehr albern.

Keinem Andern war ich hold,
Das will ich beschwören,
Treu Dir stets, wie lautres Gold!
s'wird wohl Niemand hören!
Aber laß die Prüfung seyn,
Das sind dumme Kindereien.

VII. Bitte.

Sondern erlöse mich
vom Übel der Langeweile.

Plagt Migraine und Vapeurs
Mich im stillen Hause,
Hilft nicht Liquer und Odeurs,
Führe mich zum Schmause!
Zur Belustigung auf mein Wort
Hilft wohl ein Ball und Walzer dort.

Beschluss.

Männchen, mir ist heut so schwer mein armer Schatz,
Willst Dich thun lieb mit Leib und Seele, lass Dir's verschönen
Wolle nur aber nicht mir widerstreben,
Das möcht fatale Comödien geben,
Denn was im süßten nicht sollte gelingen,
Ganz im Vertrauen, das werd ich schon erzwingen.

Nürnberg bey G. N. Renner & Comp.

7.4.15

7.4.18 Indiana

*George Sand, Bruxelles, 1837, Buchdruck, klei-
ner Kupferstich: schreibende Frau am Tisch, 2
Bde. 8°; München, Bayerische Staatsbibliothek P.o.gall. 2423⁵ (1 und 2)*

Erster veröffentlichter Roman der Baronin Dudevant, die hier auch zum ersten Mal ihr Pseudonym Georg(e) Sand benutzte. Der Vorname
»George« war zufällig aus dem Kalender gewählt, »Sand« ist aus dem Namen ihres damaligen Geliebten Jules Sandeau abgeleitet. George
Sand plädierte in diesem Roman bereits für das
Recht der unglücklich verheirateten Frau auf
Erfüllung und Liebe. Das Buch wurde ein großer Erfolg, weitere Veröffentlichungen mit
ähnlichem Inhalt (1832 Valentine, 1833 Celia)
folgten und George Sand wurde bald zur international bekannten Prophetin der Frauenemanzipation im Biedermeier.   U. L.

7.4.19 Vier Karikaturen auf die
Emanzipation der Frau ∗ Abb. S. 185

*aus: Fliegende Blätter, Verlag Braun und
Schneider, München, 1844ff., Holzstiche, reproduziert, Lit.: AK Bild als Waffe, München
1985, MStM*

1) »Moderne   Treibhauspflanzen«,   Bd. I,
Nr. 6, 46

2) »Emancipierte Frauen, Der weibliche Don
Juan, Die Malerin, Die Frau Professorin,
Die Protectorin«, Bd. IV, Nr. 85, 102

3) »Emancipierte Frauen, Die Dichterin, Die
Studentin«, Bd. IV, Nr. 89, 135

4) »Emanzibazion,   Frauenporträt«,   Bd. V,
Nr. 118, 174

7.4.20 »Emancipation / Ein Damen-
Duell« ∗

*Anton Elfinger (Pseudonym Cajetan/um 1853
in   Hamburg),   Andreas   Geiger   (Wien
1765–1856 Wien), Wien, 1848, bez. u. l.: Cajetan del; u. r.: And. Geiger sc.; o. M.: Satyrisches
Bild No 85, Kupferstich, koloriert, 23 × 29,
Lit.: AK Die Frau im Korsett, Wien 1984, 126,
Nr. 27; Nürnberg, Germanisches Nationalmuseum HB 26060/1299*

Spottbilder auf die Frauenemanzipation waren
in der Vormärzzeit sehr beliebt. Besonders
empfindlich reagierte die Gesellschaft auf die
sogenannten »Amazonen«; die Frau mit der
Waffe in der Hand verlor nach Meinung der
Zeitgenossen jede »Weiblichkeit«. In der hier
dargestellten Szene werden zum Glück nur die
Tiere verletzt. Unter dem Schriftzug »Emancipation« sind einige Attribute dieser Damen zu
sehen: Fechtwaffen, Tintenfaß, Herrensattel,
Besen, Kochlöffel, Pistolen, Pfeifen und Peitschen.
Das peitschenschwingende bayerische Schrek-
kensweib Lola Montez hat wohl der Emanzi-
pationsbewegung ihren Stempel aufgedrückt.
U. L.

7.4.20

7.4.21 Eine Dame mit zwei Herren im
Rauchzimmer

*Andreas Geiger (Wien 1765–1856 Wien),
Wien, um 1840, bez. u. r.: Geiger sc.; u. M.:
Wien im Bureau der Theaterzeitung Ranken-
steingaße No 926; o. M.: Satyrisches Bild; Kupferstich, koloriert, 30,9 × 23,5, Lit.: Fuchs 1901,
404 (Abb.); München, Slg. Böhmer*

»Der Herr: Sie rauchen keine Cigarren mehr?/
Die Dame: Ich ziehe die Tabakpfeife vor, seit
dem jetzt jeder Schuhmachergeselle Havannah-
Glimmstengel im Munde hat.«   U. L.

7.4.22 Billiard-Spielerin

*anonym, um 1835, Lithographie, koloriert,
16 × 10,5; Slg. Böhmer*

Das Billiard war im Biedermeier ein beliebter
männlicher Zeitvertreib in guten Kaffeehäusern. Die kecke Spielerin vergreift sich hier also
an einem männlichen Privileg.   U. L.

7.4.23 Rollentausch, drei Szenen aus dem
Skizzenbuch des Josef Petzl ∗

*Josef Petzl (München 1803–1871 München),
München und Bayerbrunn, 1826–1831, Blei-
stiftzeichnungen, ca. 12 × 12; 38/1544, 5-9-170
= A 163/22*

Josef Petzl hält hier drei Begebenheiten aus
seinem Freundeskreis fest. In Bayerbrunn 1826
schlüpften die Freunde in die Rolle und Kleidung der Damen und die Damen in die der
Herren. In München 1828 fochten zwei junge
Damen in Anwesenheit ihrer Kavaliere ein Duell mit Schlägern, wobei eine der Fechterinnen

offenbar so unglücklich getroffen wurde, daß
sie ohnmächtig umzusinken drohte. 1831 amüsiert sich Petzl mit seinen Freunden über »Therese« im Herrenmantel, -hut und Pfeife. Die
Blätter sind jeweils unten datiert.   U. L.

7.4.24 Caroline von Armansperg ∗ ∗

*Georg Soemmer (Barchfeld 1811–1864 Barch-
feld), 1839, bez. u. l. am Nähtisch: G. Soemmer
pinxit 1839, Öl/Lwd, 90,6 × 69,6, Lit.: Bary-
Armansperg, in: Geschichte 76 (1986); 34/404*

Caroline   von   Armansperg   (München
1821–1888 Algier) war die jüngste der drei
Töchter des bayerischen Staatsministers Joseph
Ludwig Graf von Armansperg (1787–1853),
der König Otto 1832 als Präsident des Regent-
schaftsrates nach Griechenland begleitete. Im
Hause Armansperg in Nauplia, das bis 1834
Residenz war, war der junge, bei seiner Wahl
erst 17jährige König häufig zu Gast. Nach der
Absetzung Armanspergs 1837 kehrte die Familie zurück nach Bayern, wo sie seither zurückgezogen auf Schloß Egg bei Deggendorf lebte.
– Das Bildnis der Achtzehnjährigen ist zwei
Jahre nach ihrer Rückkehr aus Griechenland
wohl auf dem niederbayerischen Familiensitz
entstanden und das einzige bisher bekannte
Bildnis Carolines. Bereits durch ihren Schwager – Fürst Dimitri Cantacuzene – mit der
griechischen Freiheitsbewegung in Berührung
gekommen, schloß sie sich der deutschen 48er
Revolution an.
1849 Heirat mit Florian Mördes, Teilnehmer
der badischen Revolution und Innenminister
der Revolutionsregierung. Im gleichen Jahr
Flucht über die Schweiz nach Nordamerika.
1850 Tod des Gatten in Texas und Geburt des

7.4.23

Sohnes. 1853 Übersiedlung nach New York, dort 1856 Heirat mit Julius Fröbel, der 1848/49 Mitglied der deutschen Nationalversammlung in der Frankfurter Paulskirche war. (Nach der Ermordung seines Weggefährten Robert Blum war Fröbel in die Vereinigten Staaten emigriert und widmete sich in New York publizistischer Tätigkeit.) 1857 kehrten Caroline und Julius Fröbel zurück nach Europa mit längeren Aufenthalten in Wien und München, wo Fröbel die »Süddeutsche Presse« ins Leben rief. 1873 übersiedelte das Paar nach Berlin. Fröbel trat nun in den Staatsdienst und Caroline begleitete ihren Gatten, der preußischer Konsul war, 1873 nach Smyrna und 1876 nach Algier, wo sie 1888 starb (vgl. Bary-Armansperg, in: Geschichte Nr. 76 (1986), 23 ff.). – Als Darstellung der Tochter des Staatsministers Ludwig von Armansperg hätte das Bild der hübschen Caroline sicher seinen Platz in der Schönheitsgalerie König Ludwigs I. gefunden, wenn ihr Vater 1837 beim König nicht in Ungnade gefallen wäre. So wurde das Bildnis Carolines nicht dem Hofma-

ler Joseph Stieler sondern einem weniger bekannten Künstler in Auftrag gegeben. – Der aus dem hessischen Barchfeld gebürtige Maler Georg Soemmer war zwischen 1834 und 1840 in München tätig. Möglicherweise stand er dem als Portraitisten hier tonangebenden Stieler nahe. M.M.

7.4.25 »Den deutschen Frauen . . .« *

1848, Typendruck auf grünem Papier, 20,5 × 13; A 52/26 = 34/260

Flugblatt mit vierstrophigem Gedicht über die deutschen Frauen, aus der Situation der Märzrevolution 1848 entstanden.

7.4.26 »Die Emancipatientinnen« *

München, 1849, bez.: Fb, Federlithographie, 19 × 16 (Platte), Lit.: Tornow 1977, 77; Bamberg, Staatsbibliothek, M. v. O. C I 317

1848 wurde in München ein »Frauen- und Jungfrauen-Verein zur Stütze weiblicher Dienstboten« gegründet mit den Zielen:
1. »Verbreitung und Befestigung allgemeiner Grundsätze für weibliche Bildung in Bezug auf Moralität, auf Ordnung, Häuslichkeit, Oekonomie und Industrie, zu dessen Behufe jeden Sonntag von 3 bis 6 Uhr Vorlesungen gehalten werden sollen, wozu der Zutritt allen Mädchen gestattet ist.
2. Die Aufklärung und das Erwecken humaner Ansichten des gegenseitigen Verhältnisses zwischen Dienstboten und Herrschaften zur Beseitigung roher Behandlung von Seite letzterer und zur Einflößung der schuldigen Achtungsbezeugung des Dienenden gegen die Herrschaft.«
Daneben sollte der Verein zur Krankenunterstützung, Stellenvermittlung und Unterhaltung einer Herberge für zugereiste Dienstboten dienen. Schon im Juli 1849 zählte der Verein angeblich 1200 Mitglieder, geriet aber dann bald in Geldschwierigkeiten.

Den

deutſchen Frauen.

München, den 5. Auguſt 1848.

Des ganzen Volk's bedarf es, neu zu bauen
    Des deutſchen Staates morſchende Galeere,
    Des Volkes Arm mit ſeiner ganzen Schwere
Und Herz und Sinn, die nimmermehr verlauen.

Es heiſcht, womit die Zeit uns will betrauen,
    Die hohe Sendung für die deutſche Ehre,
    Begeiſterung, Entſagen, blanke Wehre:
    Was Männer wiſſen, fühlen tief die Frauen!

Dem Ohr, das ſich dem Vaterland erſchloſſen,
    Entſinkt der Schmuck, die bleiche Meeresthräne,
    Zurückgeſandt zur Heimath unverdroſſen:

Da wandelt dankbar deutſche Fiſcherkähne
    Die Perle um zu Schiffen, Schlachtcoloſſen,
Und Lob den Frauen ſingen Meeresſchwäne!

A. T.

7.4.25

Die Graphik karikiert eine Sitzung des Dienstbotenvereins. Hinter der Rednerin hockt der
Schneidergeselle J. Sax, der später die Leitung
des Vereins an sich reißen sollte. Dienstboten-
und Frauenvereine entstanden im Zuge des
Vormärz und der 48er Revolution auch in anderen größeren Städten.   U. L.

7.4.27 »Kommandant Sax vom Frauen=Verein, wird von seinen eigenen Leuten wegen Munitions=Verheimlichung auf's Haupt geschlagen.«

*Druck: C. Hohfelder, München, 1849, Litho-
graphie, 48,1 × 39,9, Lit.: StaatAM, Pol. Dir.
343/2; Tornow 1977, 198; Bamberg, Staatsbibliothek, M. v. O. C I 63*

Der Schneidergeselle Sax hat die Leitung des
Dienstbotenvereins an sich gerissen. Aus dem
bärtigen häßlichen Gesellen ist ein elegant gekleideter Stutzer mit lang wallendem Haar geworden. Aufgebrachte Mitglieder des Dienstbotenvereins bezichtigen ihn nun der Unterschlagung von Vereinsgeldern und bedrohen
ihn mit Fäusten, Besen und Mistgabeln. Sax
war später den Behörden als Literat und Gründer des Münchner Arbeiterbildungsvereins bekannt. Eine Vorzeichnung zu dieser Karikatur
wurde 1851 in der Druckerei Hohfelder beschlagnahmt.   U. L.

7.4.28 Lady Jane Ellenborough (geb. Lady Digby) ∗ Abb. S. 182

*Karl Joseph Stieler (Mainz 1781–1858 Mün-
chen), München, 1831, bez. rückseitig: Janthe
Lady Ellenborough geb. Lady Digby, geb.: in
London 1809. gemalt J. Stieler in München.
1831; Öl/Lwd, 71 × 59, Lit.: Schmidt 1976,
123; Hojer 1983, 36; Oertzen 1923, 48; Hojer
1983, 36f.; AK Hamburg, 1986, 112; Schmidt
1976; München, Schloß Nymphenburg G 381*

Das Portrait entstand Ende des Jahres 1831 für
die Schönheitsgalerie Ludwigs I. Lady Jane Ellenborough war – wahrscheinlich auf Einladung der Familie Lord Erskines, der englischer
Botschafter in München war – im Spätsommer
desselben Jahres aus Paris nach München gekommen. Der bayerische König lernte Lady
Ellenborough im Oktober 1831 kennen und
veranlaßte sofort, daß sie von Joseph Stieler
gemalt wurde. Während ihres Münchner Aufenthalts, der bis Sommer 1832 dauerte, sahen
sich Ludwig und »Ianthe«, wie sie von ihm
genannt wurde, häufig, und es entwickelte sich
eine langjährige Freundschaft, die zu vielen
Briefen führte. In einem erwähnt Lady Ellenborough das hier gezeigte Portrait: »She wrote
Ludwig that to pass the time she had sat for a
new portrait by a ›Mr. Heiss‹ and that it had
turned out ›more like me even than Stieler's‹«.
(Schmidt, 123.)
Vor dem Hintergrund eines weinroten Vorhangs, der – zur Seite gerafft – den Blick auf
eine Landschaft freigibt, posiert Lady Ellenborough in einem schwarzblauen Seidenkleid, das
die Schultern freiläßt. Das Kostüm ist im Stil
venezianischer Kleider des 16. Jahrhunderts
gehalten. Sie blickt nach oben in die Ferne; ihr
Gesicht ist im Halbprofil vom seitlich gezeigten Körper abgewandt. Ihre Augen spiegeln im
Bild das ferne Blau des Sees und der Hügel am
Horizont wider. Das Blond ihrer Haare – in
der für die Portraits der Schönheitsgalerie bis
1834 typischen Frisur: »Mittelscheitel, zu beiden Seiten herabfallende (Korkenzieher)lok-
ken, die am Hinterkopf hochgesteckt werden.«
(Hojer, 36) – wird durch die goldene Ferronie-
re hervorgehoben. Die Ferronière, auch »Seht
hierher« genannt, ist ein Schmuckstück aus der
Renaissance, das in der Zeit von 1820–1845
sehr beliebt war, wie auch an einigen anderen
Portraits der Schönheitsgalerie zu sehen ist.
Die goldfarbene Kordel – ein Teil des Kostüms

und keine Goldkette – betont die weichen Rundungen der Schultern.

In einer Ordnung nach Gruppen der Portraits, die Gerhard Hojer aufgestellt hat, stellt das Gemälde der Lady Ellenborough einen ersten Höhepunkt dar: »Stieler erweist sich als Meister der Inszenierung, setzt die pathetisch nach oben blickende Lady Ellenborough in großer Pose vor einen Theatervorhang – mit ihrem Ende 1831 entstandenen Bild endet die Gruppe von Porträts, in denen die Kostümierung sich zur Inszenierung, die Lieblichkeit sich zur Grandezza wandelte.« (Hojer, 36.)

Mit dieser Entwicklung gehen andere Veränderungen einher: Lady Ellenborough und die kurz vor ihr porträtierte Marianna Marchesa Florenzi sind die ersten beiden ausländischen Schönheiten, die in die Galerie aufgenommen werden, und es scheint kein Zufall zu sein, daß sie zwei entgegengesetzte Frauentypen verkörpern: Die Italienerin Florenzi als südländische und die Engländerin Ellenborough als nordische Schönheit.

Lady Ellenboroughs Biographie beweist, was auch in ihrem Portrait sich als verändertes Frauenbild ausdrückt: Obwohl auch in ihrem Gesicht die Lieblichkeit nicht fehlt, zeigen ihre Züge hinter dem theatralischen Blick ein Selbstbewußtsein, das allen vorigen Portraits fehlt.

Honoré de Balzac, der sie 1830 in Paris kennengelernt hatte und 1835 wiedertrifft, verwendet Lady Ellenborough als Vorbild für seine Romanfigur Lady Arabelle Dudley und beschreibt die »english beauty« folgendermaßen: »Diese schöne Lady, so schlank, so fein, diese Frau wie Milch, so hingegeben, so süß, mit einer Stirn voll Zärtlichkeit, gekrönt von seidigen, aschblonden Flechten, dieses Geschöpf, dessen Erscheinung phosphoreszierend und vergänglich anmutet, hat eine eisenharte Natur.«

Der Lebenslauf:

1807 am 3.4. in Norfolk (England) geboren als erstes Kind von Capt. Henry Digby und Lady Andover, geb. Coke; sie verbringt ihre Jugend abwechselnd in Norfolk und Dorset; entwickelt Begabung im Zeichnen, ausgezeichnete Reiterin.

1820 Reise mit der ganzen Familie nach Frankreich, Italien und die Schweiz.

1823 Einführung bei Hof in London.

1824 Heirat mit dem 35jährigen Edward Law Lord Ellenborough.

1825 Sohn Arthur Dudley Law geboren.

1826 Eine erste Liebesaffäre Janes kündigt das Scheitern der Ehe an, weitere Affären folgen.

1828 Jane lernt Prinz Felix Schwarzenberg kennen, der ihr Geliebter wird.

1829 Reise nach Basel, um sich mit Schwarzenberg zu treffen; am 12.11. wird die gemeinsame Tochter Mathilde geboren, die bei Schwarzenbergs Schwester aufwächst.

Die Emancipationtinnen.

7.4.26
7.2.29

1830 am 1.2. stirbt ihr Sohn Arthur; nach langwieriger Prozedur wird sie von Lord Ellenborough geschieden, im Februar Reise nach Paris, sie lernt Honoré de Balzac kennen; Sohn Felix wird geboren, der nach wenigen Monaten stirbt.

1831 Reise nach München, freundschaftliches Verhältnis mit Ludwig I., er läßt sie malen, Baron von Venningen-Ulner wird ihr Geliebter.

1832 Reise nach Italien mit Baron Venningen, Winter in Palermo.

1833 am 27.1. wird ihr gemeinsamer Sohn Filippo Herberto Venningen geboren; Fahrt nach Heilbronn über Paris.
am 16.11. Heirat mit Baron Venningen; Winter in München, Wiedersehen mit Ludwig I.

1834 Rückkehr nach Weinheim.

1836 Tochter Bertha wird geboren, die 1856 in einer Münchner Irrenanstalt stirbt; Graf Spiridou Theotoki, den sie in München kennengelernt hatte, wird ihr Geliebter.

1837 Reise nach England.

1839 in Paris mit Graf Theotoki.

1840 am 21.3. wird ihr Sohn Jean Henry, gen. Leonidas, geboren.

1841 Baron Venningen läßt sich auf ihren Wunsch scheiden, die Kinder Herbert und Bertha bleiben bei ihm; im März ist sie bereits zum griechisch-orthodoxen Glauben übergetreten und mit Graf Theotoki verheiratet. Bis 1844 leben sie auf Tinos und Korfu. Sie entwickelt Interesse für Archäologie.

1844 Umzug nach Athen, Graf Theotoki ist Aides-de-camp bei König Otto I. von Griechenland geworden.

1846 Reise nach Italien; Leonidas verunglückt tödlich.

1851 Sie lebt von Graf Theotoki getrennt; Reise in die Schweiz, wo sie sich mit ihrer Mutter trifft.

1852 Liebesaffäre mit Hadji-Petros, mit dem sie als »Räuberbraut« in Lamia lebt; Annullierung der Ehe mit Graf Theotoki.

1853 Reise nach Syrien; nach einer kurzen Liebesaffäre mit dem Beduinen Saleh heiratet sie den Scheich Medjul el Mezrab, der sich ihretwegen scheiden läßt. Von nun an verbringen sie die eine Hälfte des Jahres in Damaskus, die andere in der Wüste bei seinem Stamm.

1856 Jane kämpft im Krieg gegen einen verfeindeten Beduinenstamm mit.

1860 Massaker in Damaskus: Türken metzeln 5 000 Christen nieder, Jane zeichnet sich durch selbstlose Hilfe aus.

1873 als Jane im Alter von 66 Jahren mit ihrem Mann und seinem Stamm gegen einen verfeindeten, von Türken unterstützten Stamm kämpft, verbreiten sich Gerüchte, sie sei gestorben.

1881 am 11.8. stirbt sie an der Ruhr, sie wird auf dem protestantischen Friedhof in Damaskus begraben.   S.W.

7.4.29 Bettine mit dem Modell des Goethedenkmals *

Ludwig Emil Grimm (Hanau 1790–1863 Kassel), nach einer Zeichnung von 1838, bez. u. M.: »Bettine«, u.r.: 29t Nov. 1838 ad viv Cassel, Radierung, reproduziert, Lit.: AK Bettine von Arnim, Frankfurt 1985, Nr. 47, Abb. S. 250; Frankfurt a. M., Freies Deutsches Hochstift, IIa-kl-3653

Bettine von Arnims (1785–1859) schwärmerische Leidenschaft für Johann Wolfgang von Goethe, den sie mehrmals besuchte und mit dem sie intensiv korrespondierte, gipfelte in ihrem Briefroman »Goethes Briefwechsel mit einem Kinde«, den sie 1835 herausgab. Der Roman stand gleichzeitig am Anfang ihrer literarischen Karriere. Bettine, die 1811 den Dichter Achim von Arnim geheiratet hatte und Mutter von sieben Kindern war, engagierte sich auch auf politischem Gebiet. 1837 trat sie für die von der Göttinger Universität wegen ihres Festhaltens an der Verfassung vertriebenen Gebrüder Grimm ein und verwandte sich für sie beim preußischen Kronprinzen für eine Anstellung in Berlin. Die Veröffentlichung von »Dies Buch gehört dem König«, einem offenen Brief an den Monarchen über die sozialen Mißstände in und um Berlin, wurde von den oppositionellen Dichtern des »jungen Deutschland« als politische Tat gewürdigt und weit über Preußen hinaus erregt diskutiert. Man warf ihr kommunistische Tendenzen vor. Sie war jedoch abgesichert, da sie sich vorher bei Friedrich Wilhelm IV. die Erlaubnis für diese Buchveröffentlichung geholt hatte. Bettine gehörte keiner politischen Gruppe an, sondern blieb eine eigenwillige Einzelkämpferin, die mal romantisch, mal realistisch, mal utopisch sozialistisch und auch altdeutsch dachte. Höhepunkt ihres sozialen Engagements war ihr Projekt eines Armenbuchs, das die Lage der schlesischen Weber beschreiben sollte. Zensur und Polizei beobachteten bereits ihre Nachforschungen nach Material mißtrauisch, doch sie waren machtlos, da sich Minister von Savigny und Alexander von Humboldt schützend vor sie stellten; das Buch kam jedoch nicht mehr zustande.   U. L.

7.4.30 Charlotte Birch-Pfeiffer

Eduard Ratti (geb. 1816 Berlin), wohl Wien, nach 1850, bez.: Ed Ratti del. Auguste Hüssener sc.; Kupferstich, 23,3 × 17,3; München, Deutsches Theatermuseum, II/29419

Charlotte Birch-Pfeiffer (23.6.1800 – 24.8.1868) war von 1818 bis 1826 Schauspielerin am Hoftheater in München, gab dann Gastspiele in Petersburg, Wien und Amsterdam, übernahm von 1837 bis 1843 die Direktion des städtischen Theaters in Zürich und war seit 1844 bis zu ihrem Tod am königlichen Schauspielhaus in Berlin engagiert. Daneben schrieb sie über 70 Bühnenstücke, darunter auch den vom Publikum viel bejubelten, von der Kritik aber verrissenen »Glöckner von Notre-Dame« nach Victor Hugo.   U. L.

7.4.31 Charlotte von Hagn

Berlin, um 1830, bez.: Kön lith. Institut zu Berlin/Berlin Verlag von Alexander Duncker«, Lithographie, 30,8 × 23,3, Lit.: Bobbert 1936; München, Deutsches Theatermuseum, II/25620

Charlotte von Hagn wird am 9.11.1809 als Tochter eines adeligen, verarmten Kaufmanns geboren. Die Eltern sind mit Charlotte Birch-Pfeiffer befreundet. Mit 15 Jahren erhält Charlotte von Hagn Schauspielunterricht, mit 17 gibt sie ihr Debut am königlichen Hoftheater und erhält einen Vertrag. In den folgenden Jahren liegt sie in ständigem Kampf mit der Münchner Theaterintendanz um Verbesserung ihrer Gage. Dies wird für sie um so wichtiger, als sie nach dem Freitod des Vaters 1830 für die sechsköpfige Familie sorgen muß. Ein Jahr zuvor hatte der König an ihr Interesse gezeigt und sie von Stieler in der Rolle der »Thekla« malen lassen. Ihre schlanke Gestalt und ihr klassisches Profil begeistern Ludwig I.. Gastspiele in Wien, Berlin und Dresden zeigen der jungen Schauspielerin, daß sie auch an anderen Bühnen großen Erfolg hat; sie erhält aus Berlin und Dresden günstige Angebote. Mit Rücksicht auf die Familie will sie jedoch vorerst versuchen, in München ihre Gage zu steigern. Als ihr dies nicht gelingt, überzieht sie zunächst immer länger ihre Gastspielurlaube, bis sie schließlich ihren Münchner Vertrag bricht und in Berlin unterschreibt. Der König ist wütend und verbannt sie von der Münchner Bühne. In den folgenden 14 Jahren feiert die Schauspielerin nun auf Gastspielreisen und in Berlin Triumphe, obwohl sie sich in Berlin zunächst gegen die alteingesessene Konkurrenz der Stich-Crelingers durchsetzen muß, um auch ernsthaftere Rollen spielen und sich als dramatische Schauspielerin bewähren zu dürfen. Im November 1844 darf sie wieder nach München zurückkommen und wird vom Publikum begeistert gefeiert. Doch schon 1845 verheiratet sie sich mit dem reichen Gutsbesitzer Alexander von Oven, der von ihr verlangt, alle Kontakte zur Bühnenwelt abzubrechen. Die Ehe scheitert 1851. Nach einem Schlaganfall 1854 muß Charlotte von Hagn die Schauspielerei endgültig aufgeben. Sie stirbt, zuletzt wohnhaft Odeonsplatz 11 in München, am 23.4.1891.   U. L.

7.4.32 Bildnis der Sängerin Wilhelmine Schröder-Devrient

Meißen, um 1830, bez. Preßmarke: (P)PM 73, Lithophanie, Bisquitporzellan, 16,1 × 13,5, Lit.: Faÿ-Hallé/Mundt 1983, 159, Abb. 253; 63/1774/2

Im Dominokostüm, in der Rechten eine Maske haltend, trägt die portraitierte Dame die Züge von Wilhelmine Schröder-Devrient. Das Leben der Sängerin und Schauspielerin, das in seiner entscheidenden Phase in die Zeit des Biedermeier fällt (1804–1860), hat nichts »Biedermeierliches« im herkömmlichen Verständnis. Wilhelmine Schröder, Tochter der legendären Schauspielerin Sophie Schröder, war in erster kurzer Ehe mit dem Schauspieler Carl Devrient verheiratet. Bereits in sehr jungen Jahren hatte sie ihre großen Erfolge auf der Opernbühne, vor allem als Webers Agathe und Beethovens Leonore, die erst durch ihre tief empfundene Darstellung für das Publikum entdeckt wurde. Weniger durch den reinen Gesang, als durch ihre außergewöhnliche dramatische Begabung, wurde sie zum zukunftsweisenden Sängerinnentypus ihrer Zeit. Für Richard Wagner wurde ihre sängerdarstellerische Leistung zum initialen Erlebnis und maßgebend für die Frauengestalten seiner Musikdramen. Sie war an den Uraufführungen von Rienzi, dem fliegenden Holländer und Tannhäuser mit herausragenden Rollengestaltungen beteiligt. Die frühe Scheidung von Carl Devrient öffnete die Perspektive in ein Leben jenseits der engen bürgerlichen Konventionen ihrer Zeit. Im Revolutionsjahr 1849 schrieb sie in Frankfurt der Journalistin Claire von Glümer ins Stammbuch: »Alles fürs Volk, nichts für den Kaiser«. Im Mai 1849 mußte sie Dresden wegen angeblicher aktiver Beteiligung an der Revolution verlassen.   N. G.

7.4.33 Wilhelmine Schroeder Devrient

bez.: Nach einem Original Gemälde im Besitze des Herrn Tichatschek, A.Weger sc. Leipzig/ Verlag v. Baumgärtner Buchh., Druck v. Alex Alboth, Leipzig; Kupferstich, 28,2 × 22,4; München, Deutsches Theatermuseum, II/ 23528

7.4.34 Mme Schroeder Devrient *

bez.: Cäcilie Brand del.33/Steindruck v.A. Kneisel, Leipzig, wohl 1833, Lithographie, 22,8 × 18,4, München, Deutsches Theatermuseum, II/12962

7.4.35 »Melle. Sontag« *

Henri Grevedon (Paris 1776–1860 Paris), 1830, bez.: H. Grevedon, 1830/Lith. de Lemercier, rue du Tour S.G.N°55; und noch drei weitere Pariser und eine Londoner Bezugsadresse; Lithographie, 37,9 × 29,9, Lit.: Kühner 1954; München, Deutsches Theatermuseum, II/204

Am 3.1.1806 wird Henriette Sontag in eine Koblenzer Schauspielerfamilie hineingeboren. Mit 15 Jahren gibt die Sängerin ihr Operndebut in Prag und wird die jüngste Primadonna der damaligen Opernwelt. 1822–24 tritt sie in Wien auf und unterhält ein enges freundschaftliches Verhältnis zu Beethoven. Im August 1825 gibt sie ihr erstes Gastspiel in Berlin, das »Sontag-Fieber« kommt zum Ausbruch, alle Welt ist von ihr begeistert und umschwärmt sie. Rossini lockt sie 1826 für ein Gastspiel nach Paris, 1827 verläßt sie Berlin, singt in Paris und 1828 auch in London. Wahrscheinlich verheiratet sie sich schon in diesen Jahren mit dem mittelsardinesischen Diplomaten Rossi und bekommt von ihm ein Kind, das jedoch verheimlicht wird und bald stirbt. Nach Be-

Mme SCHROEDER DEVRIENT.

7.4.34

kanntwerden ihrer Ehe mit dem Diplomaten wird sie vom Hof in Sardinien gezwungen, ihre Karriere aufzugeben. Anläßlich ihrer Abschiedsvorstellung 1831 an der Berliner Hofoper adelt Friedrich Wilhelm IV. sie zur Gräfin Sontag von Lauenstein. Doch die ehemals als Sängerin gefeierte Sontag wird von der Hofgesellschaft in Berlin nicht akzeptiert.
1849 wird Rossi aus dem diplomatischen Dienst entlassen und Henriette Sontag gezwungen, wieder zur Bühne zurückzukehren, um die fünfköpfige Familie zu unterhalten. 1852 kommt sie noch einmal nach München. Im Juni 1854 stirbt sie auf einer mehrmonatigen Konzerttournee durch die USA und Mexiko.   U. L.

7.4.36 »Triumphzug einer Sängerin« *

Matthias Rudolph Brenner (1792–1869), Wien, um 1830, bez.u.r.: lith.u.ged. bei M.R. Toma in Wien; u.M.: Bilder Beilage zum Humoristen, Lithographie, 26,4 × 35,9, Lit.: Böhmer 1974, Nr. 113; Slg. Böhmer

Der Sängerin Henriette Sontag werden auf der Straße die Pferde ihrer Kutsche ausgespannt und ihre »Fans« spannen sich selbst davor. Dies gehörte zu den besonderen Ehrerweisungen, die der Bühnenkult des Biedermeier mit sich brachte.
Andere Verehrer drängen ihr Blumen auf oder versuchen, ein Stück von der Kutsche als Souvenir zu erlangen.   U. L.

Melle SONTAG.

7.4.35

1765–1856 Wien), Wien, um 1845, bez. u. l.: Schoeller del.; u. r.: And. Geiger sc., Kupferstich, koloriert, 23 × 17, Lit.: AK Metternich, Wien 1984, 102, Nr. 14/41; Schmidt-Garre, 1966¹, 49 ff.; Slg. Böhmer

»La Sylphide«, am 14. Mai 1832 im Théâtre de l'Academie Royale de Musique in Paris uraufgeführt, war das erste große romantische Ballett und leitete gleichzeitig eine neue Ära in der Geschichte des Tanzes ein. Es wurde speziell für Marie Taglioni (Stockholm 1804–1884 Marseille) verfaßt und behielt seinen Platz im Repertoire der Pariser Oper bis zum Jahre 1860. Marie Taglioni, die vor allem durch ihre Schwerelosigkeit und makellose Technik berühmt wurde, errang mit der Rolle der »Sylphide« einen geradezu legendären Erfolg; es wurde »ihre« Rolle und sie beeinflußte sogar die Mode: Die Maison Beauveais brachte ihr zu Ehren einen neuen Kopfputz »La Sylphide« und die Frauen trugen Frisuren »à la sylphide«. Der spontane Erfolg der Sylphide basierte damals allerdings nicht nur auf der genialen Interpretation der Titelrolle, sondern auch auf dem neuen künstlerischen Darstellungsverhältnis selbst. Man entdeckte nun den Reiz und die Suggestivkraft von Illusion, Traum und Wirklichkeit; gespenstische Wesen und Luftgeister – Lieblingsfiguren des romantischen Ballett – etablierten sich damit definitiv auf der Bühne. Dieser »Style aerien« gehörte den Frauen, sie allein konnten solch rätselhafte Wesen verkörpern. So beherrschen jetzt die genialen Tänzerinnen die Bühne, werden zu Idolen, wogegen der männliche Tänzer zurücktritt und schließlich zur subalternen Funktion herabsinkt. Folge dieses neuen Ausdrucks ist die Erneuerung der Tanztechnik; das Tanzen »sur la pointe«, der Spitzentanz; die hierdurch suggerierte Leichtigkeit und Schwerelosigkeit machte ihn zu einem idealen technischen Instrument der Darstellung weltenflüchtiger Heroinnen der Ballett-Romantik. Es ist vornehmlich das Verdienst der Taglioni, daß der Spitzentanz Ausdrucksmittel der tänzerischen Poesie wurde. Eine weitere Neuerung, ebenfalls von Marie Taglioni erstmals in »La Sylphide« eingeführt, war das knielange Gaze-Röckchen; dieses »romantische tutu« wurde das Vorbild für alle anderen Tänzerinnen, das Standardkostüm für das Ballett des 19. Jahrhunderts schlechthin. Die Liberalisierung des Kostüms, das nun die Beine freigab, die Weiterentwicklung der Tanztechnik und in ihrem Gefolge wieder die Bereicherung des Artifiziellen und des Ausdrucks erregte bei den Zuschauern jedoch auch große Kritik, denn nun fühlten sich auch Besucher zum Ballett hingezogen, die sich nicht für den Tanz interessierten, sondern nur für die »Lendenpoesie« und »fleischfarbene Trikotpoesie«, wie Heine das sarkastisch nannte. U. K.

7.4.37 »Zur Erinnerung an Jenny Lind die Theaterzeitung ihren Verehrlichen Abonennten«

Andreas Geiger sc. (Wien 1765–1856 Wien) Cajetan del. (~ 1853 in Hamburg), Wien, 1846, bez.: Costume Bild. No. 107, Kupferstich, koloriert, 30,8 × 23,9, Lit.: Kühner 1954; Slg. Böhmer

In den Ranken rundherum Erinnerungen an ihre Auftritte: Freischütz, Norma, Schwedische Lieder, Nachtwandlerin, Gibellinen. Jenny Lind, geboren am 6. 10. 1832 in Stockholm, gibt 1838 ihr Operndebut als Agathe im Freischütz. Sie läßt sich in Paris ausbilden, kehrt noch einmal nach Stockholm zurück, um

sich hier 1843 endgültig zu verabschieden. Vor ihren ersten Auftritten in Berlin und Dresden nimmt sie Unterricht bei Charlotte Birch-Pfeiffer. Seit etwa 1845 feiert sie Triumphe an den deutschen Bühnen. 1846 hält sie sich kurz in München auf und wohnt im Hause Kaulbachs. Lola Montez intrigiert gegen sie. Schon mit 30 Jahren verabschiedet sie sich von der Opernbühne und gibt nur noch Konzerte. 1851 unternimmt sie eine triumphale Konzertreise durch Amerika. Sie stirbt am 2. 11. 1887. U. L.

7.4.38 Marie Taglioni als Sylphide

Johann Christian Schoeller (Rappoltsweiler/Elsaß 1782–1851 Wien) Andreas Geiger (Wien

7.4.39 Melle Taglioni

Pierre Vigneron (Vosnon-Aube 1789–1872 Paris), Paris, um 1830, bez.: Lithographie d'après par Vigneron; Lithographie, 38,1 × 29,8; München, Deutsches Theatermuseum II/207

7.4.36

7.4.40

7.4.40 Marie Taglioni im Ballettkostüm *

anonym, um 1845, Stereodaguerreotypie, koloriert mit eingelassenen Silberpunkten, 12,5 × 19,5, Lit.: Gebhardt 1978, 99, München, Deutsches Museum II 207

Die 1804 geborene Balletteuse zeigt sich hier als etwa 40jährige im Kostüm der »Sylphide«, einer Rolle, in der sie seit 1832 glänzte. Die jugendliche Aufmachung kann über die Spuren des Alters nicht hinwegtäuschen und so wirkt die aufwendige Stereophotographie sehr rührend.
Mit Hilfe eines speziellen »Betrachters« wurde die Stereoaufnahme zu einem dreidimensionalen, scheinbar plastischen Erlebnis. Diese stereokopischen Aufnahmen kamen um 1855 aus Frankreich nach München, wo sie so große Begeisterung hervorriefen, daß man den Begriff »Stereomanie« prägte.   U.L.

7.4.41

guten Gabe nichts was die Würde der Kirche und die Sicherheit des Staates gefährden könnte« (Schmidt-Garre 1966, 62). Ihre berühmteste Schöpfung wurde ein spanischer Tanz, die Cachucha – geradezu ein Synonym für ihre Kunst wie die »Sylphide« für die Taglioni; sie fügte damit dem romantischen Ballett ein neues, südliches Element hinzu. »Es bedurfte einiger Vorstellungen, ehe sich das Publikum an die Cachucha gewöhnte«, schreibt Charles de Boigne. »Die wiegenden Hüften, diese herausfordernden Gesten . . . dieser pulsierende, vor Erregung zitternde und sich windende Körper, die verführerische Musik . . . der kurze Rock, das halbgeöffnete Leibchen, und über allem die sinnliche Grazie der Elssler . . .« (Schmidt-Garre 1966, 62 f.). Ihre herausfordernde Sinnlichkeit stieß jedoch bei kritischem Vergleich mit Marie Taglioni auch auf Ablehnung. So spricht der Taglionist Grillparzer, der die Elssler damals in Paris sah, von »einem tanzenden Körper mit Begierden statt mit Seele und Leidenschaften und findet »das Ganze sich zum Derben hinneigend« (Guest 1970, 72).   U. K.

7.4.41 Costumebild aus der Theaterzeitung
Wien: »Fanny Elssler in dem Divertissement: ›Des Malers Traumbild‹« *

Wien, bez. u. l.: Cajetan del.; u. M.: Steindr. des J. Rauch; u. r.: Bernd lith., Lithographie, koloriert, 23 × 27,9, Slg. Böhmer 203

Die Hauptanziehungskraft der Oper lag in den eingestreuten Balletten, die durchaus sinnlichen Reiz haben durften. Mit Fanny Elssler (Gumpendorf b. Wien 1810–1884 Wien), einer der größten Ballerinen des 19. Jahrhunderts, setzte sich eine neue natürliche Tanzart gegen den bis dato vorherrschend abgezirkelten französischen Tanzstil durch. Ihre sinnlich-weibliche Ausstrahlung machte einen wesentlichen Teil ihrer Faszination auf der Bühne aus: Die Männer lagen ihr zu Füßen. Théophile Gautier, ihr größter Bewunderer und Verfasser zahlreicher Essays über sie, charakterisiert sie als »die Tänzerin der Männer, wie Mlle. Taglioni die Tänzerin der Frauen war« (Schmidt-Garre 1966, 62). Höhepunkte ihrer Karriere bildeten die Amerikatournee im Jahre 1840 und 1848 ihr Besuch in Rußland. Die Begeisterung der Zuschauer für die leidenschaftlich-dramatische Elssler, die »Spanierin des Nordens«, war fast noch größer als für die Taglioni. Duelle wurden ihretwegen ausgetragen, Aristokraten stürzten sich in Schulden, die Universität Oxford verlieh ihr den Grad eines »Doktors der Tanz Kunst« und sogar der Papst erlaubte ihren römischen Verehrern: »Gebt nur der Tänzerin eure schöne Krone, ich sehe in dieser

7.4.42 »Fanny Elsler und Franz Opfermann im Ballette ›des Malers Traumbild‹«

anonym, um 1844, Kreidelithographie, getönt, 12,9 × 18,8, München, Deutsches Theatermuseum II/1619

Nach der Uraufführung in London wurde das Ballett am 2.11.1844 in München zum ersten Mal aufgeführt, die Musik war von L. Perrot.

7.4.43 »Fanny Elsler, Elorinde«

Edwin D. Shmith/W.H. Mote, London, 1844, bez.: Edwin D. Shmith/ W.H. Mote; Published by David Bogue, Fleet Street, Nov.ʳ 1844, Radierung, 26 × 18,6, München, Deutsches Theatermuseum II/1619

Fanny Elssler als spanische Tänzerin mit schwarzen Spitzen im Haar und Kastagnetten.

7.4.1 Biedermanns Traum

Wie auch aus anderen Epochen sind vom Biedermeier erotische Darstellungen in großer Zahl überliefert, obwohl bei jedem Generationswechsel Nachlässe von Sammlern dieser Objekte häufig von den Erben vernichtet und nicht weitergegeben wurden. Kein öffentliches Museum sammelt erotische Kunst, und man überläßt bis heute aus moralischen Traditionen dieses Gebiet, das sicher auch ein Teil des kulturellen Erbes ist, ganz den Privatsammlungen und ihren Zufälligkeiten.

Im 19. Jahrhundert unterlagen Druckwerke, aber auch alle anderen »sittenwidrigen« Objekte strenger Zensur und wurden von der Obrigkeit beschlagnahmt. In Österreich, das mit Wiener Exporten den europäischen Graphikmarkt belieferte, ist das Verfahren der Zensoren gut bekannt: Blätter mußten noch vor dem Druck vorgelegt werden und bekamen vom Amt die lateinischen Vermerke: 1. »Excudatur« oder »Imprimatur«, 2. »Excudatur, jedoch nicht auszuhängen«, oder »Correctis corrigendis excudatur«, mit Korrekturen auszuführen, 3. »Non imprimatur« oder »Wird zum Druck nicht zugelassen.« Das Druckverbot betraf auch Darstellungen, die ein weibliches Knie oder einen entblößten Busen offenbarten.

Während die Bildhauerei als einzige Darstellungsform von Moralvorstellungen und Nachstellungen der Zensurbehörden unbehelligt blieb, da sie sich hinter der Autorität der Antike verschanzen konnte, geriet die Aktmalerei in eine Krise. Die Darstellung des nackten menschlichen Körpers, im 18. Jahrhundert noch eines der beliebtesten Sujets, verfiel den rigiden Moralvorstellungen und verschwand nahezu aus der Kunstgeschichte der Epoche, wenn sie nicht in der akademischen Tradition Rechtfertigung erfuhr. Das gilt für anspruchsvollere erotische Graphik in Österreich, Deutschland und Frankreich. Im Gegensatz dazu entstand unter der Oberfläche ein Schwarzmarkt, dessen Produkte das Tageslicht scheuten und auch, was die Qualität angeht, scheuen mußten. Trotz aller offiziellen Verbote und Kontrollen lebte das Pornographische als gern gekaufter Handelsartikel fröhlich weiter. Dabei war die Lithographie wegen ihres geringen Preises die graphische Technik der Wahl.

Der Begriff »Erotik« hatte zwischen 1800 und 1850 andere Bedeutung und man meinte Liebeslieder und Liebeslyrik damit. »Priapeia«, nach dem römischen Gott der Zeugungskraft und des männlichen Geschlechtstriebes, war der bezeichnende Begriff für sexuelle Darstellungen: »... die, an den Priapos gerichtet, vielen Witz und ziemliche Gewandtheit in der Form verrathen, zum Theil aber auch eine schlüpfrige Darstellung und obscöne Anspielungen nicht verschmähen.« (Brockhaus 1846 ⁹Leipzig Bd. XI s.v.)

Die Ausformung »erotischer« Kunst fällt dementsprechend anders und direkter aus. Aktiver Held der erzählten Bildgeschichten ist der Phallus, der sich bisweilen auch ganz vom Körper verselbständigt und seine willkürlichen Spiele treibt. Das stillebenhafte Bild des nackten Körpers zum Anschauen und in sinnlicher Pose fehlt nahezu. Indirekter Bezug wird meist über Wortwitz und Situation konstruiert. Auch in den ungeschminktesten Darstellungen kommt der nackte Körper kaum vor, sondern das Augenmerk gilt dem Deshabillé und der blanken Körperpartie zwischen Strumpfbändern und Nabel, wobei Gesicht und seine Mimik miteinbezogen werden. Der Busen findet fast keine Beachtung, dafür aber das Gesäß, das in den deutschen graphischen Blättern größtes Interesse findet und dementsprechend gestaltet wird. »Wäscheerotik«, welche später dominiert, ist kaum gefragt.

Da die großen Künste, Skulptur und Malerei die Schaulust nicht befriedigten und anregende oder aufreizende Bilder nicht lieferten, mußte die angewandte Kunst mit Pfeifen, Tabaksdosen, Spazierstöcken, Uhren, Miniaturen und Lithophanien dazu herhalten, mit anzüglichen Darstellungen verziert zu werden, die im Gespräch Aufmerksamkeit auf den Besitzer lenkten und Sujet von Anspielungen und groben Witzen waren. Hier liegt das Hauptfeld der deutschen Objekte. Fuchs in seiner »Geschichte der erotischen Kunst« (354) konstatiert dazu: »in erster Linie Spießer= und Phäakenvergnügen, die biedermäkernde Erholung in der Kneipe von den Anstrengungen der offiziellen Sittsamkeit in Haus und Familie. Dem Spießer- und Phäakenvergnügen diente die Spekulation durch eifrige Lieferung der Pariser und Wiener Cochonnerien.«

Nach der Julirevolution 1830 fielen in Frankreich die Schranken der Zensur und ein ungeheures Potential an künstlerischen Ideen und erotischen Bildern wurde freigesetzt. Künstler wie Maurin, Monnier, Bouchot, Gavarni und Le Poitevin illustrierten mit Direktheit, Können und Witz erotische Literatur, Lieder, Sprichwörter und Begebenheiten mit Bildern, die ihrer überbordenden, grotesk-kühnen Phantasie entspringen.

Da Pornographie keine Grenzen kennt, überschwemmten diese heimlich gehandelten Waren ganz Europa. Bildlegenden in mehreren Sprachen erleichterten sicher nicht entschieden das Verständnis dieser allzumenschlichen Phantasiestücke, aber unterstreichen die Geltung und den quasi-literarischen Charakter dieser Art von Männerträumen.

H. O.

7.4.1.1

7.4.1.1 Beim Aufstehen *

Johann Baptist Reiter (Urfahr 1813–1890 Wien), Wien, 1850, bez.o.l.: J.B.Reiter f. Wien (1)850, Öl/Lwd, 76 × 78, I, Wien, Giese und Schweiger Kunsthandel

In geschickter Diagonalkomposition ist der Moment dargestellt, der zwischen Nacht und Tag liegt. Im hellen Morgenlicht wirft ein brünettes Mädchen die Bettdecke zurück, stützt sich auf und setzt den Fuß auf ein Kissen vor dem Bett. Das Grauweiß von Wand, Bettzeug und Hemd kontrastiert mit dem kräftigen Teint, dem farbigen Bettüberwurf und dem Teppich. Die gescheitelte und in Schnecken aufgedrehte Frisur kann nicht zu der frühen Morgenstunde passen und gibt dem Bild ein kokettes und bewußt spekulierendes Moment. Reiter ist einer der wenigen Maler des Biedermeier, der so etwas wie einen Frauenakt malte. Die Galerie im Wiener Belvedere besitzt das Bild eines schlafenden unbekleideten Mädchens, das im Sujet sich dem Akt nähert, ohne sich weiter zu wagen. H.O.

7.4.1.2 Ein Chevauxléger im Rock schäkert mit einer Magd *

Carl von Heydeck (Saaralben/Lothr. 1788–1865 München), 1820, bez.u.r.: C.v.Hdk. 1 4/20, Öl/Lwd, 24 × 21; München Städtische Galerie im Lenbachhaus G 6606

Ein bayerischer Chevauxléger in grün-roter Uniform und mit der für den Stalldienst üblichen Fouragierkappe (Arbeitsmütze) versucht eine Magd zu überreden, sein vorbereitetes Lager im Stall zu teilen. Das sich sträubende Mädchen schließt ihm mit den Fingerspitzen den Mund. Hintergrund für diese Szene ist ein im Halbdunkel liegender Pferdestall mit Futterraufe und anderen für die Pferdehaltung notwendigen Utensilien.
Der Bildtitel, der das dargestellte recht drastische Geschehen beschönigt, stammt – wie man dem eigenhändig geschriebenen Werkverzeichnis des Künstlers entnehmen kann – von Carl von Heydeck selbst. Eine zu dem Bild gehörende Vorzeichnung (bez.u.M.: im April 1820; o.r.: Nr. 31; Blei, 22,5 × 20) befindet sich ebenfalls in den Sammlungen der Städtischen Galerie im Lenbachhaus, München. Das kleine Format des Bildchens spricht dafür, daß es sich um ein Gemälde handelt, das wegen des Sujets gewöhnlich verschlossen aufbewahrt wurde. U.K.

7.4.1.3 Serie von erotischen Szenen

Peter Fendi (Wien 1796–1824 Wien), Wien, um 1820, Reproduktion nach Federzeichnungen, aquarelliert, Lit.: Fendi 1981 (Harenberg); Standort unbekannt

Auswahl von 16 Blättern mit den Nummern 20, 24, 28, 30, 34, 36, 38, 40, 44, 46, 48, 50, 52, 76, 80, 82 aus der Publikation einer Folge, die als Auftragsarbeit in Wien entstand. Ein entsprechendes Album befindet sich in Privatbesitz und zeigt insgesamt 40 drastisch-naive Aquarelle mit ausgefallenen Bade-, Jagd- und Zirkusszenen. Der Künstler ist sonst als Maler für den frommen Hof und die konservative Hocharistokratie hervorgetreten und malte rührende Genrebilder wie: »Traurige Botschaft«, »Die arme Offizierswitwe«, »Morgengebet«, »In der Kinderstube«, »Muttersorgen«, »Die Bekränzung des Marienbildes« und so fort. H.O.

7.4.1.4 »Magicienne« die Zauberin aus der Serie »Travestissemens« *

Paris um 1820, bez.u.r.: Gatine sculpt., Kupferstich, koloriert, 31,5 × 21,4; München, Slg. Böhmer

In der Zeit um 1820, die von einer strengen Handhabung der Zensur bestimmt war, kommt eine offene Darstellung sexueller Szenen kaum vor. Beschränkt auf das Gebiet des Erlaubten, gibt es nur Darstellungen mit unterschwelliger Erotik, wie in dem Blatt mit der hübschen Dämonin. H.O.

7.4.1.5 »Le chauffe – lit« – der Bettwärmer

Lith. v. Ratier nach Charles Philipon (Lyon 1806–1862 Paris), Paris, um 1830, bez.u.l.: Ch. Philipon; u.r.: Lith. de V. Ratier; u. M.: à Paris chez Hautecoeur, Martinet, rue du Coq Aubert Editeur, Galerie Vero Dodan à Bruxelles; Lithographie, koloriert, 36 × 27, Lit.: AK Bild als Waffe, München 1984, Wr. 75, 302; Slg. Böhmer

Charles Philipon trat zunächst als Lithograph von harmlosen Gesellschaftssatiren in Erscheinung. Ab 1830 engagierter republikanischer Publizist in Paris. Herausgeber und Gründer von Zeitschriften wie Le Caricature, le Charivari. Er lieferte zahllose Anregungen für Daumier und Grandville.

7.4.1.6 »Die Pariserin – A parizsné« *

anonym, im Verlag H. Gerhart, Wien, um 1840, bez.u.r.: »Dr. u. Verl.: v. H. Gerhart Margarethen Grüngasse No. 32 Wien; u.l.: Mit Vorbehalt gegen Nachdruck, Lithographie, 46,5 × 59; München, Slg. Böhmer

7.4.1.7 Bei der Kupplerin

Anton Sohn (Kimratshofen 1769–1841 Zitzenhausen bei Stockach) Zitzenhausen, um 1835, Ton, bemalt, 17 × 20,5 / 16,7 (Sockelbreite), Lit: Seipel 1984, Abb. 152, Konstanz, Rosgartenmuseum V–Z / 09–002 (004)

Mit der französischen Beschriftung: »Madame, si mon Prosper revient lundi – Mamzelle n ayez pas pur je suis discrete!«
Kupplerin und ländliche Schöne tragen schwäbische Trachten, der vornehme Herr hingegen ist stutzerhaft nach der letzten Mode gekleidet.

7.4.1.8 Kuppelszene in einem Münchner Bockkeller *

um 1830, bez. u. r.: Schwim inr. et fecit, Lithographie, 24,5 × 32; M IV/777

Szene im Bockkeller mit Kupplerin und Liebespaaren; rechts ein Biertrinker, der eingeschlafen ist und dem Bier aus dem Glas über die Hose und Pfeife rinnt. Im Hintergrund streitende Soldaten.

7.4.1.9 »Münchner Volksleben – Ma chère mak sie nix Arbeit für die Herren? Qui, Qui Mosje! Madam wohnt über drei Stiegen!« * Abb. S. 51

Friedrich Kaiser (Lörrach 1815–1890 Berlin), um 1840, bez. u. l.: Kaiser/Lith. v. P. Wagner in Karlsruhe, Lithographie, 20,4 × 17,4, Lit.: MK Proebst, München 1968, Nr. 1705, P 1705

Putzmacherinnen- und Hutmacherinnenläden waren in ganz Europa seit dem 18. Jahrhundert der Ort, wo auch Reisende unter dem Vorwand einer Bestellung leicht Kontakt zu den jungen Mädchen gewinnen und sehr konkrete Rendezvous verabreden konnten. In der erotischen Graphik spielten diese Läden mit jungen Mädchen eine große Rolle (vgl. Artikel Laufer »Des Handwerks . . .« S. 47 ff).

7.4.1.10 Ein Paar im Separée

Nicolas Eustache Maurin (Perpignan 1799–1850 Paris), Paris, um 1835, Lithographie, koloriert, mit Gummi arabicum überzogen, 21 × 25,5, Lit.: Fuchs 1898, 52, 53, 200, München, Slg. Böhmer

Maurin war einer der französischen Künstler, die auf erotische Sujets spezialisiert waren. Beischriften in drei Sprachen auf weiteren Blättern

7.4.1.4

7.4.1.2

(vgl. Kat.Nr. 4.5.19) verraten, daß dabei mit europäischer Verbreitung gerechnet wurde. Diese Pariser Blätter, die nach 1830 in großer Zahl entstanden, sind heimliche Exportartikel, die den Ruf der französischen Metropole als der Hauptstadt des Lasters im 19. Jahrhundert begründeten.   H.O.

7.4.1.11 »Passe-temps«, eine Serie erotischer Karikaturen *

Eugène Modeste Poidevin (Paris 1806 – Auteuil 1870), Paris, um 1835, Kreidelithographien, teilweise koloriert, 34,4 × 27,2; Lit.: Fuchs 1908, 345, 346, 347, 349, 350, 397, München, Slg. Böhmer

Die Teilserie besteht aus 21 Blättern. Gezeigt werden Teufeleien, Travestien, Theatralisches, Musikalisches, Verwandlungen, Lustbarkeiten, Kulinaria, Akrobatisches, phantastische Bräuche verschiedener Nationen und Frauen unter sich. Auf einem Blatt wird schließlich der Künstler verbrannt: »Il ne fera plus«.

»Ein weiteres charakteristisches Dokument der erotischen Karikatur jener Jahre sind »die ero-tischen Teufeleien« von Le Poitevin, Les diableries érotiques. Dieses umfangreiche erotische Karikaturenwerk, das bald über die ganze Erde verbreitet wurde, und zwar in einem Umfange wie niemals zuvor erotische Karikaturen, überragt die gesamte zeitgenössische erotische Karikatur, aber nicht nur diese, sondern vielleicht überhaupt alles, was bis dahin an erotischer Karikatur geschaffen worden ist. Man kann sogar die Frage aufwerfen, ob auch seither ein Werk entstanden ist, das an Kühnheit und Witz dem Le Poitevinschen nahekommt, geschweige denn es überragt;« (Fuchs 351–2).
                                  H.O.

7.4.1.12 Un jour du Carneval; le Musée des Prieurs; A carnival day; ein Carnevalstag

Eugène Charles François Guérard (Nancy 1821–1866 Nancy), um 1845, bez. u. l.: peint par guérard; u. l.: Lith. par Régnier et Bettannier; erschienen: »London E. Gambart & Co. 25 Berners St. Oxford St., Lithographie, koloriert, 47,5 × 61, Lit.: Böhmer 1968, 255 Abb., München, Slg. Böhmer

7.4.1.6

7.4.1.8

Die orgiastische Endphase eines Pariser Kostümballes zeigt eine ausgelassene Gesellschaft in verschiedenen Stadien des Lebensgenusses und der Trunkenheit. In der Mitte eine Szene, wo unter der Beschwörung eines Zauberers ein sich küssendes Paar auf- oder zugedeckt wird. Fast sämtliche Damen tragen Hosen und dazu Zigarrillos im Mundwinkel. Nicht so die Pianistin, die dafür Besuch unter dem Klavier erhält.
H.O.

7.4.1.13 Erotische Karikaturen von Jagdabenteuern *

Berlin, um 1835, bez.: Verlag und Druck V.A. Felgnern in Berlin durch Hugot, Lithographie, koloriert, 24,3 × 34,9, München, Slg. Böhmer

Serie von drei Blättern. Nr. 1. Des Jägers Abenteuer. Nr. 2. »Jagd Abenteuer«, Holzsammlerin flüchtet durchs Wasser. Nr. 3 »Des Jägers Abenteuer« – »Ich sehe eine Ente / und

ich eine Meise«. Holzsammlerin fällt über einen Baumstamm.

Hintergrund dieser Szenen ist das von den Jägern untersagte und verfolgte Holzsammeln im Wald, das von den Frauen aus Not und aufgrund alter Rechte ausgeübt wurde und zu häufigen Zusammenstößen führte, die in den teilweise zotigen deutschen Karikaturen zum Motiv genommen werden.
H.O.

7.4.1.14 Wer kauft Liebesgötter? *

Wilhelm von Kaulbach (Arolsen 1805–1874 München), München, um 1840, bez. (gestochen): W. Kaulbach/Direktor W.S. von Direktor W.K. mit Hochachtung. Blei: Herrn Hofrath Hanfstaengl freundl. gewidmet/HLK, Lithographie mit Plattenrand, Blatt: 43 × 61,4, Lit.: Ostini 1906, 105–6; Fuchs 1908, 377–8, Abb. 327; Fuchs 1901–3, Bd. II Abb. 70; Rosenblum 1967, 3ff.; Privatbesitz

Die Lithographie Kaulbachs ist eine Verwandlung ins Direkte des allegorischen Motivs der Verkäuferin von Liebesgöttern, die sie (hier als geflügelte Phalli) aus einem Korb nimmt. Dieses Blatt soll die auflagenstärkste und am weitesten verbreitete erotische Graphik in Deutschland gewesen sein. Die Vorlage zu der im 18. und 19. Jahrhundert beliebten Darstellung war ein römisches Wandgemälde, das in Stabiae ausgegraben wurde und sich heute im Nationalmuseum Neapel befindet. Dieses in der Graphik des 18. Jahrhunderts weit verbreitete enkaustische Wandgemälde zeigt links eine sitzende römische Dame mit ihrer Dienerin, der von einer alten Frau aus einem Käfig verschiedene geflügelte Amorini offeriert werden. Diese Anregung wird in Gemälden des Frühklassizismus verändert umgesetzt; zuerst 1763 von Joseph Marie Vien (heute Fontainebleau). Diese Anregung verwandelt Kaulbach in ein priapeisches Pandaemonium. »Kaulbachs kecke und geniale Illustration Goethes »Wer kauft Liebesgötter?« ist bekannt; er hat das Gedicht übrigens in seinen Goethe-Illustrationen auch anders, vollkommen dezent und sogar sehr anmutig behandelt. Von elementarer Kraft ist die »Erzeugung des Dampfes«, eine Leda mit dem Schwane usw. sind ebenfalls bekannt geworden. Das mephistophelische »Hab ich doch meine Freude daran!« galt auch von Kaulbach und es wird erzählt, daß er jene verfänglichen Kartons längere Zeit offen in seinem Atelier stehen hatte und sich »diebisch freute«, wenn hin und wieder neugierige Besucherinnen dann in Verlegenheit kamen, wohin sie ihre Blicke wenden sollten.« (Ostini 1906, 105 f.)
Unter Verwendung ironisch hochgestelzter Honoratiorentitel widmete der Künstler das Blatt Wilhelm Schirner (1807–63), Direktor der Kunstschule in Karlsruhe, und dann seinem Freund Franz Hanfstaengl.
H.O.

Wer kauft Liebesgötter?

Von allen schönen Waaren,
Zum Markte hergefahren,
Wird keine mehr behagen
Als die wir euch getragen
Aus fremden Ländern bringen.
O höret was wir singen!
Und seht die schönen Vögel,
Sie stehen zum Verkauf.
(. . .)
Wir wollen sie nicht loben,
Sie stehn zu allen Proben.
Sie lieben sich das Neue;
Doch über ihre Treue
Verlangt nicht Brief und Siegel;
Sie haben alle Flügel.
Wie artig sind die Vögel,
Wie reizend ist der Kauf!

Goethes Werke Bd. 1 (Gedichte),
Weimar 1887, S. 41

7.4.1.13

7.4.1.14

7.4.1.11

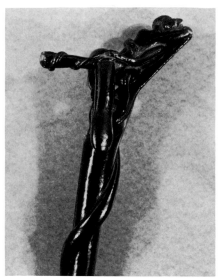

7.4.1.15

7.4.1.15 Spazierstock mit erotischer Schnitzerei ∗

Johann Nepomuk Gottfried von Krenner (1759–1812), vor 1812, Holz mit dicker schwarzer Lackierung, geschnitzte Figuren, Schlange gedrechselt, München, Bayerische Staatsbibliothek, Handschriftenabteilung

Johann Nepomuk von Krenner, Juraprofessor, Illuminat, 1792 nobilitiert, war seit 1811 mit der provisorischen Leitung der Hof- und Staatsbibliothek betraut. In seiner Freizeit leistete er Vorarbeiten zu einer kritischen Bibliothek aller erotischen und mehr oder minder einschlägigen Werke von Moses bis zu seinem Todesjahr. Sein Nachlaß wird in der Staatsbibliothek aufbewahrt. Neben diesen Katalogen findet sich hier auch sein Spazierstock. Das sehr elegant wirkende Stück, das fast ganz von einer Schlange umwunden ist, die sich oben am Knauf um ein sich liebendes Paar windet, zeigt zwar deutliche Gebrauchsspuren, ist aber sonst gut erhalten. Die geschnitzte Figurengruppe erinnert an naive römische Darstellungen, die man von antiken Gebrauchsstücken kennt. Die Schnitzerei ist so angebracht, daß beim Benützen des Stockes die Hand auf dem verfänglichen Teil lag und nur die beiden Köpfe zu erkennen waren.   U. L.

7.4.1.16 Lithophanie mit erotischer Darstellung in klösterlichem Milieu

wohl Frankreich, Mitte 19. Jahrhundert, Porzellan, 5 × 6,2; Berlin, Peter Ariel

Durch die weichzeichnende Bildästhetik und die Verwendung als Lichtschirm oder Nachtlicht ist die Lithophanie für erotische Darstellungen prädestiniert. Kindliche Unschuld und klerikale Lüsternheit erhöhen die Pikanterie. Spezielle Liebhaberstücke wurden, meist nach französischen Vorlagen, im Taschenformat erzeugt, und waren kleiner als Spielkarten. Man konnte sie beispielsweise als Sechserpack im samtgefütterten Lederetui bei sich tragen.

In dieser Darstellung einer Nonne mit drei Männern, davon zwei Mönche, erkennt man das Vergnügen daran, gerade die kirchlichen Autoritäten strenger Sexualmoral im wörtlichen Sinn »bloßzustellen«.   B. K.

7.4.1.17 Lithophanie – zwei badende Mädchen am Fluß

Bisquit-Porzellan, farbiges Glas, Zinn, 31,5 × 27,2, Lit.: Schmidt, in: Volkskunst 2, 7, 1984; 69/391

7.4.1.18 Lichtschirm mit der Liebesgöttin Venus

um 1820, Blech, bemalt, 45,4 × 24,2 × 10,6, 35/2300

Lichtschirm mit der Darstellung von Venus und Cupido und zwei Turteltauben, auf gewölbter runder Scheibe, gehalten von Stange auf rechteckigem Sockel.

7.4.1.19 Lichtschirm mit Vulkanausbruch

um 1830, Blech, bemalt, 47,3 × 22,2 × 10; 35/2299

Lichtschirm mit Darstellung eines explodierenden Vulkans und Schiffbrüchigen im Vordergrund, auf gewölbter runder Scheibe, gehalten von Stange auf rechteckigem Fuß. Die beiden Lichtschirme bilden Pendants. Der Vulkanausbruch ist wohl Anspielung auf Hephaistos oder Vulkanus, den Gemahl der Venus.

7.4.1.20 Meerschaumpfeife mit Bauersfrau ∗

Wien, 1807, bez.: Wiener Garantiemarke von 1807, Meerschaum, Silbermontierung, 13, Privatbesitz

Unter der aufklappbaren Schürze der hockenden Frau, die eine Hand unter den Rock geführt hat, eine Masturbationsdarstellung. Daneben ein Korb mit Eßwaren.

7.4.1.21 Pfeifenkopf mit verdecktem erotischen Bild

süddeutsch, um 1820, Buchsbaum, Silbermontierung, 11, Privatbesitz

Der Pfeifenkopf besteht aus zwei übereinanderliegenden verschiebbaren Schichten. Außen ist ein Jäger mit erbeutetem Reh und ein Jagdgefährte mit Hund dargestellt. Das äußere abnehmbare Bild überdeckt eine erotische Darstellung mit einem Mann und zwei Frauen in einem Himmelbett, die von einem älteren Herren mit Perücke und Kostüm des 18. Jahrhunderts beobachtet werden. Die technische Schwierigkeit der Ausführung und die Qualität der Schnitzarbeit des ungewöhnlichen Objektes entsprechen einander.

7.4.1.22 Pfeifenkopf »Leda mit dem Schwan«, Flachrelief mit Helios im Deckel

um 1810, Porzellan, Montierung: Messing versilbert, 11; 61/510

7.4.1.23 Pfeife mit erotischem Sujet, die »Überraschung«

um 1830, Porzellan, bedruckt und bemalt, 28,4; 61/509

Die entkleidete Badende wird aus einem Gebüsch heraus von einem Galan überfallen.

7.4.1.24 Pfeife mit Mädchen im Hemd vor dem Spiegel

nach einer Lithographie von Nicolas Eustache Maurin (Perpignan 1799–1850 Paris), wohl Nymphenburg, um 1845, Porzellan, bemalt und vergoldet, 13,5; 57/64

zu Maurin vgl. Kat.Nr. 7.4.1.10.

7.4.1.20

**7.4.1.25 Pfeifenkopf mit erotischer Szene –
Hund eines Jägers zerreißt unter den Blicken
des Jägers den Unterrock einer flüchtenden
Holzsammlerin**

wohl süddeutsch, 1820, Porzellan, durchgehender Sprung am oberen Rand, 18,5; 61/460

Motivgleich mit der Berliner Graphik Kat.Nr. 7.4.7.13

**7.4.1.26 Pfeifenkopf mit erotischem Sujet –
der Wind entblößt eine Schöne, die einem
Pfarrer den Heimweg leuchtet**

um 1820, bez.: »(sehn) Sie denn, Herr Pfarrer? – Oh nur Zuviel!«, Silbermontur: Meisterstempel IN im liegenden Rechteck, Porzellan, 10; 61/535

**7.4.1.27 Pfeifenkopf mit Darstellung einer
Familienszene – Ermahnung eines
Liebespaares**

süddeutsch, 1820, bez.: »Kinder lasset Euch nicht stören,/wohl bedacht bring ich ein Licht,/ Unrecht hab ich greifen hören,/Spielet, nur vergreift Euch nicht!«, Porzellan, Montierung: versilbertes Kupfer, 19,5; 61/538

Ein Vater im Schlafrock und Nachthaube bringt ein Licht in die Stube und ermahnt ein Liebespaar, die Zärtlichkeiten nicht zu weit zu treiben.

7.4.1.28 Pfeife mit Büste eines Mädchens

1840, bez.: »Hohenschwangau«, Kopf: Porzellan, Kupfer versilbert, Stiel: Weichsel, Horn, 30,5; 61/488

Porzellaneinsatz am Stiel mit Hohenschwangauer Ansicht

**7.4.1.29 Pfeife mit einer Schlafenden mit
entblößter Brust ✳**

Manufaktur Schney, 1840, bez. (blaue Strichmarke auf Porzellan): (PPS); eingemarkte Nummer auf der Schnurbefestigung: 9, Kopf: Porzellan, Montierung in Silber, Stiel: Horn, Ebenholz, 36; 57/613

**7.4.1.30 Pfeifenkopf mit Karikatur auf die
neue Mode des Zigarrenrauchens ✳**

um 1845, bez.: »Alles raucht Cigarrn!« u. »Es rauchen nur Narrn Cigarrn«, Porzellan bemalt, Deckel: Neusilber, 14; 28/1090

Bei der Szene mit zigarrenrauchenden wandelnden Hinterteilen, bedeckt mit Hut und Zylinder, handelt es sich um die Polemik eines Pfeifenrauchers, der die bei Herren und Damen verbreitete neue Rauchmode mit diesem Rebus diffamiert. H.O.

7.4.1.31 Opiumpfeife aus Meerschaum

19. Jahrhundert, Meerschaum mit Silbereinsatz, Stiel: Weichsel, schwarzes Horn, 31; A 70/288/2

**7.4.1.32 »Metternichs System« –
die Lebenskraft erlischt**

Reproduktion aus: Egon Cäsar Conte Corti, Metternich und die Frauen, Wien 1977, 313

Clemens Fürst Metternich wurde am 15.5.1823 fünfzig Jahre alt. Anläßlich dieses einschneidenden Datums entwarf er eine vergleichende »Lebensleiter« für Männer und Frauen und übersandte sie in einem Brief seiner langjährigen Freundin Gräfin Lieven. Während er den Frauen den sexuellen Tod bereits mit 49 Jahren vorhersagte, gab sich der Fünfzigjährige selbst noch 13 Jahre bis zu dieser Zäsur. U.L.

**7.4.1.33 »Die allgemeinen Wünsche
sämmtlicher Völker« – symbolische erotische
Karikatur aus dem Jahr 1848**

1848, Lithographie, reproduziert aus Fuchs 1908

Als Ziel der allgemeinen Wünsche wird dem Frauenakt, im übrigen dem einzigen in der ganzen Sequenz, für jeden ihrer Reize eine politische Forderung zugeordnet: den Busen – »Oeffentlichkeit beider Kammern«, dem Bauch – »Preßfreiheit«, dem Gesäß – »Vox populi«, den Schenkeln – »Auflösung der stehenden Heere«. H.O.

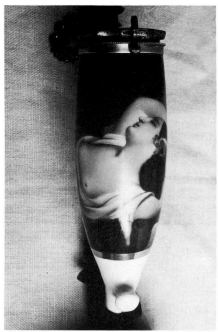

7.4.1.29

7.4.1.30

Wie lassen sich in München die Freudenmädchen eintheilen?

Dieselben dürften in 5 Hauptklassen zerfallen, als, in:
a) Straßenhuren, die des Abens in den frequentesten, dann gewissen zu ihrem Gewerbe bequem gelegenen Straßen und Plätzen sich aufhalten, entweder gleich in Winkeln, Ecken, abgelegenen Gäßchen, Hausfluren und Thorwegen sich dem ersten Besten hingeben, /: die Gemeinsten:/ oder ihre Herren, welche sie engagiert haben, in Wohnungen führen, deren Eigenthümer einlassen, der eigenthümliche Ausdruck hiefür, in München gebräuchlich.
b) Mädchen auf der Karte; die einzelne Zimmer, mit besonderem Eingang gewöhnlich bewohnen, durch Nähen, Putzmachen u. dergl. unter Tag, auch oft nur zum Schein eingeschrieben, beschäftigt sind, entweder des Abens auf den sogenannten Strich gehen, die Gemeineren; dagegen die Vornehmeren ihre bestimmten Kundschaften haben, welche sie besuchen; dieses sind aber auch gewöhnlich diejenigen, welche am meisten und liebsten dem Müßiggang fröhnen.
c) Mädchen, welche Bordelle frequentieren, entweder in denselben, natürlich unangezeigt wohnen, oder blos des Abens sich darin aufhalten, auch übernachten und mit dem frühen Morgen verschwinden; um entweder sie der besseren Klasse angehören, irgend einer Beschäftigung sich zu widmen, oder im elterlichen Hause den häuslichen Arbeiten obliegen, oder endlich dem Nichtsthun zu fröhnen, wenn nicht gar ein theilweiser oder ganzer Scheindienst obwaltet.
d) Sogenannte galante Damen. Nemlich Mädchen oder Frauen, welche ganze Wohnungen inne haben, auch öfters sogar verheirathet sind, aber von sogenannten Freunden unterhalten werden; endlich
e) Töchter und Frauen aus dem gebildeten und höheren Stande, von höheren Staatsbeamten sogar, deren Väter und Gatten kein Vermögen besitzen, wohl aber eine große Besoldung besitzen, die jedoch vom Haushalt verzehrt, nicht gestattet, die Töchter und Gattinen in Putz und Glanz andern gleich zu stellen.
Von solchen werden gewöhnlich nur ganz geheime Wohnungen und besonders ausgemittelte Gelegenheiten mit Fremden, in München sich nur ganz kurze Zeit aufhaltenden ausgezeichneteren Reisenden benützt; hiebei aber auch die höchstmöglichste Vorsicht, und die sichersten behutsamsten Maßregeln, welche vor allenfalsiger Entdeckung schützen, angewendet.
Jede dieser Klassen hat wieder Unterabtheilungen, je nach den verschiedenen Eigenschaften der Mädchen oder der Miethgeber, Wohnungen, Häuser, oder auch nach den einzelnen Neigungen.

. . .

Eine sehr große Zahl von Absteig-Quartieren, nemlich solche Zimmer, die gewöhnlich von Mädchen nicht bewohnt werden, wohin nur die Dirnen, welche des Abens auf den sogenannten Strich gehen, und ihre Herren, – die sie Enten nennen – gegen ein mäßiges Zimmergeld dahin führen. Solche Zimmer, die bei mancher Wohnung oft 2 und auch 3 angetroffen werden, je nach dem Stand und den Verhältnis-

sen des Vermiethers eingerichtet sind, werden von mehreren Mädchen, oft 5 bis 6 und noch mehreren benützt, und ist ein sehr einträglicher Erwerb für den Vermiether, da er diese Zimmer gewöhnlich noch an Bettgeher, zwar wohlfeil vermiethet hat, die durch dieses Gewerbe keineswegs genirt sind, da es nur während der Strichzeit zwischen 5 und 9 Uhr im Winter, und 8 und 10 Uhr im Sommer geht, diese Zeit aber die Bettgeher, welches meistens Handwerker sind, im Wirthshause zubringen, auch oft Kenntniß davon haben.

. . .

Die Zahl der Lustdirnen in München beträgt weit über 2000; diese Zahl ist groß, enorm für eine Stadt, welche nur 100.000 Einwohner zählt; doch berücksichtigt man, daß die sehr volkreiche Au nicht gering beisteuert, fast eben so reichlich Haidhausen und Giesing im Verhältnisse zu ihren Populationen; die übrigen umliegenden Ortschaften der nächsten Umgebung nicht minder ihre Scherflein beitragen, weil weder in der Au, noch weniger in den andern Orten diese Strichvögel ihre Nahrung finden, noch suchen können, so vermindert sich das Erstaunen über die Größe der Zahl doch etwas, obschon diese immernoch sehr groß bleibt, wenn man andere, größere und volkreichere Städte damit in Vergleich zieht.
So lange die Geschichte schreibt, kennt man das Unwesen der feilen Dirnen, die mit ihrem Leibe Gewerbe treiben, man weiß, daß alles möglich und zu allen Zeiten aufgeboten wurde, dasselbe auszurotten; eben so fest und bestimmt ist aber auch nachgewiesen, daß alle angewandten Mittel nicht allein scheiterten, sondern daß trotz allen Strafen die Zahl der Lustdirnen sich von Jahr zu Jahr vermehrte; leider aber auch die fürchterlichen Folgen in ganz neu aufgetauchten venerischen Krankheiten sich vergrößerten; was den Beweis liefern mag, daß auch gesteigerte Gefahren der Ansteckung die Zahl der sich Preisgebenden nicht vermindern kann, denn der Mensch, von seinem Triebe unterjocht, von seiner Leidenschaft verblendet, verläßt den Boden der Vernunft und würdigt sich unter das Thier hinab.
Diese Thatsache, welche die Erfahrung aller Zeiten überwiegt, beweißt das Nutzlose aller Gesetze, etwas zu verbieten, was man nicht Macht hat, auch zu vernichten; die Lustdirnen sind ein unvermeidlicher Abzugs-Kanal, gleich den Kloaken, sie bedürfen der höchstmöglichen Aufsicht, aber ihr Daseyn ist nicht zu verhindern. Ihr Treiben ist in großen Städten, wie jenes der Bettler, Spieler; sie betreiben es wie ein Gewerbe, weil sie sich dadurch theilweise vor Hunger und einer größeren öffentlichen Schande schützen. Es ist daher ein offenbarer Beweis, daß sie einen Theil der bürgerlichen Gesellschaft bilden müssen, weil trotz allen Gesetzen und Strafen, trotz öffentlicher Verachtung und trotz den schrecklichsten Krankheiten, welche diesem Lebenswandel fast unausweichbar auf dem Fuße folgen, dennoch überall Lustdirnen vorhanden sind, und man sie nicht vertilgen kann.

Anton Weber, Gutachten »Von den Freudenmädchen«
1850 (BayHStA, MInn 109)

7.5 Theaterwelt

Schwärmer unter den Zeitgenossen des Biedermeier berichten von einer »goldenen Theater-Zeit«, von einer »Glanzzeit« der Bühne während dieser Epoche. Mit der Umwandlung höfischer Einrichtungen in öffentliche Nationaltheater sollte die Institution Theater nicht mehr bloß exklusives Vergnügen für die Angehörigen des Hofes vermitteln, sondern nun Bildungs- und Erziehungsstätte für alle Schichten der Bevölkerung sein. Die Schaubühnen rückten damit in zunehmendem Maße in den Mittelpunkt der öffentlichen Teilnahme: Der Besuch des Theaters – neben Musik und Literatur die große Leidenschaft der Biedermeierzeit – gehörte damals für das höhere Bürgertum zu den regelmäßigen gesellschaftlichen Ereignissen, die anschließend in den Salons engagiert diskutiert wurden.

Schicksalsdramen und Rührstücke, romantische Singspiele in altdeutschen Kostümen, Lustspiele, italienische und französische Spielopern wie Ballette bestimmten die Spielpläne; aber auch die neuesten deutschen Klassiker wurden uraufgeführt, oder, wie die Werke Shakespeares, wiederentdeckt und übersetzt. Ballett und Oper – hier vor allem »Der Freischütz« – waren jedoch die Favoriten und zogen das Publikum stärker als alles andere an.

Die allgegenwärtige, strenge Zensur bedeutete aber gleichzeitig eine Einschränkung der künstlerischen Aktivitäten der Bühnenhäuser. In Berlin werden z. B. Aufführungen von »Egmont«, »Wilhelm Tell« und »Die Räuber« untersagt, weil die »Helden« offensichtlich Aufrührer und Rebellen gegen die Obrigkeit sind; neue Stücke mußten harmlos sein, nicht an Fragen der Gegenwart rühren, keine Beamten, Geistlichen, Fürstlichkeiten kritisieren oder lächerlich machen, selbst die Verkleidung in Komödie und Satire wurde verboten, so daß die Lustspiele ohne Bezug auf die Gegenwart oft flach und langweilig wirkten.

Eine neue Erscheinung am Theater waren die Gastspiele verschiedener Künstler, die nicht nur den Spielplan belebten, sondern auch als wichtige Saisonereignisse »beklatscht« wurden. Hand in Hand damit erlebte der Personenkult eine erste ungeahnte Blüte; man ging nicht mehr ins Theater, um ein bestimmtes Stück, sondern die darin auftretende Berühmtheit zu sehen. Vor allem die Tragödin Sophie Schröder und ihre Tochter Wilhelmine, die Sängerin, wie die »göttliche Henriette Sontag« und die Primadonna des Schauspiels, Charlotte von Hagn, entfachten eine Begeisterung, die in fanatische Schwärmerei ausartete: So warfen beispielsweise Studenten, als die Sängerin Henriette Sontag ein Gastspiel in Göttingen antrat, ihren Postwagen in die Leine, damit kein Sterblicher das Gefährt der göttlichen Sängerin je wieder benutzte.

Weit mehr noch als heute ging das Interesse von den Leistungen der Mimen auch auf alle Äußerungen ihres Privatlebens über und von einem Theaterzank hinter den Kulissen zwischen zwei berühmten Schauspielerinnen wurde in der Gesellschaft mehr und länger gesprochen als von wichtigsten Staatsangelegenheiten. Die Leidenschaft für das Theater, welche oftmals die Grenzen des guten Geschmacks weit überschritt, rief dann auch zunehmend die Opposition hervor. Als das Berliner Schauspielhaus abbrannte, nannten die Pietisten dies ein Zeichen der nun erschöpften göttlichen Geduld und es begann eine Bewegung kirchlicher Kreise gegen die Bühne, die mit der anonym erschienenen »Stimme wider die Theaterluft« 1824 (Boehn 1910, 472) einsetzte und nicht wieder zur Ruhe kam. U. K.

7.5.1 Das Schweigertheater in der Au **

Carl Friedrich Moritz Müller (Dresden 1807–1865 München), um 1840, bez. mit älterem Aufkleber: Das J. Schweiger-Theater in der Au während einer Vorstellung des Lumpazi Vagabundus, Öl/Lwd, 31,2 × 26,8; IIb/66

In der 1837 erschienenen »Neuesten Beschreibung der Haupt- und Residenzstadt München und deren Umgebung« von Adolph von Schaden finden sich über das Schweigertheater in der Au folgende Anmerkungen: »Wenn man die große, neue, steinerne Isarbrücke überschritten hat, erblickt man sogleich rechts, am Eingang in die Vorstadt Au, eine große elegant konstruierte und grünangestrichene Bretterbude, in welcher sich die Schweiger'sche Volksbühne befindet. – Vom ersten Mai bis gegen Ende Oktober finden auf dem Volkstheater täglich, Sonnabends ausgenommen, zwei Vorstellungen eines sog. Ritter- oder Spektakelstückes oder häufiger noch irgend einer neuen Wiener Lokalposse (sic). Es wird dieses Theater in neuesten Zeiten sehr häufig und selbst mitunter von höheren Ständen besucht.« (21) Das am Anfang der heutigen Lilienstraße am Fuße des Rosenheimer Berges gelegene Theater hatte eine wechselvolle Geschichte. 1807 gründete der Schauspieler und Theaterdirektor Franz Schweiger (gest. 1814) das erste sog. Schweigertheater. Neben dem Lorenzonischen Sommertheater war es die wichtigste Münchner Volksbühne, die ihre Anregungen mehr und mehr dem Wiener Vorstadttheater verdankte. Sein Sohn Josef (gest. 1847) übernahm 1817 die Truppe des Lorenz Lorenzoni und spielte im Sommertheater vor dem Karlstor. Mit Ausnahme eines Intermezzos im Theater des Wirts auf der Praterinsel (1823–1825) spielte Josef Schweiger bis 1830 vor dem Karlstor. Der Neubau der protestantischen Kirche verdrängte dann allerdings das »Schweigerische Sommertheater« und Josef ließ sich – wie ehemals der Vater – ebenfalls in der Au nieder. Josef Schweiger brachte es in der Rolle des »Lipperl«, eines sehr beliebten Hanswurstes, zu Berühmtheit. Er ließ aber auch das Wiener Volkstheater zu Wort kommen, zumal das Isartortheater seit 1825 geschlossen war.
1845 siedelte das Schweigertheater aus der Au in die Isarvorstadt (Müllerstraße). Nach Josefs Tod 1847 führte sein Sohn Max die Bühne bis zu deren Auflösung im Jahr 1865 weiter. M. M.

7.5.2 Theaterzettel des Königlichen Hof- und Nationaltheaters: »Der Glöckner von Notre Dame«

1835, Buchdruck, 40 × 30; München, Bayerische Staatsbibliothek 2° Bavar. 826

7.5.3 Bühnenbildentwurf zur Jungfrau von Orléans, Kathedrale von Reims

Angelo Quaglio, München, 1825, bez. mit Stempel: »Angelo Quaglio«, Bleistift, Feder-zeichnung, aquarelliert, 39,2 × 53,8; Lit.: Schöne/Vriesen, 1959, S. 16f.; München, Deutsches Theatermuseum S. Qu. 507

Eine Festaufführung dieses Opus fand am 29.5.1825 statt. Der Entwurf Angelo Quaglios könnte nach einer Zeichnung nach der Natur des jüngeren Bruders Domenico, der sich 1825 in Reims aufhielt und die Kathedrale mehrmals zeichnete, entstanden sein.

7.5.4 Bühnenbildentwurf zum Löwenhof in der Alhambra aus Oberon

Simon Quaglio, München, wohl 1829, Bleistift, aquarelliert, 30,7 × 44,4; Lit.: Schöne/Vriesen, 1959, S. 16f.; München, Deutsches Theatermuseum S. Qu. 520

7.5.5 »Robert der Teufel, Finale des 1ten Act/ Costume des Herrn Bayer als Robert«

Druck im Verlag von Christian Weiss, Würzburg, 1834–1839, Lithographie, koloriert und teilweise mit Gummi arabicum bestrichen, 41 × 51,5; Lit.: Schöne/Vriesen, 1959; München, Deutsches Theatermuseum II 10758

7.5.6 »Die Räuber, II. Act, III. Scene/ Costume des Herrn Hölken als Carl Moor«

Druck im Verlag von Christian Weiss, Würzburg, 1834–1839, bez. mit Stempel des Weiss-Verlages, Lithographie, koloriert und teilweise mit Gummi arabicum bestrichen, 48,7 × 41,7; Lit.: Schöne/Vriesen, 1959; München, Deutsches Theatermuseum II 10753

Am 15.5.1826 wurden Schillers »Räuber« zum ersten Mal im Hofschauspiel aufgeführt.

7.5.7 »Oberon, Oper, II. Act, II. Scene/ Costumes des Herrn Diez, Racke und X. Mayr als Hüon, Calef und Prinz Babeckan, u. der Mad. Mink als Rezia«

Druck im Verlag Christian Weiss, Würzburg, 1834–1839, bez. mit Stempel des Verlags Weiss, Lithographie, koloriert und mit Gummi arabicum teilweise bestrichen, 41,5 × 51,8; Lit.: Schöne/Vriesen, 1959; München, Deutsches Theatermuseum II 10760

7.5.8 »Don Carlos, II. Aufz., VIII. Scene/ Costumes des Herrn und Madame Dahn als Carlos und Eboli/Neu costumiert unter der Intendanz des Herrn von Küstner«

Druck im Verlag von Christian Weiss, Würzburg, 1834–1839, bez. mit Stempel des Weiss Verlages, Lithographie, koloriert und teilweise mit Gummi arabicum bestrichen, 42 × 50,6; Lit.: Schöne/Vriesen, 1959; München, Deutsches Theatermuseum II 10759

Das Szenenbild gehört zu einer Mappe mit mehreren Münchner Szenenbildern der dreißiger Jahre des 19. Jahrhunderts. Die Sammlung war betitelt »Souvenir Théatrale (!) de Munich Würzburg 1834–39«. Auch die folgenden drei Katalognummern gehörten dazu.

7.5.9 Bühnenbildentwurf zur Oper »Alidia« von Lachner

Simon Quaglio, München, 1839, Bleistiftzeichnung auf Karton, zur Hälfte aquarelliert, 30,5 × 42,2; Lit.: Schöne/Vriesen, 1959, S. 16; München, Deutsches Theatermuseum S. Qu. 521

Die Uraufführung fand am 12.4.1839 in München statt.

7.5.10 Scene aus dem Freischütz

Konrad Riedel, Nürnberg, Lithographie, koloriert, 20,5 × 28,5; Slg. Böhmer

7.5.11 »Madame Schröder=Devrient als Romeo in der Oper Romeo und Julie von Romani/Akt 4«

um 1825, Kreidelithographie, koloriert, 25,5 × 34; München, Deutsches Theatermuseum II/21654

»Du kannst mich ohn Erbarmen/Mich einsam hier verlassen/Und fern von Dir mich Armen/In meinem Jammer sehn?«
Vgl. Kat.Nr. 7.4. 32–33–34

7.5.12 Jenny Lind als Norma *

B. Lehmann, 1846, bez.: Gez. v. B. Lehmann, lith. v. C. Fischer, Druck bei H. Delius; Berlin 1846, Bei Jul. Schmidt, Burgstr. N°28, Lithographie, getönt, 50 × 37,4; München, Deutsches Theatermuseum II/12959

Jenny Lind in der Rolle der Norma aus der Oper von Bellini.

7.5.13 Weibliche Kostüme für das Theater

Johann Christian Fries (Nürnberg 1787–1860 München), 1830–40, bez. u.r.: Fries, Aquarell, 30 × 20; M II/2955, 1–4

Die Dargestellten tragen 1) ein schwarzes Kostüm mit Hut, 2) eine Tracht mit Schürze, 3) ein Phantasiekostüm in Rot und Blau, 4) ein weiteres Fantasiekostüm mit blau-weißem Rock und rot-weiß-gestreiftem Mieder.

7.5.1

7.5.12

7.6 Maskenfeste

Das Maskenfest mit historischen Kostümen war in München zunächst eine Domäne der aristokratischen Gesellschaft. Hier war es vor allem die Welt der Romane von Walter Scott, die die Phantasie bewegte. Immer wieder finden sich Gestalten wie Ivanhoe oder Quentin Durward in den Figurenprogrammen dieser Maskenfeste, die in umfangreichen lithographischen Zyklen festgehalten sind. Dem Reiz des Romanhaft-Historischen entsprach der exotische Reiz geographischer Ferne. Die Kostüme wurden von Künstlern entworfen, der ganze Ablauf lange vorgeplant und schließlich bis ins Detail inszeniert. Einen Abglanz der höfischen Feste bildeten die von der Hoftheaterintendanz veranstalteten Bälle und »maskierten Akademien«, die ebenfalls unter Beteiligung des Hofes und der aristokratischen Gesellschaft abliefen. Außerdem veranstalteten bürgerliche Vereine wie »Museum« oder »Frohsinn« ihre eigenen Faschingsbelustigungen. Besonders geeignet für Bälle erschien der große Saal des Odeon, das 1826–28 von Leo von Klenze errichtet worden war. August Lewald berichtet in seinem 1835 in Stuttgart erschienenen »Panorama von München« ausführlich über die verschiedenen Arten der Faschingsfeste. Trotz der ausführlichen Schilderung der verschiedenen, nach der Hierarchie der Gesellschaft abgestuften Vergnügen sieht Lewald auch spezifische Hinderungsgründe für das vollständige Ausleben des Faschings in München, obwohl er der Stadt eine besondere Disposition dafür zuerkennt: »Vor allen deutschen Städten ist München diejenige, welche die meiste Lust hätte, einen sinnreichen, recht heitern Fasching auszuführen, auch weiß sie wohl, daß sie vormals ein nicht unbedeutendes Talent dazu an den Tag legte. Was jetzt die Sache hindert ist 1) Mangel an Geld; 2) die Aengstlichkeit höheren Ortes Mißfallen zu erregen; 3) die Besorgnis, zu große Heiterkeit zu verrathen; 4) ein hoher Grad von Schwerfälligkeit und wenig Verträglichkeit.«

Im bildungsorientierten 19. Jahrhundert bedeutete die Frage nach einem sinnreichen Fasching auch die nach dessen thematischer Ausrichtung und Durchgestaltung. Einen Höhepunkt in diesem Zusammenhang bildete das berühmte Künstlermaskenfest des Jahres 1840, dessen Schilderung Gottfried Keller in seinen »Grünen Heinrich« aufnahm, obwohl er das Fest nicht selbst miterlebt hatte. Vielmehr legte er der Passage seines Romans den ausführlichen Bericht des Kunsthistorikers Rudolf Markgraf zugrunde, der im Druck erschienen war. Schon vorher hatten die Künstler die Loslösung von den als zu steif und konventionell empfundenen höfischen Festen vollzogen. Mit dem Wallensteinfest des Jahres 1835 entstand ein neuer Typus des Künstlerfestes, nachdem dessen überkommene Formen allgemein als unbefriedigend kritisiert wurden. Daxenberger nennt in seinem »Münchner Hundert und Eins« den Grund: »Die gefeierten Künstler-Bälle (1827–33) . . . wozu die Elite der hiesigen Gesellschaft eingeladen war, wo die gesammte Königliche Familie sich zeigte, können jetzt nicht mehr stattfinden, der Ton der Salonswelt, dem sich die Stifter und Chorführer unterwarfen, ist bei dem starken Volke unbeliebten Andenkens geworden. Nicht mit Unrecht ist ihm der Frack verhaßt, das Modern-Conventionelle ist der Tod des Poetischen.«

N. G.

Wiener Congress Feste. II.

Das große Karussel, nach Art der Turniere aus alter Ritterzeit, gehalten den 25. November 1814.

Ein Fest der Art kam, mit einer Würde wie in Wien, gegeben worden, dem keine andere Hauptstadt in im Stande, eine solche Zahl alter adelicher Geschlechter, solchen Therfluss an Schmuck, solche Menge an edlen Rossen, und solch ein schöne Local, wie die Kaiserl. Reitschin, aufzuweisen. 24 Ritter im schönsten Costum der alten Zeit, mit Hülsenden Schildern und vergoldeten Lanzen, tummelten sich in den hörnern Springen und stach sich nach dem Takt der Musik heran, immer war zu hören, stießen sich dann mit dem Ziele, einem Türken- oder Mohrenkopf zu, ein stachen einen Ring herab. Mit Reuten und Bewunderung wurde Alles erfüllt, über die Geschicklichkeit der Reuter.
Nürnberg, bei Frauen-C.

7.6.1

7.6.1 »Das große Karussel, nach Art der Turniere aus alter Ritterzeit« *

Johann Michael Voltz (Nördlingen 1784–1858 Nördlingen), Nürnberg, nach 1814, bez. u. r.: Nürnberg bei Friedr. Campe, Kupferstich, koloriert, 31,2 × 46,3, Lit.: Urbanski, 1986, 21; Nürnberg, Germanisches Nationalmuseum, 28392/1212 b

Seit dem 1. Oktober 1814 war Wien der Ort der Verhandlungen über die Neuordnung Europas nach Napoleons Niederlage. Der Kongreß war von einer Vielzahl von Festlichkeiten begleitet, die den gewonnenen Frieden feiern sollten. Das erste bedeutende Fest war eine Redoute in der Spanischen Hofreitschule am 23. November 1814. In altdeutsche Kostüme gekleidet stachen 24 Söhne aus den Familien der Hocharistokratie nach Ringen und Mohrenköpfen. Der Rückgriff auf Kostüme des mittelalterlichen Turnierwesens ist nicht nur im Rahmen einer allgemeinen altdeutschen Mode zu sehen, wie sie die Zeit der Befreiungskriege besonders ausgeprägt hatte. Das Turnier als Bestandteil aristokratischer Feste der Vergangenheit war auch eine Ausdrucksform, die die restaurativen Tendenzen des Kongresses romantisch überhöhen konnte. Die berühmt gewordene Wiener Veranstaltung blieb nicht ohne Folgen. Noch 1846 wurde in Stuttgart ein »Karussel« veranstaltet, dessen Reiter in Kostümen der Kreuzritterzeit antraten.   N. G.

7.6.2 Maskenball bei Hof im Februar 1827 * * Abb. S. 217

Franz Xaver Nachtmann (Obermais 1799 – 1846 München), München, 1827, bez. u. l.: Dessinée et Lithographiée d'après Na.; u. r.: par

X. Nachtmann; u. M.: Imprimie par Lacroix, Lithographien, koloriert, 34,2 × 23,2, Lit.: Hartmann, 1976, 155; M II/258–259

Auf dem ersten Blatt (M II/258,1) der genaue Titel der Kostümfolge: »Collection des divers costumes composant les quadrilles du bal masqué donné à Munic le 15 Fev. 1827«. Auf zwölf Blättern werden je zwei Figuren in historisierenden Kostümen nach dem Roman Ivanhoe von Walter Scott dargestellt. Die gleiche Folge mit der Nummer M II/259 wurde um zwei querformatige Blätter mit Darstellungen zum Karneval in Rom erweitert.   U. L.

7.6.3 »Quadrille de Son Altesse Royale Madame la Duchesse de Leuchtenberg executé au bal-masqué donné à la cour de Bavière le 1er Fev. 1828«.

Franz Xaver Nachtmann (Obermais 1799– 1846 München), München, 1828, bez. u. l.: X. Nachtmann; u. r. jeweils: N° I, II, III, Lithographien, koloriert mit Silberprägung, 31 × 57/ 31 × 59/33 × 54; M II/261, 1–3

Drei Blätter und ein kleines Etikett (beschn. ca. 18,5 × 23), das den Titel der Quadrille trägt und einen Hinweis auf die hier dargestellte Szene gibt: »Le sujet en est pris dans la Lampe Merveilleuse, au moment où la Princesse Badroulboudour, quitte le Palais du Sultan son Père, pour se rendre dans celui d'Aladin son epoux.« Die einzelnen Teilnehmer an diesem theatralischen Festzug sind mit ihren Namen und Rollen an den unteren Bildrändern bezeichnet: 1. Blatt, von links nach rechts: »Le Pce Nuradin et Aladin. / S.A le Duc Max de Bavière. S.A. le Duc de Leuchtenberg. — Au-

rengseb. / M.re le C.te de Pappenheim. — Dames de Cachemir / M.me la C.sse de Bassenheim, M.me la B.sse de Mandel. M.me la C.sse de Tauffkirchen. M.me la B.sse d'Aretin. — Pages. / Le C.te de Wittgenstein. le C.te C.tes de Tacher. — La Psse Badroulboudour et le Sultan son Père. / S.A.R. Mad. la Duchesse de Leuchtenberg. S.A. le P.ce C.tin de Löwenstein.« — 2. Blatt von links nach rechts: »Dames Tartares. / S.A. Made la Pcesse de Löwenstein. Made la Duchesse de Dalberg. Made la C.sse de Tascher. — Seigneurs de Bucharie / S.A. le P.ce C.te de Wallenstein. M.r le B.n de Malzahn. — Demoiselles de Bucharie Ind. / M.lle la P.cesse de Wrede. M.elle la P.cesse N. de Wrede. M.lle la C.sse de Deroy. M.elle Eliane de Canbière. — Seigneurs de la Tartarie. / S.A. le P.ce C.te de Löwenstein. M.r le B.vn de Besserer. M.r de Bacounin. — Dames de Bucharie. Made la C.sse de Mejan. M.lle la B.sse de Weichs. Mad.e la B.sse I de Küster.« — 3. Blatt von links nach rechts: »Seigneurs Mogols / M.r le C.te de Taufkirchen. M.r le B.n de Breitenbach. — Dames de la Tartarie chinoise. M.e le C.esse de Rechberg. M.e la B.sse de Deux-Pont. M.e la B.sse de Mollerns. — Seigneurs Mogols. / M.r le C.te de Mejan. M.r le C.te B.d de Rechberg. M.r le C.te Merci d'Argenteaux. — Jeunes esclaves de Golconde. / M.elle de Dalberg. M.elle C.esse de Montgelas. M.elle C.esse S.d. Mejan. – Un Genie M.r le C.te de Schoenborn.«

Die jungen Mitglieder der Hofgesellschaft stellen also hier einen orientalischen Brautzug mit reichem Gefolge dar. Franz Xaver Nachtmann hat die reich geschmückten, üppigen Kostüme äußerst detailliert wiedergegeben. Die Gesichter weisen dagegen kaum Porträtähnlichkeit auf und sehen sich merkwürdig ähnlich. Die Mitglieder der einzelnen Gruppen bewegen sich nicht in Zugrichtung, sondern sind ausschließlich dem Betrachter zugewandt, so daß die Szenenfolge gestellt und unwirklich wirkt. Höchstwahrscheinlich hat Nachtmann die Gruppen schon vor Beginn des Festes in einzelnen Kostümbildern festgehalten und nachträglich zusammengefügt.   U. L.

7.6.4 Frau Oberstlieutnant Mejan als Dame de la Tartarie chinoise * *

Franz Xaver Nachtmann (Obermais 1799 – 1846 München), München, 1828/29, Aquarell, weiß gehöht, 24,5 × 19,57; B 83/2 = 35/1362

Franz Xaver Nachtmann hat hier noch einmal eine der Teilnehmerinnen am Maskenball der Herzogin von Leuchtenberg am 1.2.1828 dargestellt. Ihr Kostüm im phantasievollen tartarisch-chinesischen Stil ähnelt bis in kleinste Details den Kostümen der drei »Dames de la Tartarie chinoise« auf dem 3. Blatt der Festzugsfolge. Eine Madame de Mejan war jedoch nicht darunter. Allerdings liegt der Verdacht nahe, daß Monsier le Comte de Mejan, der den drei Damen als erster der drei »Seigneurs Mogols« unmittelbar folgte, nach dem Festzug eine der Damen ehelichte und zwar offensichtlich die letzte der drei, deren Haltung und Haarfarbe am ehesten der hier Porträtierten entspricht und die sich schon in der Festzugs-

N° 14.

Carnaval de Rome.

N° 13.

Carnaval de Rome.

darstellung dem Comte de Mejan auffällig zuneigte. Es könnte sich also bei dem vorliegenden Blatt um ein nachträglich bei Nachtmann in Auftrag gegebenes Souvenir an einen für das Ehepaar Mejan besonders erinnerungsreichen, gelungenen Abend handeln. Nachtmann hat das Kostüm der Dame liebevoll mit Gold- und Silberfarbe koloriert und die Figur in eine romantisch-stilisierte Umgebung gestellt, die in einzelnen Elementen an Stammbuchblätter erinnert (Freundschaftstempel, Distelbusch, Felsberge). U.L.

7.6.5 Maskenball bei Hofe ✱✱ Abb. S. 217

Ernst Fries und Franz Xaver Nachtmann nach Ignaz Kürzinger, München, 1835, Lithographien, koloriert, ca. 48 × 33, Lit.: MK Proebst, 1968, Nr. 1898–1901; Hartmann 1977, 19, 155 (Abb.); Böhmer 1968, 155 f. (Abb.); P 1898–1901

Dieses Fest am 3. Februar 1835 wurde von König Ludwig I. unter dem Protektorat seiner Schwester, der Herzogin von Leuchtenberg, veranstaltet. Zunächst zeigte die Hofgesellschaft die traditionelle Quadrille der Erdteile, danach folgte eine Präsentation der Hauptgestalten aus Walter Scotts Erfolgsroman Quentin Durward, der 1823 erschienen war und die Auseinandersetzung Ludwigs XI. mit Karl dem Kühnen zum Inhalt hatte.

P 1898/1: Titelblatt der Costümfolge: Quadrilles parées costumées, bez.: Lithographié et imprimé chez l'éditeur J. M. Hermann à Munich. J.M. Hermann war der Hauptherausgeber der Nachtmannschen graphischen Werke. Das Titelblatt zeigt den von Fanfarenbläsern begleiteten Umzug, dem stilisierte Fahnen und Standarten der Kontinente vorangetragen werden.

P 1898/2: »l'Europe, 1.«, Kostüm der Europa mit Szepter, Schwert und Krone.

P 1898/3: »l'Allemagne, 2.«, Paar in stilisierter höfischer Kleidung des 15. Jahrhunderts.

P 1898/4: »Hongrie, 3.«, Paar, sie ganz in weiß, er in reicher Magyaren-Uniform mit Sporen und Krummsäbel.

P 1898/5: »Russie, 4.«, Kosakenpaar mit Krummsäbel.

P 1898/6: »la Suede, 5.«, Paar in Kostümen aus dem ausgehenden Mittelalter.

P 1898/7: »Turquie d'Europe, 6.«: Sultan und Haremsdame in besonders reichen Kostümen.

P 1898/8: »Pologne, 7.«: Paar in historisierender polnischer Adelstracht, er mit Krummsäbel.

P 1898/9: »France. 8.«: Höfisch gekleidetes galantes Paar des 15. Jahrhunderts.

P 1898/10: »Angleterre, 9.«: Paar gekleidet in der Art der Artusritter und ihrer Damen.

P 1898/11: »Ecosse, 10.«: Paar in schottisch-karierten Kostümen.

P 1898/12: »Espagne, 11.«: Paar in der schwarzen Tracht der spanischen Grande im ausgehenden Mittelalter.

P 1898/13: »Portugal. 12«: Paar in historischem, spätmittelalterlichem Kostüm, er im Brustharnisch.

P 1900/1: »Italie. 13.«: Paar in historisierender Tracht des ausgehenden Mittelalters mit Landmädchen.

P 1900/2: »Grèce. 14.«: Paar in griechischer Tracht, er mit Krummsäbel und Dolchen bewaffnet.

P 1900/3: »Suisse 15.«: Zwei Mädchen in alpenländischer Tracht.

P 1900/5: »la Perse. 17.«: Paar in besonders reicher orientalischer Tracht, er mit Krummsäbel.

P 1900/7: »Tartaine. 19.«: Tartarenpaar, er mit Speer, Krummsäbel, Schild und Dolch.

P 1900/8: »Indes. 20.«: Paar in besonders phantasievoller reicher indischer Kostümierung.

P 1900/9: »Circassie. 21.«: Tscherkessenpaar in typischer folkloristischer Tracht, er mit Dolch und Krummsäbel.

P 1900/10: »Chine. 22.«: Mandarin in Begleitung zweier Damen.

P 1900/11: »Arménie. 23.«: Paar in armenischer Tracht, er mit Krummsäbel.

P 1901/1: »L'Afrique. 24.«: Dame mit schwarz gefärbter Haut, langen schwarzen Zöpfen im reich ausgestatteten Kostüm eines afrikanischen Stammeshäuptlings mit Klauenfell, Pfeilen und Bogen.

P 1901/2: »Egypte. 25.«: Paar in Kostümen à la Pharao mit ägyptischen Schriftzeichen bemalten Schärpen und Gürtel.

P 1901/3: »Maroc. 26.«: Paar in historisierender orientalischer Tracht, er mit Helm, Schulter- und Brustpanzer, sowie Krummsäbel.

P 1901/5: »Nubie. 28.«: Paar mit heller Hautfarbe, er nur mit losem langarmigem Hemd und Hose bekleidet, sie in reichem Kleid und mit Pfeil und Bogen ausgestattet.

P 1901/7: »Abyssinie. 30.«: Abessinierhäuptling mit schwarz gefärbter Haut, Klauenfell, Pfeil und Bogen, Kampfbeil, daneben Figur mit heller Haut und orientalischer Tracht mit Stiletten bewaffnet.

P 1901/9: »Mexique. 32.«: Zwei Herren und eine Dame in stilisierten, wohl aztekischen Kostümen, mit Pfeilen und Bogen, Schild und Keule bewaffnet.

P 1901/10: »Peron el Huron. 33.«: Paar, sie mit heller Haut in phantasievollem, reich mit Straußenfedern besetzten Kostüm, er mit braun gefärbter Haut, bis auf einen langen Zopf kahlgeschorenem Schädel, beide haben Pfeile und Bogen, er zusätzlich Kampfbeil und Dolch. Um seine Schultern ist kunstvoll ein Gepardenfell drapiert.

14 Blatt, 1 Textblatt, 1 Titelblatt, 1 Umschlagblatt zum am 3. Februar 1835 am Hof Ludwigs I. veranstalteten Kostümfest.

P 1899: (Nr. XIV).

P 1899/1: »Hérault d'armes. I.«: Herold in blauem Kostüm mit Sporen und Szepter.

P 1899/2: »Garde écossaise. II.«: Zwei Gardeoffiziere mit unterschiedlichem Rang in stilisierten Schottenkostümen.

P 1899/3: »Galeotti Martius – Olivier le Daim. III.«: Galeotti mit Fernrohr, Olivier mit Schwert.

P 1899/4: »Louis XI. Roi de France. IV.«: der französische König in typischem breitkrempigem Hut und Halskrause, Dolch im Gürtel.

P 1899/5: »Jeanne de France, le Duc d'Orleans. V.«: Das Kostüm von Jeanne ist reich mit Perlen übersät.

P 1899/6: »Dames de la suite. VI.«: auch die drei Hofdamen tragen reichen Perlenbehang.

P 1899/7: »Toison d'or, Chef des heraults du Duc. VII.«.

P 1899/8: »Le Sire d'Hymbercours, Tiel Wetzweiler. VIII.«

P 1899/9: »Philippe de Commines, Charles le témedaire. IX.«

P 1899/10: »La Comtesse Isabelle de Croye, Quintin Duward. X.«

P 1899/11: »La Comtesse de Crevecoeur, Le Comte de Crevecoeur. XI.«

P 1899/12: »La Comtesse Hameline de Croye, le Comte Guillaume de la Mark. XII.«

P 1899/13: »Tridchen. – Pavillon. XIII.«

P 1899/14: »Rizpah. – Wayraddin. XIV.«

Eine gleiche Folge aus der Sammlung Böhmer gibt die Namen der einzelnen Darsteller an, das Deutschland-Paar wurde z.B. verkörpert von Herzogin Amalie von Leuchtenberg und Graf Arco-Valley, das italienische Paar von der Gräfin Montgelas und dem Grafen Deroy, das Nubierpaar waren die Baronin von Pflumen und Herzog Max in Bayern, der chinesische Mandarin Graf von Schönborn, seine Begleiterinnen die Gräfin Deroy und die Comtesse Stefanie Tascher. U.L.

7.6.6 »Die Afrikaner auf dem Maskenball im königl. Hoftheater«

A. B. Gr., 1836, Lithographie, 39,5 × 30,5; M.II/298

Bei dieser Darstellung könnte es sich um ein Szenenbild für den königlichen Maskenball im Hoftheater handeln. Vor afrikanischer Landschaft reiten drei afrikanische Stammeshäuptlinge auf überdimensionierten Straußenvögeln, drei weitere, einfach gekleidete Schwarze halten ihre Waffen und bedienen sie. U.L.

7.6.7 Gedenkblatt zur Erinnerung an den Maskenzug der Künstler »Wallensteins Lager«

Eugen Napoleon Neureuther (München 1806–1882 München), München, 1835, bez. u.l.: E N., Radierung, Lit.: Wolf 1925, 30; Hartmann 1976, 19 und Abb. 18; P 2020

Am 2. März 1835 fand im Hoftheater das erste der Münchner Künstlermaskenfeste statt, die als Gegenveranstaltungen zu den als konventionell empfundenen Hofbällen eingeführt wurden. Entsprechend zu Schillers Vorspiel zur Wallenstein-Trilogie entfaltete sich nach der Idee des Malers Engelbert Seibertz und gestaltet von den beteiligten Künstlern ein buntes Lagerleben mit Soldateska und Marketenderinnen. Neureuthers Gedenkblatt zeigt eine Pyramide aus kostümierten Menschen, die sich aus einer Anhäufung von Utensilien der bildenden Kunst erhebt. Es thematisiert somit bewußt oder unbewußt eine Trennung von Künstleralltag und Künstlerfest. N.G.

7.6.8 Dürerfest – Gedenkblatt zur Erinnerung an den Maskenzug der Münchner Künstler

Eugen Napoleon Neureuther (München 1806–1882 München), München, 1841, bez. u. M.: Eugen Neureuther invenit et fecit, u. l.: in Schild Künstlermonogramm und Jahreszahl 1841, Radierung, 68 × 48,4, Lit.: Kunstblatt, 1840, S. 245 f.; Hartmann 1976; P 2021

Der Künstlermaskenzug des Jahres 1840, dem eine historische Konzeption um das Thema »Albrecht Dürer und Kaiser Maximilian I.« zugrunde lag, war ein nachhaltig in Erinnerung bleibendes Ereignis gewesen. Eugen Napoleon Neureuther, der selbst am Arrangement des Zuges beteiligt gewesen war, fertigte bereits 1840 ein Gouachegemälde mit den Figuren und Gruppen des Zuges, das seit 1841 als Radierung Verbreitung fand. Dem anderen Medium entsprechend wird nicht der Zug in seiner Abfolge dargestellt, sondern seine Figuren bilden den Rahmen einer Darstellung der Wappenverleihung an Albrecht Dürer durch Maximilian I. Die Szene wird gleichsam eröffnet durch die mächtige Figur eines »Waldmanns«, der in ein Horn bläst. Das sich aus dem Waldboden entwickelnde Ast- und Rankenwerk trägt die Figuren des Zuges des Bergkönigs, des Bacchanals und des Aufzugs der Bürger. Über dem Gefolge des Kaisers wird hinter hochgestellten Spießen die Silhouette der Stadt Nürnberg sichtbar. Die das ganze 19. Jahrhundert offen und unterschwellig wirksame Rivalität der Städte München und Nürnberg, der Residenzstadt des Königreiches und der unfreiwillig einverleibten ehemaligen Reichsstadt mit der großen Vergangenheit, war im Falle der Ausrichtung eines historischen Künstlermaskenfestes einmal zugunsten Nürnbergs entschieden worden. Dies wurde dort nicht ohne Genugtuung aufgenommen. 1843 verloste der Nürnberger Dürer-Verein Neureuthers Radierung als Jahresgabe.   N. G.

7.6.9 Der Maler Monten als Hauptmann der Landsknechte ∗

Wilhelm von Kaulbach (Arolsen 1805–1874 München), München, 1840–41, bez. Aufkleber: Ludwig No. 416, Öl/Lwd, 228,8 × 131,8, Lit.: MK BayStGS, V, München 1984, 206–7; AK Vorwärts, Nürnberg 1986, Nr. 446; München, Bayerische Staatsgemäldesammlung WAF 405

Bei der von den Künstlern organisierten Karnevalsmaskerade »Albrecht Dürer und Kaiser Maximilian« im Jahr 1840 stellte Dietrich Monten (1799–1843) einen Hauptmann der Landsknechte dar, der seine Schar bei dem Dürerfest anführte. Das Kostüm im Stil der Nürnberger Renaissance zeigt den Söldner in schwarzem Harnisch, mit schwarzem Barett mit langen Straußenfedern. Ein grüner Umhang ist wie eine Toga um Schulter und Leib geschlungen und unterstreicht die in Kontrapost gestellte Gestalt. Das Gemälde wurde im Jahr nach dem Ereignis von König Ludwig I. vom Künstler

7.6.9

7.6.13

erworben. Als Pendant entstand das Porträt des Malers Heinlein als Ritter von Schellenberg, was darauf hinweist, daß es sich um einen Auftrag des Königs handelte. Die historisch soweit korrekten Kostüme und Accessoires deuten darauf hin, daß es sich bei diesem Kostümfest, bei dem man die Rückkehr in die Geschichte probte, um mehr handelte als einen Mummenschanz.   H.O.

7.6.10 Porträt eines Künstlers vom Maskenfest 1840

Wilhelm von Kaulbach (Arolsen 1805–1874 München), München, um 1840, Öl/Lwd, 66 × 52, Nürnberg, Germanisches Nationalmuseum Gm 496

Ein weniger bekanntes Porträt eines der beteiligten Künstler am Münchner Maskenfest des Jahres 1840, gemalt von Wilhelm von Kaulbach, findet sich in den Sammlungen des Germanischen Nationalmuseums. Der Dargestellte konnte bisher nicht identifiziert werden. Anders als die ganzfigurigen, die Porträtierten in ihrer vollen Kostümierung zeigenden Bildnisse der Maler Dietrich Monten und Heinrich Heinlein der Neuen Pinakothek (Kat. 7.6.9), ist das Nürnberger Bild vor allem auf die Wiedergabe der Physiognomie des Dargestellten im plastischen Hell–Dunkel der Lichtführung konzentriert. Lediglich der Harnisch verweist auf das historische Kostüm. Ein anderer Entstehungszusammenhang als bei den Münchner Bildern erscheint daher naheliegend.

7.6.11 »Zur Erinnerung an die Offiziers-Quadrille auf dem Hofmaskenball im Februar 1843«

F. Wendt (geb. 1838 in München), 1843, bez. u.r.: inv. et des. F. Wendt 1843, Lithographie, 64 × 48,5, Lit.: MK Proebst, München 1968, 1897; M II/325

Das großformatige Blatt zeigt ein Potpourri phantasievoller chinesisch-tartarischer Kostüme, offenbar wurde auf dem Fest wieder eine Brautübergabe nachgespielt. Unten auf dem Blatt unter einem stilisierten Wappen der Spruch: »Froh, Einig, Stark«.   U.L.

7.6.4

7.6.12 Offiziers-Quadrille auf dem Hofmaskenball, Februar 1843

F. Wendt (geb. 1838 München), München, 1843, bez.: F. Wendt, Lithographie, koloriert, 17,2 × 41; M II/326, 1–6

Die Teilnehmer der Quadrille stellen in ihren chinesischen und tartarischen Gewändern Schachfiguren dar; die Namen sind am unteren Rand verzeichnet, darüber findet sich z. B. Lieutnant Rudolph Freiherr von Gumpenberg, Herr von Orff, von Teuffenbach, de Bary, St. Julien, Poppelt und Haller. U.L.

7.6.13 Das Ende eines Maskenballes *

Johann Geyer (1807–1875 Augsburg), bez. u. l.: Geyer pinx. Augsburg, Öl/Lwd, 114,5 × 126,8, Lit.: Nekrolog Johann Geyer, 1876, Sp. 193; Seubert 1882, 50; Boetticher 1891, Nr. 16, 406; Mittlmeier 1977, 179; MK BayStGS, V, München 1984, 164–165; München, Bayerische Staatsgemäldesammlungen WAF 301

Das undatierte Bild, in dem eine auffällige Vorliebe für das Rokoko zum Ausdruck kommt, muß vor Oktober 1846, dem Zeitpunkt des Ankaufs durch Ludwig I., entstanden sein. Es ist vermutlich identisch mit dem vom Münchner Kunstverein 1845 für die Verlosung vom 16. Februar 1846 für 240 fl. angekauften Gemälde von Geyer »Die eiserne Maske«, das von Carl Ludwig Freiherr von Lotzbeck gewonnen wurde (Jahresbericht des Münchner Kunstvereins 1845, Ankäufe für die Verlosung 1845, Nr. 90). Der Titel könnte sich auch auf die auch nach dem Ende des Balles noch maskierte Figur links beziehen. Demnach muß angenommen werden, daß der Freiherr das Bild zurückgab und der König es noch im selben Jahr zu einem höheren Preis (800 fl. laut dem alphabetischen Verzeichnis Nr. 445) vom Kunstverein kaufte. Denn ein thematisch ähnliches, größeres Gemälde taucht in den Listen des Kunstvereins dieser Zeit nicht auf. Für das Galeriewerk der Neuen Pinakothek von Piloty & Loehle schuf Johann Woelffle eine Lithographie. B.E.

7.6.14 Das Zauberschloß in Narrenheim

nach August Kreling (Osnabrück 1819–1876 Nürnberg), München, 1846, bez.: Comp. v. A. Kreling/Lith. v. J. Eberhardt/Gedr. v. J.B.

Kuhn, Lithographie, Lit.: Leipziger Illustrierte Zeitung Nr. 150, Leipzig 16. Mai 1846, 315–318; MK Proebst, München 1968, Nr. 2023; P 2023

Die Dekoration des Künstlerfaschings vom 19. Februar 1846 im Odeonssaal war von August Kreling entworfen worden. Der aus Hannover stammende Bäckersohn war Schüler von Peter Cornelius und Ludwig Schwanthaler. Er wurde der Schwiegersohn Wilhelm Kaulbachs und wurde 1853 Direktor der Nürnberger Kunst(gewerbe)schule. Krelings Dekoration der »Burg Narrenheim« schloß an das berühmte Dornröschenblatt von Eugen Napoleon Neureuther (Kat.Nr. 10.3.14) an. Romantische Märchenatmosphäre vor Augen zu führen war somit auch das Ziel der Faschingsdekoration. Das Zauberschloß, das sich aus einer Waldlandschaft erhob, barg in neogotischer Architektur den Thron von Prinz und Prinzessin Karneval. Die Dekoration war vor dem eigentlichen Beginn des Festes durch einen Vorhang verschlossen. Erst nach der Ankunft des Königs wurde der Vorhang aufgezogen und die Szene durch eine musikalische und dramatische Handlung belebt: die Befreiung des in Schlaf gebannten Prinzenpaares durch das Heer der Narren, die Eröffnung des Karnevals. N.G.

7.6.15 »Zur Erinnerung an die Offiziers-Quadrille bei sᵣ Königl. Hoheit dem Herrn Herzog Maximilian in Bayern am 22. Februar 1846«

München, 1846, Lithographie, 59,5 × 48,3; M II/330

Heimkehrende Seefahrer mit gefangenen indianischen Häuptlingen vor Kaufleuten und Ratsherren. Im Hintergrund prostet der deutsche Michel der Gesellschaft zu. U.L.

7.6.16 Gedenkmedaille des Künstler-Maskenfestes 1849

1849, Bronzeprägung, ∅ 2,4, Lit.: Hartmann, 1977, 130; 1735

Auf dem Künstlerfest von 1849 wurde die patriotische Gesinnung der Künstler besonders deutlich. In der Darstellungt von Kaiser Barbarossas Erwachen wurde die Sehnsucht nach der Wiederherstellung vorgeblicher mittelalter-

licher deutscher Einigkeit deutlich. Dies ist um so bemerkenswerter, als im Februar/März 1849 das Scheitern der deutschen Abgeordneten in der Frankfurter Paulskirche bereits offensichtlich war. Die meisten deutschen Staaten zeigten deutlich, daß sie nicht bereit waren, die hier ausgearbeitete deutsche Verfassung zu akzeptieren, und der preußische König Friedrich Wilhelm IV. war nicht gewillt, die deutsche Kaiserkrone »von Volkes Gnaden«, unter der die Abgeordneten Deutschland einigen wollten, anzunehmen. U.L.

7.6.17 Console de milieu aus Schloß Weyhern

Entwurf wohl Jean-Baptiste Métivier (Rennes 1781–1853 München), München, 1842–45, Mahagoni massiv und furniert, Blindholz: Eiche, Lit.: Ratfisch, 1983/84, 81; AK Romantik und Restauration, München 1987, Nr. 155; Privatbesitz

Der Tisch, der dazu bestimmt war, die Mitte eines repräsentativen Raumes einzunehmen, gehört mit dem Spiegel im Stadtmuseum und weiteren Möbeln in Privatbesitz zu den frühesten erhaltenen Beispielen des Neubarockstils in Süddeutschland. Der neue und zugleich alte Stil war seit den Jahren um 1835 Mode in Europa und ging bewußt auf Formen des »Ancien Régime« zurück. Der Auftrag, sein Schloß in historisierendem Stil auszustatten, ging von Baron Alfred von Lotzbeck 1842 an den Architekten Métivier. H.O.

7.6.18 Trumeauspiegel im Stil des Neurokokostil

Entwurf wohl Jean-Baptiste Métivier (Rennes 1781–1853 München), München, um 1842–45, Mahagoni auf Kiefer furniert, 260 × 113 × 6,5; M 85/41

Hochrechteckiger Rahmen, verziert mit gedrehten Leisten, Voluten- und Blätterschnitzereien an den Ecken, geschnitztem Aufsatz mit Espagnolette und Muschelwerk. Der Spiegel stammt aus der Einrichtung des zweiten Stokkes von Schloß Weyhern (1842), der von J. B. Métivier durchgehend in neubarockem Stil eingerichtet wurde. Später, 1842–50, bekam dieses Stockwerk in den mittleren Räumen eine neue Ausstattung nach Entwurf von Friedrich Bürklein (vgl. Kat.Nr. 8.1.12). H.O.

8 »Ein Gott, ein Herr« – Restauration

Die Burgenromantik, künstlich geschaffene »Staatstraditionen«, Wiederbelebung kirchlicher Organisationen und Gebräuche stehen in scharfem Gegensatz zum Modernitätsanspruch, den das Biedermeier gegenüber seinen Vorvätern im Ancien Regime des ausgehenden 18. Jahrhunderts erhob. Diese historisierenden Tendenzen wurden jedoch weniger vom Bürgertum, als von der Obrigkeit gelenkt. Nach der Neuordnung Europas auf dem Wiener Kongreß 1814/1815 bewegten sich viele Staaten in einem schwierigen Balanceakt zwischen dem Wunsch nach Wiederherstellung alter Zustände wie in der Zeit vor der französischen Revolution und den nicht mehr rückgängig zu machenden Reformen der napoleonischen Aera. Vor allem der Adel hatte viele Privilegien und Standesdünkel aufgeben müssen und so ist es nicht verwunderlich, daß sich gerade aus seinen Reihen sehr viele Anhänger einer pseudohistorischen mittelalterlichen Burgenwelt fanden, um mit Renovierungen alter Burgen, Neubauten im Stil vergangener Jahrhunderte, gotisierenden Ausstattungsstücken und anderen Requisiten jahrhundertealter feudaler Tradition den Verlust an Selbstwertgefühl und politischen Vorrechten auszugleichen. Gleichzeitig mühten sich die ersten Parvenus einer neuen großbürgerlichen Gesellschaft am Beginn des Industriezeitalters, ihre Gleichwertigkeit gegenüber dem Adel mit diesen Mitteln zu dokumentieren.

In Bayern wurden die romantisierenden Bestrebungen unterstützt von einem König (Ludwig I.), der sowohl aus privaten wie aus Gründen der Staatsräson großes Interesse an der Wiederbelebung alter Traditionen hegte. Er war bemüht, den mit den napoleonischen Kriegen und den fürstlichen Absprachen auf dem Wiener Kongreß neu an Bayern gefallenen Untertanen das Bewußtsein des bayerischen Gemeinsamkeitsgefühls und der Vaterlandsliebe auf dem Umweg über die Geschichte, die ihn schon seit seiner Kronprinzenzeit fesselte, zu verleihen. Dazu traten sein ausgeprägter Herrschaftsanspruch, seine überkommenen Vorstellungen von einem Gottesgnadentum seiner Königswürde und sein Sinn für offizielle Repräsentationsformen und Zeremonien überhaupt. Der Staat sollte den Bürgern soviel wie möglich präsent gemacht werden, zu offiziellen Anlässen trugen die mehr schlecht als recht bezahlten Staatsdiener Uniformen, Talare oder Roben, die auf allerhöchste Anordnung bei Hof entworfen worden waren. Volksfeste, die in Wirklichkeit Feiern zu Ehren Bayerns und der Obrigkeit waren, wurden initiiert, Gedenkmünzen auf jede größere Tat der königlichen Regierung geprägt.

Nach Ludwig I. Vorstellung sollte ein enges Bündnis mit der Kirche (natürlich der katholischen – die evangelische wurde lange unter seiner Regierungszeit unterdrückt) diese Verbundenheit von Volk und Monarchie unterstützen. Die breite Masse des Volkes wird sicherlich Ludwigs Verordnungen und Maßnahmen zur Wiederbelebung kirchlicher Traditionen, Weckung der Volksfrömmigkeit (u. a. mit verstärktem Religionsunterricht in den Schulen) und Wiederbegründung der Klöster begrüßt haben.

Unter den Beamten und Intellektuellen wurde diese königliche Hinwendung zum Klerus mit Mißtrauen und Ablehnung beobachtet, da viele von ihnen entweder noch in der Tradition der Spätaufklärung in der Zeit des übermächtigen Staatsministers Montgelas (1799–1817) standen oder begründetermaßen einen konservativen Regierungsumschwung des in den ersten Jahren noch recht liberal regierenden Königs vermuteten. Der König förderte mit diesen Maßnahmen die in dieser Zeit weit verbreitete Vorstellung einer mittelalterlichen Epoche in der deutschen Geschichte, die sich durch deutsche Einigkeit, Macht und tiefe Verbundenheit mit Gott (manifestiert an den noch erhaltenen gotischen Kirchenbauten) auszeichnete. Dies kam besonders in dem Bau der ganz im gotischen Stil gehaltenen Maria-Hilf-Kirche in der Au zum Ausdruck. Das aus dem Mittelalter übernommene Herrscherprogramm, das sich in der Devise »Un Dieu/Un Maitre – Ein Gott/Ein Herr« widerspiegelte, ließ Ludwig I. in wesentlichen Zügen bewußt wieder auflеben.

8.1 Burgenromantik

Der Rückgriff auf das Mittelalter als eine farbige, fremde und bessere Gegenwelt hatte seinen Ursprung im England der Mitte des 18. Jahrhunderts. Dort schuf der Gelehrte und Literat Horace Walpole mit seinem Landsitz »Strawberry Hill« in Twickenham an der Themse einen Bau, der in Architektur und Einrichtung dem Ideal des »gothic revival« entsprach. »Strawberry Hill«, seit 1750 neugotisch umgestaltet, wurde 1764 der Öffentlichkeit vorgestellt, doch noch bis zum Ende des 18. Jahrhunderts aus- und weitergebaut. Dieser Landsitz war seiner Natur nach keine historische Auseinandersetzung mit den Formen mittelalterlicher Baukunst, vielmehr kennzeichnet seine Wesensart die Tatsache, daß Walpole selbst einen Ritterroman »The Castle of Otranto« verfaßte, der im Jahr der Eröffnung von »Strawberry Hill« erschien. Ähnlich wie die romantische Welt dieses Romans sich zur Wirklichkeit des Mittelalters verhielt, muß das Verhältnis der dekorativen Neugotik von »Strawberry Hill« zur konstruktiven Wirklichkeit der mittelalterlichen Architektur gesehen werden.

Von England aus breitete sich diese Neugotik zunehmend über ganz Europa aus. Immer wieder wirkte die englische Anregung direkt und indirekt auf entsprechende Bauten auf dem Kontinent ein. Auch für Bayern wurde diese englische Anregung mitbestimmend. Friedrich Gärtner war bereits 1819 ein halbes Jahr in England gewesen. Der bayerische Kronprinz war 1838 dort, wenige Jahre bevor er Gärtner – gemeinsam mit Ludwig I. – den Auftrag zur Errichtung des Wittelsbacher Palais (seit 1843) in München gab. Den Wünschen des Kronprinzen entsprechend orientierte sich Gärtner an der englischen Landhausgotik. Im Verlauf einer komplizierten Entwurfsgeschichte trat diese eindeutige Tendenz etwas in den Hintergrund, doch hat Maximilian mit diesem Bau in München, das von dem Klassizismus seines Vaters geprägt war, ein Zeugnis der von ihm bevorzugten Neugotik hinterlassen.

Mit der Restaurierung und dem neumittelalterlichen Ausbau des Schlosses Hohenschwangau verwirklichte Maximilian sein Ideal der romantischen Burg. Bezeichnenderweise war es der ehemalige Theatermaler Domenico Quaglio, der die Pläne für den Ausbau Hohenschwangaus entwarf. Zu den neumittelalterlichen Formen trat hier ein aufwendiges Bildprogramm, das die Taten der »Heldengeschlechter« der Welfen, Staufer und Scheyern vor Augen führt. Geschichte wurde damit zur Legitimation des eigenen Selbstverständnisses, das sich in diesem Fall dem Adel der Vergangenheit an die Seite stellte. Daneben war die Wiederentdeckung des Mittelalters auch von einer betont bürgerlichen Komponente getragen. Das Nürnberg des späten Mittelalters konnte hier zum Medium der nationalen Identifikation mit dem Mittelalter werden. Dabei waren das aristokratische und das bürgerliche Moment der Mittelalterrezeption durchaus nicht immer grundsätzlich voneinander geschieden. Vielmehr vereinigten Rezeptionsformen, die sich im Wiederaufsuchen vermeintlicher mittelalterlicher Mentalität ausdrückten, Züge beider sozialgeschichtlicher Seiten des Phänomens, die wiederum in die spezifischen Auffassungen der Gegenwart des 19. Jahrhunderts umgesetzt wurden. So fand die bürgerliche Ritterromantik des Kreises um den Bildhauer Ludwig Schwanthaler ihren Ausdruck in der Restaurierung und Erneuerung eines mittelalterlichen Adelssitzes, der Burg Schwaneck im Isartal bei Pullach. Der Gesamtaspekt des Mittelalters als einer besseren Zeit war gemeint. So schrieb Schwanthaler in einem »Alte Zeit« betitelten Gedicht:

> *Reichsstädte und Dörfer, o freie Gilden*
> *Mit semperfreien Wappenschilden,*
> *Ihr pranget gleich den Rittern, schön,*
> *Wenn sie mit Stechstang und Pannern geh'n!*

Noch vor Kronprinz Maximilian hatte sich der Topograph Johann Nepomuk Sommer um die Rettung Hohenschwangaus bemüht. Umgekehrt zeigt in der stilistischen Selektion die von dem Grafen Joseph Ludwig von Armannsperg bei dem Architekten Ludwig Foltz in Auftrag gegebene Restaurierung und Neugestaltung des Schlosses Egg bei Deggendorf (1837–1853) in durchaus nicht zufälliger Häufung Motive, die sich weitgehend aus der mittelalterlichen Architektur der bürgerlichen Reichsstadt Nürnberg ableiten lassen.

N. G.

8.1.1 Kronprinz Maximilian füttert die Schwäne auf dem Alpsee ✳

Lorenzo II. Quaglio (1793–1869), München, 1841, bez.: L. Quaglio pinx. 1841, Öl/Lwd, 68 × 87,6, Lit.: AK BaKuKu, München 1972, Nr. 1884, Schloß Hohenschwangau WAF

Während seiner Regierungszeit (1848–1864) förderte Maximilian II. verstärkt die Natur- und Geisteswissenschaften. Weit weniger verstand er sich als Bauherr und Mäzen der bildenden Künste, wie sein Vorgänger und sein Nachfolger dies taten. Unter den bayerischen Herrschern des 19. Jahrhunderts gilt er als prosaische Erscheinung. Seine Kronprinzenzeit jedoch war von einer spezifisch romantischen Atmosphäre mitgeprägt, die den Prinzen unter anderem als Retter und Erneuerer des Schlosses Hohenschwangau zeigte. Burgen- und Bergromantik vereinigt das Gemälde Quaglios. N.G.

8.1.2 Konsoltisch mit Maßwerkbögen und Dreipaßformen dazu zwei Schemel

wohl Franz Xaver Fortner (München 1798 – München 1877) und Gürtlermeister Johann Christian Block, München, 1835–40, Ahorn mit eingelegten vergoldeten Metallzierleisten, feuervergoldetes Schlüsselschild, 81 × 102 × 57,5 und jeweils 53 × 49 × 49, Lit.: Kreisel 1953; Himmelheber 1984, 128, 141-2, vgl. Abb. 621, 620; Baumgartner 1977, 121-3, Anm. 268-3; Schloß Hohenschwangau, Wittelsbacher Ausgleichsfonds, M III a 453 und M I e 512

Der Konsoltisch »console de milieu« und die beiden Tabourets gehören zu einer Garnitur aus dem Autharizimmer im zweiten Obergeschoß des Schlosses Hohenschwangau. Der Entwurf des Konsoltisches zeigt die freie Übertragung von Architekturformen der Gotik auf die Möbelfassaden. Das Maßwerkgitter ist ringsum gezogen und die Profilierung des gelben Ahornholzes mit halbrunden vergoldeten Metallprofilen plastisch betont und farblich gehöht.
Die spezielle Technik läßt eine Zuschreibung an Fortner zu, der 1835 in München einen Toilettetisch aus Ahorn für Hohenschwangau auf der Münchner Kunstgewerbeausstellung zeigte, dessen gleichartige Metallprofile von dem Münchner Gürtlermeister Block gefertigt waren.
Mit der Verwendung des einheimischen Ahornholzes und den mittelalterlichen Formen war ein nationaler Stil im »altdeutschen Geschmack« beabsichtigt. H.O.

8.1.3 Ein Paar Deckelvasen mit Darstellungen der Burgen Hohenschwangau und Kaltenberg ✳

Nymphenburg, 1842, bez.: Nymphenburger Blindstempel, Rautenschild, Ritzzeichen wohl ST, Porzellan mit Aufglasurmalerei, 24, ⌀ 13, Lit.: von Gumppenberg 1929, 25–31; Baumgartner 1987, 54, 57–60; München, Privatbesitz

Inschriften:
»Erinnerung/ an das erste/ Kirchweihfest/ in (?)/ Kaltenberg/ 1842/ gewidmet/ von/ Susanna Friedl«
»Hohenschwangau's/ Erretter vom Verfalle der/ in Kaltenbergs Mauern/ Ruhe gefunden/ gewidmet von/ Susanna Friedl/ 1842«
Die beiden Vasen sind Johann Nepomuk Sommer, dem Großvater mütterlicherseits des Dichters Hanns von Gumppenberg, gewidmet. Gumppenberg beschrieb in seinen Memoiren ausführlich den familiengeschichtlichen Hintergrund der Burgenerwerbungen des bayeri-

8.1.1

8.1.3

schen Topographen Sommer. Hiernach erwarb Sommer 1824 die Burgruine Hohenschwangau aus dem Besitz des Fürsten Oettingen-Wallerstein, die auf Abbruch zum Verkauf stand. Besonders wird die denkmalpflegerische Leistung des Burgenromantikers Sommer gewürdigt. Doch scheint dieser romantische Aspekt durchaus mit materiellen Interessen zu vereinbaren gewesen zu sein. Sommer hatte bereits zu Beginn des 19. Jahrhunderts eine außerordentliche industrielle Regsamkeit entwickelt. So betrieb er in München eine Leinendamastfabrik und eine Leinenbleiche. In Schloß Hohenschwangau beabsichtigte Sommer die Einrichtung einer Flachsspinnerei. Dies geht aus den schwierigen Kaufverhandlungen mit dem Kronprinzen Maximilian hervor, der die Burg schließlich 1832 erwarb und zur romantischen Residenz ausbauen ließ.
Sommer kaufte 1841 die Burgruine Kaltenberg bei Landsberg, die er aus finanziellen Gründen 1854 gegen drei Grundstücke an der Erzgießereistraße in München eintauschte. Die beiden Vasen sind ein Geschenk der Schwägerin des Adressaten, der sich unmittelbar nach der Erwerbung Kaltenbergs zum zweitenmal verehelicht hatte.   N.G.

8.1.4 Pendule in Form eines gotischen Turms *

Paris, um 1835, bez. Werk: Rückplatine gestempelt mit Nr. 156 u. 614 u. mit einer Punze Medaille de Bronze S. Marty et Cie. Gehäuse bezeichnet mit schwarzer Ölfarbe auf dem Gehäuse: W. 107; Werk: Messing und Eisen; Gehäuse: Bronze, feuervergoldet; 55 × 22 × 13; 35/2198

Werk: Pendulenwerk mit Geh- und Schlagwerk; beide mit Federantrieb (umlaufende Federhäuser). Ankerhemmung mit Pendel in Fadenaufhängung. Schlagwerk mit Schloßschei-

be; schlägt auf eine Glocke. Indikation: Stunden und Minuten (Minutenzeiger fehlt, Stundenzeiger nicht ursprünglich).
Das Gehäuse ist in Form eines gotischen Wimpergs gestaltet. Die Maßwerkformen entsprechen in ihren phantastischen Details noch dem »style troubadour«, der vor einer genauen archäologischen Erfassung der Gotik liegt. Die Pendule stand der Inventarnummer zufolge im Münchner Wittelsbacher Palais, das kurz vor 1849 eingerichtet wurde.   P.F./H.O.

8.1.5 Leuchter aus dem Tafelaufsatz für Kronprinz Maximilian

Ludwig Schwanthaler, München, 1842/44, Bronze, feuervergoldet, Lit.: Otten 1970, 149f.; Schloß Hohenschwangau, WAF, S IIa 127

Eine bezeichnende Ausprägung der Rezeption des Nibelungenliedes im 19. Jahrhundert stellt Schwanthalers Tafelaufsatz für den Kronprinzen Maximilian dar. Schwanthaler modellierte die Figuren eigenhändig. Guß und Feuervergoldung erfolgten in der Erzgießerei München. Unmittelbarer Anlaß für den Auftrag war die Vermählung Maximilians mit Prinzessin Marie von Preußen. Entsprechend diesem Ereignis ist der Tafelaufsatz der Doppelhochzeit Kriemhilds und Siegfrieds sowie Brünnhilds und Gunthers gewidmet. Herausgelöst aus dem tragischen Verlauf des Nibelungenliedes sind die Figuren der Dichtung in die Komposition des aufwendigen Tafelaufsatzes einbezogen, um die Fürstenhochzeit der Sage mit der der Gegenwart zu parallelisieren. Neben drei Figurentürmen gehören zu dem Tafelschmuck Fruchtschalen und Leuchter. Die Suche nach dem mittelalterlichem Stil drückt sich im Falle der Leuchter in einer dicht gedrängten pflanzlichen und stereometrischen Ornamentik aus, die den funktionalen Kern der Gegenstände überzieht.   N.G.

8.1.6 Lüster in neugotischem Stil

wohl Gürtlermeister Franz Sales Sauter zuzuschreiben, München, um 1845, Bronze, feuervergoldet, 16, ⌀ 63, Privatbesitz

An das zentrale Motiv, einen zinnenbekränzten Turm, setzen die acht Leuchterarme mit Weinblattvoluten an. Die Blattmotive wiederholen sich im Nodus unter der langen Stange der Aufhängung. Diese Münchner Bronzearbeit stammt aus Wittelsbacher Besitz und gehört stilistisch zu den feuervergoldeten Bronzen, die der Gürtlermeister Sauter für Schloß Hohenschwangau im neugotischen Stil lieferte, oder zu der begonnenen, aber nicht vollendeten Ausstattung des Wittelsbacher Palais in München von 1847/48.   H.O.

8.1.7 Entwurf zum silbernen Ehrenschild, dem Geschenk des Adels an Kronprinz Maximilian *

Franz von Seitz (München 1817–1883 München), München, 1843, bez. u.r.: Franz Seitz fecit 1843, Lithographie mit Tondruck, 69 × 62, Lit.: AK Schwanthaler, Reichersberg 1974, 310; M II/318

Um das bayerische Wappen in der Bildmitte und die Umschrift »Die Bayern, Schwaben, Franken in ihrer Treue nie wanken« sind alphabetisch 155 Wappen bayerischer Adelsfamilien angeordnet. Wohl um Rangstreitigkeiten zu vermeiden, hatte man darauf verzichtet, die Wappen nach Adelsklassen (Fürsten, Herzöge, Grafen, Freiherren usw.) zu ordnen. Die Namen der einzelnen Wappenträger sind jeweils auf Spruchbändern über den Wappen festgehalten. Dieses Ehrengeschenk für den frisch verheirateten Kronprinzen war gleichzeitig eine Bestätigung aristokratischer Tradition und damit auch eine Ehrung des Adels selbst. Der

8.1.4

Entwurf wurde in der Leipziger Illustrierten Zeitung noch im gleichen Jahr veröffentlicht und ausführlich besprochen. Nach der Bezeichnung auf dem Silberschild geschah die Ausführung in der Münchner Werkstatt von Carl Zahn & Wollenwebers Erben, ziseliert wurde das Schild von Th. Heiden und Wollenweber. (Zu Zahn und Wollenweber vgl. S. 404 Karl Zahn.) Das Schild befindet sich heute im Besitz des Wittelsbacher Ausgleichsfonds im Schloß Hohenschwangau. H.O./U.L.

8.1.8 Titelblatt zum Nibelungenzyklus

Nach Peter Cornelius (Düsseldorf 1783–1867 Berlin), Berlin, 1817, bez. l.u.: PC ligiert 1817, Kupferstich, Lit.: Ammann, in: AK Nibelungenlied, Bregenz 1979, 147–191 (149f.); Budde, Köln 1980, 21–23; M II 2050/1

Die Übertragung des Nibelungenliedes ins Neuhochdeutsche durch den Berliner Germanisten Friedrich Heinrich von der Hagen, die 1807 erschienen war, markiert den Beginn der Rezeption des Nibelungenliedes im 19. Jahrhundert. Das nazarenische Ideal speiste sich gleichermaßen aus der nationalen deutschen Vergangenheit und der italienischen Kultur. So ist es charakteristisch, daß Peter Cornelius den Nibelungenstoff 1811 in Rom kennenlernte, nachdem er sich dort der Gruppe der Nazarener angeschlossen hatte. Zwischen 1811 und 1817 schuf er 21 Zeichnungen mit Themen aus dem Nibelungenlied. Sieben davon wurden 1817 in Kupferstichen durch den Berliner Verleger D. Reimer veröffentlicht. Das Titelblatt verbindet Darstellungen der Siegfriedsage mit Episoden von Kriemhilds Rache. Das Thema der Rache aus verletzter Ehre war zur Zeit der napoleonischen Unterdrückung, der Befreiungskriege und in den Jahren danach von allgemeinverständlicher politischer Bedeutung. N.G.

8.1.9 Bilderbogen mit neugotischen Möbeln

Peter Ellmer (Haimhausen 1785–1873 Freising), wohl München, um 1830, bez. u.l.: Ellmer, darunter C XXV, u. Mitte: München bey Herrmann, Lithographie, koloriert, 33 × 40,5, C 76/11 = 37/1223

Von oben links nach unten rechts: Stuhl mit Lesepult, Kanapée, Spieltisch mit montierten Kerzenleuchtern an den Ecken und zugehörigem Stuhl, zwei verschiedene Stühle und ein gepolsterter Hocker, Fensterfront mit Stores, die Fenster mit Butzenscheiben und eingelassenen Wappen, Schreibtisch mit Armlehnsessel und Fußschemel. Die Möbel haben auffallende, fast überreiche neugotische Formen und Ornamente. U.L.

8.1.7

8.1.10

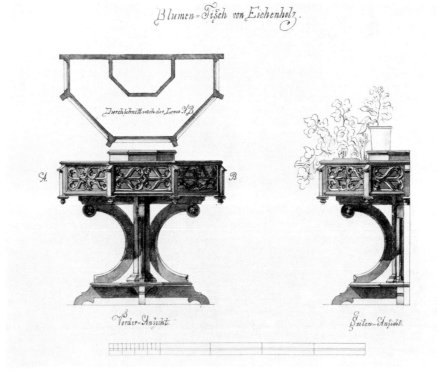

Blumen-Tisch von Eichenholz.

Durchschnitt nach der Linie A.B.

A. *B.*

Vorder-Ansicht. *Seiten-Ansicht.*

Etageur von Eichenholz.

8.1.10

8.1.10 Möbelentwürfe für Schloß Egg *

*Ludwig Foltz (Bingen 1809–1867 München),
um 1840–45, Feder und Bleistift, koloriert, ca.
25 × ca. 35, Lit.: Micus 1986, 56–58, vgl. AK
Romantik und Restauration, München 1987,
Nr. 15/417; M II/3579 – 1, 6, 10, 15, 16, 18*

Graf v. Armansperg, der unter Ludwig I. mehrere Ministerien innegehabt und zeitweise an
der Spitze der Regentschaft für den noch minderjährigen griechischen König Otto I. gestanden hat, läßt 1839 bis 1842 die mittelalterliche
Burg Egg als seinen Altersruhesitz ausbauen.
Zu diesem Zweck regotisiert Foltz Schloß Egg
zu einer »Ritterburg« nach romantischem Verständnis. Er überzieht die Gebäude mit reichen
gotisierenden Schmuckelementen und verfährt
bei der gesamten Einrichtung in gleicher Weise. Das Mobiliar erhält aufeinander abge-
stimmte Formen aus Maßwerk, Rosetten, Fia-
lenaufsätzen. Möbeltypen der Zeit, die originalem mittelalterlichem Mobiliar nicht entspre-

chen, erhalten somit ein pseudomittelalterliches
Aussehen, um sich möglichst vollkommen in
das Bild einer ritterlichen Traumwelt einzuglie-
dern.   R.M.

8.1.11 Ansicht und Innenräume von Schloß Kaltenberg

*Lorenzo Quaglio (München 1793–1869 Mün-
chen), Kaltenberg, 1845–47, Gouache, 6570:
53,7 × 73,5; 6583: 16,7 × 23,3; 6581: 16,4 ×
23; 6582: 16,7 × 23,2; 6584: 16,8 × 23,2, Lit.:
Paluch 1983, Nr. 400 u. 408–11; München,
Städtische Galerie im Lenbachhaus, 6570,
6581-84*

Seit 1845 war die Burg im Besitz des Münchener Damasttuchfabrikanten Johann Adolf
Sommer (vgl. Kat.Nr. 8.1.3 und Kat.Nr.
5.1.38), der an dem mittelalterlichen Gebäude
umfangreiche Instandsetzungen, Reparaturen
und Ergänzungen im gotischen Stil vornahm.

»sodaß er schließlich eine sehr stattliche und
umfangreiche stilecht gothische Burg sein eigen
nannte« (Ms. v. H. Sommer). Lorenzo Quaglio
war mit Sommer verschwägert und häufiger
Gast in dem im gotischen Stil eingerichteten
Anwesen. Beiden kommt wohl ein Anteil bei
der Planung, Ausarbeitung und Ausmalung der
Burgzimmer zu. Anregungen dazu stammen
zum Teil aus der Fuggerstube von Schloß
Tratzberg in Tirol. Diese Schloßrestaurierung
in Kaltenberg ist eine der ersten, die sich von
der freien und dekorativen Verwendung gotischer Motive löst und versucht, mit archäologi-
scher Exaktheit von den vorgegebenen Resten
und Formen her ein Ensemble zu ergänzen.
                                              H.O.

8.1.12 Salongarnitur aus Schloß Weyhern bei Nannhofen **

*Entwurf: Friedrich Bürklein (Burg in Franken
1813–1872 Werneck); Schnitzereien von Anselm Sickinger (Owingen 1807–1873 München),
München, um 1848–1850, Eichenfurnier
und Palisanderfurnier auf Eiche als Blindholz,
z.T. Innenausbau Ahorn, farbig gefaßt und
vergoldet, originaler Bezug aus grünem Samt
mit Fransenbehang, Kredenz: 87 × 180 × 57,
2 Anrichten: 87 × 174 × 65, Ausziehtisch: 80 ×
175 × 175, 2 Kanapees: 47/115 × 173 × 70,
Causeuse: 44/113 × 85 × 207, 2 Armlehnsessel: 110 × 60 × 55, Stuhl: 95 × 44 × 41,
3 Vorhanghalterungen: 35 × 177 × 2,5, Lit.:
Himmelheber, 1983, 173–4, Abb. VII, 657,
694, 698; Holwitt 1886, 2. Bd. 426, 168–179;
M 85/9–16*

Das nicht vollständig erhaltene Möbelensemble
entwarf der königliche Bauinspektor Bürklein
für drei Gesellschaftsräume der Bel-Etage des
Schlosses Weyhern im Auftrag von Baron Alfred von Lotzbeck (1819–1853).
Die Innenarchitektur und alle Formen der
Ausstattungsstücke in diesen Räumen des älteren Schlosses wurden neu konzipiert, um einen
neutestamentarischen Zyklus zu präsentieren.
Der Kunstsammler Lotzbeck hatte 1844 »40
evangelische Zeichnungen aus dem Neuen Testament« von Friedrich Overbeck erworben,
die mit finanzieller Unterstützung des Käufers
auch in Kupferstichen verbreitet wurden, um
Illustrationen Raphaels aus dem Alten Testament
fortzusetzen. Die 40 originalen Kohle-
zeichnungen hingen in symmetrischer Verteilung an den Wänden der drei mittleren Räume
»in vergoldeten byzantinischen Rahmen mit
lateinischer Inschrift«. In der Mitte des Haupt-
raumes stand eine Madonnenfigur mit dem
Christuskind. Der Hauptraum der »Overbeck-
Halle« (Lotzbeck) war mit den beiden anstoßenden Nebenräumen durch dreifache Rundbögen auf grünen Marmorsäulen mit weißen
Basen sowie Blattkapitellen verbunden und
durchgehend von Bürklein im neuromantischen
Stil gestaltet, wobei jedes Detail bedacht
war und bei dem Gesamtkunstwerk auch bei
dem Mosaikfußboden, die Türen mit ihren Beschlä-
gen, die Vorhangrahmen mit grünen Samtvor-
hängen und die Möbelstücke nicht ausgelassen

8.1.12

waren. »Nicht allein das Geräthe für die oben-genannte Halle in nationaler Auffassung anzu-geben war gestellte Aufgabe, sondern die Halle selbst in ihrer architektonischen Durchführung sollte consequent mit der Haltung der Geräthe übereinstimmen« schreibt Bürklein. Den Ty-pen und der Tradition nach handelt es sich um eine einheitliche Möblierung für zwei verschie-dene Gesellschaftsräume und einen Speise-raum. Die Möbel nehmen die Formen der Räu-me auf und wiederholen Grundelemente der Dekoration: Rechteck, Rundbögen, kräftige Akanthusvoluten und auch Kassettenmotive der Decke. Über die gleiche Holzart – Eichen-holz mit Palisanderintarsien – hinaus ist die Garnitur durch Spiralkanneluren, gedrehte Stä-be, reiche Profile und den auf Rahmen und Füllung gearbeiteten Aufbau gekennzeichnet. Bürklein hat die Möbel, die einige Jahre zuvor entstanden, 1851 publiziert und charakterisiert: »Nicht bloß in dem Schnitte der Kleidung un-terwirft sich mit Resignation die gebildete Welt der Tyrannei der Mode, auch in Geräthen der inneren Einrichtung läßt man sich die Maaßga-ben der Mode gefallen, wenn auch dadurch das Geräthe unbequemer und weniger dauerhaft und selbst auch theurer werden sollte. Denn so will es die Mode. Anders war es im Mittelalter; Trachten und Geräthe waren im Einklang, Dauerhaftigkeit des gewählten Grundstoffes war ein wesentlicher Faktor für jeden Gegen-stand. Darum spielt das einheimische Eichen-holz in seiner Dauerhaftigkeit eine so große Rolle bei der inneren Einrichtung der Gebäude im Mittelalter, das durch die Sucht nach Aus-ländischem verdrängt, endlich in den Ruf ge-kommen, für Anfertigung polierter Geräthe nicht geeignet zu sein. Nicht aber das Holz mit seinen Spiegelfasern und seiner Textur über-haupt, sondern Mangelhaftigkeit in der Be-handlung, das Verschmähen des Einheimischen trugen daran die Schuld.« (Zeitschrift für Kunst- und Gewerbe in München 1851, Nr. 1, Blatt IV und V, 7–8).

Himmelheber hat die qualitätvollen Möbel aus-führlich besprochen und das spezifische Ver-fahren dieser Spielart des Historismus benannt: »Die strengen Formen der Möbel zeigen die entwerfende Hand des Architekten. Das Ver-hältnis von Fläche und Dekor ist ausgewogen. Die Schnitzereien von Anselm Sikinger – der auch die Gußmodelle für die Türbeschläge schnitzte – ordnen sich der Gesamtform maß-voll ein, ohne aber eine untergeordnete Rolle zu spielen. Den Möbeln haftet nichts von Eklektizismus an. Aus dem historischen Formen-schatz, der zur Verfügung steht, wird souve-rän ausgewählt. Bewährte Formen und be-währtes Material werden verwendet. Man ko-piert nicht die alten Meister, sondern man schafft ›wie die alten Meister‹. Ein Experiment, dem die unbekümmerte Sicherheit des Glau-bens an die Richtigkeit und an den Erfolg eignet, das freilich einzig und allein abhängig ist von der Persönlichkeit des Experimentators.« (Himmelheber 1983, 174)

Das überall als Kartusche und Zentralmotiv eingesetzte Lotzbeck'sche Wappen bezeugt den Adelsstolz des Auftraggebers. Die bekrö-nenden Schilde sind nicht allein aus dem Mit-telalter übernommene Schmuckelemente, son-dern betonen den Herrschaftscharakter des Schloßraumes. Das Zurückgehen auf mittelal-terliche Formen war nicht durch den neutesta-mentarischen Zyklus bestimmt, sondern man suchte als allgemeines Verfahren angestammte historische Vorbilder und Techniken wieder-zubeleben und aus der nationalen Vergangen-heit eine Legitimation für die Formen der Ge-genwart zu finden.

Dem anspruchsvoll geplanten und sorgfältig ausgeführten Ensemble war keine Dauer be-schieden. Nach dem Tod Alfred von Lotz-becks, 1853, brachte seine Tochter die Overbeck-Zeichnungen in ein Schloß bei Prenzlau, wo sie 1882 bei einem Brand zugrunde gingen. In dem nur noch selten genutzten Weyhern blieb die Ausstattung erstaunlich lange ge-schlossen erhalten, bis erste Einbußen vorka-men, die durch dauernde Diebstähle in dem später unbewohnten Schloß vergrößert wur-den.

Das Bayerische Nationalmuseum erwarb 1971 einige Teile der verschiedenen damals vorhan-denen Garnituren, so einen Polsterstuhl aus Eiche mit Mahagoni intarsiert (Himmelheber, Abb. VII), einen Spieltisch (Abb. 694) und ein Schränkchen (Abb. 698). Als es dann 1981 zum Verkauf des Schlosses kam, war das Landesamt für Denkmalpflege nicht imstande, bis auf wenige Kachelöfen die Ausstattungs-stücke im Schloß zu halten. Die Möbel kamen an verschiedene private Besitzer und wurden über den Kunsthandel in München angeboten. Nur durch Vermittlung des Handels konnte das Münchner Stadtmuseum die bedeutenden Möbel nach Entwürfen Bürkleins 1985 erwer-ben, wodurch zumindest ein Kernbestand vor weiterer Auflösung bewahrt wurde. Das Schloß ist heute nach dem Bauherrenmodell aufgeteilt, mit eingreifenden Baumaßnahmen »saniert« und in viele Appartements dividiert. Die Deckengemälde wurden allerdings in sehr sorgfältigen und intensiven Restaurierungsar-beiten wiederhergestellt. Sie erinnern heute zu-sammen mit den verbliebenen, auf die Möbel-garnitur abgestimmten Türen und den Mosaik-fußböden an eines der geschlossensten Ensem-ble der Innenarchitektur des Historismus in Bayern, das erst vor kurzem zerstört wurde.

Den Stuhlentwurf für den Salon des Barons von Lotzbeck von 1848–50 wiederholte Bürk-lein als Bestuhlungsvorschlag für die Wartesäle 2. Klasse im Münchner Hauptbahnhof (bez. Königl. Eisenbahn Bauamt sig. Friedr. Bürk-lein, Verkehrsmuseum Nürnberg ohne Nr., vgl. AK Romantik und Restauration, München 1987, Kat.Nr. 10.14). Diese Transferierung von Formen des Historismus aus der feudal gestimmten Burgenromantik auf die neuen In-dustriebauten kommt häufig vor.　　　　H.O.

8.1.13 Trumeauspiegel aus Schloß Weyhern

Entwurf: Friedrich Bürklein (Burk in Franken 1813–1872 Werneck); Ausführung: Anselm Sickinger (Owingen 1807–1873 München), München, 1848–1850, Rahmen: Lindenholz, Blindholz: Fichte, blattvergoldet, Spiegelglas, 228 × 128, Lit.: Bürklein 1854, Blatt IV. Privatbesitz

Der halbrunde Wandspiegel mit gotischen Pro-filen und à jour gearbeitetem Weinrankenfries über einem Spiegelgrund befand sich mit sei-nem Pendant vor den Fensterpfeilern der mitt-leren Räume in der Bel-Etage von Weyhern. Jeder Spiegel stand über einem zweibogigen Pfeilertisch – wie die dreibogigen Anrichten des Münchner Stadtmuseums geformt – und bildete mit ihm eine formale Einheit. Bürklein hat den vergoldeten Spiegel über dem Eichen-tisch 1851 mit Abbildung und Kommentar be-schrieben: »Das auf dem Blatte Nr. IV. Dar-gestellte ist ein in erwähnter Behandlung herge-stellter Consoltisch, der zwischen Fensteröff-nungen an der Wand aufgestellt, über sich ei-nen reich vergoldeten Spiegel trägt, dessen Wir-kung besonders dadurch bedeutsam wird, daß die unten auf reicher Basis aufruhenden ver-schlungenen Verzierungen mit abwechselnden Rosetten durchbrochen auch auf der Rückseite vergoldet sind, mit welcher sie auf dem Glase aufliegen. Die Widerspiegelung dieser Orna-mente trägt wesentlich dazu bei, den Effekt zu erhöhen. Durch die beigefügten Details in wirklicher Größe ist durch Fig. 1 die Basis, durch Fig. 2 der mittlere Knopf der Säulchen, durch Fig. 3 die Hälfte eines Capitäls gegeben, während Fig. 4 den Durchschnitt der Spiegel-rahmen wahrnehmen läßt. Als Tischplatte wurde grauer Graubündtner Marmor gewählt, und die Herstellung derselben dem Steinmetz-meister Hauser übertragen. Nach den Zeich-nungen des unterzeichneten königlichen Bau-inspektors wurden die Tischlerarbeiten für den Consoltisch, die Schnitzarbeiten der reich ver-goldeten Spiegelrahmen durch den Bildhauer Sickinger ausgeführt, während die großen Spie-gelgläser durch Plackner's Wittwe geliefert wurden.« Der Konsoltisch befand sich bis zur Auflösung des Ensembles in Schloß Weyhern und kann seit dem Verkauf 1983 nicht mehr nachgewiesen werden. Anselm Sickinger war der vielbeschäftigte Spezialist für Bauornamen-te und arbeitete sonst für die Bauten des Kö-nigs wie das Siegestor, die Feldherrnhalle, die Befreiungshalle sowie die Neuausstattung von Kirchen.　　　　　　　　　　　　　H.O.

8.1.14 Faust zwischen Mephistopheles und Gretchen *

Ary Scheffer (Dordrecht 1795–1858 Paris-Ar-genteuil), 1842, bez. Mitte unten: Ary Scheffer 1842, Etikett: Grosse Kunstausstellung Dresden 1904, Öl/Lwd, 220,5 × 135, Lit.: Vitet 1860, Abb. 38; Kolb 1937, 476; AK Scheffer, Paris 1980, Nr. 33, 60, Abb. nach Vitet; Privatbesitz, München, ehemals Slg. Lotzbeck

Der Holländer Ary Scheffer lebte seit 1812 in
Paris, wo er nach der Ausbildung bei Pierre
Narcisse Guerin sich zunächst der romanti-
schen Schule und später Ingres anschloß. Seine
Themen entnahm er den Dichtungen Dantes,
Goethes, Scotts, Schillers, Byrons und der Bibel
sowie den christlichen Legenden. Seit er im
Salon von 1831 die ersten Bilder zu Goethes
»Faust« ausstellte, wurde er als »Seelenmaler«
gefeiert. Bis in die späten vierziger Jahre gehör-
te er in Frankreich zu den beliebtesten und
berühmtesten zeitgenössischen Malern.

Zu seinen schärfsten Kritikern gehörten Baudelaire und Heine. Baudelaire bezeichnete ihn
in seinen »Curiosités esthétiques« als »Affen
des Gefühls« und Heine berichtet in seinem
Salon-Bericht von 1831 genüßlich, daß Scheffers Feinde behaupteten, er male mit
»Schnupftabak und grüner Seife«, wobei
er selbst jedoch den Maler der Faust-Bilder gegen
den Dichter und Erfinder der Figur des deutschen Gretchens in Schutz nimmt.

Die vorliegende Darstellung, in der Mephisto
Faust während der Walpurgisnacht die Erscheinung des toten Gretchens zeigt, illustriert
die Verse 4180–4202 aus Goethes erstmals
1808 veröffentlichtem Faust I.:

»Faust. Mephisto, siehst du dort
    Ein blasses, schönes Kind allein und ferne
    stehen?
    Sie schiebt sich langsam nur vom Ort,
    Sie scheint mit geschloßnen Füßen zu gehen.
    Ich muß bekennen, daß mir deucht,
    Daß sie dem guten Gretchen gleicht.
Meph. Laß das nur stehn! dabei wird's nie-
    mand wohl.
    Es ist ein Zauberbild, ist leblos, ein Idol.
    Ihm zu begegnen, ist nicht gut;
    Vom starren Blick erstarrt des Menschen
    Blut,
    Und er wird fast in Stein verkehrt,
    Von der Meduse hast du ja gehört.
Faust. Fürwahr, es sind die Augen eines Toten,
    Die eine liebende Hand nicht schloß.
    Das ist die Brust, die Gretchen mir geboten,
    Das ist der süße Leib, den ich genoß.
Meph. Das ist die Zauberei, du leicht verführ-
    ter Tor!
    Denn jedem kommt sie wie sein Liebchen
    vor.
Faust. Welch eine Wonne! welch ein Leiden!
    Ich kann von diesem Blick nicht scheiden.
    Wie sonderbar muß diesen schönen Hals
    Ein einzig rotes Schnürchen schmücken,
    Nicht breiter als ein Messerrücken!«

Das Bild war 1846 im Pariser Salon ausgestellt
(Nr. A 1304). Im Museum von Dordrecht gibt
es eine Vorzeichnung, auf der an Gretchens
Hals eine rote Linie als Zeichen der Enthaup-
tung angedeutet ist (AK Ary Scheffer, Paris
1980, Nr. 33). Außerdem gibt es im Gemeente-
museum Amsterdam eine Pinselzeichnung desselben Themas von 1851 (AK Ary Scheffer,
Dordrecht 1958, Nr. 155).

Scheffer interessierte bei dieser Szene das Nebeneinander der drei Wesen aus unterschiedlichen Welten: der Dämon Mephisto, dessen
Gesicht heute kaum noch erkennbar ist, der
Mensch Faust, der durch Mephisto von dem

8.1.14

*Haben doch der Faust und das Gretchen dieses Malers im ersten Monat der Ausstellung die meiste
Aufmerksamkeit auf sich gezogen, da die besten Werte von Delaroche und Robert erst späterhin
aufgestellt wurden. Überdies, wer nie etwas von Scheffer gesehen, wird gleich frappiert von seiner
Manier, die sich besonders in der Farbengebung ausspricht. Seine Feinde sagen ihm nach, er male
nur mit Schnupftabak und grüner Seife. Ich weiß nicht, wie weit Sie ihm unrecht tun. Seine
braunen Schatten sind nicht selten sehr affektiert und verfehlen den in Rembrandtscher Weise
beabsichtigten Lichteffekt. Seine Gesichter haben meistens jene fatale Couleur, die uns manchmal
das eigene Gesicht verleiden konnte, wenn wir es, überwacht und verdrießlich, in jenen grünen
Spiegeln erblickten, die man in alten Wirtshäusern, wo der Postwagen des Morgens Stille hält, zu
finden pflegt. Betrachtet man aber Scheffers Bilder etwas näher und länger, so befreundet man sich
mit seiner Weise, man findet die Behandlung des Ganzen sehr poetisch, und man sieht, daß aus den
trübsinnigen Farben ein lichtes Gemüt hervorbricht, wie Sonnenstrahlen aus Nebelwolken. Jene
mürrisch gefegte, gewischte Malerei, jene todmüden Farben mit unheimlich wagen Umrissen, sind
in den Bildern von Faust und Gretchen sogar von gutem Effekt.*
    Heinrich Heine, Die Pariser Salons

8.1.17

8.1.17

Schreckgesicht seiner toten Geliebten mit dem ermordeten gemeinsamen Kind im Arm überrascht wird, wobei das Gesicht Gretchens noch die Züge vergangener Leiden trägt. Diese Szene gibt es so weder unter den Faust-Zeichnungen von Peter Cornelius (entstanden zwischen 1810 und 1815) noch bei Eugène Delacroix, dem Jugendfreund von Scheffer, der sich seit dem Besuch der Londoner Faust-Aufführung von 1825 immer wieder mit dem Faust beschäftigte, womit nur die beiden wichtigsten unter den unzähligen Faust-Illustratoren erwähnt sind (vgl. zur Geschichte der Faust-Illustration: Günther Busch, Eugène Delacroix. Der Tod des Valentin. Frankfurt/Main 1973). Cornelius zeigt in der vergleichbaren Darstellung »Die Erscheinung am Rabenstein« Gretchen ganz klein im Hintergrund, wie sie zum Richtplatz geführt wird, während das Hauptaugenmerk auf dem wilden Ritt von Faust und Mephisto ruht. Scheffers Bild wurde im gleichen Jahr im Salon ausgestellt, als Hector Berlioz' »Damnation de Faust« erstmals aufgeführt wurde. B.E.

8.1.15 Grüngrundiger Teppich mit Maßwerkformen, die mit mehrfarbigen Blumenbuketts und bayerischen Rautenschildern versetzt sind.

um 1840, Wolle, mit originalen Wollfransen abgesetzt, 273 × 313 (ohne Fransen), Rapport: 68 × 120, MStM

Ähnlich gearbeitete Teppiche befinden sich in Schloß Hohenschwangau. In freien phantastischen Formen finden sich in den Maßwerk- oder Astwerkornamenten des Teppichs Motive des Mittelalters verarbeitet. Die blau-weißen Rautenwappen weisen auf einen bayerischen Auftrag hin.   H.O.

8.1.16 Modell der königlichen Villa in Berchtesgaden

Firma Walch, Berchtesgaden, wohl 1850/51, bez. Etikett: Walch/Holz und Beinwaaren, Arbeiter in Berchtesgaden No. 65. gegenüber dem Gasthaus zum Watzmann; auf Nadelholzunterbau Struktur aus Furnierholz (Mahagoni u.a.) geschnitten, mit Teilen von farbigem Papier und Bein. Boden mit Sand und gefärbtem Sägemehl bestreut. Vitrine mit Papier umklebt, auf Mahagonisockel. 21 × 54,5 × 28, Lit.: Dullenkopf 1986; Lange 1861; Sieghardt 1952, 20ff.; AK Schinkel, Berlin 1982, 300, Nr. 549; München, Wittelsbacher Ausgleichsfonds E II 9

Das Modell zeigt den königlichen Sommersitz in Berchtesgaden in der projektierten Form: Ein hochstehendes, dreistöckiges Hauptwohngebäude mit einem überragenden, Walmdachbekrönten Mitteltrakt und zwei schmalen, einachsigen Seitenflügeln. Die mit schmückendem Holzwerk verzierte Mittelfront wird von einer vom Fußboden des zweiten Stockes bis zum Dach reichenden offenen Loggia mit drei Rundbögen beherrscht. Linker Hand schließen ein zweigeschossiger, langgestreckter Anbau – der früheste erweiternde Flügelbau (Hofdamenflügel) mit dem »Cavalier-Stöckl« und der Hofküche – an.

1849 beschloß König Maximilian II., sich in Berchtesgaden – seit Beginn des 19. Jahrhunderts ein bevorzugter Aufenthalt der bayerischen Königsfamilie – eine Villa am Fuße des Fürstenstein zu bauen. Entwurf und Ausführung des im »Schweizer Stil« errichteten königlichen Landhauses wurde dem Architekten Ludwig Lange, kgl. griech. Baurat und Professor der Architektur an der kgl. Akademie der Wissenschaften in München, übertragen. Begonnen wurde mit den Bauarbeiten im Frühjahr 1850 und bereits im Jahr 1851 durfte der »ursprüngliche« Villenbau, ein quadratisches, flügelloses Gebäude, errichtet worden sein. Schon während dieser Zeit traten die ersten Vergrößerungsprojekte auf; der anfängliche Plan eines Landhauses für den König und seine nächste Umgebung wurde nun zugunsten einer größeren Sommerresidenz aufgegeben. So entstanden im folgenden Jahr, 1852/53, der westliche, in L-Form angelegte Hofdamenflügel mit dem angrenzenden, für Gäste bestimmten »Cavalier-Stöckl«, sowie die östlich der Villa gele-

8.1.22

genen Stallungen und Remisen. Im Sommer 1853 war der Bau der königlichen Villa weitgehend abgeschlossen, denn zu diesem Zeitpunkt wurde bereits das Mobiliar von München nach Berchtesgaden geliefert. Nach dem Neubau einer Hofküche (1853/54), der kurze Zeit nach dem Bezug erfolgte, erfuhr die Anlage mit dem Bau des »Musik-Stöckls« – hier war das Schlafzimmer des Königs und das Musikzimmer untergebracht – im Jahr 1860 eine nochmalige Erweiterung, die jedoch offensichtlich nicht auf den Entwurf Ludwig Langes zurückzuführen ist (Dullenkopf 1986, 61; Angaben zur Baugeschichte des Gebäudes beruhen auf der maschinenschriftlichen Salzburger Diplomarbeit von Hans Dullenkopf). König Max II. und seine Familie bezeichneten die von prächtigen Anlagen umgebene Villa als ihren Lieblingssitz. Besonders Königin Marie war von dem Neubau der Villa so begeistert, daß sie den Berchtesgadener Holz- und Bauwarenschnitzer Michael Drechsler beauftragte, davon einige Modelle anzufertigen, die sie als Geschenk verwendete. Sie selbst hatte schon vor der Fertigstellung der Villa ein solches Modell von Ludwig Lange im Februar 1851 erhalten. Dieser hatte es nach einer Zeichnung im Winter 1850/51 von der Familie des Holzarbeiters Lorenz Walch vom Rosspoint ausführen lassen. Bei dem hier vorliegenden Modell, das mit dem Namen Walch bezeichnet ist, scheint es sich um das genannte Modell zu handeln. Dieses »Schlößchen en miniature« fand so große Beachtung, daß selbst der »Grenzbote« darüber berichtete (Der Grenzbote, Reichenhall, Nr. 17 vom 27.2.1851, 61).

Solche romantische Bauten, wie die königliche Villa in Berchtesgaden mit ihren sog. »Schweizer« Fachwerkbaumotiven und Architekturformeln aus der Neurenaissance werden erstmals in Berlin für das preußische Königshaus entwickelt. Diese Baulichkeiten, die mit wirklicher Schweizer Art wenig zu tun haben, verdanken ihr Entstehen jener Schwärmerei der empfindsamen Zeit »für das Leben der Sennerinnen und Alpenjäger, ein Leben, das von Natur-, Freiheits- und Heimatliebe allein bestimmt erschien« (AK Schinkel, Berlin 1982, 300). Von der romantischen Dichtung aufgebracht, setzte sich der »Schweizer Stil« verständlicherweise auch im Bereich der Baukunst durch und galt als besonders angemessen für Wohnstätten an romantischen Plätzen in der Natur; nur so ist es zu verstehen, daß man Schweizer Hütten ohne Berücksichtigung örtlicher Gebundenheit in ganz Europa verstreut findet. Auch Schinkel erbaute ein Gasthaus auf Stubbenkammer an der Ostsee im Schweizer Stil (AK Schinkel, Berlin 1982, Nr. 549). U.K.

8.1.17 Das Maderbräuschlößchen bei Berg am Laim **

Michael Neher (München 1798–1876 München), München, 1853, bez. u.l.: Michael Neher 1853, Öl/Kupferblech, 90 × 89,5, 111 × 140,5 (2. Bild), 41/517 und 41/518

Dieses 1853 datierte Bild zeigt die Ansicht des vor 1850 erbauten Schlößchens mit St. Michael in Berg am Laim im Hintergrund. Zum rechten Teil des Bildes existiert eine Ölstudie von Neher, die »Sept. 1850« datiert ist (MStM Z (B 14) 1337a). Während auf dem vorliegenden Bild vor allem der Wohntrakt und die Stallungen links erscheinen, zeigt das andere Bild des Stadtmuseums ebenfalls Wohntrakt und Wirtschaftshof. Die Seite des Wirtschaftshofes ist durch ein weiteres Gemälde von Neher dokumentiert, das 1983 auf der 214. Auktion von Neumeister in München auftauchte (Nr. 1150) und 1851 datiert ist. Trotz dieser genauen Dokumentation, die ein gewisses zeitgenössisches Interesse an diesem frühen historischen Bau erkennen läßt, ist über den Architekten, der die ungewöhnliche burgähnliche Konstruktion entwarf, nichts bekannt. Als Staffage vorn rechts sitzt eine Verkäuferin von »Ausgezogenen«, die ihre Ware anbietet.

Das mehrfach von Michael Neher gemalte und einmal von August Seidel aquarellierte (MStM Z 1337 (A 8), Abb. 46, bei: Heerde, Haidhausen, 1974) Maderbräuschlößchen im neugotischen Stil – dessen Miniaturformen einer Burg an die Weiherhäuser des 15. Jahrhunderts erinnern, siehe das »Hausbuch« von ca. 1480 – muß vor 1850 erbaut worden sein, da die früheste der Ansichten von Neher 1850 datiert ist. Das Gebäude wird erstmals in der Bevölkerungsliste vom Dezember 1855 erwähnt (StadtAM, Akt Ramersdorf, Nr. 54). Es lag östlich der Kirche von Berg am Laim und südöstlich des heutigen Ostbahnhofs. Man findet es auf einem Plan von Ramersdorf, der 1858 gezeichnet wurde. 1888 wurde es bei der letztmaligen Überarbeitung des Planes ausgestrichen. Bei der Überarbeitung von 1881 hat es noch bestanden (StadtAM Lokalbaukommission Ramersdorf, LBK Nr. 7859/2, Bl. 26 und Plan). Der Erbauer des Schlößchens muß Joseph Lochner gewesen sein (1810 Rosenheim – 1874 München). Lochner heiratete 1844 die Witwe des letzten Besitzers der Maderbrauerei im Tal, Joseph Fink (StadtAM, PMB und Sedlmayr, Die Hausnamen der Münchner Brauereien. 1953, 16). (Für die Hilfe danken wir Dr. Helmuth Stahleder, StadtAM). B.E.

8.1.18 Becher mit gotischem Maßwerkdekor

Joseph Westermayer (München 1797–1871 München), München, 1844, bez. MZ: Mayrhofer (kursiv), BZ: Münchner Kindl und Jahreszahl: 44 (1844), Silber gegossen und ziseliert, 21,3 × 8,9, Privatbesitz

Die polygonal gewandte Becherform, in der 2. Hälfte des 19. Jahrhunderts besonders bei Ehren- und Zunftpokalen anzutreffen, ist Ausdruck einer Tendenz, die in den dreißiger und vierziger Jahren die Geometrisierung von Gestalt und Dekor in den Blickpunkt rückt. Interpretiert als »der wiedererwachte Sinn für die vaterländische Kunst« wurde die Hinwendung zu gotischen Formen durch Musterbücher (Hoffstadt, Gothisches A-B-C, 1840; Heide-

loff, Ornamentik des Mittelalters, 1838–45) forciert, die bei den Kunstschaffenden weitverbreitet waren. Die »Verdeutschung« des gotischen Kunstausdrucks läßt sich bis in die Auswahl der floralen Elemente verfolgen, bei denen es als antinational verpönt war, aus »deutschen Pflanzen griechische Laubornamente« zu entwickeln: nicht Palmetten und Akanthus zieren den Becher, sondern Weintrauben und Akelei. Der stilisierte Pflanzendekor wurde in die Geometrisierung der Formen miteinbezogen, auf Symmetrie wurde sowohl im Maßwerk- als auch im vegetabilen Bereich Wert gelegt. Dadurch erhält einzig der Fuß mit den zum Schaft hin gedrehten Gratstegen ein aufgelockertes Element. M.Kl.

8.1.19 Deckelkrug

F.P. Zach, vermutlich für Steigerwald's Neffe, München, um 1845, farbloses Glas, außen bzw. innen rubinrot überfangen und geschnitten; silbergefaßter Porzellandeckel mit Aufglasurfarben, (insgesamt) 23,5, (Krug) 21,8, K 62-970

Leicht konischer Krug mit Vierpaß unter dem Boden und Fußwulst, die Wandung unterteilt in fünf Spitzbögen, im mittleren auf der Schauseite ein Ritter, in den Bögen zu seinen Seiten Schwert und Schild. Auf dem Deckel Wappen und die Inschrift: »UN DIEU UN MAITRE / April 26th 1845«. C.S.

8.1.20 Kölner Dombecher *

Entwurf: Ludwig Foltz (Bingen 1809–1867 München), Ausführung: Villeroy & Boch, Mettlach, 1845–52, bez. mit der Nummer: 2892, hellbraunes Steinzeug mit Platinauflage, 19,3, Lit.: AK Kunstgewerbeverein, München 1976, Nr. 322; Micus 1986, 88–91; K 76/65

Unter den bildlichen Darstellungen eines zechenden Steinmetzen, der Heiligen Drei Könige und der Germania mit Dommodell auf Schriftbändern: »Zecher und Bauleut reicht euch die Hand/ fünfzehn Groschen kost ich im ganzen Land/ vier davon werden dem Dom zugewandt.« – Über der Germania: »Seitdem der Bau zum Himmel strebt/ das Volk ein frischer Geist belebt.« Über dem Steinmetz: »Wüst wo der Wein und Stein sollt stecken/ Davor ein deutscher Gesell thaet erschrecken.«

Der Becher wurde in großer Auflage zwischen 1845 und 52 hergestellt, nachdem der verstärkt seit den Befreiungskriegen diskutierte Plan der Vollendung des Kölner Doms mit der 1842 erfolgten Grundsteinlegung konkrete Formen angenommen hatte. Er fand anfänglich reißenden Absatz. Die Vollendung des seit 1560 liegengebliebenen Kölner Dombaus wurde nahezu allgemein als nationale Verpflichtung verstanden. Selbst Kritiker der Domvollendung wie Heinrich Heine hatten den Gedanken anfänglich begrüßt. Allerdings war der Nationali-

8.1.20

tätsbegriff in der Zwischenzeit bereits erheblichen mentalen Wandlungen ausgesetzt gewesen. Das der Germania beigegebene Dommodell weicht in der Fassadengestalt von den Plänen zum Kölner Dom ab. N.G.

8.1.21 Vase

Entwurf: Eugen Napoleon Neureuther (München 1806–1882 München), Nymphenburg, um 1850, bez.: Nymphenburger Blindstempel, Rautenschild mit Stern, eingeritzt 6 und a, Porzellan, weiß glasiert, 35,5, Ø 13,7, Lit.: Hofmann 1923, 3. Buch, Abb. 438 und 647f.; AK Kunstgewerbeverein, München 1976, Nr. 321; K 76/67

Am 20. Dezember 1847 übernahm der Maler Eugen Napoleon Neureuther die künstlerische Leitung der Nymphenburger Porzellanmanufaktur und versuchte ihrem Niedergang durch intensive Reformmaßnahmen entgegenzuwirken. Neureuther war Schüler von Peter Cornelius und hatte bereits Erfahrungen als Entwerfer kunstgewerblicher Gegenstände. Sein historisierender Stil, der Formen der Gotik und Renaissance mit vegetabilen Elementen verbindet, galt in späterer Zeit als den Eigenschaften des Porzellans geradezu entgegengesetzt. Bezeichnenderweise betonte Neureuther für einen Teil seiner Entwürfe, daß sie auch in anderem Material, Steinzeug oder Silber, ausgeführt werden könnten. Besondere Dickwandigkeit kennzeichnet die stark plastisch mit Trauben, Weinlaub und Vögeln dekorierte Vase, deren Eigenart sich jedoch gerade aus dem Beharren auf historisierenden Formen gegenüber dem Material erklärt. Ein Exemplar des Bayerischen Nationalmuseums trägt einen Deckel mit der Halbfigur des Heiligen Hubertus. N.G.

8.1.22 Deckelpokal für Mathias Ebenböck zu dessen Vermählung **

F.P. Zach, vermutlich für Steigerwald's Neffe, München, 1849, farbloses Glas mit rubinrotem Überfang, geschnitten, (insgesamt) 33, (Pokal) 25, Lit.: MK Berlin, 1973, Nr. 50 (Variante); AK Gläser, München, 1976, 52, Nr. 73; Schack 1976, 239, Abb. 133. Vgl. Holl/Steckbauer 1976, Abb. 72 (Zuschreibung an »Schachtenbach-Theresienthal«); AK Slg. Biemann, 1978/ 1979, Nr. 101 (Glasrohlinge der Gräflich Harrach'schen Glashütte, Neuwelt zugeschrieben, Ausführung durch Zach); K 47-162

Ausladender Fuß mit gotisierender Ranke und den Namen der Stifter, auf dem Hohlbalusterschaft, Astwerk in Spiralform, die Kuppa zeigt eine »altdeutsche« Szene mit Spielmann und Zecher in Maßwerkrahmen, auf der Rückseite Trophäen mit der auf die Vermählung bezogenen Widmung, der Deckel mit Akanthusranke und maßwerkverziertem Knauf.
Mathias Joseph Ebenböck (1819–1905) heiratete im Juli 1849 die Maschinistentochter Maria Merk in erster Ehe. Bei den Stiftern des Pokals, laut beiliegendem altem Zettel sämtlich Mitglieder der »Morelia«, handelt es sich um folgende Personen: Karl Riederer, Spezereiwarenhändler, Weinstr. 12; Josef Rombach, Schlosser, Unterer Anger 35; Sebastian Schreiber, Spengler, Färbergraben 34; Johann Georg Schreibmayer, Papierwaren, Schrannenplatz 7; Johann Baptist Stroblberger, Hofwaffenfabrikant, Karlsplatz 8; Josef Blanz, Xylograph; (Bruder) Max Blanz, Schlossermeister, Löwengrube 2; Ludwig Grunder, Wagenfabrikant, Rosental 10; Karl Häckel, Drechslermeister, Eisenmannstraße 4; Johann Georg Hof, Konditor, Promenadenplatz 6; Anton Jahn, Hofkürschner, Kaufingerstr. 3; Karl Kanzenel, Papierwaren (Buchbindermeister), Rosental 8; Friedrich Käufel, Drechslermeister, Altheimereck 8; Kirchmair (?); Christian Kotz, Lederwaren, Kaufingerstr. 13; Josef Kotz, Hoftaschnermeister, Theatinerstr. 38; Wilhelm Mayer, Modewarenhandlung, Fürstenstr. 4; Johann Reim, Lederhandlung, Tal 72; Johann Reßler, Bäckermeister, Sendlinger Str. 17. C.S.

8.2 Kirchenrestauration

8.2.1 Fronleichnamsprozession **

München, 1839, Lithographien, koloriert, 27,5 × 37,5, Lit.: MK Proebst, München 1968, Nr. 1822–25, P 1822–25

Ludwig I. förderte wieder verstärkt das kirchliche Brauchtum, nachdem es im Zuge der spätaufklärerischen Bemühungen des Staatsministers Montgelas (amtierte 1799–1817) unter der Regierung seines Vaters weitgehend unterdrückt worden war. Ludwigs Vorstellung von einem Bündnis zwischen Thron und Altar kam in seinen Kirchenbauten, der Wiedereinsetzung der Klöster und seiner demonstrativen Teilnahme an den kirchlichen Festen zum Ausdruck. Die Fronleichnamsprozession war eine der wichtigsten kirchlichen Veranstaltungen im Münchner Jahreslauf. Der König oder ein Mitglied der königlichen Familie in seiner Vertretung nahmen regelmäßig daran teil. 1839 ließ Ludwig I. die seit 1803 verbotenen Trachten der Bruderschaften wieder zu. In der vorliegenden Bilderfolge werden die einzelnen Bruderschaften mit ihren neuen Kleidern während des Fronleichnamszuges 1839 dargestellt und unter den Bildern namentlich genannt: P 1822: »Altenötting v. Joh. Nepomuk, Deutsche Marianische Congregation, Kreuz=Bündniß, Lateinische Congregation« / P 1823: »Michaeli Bruderschaft, Aller Seelen, St. Georg, 7 Schmerzen« / P 1824: »Dreifaltigkeit Joh. Nep. Bruderschaft, Maria Hilf, neun Chor der Engel, Corpus Christi« / P 1825: »St. Anna, fünf Wunden, Dreyfaltigkeit«.
Der ganze Weg der Prozession durch die Stadt war mit Holzbohlen ausgelegt, an einigen Straßenecken waren Altäre aufgebaut worden. Gendarmen, Landwehr und Militär sorgten für den reibungslosen Ablauf des Umzuges, weiß gekleidete Mädchen begleiteten die einzelnen Gruppen. In der letzten Abbildung (P 1825) treten hinter der Dreyfaltigkeits-Bruderschaft Barmherzige Schwestern aus der Kirche. In der zweiten Darstellung (P 1823) ist im Hintergrund unter einem Baldachin der Erzbischof mit dem Allerheiligsten und hinter ihm König Ludwig I. zu erkennen. U.L.

8.2.2 Die Mariahilfkirche in der Vorstadt *

Max Emanuel Ainmiller (München 1807–1870 München), München, 1847, bez. u.r.: M. Ainmiller 1847, Öl/Lwd, 53,6 × 36,5, Lit.: AK München und Oberbayern, Linz 1971, Nr. 134; AK BaKuKu 1972, Nr. 1673 (Abb.); 31/284

Im Vordergrund seines Bildes sieht man die für die Vorstadt Au typischen »Herbergen«. Sie waren in den oberen Partien aus Holz gebaute Mehrfamilienwohnungen im Besitz von Handwerkern und Tagelöhnern, die sich in diesen billigen Quartieren vor den Toren der Stadt niedergelassen hatten. Eine Unzahl von kleinen Bierausschänken und Wirtschaften diente den

8.2.1

8.2.4

einfachen Vergnügungen der armen, hier ansässigen Bevölkerung, wobei die größeren Wirtschaften zum Teil auch von den Münchnern aufgesucht wurden (Freudenberger 1927, 215ff.).

Seit den neunziger Jahren des 18. Jahrhunderts hatte die Stadt die Sanierung der Herbergenviertel begonnen und durch Ankauf der alten Besitzungen einer neuen Verkehrsplanung und Babauung Platz geschaffen (Bauer/Graf 1984, 39ff.).

Nach einer Bauzeit von acht Jahren wurde die neue Mariahilfkirche in der Au am 25. August 1839 eingeweiht (Megele 1951, 84). Der Bau war nötig geworden, weil die alte Mariahilfkirche aus dem 17. Jahrhundert nach der Säkularisation der vier anderen Auer Kirchen für die Gemeinde zu klein geworden war. Allgemein wurde dieser erste neugotische Kirchenbau in Bayern sehr bewundert und der Architekt Daniel Joseph Ohlmüller (1791– 1839) empfand sein Werk als der alten gotischen Baukunst durchaus ebenbürtig (AK Romantik und Restauration, München 1987, 274). Dieser Stolz drückt sich in allen Darstellungen dieser Kirche aus, die die Westfassade des Backsteinbaus mit Hausteinelementen gern im rötlichen Abend-

licht erstrahlen lassen. Ainmiller stellt sie zudem vor einen graublauen Himmel mit gewittrigen Wolken.

Der Maler hat die niedrig hingeduckten Behausungen der Vorstadt in bewußten Kontrast zu dem aufragenden gotischen Neubau gesetzt, dessen Lichtgestalt wie unwirklich über dem trivialen Alltagsgeschehen der dunklen Gasse aufragt. Das sakrale Gebäude sollte die Bewohner der unruhigen Vorstadt befrieden und zum Gehorsam erziehen.   B.E.

8.2.3 Genaue und ausführliche Erklärung der historischen Glasgemälde und der übrigen Ausschmückung in der neuen Mariahilfkirche in der Vorstadt Au

J.B. Dilger (München um 1830–40), Verlag J. Deschler, 1840, bez. u.r.: Lith. v. J.B. Dilger, Lithographie, 21,5 × 31,5; Z 814

Die graphische Vedute zeigt die neugotische Mariahilfkirche in der Au im Jahre ihrer Vollendung mit Blick auf Fassade und nördliche Langhausseite. Die Darstellung läßt den Baukörper selbst klein und zierlich erscheinen, betont und bewundert werden in erster Linie die feingliedrigen gotisierenden Architektur- und Schmuckelemente: der filigran wirkende, spitz in den Himmel stoßende Turmhelm, die eleganten Ecktürmchen, die Fialen über den Langhausjochen, die ornamentalen Rosetten der Fassade und die Portal- und Fensterumrahmungen. Die isolierte Stellung der Kirche inmitten des großen Platzes, der von klassizistischen Gebäuden umbaut ist, läßt die neugotischen Stilformen besonders wirkungsvoll hervortreten. Auch die Rahmung der Lithographie mit gotisierendem Ranken- und Laubwerk mit dem Auer Lilienwappen in der Mitte bekräftigt den programmatischen Anspruch auf den neuentdeckten Stil. Der umlaufende Text gibt Auskunft über die wesentlichen Etappen der Baugeschichte, über Ausstattung und beteiligte Künstler. Besonders ausführlich erklärt sind die 19 großen, buntfarbigen Glasfenster (Marienzyklus), die 1834–44 in der Kgl. Glasmalereianstalt entstanden (zu diesem Zeitpunkt waren 11 vollendet), und den Innenraum der Kirche als romantischen Farbraum wesentlich prägten. Da die Fenster im 2. Weltkrieg nicht ausgelagert wurden, fielen sie der Zerstörung anheim. Auch die übrige Ausstattung ist nur in wenigen Fragmenten erhalten.   C.G.

8.2.4 Kirchenschlüssel der Mariahilfkirche in der Au *

Entwurf: Joseph Daniel Ohlmüller (Bamberg 1791–1839 München), München, 1839, bez. auf dem Spiegel: Ad/ honorem/ beatae virginis/ Mariae/ auxiliatricis/ cives/ devoti Augiae/ MDCCXXXIX, Messing, vergoldet; Kassette: Holz mit Leder bezogen, geprägte Ornamentleiste, Innenfutter: Leder, 17,7 × 6, München, Kirchenstiftung Mariahilf

Der von J.D. Ohlmüller entworfene Kirchenschlüssel hat ausschließlich symbolische Funktion. Er wurde dem ersten Pfarrer der Kirche im Jahre 1839 von Erzbischof Lothar Anselm von Gebsattel feierlich überreicht und seither jedem neuen Pfarrer bei der Amtseinführung übergeben. Der kirchliche Brauch geht auf die bei Matthäus (16, 19) berichtete Schlüsselübergabe an Petrus zurück: »ich will dir des Himmelreiches Schlüssel übergeben . . .« Das in seiner neugotischen Gestaltung einzigartige Stück zeigt auf dem Spiegel Maria als Patronin der Kirche, auf dessen Rückseite Dedikationsinschrift, ausgesprochen von den Auer Bürgern.   C.G.

8.2.5 Ornat der Mariahilfkirche *

um 1839, Grundstoff aus Goldlamé; Ornatsäume und Stickereien mit gewebten Goldborten eingefaßt; Goldstickerei (Anlage- und Sprengarbeit), figürliche Darstellungen in Seidenmalerei, München, Kirchenstiftung, Mariahilf

Der vermutlich zur Erstausstattung der Mariahilfkirche gehörende Ornat (Kasel, zwei Dalmatiken und Rauchmantel) zeugt in seiner prächtigen und detailreichen Ausführung vom gewichtigen Anspruch, den die Kirche mit ihrer einheitlich konzipierten neugotischen Ausstattung erhob. Der schimmernde Goldlamé ist

8.2.6

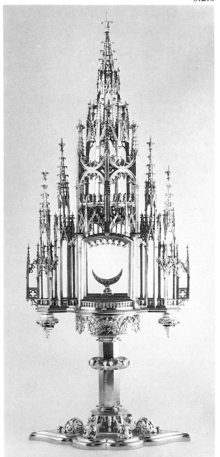

bei allen Stücken reich bestickt mit figürlichen Darstellungen in gotisierenden Baldachinarchitekturen, streng angeordnet in übereinander gesetzten Feldern. Auf dem Kaselstab die Heiligen Laurentius und Athanasius, dem Kaselkreuz die thronende Muttergottes von Engeln verehrt, dem Kreuzstamm die Heiligen Ambrosius und Stephanus, den Dalmatiken beidseitig jeweils vier musizierende Engel. Auf den Vordersäumen des Rauchmantels die vier Evangelisten, Rückenschild mit Mariakrönung. Die perspektivisch gestalteten Standflächen der Figuren wie auch die aus der Renaissance entwickelte Figurenbildung in Kombination mit den aus gotischem Repertoire entnommenen und frei angewandten Ornamentkonfigurationen der Baldachine machen deutlich, daß es dem neugotischen Stilempfinden kaum um die sklavische Nachahmung der Gotik ging, sondern um eine gotisierende Gesamtwirkung.

C.G.

8.2.6 Monstranz der Erstausstattung der Mariahilfkirche in der Au *

Joseph Daniel Ohlmüller, (Bamberg 1791–1839 München), Ausführung Gürtlermeister: Friedrich Sales Sauter, München, bez.: nach Zeichnung de k:/R:B:Rath Dan: Ohlmüller/verf: von F:S: Sauter/Gürtlerm: in München 1839/Hermanus Rabl Parochus Augiae dono dedit MDCCCXXXIX, Messing, getrieben und gegossen, vergoldet, 70, Lit.: AK Vorwärts, Nürnberg 1986, 262, München, Kirchenstiftung Mariahilf

Der Architekt der Mariahilfkirche, Joseph Daniel Ohlmüller, entwarf auch die Innenausstattung der Kirche einschließlich der für den liturgischen Gebrauch benötigten Geräte. Erhalten ist Ohlmüllers Entwurfszeichnung für die große Monstranz (M II 92 B 119), die sich in ihrem turmartigen, architektonisch geprägten Aufbau am gängigen Typus spätgotischer Monstranzen orientiert. Sie ist aus zahlreichen gegossenen Einzelteilen zusammengefügt, schematisierte Versatzstücke in gotisierenden Formen. Die seit 1831 existierende »Gesellschaft für teutsche Alterthumskunde von den drei Schilden«, der auch Ohlmüller angehörte, verschrieb sich der systematischen Erforschung und Anwendung der als »altdeutscher Stil« empfundenen Gotik. Das »Gothische A.B.C.-Buch« von Friedrich Hoffstadt (ab 1840 veröffentlicht) lieferte in exemplarischer Weise »Grundregeln des gotischen Styls für Künstler und Werkleute«. Geistige Grundlage war die im 1. Drittel des 19. Jahrhunderts propagierte Bezugnahme im Sinne einer christlichnationalen Kunsterneuerung.

C.G.

8.2.7 Zwei Altarleuchter (von acht) der Mariahilfkirche in der Au

Ausführung: Friedrich Sales Sauter, Gürtlermeister, München, Bronze, gegossen und vergoldet, 66,2, Lit.: AK Vorwärts, Nürnberg 1986, 263, München, Kirchenstiftung Mariahilf

8.2.5

Die zur Erstausstattung der Mariahilfkirche gehörenden Altarleuchter wurden vermutlich vom Architekten Ohlmüller selbst entworfen. Zeitgenössische Berichte betonen immer wieder, daß der Architekt alle nötigen Skizzen zu Detailarbeiten in der Kirche angelegt hatte, so daß nach seinem Tod im Jahre 1839 unter Leitung von G.F. Ziebland »nach seiner Idee und Angabe so zu sagen bis zum letzten Nagel« seine Formvorstellungen realisiert werden konnten (vgl. Schaden 1839). Charakteristisch ist die deutlich architektonisch geprägte Anlage, die gotische Pfeilerformen assoziieren läßt mit einem treppenartig nach oben sich verjüngenden plastischen Sockelkörper, sechskantig hochstrebendem Schaft mit Maßwerkfüllungen, von einem sechsseitigen Ornamentkranz

raumhaltig umfaßt, der mit Maßwerkbögen und Fialen Aspekte gotischen Gesprenges aufnimmt.

C.G.

8.2.8 Meßgarnitur *

Georg Zeiler (1780–1803), bez. BZ: München 1839, MZ: GZ; Silber, gegossen, getrieben, teilvergoldet, punziert, Kassette aus Holz, Lederbezug und Lederfutter, Teller: 32,5 × 21,5, Kannen: 16,5, Ø 6, Kassette: 9,8 × 36,3 × 24,5, München, Kirchenstiftung Mariahilf

Die mit dem Münchener Beschauzeichen von 1839 und der Marke der Werkstätte des Georg Zeiler, die vermutlich von seinem Sohn Franz Zeiler weiter benutzt wurde, gestempelte Meß-

8.2.8

garnitur war vermutlich in die Erstausstattung der Mariahilfkirche integriert. Auffällig ist die Verbindung von klassizistischen und neugotischen Stilelementen. In die auf Formvorstellungen des Klassizismus gründende strenge und schmucklose Felderstruktur – besonders deutlich bei den Kännchen – werden gotisierende Ornamentformen eingebracht: der von gotischen Buckelpokalen inspirierte Nuppenkranz, das Fischblasenornament an den Henkeln und die an Maßwerk orientierten Rosettenscheiben auf der Fahne des Tellers.   C. G.

8.2.9 Meßglöckchen mit fünf Schellen

um 1839, Messing, gegosssen und vergoldet, München, Kirchenstiftung Mariahilf

Da im Mittelalter Meßglöckchen in dieser Form nicht gebräuchlich waren, konnten die für das liturgische Gerät der Mariahilfkirche zuständigen Künstler über keinerlei Vorlagen verfügen. Um so freier mußte die Anwendung gotisierender Ornamentformen ausfallen. Die Bereitschaft zu ungewöhnlichen Entwürfen zeigt die ausgestellte neugotische Meßklingel, die auf vier Stäben mit schrägen Kanneluren stehen, von denen elegante, in Lilien endende Maßwerkbögen auf den Griff zulaufen.   C. G.

8.2.10 Altar
(zugehörig Garnitur Schloß Weyhern)

Entwurf: Friedrich Bürklein, München, um 1848–50, Eiche, Blindholz Fichte, 95,5 × 45 × 77,5; M 85/17

Mensa auf kastenförmigem Unterbau. Kasten links und rechts mit hervorragenden runden Podesten versehen (Zwei Engelsfiguren, die ursprünglich auf den Podesten standen, fehlen); Vorderseite mit 3 großen Rosetten mit geschnitzten Motiven verziert; in der Mitte: in Kleeblatt ornamentiertes griechisches Kreuz. Links: Anker (Hoffnung) mit Blätterranken umschlungen. Rechts: flammendes Herz ebenso von Ranken und Blättern umschlungen. Seiten mit Lotzbeck'schem Wappen in Rosette versehen; Unterbau der Mensa verziert, mit einer langen schmalen Schublade versehen.   H. O.

8.2.11 Erstürmung der Godesburg durch bayerische Truppen 1583 *

Hermann Anton Stilke (Berlin 1803–1860 München), 1831, bez. u. l.: AH/ S/ 1831, Öl/ Lwd, 43,5 × 52,5, Lit.: AK Vorwärts, Nürnberg 1986, 105 ff. und Bd. 9, 400 f., 28/1085

Die Erstürmung der kurkölnischen Feste Godesberg war das spektakulärste Ereignis des Kölner Krieges (1582–84), der durch den Übertritt des Kölner Erzbischofs und Kurfürsten Gebhard Truchsess von Waldburg zum reformierten Glauben und durch seinen Versuch, das Erzbistum als weltliches Fürstentum zu behalten, ausgelöst worden war. Nach der Absetzung und Verbannung des vom alten Glauben abtrünnigen Erzbischofs durch den Papst, wurde für dessen Nachfolge – mit massiver Unterstützung der Kurie – Bischof Ernst von Freising, Lüttich und Hildesheim, Bruder Herzog Wilhelms V. von Bayern, bestimmt und mit bayerischer und spanischer Militärhilfe im Kölner Krieg durchgesetzt. Damit wurde zum erstenmal ein Streit um die Auslegung des Augsburger Religionsfriedens mit Waffengewalt ausgetragen.

Stilke gibt hier das gegenreformatorische Geschehen in seiner entscheidenden Phase wieder: Nach der Zerstörung der Burg durch Sprengung, am 18. November 1583, gelingt es den anstürmenden Bayern – zusammen mit den kurkölnischen und spanischen Truppen – unter Führung Herzog Ferdinands I. in das Innere der Burg einzudringen und die verwirrten Gegner zum Rückzug in den Burgfrieden zu zwingen. Die extreme Figurendichte, die Gleichzeitigkeit mehrerer Kampfszenen, sowie die enge Staffelung unterschiedlicher Darstellungsebenen lassen die Komposition nicht nur äußerst plastisch erscheinen, sondern erhöhen zugleich

8.2.11

das dramatische Moment. Der Künstler dokumentiert mit der Darstellung ebenso die Entschlossenheit des katholischen Fürstenhauses im Kampf um die Reichsbistümer und um die Vorherrschaft des katholischen Glaubens, wie er die Tapferkeit und Seelengröße der Wittelsbacher verherrlicht.

Das Gemälde entstand in der Nachfolge des Freskos gleichen Themas unter den Arkaden des Hofgartens, das ebenfalls von Stilke gemalt worden war. Jenes Fresko gehört in die Reihe des von Ludwig I. 1826 in Auftrag gegebenen ersten öffentlichen Gemäldezyklus, dessen Programm – nach der Idee von Peter v. Cornelius und Ernst Forster – »ein friedliches und eine Kriegstat aus jedem der acht Jahrhunderte wittelsbachischer Herrschaft« umfaßte. Pädagogisches Ziel war die Steigerung der Vaterlandsliebe und der Anhänglichkeit an die Dynastie. Im Gegensatz zu dem Ölgemälde zeigt das Fresko jedoch einen strengeren Bildaufbau und ist in seiner Dramatik durch eine starre Figurenkomposition reduziert.   U. K.

Das Mittelalter, immerhin,
Das wahre, wie es gewesen,
Ich will es ertragen – erlöse uns nur
Von jenem Zwitterwesen,

Von jenem Kamaschenrittertum,
Das ekelhaft ein Gemisch ist,
Von gotischem Wahn und modernem Lug,
Das weder Fleisch noch Fisch ist.

Heinrich Heine, Deutschland – Ein Wintermärchen

629

8.3 Staatsrestauration

8.3.1 Ritter und Wappenherold der Comthur des Georgi-Ritter-Ordens

um 1830, Lithographie, koloriert, 34,5 × 26,5, M II/359-3

Im frühen 19. Jahrhundert, nicht zuletzt durch die Initiative der Gräfin Montgelas, die hier ein besonderes Interesse hegte, entfaltete sich am Hofe ein üppiges und reich gegliedertes Uniformleben. Dabei wurden auch die Trachten der Hausorden (Georgi-Ritter und Hubertus-Ritter) erneuert, und statt schlichter Hofuniformen schuf man reiche Gewänder und Accessoires in Anlehnung an die Hoftrachten vergangener Zeit. H.O.

8.3.2 Entwürfe einer Amtskleidung für die Reichsräte

Peter Hess (Düsseldorf 1791–1871 München), 1828, Aquarelle, ca. 35 × 22,2; M II/356, 2 u. 4

Im Gegensatz zu seinem Vater König Max I. Joseph, der 1825 verstorben war, liebte Ludwig I. bei bestimmten, offiziellen Gelegenhei-
ten den zeremoniellen Pomp bei Hofe. So führte er z. B. die offene Tafel bei Hof am Neujahrstag wieder ein (Schrott 1963, 144) und verordnete Professoren, Reichsräten und Abgeordneten sowie den Staatsbeamten historisierende Amtstrachten. U.L.

8.3.3 Amtskleidung der Professoren

1826, Lithographien, koloriert, ca. 33,5 × 26,5, M II/345, a–d

a) Drei Professoren der Philosophischen Fakultät in dunkelblauen Mänteln mit schwarzen Samtaufschlägen über schwarzen Talaren, im Hintergrund Morgenröte;
b) Vier Professoren der Theologischen Fakultät in grauen Mänteln über grauen Talaren vor neugotischem Kreuz;
c) Drei Professoren der Juristischen und der Kameralistischen Fakultät in roten, bzw. rosafarbenen Mänteln mit dunkelblauer Samtbordüre über grauen Talaren mit Folianten vor steinerner Säule;
d) Zwei Professoren der Medizinischen Fakultät in grünen Mänteln mit blauem Besatz über grauen Talaren, hinter ihnen Hygieia, die Göt-
tin der Gesundheit, mit dem Äskulap-Stab, durch ein gotisches Fenster Ausblick auf die Türme der Frauenkirche. Einer der Professoren hält ein Schriftband mit der Aufschrift: »Aegrorum Mediae solamini benevolen . . ./ Maximiliani Josephi Regis MDCCCX . . .«.
Die Universität bestand damals aus nur vier Fakultäten, denen die übrigen Wissenschaften als Einzeldisziplinen zugeordnet waren.
1826 hatte Ludwig I. die Verlegung der altbayerischen Universität von Landshut nach München verfügt. Er wollte ganz bewußt eine Neubegründung der traditionsreichen Universität in der Landeshauptstadt bewirken, um München, wo bereits die Bayerische Akademie der Wissenschaften etabliert war, zu einem bayerischen, aber weit über die Landesgrenzen berühmten Wissenschaftszentrum zu machen. Die Universität sollte als selbständige Korporation in historischem Glanz erscheinen, deshalb genehmigte der König »seinen« Professoren die Wiedereinführung des unter Montgelas symbolisch zerbrochenen Universitätssiegels, jährliche Feiern des Stiftungsfestes und verordnete ihnen neue Amtskleidung in Anlehnung an die ältere englische Tradition. U.L.

Barbarossa

Der alte Barbarossa,
Der Kaiser Friederich,
Im unterirdischen Schlosse
Hält er verzaubert sich.

Er ist niemals gestorben,
Er lebt darin noch jetzt;
Er hat im Schloß verborgen
Zum Schlaf sich hingesetzt.

Er hat hinabgenommen
Des Reiches Herrlichkeit
Und wird einst wiederkommen
Mit ihr, zu seiner Zeit.

Sein Bart ist nicht von Flachse,
Er ist von Feuersglut,
Ist durch den Tisch gewachsen,
Worauf sein Kinn ausruht.

Er nickt als wie im Traume,
Sein Aug halb offen zwinkt;
Und je nach langem Raume
Er einem Knaben winkt.

Er spricht im Schlaf zum Knaben:
Geh hin vors Schloß, o Zwerg,
Und sie, ob noch die Raben
Herfliegen um den Berg.

Und wenn die alten Raben
Noch fliegen immerdar,
So muß ich auch noch schlafen
Verzaubert hundert Jahr.

Friedrich Rückert

9 Technik – Hoffnung und Gefahr

Am 1. Januar 1834 verkündete die »Allgemeine Polytechnische Zeitung«: »Unsere Zeit überbietet sich in Erfindungen. Nachdem Schiffe und Wagen mittels Dampf mit größter Schnelligkeit über Meere und Straßen hineilen, fehlte nur noch dem Fußgänger eine ebenso große Schnelligkeit mitzuteilen. Und diese Kunst ist gefunden.« (Hg. J. C. und E. F. Leuchs, Nürnberg, 15.) Diese euphorische Mitteilung bezog sich auf die Verbesserung des 1817 von Karl Friedrich Drais entwickelten Laufrades: zwischen den Rädern sollte ein Ring angebracht werden, auf dem sich der »Radfahrer« auf abschüssigen Strecken ausruhen konnte. Der geniale bayerische Ingenieur und Erfinder Joseph von Baader hatte allerdings schon um 1820 ein Fahrrad entworfen, das mit einer pferdesattelähnlichen Sitzgelegenheit und einer Tretkurbel am Vorderrad ausgestattet war (DM, Planslg. 18537). Die minimale Übersetzung dieser noch recht primitiven Tretmechanik wird das Vehikel aber kaum vorangebracht haben. Erst 1853 wurde eine funktionable Tretkurbel für Fahrräder entwickelt. Aus dem vielbelächelten Spielzeug für Müßiggänger – in England nannte man die Draisine »hobby horse« – sollte dann bis zur Jahrhundertwende ein bereits recht verbreitetes Fortbewegungsmittel werden.

»Das Buch denkwürdiger Erfindungen der neueren Zeit«, Leipzig, 1857, ein Jugendbuch zur Geschichte der Technik, nennt als wichtigste Errungenschaften der ersten Hälfte des 19. Jahrhunderts die Telegraphie, das Teleskop und das Mikroskop, den Luftballon, das Leuchtgas und andere Leuchtstoffe sowie die Dampfkraft und damit auch die Dampfschiffe und Eisenbahnen. Hier wurden dem jungen Leser jedoch die Leistungen des 18. Jahrhunderts vorenthalten. Schon 1711/12 hatte Newcomen in England die atmosphärische Dampfmaschine entwickelt. James Watt verbesserte sie 1765 und stattete sie 1782–84 mit einer Vorrichtung für Drehbewegungen aus (siehe dazu Carl Eckoldt, [2]1986). Etwa zur gleichen Zeit starteten die Gebrüder Montgolfière in Frankreich ihren ersten Heißluftballon (1783).

Die Menschen im Biedermeier neigten gern dazu, die wissenschaftlichen Errungenschaften des 18. Jahrhunderts zu übersehen. Ihr Bild vom Aufbruch der Technik als Fanal ihres »modernen« Zeitalters im Gegensatz zum ständischen Zeitalter der »Zopfzeit«, das man jetzt endlich überwunden zu haben hoffte, war zumindest am Anfang des 19. Jahrhunderts zu sehr gegenwartsbezogen, um die Leistungen der Väter würdigen zu können.

Wesentlich differenzierter äußerte sich 1872 der Historiker Karl Karmarsch in seiner »Geschichte der Technologie seit der Mitte des 18. Jahrhunderts«: »Der Eindruck, den die Leistungen des Menschengeistes in dem kurzen Zeitraum von 120 Jahren erwecken, ist ein überwältigender, etwa wie der ihn empfände, welcher auf einer Höhe stehend, erst nach einer Seite hin ein ödes unbebautes Land geschaut, und nun rasch sich umwendend die weite Fläche grünend, blühend, mit freundlichen Häusern, strahlenden Palästen und einer thätigen Menschenmenge besetzt erblickte.« (München 1872, S. 57.)

Sämtliche technische und naturwissenschaftliche Entdekkungen, Entwicklungen und Verbesserungen des Zeitraums von 1800 bis 1850 können an dieser Stelle nicht aufgezählt werden. Einige Schlaglichter seien hier jedoch genannt, um die Euphorie und Aufbruchsstimmung der Wissenschaftler und auch der einfachen Bürger im Bereich der Technik zu verdeutlichen:

Die erste Schienenlokomotive von Richard Trevithick in England 1803, Joseph Marie Jacquards Musterwebstuhl mit Lochstreifenbedienung von 1806, Robert Fultons erste Dampfschiffahrt zwischen New York und Albany 1807, Samuel Thomas von Soemmerings Telegraph auf elektrochemischer Grundlage in München 1809, Joseph von Fraunhofers Entdeckung der dunklen Absorptionslinien im Sonnenspektrum in München und Benediktbeuren 1814; die Entdeckungen auf dem Gebiete der Chemie von Jons Jakob Freiherr von Berzelius: 1810 Silizium, 1817 Selen und Lithium, 1828 Thorium – ohne dessen Radioaktivität zu ahnen –, in Frankreich, wo Antoine Laurent de Lavoisier schon 1788 31 chemische Elemente hatte nachweisen können, entdeckte Pierre Joseph Pelletier 1819 das Chinin und Louis J. M. Daguerre gelang 1838 die Photographie mit Hilfe lichtempfindlicher Silbersalze auf Metallplatten. Erwähnenswert ist auch die Entwicklung des Neusilbers (Nickellegierung) von Ernst August Gleitner 1823, des Zements von Aspdin in Portland 1824, Coopers Schwefelzündholz 1825, Reichenbachs Paraffin 1830, die Kautschuk-Vulkanisation von Charles Nelson Goodyear 1839, Christian Friedrich Schönbeins Entdeckung des Ozons 1842 und nicht zuletzt die Verdienste Justus von Liebigs als Begründer der analytischen Chemie 1832, Mitentdecker des Chloroforms 1831, Begründer der Anwendung des künstlichen Düngers 1840 und Erfinder des beliebten Fleischextrakts 1847.

Einen ähnlichen Aufschwung wie in der Chemie erlebte die Welt auch auf dem Gebiet der Elektrizität, angefangen von der Entdeckung der Kraftwirkung zwischen elektrischen Strömungen von André Marie Ampère 1820, Michael Faradays grundlegenden Forschungen zum Elektromotor 1821, Ampères Entdeckung der elektrischen Molekularströme als Voraussetzung für den Magnetismus der Stoffe 1822 über Georg Simon Ohms Gesetze für elektrische Ströme 1827, Faradays Induktionsgesetz 1831 (Grundlage des Dynamos) bis zur Entwicklung der Telegraphie, der ersten Möglichkeit der praktischen Anwendung der Elektrizität überhaupt, durch Carl Friedrich Gauß und Wilhelm Eduard Weber mit ihrem magnetischen Nadeltelegraphen 1833 in Göttingen, Samuel Morses Schreibtelegraphen 1837 in Amerika und Carl August Steinheils elektro-physikalische Versuche in München. Fast in jedem Bereich des alltäglichen Lebens traten technische Neuerungen und Verbesserungen auf. 1815 führte man in London die Straßenbeleuchtung mit Leuchtgas ein, 1826 in Berlin und 1848 in München, Friedrich König erfand 1810 die Schnelldruckpresse in Aschaffenburg, Nähmaschine, Stahlfeder, Gußstahl und Samuel Colts

Revolver 1835 verblüfften die Zeitgenossen. Auch auf dem Gebiet der Medizin blieb man nicht untätig, herausgegriffen sei hier nur die Einführung der Narkose zunächst mit Äther 1846, dann auch mit Chloroform und die Entdeckung des Kindbettfiebers durch Ignaz Philipp Semmelweis 1847. Besonders viel diskutiert wurden in dieser Zeit die Verbesserungen auf dem Gebiete des Transportwesens durch Dampfschiffe (1827 Schiffsschraube, 1838 erster britischer Dampfer nach New York) und Eisenbahnen (1829 Preisfahrt von Stephensons Lokomotive Rockett, 1830 Eröffnung der Liverpool-Manchester Railway, 1834 Gründung der Gesellschaft zur Erbauung einer Eisenbahn zwischen Nürnberg und Fürth als erste Aktiengesellschaft Bayerns und die Eröffnung der ersten deutschen Eisenbahn am 7.12.1835 in Nürnberg). Der auf Betreiben Ludwigs I. ein Jahr später begonnene und 1845 vollendete Bau des Ludwigskanals, des damals größten Kanals Europas mit 23,5 Meilen (178 km) geriet durch die Konkurrenz mit dem blühenden Eisenbahnwesen – 1855 gab es allein in Bayern 155 Meilen – zum wirtschaftlichen Mißerfolg.

Das Leben wurde nicht nur schneller, bequemer, lauter, es wurde auch bunter. Mit der industriellen Herstellung von Färbungsmitteln blieb Farbe nicht länger ein teures Luxusprodukt. Die Entwicklung der Schön- und Buntfärberei, die Entdeckung des künstlichen Ultramarins durch Leopold Gmelin in Tübingen 1828 und Thomas Leykauf in Nürnberg, das den zuvor verwendeten unglaublich teuren Rohstoff Lapislazuli ablöste, Friedlieb Ferdinand Runges Entdeckung des Anilins als Ausgangsstoff für die Herstellung verschiedener Farbstoffe im Steinkohlenteer und auch Wilhelm Sattlers Tapetenfabrik in Mainberg mit dem weit über Bayerns Grenzen bekannten »Schweinfurter Grün« – einer Verbindung von Arsenik und Grünspan, die hochgiftig war – trugen dazu bei.

Zur Verbreitung neuer Privilegien, den Vorläufern der Patente, und wissenschaftlicher Erkenntnisse entstand eine umfangreiche technologische Publizistik. 1815 gab der eifrige Kaufmann Zeller in München das »Bayerische Kunst- und Gewerbeblatt« heraus, das ab 1816 offizielles Organ des Polytechnischen Vereins in Bayern werden sollte. Der Verein, zu dessen Gründungsmitgliedern u.a. der technikbegeisterte Münchner Unternehmer Josef von Utzschneider, dessen Verdienste um die Einführung der Rübenzuckerfabrikation in Bayern hier erwähnt werden müssen, sowie der über Bayern hinaus bekannte Georg von Reichenbach gehörten, fand in ganz Bayern rasche Verbreitung, stand aber ebenso wie sein Vereinsorgan in dem Ruf, zugunsten der Wissenschaft die praktischen Bedürfnisse von Industrie und Handwerk zu vernachlässigen. Wesentlich beliebter war daher das in Augsburg erscheinende »Polytechnische Journal«, das 1820 von dem Apotheker und Chemiker Johann Gottfried Dingler begründet worden war. Diese Magazine enthielten überwiegend Übersetzungen ausländischer, vor allem englischer Abhandlungen.

Die Haltung der königlichen Regierung gegenüber dem technischen Aufschwung war eher zurückhaltend, ambivalent und teilweise amüsiert. Max I. Joseph ließ sich zwar mit großem Vergnügen Joseph von Baaders »Neues System der fortschaffenden Mechanik« (Titel seines Werkes über Eisenbahnen, 1822) erklären, unterstützte auch hin und wieder Baaders Versuche mit pferdegezogenen Waggons auf Schienen (zuletzt 1826 in Nymphenburg, vgl. Bay HStA MInn 14365a), betrachtete diese Bemühungen aber kaum mit großem Ernst. Anders sein Sohn Ludwig I., der schon als Kronprinz großen Anteil an den technischen Errungenschaften seiner Zeit nahm, sich viele Privilegiengesuche mit technischen Vorschlägen selbst vorlegen ließ – v.a. in der Frage der Gasbeleuchtung und Holzeinsparung –, der aber gleichzeitig vor einer Industrialisierung nach englischem Vorbild zurückschreckte und dem Dampfmaschinen- und Eisenbahnwesen argwöhnisch gegenüberstand.

U. L.

9.1 Bilderbogen »Alte und neue Zeit« *
Abb. S. 205

*bei Braun und Schneider, München, um 1860,
bez.: Nr. 287, Holzstich, 43 × 35, Privatbesitz*

Vgl. Aufsatz Laufer »Vivat die Locomotive
und alle Motion«, S. 187

9.2 Mitgliedsurkunde des polytechnischen Vereins für den Tischlermeister Leonhard Glink *

*ausgestellt am 3. März 1841 in München, bez.
in Spiegelschrift: »P. Scholl fecit 1840«, Lithographie mit Siegel und Siegelblatt, 45,7 × 48,
Lit.: Pfisterer 1973; M II/494*

Das im Stil des Historismus entworfene For-
mular zeigt in nach Maureskenart ausgeführten
Bögen Putten, die auf die technischen Wissenschaften hinweisen: Astronomie, Chemie,
Landwirtschaft, Bergbau, Maschinenbau, Baukunst. Darunter die Wappen des polytechnischen Vereins (Kubus) und Bayerns. Der polytechnische Verein in Bayern wurde 1816 in
München gegründet und war einer der ältesten
Vereine dieser Art in Bayern. Sein Hauptver-
dienst war die Herausgabe des Kunst- und
Gewerbeblattes in Bayern. Daneben organisierte er Industrieausstellungen und stand dem
Staat bei der Vergabe von Gewerbeprivilegien,
die auf neuen technischen Erfindungen beruhten, beratend zur Seite.   U.L.

9.2

9.3 Preismedaille des Polytechnischen Vereins

*um 1840, bez. auf der Vorderseite: Polytechni-
scher Verein/Für Bayern; auf der Rückseite:
Mayerhofer, Silberprägung, ⌀ 3,5, Lit.: Pfisterer 1973; 128/989*

Auf der Vorderseite ist das Vereinszeichen, der
Kubus, abgebildet, auf der Rückseite kranzför-
mig Werkzeuge und Produkte der technischen
Gewerbe. Der wohl anläßlich einer Münchner
Industrieausstellung ausgezeichnete Preisträger
dürfte der Münchner Schokoladefabrikant
Mayerhofer gewesen sein.   U.L.

9.4 Demonstrationsmodell einer stehenden 1-Zylindermaschine

*um 1850, Metall, 26 × 33,8 × 34; München,
Deutsches Museum 71909*

Die Maschine wurde in den 50er Jahren des
19. Jahrhunderts in größerer Stückzahl von der
Fa. Gebr. Sulzer, Winterthur, gebaut. Mit einer Leistung von 12 PS (8,75 kw) war sie als
Antriebsmaschine in kleinen und mittleren Betrieben eingesetzt. Typisch ist die stehende
Bauart. Sie war bis in die 70er Jahre üblich, da
man zunächst befürchtete, daß bei liegenden
Maschinen der Zylinder durch den Kolben einseitig abgenutzt wird.   E.R.

9.5 Ansicht der Maffei'schen Maschinen-fabrik in der Hirschau * Abb. S. 52

*um 1845, Stahlstich, koloriert, 17,2 × 24,6, Lit.:
AK BaKuKu 1972, Nr. 1785, von Zwehl 1985;
P 1341*

Die aus dem Lindauerschen Eisenhammer bei
München 1838 hervorgegangene Lokomotivfabrik des aus einer Veroneser Adelsfamilie
stammenden Joseph Anton von Maffei (München 1790–1870 München) war die erste große
industrielle Fabrikanlage in München und
gleichzeitig die erste Lokomotivfabrik in Bayern. 1840/41 wurde hier die erste bayerische
Lokomotive »Der Münchner« gebaut, 1864
verließ die 500. Lokomotive die Fabrik.
Inzwischen war Maffei auch zur Herstellung
von Dampfmaschinen (1845 z.B. für die Mechanische Spinnerei und Weberei Augsburg)
und Dampfschiffen sowie Werkzeugmaschi-
nen, Dampfkesseln, Drehscheiben, Wagentei-
len und anderen Eisengußwaren übergegangen.
Die Mitarbeiterzahl wuchs ständig, 1847 waren
es bereits 500. Maffei pflegte nach Aussage
seiner Arbeiter einen patriarchalischen Füh-
rungsstil, richtete frühzeitig eine Krankenun-
terstützungskasse ein und konnte sich während
der Revolutionsjahre 1848/49 trotz der Massenentlassungen, zu denen er während der
hauptsächlich durch Kapitalflucht ins Ausland
entstandenen Wirtschaftskrise gezwungen war,
auf die Loyalität seiner Arbeiter verlassen. Die

Arbeiter in der Eisenindustrie gehörten damals
zu den am besten bezahlten, da sie nicht nur
körperlich schwere, sondern auch technisch anspruchsvolle, präzise und verantwortungsvolle
Arbeit verrichteten. Maschinenbau und metall-
verarbeitende Industrie waren die wichtigsten
Faktoren der Industrialisierung. Maffei war einer der Ersten, die die Zeichen der Zeit und
damit die Notwendigkeit der Anpassung an die
Industrialisierung erkannt hatten.   U.L.

9.6 Tabakschachtel mit Fabrikansicht *

*um 1840, Blech, gelackt; auf dem Deckel ge-
lackte Lithographie, 2,5 × 13,1 × 8,2, Lit.: Fees
1985; AK Industriezeitalter I, 4, Augsburg
1985, 116ff.; 40/697*

Bei dem auf der linken Seite der Lithographie
dargestellten Fabrikgebäude könnte es sich um
die 1838 in Augsburg von dem Architekten
Ludwig Lendorff (1808–1852) errichtete Spinnerei und Weberei Augsburg (SWA) handeln.
Dieses frühe Beispiel industrieller Architektur
war der Prototyp für die frühen Fabrikbauten
in Augsburg, ja in Südbayern überhaupt.
Die Anordnung der sechs Geschosse und die
Gestaltung der Fassade sprechen für diese These, allerdings fehlen noch die von Gustav Kraus
nach L. Kraemer um 1840 dargestellten niedrigen Anbauten an den Schmalseiten des Gebäudes und der hohe Schornstein der Gasanlage.

9.6

Tab. LXXXII.

9.8

Fabrikgebäude gehörten damals noch zu den Attraktionen einer Stadt und zogen neugierige Besucher und Touristen an. Dies erklärt die Existenz des hier vorliegenden »Souvenirs«. Auch der prächtigste und früheste Augsburger »Fabrikbau«, die noch ganz im Rokokostil in der zweiten Hälfte des 18. Jahrhunderts entstandene Kattunmanufaktur Schüles und spätere Lotzbecksche Tabakfabrik, wurde übrigens auf Tabakdosen abgebildet.   U. L.

9.7 »Der Münchner« – Modell der ersten bayerischen Lokomotive

Original gebaut in der Maffei'schen Maschinenfabrik bei München 1840/41, Metallmodell, bemalt, 22 × 59 × 43,5, Lit.: Zwehl 1985, 278ff. (Abb.); München, Deutsches Museum L 24/71 – Leihgabe der Krauss-Maffei AG, München

Der ehemals bei Stephenson in England beschäftigt gewesene Joseph Hall konstruierte für Joseph Anton von Maffei diese erste bayerische Lokomotive. Ludwig I. taufte sie auf den Namen »Der Münchner«. Räder, Kurbelachse und Kesselblech hatte man noch aus England importieren müssen. Bei einer Probefahrt im Oktober 1841 erreichte sie bereits eine Spitzengeschwindigkeit von 59 Stundenkilometern, einen angehängten Personenwaggon zog sie in einer Stunde, drei Minuten von München nach Augsburg. Hierher lud auch Maffei seine gesamte Belegschaft ein, um bei 124 Flaschen Wein den »Münchner« zu feiern.   U. L.

9.8 Allegorie auf die Dampfkraft ∗

um 1832, bez.: Tab. LXXXII, Kreidelithographie, 17,5 × 23,6; München, Slg. Böhmer

Wie ein Mammut stampft die Lokomotive schnaubend durch das Land. Alles flüchtet, nur ein Rindvieh stellt sich ihr entgegen.
Friedrich List, der Vorkämpfer für ein deutsches Eisenbahnnetz, sah die neue Technik wesentlich positiver:
»Wie unendlich wird die Kultur der Völker gewinnen, wenn sie in Massen einander ken-

nenlernen, wie schnell werden bei den kultivierten Völkern Nationalvorurteile, Nationalhaß und Nationalselbstsucht besseren Einsichten und Gefühlen Raum geben. Wie wird es noch möglich sein, daß die kultivierten Nationen einander mit Krieg überziehen, wenn erst die große Mehrzahl der Gebildeten miteinander befreundet sein wird? Die Eisenbahn ist ein Herkules in der Wiege, der die Völker erlösen wird von der Plage des Krieges, der Teuerung und Hungersnot, des Nationalhasses und der Arbeitslosigkeit, der Unwissenheit und des Schlendrians, der ihre Felder befruchten, ihre Werkstätten und Schächte beleben und auch den Niedrigsten unter ihnen Kraft verleihen wird, sich durch den Besuch fremder Länder zu bilden, in entfernten Gegenden Arbeit und an fernen Heilquellen und Seegestaden Wiederherstellung ihrer Gesundheit zu suchen.«

9.9 New Principles, on the March of Invention

London, bez.: Pub ᵈ by Tho.ˢ M.ᶜ Lean, 26 Haymarket, Aquatinta, koloriert, 28,5 × 41, Lit.: Böhmer 1968, 227/8 (Abb.); München, Slg. Böhmer

Vor dem Hintergrund von Schloß Windsor findet ein wildes Wettrennen statt. Dampfgetriebene Luftfahrzeuge, eine traditionelle Pferdekutsche, eine pferdelose, dampfgetriebene Kutsche – angepriesen als »patent safety coach« –, eine pferdelose, dampfgetriebene Kutsche und ein merkwürdiges, von Kinderdrachen gezogenes Gefährt beteiligen sich daran. Unglücklicherweise explodiert die Dampfkutsche und keiner der Insassen überlebt. U.L.

9.10 Neues Post- und Reisespiel, ein Unterhaltungsspiel

um 1845, Lithographie, koloriert, Spieltafel: 33,3 × 27,4, Lit.: AK, Aus Münchner Kinderstuben, München 1976/77, 216, Nr. 737; Vogel 1981, 147; A 76/450

In Schachtel verpackter Spielbogen mit Plan der Reise, Eisenbahn, Kutsche und Dampfschiff.   U. Z.

9.11 Reisespiel »Nichts ist mehr unmöglich« ∗ ∗

Wien 1850, 52,5 × 67,5, Salzburg, Museum Carolino Augusteum, 2006

Vgl. Aufsatz Laufer: »Vivat die Locomotive und alle Motion«, S. 187.

9.12 Der Eisenbahnbau bei Lochhausen ∗

Gustav Kraus (Passau 1804–1852 München), 1838, Bleistiftzeichnung, 25,5 × 38, Lit.: Pressler 1977, 288, Nr. 440 (Abb.); AK Industriezeitalter I, 4, Augsburg 1985, 127, Nr. 421 (Abb.); Liebl 1985; M II/202

Vorzeichnung zu einer 1839 herausgegebenen Lithographie gleichen Titels. Der Bau der 60 km langen Eisenbahnstrecke zwischen München und Augsburg begann im Februar 1838 bei Lochhausen. Nach der 1835 eröffneten, wesentlich kürzeren Eisenbahnlinie zwischen Nürnberg und Fürth war dies das zweite Eisenbahnprojekt in Bayern und eines der er-

9.12

sten in Deutschland. Planung, Finanzierung und Regie lagen in der Hand der 1835 gegründeten München-Augsburger Eisenbahngesellschaft unter dem Vorsitz des Münchner Unternehmers Joseph von Maffei. Begreiflicherweise hatten die Aktionäre großes Interesse daran, daß der Bau zügig und so billig wie möglich vonstatten ging. Bei den wenigen damals zur Verfügung stehenden technischen Hilfsmitteln bedeutete das vor allem den Einsatz billiger Arbeitskräfte. Diese standen in den umliegenden Dörfern zu Tausenden zur Verfügung, denn auch in Bayern griff der Pauperismus allmählich um sich, Dienstboten, verarmte Kleinbauern und Handwerker bildeten das Landproletariat.

Insgesamt arbeiteten wohl mehr als 6000 Bahnarbeiter, darunter auch Frauen, unter schwersten Arbeitsbedingungen an dem Projekt: an Subunternehmer wurden Akkordarbeiten vergeben, die Arbeitszeiten reichten buchstäblich von Sonnenaufgang bis -untergang (4–19 Uhr im Sommer); Arbeiter, die nicht jeden Abend heimkehren konnten, wurden in primitiven Baracken kaserniert. Der Arbeitslohn entsprach zwar dem damaligen Durchschnitt, reichte aber nur für den Unterhalt einer Person und nicht für eine ganze Familie; bei Witterungseinbrüchen kam es zu Massenentlassungen.

Im Hintergrund der Zeichnung ist eine bereits aufgeschüttete Trasse mit verlegten Schienen zu erkennen. Mit Schubkarren und Fuhrwerken werden Erde, Kies und Schotter zur Baustelle gefahren, Aufseher – erkennbar an hohen Hüten und Stöcken – dirigieren die Arbeiter. Im Vordergrund diskutiert eine Gruppe gewichtig aussehender Personen, darunter Maffei, Himbsel, Ingenieur Veigele, Ritter von Mayer und Ingenieurpracticant Petri. Erste Teilstrekken konnten bereits 1839 eröffnet werden, 1840 war die Eisenbahnlinie fertiggestellt.   U.L.

9.13 »Eröffnung der Münchner-Augsburger Eisenbahn den 1ten September 1839« **

Gustav Kraus (Passau 1804–1852 München), München, 1839, bez.u.r.: G. Kraus lith.; M.: Verlag v. G. Kraus in München, Lithographie, koloriert, 29,1 × 38,4, Lit.: Pressler 1977, 290, Nr. 442 (Abb.); AK Industriezeitalter I, 4, Augsburg 1985, 127, Nr. 426;, M II/309

Zahlreiche Zuschauer bestaunen den ersten von München abfahrenden Zug. Er wird von der in England erbauten Lokomotive »Vesta« gezogen. Im Hintergrund ist der erste Münchner Bahnhof, im Holzbau, sowie die Silhouette Münchens von Westen zu erkennen. Eine zweite Lokomotive steht vor dem Bahnhofsge-

bäude, die München-Augsburger Aktiengesellschaft hatte insgesamt sechs bei drei verschiedenen englischen Konstrukteuren gekauft. Die Lokomotive »Vesta« stammte von der Firma Sharp & Roberts in Manchester. Stephenson baute »Juno« und »Jupiter«. Im September 1839 ging die Fahrt nur bis Lochhausen, erst am 4. Oktober 1840 konnte die gesamte Bahnlinie von München nach Augsburg eröffnet werden.   U.L.

9.14

9.11

9.14 Zwei Einsätze für Bierdeckel mit Eisenbahndarstellungen *

Süddeutschland, um 1840, Porzellan, lithographiert, Ø 6,8, Lit.: Bernhard 1983, 57; A 74/ 542, 1 und 2

Der offene Führerstand der beiden Lokomotiven, von denen die eine weder Tender noch Waggons mit sich führt, weist auf Originallokomotiven aus der ersten Hälfte des 19. Jahrhunderts hin. Schon um 1840, im gleichen Jahr der Eröffnung der München-Augsburger Eisenbahn, erschienen die ersten Eisenbahn-Souvenirs auf Gläsern und Deckelkrügen. U.L.

9.15 Erinnerungsmedaille an die Eröffnung der München-Augsburger Eisenbahn

August Neuss (Augsburg 1810–1869 Augsburg), Augsburg, 1840, bez. auf der Vorderseite: Ludwig I. Koenig von Bayern; auf der Rückseite: München-Augsburger Eisenbahn/ Eröffnet/ im October 1840, Kupferprägung,

Ø 3,6, *Lit.: AK Industriezeitalter I, 4, Augsburg 1985, 129, Nr. 427; 1776/1123*

Auf der Vorderseite der Medaille König Ludwig I. im Profil, auf der Rückseite Lokomotive mit Tender und angehängten Waggons, die gerade über eine Brücke rollen, darüber ein fliegender Adler und links und rechts davon die Wappen der Städte München und Augsburg. Eisenbahn und Tender sind ziemlich exakt und detailgetreu wiedergegeben, so daß darin mühelos eine der sechs englischen, teilweise von Stephenson gelieferten Lokomotiven wiedererkannt werden kann. Die Fahrtdauer auf der etwa 60 Kilometer langen Strecke betrug ca. drei Stunden. U.L.

9.16 »Der Dampfwagen – Erinnerung an die feierliche Eröffnung der Münchener und Augsburger Eisenbahn d. 4. October anno 1840«

I. B. Scholl, 1840, bez.: Zur Festverkleidung der Bahnhof Halle zu München entworfen,

ausgeführt und auf Stein gezeichnet von I. B. Scholl, Lithographie, 76,7 × 53, Lit.: AK Zug der Zeit I, Nürnberg 1985, 351ff., Nürnberg, Germanisches Nationalmuseum 1376a/ HB 19818

Das kunstvoll ausgeführte und ganz im neogotischen Stil gehaltene Blatt zeigt in der Mitte die Wappen der Städte Augsburg und München, darüber und darunter zwei neugotische Fassaden, die an die frühen deutschen Bahnhöfe erinnern. Abgesehen von dem überreichen Zierrat entspricht die obere Fassade der Architektur des Augsburger Bahnhofs und die untere dem allerdings erst ab 1847 erbauten Münchner Zentralbahnhof. Im Gegensatz zu Augsburg begnügten sich die Münchner in den ersten Jahren mit einem einfachen, mehr an eine Scheune als an einen Bahnhof erinnernden Holzschuppen weit außerhalb der Stadt in der Nähe der heutigen Hackerbrücke. Erst als dieser abbrannte, begann man mit dem Bau des von Bürklein entworfenen Zentralbahnhofs auf dem Gelände der damaligen Schießstätte.

9.13

Auch die Bahnhöfe in Nürnberg, Würzburg und Hof wurden damals im Stil der Neugotik erbaut; bis in die zweite Hälfte des 19. Jahrhunderts entwickelte sich kein eigenständiger Stil innerhalb der Industriekultur. Stützpfeiler in den Fabrikhallen, Ständer für die großen stehenden Dampfmaschinen und einzelne Maschinenteile präsentierten sich im Geschmack des Historismus, wobei die Neugotik, der vermeintlich »urdeutsche« Stil, überwog. Technischer Fortschritt und Reminiszenzen an vergangene »deutsche Größe« des Mittelalters vereinten sich um die Mitte des 19. Jahrhunderts zu einer eigentümlichen nationalen Aufbruchsstimmung.   U.L.

9.17 Blick auf das Stationsgebäude des ersten Münchner Bahnhofs an der heutigen Hackerbrücke *

nach J. Filser, München, 1843, Federzeichnung, laviert, 14,5 × 22,9; Z (A6) 944

Ludwig Steub schrieb 1840 in der »Allgemeinen Zeitung«: »Der Bahnhof in München liegt eine kleine halbe Stunde vor dem Tore, ein Mißstand, der dadurch an Gewicht verliert, daß die Gäste durch eigene, von der Anstalt bestellte Fiaker aus den Ringmauern herausgeholt

werden, bis es einmal zur Erwerbung eines näher gelegenen Grundes kommt, wozu die alte Schießstätte ausersehen ist. Wer den Pschorrbräukeller kennt, den ungeheuren, der von seiner künstlichen Esplanade herab freundlich über die Stadt hinblickt, der weiß auch den Bahnhof, denn er liegt zu dessen Füßen, in einer Ecke des Marsfeldes, ganz nahe an der Landsberger Straße, gegenüber von Nymphenburg. Es ist ein hohes hölzernes Gehäuse, von dessen First herunter die Landesflagge weht, an dessen Vorderseite auf großer schwarzer Tafel Bedeutung und Zweck des Gebäudes ausgesprochen sind. Von seinen Seiten lösen sich hohe Planken ab, die einen beträchtlichen Hofraum einfangen, das Arsenal der Bahn. Vor den Eingängen stehen zwei hölzerne Tempelchen, unbestimmbarer Ordnung, in denen der Reisende sein Opfer darbringt, welches er im Vergleich zu anderen Bahnen immer noch etwas hoch zu finden geneigt ist. Die Glocke, die über dem Giebel des Bahnhauses hängt, läßt sich vor der Abfahrt dreimal hören. Beim zweiten Mal öffnen sich die Tore des Hauses, um sich beim dritten Mal wieder hinter der Menge zu schließen. Zwei große Empfangszimmer beherbergen die Reisenden die wenigen Minuten bis zur Abfahrt.« – nach Wolf 3/1935, 180f.   U.L.

9.18 Ansicht Münchens von Westen mit dem ehemaligen Bahnhof am Hackerkeller

Johann Adam Klein (Nürnberg 1792–1875 München), München, 1842, bez. u. r. in Blei: Der ehemalige Münchner Bahnhof am Hackerkeller/Klein del. 1842, Aquarellskizze, 15 × 23,6; M IV/1220

9.19 Frontansicht des neuen Münchner Bahnhofs

Heinrich Adam (Nördlingen 1787–1862 München), München, 1849, bez. u. r.: H. Adam, Tuschezeichnung, 9 × 15; M II/255

Georg Christian Friedrich Bürklein (Burk/ Mfr. 1813–1872 Werneck/Ufr.) war der Architekt des 1849 fertiggestellten Münchner Hauptbahnhofs im neoromanischen Stil nach Friedrich Gärtner, dessen Schüler Bürklein war. Schon seit der Eröffnung der München-Augsburger Eisenbahn 1840 hatte man nach einem geeigneten Baugelände für einen zentralen Münchner Bahnhof gesucht und sich vorerst mit einem hölzernen Provisorium auf dem Gelände in Höhe der heutigen Hackerbrücke begnügt. Der Holzbau brannte 1847 durch Brandstiftung ab. Friedrich von Gärtner hatte

637

9.17

bereits in einem Gutachten das Gelände der Schießstätte vor dem Neuhauser Tor empfohlen. Innerhalb von zwei Jahren wurde der neue Bahnhof errichtet.   U.L.

9.20 Blick über den Bahnhofsplatz auf die Ostseite des Hauptbahnhofes

1851, Holzstich, 11,5 × 22, Lit.: MK Proebst, München 1968, 337, Nr. 1302; P 1302

Die Abbildung gehört zu einer 1851 in der Leipziger Illustrierten Zeitung veröffentlichten Reportage über den Münchner Hauptbahnhof.   U.L.

9.21 »Die innere Ansicht des neuen Bahnhofes zu München« *

1851, Holzstich, 17 × 22,5, Lit.: MK Proebst, München 1968, 337 (Abb.), Nr. 1303; P 1303

Die in der Leipziger Illustrierten Zeitung 1851 veröffentlichte Innensicht des von Friedrich Bürklein 1847 bis 1849 gebauten Münchner Zentralbahnhofs an der Stelle des heutigen Bahnhofs gibt den imponierenden Eindruck der Bahnhofshalle wieder. Sie war mit ihrer Tonnenbogen-Perronhalle ein Meisterwerk der Holzbaukunst, das von Reiffenstuel nach dem Bohlenbinder-System des französischen Architekten A. R. Emy ausgeführt wurde. Der Bahnbetrieb wurde am 22.9.1849 aufgenommen.   U.L.

9.22 »Eisenbahn-Scene« * Abb. S. 186

August Schöll nach Johann Adam Klein (Nürnberg 1792–1875 München), St. Gallen, 1858, bez. u. l.: An der Kantonsschule auf Stein gez. von August Schöll/St. Gallen 1858; u. r.: Lith. Geb. Amstein, Lithographie, 28 × 38,2, Lit.:

MK Proebst, München 1968, 185, Nr. 1764; Geismeier 1979, 78, Abb. 27; P 1764

August Schöll lithographierte diese Szene nach einem Aquarell von Johann Adam Klein aus dem Jahr 1842. Im Hintergrund ist die Silhouette Münchens zu erkennen.

9.23 »Abschied an die München= Augsburger=Retourchaisen=Pferde.« * Abb. S. 188

1839, Lithographie, 33,5 × 26,7, Lit.: MK Proebst, München 1968, 166, Nr. 1570, P 1570

Vgl. Aufsatz Laufer »Vivat die Locomotive und alle Motion« S. 187.

9.24 »Schicksal jener Pferde, welche durch die Eisenbahn außer Dienst gekommen sind.« *

1839, Kreidelithographie, 19,7 × 27,5, Lit.: Böhmer 1968, 228 (Abb.); AK Industriezeitalter I, 4, Augsburg 1985, 129, Nr. 428; B 7638 (50/476)

Im Hintergrund die Silhouette Münchens und ein ziemlich naiv gezeichneter Eisenbahnzug auf der Strecke nach Augsburg. Vorne Pferde, die sich nun als Radiweib, Leierkastenmann, Milchfrau, Zirkusakrobaten oder Holzknecht verdingen.   U.L.

9.25 »Bekleidung gegen Eisenbahnunfälle – Carricatur« * Abb. S. 198

wohl München, 1847, Holzstich, 16 × 17,5, Lit.: Georg Hermann, 1901, 68 (Abb.), München, Slg. Böhmer

Vgl. Aufsatz Laufer »Vivat die Locomotive und alle Motion«, S. 199

9.26 »Dampfwagen und Dampfpferde im Jahre 1942 im Prater in Wien«

Johann Christian Schoeller (1782–1851), gestochen von Andreas Geiger (Wien 1765–1856 Wien), Wien 1843, bez. o.: Satyrische Bilder No 1; u. l.: Schoeller del.; u. r.: And. Geiger sc., darunter: Wien im Bureau der Theaterzeitung, Rauchensteingassen No 926, Kupferstich koloriert, 23 × 31; München, Slg. Böhmer

Die harmlose Utopie zeigt ein aktuelles Verkehrschaos, das von einer ungeheuren Dampfwolke umhüllt wird. Eifrige Zigarrenraucher, darunter auch Frauen, produzieren weiteren Qualm und Rauch. Die merkwürdigsten pferdelosen, aber motorisierten Kutschengefährte fahren durcheinander. Einer dieser kühnen »Automobilisten« ist bereits verunglückt.

9.27 »Dampfschiff – Dampfwagen« * Abb. S. 19

Gustav Wilhelm Kraus (Passau 1804–1852 München), 1839, bez. u. l.: G. Kraus lith., Lithographie, 32,2 × 45,6, Lit.: MK Proebst, München 1968, 166, Nr. 1569; Pressler 1977, 290f. Nr. 443 (Abb.); P 1569

In den beiden übereinanderstehenden Darstellungen wird oben ein Dampfschiff auf der Donau bei Regensburg und unten die München-Augsburger Eisenbahn gezeigt. Einen fahrplanmäßigen Dampfschiffahrtsverkehr zwischen Regensburg und Linz gab es seit 1838, der erste bayerische Dampfer »Ludwig« fuhr bereits 1837 auf der Donau.   U.L.

9.28 Tasse mit Ansicht der Brauerei Hackelberg und Flußdampfer

wohl bayerisch, um 1840, Porzellan, bemalt, 8,5, Ø 9,2, 29/1013

Hohe Tasse auf drei Löwenfüßen; Füße, Tasseninneres und Henkel teilweise vergoldet.

9.29 Schiffbruch eines Dampfschiffes

bei F. C. Wentzel, Weissenburg (Elsaß), bez. u. l.: Lith F.C. Wentzel èdit à Wissembourg (Alsace); u. M.: Druck und Verlag v. F. C. Wentzel in Weissenburg (Elsass) 1072.; u. r.: Déposé Dépot à Paris, rue St. Jaques, 65, Kreidelithographie, koloriert, 30,5 × 43,3; München, Slg. Böhmer

9.30 Faltbild »Der Tunnel«

um 1830, Kupferstich, koloriert, 14,5 × 11,5 × (aufgefaltet) 66, Lit.: Neues Kunst- und Gewerbeblatt, München 1825, Nr. 21, 129ff.; München, Puppentheatermuseum 86/171

Das Faltbild in einfachem, blauem Schuber zeigt auf dem Deckblatt einen Tunneleingang in neugotischem Stil. In dem dahinterliegenden kreisförmigen Raum führen Treppen zum ei-

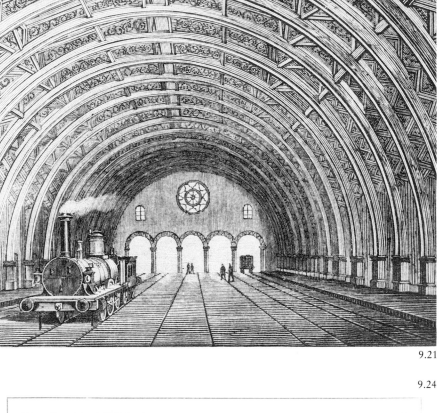

9.21

9.24

gentlichen Tunnel herab. Dieser besteht aus einer zweispurigen Straße in Form einer doppelten Röhre für Pferde, Fuhrwerke und Kutschen sowie Fußgängerwegen an den Seiten. Der obere Teil des Deckblatts wird von einer Flußsituation mit kleinen Fischer- und Ruderbooten, Segelschiffen, aber auch einem Dampfschiff ausgefüllt. Im Kunst- und Gewerbeblatt, dem Vereinsblatt des polytechnischen Vereins in Bayern, berichtete der k.b. Hauptmann Guiot du Ponteil von einem Projekt zur Untertunnelung der Themse in London, das der englische Ingenieur Brunel plante. Das englische Parlament hatte bereits den Bau und die Kosten bewilligt, die Bauzeit sollte zwei Jahre betragen. Seit 1809 experimentierte man in England mit der Durchführung des Bauwerks. 1827 fand das Eröffnungsbankett für den Themse-Tunnel statt.

Die dem Bericht angefügten Zeichnungen zum Tunnelprojekt deuten darauf hin, daß es sich hier mit größter Wahrscheinlichkeit um den gleichen Tunnel handelt. Bei dem Faltbild könnte es sich also um ein Reisesouvenir aus London handeln. Heute führen vier Tunnel unter der Themse hindurch.

U.L./H.O.

9.31 »Ludwigs-Kanal«, Faltbild in Guckkastenmanier mit fünf Kulissen und einem Hintergrund

um 1840, Federlithographie, koloriert, auf Papier und Pappe kaschiert, 16 × 22 × 87 (aufgefaltet); 80/169

Der Ludwigs-Donau-Main-Kanal wurde von 1835 bis 1846 als Verbindung der beiden Flüsse zwischen Kelheim und Bamberg nach Plänen von Oberbaurat Pechmann gebaut. Der 178 km lange Kanal sollte den Wasserweg zwischen dem Schwarzen Meer und der Nordsee verbinden. Das Projekt litt jedoch unter den zahlreichen, zu knapp bemessenen Schleusen sowie an der geringen Wassertiefe. Der anfangs dennoch lebhafte Verkehr bekam durch die Eisenbahn als neues Transportmittel starke Konkurrenz.

Das Titelblatt des Guckkastenbildes zeigt eine Karte mit dem Kanalverlauf, darunter das bayerische Wappen, flankiert von König Ludwig I. und Karl dem Großen. Rechts und links davon die Flußpersonifikationen von Main und Donau, im neugotischen Rahmenwerk Jungfrau Maria und Johannes der Täufer, sowie die Wappen der am Kanal gelegenen Städte.

Durch drei Gucklöcher blickt man auf ein Teilstück des Kanals, im Hintergrund erkennt man die Silhouette von Nürnberg. Die Treidelwege zu beiden Seiten des Kanals sind von Spaziergängern belebt, ein Segelschiff wird von zwei Pferden am linken Ufer kanalaufwärts gezogen.

Die farbenfrohe Ansicht vermittelt den damaligen nationalen Stolz auf dieses Bauwerk von europäischer Bedeutung. F.D.

9.32 Geschichtsdoppeltaler auf die feierliche Eröffnung des Ludwigskanals

Johann Jakob Neuss (Augsburg 1770–1847 Augsburg), Augsburg, 1846, bez.: VS: Ludwig I. Koenig von Bayern; RS: Donau u. Main f. d. Schiffahrt verbunden/ein Werk v. Karl d. Grossen versucht. Durch Ludwig I. Koenig v. Bayern, / neu begonnen u. vollendet. Kellheim. I.I. Neuss D., Silberprägung, ⌀ 4,1, Lit.: Grasser 1982, 125 f. (Abb.); 1787/1130

Wegen technischer Schwierigkeiten konnte das Vorhaben Karls des Großen im 9. Jahrhundert nicht ausgeführt werden. Eine Aktiengesellschaft mit dem bayerischen Staat als Hauptaktionär begann unter Ludwig I. die Ausführung dieses mittelalterlichen Projekts. Von Kelheim nach Bamberg erstreckte sich der Kanal über 23½ Meilen. Ludwig kümmerte sich hauptsächlich um die ästhetischen Gesichtspunkte und achtete weniger auf warnende Stimmen führender Wirtschaftsfachleute, die der künstlichen Wasserstraße von Anfang an keine Konkurrenzfähigkeit mit den gleichzeitig geplanten und gebauten Eisenbahnen zugestehen wollten. Als der Kanal am 15. Juli 1846 feierlich eingeweiht wurde, hatten seine Baukosten den Voranschlag um das Doppelte übertroffen. U.L.

9.33 The Ladies Accelerator * Abb. S. 188

London, 1819, bez. u. l.: J.R.C. fecit; u. r.: London Pub. 1819 by S.W. Jores 50 Picadilly, Radierung, koloriert, 25,8 × 36,5, München, Slg. Böhmer

Vgl. Aufsatz Laufer »Vivat die Locomotive und alle Motion« S. 190.

9.34 »Luftfahrt der Mad: Reichardt auf der Theresien-Wiese am Oktober-Feste zu München 1820«

bei Joseph Siedler, München, 1820, bez. u. r.: München bey Jos: Siedler, Lithographie, 36 × 22, Lit.: MK Proebst, München 1968, 162, Nr. 1534; AK Oktoberfest, München 1985 Nr. 406; P 1534

Der legendäre Ballonaufstieg einer Frau während des Münchner Oktoberfestes 1820 wurde in zahlreichen Stichen oder Lithographien festgehalten. Dieses Blatt wurde schon während des Ereignisses als Souvenir verkauft und stimmt daher mit den wirklichen Gegebenheiten nicht ganz überein, zeigt aber dafür gleichzeitig das Porträt der mutigen Ballonfahrerin.
U.L.

9.35 »Greens großer Luftballon im Lande der Antipoden« * Abb. S. 188

J. Cajetan, Wien, 1843, bez. o.: Satyrisches Bild No. 17; u.: J. Cajetan del., T.W. Winkler sc., Kupferstich, koloriert, 23,1 × 29,3, Slg. Böhmer

Vgl. Aufsatz Laufer »Vivat die Locomotive und alle Motion« S. 188.

9.36 Elektrische Penduluhr in Form einer Doppelstele *

Alois Ramis, München, 1815, bez. auf dem Zifferblatt: Alois Ramis, Mechanikus der K. Akad. d. Wiss. zu München invenit et fecit 1815; Werk: Messing und Eisen; Zifferblatt versilbert. Gehäuse: Nußbaumfurnier auf Weichholz, Profile geschwärzt, gedrückte Messingappliken, 57,5 × 32,5 × 21, Lit.: Maurice, 1976, II., 121, Abb. 1099; 30/1827

Das ursprüngliche elektrische Werk ist ersetzt, das mechanische Uhrwerk hat eine Graham-Hemmung.

Die Funktion des ersten Werkes bestand aus zwei Zambonischen Säulen, zwischen denen eine Nadel aus Messing pendelte und wechselseitig die Ladungen austauschte. Ein kleines verschiebbares Gegengewicht auf der Nadel diente zur Regulierung. Die Vorrichtung war von dem Wundarzt Azalini der Königlichen Akademie der Wissenschaften in München am 14.6.1814 vorgelegt worden, die ihren Mechaniker Ramis beauftragte, einen ähnlichen Apparat für ihre eigenen Sammlungen nachzubauen. Bei dem neuentstandenen Apparat pendelte die Nadel – bis zum Augenblick der ersten Veröffentlichung – ununterbrochen elf Monate. Ramis versuchte nun eine Verbesserung die-

9.36

ses Apparates und konstruierte eine Uhr, bei der die Nadel in sekündlichen Schwingungen pendelte, dies gelang ihm am 2.3.1815. Man überlegte weiter, eine Kompensations-Nadel zu bauen, um damit die Ganggenauigkeit zu erhöhen. Der in einer Sitzung der Akademie vom 2.3.1815 vollzogenen Veröffentlichung der Uhr folgte sofort ein Prioritätenstreit, begonnen von Zamboni in Verona, der die Erfindung für sich beanspruchte. Am 9.3.1815 hatte im ›Philosophical Magazine‹ Francis Ronalds folgenden Artikel veröffentlicht: »On the Electro-Galavanic Agency employed as a moving power; with a description of a galvanic clock«. Allgemein war der elektrostatischen Uhr wegen mannigfaltiger mechanischer und elektrischer Fehler keine weitere Entwicklung beschieden. P.F.

9.37 Präzisionspenduluhr (Monatsuhr) in Mahagonigehäuse *

Christian Friedrich Gutkäs, Dresden, signiert in München, um 1840, bez. auf dem Zifferblatt: Joseph Biergans, Werk: Messing und Eisen, Zifferblatt versilbert, Gewicht aus Blei, Gehäuse: Mahagoni verglast, 152 × 34 × 13, Lit.: Huber, 1979, 20 f., MStM

Werk: Gehwerk mit Gewichtsantrieb (Laufzeit: Ein Jahr). Schwerkrafthemmung mit Kompensationspendel (Stahlstab mit vier Quecksilberkompensationsgefäßen). Die hier verwendete Hemmung (Kugelhemmung) wurde von Josef Tadaeus Winnerl (1756–1829) erfunden. Gleiche Uhren befinden sich im Musee d'Histoire des Sciences in Genf und im Staatlichen Mathematischen Salon in Dresden. Gutkäs wurde 1784 in Dresden geboren. Am 6. Oktober 1815 legte er seine Meisterprüfung ab. 1842/45 hatte er den Titel: »Überältester Hofuhrmacher«. Am 8. August 1845 stirbt er. Gutkäs war der Schwiegersohn von Adolf Lange, dem Gründer der bedeutenden Uhrenmanufaktur Lange & Söhne in Glashütte/Sachsen. 1844 zeigt der Holzarbeiter Joseph Knöpferl »Ein Uhrkasten von Mahagoni mit einer Monatsuhr von J. Biergans« (Kunst- und Gewerbe=Ausstellung in München, in: Kunst und Gewerbeblatt, Bd. 22, 1844, 649). Zu Biergans vgl. Kat.Nr. 4.9.9.   P.F.

9.38 Amputationsapparat

J. C. Schnetter, München, 1808, bez.: Amputations Apparat, verfertigt von C: Schnetter in München 1808, Stahl, vernickelt, 7 × 45,5 × 21,5; 32/502

In einem samtgefütterten Lederetui befinden sich: 1) eine Knochensäge (40,5 cm) mit Reserveblatt; 2) drei Messer (33,8; 29,4; 22); 3) eine Knochenzange; 4) ein Tourniquet mit abnehmbarem Schlüssel; 5) sechs flache Nähnadeln mit Schneide und arretierbare Pinzette.   J.V.

9.39 Trepanationsapparat zum Öffnen des Schädels

J. C. Schnetter, München, 1808, bez.: Trepanations Apparat, verfertigt von C: Schnetter in München 1808, Stahl, vernickelt, 6 × 36,5 × 19,5; 34/307

In einem samtausgeschlagenen Etui: 1) Trepanbogen mit abschraubbarem Knopf; 2) drei Trepankronen mit verschiebbarer Pyramide; 3) Tirefond (zerlegbar) bestehend aus Hebelbrücke mit Kugelgelenkachse und Hebel (dreifach verstellbar) mit Elevatorium; 4) Zange zum Entfernen der Trepanationsscheibe; 5) Knopfmesser (Lentienlair); 6) rundes Schabeisen; 7) Bürsten zum Reinigen der Krone.   J.V.

9.40 Brustbild König Ludwigs I. in Zivil

um 1841, Daguerreotypie auf Silberplatte, 6,1 × 5,2, Lit.: v. Hase 1971, Nr. 206, 140, 212, München, Bayerisches Nationalmuseum 27/304

Brustbild nach links in Rock mit schwarzem, gebundenem Halstuch, in viereckigem ledernem Aufstellrähmchen. Es existiert ein entsprechendes spiegelverkehrtes Porträt als Gemälde von Joseph Stieler in Schloß Berchtesgaden, das auf der Rückseite die Bezeichnung trägt: »Ludwig der 1. König von Bayern, nach dem Leben gemalt von J. Stieler 1841«. Es ist schwer abzuschätzen, ob das Gemälde der Photographie oder die Photographie dem Gemälde folgt. Für die erste Version spricht die malerische Bearbeitung des Hintergrunds im Gemälde, wobei der helle Hintergrund bis an den unteren Bildrand gezogen wird, um die Körperkontur freizustellen. Stieler hat diesen Porträttyp mit Varianten wiederholt. Daguerreotypien sind Negative, also immer seitenverkehrt. Die Verwendung eines Prismas vor dem Objektiv oder eines Spiegels ist selten und war unüblich.   D.A.

9.41 Königin Marie mit ihren Söhnen Ludwig und Otto

anonym, um 1850, Daguerreotypie in mit dunkelroter Seide ausgeschlagenem Lederetui und goldenem Bortenrahmen, 9,5 × 6, ⌀ 8 (Bildoval), München, Photomuseum

9.42 Königin Marie, sitzend im Profil

anonym, um 1850, Daguerreotypie in Etui, 9,5 × 6,8 (Bildoval), München, Photomuseum

9.43 Herr in Uniform

Kuhn, München, um 1845, bez.: Max Bruckbräu Kuhn fecit, Daguerreotypie in einfachem Glasrahmen mit gepreßter Goldborte, 10,8 × 9,5, Lit.: Gebhardt 1978, 62, München, Photomuseum 63/1482-1

1844 waren in Bayern zwei wandernde Photographen namens Kuhn feststellbar, die Brüder Leonhard und Konrad. Sie scheinen sich hauptsächlich im fränkischen Raum aufgehalten zu haben.   U.L.

9.44 Herrenbildnis *

anonym, um 1845, Daguerreotypie, koloriert in feuervergoldetem Bronzerahmen, 5 × 4, München, Photomuseum 66/2868/2 (86/504 FOS)

9.45 Sitzender Herr mit Spazierstock *

Fl. Gantenbein, um 1845, bez. hinten Etikett: Fl. Gantenbein Daguerreotypist, Daguerreotypie im Rahmen aus gepreßtem Papiermaché und Goldborte, 13,5 × 12,5 (Rahmen), München, Deutsches Museum 64131

Der weiße mit Blumenmuster verzierte Rahmen entspricht noch ganz dem Geschmack der Biedermeierzeit und steht in auffallendem Kontrast zur sachlich und kühl wirkenden Daguerreotypie. Die frühe photographische Aufnahme diente als Ersatz für die teureren gezeichneten, gestochenen oder lithographierten Porträts. Der dokumentarische Charakter der Aufnahmen steht noch im Hintergrund.   U.L.

9.46 Sitzendes Mädchen mit Buch

anonym, um 1845, Daguerreotypie in einfachem Glasrahmen, 8 × 9,5, München, Photomuseum

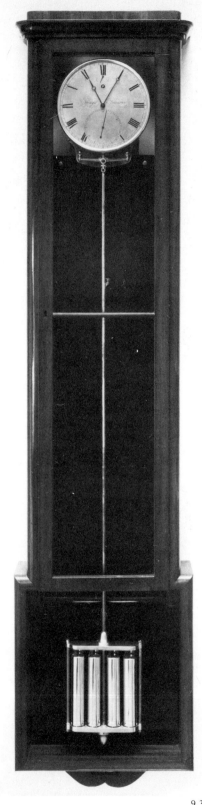

9.37

9.44

9.47 Sitzende junge Frau am Tisch mit Lichtschirm

anonym, um 1845, Daguerreotypie in grünem, geprägtem Lederetui, innen mit violettem Samt ausgeschlagen, 9,5 × 8 (Etui), München, Deutsches Museum G 1529

9.48 Sitzende Dame im karierten Kleid

Alois Löcherer (1815–1862), München, bez.: Albrechts Cousine 1845 und Löcherer Kupfer, Daguerreotypie in blauem Samtrahmen mit gepreßten Goldpapierornamenten, 13,2 × 11,7, Lit.: Gebhardt 1978, 149, München, Photomuseum 31534

Dieses Bild dürfte eine der frühen und seltenen Arbeiten von Alois Löcherer sein. Löcherer ist eine wichtige und bekannte Persönlichkeit der

Münchner Photogeschichte – nicht zuletzt wegen seiner Photodokumentation zur Aufstellung der Bavaria. Er war gleichzeitig der erste Talbotypist in München, da er nicht nur mit einer versilberten Kupferplatte, sondern auch mit vorbehandeltem Papier arbeitete.

9.49 Damenbildnis *

anonym, um 1845, Daguerreotypie, koloriert in feuervergoldetem Bronzerahmen, 5 × 4, München, Photomuseum 66/2868/1 (86/432 FOS)

Die junge Dame ist nach Art der »Lola Montez« frisiert und gekleidet. Die ebenso verrufene wie bekannte Abenteurerin und Tänzerin der ausgehenden Biedermeierzeit scheint indirekt den Modestil erheblich beeinflußt zu haben; allerdings entsprach er auch dem allgemeinen Zeitgeschmack der spanischen Mode. U.L.

9.50 Frau Pschorr, evtl. Elise, 4. Ehefrau von Joseph Pschorr dem Älteren

Anton Edler (München 1820–1860 tätig), München, um 1845, bez. hinten: Etikett des Ateliers Edler, Daguerreotypie in Samtrahmen mit Goldprägung, 7,5 × 6,2 (Rahmen), Lit.: Pschorr (Hg.) 1910; Gebhardt 1978, 81; München, Photomuseum 38/324 – 86/534 FOS

9.51 Sitzende Dame in kariertem Kleid

Anton Edler, München, 1848, bez. hinten: Weihnachten 1848, Etikett: Anton Edler, kgl. Kupferstecher in München, untere Garten-Strasse N° 10, Daguerreotypie in einfachem Glasrahmen, 15 × 12,5, Lit.: Gebhardt 1978, 81, München, Photomuseum

Anton Edler war Kupferstecher im königlich militär-topographischen Bureau und ist seit August 1844 als ansässiger Photograph in München nachgewiesen. U.L.

9.52 Familienbild

Anton Edler, München, um 1845, bez. rückwärtig: Etikett des Ateliers Edler und die Namen der Familie: Familie Groetsch / Joh. Geg. Groetsch, Major, Vater, + / Anna Maria — Groetsch Ehegattin, Mutter + / und die beiden Töchter / Alexandra x — Alwine / Nun Marie Groetsch / geborene von Rogister, Daguerreotypie in einfachem Rahmen, 9 × 10,5, Lit.: Gebhardt 1978, 81, München, Photomuseum

Die Familie Groetsch taucht im Universal-Handbuch von München 1845 nicht auf. Auffällig ist, daß der Vater trotz seiner militärischen Position hier nicht in Uniform posiert. Es ist jedoch wahrscheinlich, daß der Rang des Majors erst nach dieser Aufnahme erreicht wurde. U.L.

9.53 Fräulein Alwine Groetsch

Anton Edler(?), wohl München, bez. rückwärtig: Fräulein Alwine Groetsch + / Schwester meiner Mutter Alexandrine Weinzierl, Daguerreotypie in einfachem Glasrahmen, 11,5 × 9,3, Lit.: Gebhardt 1978, 81, München, Deutsches Museum

9.54 Familienbild

anonym, um 1845, bez.: Familie Burger in München, Daguerreotypie in braunem, geschnitztem Holzrahmen aus stilisierten Mäandern, 21,5 × 17,5 (Rahmen), München, Deutsches Museum 61539

Nach dem Universal-Handbuch von München 1845, herausgegeben von Vincenz Müller, wohnte in der Samenstraße 2 in München ein Lithograph namens Burger. U.L.

9.55 Familie mit fünf Personen *

Kuhn, Nürnberg, um 1845, Kuhn fecit, Daguerreotypie in einfachem Rahmen, mit ge-

preßter Goldborte beklebt, 15,2 × 16,5, Lit.: Gebhardt 1978, 62, München, Photomuseum 67/4

9.56 Liebespaar

anonym, um 1850, Daguerreotypie, oval, in mit violetter Seide ausgeschlagenem Lederetui, Goldpapierborte, 15,6 × 12,8 (Etui), Ø 11,3 (oval), München, Deutsches Museum

9.57 Junge Mutter mit etwa zweijährigem Kind

anonym, 1850–60, bez.: Josephine Pannifex, geb. Köller, Daguerreotypie in großem, vergoldetem neugotischem Rahmen, 20,3 × 18 (Rahmen), München, Deutsches Museum 61537

9.58 Teleskop mit Baumschraube in Lederetui

Optisches Institut Utzschneider und Fraunhofer, Benediktbeuren, um 1819, bez. auf Okularglied: Utzschneider und Fraunhofer /in München, Messing, optisches Glas, Mahagoni, 47 (ausgezogen), Lit.: AK Fraunhofer, München 1984, München, Photomuseum

Joseph von Utzschneider gründete 1804 zusammen mit dem Ingenieur Georg von Reichenbach ein »Mathematisch-Mechanisches Institut«, um den Bedarf des Staates nach Meßgeräten zu decken. In dieser Zeit begannen, nicht zuletzt auf Wunsch Napoleons, die ersten exakten Landvermessungen in Bayern. Das Institut stellte auch astronomische Geräte her, die dank der von Reichenbach 1801 konstruierten Kreisteilmaschine höchste Präzision erreichten.

Die Berühmtheit dieser Instrumente wurde noch gesteigert, nachdem Joseph von Fraunhofer in die Werkstatt eingetreten war. Das Institut siedelte nach Benediktbeuren um. Hier gelangen Fraunhofer wesentliche Verbesserungen an den optischen Gläsern durch die Veredelung des Glasmaterials. Reichenbach war bereits 1814 aus der Werkstatt ausgetreten. 1819 wurden die optischen Werkstätten von Benediktbeuren nach München verlegt. Fraunhofer starb am 7.6.1826.

Das Teleskop wurde »Fraunhofer« genannt und kann als einer der ersten Markenartikel der Industriegeschichte gelten.   U.L.

9.59 Miniaturkamera mit Baumschraube

Carl August Steinheil, München, Nachbau von 1839, Messing, Stahl, 10,3, Lit.: Schrott 1963, 313 ff.; Gebhardt 1978, 23 ff. und 46 ff. (Abb.); München, Photomuseum

Der Physiker Professor Carl August Steinheil und der Mineraloge und Heimatdichter Franz von Kobell beschäftigten sich etwa seit Ende des Jahres 1838 mit der Photographie. Schon im Frühjahr 1839 waren in München erste Photographien der beiden bekannt. Steinheil hatte sich der Photographie zugewandt, um damit eine neue Methode der möglichst exakten Wiedergabe von Himmelsbildern zu erproben. Für diese Aufnahmen brauchte er jedoch ein Gerät, das Außenaufnahmen und Aufnahmen mit unterschiedlichsten Lichtbedingungen gestattete. Der von dem Franzosen Daguerre, »dem Erfinder der Photographie«, entwickelte Apparat war jedoch dazu zu unhandlich. Steinheils »Kleinstbildkamera«, die erste der Welt, paßte leicht in eine Manteltasche. Steinheil konnte mit einem normalen Fernrohrstativ fotografieren oder mit dem sogenannten Baum-Stativ. Beide Stativarten waren leicht zu handhaben. Die Belichtungszeit dauerte nur etwa fünf bis zehn Minuten.   U.L.

9.45
9.55

9.49

10 Kleine Republiken

Für die ständisch gegliederte Gesellschaft des 18. Jahrhunderts war eine »Öffentlichkeit« in unserem heutigen Sinne noch weitgehend unbekannt. Dies änderte sich erst im frühen 19. Jahrhundert mit der Auflösung der abgeschlossenen gesellschaftlichen Gruppen des Standesbürgertums, wie z.B. der Zünfte, und dem Entstehen des Bildungsbürgertums (vgl. Hardtwig, 1985, S. 115 ff.).

Publizistik und Vereinswesen trugen die neue Anteilnahme des Bürgers an den großen und kleinen Problemen der Zeit. Der Staat stand diesem Phänomen noch lange Zeit mißtrauisch gegenüber. Sowohl die Zeitungen und Zeitschriften, als auch die Vereine unterstanden seiner Kontrolle und waren in ihrem Fortbestand von seiner Billigung abhängig. Für ihn gab es keine unpolitischen Vereine, jede auch noch so harmlose Vereinigung der Bürger und Einwohner mußte obrigkeitlich abgesegnet werden. Zu diesem Zweck prüften die Beamten die Satzungen und Mitgliederlisten und legten Akten an (der Bestand für München wurde von Ingo Tornow, München 1977, ausgewertet). Mit dem Pluralismus der Meinungen innerhalb des langsam erwachenden Bürgertums entstanden also verschiedene gesellschaftliche Gesinnungs- und Interessengemeinschaften. Dies war die positive Triebfeder zur Ausbildung des Vereinswesens. Neben dieser Suche nach Anschluß und Solidarität trat jedoch auch der Wunsch nach dem Rückzug aus der schwer überschaubaren, heterogenen Öffentlichkeit in eine abgeschiedene Gemeinschaft, einer Art Ersatz-Familie, während das ständische Zugehörigkeitsgefühl immer mehr verloren ging.

Die Vereine erfüllten unterschiedliche Sehnsüchte und Wünsche. Sie waren ein Teil der Öffentlichkeit und dienten gleichzeitig zur Abgrenzung von der Öffentlichkeit. Damit boten sie den Bürgern neue Identifikationsmöglichkeiten, die um so wichtiger wurden, als sich herausstellte, daß der Staat diesen die politische Anteilnahme verweigerte, die sie sich nach den Befreiungskriegen während der politischen Neuordnung Deutschlands von dem Wiener Kongreß 1814/1815 erhofft hatten.

Um so mehr Wert legten sie nun darauf, daß die verweigerte Selbstbestimmung und Gemeinschaftsverantwortung in ihrem kleinen Öffentlichkeitsbereich, dem Verein, realisiert wurde. Die Mitgliedschaft war freiwillig, jedes Mitglied gleichberechtigt und auch der Vereinsbeitrag immer gleich. In einigen Vereinsstatuten wurde auch der brüderliche Aspekt berücksichtigt – die Mitglieder der Studentenverbindungen nannten sich z.B. Bundesbrüder – und die Unterstützung in Not geratener Vereinsfreunde in Aussicht gestellt.

Die Bürger übten so in ihren »kleinen Republiken« die politischen Voraussetzungen der Demokratie; Selbstverwaltung, freie Vorstandswahlen, Wahlreden, Abstimmungen, offenes Rechnungswesen und die Verantwortlichkeit der Vorsitzenden trugen dazu bei.

Einerseits dienten die Vereine der Überwindung überkommener Standesschranken, denn Adel, Bürger, Klerus konnten sich hier zu neuen Gemeinschaften zusammenfinden. Andererseits zeigten sich sehr bald neue Klassenunterschiede, die allein schon durch die verschieden hohen Vereinsbeiträge erzielt wurden. Außerdem hatte ein einfacher Handwerker sicherlich ganz andere persönliche Ziele und Interessen als ein gutsituierter Kaufmann. Es gehörte zum guten Ton im Bürgertum, mindestens einem Verein anzugehören. Fremde in München beklagten oft, daß man hier keine Abendunterhaltung oder Geselligkeit finden könne, ohne in einen Verein eingeführt worden zu sein. Die geselligen Vereine, in denen man zusammen Tee trank, tanzte, sang oder Gesellschaftsspiele und kleine Theateraufführungen veranstaltete, bildeten zwar den überwiegenden Anteil am Münchner Vereinswesen, doch gab es daneben auch Interessengemeinschaften, die sich mit Geschichte, Naturwissenschaften, Kultur oder auch öffentlichen Mißständen beschäftigten. Dazu zählten z.B. der »Historische Verein für Oberbayern«, der »Polytechnische Verein« und der Tierschutzverein.

Auf den Gebieten der Industrie und Naturwissenschaften gelang zuerst die Gründung überregionaler, grenzüberschreitender Vereinigungen. Im allgemeinen verhinderten die Regierungen solche Zusammenschlüsse jedoch, um der staatsgefährdenden Illusion eines einigen deutschen Vaterlandes keinen Vorschub zu leisten. Politisch weniger harmlosen Gruppen, wie den Turnern und Studenten, wurden deshalb überregionale Verbindungen untersagt. Ebenso verdächtig erschienen den Behörden Sängerbünde, die mit ihren markigen »deutschen« Gesängen und ihren überregionalen Sängerfesten mehr als jeder Zeitungsartikel und jedes Flugblatt die Stimmung der Bevölkerung für ein einiges Deutschland anheizen konnten.

Erst in den Revolutionsjahren 1848/1849 entstanden in München Vereine mit offener politischer Zielsetzung und parteiähnlichem Charakter.

U. L.

10.1 Gewerbevereine

Das Jahr 1825 sollte für die Zünfte in Bayern zum Schicksalsjahr werden. Schon 1804 war der nach Gewerbefreiheit strebende Staat gegen diese Relikte ständischen Wirtschafts- und Gesellschaftsdenkens vergangener Jahrhunderte vorgegangen und hatte den Zünften das Recht auf Zulassung zum Gewerbe und das Polizeirecht über ihre Mitglieder genommen. Nun wurden sie vollends aufgelöst und in Gewerbevereine umgewandelt, die noch dazu unter der Aufsicht eines staatlichen Kommissars standen. Die Aufhebung der Zunftverfassung bedeutete für die Meister den Verlust der traditionell geprägten, handwerklichen Existenzweise (Hardtwig, 1985, 84f.) in einer wirtschaftlich unruhigen, ja bedrohlichen Situation zu Beginn des Industriezeitalters, in dem sie sich vielleicht mehr als je zuvor nach der Bewahrung alter, vermeintlich bewährter Ordnungen und dem Zusammenhalt innerhalb ihrer Meistergruppe sehnten. Widerstand und Proteste waren die Folgen, gemeinsame Aktionen oder gar Aufstände blieben allerdings aus.

Im Grunde genommen sollten die Gewerbevereine die gleichen Aufgaben übernehmen, wie sie vorher die Zünfte erfüllten: Verbreitung von Gewerbekenntnissen, Aufsicht über Lehrlinge, Gesellen und Gehilfen, Unterstützung bedürftiger Mitglieder und die Verwaltung des Vereinsvermögens. Doch man unterlag nun rigider staatlicher Kontrolle, sollte sich nur noch einmal im Jahr treffen und hatte, was das Schlimmste war, kaum mehr politischen Einfluß. Man sperrte sich gegen diese Maßnahmen und versuchte, wo man konnte, die staatlichen Anordnungen zu unterwandern. Mit besonderer Liebe wurden das alte Zunftgerät, die Truhen, Laden, Bahrtuchschilder, Pokale, Tischzeichen und Fahnen gepflegt und restauriert, um nach Außen alte Rechte und legitime Ansprüche zu demonstrieren. Die Mitgliedschaft in einem Gewerbeverein war für jeden Meister Pflicht, und die ehemaligen Zunftgenossen versuchten, die Meisterzahl in ihrem Gewerbe weiterhin zu kontrollieren und möglichst niedrig zu halten, indem sie überhöhte Aufnahmegebühren forderten. Bei den Metzgern waren das 64 Gulden, für einen Meistersohn allerdings nur 39. Die alljährlichen Gewerbeversammlungen wurden selten besucht; der Vorsteher des Vereins sollte zwar der Ansprechpartner der Mitglieder für Beschwerden sein, doch immer häufiger wandten sich die Meister nun selbst an die Obrigkeit (Birnbaum, 1985, 157f.).

Dem Gesetz nach mußte ein Meister Mitglied eines Gewerbevereins sein; für die Bildung eines Vereins waren allerdings zunächst mindestens zwölf Mitglieder vorgeschrieben. Später senkte die Regierung die Zahl auf acht, denn noch im Dezember 1846 berichtete der Magistrat der Regierung, daß die Bildung der Gewerbevereine in München noch nicht abgeschlossen sei und viele von ihnen sich noch keine Statuten gegeben hätten (StadtAM, Gewerbeamt, Nr. 147). Die Schwierigkeit lag darin, daß nun auch Gewerbetreibende, die zuvor nie in einer Zunft gewesen waren, oder die sich in einem neuen Beruf spezialisiert hatten, einem solchen Verein beitreten sollten, sich aber energisch dagegen verwahrten, da sie sich hier nicht ausreichend vertreten fühlten oder weil es

ihnen ihre Berufsehre verbot. Johann Schnetter, der sich selbstbewußt »chirurgischer Instrumenten Fabrikant« nannte, wollte z. B. auf keinen Fall zu den einfachen Messerschmieden gezählt werden, ein Kartenmacher wollte nicht in den Buchbinderverein, die Graveure nicht zu den Gürtlern, ein »Chokoladefabrikant« nicht zu den Zuckerbäckern. Etliche Gewerbetreibende fühlten sich bereits als Unternehmer großen Stils und wollten eigenständig bleiben.

Vielfach beging die Regierung jedoch auch den Mißgriff, miteinander in Konkurrenz oder offener Feindschaft liegende Handwerke vereinigen zu wollen. So wollten die Tändler lieber einen eigenen Verein bilden, als mit den Bettenhändlern zusammenzugehen: »So z. B. haben wir das Recht, bei Versteigerungen Betten zu kaufen und wieder zu verkaufen. Bald werden sich die Bettenhändler ein gleiches Recht anmaßen, und zuletzt mit solchen ihnen nicht zukommenden Artikeln ordentlichen Handel ja selbst Hausierhandel treiben.« (Protestschreiben vom 9. 8. 1836.) Der Kupferdrucker Anton Dreher verwahrte sich energisch dagegen, in den zu bildenden Steindruckerverein aufgenommen zu werden: »wohl aber habe ich leider erfahren müssen, daß, seitdem die Steindruckereien sich anhäuften, ich auf meinem Gewerbe mein tägliches Brod, für mich und meine Familie, wie früher anno 1806, zu welchem Zeitpunkte ich mich dahier etabliert, und ehrlich fortgebracht, – nicht mehr finden kann, da die Steindrucker nun alle meine früheren Arbeiten haben.« (Protestschreiben vom 10. 8. 1836, StadtAM, Gewerbeamt, Nr. 147.) Ohne Vereinsvertretung waren 1846 noch 28 verschiedene Gewerbe, darunter die Pflasterer, Lithographen, Buchdrucker (die Wert darauf legten, eine »freie Kunst« und kein Gewerbe auszuüben), die musikalischen Instrumentenbauer, die Papiermüller und die Tapetenmacher. Bei diesen Gewerben gab es Probleme mit der Lehrlingsausbildung, die eigentlich von den Vereinen kontrolliert werden sollte. Die Behörden mußten hier improvisieren, was zu erheblichen Umständen führte. Seit 1836 verlangten sie übrigens, wenn sie für einen frischgebackenen Gesellen Wanderbücher ausstellen sollten, wieder die Vorlage förmlicher Freisprechungsurkunden, bzw. Lehrbriefe. Seit 1825 war darauf nicht mehr geachtet worden. Nun gab es wieder die prächtig aufgemachten Formulare mit den Stadtvignetten und Handwerkssymbolen.

Die Gewerbevereine konnten also in vielfacher Hinsicht keinen vollwertigen Ersatz für die Zünfte bieten. Im Februar 1834 ergriffen einige Münchner Meister die Initiative und gründeten den »Gewerbe-Hilfs-Verein«. Hier wurden in regelmäßigen Versammlungen Vorträge über technische Innovationen gehalten, neue Wirtschaftsideen diskutiert und an bedürftige Vereinsmitglieder Kredite aus Mitgliedsbeiträgen ausgegeben. Schon in kürzester Zeit hatten sich ihm 518 Mitglieder angeschlossen. Der Verein war nach strengen demokratischen Grundsätzen organisiert: Bei Abstimmungen wurde darauf geachtet, daß keine unerlaubten Beeinflussungen geschahen, Vorstände und Kassenführer waren gehalten, regelmäßig Rechenschaftsberichte abzugeben, geheime Wahlen wurden mit Hilfe der Ballotage (jeder

Wähler konnte entweder eine schwarze oder eine weiße Kugel in dafür aufgestellte Urnen werfen, vgl. Kat.Nr. 11.2.5.) durchgeführt. Die Regierung befürchtete aber hinter dieser Eigeninitiative der Handwerker den Zusammenschluß aller Gewerbevereine und damit eine unerwünschte Parteibildung der Gewerbetreibenden. Deshalb mußte sich der Verein im April 1836 auflösen. Technisch interessierte Mitglieder wurden nachdrücklichst auf die Veranstaltungen des regierungsnahen polytechnischen Vereins hingewiesen (Birnbaum, 1985, 153, StadtAM, Gewerbeamt, Nr. 254f.).

1868 wurden die Gewerbevereine aufgelöst. Die meisten von ihnen gaben ihre Zunftaltertümer an die Stadt zur Aufbewahrung. Einige, darunter die Bierbrauer, Wagner, Metzger, Bäcker und Branntweiner weigerten sich jedoch; hier wurden die Schätze wahrscheinlich von privater Hand weitergepflegt und verwahrt. Etliche müssen allerdings auch verkauft worden und auf nicht mehr erklärlichen Wegen in das Nordiska Muset in Stockholm gelangt sein. 1910 bot dieses Museum 77 Münchner Zunftaltertümer zum Verkauf, nur die wenigsten gelangten damals wieder in Münchner Besitz (Giesen, 1952, 203 ff.). U. L.

10.1.1 Rechnungsbuch der Wagner-Meister in München

ab 1831, 21,2 × 17,5; A 73/150

Nach der Umwandlung der Zünfte in Gewerbevereine wurde die Selbstverwaltung der nach Berufen vereinigten Meister im wesentlichen auf die Verwaltung des Innungsvermögens und der Jahresbeiträge beschränkt. U. L.

10.1.2 Rechnungsbuch der bürgerlichen Buchbinder

1794–1823, bez.: Jahres-Rechnungen der bürgl. Buchbinder in München von 1794–1823, 19,7 × 16,8; A 73/139

10.1.3 »Vereins-Rechnung der bürgerlichen Buchbinder in München 1825–1853«

1825–1853, 20,2 x 17,3; A 73/142

10.1.4 »Aufding – Freisprechbuch der Lehrjungen 1823–1866«

18,2 × 23,2; A 73/140

Wesentliche Aufgabe der Zünfte und danach der Gewerbevereine war die Aufsicht über das Lehrlingswesen und über ihre Ausbildung. Vom »Aufdingen«, also vom Eintritt des Lehrjungen in die Werkstatt des Meisters, bis zum »Freisprechen«, der Beendigung der Lehre, unterstanden die Lehrlinge der Autorität des Meisters. Dem Buch ist ein vierseitiger Druckzettel mit den gesetzlichen Bestimmungen über das Lehrlingswesen von 1842 beigebunden. U. L.

10.1.5 »Einschreib-Buch der in München zugereisten Fremden Gürtler-Gesellen 1848«

1848, 25,4 × 21; A 73/161

Wandernde Gesellen, die neu in eine Stadt kamen, waren nicht nur verpflichtet, sich sofort auf der Polizeiwache zu melden, sondern sich auch auf der für sie zuständigen Herberge in den dafür ausliegenden Büchern eintragen zu lassen. Bis zu diesem Zeitpunkt galt der Geselle als »Schwarzer« und war eigentlich nicht berechtigt, Arbeit anzunehmen (Birnbaum 1984, 171).

10.1.6 Metzgersprung am Marienplatz *

anonym, um 1840, Öl/Holz, 35 × 43,5, Lit.: Wolf 1919, 171 ff.; Pressler 1977, 319 (Abb.); 39/8

Der Metzgersprung gehörte neben dem Schäfflertanz zu den ältesten Zunftbräuchen Münchens. Sein Hauptinhalt war die rituelle Freisprechung der Lehrlinge, die ihre Lehrzeit erfolgreich beendet hatten. Das Fest fand regelmäßig am Faschingsmontag statt und begann mit einem Gottesdienst in St. Peter. Danach zogen die festlich gekleideten Lehrjungen, Gesellen und Meister mit Musikbegleitung durch die Straßen, wurden in der Residenz und bei den übrigen Mitgliedern des Fürstenhauses empfangen und erreichten schließlich den Marienplatz. Hier mußten die Lehrlinge weiße Kostüme, die dicht mit Kälberschwänzen besetzt waren, anziehen, wurden vom Altgesellen freigesprochen und sprangen dann in den eiskalten Fischbrunnen. Mit Nüssen lockten sie die Zuschauer in die Nähe des Brunnens, um sie dann aus vollen Eimern mit Wasser zu bespritzen. Diese Szene wird hier von König Ludwig I., der im linken Publikum ganz vorn in langem Mantel, mit Zylinder und Stock zu erkennen ist, beobachtet.
Ähnliche, für die Lehrlinge oft unangenehme bis grausame Bräuche bei der Freisprechung waren auch in anderen Handwerkszweigen üblich.
Gustav Kraus lithographierte die Szene nach der vorliegenden Abbildung 1844. U. L.

10.1.7 Festschärpe des Metzgermeisters Alois Partl (1807–1878)

bez. mit gestickten Initialen: »A« und »P«, blaue Seide mit Goldfransenborten, 58 Münzen und Medaillen, Lit.: Maué, 1982; AK Vom Taler zum Dollar, München 1986, Nr. 53/05, 241 f. (Abb.); Wolf 1919, 171 ff.; München, Privatbesitz

Die meisten der mit angelöteten Ösen versehenen Münzen stammen aus dem 17. und 18. Jahrhundert. Es befinden sich allerdings auch einige bayerische Geschichtstaler, z.B. auf die Verfassung und auf »Otto, Griechenlands erster König« darunter; die jüngste Münze stammt aus dem Jahr 1841. Es war allgemein üblich, bei feierlichen Anlässen sich selbst oder

10.1.6

die Zunftgegenstände mit Münzen und Medaillen zu schmücken. Nicht nur die Meister, sondern auch die Meisterinnen besaßen solche Schärpen oder Bänder, die mit alten und neuen Münzen dekoriert waren. Nach der »Landes- und Volkskunde des Königreichs Bayern« (Wolf, 172) wurden die Metzgerlehrjungen nach dem Freispruch und der rituellen »Taufe« im Fischbrunnen »mit einem blauen Band geschmückt, woran silberne und vergoldete Schaumünzen hängen, der stattliche Schmuck ihrer Meisterfrauen«. U. L.

10.1.8 Zunftzeichen der Bruderschaft der Feilenhauer

München, 1822, bez.: mehrere Gesellennamen mit Herkunftsorten und: Gestiftet von der ehrsamen Bruderschaft der Feilenhauer, den 21. April 1822«, Eisen, Messing, Holzrahmen, Nußbaum furniert, 52,5 × 39 × 8,3; Birnbaum 1984, 169 ff.; 33/30

Die Gesellen waren traditionell nur Schutz- und keine Zunftgenossen. Damit verfügten sie über keinerlei Mitbestimmungsrecht in der Zunft. Zum Ausgleich schufen sie sich in den Bruderschaften eigene Organisationen mit einer »Lade« und den Zunftgeräten entsprechenden Truhen, Pokalen usw. In den Bruderschaften gewährten sich die Gesellen solidarische Unterstützung, organisierten schon im 18. Jahrhundert Arbeitsniederlegungen und leisteten wandernden oder erkrankten Gesellen finanzielle Unterstützung. Wie die Meister, trafen sich auch die Gesellen regelmäßig in bestimmten Wirtshäusern an immer den gleichen Tischen, über denen ihre Zunftzeichen hingen. Mit der Neuordnung der Zünfte 1825 wurden auch die Bruderschaften in Vereine umgewandelt. U.L.

10.1.9 Zunftzeichen der Gürtler-Gesellschaft

München, 1837, bez.: Errichtet v. d. Gürtler Gesellschaft d. 20. April 1837/ gemacht v. I. Roggenstein G. Koberlein F. Laich/ graviert v. I. Solbrig, Messing, montiert, 24,5 × 24,2; XIII 1 c

10.1.10 Deckelkrug der Glasergesellen *

wohl Jacob Wimmer (1790–1824 München), München, 1823, bez. auf dem Deckel: Zunftzeichen und »1823«; auf der gesamten Gefäßvorderseite Gesellennamen mit Herkunftsort eingraviert; im Boden: Engelmarke mit Umschrift »Fein Block Zinn«, Zinn, Messing, 24, Ø 11,8; XIII/69

10.1.11 Deckelkrug der Kammacher-Gesellen *

München, 1832, bez. auf dem Deckel: Wappen der Kammacher und Umschrift: Es herrsche Eintracht und Zufriedenheit. Auf der Gefäßvorderseite: Zum Andenken gewidmet von sämtlichen Kammachergesellen. München, den 1. Juli 1832; darunter 15 Gesellennamen und Herkunftsorte. Zinn, graviert, 28, Ø 15,5; 42/312

10.1.12 Zwei Glashumpen mit vergoldetem Schliff und Zinndeckel *

um 1830, farbloses Glas mit Goldschliff, Zinn, 22, Ø 7,5, 35/1737; MStM

Auf dem ersten Glashumpen die mit Girlanden umfaßte Darstellung eines Korbmachers auf dem Zinndeckel graviert »Korbmacher«, der zweite Humpen ist gleich gearbeitet und trägt die Darstellung einer Schere in einem Blätterkranz, auf dem Zinndeckel die Gravur »Schneider«.

10.1.13 Vereinspokal der Schneidergesellen

1846, bez.: »Gewidmet von Max Schiessl Herbergsvater Anno 1846; Jos. Heilmeier Vorstand des Leichen-Vereins«, Zinn, graviert, montiert, 56, Ø 16; XIII/128

Der Pokal ist mit montierten Weinlaub- und Traubenranken sowie neugotischen Spitzbögen am unteren und oberen Rand verziert. An den Gefäßseiten sind etliche Namen eingraviert.

10.1.14 »Taback Teller der ehrsamen Roth und Loh Gerbergesellen in München 1838«

Zinn graviert, Ø 23,5, Lit.: Gröber 1936, 63; 32/285

10.1.15 Meistertafel des Glasergewerbes

München, um 1845, Glasornamente, Spiegelglas, 58 × 33,3; XII/41

10.1.10, 10.1.11

»Verzeichnis sämtlicher Herrn Glasermeister der Königlichen bairischen Haupt- und Residenz-Stadt München« – es folgt eine Liste der Namen und der Wohnungen. Aufgeführt ist u. a. Joseph Boehm in der Kaufingergasse 20. Die Boehmsche Glasniederlage erlangte um 1845 nach dem Universal-Handbuch von München 1845, große Berühmtheit. 1835 war das Geschäft noch von einer Witwe Boehm geführt worden. Diese »Umschautafeln« dienten in erster Linie dazu, neu in die Stadt gekommene Gesellen über die Adressen der Meister, bei denen sie um Arbeit nachfragen konnten, zu informieren. U.L.

10.1.16 Zunftzeichen der Maurer *

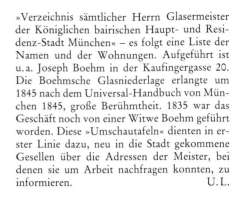

um 1845, Zinkguß im Glaskasten mit neugotischer Messingfassung, 48 × 27 × 13; 37/1683

Laut Inventarbuch gehörte das Zunftzeichen ehemals den Maurern der St. Anna Vorstadt (Lehel). Das Kirchenmodell im Glaskasten entspricht bis auf wenige Details der 1844 geweihten Ludwigskirche. Auf der einen Seite ist das Wappen des Maurerhandwerks, darüber ein Engel mit Rose angebracht. In den Sockel wurde eine Schublade eingearbeitet. U.L.

10.1.17 Meisterzunftzeichen

München, um 1835, bez. mit folgenden Namen: Jos. Rath, Gust. Gailhofer, Jos. Lehneis, Fr. X. Riederer, At. König, Joh. Demmel, Grg. Wimmer, At. Reicheneder, Pl. Schultes, Chr. Ottinger, At. Schmid, Xv. Bayerle, Messing, montiert, 26,1 × 23; XIII/12

10.1.18 Tischzeichen der Spenglerinnung

München, 1820, Messingblech, 35, Ø 27, Lit.: Gröber 1936, 98, Abb. 116; XIII/151

Das Tischzeichen in Form eines kleinen Freundschaftstempels entspricht ganz dem Stil und dem Freundschaftskult des frühen Biedermeier. An das Handwerk des Spengler erinnert hier nur noch das verwendete Material. Normalerweise wurden in den Tischzeichen Werkstattszenen oder typische Produkte und Werkzeuge dargestellt.

Freundschaftstempel als Tischzeichen vor allem der metallverarbeitenden Handwerke waren jedoch in dieser Zeit keine Seltenheit. Die Tischzeichen hingen über den Stammtischen der Meister in den Gasthöfen. U.L.

10.1.19 Zunfttruhe der Schuhmacher

um 1840, Kirschbaum, poliert, schwarz gebeiztes Holz, 33 × 46,3 × 26,5, Lit.: Gröber, 1936, 54 ff., L/20

Innen zwei gefächerte Kästen, Schloß mit zwei Schlüsseln. Solche Truhen enthielten alles, was den Zünften wichtig und wertvoll war. Hier wurden auch die Zunftordnungen, Bücher und

Das Ballotage-Verfahren wurde auch im Landtag ausgeübt (vgl. Kat.Nr. 11.2.5). Es ist möglich, daß der Gewerbeverein der Brauer so reich ausgestattet war, daß er sich neben der traditionellen Zunfttruhe auch diese, sein demokratisches Bewußtsein widerspiegelnde Besonderheit leisten konnte. U.L.

10.1.21 Vereinskasse der Kaffeehausbesitzer *

wohl Franz Xaver Fortner (München 1798 – 1877 München), München, 1840, bez. auf dem Deckel, gravierte Messingplatte: Vereins-Cassa der Caffetier in München; auf der Innenseite: Verfertigt im Jahre 1840 unter den Vereins-Vorstehern X. Rothmiller und X. Greiderer, Nußbaumfurnier auf Fichte, Ahorn, 41 × 60 × 42, Lit.: Himmelheber 1983, Nr. 660; XIII/55

Der Verein der Kaffetiers unter den Vorstehern Franz Xaver Rothmüll (Türkenstr. 58, zu eb. Erde) und Xaver Greiderer machte dem Kaffeehausbesitzer Erhard Bock die Kasse im Jahre 1840 zum Geschenk. Die Lade enthielt ursprünglich Matrikel und Vereinsversammlungsbuch von 1836.
Die feinen Arabeskenintarsien aus Ahorn, die die Lade zieren, lassen eine Arbeit Franz Xaver Fortners vermuten. Der Kunstschreiner, der 1826 seinen Betrieb in München gründete, war besonders bekannt für seine eleganten Einlegearbeiten in hellen Arabeskenintarsien, die um 1835 in Mode gekommen waren. In der Technik vergleichbar ist ein Klapptisch (Kat.Nr. 4.2.10.6), ebenso sind die Ahornintarsien eines Stuhles aus dem Neuen Schloß, Baden-Baden, der Fortner zugeschrieben wird (Himmelheber 1983, Nr. 573/74) denen der Lade verwandt.
I.H.

die Buchstaben K L, wohl für Kaiser Ludwig den Bayern, das kurbayerische Wappen die Buchstaben M E wohl für Kurfürst Max Emanuel von Bayern, denen die Zunft Privilegien verdankte. Der karmesinrote Seidendamast stammt aus einer Berliner Manufaktur und datiert in die Jahre um 1765. Er findet sich auch als Wandbespannung in der Münchner Residenz und war überhaupt einer der verbreitetsten deutschen Seidendamaste (Seelig 1985, Nr. 79)
Diese großen, reich mit Stickereien, Borten oder Gemälden ausgestatteten Kirchenfahnen der Zünfte waren oft so schwer, daß sie von mehreren Gesellen gleichzeitig getragen werden mußten. Die Fahnen wurden durch an den Fahnenstangen rechtwinklig befestigte kunstvoll geschmiedete Ausleger gehalten.
U.L./H.O.

10.1.24 Tischzeichen der Heu- und Holzhändler in der Au *

Öl/Eisenblech, bemalt, 26 × 33; XIII/13

Das Tischzeichen ist beidseitig bemalt, auf der einen Seite mit einem Heu-, auf der anderen mit einem Holzfuhrwerk.

10.1.25 Vereinstafel der Maurer-, Zimmer-, Steinmetz- und Kaminkehrermeister in der Au **

Peter Ellmer (Haimhausen 1785–1873 Freising), 1842, bez. u.l. auf der Bildseite: XXVII 1842/3 ... ELLMER, Öl auf Zink, beidseitig bemalt, alter zugehöriger Rahmen, 59 × 70,5; 33/729

10.1.12

10.1.16

Siegel aufbewahrt. Das Öffnen der Truhe war eine feierliche Handlung, die einer ganz bestimmten Ordnung unterlag. Die Truhen sollten auch nach außen Reichtum und Selbstverständnis der Zunft demonstrieren. Im 19. Jahrhundert waren sie jedoch im Verhältnis zu den reich geschnitzten und bemalten Truhen des 17. und 18. Jahrhunderts eher schlicht und schmucklos. U.L.

10.1.20 Zunfttruhe der Brauer

um 1830, Nußbaum massiv, Schubläden und Boden Fichte, Messingbeschläge, 29,5 × 43,5 × 28; 66/2591

Diese Truhe unterscheidet sich von den herkömmlichen Zunfttruhen durch die Ballotiervorrichtung. Zwei schwarzgebeizte Trichter im Deckel, die jeweils in eine Schublade münden, dienten zur Aufnahme schwarzer und weißer gedrechselter Ahornkugeln.
Bei Abstimmungen bekam jeder Meister eine schwarze und eine weiße Kugel. Je nach Meinungsbildung warf er eine davon in die Truhe. Auf diese Weise sollte die Anonymität der Abstimmung gewahrt werden.

10.1.22 Vereinskasse der bürgerlichen Köche

München, um 1820, Eisen, grün patiniert, 33,6 × 51 × 33,2; XIII 65

Auf dem Deckel eine rechteckige Kartusche, in deren Mitte auf rundem Schild steht: Vereins-Kassa der buergerlichen Koeche. Vorder- und Rückseite mit Vierpass-Rosetten verziert.

10.1.23 Zunftfahne der bürgerlichen Kupferschmiede

1824, bez. u.: Die Zunft der bürgerlichen Kupferschmiede, doppelseitiger roter Seidendamast, Mittelbilder Ölgemälde, Goldborte und Goldfransen, 150 × 145 (ohne Spitze), MStM

Die Fahne ist auf beiden Seiten gleich ausgeführt; dargestellt wird die Legende des Hl. Veit, einem bei Mönchen erzogenen Königssohn, der sich nicht verheiraten lassen wollte und damit seinen Vater so erzürnte, daß dieser befahl, ihn in einem Kupferkessel mit siedendem Öl zu foltern. Das Mittelmedaillon wird von zwei Wappenovalen eingefaßt. Der Reichsadler mit bayerischem Herzschild hat

10.1.24

10.1.21

werker einschließlich der Kaminkehrer mit der Gemeinschaft in einer mittelalterlichen Bauhütte verglichen. Architekten, Zimmerleute, Schreiner, Maurer und Steinmetzen (die Kaminkehrer wurden hier ausgespart) sind, altdeutsch gewandet, in einer mittelalterlichen Stube vereinigt und scheinen durch gemeinsame Beratschlagung ein gotisches Bauwerk voranzutreiben zu wollen.

In dem gemalten gotischen Maßwerkrahmen sind acht Achtpässe mit allegorischen Figuren eingesetzt, die auf die beschriebenen Tätigkeiten eher weitläufigen Bezug nehmen: in der Mitte die Madonna, rechts neben ihr der Hl. Antonius von Padua, darunter der Hl. Lukas, die Madonna malend; unter ihm der Hl. Florian. Links unten neben dem monogrammierten Mittelfeld der Hl. Sebastian und darüber 2 Figuren, die unmittelbar auf die Baukunst Bezug nehmen: oben ein alttestamentarischer König, wohl Salomon, der Erbauer des Tempels von Jerusalem, darunter ein Mann im Renaissancekostüm mit einem durch ein Kreuz mit 2 Querbalken als christlicher Bau ausgewiesenen Tempietto (vielleicht Bramante als Begründer der Baukunst der Renaissance und erster Architekt von St. Peter in Rom?).

Auf der Rückseite Wappenschild mit der Inschrift: »Verein nachstehender Gewerbe im Königl. Landgericht Au, als Maurer, Zimer, Steinmetz, und Kaminkehrermeister«. Dieses Feld ist von gotischem Rankenwerk umgeben, indem sich sechs Putti mit den Attributen der Architekten, Bildhauer, Schreiner, Maler und Kaminkehrer beschäftigen. Unten im Mittelfeld taucht wieder die Lilie, das Wappen der Au, auf, das auf der anderen Seite der Tafel der Hl. Antonius von Padua hielt.

Die Maurer und Zimmerleute der Au galten als besonders befähigt, weil sie, wie allgemein die Bewohner der Au froh um jeden Arbeitsplatz, dessen Gefahren von allen Arbeitern am wenigsten fürchteten (Martin, 1837; nach: Bauer/ Graf, 1984, 35). Auf diesen Ruf gründeten sie offenbar ihren Stolz, den sie mit dem altdeutschen Vereinsschild dokumentierten.   B.E.

10.1.26 Schild der bürgerlichen Kleidermacher in der Vorstadt Au

1824, Messing, bemalt, 49 × 29, Lit.: StadtAM, Gewerbeamt, Nr. 146; XIII/7

Das Schild gibt über seine Geschichte selbst Auskunft: »Das ehrsame Handwerk der bürgerlichen Kleidermacher in der Vorstadt Au errichtete im Jahre 1824 den 5ten Jäner eine eigene Viertels-lade samt diesem Schild, welche auch im Beysein sämtlicher Meister und unterschriebnen Führer nach Handwerksgebrauch in die Herberge einbegleitet wurde. Oberführer Jos. Weinköppel Unterführer Joh. Krieger.«

In der Au bestanden eigene, von den Münchnern unabhängige Gewerbevereine; 1836 waren es 13. Der Verein der Schneider gehörte zu den frühesten und war der zweitgrößte neben dem der Schuster.   U.L.

Das Vereinsschild der Handwerksmeister in der Au, die mit dem Bauwesen zu tun haben, läßt die damalige Gotik-Begeisterung erkennen, die seit den Arbeiten an der neugotischen Maria-Hilf-Kirche in der Au (1831–1839) entstanden war, nachdem schon 1831 durch D. Ohlmüller, F. Gärtner, D. Quaglio, F. Beck

und S. Boisserée die »Gesellschaft für teutsche Altertumskunde von den 3 Schilden« zum Zwecke der Förderung der gotischen Baukunst gegründet worden war (Schickel in: AK Romantik und Restauration, München 1987, 61). Im Zuge dieser Bewegung werden nun von Peter Ellmer auch die am Bau tätigen Hand-

10.1.25

10.2 »Lesecabinet« und Lesevereine

Die Lesegesellschaften waren die ersten geselligen Vereine des Bürgertums. An der Wende zum 19. Jahrhundert schlossen sich immer mehr bildungshungrige Bürger zusammen, um gemeinsam Zeitungen zu abonnieren, Bücher anzuschaffen und über Literatur zu diskutieren. Wenig später gingen auch die Kaffeehauswirte dazu über, für ihre Kundschaft Zeitungen bereitzuhalten. Trotz der im Laufe des Vormärz immer mehr verschärften Zensurbestimmungen blühte in München die Publizistik. Die Polizeibehörden hatten erheblich zu tun, um ihrer Aufgabe, der Aufsicht über die Presse, nachzukommen. 1825 wurden in München bereits 25 verschiedene journalistische Blätter gezählt (Schrott, 1963, 171 f.), viele von ihnen waren allerdings von äußerst dürftigem und seichtem Inhalt. Nur selten kam es zu ernsthaften Konflikten zwischen Polizei und Redakteuren. 1829 mußte Ulrich von Destouches, der Schriftleiter des Münchner Tagsblatts, für drei Tage ins Gefängnis, da er fremde Souveräne (das Kaiserpaar von Brasilien) verunglimpft hatte; im Juli 1832 wurde der Journalist Friedrich Bruckbräu ausgewiesen.

Eine der wichtigsten und seriösesten Gesellschaftszeitungen des Münchner Biedermeier war die »Flora«, die um 1820 bereits etwa 500 Abnehmer hatte. Ihre politischen Artikel verärgerten wegen ihrer liberalen Grundhaltung nicht selten den König; der Herausgeber Klebe versuchte dann vergeblich, sich gegen die Zensurmaßnahmen zu wehren. Das regierungstreueste und bedeutendste offiziöse Blatt war die Münchner Politische Zeitung, die als einzige Berichte aus den Landtagsverhandlungen zensurfrei abdrucken durfte (Treml, 1977, 86). Ihre Stimme wog jedoch längst nicht so schwer, wie die weit über Bayern hinaus bekannte Augsburger Allgemeine Zeitung des Heine-Verlegers Cotta, der vor der schwierigen Aufgabe stand, sein berühmtes Blatt zwischen Zensurbestimmungen und aktueller Berichterstattung hindurchzumanövrieren.

Die Lesegesellschaften achteten zwar darauf, keine politisch anstößigen Blätter in ihren Lesezimmern anzubieten, trotzdem standen die beiden größeren Vereine »Museum« und »Harmonie« bald im Verdacht, mit radikal liberalem Gedankengut zu sympathisieren (vgl. Puschner, S. 213 ff.).

Andererseits bemühten sich die Vereine, bei jedem Jubiläum im bayerischen Königshaus ihre Loyalität auszudrücken. Schon im zweiten Viertel des 19. Jahrhunderts hatten sich die meisten Lesevereine in gesellige Vereine umgewandelt und legten nun mehr Wert auf gemütliche Teezirkel, Musikabende und Ballveranstaltungen, als auf Bildung und wissenschaftliche oder politische Diskussionen.

U. L.

Wie ist doch die Zeitung so interessant
für unser liebes Vaterland!
Was haben wir heute nicht alles vernommen!
Die Fürstin ist gestern niedergekommen,
und morgen wird der Herzog kommen,
hier ist der König heimgekommen,
Dort ist der Kaiser durchgekommen –
bald werden sie alle zusammenkommen.
Wie interessant, wie interessant!
Gott segne das liebe Vaterland!

Was ist uns nicht alles berichtet worden:
Ein Portepeefähnrich ist Leutnant geworden –
ein Oberhofprediger erhielt einen Orden,
die Lakaien erhielten silberne Borten,
die höchsten Herrschaften gehen nach Norden,
und zeitig ist es Frühling geworden –
wie interessant! Wie interessant!

Hoffmann von Fallersleben, Unpolitische Lieder, 1841

Möblierung einer Vereinsterrasse

10.2.1 runder, dreibeiniger Tisch *

um 1820, Gußeisen, der untere Ring Schmiede-
eisen, 67,5, Ø 106; M 86/34

Die runde Tischplatte ruht auf drei Löwenmo-
nopodien, die in einen rechteckigen, seitlich
kannelierten und s-förmig geschwungenen Stab
übergehen, der sich in einem Kreis um die
Rosette schließt. Der Kreis trägt zusammen
mit einer Volute die Platte; die Tischplatte
besteht aus zwölf zirkelförmig angeordneten
Palmetten, die sich gegenseitig durchdringen
und durchbrochen gearbeitet sind.   H.O.

10.2.2 Vier Armlehnstühle *

Entwurf Karl-Friedrich Schinkel (Neuruppin
1781–1841 Berlin), Ausführung Königliche Ei-
sengießerei Saynerhütte oder Gleiwitzer Eisen-
gießerei, um 1825, Gußeisen und Eisenstäbe,
grün-bronzefarben über Menninge angestri-
chen, 77,5/42 × 48 × 48; M 86/35, 1–4

Gußeiserne Seitenstücke mit x-förmig gekreuz-
ten Beinen und nach auswärts geschwungener
und gebogener Armlehne und Armlehnstütze.
Diese beiden Seitenteile sind mit zwei Stäben
unter den Kreuzungspunkten der Beine ver-
bunden, dann mit 13 Eisenstäben als Sitzfläche
und mit zwei Stäben als Rückenlehne, deren
Füllung aus einem eingesetzten Gußeisenstück
besteht, verstrebt. Der gußeiserne Einsatz der
Rückenlehne zeigt als Ornament eine Lyra mit
Apollohaupt und Schwanenflügel zwischen
Akanthusvoluten.
Weitere Exemplare des Modells stehen im
Schinkelpavillion von Schloß Charlottenburg.
                                        H.O.

10.2.3 Zwei Parkbänke

wohl Österreich, nach einem Modell um 1830,
Gußeisen, Rundeisenverstrebungen, Gußteile
mit Graphitüberzug, sowie Fichtenholz gestri-
chen, 92 × 119,5 × 60, M 87/13,1–2; Schen-
kung Johannes Daxer, Schloß Haimhausen

Rücklehne und Sitzbrett ruhen auf geschupp-
ten, in doppelter S-Form gewundenen Schlan-
genkörpern, die im unteren vorderen Ende in
Köpfe von Höckerschwänen enden. Untereinander verstrebt werden diese tragenden Elemente mit gekreuzten, verbundenen Eisenstäben. Es handelt sich hier um Nachgüsse nach
Fragmenten einer Gartenbank, die im Schloß
Haimhausen/Dachau aufgefunden worden
sind.
Aus einem Schwanenhals mit Schlangenkörper
geformte groteske Mischwesen finden sich im
Formenkreis des österreichischen Spätklassizismus (vgl. auch die Kristallampel Kat.Nr.
4.8.8). Es ist zu vermuten, daß der Guß des
Originals aus einer Eisenhütte in Österreich
stammt. Ähnliche Bänke stehen in einem Park
in Klagenfurt. Das Prinzip des »Freischwin-
gers« oder Kragstuhls wird hier in einer Vorstufe formuliert.   H.O.

10.2.2

10.2.4 Reproduktionen aus verschiedenen deutschen und bayerischen Zeitungen oder Zeitschriften

1) Königlich Bairischer Polizey-Anzeiger oder
Kundschafts-Blatt von München, 1811
2) Münchner Politische Zeitung, 19. Jg. 1818 –
49. Jg. 1848
3) Flora, Ein Unterhaltungsblatt, 1820 ff.
4) Neues Kunst- und Gewerbeblatt, 1816 ff.
5) Die bayrischen Annalen, eine der Vaterlandskunde, Geschichte und Literatur gewid-
mete Zeitschrift, 1833
6) Der Bazar für München und Bayern, hg. v.
M. G. Saphir, um 1833
7) Das Pfennig-Magazin für Verbreitung gemeinnütziger Kenntnisse, 1834
8) Münchener Lesefrüchte unterhaltenden und
belehrenden Inhalts, 1834 f.
9) Vaterländisches Magazin für Belehrung,
Nutzen und Unterhaltung, insbesondere zur
Beförderung der Vaterlandskunde, Kunst und
Industrie, Erlangen 1838
10) Augsburger Allgemeine Zeitung, hg. v.
Cotta, Augsburg
11) Deutsche Theeblätter, 1839
12) Leipziger Illustrierte Zeitung, Leipzig
1843 ff.

10.2.2

13) Wiener Allgemeine Theaterzeitung, hg.
Adolph Bäuerle, Wien
14) Fliegende Blätter, Verlag von Braun und
Schneider, München 1844 ff.
15) Bayerische Landbötin, München 1848
16) Münchener Punsch, humoristisches Originalblatt von M. E. Schleich, München 1848 ff.

10.3 Vereinsmeier

198 verschiedene Vereine zählt Ingo Tornow in seiner Untersuchung über das Münchner Vereinswesen im Biedermeier auf (München 1977). Sie existierten zwar nicht alle gleichzeitig, viele von ihnen waren auch äußerst kurzlebig und bestanden nicht einmal ein halbes Jahr lang, doch vermittelt diese Zahl ein eindrucksvolles Bild der Münchner Vereinsgeschichte, die doch gerade erst begann. Etwa 80 »Privatgesellschaften, Vereine und Kränzchen zum Vergnügen der bürgerlichen Stände« erwähnt um 1840 Daxenberger in seinem »Münchener Hundert und Eins«:

»Da gibt es eine »Abendgesellschaft« wie es einen Abendstern oder eine Abendzeitung gibt; in der »Bürgertreue« und »Bürgerblüte« kommen die Bürger zusammen; Kaufleute vereinigen sich im »Handelscasino«; Handlungscommis in der »Union«; Buchdrucker in der »Typographia«. Es gibt eine »Einigkeit«, eine »Eintracht«, eine »Erheiterung« und »fröhliche Harmonie«, eine »Zufriedenheit«, eine »Ressource«, »Flora« und »Aurora« hier. Nie kann ich den Namen der Gesellschaft »Lätitia« gedruckt lesen oder hören, ohne an Roms Lätitia zu denken. Mit alten Erinnerungen aus der bayerischen Herzogszeit glänzend stehen Stahl- und Armbrust-, Ballester- und Bolzschützen-Gesellschaften hier. In allen diesen Privatvereinen wird gesungen und konzertiert, getanzt und Bier getrunken. Außerdem sind eine Menge zum Teil namenloser Klubs in München. In jedem Bräu- und Wirtshause, in jedem der bedeutenderen Kaffees sind abonnierte Tische, separierte Zimmer. – »Wer nennt, wer kennt die Namen alle?« Das Englische Kaffeehaus, wo »England« hoch und ritterlich thront, eine Zusammenkunft von etwa 20 Freunden, deren Gespräche und Wesen einer Tieck'schen Novelle zur Unterlage dienen könnten, von englischem Ernste und deutscher Gemütlichkeit erfüllt. Ebendaselbst und in Finks Kaffeehause die Maler. Wirt Achaz, der »Löwenbräu«, das »Kapplerbräuhaus«, »Havard«, die Cafetiers ci-de-vant Krois (wo »die reiche Kapelle«) und Schimon haben ihre Biergesellschaften, besucht von Mitgliedern der besten Stände. Bei »Zahler« die Polenfreunde, ein politischer Klub, der einzige seit den Illuminaten in München. Eine Gesellschaft führt den Titel »Franziskaner«, aber nicht wegen einer mönchischen Tendenz, sondern einfach deshalb, weil sie einst bei dem Franziskanerbräu ihr Quartier hatte. Eine andere heißt die Schnurrbartgesellschaft, weil alle Mitglieder derselben bebartet sein müssen. Über allen diesen aber stehen, mit potenzierten Kräften ausgerüstet, die drei großen Faktoren der Münchener Geselligkeit: Frohsinn, Bürgerverein und Museum. Sie geben Unterhaltungen im großen Maßstabe, Bälle und Konzerte, die beiden ersten auch Theater. Der »Frohsinn« zählt über 500, das »Museum« mehr als 300, der »Bürgerverein« 200 Mitglieder.

Einst gab es eine »Thalia«, die auch Theater spielte. Sie ist aufgelöst. Aber ein großer Musikverein, die »Privatmusikgesellschaft«, hat sich unlängst gebildet, bestehend aus den jungen Mitgliedern und Eleven des Hoforchesters. Man könnte sie eigentlich »die junge Gesellschaft« nennen. Choristinnen, Gesangsdilettantinnen und Tänzerinnen finden sich dort, häufig ohne mütterliche Aufsicht, ein. Ihre Produktionen sind gute Konzerte, worauf Tanz folgt. Nicht leicht wird eine Stadt mehr musikalisch sein als München. Klavierspiel und Gesang aller Orten.«

10.3.1 Musikalische Abendunterhaltung ✳✳ Abb. S. 221

Moritz Karl Friedrich Müller, gen. Feuermüller (Dresden 1807–1865 München), München, 1839, bez. u.r.: Moritz Müller / München 1839, Öl/Lwd, 110,5 × 94; 1386

Das Bild wurde 1839 im Münchner Kunstverein unter dem Titel »Ein Privatconcert (Nachtstück)« ausgestellt (Jahresbericht des Münchner Kunstvereins 1839, Nr. 247).
Darstellungen von privaten Konzerten waren schon in der niederländischen Malerei des 17. Jahrhunderts ein geläufiges Thema. Auf diesen Bildern erscheint das Konzert als ein musikantisches Vergnügen, an dem alle Anwesenden gleichermaßen teilhaben. Im 19. Jahrhundert dagegen wird es zu einer gesellschaftlichen Veranstaltung, bei der Musikanten (bei Müller eine Sängerin mit Streichquartettbegleitung) und Zuhörer zwei getrennte Gruppen bilden. Offenbar hat in der vorliegenden Darstellung der Gastgeber ein besonderes Musikzimmer, worauf die Muse, die als Skulptur im Hintergrund steht, hinweist. Auch für Gaumenfreuden war bei solchen Veranstaltungen gesorgt, da die Musik offenbar nicht alle Teilnehmer in gleicher Weise gefangennahm. Man sieht Aufmerksamkeit, Schwerhörigkeit, gähnende Langeweile, kindliche Naschsucht, Schlaf, unverständiges Staunen, sowie gesuchte und gefundene Zuneigung. Das auf diesem Bild nur angedeutete Interesse eines Zuhörers an der jungen Sängerin wurde im Jahre 1852 von Moritz von Schwind in seinem Gemälde »Eine Symphonie« gleichsam zu einem vielbildrigen Roman ausgesonnen (München, BayStGS).
B. E.

10.3.2 Sylvesterabend im »Harmonie«-Verein ✳ Abb. S. 212

Carl Fr. Moritz Müller, gen. Feuermüller (Dresden 1807–1865 München), 1858, bez. u.r.: M. Müller 1858, Öl/Lwd, 105 × 152, Lit.: AK Deutsche allgemeine und historische Kunstausstellung, München 1858, Nr. 1524; Boetticher II, 1, Nr. 31, 105; 34/1518

In München war die »Harmonie« nach dem »Museum« der zweitälteste gesellige Verein. Er wurde um 1802/03 gegründet und hielt sich bis in die dreißiger Jahre, lebte aber in der »Fröhlichen« oder »Neuen Harmonie« bis über die Jahrhundertmitte weiter (Tornow 1977, 45f., 51, 279, Nr. 68 und 69). Auch im nahen Augsburg gab es eine »Harmonie«, ebenso in Freiburg. Man hatte einen regen Austausch untereinander, wie das Freiburger Wappen über der Tür mit der Überschrift »VIVAT HARMONIA« belegt.
Das Bild Müllers gewährt Einblicke in das bürgerliche gesellige Leben an einem Sylvesterabend um 1858. Sekt und Bowle gehörten ebenso zum Vergnügen wie Kuchen und Äpfel, Musik und Tanz. Auf der Zither rechts liegt ein Blatt mit der Aufschrift »Landlerisch für zwei Zithern. Begleitung: ... von H. M.«. Auf dem Tisch liegt eine Zither, am Stuhl lehnt eine Laute.

An der Rückwand hängt ein größeres bekränztes Festgedicht mit der Überschrift »PROSIT NEUJAHR 1858«, außerdem finden sich an der rechten Wand einige Bekanntmachungen wie »Sylvesterabendball« und das unleserliche Verzeichnis der »Mitglieder der Gesellschaft Eintracht« (der 1838 gegründete jüdische gesellige Verein »Concordia«; Tornow 1977, 50, 145, 273, Nr. 39). Der Ball scheint im Nebenraum schon zu beginnen, während man im vorderen Raum noch beim Essen und Trinken, bei vielversprechenden Komplimenten und Gesprächen ist.
Das Bild ist ein spätes Beispiel für Müllers Innenraumdarstellungen bei künstlicher Beleuchtung. Zugleich zeigt es seine humorvolle Art der treffenden Charakterisierung, die bei der Vielfalt der Personen sicher auf Porträtstudien beruht.
B. E.

10.3.3 Eintritts-Billet in die »Harmonie«

1812, Druck, Handschrift, 7,6 × 12; 68/202/ 132

»Für S. H. Herrn Baron von Fugger von Kiritzberg, kögl. Kämmerer eingeführt durch K. S. H. von Hofstetten, kögl. Kreis-Direktor. A dato 4 Wochen giltig, den 29. Jenner 1812 / Feuerbach.«

10.3.4 Eintrittskarte zum »Harmonie«-Ball

11. Februar 1838, Druck, 5,5 × 8,8; 68/202/158

10.3.5 Theaterzettel der Gesellschaft des Frohsinns

München, 1842, Buchdruck, 29,2 × 18,5 (beschnitten); München, Bayerische Staatsbibliothek 4° Bavar 1810ᵐ

Das musikalische Genre der Tongemälde oder musikalischen Bilder war in der Biedermeierzeit in den Unterhaltungsprogrammen der Bürger neben Stegreifspielen und pantomimischen Darstellungen häufig zu finden. Am 17.12.1842 wurde eine »Musikalische-Lustdampf-Fahrt auf der München-Augsburger-Eisenbahn« in 11 Szenen gegeben. Das Potpourri begann mit dem Glockenzeichen zum Einsitzen und führte dann über den feierlichen Empfang in Augsburg wieder zur Ankunft in München. Der festliche Empfang in Augsburg deutet daraufhin, daß hier die Eröffnung der Linie Augsburg-München am 4.10.1840 nachgespielt wurde.
Das zweite Tongemälde »Der alte Feldherr« stellt eine Reminiszenz an Napoleon dar. In dreizehn Sätzen wurde zunächst sein Feldzug in Ägypten, dann seine Machtübernahme in Paris dargestellt.
In der späteren Biedermeierzeit waren solche Erscheinungen einer »Napoleon-Nostalgie« nicht selten.
U. L.

10.3.6 Zwei Theaterzettel der Gesellschaft des Frohsinns

München, 1843 und 1844, Buchdruck, je ca. 21 × 16; München, Bayerische Staatsbibliothek 4° Bavar 1810ᵐ

1) Ankündigung einer Posse mit anschließender Darbietung sogenannter »lebender Bilder« der Theatergruppe Regenti & Wlach nach antiken Plastiken und berühmten Gemälden (Thorwaldsen). Die Aufführung endete mit der Darstellung des Hermanns-Denkmals bei Detmold nach Bandel.
2) Ankündigung einer Posse von Kotzebue mit anschließender Darbietung »Mimisch plastische Darstellung in 4 Tableaux«; gezeigt wurden vier orientalische Szenen. Den Abschluß bildete die Pantomime »Amor überbietet Alles« mit dem Solopart eines fünfjährigen Mädchens.
Die unterhaltsamen Abende der Gesellschaft Frohsinn begannen in der Regel um sieben Uhr und endeten gegen neun Uhr. Beliebt waren auch konzertante Aufführungen mit Sologesang, Trios oder Quartetten. Die Darbietung »Lebender Bilder« nahm einen breiten Raum im Unterhaltungsprogramm des bürgerlich-geselligen Vereins der »Gesellschaft des Frohsinn« ein.
U. L.

10.3.7 Eintrittskarte für den Landtags-Abgeordneten Herrn Freiherr v. Wester zu einer Privatgesellschaft des geselligen Vereins »Frohsinn«

Druck, 6,7 × 9,4; Lit.: Tornow 1977; 68/202/ 140

Der gesellige Verein »Frohsinn« bestand von 1830 bis 1845. Seine Mitglieder rekrutierten sich vor allem aus dem niederen Beamtentum und der »petite bourgeoisie«, wie ein französischer Besucher Ludwigs I. abschätzig bemerkte.
B. B.

10.3.8 Ankündigung »musikalische Abendunterhaltung« von Johann Strauss, Musik-Direktor aus Wien

9.10.1835, Buchdruck, 42 × 30; München, Bayerische Staatsbibliothek 2° Bavar. 829

10.3.9 Der große Galopp von Johann Strauß ✳

Johann Christian Schoeller (Rappoltsweiler 1782–1851 Wien), Andreas Geiger (Wien 1765–1856 Wien), Wien, um 1840, bez.: Schoeller del; And Geiger sc., Kupferstich, koloriert, 22 × 25,8; Lit.: AK Deutscher Humor, Paris 1974; Böhmer 1968, 182 (Abb.); Slg. Böhmer

Schoellers Kupferstich erschien in der Beilage der Wiener »Theaterzeitung« als »Wiener Scene« Nr. 25. Der verspottet die durch Strauß' Kompositionen ausgelöste Tanzbegeisterung, der sich offensichtlich auch die bessere Gesellschaft bis zur Ekstase hingab.
B. B.

Der große Galop von Joh. Strauß.

Wien im Bureau der Theaterzeitung, Rauhensteingasse N°970.

10.3.9

10.3.10 »Letitzel« Festprogramm eines großen Maskenballs im Saal des Kleinen Rosengartens am 23. Februar 1846

1846, Lithographie, 82 × 63; Z (E 3) 2007 a

Das Veranstaltungsplakat zeigt in der Mitte mit großen Buchstaben die einzelnen Programmpunkte auf, von oben nach unten:
1) »Essen« – links und rechts zwei Wildschweine, darunter Bierfaß mit Kellnerin und Raucher in türkischer Tracht.
2) »Illumination/Feuer – Wasser – Werk / Mit einer gehörigen Zahl Vispern u. Schlägen«, links und rechts davon Feuerwerker-Entwürfe.
3) »Ball« – das Wort prangt auf zwei großen Trommeln, die ein Affe schlägt, links und rechts von ihm hocken noch je ein Affe, der Fanfare bläst.
4) »Turner«, zu beiden Seiten Ritter in prächtigen Rüstungen, auf den Köpfen Buschen aus Pfauenfedern, neben dem linken Ritter ein Wappen mit Bierkrug, neben dem rechten ein Wappen mit Wurst, entweder ein Hinweis auf eine weitere Stärkung der Festteilnehmer oder auf die Mitgliedschaft der Turner in den Gesellschaften der Brauer und Metzger.
5) »Stiergefecht« – gerahmt von zwei Stieren. Neben ihnen erscheinen bereits ein Luftschiff und ein Dampfschiff, denn dann gab es
6) »Zum Schlusse/ Dampf u. Luftschiffahrt/ am Bord der Phantasie und Montgolfière Pamphili«.
Darunter noch ein Spruch, gerahmt von Eule und Fledermaus sowie zwei müden Narren:
»So ist jede schöne Gabe/ Flüchtig, wie des

Blitzes Schein;/ Schnell in ihrem düstern Grabe/ Schließt die Nacht sie wieder ein.«
Links und rechts auf Fahnenbändern, die oben von je einem Pyr geschmückt sind, das genaue Programm mit detaillierten, scherzhaften Verhaltensmaßregeln für die Teilnehmer: »Die Frauenzimmer erscheinen in ihren nationalfarbenen Hochzeitskleidern. Die Herren in Montur mit Vorstecknadeln von gestocktem Eidezelblut á jour gefaßt, und alle übrigen heraldischen Auswüchse von Perlvater . . . Wem übel wird . . ., der halte sich links, weil rechts die Damen sitzen . . . außerdem sind zum Nachhausegehen Laternen an Stecken, und nach Belieben Metzgerwagerln, Milchschlitten und Schubkarren im Höfe ausgestellt«. Das Letitzel bildete als ungezwungenes bürgerliches Faschings-Maskentreiben den Gegenpol zu den steifen, zeremoniellen Maskenbällen bei Hofe. Das umfangreiche Programm beweist mindestens ebensoviel Phantasie und Einfallsreichtum wie die Kostüme und Szenen bei Hofe. »Letitzel« könnte sich von dem lateinischen Wort »Lätitia« für Fröhlichkeit ableiten. U.L.

10.3.11 Anglia-Jubiläum 1846

Franz Graf von Pocci (München 1807–1876 München), 1846, bez.: 18 F P 46, Holzschnitt, 18 × 22,3; Z (A 11) 2007

»Wie wir im Jahre Sechs und Vierzig hier beisammen steh'n, Geb's Gott, dass wir uns ›Sechs und fünfzig‹ fröhlich wiederseh'n!«
Festblatt zum Angliajubiläum 1846 mit den karikierten Porträts der Mitglieder.

10.3.12 Sechs Zeichnungen für die Mittwochsgesellschaft *

um 1830, Bleistift, ca. 17 × ca. 13; M IV/798, 1–6

Bei den sechs anonymen Bleistiftzeichnungen von sehr hoher zeichnerischer Qualität handelt es sich um fünf teilweise nur skizzenhafte Vignetten und eine detailliert ausgeführte Darstellung einer Tafelgesellschaft. Die Zeichnungen kommen aus dem Besitz der »Mittwochs-Gesellschaft« und waren vielleicht als Entwürfe zur Gestaltung von Menu-Karten oder Tischdekorationen gedacht.
1. Die Vignette zeigt eine Köchin in Münchner Tracht in einem Kücheninterieur. Sie schreibt in ein Haushaltsbuch, das auf einem Pult mit der Inschrift »NICHT MEHR ALS SECHS! ABER GUT!«, liegt. Durch ein Lunetten-Fenster sieht man im Hintergrund die Türme der Frauenkirche.
2. Eine Herrengesellschaft beim Mahl. Die mit portraithafter Individualität charakterisierten Herren, unter ihnen ein General in Paradeuniform, sitzen Champagner trinkend an einer reichen Tafel und werden von Mädchen in Münchner Tracht bedient. Die Art der Bekleidung ebenso wie die reiche Ausstattung des Speisesaals und das qualitätvolle »Biedermeier«-Mobiliar lassen auf ein aristokratisches oder sehr wohlhabendes bürgerliches Milieu schließen.
3. Vignette, die zwischen aus Gemüse und Rankenwerk gebildeter Treillage sechs Schüsseln mit Speisen zeigt; sie enthalten einen Kalbskopf, einen Wels, Austern, Spargel, ein Brathuhn und einen Krebs. Dazwischen in zwei runden Medaillons die Inschriften »MITTWOCHS« und »III UHR«.
4. Vignette, die unter einer Weingirlande eine prunkvolle Schüssel mit Straßburger Gänseleberpastete zeigt. Der Deckel trägt einen Kandelaber, den ein Truthahn am Bratspieß ziert. Flankiert wird das Gefäß von zwei Füllhörnern und zwei antiken Kannen mit bukolischen Darstellungen.
5. Nur teilweise ausgeführte Vignette mit Rahmengirlande, in die Weinflaschen eingeflochten sind. In der Mitte ein Stern, der aus sich abwechselnden Sektflöten und Weingläsern gebildet ist.
6. Vignette mit einer parodistisch aufgefaßten thronenden Iustitia-Gestalt, die durch die Finger schielt. Darunter ist die Inschrift »IN IUSTITIA SALUS« angebracht, die durch den sehr geringen Abstand zwischen den Worten »in« und »Iustitia« ein Wortspiel mit der Bedeutung »Ungerechtigkeit« intendiert. Neben dem Thron je ein neugotischer Opferstock (Inschrift: PRO BONO PUBLICO), darüber zwei Lictorenfasces, die aus Kochlöffeln und einem Schlachterbeil, bzw. einem Bratspieß gebildet sind.
In den ersten Jahrzehnten des neunzehnten Jahrhunderts wurden in München neben einer Vielzahl von meist kulturell, politisch, gewerblich oder religiös orientierten Vereinen auch zahlreiche gesellige Vereinigungen gegründet, deren älteste und größte das »Museum« und

die »Harmonie« waren. Im Gegensatz zu diesen großen Vereinen, die viele Mitglieder aus unterschiedlichen Schichten umfaßten, handelt es sich bei der »Mittwochs-Gesellschaft« um eine kleine und sehr exklusive Vereinigung, die sich wohl vor allem zu gemeinsamen Diners versammelte. Die »löbliche Gesellschaft zu den sechs Schüsseln«, wie sie sich auch nannte, wurde 1827 gegründet und beschränkte sich auf die Zahl von zehn Mitgliedern. Neben dem Gründungsmitglied Egid von Kobell, dem Onkel des Naturwissenschaftlers und Dichters Franz von Kobell, scheinen ihr hauptsächlich hohe Beamte und Militärs angehört zu haben. In ihrer Satzung stellt sie ihre Zusammenkünfte unter die Maximen der »Vereinfachung der Sitten« und der »Liebe zur Mäßigkeit«, welche sich darin manifestierten, daß die Speisenfolge auf die Zahl von sechs Gängen beschränkt war – durchaus ein Konzept maßvollen Lebens, gemessen an einem zu der Zeit nicht seltenen Menu von dreißig Gängen (Tornow 1977, 57). »Nicht mehr als sechs Schüsseln, aber gut« war das Motto, bei dessen Befolgung aber auch die Forderung nach Qualität ernst genommen wurde. Man versammelte sich in vierzehntägigem Turnus in dem Haus eines der Mitglieder zum Diner um 15 Uhr – eine Tageszeit, die ebenso wie die Exklusivität der Speisen und Getränke auf den Reichtum der Gastgeber schließen läßt. Am Ende jedes Gastmahls wurde ein humoriges Gericht abgehalten, – worauf sich auch die Vignette der »Iniustitia« bezieht –, bei dem einige Mitglieder zum Zweck der Finanzierung des Champagner-Konsum zu Bußgeldzahlungen verurteilt wurden. Bestraft wurde dabei sowohl derjenige, der von Geschäften oder aber überhaupt nicht sprach, aber auch der, der schon seit mehr als drei Versammlungen überhaupt keine Strafe hatte zahlen müssen.　　　　　　　　　　　　B.B.

10.3.12/1

10.3.12/2

10.3.13 Gesellschaft beim Penglahmwirt * Abb. S. 216

Simon Mayr (München um 1806), München, 1830, bez. u.l.: M 1830, Lithographie 30,6 × 33,3; Lit.: MK Proebst, München 1968, Nr. 1417; P 1417

In einem wohl »abonnierten« Nebenzimmer des Gasthauses »Zum Penglahmwirt« in der Hofstatt hat sich um einen l-förmigen Tisch eine sehr homogen wirkende Männergesellschaft zu einer musikalischen Abendunterhaltung versammelt. In ihrer Mitte eine Frau, die sich selbst auf der Gitarre begleitend, Lieder vorträgt. Es kann sich bei dieser Veranstaltung sehr gut um eine musikalische Soireé handeln, zu der ein geselliger Verein seine Mitglieder eingeladen hat.　　　　　　　　　　　　B.B.

10.3.14 Jahresgabe des Münchner Kunstvereins 1836

Eugen Napoleon Neureuther (München 1806– 1882 München), München, bez.: u.l.: Eugene Neureuther comp. und radiert; u.M.: Druck v.

Carl Mayr in Nürnberg, Radierung in altem Kirschbaumrahmen mit Verglasung; 88 × 67; Lit.: AK BaKuKu, Nr. 1890; M 85/73

Das Blatt zeigt das in hundertjährigem Schlaf versunkene Schloß der Prinzessin mit all seinen in mittelalterlichen Gewändern gekleideten Bewohnern. Zentrales Motiv ist unter einem gotischen Bogen Dornröschen, das gerade von einem Prinzen durch einen Kuß geweckt wird und damit das Schloß vom Fluch erlöst. Umrahmt wird die Szene von einer neugotischen Architekturkulisse, die von Kletterrosen mit darin eingebundenen Gestalten umrankt ist. Im unteren Drittel des Blattes ist der Text des Grimmschen Märchens abgedruckt, in der Mitte Szenen der Vorgeschichte; darunter in Fraktur-Schrift die Widmung: »Dem Kunstverein in München / seinen Mitgliedern – für 1836«. 1862 führt Neureuther ein Aquarell (StG Lenbachhaus G 12829) gleichen Themas nach der Radierung von 1836 aus.
Neureuthers Dornröschen-Darstellung wurde im Jahre 1846 als Vorbild für die Gestaltung des Münchner Künstlerfaschingsfestes in Odeon herangezogen, das unter dem Motto stand: »Das Zauber-Schloß in Narrenheim« (vgl. Kat.Nr. 7.6.14). In Anlehnung an seine Architekturkulisse in neugotischem Stil war im großen Odeonsaal die Burg Narrenheim aufgebaut; so heißt es in einem ausführlichen Bericht: »Mitten zwischen hohen Waldbäumen in fabelhafter Architektur erhob sich das Zauberschloß, zu dessen oberen Räumen breite Treppen führten, unter welche ein großer halbrunder Raum für die Küchen- und Kellergesinde des Prinzen war, während dieser selbst mit der Prinzessin und dem Hofstaat den oberen Raum einnahm und die Treppen von den Widersachern besetzt gehalten wurden . . .« (Leipziger Illustrierte Zeitung 1846, 315).　　U.K.

10.3.15 Eine Symphonie (vgl. Abb. S. 176)

gestaltet von Julius Ernst Roy (nach Moritz von Schwind), Kupferstich, 95 × 65, Lit.: MK BayStGS V., 1984, 460–464; M II/3134

Vgl. Aufsatz Eschenburg, S. 176f.

10.3.16 Pfeifenkopf mit einer Museumsgesellschaft, die ihr Vereinslokal verläßt

1834, bez.: Das Museum zu Saindlein seinem Prandtl 1834, Porzellan bemalt, Deckel: Messing versilbert, feuervergoldet (Vermeil); 13,5; 36/1838

10.3.17 Sängerfestkrug

Entwurf: Ludwig II Foltz (Bingen 1809–1867 München), Ausführung: Villeroy & Boch, Mettlach, 1847, bez. im Deckel: »Stadler«, Umschrift auf dem Deckel: »Im tackte fest im tone rein soll unser thun und singen sein.«; Steinzeug, Zinndeckel, 21, ⌀ 9,3; Lit.: Micus 1986, 130, Abb. 84; K 78–79

Reliefdarstellungen auf der Wandung: Liebespaar mit Unterschrift: »beim liebchen da müssen/ wir kosen und küssen«; Zecher mit Unterschrift: »sind traut sie und beieinand/ nimm die kañe zur hand«; Mandolinenspieler mit Unterschrift: »bei jeglichem Feste/ ist gesang stets das beste«; Almosengabe. In der Mitte des Deckels Wappen von Regensburg: zwei gekreuzte Schlüssel.
Seit 1841 war der Bildhauer und Architekt Ludwig Foltz in Regensburg ansässig und dort seit 1845 Lehrer an der Kunstgewerbeschule. 1847 entwarf er für das vierte Bayerische Sängerfest die Dekorationen einschließlich des

Baus der Sängerhalle. Nach seinem Entwurf wurden auch die Festfahne, der Festpokal und zum Teil auch das Erinnerungsbuch gestaltet. Für die Festteilnehmer entwarf er schließlich eine Gedenkmünze und einen Bierkrug aus in der Masse gefärbtem mittelbraunem Steinzeug, der in der schon frühzeitig auf Massenproduktion eingestellten Mettlacher Firma erzeugt wurde. N. G.

10.3.18 Sängerfestkrug *

Entwurf: Ludwig Foltz (Bingen 1809–1867 München), Ausführung: Fa. Villeroy & Boch, Mettlach, 1847, in der Masse gefärbtes Feinsteinzeug, 19, Lit.: Endres 1983, 283–286; Micus 1986, 129–31; K 39/590

(Vgl. Kat.Nr. 10.3.17.) Um dieses zweite Exemplar des Sängerfestkruges sind noch die originalen Reste der Schleife mit den Regensburger Stadtfarben Rot/Weiß gewunden. R. M.

10.3.19 Medaille auf das Regensburger Sängerfest 1847

Drentwett, bez. u. r.: Drentwett, 1847, zweiseitige Prägung, versilbert, Ø 4; 5278

VS: Auf das Regensburger Wappen gestützt dirigiert ein Mönch zwei singende Knappen; 1847; RS: Im Eichenlaubkranz die Aufschrift: Im Takte fest im Tone rein soll unser Thun und Singen sein.

10.3.18

10.3.20 Medaille auf das Sängerfest in Landshut, 12.–15. Juli 1846

Drentwett, 1846, bez. u. M.: Drentwett, F., Bronzeprägung, Ø 3,6; 5014

VS: Eine stehende männliche Gottheit mit Leier; Umschrift: Das Schönste in dem Reich des Schönen blüht in des Liedes Zauber Thönen; RS: Blick aus Landshut; Umschrift: Saengerfest zu Landshut; Aufschrift: Den 12 U 15 Juli 1846.

10.3.21 Pyramidenflügel

Caspar Schlimbach, Königshofen (Franken), um 1820, bez.: Caspar Schlimbach in Königshofen, Gehäuse Nadelholz, Nußbaum furniert (ehemals rot gebeizt). Obere Saitenabdeckung (in Pyramidenstumpfform) und Kniefüllung mit Stoffbespannung und aufgesetztem schwarzem Ornamentleistenwerk. Sogenannte »hängende« Wiener (Deutsche) Mechanik mit Fängerleiste. Klaviaturumfang FF – f⁴, Klaviatur mit Knochen und Ebenholz belegt. Doppelchörige Besaitung, die tiefsten elf Chöre Messing, der Rest Stahl. Belegung der Pedale: 1 Dämpfungsaufhebung, 2 Nicht rekonstruierbar, 3 + 5 Moderator, 4 Verschiebung, 6 Türkische Musik und Fagottzug. (Die Moderatorbetätigung mittels zweier Pedale und das gleichzeitige Einschalten von Fagottregister und »Türkischer Musik« ist sicher nicht original.); 220 × 113 × 59, ca. 150 kg; München, Deutsches Museum, Nr. 24225

Die »Türkische Musik« setzt sich hier aus drei »Cymbeln« und, als Besonderheit, einer in die Rückseite eingelassenen großen Trommel zusammen. M. K.

10.3.22 Schützenscheibe der Münchener Schützengesellschaft

München, 1826, bez.: den 19. 2. 1826, Öl/Holz, Ø 85, Lit.: Tornow 1977, 87; L 694

Im oberen Teil der Scheibe befindet sich die schwarze Zielscheibe mit Einschußlöchern. Darunter scharen sich die Schützen um einen Sockel mit brennendem Feuer. In dieses bläst ein Engel den Schriftzug »Gott segne euern Bund«. Die Kleidung der Schützen verweist auf ihre Herkunft als Städter, Oberländer und Militär. Die Schriftzüge aus ihren Mündern lauten: »Münchens Schützen leben hoch«, »Liebevolle Eintracht«, »Strenge Ordnung«, »Wechselseitige Achtung«, »Wir alte Schützen leben hoch«. Der umlaufende Schriftzug wiederholt diese Sprüche: »Strenge Ordnung, liebevolle Eintracht, wechselseitige Achtung seyen die dem Zahne der Zeit und allen widrigen Geschicken fest trotzenden und unerschütterlichen Grundpfeiler unserer verehrlichen Schützengesellschaft. München den 19.ten Februar 1826.«
Die Scheibe rührt her von einem Schießen der »Kgl. priviligierten Hauptschützengesellschaft« 1826, seinerzeit die einzige Feuerwaffenschützengesellschaft in München. Ihre Schießstätte hatte sie, die ihr Bestehen auf das

Jahr 1406 zurückverfolgt, vor den Toren der Stadt. 1847 mußte das Gebäude dem neuen Bahnhof weichen. 1853 bezog die Gesellschaft ihr neues Domizil auf der Theresienhöhe nördlich der Bavaria.
Erst 1844 kam es mit der Gründung der »Kleinfeuergewehr-Schützengesellschaft« eine weitere Vereinigung für Feuerwaffenschießen dazu. Daneben pflegten in der ersten Hälfte des 19. Jh. mehrere Münchener Bolzschützengesellschaften das Schießen mit der Armbrust. F. D.

10.3.23 Schützenscheibe »Gewidmet von der klein Feuer-Gewehr Schützengesellschaft am Prater zum neuen Jahr, 1850«

Öl/Holz, Ø 79, MStM

Auf dem Bild zwischen den vier Zielscheiben mit Einschußlöchern prosten sich Schützen zu und reichen sich die Hand. In dem Baum hinter ihnen hängt eine Scheibe mit dem Motiv eines sitzenden Schützen (vgl. Kat.Nr. 10.3.24). Unter der Szene steht: »Haltet fest an dem Freundschafts-Band, Und reichet Euch Alle brüderlich die Hand.« Am unteren Scheibenrand sind die am Schießen beteiligten Schützen aufgeführt. Der Sieger »Nr. 1 Herr Gruber« war der Praterwirt Georg Gruber, in dessen Vergnügungsstätte auf der Isarinsel die Gesellschaft zusammentraf. F. D.

10.3.24 Münchener Schützenscheibe

um 1845, Öl/Holz, Ø 100; 55/614

Ein Schütze in der Tracht der Gebirgsschützen aus dem Oberland mit grünem Rock, kurzer Lederhose, gestrickten Strümpfen und grünem Stopselhut mit Auerhahnfeder sitzt rauchend an einem Tisch, auf dem ein Schützenpokal steht. Zwischen den Beinen lehnt sein Gewehr. Diese Zierscheibe, auf die nicht geschossen wurde, muß mit der 1844 gegründeten Kleinfeuergewehr-Schützengesellschaft in Verbindung stehen, da sie auf deren Scheibe von 1850 in Miniatur zu sehen ist (vgl. Kat.Nr. 10.3.25). F. D.

10.3.25 Schießscheibe mit Ballon über München

nach Gustav Seeberger (Marktredwitz 1812–1888 München), nach 1841, bez. rückwärtig (von fremder Hand): Prof. Seeberger pi XLX, Öl/Holz, Ø 15,7; Z 9

In Frankreich entwickelt, hat die Ballonfahrt auch im südlichen Deutschland ihre begeisterten Anhänger gefunden. In München stieg wie zuvor bereits in Wien die darob berühmte Wilhelmine Reichardt anläßlich des Oktoberfestes von 1820 auf der Theresienwiese in die Lüfte. An dieses einzigartige Ereignis erinnert eine bei Josef Sidler erschienene Lithographie (M I/1847). Weitere Ballonfahrten sind aus Heidelberg (1825) und Nürnberg (1829) überliefert (AK »Leichter als Luft«, Münster 1978, 288). Die kleine Schießscheibe wird wohl eine Reminiszenz an die Ballonfahrt der Madame Rei-

Thierſchutz.

Weiß Er nicht, daß die Thierquälerei bei 5 fl. Strafe verboten iſt?

„Nu, ſchauen's Ihren Handwerksburſchen an, den haben's auch net ſchlecht geknebelt."

Schweig Er! ist denn der ein Thier?

10.3.29

chardt sein. Bei dem Luftschiff handelt es sich um eine mit Gas gefüllte Charliere, benannt nach ihrem Erfinder Jacques Alexandre César Charles (1746–1823), die den gefährlichen Heißluftballon der Brüder Montgolfier abgelöst hatte. – Das Stadtpanorama nach Westen ist Zitat eines Blattes aus einer Litho-Folge von Gustav Seeberger »Panorama von München und seinen Umgebungen im Jahre 1841 vom St. Petersthurm aus«, das für Karl August Steinheils (Rappolts 1801–1870 München) Pyroskop angefertigt worden war. Seeberger hat dieses Motiv in zwei Ölgemälden von 1843 (MStM) und 1844 (StB Lenbachhaus) und in einem Aquarell für das König-Ludwig-Album 1850 (StGSlg.) wiederholt und um einen Turmwächter mit Fernrohr erweitert.   M.M.

10.3.26 Lade der Landjäger

1848, Nußbaum, innen Birke, 22,4 × 50 × 34,6; Lit.: Kolb (Hg.) 1834; 35/532

Kasten mit hoher gefaster Sockelleiste, Stülpdeckel mit profilierter Randleiste. Beilade mit zwei Schubkästen. In Deckelaufseite eingelegte Jahreszahl 1848. Auf Innenseite Ganzfigur eines uniformierten Schützen in Öl gemalt. Halbkreisförmiges Messingschlüsselschild für zwei Schlüssel, graviert »Gewidmet von Schützen Hauptmann X. Baumgärtner«.
Wie durch eine Lithographie von Kolb (1829) belegt ist, trugen die Schützen des Bürgermilitärs eine blaue Uniform mit grünen Tressen und Kordeln.   U.L.

10.3.27 Pokal der Landwehr

Steingut, bemalt, Zinn, 20,2, ⌀ 5,8; XI/144

Auf dem Zinnring die Gravur: »Alte Landwehr/Geschenk von J.M. Hörmann/Wehrmann der Grenadier Companie«.

10.3.28 Bockbierglas der Vereins-Landwehr

wohl Bayerischer Wald, 1845, farbloses Glas mit Schnitt; Zinnmontierung, 36,5; K XII-145

Hohes, unten und oben gewulstetes Stangenglas auf gewölbtem, zinngefaßtem Fuß, auf der Wandung die Inschrift: »Den Ansagern, aller Waffengattungen, / der kgl: Landwähr Münchens, zum Andenken / an den 25.ten August 1845. gewidmet von / Joh. Deger, Stabs-Ansager der Cavallerie. / Halcher. / Sell. O/ Schindler. / Krum. O / Dirnbacher. / Simmon. / Häufel. / Horschelt. / Kollmansberger. † / Straub. / Müller. / Kramer. O Platzer / Gerstacher † / Dodl. O / Strirner. / Oettl. / Lösch. / Würfl O Rath. / Dasio. † Bode /. / Huebmer. / Putz. / Kunst.   C.S.

10.3.29 Broschüren und Jahresberichte des Münchner Vereins gegen Thierquälerei ✳

München, 1843–1847, Buchdruck, broschiert, teilweise in farbigem, schwarz bedrucktem Einband, ca. 15 × 13, Lit.: Tornow 1977, 36, 148f.; München, Stadtarchiv München, Polizeidirektion, Nr. 431/1

Der Münchner Verein gegen Tierquälerei ging aus einer Filiale des Nürnberger-Vereins hervor und wurde bald zum Zentrum des Tierschutzes in Bayern und zum bedeutendsten Verein dieser Art in Deutschland und Europa. Treibende Kraft war der Hofrat und Advokat Johann Ignaz Perner (1796–1867). Der Verein konstituierte sich am 10.3.1842, seine Mitgliederzahl stieg innerhalb von zehn Monaten auf 1 000 an.
Sein Hauptanliegen und auch ein hauptsächlicher Anlaß zur Gründung des Vereins waren die damaligen Gepflogenheiten beim Transport der Kälber zum Schlachthof: »Die Köpfe herunterhängend, häufig dieselben auf dem Straßenpflaster oder Wagenrade schleifend, werden sie lechzend vor Durst, unbeschreibliche Qualen leidend, oft mehrere Tage und Nächte fortgeschleppt. Die fest aneinandergebundenen Füße laufen ihnen an; das Fleisch ist oft bis an die Knochen eingeschnitten, mit Blut unterloffen, oft ganz versulzt; von Fliegen, Bremsen und anderem Ungeziefer werden sie wehrlos mißhandelt; dieses Ungeziefer kriecht ihnen in die Ohren und in die Augen, so daß diese durch die Geschwulst oft ganz geschlossen sind; durch die gekrümmte Lage wird ihnen das Wasser krampfhaft zurückgehalten, auch die Blasen sind daher oft ganz von Blut unterloffen; die Augen sind ihnen herausgetrieben, und das Fleisch, Blut und Säfte nicht mehr gesund seyn können, muß jedem einleuchten, der sich nur einmal auf den Kälbermarkt bemühen und

den Fieberzustand beobachten will...« Angeblich mußten die Kälber so transportiert werden, damit das Fleisch besonders weiß blieb. Die »Münchner Leuchtkugeln« (I, Nr. 18, 141) zeigten 1848 einen tierfreundlichem Gendarmen im Disput mit einem Bauern, der auf die oben beschriebene Art gerade sein Kalb zum Schlachten in die Stadt fährt.   U.L.

10.3.30 Medaille des Tierschutzvereins

um 1850, bez. vorderseitig: Als Anerkennung erwiesener Humanitaet vom Vereine gegen Thier-Quaelerey in München; rückseitig: Grausamkeit gegen Thiere verhärtet das Gemüth auch gegen die Menschen. ⌀ 4,1; 8102/ 1738

10.3.31 Becher mit Freimaurer-Symbolen

wohl Böhmen, um 1820, farbloses Glas mit Gelbätze, Schliff und Schnitt, 11,7; Lit.: Vgl. MK Regensburg 1977, Kat.Nr. 321; K 58-73

Konischer Becher auf hohem, mit Gehängen verziertem Walzenschliff-Fuß, auf der Wandung Freimaurer-Symbole vor gelbem Grund.
C.S.

10.3.32 Für historische Vereine *

München, Holzstich, 22 × 16,5; Fliegende Blätter, II, Nr. 18, 142

142   **Für historische Vereine.**

„Das war also die Burg Kaspars des Thoringers?!" —

Das sind die Züge der unglücklichen Argula von Grumbach.   Das Grab des Ritters Feigo von Bomfen.

10.3.32

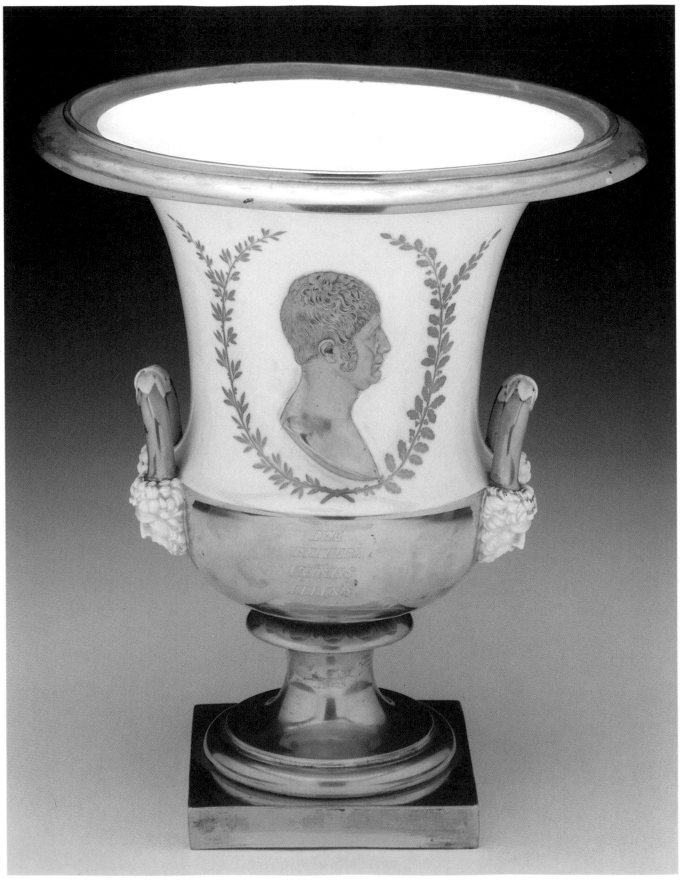

5.1.57

10.4 »Frei ist der Bursch!«

Ebenso wie die 1825 aufgelösten Zünfte, konnten auch die Studentenverbindungen an den Universitäten auf eine traditionsreiche Geschichte bis ins 12. und 13. Jahrhundert zurückblicken. Die Studentenkorporationen hatten sich seit dem Mittelalter an den Universitäten nach nationaler Herkunft in Landsmannschaften zusammengefunden; so trafen sich alle Bayern in der Bavaria, alle Franken in der Franconia und die Schwaben in der Suevia. Diese Verbindungsnamen haben sich bis in die Gegenwart erhalten, obwohl schon Anfang des 19. Jahrhunderts die Herkunft eines Studenten für die Aufnahme in eine Verbindung nicht mehr ausschlaggebend war. Im 18. Jahrhundert wurden die Landsmannschaften vielfach von den unter dem Einfluß der Freimaurer entstandenen »Orden« abgelöst, die sich durch rituelle Bräuche und strenge Prinzipien – Gehorsam, Verschwiegenheit, Freundschaft fürs Leben – auszeichneten und ihre Zusammengehörigkeit nach außen durch Zirkel, Wappen und Wahlspruch dokumentierten. Im Gegensatz zu den Landsmannschaften konnten sich die am Ende des 18. Jahrhunderts mit der französischen Revolution sympathisierenden Orden an den Universitäten nicht behaupten. Sie verschwanden wieder, allerdings nicht ohne die meisten ihrer Sitten an die traditionellen Studentenverbindungen weitergegeben zu haben. Diese nannten sich nun zuweilen auch Corps und waren inzwischen straff organisierte Korporationen mit festen Verhaltensmaßregeln und Grundsätzen, die einerseits einem fast ritterlichen Ehrenkodex und andererseits einem sicheren demokratischen Bewußtsein entsprachen. Student sein hieß damals gleichzeitig aber auch, frei zu sein. Diese Freiheit dokumentierte sich in dem persönlichen Ungebundensein des Studenten, in seiner Universitätszugehörigkeit, die ihn dem Zugriff der allgemeinen Strafgerichtsbarkeit entzog und ihn der akademischen Jurisdiktion unterstellte und in seinem auf Selbstverwaltung und Mitbestimmung beruhenden unmittelbaren Lebensbereich, der Studentenverbindung. Dazu kam die damals herrschende relative Studienfreiheit, die dem Studenten auch Bummelsemester, Wanderjahre und häufige Universitätswechsel erlaubte. »Zum Land ausfahren«, »wandern«, »fröhlich zechen«

waren die häufigsten studentischen Liedinhalte. Nebenher schlug man sich für die Ehre der Verbindung, eines Freundes, Mädchens oder aus tausend anderen Gründen mit anderen Verbindungsstudenten oder auch manchmal mit den verachteten Handwerksgesellen und Soldaten. Dieser unbeschwerten, aber auch nicht eben sinnerfüllten Sauf- und Raufzeit setzten die Freiheitskriege gegen Napoleon ein jähes Ende. Die Studenten begeisterten sich für die nationale Sache und meldeten sich scharenweise, um gegen die französische Besatzung, meist in eigenen Freicorps organisiert, zu kämpfen. Am bekanntesten war das Lützower Freicorps, das in den Farben Schwarz-Rot-Gold, die seit dem Mittelalter als die heraldischen »deutschen Farben« galten, kämpfte und sich später den Namen »Teutonia« gab. Nach der Rückkehr aus den Befreiungskriegen waren die Studenten, erfüllt von nationaler Begeisterung, nicht mehr zufrieden mit ihren traditionellen Verbindungen. In Jena lösten sich im Juni 1815 die fünf hier bestehenden Landsmannschaften auf und gründeten die Jenaer Urburschenschaft, aus der im Oktober 1818 die »Allgemeine deutsche Burschenschaft« hervorging. Ihr oberstes Ziel war die Bildung einer alle deutsche Studenten umfassenden Studentenschaft und das Streben nach nationaler Einheit Deutschlands. Damit traten sie in scharfen Gegensatz zu den Interessen Metternichs und des im Wiener Kongreß gebildeten Deutschen Bundes. Die Ermordung des russischen Staatsrats Kotzebue durch den radikalen Burschenschafter Sand bot Metternich den willkommenen Anlaß zum Verbot der Burschenschaften und zur politischen Verfolgung ihrer Mitglieder. Nur im Geheimen konnten die burschenschaftlichen Verbindungen weiterbestehen. Von ihrer Unterdrückung profitierten die alten Landsmannschaften und Corps, von denen sich vor allem in Süddeutschland nur wenige der Allgemeinen Burschenschaft angeschlossen hatten. Dank der Duldung Ludwigs I. nahmen sie ihr unbeschwertes Treiben wieder auf und scheuten sich auch nicht, trotz des vom König erlassenen scharfen Duellverbots, ihre Ehrenhändel und Mensuren weiterhin mit Waffen – meistens Fechtwaffen, nur selten Pistolen – auszutragen. U.L.

10.4.2

10.4.1 Studenten unterwegs

Anton Wyttenbach (Trier 1812–1845 Trier), München, 1841, bez.: 18 AW 41, Öl/Lwd, 68 × 85, Lit.: Nagler o.J. (1860), Nr. 1520; Berlin, Deutsches Historisches Museum

Die Szene spielt in einem gebirgigen Flußtal. Vor einem von Hochwasser weggeschwemmten Steg kommen Reisende zum Halt und beratschlagen die Fortsetzung des Weges. Im Hintergrund eine hochbeladene Mietkutsche, besetzt mit einem Studenten mit weiß-rot-blauem Burschenband in Begleitung zweier Damen. Davor steht eine Frau mit Schutenhut und kariertem Reisemantel und weist auf das andere Ufer, daneben ein Kind. Ein Reiter auf dem Schimmel verfolgt das Gespräch. Ein anderer mit der polnischen Ulanenkappe und Redingote (»Riding coat«) beobachtet den steigenden Wasserstand.

Aufgrund des Monogrammes AW, in Verbindung mit dem Malstil, kann das Bild mit großer Wahrscheinlichkeit dem Tiermaler Wyttenbach zugeschrieben werden. U.K.

10.4.2 Heimkehrender Student *

Johann Thomann (Zürich 1788–1836 Zürich), Stuttgart, 1820/30, Kreidelithographie, 22,3 × 29, Lit.: Konrad 1931, Nr. 450 zu 450: Erg. 1935, 197; AK Deutscher Humor, Paris 1974, Nr. 132; Slg. Böhmer

Während die Familie beim Mittagessen in einer biedermeierlich eingerichteten Stube sitzt, stürzt ein Student, wohl der Sohn des Hauses mit frischer Narbe (Schmiß), in reichem Studentenhabitus (Beutelmütze, Band, Vatermör-

derkragen, überlanger Pfeife, Tabaksbeutel am Rockknopf befestigt, Tornister etc.), begleitet von einem Hund, herein. Der jüngere Bruder fällt vor Schreck vom Steckenpferd. Offenbar protestantischer Haushalt, da an der Wand neben der Uhr das Bild eines Pfarrers mit Beffchen hängt. Nach Bechtold handelt es sich um eine Heidelberger Szene um 1820. (Andere Exemplare sind bez.: Bei F. Baumann, Stuttgart; oder: Thomann fec.) M.S.

10.4.3 Münchner Studenten im Bierkeller

Mouxel, wohl Stockholm, 1829, bez. u.r.: Tr. hos Gjöthström; u.l.: N. Mouxel 1829; u.M.: Studenten i München, Lithographie, koloriert, 32,7 × 24,9, Lit.: Konrad 1831, Nr. 376; zu 376:Erg. 1935, 195; Würzburg, Institut für Hochschulkunde

Studenten an Biertischen, nach Konrad angeblich im Hofe des alten Hofbräuhauses. Im Vordergrund drei stehende Studenten mit Säbeln und Pfeifen. M.S.

10.4.4 »Scenen aus dem Studentenleben« * * * Abb. S. 230, 235

Friedrich Kaiser (Lörrach 1815–1890 Berlin), Würzburg und München, um 1830, bez. u.r.: Kaiser; darunter: Gedr. von J. Lacroix in München; u.l.: Comp. u. lith. v. F. Kaiser, Lithographien, koloriert, 32 × 42, Lit.: Konrad 1931, Nr. 448, 5–9; Biesalski, in: EuJ 7 (1962), 45ff.; Z (C 16) 1971, 1972, 1969, 1970, 1973

Kaiser, der, wie auch Heinrich Ambros Eckert (s. Kat.Nr. 10.4.8), zur »Würzburger Studentenromantik« gerechnet werden muß, schuf

ganze Serien über das Studentenleben, wie es sich um 1830 an allen deutschen Hochschulorten abspielte. Die Blätter fanden deswegen hohe Auflagen und weite Verbreitung. In verkleinerter Form wurden sie auch in Stammbücher eingeklebt oder, selbst koloriert, zur Erinnerung verschenkt. Aus einem größeren Zyklus sind folgende Darstellungen herausgegriffen, die jeweils mit einem Vierzeiler eines bekannten Studentenliedes unterschrieben sind:

a) »Ach, wenn die lieben Eltern wüßten . . .«
Der Althändler feilscht mit fünf Studenten um Kleidungsstücke. In der nicht gerade sehr ordentlichen Studentenbude spielt im Hintergrund eine Gruppe von drei Studenten Karten. Ein Hund kommentiert die Scene am Bein des Althändlers. Ähnlich die Bilder von Eckert (Konrad Nr. 338,5 und 338,11 a).

b) »Fordert mich beim Gerstenglas . . .«
Mensur in einer Studentenbude, die mit Bett, Tisch, Stühlen, Studentenutensilien an den Wänden und Vogelbauer ausgestattet ist. Im Vordergrund fechten zwei Studenten »auf Stoß«, d.h. mit einem Pariser Stoßdegen, assistiert von zwei Sekundanten. Ein Unparteiischer beobachtet die Mensur, rittlings auf einem Stuhl sitzend. Drei Zuschauer (»Spektanten«) sind zugegen, ebenso ein Hund. An der Wand zitiert Kaiser zwei Lithographien von Eckert.

c) »Und kommt der Wechsel heute . . .«
Drei Vorreiter als Spitze eines langen Zuges vierspänniger Equipagen mit Studenten (hier in den Farben der Palatia, München) treffen bei einem Dorfwirtshaus ein. Solche Ausflüge, »Suiten« oder »Spritzen« genannt, wurden bei zahlreichen Gelegenheiten, z.B. Stiftungsfesten oder Fuchsenbrennen, abgehalten. Vgl. die etwas anderen Bilder mit derselben Thematik von Eckert (Konrad, Nr. 338,11 d) und Schelver (Konrad Nr. 406).

d) »Soll ich für Ehr' und Freiheit fechten . . .«
Fechtszene im Wald vor einer relativ großen Zuschauerzahl. Im Hintergrund steht ein Student Wache. Es handelt sich um eine Mensur auf Schläger (s. Kat.Nr. 10.4.52) in Glace-Auslage, bei der die Spitze der Waffe steil nach unten gerichtet ist. Gut ist auch die Schutzkleidung der Paukanten zu sehen (Lendenschurz, Halskrause, große Schirmmütze). Ähnlich die Bilder von Eckert (Konrad Nr. 338,2; 338,6; 338,11 b).

e) »Was kommt dort von der Höh' . . .«
Sogenanntes »Fuchsenbrennen« im Hinterzimmer einer Wirtschaft, die mit studentischen Utensilien geschmückt ist. Bei der Zeremonie werden die »Krassfüchse« des 1. Semesters symbolisch gebrannt und zu »Brandnern« des 2. Semesters erklärt. Der »Fuchsenstall« reitet unter Anführung des »Fuchsmajors« (mit erhobenem Säbel und Zweispitz) rittlings auf Stühlen in einer langen Reihe zum Präsidiumstisch, wo sie der Senior mit einer großen Schüssel vor sich (in der symbolisch ein Feuer lodert?) empfängt. An der Wand zitiert Kaiser wieder zwei Darstellungen Eckerts von 1828 (»Ausfahrt durch das Stadttor«, Konrad, Nr. 338,3; EuJ 13, 48 bzw. »Stoßmensur im Zimmer«, Konrad, Nr. 338,1; EuJ 13, 168). M.S.

10.4.5 Mensur, wohl auf einer Tenne in der Menterschwaige bei München * Abb. S. 233

Anonym, vielleicht Friedrich Kaiser, wohl München, um 1830, Lithographie, 36,5 × 33, Lit.: Konrad 1931, Nr. 443; Z (C 16) 1973a

Unter der Assistenz zweier Sekundanten fechten zwei Studenten in einer Scheune, der Unparteiische schaut, an eine Säule gelehnt, zu. Auf einer Leiter links, ebenso auf dem Dachboden, Wachposten, die den im Hintergrund vorbereitenden Polizisten beobachten. Im Vordergrund werden die nächsten beiden Paukanten »anbandagiert«, während ein dritter verarztet wird.

Eine bei Konrad zitierte historische Widmung auf einem anderen Exemplar (Kreutzer seinem Hebendanz) deutet zwar auf Angehörige der 1836 gestifteten Franconia hin, doch wurden derartige Blätter oft als Erinnerungsgeschenke verwendet und für diesen Zweck unterschiedlich coloriert, was über die tatsächlich Dargestellten aber nichts aussagt.　M.S.

10.4.6 Studenten-Ausfahrt

A.F. Schelver (Osnabrück 1805–1844 München), um 1840, bez. u.l.: comp. u. lith. von Schelver; u.r.: gedruckt v.d. Anstalt d. Verlages, Lithographie, 37,2 × 50, Lit.: Konrad 1931, Nr. 406; M IV/1592

Wie die Blätter von Kaiser (Kat.Nr. 10.4.4) und Eckert (Kat.Nr. 10.4.8) Glanzstück des hauptsächlich in Würzburg und München gepflogenen »romantischen Stils«. Eine Gruppe von Studenten in einem Leiterwagen, einige zu Pferd, auf einer Vergnügungsfahrt in die nähere Umgebung der Universitätsstadt. Sie haben soeben das Stadttor passiert und werden von den umstehenden Passanten bestaunt. Darunter der Vierzeiler aus dem Studentenlied:
»Und kommt der Wechsel heute
So sind wir reiche Leute
Und haben Geld wie Heu
Doch morgen ist's vorbey.«　M.S.

10.4.7 Eine Gesellschaft von Künstlern und Studenten bei Tisch (2 Blätter) *

Johann Alois Mayr (Linz 1801–1831 München), 1830; bez.u.l. (2958): Jo. Mayr; u.l. (2959): nach der Natur u. auf Stein gez. v. Joh. A. Mayr 1830; u.r.: Grav. v. l. Lacroix in München; Lithographie; 35,3 × 42; Lit.: Konrad 1931, Nr. 377 und zu Nr. 377, Konrad Erg. 1935, 195; M II/2958 und 2959

zu 2958: Eine Gruppe von neun Münchner Studenten kneipt in einem Raum des ehemaligen Jesuitenkollegs in der Neuhauser Straße, in dem 1826–1840 die von Landshut nach München transferierte Universität sowie u.a. die Akademie der Wissenschaften mit ihren Sammlungen (s. Raumausstattung!) untergebracht waren. Die mit großem Können porträtierten Studenten rauchen z.T. aus langen Pfeifen, einer spielt Gitarre, die meisten tragen kunstvolle Krawattennadeln. Zwei Studenten mit Kopfbe-

10.4.7

deckung. Auf dem Tisch Gläser, Flaschen, Bierkrüge, 1 Tasse, 1 Tablett mit Glöckchen und 1 Liederbuch. Durch das Fenster Ausblick auf die Türme der Frauenkirche und den Chor der St. Michaelskirche.

Nur auf diesem Exemplar ist der Student ganz links mit 1., der zweite von rechts mit 2. bezeichnet und oben angegeben:
»1. Stanwitz aus . . .
2. Hendorf aus . . .
3. Riedl aus Bayreuth +«
Es handelt sich bei 2. um Friedrich Hendorff aus Oldenburg, stud.phil. und 3. Wilhelm Riedl aus Bayreuth, stud.math., beide immatrikuliert 1826/27 (s. Freninger 173, 176) und vielleicht 1. Alois Stewitz aus Schwaben, stud.pharm., immatrikuliert 1823/24 (s. Freninger 1872, 163). Hendorff, der einzige auf dem Bild, der Band und Mütze trägt, war Mitglied des Corps Isaria (KCL 1960, Nr. 109/179), was Konrad (Konrad Erg. 1935, 195) auch schon vermutete, da das Corps Isaria das selbe Blatt (zusammen mit »Stinkadorus«-Vorlage, Kat.Nr. 7.3.23) aus dem Ammerlander Pocci-Archiv mit entsprechendem Hinweis erhielt. Auf dem Gegenstück M II/2959 ebenfalls eine Gruppe von neun Männern an einem Tisch sitzend. Sie machen einen gesetzteren und ernsteren Eindruck als die Studenten. Die drei vordersten Herren reichen sich überkreuz die Hände. Im Fenster eine Kutsche vor einer Stadtkulisse.　M.S.

10.4.8 Studentenkneipe

Heinrich Ambros Eckert (Würzburg 16.10. 1807 – 10.2.1840 München), Würzburg/München, um 1830, bez. u.l.: gedruckt v. J. Lacroix;

u.r.: herausgegeben v. J.B.C. Foertsch in München, Lithographie, 27,5 × 38, Lit.: Konrad 1931, Nr. 338.4; EuJ 13 (1968), 112; M IV/776

Typische Studentenkneipe der 1830er Jahre zu fortgeschrittener Stunde. An einem langen Tisch zechen und singen Studenten des Corps Franconia, Würzburg, von denen einige in den Porträts zu identifizieren sind. Sie trugen zu dieser Zeit tatsächlich ihre Bänder von der linken Schulter zur rechten Hüfte. Der von rechts den Raum betretende Student im wallenden, pelzverbrämten Mantel mit reichlich verschnürter Jacke (sog. Pekesche) und viereckiger Tschakko-Mütze, die im Zuge der Polenbegeisterung in Mode gekommen ist.

Der Herausgeber dieser Serie von Eckert, zu der noch 15 weitere »Studentenscenen« gehören, der Redakteur Johann Baptist Förtsch, war selbst Corpsstudent (Franconia Würzburg 1822, s. KCL 1960, Nr. 139/170).　M.S.

10.4.9 »Commerce- und Kneipliederbuch« des Corpsburschen der Bavaria Fritz Wolf

Friedrich Wolf (München 1826–1870 München), München, 10.1.1844, bez. (von späterer Hand): Liederbuch des Friedr. Wolf, dediziert von dessen Sohn dem Corps Bavaria zur Weihnachtskneipe 1901, 19.I., 126 Blätter, davon 56 bemalt oder beschrieben. Liederillustrationen als kolorierte Bleistiftzeichnungen mit Wasserfarben, hinten zwei lose Blätter mit Bleistiftzeichnungen (= Mitgliedsnamen in Form des Zirkels), grüner Pappeinband mit aufgeklebten Wappen aus Papier, 10,5 × 17,5; München, Historisches Corpsmuseum

Liederbücher und Trinkgefäße, Fama und Biersuiten waren typische Erscheinungen auf einer biedermeierlichen Studenten-»Kneipe«. Als »Kneipe« wird in der Studentensprache nicht nur das Lokal bezeichnet, sondern auch die abendliche, gesellige Zusammenkunft, die dort nach bestimmten Traditionen und Regeln (»Kneipcomment«) stattfindet. Die etwas feierlichere Form wird »Commers« genannt.

Der sich im Lauf des 19. Jahrhunderts festigende Ablauf sieht einen offiziellen und einen inoffiziellen Teil der Veranstaltung vor, woran sich eine ausgelassene »Fidelitas« anschließen kann. Das »Präsidium«, bestehend aus den Vorständen der Verbindung, dem Senior, Consenior und Sekretär, leitet den Abend, erteilt das Wort und bestimmt Reihenfolge und Ablauf der zu singenden Lieder. Die dafür verwendeten Liederbücher tauchen gedruckt in größerer Zahl erst ab der 2. Hälfte des 19. Jahrhunderts auf (am berühmtesten ist das »Lahrer Kommersbuch«, 1. Auflage 1858). Vorher wurden die Texte – vielleicht nach gemeinsamem Diktat während der Fuchsenzeit – handschriftlich angelegt und je nach persönlichem Talent künstlerisch ausgestaltet. Der Inhalt der Lieder reicht von ernsten, vaterländischen Gesängen (z.B. »Landesvater«) bis hin zu lustigen Trinkliedern, die oft mit bestimmten Spielen verbunden waren (z.B. »Bayerischer Biersalamander«). Trauergesang für verstorbene Mitglieder (»Vom hohen Olymp herab«) und Lieder zu Ehren des eigenen Bundes (»Farbenstrophe« und »Bundeslied«) sind ebenfalls feste Bestandteile der Liederbücher.　　　M.S.

10.4.10 Zinnbecher der Biersuite Cerevisia

wohl München, 1834/35, bez.: Der Cerevisia geweiht von Krammel, München 1834/35, Zinnkrug mit Fuß, der feine Verzierungen aufweist, 24, ⌀ 10, Lit.: Kurz 1909, 192ff.; München, Historisches Corpsmuseum

Biersuiten waren kleinere Gruppierungen innerhalb einer Studentenverbindung, die bei den großen Personalbeständen in der Mitte des 19. Jahrhunderts ihre Blütezeit erlebten. Sie hatten eigene Abzeichen (Kat.Nr. 10.4.18), hielten spaßeshalber eigene Convente und Veranstaltungen (beliebt waren z.B. »Knödelpartien«) ab und trugen wesentlich zum fröhlichen Ablauf der Kneipen bei, worin sie auch ihren satzungsmäßigen Hauptzweck sahen.　　　M.S.

10.4.11 Zinnpokal der Biersuite Cerevisia mit Wappen, Wahlspruch und Mitgliederliste

9.2.1841, bez.: Abzeichen der Biersuite Cerevisia (2 gekreuzte Schläger vor Pokal, links »Grün« rechts »Braun«, darüber Wahlspruch »Hony soit qui mal y pense«, Zirkel und Stiftungstag »VI.XII.XXIII.) umgeben von einem Kranz aus Gerste und Hopfen. Wappen von Landshut (3 Helme), Wappenzier und Bürgerkrone, Datum »II.IX.XLI«. 87 Namen von

Mitgliedern, z. T. gestrichen; runder Zinnpokal mit Fuß, mit Kehlungen verziert, Mittelteil verziert mit Hopfen und Malz; 43,5, ⌀ 12; München, Historisches Corpsmuseum*

Bauchige Zinnpokale, Trinkhörner und Krüge aus Glas, Holz, Porzellan oder Edelmetall zierten den bei einem Wirt angemieteten Kneipraum und wurden, wenn es einmal besonders hoch herging, vom Paneel heruntergeholt, um in der Runde zu kreisen. Jeder Pokal hat dabei seine eigene Geschichte. Oft kamen sie als Geschenk einzelner Mitglieder, anderer Verbindungen oder von Außenstehenden in den Besitz des Corps oder einer Biersuite.　　M.S.

10.4.12 Zinnpokal der Biersuite Waldia mit ihrem und Landshuts Wappen sowie der Mitgliederliste

1.9.1841, bez.: Zinnmarke im Fuß (unkenntlich); Wappen von Landshut (3 Helme) und der Waldia (vier Felder, aufgesetztes Herzschild), darüber Pokal und Spruch »Waldia seis Panier«, darunter Eichenlaub. Mitten unter der Namensliste: »Waldias Zecher, Landshut I.IX.XLI. 144 Namen der Mitglieder; 35, ⌀ 13; München, Historisches Corpsmuseum

Satzungsgemäß sollten die Mitglieder der Waldia alle aus dem Bayerischen Wald stammen.　　M.S.

10.4.13 Zinnpokal der Biersuite Schimmlia mit Wappen und Wahlspruch sowie Mitgliederliste

München, um 1847, bez.: im Fuß Zinnmarke »R. Pruckner, München«, Spruchband mit dem Wahlspruch »Quondam meminisse juvabit«. 141 eingravierte Namen von Mitgliedern; hohe, schlanke »Schimmel«-Form mit Fuß, angelöteten, neugotischen Verzierungen. Graviertes Schimmlianerwappen (zweigeteilter Schild und darübergestellter Schimmel-Pokal); 48, ⌀ 13,5; München, Historisches Corpsmuseum

Der Name »Schimmlia« leitet sich angeblich vom Biermaß Schimele (= 1½ Seidel) ab (Schmeller II, 1872, 420).　　M.S.

10.4.14 Zinnpokal der Biersuite Schimmlia mit Wappen und Wahlspruch

München, bez.: Zinnmarke im Fuß »R. Pruckner, München«, typische »Schimmel«-Form, hoch und schlank, nach oben sich erweiternd. Angelötete, neugotische Verzierungen, ein plastisches Wappenschild, früher mit Zirkel (?). Graviertes Wappen der Schimmlia (2 Felder mit Lyra), Spruchband mit Wahlspruch »Quondam meminisse juvabit« und Stiftungstag »VIII.XII.XXIV«; 43, ⌀ 13,5; München, Historisches Corpsmuseum

Die Lyra im Wappen deutet auf das Beiwort »musenbefreundet« der Biersuite Schimmlia hin.　　M.S.

10.4.15 Achteckiger Zinnpokal des Corps Bavaria, sog. 1848er Pokal

wohl München, 23.11.1848, bez.: oberer Rand: Bavarias frohe Zecher am 23.XI 1848. Zirkel! 78 Namen von Mitgliedern des Corps Bavaria, München. Einige Namen sind gestrichen, u.a. von Heyder, der Lola Montez nachgestellt hatte (s. das Protokoll, Kat.Nr. 10.4.53); achteckiger, schmaler Zinnkrug mit rundem Fuß und rundem Mundstück; 38,5, ⌀ 7,5; München, Historisches Corpsmuseum

10.4.16 Zwei Trinkhörner

nach unten spitz zulaufendes, gebogenes Horn mit gedrehter, weiß-blau-weißer Kordel mit zwei Troddeln, die mit zwei Ringen aus Zinn am Horn befestigt ist, Montierung in der Mitte (ehemals Halterung für einen Tischständer?) fehlt; 55, ⌀ 10; München, Historisches Corpsmuseum

10.4.17 »Lichtenhainer«

bez.: auf dem Deckel zwei nicht mehr lesbare Namen und Zirkel des Corps Bavaria; aus Einzelteilen zusammengefügter, von außen mit dünnen Holzringen zusammengehaltener Holzkrug mit aufklappbarem Deckel, der am Henkel befestigt ist. Innen mit rotem Pech abgedichtet. Einziger Schmuck sind kleine Kerben am Deckelrand; 17, ⌀ 11; München, Historisches Corpsmuseum

Der Name »Lichtenhainer« leitet sich von dem Örtchen Lichtenhain bei Jena, einem beliebten Ausflugsziel der Jenaer Studenten her, wo diese Krüge auch hergestellt wurden. Ebenso der Ausdruck »Ziegenhainer« für einen dicken, hölzernen Spazierstock.　　M.S.

10.4.18 Porzellankrug der Biersuite Schimmlia

1849/50, bez.: Telser H. seiner SCHIMLIA z.E.a.d. 25jährige Jubilaeum d. 8. December 18; polychrom bemalter, nach oben leicht verjüngender Porzellankrug mit reicher, neugotischer Verzierung. Auf der Unterseite außen gemalte Silhouette des Stifters Johann Telser (1823–1895). Oben 10 Wappenschilde mit den Wappen und Wahlsprüchen der Biersuiten Cerevisia, Schimmlia, Waldia, Pitschlia und Ulmia. In den vier Feldern in der Mitte des Kruges die Wappen der Schimmlia (2mal) sowie von Landshut und München; 22, ⌀ 10,5; München, Historisches Corpsmuseum

Kostbares Geschenk des daraufhin zum Ehrenmitglied ernannten Apothekers Johann Telser an seine Biersuite Schimmlia.　　M.S.

10.4.19 Zwei Fußbecher

wohl Bayerischer Wald, um 1845, bez. auf der Rückseite: »Lippert/ Kañamiller/ Schmid/ Leiderer/ Eumring/ ihrem Rubenbauer bzw. »ih-

rem Kañamiller«; farbloses Glas, geschnitten, 18,5; K 61-113, 1,2

Zylindrische Becher auf rundem Fuß; auf der Schauseite jeweils ein zweigeteiltes Wappenschild und ein »Schläger«, wie er von Studenten zum Fechten benutzt wurde, an einen Baum gelehnt, darüber ein aufgehängter Federhut, auf der Rückseite eingravierte Namen (s. o.). – Im »Universal-Handbuch von München« (1845) ist ein »Eberhard Rubenbauer, Regiments-Arzt in der k.Leibhartschiergarde« verzeichnet, dem das eine Glas möglicherweise gewidmet wurde. Ein Josef Rubenbauer spielte als Major des Studentenfreicorps in den Unruhen 1848 eine bedeutende Rolle (s. Kutz, in EuJ 31 [1986], 27 u. Anm. 44). Die anderen genannten Namen finden sich allerdings nicht in der Münchner Matrikel. C. S.

10.4.20 Fama, Jahrgänge 1838–1850. Kneipzeitung des Corps Bavaria, München

München, 1838–1850, bez.: Jahrgangs- und Eigentumsvermerk, z.T. auch Herkunft (Nachlaß etc.); 4 etwa gleich große Bände, meist aus mehreren Lagen bestehend und später einheitlich in brau-grün-marmoriertem Pappeinband mit braunem Lederrücken und Goldprägung gebunden. Zahlreiche Wasserfarbzeichnungen von dilettantischer Hand, z.T. signiert und datiert; 20/23 × 17,5, Lit.: Kurz 1809, 44; München, Historisches Corpsmuseum

Die Fama geht noch auf die letzten Landshuter Jahre des Corps Bavaria zurück. In ihr wurden überwiegend lustige Beiträge in Bild und Text über die Stärken und Schwächen der Mitglieder zusammengetragen und in einer eigenen »Fama-Kneipe« vorgetragen. Jedes Semester wurde ein »Fama-Redakteur« gewählt, der die einzelnen Beiträge zu sammeln und miteinander abzustimmen hatte. M. S.

10.4.21 Holzfigur, Student mit Pfeife

Oberammergau, um 1820, Fichte, geschnitzt, farbig gefaßt, 20,3 × 8,5 × 6,5, Lit.: Gröber o.J.; Haller 1981, 88; 68/124/2

10.4.22 Tischfigur »Student« (Feuerwerksfigur)

um 1850, Pappmaché auf Holzsockel, gefaßt, ca. 20 × 9,5 × 13,5; 33/685

Student in schwarzer Jacke, weißer Hose, schwarzen Stiefeln. Mütze mit Lederschirm, blau mit rot-schwarzem Band, gewaltiger Schnurrbart.

10.4.23 Wappen mit den Farben und Zirkeln der 1848 bestehenden Münchner Corps

wohl München, nach 1848, gebogenes, mit Ölfarbe bemaltes Blech, ringförmige Halterung an der Rückseite, Goldumrahmung und goldene Zirkel, 20 × 19; München, Historisches Corpsmuseum

Jede Verbindung hat eine charakteristische Farbkombination, die – wie ihr Name – mit der ursprünglich überwiegenden, landsmannschaftlichen Gliederung in Zusammenhang steht (Suevia: schwarz-weiß-blau), Palatia (rot-blau-weiß), Isaria (grün-weiß-blau), Franconia (grün-weiß-rot) und Makaria (schwarz-weiß-rot mit altem Zirkel). Das Wappen des Corps Bavaria (weiß-blau-weiß) fehlt. Vielleicht waren diese kleineren Wappen um das große Wappenbild der Bavaria gruppiert. Diese Farben tauchen in dem um die Brust getragenen Band, im Wappen, in der Fahne, an der Mütze und an der Pekesche auf. Ebenso unverwechselbar ist der Zirkel, der in der Regel aus den vier ineinander verschlungenen Buchstaben v, c, f (*vivat, crescat, floreat*) und dem Anfangsbuchstaben des Verbindungsnamens besteht. Bei älteren Korporationen finden sich darin auch die Anfangsbuchstaben des Wahlspruchs (z.B. bei Bavaria: concordia *fortes*, virtute *beati*). M. S.

10.4.24 Verschiedene Bänder von Mitgliedern Münchner Corps

wohl München, 1825–1851, bunte Seide, geknüpft oder zusammengenäht, z.T. mit schmalen silbernen oder goldenen Metallrändern (= »Perkussion« oder »Stoß«); München, Historisches Corpsmuseum

a) weiß-blau-weißes Burschenband des Corps Bavaria, München, bez. »Carl Besse, †28. Aug. 64, 1827«, 120 × 2,3, ohne Perkussion.

b) wie a) »Nachlaß v. Hoeglauer, 1825«, Mensur- und andere Zeichen (Anfangsbuchstaben der Mitglieder?), zusammengenäht und geknüpft, 104 × 1,7, ohne Perkussion

c) silber-blau-silbernes Burschenband des Corps Bavaria, München, geknüpft, Vorbesitzername endet auf ». . . ER«, dat. 1832, 110 × 1,9. Solche Bänder wurden manchmal aufgrund besonderer Verdienste verliehen.

d) wie a) bez. »Mayer 1844« mit 2 Stoßmensuraufzeichnungen von 1843 und 1847, 120 × 2,3, ohne Perkussion

e) wie a), bez. »Fürthmaier 1851«, geknüpft. Aufzeichnungen von 84 Mensuren, davon 3 auf Stoß und 3 auf Pistolen, aus den Jahren 1851–1853, geknüpft, ca. 114 × 2,4, ohne Perkussion

f) schwarz-weiß-blaues Burschenband des Corps Suevia, München bez. »Suevia sey's Panier. Zirkel der Suevia! Ganser s. Lunglmaier 2.7.42«, ca. 114 × 2,3, geknüpft. Mit schmalem, weißem Saum

g) rot-blaues Fuchsenband des Corps Palatia, bez. »Wild seinem Wolf«, um 1845, 109 × 2,6, mit silberner Perkussion, zusammengeknüpft.

h) grün-weiß-blaues Burschenband der des 1847 wiederzugelassenen Corps Isaria München (frühere Farben blau-weiß-grün. Verbot des Corps Isaria 1832), bez. »Virtus et honor. VIII.VIII.MDCCCXLIV. Mayr s/m. Lunglmayr 28.3.1848«, 116 × 2,5, zusammengenäht, mit silberner Perkussion

i) grün-weiß-rotes Burschenband des 1836 gestifteten Corps Franconia München, bez.

»WEHNERT seinem LUNGLMAYR 14.5.48 Zirkel der Corps Bavaria und Franconia!«. 120 × 2,3, mit schmalem weißem Saum. Dem Corps Franconia wurden die »revolutionären« grün-weiß-roten Farben erst am 20.5. bewilligt, vorher trug man dunkelgrün-weiß-hellgrün.

Die Herkunft der Brustbänder bei den Studenten ist noch ungeklärt. Vielleicht leiten sie sich von der Tragweise militärischer oder adeliger Orden ab, vielleicht auch von dem an manchen Universitäten üblichen Brauch, als Zeichen der studentischen Unabhängigkeit den Haustürschlüssel für die eigene Bude an einem bunten Band um die Brust zu tragen. Die Studentenorden des ausgehenden 18. Jahrhunderts trugen als geheime Erkennungszeichen ein Metallkreuz an einem Seidenband um den Hals. In Zeiten der Verfolgung wurden die Bänder oft unter dem Hemd getragen.

10.4.25 Suitenschnüre

gedrehte, zweifarbige Schnüre in den Farben der Biersuiten; München, Historisches Corpsmuseum

Die Suitenschnüre trugen die Mitglieder einer Biersuite im inoffiziellen Teil einer Kneipe neben ihrem Corpsband.

10.4.26 Studentenmütze eines Mitglieds des Corps Bavaria

Jakob Röckl, München (Firmenzeichen im Innenfutter als Lithographiedruck), München, um 1827, bez.: außen mit Bleistift »1827« von späterer Hand. Innen Herstellerzeichen und angehefteter Zettel: »v. Corpsbruder Dom. Weiß, K. Militärarzt, aktiv 1825. Seine Schwester hat sie mir vor 6 Jahren geschenkt«; weißes Tuch mit Golddrahtstickerei in Sternenform auf dem Mützendeckel. Unterer Mützenrand (sog. »Blamage«) dunkelblau mit silberner Eichenlaubstickerei; Mützenschild mit schwarzem Leder; 9, ⌀ 22, Lit.: Kurz 1909, 235 zu den verschiedenen Mützenformen; Bauer in: EuJ 2 (1957), 120; 3 (1958), 156; München, Historisches Corpsmuseum

Das am deutlichsten sichtbare Kennzeichen eines Verbindungsmitglieds ist seine Mütze. Form und Ausstattung sind dem Zeitgeschmack unterworfen, gerade das Biedermeier war hier besonders erfinderisch.

Mützen waren aber zu jener Zeit nicht nur Kopfschmuck, sondern auch Teil der Schutzbekleidung beim Fechten. M. S.

10.4.27 Studentenmütze

um 1830, dunkelgrünes Tuch, gelackte Pappe, grüne Posanten, 13, ⌀ 28, Lit.: AK Von Kopf bis Hut, München 1984, Nr. 355; XII/1352

10.4.28 »Tönnchen« eines Mitglieds des Corps Bavaria

München (?), 1830–40, weißes und hellblaues Tuch mit Golddrahtstickerei in Form eines

Sterns, in dessen Zentrum ein Bayernzirkel.
Blauer Streifen mit Silber überstickt; ⌀ 19;
München, Historisches Corpsmuseum

Tönnchen (auch: Biertonne) ist eine auf dem Hinterkopf getragene, legere Form der Studentenmütze ohne Schild. Während sie heute nur von den inaktiven Corpsburschen getragen wird, war sie früher allgemein üblich und auch von Füchsen getragen, was zahlreiche Darstellungen auf Silhouetten und Schattenrissen belegen.
Das Tönnchen darf nicht mit dem (wesentlich kleineren und aufwendiger bestickten) Cerevis verwechselt werden, das ein fester Bestandteil der Chargenwichs (Studentenuniform) ist.
M.S.

10.4.29 Sporen für den Stiefelabsatz

Landshut (?), um 1818, Messing, 9; München, Historisches Corpsmuseum

Hohe, schwarze Schaftstiefel, sog. »Kanonenrohre«, mit Absatzsporen gehörten zur studentischen Tracht. Sie hielten sich mancherorts bis heute in der sog. »Chargenwichs«, die bei besonders feierlichen Anlässen von korporierten Studenten getragen wird. M.S.

10.4.30 Silhouetten-Album des Corpsburschen der Bavaria, Franz Xaver Nibler

1847–1850, 224 Silhouetten (kleine Lithographien, z. T. koloriert) auf braunes Papier geklebt. Dunkelgrüner Einband mit Zierprägung und dunkelgrünem Lederrücken; 27 × 36, Lit.: Bernhard 1977; München, Historisches Corpsmuseum

Eine Sammlung von Silhouetten aus den Jahren 1847–1850 mit Darstellungen seiner Schullehrer (fol. 2), Mitschüler (fol. 3–6) und Kommilitonen aus München, Würzburg, Gießen, Erlangen, Heidelberg, Bonn, Tübingen, Freiburg und Halle (fol. 8–30).
In den 40er Jahren des 19. Jahrhunderts war es unter Befreundeten, so auch unter Studenten üblich, sich gegenseitig seine Porträtsilhouette zu dedizieren, die sich aus den etwas teureren Tuschzeichnungen heraus entwickelt hatte. Sie löste das vorher übliche Stammbuch allmählich ab, wurde ihrerseits aber schon bald von der aufkommenden Photographie verdrängt. M.S.

10.4.31 Pfeifenkopf mit Studenteninterieur-Darstellung

1817, bez.: »Suite von 17–18 Januaris«; »Seinem W. Schatte von F. S. Bscherer 1817«; Porzellan, bemalt, Silberdeckel, 12,5; München, Historisches Corpsmuseum

Das Gemälde auf der Vorderseite zeigt eine Gruppe von drei Studenten in einer biedermeierlich eingerichteten Bude. Sie sitzen im Nachthemd an einem runden Tisch, auf dem eine Kerze und ein großer Napf stehen, und

prosten sich zu. An der linken Wand vier Pfeifen in den damals am weitesten verbreitetsten Formen. Die Bildunterschrift zeigt, daß das Wort »Suite« nicht nur für Ausflüge, sondern auch für nächtliche Zusammenkünfte der Studenten auf ihren Buden (auch »Nachtlichtl« genannt) üblich war.
Wilhelm Freiherr von Schatte studierte seit 9.11.1816 in Landshut Jura, war Senior des Corps Bavaria und später Landrichter in Passau. Er erhielt den Pfeifenkopf von seinem Kommilitonen Franz Bscherer aus Amberg, der beim Corps Palatia aktiv war, dediziert.
M.S.

10.4.32 Pfeifenkopf mit drei wandernden Studenten vor dem Hintergrund Münchens

München, 1843, bez.: »Schwerdtfeger, Scholl ihrem Grundelfinger« und Abzeichen des Corps Suevia, Porzellan bemalt, Goldrand, Lit.: Freninger 1872, 262 u. 264; K 70-45

Der Student Scholl wurde in der Mitgliederliste des Corps Suevia in München geführt, später war er Apotheker in Regen.
Auf vielen Abbildungen aus der ersten Hälfte des 19. Jahrhunderts wird ein Student durch eine überdimensionierte Tabakspfeife charakterisiert. Um 1800 tauchten die zusammengesteckten, langen Pfeifen auf, die den Vorteil des abgekühlten Rauchs boten. Sie bestanden aus einem biegsamen Mundstück, einem langen Weichselholzrohr und einem Verbindungsstück zum eigentlichen Pfeifenkopf aus Porzellan, Holz oder Meerschaum, der auf einem Wassersack oder Hornfuß steckte. Der Kopf bot genügend Platz für die Darstellung studentischer Motive: Am häufigsten sah man das große oder kleine Bundeswappen, Zirkel, Band, gekreuzte Waffen, die Universitätsstadt, beliebte Ausflugsziele, das Interieur einer Studentenbude, Mensurszenen etc.
Über die Hersteller der Pfeifen und über die Porzellanmaler, die ihre Arbeit mit oft unglaublicher Feinheit ausführten, ist leider wenig bekannt, Vorlagen sind meist verloren. Jena scheint ein Zentrum zur Herstellung solcher Pfeifen gewesen zu sein. In der Münchner Kaufinger- und Neuhauserstraße gab es eine Reihe kleiner Verkaufsbuden für Rauchutensilien, wozu auch der Kienspan zum Anzünden des Tabaks (unter den Studenten »Knaster« genannt), Tabaksbeutel oder der Porzellanstopfer in Form eines zierlichen Frauenbeinchens gehörten. M.S.

10.4.33 Porzellanpfeifenkopf mit Abschiedsszene

um 1815, bez.: Seinem Fr. u. Br. Hopf von Dall'armi, Porzellan, bemalt, 10,5; München, Historisches Corpsmuseum, Nr. 123

Im Vordergrund an einem Galgen hängt ein geflügelter Amor. Er blickt auf eine trauernde Frauengestalt in langem, schwarzem Gewand, die in der Rechten ein weißes Taschentuch emporhält. Sie weint vermutlich dem im Hintergrund davonreitenden Kavalier nach.

Wahrscheinlich ist dieser Pfeifenkopf eine Dedikation des Landshuter Studenten der Philosophie Joseph von Dall'Armi (immatrikuliert 1813/14) aus München an Theodor Ritter von Hopf (immatrikuliert 4.11.1814, später Landtagsabgeordneter und Appellationsgerichtsdirektor. Hopf war sicher Mitglied des Corps Bavaria, Dall'Armi eventuell auch, da er die unter Corpsbrüdern typische Formulierung »seinem Freund und Bruder« verwendet. M.S.

10.4.34 Porzellanpfeifenkopf mit Mensurdarstellung

nach 1836, Porzellan bemalt, mit Zinnfuß, 13, Lit.: Konrad 1931, Nr. 550; Goebel 1985, 41, Abb.Nr. 6; München, Historisches Corpsmuseum, Nr. 124

Darstellung einer Mensur auf Schläger glacé zwischen je einem Mitglied des 1836 gestifteten Corps Franconia (grüne Mütze) und des Corps Palatia (rote Mütze). Als Spektanten (Zuschauer) sitzen je ein Mitglied der Corps Bavaria (weiß-blau-weißes Cerevis) und Suevia (schwarz-weiß-blaues Cerevis) auf einem Baumstamm und rauchen Pfeife. Einer von ihnen ist der Unparteiische, der bei jeder Mensur zugegen sein mußte, ebenso hat jeder Paukant einen Sekundanten seines Corps zur Seite. Ein Paukarzt (Suevia) beschäftigt sich am Rande des Geschehens mit einem Paukanten, der anscheinend leicht verletzt wurde und sein Hemd geöffnet hat. Die Mensur ist gegen Einsichtnahme durch eine hohe Mauer und einen Baum geschützt. Zusätzlich scheint ein Student im Hintergrund auf der Anhöhe Wache zu halten. Derartige Mensuren standen unter scharfer Verfolgung durch Universitäts- und Polizeibehörden und zogen bei Entdeckung schwere Strafen nach sich. Es dürfte sich hierbei wohl um die früheste Darstellung einer Partie des Corps Franconia handeln. Haltung und Bekleidung der Paukanten ist durch den Komment genau geregelt. M.S.

10.4.35 Kopf einer Studentenpfeife mit Panorama von München und der Vorstadt Au von den Haidhausener Isarhöhen aus

München, 1844, bez.: »Frommel, Fuchs ihrem Wetter«, Prozellankopf, 20,5; 38/333

10.4.36 Pfeifenkopf mit dem Alptraum des Studenten

1848, Porzellan bemalt, Deckel: Silber mit Garantiermarke 13, 13,5; 52/397

Ein Student, der auf einem Sofa liegt, träumt von dem Examen, zu dem ihm der Teufel den Stuhl hinsetzt. Vor ihm stehen der Teufel als Professor verkleidet, ein jüdischer Geldleiher, Schneider und Wirt, die ihre Rechnungen präsentieren. Auf dem Boden verstreut: ein geleertes Faß mit dem Datum »1848«, Trinkhorn, Schläger, Studentenmütze. (Mit den Farben des Corps Suevia.) M.S.

10.4.37 Pfeife mit Totenschädel-Malerei auf dem Kopf

1. Hälfte 19. Jahrhundert, Kopf: Porzellan, bemalt; Stiel: Weichsel, Horn, schwarze Seidenschnur, 24, Lit.: Kaufmann 1953, 320; 61/541

Eventuell Abzeichen der Biersuite »Magia« des Corps Bavaria in Landshut, also noch vor 1826. Von ihr ist im Historischen Corpsmuseum noch ein schwarzes Seidenband mit aufgesticktem, weißem Totenkopf erhalten. Die Studentenkompagnie von 1848 führte aber auch einen Totenkopf als Abzeichen. Wahrscheinlich ist aber auch die Benützung der Pfeife durch einen Freimaurer oder Angehörigen der »Schwarzen«, einem freimaurerähnlichen Studentenorden am Ende des 18. Jhdts. Solche Pfeifenköpfe wurden (laut Inventarlisten) u.a. von der Manufaktur Walldorf zwischen 1790 und 1825 hergestellt (freundliche Mitteilung von Herrn Günther Morgenroth, München). M.S.

10.4.38 Kopf einer Pfeife mit grotesken Rahmen, Mädchen u. Bursch in oberbayerischer Tracht

1847, bez.: »Und's Dienerl is herb auf mi, Weil i bald umgfalln war, und sie hat glacht dazu. Vergiß mein nicht!«, Porzellan bemalt, 11; 34/359

10.4.39 Kopf einer Studentenpfeife. Füchse begrüßen Neuankömmlinge in einem Boot

Landshut, um 1844, Porzellan bemalt, 12,5; 61/441

Ein Teil der auf dem Pfeifenkopf genannten Namen wird um 1844–46 bei den Münchner Corps Bavaria, Palatia und Makaria aufgenommen. »Fuchs« ist die übliche Bezeichnung eines Studenten im 1. und 2. Semester. An der Wende vom 1. zum 2. Semester wurde er vom Kraß- zum Brandfuchsen erklärt, ab dem 3. Semester wurde er als »Bursch« bezeichnet. M.S.

10.4.40 Kopf einer Studentenpfeife mit Erinnerung an eine Münchner Gastwirtschaft, im Vordergrund: Groteske mit studentischen Attributen *

1843, bez. auf zwei Wegweisern im Bild: »Altheim«, »Linden«, »1843«, »v. Barth/Ermaier/ Grieser/Nischler/Baumaier/Emmer/Fischer L./ Gutschneider/Bauman/Mösmang/Castenauer/ Fuchs/Fischer G./Streicher/Wurzer/Fr. v. Künsberg/Dichtl/Bründl/Binder/Winter/Wolf/ Praxmaier/Fr. v. Stengel/Rosner/Schreiber/ Stobaus/v. Kraft/Pfistermeister/Stadler K./ Stadler F./Fürst v.d. Leyen/Dr. Langlois/ Schmid/Pichlmayr/ihrem Seiler; bemaltes Porzellan, 13; 61/522

10.4.41 Pfeife mit Darstellung eines Liebespaares vor einem Bauernhof in Oberländer Tracht, Gebirgslandschaft

bez.: »v. Reiner seinem v. Kobell«, bemalter Porzellankopf mit Messingmontierung, auf dem Deckel: Relief-Jagdszene; Stiel: Palisander, Horn, 34; 61/537

10.4.42 Pfeifenkopf mit Ansicht Münchens von der Isar aus

München, 1845, bez.: »Bach, Carnot, Fürst, Glocker, Naedelen ihrem Bauer München 1845«, Porzellan, 14; 250/28

10.4.43 Kopf einer Studentenpfeife mit Ansicht Münchens vom Gasteig aus gesehen

München, 1828, bez. vorne: »München«; hinten: »Ihrem Fr. (Freund) und Br. (Bruder) Andreas Forster zur Erinnerung an ihre Universitaetsjahre von / W. Froenau / W. Gareis / M. Süst / E. Schlör / 1828, Porzellan, bemalt, Montierung: Silber, 11,5; 61/454

Die Genannten waren Mitglieder des Corps Palatia, München.

10.4.44 Pfeife des Corps Suevia

München, um 1850, bez.: Virtute comite Fortuna salus S$_E^E$N Landshut XVI XII III, Porzellan, bemalt, Silberdeckel, Holzmundstück, schwarz-weiß-blaue Kordel, 15; 52/396

Zwei Personen in römischer Legionärskleidung mit Brustpanzer und Helm; die linke Figur mit Schwert und Schutzschild, die rechte hält eine Fahne (schwarz-weiß-blau).

10.4.45 Pfeife eines Obscuranten

München, 1847, bez.: »seinem David, München 1847«, Porzellan, bemalt, Holzstiel, Elfenbeinmundstück, 39; 42/115

10.4.46 Meerschaumpfeife

1846, bez.: »Im blauen Löwen, Wülfert sm Sippel, IV.15.XLVI, Reuder, Flell, Hanauer.« Meerschaum, Kupfer, Holzstiel, Elfenbeinmundstück, Kordel, 31 × 9 × 2; A 74/382

10.4.47 Pfeife mit Bavaria, wohl Abiturientenpfeife

München, 1851, Porzellan, bemalt, 11,5; 36/842

Personifikation der Bavaria – in blauem, langem Gewand mit gelbem Umhang vor einer Eiche; in der rechten Hand ein Wappenschild (blauer Grund, dreigeteilt mit Münchner Kindl; Fahne und Löwe) und in der linken eine weiß-rosa Fahne haltend. Im Hintergrund die Ansicht der Stadt München.

10.4.40

10.4.48 Pfeife mit Burschen und der schwarz-rot-goldenen Fahne

München, 1848, Porzellan, bemalt, 14; 34/1127

Ein bärtiger Corpsstudent mit Degen und blau-weißer Schärpe und Käppchen hält in der erhobenen linken Hand ein Bierglas, in der rechten die schwarz-rot-goldene Fahne, die in der Mitte das Emblem des Franconia-Corps, umgeben von einem Eichblatt-Kranz, zeigt.

10.4.49 Pfeife mit Schattenriß

1848, bez.: »Sm Vinzenz«, Porzellan bemalt, Holzstiel, Elfenbeinmundstück, mit schwarz-rot-goldenem Kordelband, 32; 42/116

Die Silhouette eines Mannes mit dem Heckerhut der Revolutionäre und die Nationalfarben des Kordelbandes deuten auf Republikaner als Schenker und Beschenkten dieses Pfeifenkopfes.

10.4.50

10.4.50 Tabaksbeutel mit dem goldgestickten Namenszug »Johann Baptist Flünger 1819« und Blumenmotiv *

1819, Perlstickerei mit bunten Glasperlen für Blumenmotiv und Ornamente, vergoldete Glasperlen für den Namenszug und farblose Glasperlen für den weißen Fond, Innenfutter Waschleder, 16,5; 860/864

10.4.51 Tabaksbeutel

dunkelblaues Tuch mit weißer Baumwollstickerei, unten dunkelblaue Troddel in Eichelform mit silberner Stickerei, 2 blaue Kordeln mit 2 silberbestickten Kugeln und einer leicht gebogenen, 13 cm langen Nadel zum Befestigen, ca. 18; München, Historisches Corpsmuseum

10.4.52 Studentische Mensurwaffen

1. Hälfte 19. Jahrhundert, Stahlklingen, b) und c) Korb aus Stahl, innen mit weißem Leder ausgeschlagen, außen mit weiß-blau-weißem Filz überzogen, Holzgriffe; je 105, Lit.: Goebel 1985, 37ff.; München, Historisches Corpsmuseum

a) Stoßdegen, sog. »Pariser«. Über Jena und Würzburg kam der Stoßcomment auch nach Landshut, wo er neben dem Hiebcomment eingeführt wurde. Die nicht ganz ungefährliche Fechtweise wurde in München weitestgehend wieder abgeschafft; lediglich bei den Theologen war er noch länger üblich.
b) Hiebschläger. Nach der Übersiedlung der Universität nach München setzte sich nach und nach wieder der Hiebcomment durch, der bis heute gültig ist.
c) Säbel. Die mit der charakteristisch gebogenen Klinge ausgestattete Waffe war für schwerere Forderungen üblich. Je nach Art der Bandagierung unterschied man zwischen »leichtem« und »schwerem« Säbel.
Zu den umstrittensten Bräuchen, die heute noch von vielen Studentenverbindungen gepflogen werden, zählt das Fechten von Mensuren. Jeder Hochschulort hat sein eigenes Reglement (den »Pauckcomment«), nach dem sich alle Beteiligten an einer Mensur zu richten haben. Darin wird die Art der Waffen, die erlaubten Bewegungsabläufe, der gemessene Abstand zwischen den beiden Paukanten (= die eigentliche »Mensur«), Gründe für das Einfallen der Sekundanten und das Unterbrechen der Partie und die Schutzbekleidung genau geregelt. Einem ungeregelten Draufloshauen wurde somit schon früh ein Riegel vorgeschoben. Das Fechten wurde früher von allen Studenten – unabhängig von ihrer Korporationszugehörigkeit – als Bestandteil ihrer Standesehre ausgeführt. Die Universität stellte dafür eigene Fechtmeister an. Heute wird das Austragen von studentischen Mensuren – die sich in Entstehung und Durchführung grundlegend von den Duellen unterscheiden – nicht mehr zur Bereinigung von Ehrenangelegenheiten herangezogen. M.S.

10.4.53 Conventsbuch des Corps Bavaria mit Eintragungen über die Jahre 1841–1849

31. August 1841 bis 24. Juli 1849, bez. fol. 1: »Convent-Buch der Bavaria«, später zugefügt: »1841–49«, grünmarmorierter Pappeinband mit repariertem Rücken, 21 × 17,5; München, Historisches Corpsmuseum

Obwohl gerade die Verbindungsstudenten in den unruhigen Jahren 1846–1848, als sich Lola Montez in München aufhielt, stark in die Ereignisse verwickelt waren, finden sich nur wenige Einträge in den Conventsbüchern. Anscheinend vermied man eine Protokollierung der erregten Diskussionen, zumal die Verbindungen vor dem Zugriff der Polizeiorgane nie sicher waren. Auf der aufgeschlagenen Seite 84 (= 31. Januar 1848) wurde – ohne Begründung – die Verhängung des »Verschiß« über das Verkehrslokal der verhaßten Studentenverbindung der »Lolamannen«, protokolliert; am 4. Februar 1848 beschloß man, die Farben niederzulegen und zwei Tage später (fol. 85), die königliche Garantie für die erlaubten Verbindungen zurückzugeben. M.S.

10.4.54 Ältestes erhaltenes, gebundenes Protokollbuch der Convente des Corps Bavaria mit Eintragungen vom 4. Juli 1824 bis 24. Februar 1828

Landshut/München, 1824 bis 1828, bez. auf fol. 1: »Convent-Buch des Corps der Bavaria 1821, 1822/23, 1823/24, 1824/25, 1826/27, 1827/28, dunkelrot marmorierter Pappdeckeleinband mit mehrfach repariertem Rücken, jedes Blatt in 3 Spalten (Datum, Vorträge, Beschlüsse) unterteilt; zahlreiche, später zugefügte Bleistiftanstreichungen und Randnotizen; 21 × 17,5; München, Historisches Corpsmuseum

Als wichtigste Quelle der Corpsgeschichtsforschung sind die Conventsprotokolle des Corps Bavaria, München, von 1824 bis heute lückenlos erhalten. Der älteste Band enthält u.a. die Verlegung des Corps von Landshut nach München zum Wintersemester 1826/27 (fol. 44: letzter Convent in Landshut am 28. August 1826; fol. 45: erster Convent in München am 26. November 1826). M.S.

10.4.55 Stock mit Studentenporträt als Knauf

Erste Hälfte 19. Jahrhundert, Spanisch Rohr, Messingkopf, 81,5; T 86/34

11.1 Der König

Das souveräne Königtum in Bayern war von Anfang an an staatsrechtliche Regelungen gebunden. Mit der Verfassung von 1818 wurde der König noch enger an den Staat gebunden. Doch auch innerhalb der konstitutionellen Monarchie blieben dem Monarchen Möglichkeiten, seine Regierungsgewalt auszuschöpfen. So lag zum Beispiel die Exekutive ganz in seiner Hand, bei der Legislative hatte die Ständeversammlung im Grunde nur eine Mitspracherecht. Nur die Jurisdiktion war unabhängig und sowohl von der Exekutive als auch der Legislative getrennt.

Es war ein Verdienst des ersten Königs Maximilian Josephs, daß in Bayern die 1805 von Napoleons Gnaden eingeführte Monarchie im Volk so schnell populär wurde. Max I. Joseph war leutselig und freigiebig, legte wenig Wert auf Pomp und liebte es, auf Spaziergängen und Ausflügen Gespräche mit den Münchner Bürgern und den Bauern der Umgebung zu führen. Die Regierungsgeschäfte überließ er lieber seinen sorgfältig ausgewählten Ministern, besonders dem bis zu seiner Entlassung 1817 verdienstvoll tätigen Grafen Maximilian von Montgelas. Im Volk nannte man ihn den »guten Vater Max«, sein fünfundzwangistes Regierungsjubiläum 1824 wurde in fast allen Städten Bayerns festlich begangen. Das volkstümliche Auftreten des Königs und seine Beliebtheit hatten die Integration der neubayerischen Gebiete entscheidend gefördert. Nach seinem Tod am 15. Oktober 1825 trauerte das Volk aufrichtig um ihn: »Der König todt! o laßt die Thränen rinnen – Der Lieb' und Treue letzte Huldigung! Und wenn die neuen Tage nun beginnen, so senke, treues Volk, dein Denken, Sinnen/ In Seines Vaterbilds Erinnerung!« (Flora, Nr. 165, 16.10.1825).

Dem Regierungsantritt von Kronprinz Ludwig sah man dagegen mit gemischten Gefühlen entgegen. Er hatte bereits sehr lebhaftes Interesse an den Regierungsgeschäften gezeigt und war offensichtlich gewillt, die Zügel an sich zu reißen. Seine Kunstbegeisterung, seine Ideen von »Teutschland«, die das Münchner Stadtbild verändernden Bauten und seine häufigen Italienaufenthalte befremdeten die Bürger. Mit Erleichterung nahm man zur Kenntnis, daß sich auch Ludwig gern leutselig gab und die väterliche Tradition der unbegleiteten Spaziergänge durch die Residenzstadt weiterführte. Leider war es sehr schwierig, mit dem König zu sprechen, denn er war stark schwerhörig und stotterte leicht. Mit Begeisterung verfaßte er Gedichte, die er veröffentlichte. Nicht nur wegen ihres merkwürdigen Partizipienstils wurden sie belächelt oder gar verspottet. Unter den Monarchen im Deutschen Bund war Ludwig sicherlich einer der begabtesten, unter den damaligen Dichtern leider nicht. Im Gegensatz zu seinem Vater pflegte er in seinen zeremoniellen Handlungen eine Art historisierenden Pomp. Überhaupt legt er großen Wert auf die Geschichte und historisches Bewußtsein, das Volk sollte lernen und sehen, was es heißt, in der bayerischen Tradition zu stehen, ein Bayer zu sein. Es verdankte ihm u.a. das Oktoberfest und die Sanierung der bayerischen Staatsfinanzen; letzteres führte allerdings auch dazu, daß er für geizig gehalten wurde. Bis zu den Krisenjahren vor und während der Revolution von 1848 verzieh der größte Teil des Volkes seinem König die kleinen Marotten und Vorlieben; selbst die Tatsache, daß er zwar seiner Frau, nicht aber seinen vielen Geliebten treu blieb, übersah man geflissentlich.

Die bayerische Königsfamilie war in das alltägliche Leben der Bürger integriert, sie stand nicht irgendwo weit über ihnen in unerreichbarer Ferne. Die Zeitungen waren voller Familiennachrichten aus dem königlichen Hause und das nicht nur, weil die Redakteure in dieser Zeit über kaum etwas anderes berichten durften. Man nahm Anteil an den frohen und traurigen Ereignissen bei Hof (wobei die frohen überwogen, sowohl Max Joseph als auch Ludwig sorgten dafür, daß der Wittelsbacher Stamm nicht wieder auszusterben drohte wie im 18. Jahrhundert).

Eine Fülle von Erinnerungsstücken an die bayerischen Könige, ihre Familie, Begebenheiten wie historische Ereignisse sind überliefert. Einmal waren solchen Souvenirs in der königlichen Familie beliebte Geschenke, dann wurden sie aber auch von den Untertanen gekauft und gesammelt, um mit kunsthandwerklichen Objekten, verziert mit dem Bilde des Königs und Landesherrn, patriotische Gesinnung auszudrücken und Identität zu suchen. Eine Fülle von überlieferten Souvenirs an den König und seine Familie legt beredtes Zeugnis ab, wie sehr der Kult des Herrschers im Volke, oder zumindest bei denen, die sich solche Luxusprodukte leisten konnten, verbreitet war.

Selbst die Feinde Ludwigs I. – in den vierziger Jahren, besonders seit der Lola Montez-Affaire nahm ihre Zahl zu – griffen zwar den König an, wollten jedoch durchaus an der Wittelsbacher Monarchie festhalten. In den Drohbriefen, die die Polizei in den Straßen, an Hauswände geklebt fand, hieß es »Maximilian, steh auf und regier, Ludwig leg Dich hin und krebir« (BayHStA MInn 45380 ff.). Der Thronfolger, Kronprinz Maximilian, allerdings war nicht viel populärer als sein Vater in den Krisenjahren vor seiner Abdankung 1848. Er war eigenwillig, oft kränklich, scheu und hatte überdies eine protestantische Frau geheiratet, die in den ersten Ehejahren keine Kinder bekam.

Das ideale Thronfolgerpaar war für viele Bayern der dritte Sohn Ludwigs, Luitpold, und seine Gemahlin Auguste von Toskana, eine katholische Habsburgerin. Luitpold war der Lieblingssohn Ludwigs und der ideale Thronfolgekandidat für die konservativ-katholische Partei. Vorerst blieb dem späteren Prinzregenten nichts anderes übrig als in der Rolle eines Prinzen für das Wittelsbacher Haus einzutreten. Vor allem während der bayerischen »Revolution« vom Februar bis März 1848 spielte er, sowie seine Frau, eine verdienstvolle Rolle, da er eine vermittelnde Rolle zwischen seinem Vater und dem Volk einnahm.

H.O./U.L.

Erinnerungen an König Max I. Joseph von Bayern

11.1.1 Bayerisches Majestätswappen

München, 1808–35, Seide, Silber und Goldbrokat, Silberplättchen, Glasperlen auf Samt appliziert, 75 × 62; 28/3064

In verschiedenfarbenen Seiden und Brokaten gesticktes Majestätswappen, wohl von einem der Thronbaldachine in der Münchner Residenz. Das Wappen des Königreiches in der von 1808–35 gültigen Form im gekrönten Gezelt des Hermelinmantels mit wappenhaltenden Löwen und den Großmeisterketten des St. Georgsordens, Hubertusordens sowie den von König Max Joseph gestifteten zivilen und militärischen Verdienstorden.   H.O.

11.1.2 König Max I. Joseph im Krönungsgewand schwört den Verfassungseid *

Franz Xaver Kleiber (1794–1874), Kopie nach Kellerhoven (Altenrath 1758–1830 München), München, nach 1818, bez. u. r.: Kleiber pinx., Öl/Lwd, 258 × 197; II a/33

Staatsporträts König Max I. im Krönungsornat nach dem Muster napoleonischer Herrscherbildnisse entstanden in den Jahren 1806 und 1818. Nach der Proklamation Bayerns zum Königreich 1806 hatte Moritz Kellerhoven den Auftrag erhalten, Max I. Joseph im Krönungsornat zu porträtieren. Anläßlich der Verfassungsgebung 1818 war ein neues Staatsporträt des Königs entstanden, das Ottomeyer ebenfalls Moritz Kellerhoven zugewiesen hat. (Siehe AK WB III/2, 1980, 7.) Das dritte dieser dem Typus des napoleonischen Herrscherbildes verpflichteten Bildnisses ist von Joseph Stieler, datiert 1822. Bei dem hier gezeigten Bildnis handelt es sich um eine Kopie von Franz Xaver Kleiber. Im Gegensatz zu allen anderen Herrscherporträts dieses Typs legt der König nicht die Hand auf Krone und Szepter, sondern auf die Verfassungsurkunde von 1818, die auf einem Präsentationskissen liegt. Hier wird der Moment des Throneides dargestellt, in welchem der Souverän die Verfassung beschwört, in der er den Landtag einsetzt und seinem Volk die demokratischen Grundrechte gewährt. Das Original Kellerhovens hing in der Apsis der Ständeversammlung und bezeugte den konstituierenden Moment des Verfassungseids. Die Kopie Kleibers entstand für den Großen Rathaussaal und gehörte zu einem später vervollständigten Herrscherzyklus, der zeitweise zusammen mit einer Serie von überlebensgroßen Wittelsbacherfiguren (die Gipsmodelle von Ludwig von Schwanthaler) dort aufgestellt war.   M.M.

11.1.2

11.1.3 Silberrelief König Max I. Joseph im Krönungsornat * Abb. S. 64

München, 1824, bez. u. r.: G Z und Münchner Kindl, Silber, 70 × 49 × 6,5, Lit.: AK WB III/2, 1980, Nr. 1292, 703 (Abb.); I a/3

Inschrift auf der Rückseite:
DER ALLGELIEBTEN KÖNIGIN
FRIEDERIKE WILHELMINE
CAROLINE
zur
Erinnerung an des freudvolle Regierungs-Jubilaeum
Allerhoechst Ihres Allerdurchlauchtigsten Gemahles
MAXIMILIAN JOSEPH I.
KOENIGS VON BAYERN
in tiefster Ehrfurcht überreicht am XVI. Februar MDCCCXXIV
von

Allerhoechst Ihrer treu ergebenen Residenz-Stadt
MÜNCHEN

Was kann als Opfer unsrer Weihe
Der FÜRSTIN, der wir's bieten werth
Ausdrücken all die Lieb und Treue
Die dankbar jeder Bürger naehrt?
Wo ist gleich würdig und erhaben
Ein Gut womit wir Dich begaben
Es ist dieß Bild in deßen Blicken
In dessen Zügen gleich gepaart
Der treue Bürger sein Entzücken,
Die Gattin ihren Stolz gewahrt;
Drum, KÖNIGIN, nimm dieß Gebilde
Als Denkmal dieses Tags voll Milde

Bereits kurz nach 1806 hatte Moritz Kellerhoven König Max I. Joseph in einem ganzfiguren Repräsentationsbild porträtiert. Nach dem Erlaß der Verfassung 1818 entstand, demselben

Maler zugeschrieben, ein weiteres Staatsporträt, das charakteristische Veränderungen gegenüber dem früheren Bild zeigt. Der König stützt seine Rechte demonstrativ auf die vor ihm liegende Verfassungsurkunde, ein Darstellungstypus, den auch Ludwigs I. Porträt von Joseph Stieler übernahm. Die Silbertafel, deren Darstellung des Königs direkt von Kellerhovens Porträt abzuleiten ist, wurde, wie es die Inschrift bezeugt, Königin Karoline zur Erinnerung an das 25jährige Regierungsjubiläum ihres Gatten vom Magistrat Münchens überreicht.

Die Tafel trägt die Meistermarke von Georg Zeiler, der bis 1803 nachweisbar ist. Die Marke wurde offenbar von Zeilers Werkstatt weiterverwendet. N.G.

11.4.4 Tisch mit der Übergabe der Geschenke des Münchner Magistrats an König Max I. Joseph in Umdruckdekor * Abb. S. 66, 67, 75

München, nach 1824, bez.: Möbelfabrikant Johann Georg Hiltl in München 1820, Ahorn furniert, Rand: Pappelmaserfurnier; Blindholz: Tanne, 78,5, Ø 101, Lit.: vgl. Aufsatz Moll, 70, 73; 56/125

Die Tischplatte schmückt ein Potpourri von Münchner Lithographieblättern in Trompe d'œil Technik. Das zentrale Motiv stellt die Übergabe des Pokals und des Silberreliefs (vgl. Kat.Nr. 11.1.3) an das Königspaar im Salon der Königin in der Münchner Residenz dar. Die Ehrengeschenke wurden zum 25jährigen Regierungsjubiläum 1824 überreicht. Der Balusterfuß aus Nußbaum wurde von einem anderen Tisch ummontiert. An der Unterkante des Tisches sind Spuren von älteren Beinen oder Säulen zu erkennen. Der Tisch ist die Variante Hiltls eines weiteren Exemplars im Münchner Stadtmuseum (vgl. Kat.Nr. 5.1.214).

11.1.5 Tafel mit Überreichung der Ehrengeschenke des Münchner Magistrats an König Max I. Joseph * Abb. S. 72

Johann Georg Hiltl (München 1771–1845 München), München, um 1825, bez.: auf Holz übertragen von Joh. Georg Hiltl, gezeichnet von.: Eder; rückseitig ausführliche Inschrift; Ahornfurnier bedruckt mit Lithographie und koloriert, Blindholz: Tanne, schwarz gebeizter Rahmen, 51 × 16,5, Lit.: AK WB III/2, 1980, Nr. 1291; 43/200

Die Tafel war ein Geschenk des Münchner Möbelfabrikanten an den König und wird in der Autobiographie Hiltls ausführlich gewürdigt (vgl. Aufsatz Moll Werkverzeichnis Nr. 12 [S. 72] und Kat.Nr. 11.4.4).

11.1.6 Büste König Max I. Joseph

wohl Obereichstätt, um 1820, Eisenguß, 27, Lit.: Blab 1960, 198; 38/158

In der ersten Hälfte des 19. Jahrhunderts wurde Kunst- und Feinguß in Bayern in Bodenwöhr, Obereichstätt, Lohr am Main und Sonthofen hergestellt. In Umfang und Variationsbreite nicht mit dem berühmten Berliner Eisenguß vergleichbar, spiegelt die Produktion dieser Hütten doch das Bestreben, ein Angebot für einen breiteren Markt vorzustellen. Auf der Industrieausstellung des Jahres 1822 in München zeigte das Werk in Bodenwöhr beispielsweise im Rahmen einer vom Polytechnischen Verein ausgezeichneten Kollektion »2 Büsten I.I. M.M. des Königs und der Königin«. Die vorliegende Büste folgt der Nymphenburger Ausführung der Büste Max' I. in Bisquitporzellan, die den König noch in mittleren Jahren zeigt (Kat. 11.1.7). Der Bezug auf dieses greifbare Vorbild auch noch in späteren Jahren ist nicht unwahrscheinlich. N.G.

11.1.7 Büsten König Max I. Joseph und Königin Karoline

Manufaktur Nymphenburg, Modell: Johann Peter Melchior (Lintorf 1742–1825 Nymphenburg); 1808/09, bez.: Blindmarke Rautenschild und Stempel A C ligiert, Bisquitporzellan, 23 bzw. 23,5, Lit.: Hofmann, Bd. II., 1923, Abb. 252 (Exemplare des Bayerischen Nationalmuseums) und Bd. III., 1923, 531; 33/185, 33/186

Die Datierung der Büsten und ihrer Modelle geht aus dem »Arbeitsbüchlein« des Nymphenburger Bossierers Adam Clair (1763–1829) hervor. Clair war hauptsächlich mit der Ausformung von Porzellanen nach den Entwürfen des seit 1797 in Nymphenburg tätigen Modellmeisters Johann Peter Melchior befaßt. 1808 vermerkte Clair ein »Brustbild von S.M. dem König«, im folgenden Jahr ein »Brustbild der Königin«. Anzunehmen ist mit Hofmann, daß beide Modelle gleichzeitig 1808 entstanden sind. Bald nach der Erhebung Bayerns zum Königreich entfaltete sich eine vielschichtige Herrscherikonographie, die das Bild des Königs und seiner Familie in unterschiedlichster Weise in den Wohnungen der Untertanen etablierte. Im Gegensatz zu Max I., dessen Büste gänzlich in eine römische Toga gehüllt ist, wird das zeitgenössische Empirekleid der Königin nur andeutungsweise von einer antikisierenden Gewandung gerahmt. N.G.

11.1.8 Porträtbüste der Prinzessin Maximiliane von Bayern

Modell: Johann Peter Melchior (Lintorf 1742–1825 Nymphenburg), München, 1812, bez.: Nymphenburger Blindstempel und AC ligiert, Bisquitporzellan, 23,5, Lit.: Hofmann, Bd. II., 1923, 285, Abb. 254, Bd. III., 531f.; 34/1275

Johann Peter Melchior modellierte neben den Porträtbüsten Max' I. Joseph und Königin Karolines (Kat.Nr. 11.1.7) auch die der weiteren Mitglieder der königlichen Familie für die Ausformung in Bisquitporzellan (vgl. AK WB III/2, 1980, Nr. 1269 A–B). Die Arbeiten brachten ihm die besondere Anerkennung des Königspaares ein. Aus der zweiten Ehe Maximilians mit Karoline von Baden gingen, neben dem mit drei Jahren verstorbenen Prinzen Maximilian, sechs Töchter hervor, von denen die jüngste, Maximiliane, das besonders bevorzugte Lieblingskind war, das allerdings ebenfalls früh, bereits mit 11 Jahren, starb. Die von Adam Clair ausgeformten Büsten der sechs Prinzessinnen entstanden 1811/12 und sind zum Teil, wie das vorliegende Exemplar, mit runden, ebenfalls aus Bisquitporzellan bestehenden Sockeln versehen. Die Darstellungen können ganz allgemein für die Familienverbundenheit des volkstümlichen Königs stehen, die wiederum nicht ohne Einfluß auf die bürgerlichen Verhältnisse der Zeit war. Ihnen liegen Porträtskizzen Joseph Stielers zugrunde. N.G.

11.1.9 Zwei Tassen mit Bildnissen Max Joseph und Königin Karoline

Manufaktur Nymphenburg, wohl nach Anton Auer (München 1778–1814 München), um 1810–20, bez.: Preßmarke Rautenschild, bemalt, 6, Ø 6,5, Lit.: vgl. AK WB III/2, 1980, Nr. 1224 B (Abb.); XIᵈ239, XIᵈ240

11.1.10 Tasse mit Porträt des Königs Max I. Joseph von Bayern

Manufaktur Nymphenburg, nach Johann Peter Melchior (Lintorf 1742–1825 Nymphenburg), um 1810–20 (Modell 1808), bez. auf der Tasse Stempel: AC (legiert: Adam Clair), Preßmarke Rautenschild, Porzellan, 7,5, Ø 7,5; 35/2082

Auf der Vorderseite in goldgerahmtem blauem Oval in Bisquit Reliefprofil König Max' I. Joseph von Bayern. (Das Bildnismedaillon entstand 1808: Hofmann III, 524 und 531 und Abb.)

11.1.11 Tasse mit Kinderbildnis der Prinzessin Maximiliane

Bildnis nach Johann Peter Melchior (Lintorf 1742–1825 Nymphenburg) Manufaktur Nymphenburg, um 1815, bez.: Preßmarke Rautenschild, Porzellan, bemalt, 9,6, Ø 13,3 (Untertasse), Lit.: vgl. Hofmann, Bd. II, 1923, Abb. 309; 36-32

Tassen mit Bildnissen des Herrschers und seiner Familie waren in derart aufwendiger Ausführung sicher nicht zum Gebrauch bestimmt (was schon allein der Respekt verböte), sondern bildeten – wie hier, mit dem goldenen polierten Rankenwerk auf mattgoldenem Fond, so das Bildmedaillon auf weißem Grund flankierend – in Variation der Miniatur ein kostbares und für die Vitrine bestimmtes Kleinkunstwerk, das das Andenken der früh verstorbenen bayerischen Prinzessin bewahrt.

11.1.12 Becher mit Doppelporträt Max I. Joseph und Karoline von Bayern

Gräflich Harrach'sche Hütte, Neuwelt, Böhmen oder Bayerischer Wald, Paste wohl in Paris ausgeformt nach der Medaille von Jean Ber-

11.1.17

trand Andrieu (Bordeaux 1763–1822 Paris), um 1810, farbloses Glas mit eingeglaster Paste, geschliffen, 9,8, Lit.: Vgl. Pazaurek 1923, 305/ 306, Anm. 1; Baumgärtner 1980, 176, Abb. 262, 263; Rückert 1982, 313, Nr. 901, Tafel 291; K XI d-43

Zylindrischer Becher mit polygonalem Walzenschliff-Fuß und gesteinelter Wandung, auf der Schauseite Doppelporträt Max' I. Joseph und Karolines. – Das bayerische Königspaar hatte sich anläßlich eines Besuchs der Pariser Münze am 5. Februar 1810 von Andrieu in einer Medaille verewigen lassen, nach der später verschiedene – auch außerhalb Frankreichs zirkulierende – Pasten ausgeformt wurden.
C.S.

11.1.13 Medaille mit Max Joseph I. und seiner Gemahlin

Jean Bertrand Andrieu (Bordeaux 1763–1822 Paris), 1810, bez. am Hals: ANDRIEU F. / DENON DIR., Silber, Lit.: Vgl. Kat.Nr. 11.1.12; K 1107

Auf der Vorderseite Kopf Max I. Joseph und Karolines nebeneinander nach rechts, verso: LL. MM./LE ROI ET LA REINE / DE / BAVIERE / VISITENT LA MONNAIE / DES MEDAILLES / EN FEVRIER / MDCCCX.

11.1.14 Porträt König Max I. Josephs von Bayern auf einer Tabakdose. Bruststück nach rechts

Nach Joseph Bernhard Einsle (Göggingen 1774–1829 Augsburg), um 1820, Holz, bemalt nach fremder Vorlage, ⌀ 9,4, Lit.: Rückert 1984, 3211; 38/450

11.1.15 Porträt König Maximilians I. Joseph, König von Bayern (1756–1825), Bruststück nach rechts, im Deckel einer Tabakdose

Joseph Bernhard Einsle (Göggingen 1774–1829 Augsburg), 1823, bez.: Einsle pinx: 1823, Wasserfarbe auf Elfenbein; Dose aus Wurzelholz und Schildpatt, ⌀ 7,6, Lit.: Rückert 1984, 3211, 27; XII/269

11.1.16 Humpen mit Zinndeckel

wohl Bayerischer Wald, 1819, bez. Zinnmedaille mit Meisterzeichen: STETTNER, Farbloses Glas mit Luftblaseneinschlüssen in Boden und Schnitt; Zinnmontierung, 21; K XId-176

Konischer Humpen mit Standring aus Zinn, auf der Wandung Blattranke und Blumenbouquet. Im Deckel eingelassene Medaille mit Darstellung der Büste Max I. Joseph auf Postament, das von einem Genius bekränzt wird, im Hintergrund Landschaft; Umschrift: DES . . . (VOLKES) GLÜCK MAXIMILIANS HÖCHSTER RUHM.

11.1.17 König Max I. Joseph mit den Töchtern Marie und Sophie am Tegernsee *

Lorenzo Quaglio (München 1793–1869 München), 1838, bez. u.r.: L. Quaglio fecit 18.. (schlecht lesbar), Öl/Lwd, 53 × 69, Lit.: AK WB III/2, 1980, Nr. 1180; II a/30

König Max I. hatte im Jahr 1817 das ehemalige Kloster Tegernsee erworben und für seine Familie als Landsitz einrichten lassen. Die damit einhergehende Erschließung des Tegernseer Tals für den Münchner Hof brachte Prosperität für die Landbevölkerung mit sich. Der König, der ohnehin für seine freundliche Leutseligkeit bekannt war, gewann dadurch noch mehr Beliebtheit, die vor allem posthum zum Tragen kam. In der zwei Jahre nach seinem Tod erschienenen Schrift »Charakterzüge und Anekdoten als Bilder der Güte und Wohltätigkeit aus dem Leben Maximilian Joseph I. Königs von Bayern, München 1827« wurde dieser besonderen Beziehung zum Tegernsee ein literarisch verklärendes Denkmal gesetzt. »Was der König durch fürstliche Herstellung des schönen Schlosses mit Apartements und Sälen, der Gärten, Anlagen, Wege durch seine Meiereien und Kulturen für den Wohlstand der Gegend getan, fühlten die Bewohner auf die dankbarste Weise.« – Das Gemälde Lorenzo Quaglios, das den Besuch Maxens und seiner Töchter beim Leutenbauern darstellt, gehört ebenfalls in den Kreis der Dokumente zum Nachleben des beliebten Königs. Die Datierung des Bildes ist nicht – wie bisher stets unwidersprochen – als »1824« zu lesen. Die eingehende Überprüfung des in seinem Erhaltungszustand beträchtlich beschädigten Bildes hat ergeben, daß die beiden letzten Ziffern nur rudimentär erhalten sind. Für die Unhaltbarkeit der Datierung sprechen außerdem stilistische Gründe. Die Gruppe der beiden Prinzessinnen ist ein nahezu komplettes Zitat nach Joseph Stielers Doppelporträit »Sophie und Marie Prinzessinnen von Bayern am Tegernsee«, dat. 1825 (WV 117). Das Bild wurde mittels einer Lithographie von Hanfstaengl erst 1827 im Kunstverein vorgestellt. Außerdem ist es als Eigentümlichkeit in Lorenzo Quaglios Spätwerk zu beobachten, daß eine Szene, die sich im Freien ereignet, von der Landschaft wie von einer Stube umschlossen erscheint (vgl. dazu die Sequenz der Zeichnung WV 483, 485, 486 aus der Spätzeit). Im übrigen wurde das Bild unter dem Titel »König Max vor einem Bauernhaus« im Jahr 1838 im Kunstverein ausgestellt. Damit kann es als erwiesen betrachtet werden, daß die Entstehung des Gemäldes im Jahre 1838 anzusetzen ist.   M. M.

11.1.18 Nähtisch als Denkmal König Max I. Josephs *

um 1830, Nußbaum massiv, Ahorn massiv, Boden: Birkenfurnier auf Fichte, schwarze Tusche, 77 × 51 × 41; AK WB III/2, 1980, 711, Nr. 1313; XI c/130

Ein Pfeilertisch, rechteckige Platte mit breiter Zarge und sich nach unten verjüngenden Beinen. In der Innenseite der verschließbaren Klappenplatte eine Ansicht von Bad Kreuth. Auf dem Schubladendeckel des Zeugkästchens Ansichten von Tegernsee und Egern sowie Bildnis von König Max I. Joseph mit der Inschrift: »Max Joseph Siegewohnter Krieger M 1830 P«. – Das Tischchen wurde 1927 aus einer Auktion bei Helbing erworben.   H. O.

11.1.19 Rasierleuchter Königs Max I. Joseph

wohl München, um 1820, bez. am Sockel und auf den drei Leuchterarmen: Rasirleuchter/Sr. Majestät/König Max Joseph I. v. Bayern/aus dem Schloss Nymphenburg; Bronze gegossen und feuervergoldet, grün patiniert, 99,4 × 22; München, Wittelsbacher Ausgleichsfonds WAF M VIII C 24

Dreiarmiger Standleuchter in Form einer Balustersäule über Löwenmonopoden und dreieckigem Sockel. Der Leuchter stammt aus dem Ankleidezimmer König Max I. Josephs in Nymphenburg. Nach Berichten der Zeitgenossen stand der erste bayerische König, der nach Prinzipien der französischen Aufklärung erzogen war, vor allen noch vor dem Morgengrauen zwischen fünf und sechs Uhr morgens auf, rasierte sich selbst und kleidete sich an. Damit entging der Monarch den traditionellen Hofzeremonien um die Person der Souveräns, die sich nach dem Beispiel des französischen »le-ver« als Aufwartungen des Hofes im 18. Jahrhundert herausgebildet hatten. Er hob den Kult um die Person des Königs auf. Daß König Max Joseph sich bei Dunkelheit rasierte, machte den dreiarmigen Standleuchter nötig, und das Gerät wurde nach seinem Tode 1825 durch die Inschrift in ein Erinnerungsstück an seine Person umgewandelt. Da die Erdgeschoßräume des südlichen Pavillions mit seinem Appartement, das in den Grundzügen bis heute erhalten blieb, zum Gedächtnis an den König von 1826 an öffentlich gezeigt wurde, ist die Annahme erlaubt, daß der Rasierleuchter in diesem Zusammenhang als persönliches »Denkmal« an einen von bürgerlichen Tugenden erfüllten König einen neuen Sinn bekam. Vergoldung und Ziselierungstechnik sprechen für eine Herstellung in München, wobei man an den Gürtlermeister Franz Sales Sauter oder den Silberschmied Friedrich Jehle denken kann, die für den bayerischen Hof feuervergoldete Bronzearbeiten lieferten.   H. O.

11.1.18

11.1.22

11.1.21 König Ludwig I. *

Kopie nach Joseph Stieler (Mainz 1781–1858 München), 1826, bez. u.l.: Max Haider pinx München, Öl/Lwd, 250,5 × 173; II a/35

Unmittelbar nach seiner Krönung 1825 erhielt Joseph Stieler – seit 1812 Hofmaler des Hauses Wittelsbach – den Auftrag, König Ludwig I. im Krönungsornat darzustellen. Wie Ulrike von Hase (1971) nachwies, hatte der König auf das Bildnis unmittelbaren Einfluß ausgeübt. Für den formalen Aufbau war das Krönungsbildnis Kaiser Napoleons I. von Stielers Pariser Lehrer François Gérard (Rom 1770–1837 Paris) Vorbild. Inhaltlich jedoch ist das Bildnis ganz auf die Person Ludwigs I. hin konzipiert. Er läßt sich – gestützt auf die Verfassungsurkunde – nicht allein mit den Attributen der Macht (Krone, Szepter, Schwert), sondern auch mit Architektur-Zitaten darstellen, die auf seine 1826 bereits gestaltannehmenden Lieblingspläne innerhalb der Baukunst hinweisen. Die sich im Mittelgrund öffnende Loggia hatte sich der König, nach dem Vorbild von Raffaels römischen Loggien, von seinem Baumeister Klenze für die Alte Pinakothek ausbedungen (fertiggestellt 1836). Im Bildhintergrund erhebt sich der klassizistische Tempel der Walhalla (erbaut zwischen 1830 und 1842), für den er ebenfalls bereits die Pläne Leo von Klenzes vorliegen hatte. Damit war ein für die Regentschaft Ludwigs I. programmatisch zu nennendes Krönungsbildnis entstanden, das durch den in die Wand gemeisselten Wahlspruch des Auftraggebers: »GERECHT UND BEHARRLICH« die Zusammenfassung erhalten hatte. – Zu dem Gemälde existiert eine ganzfigurige Skizze in der Staatlichen Graphischen Sammlung (WV 121), sowie zwei Kopfstudien in Privatbesitz (WV 122a u. 122b). Zu dem Original im Besitz der Bayerischen Staatsgemäldesammlungen (WV 123) kommt eine eigenhändige Wiederholung im Schloß Nymphenburg (WV 124), in Schloß Aschaffenburg und im Besitz der Bayer. Schlösserverwaltung (vgl. AK WB III, 2, Nr. 1323) hinzu. Es hat den Anschein, daß diese ganzfigurigen Gemälde in den Gebäuden der Bezirksregierungen hingen und dort »in effigie« den König vertraten. Vor dem Gemälde im Münchener Rathaus mußten Straffällige gegen die Person des Königs niederknien und die Abbitteformel nachsprechen. Die vorliegende Kopie des Werkes, das auch als Ausschnitt häufig kopiert wurde, ist aus der Hand des Malers Max Haider (München 1807–1873 München), der vor allem für die »Münchner Bilderbögen« und die »Fliegenden Blätter« tätig war. M.M.

11.1.22 König Ludwig I. von Bayern vor dem Thron von Herolden mit den bayerischen Stammeswappen begleitet *

Wilhelm von Kaulbach (Arolsen 1805–1874 München), München, um 1843, bez. u.l.: Kaul-

11.1.20 Ofenschirm aus dem Schlafzimmer König Max I. Josephs in der Münchner Residenz

wohl München, 1815–1820, dunkelgrüner Atlas mit farbiger Seidenstickerei und gewebter Seidenbordüre in Mahagonigestell, 102 × 83 (mit Galon), Lit.: Ottomeyer 1979, Abb. 7; AK WB III/2, 1980, Nr. 1186a; Ottomeyer 1980; 35/2142

Der Ofenschirm ist Teil einer Möbelgarnitur, die aus der Residenz stammt, aber seit dem zweiten Weltkrieg nach Schloß Aschaffenburg gelangt ist. Wie der Ofenschirm sind die Bezüge der Sitzmöbel mit einer Beauvaisbordüre umfaßt und aus Mahagoni gefertigt; jedoch im Gegensatz damit sind bei dem Sofa, den Sesseln und den Stühlen Lehne und Sitz mit farbigen, gewirkten Bezügen auf den Flächen bezogen.

Der Ofenschirm zeigt in reicher Seidenstickerei einen Hahn und ein Füllhorn, dem ein üppiges Blumenbouquet entquillt. In der rechten unteren Ecke überdeckt der Strauß das Wappen des Königreichs Bayern in seiner damals gültigen Form. Die Bespannung des Kaminschirms erkennt man im Schlafzimmer des Königs auf einem Aquarell Rehlens von 1820; hier allerdings, was auch für die Möbel gilt, in einem Gestell aus Wurzelmaserholz: Während die Beauvaisbespannung auf die Aschaffenburger Mahagonimöbel kam, gelangten die Wurzelmasermöbel nach Schloß Berchtesgaden. Diese Bespannung mit dem Stilleben antiker Gefäße kommt noch einmal auf Sesseln im 1. OG des Fürstenbaus auf der Veste Coburg vor. 1935 übernahm das Stadtmuseum den Ofenschirm von der Bayerischen Schlösserverwaltung aus der Münchner Residenz. H.O.

bach, Öl/Lwd, 61 × 44, Lit.: MK BayStGS V, 1984, 215–216 (A. Menke); AK »Vorwärts«, Nürnberg 1986, 179, Nr. 251, Abb. 251 (Bild der Neuen Pinakothek); vgl. AK WB III/2, 1980, Nr. 1182, 1179 B; 60/373

Vorstudie zu dem 1845 datierten großformatigen Gemälde der Neuen Pinakothek, an dem Kaulbach seit 1843 arbeitete (Menke, MK BayStGS, V, 1984, 215). Der König steht im Ornat eines Großmeisters des Wittelsbacher Hausordens vom Hl. Hubertus (1444 gegründet, 1708 erneuert) auf den Stufen eines in architektonischen Formen der Renaissance gestalteten Thrones. Zu seinen Füßen knien die vier Herolde des Ordens als Vertreter der vier bayerischen Stämme mit entsprechenden Wappen. Erkennbar sind das Wappen der Pfalz links und das bayerische rechts. Die Wappen Frankens und Schwabens, die später dazukamen, werden durch die beiden vorderen Figuren verdeckt.

Während Max I. Joseph sich in offiziellen Bildern immer im napoleonischen Krönungsornat darstellen ließ, schätzte Ludwig I. neben dieser Form die romantische Darstellung als Hubertusritter. Als solcher tritt er auch an der Außenseite der Neuen Pinakothek auf dem Mittelbild der Südwand auf (Menke, MK BayStGS, V, 1984, 219–221), das ebenfalls von Kaulbach entworfen wurde. Diese Vorliebe geht zurück in die Kronprinzenzeit, als Ludwig das altdeutsche Ritterordenskleid als Stellungnahme für eine deutsch-nationale Politik wieder einführte und sich bevorzugt in dieser historisierenden Tracht porträtieren ließ.

Die Darstellung der vier bayerischen Stämme verweist auf die restaurative Herrscherideologie Ludwigs I.: Die nach französischem Vorbild durch Montgelas eingeführte Aufteilung des Landes in Kreise sollte vermeintlich traditionellen Stammescharakter erhalten, was der König für die Förderung eines bayerischen Nationalbewußtseins für dienlicher hielt (s. Bosl, in: Aufsatzband zu AK »Vorwärts«, Nürnberg 1986, 219–234).   B.E.

11.1.23 Zwei Silberreliefs mit den Porträts Ludwigs I. und Königin Therese *

Franz Zeiler (geb. München 1790), München, wohl vor 1837, bez. jeweils u.r.: FZ/u.l.: 88 L, Silber, getrieben, Fichtenholzrahmen, 56,5 × 39; Ia/11

Wohl angeregt durch das Silberrelief mit Max I. Joseph im Krönungsornat (Kat.Nr. 11.1.3) entstanden die Reliefs mit Ludwig I. und Königin Therese. Verwandte Reliefs, ein Huldigungsbild mit Max I. im Ornat und der Einzug Ludwigs und Thereses in Augsburg, haben sich in den städtischen Kunstsammlungen Augsburg erhalten. Die Darstellungen Ludwigs und Thereses folgen den Staatsporträts, die Joseph Stieler 1826/27 vom Königspaar geschaffen hatte. Die Gemälde schlossen an die napoleonische Tradition an und waren, gerade weil sie so ohne bayerisches Vorbild waren, stilbildend für die herrscherliche Ikonographie im Königreich Bayern.   N.G.

11.1.21

11.1.24 Büste Ludwigs I. als Kronprinz * Abb. S. 12

Ludwig Fischer (Wien 1825 – nach 1893), wohl Regensburg 1839, bez. am Innenrand der Büste: FECIT ME LUDOVICUS VISCHER RATISBONAE ANNO 1839, Messing, gegossen, 26, Lit.: AK Thorvaldsen, Köln 1977, Nr. 21–23, AK Vorwärts, Nürnberg 1986, Nr. 3; 61/296

Thorvaldsen porträtierte den Kronprinzen 1818 in Rom auf dessen Italienreise, die für die Begegnung mit den Künstlern so entscheidend war. Im Typus der Büste des Kaisers Hadrian stellte er Ludwig als römischen Feldherrn mit Schwertriemen über der unbekleideten Brust und dem »paludamentum« dar. Die erste Marmorausführung des Entwurfs war 1821 vollendet. Im selben Jahr gelang Johann Baptist Stigl-

mayr mit der Büste Ludwigs nach Thorvaldsen in Neapel sein erster Guß. Die Büste wurde prägend für das Bild des romantischen Fürsten und Mäzens, das sich nach Ludwigs Thronbesteigung noch festigte. Die Messingreduktion steht für eine Verbreitung des durch Thorvaldsen formulierten Typus in späterer Zeit.   N.G.

11.1.25 Plakette König Ludwig I.

Ausformung: Adam Clair (Frankenthal 1763 bis nach 1829), München, 1826, bez.: C A ligiert H. 9 1826, Bisquitporzellan, Ø 14,1, Lit.: Hofmann 1923, 552, Abb. 385, 496; 34/1289

Die Plakette schließt unmittelbar an die Thorvaldsen-Stiglmayr'sche Porträtbüste des Kronprinzen Ludwig an (Kat.Nr. 11.1.24). 1826 verzeichnete Adam Clair in seinem »Arbeitsbüchlein« den Eintrag, er habe erstmals »Basre-

11.1.23

11.1.24

liefs des Königs« ausgeformt. Die Nachricht läßt sich mit der mit derselben Jahreszahl versehenen Plakette verbinden.　N.G.

11.1.26 Bildnis König Ludwig I. von Bayern. Bruststück nach links ** Abb. S. 17

Carl Wollenweber (geb. Kusel i.d. Pfalz 1793), wohl Manufaktur Nymphenburg, um 1840, bez. rückseitig: Wollenweber, Porzellan, 145 × 108; 29/719

Carl Wollenweber ist als Email- und Miniaturmaler bekannt. Er wurde 1841 zum Galerieinspektor des Grafen von Schönborn auf Schloß Weißenstein bei Pommersfelden ernannt. A.S.

11.1.27 Tabatiere mit Porträt Ludwigs I. in Uniform

um 1830, bez.: Goldschmiedemarke »N·L«, Garantiemarke verschlagen; unter Glas in Goldfassung mit blauem Emaillerahmen Porträtminiatur Aquarell auf Elfenbein, Schildpatt, 8,2 × 5,5 × 3; 37/1292

11.1.28 Paar Deckelpokale *

Wohl Bayerischer Wald, um 1826, farbloses Glas, geschliffen und geschnitten, 29,3; K XId-175, 1,2

Polygonaler Walzenschliff-Fuß und Nodus, die konische, unten eingezogene Kuppa 12fach facettiert, auf der Schauseite jeweils gerahmte Porträts von Ludwig I. bzw. Therese von Bayern im Krönungsornat nach dem Gemälden von Josef Stieler, auf der Rückseite breites Band mit den Initialen »L I K V B« bzw. »T K V B« und

Verkleinerungslinse. Deckel mit Steinelschliff-Leiste und Zackenrand, Knauf in Gestalt eines stilisierten Reichsapfels.　C.S.

11.1.29 Hinterglasbild mit Porträts Ludwig und Therese, König und Königin von Bayern

Oberammergau, um 1845, bez.: LUDWIG/ König von Bayern THERESE/Königin von Bayern, Hinterglasmalerei, 22 × 28,5, Lit.: Ritz ²1975; 35/907 und 35/908

11.1.30 Illumination einer Fassade zu Ehren des Königs

Franz Xaver Nachtmann (Obermais 1799–1846 München), München, 14.4.1836, bez. u.l.: Nachtmann fec. am 14. April 1836, Aquarellierte Federzeichnung, 32,5 × 20,8; B 70/16 = 34/1310

»Decoration des Haußes Nr. 21 an der Neuhausergasse dem Eisenhändler Schmidt gehörig bei Gelegenheit der Rückkehr Sr. Majestät des Königs Ludwig I aus Griechenland.«

11.1.31 Hausrock König Ludwigs I. von Bayern *

um 1810, grün-graues Tuch, Holzknebel und Schnüre; München, Historischer Verein von Oberbayern

Der äußerst abgetragene Mantel war ein persönliches Kleidungsstück des Königs, das er nach schriftlicher Aussage eines Kammerdieners seit seiner Kronprinzenzeit trug: »Dieser Rock wurde von Sr. Majestät dem höchstseligen König Ludwig I von Bayern mehr als sechzig Jahre lang getragen was bezeigt München den 30ten März 1869 Nikolaus Schnegg ehed. Kammerlakay S. Majestät des Königs Ludwig I.«
Das Erinnerungsstück an den König legt Zeugnis für die äußerste Sparsamkeit des bayerischen Königs bei Ausgaben für seine eigenen Bedürfnisse ab. Was die Speisen, Kleidung und Gebrauchsgegenstände anging, pflegte der Monarch spartanische Einfachheit, die er auch wie im Fall des Hausrocks demonstrativ zum Extrem steigerte.
Im Gegensatz dazu standen die großen Ausgaben für Staatsbauten, Paradeappartements und die Förderung der Kunst, die er meinte, seinem Staat und Amt zu schulden. Den Hausrock trug Ludwig I., wenn er vor Tagesanbruch um 5 Uhr aufstand und sein Tagespensum an Schreibtischarbeit leistete. Daß sein Fensterlicht in der Stadt als erstes brannte, erfüllte ihn mit demselben Stolz wie seine Bedürfnislosigkeit. Die Diskrepanz zwischen äußerst einfachem Privatleben und demonstrativer Staatsrepräsentation findet sich auch bei anderen Herrschern der aufgeklärten Monarchien, wie Kaiser Napoleon und Kaiser Franz II., die in einem neuen Geist erzogen waren und ebenfalls die Tugenden fast mönchischer Einfachheit und schlichtester Lebensführung unter der Maske des Herrscheramtes anzeigten.　H.O.

Erinnerungsstücke an die Königliche Familie

11.1.32 »Drey Könige aus dem Hause Wittelsbach« Abb. S. 13

um 1835, Lithographie, teilweise koloriert, 31,4 × 22,5 (Blatt), Bamberg; Staatsbibliothek, M. v. O. CI 118

Erst auf dem zweiten Blick sind in den drei Alpenveilchen die Profile von Ludwig I, Otto von Griechenland und Max I. Joseph zu erkennen. Der Blumenstock bietet ein recht seltenes, humorvolles Beispiel der Verehrung für das Haus Wittelsbach. Mit dem ironischen Vergleich der Könige mit Alpenveilchen hat sich der unbekannte Künstler wohl gerade noch innerhalb der von der Zensur gesteckten Grenzen bewegt. Im Besitz der Staatsbibliothek Bamberg befindet sich noch ein zweites Exemplar mit schwarzem Druck auf grünem Papier, lithographiert von Werner.　U.L.

11.1.33 König Ludwig I., König Otto I. von Griechenland und seine Gemahlin Amalie von Oldenburg; Schattenfiguren in Brustporträt

um 1840, geschnittenes Papier, Ludwig 21,5 × 13; Otto 20,5 × 15; Amalie 19 × 14,5; München, Puppentheatermuseum 45.570

Figuren dieser Art wurden bei abendlichen Unterhaltungen vor eine Lichtquelle gehalten. Der Schatten erschien dabei um ein Wesentliches vergrößert an der Wand.　F.D.

11.1.28

11.1.31

Hauber und war später als Miniaturmaler in Regensburg tätig.

11.1.39 Porträt der Kronprinzessin Marie von Bayern ✶

Baron Ferdinand von Lütgendorff (Würzburg 1785–1858 Würzburg), 1842, bez.: Monogramm und 1842, Bleistift und Silberstiftzeichnung auf grundiertem Papier, Details mit Wasserfarbe und Muschelgold hervorgehoben; braunes Lederetui; 9,7 × 7,8 im Oval; (12,0 × 10,0 im Etui); Lit.: Lemberger 1910, 15, 50; 28/ 383

11.1.40 Plakette auf König Maximilian II.

München, um 1850, bez.: Nymphenburger Blindstempel (Rautenschild), Bisquitporzellan, ⌀ 15,8; 34/1290

Mehrere um 1850 in Nymphenburg entstandene Plaketten geben das Porträt des seit 1848 regierenden Königs wieder. Neben einem Plakettenpaar, das Maximilian und seine Gemahlin Marie von Preußen in gotisierender Umrahmung zeigt, ist das Profilbild des Königs auch im glatten Plakettenfeld überliefert, eine Gestaltung, die das lange Nachwirken klassizistischen Formempfindens vergegenwärtigen kann.

N.G.

11.1.41 Lithophaniescheiben mit den Porträts von König Max II. und seiner Gemahlin Marie von Preußen

um 1850, Porzellan, gefaßt in zinnmontiertes rotes und blaues Glas, 28,5 × 24,9 und 27,5 × 23,5; 67/5,1-2

11.1.42 »Gedenk-Tafel des glorreichen Ereignisses . . .«, Blatt auf die Geburt Kronprinz Ludwigs

1845, Lithographie, koloriert, 33,5 × 42, Lit.: MK Proebst, München 1968, Nr. 1584; P 1584

Dreistrophiges Gedicht auf die Geburt des späteren Königs Ludwig II. mit den Porträts der Eltern und den Schlössern Nymphenburg, Hohenschwangau und Burg Wittelsbach.

11.1.38, 11.1.39

11.1.34 Bildnis des Prinzen Karl von Bayern in Uniform eines Gardekürassiers, Bruststück nach rechts gewendet

um 1825–30, Wasserfarbe auf Elfenbein, 43 × 31 im Oval; 40/1297

11.1.35 Tabakbeutel mit König Otto I. von Griechenland

wohl München, um 1835, Perlstickerei, 21 × 15,5; 32/305

11.1.36 Pfeife mit Porträt des Kronprinzen Maximilian. Mit grüner Uniform mit karmesin-rotem Aufschlag, Schild mit Ludwigmonogramm; im Stiel Porzellanglied mit Darstellung von Schloß Neudeck

süddeutsch, 1840, bez.: Neudeck, Kopf: Porzellan, bemalt; Montierung: Messing versilbert, Stiel: Palisander, Porzellanstück, bemalt; 36,5; 61/550

11.1.37 Tabakdose mit Porträt des Kronprinzen Maximilian

um 1845, schwarz gebeiztes Birnbaumholz, im Deckel eingelegte, bemalte Porzellanplatte mit vergoldetem Gipsrahmen verkleidet, 9,7 × 6,5; 41/237

11.1.38 Bildnis des Kronprinzen Maximilian von Bayern, in der Uniform des Linieninfanterieregiments, Bruststück nach links ✶

Baron Ferdinand von Lütgendorff (Würzburg 1785–1858 Würzburg), 1842, bez.: mit Monogramm und 1842, Bleistift- und Silberstiftzeichnung auf grundiertem Papier, Wasserfarbe und Muschelgold; braunes Lederetui, 97 × 78 im Oval (120 × 100 im Etui), Lit.: Schidlof 1964, I, 516; Lemberger 1910, 15, 50; 28/382

Der aus Würzburg stammende Porträtmaler lernte 1805 an der Münchner Akademie bei

11.2 Das Zwei-Kammer-Parlament – Volksvertretung im Vormärz

Die bayerische Prinzessin Sophie »zerfloß in Tränen« und der ganze Hof zitterte, als Max I. Joseph am 4.2.1819 die erste Landtagssitzung Bayerns eröffnete, doch das Volk jubelte und hatte schon ein Jahr zuvor, bei der Verkündung der bayerischen Verfassung am 26. Mai, der Nationalhymne eine neue Strophe angefügt: »Heil der Verfassung Heil! Dem guten König Heil! Der sie uns gibt! Als Glückes Unterpfand/Schenkt sie uns Seine Hand, Drum jauchzt das ganze Land/Dem König Heil!« (Münchener Politische Zeitung, Nr. 124, S. 580). Bayern war das erste größere Mitglied des Deutschen Bundes, das seinem Land eine Verfassung gab. Diese freiwillige Selbstbeschränkung der Monarchie geschah allerdings kaum aus demokratischem Bewußtsein, sondern um der Staatsräson Genüge zu tun. Mit napoleonischer Hilfe und durch geschicktes Taktieren des Staatsministers Graf von Montgelas hatte Bayern in den frühen Jahren des 19. Jahrhunderts ehemalige Reichsstädte, geistliche Territorien und sogar Landesteile neu hinzugewonnen. Nun galt es, auch bei den neuen Untertanen Loyalität zu wecken. Sie sollten Anteil nehmen an den bayerischen Belangen und sich ihres bayerischen Staatsbürgertums bewußt werden. Andererseits erhoffte sich Bayern als Verfassungsstaat mehr Souveränität innerhalb des Deutschen Bundes und mehr Selbständigkeit gegenüber der ständigen Einflußnahme Metternichs (Hardtwig 1985, 50 ff.). Die bereits eingeleiteten Reformen sollten in der Verfassung unverrückbar festgeschrieben werden. Neben der Garantie der Grundrechte (Gleichheit vor dem Gesetz, Freiheit der Person, Freizügigkeit, Gewissens- und Meinungsfreiheit, Schutz des Eigentums) waren die Bestimmungen über die Einrichtung eines Landtags die wesentlichsten Paragraphen der Verfassung. Der Monarch vereinigte zwar nach wie vor in sich alle Rechte der Staatsgewalt, der Landtag mußte jedoch an der Gesetzgebung beteiligt werden, entschied über die Bewilligung der Steuern und konnte mit Petitionen und Beschwerden gegen königliche Entscheidungen vorgehen. Nach dem Modell der englischen Verfassung und dem Beispiel der französischen Charte war der Landtag nach einem Zweikammersystem formiert worden. Die erste Kammer wurde nicht gewählt, sie bestand aus den Reichsräten. Das waren die volljährigen Prinzen des königlichen Hauses, oberste Kronbeamte, die Häupter der ehemals reichsständischen und fürstlichen Familien, beide Erzbischöfe, ein vom König gewählter Bischof, der Vorsitzende des Generalkonsistoriums und einige vom König zum Reichsrat berufene Vertrauenspersonen. Der König versprach sich von der Kammer der Reichsräte ein konservatives Gegengewicht zur zweiten Kammer mit den gewählten Volksvertretern. Diese Kammer der Abgeordneten sollte sich zu einem Achtel aus adeligen Grundbesitzern, zu einem Achtel aus katholischen und protestantischen Geistlichen, zu einem Viertel aus Vertretern der Städte und Märkte und zur Hälfte aus Vertretern der übrigen Landeigentümer ohne gutsherrliche Gerichtsbarkeit zusammensetzen (nach Weis, in: Spindler 1978, I,

79 ff.). Auf ungefähr 7 000 Familien kam ein Abgeordneter. Wählen und gewählt werden durfte nur, wer über ausreichend Grundbesitz oder entsprechendes Kapital verfügte, um den Zensus zu erfüllen.

Nach der Verfassung mußte der König die Kammern wenigstens alle drei Jahre einberufen, konnte sie jedoch vorzeitig auflösen. Das Abgeordnetenmandat galt für sechs Jahre, Juden waren von dem aktiven und passiven Wahlrecht ausgeschlossen. Die besondere Bevorzugung des Adels, die Höhe des Zensus, die Wahl der Abgeordneten nach Berufsgruppen, der überwiegende Einfluß des Königs auf die Legislative und die nur unvollständige Ministerverantwortlichkeit wurden von Anfang an kritisiert. Der liberale Abgeordnete von Rudhart schrieb 1825: »Die bayerische Verfassungsurkunde macht daher den schweren Versuch, die Vergangenheit mit der Gegenwart, das Entgegengesetzte – die Gleichheit vor dem Gesetz mit der Ungleichheit vor demselben zu vereinigen; sie entlarvt die neuen staatsrechtlichen Grundsätze und die Restauration der bürgerlichen Freyheit, – in einigen Beylagen die Vorrechte der alten Zeit nach sich ziehend.« (Rudhart 1826, II, 519.) In der Folgezeit erwies sich, daß der Hof nicht ganz grundlos den Landtagsverhandlungen zitternd entgegengesehen hatte. Obwohl es noch keine politischen Parteien gab, formierten sich bereits gleichgesinnte Gruppen der Konservativen, der gemäßigten Liberalen aber auch radikaler Liberaler, die ausschließlich aus Franken und der Pfalz kamen. Die populärsten liberalen Abgeordneten im Vormärz waren Rudhart, Behr, Aretin, und die Radikalen Eisenmann, Hornthal, Siebenpfeiffer, Coremanns und Wirth. Unter den konservativen Kräften machte besonders der politische Katholizismus des Görres-Kreises von sich reden, der nach der Einheit von Thron und Altar sowie Erneuerung der alten ständischen Ordnung und der Führungsrolle des Adels strebte, während der Liberalismus die Freiheit und Gleichheit der Bürger, ihre Mitspracherechte am politischen Prozeß, Öffentlichkeit in Verwaltung und Rechtspflege sowie das uneingeschränkte Recht der freien Meinungsäußerung anstrebte (Treml 1977, 131). Mit dem Mittel der Urlaubsverweigerung für beamtete Abgeordnete konnte der Monarch mißliebige Volksvertreter von den Landtagsverhandlungen fernhalten. Dem Würzburger Juristen Professor Behr wurde damit schon die Teilnahme am dritten Landtag 1825 verwehrt. Besonders stürmisch gestaltete sich der Landtag von 1831. Unter dem Einfluß der Julirevolution in Frankreich wurden die liberalen Forderungen verschärft.

Darüber hinaus war kurz zuvor die Pressefreiheit weiter eingeschränkt worden. Unter Hinweis auf diese neuen Zensurverordnungen wurde Innenminister Schenk der Verfassungsverletzung beschuldigt und König Ludwig I. schließlich von den Abgeordneten zur Entlassung Schenks, seines Vertrauten, und zur Rücknahme der Zensurbestimmungen gezwungen. Dies und auch die harte Kritik der Abgeordneten an der Regierung des Königs hatten seine Verfassungsbegeisterung erheblich gedämpft und führten nun zum Umschwung seiner Regierung in die konservative Richtung. Vom Landtag von 1840 wurden bereits zwölf liberale oppositionelle Volksvertreter ausgeschlossen, 1843 konnte die Pfalz wegen der Urlaubsverweigerung für ihre beamteten Abgeordneten fast nur Ersatzmänner schicken. Der letzte Landtag (1845/46) vor dem Revolutionsjahr 1848 war geprägt von der Opposition gegen den klerikal-konservativ eingestellten Innenminister Abel, dem sich auch konservati-

vere Abgeordnete und Männer wie Maurer, Berks, Beisler und Thon-Dittmer, die 1848 Bedeutung erlangten, anschlossen. Ein Gesetz zur Ministerverantwortlichkeit und die Eindämmung des klerikalen Einflusses wurde gefordert. Noch konnte sich der König in den wichtigsten Punkten durchsetzen und an seinem Innenminister festhalten (Spindler 1978, I, 206 ff.). Erst nach dem Verlust eines großen Teils seiner eigenen Autorität durch die Affäre mit Lola Montez, setzte sich die Opposition durch.   U. L.

Das Zweikammersystem.

11.2.2

11.2.1 Sessel und Tabouret König Max I. Josephs ** Abb. S. 98

München, um 1805–10, bez. schwarze Ölfarbe: 36; Etikette: K. Schloß Nymphenburg, südlicher Pavillon App. 1 Zimmer No. 4. Inventar Nr. 25, Kgl. Schloß Nymphenburg Lit. 13 Nr. 60. S.T.B. 101; Kirschbaum massiv, Blindholz Buche, Bezug: zweifarbiger Seidendamast um 1830, Sessel: 49 × 62,5 × 54; Tabouret: 47 × 68 × 42; 35/2158 und 2288

Die Möbel zeichnen sich durch schwere geschnitzte Formen aus, wobei die Endigungen der Beine als Löwentatzen ausgeformt und die Armlehnen mit Löwenköpfen verziert sind. In ihrer Grundform greifen die Sitzmöbel Typen auf, die in Paris um 1795 in der Werkstatt von Georges Jacob entstanden. Die Sitzmöbel sind als »römische« Möbel zu verstehen und man möblierte mit ihnen die Räume der politischen Gremien der französischen Republik. Die Übernahme solcher antikischen Formen in den Kontext monarchischer Repräsentation vollzieht sich während des Empire. 1825 wird der Schemel im Schreibkabinett des Königs erwähnt: »1 detto (Tabouret) von Kirschb. H. mit geschnitenen H Löwenköpfen und 4 Pfoten, mit blauem Tuch bezogen, worauf mehrere genähte Figuren von rotem Tuch, nebst Ham. (ans) Houße ... 8 fl.« (Inventar Schloß Nymphenburg 1825, 78 SV). H.O.

11.2.2 Das Zweikammersystem *

bei J. G. Fritzsche, Leipzig, um 1825, bez.u.r.: Dr.v.J.G. Fritzsche, Leipzig, Lithographie, 19,5 × 27,8, Lit.: AK Hambach, Neustadt a.d.W. 1982, 124, Nr. 169; AK Zopf und Philisterey, Würzburg 1985, 99, Nr. 154; Würzburg, Institut für Hochschulkunde, Slg. VAC, V–18

Nicht nur in Bayern, sondern auch in vielen anderen deutschen Bundesstaaten war die parlamentarische Mitbestimmung der Untertanen in die Form eines Zweikammersystems gebunden. In der ersten Kammer (in Bayern die Kammer der Reichsräte der Krone Bayerns) saßen die Vertreter des Hofes, des Adels und des hohen Klerus; sie wurden nicht gewählt, sondern aufgrund ihrer Geburt oder Stellung vom König berufen. Das Volk wählte nur die Vertreter der zweiten Kammer. Die in den meisten Fällen völlig gegensetzlichen Interessen der beiden Kammern werden hier als Kutsche, vor die an beiden Seiten Pferde gespannt wurden, dargestellt. Sie ist auf der linken Seite herrschaftlich-feudal geschmückt. Zwei steif und vornehm gekleidete Herren lassen sich von einem Kutscher in reicher Uniform kutschieren. Auf der rechten Seite treibt ein Jakobiner die Pferde an, ein Liberaler mit schwarz-rot-goldener Schärpe, Waage (Rechtmäßigkeit) und Schwert (Freiheit) sitzt auf dem Kutschbock, neben ihm steht mit schwarz-gold-roter Fahne in der Hand ein Student. Die Reihenfolge der deutschen Farben war im Vormärz noch nicht festgelegt. Von den Vätern der Verfassung war die erste Kammer als mäßigendes konservatives Gegengewicht zur zweiten geschaffen worden.

Für die Gegner des Zweikammersystems war dieses jedoch eine unüberwindbare Behinderung der parlamentarischen Mitbestimmung der Bürger. U.L.

11.2.3 Innenansicht des Ständesaales in München am Tag der 1. Eröffnung der bayerischen Ständeversammlung

Lorenz Quaglio (1793–1869), München, 1819, bez.u.l.: Lorenz Quaglio figuravit Domenico Quaglio. fec., Lithographie, 47,4 × 61,7, Lit.: MK, Proebst München 1968, 162, Nr. 1531; AK WB III/2 1980, 311, Nr. 595 (Abb.); P 1531

Links und rechts stehend die Abgeordneten der zweiten Kammer, auf den Tribünen darüber geladene Gäste, in der Mitte des Raumes sitzend die Mitglieder der Kammer der Reichsräte, im Hintergrund nimmt König Max I. gerade den Eid des Kronprinzen Ludwig auf die Verfassung entgegen. Hinter König Max I. ein provisorischer Textilbehang aus dem frühen 18. Jahrhundert, der später durch das von Kellerhoven 1818 gemalte Porträt »Max I. Joseph im Augenblick der Verkündigung der Verfassung« ersetzt (vgl. AK WB III/2 1980, 7, Nr. 7) wurde. U.L.

11.2.4 Inneres des Saals der Abgeordnetenkammer in der Prannerstraße in München * Abb. S. 14

München um 1845, Aquarell, 16 × 14; Z 1211 (A 7)

Der Ständesaal wurde nach Plänen Leo von Klenzes, der sich wiederum an französischen Vorbildern der Revolutionszeit orientierte, gestaltet (vgl. WB III/2 1980, 311, Nr. 597). Das Aquarell könnte als Vorlage für einen Holzstich der Leipziger Illustrierten Zeitung, 1845, V, Nr. 129, 388 gedient haben. Die Zeitung schreibt dazu:
»Die Form dieses Saales ist die eines Hufeisens. An den beiden längeren nach unten geschweiften Flügeln sind in vier etagenmäßig erhöhten Reihen die für die Abgeordneten bestimmten Sitze angebracht. Im Hintergebäude des Saales zwischen den beiden Haupteingängen in einer durch Mauervorsprünge gebildeten Vertiefung prangt das lebensgroße Bildniß des Königs Maximilian I., des Gründers der bayerischen Constitution. An den Tagen der Eröffnung und des Schlusses der jeweiligen Ständeversammlung nimmt das ähnliche Bildniß des regierenden Königs diese Stelle ein. Unter demselben ist auf einer vier Stufen hohen Estrade der Tisch des ersten Präsidenten der Abgeordnetenkammer, zu dessen rechter Seite jener des ersten Secretairs, zur linken jener des zweiten Secretairs angebracht. Vor dem Präsidententische, etwas weniger erhöht, befindet sich die Rednerbühne, ihr gegenüber am anderen Ende des Saales ein freier Tisch mit Schreibmaterialien zum allenfallsigen Gebrauch. Der zweite Präsident nimmt, sofern er nicht vicarirt, seinen Platz als der erste unter den Abgeordneten auf der rech-

ten Seite ein. Der Ministertisch steht zur rechten Seite des Präsidentensitzes unmittelbar an dem Eingang in den Saal, und hinter demselben der Tisch für die als Regierungscommissaire thätigen Ministerialräthe. Die Gallerie ist in getrennten Logen, und zwar links zuerst für die Stenographen, dann sofort für das Publikum, für die Reichsräthe und Gesandten, rechts gleichfalls für das Publikum und für die Fremden, der Rednerbühne gegenüber für die königliche Familie bestimmt. In den Nachtstunden erhellen neben den an den Brüstungen der Gallerie angebrachten Wandleuchtern 15 Lüster und je 42 Kerzen den Saal. An den letzteren schließen sich zur linken Seite die Gemächer für das Secretariat, das Präsidentenzimmer und die Säle für die Sitzungen der sechs Ausschüsse, von denen bisher drei für die Arbeiten und Sitzungen der mit einer neuen, allgemeinen Gesetzgebung betrauten Commission verwendet wurden.« U.L.

11.2.5 Zwei Wahlurnen des bayerischen Landtags

frühes 19. Jahrhundert, Kasten: Tujamaser furniert, Urne gedrechselt, grün-golden gefaßt, innen mit Samt ausgeschlagen, 59 × 25 × 20, Lit.: AK Industriezeitalter I, Augsburg 1985, 4, 65, Nr. 173 (Abb.); 43/140

Die Urnen tragen auf dem Boden die Bezeichnungen St.H.No XLIII 24, Nr. 10, bzw. 11, wobei es sich wohl um die ursprünglichen Inventarnummern der staatlichen Vermögensverwaltung aus dem 19. Jahrhundert handeln dürfte. Die Gefäße wurden von der Gauleitung München-Oberbayern in den vierziger Jahren an das Münchner Stadtmuseum überwiesen. Zwei weitere ganz ähnliche Exemplare befinden sich noch im Besitz des Bayerischen Landtags und werden im bayerischen Hauptstaatsarchiv aufbewahrt. Sie dienten im Landtag seit dem frühen 19. Jahrhundert der Abstimmung durch Ballotage, einem Verfahren, das der Brockhaus in seiner neunten Auflage (Leipzig 1843) wie folgt erklärt: »Ballotage oder Kugelung nennt man eine Art des Abstimmens. Jeder der Stimmenden erhält dabei eine weiße und eine schwarze Kugel (ballotte) und drückt, durch Einwerfen derselben in ein Gefäß, mit der weißen die Bejahung oder Zustimmung, mit der schwarzen die Verneinung aus.« Zu den Ballotiergefäßen des Münchner Stadtmuseums gehörten zum Zeitpunkt der Inventarisierung 33 schwarze Ebenholz- und 27 weiße Elfenbeinkugeln.
Die Ballotage war bereits in der Antike als Abstimmungsmodus bekannt und wurde mit dem Klassizismus wiederentdeckt. Im Besitz des Münchener Stadtmuseums befindet sich noch ein Ballotiergerät des Rates der Stadt vom Ende des 18. Jahrhunderts (XI c/11) und eine Truhe der Brauer mit Ballotiervorrichtung (Kat.Nr. 10.1.20). Auch die Kommunen und privaten Vereine bedienten sich also dieses demokratischen Abstimmungsverfahrens, das geheime und kaum manipulierbare Wahlen gewährleistete. U.L.

11.3 Vaterland und Republik

Für die Befreiung Deutschlands von der französischen Besatzung hatten sie gekämpft und dabei von einem geeinigten deutschen Nationalstaat geträumt. Doch die begeisterten und siegreichen Teilnehmer der Völkerschlacht von Leipzig 1813 sollten herb enttäuscht werden. Anstelle eines deutschen Vaterlands bescherte ihnen der Wiener Kongreß 1815 einen lockeren Deutschen Bund, der in viele souveräne Königreiche und Fürstentümer zerfiel. Respektlos nannte Turnvater Jahn dieses Gebilde »ein deutsches Bunt« (nach Otto 1982, 125) und schürte die Opposition gegen die in 39 Teile zerfallende deutsche Herrlichkeit mit Wort und Tat.

Zu den aktivsten Gegnern des Deutschen Bundes gehörten die seit 1815 entstehenden Burschenschaften. Mit ihrer ersten politischen Demonstration, der Wartburgfeier am 18.10.1817, erregten sie das Interesse der Öffentlichkeit. Politische Feste waren bisher immer dynastische Feste gewesen, nun feierte sich hier zum ersten Mal das Volk selbst. Die um Jahn versammelten jugendlichen Oppositionellen planten ein Fest zur Wiederkehr des 300. Jahrestages der lutherischen Reformation und zum Gedenktag der Völkerschlacht bei Leipzig. Großherzog Karl August von Sachsen-Weimar, der Freund und Förderer Goethes, stellte dafür die Wartburg zur Verfügung. Die 468 Studenten aus Berlin, Leipzig, Rostock, Kiel, Gießen, Marburg, Erlangen, Würzburg, Heidelberg und Tübingen trugen auf der Wartburg altdeutsche Röcke, um an deutsche Größe und Einheit zu erinnern, wie sie nach ihrer Vorstellung im Mittelalter bestanden hatte, sangen fromme lutherische Lieder, schwangen eher harmlose Reden gegen den Deutschen Bund und zogen wieder ab. Einige engere Vertraute Jahns blieben allerdings zurück und initiierten eine Bücherverbrennung, die den eigentlichen Grund für die Empörung der deutschen Regierungen bildete. Ins Feuer wanderte nicht nur der Code Napoleon, sondern auch August von Kotzebues »Deutsche Geschichte«, eine Sammlung preußischer Polizeigesetze und als Symbole absolutistischer Herrschaft Zopf, Ulanenuniform und Korporalstock.

Ein zweiter oppositioneller Kreis bildete sich in Gießen auf Anregung des Publizisten Ernst Moritz Arndt, der 1812 und 1813 den Befreiungskämpfern so markige Gesänge wie »Der Gott, der Eisen wachsen ließ, der wollte keine Knechte« und »Was ist des Deutschen Vaterland? – Das ganze Deutschland soll es sein« geschrieben hatte. Hier formierte sich unter der Führung der Brüder Adolf, Karl und Paul Follen der »Bund der Schwarzen« oder »Unbedingten«. Es begeisterten sich nicht nur Studenten, sondern auch Handwerker, Ärzte und Pastoren für die deutsche Sache. Neben das Streben nach einem geeinten deutschen Vaterland trat bei den Gegnern der Restauration auch der Wunsch nach demokratischen Verfassungen und der Verwirklichung der Menschenrechte. Das Attentat auf den ultrakonservativen russischen Geheimrat und Lustspieldichter Kotzebue, verübt von dem 23jährigen Burschenschafter Karl Ludwig Sand, der noch als Freiwilliger im bayerischen Heer gegen Napoleon gekämpft hatte (Hardtwig 1985, 15), gab Metternich und dem Deut-

schen Bund endlich willkommenen Anlaß, mit einer Reihe von Zensurbestimmungen und Polizeigesetzen gegen die Opposition vorzugehen und zwang sie in den Untergrund oder ins Exil. Längst nicht alle Bürger waren von Sands Mordtat so entrüstet, wie Metternich gern glauben machen wollte. Vier Wochen vor der Hinrichtung des jungen Mörders erlaubte sich sogar die Münchner Zeitschrift Flora einen vorsichtigen Witz auf Kotzebues Tod: »Er lebte durch Tinte und starb durch Sand.« (18.4.1820, 36.)

Erst die Revolution in Paris 1830 gab der nationalen und demokratischen Bewegung wieder neuen Auftrieb. »Ist es denn wirklich wahr, daß das stille Traumland (Deutschland, A.d.V.) in lebendige Bewegung gerät? Wer hätte das vor dem Julius 1830 denken können?« schrieb Heinrich Heine in seinem neunten ›Pariser Brief‹. In der Tat sollte sich in den nächsten Jahren in Deutschland zwar keine Revolution, aber doch erhebliche politische Unruhe ausbreiten.

In München ereigneten sich Ende Dezember 1830 einige Exzesse und Tumulte, die kurzfristig zur Schließung der Universität führten. Polizei und Regierung handelten übereilt und reizten damit die Stimmung unnötigerweise noch an. Den Ermittlungen der Polizei zufolge waren an dem harmlosen mitternächtlichen Studentenunfug vom 26. Dezember auch auswärtige, politisch verdächtige Studenten beteiligt gewesen. Im Wagnerbräu wurden gleichzeitig das Absingen des »Marseiller Marsch« und »Vivats« auf die revolutionären Polen notiert. Außerdem glaubte man, mehrere Mitglieder der verbotenen Burschenschaft Germania gesichtet zu haben, unterstellte den Studenten verbrecherische Absichten und wies ihnen die Bestellung eines Dolches bei Mechanikus Scheinlein nach (StaatAM, AR 800/1). Die Polizei blieb in München weiterhin alarmiert: »Am 5ten dieß (diesen Monats, A.d.V.) wurde von der königlichen Polizey-Direktion dem königlichen Kreis- und Stadtgerichte in der Person des Rechts-Candidaten Dr. Pistor einer jener Freyheits-Apostel zur strafrechtlichen Untersuchung überliefert, welche sich bereits seit Jahren dem Wahnwitze hingeben, aus Deutschland einen Staat zu bilden.« (StaatAM, AR 800/9). Die Wachsamkeit der bayerischen Polizei konnte die nationale und demokratische Begeisterung nicht unterdrücken. Auf dem Hambacher Fest, das anläßlich dese Jahrestags der bayerischen Verfassung vom 27. bis 30. Mai auf Schloß Hambach in der Pfalz unter der Beteiligung von 20- bis 30 000 Menschen stattfand, zeigte sich dies besonders deutlich. Das Fest war vom radikal liberalen Preß- und Vaterlandsverein um Johann Georg Wirth organisiert worden. Er plädierte noch für die Durchsetzung der Forderungen auf gesetzlichem Wege. Der oben erwähnte Pistor und Siebenpfeiffer sprachen sich bereits für revolutionäre Gewaltanwendung aus. Die Farben der deutschen Burschenschaft schwarz-rot-gold wurden von den Festteilnehmern zu den gesamtdeutschen Farben erhoben. Auf Druck Österreichs und Preußens verhängte Bayern den Ausnahmezustand in der Pfalz, es kam zu mehreren Verhaftungen; Pistor, Siebenpfeiffer und anderen gelang die Flucht ins Exil, um aus

Frankreich und der Schweiz ihre politischen Ziele publizistisch weiterzuverfolgen.

Der Deutsche Bund erließ eine Reihe von verschärften Polizei- und Pressegesetzen, die im absoluten Verbot aller politischen Vereine gipfelten (Adler 1977, 19 ff.). Ludwig I. hatte erleben müssen, daß auf diesem Fest »Fürsten zum Land hinaus! Jetzt kommt der Völkerschmaus, . . . Baierland ins Gewehr! Ludewig taugt nichts mehr.« (nach Otto 1982, 186) gesungen wurde. Dabei war er bisher immer stolz auf seine liberale Haltung und nationale Gesinnung gewesen. Jetzt mußte er feststellen, daß sein »Teutschland« mit dem deutschen Vaterland der Festteilnehmer in Hambach nicht übereinstimmte. Auch der Bau der Walhalla bei Regensburg, von König Ludwig seit seiner Kronprinzenzeit vorbereitet und als Denkmal und Tempel aller Deutschen gedacht, brachte ihm bei den Verfechtern eines geeinten Deutschlands nur Spott und Hohn ein. Während sich König und Staat noch bemühten, in den neugewonnenen Gebieten bayerisches Nationalgefühl und die Liebe zum bayerischen Vaterland zu wecken, erhofften sich vor allem in Rheinbayern bereits etliche Untertanen ein anderes Vaterland, nämlich einen deutschen Nationalstaat. Ludwig hielt zwar an seinen deutschen und bayerischen Denkmalen fest, wandte sich jedoch enttäuscht von seinen liberalen Ideen ab und schenkte sein Vertrauen zunehmend konservativen und klerikalen Kreisen. Diese Umwandlung bekamen zwei bayerische Liberale besonders zu spüren: Johann Gottfried Eisenmann und Wilhelm Joseph Behr. Eisenmann, »typischer Vertreter des spezifisch süddeutschen Liberalismus, der schwärmerischen Patriotismus und treue monarchische Gesinnung mit den Freiheitspostulaten der liberalen Lehre zu vereinigen suchte« (Treml 1977, 122), Herausgeber des bedeutendsten liberalen Blattes in Bayern (»Bayerisches Volksblatt«) mit 2000 Abonnenten im liberalen »Hochjahr« 1832, wurde am 21.9.1832 wegen Hochverrats und Majestätsbeleidigung verhaftet und vier Jahre später zu 15 Jahren Gefängnis verurteilt. Wie bei Eisenmann führten auch bei dem ehemaligen Würzburger Bürgermeister und Abgeordneten Behr, seinem Gesinnungsfreund, eher diffuse Gründe zu der Verhaftung am 24.1.1833. Eine von ihm gehaltene, angeblich zum Umsturz auffordernde Rede während des Jubiläumsfestes der bayerischen Verfassung in Gaibach am 26.5.1832 und die Unterzeichnung eines Protestes gegen die neuesten Beschlüsse des Deutschen Bundes hatten diese wohl veranlaßt. Auch er erhielt eine langjährige Haftstrafe und mußte vor einem Porträtgemälde des Königs Abbitte leisten. Eisenmann und Behr wurden erst 1847/1848 aus der Festungshaft freigelassen und rehabilitiert.   U.L.

Des Deutschen Vaterland

Was ist des Deutschen Vaterland?
Ist's Preußenland, ist's Schwabenland?
Ist's, wo am Rhein die Rebe blüht?
Ist's, wo am Belt die Möwe zieht?
O nein! nein! nein!
Sein Vaterland muß größer sein.

Was ist des Deutschen Vaterland?
Ist's Bayerland, ist's Steierland?
Ist's, wo das Marsen Rind sich streckt?
Ist's, wo der Märker Eisen reckt?
O nein! nein! nein!
Sein Vaterland muß größer sein.

Was ist des Deutschen Vaterland?
So nenne mir das große Land!
Gewiß, es ist das Österreich,
An Ehren und an Siegen reich?
O nein! nein! nein!
Sein Vaterland muß größer sein.

Was ist des Deutschen Vaterland?
So nenne mir das große Land!
So weit die deutsche Zunge klingt
Und Gott im Himmel Lieder singt,
Das soll es sein!
Das, wackrer Deutscher, nenne dein!

Das ist des Deutschen Vaterland?
Wo Eide schwört der Druck der Hand,
Wo Treue hell vom Auge blitzt
Und Liebe warm im Herzen sitzt –
Das soll es sein!
Das, wackrer Deutscher, nenne dein!

Das ist des Deutschen Vaterland?
Wo Zorn vertilgt den wälschen Tand,
Wo jeder Franzmann heißet Feind,
Wo jeder Deutsche heißet Freund –
Das soll es sein!
Das ganze Deutschland soll es sein!

Ernst Moritz Arndt (1813)

Turner Umtriebe.

11.3.1

11.3.1 Turner Umtriebe ∗

Johann Michael Voltz (Nördlingen 1784–1858 Nördlingen), um 1819, Kupferstich, koloriert, 22,5 × 31,7, Lit.: AK Hambach, Neustadt a. d. W. 1982, 46, Nr. 57 (Abb.); AK Zopf und Philisterey, Würzburg 1985, 76, Nr. 58; Slg. Böhmer

Friedrich Ludwig Jahn (1778–1852), nach dem Abbruch seines Studiums der Theologie, Geschichte und Sprachwissenschaft als Hauslehrer tätig, gehörte zu den eifrigsten Agitatoren gegen die französische Herrschaft und für ein geeintes Deutschland sowie ein »Deutsches Volkstum«. Seinen ersten Turnplatz richtete er 1811 in der Berliner Hasenheide ein. Das Turnen, Jahn leitete das Wort aus »Turnier« ab, sollte als vormilitärische Ausbildung dienen und ein Gegengewicht zur geistigen Erziehung bilden.
Die Turner trugen wie die geistesverwandten Burschenschafter altdeutsche Tracht.
Jahn stand mit seinen Ideen nicht allein; neben ihm förderten vor allem Salzmann und Guths Muths die Bewegung. Auch bei ihnen stand die Wehrertüchtigung beim Turnsport im Vordergrund.   U. L.

11.3.2 Turnergürtel

19. Jahrhundert, Woll- und Perlenstickerei, auf der Rückseite Laschen und Schließen in Leder, 10,5 × 9,5, Lit.: AK Zopf und Philisterey, Würzburg 1985, 98, Nr. 153; Würzburg, Institut für Hochschulkunde, CC-Archiv

Die Turner ahmten mit ihren Kommersen, Festen, Bräuchen und Kleidung die Sitten der Studentenverbindungen nach.
Auf dem Gürtel sind das Zeichen der Turner und ihr Wahlspruch »frisch, froh, frei, fromm« eingestickt.   U. L.

11.3.3 Medaille auf das Turnfest in München, 1844

bez. rückseitig: Zur Erinnerung/an das/Turnfest/in/München/D. 25. August/1844, Kupfer, ∅ 2,9; 9408/1729

11.3.4 Turnerfestspiele auf dem Oktoberfest

Gustav Kraus (Passau 1804–1852 München), München, bez. u. M.: Festspiele der Octoberfeste 1835 und 1836, welche unter der Leitung d. Turnlehrers Gruber ausgeführt wurden; u. l.: Kraus lith., Lithographie, koloriert, 48 × 45,2, Lit.: Pressler, 1977, 276, Nr. 412; M II/286

Die Turnergruppen bauten sich zu kunstvollen Pyramiden auf, übten sich im Pfeilwerfen und im Steinschleudern.
Das Turnen fand nicht nur unter den Studenten Anhänger, sondern auch unter den Schülern, Gesellen und Bürgern.
Bei den hier abgebildeten Turnern handelt es sich in erster Linie um Bäcker- und Wagnergesellen. In einer zweiten lithographierten Szenenfolge stellt Kraus das Ringen der Gesellen dar (Pressler 1977, 274, Nr. 411).   U. L.

11.3.5 Unbekannter Turner ∗

Carl Happel (Heidelberg 1819–1867 München), 1847, bez. u. r.: Carl Happel/ 1847, Öl/ Lwd, 37,6 × 30,4; 43/121

Das Porträt trägt auf der Rückseite einen älteren Aufkleber, demzufolge es sich bei dem Dargestellten um einen Angehörigen des Turnerbundes handelt. Der ungewöhnliche Hut und der weite Kragen, der »glühende« Blick und die geballte Faust bestätigen diese Zuweisung. Es ist auch denkbar, daß es sich um einen

badischen Turner handelt, lebte der Maler Carl Happel doch in Heidelberg und Mannheim. Zu identifizieren ist der junge Revoluzzer allerdings nicht, weder mit Hecker noch mit Gustav Struve.   M. M.

11.3.6 Karikatur auf den Turnvater Jahn »Aus der Reichs – Curiositäten – Sammlung: Vorsündfluthliche Überreste eines Urdeutschen«

1848, bez.: Gedruckt bei C. Knatz in Frankfurt a/m., Kreidelithographie, 25,1 × 20,6, Lit.: Böhmer 1968, 58 ff., 62 (Abb.); Fuchs 1897/98, 582 ff.; Slg. Böhmer

Von den Mitgliedern des Frankfurter Parlaments 1848 wurde Turnvater Jahn am häufigsten karikiert, obwohl er inzwischen keinerlei politische Bedeutung mehr hatte. Nach Sands unüberlegter Mordtat an Kotzebue wurde Jahn als sein Mentor fünf Jahre in Untersuchungshaft genommen, danach zu zweijähriger Festungshaft verurteilt und bis 1841 unter Polizeiaufsicht gestellt.
Die Turner distanzierten sich 1848 von ihm, als er sich in der Frankfurter Nationalversammlung gegen Republik und Demokratie und für ein preußisch-deutsches Erbkaisertum aussprach.
Schon allein Jahns eigentümliches Auftreten im Parlament mit Samtkäppchen, das er nie abnahm, wallendem Bart und schwer benagelten Stiefeln reizte die Zeichner zu Karikaturen an. Jahn hatte nie begriffen, daß die Zeiten der Befreiungskriege vorbei waren.   U. L.

11.3.7 Büste des österreichischen Staatskanzlers Metternich

Bertel Thorvaldsen (Kopenhagen 1768–1844 Kopenhagen), um 1819, Marmor, 61, Lit.: Srbik 1925; AK Thorvaldsen, Köln 1977, Abb. 25; Kopenhagen, Thorvaldsens Museum, A 234

11.3.5

Vgl. Kat.Nr. 1.1.5. Am 8.7.1809 war Metternich von Kaiser Franz I. zum Staatsminister und Leiter der Staatskanzlei berufen worden. Die Ideen der deutschen Kämpfer für ein vereintes Vaterland wurden von ihm zutiefst abgelehnt. Österreich konnte kein Interesse an einem starken deutschen Nachbarstaat haben. Unter seiner Leitung wurde 1814/15 auf dem Wiener Kongreß der Deutsche Bund mit 39 deutschen Einzelstaaten und damit im Konflikt mit den Republikanern und »Vaterländischen Gesellen« begründet.

Die Büste entstand 1819, als Metternich Kaiser Franz I. von Österreich auf einer Italienreise begleitete. Thorvaldsen fertigte zwei verschiedene Marmorversionen an.   U.L.

11.3.8 Die Geschichte vom alten Hofmeister in drei Szenen * Abb. S. 20

nach Friedrich Kaiser (Lörrach in Baden 1815–1890 Berlin), um 1848, bez. u. l.: Gez. v. Fr. Kaiser; u. r.: Gedr. bei L. Mehn, Kreidelithographien, 26,1 × 34,1; 34,2 × 26,3; 33,9 × 26; Lit.: AK Metternich Wien 1984, 176, 23, 6 (Abb.); Wien, Historisches Museum, 88.174–89.114f.

Metternich wiegt das Volk in den Schlaf. Als es größer wird, führt er es am Gängelband, doch es hilft nichts: das Volk (mit der Mütze des Deutschen Michel) wird erwachsen, mündig und jagt den »alten Hofmeister« mit dem Besen zur Tür hinaus.

Von den revolutionären Aufständischen in Wien wurde Metternich am 13.3.1848 zur Abdankung und einen Tag später zur Flucht über Prag, Dresden und Holland nach England gezwungen. Auch in Deutschland wurde die Beendigung der »Ära Metternich« lebhaft begrüßt.   U.L.

11.3.9 Medaille auf das 25jährige Jubiläum des Deutschen Bundes, 1840

Johann Jakob (1770–1847) und August Neuss (1810–1869), 1840, bez. VS: Ein Mann/Ein Bund/Ein freies deutsches Volk; RS: Vereint z. einem Bilde/Vereint z. Schirm und Wehr/So stehn d. Wappen Schilde, gedraengt im Kreis umher./1840; Zinn, ⌀ 4,1, Lit.: AK Vorwärts, Nürnberg 1986, 96, Nr. 129 (Abb.); 1779/1122

Auf der Vorderseite gruppieren sich um die beiden größeren österreichischen und preußischen Wappen die übrigen Wappen der 37 kleineren Mitglieder des Deutschen Bundes. Die Rückseite ist mit der Darstellung Armins, des Cheruskerfürsten, als Sieger der Schlacht gegen die Römer im Teutoburger Wald geschmückt. Dies und die Umschrift »Ein freies deutsches Volk« erinnert an die bereits fast 30 Jahre zurückliegende Befreiung Deutschlands von den französischen Truppen. Diese Erinnerung wurde 1840 durch die Forderung der Franzosen nach dem linken Rheinufer während der orientalischen Krise wieder aufgefrischt.   U.L.

11.3.10

11.3.10 »Die deutsche Einheit« *

Joseph Lanzedelli (Wien 1807–1873 Wien), um 1830, bez. o. r.: Zeitspiegel No 4; u. l.: Jl Lanzedelli, gez. u. lith.; u. r.: Ged. 6. J. Jofelich; Kreidelithographie, reproduziert; Wien, Historisches Museum 89.071

An der »deutschen Einheit« zerren die 39 deutschen Fürsten und Stadtoberhäupter. Niemand ist bereit, auf seine Vorteile und Privilegien zugunsten der deutschen Einheit zu verzichten.   U.L.

11.3.11 »Der Zeitgeist. Le tiers Etat« *

Theodor Sohn, (Zizenhausen 1811–1876 Zizenhausen); nach Hieronymus Hess, um 1830, Ton, bemalt, 12,1 × 21,7, Lit.: Seipel 1984, 128f., Nr. 143 (Abb.); Konstanz, Rosgartenmuseum V-Z/13-001 (229)

Die Zeiten haben sich geändert. Bürger- und Bauerntum sind nicht länger bereit, die nach dem Wiener Kongreß 1815 wieder eingeführten restaurativen Zustände zu akzeptieren. Mit vereinten Kräften stemmen sie sich erfolgreich gegen Adel und Klerus. Das Vorbild von Hieronymus Hess bezieht sich auf die Verdrängung des klerikalen Ministeriums Polignac 1830 in Frankreich (Aquarell im Kupferstichkabinett Basel).   U.L.

11.3.12 Zwei Erinnerungsblätter auf die Julirevolution in Frankreich mit Titelblatt

Eugen Napoleon Neureuther (München 1806–1882 München), 1830, bez. u. r.: E.N. 1830, Farblithographien, 44, bzw. 40,7 × 32,5; M IV/1643–45

Titelblatt in schwarz-rot-blau gedruckt »27.–29. Juillet 1830 à Paris en trois Tableaux«; erstes Blatt: »26/27 Juillet 1830, Veillons au salut de l' Empire, 3 Couplets« mit elf Szenen der Pariser Revolution, schwarz gedruckt; zweites Blatt: »28 Juillet 1830: La Marseillaise« sieben Strophen, umgeben von acht Szenen, schwarz gedruckt (ein gleiches Blatt mit Rotdruck und noch weitere Ausführungen M IV/1646ff). Der Sturz des Bourbonenkönigs Karl X. und die Thronbesteigung des »Bürgerkönigs« Louis Philippe als Ergebnis der revolutionären Aufstände in Paris, gab den Nachbarvölkern Mut zu weiteren Aufständen: in Belgien, Polen, Sachsen, Hannover und Hessen kam es zu revolutionären Unruhen.   U.L.

11.3.13 Die Münchner Revolution von 1830 *

1830/31, bez.: Münchnerrevolution Nr. 1, Münchnerrevolution Nr. 2, 2 Lithographien, 44 × 37,4 und 49 × 39, Lit.: AK Hambach, Neustadt a.d.W. 1982, 96, Nr. 128 (Abb.); Schrott 1963, 156ff.; M II/2661-2

11.3.11

11.3.13

In einer beschaulichen Szenenfolge werden einzelne Ereignisse der nächtlichen Dezemberunruhen 1830 in München dargestellt. In erster Linie werden dabei die Überreaktion und das nervöse, übereilte und zu harte Handeln der Gendarmen aufgezeigt. Die Exzesse gingen von lärmenden und randalierenden Studenten aus und wären vermutlich gar nicht weiter beachtet worden, wenn die Polizei, übersensibilisiert von den revolutionären Ereignissen des Jahres, nicht eine Revolution dahinter vermutet hätte. Unbeteiligte Passanten und Zuschauer wurden geschlagen, verletzt und inhaftiert. König Ludwig, der noch im September trotz der Warnungen der Polizei das Oktoberfest besucht hatte und jubelnd hier empfangen worden war, reagierte nicht weniger übertrieben als die Gendarmerie: Die Universität sollte für drei Monate geschlossen werden. Eine Abordnung des Münchner Stadtmagistrats bewegte ihn zur Rücknahme dieser Anordnung. Damit war die »Münchnerrevolution« von 1830 beendet.   U.L.

11.3.14 »Bilderbogen für Jung und Alt«

1831, bez. u. r.: Preis 6 Kr., Federlithographie, 36,5 × 44, Lit.: AK Hambach, Neustadt a. d. W. 1982, 204, Nr. 332; Nürnberg, Germanisches Nationalmuseum 1316/HB 15257

In unbeholfener Manier werden hier den Forderungen nach Religions-, Meinungs- und Pressefreiheit Ausdruck gegeben.

11.3.15 Zug auf das Hambacher Fest am 27. Mai 1832

Joseph Weber (Heidelberg 1798–1881 Mannheim), 1832, Öl/Lwd, 52,5 × 63,5, Lit.: AK Hambach, Neustadt a. d. W. 1982, 192, Nr. 308, Neustadt, Heimatmuseum Inv. Nr. 30

Eine der vielen Darstellungen des Zuges zur Hambacher Schloßruine. Das vom Preßverein organisierte Fest zur Feier des Jahrestages der bayerischen Verfassung vom 26. Mai 1818 war bewußt für einen Tag später geplant worden, um zu demonstrieren, daß die Entwicklung des bayerischen Verfassungsstaats weitergehen müsse. Auch in anderen Landesteilen und Städten Bayerns fanden am 26. und 27.5.1832 Jubiläumsfeiern auf die bayerische Verfassung statt; so zum Beispiel in Gaibach bei Würzburg an der vom Grafen Schönborn gestifteten Verfassungssäule. Das Besondere am Hambacher Fest war nicht nur die große Teilnehmerzahl (die Angaben schwanken zwischen 20000 und 30000), sondern auch sein radikaldemokratischer und nationaldeutscher Charakter. Erst auf dem Hambacher Fest wurden die Farben der deutschen Burschenschaft (schwarz-rot-gold) eindeutig zu den Nationalfarben erklärt. Die deutsche Trikolore ist in den Gemälden auf der Zinne der Schloßruine und im Zug der Teilnehmer aufs Schloß zu erkennen, wobei die Farbenordnung noch nicht festgelegt ist. Der Preßverein war als Selbsthilfeverein Zweibrückener und Pfälzer Abgeordneter, Journalisten

und Beamten im Januar 1832 zur Umgehung der Zensurbestimmungen gegründet worden. Die langfristigen Ziele waren jedoch Aufklärung, Belehrung und Agitation, um über den Prozeß politischer Bildung die Bürger auf die Errichtung eines demokratischen Nationalstaats vorzubereiten. Bis zum September 1832 waren mehr als 5000 Mitglieder dem Preßverein beigetreten. Das von der Regierung erlassene Verbot des Hambacher Fests hatte den Preßverein und auch das Fest nur noch populärer gemacht. Obwohl die meisten Redner und

die führenden Köpfe des Festes aus dem Preßverein kamen, konnte während der viertägigen Veranstaltung keine Einigung auf eine gemeinsame Resolution verabschiedet werden. Im Grunde ging das so schwungvoll begonnene Fest zu Ende wie das Hornberger Schießen, erzielte aber durch die Berichterstattung in den Zeitungen eine breite Wirkung in der Öffentlichkeit. Die Veranstalter und Redner des ersten »Nationalfests der Deutschen« wurden polizeilich verfolgt, teilweise inhaftiert oder ins Exil gezwungen.   U.L.

Vormärz Hambach

Nur damals und während den Tagen des Hambacher Festes hätte mit einiger Aussicht guten Erfolges die allgemeine Umwälzung in Deutschland versucht werden können. Jene Hambacher Tage waren der letzte Termin, den die Göttin der Freiheit uns gewährte; die Sterne waren günstig; seitdem erlosch jede Möglichkeit des Gelingens. Dort waren sehr viele Männer der Tat versammelt, die selber von ernstem Willen glühten und auf die sicherste Hülfe rechnen konnten. Jeder sah ein, es sei der rechte Moment zu dem großen Wagnis, und die meisten setzten gerne Glück und Leben aufs Spiel . . . Wahrlich, es war nicht die Furcht, welche damals nur das Wort entzügelte und die Tat zurückdämmte. – Was war es aber, was die Männer von Hambach abhielt, die Revolution zu beginnen?

Ich wage es kaum zu sagen, denn es klingt unglaublich, aber ich habe die Geschichte aus authentischer Quelle, nämlich von einem Mann, der als wahrheitsliebender Republikaner bekannt und selber zu Hambach in dem Komitee saß, wo man über die anzufangende Revolution debattierte; er gestand mir nämlich im Vertrauen: als die Frage der Kompetenz zur Sprache gekommen, als man darüber stritt, ob die zu Hambach anwesenden Patrioten auch wirklich kompetent seien, im Namen von ganz Deutschland eine Revolution anzufangen? da seien diejenigen, welche zur raschen Tat rieten, durch die Mehrheit überstimmt worden, und die Entscheidung lautete: »man sei nicht kompetent«.

O Schilda, mein Vaterland! Und dennoch beurkundete das Fest von Hambach einen großen Fortschritt, zumal wenn man es mit jenem anderen Feste vergleicht, das einst ebenfalls zur Verherrlichung gemeinsamer Volksinteressen auf der Wartburg stattfand. Nur in Außendingen, in Zufälligkeiten, sind sich beide Bergfeiern sehr ähnlich; keineswegs ihrem tieferen Wesen nach. Der Geist, der sich auf Hambach aussprach, ist grundverschieden von dem Geiste oder vielmehr von dem Gespenste, das auf der Wartburg seinen Spuk trieb. Dort, auf Hambach, jubelte die moderne Zeit ihre Sonnenaufgangslieder, und mit der ganzen Menschheit ward Brüderschaft getrunken; hier aber, auf der Wartburg, krächzte die Vergangenheit ihren obskuren Rabengesang, und bei Fackellicht wurden Dummheiten gesagt und getan, die des blödsinnigsten Mittelalters würdig waren!

Heinrich Heine, Ludwig Börne (1839–1840)

11.3.16 Kopftuch als Souvenir vom Hambacher Fest

F. Hassler, St. Gallen, 1832, bez. u. r.: Lith. v. Heim & Sohn, in St. Gallen; u. l.: F. Hassler dess., Lithographie auf Seide, 71 × 70, Lit.: AK Hambach, Neustadt a. d. W. 1982, 216, Nr. 349 (Abb.); AK Metternich Wien 1984, 51, Nr. 10/12; Wien, Österreichisches Staatsarchiv, Deutsche Akten, Kart. 280

In der Mitte des weißen Tuches eine rötlich gehaltene Abbildung des Hambacher Fests, kreisförmig darum 16 Porträts der führenden Liberalen des Vormärz, von unten Mitte nach rechts: Graf Ernst von Bentzel-Sternau, Dr. Heinrich Josef König, Johann Adam von Itzstein, Silvester Jordan, Dr. Philipp Jakob Siebenpfeiffer, Karl Theodor Welcker, Karl von Rotteck, Friedrich Schüler, Johann Philipp Abresch, Johann Jakob Schloppmann, Ludwig von Hornthal, Wilhelm Joseph Behr, Johann Georg August Wirth, Ludwig Uhland, Ernst Emil Hoffmann, Georg Fein. In den Ecken die vier Tugendallegorien der Weisheit, Tapferkeit, Besonnenheit und Gerechtigkeit. Tücher und Schürzen mit Darstellungen zum Hambacher Fest wurden von zahlreichen Frauen und Mädchen getragen. U. L.

11.3.17 Hambacher Schürze

1833, Tuch, weißgrundig mit schwarzer Eichenlaubbordüre bedruckt, 82 × 94, Lit.: AK Hambach, Neustadt a. d. W. 1982, 218, Nr. 351 (Abb.); Wien, Österreichisches Staatsarchiv, Deutsche Akten Kart. 280

Der Stoff ist so bedruckt, daß daraus eine Schürze geschnitten und genäht werden kann.

11.3.18 Dr. Johann Gottfried Eisenmann im Gefängnis *

nach einer Lithographie von H. Foerdenreuther, um 1840, Porzellanmalerei, 15,8 × 12,5, Lit.: AK Vorwärts, Nürnberg 1986, 156, Nr. 222 (Abb.); AK Unterfranken z. Zt. Ludwig I., Würzburg 1964, Abb. 4; AK Behr, Würzburg 1985, Abb. 22; Hoffmann 1967; Würzburg, Mainfränkisches Museum

Dr. med. Eisenmann (Würzburg 1795–1867 Würzburg), Landtagsabgeordneter und Verfechter freiheitlicher Gedanken in Franken, inhaftiert 1823–25 und 1832–47, wurde Abgeordneter im Deutschen Parlament in der Paulskirche in Frankfurt/M.

11.3.19 Satire auf das Hambacher Fest *

Beilage zum »Deutschen Horizont« von Moritz Gottlieb Saphir, 1832, bez. o. M.: »Das wilde Heer«; u. l.: Beilage zum Deutschen Horizonte« von M. G. Saphir; u. M.: »Die Politische Wolfs-Schlucht«; Lithographie, 40,5 × 51, Lit.: AK Hambach, Neustadt a. d. W. 1982, 215, Nr. 348 (Abb.); M II/394

Dem auch in München von den Behörden wenig gern gesehenen Journalisten und Schriftsteller Saphir nutzte es nichts, daß er sich mit dieser Satire bei der Regierung anbiederte; er wurde wenig später aus München ausgewiesen. Kritik am Hambacher Fest wurde gleich von zwei Seiten laut: Die Liberalen und Republikaner waren enttäuscht, daß während der Versammlungen kein konkretes Ergebnis erzielt wurde, die Konservativen waren von den »unmäßigen« Forderungen der Festredner erschreckt worden. Diesen schloß sich Saphir mit der vorliegenden Karikatur an. Der Titel »Die politische Wolfsschlucht« ist dem Hauptschauplatz der Opernhandlung von Carl Maria von Webers Oper »Der Freischütz« entlehnt. In dem von der Schlange gebildeten Kreis steht Wirth mit dem ihm auf dem Hambacher Fest überreichten Ehrenschwert. Auf den Flügeln der Eule hinter ihm ist das Wort »Zeitschwingen« zu lesen – eine Anspielung auf die 1831/32 in Hanau erschienenen »Neuen Zeitschwingen«, der radikalsten unter den damaligen liberalen Blättern. Mit den sieben musizierenden Männern links ist Siebenpfeiffer gemeint, der »aus dem letzten Loch« pfeift. Darüber ein Hinweis auf das Überreichen eines Ehrenbechers an Schüler auf dem Hambacher Schloß. Ein Hambacher Lustwandler kommt ziemlich lädiert von der rechten Anhöhe, ein »Gemäßigter« sitzt derweil zufrieden mit seiner Maß auf einem Felsvorsprung. In der Gruppe darunter wird die erschreckende Rücksichtslosigkeit der Hambacher dargestellt. Die Figur im rechten Vordergrund, ein »ultraliberaler Samiel« mit dem Freiheitsbaum als Allegorie der Deutschtümelei, Gewaltverherrlichung und Pressefreiheit auf dem Kopf, könnte den Gesichtszügen nach Ludwig Börne sein, der sich in Hambach feiern ließ. Im Freischütz spielt der Samiel als Satan und böse Verführergestalt eine entscheidende Rolle.

Den Vergleich revolutionärer Unruhe mit dem »Freischütz« zieht auch Moritz von Schwind im Juni 1848, als er schreibt: »So wollen wir denn versuchen, das wilde Heer über uns wegziehen zu lassen . . .«. U. L.

11.3.20 Prof. W. J. Behr, Hofrat und Professor in Würzburg

Johann Georg Hirschmann (geb. Burgkunstadt 1769), Aquarell, Lit.: AK Unterfranken z. Zt. König Ludwigs I., Würzburg 1964; AK Behr, Würzburg 1985; Würzburg, Mainfränkisches Museum

Dr. Wilhelm Joseph Behr (Sulzheim 1771 – 1851 Bamberg) Hofrat und Professor der Universität Würzburg, Abgeordneter im bayerischen Landtag 1818, 1. Bürgermeister von Würzburg 1821–32 und Begründer der Städtischen Sparkasse; 1821 Vorkämpfer der freiheitlichen Ideen in Franken; früher mit Kronprinz und König Ludwig befreundet; inhaftiert 1833–47, Abgeordneter im deutschen Parlament in der Paulskirche 1848 in Frankfurt/M.

11.3.21 »Deutscher« *

Caspar Scheuren (Aachen 1810–1887 Düsseldorf), um 1840, bez. u. r.: C. Scheuren, Kreidelithographie, 18 × 14, Lit.: AK Politische Karikaturen, Karlsruhe 1984, Slg. Böhmer

»Denn, ihr Deutschen, auch ihr seid Tatenarm und Gedankenvoll.« – schrieb Hölderlin und fragte: »Leben die Bücher bald?« Der Wunsch sollte sich auch Jahrzehnte später nicht erfüllt haben.

Mit milder Ironie stellt Seurers Lithographie mit dem Titel »Deutscher« von 1840 einen Studenten dar, der in einem an die altdeutsche Tracht gemahnenden Hausrock in seiner Studierstube sitzt und – den Gänsekiel in der Hand – an einer philosophischen Abhandlung arbeitet. Wohl an Goethes Entwurf des Faustschen Turmzimmers ist das Szenarium dieser engen und überfüllten Kammer angelehnt, die auf gedrängtem Raum die Requisiten des deutschen Tiefsinns und der romantischen Phantasiewelt vereinigt.

Ein großer aufgeschlagener Foliant mit dem Titel ›Philosophia‹ liegt vor dem versonnenen Forscher, zu seinen Füßen eine Bibel und eine Deutsche Geschichte; ein Totenschädel erinnert traditionell an die Vergänglichkeit, eine ausgestopfte Eule verkörpert die Philosophie, Öllampe, Brille und Bierkrug komplettieren das gelehrte Ambiente. Zwischen der Karte der deutschen Kleinstaaten und dem Globus, zwischen dem Degen der Freiheitskriege, der Statuette Napoleons und dem Bild George Washingtons, zwischen Besinnung auf deutsche Vergangenheit und Sehnsucht nach französischer und amerikanischer Freiheit spannt sich die weltfremde Phantasie des Autors. Auch Heine hat diese Disposition zu geistiger Universalität, verbunden mit politischer Abstinenz und Passivität, als ein typisch deutsches Phänomen erkannt:

»Wir aber besitzen im Luftreich des Traums
Die Herrschaft unbestritten.
Hier üben wir die Hegemonie,
Hier sind wir unzerstückelt;
Die andern Völker haben sich
Auf platter Erde entwickelt.—« B. B.

Was die Deutschen betrifft, so bedürfen sie weder der Freiheit noch der Gleichheit. Sie sind ein spekulatives Volk, Ideologen, Vor- und Nachdenker, Träumer, die nur in der Vergangenheit und in der Zukunft leben und keine Gegenwart haben. Engländer und Franzosen haben eine Gegenwart, bei ihnen hat jeder Tag seinen Kampf und Gegenkampf und seine Geschichte. Der Deutsche hat nichts, wofür er kämpfen sollte, und da er zu mutmaßen begann, daß es doch Dinge geben könnte, deren Besitz wünschenswert wäre, so haben wohlweise seine Philosophen ihn gelehrt, an der Existenz solcher Dinge zu zweifeln. Es läßt sich nicht leugnen, daß auch die Deutschen die Freiheit lieben.

Aber anders wie andere Völker. Der Engländer liebt die Freiheit wie sein rechtmäßiges Weib, er besitzt sie, und wenn er sie auch nicht mit absonderlicher Zärtlichkeit behandelt, so weiß er sie doch im Notfall wie ein Mann zu verteidigen, und wehe dem rotgeröckten Burschen, der sich in ihr heiliges Schlafgemach drängt – sei es als Galant oder als Scherge. Der Franzose liebt die Freiheit wie seine erwählte Braut. Er glüht für sie, er flammt, er wirft sich zu ihren Füßen mit den überspanntesten Beteuerungen, er schlägt sich für sie auf Tod und Leben, er begeht für sie tausenderlei Torheiten. Der Deutsche liebt die Freiheit wie seine alte Großmutter.

(...)

Der Deutsche wird aber seine alte Großmutter nie ganz vor die Türe stoßen, er wird ihr immer ein Plätzchen am Herde gönnen, wo sie den horchenden Kindern ihre Märchen erzählen kann – Wenn einst, was Gott verhüte, in der ganzen Welt die Freiheit verschwunden ist, so wird ein deutscher Träumer sie in seinen Träumen wieder entdecken.«　　*Heinrich Heine*

11.3.19

11.3.22 Donautal mit Donaustauf und Walhalla ✳

anonym, um 1843, Öl/Lwd, 44 × 66; 56/245

Um die Jahrhundertwende wurde die Flußlandschaft um Donaustauf durch die Romantiker entdeckt: die ersten Ansichten von Joseph Franz de Goez erschienen 1797. Die Burgruine ebenso wie die Weinberge mit ihren Sommerhäuschen, die sich damals noch über die Südhänge des unregulierten Flußlaufes ausbreiteten, zogen Maler und Dichter an. Schließlich hatte Ludwig I. diese Landschaft zum Standort für die Walhalla gewählt: der Grundstein zu dem Ehrentempel auf dem Bräuberg wurde am 18. Oktober 1830, dem Jahrestag der Völkerschlacht von Leipzig, gelegt. Das umgebende Terrain war aufgekauft worden und die Weinberge wichen Wiesen mit Baum- und Buschpflanzungen, und die Bergrücken wurden mit Kiefern und Eichen aufgeforstet. Die Weinkelterhäuser am Fuße des Bräuberges wurden bis auf eines niedergelegt. Die barockisierte Salvatorkirche wurde von Klenze zur pseudo-byzantinischen Kapelle umgestaltet. – Der Reiz dieses bisher nicht veröffentlichten Bildes liegt in der Naivität, mit der der anonyme Maler die ländliche Idylle um das Donaualtwasser mit dem präzise abgebildeten Ort und Burg Donaustauf darstellt. Von der angestrebten Heroisierung der Landschaft durch die 1842 eingeweihte Walhalla nimmt der Maler keine Notiz. Damit vertritt das Bild die Auffassung eines Großteils des Bürgertums und der bäuerlichen Bevölkerung, für die die Walhalla ein skurriles Monument war, das man der eigenen Vorstellung von Idylle anglich　　　　M.M.

11.3.23 Modell einer Viktoria für die Befreiungshalle

Ludwig Michael Schwanthaler (München 1802–1848 München), München, nach 1843, Gips, bronzefarben gefaßt, 57, Lit.: AK Schwanthaler, Reichersberg a. Inn 1974; 308, Nr. 447; Huber, in: OA 107, 1982, 289–302 (296); 66/186

Schon 1814 hatte Kronprinz Ludwig den Gedanken an die Errichtung einer Halle für »Europas Retter« zur Erinnerung an die Befreiungskriege und die Befreiung von der napoleonischen Unterdrückung gefaßt. Der Plan konkretisierte sich jedoch erst 1836 auf Ludwigs Griechenlandreise. Friedrich von Gärtner wurde mit dem Bau des Ehrenmals auf dem Michelsberg bei Kelheim beauftragt, das nach Gärtners Tod 1847 von Leo von Klenze zu Ende geführt wurde. Ludwig von Schwanthaler hatte bereits 1843 verschiedene Entwürfe für die Viktorien vorgelegt, die das Rund des Innenraums umstehen. Bereits 1844, zu Vertragsabschluß mit dem Bildhauer, lagen kleine Modelle zu den Viktorien vor.　　　N.G.

11.3.24 Bavaria mit Löwen, Schwert und Lorbeerkranz

Friedrich Hohe, Ludwig Schwanthaler, bez. u.l.: Erfunden v. Ludw. Schwanthaler; u.r.: Herausgegeben v. Friedr. Hohe in München; u. M.: Durch edle Koenige, die Dir gegeben/ Weih'st Du den Lorbeer jedem edlen Streben. Lithographie, 58 × 40; M II/2359

11.3.25 Das Erwachen des deutschen Michel, zwei Blätter ✳✳ Abb. S. 21, 238

Gustav Kraus (Passau 1804–1852 München) München, um 1841, Lithographien, koloriert, 37 × 48,5, Lit.: Wolf 1982, 33; Pressler 307, Nr. 482, 483; Otto 1982, 177 (Abb.); Koszyk 420 (Abb. 7 u. 8); AK Kunst der bürgerlichen Revolution, Berlin 1972, 43 (Abb.); AK Politische Karikaturen, Karlsruhe 1984, Nr. 56–58; AK Bild als Waffe, München 1985, 418; M II/ 499, 1–2

Die Bezeichnung »deutscher Michel« für den deutschen Bauern und Bürger läßt sich schon um 1525 nachweisen. Doch erst im Vormärz, seit etwa 1840, wird der Michel zur politischen Figur. In dieser Zeit erschienen auch eine Reihe von Bildvariationen über das Thema des erwachenden deutschen Michels mit jeweils zwei zusammengehörenden Karikaturen. Die meisten dieser Karikaturen kamen wahrscheinlich aus Preußen. Hier lassen sich drei verschiedene Künstler nachweisen, die sich dieses Themas auf gleiche Art angenommen haben: R. Sabatky für den Julius Springer Verlag in Berlin, H. Schäfer für den gleichen Verlag sowie auch für Emil Baensch in Magdeburg und W. Winckler für den eigenen Verlag in Königsberg. Die Blätter von Winckler und Sabatky sind mit 1843 datiert, die von Schäfer müssen früher entstanden sein, da sie bereits um 1842 in Bamberg nachgewiesen wurden (vgl. Kat.Nr. 11.4.10). Dargestellt ist jeweils auf der ersten Karikatur ein dicker Michel mit Schlafhaube und Schloß vor dem Mund, der in einem berstenden Kinderstuhl sitzt. Auf seinem Kinderlätzchen wird

11.3.21

das in Kleinstaaten zersplitterte deutsche Vaterland symbolisiert. Die Vertreter der Großmächte – Österreich, Rußland, Frankreich und England – gruppieren sich um ihn, wobei Metternich ihn zur Ader läßt, der Russe seine Stirn hält und gleichzeitig seinen Latz festerzieht, der Franzose an seinem linken Ärmel zerrt, wie an den Streit um das linke Rheinufer 1840 erinnert, und die englische Bulldogge nach seinem Geldbeutel greift. Auf der zweiten Karikatur ist bei Winckler aus dem beleibten, hilflosen Michel ein junger kräftiger Bursche geworden, der sich aus seinem Kinderstuhl befreit hat, auf eigenen Füßen steht und einen dicken Knüppel so energisch gegen seine Peiniger schwingt, daß ihm die Schlafmütze vom Kopf rutscht. (Sabatky lieferte eine andere Variante der zweiten Karikatur, in der Michel mit preußischen Attributen und unveränderter Leibesfülle dargestellt ist.) Im Hintergrund sind jeweils der Papst mit einem überdimensionierten Kirchenschlüssel und das exerzierende deutsche Bundesheer zu sehen.

Bei den hier vorliegenden Blättern handelt es sich um die bayerischen Varianten dieses Themas, wobei die Frage nach dem frühesten, ursprünglichen Entwurf unbeantwortet bleiben muß. Die Anordnung und Ausführung der Hauptpersonen im Vordergrund gleicht bis auf wenige Details den Darstellungen von Sabatky (AK Politische Karikaturen Nr. 56) und W. Wincklers (ebd. Nr. 58). Im Gegensatz zu den preußischen Karikaturen sind jedoch die Bildhintergründe hier anders und sehr viel detaillierter ausgeführt. Auf dem ersten Blatt mit dem Titel »Der deutsche Michel bis zum Jahre 1848« sind militärische Szenen, auf die aus einer Wolke Napoleon herabschaut, zu erkennen. Das zweite Blatt trägt den Titel »Die Erholung des deutschen Michels vom Jahre 1841 bis –«. In der Mitte des Hintergrunds prangt die 1842 vollendete Walhalla vor der aufgehenden Sonne, in deren Strahlen der Spruch »Es lebe die deutsche Eintracht« zu lesen ist.

Zu Füßen der Walhalla sind Fabriken mit rauchenden Schloten, Kanäle mit vollen Lastkähnen und ein Kriegerdenkmal, wohl des alten Cheruskerfürsten Hermann, sowie eine Statue in der Art der späteren Bavaria zu erkennen. Ein Entwurf des Hermanns-Denkmal existierte bereits seit 1838, obwohl es erst 1875 im Teutoburger Wald fertiggestellt wurde. Aus dem gleichen Jahr stammt Schwanthalers Entwurf zur Bavaria, die 1850 auf der Theresienhöhe in München aufgestellt und eingeweiht wurde. Gustav Krauss hat für den Hintergrund Themen seiner früheren Lithographien, z.B. zum Rhein-Main-Donau-Kanal und zur Spinnerei- und Weberei Augsburg, wiederaufgearbeitet. Das Gleiche gilt für den Hintergrund des ersten Blattes, wo zwischen den kriegerischen Szenen ein Ringkampf stattfindet. Dieser 1841 in München sehr populär gewordene Kampf zwischen Simon Maisinger, dem Knecht des Faberbräus, und dem französischen Herausforderer und Schaukämpfer Jean Dupuis endete mit dem Sieg Maisingers und wurde als nationales Ereignis wie eine gewonnene Schlacht weit über München hinaus gefeiert.

Der sich hier 28 Jahre nach der Völkerschlacht bei Leipzig offenbarende Franzosenhaß hatte sich 1840 an der französischen Forderung nach dem linken Rheinufer als natürliche Grenze entzündet. In Zeitungsartikeln und Liedern wurde das Bild vom alten französischen Erzfeind wiederheraufbeschworen und führte zu einer Welle deutschen Nationalgefühls. Das in den Untertiteln angegebene Jahr 1841 läßt sich an keinem konkreten historischen Ereignis festmachen, verdeutlicht aber die Hoffnungen der Anhänger eines geeinten starken deutschen Vaterlandes, die sie an diese nationale Begeisterung knüpften. So wurden 1841 nicht nur Pläne zur Errichtung des Hermanns-Denkmals laut, sondern auch zur Vollendung des seit dem Mittelalter nur als Bauruine existierenden Kölner Doms. Der unvollendete ist in dem Wolkenband der zweiten Karikatur sichtbar. Nicht zuletzt auf Initiative des bayerischen Königs Ludwig, wohl dem einzigen deutschen Fürsten, dem Deutschlands Schicksal zu dieser Zeit wirklich am Herzen lag, konkretisierten sich die Pläne um den Kölner Dom noch 1841 in der Gründung des Dombauvereins.

Industrie und Geschichtsbewußtsein sollten nach Meinung des Künstlers Deutschland so weit stärken, daß es sich gegen die übermächtigen Nachbarn wehren kann. Doch auch nach Innen sollte eine Erneuerung durch die Überwindung der vielzähligen innerdeutschen (schwarz-rot-goldenen) Grenzen stattfinden. Dies ist, neben der karikierenden Darstellung Metternichs, der einzige revolutionäre, aufrührerisch erscheinende Inhalt der Blätter, da mit den unzähligen Grenzstationen innerhalb Deutschlands auch die Souveränität der einzelnen Landesfürsten wanken würde. Insgesamt gesehen erscheinen die Karikaturen von Gustav Krauss weniger radikal und verzerrt als die eingangs erwähnten preußischen Varianten. In den einschlägigen Akten des Innenministeriums ließen sich keine Hinweise darauf finden, ob auch diese Blätter von der Zensur verfolgt wurden (vgl. dagegen Kat.Nr. 11.4.10). Es ist eher anzunehmen, daß ihre Veröffentlichung bzw. ihr Verkauf mit landesherrlicher Duldung geschehen konnte, da sie in vielen Elementen dem Denken und Vorhaben des bayerischen Königs entsprachen. U.L.

11.3.22

Von der Walhalla die Rede seiend.

Melodie Als Adam, als Adam die Eva gesehn.

*»Walhalla, Walhalla, was soll denn das sein?
Wird bairisches Bier da geschenkt oder Wein?«*

*Da schenkt man nicht Bier und da schenkt man nicht Wein,
Da stellt man verdienstvolle Deutsche hinein.*

*»Verdienstvolle Deutsche, das klinget gar fein,
Darf drunter ein Ketzer und Jud' auch wol sein?«*

*Katholisch gekoschert so kommt man allein
In unsere deutsche Walhalla hinein.*

*Denn Alles wol läßt sich auf Erden verzeih'n,
doch nimmer und nimmer die Ketzerei'n.*

*Und wollte der Luther ein Heide nur sein,
So käm' er am Ende wohl auch noch hinein.*

*»Was Luther, was Luther, der braucht nicht hinein!
Der lebt in den Herzen, wozu noch in Stein?«*

*»Wenn keine Walhalla auf Erden wird sein,
O Luther, so denket die Welt doch noch dein.«*

*Hoffmann von Fallersleben Deutsche Lieder
aus der Schweiz, Zürich und Winthertur (1843)*

11.3.27

11.3.26 Die Hunde als Revolutionäre **
Abb. S. 250

Friedrich Anton Wyttenbach (Trier 1812–1845 Trier), München, 1842, bez.: »Wyttenbach 1842«, o.r.: »liberté«, Öl/Lwd, 24 × 30, Lit.: Dieck 1961, 47f.; 30/1902

Friedrich Anton Wyttenbach, Sohn des engagierten Republikaners Johann H. Wyttenbach, erhielt seine künstlerische Ausbildung bei Karl Ruben und an der Düsseldorfer Akademie. Da seine frühen Werke vorwiegend Architekturporträts sind (z.B. das Portal der Liebfrauenkirche von 1835, StM Trier), ist anzunehmen, daß er in der neueingerichteten Klasse für Landschafts- und Architekturmalerei unter Leitung von Johann Wilhelm Schirmer studierte, die zu dieser Zeit auch Alfred Rethel besuchte.
1832 ging er nach Trier zurück, um seinen Militärdienst zu leisten. Aus einem Brief an seinen Freund Peter Junk geht hervor, daß Wyttenbach im Herbst 1833 eine mehrmonatige Festungshaft in Ehrenbreitstein absaß, offenbar aus politischen Gründen (Dieck 1961, 47f.).
1834 zog er nach München, wo er sich auf Tiermalerei und Jagdszenen spezialisierte. Die 1962 entdeckten Wandgemälde in der Jagdhütte im Forstenrieder Revier, dem sog. »gelben Haus«, die Wyttenbach 1841 für seinen Jagd-

freund Max v. Schilcher gemalt hatte, dürften in ihrer Thematik typisch für seine Münchner Zeit gewesen sein: Rotwild auf der Flucht, eine Hasenfamilie, Rehe und eine Gruppe von Jägern mit ihren Hunden.
Die Darstellung menschlicher Charaktere in der Gestalt von Tieren, vor allem Hunden, war um die Mitte des 19. Jahrhunderts sehr beliebt. Wyttenbach verwandelt hier die Schrecken der gutbürgerlichen Gesellschaft, Jakobiner, Sozialisten, Burschenschafter und andere »Revolutionäre«, in eine bunte Mischung räudiger Straßenköter.
Das Gemälde stellt ein Rudel Hunde dar, die gerade von ihrem Anführer, dem Pudel, befreit werden. Durch ihre Kopfbedeckungen, so eine Jakobinermütze und eine schwarz-rot-goldene Studentenmütze, sind sie als Revolutionäre gekennzeichnet; die Kritzeleien an der Wand, eine Jakobinermütze mit der Beischrift »liberté« und die Darstellung einer Hinrichtung, verdeutlichen den politischen Bezug. Die Meute setzt sich aus den verschiedensten Rassen bzw. Charakteren zusammen: Ein verwegener Abenteurer mit Augenbinde; vor ihm ein Schoßhündchen, das mehr verschreckt als interessiert seine Befreiung beobachtet. Rechts vorne wird ein anderer so von Zahnschmerzen geplagt, daß er das Geschehen um sich herum nicht mehr wahrnimmt. Neben dem weißen Pudel zwängt ein schwarzer Hund seinen Kopf durch den Türspalt. Durch den Türspalt sieht man auf zwei Männer, die in einiger Entfernung vorübergehen, wohl Soldaten.
Das Gemälde wurde im Jahresbericht des Münchner Kunstvereins unter der Nummer 428 »Eine Gruppe Hunde 15":18"« für die Ausstellung von 1842 erwähnt. Das Münchner Stadtmuseum erwarb es 1930 auf der Versteigerung von Schloß Biederstein durch das Auktionshaus Helbing (AK 25.–26. September 1930, Kat.Nr. 389 »Zirkushunde in einem Zwinger«) – nach frdl. Angaben von B. Eschenburg.
1843 entstand eine Lithographie mit dem Titel »Ein Pudel befreit seine Mitgefangenen« (MStM M III/552) nach diesem Gemälde, bei der Wyttenbach die Kritzeleien durch ein breit grinsendes Strichmännchen ersetzte und damit die politische Aussage reduzierte. 1844, ein Jahr vor seinem Tod, kehrte er nach Trier zurück. Aus dieser letzten Zeit stammen zwei seiner bekannteren Werke: Die »Trierer Jagdgesellschaft« von 1844 und das »Familienbildnis« von 1845 (beide StM Trier). **S.W.**

11.3.27 Der gefesselte Prometheus *

wohl Lorenz Clasen (1812–1899), Düsseldorf, 1843, Kreidelithographie, 39,5 × 30,5, Lit.: AK Politische Karikaturen, Karlsruhe 1984, Nr. 14; Otto 1982, 164 (Abb.); AK Kunst der bürgerlichen Revolution, Berlin 1972, 37 (Abb.); Koszyk 1985, 419 (Abb. 5); Bonn, Universitätsbibliothek (max. 2° 148)

Anlaß zu dieser Karikatur war das Verbot der »Rheinischen Zeitung«, einem bürgerlichen Unternehmen, deren Redakteure jedoch zu den radikalen Intellektuellen zählten. Sie erschien von Oktober 1842 bis zum 31.3.1843. Links oben in der Karikatur ist der preußische Kultusminister Eichhorn, der das weitere Erscheinen der Zeitung verboten hatte, als Eichhörnchen dargestellt. An einer Schnur hält er den preußischen Adler, der dem »gefesselten Prometheus«, Karl Marx, die Leber aushackt. Marx ist an eine Druckerpresse gebunden, oben an der Presse hängt noch ein letztes Exemplar der Rheinischen Zeitung, deren Titelblatt von der Zensur ganz gestrichen worden ist. Zu Füßen der Druckerpresse klagen die rheinischen Stadtgöttinnen, Köln, Düsseldorf, Aachen, Krefeld, Elberfeld, Koblenz und Trier. Im Hintergrund ist der noch nicht vollendete Kölner Dom zu erkennen. **U.L.**

11.3.28 »Die Augen Auf!!! Nicht Adel, nicht Pfaff, soll uns mehr bedrücken. Zu lange beugten sie des Volkes Rücken—.«

um 1845, Lithographie, 27 × 24,5, Lit.: AK Kunst der Bürgerlichen Revolution, Berlin 1972, 38 (Abb.); Z (B 21) 1900

Warnung vor dem Einfluß des Klerus auf die Politik. Pfaffen und Mönche blasen das Licht der Wahrheit aus; ein Jesuit mit Angel und langen Krallen an den Fingern rafft zwei Säcke an sich, auf dem einen steht: Zehent, EVG= Schleicherey / 17.000.000 / Im Finstern fischen./, auf dem anderen: »Lichtscheue«. Der letzte Sack ist geplatzt und liegt am Boden, Zettel mit »Hl. Rock Trier, Wunder, Amulett, Fanatißmus, Wahlfahrten, Ablaß, Aberglaube« usw. fallen heraus. Auch der Adel profitiert von der Verdunkelungsaktion der frommen Brüder. Das Flugblatt könnte sich auf die politischen Zustände Bayerns und den zunehmenden Einfluß der Kirche während der Amtszeit des konservativen Innenministers Carl von Abel 1837–1847 beziehen. **U.L.**

11.4 Verboten! – Wie der bayerische Staat vor 150 Jahren seine Untertanen vor verderblichen Einflüssen schützte

Schon Staatsminister Graf Montgelas hatte es für besser gehalten, das öffentliche Interesse an der Politik zu kontrollieren (Treml 1977, 34). Die meisten höheren Beamten, die auch nach seinem Sturz 1817 im Amt blieben, waren der Meinung, daß sich der Staat durchaus um das Wohlergehen der Bürger kümmern sollte, aber weniger der Bürger um das politische Wohlergehen des Staates. Was dabei herauskommen konnte, hatte man ja zur Genüge in den blutigen Eskalationen der französischen Revolution seit 1789 gesehen. Die Angst vor einer Revolution saß noch tief in den Köpfen von König, Ministern, Beamten, aber auch der Bürger. Diese Angst machte sich der österreichische Staatskanzler Fürst Metternich, der sich seit dem Wiener Kongreß in der Rolle eines leitenden Vorsitzenden im Deutschen Bund gefiel, zunutze. Die bayerische Regierung hatte sich lange gegen die gängelnde Einmischung von Außen gewehrt, dann aber erhielt Metternich plötzlich Hilfe von ganz unverhoffter Seite.

Am 23. März 1819 ermordete der aus dem bayerischen Wunsiedel stammende Jenaer Theologiestudent Karl Sand in Mannheim den russischen Staatsrat und Komödiendichter August von Kotzebue, was sofort von allen Seiten als politisches Fanal gewertet wurde. Sands Sympathisanten rekrutierten sich aus der Burschenschaftsbewegung, deren Gründungsmitglieder meist freiwillige Teilnehmer der Befreiungskriege gegen Napoleon gewesen waren. Nach der Neuordnung Europas und Deutschlands auf dem Wiener Kongreß sahen sie ihre ideale – nationale Einheit, konstitutionelle oder demokratische Regierungsformen – jedoch nicht erfüllt. Enttäuschung und Wut über die Wiedereinführung endlich überwunden geglaubter Staatsformen und innerdeutscher Grenzen drohten bei einigen von ihnen zu eskalieren. Dazu gehörte auch Sand. Kotzebue dagegen gehörte nicht nur zu den beliebtesten Lustspieldichtern des breiten, behäbigen Bürgertums, sondern stand gleichzeitig unter dem Verdacht, als Spion des russischen Zarenreichs in Deutschland zu agieren. In seiner Rolle als russischer Staatsrat war der Ermordete Repräsentant des herrschenden Systems.

Ein zweites Attentat, das diesmal dem nassauischen Staatsrat Karl von Ibell gelten sollte, mißglückte im Sommer des gleichen Jahres. Metternich hatte bereits reagiert. Das Schreckgespenst einer gefährlichen revolutionären Verschwörung diente ihm als Vorwand, um sein politisches Ziel, Kontrolle der öffentlichen Meinung vor allem durch Unterdrückung der Pressefreiheit, bei den Regierungen des Deutschen Bundes zu erreichen. In den berühmten Karlsbader Beschlüssen vom August 1819 wurden die Burschenschaften verboten und die Zensur für Druckschriften unter 20 Bogen beschlossen. Eine Zentraluntersuchungskommission, die aus Bevollmächtigten der einzelnen Bundesmitglieder bestand, sollte von Mainz aus Universitäten, Schulen und später auch verdächtige Vereinigungen oder Individuen überwachen. In Bayern oblag es den lokalen Polizeibehörden, die Aufsicht über sämtliche Buchhandlungen, Antiquariate, Leihbibliotheken, Leseinstitute, Buchdruckereien, lithographische Anstalten usw. auszuüben. Eventuelle Beschlagnahmungen unliebsamer Druckerzeugnisse waren vorläufig jedoch nur provisorisch und mußten erst vom Innenministerium bestätigt werden (Treml 1977, 48f.). Aus allen bayerischen Bezirken wurden daher verdächtige literarische Funde mit genauen Beschreibungen über das Woher und Warum an das Innenministerium geschickt. Die Bestimmungen waren so ungenau und unzulänglich, daß der Ermessensspielraum des einzelnen Polizeibeamten recht groß war. Die meisten der eingesandten Schriften kamen aus den Bereichen Religion und Aberglauben, Moral sowie Politik, wobei der letztere sich wiederum aufteilte in Majestätsbeleidigung, Anstiftung zum Kommunismus und Sozialismus oder zu großer Deutschlandliebe; so wurde bis 1848 das Tragen von Abzeichen, Bändern und Tüchern in den nationalen Farben schwarz-rot-gold polizeilich verfolgt.

Kam das Innenministerium zu dem Schluß, daß die Beschlagnahme gerechtfertigt war, so wurde das Verbot dieses Werkes per lithographiertem Rundschreiben offiziell bei allen Polizeibehörden bekanntgemacht und das eingesandte Exemplar der Bayerischen Staatsbibliothek zur Aufbewahrung übergeben. Hier faßte man die anrüchige Literatur unter den »Remota« zusammen und entzog sie dem allgemeinen Benützerverkehr. Noch heute ist bei manchen dieser Bändchen die alte Signatur mit dem »Rem.«-Kürzel zu erkennen.

Zu den ersten Beschlagnahmungen seit den Karlsbader Beschlüssen gehörten 1819 und 1820 die bildlichen Darstellungen von Sands Schicksal (MInn 25114b If). Am 10.10.1819 meldete der Regierungspräsident von Augsburg den Verkauf solcher Bilder auf dem Jahrmarkt vorzüglich an junge Leute. Der Verkauf war unterbunden worden, da »hierdurch die Phantasie schwärmerischer Menschen aufgereizt wird, und es gewiß im höchsten Grade auffallend ist, wie ein Mörder als ein Freyer und Märtyrer dargestellt werden kann ...«. Die Darstellung Sands im Kerker beschrieb er folgendermaßen: »indem die Kombination der Bibel mit Körners Gedichten – des Mysticismus mit dem Teutonismus – (Bibel und Gedichtband sind in der Zelle neben Sand zu sehen A. d. V.) die auffallend starke Nachfrage um diese Bilder, und der Umstand Aufmerksamkeit verdient, daß diese Darstellungen nach bestimmter Anzeige bey Campe in Nürnberg erschienen sind.« 1820 meldeten auch München und Regensburg die Beschlagnahme solcher Bilder. In Ansbach fand man ein Blatt »Lohnings Mordversuch des Präsidenten Ibell«, das sich also auf das mißglückte zweite Attentat bezog und augenscheinlich von dem gleichen Künstler erstellt worden war; diesmal bestritt Campe aber die Verlegerschaft.

Am 11.1.1820 konfiszierten die Behörden des Isarkreises eine Karikatur auf die (nicht existierende) Preßfreiheit und den »Zeitgeist« – »eine Menschenfigur mit Pferdefüßen, eine

Jakobinerrothe Kappe auf dem Kopf, Fledermausflügel auf dem Rücken, Dolch in der Hand und eine Pistole im Gürtel« (vgl. Kat.Nr. 11.4.6). In der Begründung heißt es, der »Zeitgeist« richte sich zwar nicht gegen eine bestimmte Regierung, sei »aber doch als Nachahmungsstoff für die Leidenschaften politischer Fraktionen der öffentlichen Ruhe und Ordnung nachtheilig . . .« In Ansbach fand man nicht nur den »Zeitgeist«, sondern auch das Gegenstück dazu, den »Anti-Zeitgeist« (vgl. Kat.Nr. 11.4.7).

Das Hauptaugenmerk der Zensurbehörden richtete sich natürlich vor allem auf die in- und ausländischen Tageszeitungen. Die hohe und höchste Bürokratie war noch größtenteils pressefeindlich eingestellt und fühlte sich durch die Tageszeitungen unangenehm kontrolliert (Treml 1977, 132). Auch Metternich beargwöhnte die Tageszeitungen am meisten; der österreichische Gesandte Hruby entwickelte sich nach den Karlsbader Beschlüssen zum heimlichen »Oberzensor« in Bayern (Treml 1977, 76). In Wien ging man offensichtlich davon aus, daß die Münchner mit der Beaufsichtigung der Presse nicht allein fertig würden. Kronprinz Ludwig ärgerte sich darüber und versuchte, nach seiner Thronübernahme 1825 die Pressepolitik zu liberalisieren. Doch nach der Julirevolution 1830 in Frankreich und den Unruhen in ganz Europa änderte er den Kurs. In der am 31.1.1831 im Regierungsblatt veröffentlichten »Verordnung zu § 2 der 3. Beilage zur Verfassungsurkunde« wurde die Zensur für alle politischen und statistischen Zeitschriften und Periodika nachhaltig verschärft. Konsequenterweise veröffentlichten nun die Liberalen und Oppositionellen ihre Ideen und Meinungen in eigenen, unperiodischen Druckschriften. Industrie, Landwirtschaft und örtliche Gegebenheiten waren noch die einzigen zensursicheren Themen für die Presse. Verleger, die sich nicht an die offiziellen Verfügungen hielten, riskierten die Konfiskation ganzer Zeitungsnummern. Dahinter stand oft der finanzielle Ruin. Immer öfter erschien die Polizei in den Druckereien. Auch einzelne Schriften wurden schärfer zensiert.

Eine Besonderheit des bayerischen Zensurwesens innerhalb des Deutschen Bundes war die unnachgiebig strenge Verfolgung von Druckerzeugnissen mit antiklerikalem oder abergläubischem Inhalt (siehe z.B. BayHStA, MInn 25114b Ig und StadtAM, Polizeidirektion Nr. 432). Die Staatsbibliothek erhielt aus diesem Grund aus der Hand des Innenministeriums eine merkwürdige Sammlung theologischer Literatur: z.B. 1829 den »Katholischen Haussegen«, 1832 »Zwanzig Päpste an der Himmelspforte des Petrus«, 1834 Karl Julius Webers »Papstthum und Päpste. Ein Nachlaß des Verfassers der Mönchnerei«, 1838 »Die Aufhebung und Umtriebe des Erzbischofs von Köln Freiherrn von Droste und Vischering gegen König und Staat«, 1840 »Der Mönch und die Nonne, oder Bibliothek der interessantesten und aufregendsten Gemälde aus dem Kosterleben«, erschienen in Augsburg 1838 usw. usw.

Besonders eifrig verfolgte das Innenministerium König Ludwigs 1844 alles, was in Zusammenhang mit Kritik an der Geschichte um den sogenannten »Heiligen Rock« in Trier stand. In Preußen, wo normalerweise schärfer zensiert und überwacht wurde, scherte man sich kaum um die für die katholische Kirche bedrohlichen Diskussionen, die sich an dem Rock zu Trier entzündet hatten. Der Dom zu Trier besaß nach jahrhundertealter Überlieferung den »Leibrock Christi«, den die römischen Soldaten nach der Kreuzigung

unter sich ausgewürfelt hatten. Diese kostbare Reliquie wurde in bestimmten Zeitabschnitten in der Kirche ausgestellt. So auch 1844, doch nun wurde plötzlich die Echtheit des Rockes von Theologen und Historikern – unter ihnen auch der Bonner Professor Heinrich von Sybel – heftig bestritten und seine Ausstellung scharf angegriffen. Der Trierer Bischof Wilhelm Arnoldi ließ sich davon nicht beirren, sondern stellte nach 34 Jahren den Rock in seiner altehrwürdigen Kathedrale wieder aus und sah sich vorerst durch die nun heranströmenden Wallfahrtsprozessionen – insgesamt wohl eine halbe Million Menschen auch aus weit entlegenen Gegenden (Parent, AK 1844, Münster 1985, 83 ff.) – bestätigt. Der zweimonatige Wallfahrtstrubel war gut organisiert, die Trierer Wirtschaft florierte. Ein gewichtiger Grund für die Anziehungskraft des angeblich ganz ohne Nähte erstellten »Heiligen Rockes« lag wohl in der »Wunderheilung« der jungen Freifrau von Droste-Vischering, einer Nichte des Kölner Erzbischofs, die nach der Berührung des Rockes wieder ohne Krücken gehen konnte. Nicht einmal in den Reihen der katholischen Bischöfe fand Arnoldis Aktion ungeteilte Zustimmung. Zu den schärfsten Gegnern gehörte der suspendierte schlesische Priester Johannes Ronge, der am 15.10.1844 Arnoldi in einem offenen Brief aufforderte, »das erwähnte Kleidungsstück der Öffentlichkeit zu entziehen . . .« (nach Parent, AK 1844, Münster 1985, 88). Ronge wurde daraufhin zwar exkommuniziert, fand aber in der Öffentlichkeit nachhaltige Unterstützung. Seine Anhängerschaft löste sich von Rom, gründete eine »deutsch-katholische Kirche« und bestand 1847 bereits aus ca. 80000 Mitgliedern. Die Deutsch-Katholiken führten die Muttersprache in die Gottesdienste ein, schafften die meisten Sakramente ab und erlaubten die Priesterehe.

Diese Spaltung innerhalb der Kirche war natürlich nicht allein durch die Trierer Wallfahrtsgeschichte bewirkt worden, sondern stand im Zusammenhang mit den seit Jahren anhaltenden Bestrebungen aufgeklärter Katholiken um die Reform ihres Glaubens. In diesem Zusammenhang muß z.B. die »Christliche Glaubenslehre« von Dr. David Friedrich Strauß (Konstanz 1842) erwähnt werden, die noch im gleichen Jahr vom bayerischen Innenministerium auf die Liste der verbotenen Werke gesetzt wurde (BayHStA, MInn 25117). Nach der Trierer Affaire erhielten die Reformkatholiken Schützenhilfe aus den Kreisen der Demokraten und Liberalen, die gegen Aberglauben und Volksverdummung wetterten und ihre eigenen Bemühungen um Vernunft und Emanzipation des Volkes empfindlich getroffen sahen. Eine Menschenmenge, wie sie sich nun in Trier versammelte, war in Hambach 1832 ein Traumziel geblieben. Zu ihnen gehörte auch der sächsische Theaterkritiker und überzeugte Demokrat Robert Blum. An verschiedenen Stellen Nordbayerns, aber auch in Lindau fand die Polizei nun aus dem Bereich der deutsch-katholischen Anhängerschaft Schriften und gegenständliche Sympathiekundgebungen in Form von Taschentüchern, Pfeifenköpfen, Tabaksdosen und Rongebildnissen (BayHStA, MInn 25114b I). In München gelang der Polizei 1845 die Verhaftung eines Mannes, der in Gasthöfen für die deutsch-katholische Kirche geworben haben sollte (StaatAM, Polizeidirektion, Nr. 325).

Fast ebenso ernst wie den Schutz der katholischen Kirche vor unliebsamen Angriffen nahm man in Bayern den Schutz der allgemeinen Sittlichkeit und Moral. Die Prüderie des Biedermeier zwang die Erotik in den Untergrund, was der

Kundschaft den Spaß an »sittenwidrigen« Liedern, Darstellungen und Romanen nicht ganz nehmen konnte. Vor allem die Jahrmärkte scheinen beliebte Umschlagplätze für allerlei Anzüglichkeiten gewesen zu sein. In Oberbayern beschlagnahmte die Polizei 1847 einen Pfeifenkopf mit der Darstellung »ein schlafendes Mädchen von zwei Männern belauscht«.

In Aschaffenburg machte König Ludwig 1840 einen empörenden Fund: »Herr Minister des Innern von Abel! Ich habe auf einem hiesigen Jahrmarkte Pfeiffenköpfe zu Verkauf ausgelegt gesehen, worauf schlüpfrige Sitten verderbende Malereyen angebracht waren. – Uebrigens finde Ich mich durch befragliche Wahrnehmungen, und weil ich zu vermuthen Grund habe, daß derley Unfug auch anderswo stattfinde, weiters veranlaßt, Sie . . . zu beauftragen, das Verbot des besagten gesetzwidrigen Beginnens . . . allwärts mit bemessener Strenge handhaben zu lassen.« Offenbar war das Innenministerium nicht streng genug und acht Jahre später wieder auf die Hilfe des Königs angewiesen: »Mir schien jüngsthin, als wären auf hiesiger Dult in einer Marktbude der äußersten Reihe der Dultstände gegen das Max-Thor zu Bilder mit unzüchtigen Darstellungen aufgelegen . . . München, den 20. Jänner 1848.« (BayHStA, MInn 25114 b I.) Leider haben sich in den Beständen der Staatsbibliothek zwar die Gegenstände mit antikirchlichen Darstellungen erhalten, nicht aber die beschlagnahmten Objekte und Stiche mit »sittenwidrigen Schlüpfrigkeiten«.

Zu den verbotenen oder besonders häufig zensierten zeitgenössischen Autoren im Deutschen Bund und auch in Bayern gehörten Heinrich Heine, Karl Gutzkow, Heinrich Laube, Theodor Mundt, Ludwig Börne, Georg Herwegh, Ferdinand Freiligrath und auch Hoffmann von Fallersleben, dessen Lied »Deutschland, Deutschland über alles« ebenfalls der Zensur mißfiel.

Die meisten zensierten Schriften kamen jedoch aus dem Bereich der politischen Veröffentlichungen. Davon waren natürlich besonders die frühen kommunistischen und sozialistischen Autoren betroffen. 1844 beschlagnahmte die Polizei Wilhelm Weitlings »Kerkerpoesien« in München wie auch Oelkers »Die Bewegung des Socialismus und Communismus« (Leipzig 1844), ebenfalls in München 1845 Otto Hühnings »Dies Buch gehörte dem Volke«, das nach Meinung der Zensoren eine »Anleitung zum Communismus« gebe, und auch Carl Grüns »Die soziale Bewegung in Belgien und Frankreich« (1846), »eine förmliche Encyclopädie des Communismus und Realismus« (BayHStA, MInn 25116). Schon 1844 war die Münchner Polizeidirektion davon in Kenntnis gesetzt worden, daß »Teutsche französische Jahrbücher, herausgegeben von Arnold Ruge und Karl Marx I. und II. Lieferung Paris«, zu beschlagnahmen wären (StadtAM, Polizeidirektion, Nr. 432).

Andere nicht geduldete Meinungsäußerungen in Bayern waren z.B. »Politische Briefe« von Gustav von Struve, eine Auswahl von »Polenliedern« 1833 (BayHStA, MInn 25116, ii, yy), »Deutsche Marsellaise, Deutscher Rundgesang« 1832 (25118 hh), »Zensurflüchtlinge, 12 Freiheitslieder« 1843 (25120 q), die Verteidigungsschrift von Friedrich Ludwig Jahn 1823 (25121 z), »Michel'sches Vaterunser am Ludwigstage« 1828 (25125 m), »Briefe eines Deutschen aus dem Exil« 1844 (2511600), »Politisches Büchlein für Deutschland« von Jacoby 1833 (25116 a 2), »Der Gefangene auf dem Rothenberg« von Coremanns 1832 (25117 a), »Die Klagen der Protestanten in Bayern« 1846 (25117 tt) oder auch »Deutschlands Einheit durch National-Repräsentation« von Wilhelm Schulz, beschlagnahmt 1840. In den betreffenden Akten des Innenministeriums fällt die Vielschichtigkeit der Themen der verbotenen Literatur auf. Was schließlich gefunden und beschlagnahmt wurde, war vielfach sicherlich weder vom Verlag noch vom Autoren vorhersehbar. Aufmerksamkeit und Interesse der Polizei vor Ort scheinen schwankend und unzuverlässig gewesen zu sein, ebenso manche Entscheidungen des Innenministeriums. Andererseits vermittelt eine thematische Übersicht der Akten des Innenministeriums den Eindruck eines trotz der Zensur ungebremsten Mitteilungsdranges, einer Freude an der Veröffentlichung – viele Schriften entstanden offenbar im Selbstverlag – was in erster Linie wohl dadurch zu erklären ist, daß die Zeitungen in dieser Zeit auf die Zensurvorschriften Rücksicht nehmen mußten und viele Themen überhaupt nicht anschnitten. Trotzdem verhielten sich viele Autoren äußerst vorsichtig und benutzten Decknamen oder veröffentlichten anonym.

U.L.

11.4.1 Das »Schwarze Buch«

1837, bez.: »Alphabetisches Verzeichnis derjenigen Personen, gegen welche nach den Akten der Bundeszentralbehörde bezüglich revolutionärer Umtriebe im Untersuchungswege eingeschritten worden ist«; 39,8 × 28,5, Lit.: AK Hambach, Neustadt a.d.W. 1982, 273, Nr. 446, Eigentum der Bundesrepublik Deutschland, Bundesarchiv, Außenstelle Frankfurt, DB 8/7

Eine Gruppe junger Burschenschafter und Bürger erstürmte am 3. April 1833 in dem Glauben, die Bevölkerung würde sich mit ihnen solidarisieren, die Konstablerwache in Frankfurt, um politische Gefangene zu befreien, die Gesandten des Deutschen Bundes zum Bundestag zu verhaften und eine provisorische deutsche Regierung zu bilden.
Ihre »Revolution« scheitert jedoch kläglich. Der Bundestag reagiert mit der Einsetzung einer Bundeszentralbehörde zur Überwachung und Untersuchung revolutionärer Umtriebe. Im März 1834 sind bereits 54 Beteiligte am Frankfurter Wachensturm erfaßt, bis 1836 werden 137 politische Flüchtlinge registriert, bis 1842 erfolgen laufend Nachträge, bis sich schließlich im »Schwarzen Buch« ein Gesamtverzeichnis aller seit 1830 wegen politischer Delikte verurteilter, inhaftierter oder gesuchter Personen im Deutschen Bund befindet. Von den bis 1837 erfaßten 1867 Personen waren etwa zehn Prozent Pfälzer, mehr als die Hälfte der Delinquenten waren Studenten und Burschenschafter.
Unter den erfaßten Personen waren auch gebürtige Münchner, z.B. August von Dall'armi, Johann Georg Auer, Friedrich Kester und Mainhart Zottmair, alle vier waren Mitglieder der verbotenen Burschenschaft Germania.
Insgesamt hatte das Münchner Stadtgericht über 100 Personen nach Frankfurt an die Bundeszentralbehörde gemeldet; die meisten von ihnen hatten ihr Studium bereits abgeschlossen, waren Juristen und Ärzte, wenige auch Lehrer und evangelische Pfarrer. U.L.

11.4.2 Steckbriefliche Liste mit alphabetischem Verzeichnis politisch verdächtiger In- und Ausländer

München, 1833–1838, handschriftlich, in gelbem, geblümten Einband, 17,7 × 12, München, Staatsarchiv, Polizeidirektion Nr. 343

Das Buch ist mit einem alphabetischen Register, einer Einschubtasche und einer Schlaufe für den Bleistift ausgerüstet. Aufgezeichnet wurden Personen mit Herkunft, Aufenthaltszeit und -ort sowie einer stichwortartigen Begründung ihrer politischen Verdächtigkeit: »Ein Anhänger der Revolution, Theilnehmer an den aufrührerischen Handwerkervereinen in Bern, Sands Freund, Sohn eines polnischen Generals, Mitglied des Handwerkervereins Germania in Zürich« usw. U.L.

11.4.3 »Kotzebues Tod«

bei Campe, Nürnberg, 1819, Radierung, koloriert, 35 × 21, Lit.: AK WB III/2, 1980, 300, Nr. 575 (Abb.), München, Bayerisches Hauptstaatsarchiv, MInn 25114 bI

Das Blatt wurde zusammen mit »Lohnings Mordversuch« in Ansbach beschlagnahmt. Auch an anderen Stellen Bayerns werden 1820 kolorierte und unkolorierte Blätter um Sands Geschichte gefunden und konfisziert, z.B. Sands Abführung zum Richterplatz, Sand auf dem Schafott, Sand auf dem Blutgerüste. Sand war zum Märtyrer der liberalen Idee geworden. U.L.

11.4.4 Sand der Freie und Sand der Gefangene

bei Campe, Nürnberg, 1819, Radierungen, koloriert, 18,5 × 26,5; 20,8 × 32,2; Lit: Otto 1982, 134; AK WB III/2, 1980, 300, Nr. 575; München, Bayerisches Hauptstaatsarchiv, MInn 25114 bI

Beschlagnahmt mit 10 anderen Abbildungen am 10.10.1819 in Augsburg.
Als Begründung wurde angegeben, »daß hierdurch die Phantasie schwärmerischer Menschen aufgereizt wird, und es gewiß im höchsten Grade auffallend ist, wie ein Mörder als ein Freyer und Märtyrer dargestellt werden kann ... indem die Kombination der Bibel mit Körners Gedichten – des Mysticismus mit dem Teutonismus –, die auffallend starke Nachfrage um diese Bilder, und der Umstand Aufmerksamkeit verdient, daß diese Darstellungen nach bestimmter Anzeige bey Campe in Nürnberg erschienen sind.«
Auf dem Bild »Sand der Gefangene« sind tatsächlich aufgeschlagen eine Bibel und Körners Gedichte zu sehen. U.L.

11.4.5 »Lohnings Mordversuch des Präsidenten Ibell«

Nürnberg (?), 1820, Radierung, koloriert, 35 × 21, Lit.: Otto 1982, 134, München, Bayerisches Hauptstaatsarchiv, MInn 25114 bI

Das Blatt wurde in Ansbach beschlagnahmt und sofort Campe in Nürnberg zugeschrieben, der dies jedoch bestritt.
Im Sommer 1819 mißglückte in Schwalbach das Attentat des Apothekers Karl Lohning auf den nassauischen Regierungspräsidenten Karl von Ibell. U.L.

11.4.6 »Der Zeitgeist«

Johann Michael Voltz (Nördlingen 1784–1858 Nördlingen), bei Campe, Nürnberg, 1820, Radierung, koloriert, 32,7 × 20,8, Lit.: AK Hambach, Neustadt a.d.W. 1982, 60, Nr. 75 (Abb.); AK Vorwärts, Nürnberg 1986, 89, Nr. 120 (Abb.); AK Bild als Waffe, München 1985, 415 (Abb.); München, Bayerisches Hauptstaatsarchiv MInn 25114 bI

Auf der Abbildung sind die Flüsse Rhein und Weichsel zu erkennen. Auf der rot übermalten Fahne kann man die Worte »XIIIr Artikel Universitäten Preßfreiheit« lesen. Als Begründung der Beschlagnahmung wird angegeben, daß sich das Blatt zwar nicht gegen eine bestimmte Regierung wende »aber doch als Nachahmungsstoff für die Leidenschaften politischer Faktionen der öffentlichen Ruhe und Ordnung nachtheilig ist.« In der Akte wird das Blatt wie folgt beschrieben:
»Eine Menschenfigur mit Pferdefüßen, eine Jakobiner rothe Kappe auf dem Kopf, Fledermausflügel auf dem Rücken, Dolch in der Hand und eine Pistole im Gürtel.« In Ansbach wird gleichzeitig ein Zerrbild mit der Aufschrift »Der Anti-Zeitgeist« aufgefunden.
Der »Zeitgeist« trägt die Gesichtszüge des Turnvaters Jahn und die altdeutsche Tracht. Der »XIIIr Artikel« bezieht sich auf die Karlsbader Beschlüsse. Das Blatt war noch in einer anderen Version in Umlauf, in der die Fahne die Aufschrift »Press-Freiheit, Constitution, Meuchelmord, Hep – Hep« trug. Judenverfolgungen und feiger Mord werden hier mit den demokratischen Forderungen gleichgesetzt. U.L.

11.4.7 »Der Anti – Zeitgeist« * Abb. S. 15

Johann Michael Voltz (Nördlingen 1784–1858 Nördlingen), bei Campe, Nürnberg, 1820, Radierung, koloriert, 28,6 × 21,2, Lit.: AK Hambach, Neustadt a.d.W. 1982, 60, Nr. 76 (Abb.); AK Kunst der bürgerlichen Revolution, Berlin 1972, 38 (Abb.); AK Bild als Waffe, München 1985, 415; München, Slg. Böhmer

Das Gegenstück zum vorhergehenden Blatt. Hier wird die Redaktion als Esel, der an seinen »Uralten Rechten«, Zopfperücke und Stammbuch festhält, karikiert. Johann Michael Voltz greift also sowohl die Linken als auch die Rechten an und distanziert sich von jeder radikalen Gesinnung. Beide Blätter haben englische Vorbilder. U.L.

11.4.8 »Die Pressfreiheit«

Johann Michael Voltz (Nördlingen 1784–1858 Nördlingen) gedruckt bei Campe, Nürnberg, 1820, Radierung, koloriert, 32,6 × 27,5, Lit.: Kalkschmidt 1928, 32a; AK WB III/2, 1980, 299, Nr. 572f.; AK Hambach, Neustadt a.d.W. 1982, 148, Nr. 214; München, Bayerisches Hauptstaatsarchiv, MInn 25114 bI

Nach der Beschreibung im Beschlagnahmungsakt handelt es sich bei der Terrine mit der Aufschrift »Schlaftrunk« um eine »Punsch-Bulle«.
Das Sprudelwasser für den Punsch wird gekocht, sodaß es fad wird. Die »Pressefreiheit« wird hier dargestellt als alte, vergrämte Frauenfigur mit gebundenen Händen, Füßen und Flügeln. Sie darf nichts anderes mehr »pressen« als saure Zitronen. U.L.

DER DENKER=CLUB
Auch eine neue deutsche Gesellschaft.

11.4.9

11.4.9 »Der Denkerclub« *

anonym, gedruckt bei Campe, Nürnberg, um 1820, Radierung, koloriert, 24,5 × 38, Lit.: AK WB III/2, 1980, 299, Nr. 572c; AK Kunst der bürgerlichen Revolution, Berlin 1972, 34 (Abb.); AK Hambach, Neustadt a.d.W. 1982, 152 (Abb.); Nürnberg, Germanisches Nationalmuseum 1316/ HB 17153

Das Blatt »Der Denkerclub« wurde am 2. März 1820 in Regensburg aufgefunden und von der Polizei für genauso schädlich wie die »Preßfreiheit« gehalten, bzw. in direkten Zusammenhang gebracht. Tatsächlich werden hier die Karlsbader Beschlüsse scharf kritisiert.
U. L.

11.4.10 Der deutsche Michel erwacht

H. Schäfer (um 1839 in Berlin nachgewiesen), Berlin, 1842, bez.: Ent. u. lith. von H. Schäfer, Verlage Julius Springer/Berlin und Emil Baensch in Magdeburg, Lithographie, koloriert, 37 × 46,5, Lit.: AK Bild als Waffe, München 1985, 418; AK Politische Karikaturen, Karlsruhe 1984, Nr. 56 u. 57; Otto 1982, 177 (Abb.); München, Bayerisches Hauptstaatsarchiv, MInn 25117

Die Karikatur wurde 1842 in Bamberg wegen »Herabwürdigung« der katholischen Kirche »durch zerrbildliche Darstellung ihres Oberhauptes« beschlagnahmt. In Preußen konnte der Springer-Verlag das Blatt ungehindert vertreiben, weil hier die Zensur für Graphiken seit dem 24.12.1841 aufgehoben war und darüberhinaus die preußische Regierung satirische Seitenhiebe auf die katholische Kirche ganz gern zuließ. Die bayerische Zensur nahm dagegen an der Darstellung des Papstes, der über dem von seinem Stuhl aufspringenden Michel abgebildet ist, Anstoß. Daß das Blatt darüberhinaus auch Gewalt und eine Karikatur auf den österreichischen Staatskanzler Metternich enthält, wird nicht weiter erwähnt.

Ähnliche Darstellungen mit gleichem Thema und gleichem Bildaufbau, aber unterschiedlicher Ausführung der Figuren, erschienen zur gleichen Zeit bei verschiedenen deutschen Verlagen immer mit dem Gegenstück des noch nicht erwachten Michel im Kinderstuhl, der sich von den politischen Nachbarn ausnehmen und einschläfern läßt. Besonders radikale Ausführungen erscheinen im Verlag Julius Springer in Berlin, wo neben Schäfer auch R. Sabatky seine Variationen vom Erwachen des deutschen Michel veröffentlichte (vgl. Kat.Nr. 11.3.18).
U. L.

11.4.11 Genrebild / Redaction * Abb. S. 242

Berlin, um 1843, bez.u.r.: In Commission bei T. Trautwein in Berlin, u.l.: Lith. Atelier v. F. E. Feller, Federlithographie, 26 × 19, Lit.: AK Politische Karikaturen, Karlsruhe 1984, 22, Nr. 12 (Abb.), Slg. Böhmer

Karikatur auf die Zensur der Zeitungen und Zeitschriften.

11.4.12 »Die Freykugeln«

Dr. Coremanns, 1830, Buchdruck, broschiert, 22 × 15,5; München, Bayerisches Hauptstaatsarchiv MInn 25120

Das Buch wurde am 9.11.1830 beschlagnahmt.

11.4.13 Die Monarchie oder die Geschichte vom König Saul, dargestellt von Harro Harring

aus »Deutschland«, Straßburg, 1832, Buchdruck mit Totenkopf-Vignette im Titel, 8°; München, Bayerische Staatsbibliothek, Pol.g. 1024/26

Harro Harrings Zeitung »Deutschland« erschien 1830 in 300 Sonderdrucken; sie wurden

zugunsten des deutschen Vaterlands-Vereins zur Unterstützung der freien Presse verkauft. Das Exemplar weist zahlreiche Zensurstriche auf.
U. L.

11.4.14 Verschiedene Flugschriften der Mitglieder und Freunde des deutschen Preßvereins

Schuler, Savoye, Geib u.v.a.; wohl Mitglieder des dt. Preßvereins, Zweibrücken, 1832, Buchdruck, 8°; München, Bayerische Staatsbibliothek, Bavar. 828 mg

»Die Gewalt, Deutscher Preßverein – Lage der Rheinbayern, Verfassungswidrigkeiten, Briefe aus Paris, Polen Comité, Schreiben aus Rußland. Der vaterländische Preßverein und die baierische Regierung. Über das Recht und die Behandlung der Fremden im baierischen Rheinkreise, Unser Glück« – teilweise mit roten Zensurstrichen.

11.4.15 Das junge Europa

Novelle von Heinrich Laube, 1. Band, Leipzig 1833, Buchdruck, 8°, Lit.: Houben, 1924, I, 473; München, Bayerische Staatsbibliothek, P.o. germ. 799 cg

Der 1. Band der Romantrilogie »Das junge Europa«, »Die Poeten«, erschien 1833 in Leipzig bei Otto Wigand. Das Buch wurde beschlagnahmt wegen der engen Verbindung »der robusten sinnlichen Lust mit feineren geistigen Motiven und Tendenzen«, die als Lästerungen gegen Religion und Christentum empfunden wurden.
U. L.

11.4.16 Gesammelte Schriften von Ludwig Börne

Offenbach 1833, Buchdruck, 8°, Lit.: Houben 1924, I, 65, München, Bayerische Staatsbibliothek P.o. germ 152 gz

Ludwig Börne hatte sich zunächst als Journalist einen Namen gemacht. 1829 und 1830 gab er die ersten sieben Bände seiner »Gesammelten Schriften«, meistens Aufsätze aus seiner publizistischen Tätigkeit, heraus. Diese Bände blieben zunächst unbeanstandet. Erst der 9. und 10. Band, die Börne von Paris aus bei Campe in Hamburg in Druck gab, erregten Anstoß und wurden verboten. Börne wurde mit diesen Veröffentlichungen zum Vorreiter der demokratischen Bewegung. Campe traute sich nicht mehr, Börnes Schriften zu verlegen. Offiziell erschienen sie nun bei dem ganz unbekannten Verlag L. Brunet in Offenbach. Es ist jedoch denkbar, daß L. Brunet ein Pseudonym für Börne war. Höchstwahrscheinlich war Campe doch wieder der Verleger.
U. L.

11.4.17 Über die Revolution in Deutschland, aus dem Polnischen des Moritz Mochnatzki

Dresden und Leipzig, 1833, Buchdruck, 8°; München, Bayerische Staatsbibliothek, Germ.g. 317n

11.4.18 »Die Stellung des Römischen Stuhls gegenüber dem Geiste des 19. Jahrhunderts, oder Betrachtungen über seine neuesten Hirtenbriefe«

bei Orell, Füssli und Compagnie, Zürich, 1833, Buchdruck, 8°; München, Bayerische Staatsbibliothek, MInn 25128

11.4.19 Lelia, »nach dem Franz. des George Sand«

übersetzt von Adolph Braun; verlegt bei der Ch. Kayser'schen Buchhandlung, Leipzig, 1834, Buchdruck, 8°; München, Bayerische Staatsbibliothek, P.o.gall. 1990^{vd}

Im Vorwort behauptet Adolph Braun, die erste deutsche Übersetzung von Lelia vorzulegen. »George Sand soll der angenommene Name einer Dame sein.« Braun hat sich dabei »Abkürzungen für den deutschen Geschmack« erlaubt. Das Buch wurde wegen religiöser und moralischer Bedenken beschlagnahmt.   U.L.

11.4.20 Liebesbriefe

Novelle von Heinrich Laube, Leipzig, 1835, Buchdruck, 8°, Lit.: Houben 1924, I, 481; München, Bayerische Staatsbibliothek, P.o.germ. 799^{c}

Dieses »Postulat der freien Liebe« wurde in Bayern am 15.3.1836 verboten und enthält zahlreiche rote Zensurstriche.   U.L.

11.4.21 Appellation an den gesunden Menschenverstand

Karl Gutzkow; verlegt bei Johann Philipp Streng, Frankfurt/M., 1835, 8°, Lit.: Houben 1924, I, 267; München, Bayerische Staatsbibliothek, P. o. germ. 532ma

Gutzkows im August 1835 in Mannheim erschienener Roman »Wally, Die Zweiflerin« (gleichzeitig in Anlehnung an D. F. Strauß' »Leben Jesu« und George Sands »Lelia«) wurde wegen Unsittlichkeit und Angriffe auf die Religion verboten und in den Buchhandlungen konfisziert. Die Leser rissen sich jedoch um das Buch. Gutzkow mußte für drei Monate ins Gefängnis. Seine Verteidigungsschrift »Appellation an den gesunden Menschenverstand« wurde nur in Bayern (am 15.3.1836) verboten.   U.L.

11.4.22 Die rothe Mütze und die Kapuze. Zum Verständnis des Görres'schen Athanasius

Karl Gutzkow; verlegt bei Hoffmann & Campe, Hamburg, 1838, Buchdruck, 8°, Lit.: Houben 1924, I, 286; München, Bayerische Staatsbibliothek, Polem. 1205^{u}

In Bayern wegen des Angriffs auf Joseph Görres beschlagnahmt; Preußen schloß sich nur der Vollständigkeit halber an.   U.L.

11.4.23 Liederbuch des deutschen Michel

hg. v. H. Marggraff; verlegt bei Franz Peter, Leipzig, 1843, Buchdruck, 8°; München, Bayerische Staatsbibliothek, P.o.germ. 858^{tf}

11.4.24 Deutsche Lieder aus der Schweiz

August Heinrich von Fallersleben, Zürich und Winterthur, 1843, Buchdruck, 8°; München, Bayerische Staatsbibliothek, P.o.germ. 639^{hp}

Zu den mit roten Zensurstrichen versehenen Liedern gehörte auch »Das Lied der Deutschen«, dessen dritte Strophe heute als Nationalhymne gesungen wird.   U.L.

11.4.25 Verbotene Lieder

von einem norddeutschen Poeten, Bern, 1844, Buchdruck, 8°; München, Bayerische Staatsbibliothek P.o.germ. 857^{n}

Druckorte in der Schweiz waren für eingeweihte Kreise wie liberale, demokratische Markenzeichen.   U.L.

11.4.26 Flugschrift: Klagetöne über den Wucher im Jahr 1844

»Spaß und Ernst«, München, 1844, Buchdruck, 8°; München, Bayerisches Hauptstaatsarchiv MInn 25117

»Ach ! wo ist jener Zeiten Trost / Da man genoß des Feldes Kost; Im Überfluß und mit Vergnügen ? / Was hilft's wenn uns're Stadt gezieret, / Die Heuser alle sind lakieret / Und doch das Brot vom Mund will fliegen ?«
Die Flugschrift wurde in Erding und bei Schneidermeister Eisele in München beschlagnahmt.   U.L.

11.4.27 »Deutschland, Ein Wintermährchen. Von Heinrich Heine«

Heinrich Heine, verlegt bei Hoffmann & Campe, Hamburg, 1844, Buchdruck, 8°, Lit.: Houben 1924, I, 419; München, Bayerische Staatsbibliothek, P.o.germ. 591^{mf}

Die »Winterreise« wurde in Bayern am 12.11.1844 verboten, schon im Vorwort finden sich zahlreiche Zensurstriche.   U.L.

11.4.28 Pfeifenkopf mit Wappen der Burschenschaft »Germania«

um 1842, Porzellan, bemalt, Würzburg, Institut für Hochschulkunde, Slg. Schmidgall Nr. 286

Die radikale Burschenschaft Germania war die gefürchtetste Studentenverbindung und bestand in mehreren Universitätsstädten. Die Pfeife trägt das Wappen der Burschenschaft mit Eiche, Kranz, Schwert, Leier, zusammengehalten von schwarz-rot-goldenen Schleifen und Bändern. Als Schildhalter posieren zwei Bur-

schenschafter in altdeutscher Tracht. Auf der Rückseite der Fahne die Namen von 92 Mitgliedern der Tübinger Germania.   U.L.

11.4.29 Pfeifenkopf mit schwarz-rot-goldenem Wappen

vermutlich Böhmen, um 1850, Porzellan, bemalt, Deckel Messing versilbert, 11,2; 61/507

Über dem Wappen ein Kaiser in gotischem Maßwerk, rechts und links davon durch gotische Fenster Ausblicke auf eine Flußlandschaft.

11.4.30 Kokarde und Knopflochband

um 1832, 8 × 3, ⌀ 4, Lit.: AK Hambach, Neustadt a.d.W. 1982, 232, Nr. 376; Wien, Österreichisches Staatsarchiv, Best. Frankfurt, Bundespräsidium Fasz. 29 fol. 11 a

Auf Betreiben Metternichs wurde das Tragen der deutschen Farben am 5.7.1832 verboten. Trotzdem schmückten sich zahlreiche Bürger mit schwarz-rot-goldenen Kokarden am Hut oder kleinen Schleifenbändern im Knopfloch, um ihre Solidarität mit den Veranstaltern des Hambacher Fests zu zeigen.   U.L.

11.4.31 Schwarz-rot-goldene Armbinde

1833, 10 × 110, Lit.: AK Hambach, Neustadt a.d.W. 1982, 271, Nr. 439, Frankfurt, Stadtarchiv, Best. Criminalia 1833 Nr. 53

Erkennungszeichen der Teilnehmer am Sturm auf die Frankfurter Hauptwache.

11.4.32 Stoff für eine »Freiheitsweste«

1833, Stoff, rot-blau und gelb-blau gestreift, 7 × 3, Lit.: AK Hambach, Neustadt a.d.W. 1982, 218, Nr. 353; AK Zopf und Philisterey Würzburg 1985, 107, Nr. 185; Würzburg, Staatsarchiv, Best. Reg. v. Unterfranken Nr. 9838

Im zugehörigen Schreiben des Regierungspräsidiums Rezatkreis »verdächtige Zeichen in Kleidungsstoffen betr.« heißt es: »Man beehrt sich Muster von Westenzeuchen mitzuteilen, welche sich in einigen Kaufläden des Rezatkreises gefunden haben. Wegen des darin eingewirkten Wortes »Liberté« hat man sich veranlaßt gesehen, die Polizeibehörden anzuweisen, den Verkauf solcher Stoffe zu verhindern, und die Erklärung des Handelsvereins, woher er sie bezogen habe, anher einzusenden«.   U.L.

11.4.33

11.4.33 Ronges Kampf gegen die römisch-katholische Kirche *

wohl Leipzig, 1844/45, Kreidelithographie, 28,5 × 41, Lit.: Otto 1982, 230 (Abb); AK Politische Karikaturen, Karlsruhe 1984, Nr. 25; M II/352

In der Folge der Diskussion um die Wallfahrt zum angeblich »Heiligen Rock« in Trier gründete Johannes Ronge, ein ehemaliger katholischer Priester, in Breslau die deutsch-katholische Kirche. Ronge wurde damals als »Luther des 19. Jahrhunderts« gefeiert. Die Darstellung erinnert mit Ronges erhöhter Position, seiner drohend verweisenden Armhaltung und der zurückweichenden rechten Gruppe der Geistlichen an Bilder mit Christus' Vertreibung der Wechsler aus dem Tempel. Im Hintergrund strömen die Bürger in die Kirche der deutsch-katholischen Gemeinde. Unter den flüchtenden Geistlichen steht König Ludwig und deklamiert heftig seine Gedichte.
Die scharfe Verfolgung der Anhänger und Schriften der deutsch-katholischen Kirche war innerhalb des Deutschen Bunds eine Besonderheit. U.L.

11.4.34 Ronge, Czerski und Blum vertreiben den römischen Klerus *

1845, Lithographie, 21 × 31,5; Z (B22) 2000

Johann Czerski und Johannes Ronge, zwei ehemalige katholische Priester und Robert Blum verjagen katholische Geistliche. Hier wiederholt sich eine gängige Szene der Reformationsgraphik mit Luther, Melanchthon und Zwingli, die gegen den Papismus kämpfen. H.O.

11.4.35 Johannes Ronge, Brustbild nach rechts

um 1845, bez.u.: Christkatholisch, nicht Romisch. / Der deutsche Katholik hat nichts ge-

mein mit / Roms Jesuiten; denn dieser unmoralische Orden / unterdrückt den reinen Katholizismus eben so sehr / als das Christenthum überhaupt.; Kreidelithographie, auf Amtsbogen geklebt, 16,7 × 13,8; München, Bayerisches Hauptstaatsarchiv MInn 25120

11.4.36 Taschentuch mit vier Porträts des katholischen Priesters Johannes Ronge

1846, bez.: Dem Verdienste seiner Kronen/Johannes Ronge, katholischer Priester; Baumwolle, dunkelroter Grund, braun-beige bedruckt, 61,5 × 51; München, Bayerisches Hauptstaatsarchiv, MInn 25114bI

Beschlagnahmt am 3.6.1846 in Lohr bei einem Schmiedemeister. U.L.

11.4.37 Messingbild mit Brustbild und Namenszug Ronges

1844–46, bez.: IOH⁵ Ronge, Messing, ungefaßt, geprägt, 11,3 × 9,2, Lit.: BayHStA MInn 25114bI; München, Bayerische Staatsbibliothek, Fasz. germ. 35, Nr. 15

1846 wurde in Hof ein ovales Medaillon von weißem Metall mit dem Bildnis und Glaubensbekenntnis Ronges beschlagnahmt; hier handelt es sich um ein ähnliches und wohl auch beschlagnahmtes Objekt. U.L.

11.4.38 Kupferplatte mit Gedicht von Johannes Ronge

1844–1846, Kupfer, geritzt, ungefaßt, 9,2 × 9,2, Lit.: BayHStA MInn 25114bI, München; Bayerische Staatsbibliothek, Fasz. germ. 35, Nr. 16

Eine solche Kupferplatte wurde 1846 in Nürnberg beschlagnahmt und an das Innenministerium in München geschickt. U.L.

11.4.39 Tabakdose mit Halbfigurporträt und Umschrift »Johannes Ronge«

fränkisch, 1844–46, bez.: Ronge/II, Pappmaché, schwarz lackiert, in Kupferstichmanier bedruckt, ⌀ 9, Lit.: BayHStA MInn 25114bI; München, Bayerische Staatsbibliothek, Fasz. germ. 35, Nr. 9

Auf der Rückseite: »Auszug aus dem Schreiben des kathl. Priesters Joh. Ronge an den Bischof Arnoldi v. Trier«.
Eine solche Dose wurde neben Schriften, der Schnupftabaksdose mit Juden und Bischof, einer Rebus-Dose und der Kupferplatte mit Ronges Gedicht um 1846 in Nürnberg beschlagnahmt. Diese Gegenstände schickte die

11.4.34

Polizei an das Innenministerium in München und aufgrund einer allgemeinen Verordnung von 1816 wurden sie von dort zusammen mit beschlagnahmten Schriften und Lithographien an die Staatsbibliothek weitergeleitet.   U. L.

11.4.40 Tabakdose mit Porträt Johannes Ronges

fränkisch (?), 1844–1846, bez.: »Johannes Ronge«, Pappmaché, schwarz lackiert, in Kupferstichmanier bedruckt, Ø 9,2, Lit.: BayHStA MInn 25114bI; München, Bayerische Staatsbibliothek, Fasz. germ. 35, Nr. 8

Auf der Rückseite Gedicht von Johannes Ronge: 10 Strophen, Text wie auf der Kupferplatte, die in Nürnberg beschlagnahmt wurde.   U. L.

11.4.41 Tabakdose mit Gedicht Johannes Ronges

1844–1846, Pappmaché, schwarz lackiert, in Kupferstichmanier bedruckt, Ø 9,3, Lit.: BayHStA MInn 25114bI; München, Bayerische Staatsbibliothek, Fasz. germ. 35, Nr. 10

Gedicht wie auf der vorhergehenden Dose und auf der Kupferplatte.   U. L.

11.4.42 Tabakdose mit Halbfigur »Johannes Czerski«

1844–1846, schwarz lackiertes Pappmaché, nach Kupferstichmanier bedruckt, Ø 9,3, Lit.: BayHStA MInn 25114bI; München, Bayerische Staatsbibliothek, Fasz. germ. 35, Nr. 5

Auf der Rückseite Text wie bei der vorhergehenden Dose mit Czerski-Porträt.   U. L.

11.4.43 Tabakdose mit Halbfigur Czerskis und Auszügen aus Czerskis Rechtfertigung »Schneidemühl, den 11. Febr. 1845«

1845/1846, Pappmaché, Lackmalerei, Ø 8,3, Lit.: BayHStA MInn 25114bI; München, Bayerische Staatsbibliothek, Fasz. germ. 35, Nr. 6

Solche Dosen und Pfeifenköpfe wurden zum Teil auf den Jahrmärkten verkauft, z.B. in Aschaffenburg, Lindau und auch München.   U. L.

11.4.44 Zwei Tabakdosen zum Ronge-Thema

1845/1846, Pappmaché, schwarz lackiert, nach Kupferstichmanier bedruckt, Ø 9,3, Lit.: BayHStA MInn 25114bI; München, Bayerische Staatsbibliothek Handschriftenabteilung, Fasz. germ. 35, Nr. 11

Eine solche Dose mit Bilderrätseln wurde zusammen mit Dosen, die das Bildnis Ronges zeigen, in Nürnberg beschlagnahmt.
Auf der Innenseite des Deckels befindet sich jeweils die Auflösung:

1) »Ronge, Czerki, Blum und Licht,
Schreitet vorwärts, fakelt nicht,
Jeder wirkt in seinem Kreise!
Kraftvoll für die höchsten Preise.
Nur seid einig sonder Zwist,
Was die Kron' vom Spiele ist.«
2) »Schneidemühl mit Herz u. Mund,
Halte fest an Christi Bund!
Zeig der Welt das Papst u. Röke
Nur den Geist der Wahrheit weke
Gott beschirme dich hinfort
Sei dir Stütze Licht und Hort.«
Neben beiden Auflösungen wieder das kleine Zeichen II.   U. L.

11.4.45 Tabakdose mit der Darstellung eines Bischofs und eines Juden ✳

1846, Pappmaché, schwarze Lackmalerei, nach Kupferstichmanier auf rotem Untergrund bedruckt, Ø 8,7, Lit.: BayHStA MInn 25114bI; München, Bayerische Staatsbibliothek, Fasz. germ. 35, Nr. 7

In der Szene steht ein Jude vor einem Bischof, im Hintergrund der Dom zu Trier:
»Haben Ew. Hochwürden nichts zu handle?
Antwort: Nein! – Meinen Handel hat der Ronge verdorben«
Eine Dose mit einer genau passenden Beschreibung wurde in Nürnberg beschlagnahmt. U. L.

11.4.46 Tabakdose mit Rebus: »Schneidemühl mit Herz und Mund...«

1848, bez.: II, Pappmaché, schwarz lackiert, nach Kupferstichmanier bedruckt, Ø 9,3, Lit.: BayHStA MInn 25114bI; München, Bayerische Staatsbibliothek, Fasz. germ. 35, Nr. 12

Unter dem Deckelboden der Text: »Für das Vaterland und des Volkes Wohl nach Kräften zu wirken und kein Opfer für diesen edlen Zweck zu scheuen, ist des Deputierten heilige Pflicht.« Eine ähnlich gearbeitete Dose (Kat.Nr. 12.5.2.11) zeigt die Porträts von fünf Abgeordneten des Frankfurter Parlaments mit ihren Wahlsprüchen. Der dem liberalen Abgeordneten Adam von Itzstein zugeordnete Spruch ist mit dem oben stehenden identisch.   U. L.

11.4.47 Rebus-Tabakdose ✳

1844–1846, Pappmaché, schwarz lackiert, nach Kupferstichmanier bedruckt, Ø 9,3, Lit.: BayHStA MInn 25114bI; München, Bayerische Staatsbibliothek, Fasc. germ. 35, Nr. 13

In der Staatsbibliothek Bamberg (M.V.O. CI 442) befindet sich eine Lithographie (Lÿser del., E. Pönicke, Leipzig), die mit dem Rebus identisch ist.   U. L.

11.4.48 Pfeifenkopf mit Karikatur auf Bischof Arnoldi

wohl fränkisch, nach 1844, evtl. 1846, weißes Porzellan, farbig bemalt, 13, Lit.: vgl. BayH-

11.4.45

11.4.47

StA MInn 25114bI; München, Bayerische Staatsbibliothek, Fasz. germ. 35, Nr. 3

Der Trierer Bischof Arnoldi hält eine Fahne mit rotem Rock, darunter steht: »Dies ist unsere Siegesfahne«.   U. L.

11.4.49 Pfeifenkopf mit Darstellung eines Bischofs, der aus einer Kiste einen Rock zieht: »Wirst Du in 7 Jahren wieder glänzen?«

wohl fränkisch, 1844–1846, weißes Porzellan, bemalt, 12,5, Lit.: BayHStA MInn 25114bI; München, Bayerische Staatsbibliothek, Fasz. germ. 35, Nr. 4

11.4.51

11.4.50 Pfeifenkopf mit Darstellung eines knieenden Bischofs, dem ein Händler im grünen Rock, vielleicht Jude, eine blaue Hose reicht

wohl Aschaffenburg, nach 1844, bez.: »Herr Bischoff wolle mer handele? S ist bey Gott die Hose St. Petrus. Jetzt nicht. Ronge hat das Geschäft verdorben.« Porzellan, bemalt, 13,5, Lit.: vgl. BayHStA MInn 25114bI; München, Bayerische Staatsbibliothek, Fasz. germ. 35, Nr. 2

11.4.51 Pfeifenkopf mit Darstellung Czerskis im Priesterrock, Ronges und Blums, im Hintergrund der Dom zu Trier mit pilgernden Menschenmassen *

nach 1844, Porzellan, bemalt, 16, Lit.: BayH-StA, MInn 25114bI; München, Bayerische Staatsbibliothek, Fasz. germ. 35, Nr. 1

Die drei Männer halten kleine Zettel in den Händen, auf denen bei Czerski »Rechtfertigung«, bei Ronge »Deutsch Katho Glaubensbnns« und bei Blum »Die Wund des hl. Rockes« zu lesen ist.   U. L.

11.4.52 Spanschachtel mit vier Siegeln des Innenministeriums

1846, bez. vorn in Blei: Minist. d. Innern, München, ca. 5 × 16,5 × 4,7; München, Bayerische Staatsbibliothek, Fasz. germ. 35, Nr. 17

Die Spanschachtel ist gerade groß genug, um einen Pfeifenkopf darin zu transportieren.

11.4.53 Mehrere deutsch-katholische Schriften

Ronge u. a., Berlin, Dresden, Leipzig, Speyer, Stuttgart, Germanien, 1845, Buchdruck, 8°, München, Bayerisches Hauptstaatsarchiv, MInn 25120

»An die niedere katholische Geistlichkeit / Offenes Glaubensbekenntniß der christlich-apostolisch-katholischen Gemeinde zu Schneidemühl . ./ Grundzüge zur Constituirung einer rein=(katholisch=) christlichen Kirche / Die Sternschnuppe, das ist Johannes Ronge / Die Vereinigung der Katholiken und Protestanten / Aufruf an alle Christen aller Confessionen zur Bildung einer allgemeinen christlichen Kirche / Christkatholisch, nicht Römisch, Jesuitenspiegel für das Neujahr 1845 / Rechtfertigung von Johannes Ronge / Die katholische Kirchenreform«.   U. L.

Freilich, obgleich man bei unserer jetzigen Zivilisation überall seine Bequemlichkeit findet, so möchte ich mir doch zuweilen ein eignes Sofa und eignes liebes Weib anschaffen; aber es könnte mich im Notfall genieren, ich hätte zu viel Sorge für mein Gepäck, und mit dem Besitztum käme auch die Furcht und die Knechtschaft. Es verdrießt mich schon genug, daß ich mir vor kurzem ein Teeservice angeschafft habe – die Zuckerdose war so lockend schön vergoldet, und auf einer von den Tassen war mein Liebling, der König von Bayern, und auf einer andern Tasse war ein Sofa und eheliches Glück ganz vorzüglich gemalt. Ich hab' wahrhaftig schon Sorge, was ich mit all dem Porzellan anfange, wenn mir plötzlich die Regierung eine Mission ins Ausland gäbe und ich über Hals und Kopf abreisen sollte; – oder gar wenn ich aus eignem Triebe einer festen Anstellung entfliehen müßte. Ich fühle jetzt schon, wie mich das verdammte Porzellan im Schreiben hindert, ich werde so zahm vorsichtig, ich schmeichle oft aus Angst – am Ende glaube ich noch, der Porzellanhändler war ein österreichischer Polizeiagent und Metternich hat mir das Porzellan auf den Hals geladen, um mich zu zähmen. Ja, ja, das Bild des Königs von Bayern sah mich so lockend an, und eben er, der liebenswürdigste der Könige, war der Köder, womit man mich fing. Aber noch bin ich stark genug, meine Porzellanfesseln zu brechen, und macht man mir den Kopf warm, wahrhaftig, das ganze Service, außer der Königstasse, wird zum Fenster hinausgeschmissen, und wer just vorbeigeht, mag sich vor den Scherben hüten.
Je mehr ich mein Porzellan betrachte, desto wahrscheinlicher wird mir immer der Gedanke, daß es von Metternich herrührt. Ich verdenke es ihm aber nicht im mindesten, daß er mir auf solche Weise beizukommen sucht. Wenn man kluge Mittel gegen mich anwendet, werde ich nie unmutig; nur die Plumpheit und die Dummheit ist mir fatal. Auch hab' ich außerdem ein gewisses tendre für Metternich. Ich lass' mich nicht täuschen durch seine politischen Bestrebungen, und ich bin überzeugt: der Mann, der den Berg besitzt, wo der flammende, liberale Johannisberger wächst, kann im Herzen den Servilismus und den Obskurantismus nimmermehr lieben. Es ist vielleicht eine Weinlaune von ihm, daß er der einzige freie und gescheite Mann in Österreich sein will. Nun, jeder hat seine Laune, und ich will auch Metternich die seinige hingehen lassen. Auf keinen Fall will ich es mit ihm verderben; ich will nächstens in Wien gebratene Hähnderl essen.

Heinrich Heine, Italien. Die Bäder von Lucca (1828), Kap. 8

12 Die Revolution 1848
12.1 Arm und Reich

In der ständischen Gesellschaft vor den napoleonischen Kriegen – und der damit verbundenen politischen und sozialen Neuordnung Europas – war die Gesellschaft für jedermann eindeutig gegliedert. Dem Landesherren standen die Stände, gegliedert nach Adel, Geistlichkeit und städtischem Bürgertum, gegenüber.

Im Zeitalter des Biedermeier und Vormärz wurden die alten ständischen Unterscheidungen jedoch immer weiter aufgehoben und verdrängt von den Kategorien Armut und Reichtum. Adelsprädikate, akademische Titel und Uniformen trugen allerdings nach wie vor erheblich zur gesellschaftlichen Einordnung bei.

In den bürgerlichen, mit Handwerk und Industrie befaßten Kreisen war das Vorhandensein eines ausreichenden Kapitals von steigender Bedeutung, um mit der einsetzenden Industrialisierung Schritt halten, d.h. sich die notwendigen hohen Investitionen für die Erweiterung der Werkstätten und Kontore leisten zu können. Wer geschäftstüchtig war und über die nötigen Rücklagen verfügte, konnte sich bald zum Großbürgertum, der »Bourgoisie« – wie es später in der Gründerzeit heißen sollte, zählen. Die sonstigen Gewerbetreibenden, Händler und Krämer bildeten dagegen einen kleinbürgerlichen Mittelstand (vgl. Hardtwig 1985, 87 f.). Goethe hatte unter diesem Begriff noch die Gesamtheit der bürgerlichen städtischen Einwohner vom Beamten über den Geistlichen bis zum Fabrikanten verstanden. Unterhalb dieser kleinbürgerlichen Schicht bewegte sich das Proletariat, die Masse der Tagelöhner, Dienstboten und Gelegenheitsarbeiter. Der Begriff des »Proletariats« war im Biedermeier schon vor der Veröffentlichung des Kommunistischen Manifests von Karl Marx und Friedrich Engels in London im Februar 1848 verbreitet. Man fürchtete auch in Bayern die Entstehung und Ausbreitung eines inländischen Proletariats, wie es sich in englischen Industriestädten gebildet hatte, und versuchte diese Entwicklung dadurch zu bremsen, daß man den Handwerkerstand stärkte, den ärmeren Einwohnern die Gründung von Familien erschwerte, den Zuzug vom Land in die Städte verhindern wollte und einige Härten der industriellen Arbeitswelt durch Gesetze milderte (Einschränkung der Kinderarbeit durch die Kinderschutzverordnung vom 15.1.1840, Förderung von Sparkassen, Pensions- und Krankenunterstützungsvereinen für Arbeiter).

Tatsächlich hatte der bayerische Staat in dieser Zeit erheblich weniger mit dem Problem des Pauperismus zu kämpfen als die norddeutschen Staaten. Das lag in erster Linie daran, daß die in dieser Zeit einsetzende Bevölkerungsexplosion Bayern erheblich schwächer traf – etwa 6 Prozent Bevölkerungswachstum in der Zeit von 1815–1864, in den preußischen Provinzen dagegen 12,4 Prozent (Hardtwig 1985, 69). Trotzdem fürchtete man auch hier die unheilvollen Folgen der Massenarmut, revolutionäre Aufstände und Solidarisierungsbestrebungen innerhalb der arbeitenden Klassen, vor allem der Gesellen.

Zu Anfang der vierziger Jahre waren kommunistische und sozialistische Schriften in Deutschland kaum verbreitet. Anders als in England und Frankreich gab es auch noch keine ernstzunehmende sozialistische Bewegung. Karl Marx gehörte mit seinen sozialkritischen Artikeln im Rheinischen Merkur zu den ersten, die auf die elende Lage des Arbeiterstandes aufmerksam machten. Unter den deutschen Gesellen gärte es jedoch schon seit den dreißiger Jahren. Wegen der Zensurvorschriften und Spitzel des Metternichschen Systems hatten sie die Zentren ihrer Solidarisierungsbewegungen nach Frankreich und vor allem in die Schweiz verlegt. Hier standen ihre Druckereien, hier trafen sie sich zu Kundgebungen, von hier brachten wandernde Gesellen in ihren Felleisen Rundbriefe und Broschüren mit kommunistischem und sozialistischem Gedankengut in die deutschen Städte. Nirgendwo wurden die Gesellen so sehr von den Behörden »gefilzt« wie an den Grenzübergängen von der Schweiz nach Bayern; mehrmals verboten die deutschen Regierungen das Wandern in die Schweiz (StadtAM, Polizeidirektion 496, 76). In Hüten mit doppeltem Boden oder in Schuhen wurden die verbotenen Schriften nun geschmuggelt, wie z.B. das »Schreiben der vereinigten deutschen Handwerker in Bern an die vereinigten deutschen Handwerker in Zürich im September 1834«, das von bayerischen Polizeibehörden bei einem Gesellen beschlagnahmt wurde (StaatAM, RA 1152/15874). Darin heißt es u.a.: »Zu lange schon haben sich die Völker, durch den Aberglauben an das Königsthum und durch den übrigen Unsinn veralteter Institutionen bethören lassen, zu lange schon sind sie durch die verbrecherische Selbstsucht bevorrechteter Kasten und durch die falsche Weisheit frommer Heuchler oder eingebildeter Thoren um ihre Glück und ihre Wohlfahrt betrogen worden! . . . Eine neue Lehre, die Lehre der Freiheit und Gleichheit ist unter die Menschen gekommen; und überall, wo ihre heiliges Licht die Seelen der Menschen erleuchtet, hat eine unendliche Sehnsucht sie ergriffen, jene Lehre ins Leben eingeführt zu sehen, und ihrer Regung theilhaftig zu werden. Zwar möchten Könige und Aristokraten und ihre feilen Söldlinge uns bereden, daß dies nur schöne Traumbilder seyen, die sich im Leben nicht verwirklichen ließen, aber wir haben allen Grund denen nicht zu glauben, die sich seit Jahrhunderten als Feinde der Menschheit gezeigt haben, deren Glück aber auf unser Unglück gebaut ist, deren bisheriges Glück aber verschwinden muß, sobald die grossen Massen der übrigen Menschheit glücklich werden . . .« Nach der Überzeugung der deutschen Handwerker in der Schweiz war die beste Staatsverfassung die Republik; ihre revolutionären Aufrufe, »daß die arbeitenden Klassen im Staate die große Mehrheit der Bevölkerung bilden, und daß es daher vorzüglich von ihrem Eifer und von ihrer Liebe für die Sache abhängt, eine glückliche Zukunft zu erringen«, versetzte die staatlichen Behörden und die Regierung in Alarmbereitschaft. Erwiesenermaßen nahmen auch Gesellen und Studenten aus Bayern, sogar aus der Landeshauptstadt, an diesen Versammlungen teil.

Die langsam, aber stetig steigenden Lebensmittelpreise und die auch in München spürbar werdende Arbeitslosigkeit der vierziger Jahre ließen zusätzliche Unruhe fürchten, die sich zunächst in den Bierkrawallen 1844 entlud. Schon zwei

Monate vor dem traditionellen Beginn des Sommerbierverkaufs (1. Mai) am 1.3.1844 wurde im Gewerbeverein der Bierbrauer zu Protokoll gegeben, daß wegen des von der Regierung verordneten lokalen Malzaufschlages ein bisher nie erreichter Höchstpreis pro Maß Bier von 6 Kreuzern 2 Hellern gefordert werden müsse »wir Bräuhausbesitzer aber . . . die größten Nachtheile für unser Eigenthum, ja selbst für unser Leben zu befürchten haben« (StadtAM, B. u. R., Nr. 317).

Die dann tatsächlich einsetzenden und ungefähr eine Woche dauernden Tumulte und Übergriffe in der ersten Maiwoche wurden mit Hilfe von Militär und bürgerlicher Landwehr leicht unter Kontrolle gehalten, nachdem die Brauer sich bereit erklärt hatten, den Preis um zwei Heller zu senken. Die Angst vor neuen Ausschreitungen beherrschte jedoch weiterhin Regierung und Bürgertum und bei jeder weiteren Preiserhöhung bei Bier oder Brot – 1847 sollte das Sommerbier bereits sieben Kreuzer kosten – kam es zu neuen Krawallen, wurden die in der Stadt stationierten Truppen verstärkt und mit verbilligtem Bier und erhöhtem Sold in königs- und regierungstreuer Laune gehalten (BayHStA, MInn 46424).   U.L.

Zu viel Communismus

Zum Kater Murr sagt Kater Flau:
»Ich muß mich trau'n mit deiner Frau,
So will's der Communismus.«

»Ganz gut!« spricht Murr, »nicht nehm' ich's genau,
Ich lebte schon längst bei deiner Frau
Nichts wissend von Communismus.«

Flau kratzt sich die Ohren, nicht bleibet ihm die Wahl,
Er geht hinein zu Murrs Gemahl
Und redet von Communismus.

Da stürzt herein Herr Kater Murr,
Schlägt Flau und schreit mit wildem Geschnurr:
»Nicht bring' mir in's Haus Communismus!

Schon leb' ich im Communismus bei dir,
Nicht will ich den Communismus hier –
Dieß wäre zu viel Communismus.«
Kaulbach, Leuchtkugeln, Randzeichnungen zur Geschichte
der Gegenwart, Bd. I, Nr. 21, 166 (1848)

12.1.1 Die »Communisten« – Darstellungen aus den »Fliegenden Blättern« *

bei Braun & Schneider, München, 1844 ff., Holzstiche, reproduziert, MStM

1) I, Nr. 2, 16: »Weltgeschichte, Die Communisten«
2) II, Nr. 25, 8 »Die Communisten … die Lage der Dinge muß sich ändern«
3) III, Nr. 71, 184 »Die Communisten … Emancipation der Juden, oder ich gebe keinen Deut für allen Fortschritt, alle Philanthropie des Jahrhundert.«
4) IV, Nr. 86, 111 »Zeitspiegel … warum haben Sie denn allweil die zwei Hände in den Taschen?«
5) VIII, Nr. 187, 152 »Wann wirds in Deutschland besser … so lang noch een eenziger Mensch im erschten Stock wohnt!«

12.1.2 »Der Zinstag, eine Festgabe für den 24. April« * Abb. S. 76

Wien, um 1840, bez. o.: Besondere Beilage zur Theaterzeitung; u.: Wien im Bureau der Theaterzeitung Rauchensteingasse No 926, Kupferstich, koloriert, 30,9 × 23, Lit.: Böhmer 1974, Nr. 158, München, Slg. Böhmer

Der Georgi-Tag am 24. April war wie der Michaeli-Tag am 29. September der traditionelle Tag des Umzugs und der Fälligkeit der Miete, die zweimal im Jahr, eben zu diesen beiden Terminen, bezahlt werden mußte. Die Beilage zu Adolf Bäuerles Wiener Theaterzeitung zeigt in einem Oval acht sternenförmige Begebenheiten an einem solchen Tag und in der Mitte den zufriedenen, nichts tuenden Hausbesitzer mit einer großen Geldtruhe neben sich. Da wird die Miete von Polizeigendarmen angefordert, eine junge Frau versetzt ihre Kleider, jemand hat beim Auszug noch einmal tüchtig die Wände beschmiert, man zieht heimlich aus, bleibt die Miete schuldig oder rächt sich durch Katzenmusik. U.L.

12.1.3 Die Stände in vier Bildern

Manfred Heideloff (Stuttgart 1793 – nach 1830), um 1820, bez. u. l.: M. Heideloff del; u. r.: G. Wolff sc., Kupferstich, koloriert, 37 × 23,2, Lit.: AK Hambach, Neustadt a. d. W. 1982, 123, Nr. 167, München, Bayerisches Nationalmuseum 1947/21/1320–23, Kasten 57

Brockhaus' Conversations-Lexikon, 9. Bd., Leipzig 1817, schreibt zum Thema »Stände«: »Unter Stand in politischer Rücksicht versteht man einen Inbegriff von Personen, denen vermöge ihrer Geburt, oder durch landesherrliche Verleihung oder durch geistliche Ordination gewisse besondere Rechte und Verbindlichkeiten einerlei Art zukommen, von denen andere Staatsbürger durch ihre Geburt und ihre Nichtordination ausgeschlossen sind. In den meisten europäischen Staaten gibt es jetzt vier solcher Stände, nämlich den Adelstand, die Geistlichkeit, den Bauernstand und den Bürgerstand.«

Bei Heideloff ist an die Stelle der Geistlichkeit der Militärstand getreten. Die Angehörigen des Militärs unterstanden einer eigenen Gerichtsbarkeit und wurden z. B. in Polizeistatistiken nicht zu den Bürgern gezählt, sondern gesondert aufgeführt. Mit den napoleonischen Kriegen war die Bedeutung des Militärstandes wohl besonders bewußt geworden. U.L.

12.1.4 »Im ersten Stock – Zu ebener Erde« *

anonym, nach Johann Christian Schoeller, um 1835, Kupferstich, koloriert, 18,3 × 24,5, Lit.: Johann Nestroy, Zu ebener Erde und erster Stock oder Die Launen des Glückes, hg. v. Jürgen Hein, Stuttgart 1978; AK Hambach, Neustadt a. d. W. 1982, Nr. 184; AK Metternich, Wien 1984, 54; AK Industriezeitalter I, 4, Augsburg 1985, 102; Wilhelm Deutschmann, Theatralische Bildergalerie, Wiener Theater in Aquarellen vom Historischen Museum der Stadt Wien, Dortmund 1980; München, Bayerisches Nationalmuseum, 66/NN3776

1835 feierte Johann Nestroys gleichnamige Lokalposse »mit Gesang in drei Aufzügen« in Wien Premiere und wurde zum seit langem erfolgreichsten Stück der Wiener Bühnen. Nestroy verabschiedete sich mit diesem Stück von seinen Zauberspielen (»Lumpazivagabundus«) und wandte sich der alltäglichen Gegenwart zu – noch heute ist in der Germanistik der mehr oder weniger deutliche sozialkritische Inhalt dieses Dreiakters umstritten. Gespielt wird hier das ewige Märchen vom zuletzt lachenden Hans im Glück: In einem Bürgerhaus wohnen nach der üblichen Aufteilung die Reichen in der Beletage (erster Stock), die Armen im Parterre (»zu ebener Erde«) – der »Herr von Goldfuchs, Spekulant und Millionär« mit seiner Tochter Emilie und mehreren mehr oder weniger treuen oder korrupten Bedienten und im unteren Stockwerk, »Schlucker, ein armer Tandler« mit seinem Weib Sepherl, einem angenommenen, 21jährigen Sohn Adolf, vier jüngeren leiblichen Kindern und seinem verarmten Schwager Stutzel. Goldfuchs schwebt bereits, ohne es zu ahnen, am Rande des Ruins und möchte unbedingt seine Tochter Emilie mit dem vornehm tuenden Hochstapler Monsieur Bonbon verheiraten. Schlucker geht es derweil so schlecht, daß er seinem Hausherrn die Miete schuldig bleiben muß und kurz vor dem Hinauswurf steht. Natürlich liebt Emilie anstelle des Bonbon den armen Adolf Schlucker, der sich im dritten Akt als Erbe seines reichen Vaters in Kalkutta entpuppt. Damit wendet sich das Blatt: die armen Schlucker, die ihr Glück kaum fassen können (»Die Fortuna muß sich den Fuß überstaucht haben, daß s'nit in den ersten Stock auffisteigen kann, sonst kehret s'gewiß nit zu ebner Erd' ein.«), leisten sich den Einzug in die obere Beletage. Diese ist nämlich gerade frei geworden, nachdem Goldfuchs die Nachricht von seinem Ruin erfahren hat. Der Hausherr überläßt ihm großzügig die Wohnung zu ebener Erde; sein sozialer Abstieg wird jedoch durch die nun zustandekommende Heirat Emilies und Adolfs gemildert.

12.1.1

Adolf Bäuerles Wiener Theaterzeitung veröffentlichte 1835 als »Besondere Bilder-Beygabe der Theaterzeitung No. 2« das Szenenbild auf der Synchronbühne am Schluß des 1. Akts: oben feiert Goldfuchs die Verlobung seiner Tochter Emilie mit Bonbon im großen Kreis mit vielen Gästen, Bedienten und Flaschen. Der kostbar, ganz im großbürgerlich-biedermeierlichen Stil eingerichtete Raum ist festlich geschmückt. Unten hat sich die Familie Schlucker in ihrem kärglich eingerichteten Wohnraum, der auch als Schlafraum dient, um einen Tisch zum Gebet versammelt. Auf dem Tisch steht ein gewaltiger Krug Wasser neben einem kleinen Laib Brot. In diesem Gegensatz wird die ganze soziale Spannweite des bürgerlichen Standes – vom Millionär zum armen Schlucker – verdeutlicht. Nestroy schrieb hier neue soziale Kategorien innerhalb des bürgerlichen Standes fest, in dem er sich der Zuordnung »im ersten Stock«, »zu ebener Erde« bediente. Dies, wie auch die allgemeine Popularität des Stückes, trugen dazu bei, daß das Szenenbild des ersten Aktes sich in der volkstümlichen Graphik allmählich verselbständigte und ohne weitere Hinweise auf Nestroys Posse als eine der damals üblichen »Arm und Reich«-Gegenüberstellungen verbreitet wurde. Dazu zählt auch das hier ausgestellte Blatt.
Als Vorlage für die Druckgraphik der Wiener Theaterzeitung kann das von Schoeller im gleichen Jahr angefertigte aquarellierte Szenenbild aus dem Besitz des Historischen Museums Wien gelten. Schoeller lieferte damals noch weitere Vorlagen für Bäuerles Zeitung. U.L.

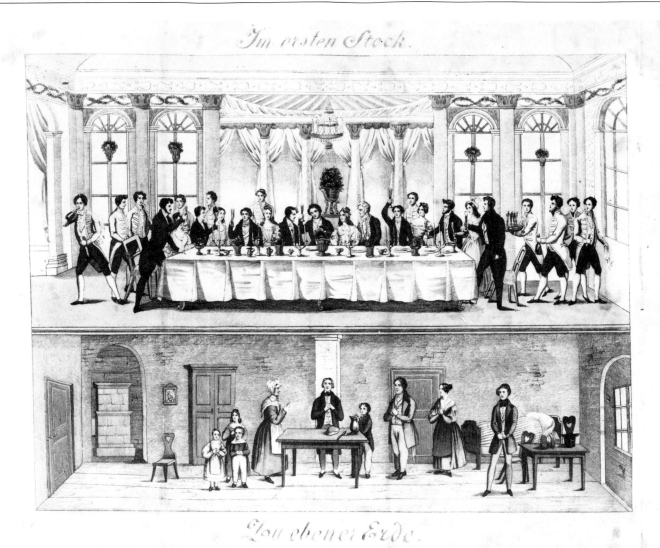

Im ersten Stock.

Zu ebener Erde.

12.1.4

12.1.5 Theaterzettel zur Premiere von Nestroys Posse »Zu ebener Erde und erster Stock« im königlichen Hof- und Nationaltheater

München, 4.2.1836, Buchdruck, 39 × 28; München, Bayerische Staatsbibliothek, 2° Bavar. 826

Unter der Regie von Hölken und mit Bühnenbildern der Hoftheatermaler Quaglio und Fries ging am 4.2.1836 Johann Nestroys Posse in München zum ersten Mal über die Bühne. Die großaufgemachte Ankündigung läßt darauf schließen, daß der Wiener Erfolg des Stückes bereits bekannt war. Auf das parallele Spiel in zwei verschiedenen Bühnendekorationen wurde extra hingewiesen: »Die Handlung spielt zugleich in der Wohnung des Herrn von Goldfuchs im ersten Stock, und in des Tändlers Wohnung zu ebener Erde, in einem und demselben Hause.«   U. L.

**12.1.6 Leihhausbesatzung *

Joseph Petzl (München 1803–1871 München), München, 1848, bez.u.r.: J.P.fec.; u.M.: Verlag von J. Poppel und M. Kurz München, Radierung, 30 × 25,4; Lit.: MK Proebst, München 1968, Nr. 1778; P 1778

Vor dem Leihhaus, dem Kreditinstitut des kleinen Mannes, warten auf den Stufen hockende alte Frauen auf Kunden, die ihre Habseligkeiten nicht ins Leihhaus tragen, sondern gleich bei ihnen versetzen wollen.

**12.1.7 Im Vorzimmer des »Premier-Ministers« Karl August von Abel *

Peter von Hess (Düsseldorf 1792–1871 München), München, um 1840, bez.u.M. in Blei: Vorzimmer eines Premier Ministers; u.r.: P. Hess, Zeichnung, 21 × 34; M II/1259

Karl August von Abel (Wetzlar 1788–1859 München) wurde 1837 zunächst provisorisch und dann sehr bald endgültig zum bayerischen Innenminister ernannt. Im Gegensatz zu seinem Vorgänger Ludwig von Oettingen-Wallerstein lehnte er liberale Ideen ab und vertrat streng konservativ-monarchistische Grundsätze. 1847 verweigerte er gegen den ausdrücklichen Wunsch König Ludwigs I. Lola Montez das bayerische Heimatrecht und wurde prompt entlassen. In seinem Vorzimmer warten hier Bittsteller in unterschiedlicher verzweifelter, devoter oder auch hochnäsiger Haltung: ein Dienstmädchen, eine alte Frau, eine junge Witwe mit ihrem Kind, die von einem neugierigen Paar auffällig lorgnettiert wird, ein unbeteiligt wirkender Offizier und elegante Stutzer befinden sich unter ihnen. Ein kleinerer, gedrungener Mann mit einer Schriftrolle in der Hand steht in der Mitte des Raumes, zu seinen Füßen die Bezeichnung »Massmann«. Hans Ferdi-

Leihausbesatzung.

12.1.7

nand Maßmann (Berlin 1797–1874 Bad Muskau), Germanist und Sportpädagoge, Schüler des Turnvaters Jahn, gründete 1834 an der Ludwig-Maximilians-Universität in München den Lehrstuhl für Germanistik. 1842 folgte er einem Ruf an die Universität Wien.   U. L.

12.1.8 Geschlossene Gesellschaft * Abb. S. 41

Friedrich Kaiser (Lörrach / Baden 1815–1890 Berlin), um 1840, bez. u. l.: F. Kaiser, Lithographie, 29,7 × 37; Lit.: MK Proebst, München 1968, 215, Nr. 2104; P 2104

Tanzende Paare einer höheren Gesellschaft lassen sich von ihrem Vergnügen durch das unverhoffte Eindringen des »gewöhnlichen Volks« nicht abbringen. Ein Lakai weist den ärmlich gekleideten Menschen die Tür.

12.1.9 »Der Revolutionäre Bock oder Die Wirkung der gesteigerten Bockskraft des Schleihinger und Maderbräubiers in München 1844 * Abb. S. 248

München, 1844, Lithographie, 48 × 37,5; Lit.: AK 1844, Münster 1985, 195, Nr. 90, M II/327

»Der Abend des ersten Maytags im J. 1844« wird hier beschrieben. Im Tal prügelt sich das Militär mit dem randalierenden Volk. Daran war wohl weniger das Bockbier, als vielmehr der damals kräftig erhöhte Preis für das Sommerbier schuld.   U. L.

12.1.10 Bekanntmachung bezüglich der Erhöhung des Bierpreises auf 6 Kreuzer die Maß

Dr. Bauer; 1. Bürgermeister, München, 4. Mai 1844, Buchdruck, 40,2 × 26,4; München, Stadtarchiv München, B. u. R. 317

Nach den Krawallen auf den Straßen senkten die Brauer den Bierpreis um drei Heller.

12.1.11 Bekanntmachung der Neuen Polizeimaßnahmen

königliche Polizeydirektion München; Freiherr von Karg-Bebenburg, München, 4. Mai 1844, Buchdruck, 38,2 × 25,7; München, Stadtarchiv München, B. u. R. 317

Die Polizei versuchte, mit der Einführung einer vorgezogenen Polizeistunde (20 Uhr) und anderen Maßnahmen, die Ruhe in der Stadt wiederherzustellen.   U. L.

12.1.12 Flugblatt auf die Hungersnot von 1846/47

1847, bez.: Ullrich, Holzstich, Buchdruck, 23 × 13; Nürnberg, Germanisches Nationalmuseum, 1299

Die Mißernten 1846/47 trugen mit den daraus folgenden Preissteigerungen wesentlich zur revolutionären Stimmung im Vormärz bei. Das Volk vermutete hinter den Preiserhöhungen Wucher. Das Blatt zeigt einen aufgehängten Wucherer, darunter ein Schmähgedicht auf die Wucherei mit dem Titel »Spruch des Confucius von 1847«.   U. L.

12.2 Aufstand in Europa

Die Revolution von 1848 war eine europäische Erscheinung. Metternich hatte geglaubt, mit seinem halb Europa einbeziehenden konservativen System des Festhaltens an alten Fürstenrechten und des nur zögernden Ausgleichs zwischen den alten Ordnungen und den Forderungen einer neuen Zeit sowie mit der absoluten Unterdrückung aller demokratischen Forderungen den Frieden in Europa sichern zu können. Außenpolitisch gesehen hatte er Recht behalten: Bis auf die durch dynastische Verwicklungen im Schleswig-Holsteinischen Fürstenhaus entstandenen deutsch-dänischen Auseinandersetzungen der Jahre 1848/1849 blieben den Europäern nach den furchtbaren Schlachten der napoleonischen Zeit in der ersten Hälfte des 19. Jahrhunderts kriegerische Auseinandersetzungen erspart.

Doch innerhalb der einzelnen Staaten gärte es. Nach dem ersten Aufflackern der revolutionären Kräfte 1830 bis 1833 sollte das Jahr 1848 zum Schicksalsjahr werden. Nur in England und Belgien, zwei Staaten mit relativ demokratischer Struktur, die gerade eine wirtschaftliche Blüte erlebten, blieb es ruhig. Das übrige Europa erlebte zur gleichen Zeit Mißernten, wirtschaftliche Depression und wachsende Unzufriedenheit im Kleinbürgertum und Proletariat, die für die kommunistischen und republikanischen Ideen immer empfänglicher wurden. Auf sogenannten »Reformbanketten« forderten sie in Frankreich politische Mitbestimmung durch eine Änderung des Wahlrechts. Der durch die Julirevolution von 1830 auf den Thron gelangte »Bürgerkönig« Louis Philippe beging den schwerwiegenden Fehler, das Reformbankett vom 22.2.1848 zu verbieten. Der darauf folgende bewaffnete Aufstand der Pariser Bevölkerung, dem das Militär eher tatenlos zusah, zwang Louis Philippe zur Abdankung und zur Flucht nach London. Am 27.2.1848 proklamiert das französische Volk die Republik. Damit war der Konflikt zwischen Arbeiterschaft und Bürgertum jedoch noch nicht gelöst. Vom 23. bis 26. Juni tobten in Paris blutige Aufstände und Barrikadenkämpfe der Arbeiter, die im Auftrag der überwiegend bürgerlichen Nationalversammlung von der Nationalgarde niedergeschlagen wurden. Nach zeitgenössischen Berichten gab es über 15 000 Tote. Im Dezember 1848 wählte Frankreich den dritten Sohn des dritten Bruders Kaiser Napoleons zum Präsidenten der Republik.

Der Februaraufstand in Frankreich war die Initialzündung für die folgenden revolutionären Ereignisse in Europa. Noch im Februar wurden in den deutschen Staaten der Ruf nach einem gesamtdeutschen Parlament, Forderungen nach Pressefreiheit, Schwurgerichten und Volksbewaffnung laut, vor allem in Baden sollte es in der Folge immer wieder zu Volksversammlungen und revolutionären Aufständen kommen. In Berlin hatte sich König Friedrich Wilhelm IV. noch 1847 geweigert, dem Landtag das Recht des periodischen Zusammentreffens zu gewähren. Am 3. März forderten zunächst die preußischen Rheinlande u.a. die Gesetzgebung und Verwaltung durch das Volk, unbedingte Rede- und Pressefreiheit, Aufhebung des stehenden Heeres, allgemeine Volksbewaffnung und freies Vereinigungsrecht. In Berlin

wurde am 7. März eine ähnliche Adresse an den König vorbereitet, die von einer Deputation überbracht werden sollte. Auch hier beging die Regierung einen schweren politischen Fehler. Unter allen Umständen sollte die Übergabe der Adresse verhindert werden, das Militär wurde mobil gemacht und ging rücksichtslos gegen die Bevölkerung vor. Bis zum 16. März gab es mindestens zwanzig Tote und 150 Verletzte. Am 18. März kam es zu neuen Zusammenstößen zwischen Volk und Militär in dreizehnstündigen erbitterten Barrikadenkämpfen. Erst einen Tag später ließ Friedrich Wilhelm die Truppen abziehen, das Volk hatte vorläufig gewonnen, der König wurde gezwungen, sich vor den 150 Gefallenen, meist Gesellen und Lehrlingen, zu verneigen. Ein königliches Patent gestand dem Land Pressefreiheit und Verfassung zu. Die am 22. Mai 1848 eröffnete preußische Nationalversammlung war aus allgemeinen Wahlen hervorgegangen und leitete kurzfristig eine liberale Aera in Berlin ein.

Die Revolution in der österreichischen Donaumonarchie begann in Ungarn. Am 3. März hielt Ludwig Kossuth vor der ungarischen Ständeversammlung die »Taufrede« der Revolution. Seine Forderung nach einer konstitutionellen Verfassung für Ungarn machte im Habsburgerreich Schule. Seit dem 13. März kämpften in Wien Soldaten gegen Demonstranten, es gab viele Tote. Zwei Tage später ging die Aera Metternich zu Ende. Das Volk stürmte den Sitzungssaal der Stände, verlangte die Abdankung des Staatskanzlers. Metternich dankte ab, floh zuerst nach Prag, dann nach London, seine Villa wurde vom aufgeregten Volk völlig demoliert. Die Donaumonarchie drohte einen Sommer lang auseinanderzubrechen: Unter Führung Kossuths setzte sich die Revolution in Ungarn durch, die Slawen verlangten die Umwandlung Österreichs in einen Bund gleichberechtigter Völker und beriefen im Juni einen Kongreß nach Prag, die Polen in Krakau forderten ihre Unabhängigkeit, die Mailänder vertrieben die österreichischen Beamten und Truppen, Venedig erklärte sich zur Republik, der König von Piemont-Sardinien gab seinem Staat eine Verfassung und machte sich zum Vorkämpfer der italienischen Einigungsbewegung. Bereits Ende März erklärte er Österreich den Krieg. Doch das Heer blieb dem Kaiser treu, fast überall konnte die revolutionäre Bewegung mit militärischer Übermacht niedergeworfen werden. Am schlimmsten erging es den Wienern. Vom 21. bis 23. August wurde die Stadt von Arbeiteraufständen beunruhigt, nachdem das Arbeitsministerium die Taglöhne für Frauen und Kinder herabgesetzt hatte. Zahlreiche Tote blieben auf den Straßen der Stadt. Am 6. Oktober wurden wieder etwa hundert Tote gezählt, nachdem das Volk versucht hatte, den Transport österreichischer Truppen, die gegen die revolutionären Ungarn kämpfen sollten, aufzuhalten. Während des nun folgenden Bürgerkriegs zwischen Kaisertreuen und Aufständischen war der grausam ermordete Kriegsminister Latour das prominenteste Opfer. Am 23. Oktober 1848 stellte Alfred Fürst zu Windischgrätz, der Oberbefehlshaber der Truppen mit »außerordentlichen Vollmachten« dem revolutionären Wien ein Ultimatum zur bedingungslosen Übergabe der Stadt. Am 26. Oktober begannen seine Truppen mit der gewaltsamen Rückeroberung der Residenzstadt Wien: Studenten, Arbeiter, selbst unbeteiligte Bürger wurden erbarmungslos getötet. Am 31. Oktober unterwirft Windischgrätz die Hauptstadt einem brutalen Bombardement, ganz Wien brannte und einen Tag später war die Revolution beendet. Zahlreiche Aufständische wurden verhaftet, darunter auch die beiden Abgeordneten des deutschen Parlaments in Frankfurt Julius Fröbel und Robert Blum. Über beide wurde das Standrecht gesprochen. Die Hinrichtung Robert Blums erfolgte am 9. November 1848.

Die Vorgänge in Österreich wurden von München aus mit größtem Interesse verfolgt, die Zeitungen berichteten seitenlang über die neuesten dramatischen Ereignisse.

U. L.

Kinder, die am Rand des Abgrunds spielen,
Ahnend nicht die drohende Gefahr,
Wenn in den verschlingenden sie fielen,
Finden nur alsdann erst, daß sie war.

Ihres Zwists sind Deutsche bloß bekümmert,
Nehmen auf die Folgen nicht Bedacht,
Ob darüber Deutschland stürz' zertrümmert,
Niemals kömmt die Zukunft in Betracht.

Eigene Erfahrung ist verloren,
Kaum vom Joch, dem eisernen befreit,
Wieder ist der inn're Kampf geboren,
Neu erstanden schon der alte Streit.

Jetzo aber sind es nicht die Stämme,
Feindlich geneinander selbst gewandt;
In den Staaten brechen alle Dämme,
Überschwemmt ist nun das Vaterland.

König Ludwig I. von Bayern 1846

12.2.1

12.2.1 Die Freiheit auf der Barrikade ∗

Moritz Rugendas (Augsburg 1802–1858 Weilheim), 1848/49, Öl/Pappe, 41,5 × 27; Augsburg, Städtische Kunstsammlung (Historischer Verein), 5198

Als Allegorie auf die Freiheit – »La Liberté« – steht die junge Frau mit blankem Schwert und roter Fahne auf den Trümmern einer Barrikade. Im Hintergrund die Silhouette von Paris. Die Darstellung der Ölskizze steht in der Tradition der französischen Revolutionsdarstellungen und Allegorien, deren bekannteste Formulierung Delacroix fand. (Zu Rugendas vgl. Kat.Nr. 6.3.24.)   H.O.

12.2.2 »Der deutsche Michel ist erwacht . . .« ∗

wohl München, 1848, Lithographie, 35 × 26, Lit.: Wolf 1982, 123 (186); Z (B21) 1891

Das Blatt ist wohl als Andenken an den revolutionären Frühling des Jahres 1848 entworfen worden. Die Überschrift »Durch Einheit – Freiheit« könnte auf ein Erscheinungsdatum zur Zeit der ersten hoffnungsvollen Versammlungen der deutschen Abgeordneten in der Frankfurter Paulskirche hinweisen. Auf dem Spruchband in der Mitte des Blattes heißt es: »Der deutsche Michel ist erwacht, u. hat sich auch schon – gewaschen! Februar et März 1848«. Darüber stehen versammelte Freischärler (links vorn der Heckerhut) und Freicorpstruppen auf Blättern, die mit den wichtigsten Märzforderungen beschriftet sind: »Deutsches Parlament, Offen-Gericht (gemeint ist wohl die Öffentlichkeit der Gerichtsverhandlungen, A.d.V.), Preßfreiheit, Volkswehr«. Die beiden Szenen in der unteren Blatthälfte sind als »Michel verzehrt soeben sein Frühstück, u. übergiebt seine Schlaf-Haube an Rußland als Zeichen seiner ehemaligen Zuneigung« beschrieben. Auf dem Frühstückstisch des deutschen Michel wird noch einmal auf die Märzforderungen hingewiesen: »Ministerverantwortlichkeit, Preßfreiheit, Oeffentlichkeit mit Schwurgericht/Deutsches Parlament, Neue Wahlordnung«. Rußland ist als Figur in bäuerlicher Tracht mit verbundenen Augen und Reitpeitsche dargestellt und verkörpert das rückständige, unterdrückte Volk. Die beiden Szenen werden von Astranken eingerahmt, die unten in der Mitte vom Symbol des Doppeladlers mit Schwert und Szepter zusammengehalten werden. Hinter dem Doppeladler deutet sich mit Segeln und Masten bereits die Diskussion um eine deutsche Flotte für den nationalen Kampf um Schleswig-Holstein gegen Dänemark an.

Das Blatt ist anonym und auch bei Wolf findet sich kein Hinweis auf Künstler oder Verlag. Die Rankenform erinnert jedoch an andere politische Blätter der Revolutionszeit, die in München im Verlag Hohfelder erschienen sind. Neben der üblichen Populargraphik fanden offenbar auch solche Einblattdrucke mit politischem Inhalt guten Absatz und Verwendung als Wandschmuck in Wohnstuben und Wirtshäusern.

12.2.2

Ein zweites Exemplar dieses Blattes befindet sich ebenfalls im Besitz des Münchner Stadtmuseums (M II 351).   U.L.

12.2.3 »Chaosmedaille« auf die Revolution in Österreich

Gottfried Drentwett (gest. Augsburg 1871), Augsburg, 1849, bez. rückseitig: MDCCCXXXXVIII/MDCCCXXXXIX, Bronzeprägung, ⌀, 4,1; 6765/1214

Gedenkmedaille auf die revolutionären Unruhen in Wien vom März bis Oktober 1848.

12.2.4 »Die Bürger und Bewohner Münchens an die Bürger und Bewohner von Berlin!«

München, 27.3.1848, Buchdruck, zwei einzelne Seiten, je 36 × 45; München, Monacensia-Sammlung, Nachlaß Pschorr

In der Solidaritätsadresse an die »Brüder in Wien« heißt es: »Wien hat mit Blut der Freiheit Kranz errungen . . . Der größte Tag im deutschen Völkerleben / Alle deutschen Stämme vom Belte zu den Alpen, von der Donau bis zum Rhein, reichen sich die Bruderhand zum Gruß und Schwur, um einig, stark und frei zu seyn.«   U.L.

12.3. Lola Montez – ein Lebenslauf

1) Vom englischen Schulmädchen bis zur Primadonna

1818 geboren in Limerick (Irland) als Tochter eines englischen Leutnants, getauft auf den Namen Maria Dolores Eliza Rosanna Gilbert.

1822 Der Vater wird in der indischen Kolonialarmee stationiert, die Familie wandert nach Kalkutta aus.

1823 Der Vater stirbt an der Cholera. Die Mutter heiratet den Oberstleutnant John Craigie.

1824 Maria Dolores wird zur Erziehung nach England geschickt, sie lebt dort in der Familie ihres Stiefvaters.

1834 Die Sechzehnjährige soll nach dem Wunsch der Mutter einen vermögenden, aber viermal älteren Richter heiraten. Sie flüchtet in eine Verbindung mit dem Kolonialoffizier Thomas James.

1841 Die Ehe scheitert, Lola besucht ihre Mutter in Kalkutta.

1842 Rückkehr nach England. Endgültige Trennung vom Ehemann, aber keine Scheidung. Lola hat einen Geliebten.

1843 Seit der Veröffentlichung von Prosper Merimées Roman »Carmen« wird ganz Europa von der Spanienmode ergriffen. Maria Dolores James schlüpft in die Rolle der spanischen Tänzerin Lola Montez. Ihr erster Auftritt im königlichen Theater London am 3.6.1843 endet mit einem gesellschaftlichen Skandal. Lola Montez verläßt England, um auf dem Kontinent ihr Glück zu versuchen. Ein stürmisches Liebesverhältnis mit Franz Liszt endet mit der überstürzten Flucht des Komponisten.

1844–1846 Lola reist als gesellschaftliche Abenteuerin durch Europa. In Paris duelliert sich ihretwegen der Zeitungsverleger Dujarier, er fällt, Lola zieht es vor, Paris zu verlassen. Lola gelingt immer wieder der Zutritt zu den Bühnen und großen Höfen Europas. Sie wird protegiert, aber als sie 1846 in München eintrifft, ist sie bereits aus Berlin, Warschau und Baden-Baden ausgewiesen worden.

2) Höhepunkt der Karriere – Gräfin Landsfeld

10.10.1846 Lola Montez erzwingt die Audienz beim bayerischen König Ludwig I.

14.10.1846 Lola tanzt im Kgl. Nationaltheater in Anwesenheit des Königs spanische Tänze. König und Publikum sind entzückt.

20.11.1846 Ludwig bedenkt die Tänzerin großzügig in seinem Testament. Lola bezeichnet sich in der Öffentlichkeit als Maitresse des Königs.

16.2.1847 Das königliche Verhältnis wird vor allem von den Anhängern der klerikalen Partei angegriffen. Ludwig reagiert auf Drängen Lolas mit der Entlassung des gesamten konservativ-klerikal eingestellten Ministeriums.

1.3.1847 Studenten demonstrieren in München gegen den Einfluß der Lola Montez.

2.6.1847 Der König schenkt seiner Freundin ein Haus samt Einrichtung in der Barerstraße. Die Endabrechnung lautet auf 23622 Gulden. Im Volk kursieren wilde Gerüchte über die Verschwendung der Steuergelder an die anmaßende, herrische Lola.

25.8.1847 An seinem 61. Geburtstag erfüllt Ludwig Lolas größten Wunsch. Er unterschreibt ihr Adelsdiplom, sie wird Gräfin von Landsfeld. An der Universität unterstützt sie die Entstehung einer ihr hörigen Studentenverbindung, die Alemannen. Die feindselige Haltung in der Bevölkerung wächst. Man weist ihr zahlreiche Affären und Geliebte nach.

9.–12.2.1848 An der Universität brechen offene Tumulte zwischen Lola-Anhängern und -Gegnern aus. Ludwig I. läßt die Universität schließen. Die Bürger demonstrieren für die Wiedereröffnung der Universität und die Ausweisung der verhaßten »Spanierin«. Ludwig I. gibt erst als er den Thron in Gefahr glaubt auf Drängen seiner Familie nach. Lola wird am 12.2. ausgewiesen. Sie flieht nach Genf.

3) Abschied von Europa – Tod in New York

1849 Wieder in England, geht die Gräfin Landsfeld eine neue Ehe mit einem jungen Mann aus guter Familie ein. Ein drohendes Strafverfahren wegen Bigamie zwingt sie zur Flucht auf den Kontinent. Die Ehe scheitert wegen finanzieller Schwierigkeiten.

1851 Lola Montez reist nach New York und tingelt mit einer Theatergruppe quer durch die USA. Ein eigens für sie verfaßtes Stück heißt »Lola Montez in Bavaria«. In einer kalifornischen Goldgräberstadt läßt sie sich für kurze Zeit nieder.

1853 und 1854 geht sie zwei weitere Ehen ein. Beide Ehemänner sterben.

1855 Lola Montez unternimmt eine Tournee nach Australien.

1856 Eine kurze Reise nach Europa zeigt ihr, daß sie hier schon fast vergessen ist. Wieder in Amerika verzichtet sie auf weitere Auftritte und verlegt sich auf Vorträge über Schönheitspflege.

1858 Lola gibt in New York drei Bücher über Schönheit und allgemeine Lebensweisheiten heraus.

1861 Am 17. Januar stirbt sie nach schwerer Krankheit vereinsamt und verarmt in New York. Zuletzt hatte sie sich hier um die Betreuung »gefallener« Mädchen gekümmert.

U. L.

12.3.1 Lola Montez in spanischem Tanzkostüm

Paris, 1844, bez.: Alophe d'aprés P. Dartigue-nave Lola Montez/Imp. Lith. de Cattier à Pa-ris; u.l.: Paris– Goupil Vibert § Cte. Editeurs; u.r.: London E. Gambart. Junin u. Co.; Lithographie, koloriert mit goldgeprägter Rahmung, 56,3 × 38,3; M II/1067

Lithographie von Alophe nach P. Dartiguenave. Lola im spanischen Kostüm auf einer Terrasse stehend, Dreiviertelfigur. Vase mit Panflöte und Bockköpfen als Luxuria-Allegorie, Trophäen am Rahmen, Degen, Fächer, Kastagnetten; oben Reitpeitschen, Dolche, Kronreife und orientalische Pfeife.

12.3.2 Lola Montez im Reitkleid

wohl Paris, um 1845, bez.u.l.: Peint d'aprés nature par Jules Laure; u.M.: Imprimerie de Geupil Vibert et Cie.; u.r.: Gravé par Hyppolite Garnier; darunter u.M.: Lola Montez, darunter u.l.: St. Petersburg – publié par Daziaro Frères; u.M.: Paris – Geupil Vibert & C^{re}. Editeurs, Boulevard Montmartre 15 rue d'Enghien 10; u.r.: London. Published by E. Gambart, Janin & Co. 25 Berners St. Oxfort St., Lithographie, 60 × 43,8; VI e/159

Lola im Reitkleid mit Peitsche und Hut an einem Gatter lehnend; im Hintergrund führt ein Bereiter zu Pferd ein zweites gesatteltes Pferd mit sich.

12.3.3 Bildnis einer Dame à la Montez, wohl Pepida de Oliva

Franz Eduard von Heuß (Oggersheim 1808 – 1880 Bodenheim–Mainz), wohl München, um 1850, signiert, Öl/Lwd, 92 × 73; Speyer, Historisches Museum der Pfalz, 1966/34

Die Dame im schwarzen Spitzenkleid, am großzügigen Dekolleté eine Rose, ähnelt in auffallender Weise vielen zeitgenössischen Darstellungen der Lola Montez. Gegen eine Identifizierung als Lola spricht allerdings die Farbe der Augen, Grau – Lola hatte strahlend blaue Augen –, die glatten Haare und die volle ovale Gesichtsform. Bei der Kleidung könnte es sich um ein Theaterkostüm für eine Spanierin handeln. Seit den spanischen Befreiungskriegen in den 30er Jahren machte das geheimnisvolle Land hinter dem Apennin Mode. Lola begann ihre Abenteuerinnenkarriere 1842 in London als spanische Tänzerin in einer Aufführung des Barbiers von Sevilla, ohne die Meisterschaft der berühmten Tänzerinnen Fanny Elssler und Marie Taglioni in den spanischen Folkloretänzen auch nur zu berühren. Die hier abgebildete Dame steht also voll im Trend der Zeit. Die Rose am Busen des vielversprechenden Dekolletés, ein Zeichen erfüllter Liebe, war allerdings eine Spezialität der Lola Montez, die von den »Lebedamen« sicherlich gern kopiert wurde. Möglicherweise könnte es sich hier um die Tänzerin Pepida de Oliva (1830–1868) handeln, die um die Mitte der 50er Jahre in Münchner Künstlerkreisen gefeiert wurde (vgl. AK Hanfstaengl, München 1984, 185 (Abb.) U.L.

12.3.4 Standspiegel mit einer Spanierin beim Gebet »Rosina en prieure«

nach einem Motiv von Lepalle, um 1845, Nuß-baumfurnier auf Weichholz, Stickerei, Spiegelglas, 233 × 100 × 86, München, Privatbesitz

Gestell mit neugotischen Formen, das über einem Dreifuß einen drehbaren und kippbaren Rahmen enthält. Auf einer Seite verspiegelt, auf der anderen als Kniestück das Porträt einer Beterin in modischem Kleid und einer spanischen Mantilla mit Rosen geschmückt. Im Vordergrund ein Betpult und ein Renaissancestuhl, im Hintergrund das Innere einer gotischen Kirche. Das Objekt fand sich im 19. Jahrhundert im Bamberger Kunsthandel. Das Bildmotiv läßt sich im Ansatz identifizieren. In einer Privatsammlung befindet sich eine Dose der Manufaktur Stobwasser mit eben dieser Darstellung, doch mit der Beischrift »Rosina en prieure« und der Identifizierung »Lepalle«. Ein solcher Künstler ist sonst nicht nachzuweisen. »Rosina« oder »Rosine« ist der Name der Gräfin in den Stücken von Beaumarchais, die in Sevilla spielen und von Mozart und Rossini in Opern verwendet wurden. H.O.

12.3.5 Lola Montez am Theater tanzend

Wilhelm Stek, Leipzig, um 1848, bez.u.r.: W. Stek; Druck v. J.G. Fritsche Leipzig, Lithographie, 34,4 × 23,5, Lit.: Otto 1982, 263 (Abb.); Fuchs 1898; M II/507

Lola tanzt auf der Bühne – die unvermeidliche Reitpeitsche in der Hand – für den König, der sie von unten mit einem riesigen Opernglas betrachtet. Die vier Ministerportefeuilles und die vier flehenden Männer im Hintergrund der Bühne spielen auf die demissionierten bayerischen Minister Abel, Gumppenberg, Seinsheim und Schrenck an. Alle vier waren entlassen worden oder zurückgetreten, da sie mit der Verleihung des Heimatrechts an die Lola Montez nicht einverstanden waren. U.L.

12.3.6 Der bayerische Esel rennt gegen die Wand

1848, Lithographie, 16,5 × 22,9; M II/511

Der mit einer gerauteten Schabracke und den bayerischen Hausorden gezierte Eselhengst rennt in Panik, von einer spanischen Fliege mit Ballettröckchen, gestochen gegen eine Wand an. H.O.

12.3.7 Die Amazone – Spottbild auf Lola Montez * * Abb. S. 180

um 1848, mit Tempera übermalter Druck auf Pappe, 11 × 7; Gem. 85/3

Wahrscheinlich handelt es sich bei der peitschenbewehrten brünetten Reiterin um eine Darstellung der Lola Montez. Es ist überliefert, daß erotische Spottbilder dieser Art in München kursierten. »Man hatte sogar auf Tabacksdosen und Pfeifenköpfen die beleidigendsten Karrikaturen gegen sie gemalt, und einige ultramontan gesinnte Studenten . . . waren in ihrer

Erbitterung so weit gegangen ihre Hunde Mola zu rufen . . .« heißt es bei einem Anonymus in »Mola oder Tanz und Weltgeschichte« (Leipzig 1847, 312). H.O.

12.3.8 Ein erotisches Schattenspiel – Lola Montez tanzt für König Ludwig * Abb. S. 183

wohl Moritz von Schwind, München, 1848, bez.u.l. in Blei wohl nachträglich: Fanny Schoch, Scherenschnitt, Papierkollage aus Glanzpapier, Pauspapier, mit Bleistift und weißer Federzeichnung auf einfachem Papier, in der Mitte senkrecht gefalzt; 32,1 × 49,3, Lit.: Fliegende Blätter, Bd. IV Nr. 73, 6f., Salzburg Slg. Derra de Moroda (Institut für Musikwissenschaft der Universität)

Das einem gebundenen Buch entnommene Blatt zeigt links eine leichtgeschürzte Tänzerin, die im Sprung ihre ganze Schönheit entfaltet. Ihre wehende Stirnlocke entspricht dem Kennzeichen des Gottes Kairos, des glücklichen Moments, den man beim Schopfe fassen soll. Ihr gegenüber sitzt auf einem Stuhl ein Herr im Hemd mit zerzaustem Haar beim Kaffee. Sein gehobener rechter Fuß, des Sockens entblößt, zeigt eine fordernd emporgestreckte große Zehe, womit auf die angebliche Impotenz des Königs in grober Weise angespielt wird.

Das mit Deckweiß bemalte und aufgeklebte Röckchen der Tänzerin dürfte eine spätere Zufügung sein, um das Blatt präsentabel zu machen. In den Fliegenden Blättern erschien 1848 eine Geschichte mit sechs Schattenrissen von Moritz von Schwind »Der Teufel und die Katz«. Schwind war seit 1847 wieder in München. Seine Geschichte mit der Moral »Nimm keinen Teufel in dein Haus, auch wenn er noch so klein wäre, denn er wird dir über den Kopf wachsen und dich verderben« bezieht sich eindeutig auf Ludwig und Lola. Die scharfsichtige Kunstfertigkeit dieser Schattenrisse stimmt überein, auch spricht der manchmal derbe Humor Moritz von Schwinds für ihn als Urheber des hier ausgestellten Blattes. Von dem Künstler ist überliefert, daß er in großer Geschwindigkeit Scherenschnitte im Freundeskreis zur Unterhaltung der Gesellschaft fertigte. H.O.

12.3.9 Bildnisbüste der Lola Montez – »Maria Gräfin Landsfeld« * Abb. S. 183

Johann Leeb (Memmingen 1790 – 1863 München), München 1847, bez.: nach der Natur von Joh. Leeb, München 1847, Gips, 72; München, BayStGS, B 129 (WAF)

Die Büste muß kurz nach der Verleihung des Adelsdiploms im August 1847 entstanden sein. Als Pendant existiert in derselben Sammlung eine Büste der Lady Digby, was darauf hindeutet, daß es sich hier um einen königlichen Auftrag handelt, mit dem die beiden prominentesten Frauen der Schönheitengalerie Ludwigs I. hervorgehoben sind (Hojer 1979, 35, Abb.). Im kurpfälzischen Museum in Speyer steht eine weitere Lola Montez-Büste, gefertigt von Johann Leeb, der ein begeisterter Verehrer der

Lola Montez war und in Ateliernachbarschaft mit Wilhelm Kaulbach die Porträtbüste anfertigte (vgl. AK BaKuKu, Hojer 1979, 35, Abb.).

H.O.

12.3.10 Apotheose Lolas

Wilhelm Steck, bez. u. l.: W Sta, 32 × 22,5; Lit.: Fuchs 1898; M II/513

Lola wird auf einer Muschelschale von drei nackten, fliegenden Männern getragen, die mit Taschen und Kopfbedeckung als Polizei und Militär ausgezeichnet sind; Ludwig als Eros nackt mit leerem Köcher hält schützend einen Schirm über die halbnackte, eine Reitpeitsche schwingende Lola als Venus; unten: Silhouette von München, darüber ein persifliertes Staatswappen das einen Jesuiten im Schilde führt.

H.O.

12.3.11 »Lola Montez, Comtesse de Landsfeld. Ein Pas de deux«

de Sorel, 1848, bez. u. Mitte: Paris chez le Blanc/Lola Montez Comtesse de Landsfeld / 1848, Lithographie, 26 × 29; M II/509

Lola empfängt im kurzen Röckchen Ludwig I. in ihrem Boudoir.

12.3.12 »Neuestes Blatt aus der Gunst-Geschichte Bayern's«

Brüssel, 1847, bez. u.: (Extra Beilage zur Deutschen Brüssler Zeitung.) Vom 1. April 1847. Se vend separement au prix de 50ces. Rue botanique No. 23 à Bruxelles, au bureau du Journal. Lithographie, 29 × 23,7; Lit.: Fuchs 1898; B 7647-38/86

Über dem Englischen Garten vor dem Chinesischen Turm und den Türmen der Frauenkirche schwebt Lola im Reitkostüm mit Peitsche und Schmetterlingsflügeln. Der greise, hagere Spaziergänger Ludwig I. zieht grüßend den Hut vor ihr. Unter der schwebenden Lola gehen vier Jesuiten spazieren, eine Anspielung auf den bereits schwelenden Konflikt zwischen Lola und der klerikalen Partei. Darüber die Königskrone, links davon der Name Ludwigs, rechts der Name Lolas. Ludwig ist eine Geißel zugeordnet, Lola ein Zepter mit Hydra und Blitz.

U.L.

12.3.13 »Vaterunser der Lola Montez selber«

1848, Buchdruck, 26,5 × 21,5; Lit.: Kristl 1979, 56 (Abb.); MK Proebst, München 1968, 171, Nr. 1618; P 1618

Travestierte Vaterunser auf verhaßte Persönlichkeiten (z.B. auf Metternich, aber auch auf Ludwig I.) waren im Vormärz vielfach verbreitet. Lola wird hier als geldgierige Nymphomanin dargestellt, die mit dem Teufel im Bunde steht, die Treue des bayerischen Volkes zu seinem König hintertreiben wollte und nun »in der Ferne sehen muß, daß sie ihren König wieder aus vollem Herzen lieben, wie vorher!« Das Flugblatt ist also erst nach der Vertreibung der Lola Montez im Februar 1848 entstanden.

U.L.

12.3.14 »Lichtbilder durch verstärkten Focus. Die Walhalla«

Mainz, 1846/47, bez. u. r.: Gedr. bei Werner & Co. in Mainz, Lithographie, 20 × 25, Lit.: Otto 1982, 261 (Abb.); Fuchs 1898; B 7651 (30/393)

Zwei Herren besichtigen die von Ludwig erbaute Walhalla bei Regensburg und stellen zu ihrem Erstaunen fest, daß zwar Lola in der Walhalla aufgestellt worden ist, das Denkmal Luthers jedoch noch davor steht: »Doch unerklärlich bleibt mir dieser Zwiespalt der Natur !? – Hier der alte Luther – dort die neue Pompadour !« Ludwig hatte die Luther-Büste erst nach langem Zögern und heftiger Kritik seiner Gegner 1847 in seinem Denkmal berühmter und verdienstvoller Deutscher aufstellen lassen. Schon sehr bald nach dem Bekanntwerden des Verhältnisses zwischen Ludwig und der in Europa nicht mehr unbekannten Tänzerin gab es unter den Karikaturisten Spekulationen über eine mögliche Verknüpfung der Lola mit Ludwigs Denkmalprojekten. Das englische Witzblatt »Punch, or the London Charivari« veröffentlichte z.B. in seiner Nr. 12 des Jahrgangs 1847 (144) eine Karikatur auf Ludwigs Bavaria-Denkmal, das nun angeblich die Gestalt der spanischen Tänzerin erhalten sollte. Lola erscheint in der Walhalla nicht als Büste wie die übrigen berühmten Herrschaften, sondern als ganzfigurige Statue in Tanzpose, zu ihren Füßen die Dogge, ihre ständige Begleiterin. Die Haltung der Lola mit dem weit abgespreizten Bein gibt dem Bild einen erotischen Akzent. Eine Büste des 60jährigen bayerischen Königs ist so gestellt, daß ihm Einblicke unter Lolas Tanzröckchen möglich sind; eine Kerze auf der Stirn des vorderen Wallhallabesuchers ist ebenfalls auf Lolas Rockeinblicke gerichtet und leuchtet diese noch aus. Richard Newton stellte 1796 die Tänzerin Mademoiselle Parisot in derselben großzügigen Tanzhaltung dar, wobei diesmal ein dicker Pfarrer und ein hageriger Adeliger interessante Einblicke gewannen. Wie die beiden Walhallabesucher sind auch sie mit Opernglas und Lorgnon für den günstigen Augenblick gerüstet (vgl. AK Bild als Waffe, München 1985, 332).

U.L.

12.3.15 Bildnis Lola Montez

Georg Dury, nach Joseph Karl Stieler (Mainz 1781–1858 München), 1848, bez. r.: »Gräfin Marie von Landsfeld, copiert von Dury 1848 nach einem von Stieler 1847 gemalten Bildnis«, Öl/Lwd, 72,8 × 59,5; 34/312

Lola Montez (geb. 1818 Limerick, gest. 1861 New York) bereiste als spanische Tänzerin und »femme scandaleuse« die europäischen Residenzstädte. 1846 kam sie nach München, am 10. Oktober war ihr erster Auftritt im Hoftheater, ihr zweiter und letzter am 14. Oktober. Nach dem Willen Ludwig I. wurde ihr der Titel einer Gräfin von Landsfeld verliehen. Am 11. März 1848 mußte sie München verlassen, am 20. März d.J. gab Ludwig I. seinen Rück-

tritt bekannt. – Das Bildnis ist eine Kopie der Darstellung, die Joseph Stieler 1847 für die Schönheitsgalerie Ludwig I. gemalt hat. (Hase 1971, Nr. 314). Der Maler, Georg Dury, war als Kopist von Bildnissen Stielers mehrmals tätig (z.B. Max I. Joseph im Krönungsornat, 1822, Kopie als Brustbild – vgl. Hase 1971, 127, Nr. 88). – Zu seiner Biographie ist wenig bekannt. Sein Vater ist wahrscheinlich Nicolaus Dury, der als »Kammerportiere« zum Stab des Obersten Hofmarschalls im Kaiserhof der Residenz gehörte. Ein Sohn, Karl, war als Küchenjunge im Hofstaat des Kronprinzen (Adreßbuch München-Au 1842, 16 und 24). Duri (sic) erscheint 1842 auf der Mitgliederliste des Münchner Kunstvereins und ist im selben Jahr mit zwei Bildnissen und einer Miniatur (nach Stieler) vertreten (Bericht Kunstverein, 1842, 64, 65, 72).

M.M

12.3.16 Handschreiben der Lola Montez an einen Herrn und seine Tochter zum 8-Uhr-Tee

um 1847, braune Tinte auf Papier, Rahmen: Holz, vergoldet mit Rundbogenfries, 23,5 × 15,9, München, Stadtbibliothek, Monacensia Slg.

Aurai-je le plaisir mon cher Monsieur de vous voir ce soir chez moi pour prendre le thé avec votre aimable et charmante fille.
Dans l'espérance de vous voir à huit heures
Vendredi   Lola Montez

Werde ich das Vergnügen haben, mein lieber Herr, Sie heute Abend bei mir zum Tee zu sehen mit Ihrer liebenswürdigen und entzükkenden Tochter.
In der Hoffnung, Sie um 8 Uhr zu sehen
Freitag   Lola Montez

Die Andalusierin

Leuchtend, himmlisch blaue Augen,
Gleich des Südens Äther klar,
Die in Seligkeit uns tauchen,
Weiches, glänzend schwarzes Haar;

Heitern Sinnes, froh und helle,
Lebend in der Anmut hin,
Schlank und zart wie die Gazelle
Ist die Andalusierin.

Stolz und doch zugleich hingebend,
Ohne Rückhalt, Herz für Herz,
In der Liebe Gluten lebend,
Höchste Wonne, höchster Schmerz!

Voller Geist, wie voller Leben,
Heft'ger Leidenschaftlichkeit,
Ist dein Wesen, ist dein Streben,
Vom Alltäglichen befreit.

In dem Süden ist die Liebe,
Da ist Licht und da ist Glut,
Und im stürmischen Getriebe
Strömet der Gefühle Flut.

Wonnemeer die Seelen trinken,
Tönt zur Laute dein Gesang;
Hin zu deinem Füßen sinken,
Machet deiner Stimme Klang.

Aufs entzückendste erscheinest
Du, in zauberischem Glanz,
Hoh' und Liebliches vereinest
Reizend, du, in einem Kranz.

König Ludwig I. von Bayern,
Gesammelte Gedichte, 4. Teil (1847)

12.3.17 Lola Montez in historischem Kostüm * *

Wilhelm von Kaulbach (Arolsen 1805–1874 München), München, 1847–48, Öl/Lwd, 242 × 166; Lit.: Mola oder Tanz und Weltgeschichte, 1847 (1848); Dürck 1915, 52–55, 209, 211, 235, 237, 239, 241; Ostini 1906, 110, 116, Abb. 29; Corti 1937, 468, 479; Kristl 1979, 127, Abb. 24; München, Privatbesitz

Lola Montez ist nach Art eines höfischen Portraits der Spätrenaissance dargestellt. Das schwarze Samtkleid mit reichem Spitzenbesatz, das goldene Filigranhäubchen und alle weiteren Bildaccessoires wie der teppichbedeckte Tisch, die mit Amorini verzierte Renaissancewasserkanne auf einem Becken, die unvollendete Schmuckschatulle, Silberspiegel und Kerzenleuchter sind der Geschichte entlehnt. Sie stellen Anspruch auf Tradition und Herkommen, so wie sich die Engländerin mit dem aristokratischen spanischen Adelsnamen Senõra Maria de los Dolores Porris y Montez schmückte.
Die konventionelle, historisierende Darstellung Kaulbachs bezeugt den Standesanspruch der Abenteurerin, die sich um gesellschaftliche Anerkennung in München mühte. An ihrem Versuch, über die Zuneigung des Königs in den Grafenstand zu kommen, erinnert das mit einer Grafenkrone geschmückte goldene Herz am Armreif. Die rote Chrysantheme im Haar bedeutet »Ich liebe!«.
Das unvollendete Gemälde entstand im Auftrag König Ludwigs I. von Bayern, wurde nach der erzwungenen Abreise der Dargestellten nicht abgenommen und blieb im Atelier Kaulbachs.
Nach einer skandalumwitterten Überlieferung der Familie Kaulbachs war das Gemälde anders geplant: »Das große Portrait wurde nach manchen stürmischen Szenen, die aber nicht alle so harmloser Natur waren wie die eben geschilderte, fertiggemalt, fiel jedoch nicht zur Zufriedenheit des Bestellers aus, denn der Künstler hatte die Tänzerin mit der Peitsche in der Hand, mit Schlangen umgürtet und mit entblößtem Hals das Schafott besteigend, dargestellt. Solche Auffassung war dem Besteller nicht genehm. Er drang darauf, daß diese fatalen Kleinigkeiten entfernt würden. Zu weiteren Konzessionen wollte der Vater sich aber nicht herbeilassen, und schließlich blieb das Bild im Atelier und wurde nie abgeliefert (es befindet sich jetzt in Privatbesitz)«. So schreibt die Tochter Kaulbachs 1918 und mit ähnlichen

Worten schildert ihre Mutter diesen Sachverhalt in einem Beglaubigungsschreiben, das dem Kaufvertrag beiliegt, mit dem sie das Portrait 1893 veräußerte. In den Memoiren von Josepha Dürck-Kaulbach und dem Beglaubigungsschreiben von Frau von Kaulbach wird noch erwähnt, daß der König den Sitzungen bei Kaulbach stets beiwohnte und das Kostüm, das nach Angaben des Malers in Paris eigens gefertigt worden war, selbst drapierte und ordnete. In einem Brief vom 3. Juli 1847 teilt Frau von Kaulbach ihrem, von München abwesenden, Mann dann mit, wie das Publikum das Joseph Stieler-Portrait der Lola Montez mit dem Kaulbachs vergleicht. »... und alle sind erstaunt über diesen Unterschied in der Auffassung. Die meisten sagen, in Stielers Bild liegt die Vergangenheit und in dem Deinigen die Gegenwart, denn hier sind alle Leidenschaften schon in ihrer größten Ausbildung.« Über das Portrait der Lola Montez von Kaulbach, das so großes Aufsehen machte, weiß eine anonyme Schrift zu berichten, daß der Maler »Maulbach« sich für die Anfertigung des Portraits einer Daguerreotypie der »Mola Lontez« bediente (Mola, ... Leipzig 1847 (1848).
Reitpeitsche, Schlangengürtel und entblößter Hals, welche in der ersten Fassung geplant waren, scheinen durch Übermalung mit dem merkwürdig schräg angeordneten Taschentuch, dem schwarzen Gürtel und dem breiten Spitzenkragen überdeckt. Schwer zu erklären bleiben die Berichte, daß Lola Montez im Begriff ein Schafott zu besteigen dargestellt sei.
Eine völlig neue zweite Version ist wohl auszuschließen und eine Erklärung nur dadurch möglich, daß mit dem historisierenden Portrait im Stile des 16. Jahrhunderts Assoziationen an Maria Stuart und ihr Schicksal geweckt wurden. H.O.

12.3.18 Adelsdiplom der Lola Montez, Gräfin von Landsfeld (in zugehöriger Kassette)

1847, Kassette: Holz, Messing, Samt; Diplom: Pergament, Pastellkreide; Messingdose, versilbert mit Wachssiegel, Kassette: 8,5 × 42 × 34; Diplom: 38 × 29,5; Siegel: Ø 17; Lit.: Corti 1937, Tafel 56, München, Bayerisches Hauptstaatsarchiv, G H A 54/4/32

Kassette: roher, braun gebeizter Holzkasten, auf dem Deckel kleines Messingschildchen mit eingeritzter neunzackiger Grafenkrone und kleinem Bügelgriff zum Hochklappen, vorne Schnappverschluß, innen im Deckel mit weißem Samt ausgeschlagen. Die Kassette wurde von der Fa. Philips Brothers in London angefertigt.
Urkunde: außen tiefblauer Samt, blau silberne Kordel am Rücken, zwei hellblaue Samtschleifchen als Verschluß, innen: Pergamentseiten und hellrot-schwarzes Kleisterpapier.
1. Seite: Majestätswappen und »Wir Ludwig von Gottes Gnaden König von Bayern, Franken und in Schwaben«
2. Seite: »Urkunden und bekennen hiermit, daß Wir beschlossen haben, die aus Spanischem

Adel geborene Maria von Porris und Montez/: Lola Montez:/ in den graflichen Stand unter der Benennung einer Gräfin von Landsfeld allergnädigst zu erheben. Indem Wir daher derselben aus königlicher Macht die grafliche Würde Unseres Königreiches mit den damit verbundenen Ehren, Rechten und Vorzügen ertheilen, wollen Wir, daß sie sich des nachbeschriebenen graflichen Wappens bediene, bestehend:«
3. Seite: »aus einem teutschen gevierten Schilde. In dem ersten rothen Felde erscheint ein aufrechtstehendes blankes Schwert mit goldenem Griffe, in dem zweiten blauen ein streitfertiger, gekrönter goldener Löwe, in dem dritten gleichfalls blauen ein silberner links gewendeter Delphin und in dem vierten weißen Felde eine blaßrothe Rose. Auf dem Schilde ruht, mit rechts von blau und Gold, links von roth und Silber abhängenden«
4. Seite: »Helmdecken eine gräfliche mit neun Perlen geschmückte Krone. Kundgethan sei dieses allen Kron- und Reichsbeamten, allen Unseren höheren und niederen Dienern und allen Unseren Unterthanen insgemein, damit sie der Marie Gräfin von Landsfeld nicht nur selbst für gräflich erkennen, sondern ihr auch, wo es ihr Amt oder ihre Pflicht erfordert, dabei hand haben, indem Unser Wille ist, daß jeder der dieser Verleihung entgegen handeln sollte, durch den Fiskal«
5. Seite: »Unserer Krone vor die Gerichte gefordert und dort sowohl wegen Verletzung Unserer Befunde, als wegen Mißhemmung wohl erworbener Befugnisse eines Dritten, zu öffentlicher und Privatgenugtuung zugleich ohne alle Nachsicht angehalten werden soll. Zur Bestätigung alles dessen haben Wir eigenhändig Unseren königlichen Namen unterzeichnet und Unser großes Reichssiegel anfügen lassen.«
6. Seite: »So geschehen zu Aschaffenburg den vierzehnten Tag des Monats August nach Christi Unseres Herrn Geburt im Eintausend achthundert sieben und vierzigsten Unserer Regierung im zwei und zwanzigsten.
Ludwig / v. Maurer – Auf Königlich Allerhöchsten Befehl der geheime Sekretär Gessele Grafen Diplom für die Maria von Porris und Montez /: Lola Montez:/als Gräfin von Landsfeld.«
Auf der siebten Seite Pastellzeichnung: in gotischem, efeubewachsenem Fenster das Wappen der Lola an den Seiten Rocaillemotive, dahinter Blick auf eine Burg. Rings um das Fenster gotisches Mauerwerk, dann oben bayerisches Staatswappen. Lola hatte dem König eingeredet, ihr Vater wäre zwar von kleinem Adel, ihre Mutter aber eine Gräfin gewesen. Um Lola zu adeln, war es zunächst nötig gewesen, ihr das bayerische Heimatrecht zu verleihen, Innenminister Abel verweigerte dazu jedoch seine Zustimmung. Seine darauf folgende Entlassung brachte die konservativ-klerikalen Kreise noch weiter gegen Lola auf. Der Adel fühlte sich durch diese »Standesgenossin« kompromittiert. Der Widerstand gegen die selbstbewußte Tänzerin wurde noch stärker, die Angriffe gegen sie noch schärfer. Lola hatte gehofft, mit

der Verleihung des Adelstitels endlich in die Gesellschaft aufgenommen zu werden. Das Gegenteil war der Fall, man schloß sich noch enger gegen sie zusammen.   U. L.

12.3.19 »Ariadne auf Box«

anonym gedr. bei L. Blau & Co., Leipzig, 1848, bez. u. r.: Dr. v. L. Blau & Co., Lithographie, 18 × 24,5; Lit.: Fuchs 1898; B 76/49 (30/402)

Parodie auf die berühmte Skulptur »Ariadne auf dem Panther«. Lola liegt auf ihrer Dogge, auf ihrem Schenkel hockt der greise, hagere Ludwig als Cupido und überreicht ihr die Grafenkrone. Lola ist nur mit einem lose um die nackte Hüfte geschlungenen Tuch, einem Halsband mit Kreuz, einem spanischen Kopftuch – Mantilla – und einer Peitsche bekleidet.

12.3.20 Lolas Erhebung zur Gräfin Landsfeld

Paris, 1847/48, bez. u. r.: à Paris, Lithographie, 33,6 × 27,2; Lit.: Corti 1937, 88 f. (Abb.); M II/508

Karikatur auf die Erhebung Lola Montez' zur Gräfin. In Anspielung auf seine späte Liebe wird Ludwig hier als Satyr dargestellt, der Lola die Grafenkrone überreicht. Sie legt ihre linke Hand auf ein von Cupido getragenes Wappen, das im Gegensatz zum wirklichen Landsfeldschen Wappen nur Pfeile zeigt. Zu ihren Füßen befinden sich drei Säcke mit Geld. Die Szene spielt im Schlafzimmer der Dame und enthält in der auf dem Baldachin des Himmelbetts sitzenden Fliege eine weitere satirische Anspielung: sie bezieht sich auf Lolas Spitzname »Die spanische Fliege«, was auch die Bezeichnung für ein berüchtigtes Aphrodisiakum ist, das aus pulverisierten Insektenteilen hergestellt wird (Cantharidium).   U. L.

12.3.21 König Ludwig I. besingt die Tänzerin Lola Montez

gedr. bei L. Blau & Co., Leipzig, 1847/48, bez. u. r.: gedr. b. L. Blau u. Co. Leipzig, Lithographie, 24,5 × 27,5; Lit.: MK Proebst, München 1968, 170, Nr. 1614, Fuchs 1898; P 1614

In Anspielung auf Ludwigs Dichtungen werden Lola und Ludwig hier in der Rolle von Minnesänger und gehuldigter Herrin in einer intimen Boudoir-Situation dargestellt.   U. L.

12.3.22 Lolas Triumph in München

D. Baltzer, Straßburg, 1847/48, bez. u. l.: Lith. de D. Baltzer à Straßbourg, Federlithographie, 23 × 29; Nürnberg, Germanisches Nationalmuseum, HB 13919/1299

Die temperamentvolle Tänzerin ist in die bayerische Landeshauptstadt eingebrochen, wirbelt das Ministerium durcheinander, verdrängt die kummervoll niedergebeugten Jesuiten sowie den lamentierenden Geistlichen und erlangt von Ludwig Lorbeer und Grafenkrone. Lud-

wig liegt ihr zu Füßen und schaut zu ihr empor, während sie ihm wieder mit weit abgespreiztem Bein großzügige Rockeinblicke bietet (vgl. Kat. Nr. 12.3.14).   U. L.

12.3.23 »Neuer Speisezettel«

1848, Typendruck, 38,5 × 13; B 77/4 = 34/299

Satirischer Text in Speisenkartenform, die politischen Verhältnisse (Lola Montez, Metternich) geißelnd.

12.3.24 Flugschriften zur Lola Montez

München, Leipzig, Paris, 1847/48, München, Bayerische Staatsbibliothek

a) Le Miracle libéral de Lolla Montès, Ballade Bavaroise par A Paul Long, Paris 1847; BStB, Bavar. 1706^q, 8°.
b) Die spanische Tänzerin und die deutsche Freiheit von J. Venedey, Paris 1847; BStB, 8° Bavar. 2624^{kn}.
»Wenn die Freiheit, wenn die Entfesselung der Presse in Deutschland von der Zwischenkunst einer feilen Tänzerin abhängt, dann ist diese Freiheit selbst nicht den Lohn werth, den man für sie fordert . . . Dieselben Leute, die vor ein Paar Jahren sagten, daß sie auch die vollkommenste Freiheit nicht aus der Hand des Ausländers annehmen würden –, und die meinem Gefühle nach damals Recht hatten, – vergessen sich heute soweit, einem schamlosen Greise, der einer Lola Montez zu Liebe handelt, für den Schein eines Fortschrittes in erheuchelter Demuth zu danken.« (7 ff.)
c) Molla Lontez. Saltatio est circumferentia Diaboli. Leipzig 1847, Druck und Verlag von Philipp Reclam jun.; BStB, 8° Bavar. 1992^n, die kleine Broschüre trägt eine unbeholfene Karikatur einer Tänzerin auf dem Titel.
d) Mola oder Tanz und Weltgeschichte, Leipzig 1847 bei Ernst Keil & Comp.; BStB, 8° Bavar. 1857^q. In dieser fingierten Biographie Lolas ist Ludwig Chlodwig von Hohenheim, seine Bemerkung nach dem ersten Besuch bei Lola: »Stets teutschen Sinnes gewesen seiend, und es bewiesen habend vielfach; aber was Liebe sei, unwissend bis jetzt, durch diese Spanierin erfahren habend heute.« (20.)
Die letzten drei Bändchen trugen früher in der Bayerischen Staatsbibliothek »Remot.«-Nr., d. h. sie gehörten zu dem Bestand der separierten, beschlagnahmten Werke.
e) Lola Montes und ihre politische Stellung in München, München 1848, Druck der Joh. Deschler'schen Offizin; Slg. Proebst, 8°, mit einem Hüftporträt der Tänzerin (Xylographie) auf dem Titel. Die Veröffentlichung ist eine sympathisierende Beschreibung der Tänzerin.
f) Münchener Fliegenblätter. Humoreske aus den Februartagen 1848. Mit einem Titelkupfer. Leipzig, 1848, Verlag von Ignaz Jackowitz; Slg. Proebst, 8°, in grünem Papiereinband. Das Titelkupfer auf der zweiten Seite zeigt eine Szene nach Lolas Flucht zur Blutenburg. Lola, ein Student und ihr Favorit Peisner, der gerade einen Kalbskopf verzehrt, diskutieren die Zu-

kunft der Tänzerin: »Sein oder nicht sein? – Gräfin Landsfeld oder Lola Montez?« Eine offene Tür gibt den Blick nach draußen auf eine vorbeidampfende Lokomotive frei, mit der Lola am nächsten Tag von Pasing aus endgültig außer Landes gebracht werden sollte.
g) Lola Montez mit ihrem Anhange und Münchens Bürger und Studenten! Ein dunkler Fleck und ein Glanzpunkt in Baierns Geschichte, Münchens edlen hochherzigen Bürgern und Studenten in tiefgefühlter Verehrung zugeeignet von einem Unpartheiischen (Karl Wilhelm Vogt), München 1848; Slg. Proebst, 8°. Kirchenfeindliche und Ludwig-freundliche Darstellung der Ereignisse bis zum Februar 1848.   U. L.

12.3.25 »Gedenk- Blatt der Volksbewegung in München den 9.10.11.12. Febr. 1848 den hochherzigen Thaten der Bürger u. Studenten gewidmet von G. K.«

Gustav Kraus (Passau 1804–1852 München), 1848, Lithographie, 39 × 49; Lit.: MK Proebst, München 1968, 168, Nr. 1592; Pressler 1977, 343, Nr. 549 (Abb.); P 1592

In 12 Szenen hat Kraus nach Art einer Bildreportage die wichtigsten Ereignisse der dramatischen Februartage festgehalten:
Ein Alemanne zückt gegen einen anderen Studenten den Dolch, Lola flieht vor der aufgebrachten Menge in die Theatinerkirche, sie wird in die Residenz eskortiert, die Studenten stehen vor der geschlossenen Universität, Zug der Studenten zum Haus des Rektors Thiersch, Rede Thierschs zu den Studenten vom Balkon seines Hauses herab, die Gendarmen greifen die Studenten an, Versammlung der Münchner Bürger im Rathaussaal, eine Deputation an den König wird zusammengestellt, Versammlung der Bürger auf dem Max Josephs-Platz, die Bürger vernehmen auf dem Rathausplatz den Entschluß des Königs, daß die Universität wiedereröffnet werden und Lola die Stadt verlassen soll, das Volk stürmt das Palais der Gräfin Landsfeld, die Kutsche mit der Gräfin fährt in wilder Flucht durch München.   U. L.

12.3.26 »Das Haus der Gräfin von Landsfeld in der Barerstraße in München«

nach Gustav König (Coburg 1808–1869 Erlangen), Druck von G. G. Lohse in Dresden, 1848, bez. o. r.: No IV., Lithographie, 9,8 × 16,1; Z 1328 a

Vor dem Haus hat sich eine Menschenmenge versammelt. Dargestellt ist hier der Moment, in dem Lola Montez in einer Kutsche flüchtend vor der drohenden Menschenmenge das Haus verläßt. Die Szene erschien später als Holzstich in der Leipziger Illustrierten Zeitung.   U. L.

12.3.27 Die Staatsmaschine ∗ Abb. S. 81

Anton Bauer, München, 1848, bez. u. r.: »Eigenthum v. Hofelder lith. Anstalt in München«, Lithographie, 44 × 36,5; Lit.: Wolf

1982, 91 (Abb.); AK Vorwärts, München 1986, 201, Nr. 289 (Abb.); StaatsAM, Polizeidirektion Nr. 344/3; Z (C15)1898

Diese kunstvolle und feinsinnige Satire auf die »Constitutionelle Monarchie« Bayerns, muß unmittelbar nach der Vertreibung der königlichen Geliebten Lola Montez im Februar 1848 und der Abdankung König Ludwig I. am 20. März 1848 herausgegeben worden sein. In der linken unteren Ecke verlassen die beiden »Er u. Sie / Sie u. Er« mit einem prallgefüllten Sack die Szene. Dargestellt wird das System des als Eule karikierten Finanzministeriums, das »Auf allerhöchsten Befehl« Geld aus den Untertanen mit vielfachen Methoden und Begründungen herauspressen sollte (»Lotterie, Zollwesen, Eisenbahn, Staatspapier, Steuerwesen, Dampfschiffahrt, Post..., Staatsdomaine, Aufschlagwesen, Donaumainkanal, Herrenloses Gut, Einkommensteuer«). Es wird dabei von einer großen Menge von Revisoren und bezopften Beamten unterstützt. Das den gequälten und geschöpften Untertanen abgenommene Geld fließt zunächst in zwei große Truhen, die »Staatskasse« und die »Kriegskasse«, letztere scheint allerdings an den Seiten undicht zu sein, so daß das Geld in eine noch größere »Privatschatulle« weiterwandern kann. Den Gegenpol zum königlichen Paar bilden ein bettelnder Invalide und ein hockender Pensionär mit dem Hinweis »wöchentlich 18 kr« (Kreuzer, A.d.V.).
Die wie eine Bildergeschichte aufgebaute Szenerie wird von dornigen, blatt- und früchtelosen Ranken umrahmt. Diese Ranken ragen zum Teil gliedernd in das Bildgeschehen hinein und münden an den oberen Enden in römische fasces, den klassischen Symbolen republikanischer Gesinnung, ein. Die soziale und demokratische Kritik dieses Blattes richtet sich in erster Linie nicht gegen den abgedankten König, der allerdings während seiner letzten Regierungsjahre häufig wegen seiner angeblich verschwenderischen Finanzpolitik angegriffen wurde, als vielmehr gegen den Beamtenapparat und die vom Finanzministerium beherrschte »Staatsmaschine«. Das technische Element dieser »Maschine« wird von mehreren ineinandergreifenden Zahnrädern, die links und rechts eine große Walze mit der Aufschrift »Constitutionelle Monarchie« drehen, verdeutlicht. An dem linken, mit allerlei Teufeleien besetzten Räderwerk hängt ein kleines Gewicht mit der Aufschrift »Volkswohl«, an dem rechten dagegen ein sehr viel größeres mit der Aufschrift »Geld«. Der um die Walze geschlungene lange Zopf gehört offensichtlich dem Finanzministerium. Der Zopf, der noch am Ende des 18. Jahrhunderts von Soldaten, Beamten und auch Bürgern in allen Ehren getragen worden war, symbolisierte nach den Reformen der napoleonischen Ära im Zeitalter des biedermeierlichen Bürgertums nur noch Reaktion, Rückständigkeit und stand im Gegensatz zu den Idealen der bürgerlichen Freiheit und Gleichheit mit den damit verbundenen politischen Rechten innerhalb der an eine Verfassung gebundenen Monarchie. Die mit grotesken, alle-

gorischen Figuren durchsetzte Darstellung verweist auf die Aushöhlung dieser bürgerlichen Rechte durch einen nach alten Maximen weiterwirtschaftenden Staatsapparat.
Der Verlag Hohfelder verkaufte dieses Blatt mit und ohne Texterläuterung. Das Münchner Stadtmuseum besitzt noch ein weiteres Exemplar (P 1621), das links unten die Bezeichnung »Entw.v.A.Bauer« trägt.   U.L.

12.3.28 »Der Engelsturz«

Franz Seitz, München, 1848, Lithographie, Tondruck, 49 × 38; Lit.: Fuchs 1898; Otto 1982, 267 (Abb.); AK Bild als Waffe, München 1985, 421 (Abb.); MK Proebst, München 1968, 168, Nr. 1590; P 1590

Der damals in München weit verbreitete Einblattdruck enthält eine Anspielung auf das biblische Thema der Höllenfahrt. Es ist natürlich Lola Montez, die da am 11. Februar »zur Hölle« gefahren sein soll, getragen von Gendarmeriehauptmann Bauer, begleitet von ihren Alemannen und Verehrern, unter ihnen der Schokoladenfabrikant Mayrhofer. Darüber stehen Bürger und Studenten sowie der brüllende bayerische Löwe. Links und rechts davon ein Spottgedicht in sieben Strophen. Ein zweites Blatt mit der Signatur Z (C15) 1872 befindet sich ebenfalls im Besitz des Münchner Stadtmuseums. Der »Engelsturz« wurde bereits im Februar 1848 in München verkauft, dann kurzfristig beschlagnahmt und war am 2.3.1848 »um 12 kr. wieder zu haben« (Münchner Politische Zeitung, 53, 2.3.1848).   U.L.

12.3.29 »Der Genius der Sittsamkeit verläßt das gelobte Land und Alle Mannen welche der Tugend und Freiheit anhängen, begleiten sie, dasselbe thun zwei Tugendritter.«

W. Steck, Druck: J. G. Fritzsche, Leipzig, 1848, bez.u.r.: W. Stck; darunter: Dr. u. J. G. Fritzsche in Leipzig, Lithographie, 30,5 × 23; Lit.: Otto 1982, 265 (Abb.); AK Zopf und Philisterey, Würzburg 1985, 115 Nr. 219; M IV/819

Im Wagen der Venus von Turteltauben gezogen, zieht Lola von München in die Schweiz.

12.3.30 Liste der Anhänger der Lola Montez

1848, Lit.« Kurz 1908, 162; München, Historisches Corpsmuseum

Nach der Flucht der Lola Montez aus München am 11. Februar 1848 wurden Listen in Umlauf gebracht, in denen von ihr angeblich protegierte Personen aufgeführt wurden. Nicht alle wurden zurecht als Anhänger und Beschützer der »Spanierin« bezeichnet. Manchen Namen wurden spöttische Bemerkungen zugefügt, die für die Betroffenen ein mehr oder weniger längeres Verschwinden aus München ratsam erscheinen ließen:

(Abschrift aus dem Archiv des Corps Bavaria, München.)

(fol.1, linke Spalte:)

Anhaenger der Lola Montez.

Allweyer, Oberappell.Ger.Director
Androos, Maler
Anschütz, Maler und Professor
Bauer, durch sie Gendarmerie Hauptmann
Bauernfeind, Redacteur des Volksfreundes, nahm zuerst ein Gedicht von Lola in sein Blatt auf.
Berks von, Minister
Bootz, Eisenbahnfunctionär in Nürnberg, Verfasser einiger Gedichte an Lola.
Burdten, durch sie Lieutenant
Curtius Lieutenant (durch sie)
Curtius Dr. Stabsarzt in Augsburg (durch sie)
Ducker, Schauspielerin (Lola Spitz)
Ehrne-Melchthal, v. (einer ihrer perpetuellen Begleiter, sucht der verdienten Verachtung zu entgehen, indem er bei ihrer Entfernung es den thätigsten Proletariern an Schimpfen und Lärmen gleich that. Uibrigens sehr mente captus.
Filchner, Forstmeister in Eschenbach. Reist, um nebst Tochter Regierungsrath zu werden, eigens zu dem Alemanen Commers.
Findl, Caffetier. Erhielt zum Geschenk eine Vorstadtmadel.
Gambs, Revierförster (gibt eine große Gesellschaft, schimpft darüber wacker über Lola u. denunzirt alle.
Günther v. Stadtgerichtsrath in München, früher Advokat in Würzburg, wo er das Schoßhündchen der Lola trug.
Haering Friedrich, Actuar im Zeughause (beschützte sie beim Auflaufe in der Theatinerstraße.

(fol.1, rechte Spalte:)

Hanis, durch sie Hofpianist. (Lola Spitz)
Heidegg v. (Heidegger) Generalmajor.
Hierl, Professor an der Universität, wohnte dem Alem.Commers bei.
Himelstein, zum Kronprinzen in Würzburg.
Hohnstein, Graf in Bayern, Reg.Cadet im Inf.Leibregt, Conkneipant der Alem.
Hopfen, Zolladministrat. Actuar, und Mayer Angelotte, dessen Geliebte. Er hilft dem Scortum zur Flucht in einen Silberladen am Frauenfriedhof, als sie vom Volke hart bedrängt war. Seit dieser Zeit unter die Zahl ihrer Freunde aufgenommen erlangt er durch sie die 2 malige Reactivierung seiner Concubine der Ang. Mayer, die in früheren Jahren wegen Unsittlichkeit von der Bühne entfernt worden war.
Karwinsky, Baron, Von ihm wurden 10 Visiten-Karten bei Lola gefunden.
Kiliane, Appell.Ger.Director in Bamberg (Sie sind zu alt, um ein junges Mädchen zu befriedigen.)
Kreutzer, Lieutenant.
Lammerer, Stud.jur. unter den Alemannen, die ihn später von der Kneipe wiesen.
Mainz, Säckler – zwar sehr unbedeutend – der Biedermann war aber auch auf dem Alemannen Comers.

Maltzahn, Baron, Oberlieut. à la Suite, ist der Biedermann, dem wir Lola's intimere Bekanntschaft mit d. Könige zu danken haben.

(fol. 1', linke Spalte:)

Masson, früher Schreiber, durch Lola's Stubenmädchen, seine Schwester, Regierungs Sekretär in Ansbach.

Mattenheimer, durch sie Gallerie Inspector (Handkuß)

Mayrhofer, Chokoladefabrikant, durch sie . . . meister

Mayrhofer, Dr. sein Bruder, Advokat in Kempten, suchte durch Peißners Protection einen anderen Posten u. erhält zur Antwort: »Es waren schon so viele in dieser Sache bei mir, ich will übrigens sehen, was zu thun ist; ich will Sie vermerken.

Metzger v. Oberbaurath, nachdem er ihr Haus gebaut, durch sie an Gärtners Stelle.

Mußmann, Vater u. Sohn, letzterer pensionierter Ladendiener, der den Lieutenant verpaßt hat.

Nußbaumer, Lieutenant (zu sehr bekannt.).

Ott, Stadtgerichtsrath in Ansbach, ließ sich eigens zum Ehrenmitglied der Alemannen machen um dadurch Landrichter in Beilngries zu werden (auch verpaßt.)

Pappenberger August, wollte nochmals auf Universität, u. zu den Alemannen treten, weil er Vortheile schmeckte.

Pappus-Tratzberg, Baron, Kadet im Topograph. Bureau, hat den Lieutenant verpaßt.

Pauli Dr. prakt. Arzt, will Mediz.rath werden.

Peißner, früher Thürmer in Vilseck, jetzt durch seines Sohnes, des berüchtigten Alemannen-Seniors Protection, Bote im Ministerium des Inneren.

Plötz sein sehr mittelmäßiger Literat, berühmt durch die Theevergift(un)gsgeschichte.

Poissl v. Theaterintendant.

Richard Tenorist u. Zehetmaier Altistin suchten beide bei einem Theaterscandal durch außerordentl.Kriecherei, Handküssen Lolas Gunst.

(fol. 1', rechte Spalte:)

Reitmayer, Secretär im Kriegsministerium. Verfasser des Artikels im Landboten über den Alemannen Comers.

Rother Dr. Universitäts Secretär, war auf dem AlemannenComers.

Rottmanner, Caffetier.

Schaer, durch sie Regierungsdirektor in Landshut.

Schimen, Porträtmaler.

Seebach, eine ihrer steten Begleiterinnen.

Seefried Baron, Oberlieut. u. ruinirter Theaterunternehmer in Bamberg, nun durch sie Rittmeister u. Flügeladjutant.

Siegel, Hofschauspieler.

Simonie Wilhelm, Theaterintendanturkandidat.

Spraul v. Oberst (Heiratsplan)

Staiga, Polizei Commissär (forderte das Militär zum Gebrauch der Waffen auf.)

Stökel-Heinefelter suchte bekanntlich durch L. Verwendung in M. Engagement.

Ströbel Parapluifabrikant in Baireuth, Vater – Sohn – Tochter.

Tautphäus Baron, der einzige, der im Museum ihr zur Aufnahme seine Stimme gab.

Thierry, ganze Familie, Tänzerin, Schauspielerin u. Vater.

Weber pens. Lieut (ausgezeichnet dadurch, daß er in Würzburg von dem Wasser getrunken, in welchem Lola ihre Citronenhand gewaschen.

Westermayer früher Protocollist in Würzburg, jetzt Stadtgerichtsrath in Kempten

Witzleben v. Junker u. Bruder, sollte mit Peißner auf Pistolen losgehen: er wird aber am anderen Tage aus München entfernt.

(fol. 2, linke Spalte:)

Zendner Ritter v. Oberlieut. was er unglücklicher Weise erst in den letzten 8 Tagen ihrer Regier(un)g wurde, (ohne zum Hauptmann zu avonciren)

Ziegler v. Weinhändler in Würzburg, seit 3 Monaten Baron, gab der Lola ein glänzendes Souper

Zündt Baron, Postaccessist u. Hofjunker.

————

Sehr zweideutig haben sich in den letzten Tagen benommen:
von Maurer Staatsrath
v.Mark Polizeidirector
v.Mangrtl Polizei Commissär.
v. Schacht, Baron, Major bei der Commandantschaft
(mit Bleistift dazugesetzt:)
von der Mark Kriegsminister trank am 2.Tage nach seiner Ankunft Thee bei ihr.

Alemannen
Peißner, Senior aus Vilseck
Beringer von München
Speckner von Stadt Kemnath
Hirschberg Graf von Oberbrütz
Steiner (mit Bleistift:) Rechtspraktikant in Herzogenaurach
Schmidt (mit Bleistift:) Pharmazeut ebenda
Heger
Fahrenbach
Filchner von Eschenbach
Frank
Herdeis aus Berching
Leibinger (doppelt)
(mit Bleistift in der echten Spalte:)
Graf Bassenheim beauftragte seinen Bedienten nach Papieren zu haschen.
B. läßt dies alles in der Schweiz drucken.

(fol.2': mit Bleistift und wohl ohne Bzug zu vorstehendem:)
V.B. Bog. 18 fehlt
V.B. Bog. 23 ist zu viel
Flug Blatt von 16 (ausradiert)   M.S.

12.3.31 »Das Nachtlager in Blutenburg. Romantisches Schauspiel aus dem 19ten Jahrhundert in mehreren Aufzügen.« * Abb. S. 79

bei C. Hohfelder, München, 1848, Lithographie, 45 × 33; Lit. MK Proebst, München 1968, 171, Nr. 1616; P 1616

Mit der Signatur M II/339 befindet sich ein zweites Exemplar im Münchner Stadtmuseum. Nach ihrer Flucht aus München am 11. Februar 1848 konnte sich Lola noch nicht entschließen, Bayern zu verlassen. Sie übernachtete mit einigen Alemannen in der Blutenburg vor Nymphenburg. Der Wirt verriet Lolas nicht erlaubten Aufenthalt, am nächsten Morgen wurde sie von zwei Polizisten nach Pasing zum Bahnhof gebracht und von ihnen per Eisenbahn bis zur Landesgrenze begleitet.   U.L.

12.3.32 »Die Universität München wird zum Sommersemester geöffnet«

Ludwig von Steinsdorf, München, 10. Februar 1848, Buchdruck, 32,8 × 19,8, München, Stadtarchiv, B. u. R. 318

12.3.33 Drei Bekanntmachungen die Gräfin Landsfeld betreffend

München, 17. März 1848, Buchdruck, 22,2 × 26,3 (zwei Seiten), München, Stadtbibliothek, Monacensia Slg. Nachlaß Pschorr

Bekanntmachungen:
1. Das bayerische Heimatrecht für Lola Montez ist aufgehoben,
2. der frühere auf Lolas Einfluß hin strafversetzte Polizeidirektor Pechmann ist wieder nach München zurückberufen worden,
3. die öffentliche Fahndung nach der Gräfin Landsfeld wird ausgerufen.

12.3.34 Bekanntmachung der Münchner Polizei: »Gräfin Landsfeld hat München verlaßen«

Bürgermeister von Steinsdorf, München, 12. Februar 1848, Buchdruck, 21,7 × 14,9; München, Stadtbibliothek, Monacensia-Slg. Nachlaß Pschorr

»Die Königl. bayer. Polizei-Direktion München theilt dem hiesigen Magistrate offiziell mit, daß die Gräfin Landsfeld, nachdem sie gestern die Haupt- und Residenzstadt München verlassen, heute Vormittags 11 Uhr von Pasing aus in Begleitung zweier Polizei=Bediensteter auf der Eisenbahn nach Lindau abgereist ist, worüber soeben dienstliche Meldung von Seite des Escadron-Commandos des k. Cuirassierregiments in Nymphenburg bei dem Unterzeichneten eingetroffen ist, so wie daß die Gräfin mit einem Reisepasse in die Schweiz versehen ist. München, den 12. Februar 1848 Mittags.   Mark.
Solches wird zur Berichtigung verschiedener Gerüchte bekannt gemacht. München, am 12. Februar 1848
Der Magistrat der k. Haupt- und Residenzstadt München.

v. Steinsdorf, Bürgermeister.

Lachmayr, Sekretär.«

12.3.35 »Wie? Es soll dieses Bein/Mich länger nicht erfreuen? – Nein! ich danke ab!«

München, 1848, Lithographie, 36,2 × 26,3; Lit.: MK Proebst, München 1968, 171, Nr. 1615, P 1615

Angesichts des lockenden, halb entblößten Beines der Lola entschließt sich Ludwig I. zur Abdankung. Mit dieser Darstellung wird Lola die Schuld an dem Thronverzicht Ludwigs gegeben. U.L.

12.3.36 Lola Montez', der Gräfin Landesfeld, Abschied von (München) Fontainebleau

Zeitungsausschnitt, 15 × 8,5; Z/2716

Lola Montez als Ganzfigur im dunklen Kleid mit heller Schürze und Haube über dem offenen Haar.

12.3.37 »Liebesabenteuer im Gebirge. Das Wiedersehen – Der Hinterhalt – Der Angriff – Der Sieg«

1849, Lithographie, 34,6 × 43,5; Lit.: MK Proebst, München 1968, 170, Nr. 1613; München, StadtAM, Polizeidirektion. 344,3; P 1613

Auch nach der Abreise Lolas wollte das Volk lange nicht glauben, daß die Affaire zwischen Ludwig und seiner Tänzerin beendet sei. Aus den bei Hohfelder 1851 beschlagnahmten Geschäftsunterlagen geht hervor, daß dieser Einblattdruck zumindest schon 1849 zu dem Sortiment gehörte, mit dem er seine in Nieder- und Oberbayern sowie in Österreich reisenden Bilderhändler per Post oder Stellwagen belieferte. U.L.

12.3.38 »Lawet!«

bei C. Hohfelder, München, 1849, Lithographie, 19,5 × 17; Lit.: München, StadtAm, Polizeidirektion 344,3; Z (A10) 1876

Satirische Darstellung: Ein Tisch ist dicht besetzt mit Kartenspielern, denen Lola, mit der Grafenkrone geschmückt, das Bier herbeibringt. Unter der Darstellung acht Zeilen Verse:
»Die Lola hat die Karten gebracht,
Die Studenten haben's gemischt,
Die Reichsräthe haben's ausgegeben,
Der Klerus hat den Mist bekommen,
Die Soldaten haben Farbe bekannt,
Der Adel hat gepaßt,
Die Bürger haben getrumpft,
Und Einer ist Lawet geworden.«

12.3.39 Supraporte mit Anspielung auf Lola Montez und König Ludwig I.

Katharina Sattler, geb. Geiger, (Schweinfurt 1789–1861 Schweinfurt), ausgeführt in der Tapetenmanufaktur von Wilhelm Sattler, Schweinfurt, 1848/49, Modeldruck in Grisaille-Farben, 70 × 80 (reproduziert), Kassel, Deutsches Tapetenmuseum

Die vordergründig harmlose Kinderszene auf der Tapete enthält einige versteckte Anspielungen auf die Februarereignisse in München: der karierte Rock des Mädchens (Lola hatte einen schottischen Vater), ihr Spiel mit dem Ziegenbock, die Mauer im Hintergrund (mit Ludwig stürzte der Ministerpräsident Maurer) und die bayerische Rautenfahne mit dem »L«. Wilhelm Sattler (1784–1859) gründete seine Tapetenmanufaktur um 1844 auf Schloß Mainburg bei Schweinfurt. Von 1845–1849 war er Abgeordneter zum Landtag in München. U.L.

12.3.40 »Bon jour Fürst, Mitternacht seid ihr a hie ?«

1848, Lithographie, 29,4 × 45,6, Lit.: Fuchs 1898; Bamberg, Staatsbibliothek, M.v.O. C I 40

Vor dem »Europäischen Hotel« sitzt eine Gesellschaft Flüchtlinge, darunter Louis Philippe. Von links erscheint als Postillon gekleidet Prinz Wilhelm von Preußen. In seinem Wagen versteckt trifft Metternich aus Wien ein, und links an einem Wegweiser, dessen eine Inschrift »Weg des Schicksals« lautet, Lola Montez, die Reitpeitsche in der Hand und Pistolen im Gürtel. Sie fragt: »Ist mein Ludwig noch nicht da ?« Aus dem Fenster des Hotels schauen die bekannten Typen aus den Münchner »Fliegenden Blättern«, Eisele und Beisele; darunter ist an die Wand geschrieben: »Lieber Doktor was thun, das giebt einen europäisch diplomatischen Thee als Fortsetzung der Wiener und Karlsbader geheimen Beschlüsse !«

12.3.41 »Der alte Charon transportirt eine Gesellschaft von Individuen, die sich selbst, überlebt, über den Styx in die Unterwelt.«

J. Cajetan, Andreas Geiger (Wien 1765–1856 Wien), Wien, 1848, bez.u.l.: Cajetan del.; u.r.: And. Geiger sc.; u. Mitte: Wien im Bureau der Theaterzeitung, Rauchensteingasse No. 926, ar.: No 409. Kupferstich koloriert, 20,5 × 17,3, Lit.: Fuchs 1898; Bamberg, Staatsbibliothek, M.v.O. C I 3

Auf dem Boot »Renovirt anno 1844«, das eine Gesellschaft in das vom Höllenhund »Cerberus« bewachte Land zur »Unbedingten Aufnahme« fährt, befinden sich u.a. Friedrich Hecker, ein vermummter Student und Lola, die gerade einen Jesuiten ohrfeigt, hinter ihr mit der Zensurbeamten, von einer Halskette mit der Aufschrift »Aristokratie, Bureaukratie, Pfaffenthum« gehalten. U.L.

12.3.42 Memoiren der Lola Montez

wohl im Auftrag Lolas verfaßt, bzw. »aus dem Französischen« übersetzt, Berlin, 1851, Buchdruck, Originaleinband Buntpapier in türkischen Mustern, Rücken in dunkelrotem Leder mit Golddruck, 8°, Lit.: Wilhelms, Frankfurt 1986²; Kristl 1979, 18f.; Slg. Proebst 829

Nach dem Skandal von 1848 erscheinen mehr als 20 Biographien und angebliche Selbstbiographien der Lola Montez. Von ihr geduldet und vielleicht sogar von ihr authorisiert waren jedoch nur die Berliner »Memoiren« von 1851, die bereits 1850 von einem satirischen Blatt angekündigt wurden: »Lola Montez schreibt an ihren ›Memoiren‹ die sie dem dichterischen Ludwig widmen wird. Die ›Memoiren‹ werden aus zehn Abtheilungen bestehen, jede Abtheilung aus zwanzig Bänden, und jeder Band aus dreißig Bogen. Ihre Abenteuer mit den Alemannen nehmen allein die Hälfte des Werkes ein. Ihre Liebes – Affairen mit dem königl. Ludwig sind in einem Bande vollständig enthalten, und dieser eine Band enthält nichts weiter als – leeres Papier.« (Spitzkugeln, Beiblatt zur Wartburg, 1850, Nr. 12, 51). U.L.

12.3.43 »Lola Montez verkauft in New York Hüte und Stiefel der von ihr geschiedenen Gatten«

Kajetan, gedr. bei Häselichs Wwe., Wien, um 1851, bez.u.l.: Lith.v.Kajetan, Lithographie, 22,9 × 15, Lit.: Fuchs 1898; Bamberg, Staatsbibliothek M.v.O. C I 45

Im Reitkostüm, den Rock durch die mit der Reitgerte bewehrten Hand geschürzt, bietet Lola ein Paar Stiefel zum Kauf an. Weitere Stiefel und Hüte sind in einer langen unabsehbaren Reihe aufgestellt; hinter Lola wartet dienstbereit ein schwarzer Groom. Die Kauflustigen sind in zahlloser Menge erschienen. Im Hintergrund erblickt man das Meer, auf dem zwei Dampfer sichtbar werden.

12.3.44 Theaterzettel: Lola Montez in Bavaria

Philadelphia, 1851, Typendruck, Reproduktion in Plakatgröße, Lit.: Kristl 1979, 22; Köln, Redaktion »Die Deutsche Bühne«

12.3.45 »Lola Montès, Comtesse de Landsfeld«

nach Jules Laure (Grenoble 1806–1861 Paris), Paris, 1851, bez.u.l.: Ch. Vogt, Paris 15.7.^bre 1851; u.r.: Imp. lith de Thierry F^res, Cité Bergere, Lithographie, 44 × 34,5; Salzburg, Institut für Musikwissenschaft der Universität, Slg. Derra de Moroda

12.3.46 Porträt der Lola Montez im Halbprofil

bei C. D. Friedrichs und Co., New York, um 1860, Photographie, 9,5 × 5,5; Lit.: Hojer 1979, 35 (Abb.); 29/458

12.3.47 Photographie der Lola Montez in New York * Abb. S. 184

New York, um 1860, nach einer Talbottypie.

12.4 Ein König dankt ab

»Man kann mir mein Leben nehmen, aber meinen Willen nicht«.

König Ludwig I. muß die Ausweglosigkeit seiner Situation schon lange vor der Abdankung im März 1848 gespürt haben. Seit den Unruhen der dreißiger Jahre hatte er sich immer mehr der konservativ-klerikalen, proösterreichischen Partei zugewandt. 1844 verheiratete er seine Kinder Hildegard und Luitpold mit Mitgliedern der habsburgischen Kaiserfamilie. Metternich war zwar erfreut über diese veränderte Geisteshaltung des vorher für seinen Geschmack allzu liberalen bayerischen Monarchen, doch in Bayern wurde die Opposition immer schärfer, im Landtag gewannen die Liberalen allmählich die Oberhand. In den Straßen kam es zu Krawallen, die Polizei fand Drohbriefe gegen Ludwig und seine Minister in den Hauseingängen. Zu allem Überfluß stiegen durch die Mißernte 1846 die Getreidepreise, Brot und Bier wurden teurer. Auch das persönliche Ansehen des Königs hatte gelitten, seine häufigen Aufenthalte in Italien, seine Affären mit schönen Frauen, seine kaum mehr zu finanzierende, ehrgeizige Bautätigkeit ließen im Volk schließlich den Verdacht aufkommen, der König sei verrückt geworden, (BayHStA, MInn 45380-82).

In diese Situation platzte nun auch noch die ehrgeizige, egozentrische Abenteurerin Lola Montez. Dieses personifizierte Fegefeuer für Bayern sollte die sich langsam erhitzende Stimmung im Volk rechtzeitig zu Beginn der Revolutionszeit 1848 zum Überkochen bringen. Ludwig war ihr sofort verfallen. Selbst als er sie später durchschaute, kam er nicht mehr von ihr los. Die klerikale Partei machte Opposition gegen die temperamentvolle königliche Freundin. Ludwig entließ daraufhin seinen Innenminister und wandte sich wieder der liberalen Seite zu. Doch es war bereits zu spät, schon im März 1847 hatte man dem König die Fenster eingeworfen (BayHStA, MInn 45607), ein Jahr später sollten sich die Ereignisse überstürzen.

1847 hatte Ludwig politischen Gefangenen die Freiheit geschenkt, endlich auch die Lutherbüste in der Walhalla aufstellen lassen und weitgehende Pressefreiheit gewährt. Doch bei den Studenten der Münchner Universität fand er damit keinen Beifall. Der katholisch-konservative Geist, den er selbst dort mit den Berufungen von Schelling, Görres und Lasaulx entfacht hatte, kehrte sich nun gegen ihn. Das Begräbnis des Lola-Feindes Görres am 31. Januar wurde von den Studenten zu einer politischen Demonstration stilisiert, am 7. Februar folgte die Vertreibung des von Lola geförderten Corps Alemannia von der Universität mit daran anschließenden Tumulten unter den Studenten. Ein Alemanne, der mit einem Dolch in der Hand auf seine Widersacher losging, wurde verhaftet. Auf Befehl des Königs sollte die Universität am 9. Februar schließen und erst im neuen Jahr wieder eröffnet werden. Nun wurden die Bürger aktiv, denn die Universität war immerhin einer der bedeutendsten Wirtschaftsfaktoren der Stadt. Nicht die Studenten, sondern Lola sollte gehen. In der Nacht vom 10. auf den 11. Februar spielten sich dramatische Szenen in den königlichen Gemächern der Residenz ab. Während sich auf dem Max-Josephs Platz Tausende von Münchner Bürgern schweigend versam-

melten, wartete eine Deputation des Magistrats beharrlich darauf, zum König vorgelassen zu werden. Ludwig weigerte sich zunächst; in der zahlreichen schweigenden Menge vor der Residenz sah er eine Bedrohung und argwöhnte eine Erpressung. Die Bürgerdeputation fürchtete jedoch eine offene Revolution, falls der König nicht einlenkte. Sie mußten unbedingt zu ihm. Prinz Luitpold und seine Gemahlin Auguste sahen ebenfalls die Gefahr und setzten sich für sie ein: »Endlich kam die Stunde der beendigten Tafel und Sr. königl. Hoheit Prinz Luitpold, seine Gemahlin Auguste kaiserl. Hoheit an der Seite gingen der Deputation voran durch sämmtliche Vorzimmer bis zum Thronsaale ... Prinz Luitpold und seine Gemahlin traten in den Saal; die Deputation verweilte in dem Vorsaale. Bald hörte man Sr. Majestät den König in ungewöhnlicher Heftigkeit sprechen und die weinend bittende Stimme der Frau Prinzessin Augusta kaiserl. Hoheit. Die Deputation zog sich bis an die entfernteste Wand des Vorsaales zurück, um nicht unwillkürlich die im Thronsaale laut gesprochenen Worte zu vernehmen. Eine weinende Frauenstimme, die heftige Stimme des Königs, und das Klirren dessen Säbels auf dem Zimmerboden war übrigens doch deutlich zu hören (Ludwig trug Generaluniform, A.d.V.). Endlich öffnete sich die Saaltüre. Prinz Luitpold und seine Gemahlin, letztere wankend, beide Tränen im Auge, traten heraus. Die Deputationsmitglieder, von dem Momente ergriffen, drängten sich um die Prinzessin, ihr die Hand zu küssen. Kein Auge der im Vorsaale Anwesenden und der aus dem Thronsaale heraustretenden Tafelgäste war thränenleer. Die Prinzessin hatte dem Könige einen Fußfall gemacht. »Der König empfängt sie«; war der Prinzessin Rede zur Deputation, »aber erwarten Sie keinen freundlichen Empfang!« ... die Deputation aber wurde ... von Sr. Majestät in Anwesenheit Sr. k. Hoheit des Prinzen Adalbert empfangen. Dieser in Oberstens-Uniform seines Cuirassier-Regiments stand auf seinem Säbel gestützt sichtlich erschüttert am Fenster, bald die Deputation, bald die auf dem Platze versammelte Menge betrachtend. Der König aber sprach sogleich beim Eintritte der Deputation folgende Worte: »Kommt eine Deputation bittlich zu dem König mit 2000 Mann im Rücken? ... es bleibt bei meinem Entschlusse ... die Münchner Bürger sind undankbar; sie vergessen, was ich seit 23 Jahren für die Stadt gethan habe. Ich kann aber meine Residenz auch verlegen; nichts hindert mich daran ... Es bleibt dabei; ich lasse mich nicht schrecken; man kann mir mein Leben nehmen, aber meinen Willen nicht. Meinen gefaßten Entschluß werden sie alsbald durch das Ministerium und schriftlich erhalten.« (Bericht des Bürgermeisters Steinsdorf für das städtische Archiv, StadtAM, B.u.R. 1422).

Die Deputierten des Magistrats kehrten nach der Audienz ins Rathaus zurück, die auf dem Max-Josephs Platz seit zwei Stunden ausharrende Menge zog auf den Marienplatz, um das Ergebnis der Unterredung mit dem König zu erfahren. Bürgermeister Steinsdorf berichtete und bat die Bürger, Ruhe zu bewahren. Die wildesten Gerüchte kursierten in der Stadt. Am nächsten Morgen meldete die Münchner Politische Zeitung, daß die Universität mit dem Sommersemester wieder eröffnet werden solle, daß ein Student bei einem Zusammenstoß mit der Gendarmerie verwundet worden sei und daß die Gräfin Landsfeld (Lola Montez) am Morgen die Stadt verlassen hätte. Magistrat und Bürger zogen daraufhin noch einmal vor die Residenz, jubelten zunächst der Königin Therese, die sich am Fenster zeigte, zu und warteten auf das Erscheinen des Königs, der nicht in der Residenz anwesend war. Zunächst sahen sie allerdings die Kutsche der Lola Montez, die vergeblich versuchte, noch einmal in die Residenz zu gelangen und in wilder Hast durch die Stadt floh. Gegen 12 Uhr zeigte sich der König endlich am Fenster, da »rief der Bürgermeister das Lebehoch das in vielfacher Wiederholung kein Ende nehmen wollte. Seine Majestät sah sehr angegriffen aus und zog sich nach dreimaliger grüßender Erwiederung der Vivats zurück«. Aus sicherer Quelle wollte Bürgermeister Steinsdorf erfahren haben, was den König noch in der Nacht bewogen hatte, seine Meinung zu ändern: »die Königin habe in der Nacht noch in den König gedrungen, den allgemeinen Bitten zu entsprechen, sei nach fortwährender heftiger Zurückweisung auf ihre Kniee gesunken und habe betend einen Theil der Nacht lautlos verharrt . . . Gegen halb 8 Uhr des 11ten sei auch die Herzogin von Leuchtenberg königl. Hoheit ins Schloß (gekommen) und habe den König, auf die Kniee sich werfend, dasselbe gebeten, wie die Königin – doch vergebens«. Erst nach Vorhaltungen des Ministerverwesers des Innern, daß das Militär nicht in der Lage sei, das Leben Lolas zu schützen, habe der König nachgegeben und als man dem König erklärt hatte, daß es nicht ein Zeichen der Inkonsequenz, sondern der Gnade wäre, wenn er die Universität wieder eröffnen ließe, nahm er auch diesen Entschluß wieder zurück.

Bürger und Studenten hatten ihr Ziel erreicht, doch die Unruhe auf den Straßen hielt weiter an. Am 3. März berichtete die Münchner Politische Zeitung (MPZ), daß dem Ministerverweser des Innern, Berks, am vorhergehenden Abend die Wohnung in der Ludwigstraße von einem »zahlreichen Haufen« zertrümmert worden sei. Die »Tumultuanten« zertrümmerten auch die Fensterscheiben des Innenministeriums und der Kreisregierung sowie mehrere Straßenlaternen. Das Militär verhinderte gerade noch den Einbruch »jener Rotten« in den Laden des Waffenfabrikanten Stroblberger und einen Anschlag auf den Eisenbahnhof. Am 4. März druckte dieselbe Zeitung die Ankündigung von Neuwahlen für die Kammer der Abgeordneten und kündigte die Einberufung des Landtags für den 31. Mai an.

In der gleichen Ausgabe berichtete sie über die letzten Ereignisse der französischen Revolution. Daraus geht hervor, daß man offenbar in Erinnerung an die französischen Revolutionskriege vor etwa einem halben Jahrhundert neue Angriffe auf Deutschland fürchtete. Studenten und Künstler erhielten die Erlaubnis zur Bildung von Freicorps. Man war sich jedoch einig, daß man im Zweifel nicht gegen Frankreich, sondern lieber gegen Rußland kämpfen wollte. In den folgenden Monaten traten die Freicorps ebenso wie die Landwehr in Aktion, wenn es darum ging, das Bürgertum vor den »Proletariern« zu schützen. Bereits am 4. März kursierte das Gerücht in der Stadt, daß die Proletarier der Au das Zeughaus stürmen und sich bewaffnen wollten (Schrott 1963, S. 392). Gleichzeitig kam es auf dem Rathaus zu einer

stürmischen Bürgerversammlung, nachdem eine Bürgerdeputation vergeblich versucht hatte, beim König durchzusetzen, daß der Landtag nicht erst in drei Monaten, sondern früher eröffnet werden sollte. Die Bürger zogen daraufhin selbst zum Zeughaus und bewaffneten sich. Auf dem Dultplatz und vor der königlichen Residenz brachte das Militär bereits Kanonen in Stellung, ein Bürgerkrieg drohte, der König gab in letzter Minute nach und ließ die Einberufung des Landtags für den 16. März verkünden. Am 6. März wurde der König noch einmal umjubelt, als er in öffentlichen Anschlägen die verfassungsmäßige Verantwortlichkeit der Minister, vollständige Pressefreiheit, Verbesserung der Ständewahlordnung, Einführung der Öffentlichkeit und Mündlichkeit in die Rechtspflege mit Schwurgerichten, die Verbesserung der Versorgung der Staatsdiener, ein neues Polizeigesetzbuch, die Vereidigung des Heeres auf die Verfassung und die völlige Abschaffung der Zensur verkündete. Am gleichen Tag übernahm der Regensburger Bürgermeister Thon-Dittmer das Innenministerium, anstelle des seit dem 4. März beurlaubten Berks. Mitte März kam es jedoch zu neuen Unruhen. Während im Rathaus eine Unterschriftenliste mit »Petitionen für die dem Landeswohl unentbehrlichen Reformen in aller Vollständigkeit« (MPZ, 68, 17.3.1848) für alle Bürger auslag, kam es am Abend des 16. März zu erheblichen Angriffen auf das Polizeigebäude und das Zeughaus. Militär und Landwehr schossen blind in die wütenden »Massen«, die von dem Gerücht, Lola Montez sei wieder in der Stadt, aufgehetzt worden waren. Um das Volk zu beruhigen, sah sich Ludwig am 17. März gezwungen, die öffentliche Fahndung nach seiner ehemaligen Freundin freizugeben. Die Münchner Politische Zeitung berichtete am 18. März von zahlreichen Krawallen in bayerischen Städten und der Flucht Metternichs aus Wien. Am Montag, dem 20. März, war München ein Hort von Gerüchten und Ungewißheiten. An allen Plätzen und Straßen sah man Militär, man munkelte von einem dunklen Handstreich, heimlichen Waffenkäufen, Drohbriefen und Aufwiegelungen. Bürger-, Studenten- und Künstlertruppen hielten sich bereit, um dem König ihre Loyalität zu beweisen. Die Münchner Politische Zeitung vermutete einen »von Parteiinteressen geleiteten Handstreich, der dem König eine Mitregentschaft geben wollte . . . die Bürger haben erkannt, daß man bei weiterem Andringen gegen den König . . . ein Werkzeug für Macchinationen werden könnte, hinter deren Fortschrittsfahne leicht Reactionsgelüste sich bergen dürften (Nr. 71, 20.3.1848).

Am 21. März 1848 berichtete die Zeitung: »Nie hat wohl ein Ereigniß die gesammte Bevölkerung der Hauptstadt so tief, so ungeheuer ergriffen, als die gestern bereits gezeichnete, noch in später Abendstunde dem Magistrate mitgetheilte, heute am frühen Morgen dem Volke kundgegebene Thronentsagung König Ludwigs zu Gunsten des Kronprinzen königl. Hoh., der nunmehr als König Maximilian II. den Thron besteigt«.

Wenn man der seriösen und größten Münchner Tageszeitung Glauben schenken darf, dann hatten die meisten Münchner Bürger weder mit der Abdankung Ludwigs gerechnet, noch sie gewollt. Ludwig hatte immer ein souveräner Monarch sein wollen, die Zugeständnisse, die er im Lauf der letzten Wochen seinem Volk machen mußte, fielen ihm sehr schwer. Unter diesen Bedingungen wollte er nicht mehr regieren.

U. L.

12.4.1 »Ein politischer Bilderbogen – Es lebe Bayern! Es lebe Deutschland hoch!« *

München, 1848, bez. u. r.: K, Lithographie, 48 × 36; Lit.: MK Proebst, München 1968, 170, Nr. 1608; Otto 1982, 262; P 1608

Zehn Darstellungen zu den wichtigsten Februar- und Märzereignissen 1848 in München, oben: Lola tanzt 1846 zur Stadt herein, herrscht hier 1847 und flieht 1848 aus der Stadt; Mitte: die Einberufung der Stände wird am 4. März verkündet, ein Alemanne soll arretiert werden, weil er mit seinem Dolch droht, das städtische Zeughaus wird am 4. März erstürmt; zwischen Mitte und unten: der Ministerverweser Berks wird entlassen; unten: Anzug der Redemptoristen = Deputation aus Alt – Oetting, Verbrüderung aller Stände, die Vertreibung der Lola-Anhänger. Sowohl die Redemptoristen als auch die »Lola Montezianer« werden von Racheengeln verfolgt. Links und rechts werden die Szenen von Spruchbändern eingerahmt, auf denen die Münchner Märzerrungenschaften zu lesen sind, in den Schleifen der Spruchbänder sind die am 4. März erbeuteten Zeughauswaffen abgebildet.
Eine Anzeige in der Bayerischen Landbötin vom 11. März 1848 (Nr 31, 248) verkündete: »Neue Carricatur über die jüngsten Münchener Ereignisse. In allen Buch- und Kunsthandlungen, sowie auch bei Hofbuchbinder Fuchs, ist zu haben: Ein politischer Bilderbogen, Preis 12 kr. Diese Carricatur ist ein Gegenstück zu dem Engelsturz (vgl. Kat.Nr. 12.3.28), von welchem ebenfalls in allen Buchhandlungen Exemplare vorräthig sind.« Die oberen Szenen aus dem politischen Bilderbogen wurden offenbar auch einzeln verkauft.   U.L.

12.4.2 »Allgemeine politisch-moralische Volkserhebung in München am 2.3. und 4. März 1848«

Gustav Kraus (Passau 1804–1852 München), München, 1848, bez. o.: »Geschichtlich in Bilder dargestellt und genau übereinstimmend nach Dr. Jos. Hein. Wolfs Beschreibung, lithographiert von G. Kraus«, Lithographie, 43,4 × 53,6; Lit.: Pressler 1977, 346ff., (Abb.); MK Proebst, München 1968, 168, Nr. 1593; P 1593

In 12 Szenen werden entgegen der Ankündigung im Titel die Ereignisse vom 2.–6. März 1848 dargestellt: die Demolierung der Wohnung von Minister Berks, das Einwerfen der Fensterscheiben am Innenministerium (heute Kultusministerium) und am Regierungsgebäude, die Übergabe der demokratischen Forderungen mit Unterschriften von »20.000« Bürgern an den König am 3. März, die Bürgerdeputation beim König, die ihn zu einem früheren Einberufungstermin der Stände bewegen sollte, und ihre ungnädige Abfuhr durch den König, der Generalmarsch und die Versammlung der Bürgerschaft am 4. März auf dem Rathaus, der Einbruch der Bürger in das städtische Zeughaus, der drohende Bürgerkrieg nach der Mobilmachung des Militärs, das Eingreifen Prinz Carls, die Bekanntmachung des früheren

Einberufungstermins für die Stände durch den König am 6. März, der Eid des Heeres auf die Verfassung und die »Lebe Hochs« auf die Königin und die Prinzessin Luitpold vor der Residenz. Mit der Signatur M II 348 ist noch ein weiteres Exemplar der »Volkserhebung« im Besitz des Stadtmuseums.   U.L.

12.4.3 »Große Volksbewegung in München am 2ten, 3ten und 4ten März 1848« *

bei C. Hohfelder, München, 1848, bez. u. r.: C. Hohfelder, Lithographie, 39,6 × 47,3; Lit.: MK Proebst, München 1968, 168f., Nr. 1594; P 1594

Sechs Szenen mit Untertiteln, die die Ereignisse vom 2. bis 4. März auf etwas dramatischere, klarere Weise als bei G. Kraus darstellen. U.L.

12.4.4 »München Se. königl. Hoheit der Prinz Carl beruhigt die bewaffnete Volksmasse am 4ten März, Nachmittags 5 Uhr.« * Abb. S. 16

München, 1848, bez. u. M.: Verlag von M. Hochwind, Lithographie, 28,5 × 38,5; Z (C 15) 1879

Die Bürger erzwangen mit ihrem Zeughauseinbruch und ihrem Aufruhr am 4. März die frühzeitige Eröffnung des neuen Landtags. Der König hatte schon einen Tag vorher die Sicherheit der Monarchie in die Hände des Militärs gelegt. Es wurde mobil gemacht, die nur ungenügend bewaffneten Bürger standen am Nachmittag des 4ten März 1848 zahlreichen Kanonen fast wehrlos dicht gedrängt gegenüber. Das Nachgeben Ludwigs und das Eingreifen Prinz Carls verhinderten den Bürgerkrieg und eine mögliche Eskalation der revolutionären Bewegung in München, wie sie später in Wien und Berlin geschah.   U.L.

12.4.5 Erstürmung des bürgerlichen Zeughauses in München *

Valentin Ruths (Hamburg 1825–1905 Hamburg), München, 1848, bez. u. l.: V.R., Lithographie, 22 × 29; Lit.: AK Zopf und Philisterey, Würzburg 1985, 115, Nr. 218; Würzburg, Institut für Hochschulkunde, Slg. VAC, VIII M 15, K. 630

12.4.6 »Bekanntmachung … Die Aufrechterhaltung der Ruhe und Ordnung betr.«

Freiherr von Godin, Regierungs-Präsident, München, 4. März 1848, Buchdruck, 42,6 × 31,6; Lit.: MK Proebst, München 1968, 169, Nr. 1595; StadtAM B.u.R. 318; P 1595

»Nachdem schon zwei Nächte nacheinander zahlreiche Zusammenrottungen und theilweise sogar Angriffe auf das Privat=Eigenthum stattfanden, welche die bewaffnete Macht in Bewegung zu setzen nothwendig machten, die Wahrnehmung am heutigen Abend aber glei-

che Vorsicht gebieten, sind Anstalten getroffen worden, die Garnison zu verstärken, um die theilweise Ablösung der Linienmilitär= u. Landwehr=Mannschaft möglich zu machen und den Schutz des Eigenthums sowie die Erhaltung der Ordnung zu sichern und dadurch den Wünschen aller Gutgesinnten zu entsprechen.«   U.L.

12.4.7 »Gedenkblatt an die ewig denkwürdigen Tage in München am 4. und 6. März 1848 …«

München, 1848, Lithographie, 46,9 × 40,5; Lit.: MK Proebst, München 1968, 169, Nr. 1598; P 1598

Drei Szenen untereinander: Zeughaussturm, Prinz Carl beruhigt die Münchner, Eid des Heeres auf die Verfassung.

12.4.8 »Der 6. Maerz 1848. Ein Glanz= und Jubeltag in Bayerns Geschichte« * Abb. S. 18

Druck C. Hohfelder, München, 1848, bez. u.M.: C. Hohfelder, Lithographie, 47,7 × 40,1; Lit.: MK Proebst, München 1968, 169, Nr. 1599; AK Vorwärts, Nürnberg 1986, 199, Nr. 285; P 1599

Nach der Bewilligung der demokratischen »Märzforderungen«, unten angedeutet mit der Vereidigung des Heeres auf die Verfassung, nach den dramatischen Ereignissen des 4. März, jubelt das Volk befreit auf, das Haus Wittelsbach wird verherrlicht, die ganze Stadt ist weiß und blau geflaggt.   U.L.

12.4.9 »Königliche Proklamation – Alles für mein Volk / Alles für Teutschland! *

München, 6. März 1848, Buchdruck, 44 × 33,7; Lit.: MK Proebst, München 1968, 169, Nr. 1600; AK Vorwärts, Nürnberg 1986, 199, Nr. 284; P 1600

12.4.10 Gedenkmedaille auf die Märzerrungenschaften

Drentwett, Augsburg, 1848, bez. vorderseitig: Ludwig I. Koenig von Bayern; u.l.: Drentwett; rückseitig: Errungenschaften / des / bayrisch: Volkes / den 6 März / 1848 und Freie Presse / Polizei Gesetz / Öffentl. Gr. Verf. / Verb. Israel Verhlt. / Milit. Beeidig. a.d. Verf. / Sorge für die Staatsd. / Wahlreform / Verant. Minist. /, Silberprägung, Ø 3,8; Lit.: AK Vorwärts, Nürnberg 1986, 200f., Nr. 287; 1800/308

Die Abkürzungen in den acht kreisförmig angeordneten Kränzen (s.o. unter bez.) auf der Rückseite der Medaille bedeuten im Einzelnen: Pressefreiheit, Erneuerung des Polizeigesetzbuches, Öffentlichkeit der Gerichtsverfahren, Verbesserung der Verhältnisse der Juden, Vereidigung des Militärs auf die Verfassung, verbesserte Versorgung der Staatsdiener, Wahlreform und Verantwortlichkeit der Minister.   U.L.

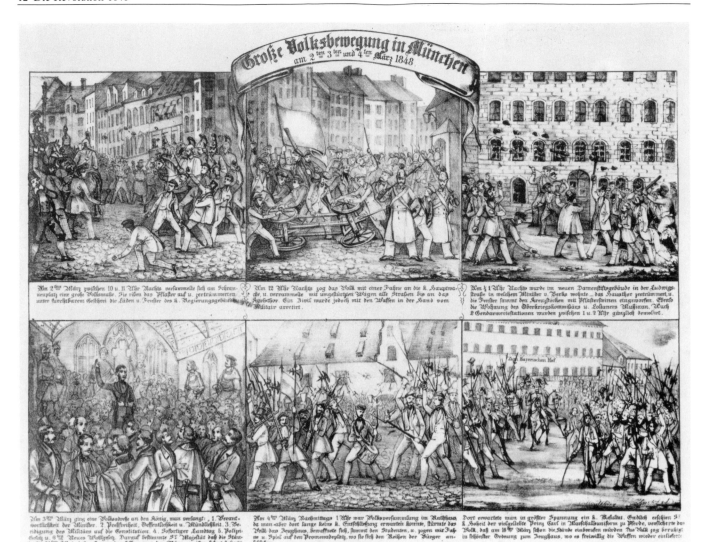

Große Volksbewegung in München
am 2ten 3ten und 4ten März 1848

Am 2ten März zwischen 10 u. 11 Uhr Nachts versammelte sich am Schrannenplatz eine große Volksmasse. Sie riffen das Pflaster auf u. zertrümmerten unter fürchterbarem Geschrei die Laden u. Fenster des k. Regierungsgebäude.

Um 12 Uhr Nachts zog das Volk mit einer Fahne an die k. Hauptwache u. verrammelte mit umgestürzten Wagen alle Straßen bis an das Isarthor. Ein Zivil wurde jedoch mit den Waffen in der Hand vom Militair arretirt.

Um ½ 1 Uhr Nachts wurde im neuen Damenstiftsgebäude in der Ludwigstraße in welchem Minister v. Berks wohnte das Haupthor zertrümmert, u. die Fenster sammt den Kreuzstocken mit Pflastersteinen eingeworfen. Ebenso die Wohnung des Oberkriegskommissärs u. Kostumers Muskiran. Auch 2 Gendarmeriestationen wurden zwischen 1 u. 2 Uhr gänzlich demolirt.

Am 3ten März ging eine Volksadresse an den König, man verlangt: 1. Verantwortlichkeit der Minister 2 Preßfreiheit, Öffentlichkeit u. Mündlichkeit. 3. Beeidigung des Militärs auf die Constitution. 4. Sofortiger Landtag 5. Polizeigesetz u. 6ten Neues Wahlgesetz. Darauf bestimmte S.t Majestät daß die Stände bis 31ten Mai einberufen werden sollen, was der Bürgermeister sofort bekannt machte.

Am 4ten März Nachmittags 1 Uhr war Volksversammlung im Rathhaus da man aber dort lange keine k. Entschließung erwarten konnte, stürmte das Volk das Zeughaus, bewaffnete sich, sammt den Studenten, u. zogen mit Fahne u. Spiel auf den Promenadeplatz, wo sie sich den Reihen der Bürger anschlossen.

Dort erwartete man in größter Spannung ein k. Resultat. Endlich erschien S.t k. Hoheit der vielgeliebte Prinz Carl in Marschalluniform zu Pferde, versicherte das Volk, daß am 16ten März schon die Stände einberufen würden Das Volk zog beruhigt in schönster Ordnung zum Zeughaus, wo es freiwillig die Waffen wieder einlieferte.

12.4.5
12.4.3

Königliche Proklamation.

Ich habe Mich entschlossen die Stände Meines Reiches um Mich zu versammeln; dieselben sind auf den 16. d. Mts. in die Hauptstadt berufen.

Die Wünsche Meines Volkes haben in Meinem Herzen jederzeit vollen Wiederhall gefunden.

An die Staende des Reiches werden ungesaeumt Gesetzes-Vorlagen gelangen, unter anderen:

über die verfassungsmaessige Verantwortlichkeit der Minister;

über vollstaendige Pressfreiheit;

über Verbesserung der Staende-Wahl-Ordnung;

über Einführung der Oeffentlichkeit und Mündlichkeit in der Rechtspflege mit Schwur-Gerichten;

über die in de III. Verfassungs-Beilage angedeutete umfassendere Fürsorge für die Staatsdiener und deren Relicten; dann deren Ausdehnung auf die übrigen Angestellten des Staates;

über Verbesserung der Verhältnisse der Israeliten.

Ferner ordne Ich in diesem Augenblicke die schleunige Abfassung eines Polizei-Gesetz-Buches an; ebenso befehle Ich die unverzügliche Beeidigung Meines Heeres auf die Verfassung, und lasse Ich von heute an die Censur über aeussere wie innere Angelegenheiten ausser Anwendung treten.

Ein grosser Augenblick ist in der Entwicklung der Staaten eingetreten. Ernst ist die Lage Teutschlands. Wie Ich für die teutsche Sache denke und fühle, davon zeugt Mein ganzes Leben. Teutschlands Einheit durch wirksame Maassnahmen zu stärken, dem Mittelpunkte des vereinten Vaterlandes neue Kraft und nationale Bedeutsamkeit mit einer Vertretung der teutschen Nation am Bunde zu sichern, und zu dem Ende die schleunige Revision der Bundes-Verfassung in Gemässheit der gerechten Erwartungen Teutschlands herbeizuführen, wird Mir ein theuerer Gedanke, wird Ziel Meines Strebens bleiben.

Bayerns Koenig ist stolz darauf, ein teutscher Mann zu sein.

Bayern! Euer Vertrauen wird erwiedert, es wird gerechtfertigt werden! Schaaret Euch um den Thron. Mit Eurem Herrscher vereint, vertreten durch Euere verfassungsmässigen Organe, lasst Uns erwägen, was Uns, was dem gemeinsamen Vaterlande Nöth thut.

Alles für mein Volk! Alles für Teutschland!

München, den 6. März 1848.

Ludwig.

Maximilian, Luitpold, Adalbert, Karl,
Kronprinz.   Prinz v. Bayern.   Prinz v. Bayern.   Prinz v. Bayern.

Fürst v. Oettingen-   v. Beisler.   v. Heres.   v. der Mark.
Wallerstein.   v. Volz.

12.4.9

12.4.11 Gedenkmedaille auf die Märzerrungenschaften des bayerischen Volkes

Drentwett, Augsburg, 1848, bez. vorderseitig: Constitution / Vereinigung für Volkes Rechte – für Volkes Wohl: u. M.: Drentwett F.; rückseitig vgl. Kat.Nr. 12.4.10, Silberprägung, ⌀ 3,7; 1802/309

Rückseite wie Kat.Nr. 12.4.10, auf der Vorderseite Würfel mit der Inschrift »Constitution«, darauf Fahnen, Schwerter und Liktorenbündel, zwei mittelalterlich gekleidete Figuren, wohl Ritter und Bauer, reichen sich, von ihren Fesseln befreit, darüber die linke Hand und heben die Rechte zum Schwur.   U. L.

12.4.12 Gedenkmedaille auf die Märzerrungenschaften

Carl Friedrich Voigt (Berlin 1800–1874 Triest), 1848, bez. vorderseitig: Ludwig I. Koenig von Bayern; u.M.: C. Voigt; rückseitig: 1848, Bronzeprägung, ⌀ 5,2; 1804/1506

Genius Bayerns bekrönt die Büste der Minerva – Allegorie für die Staatskunst.   H. O.

12.4.13 »Allerunterthänigste Adresse der Studierenden der Ludwigs=Maximilian·Universität, die Constituierung eines Freicorps unter den Studenten betreffend.«

Anfang März 1848, Buchdruck, 27,2 × 21, München, Stadtarchiv B. R. 318

»Allerdurchlauchtigster Großmächtigster König!
Allergnädigster König und Herr!
Das Vaterland ist in Gefahr. Die Bourbonen haben aufgehört zu regieren: Frankreich ist eine Republik. Ihre Streiter, voller Begeisterung, kriegsgeübt, unter erfahrenen Führern, bedrohen unsere Gauen. Die Weltgeschichte verkündet es mit lauter Stimme: Volksideen lassen sich nur mit Volksideen bekämpfen. In allen deutschen Landen werde getagt. Aus den Landtagen erhebe sich ein deutsches Parlament. Allgemeine Volksbewaffnung, freie Volksversammlungen, unbedingtes Associationsrecht, Freiheit der Gedanken durch die entfesselte Presse, Oeffentlichkeit und Mündlichkeit im Gerichtsverfahren mit Anklageform und Geschwornengericht seyen die mächtigen Hebel eines einigen, freien Deutschlands zum Schirm und Schutz gegen West und Ost. Kein Kampf gegen die Republik Frankreich, so lange sie unsere Gränzmarken achtet, wenn nicht ein deutscher Kampf ohne Hülfe der Russen. Im Falle unvermeidlicher Wahl zwischen Frankreich und Rußland: für Frankreich, gegen Rußland.
Dieß die Wünsche, welche eine teutsche für's Vaterland begeisterte Jugend an den Stufen des Thrones eines teutschen Fürsten niederlegt,

und an deren Erfüllung sie die allerehrfurchtvollste Bitte knüpft:
Eure königliche Majestät wolle allerhuldvollst geruhen, den Studirenden der hiesigen Hochschule die Bildung eines Frei=Corps zu gestatten.«   U. L.

12.4.14 »Landwehr-Freicorps« *

Julius Adam (München 1821–1874 München), München, 1848, bez. u. l.: Jul Adam, Tondruck, lithographiert, 33 × 48; Z (C15) 1886

Paradeaufstellung des bürgerlichen Landwehrfreicorps auf der Theresienwiese in München. Die einzelnen Ränge sind unter der Darstellung bezeichnet: »Oberstlieutnant, Schützen-Corporal, Oberst, Lieutnant, Hauptmann, Corporal, Sergeant«. Die bürgerliche Landwehr bildete 1848 den traditionsreichen Kern der Münchner Freicorps. Sie wurde im März 1848 verstärkt durch die freiwilligen Zusammenschlüsse der Künstler und Studenten in eigene Freicorps.   U. L.

12.4.15 »Münchner Volksbewaffnung – Studenten=Freicorps«

Julius Adam (München 1821–1874 München), 1848, Tondruck, lithographiert, koloriert, 32,5 × 44; Lit.: Kurz 1908, 166; Kutz in: EuJ 31, (1986), 24 u. 44 Anm. 55, Abb. 45; Konrad 1931, Nr. 632 oder 633; Z (C15) 1885

Lieutenant, Wehrmann und Doctor des am 6.3.1848 zur Aufrechterhaltung der Ordnung errichteten Studentenfreicorps vor der sog. »Alten Akademie« in der Neuhauser Straße, in der 1836–40 auch die Universität untergebracht war. Seit dem 8.3.1848 war dort in den Räumen des ehemaligen Archivs des kgl. Konservators der paläontologischen Staatssammlung die Studentenhauptwache untergebracht. Das Freicorps wurde am 17.5.1849 endgültig aufgelöst.   M. S.

12.4.16 Mütze (sog. »Stürmer«) und Leutnantskordel der Kompanie Bavaria des Münchner Studentenfreicorps von 1848

1848, Mütze: Tuch mit Lederschirm, Kordel mit 2 Plüschbommeln und kleinem Holzpfeifchen, Kutz 1908, 165 ff.; München, Historisches Corpsmuseum

Zur Aufrechterhaltung von Ruhe und Ordnung in den aufgewühlten Tagen nach der Vertreibung der Lola Montez aus München hatten die Studenten, wie andere Bevölkerungsteile auch, Freicorps zur Unterstützung von Landwehr und Militär gegründet. Sie kamen hauptsächlich auf Betreiben des damaligen Rektors Prof. Friedrich Thiersch zustande und wurden am 6. März vom König genehmigt.
Mit der Organisation und Ausbildung des Studentenfreicorps wurden mehrere Offiziere des aktiven Heeres beauftragt, doch stand ein

Rechtspraktikant, Anton Wagner (der »Wagnertoni«), Mitglied des Corps Isaria, als Major an der Spitze, ihm zur Seite zwei Adjutanten im Leutnantsrang. Das Studentenfreicorps war in 16 Kompanien unterteilt, jede Kompanie wurde von einem Hauptmann, einem Leutnant, zwei Feldwebeln und acht Korporalen befehligt, die sämtliche Studenten waren. Größere Studentenverbindungen bildeten eine Kompanie für sich, so auch das Corps Bavaria die achte Kompanie. Von einem dieser Mitglieder stammt dieser Stürmer, vermutlich vom Hauptmann der Compagnie »Bavaria«, Ignaz Freiherr Freyschlag von Freyenstein, dem späteren Chef der Geheimkanzlei des Prinzregenten Luitpold.   M. S.

12.4.17 »Münchner Freicorps« * * Abb. S. 258

Gustav Kraus (Passau 1804–1852 München), München, 1848, bez. u. l.: Verlag von G. Kraus, Löwenstrasse No. 19 München, Lithographie koloriert, 23,5 × 35; Lit.: Pressler 1977, 392, Nr. 628 (Abb.); Z (B 21) 1888

Von links nach rechts: Corps der Studenten mit Offizier und Wehrmann/Corps der Turner, Wehrmann/Corps der Bürger – Söhne, Korporal/Corps der Künstler, mit Schütze und Fahnen-Junker/Landwehr – Freicorps mit Wehrmann und Schütze/Corps der Staatsdienst – Adspiranten/Corps der Politechniker. Die meisten trugen eine weiß-blaue oder ein schwarz-rot-goldene Kokarde, sowie Eichenblätter an Hut oder Mütze.
Die Fahne in den deutschen Farben in der Hand der Fahnen-Junkers des Künstler-Corps ist oben geschmückt mit weiß-blauem Band und Eichenkranz. Ihre Farbanordnung schwarz-gold-rot statt schwarz-rot-gold war in dieser Zeit in Künstlerkreisen häufiger zu sehen, man versprach sich davon eine bessere Farbharmonie und die Möglichkeit, Beschriftungen, Wappen etc. in der Fahnenmitte sichtbarer anbringen zu können. Der Nürnberger Stadtbibliothekar Ghillany und der dortige Direktor der Polytechnischen Schule veröffentlichten im Frühjahr 1848 eine Abhandlung über die deutschen Farben und schlugen auch hier vor, die Farbenfolge auf schwarz-gold-rot festzulegen. Die deutsche Reichsversammlung in Frankfurt, der diese Schrift »ehrerbietigst zugeeignet« war, hatte sich jedoch inzwischen auf die Farbreihenfolge schwarz-rot-gold festgelegt (AK Vorwärts, Nürnberg 1986, 204, Nr. 295). Die verschiedenen Uniformen der Münchner Freicorps unterscheiden sich hauptsächlich in den Farben, der Kopfbedeckung und dem Kragenschnitt. Uniform und Ausstattung der Corps war eine von den Beteiligten höchst wichtig genommene Frage. Die Zeitungen ließen sich lang und breit darüber aus, ob die teure Montur eher für die Parade oder für den praktischen Einsatz geeignet sein solle (vgl. z.B. Münchner Politische Zeitung, 1848, Nr. 74, 296). Die Anhänger der »schönen Uniform« setzten sich schließlich durch.   U. L.

12.4.18 »Kgl. allerhöchste Entschließung. Die Zusammenberufung der Stände betr.«

München, 4. März 1848, Buchdruck, 40,5 × 25,2; München, Stadtbibliothek, Monacensia-Slg., Nachlaß Pschorr

Ludwig gibt die Einberufung der Stände für den 16. März bekannt. U. L.

12.4.19 »Königliche Proklamation«

München, 6. März 1848, Buchdruck, 41,5 × 24,6; München, Stadtbibliothek, Monacensia-Slg., Nachlaß Pschorr

»Bayerns König ist stolz darauf, ein teutscher Mann zu sein . . . Bayern! Schaaret Euch um den Thron.« König Ludwig I. gibt das Programm für die Gesetzesvorlagen der Ständeversammlung am 16.3. bekannt, es enthält u.a. ein Gesetz über die verfassungsmäßige Verantwortlichkeit der Minister, die vollständige Pressefreiheit, Verbesserung der Ständewahlordnung, öffentliche und mündliche Rechtspflege mit Schwurgerichten, Fürsorge für Staatsdiener und Angestellte des Staates, Verbesserung der Verhältnisse der Israeliten, Abfassung eines Polizeigesetzbuches, Beeidigung des Heeres auf die Verfassung und Aussetzung der Zensur für innere und äußere Angelegenheiten und damit im wesentlichen sämtliche Forderungen, die die Münchner Bürger am 3. März 1848 dem König überreicht hatten. U. L.

12.4.20 Ankündigung eines Gottesdienstes zum Dank für die Rettung des Vaterlandes und des Herrscherhauses

München, 8. März 1848, Buchdruck 19,3 × 24,9; München, Stadtarchiv, B. u. R. 318

Um Gott, dem Urheber alles Friedens für die Rettung des Vaterlandes und insbesondere des Herrscher=Hauses und der Hauptstadt aus augenblicklich drohender Gefahr in den juengst verflossenen Tagen inbruenstig zu danken, und zugleich um die Erhaltung der Segnungen des innerlichen und aeußeren Friedens demuethigst zu bitten, wird nach Anordnung des Hochwuerdigsten Erzbischoeflichen Ordinariats Muenchen=Freysing morgen Donnerstag den 9. März Vormittags 11 Uhr in der hiesigen Metropolitankirche ein feierliches Votiv=Amt gehalten werden.
München den 8. März 1848.
Das Metropolitan= u. Stadtpfarramt U.L. Frau.«

12.4.21 Adresse der Landauer Bürger an die Münchner Bürger, Studenten und Künstler

Landau, 16. März 1848, Buchdruck, 36,6 × 21,5; München, Stadtbibliothek, Monacensia-Slg., Nachlaß Pschorr

Die Pfälzer Brüder schreiben u.a.: »Wir Bewohner des linken Rheines, denen die große französische Revolution von 1789 unschätzba-

12.4.14

re Güter längst verliehen hatte, ohne die kein Volk sich frei und stolz bewegen kann (Gleichheit aller Bürger in der That, Gewerbefreiheit, Geschworenengerichte, öffentliche und mündliche Rechtspflege, getrennt von der Verwaltung, vollständige Freiheit des Grund und Bodens), wünschen sehnlichst, daß auch Euch endlich ein gleicher Zustand zu Theil wurde, verzweifelten aber, wenn wir auf die höchsten Regierungskreise blickten, durch die Euch und Allen die bessere Zukunft bereitet werden sollte.« U. L.

12.4.22 König Ludwig I.

Kopie von Adolph Loehle (München 1838–1905 München) nach Gottlieb Bodmer (Hombrechtikon/Schweiz 1804–1837 München), um 1835, Öl/Lwd, 91,6 × 75,4; IIa/19

Das Bildnis Ludwigs I. in Uniform mit verschiedenen Orden – u.a. der Hubertus- und Georgsritterschaft – geht zurück auf eine Lithographie von Gottlieb Bodmer, der schon mit 16 Jahren die Münchner Akademie besuchte, und sich später einen hervorragenden Ruf als Lithograph und Porträtist erwarb. Zusammen mit seinem Gegenstück, dem Bildnis der Königin, ist dieses Porträt in der lithographischen Kunstanstalt Piloty und Loehle erschienen. Der Kopist Adolph Loehle war der Sohn des Begründers dieser Kunstanstalt, Joseph Löhle (Regensburg 1807–1840 München). Dieser hatte seit 1833 zusammen mit Ferdinand Piloty die Gemälde der Galerien in München und Schleißheim in großformatigen Mappenwerken herausgegeben. Mit Gottlieb Bodmer war er freundschaftlich verbunden. – Die Datierung des Bildnisses Ludwigs I. ergibt sich aus der detailreicheren Lithographie: bei dem Sessel handelt es sich um einen 1834/35 von Leo von Klenze entworfenen Thron für den

Königsbau der Residenz. – 1837, kurz vor dem Tod Bodmers, hat Löhle den gesamten künstlerischen Nachlaß des Freundes gekauft und die Herausgabe durch die lithographische Kunstanstalt fortgesetzt. M. M.

12.4.23 Stehpult

um 1820, Kirschbaum, furniert auf Kiefer und massiv, Eisenschlösser mit Messingbeschlägen, Messingknöpfe, 122/112 × 95,5 × 64; M 84/5

Rechteckiger Korpus mit zwei Schubladen, abgeschrägte Schreibplatte. Innen vier kleine Schubladen und zwei offene Fächer links und rechts außen an der Rückwand; flache tiefe Ablage. H. O.

12.4.24 Kielfeder des Königs

1848, Lit.: AK Industriezeitalter I, 4, Augsburg 1985, 144, Nr. 479; München, Bayerisches Nationalmuseum, Ren. 6201

Eine eigenhändige Notiz des Königs zu dieser Feder besagt, daß er damit sein Abdankungspatent und die Proklamation vom 6. März unterschrieben hat. U. L.

12.4.25 Handschriftlicher Entwurf Ludwigs I. für sein Abdankungspatent

München, wohl 19. März 1848, Lit.: Corti 1937, 558f.; München, Bayerisches Hauptstaatsarchiv, G.H.A. XXII 587

Einige Tage später schrieb König Ludwig an seinen Sohn Otto von Griechenland: »Niemand ging mich an, der Krone zu entsagen, und von meinem Entschlusse wußte sogar auch nicht ein einziger Ministerverweser . . . Nach langem inneren Kampfe hatte ich ihn gefaßt

(war am Tag zuvor nicht ohne Besorgnis, einen
Nervenschlag zu bekommen) . . . Halte dafür,
daß, wäre mein Entschluß ruchbar geworden,
es neuen Aufstand gegeben haben würde, mich
zu zwingen, die Krone zu behalten.« (nach
Schrott 1963, 400).   U. L.

12.4.26 Bekanntmachung des Abdankungspatents Ludwigs I.

*München, 20. März 1848, Buchdruck, 41,9 ×
25,5; München, Stadtbibliothek, Monacensia-
Slg., Nachlaß Pschorr*

»Treu der Verfassung regierte Ich, dem Wohle
des Volkes war mein Leben geweyht, – als
wenn Ich eines Freystaates Beamter gewesen,
so gewissenhaft ging Ich mit dem Staatsgute,
mit den Staatsgeldern um . . .«.

12.4.27 »König Ludwigs Abschied am 20. März 1848 . . .«

*anonym, 20.3.1848, Typendruck, 20,3 × 11,8;
A 50a/11 = 34/238*

*Verlassen und traurig wandelnd,
Zieh' ich in die Welt hinein,
Denn frei und groß nur handelnd
Mocht' ich Euer König sein.
Ich hab' Euch sehr geliebet,
Ihr habt mich sehr betrübet,
Das schuf mir arge Pein.*

*Die stolzen Aristokraten
Verleideten mir den Thron,
Sie haben auch Euch verrathen
Und sprechen uns Beiden Hohn.
Die Höflinge, glatt und schmeichelnd,
Die Geistlichen, Liebe heuchelnd,
Entrissen mir die Kron'.*

*Ein Herz im Busen tragend,
Für Schönes was Menschen ziert,
Mein Volk mit Künsten begabend
So hab' ich stets regiert.
Schwört Treue nun meinem Sohne,
Bleibt treu, ihr Bayern! der Krone
Und dem Gesetze das Euch regiert.*

12.4.28 »Theresen's Abschied am 20. März 1848«

*anonym, 1848, Typendruck, 21,7 × 13,2; Slg.
Proebst L 2237, Nr. 633*

*Leb' wohl, mein Volk, mein treues Volk,
Mein theures – jetzt heißt es, scheiden!
Leb' wohl, mir bricht mein Mutterherz –
O könnt' ich lindern alle Leiden!
. . .*

*Mit deinem Vater zieh ich fort –
Lieb' meinen Sohn, er wird dich lieben –
Ich leg' die Krone hin – mein Volk – !
Mehr ist mir doch – dein Herz geblieben!*

*O sprich von Vater Ludwig gut,
Er wird Euch heiße Lieb bewahren –
Leb wohl, mein Volk, mein theures Volk,
Gott sei mit dir und seine Schaaren!!*

12.4.29

12.4.29 Ludwig I., stehend in Uniform *

*Franz Hanfstaengl, München, um 1848, be-
z.u.r.: Fr. Hanfstaengl, Photographie, Lit.:AK
Hanfstaengl, München 1984, 262, 210 (Abb.);
München, Photomuseum, Nachlaß Hanfstaengl*

12.4.30 Der abgedankte König – Statuette Ludwigs I. im Gehrock

*wohl Entwurf von Anton Heinrich Hess (Mün-
chen 1838–1909 München), nach einem Modell
um 1880, Bronzeguß nach dem Gipsmodell, 50;
MStM*

Der abgedankte König schreitet mit vorn-
übergebeugtem Oberkörper und auf dem Rük-
ken verschränkten Armen voran. Das Modell
stammt aus dem Nachlaß des Künstlers und
wurde neuerlich nachgegossen. Der Gesichts-
typ mit der auffälligen Geschwulst auf der Stirn
entspricht der Marmorbüste mit dem Alters-

porträt des Königs von Anton Heß in der
Bayerischen Staatsgemäldesammlung von 1888
(B 44). Weniger realistische Künstler schönten
die Züge des Königs und ließen die leichte
Deformierung fort.   H. O.

12.4.31 Porträtkarikatur Ludwigs I. im Civilfrack auf der Magna Carta Bavariae stehend

*1848, Federzeichnung mit Bleistift, 21 × 13;
M II/573*

Ludwig I., der auf der »Carta Magna/Bava-
riae« steht und durch einen Bleistiftvermerk als
»jünger« bezeichnet wird, wird in der oberen
rechten Blattecke nochmals in einem spitzen
Altersporträt mit der Bezeichnung »jetzt« dargestellt.
Im Hintergrund Szenen aus seiner jüngsten
Vergangenheit: Lola jagt Offiziere mit einer
Reitpeitsche und daneben eine Versammlung
von Griechen.   I. H.

12.5 Ergebnisse der Revolution

»... Ich bin stolz, Mich einen konstitutionellen König zu nennen. Damit jede Erinnerung an frühere Verirrungen verschwinde, habe ich beschlossen, eine Amnestie für alle politischen Verbrechen und Vergehen zu erlassen. Ich habe Veranstaltung getroffen, daß den Ständen des Reiches ohne Verzug Gesetzes-Vorlagen gemacht werden: über Verantwortlichkeit der Minister, über Preßfreiheit, über die Wahlen zur Kammer der Abgeordneten, über alsbaldige Vervollständigung der Vertretung der Pfalz, über Ablösung der Grundlasten und über Berathung neuer Gesetzbücher ...« (StadtAM, B.u.R. Nr. 379 Thronrede Maximilian II. bei Eröffnung der Ständeversammlung am 22.3.1848).

Während der abgedankte König Ludwig sich in einem Brief an seinen Sohn Otto von Griechenland, den »fröhlichsten Menschen« von ganz München nannte (Schrott 1963, S. 399f.) übernahm sein Sohn Maximilian die Regierungsgeschäfte in einer schwierigen, kritischen Zeit: mit hohen Preisen, Arbeitslosigkeit, einsetzender Industrialisierung, aber auch Forderungen nach einem geeinten Deutschland (Bedrohung der Souveränität Bayerns), Kommunisten und Anarchisten, (die die Monarchie abschaffen wollten).

Solche Vorkommnisse wie im Großherzogtum Baden wollte man auf alle Fälle vermeiden. Hier war Hecker am 13. April 1848 von Konstanz aus mit nur 53 Anhängern zu einem Marsch für die deutsche Republik aufgebrochen. Seine Schar wuchs zwar unterwegs auf 6000 Mann, stand jedoch am 20. April auf der Scheidegg bei Kandern einer Übermacht von 30000 Regierungstruppen gegenüber, denn die badische Regierung hatte inzwischen hessische, bayerische und württembergische Truppen zu Hilfe gebeten. Während der vorangegangenen Unterhandlungen wurde General Friedrich von Gagern von Heckers Freischärlern erschossen. Die Revolutionäre wurden besiegt, Hecker flüchtete in die Schweiz. Sein Name war jedoch im ganzen Bund bekannt, ein Hecker-Kult begann, er war der Prototyp des Anarchisten.

Eine Versammlung, deren Abgeordnete zumeist den süddeutschen Landtagen angehörten, beschloß am 5. März 1848 in Heidelberg eine größere Anzahl von Vertrauensmännern zu einem Vorparlament nach Frankfurt zu entsenden. Am 31. März fällte dieses Vorparlament in Frankfurt den Beschluß, eine verfassunggebende Nationalversammlung durch das deutsche Volk wählen zu lassen. Unter dem Einfluß der revolutionären Kräfte dieser Zeit stimmten sowohl das Gremium des Deutschen Bundes in Frankfurt, der Bundestag, als auch die Fürsten dieser Wahl zu. Nach dem Willen des Vorparlaments sollte jeder Staatsbürger wählen dürfen. Die Regierungen hielten sich jedoch an die jeweiligen Landeswahlgesetze. Besonders restriktiv verhielt sich Bayern: nur Staatsbürger, die direkte Steuern zahlten, waren wahlberechtigt. Da man nur im Heimatstaat wählen konnte, waren alle in Frankreich und der Schweiz lebenden politischen Emigranten von der Wahl ausgeschlossen. Als am 18. Mai die Frankfurter Nationalversammlung in der Paulskirche zusammentrat, waren insgesamt 831 Abgeordnete gewählt worden. Weit mehr als die Hälfte von ihnen waren Akademiker, über hundert davon Professoren, – das Bildungsbürgertum überwog. Mit überwältigender Mehrheit wurde Heinrich von Gagern, der Bruder des bei Scheidegg erschossenen Generals, zum Vorsitzenden gewählt. Die Nationalversammlung erkannte offiziell die Souveränität der deutschen Einzelstaaten nicht mehr an. Mit der Schaffung eines Bundesstaates nach nordamerikanischem Modell sollte die Zersplitterung Deutschlands überwunden werden. Träger des neuen Deutschlands sollte eine zu schaffende liberal-demokratische Verfassung sein. Mit dieser sich selbst gestellten, ehrgeizigen Doppelaufgabe scheiterte die Nationalversammlung jedoch an dem Widerstand der Fürsten, der Uneinigkeit innerhalb der politischen Gruppen im Parlament und an der unlösbaren Frage wie und ob man Österreich in den neuen deutschen Bundesstaat integrieren solle (Streit zwischen den sogenannten »Klein- und den Großdeutschen«).

Am 19. Juni wurde der Bruder des österreichischen Kaisers, Erzherzog Johann, zum Reichsverweser gewählt und an die Spitze eines neuen Reichsministeriums gestellt. Präsident dieses Ministeriums war ein Halbbruder der englischen Königin, Karl Fürst von Leiningen, Innenminister der österreichische Diplomat Anton Ritter von Schmerling, Außenminister der Hamburger Advokat, Johann Heckscher. Die Verfechter einer kleindeutschen Lösung ohne Österreich setzten sich schließlich jedoch durch. Am 28. März 1849 erfolgte die Wahl des Königs von Preußen zum erblichen Kaiser der Deutschen und die Verkündigung einer Reichsverfassung. Der preußische König lehnte eine Kaiserwürde von Volkes Gnaden jedoch entrüstet ab. In den folgenden Wochen zogen immer mehr deutsche Staaten ihre Abgeordneten aus Frankfurt ab und verkündeten, die in Frankfurt beschlossene Verfassung für einen deutschen Bundesstaat nicht annehmen zu wollen. In Sachsen, Baden und anderen Ländern lehnte sich das Volk vergeblich dagegen auf. Am 30. Mai 1849 beschlossen die letzten Parlamentarier von Frankfurt die Übersiedlung nach Stuttgart, da hier die Annahme der Reichsverfassung vom Volk erzwungen worden war. Auf Geheiß des württembergischen Königs wurden die letzten Mitglieder des Parlaments am 18. Juni vom Militär angegriffen, das Inventar des ehemaligen deutschen Parlaments zerstört. Einen Tag später mußten die Abgeordneten Stuttgart verlassen.

In Bayern setzte sich König Maximilian II. dafür ein, daß die meisten der liberalen Forderungen der Bürger erfüllt wurden und hielt seine Versprechen vom 22. März 1848. Die Münchner Bürger waren es zufrieden und ängstlich darauf bedacht, endlich wieder Ruhe und Ordnung in der Stadt durchzusetzen. Allerdings gab es auch in München immer wieder »Krawallierer«, die für Unruhe auf den Straßen sorgten. So am 21. August, als sich das Gerücht verbreitete, der Hausschatz wäre außer Landes gebracht worden und als einer der Unruhestifter im Rathaussaal die Notwendigkeit der Anarchie erklärte sowie Hecker hochleben ließ (MPZ, 22.8.1848, 186). Landwehr und Militär gingen ziemlich rücksichtslos gegen sie vor. Im September registrierten die

Zeitungen eine Volksversammlung von etwa 900 Teilnehmern, auf dem führende Mitglieder des republikanischen Münchner Bauhof-Clubs ihre radikalen Ideen vortrugen (Neue Münchner Zeitung, Nr. 71, 285f.). Die Redner wurden kurzfristig inhaftiert und bei ihrer Entlassung von den Mitgliedern des republikanischen Vereins und den Künstler- und Studentenfreicorps mit einem Fackelzug gefeiert. Die Krawalle vom 18. Oktober waren jedoch die schwersten und zugleich auch letzten größeren Unruhen in der Stadt. Hauptleidtragender war der reichste Brauer der Stadt, Georg Pschorr. Seine Brauerei und seine Wohnung in der Neuhauserstraße wurden fast völlig verwüstet, einer seiner Bräuknechte erschlagen. Die Polizei nahm in diesem Zusammenhang 127 Personen fest, darunter meist Gesellen und Dienstboten, aber auch Soldaten, Studenten und Schüler. Der König drohte am 19. Oktober mit dem Standrecht, wenn sich solche Vorfälle wiederholen sollten, und besuchte Georg Pschorr persönlich. Ein Schuhmachergeselle war während der Unruhen von einem Schlossermeister »in äußerster Notwehr«, wie die Neue Münchner Zeitung schrieb, erschossen worden. Den Münchner Bürgern war damit endgültig jeder Appetit auf Revolution vergangen. Die Parole hieß jetzt nur noch Ruhe und Ordnung, damit endlich die Geschäfte wieder ihren ordentlichen Gang gehen konnten und man nicht mehr um sein Eigentum fürchten mußte. Das war wichtiger als ein einiger deutscher Bundesstaat oder eine gemeinsame deutsche Verfassung. Im Gegensatz zur bayerischen Pfalz, die sich im Mai 1849 von Bayern lossagte und einen unabhängigen Staat gründen wollte, blieb es in München selbst ruhig. U. L.

Im Oktober 1849

Gelegt hat sich der starke Wind,
Und wieder stille wird's daheime;
Germania, das große Kind,
Erfreut sich wieder seiner Weihnachtsbäume.

Wir treiben jetzt Familienglück –
Was höher lockt, das ist vom Übel –
Die Friedensschwalbe kehrt zurück,
Die einst genistet in des Hauses Giebel.

Gemütlich ruhen Wald und Fluß,
Von sanftem Mondlicht übergossen;
Nur manchmal knallt's – Ist das ein Schuß?
Es ist vielleicht ein Freund, den man erschossen.

Heinrich Heine

12.5.1 Der neue König

12.5.1.1 König Max II. ✳

Max Haider (Biederstein 1807–1873 München), 1850, bez. u.l.: Max Haider pinx. München 1850, Öl/Lwd, 255 × 191,5; Lit.: AK Industriezeitalter I, 4, Augsburg 1985, 149, Nr. 488; II a/34

Darstellung König Maximilians II. von Bayern im Krönungsornat, das 1806 zusammen mit den Kroninsignien für Max I. Joseph entworfen worden war.

Über dem Ornat liegt der Hubertusorden. Die eine Hand des Königs berührt das Schwert, während die andere im Gestus des Schwures auf ein vor den Kroninsignien liegendes Schriftstück weist, das folgenden Wortlaut trägt: »Auf Gottes allmächtigen Schutz vertraue Ich und auf Meinen redlichen Willen, dieser Zeit Gebot zu verstehen und zu vollbringen. Wahrheit will Ich in Allem, Kraft und gesetzmäßige Freiheit im Gebiet der Kirche wie des Standes. Auf des Bayern Treue hoffe Ich, auf die seit Jahrhunderten bewährte Liebe zu Unseren Fürsten«.

Haider nimmt den von Joseph Stieler geprägten Typus für die Bildnisse von Max I. Joseph von 1822 und Ludwig I. von 1826 auf (beide Neue Pinakothek; v. Hase, Stieler 1971, Nr. 88, Nr. 123–124). Anders als dort ist der dargestellte Ort in Haiders Bild genau identifizierbar: Es handelt sich um den von Leo von Klenze seit 1832 gestalteten Thronsaal im Festsaalbau der Münchner Residenz. Thron und Wappen sind naturgetreu wiedergegeben, ebenso die an den Seiten des Saales in der Längsrichtung auf den Thron zulaufenden korinthischen Säulen, in deren Zwischenräumen die 12 bronzenen Standbilder der Wittelsbacher Ahnen von Ludwig von Schwanthaler stehen. Man erkennt vorn den auf der linken Seite stehenden Kaiser Ludwig den Bayern und dahinter Kaiser Rupprecht (Otten, 1970, Abb. 56 und 50).   B. E.

12.5.1.2 »Regierungs-Antritts-Patent seiner Majestät des Königs Maximilian II von Bayern«

Maximilian II. (München 1811–1864 München), München, 20.3.1848, Buchdruck, 42 × 25,9; München, Stadtbibliothek, Monacensia-Slg., Nachlaß Pschorr

»Wahrheit will Ich in Allem. Recht und gesetzmäßige Wahrheit im Gebiete der Kirche wie des Staates.«

12.5.1.3 Bekanntmachung mit Aufforderung, Unterschriftenlisten für Adressen an Maximilian II. und die Bürger von Wien und Berlin zu unterzeichnen

27. März 1848, Buchdruck, 33,4 × 44,5; München, Stadtbibliothek, Monacensia-Slg., Nachlaß Pschorr

12.5.1.4 Farbproben für die deutsche Fahne auf der Feldherrnhalle

Holland (blau), Süddeutschland (schwarz-rot-gold), 1840–48, Wollstoff, gefärbt, 20 × 25; München, Staatsarchiv München, AR 835/39

Vgl. Aufsatz Laufer, »Bayerisch Schwarz-Rot-Gold . . .«.

12.5.1.5 Kasten mit Fahnenbändern in den deutschen Farben

1848, Seide und Brokat in zugehörigem Holzkasten, Kasten: 122 × 49,5 × 10,5; MStM

Einfacher Fichtenkasten braun lasiert, vorne Glastür, an Haken hängend sechs Fahnenbänder in unterschiedlicher Länge und Ausführung, teilweise mit Kokarden oder Schleifen oben und kunstvoll ausgeführten weiß-blauen Rautenwappen sowie Fransen an den Enden. Auf dem Wappen ein stilisiertes neugotisches M, darüber eine Krone.   U. L.

12.5.1.1

12.5.2 Frankfurter Parlament

12.5.2.1 Gedenkmedaille auf das Deutsche Parlament

Drentwett, Augsburg, 1848, bez. vorderseitig: Vereinigung für Volkes Rechte – Für Volkes Wohl / Constitution; u.: Drentwett; rückseitig: Deutsches Parlament / Seid einig / 1848, Silberprägung, ∅ 3,7, Lit.: AK Vorwärts, Nürnberg 1986, 204, Nr. 297; 6281/310

Vorderseite identisch mit Kat.Nr. 12.4.11, Rückseite: zwischen zwei Eichen der deutsche Doppeladler und Spruch »Seid einig«, darunter Sonnenaufgang. Das Deutsche Parlament trat zum ersten Mal am 18. Mai 1848 zusammen.

U.L.

12.5.2.2 Gedenkmedaille auf die deutsche Nationalversammlung in Frankfurt

Carl Heinrich Lorenz (Berlin 1810–1888 Hamburg), 1848, bez. vorderseitig: Wir sind ein Volk und einig wollen wir handeln / Zur Erinnerung an die erste deutsche Nationalversammlung zu Frankfurt eröffnet am 18. Mai 1848; rückseitig: 1848; Zinnprägung, ∅ 4,2; 6279/960

Auf der Rückseite sind 25 Wappen von Mitgliedern des Deutschen Bundes, der insgesamt aus 35 Fürstentümern und vier freien Städten bestand, kreisförmig um die Figur der sitzenden Germania angeordnet.

U.L.

12.5.2.3 Gedenkmedaille auf die Wahl Erzherzog Johanns zum Reichsverweser

Drentwett, Augsburg, 1848, bez. vorderseitig: Erzh. Johann v. Östr. z. Reichsverweser erwählt 1848; u.M.: Drentwett; rückseitig: Kein Österreich / kein Preußen / ein einiges Deutschland soll es sein, Zinnprägung, ∅ 3,7; 3313/307

Das Zitat auf der Rückseite der Münze nimmt Bezug auf einen Trinkspruch Erzherzog Johanns beim Festmahl auf Schloß Brühl im September 1842, anläßlich des Kölner Dombaufestes: »Solange Preußen und Österreich, solange das übrige Deutschland, soweit die deutsche Zunge klingt, einig sind, werden wir unerschütterlich dastehen wie die Felsen unserer Berge«. Im Volksmund wurde daraus: »Kein Österreich, kein Preußen mehr – ein einiges Deutschland.« Hoffmann von Fallersleben griff diesen Spruch in einem Gedicht auf (Otto 1982, 368).
Erzherzog Johann wurde am 27.6.1848 zum Reichsverweser gewählt, im Dezember 1849 legte er seine Würde nieder. Mit der Wahl Erzherzog Johanns wurde der verhängnisvolle Streit zwischen den Anhängern einer kleindeutschen Lösung, ohne Österreich unter Führung Preußens, und der großdeutschen Lösung unter Führung Österreichs weiter angeheizt. Die einflußreichsten Führer des Parlaments intrigierten gegen Österreich für eine kleindeut-

sche Lösung. Zudem konnte der Prinz niemals das Vertrauen der radikal antidynastischen Linken verlangen.

U.L.

12.5.2.4 »Huldigungs-Parade für den Deutschen Reichsverweser Erzherzog Johann von Oesterreich vom k. Linien-Militär, der Landwehr und Freicorps der Stadt München, auf dem Marsfelde, den 6ten August 1848«

Gustav Kraus (Passau 1804–1852 München), München, 1848, bez. o.: Verlag von Gustav Kraus in München; u.l.: lith. G. Kraus 1848, Lithographie, koloriert, 26,6 × 39,5, Lit.: Pressler 1977, 352, Nr. 556 (Abb.); MK Proebst, München 1968, 168, Nr. 1587; P 1587

Die Huldigungsparade in Frankfurt für den Reichsverweser Erzherzog Johann fand am 6. August 1848 statt. Zahlreiche Städte organisierten am gleichen Tag Parallelveranstaltungen. Ulrich von Destouches beschrieb in seiner Stadtchronik das Münchner Fest:
»Sonntag 6ᵗ August Hatte, von dem herrlichsten Wetter begünstigt, die Huldigungsfeyer für den deutschen Reichsverweser Erzherzog Johann von Oesterreich statt(gefunden). Um 9 Uhr Morgens waren die hier garnisonirenden Linientruppen, darunter zwey Batterien, die gesamte Landwehr der Stadt und der Vorstadt Au wie sämtliche Freycorps in offenem Karree auf dem Marsfeld aufgestellt. Nachdem die Generalität, den Prinzen Luitpold an der Spitz, die Truppen gemustert hatte, verlas in der Mitte des Vierecks, umgeben von einer sehr großen Anzahl von Offizieren der Oberstlieutnant Schacht folgenden Tagesbefehl: ›Soldaten, Seine Majestät der König hat nachfolgende Proklamation zu erlassen geruht: Bayern! der Reichsverweser unsres deutschen Gesammtvaterlandes ist ernannt. Erzherzog Johann von Oesterreich hat mit Zustimmung aller deutschen Regierungen dem Rufe der Nationalversammlung entsprochen und die Leitung der Centralgewalt übernommen. Seine Person, seine hochwichtige Sendung begrüssen wir, begrüßt ganz Deutschland mit offenem Vertrauen. Eine neue Zeitrechnung hat begonnen. Das theure Gesammtvaterland wird nach innen und außen kräftig erstarken und durch Einigung überallhin Achtung gebieten. So wie Bayern schon vor dreyßig Jahren mit Begründung verfassungsmäßiger Freiheit vorangeschritten ist, so wie es Unsere erste Regierungshandlung war, diese Freyheit zeitgemäß zu entwickeln und fortzubilden, so auf solchem Rechtsboden schliessen Wir Uns auch dem Reichsverweser und in ihm dem gesammten deutschen Vaterlande freudig an. Bayern wird, wo es noth thut, der großen deutschen Sache, alle seine Kräfte und da wo es gilt, Gut und Blut zum Opfer bringen!‹ – Max....
Das Wetter war prachtvoll, die Zahl der Zuschauer außerordentlich groß, die öffentlichen Gebäude und viele Privatgebäude der Stadt waren mit deutschen und bei bayrischen Fahnen geschmückt.« Die Künstler führen wieder ihre schwarz-gold-rote Fahne mit (vgl. Kat.Nr. 12.4.17).

I.W./U.L.

12.5.2.5 Politische Chronologie der Kopfbedeckungen *

A. Zampis (1820–1883 Wien), um 1848, bez. teilweise u.r.: AZ unten »Eigent. d. Verlegers m. Vorbehalt gegen Nachdruck«, 16 Kreidelithographien, 31,7 × 48,7; Wien, Historisches Museum, 88/259/1–16

»Staatshut, Schlafhaube, Bürger Czako, Studenten-Hut im März, Ligourianer-Hut, Polizei-Czako, Hut mit Einreihungs-Karte für die National-Garde, Calabreser, Kalpag, Juraten Hut, Pikelhaube, Bürger-Grenadier Mütze, National-Garde Kappe, National-Garde Czako, Barrikaden-Strohhut, Barrikaden-Kappe, Cilinder muß herhalten zum deutschen Hut, Deutscher Hut, Steyerer Hut, Lager-Mütze, Sicherheitswache-Helm, Sicherheits-Czako, Malconten-Hut, Republikaner-Mütze, Hut eines Überläufers, Ein aus der Leeren Caserne eroberter Artillerie-Hut, Seresianer Mütze, Croaten Lager-Mütze, October-Nimphe mit Calabreser, October Nimphe mit Studenten Kappe, Generals-Hut, Cilinder (vulgo Angströhre).«

U.L.

12.5.2.6 »Die politischen Parteien nach dem Charakter der Bärte« * Abb. S. 261

August Friedrich Pecht (Konstanz 1814–1903 München), München, 1848, bez. u.: F.P., Federlithographie, 15,5 × 19; Lit.: AK Bild als Waffe, München 1985, 420, Abb. 10; Bamberg, Staatsbibliothek, M. v. O.L. I 305

Im Vormärz kannte man noch keine Parteien im heutigen Sinne, erst allmählich, während der Ereignisse 1848, setzte sich dieser Sprachgebrauch für politische Gruppen durch. An einem Tisch sind hier sechs Vertreter politischer Parteien versammelt, vom vollbärtigen Jakobiner (mit der Neuen Rheinischen Reitzung) bis zum Glattrasierten Konservativen (mit der Frankfurter Postamtszeitung).

U.L.

12.5.2.7 Tabakdose mit Porträts von fünf Abgeordneten des deutschen Parlaments in der Paulskirche und ihren Wahlsprüchen *

1848, Gedrechseltes Birnbaumholz, schwarz gebeizt, gelackte Lithographie, ∅ 8,8; 33/632

»Adam v. Itzstein: Für des Vaterlandes Wohl nach Kräften zu wirken und kein Opfer für diesen edlen Zwecke zu scheuen, ist des wahren Deputierten heilige Pflicht.
Adolf Sander: Dann wird das Vaterland Männer finden, deren Mut durch die Größe der Gefahr verdoppelt, u. deren Widerstandskraft dadurch gestählt werden wird.
E. Bassermann: Das Volk ist nicht der Regierung wegen da; sondern die Regierung des Volkes wegen.
Karl Hoffmann: Das Erwachen des Volks zum Bewußtsein seiner Rechte ist die Morgenröte der wahren Freiheit.
C.Th. Welcker: Solange mein Geist frisch ist u. mein Herz gesund u. so lange Mund u. Hand mir den Dienst nicht versagen, soll nichts

12.5.2.5

mich ermüden in der Verteidigung der Freiheit u. der Rechte meiner Mitbürger.«

Bassermann gehörte im Frankfurter Parlament der sogenannten »Casino« Fraktion an, zu der etwa 120 Abgeordnete der rechten Mitte, unter ihnen auch Max von Gagern, zählten. Der badische Abgeordnete Adam von Itzstein gehörte zu der links stehenden Fraktion Robert Blums. Ebenso wie die »Casino« Fraktion wurde auch Blums Gruppe nach ihrem Versammlungsort, dem »Deutschen Hof« benannt. Die übrigen politischen Clubs hießen Donnersberg (äußerste Linke), Nürnberger Hof, Westendhalle, Württemberger Hof (linke Mitte), Augsburger Hof, Landsberg, Café Milani (äußerste Rechte). U.L.

12.5.2.8 Aufstand in Frankfurt am 18. September 1848

P. C. Geissler, Nürnberg, 1848, bez. u.r.: P. C. Geissler, fec. Nürnberg bei P. C. Geissler, Lithographie, koloriert, 31,7 × 38; Frankfurt, Historisches Museum C 1016 g

In sechs Szenen werden die Sitzung der Nationalversammlung in der Paulskirche am 18. September, der Volkssturm auf die Paulskirche, der Barrikadenkampf am Römerberg, die Volksversammlung auf der Pfingstwiese am 17. September, Lichnowskys Ermordung und die Deputation der Abgeordneten der Linken, die den Waffenstillstand verlangten, dargestellt. Seit den 40er Jahren schwelte der Konflikt um Schleswig Holstein. Dänemark erhob erbrechtliche Ansprüche, Schleswig und Holstein wollten allerdings unabhängig und deutsch bleiben. Am 22. März bildete sich eine provisorische Schleswig-Holsteinische Regierung. Die Frankfurter Nationalversammlung sicherte ihr Unterstützung im Kampf gegen Dänemark zu, war aber auf Bundestruppen, vor allem aus Preußen angewiesen, da sie über keine eigene Exekutive verfügte. Der Kampf um Schleswig und Holstein war von Anfang an überfrachtet von politischen und nationalen Gefühlen und Hoffnungen. Im Laufe des Sommers stellte sich jedoch heraus, daß die Deutschen den Dänen hoffnungslos unterlegen waren, da sie über keine geeignete Flotte verfügten. Mit der Ermächtigung der Frankfurter Nationalversammlung schloß Preußen mit Dänemark den Waffenstillstand von Malmö. Am 4.9.1848 wurde der Waffenstillstand bekanntgegeben, ein Sturm der Entrüstung gegen Preußen oder auch gegen die Konservativen und gemäßigten Abgeordneten der Paulskirche ging durch Deutschland. Man sprach von Verrat an der deutschen Sache. Das Reichsministerium trat zurück. Seit dem 16. September kam es zu offenen Unruhen auf den Frankfurter Straßen und Plätzen. Die Abgeordneten der Paulskirche riefen preußische und österreichische Truppen zu Hilfe. Der Waffenstillstand von Malmö hatte die Ohnmacht der Zentralregierung offenbart. Linke Abgeordnete, Gesellen und Arbeiter wollten den Kampf gegen Dänemark als jakobinischen Volkskrieg weiterführen. Der ultrarechte Abgeordnete Kurt Felix Lichnowsky und sein Begleiter, der Abgeord-

12.5.2.7

nete General von Auerswald, unternahmen trotz erheblicher Warnungen einen Ausritt in die Gärten vor den Toren der Stadt. Dort wurden sie von einer aufgebrachten Menge, vorwiegend Handwerksgesellen und Arbeitern, angegriffen und voller Haß erschlagen. Diese Morde bewirkten die Einquartierung österreichischer und preußischer Truppen in der Stadt sowie einen erheblichen »Rechtsrutsch« in der Stimmung der Bevölkerung und in der Nationalversammlung. U.L.

12.5.2.9 »Wüthender Angriff der Republikaner auf das in der Paulskirche zu Frankfurt versammelte deutsche National-Parlament am 18. September 1848«

bei Gustav Kühn, Neu-Ruppin, 1848, bez.: Neu-Ruppin Gustav Kühn, Lithographie, koloriert, 40,5 × 32,1; Frankfurt, Historisches Museum C 1017 a

12.5.2.10 »Das Guckkasten-Lied vom großen Hecker (nach bekannter Melodei zu singen)« *

1848, Holzschnitt, teilweise koloriert, 37 × 28, Lit.: Otto 1982, 329; Underberg 1930; Z (C 15) 1910

Regierungstreues Spottgedicht auf Friedrich Hecker (1811–1881 Amerika) dem ehemaligen Obergerichtsadvokaten in Mannheim, nach der Niederlage der von ihm geführten Freischärler in der Schlacht bei Kandern am 20. April 1848. Das Gedicht stammt vom Pfälzer Dichter Carl Christian Gottfried Nadler; unfreiwillig erhöhte Nadler allerdings die Popularität Heckers nach den badischen Osterereignissen noch, obwohl Nadler hier die sich später hartnäckig haltende Legende, daß Gagern in der Schlacht von Freischärlern meuchlings ermordet worden wäre, entwirft. Er machte sich damit bei den Anhängern Heckers so verhaßt, daß er beinahe einem Mordversuch erlegen wäre.

Das Guckkasten-Lied vom großen Hecker.

(Nach bekannter Melodei zu fingen.)

12.5.2.10

Die unbeabsichtigte revolutionäre Wirkung des Blattes lag besonders an der Aufmachung Heckers, der vom Zeichner mit seinem breitrandigen, federgeschmücktem Hut und seiner übertriebenen Bewaffnung lächerlich gemacht werden sollte. Unwillkürlich wurde damit jedoch die romantische einprägsame Erscheinung eines Freischärlers geschaffen, wie sie in späteren Karikaturen mit langer Feder, Schlapphut und Bluse immer wieder auftauchten. U.L.

12.5.2.11 Friedrich Hecker *

Theodor Sohn (1811–1876), Zizenhausen, um 1848/1849, Ton, bemalt, 18,9 × 8,4; Lit.: Seipel 1984, Abb. 159; Konstanz, Rosgartenmuseum V-Z/13-002 (310)

Friedrich Hecker (1811–1881) war im Frankfurter Vorparlament tätig und Mitorganisator des Badischen Aufstandes. Sein »Hecker-Hut«

fand als revolutionäres Element in der Karikatur weit verbreitete Aufnahme. Abgesehen von der unterschiedlichen Haltung der rechten Hand und dem gemilderten Mienenspiel Heckers weist diese Figur auf das Vorbild in der Mitte des »Guckkasten-Liedes vom großen Hecker« hin (vgl. Kat.Nr. 12.5.2.10). U.L.

12.5.2.12 Geschichte von Friedrich dem Terroristen

Henry Ritter (Montreal/Canada 1816–1853 Düsseldorf), 1848, bez. u.r.: H R 1848, Lithographie, koloriert, 29,4 × 22; Bamberg, Staatsbibliothek Bamberg, M. v. O. C I – 130

Das Blatt stammt aus einer Serie mit dem Titel »Der politische Struwelpeter« mit insgesamt sieben Blättern, nach Art eines Bilderbogens. Die Reime sind im Stil des wirklichen »Struwelpeters«, der 1845 bekannt wurde, gehalten.

Die anderen Blätter behandeln Peter den Wühler, Jakob den Heuler, die Geschichte vom Sonder-Ernst, die schreckliche Geschichte vom Schlächter Alfred. Ein Teil der Blätter erschien erst 1849.

Die vorliegende Geschichte bezieht sich auf Heckers gescheiterten badischen Revolutionsfeldzug im Frühjahr 1848 und auf seine Flucht nach Amerika. U.L.

12.5.2.13 Ein Totentanz aus dem Jahre 1848 *

Alfred Rethel (Diepenbend 1816–1859 Düsseldorf), Leipzig: Verlag Georg Viegand, 1848 (Druck 1849), Holzschnitt, Buchdruck, 25 × 32, Lit.: Bechstein 1850, 68 f.; Ponten/Rethel 1912, 116–121; Ponten 1922, 49–55; Koetschau 1929, 220–245; AK Eva, Hamburg 1986, 376; München, Zentralinstitut für Kunstgeschichte D Re 200/2

(Die Volksausgabe war in Plakatform) Alfred Rethels Totentanz, in den Jahren 1848/49 entstanden, war nicht nur die Antwort des Künstlers auf die zum Teil selbst miterlebten Kämpfe des Vormärz und der 1848er Revolution, sondern auch die Reaktion auf das Auftreten der radikalen Linken, deren demagogische Verführung des Volkes zum Aufruhr hier durch den populären badischen Demagogen Friedrich Hecker, repräsentiert wird. Der Tod, auf allen Blättern mit »Heckerhut« und »Heckerstiefeln« bekleidet, ist nicht unausweichlich und

12.5.2.11

schicksalhaft wie in mittelalterlichen Totentänzen, er verlockt nur diejenigen, die sich verführen lassen, zu gegenseitigem sinnlosen Morden. Arbeiter, Handwerker und Bauern, unrealistischerweise die einzigen Teilnehmer der Revolution, erlangen die versprochene Freiheit, Gleichheit und Brüderlichkeit erst im Tod. Der Totentanz, als Flugblatt weit verbreitet, von Vereinen und Behörden gekauft, in Schulen und Kasernen verteilt, in reaktionären Zeitungen besprochen, trägt Apellcharakter, warnt vor weiteren Aufständen und diente so der Reaktion als Propagandamittel zu einer Zeit, als die letzten Aufstände niedergeschlagen wurden.   K. G.

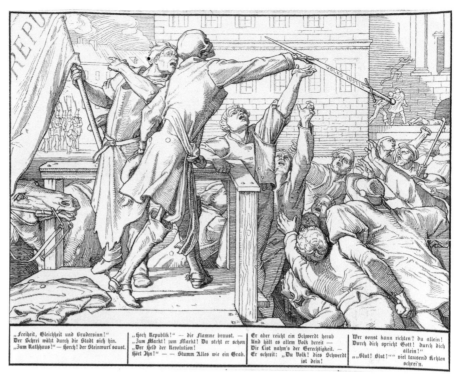

„Freiheit, Gleichheit und Brudersinn!“ | „Hoch Republik!“ — die Flamme braust. — | Er aber reicht ein Schwerdt herab | Wer sonst kann richten? du allein!
Der Schrei wält durch die Stadt sich hin. | „Zum Markt! zum Markt! Da steht er schon | Und hält es allem Volk bereit — | Durch dich spricht Gott! Durch dich
„Zum Rathhaus!“ — Horch! der Steinwurf saust. | „Der Held der Revolution!“ | Die List nahm's der Gerechtigkeit. | allein!
 | hört Ihn!“ — — Stumm Alles wie ein Grab. | Er schreit: „Du Volk! dies Schwerdt | „„Blut! Blut!““ viel tausend Kehlen
 | | ist dein! | schrei'n.

12.5.2.13

12.5.2.14 »Noch ein Todtentanz« ∗

Verlag: Emil Roller, München, 1849, Holzschnitt, 21 × 31, Lit.: AK Die letzte Reise, München 1984, Nr. 182; Z (B 21) 1933 a/1–6

Sechs Blätter mit erklärendem Text; der Titel der anonymen Serie paraphrasiert Rethels »Ein Todtentanz aus dem Jahre 1848« (vgl. Kat.Nr. 12.5.2.18), intensiviert aber noch die Warnung vor einem brutalen Niederschlagen des politischen Aufbegehrens, wie die hier erkennbar illustrierten badischen Kämpfe zwischen den Aufständischen und preußischem Militär. Die Vorrede macht die politische Absicht deutlich:

»Freiheit, Gleichheit und Brudersinn,
Du Pöbelwahn, fahr' hin, fahr' hin!«
Solch' Wort tönt von der Fürsten Mund,
Und eilig schließen sie den Bund.
Nur Ein Genoß noch ihnen fehlt,
Der ihren Muth und Willen stählt,
Der, was ihr Sinn beschlossen hat,
Auch rasch vollführt durch rasche That.
Sie finden ihn nach kurzer Wahl:
Sein Antlitz ist gar wüst und fahl,
Sein Arm ein dürrer Knochenarm,
Ihm schlägt kein Herz im Busen warm,
Ihn rührt kein Leid des Volks, kein Fleh'n,
Ihn hat noch keiner lachen seh'n,
Ihm schwellt kein Freiheitsdrang die Brust,
Er kennt nicht Schmerz, er kennt nicht Lust,
Er ist's, der sich von je vereint
Der Despotie als treuer Freund,
Er ist der Menschheit Urdespot –
Es ist der Sensenmann, der Tod.   H. O.

12.5.2.15 Porträt Robert Blums

um 1848, Öl/Lwd, 62 × 53; Nürnberg, Germanisches Nationalmuseum Gm 1050

Der Sachse Robert Blum (1807–1848) war der einflußreichste Politiker der demokratischen Linken. 1844 engagierte sich der Theaterkritiker für die deutsch-katholische Bewegung um Johannes Ronge. Er war Mitglied und dann auch Vizepräsident des Vorparlaments, Abgeordneter zum Frankfurter Parlament und hier im Verfassungsausschuß. Blum lehnte die konstitutionelle Monarchie, aber auch die Gewalt ab. Im Oktober nahm er als Delegierter der linken Abgeordneten in Frankfurt an den Aufständen in Wien teil. Nach dem Zusammen-

Sechstes Blatt

"Du mit dem Gelzweig Schwert und Schild, | Dem Grab der Helden ich entstieg, | Dem Volke das verheißne Glück! | Die Einzelnen ruf' ich in die Schranken,
Wer bist du holdes Frauenbild?" | Die du erreichst im blutgen Krieg! | Mein Kampf ist gut und ist gerecht, | Die ganze Menschheit, sie ist mein,
""Ich bin die Freiheit, bin der Preis | Recht mit Kanonen zwinget ihr | Drum fürcht' ich deine Sense nicht! | Lebendig, frei sind die Gedanken,
Des heilgen Kampfes, schwer und heiß!"" | Die Zeit ins alte Joch zurück. | Ich schütze der Menschheit ewiges Recht, | Der todte Leichnam nur ist Dein!""
 | Nicht mit Kartätschen bringet ihr | Ob auch des Menschen Auge bricht. |

12.5.2.14

bruch der Revolution am 31. Oktober wird Blum vier Tage später verhaftet, standrechtlich verurteilt und ohne Rücksicht auf seine Abgeordnetenstellung am 9. November erschossen. Blum war Vater von vier Kindern.   U. L.

12.5.2.16 Robert Blum ∗

Zizenhausen, um 1848/49, Ton, 16,3 × 8,6; Lit.: Seipel 1984, Abb. 158; Konstanz, Rosgartenmuseum v-z/13-003 241

12.5.2.16

Die Modeln zu Robert Blum und Friedrich Hecker gehörten zu den letzten in Zizenhausen hergestellten. Nach seiner standrechtlichen Erschießung am 9. 11. 1848 in der Brigittenau bei Wien wurde Robert Blum zum Märtyrer der Revolution. Die Polizei verbot sehr bald den Verkauf dieses politischen Souvenirs.   U.L.

12.5.2.17 »Standrechtliche Erschießung des deutschen Reichstagsabgeordneten Robert Blum in der Brigittenau bei Wien am 9. November 1848.« *

L. v. Elliot, nach 9. 11. 1848, bez. u. l.: Gedr. bei C. Knatz in Frankfurt a/M; u. r.: Verlag v. R. Baist in Rödelheim, Kreidelithographie, 50,5 × 37,5; Wien, Historisches Museum 822/87.914

Robert Blum hatte gehofft, in Wien seine politischen Ideale (Volksbewaffnung, Patriotismus, Demokratie) verwirklicht zu sehen. Am 17. Oktober traf er mit einer Abordnung von vier Parlamentariern (neben ihm Julius Fröbel, Moritz Hartmann, Albert Trampusch) in Wien ein. Blum ließ sich hier zu öffentlichen Gewaltaufrufen hinreißen. Aktiv nahm er an den Barrikadenkämpfen in Wien teil in der sicheren Überzeugung, daß der Untergang Wiens auch den Untergang der deutschen Demokratie mit sich führen müsse. Nachdem Windischgrätz die Stadt von den Revolutionären »entsetzt« hatte (31. 10. 48), wurden bis zum Mai 1849 24 Todesurteile an den Führern der Aufständischen vollstreckt. Das populärste Opfer war Robert Blum, dessen Erschießung am 9. 11. 48 in zahlreichen Szenen dargestellt wurde.   U.L.

Robert Blum

Legt Männer alle Trauer an,
Die ihr von echtem Schrot,
Der frei für Deutschlands Recht gekämpft,
Der edle Blum ist todt.
Der Mund der nur von Freiheit sprach,
Er ist jetzt kalt und stumm,
Das Herz das nur für Freiheit schlug,
Steht still in Robert Blum.

Verlassen von den Seinen all
Im ganzen deutschen Reich,
Sah man in Frankfurt ruhig zu
Dem großen Henker-Streich.
Da saßen sie die Redner all,
Sie saßen bleich und stumm,
Als stieg ein Geist zur Linken auf,
Der Geist von Robert Blum.

O armes Deutschland hoffe nicht,
Daß Hilf' dir werden kann,
Die Deutschlands Rechte schützen soll'n,
Sie schützen keinen Mann!
Vertraue nicht auf jene dort,
Nach andrer Hilf' schau um,
Vielleicht hilft uns der Todte selbst,
der todte Robert Blum.

Ruft seinen Namen in die Welt!
Prägt ihn den Kindern ein,
Er soll zur Zeit das Losungswort
Des ganzen Volkes sein.
Wenn der Orkan der Freiheit einst
die Throne stürzet um,
Dann ruft den Todten wieder wach:
Es lebe Robert Blum!

anonym, Leuchtkugeln, Randzeichnungen
zur Geschichte der Gegenwart, II, München 1848

12.5.2.17

12.5.2.18 Bekanntmachung: »Programm für die Totenfeier für Robert Blum«

Der Vaterlands-Verein, München, 4. Dezember 1848, Buchdruck, 49,5 × 31; München, Stadtbibliothek, Monacensia-Slg., Nachlaß Pschorr

Robert Blum wurde nach seinem Tod wie ein Volksheld gefeiert, zu seiner Rettung hatte sich niemand bereitgefunden. Die Trauerfeier in München wurde vom Vaterlands-Verein organisiert. In Anwesenheit Johannes Ronges, des ehemaligen Mitstreiters Robert Blums für die deutsch-katholische Kirche, sollten sich über 1 200 Trauergäste im Freien versammeln, da die Kirchen für die Trauerfeierlichkeiten verweigert wurden. An dem Trauerzug nahmen die Mitglieder des Vaterlands-Vereins, des demokratischen Vereins, der Turnvereine, des Bildungs-Vereins für Arbeiter, der Gesangs-Vereine sowie Studenten, Polytechniker, Bürgersöhne sowie Mitglieder der Landwehr und der Freicorps teil (Otto 1982, 455). U.L.

12.5.2.19 »Die Männer des Volkes. Dem Volk gewidmet. Der Nachwelt zur Erinnerung!«

Carl Koch (Hamburg 1806–1900 Speyer); graviert von F. Uhlig, 1849, Druck auf Seide, 60 × 65; Lit.: AK Hambach, Neustadt a. d. W. 1982, 281, Nr. 467 f. (Abb.); Bad Bergzabern, Stadtverwaltung

49 Büsten von überwiegend dem liberalen Flügel angehörenden Mitgliedern der Frankfurter Nationalversammlung werden hier, mit Nummern, die in einer darunter stehenden Namenslegende aufgelöst sind, auf blauem Grund präsentiert. Das Oval mit den Büsten wird von Eichenlaub in einem stilisierten Meanderrahmen umgeben. U.L.

12.5.2.20 »Die merkwürdigsten Männer des Jahres 1848/The most Remarkable Men of the jear 1848«

Deutschland, um 1848/49, Schachtel, beklebt mit koloriertem Kupferstich, Buntpapier und Goldborten, 1,7 × 10,5 × 14,5; Lit.: Wilckens 1986, 60 (Abb.); Nürnberg, Germanisches Nationalmuseums, HG 5620

Dominospiel mit 28 Dominokarten, darauf die Porträts der prominentesten Männer des Revolutionsjahres 1848, unter ihnen Ludwig I. König von Bayern, der preußische König Friedrich Wilhelm IV., Robert Blum und Friedrich Hecker. U.L.

12.5.2.21 Gedenkblatt auf das Jahr 1848 ** Abb. S. 254

Bernhard Stange, München, 1848, bez.: Gemalt v. Bernhard Stange, u. M.: Verlag der Kunstanstalt Fr. Hanfstaengl in Dresden u. München, Tondruck, lithographiert, koloriert, 40,5 × 59,8; Z (E 3) 1860

Eine Gruppe oberbayerischer Gebirgsbewohner schwenkt auf einem Gipfel die deutsche Fahne beim Anbruch des neuen Morgens. Im Hintergrund sind auf den anderen Bergen kleine Feuer, wie sie z. B. bei den Sonnenwendfeiern üblich waren, entfacht worden. Unter dem Bild der Text: »Von deiner Berge höchster Spitzen/Hinaus zu fernstem Meeresband/Sieh' deine Flammengrüße blitzen/Du großes deutsches Vaterland/Die Schatten flieh'n! so lasse prächtig/Im Morgenlicht dein Banner weh'n/Sei einig, deutsches Volk, dann mächtig/Und frei, wie deine Berge steh'n!« U.L.

12.5.2.22 »Das Jahr 1848. Die reife Frucht der deutschen Vergangenheit, Der ahnungsvolle Keim der europäischen Zukunft.« *

Nürnberg, um 1848/49, bez. u. M.: Verlags-Eigenthum des Zeichners, Mit einem Textblatt zu beziehen durch Maar an der Maxbrücke L. No. 1577 in Nürnberg, Lithographie, 56 × 39,5; Z (C 14) 1859

In einer üppigen Rocaille-Rahmung wird oben die Germania vor einer Eiche sitzend mit einem Buch in der Hand (»Geschichte des Deutschen Volkes«) dargestellt. Links von ihr Parlamentsabgeordnete, wie z. B. Blum und Hecker, darunter Barrikadenkämpfe, oben auf den Barrikaden wird Blum, die deutsche Fahne in der Hand, erschossen. Unter dieser Szene eine weitere kleinere, die den schlafenden Kaiser Karl den Großen zeigt. Hinter ihm wird gerade sein Schwert geschmiedet. Vier Wappen verkünden die wichtigsten Etappen der deutschen Geschichte: 1525 (Luthers Thesen), 1813 (Völkerschlacht bei Leipzig), 1830 (Julirevolution in

12.5.2.22

743

12.5.2.23

Paris mit darauf folgenden kurzen Aufständen in Deutschland) und 1848, diese Wappentafel wird von Zwergen gerade erst befestigt. Für ein fünftes und letztes Wappen ist bereits ein Haken vorhanden. U. L.

12.5.2.23 »Zur Erinnerung an das Jahr 1848.« *

1848, bez. u. l.: entworfen und ausgeführt von Peter Geist; u. r.: gedruckt in der lithographischen Anstalt von Christian Weiss; u. M.: Beilag zum Würzburger Abendblatt, Lithographie, 38,5 × 48; Z (C 15) 1884

Bildmitte: Einzug des Vorparlaments in die Paulskirche; gerahmt von 13 Szenen aus dem Revolutionsjahr: die Einführung des Reichsverwesers Johann im Parlament, die Erstürmung Stauffens durch badische Revolutionstruppen, die Barrikadenkämpfe in Berlin, die Erstürmung des Zeughauses, Robert Blums Ende, die Ausrufung der Republik in Baden, die Erstürmung der Düppler Schanzen in

Schleswig-Holstein im Juni, General von Gagerns Tod bei Kandern, der Einzug Struves in Lörrach, Lichnowskys und Auerwalds Tod im September, das Bombardement von Wien im Oktober, Barrikadenkämpfe in Frankfurt im September und der Kampf der letzten Aufständischen in Wien. U. L.

12.5.2.24 »Drei deutsche Professoren entwerfen den Entwurf des Entwurfs für die Verfassung des deutschen Reichshēres«

Alphons von Bodien (1802–1857), Frankfurt a. M., 1848, bez. u. r.: AV. B; u. l.: Lith. Ausst. v. Ed. Gust. May in Frankfurt a. M.; o. r.: No. 13, Federlithographie, 23,5 × 30, Lit.: AK Politische Karikaturen, Karlsruhe 1984, Nr. 73 (Abb.); Karlsruhe, Stadtarchiv

Satire auf die gelehrte, theoretisierende Gesetzesmacherei in Frankfurt. Die drei Professoren, die dort am Tisch in Schlafröcken gehüllt sitzen und schreiben, haben sich die Zipfelmützen so tief über die Ohren gezogen, daß sie

nichts mehr sehen und hören. Robert Blum schaut durch den Türspalt herein. Die Karikatur gibt der Enttäuschung vieler Deutscher Ausdruck, die sich einen effektiveren Verlauf der Parlamentsverhandlungen erhofft hatten. U. L.

12.5.2.25 »Die Grundrechte des deutschen Volkes«

L. v. Elliot, Frankfurt, 1848, bez. u. l.: L. v. Elliot; u. M.: Druck u. Verlag v. C. Knatz in Frankfurt a/M, Lithographie, getönt, Golddruck; 47,8 × 38,4; Lit.: AK Vorwärts, Nürnberg 1986, 205, Nr. 300; Bamberg, Staatsbibliothek Bamberg, M. v. O. C I 469

Der Reichsverweser verkündete in dieser Bekanntmachung »in Ausführung des Beschlusses der Reichsversammlung vom 21. December 1848« die Grundrechte als Gesetz mit 50 Paragraphen. Im Rahmen um den Gesetzestext sind einige der wichtigsten Grundrechte zitiert: »Die Freiheit der Person ist unverletzbar«,

»Volle Glaubens- und Gewissensfreiheit«, »Die Wissenschaft u. ihre Lehre ist frei«, »Die Wehrpflicht ist für alle gleich«, »Die Strafen des Prangers, der Brandmarkung, der körperlichen Züchtigung sind abge . . .«, »Die Todesstrafe ist abgeschaft.« »Vor dem Gesetz gild kein Unterschied.« »Versammlungsrecht.« »Pressfreiheit.«

Die Debatten um die Ausarbeitung einer demokratischen Verfassung wurden in ganz Deutschland mit großer Aufmerksamkeit verfolgt. Vor allem die Grundrechte, bei denen die amerikanischen und französischen Verfassungen Vorbild sein sollten, erregten großes Interesse. Rechtsgleichheit, einheitliches Staatsbürgerrecht und Gleichheit der Bürger vor dem Gesetz sollten den bürgerlichen deutschen Rechtsstaat garantieren, Freiheit der Person, Meinungs- und Glaubensfreiheit, Vereins- und Versammlungsfreiheit, Unverletzlichkeit des Eigentums, Abschaffung der Adelsprivilegien, Auflösung der Untertänigkeits- und Hörigkeitsverhältnisse waren die wesentlichen Grundrechte der Verfassung. Erst am 21.12. 1848 konnten die diesbezüglichen Parlamentsbeschlüsse verabschiedet werden. Am 27.3. 1849 wurde die Verfassung endgültig beschlossen. U.L.

12.5.2.26 »Neuestes Modell/eines deutschen Kaisers/einer hohen Nationalversammlung/ gewidmet.«

Lithographie, 33 × 22; Z (B 21) 1918

Der deutsche Michel liegt auf einem Sockel hingestreckt, auf ihm sitzen drei Staatsmänner in grotesken Gestalten. Sie tragen einen Sockel aus Kugeln und Kanonen, auf dem ein kindlich aussehender Mann thront, Seifenkugeln blasend, die als »Kaiserliche Versprechen?« zur Seite herabfallen.

12.5.3 Münchner Krawalle

12.5.3.1 Der »Wieselbräu-Crawall« im Mai 1848

1848, Lithographie, 17 × 20,7; Z (A 10) 1917

Im Thale drunt' beim Wiesel=Bräu,
Wer sollt' es noch nicht wissen,
Da hat man wegen Pfennig zwei
Ein'n Menschen 'naus geschmißen.
. . .

2 Pfennig fehlten nur noch ihm
Für Bier und etwas Essen,
Als jene Bräuin ihn voll Grimm
Beinahe hätte g'freßen.
. . .

Den armen Teufel in der Nacht
Zum Hause 'naus zu stoßen,
Als draußen sich mit großer Macht
Das Volk an ihn geschloßen.

Das Volk, empört ob dieser Schmach,
Zum Zorne hingerissen,
Hat jetzt genommen schnelle Rach'
Und d'Fenster eingeschmissen.

Entgegen den Befürchtungen der Bürger waren die Krawalle und Unruhen, die am 1. Mai 1848 – dem traditionellen Tag des Sommerbieranstichs und der damit verbundenen Bierpreiserhöhung – stattfanden, nicht so schlimm wie die im Mai 1844. Trotzdem kam es auch diesmal wieder zu eingeworfenen Fensterscheiben, Prügeleien, Sachbeschädigungen und Brandstiftungen. 24 Tumultanten wurden verhaftet und in den Neuthurm abgeführt (Ulrich von Destouches, Jahrbuch der Stadt München von 1848). I.W.

12.5.3.2 »Sparkassen« *

A. Bauer Scriba, München, 1848, bez. u.l.: Zeichnung u. Druck v. C. Hohfelder; u.r.: Entworfen v. A. Bauer Scriba, Lithographie, 45 × 37; Lit.: StaatAM Pol. Dir. 344/3; Z (C15) 1897

Die Dornenranken sind typisch für die bei Hohfelder verlegten politischen Einblattdrucke

(vgl. Kat.Nr. 12.3.28). Auch mit diesem Blatt gingen Hohfelders Bilderhändler noch 1850 in Ober- und Niederbayern hausieren. Die einzelnen Szenen: Stube armer Leute, in der Mitte Bänkelsängerszene mit der »Geschichte von den Oliven«, darunter Staatsgebäude, über dessen linkem Eingang »Städtische Sparkasse«, über dessen rechten »Staatsschuldentilgungskasse« steht, ganz unten grotesker Drachen, spielen auf die Liquiditätsprobleme der städtischen Sparkassen im Sommer 1848 an. Schon am 30.5.1848 verbot der Münchner Bürgermeister die Einnahmen neuer Spargelder solange die alten nicht ausbezahlt werden konnten. Verunsicherte Bankkunden verkauften ihre Sparbücher daraufhin bis zu 40 Prozent unter ihrem Wert. Das Volk brachte die Liquiditätsprobleme der Sparkassen mit dem gefürchteten Staatsbankrott in Verbindung. Die Sparkassen waren tatsächlich bis zum Juni 1848 verpflichtet gewesen, den Großteil ihrer Spargelder der Staatsschuldentilgungskasse zur Verfügung zu stellen. U.L.

12.5.3.2

12.5.3.5

12.5.3.3 »Der Hausschatz«. –

21.8.1848, Lithographie und Typendruck, 19,5
× 16,5; A 50/31 = 35/1578

Satirisches Gedenkblatt auf den 21.8.1848:
Gedicht in 6 Absätzen zu je 4 Zeilen; oben 2
Soldaten, die einen in einem vergitterten Gewölbe befindlichen Schatz bewachen, zu dem
Eisele und Beisele treten.
Josephine von Kaulbach teilt ihrem Gatten am
20. August 1848 mit: »Bei uns in München
geht es wieder toll zu ... Nun setzen sie den
Leuten in den Kopf, den Hausschatz, die Juwe-
len des Staates, hätte König Ludwig fortgebracht ... Der kleine an Leib und Seele verkrüppelte Volkstribun Vogt stolzierte durch
die Straßen, gefolgt von einem Haufen Schusterjungen, Weibern und Gesindel. Auch sah
man Gruppen von Menschen beisammen stehen, und einer in ihrer Mitte, der das große
Wort führte, schimpfte auf Gesetz und Ordnung und suchte das Volk zu reizen, ... es
kam nachts zu schlimmen Auftritten und es

gab mehrere Verwundungen. Bürger und Freikorps übernahmen es dann, die Ruhe wieder
herzustellen. Heute ist an allen Ecken angeschlagen, daß auf Befehl des Königs die Schatz-
kammer für jedermann offensteht, und man
warnt die Bürger davor, künftig wieder solchem Geschwätz und böswilligen Gerüchten
Glauben zu schenken.«
aus: Schrott 1963, 402   U.L.

**12.5.3.4 »Handelsministerium in spe!« ∗
Abb. S. 263**

*wohl bei C. Hohfelder, München, 1848, Litho-
graphie, 45 × 31; Z (C15) 1896*

Gottlieb Karl von Thon von Dittmer
(1802–1853) war von 1836–1848 Bürgermeister in Regensburg und gehörte seit März 1848,
noch unter Ludwig I., zum liberalen Ministerium der Morgenröte, bis November 1848 amtierte er als bayerischer Innenminister, auf seine
Anweisung hin war Lola Montez verhaftet
worden.

Die Karikatur spielt auf eine mögliche Berufung Thon-Dittmers als Handelsminister an,
»Doch mit des Glückes Mächten, Ist kein ewiger Bund zu flechten.« Im unteren Teil des
Blattes werden in vier kleinen Szenen seine
»Sünden« als Innenminister dargestellt: »De-
mokratenverhaftung«, »Den 6ten August
1848«, »Wiener Studenten-Ausweisung«,
»Schatzkammerfrage«. Thon-Dittmer hatte
sich im September bei den Republikanern verhaßt gemacht, als er grundlos neun führende
Demokraten verhaften ließ. In einer anderen
Karikatur auf den Innenminister »Frohe Erinnerung an den 6ten August 1848« werden seine
Gegner mit dem Fasces-Bündel, dem Zeichen
der Republikaner, dargestellt. Dieses Blatt erschien nachweislich im Münchner Hohfelder-
Verlag und korrespondiert in der Ausführung
mit dem vorliegenden. Es ist daher anzunehmen, daß auch das »Handelsministerium in
spe!« bei Hohfelder erschien.   U.L.

12.5.3.9

12.5.3.7

12.5.3.7 Acht Szenen zu den Ereignissen der Oktoberkrawalle in München *

1848, Lithographie, 46,9 × 33,5; Lit.: MK Proebst, München 1868, 170, Nr. 1611; P 1611

In den beiden mittleren Szenen reklamiert Pschorr eine zerstörte Stockuhr bei einem Uhrmacher und beichtet in der Kirche, den »Vorwärts« gelesen zu haben. In den Randszenen wird wieder auf die Unfähigkeit von Polizei und Landwehr angespielt. U.L.

12.5.3.8 Adresse der Bürger der Stadt München an König Max II.

München, 21. Oktober 1848, Buchdruck, 46,9 × 29,9; München, Stadtbibliothek, Monacensia-Slg., Nachlaß Pschorr

Die Bürger verlangen von ihrem König mehr Schutz für ihr Eigentum und eine Entschädigung für die bei den Krawallen erlittenen Verluste. U.L.

12.5.3.9 Ein Lehrling im Revolutionsjahr 1848 *

Carl Grünwedel (Pappenheim 1815–1895 München), 24. November 1848, bez. u. r.: C. Grünwald den 24. Nov. 48, Bleistiftzeichnung, aquarelliert, 26 × 16,5; B 101/6 (31/544)

Selbstbewußt präsentiert sich der etwa 14jährige Lehrling mit Degen und Helm, wohl erbeuteten Zeughauswaffen aus dem Zeughaussturm am 4. März 1848. Hinter dem Lehrling an der Mauer eine königliche Proklamation. Wahrscheinlich handelt es sich hier um eine Studie für ein Erinnerungsbild auf die Märzereignisse in München. U.L.

12.5.3.5 »Ereigniße in München / am 18. Oct. 1848« *

C. Hohfelder, Lithographie, 36 × 45; Z (C15) 1901

Ein kurzer Text am unteren Bildrand beschreibt die »Ereignisse«: »Nachdem sämmtliche Bräuer mehr oder weniger scharf mitgenommen waren, ging es zu Pschorr in der Neuhausergasse. Das Militär sperrte die Eingänge, und die Bräuknechte hieben mit Knütteln und Holzscheiten auf die Masse, wobei ein Mann getödtet, mehrere aber tödlich verwundet wurden. Hierauf entstand nun ein Greuel der Verwüstung furchtbarer Art. In der Privatwohnung des Bräuers wurde total Alles demoliert. Klavier, Bilder, Stockuhren, Wäsche, Betten, Kleider, Stücke, Leinwand, Silbergeräth kurz Alles wurde zertrümmert, zerrissen und zu den Fenstern hinabgeworfen. Die Bettfedern flogen nebst zerrissenen Banknoten in der Luft, als ob es schneite, Schmuck und Gold etc. wurde geraubt, da sich unter das Volk auch viel' Gesindel gemischt hatte. Dieser Akt dauerte ununterbrochen volle 2 Stunden.«

In den Ecken auch Plünderungsszenen im Wirtshaus, in einem Metzger- und einem Bäckerladen und in einem Weinkeller.

Das Ganze ist wieder von den für den Hohfelder Verlag typischen Dornenranken gerahmt. U.L.

12.5.3.6 Satire auf Pschorr und die Unfähigkeit der Polizei

1848, Lithographie, 22 × 20; Z (B 21) 1903

Pschorr bittet den »Polizeipräsidenten« um Hilfe und Schutz für sein bedrohtes Leben und Eigentum, aber der weiß von nichts und muß erst zum »Polizeydirektor« schicken, der nur leider gerade in Nymphenburg ist. U.L.

12.5.4 A Ruah wolln mer habn

12.5.4.1 »Charte über die politische Färbung Bayerns zur Zeit des Landtags 1849.« ✳ ✳

Julius Knorr, München, 1849, bez. u. M.: Selbstverlag des Verfassers, II. Auflage, Lithographie, koloriert, 34,5 × 45, M III/2

Nach eigener Ankündigung stellte Julius Knorr diese politische Übersicht nach Angaben aus den Regierungsblättern und »Partei-Programmlisten« zusammen. In den dunkelgrau markierten Wahlbezirken wurde überwiegend rechts-konservativ gewählt, in den grau-rosa farbenen rechts-liberal (»rechtes Centrum«), in den dunkelgelben links-liberal (»linkes Centrum«) und in den hellgelben links. Der politische Gegensatz zwischen Alt- und Neubayern wird so sehr deutlich sichtbar. Links und rechts neben der Karte sind, nach Regierungs- und Wahlbezirken geordnet, die Namen der Abgeordneten mit ihrer jeweiligen »politischen« Färbung aufgelistet. Im unteren rechten Eck der Karte hat Knorr noch eine »Statistische Übersicht« mit der Flächenverteilung, Einwohner- und Abgeordnetenzahl usw. in den einzelnen Regierungsbezirken angefügt. Noch unter Ludwig I. wäre es wahrscheinlich nicht möglich gewesen, eine solche Übersicht oder Liste zu verkaufen, da der König strikt die Existenz von Parteien oder organisierten politischen Gruppen im Landtag leugnete. Bereits im Vormärz begannen sich jedoch politische Zusammenschlüsse unter den Abgeordneten zu bilden, die sich vorerst noch Vereine oder »Clubbs« nannten. U.L.

12.5.4.2 »Erinnerung an den 9ten Febr. 1849« ✳

München, 1849, Lithographie, 33,5 × 26,5, Lit.: StaatsAM, Polizeidirektion Nr. 344/3; Z (B21) 1921

Am 8. Februar 1849 beschloß der zwei Wochen zuvor eröffnete neue bayerische Landtag mit den Stimmen der Linken und des linken Zentrums, sich den Beschlüssen des deutschen Parlaments in der Paulskirche unterzuordnen, die hier bereits rechtskräftig gewordenen Grundrechte des Deutschen Volkes auch in Bayern sofort einzuführen und eine dem Parlament verantwortliche Regierung unter Aufhebung des Staatsrates einzuführen. Der Landtag wurde daraufhin aufgelöst. In München befürchtete man offenbar politische Unruhen, denn der für den folgenden Tag von gemäßigteren Bürgern des rechts-liberalen, konservativen Vereins organisierte Fackelzug wurde von allgemeinen Aufrufen zur Aufrechterhaltung der Ruhe und Ordnung begleitet. Auf der Lithographie paradieren an den ernst ausschauenden Bürgern ein Geistlicher, ein Bürger mit der typischen, schon sehr mitgenommen aussehenden Kopfbedeckung der Revolutionszeit und ein zufrieden lächelnder Soldat vorbei. Die kleine Gruppe wird von einem Schusterjungen angeführt, der in der Tasche einen Sündenablaß auf zehn Jahre trägt, und sich vielleicht deshalb

Erinnerung an den 9ten Febr. 1849.

12.5.4.2

bereitgefunden hat, an dieser Veranstaltung teilzunehmen. Den Schusterjungen und -gesellen wurde normalerweise eine besonders revolutionäre, linke Einstellung nachgesagt, mehrere Straßenunruhen der vorausgegangenen Monate gingen angeblich auf ihr Konto.
Als 1851 die Polizei im Verlag Hohfelder bei einer großen Hausdurchsuchung auch die Geschäftsunterlagen überprüfte, fand sie einen Hinweis auf ein Blatt, das bei Hohfelder nur »Fackelzug« hieß. Dabei könnte es sich um die hier vorliegende Lithographie gehandelt haben. Hohfelder verkaufte seine Blätter über reisende Bilderhändler, die ihre Ware per Post zugeschickt bekamen, bis nach Österreich hinein. Seine besten Kunden waren dabei nach Auskunft der Händler die Wirtinnen. U.L.

12.5.4.3 Ein Fackelzug auf dem Marienplatz

1849, Öl/Lwd, 41 × 48; 39/7

Nachtszenen häufen sich in der Münchner Malerei erst in den fünfziger und sechziger Jahren des 19. Jahrhunderts. Doch brachten Anfang

der vierziger Jahre auswärtige Künstler solche Motive auf den Münchner Markt: so Johann Peter Hasenclever seine »Szene in einem Sommerkeller bei München« von 1840 (vgl. Kat.Nr. 4.4.29) oder Petrus van Schendel einen »Nächtlichen Markt in Antwerpen« von 1843, der 1845 in der Münchner Akademie ausgestellt und dort vom König für die Neue Pinakothek erworben wurde. Eine Entstehung des Nachtbildes vom Marienplatz in den späten vierziger Jahren ist wohl wegen der glatten flächigen Malweise anzunehmen.
Das Bild zeigt rechts als Schatten vor dem Mondlicht das Alte Rathaus und den dazugehörigen Turm sowie davor die Mariensäule. Im Licht eines darunter vorbeiziehenden Fackelzuges erscheint als Hauptmotiv das Eckhaus an der Dienerstraße, das sog. »Implerhaus«, das 1370 von dem Ratsherrn Hanns Impler erbaut und im späten 16. Jahrhundert erweitert und umgebaut wurde (Häuserbuch der Stadt München, Bd. 1, 1958, 181). 1861 wurde die Fassade (laut Rambaldi 1894, 172) neugotisch restauriert.

Der Fackelzug kommt offenbar aus der Dienerstraße und bewegt sich auf das Alte Rathaus zu. Die Zuschauer drängen sich davor als dunkle Silhouette auf dem Platz. Einige haben der besseren Übersicht wegen das Postament der Mariensäule und den Fischbrunnen links erklommen.

Ulrich von Destouches schrieb in seiner Stadtchronik für das Jahr 1849:

»Freitag den 9ᵗ Febr. Von einer Anzahl Bürger und dem dahier bestehenden Verein für constitutionelle Monarchie und religiöse Freiheit war ein Aufruf und eine Einladung an allen Straßenecken angeklebt behufs eines, dem Könige darzubringenden großartigen Fackelzuges. Dieser hatte nun heute Abends wirklich statt. Obgleich sich unter die Hochs der Fackelträger auch Hochs der Zuschauer für »die Linke« der Kam̃er mischten, so fanden doch keinerley Ruhestörungen, wie sie befürchtet, vielleicht auch hir und da erwartet wurden, statt.« B.E.

12.5.4.4 Aufruf und Einladung

»Der Ausschuß für den Fackelzug«, München, 9. Februar 1849, Buchdruck, 46,9 × 39,5, München, Stadtbibliothek, Monacensia-Slg., Nachlaß Pschorr

»Eine große Anzahl der Bürger Münchens hat im Einvernehmen mit dem Verein für constitutionelle Monarchie und religiöse Freiheit in den jüngsten Ereignissen eine dringende Aufforderung erblickt, ihre Gesinnung für Deutschlands Größe und Bayerns Wohl öffentlich kund zu geben. Sie wollen ein großes, ein mächtiges, ein freies und unverstümmeltes Deutschland mit Einschluß aller Stämme; sie wollen aber auch Bayerns constitutionelle Monarchie und seine volle Freiheit und Selbständigkeit in seinen inneren Angelegenheiten, welche sie durch eine unbedingte Einführung der Grundrechte gefährdet sehen, gegen jede Willkühr gewahrt und den Wohlstand aller Klassen in Stadt und

12.5.4.9

Land vollständig gesichert wissen. Sie werden dafür heute Abend zur Kundgebung dieser ihrer heiligen Ueberzeugung als freie deutsche Männer und gute Bayern ihrem König, als dem Schirmer des Rechts und der gesetzlichen Freiheit, einen Fackelzug darbringen, und laden Alle, welche diese Gesinnung für Deutschlands und Bayerns Wohlfahrt theilen, hier durch zur Theilnahme ein . . .« U.L.

12.5.4.5 »März=Schnee – Thut der Saat weh!«

bei C. Hohfelder, München, 1849, bez. o.l.: No 5; o.r.: Bauernregel No 2; u.r.: bei C. Hohfelder in München, Lithographie, 26 × 33; Z (B 21) 1928

In der Serie »Caricaturen-Cabinett« veröffentlichte Hohfelder 1848/49 auch die »Bauernregeln«. Der deutsche Michel wirft sich hier schützend über die junge, schon teilweise sprießende Saat, deren Blätter die Aufschriften »Grundrechte, Kaiserthum, Frankfurter Parlament, Freie Presse, Grund=Rechte, Volkssouveränität, Schwurgericht« usw. tragen. Aus drei Händen im oberen Bildrand schneien Blätter mit der Aufschrift »Octroyierte Verfassung« herab. Am 27. März war die endgültige neue deutsche Verfassung in Frankfurt beschlossen worden. Doch die Ablehnung der Kaiserkrone durch den preußischen König Friedrich Wilhelm IV. machte die Arbeit des Parlaments zunichte. U.L.

12.5.4.6 Erklärung der bayerischen Regierung in der deutschen Verfassungsfrage

München, 23. April 1849, Buchdruck, zweiseitig, 34 × 25,4, München, Stadtbibliothek, Monacensia-Slg., Nachlaß Pschorr

In dem äußerst umfangreichen Text erklärt die Regierung ausführlich ihre Gründe, die sie dazu bewogen haben, die in der Paulskirche zu

12.5.4.10

Beilage N 1.

Druck v. Hohfelder.

749

Aus dem König-Ludwigs-Album.

Freischaaren Zug in Baden, 1849.

12.5.4.13

sich mit einem geflickten Regenschirm vor den Sturmböen zu schützen. Bei dieser Adresse handelt es sich höchstwahrscheinlich um eine Bitte der Bürger an den König, die in der Paulskirche beschlossene deutsche Verfassung auch für Bayern zu akzeptieren. Im März kursierten in München noch weitere Karikaturen auf nicht angenommene »allerunterthänigste Adressen (vgl. z.B. »Der Finessen-Sepperl« Nr. 1). U.L.

12.5.4.10 »Charta magna Bavariae« *

bei C. Hohfelder, München, 1849, bez.u.l.: Beilage No 1; u.r.: Druck v. Hohfelder, Lithographie, 26 × 22; Z (B 21) 1922

Bavaria, mit der »Charta magna Bavariae« und Germania, mit den deutschen Grundrechten, stehen sich feindlich gegenüber. Mit Hilfe zweier bayerischer Löwen und einer militärischen Übermacht ist die auf dem Siegestor stehende Bavaria grimmig entschlossen, den Eindringling Germania abzuwehren. U.L.

12.5.4.11 Das »königl. Gesammt=Staats=Ministerium« an das bayerische Volk

München, 9. Mai 1849, Buchdruck, 37 × 48,5, Lit.: MK, Proebst, München 1968, 172 (Nr. 1630), P 1630

In der Bekanntmachung der Minister v. Lesuire, v. Kleinschrod, Aschenbrenner, Forster, Ringelmann und von der Pfordten heißt es:
»Das Streben nach Anerkennung der von der Nationalversammlung beschlossenen Verfassung hat in einigen Theilen des Landes zu gesetzwidrigen Handlungen geführt. In der Pfalz hat sich sogar ein sogenannter Landesvertheidigungs=Ausschuß gebildet, welcher sich Befugnisse beilegt, die nur der gesetzmäßigen Regierung des Landes zukommen, und die Beamten zur Pflichtverletzung, das Volk zur Gewaltthat auffordert.
So klar auch die Gesetzwidrigkeit dieser Handlungen zu Tage liegt, so richtet doch die Regierung dieses Wort der Mahnung an die Irrgeleiteten.
In wenigen Tagen tritt der Landtag zusammen. Den Vertretern des Volkes wird die Regierung diejenigen Punkte der von der Nationalversammlung beschlossenen Verfassung bezeichnen, welche von ihr mit der Einigung von ganz Deutschland und dem Wohle von Bayern für unverträglich gehalten werden. Sie wird zeigen, daß sie keineswegs beabsichtigt, die alte Bundesverfassung wieder herzustellen. Auch sie will dem deutschen Volke die kräftige Einigung nach außen und die freie Entwicklung nach innen durch eine starke Centralregierung und durch vollständige Vertretung des Volkes gesichert sehen. Die Regierung wird den Kammern darlegen, welche Schritte sie gethan hat, um auf rasche Erreichung dieses Zieles durch Revision der von der Nationalversammlung beschlossenen Verfassung hinzuwirken...« U.L.

Frankfurt erarbeitete Verfassung für ganz Deutschland abzulehnen. Dabei heißt es u.a.: »...Die bayerische Regierung hat niemals anerkannt, daß der nach Frankfurt a.M. berufene Nationalversammlung das Recht zustehe, die deutsche Verfassung einseitig ohne Zustimmung der Regierungen festzustellen... Durch diese Verfassung und Wahl würde Österreich aus Deutschland ausgeschlossen werden... Sie schafft nicht einen Bundesstaat, sondern einen Einheitsstaat. Sie koncentriert nicht bloß die völkerrechtliche Vertretung, das Recht über Krieg und Frieden, die Verfügung über die bewaffnete Macht, sondern auch die Finanzkräfte, die Gesetzgebung und selbst in vielen wichtigen Zweigen die innere Verwaltung in einer Weise, welche den einzelnen Staaten jede Selbstständigkeit raubt, und sie lediglich zu Verwaltungsbezirken gestaltet... Die ganze Verfassung, wie sie in Frankfurt beschlossen wurde, würde im Wesentlichen dahin führen, den Süden Deutschlands dem Norden zu unterwerfen, und dadurch die materiellen Interessen des Südens im höchstem Grade zu beeinträchtigen...« U.L.

12.5.4.7 »Magistrat der Stadt München«

München, 27.4.1849, Buchdruck, 40,9 × 24,1, München, Stadtbibliothek, Monacensia-Slg., Nachlaß Pschorr

Energische Aufforderung der Münchner Bürger-Versammlung an den Magistrat der Stadt München, ebenso wie die anderen bayerischen Städte eine Adresse an die Regierung zur An-

nahme der Reichsverfassung zu schicken. »Von den Städten der Pfalz« habe die Regierung sogar »bewaffnete Adressen« – eine Anspielung auf den gleichzeitigen revolutionären Aufstand in der Pfalz – erhalten. U.L.

12.5.4.8 Aufruf und Erklärung zu den Grundsätzen der Verfassung (Oberhoheit des Königs, Gewerbefreiheit, Freizügigkeit)

München, 28. April 1849, Buchdruck, 40 × 23,3, München, Stadtbibliothek, Monacensia-Slg., Nachlaß Pschorr

Aufruf einer Bürgervereinigung, gegen die Annahme der Reichsverfassung zu stimmen, da diese 1. die Oberhoheit des Königs von Preußen, 2. die vollkommene Gewerbefreiheit und 3. die Freizügigkeit mit einer großen Belastung der Gemeinden durch unbemittelte Einwanderer bedeute.

12.5.4.9 »Wie eine durch Deputation nicht angenommene Adresse bei sehr miserablem Wetter ganz einsam an den Ort ihrer Bestimmung wandern thät.« *

wohl März 1849, bez.u.l.: Beilage No. 4, Lithographie, 26 × 24; Z (B 21) 1925

Die Personifikation einer Adresse watet durch vom Regen aufgeweichten Boden nach Nymphenburg (Was durch einen Wegweiser deutlich gemacht wird), eingehüllt in einen Umhang mit der Schrift: »Adresse: Allerdurchlau... König!..llergnädigster Herr!«, und versucht

12.5.4.12 Gedenkmedaille auf die treugebliebenen Soldaten in der Pfalz

Carl Friedrich Voigt (Berlin 1800–1874 Triest), 1849, bez. vorderseitig: Maximilian II Koenig v. Bayern; u.l.: C. Voigt; rückseitig: In/Treue fest/1849, Goldprägung, mit Öse und Band, Ø 3,2, Lit.: AK Hambach, Neustadt a.d.W. 1982, 268; 1971/1981

Vorderseite: Profilbildnis König Maximilian II., Rückseite: Sternschanze, in Erinnerung an die Verteidigung der Feste Landau. Die Medaille wurde am 10. Juni 1849 für die treu gebliebenen Angehörigen der in der Pfalz stationierten Heeresabteilungen gestiftet. Sie hängt an einem roten Band mit schmalen grünen Streifen.

Der Aufstand in der bayerischen Pfalz, dem sogenannten »Rheinbayern«, war ausgebrochen, nachdem Maximilian II. die zweite Kammer des Landtags, die sich für die Annahme der Reichsverfassung ausgesprochen hatte, aufgelöst hatte. Einige ehemalige Teilnehmer des Hambacher Festes riefen zur Revolution auf. Gegen das »verfassungsbrüchige« Bayern wählten die Pfälzer Aufständischen im Mai einen Landesverteidigungsausschuß und bildeten eine provisorische Regierung. Sie versuchten, sich mit den badischen Aufständischen zu solidarisieren. Obwohl ein großer Teil der linksrheinischen bayerischen Truppen, meistens gebürtige Pfälzer, zu den Revolutionären überging (die wenigen königstreuen zogen sich auf die Festungen Landau und Germersheim zurück), konnte der Aufstand mit Hilfe preußischer Truppen im Juni ohne Mühe niedergeschlagen werden. Die geflüchteten Freischärler schlossen sich der badischen Revolutionsbewegung an.   U.L.

12.5.4.13 »Freyschaaren-Zug in Baden, 1849« ∗

R. Braun, 1849, bez.u.l.: Aquarell-Gemälde v. R. Braun; u.r.: Steinzeichnung v. B. Woelffle; darunter M.: Verlag der K.B. priv. Kunstanstalt v. Piloty u. Loehle zu München. Mit gesetzl. Schutz gegen Nachdruck; links und rechts davon eine englische und eine französische Verlagsadresse. Lithographie, 21,5 × 29; G 85/31/22

Das Blatt aus dem »König-Ludwigs-Album« stellt eine malerische Gruppe unterschiedlich gekleideter und bewaffneter Freischärler dar. Auch in Baden waren die Truppen fast geschlossen zu den Aufständischen übergegangen. Der Grund des Aufstandes war der gleiche wie in der Pfalz, man wollte die Annahme der Reichsverfassung erzwingen. Großherzog Leopold von Baden mußte fliehen, ein Landesausschuß übernahm die Regierung. Am 20. Juni 1849 erlitten die Freischärler eine entscheidende Niederlage bei Waghäusl gegen die von Leopold zu Hilfe gerufenen preußischen und hessischen Truppen. Am 23.7.1849 mußten sich die letzten Revolutionäre auf Gnade und Ungnade den Preußen ergeben.   U.L.

12.5.4.14

12.5.4.14 »Zur Erinnerung der ersten Schwurgerichts-Sitzungen in München im Jahre 1849« ∗

Peter Herwegen nach A. Sickinger, 1849, bez.u.r.: Steinstich u. P. Herwegen, u.l.: A. Sickinger entworfen, Steingravierung mit Ton- und Bronzedruck, 52,5 × 33, Lit.: MK Proebst, München 1968, 172, Nr. 1633; Z (C 14) 1729

In der Mitte des Blattes das Verzeichnis der ersten Geschworenen, gerahmt von einem neugotischen Aufbau mit Lilien- und Distelornamentik.

Im oberen Teil der Gerichtshof, darüber die Statue der Gerechtigkeit.

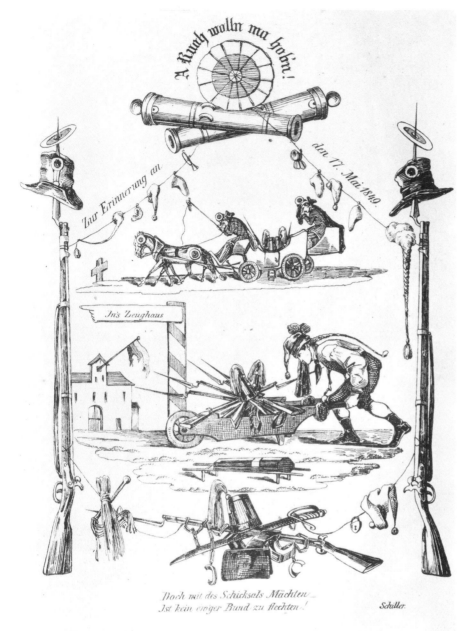

A Ruah wolln ma hob'n!

Zur Erinnerung an

den 17. Mai 1849

In's Zeughaus

Doch mit des Schicksals Mächten — Ist kein ew'ger Bund zu flechten!

Schaller.

12.5.4.16

12.5.4.15 Wie der deutsche Michel von seinem Freiheitsschwindel befreit wird

Mannheim, 1849, Kreidelithographie, 32 × 40,5, Lit.: AK Politische Karikaturen, Karlsruhe 1984, Nr. 79, 114; Otto 1982, 468; Frankfurt, Historisches Museum (C 13.634)

Nachdem die Revolution in Wien blutig niedergeschlagen ist, soll auch der deutsche Michel zur Vernunft gebracht werden. Erzherzog Johann hält seinen linken Arm, Friedrich Wilhelm IV. von Preußen läßt ihn zur Ader, Heinrich von Gagern fühlt ihm rechts den Puls. Ein Vertreter der Kirche assistiert der Gruppe. Die ganze Szene wird im Hintergrund von dem Russen argwöhnisch beobachtet. Von einer

Wolke herab deklamiert Robert Blum, während ein »gallisches« Huhn bereits einen neuen Napoleon ausbrütet.   U.L.

12.5.4.16 »A Ruah wolln ma hab'n!« Gedenkblatt auf den 17. Mai 1849 *

Lithographie, 27,5 × 21,5; Z (CA 10) 1930

Ein Münchner Exemplar eines »Deutschen Michels« mit ellenlangem Zopf bringt die im März 1848 erbeuteten Zeughauswaffen wieder zurück. Darunter das Schiller-Zitat: »Doch mit des Schicksals Mächten – Ist kein ew'ger Bund zu flechten!«   U.L.

12.5.4.17 Gedenkmedaille auf das Amnestiegesetz König Maximilians II. am 22.12.1849

1849, bez. VS: Maximilian II. Koenig v. Bayern; RS: Charta Magna/Den/21 März/1848./ Freiheit und Gesetzmaessigkeit./Milde u. Vertrauen/Amnestie Gesetz/v.22.Dezbr. 1848, Silberprägung, ⌀ 4,0; 1973/1706

Vorderseite: Profilbildnis Maximilians II., Rückseite: bayerischer Löwe mit der Verfassung und der Proklamation Maximilians II. bei seinem Regierungsantritt am 21.3.1848.

12.5.4.18 »Ein Landtagsabgeordneter wie er sein soll?« * Abb. S. 266

bei C. Hohfelder, München, 1849, bez.o.l.: N°1, u. Mitte: Carricaturen Cabinet, Lithographie, 34 × 27, Lit.: MK Proebst, München 1968, 171, Nr. 1623, P 1623

Das erste Blatt aus Hohfelders Karikaturen-Serie mit dem Titel »Carricaturen-Cabinet«, enthält eine politische Satire auf einen Landtagsabgeordneten, wie er nicht sein soll: dick, protzend, gierig, klerikal (der Rosenkranz auf dem Tisch) konservativ (er liest die Augsburger Postzeitung) und bayerisch-national (weißblaue Kokarden an der Zipfelmütze und am Hut, der »Angströhre«). Unter dem Titel des Blattes die ironische Mahnung: »Euere Rede sey: ja! ja! hm! hm! Was darüber ist, das ist von Uebel.«   U.L.

12.5.4.19 »Unpolitisch!! Löwenruh/ Nietenblatt des Freistätter Kunst-Vereins für die Jahre 1849/50«

bei Ed. Gust. May, Frankfurt, 1850, bez.u.l.: gem. v. Zuckerbächer, u.r.: geschabt unter der Inspektion von Heddedel, u.M.: gedr. v. Ed. Gust. May in Frankfurt a.M., Lithographie, 30,5 × 43,6, Nürnberg, Germanisches Nationalmuseum; HB 24081/1299

Böse Karikaturen auf die unpolitischen Bürger waren alles, was den politisch links stehenden Zeichnern nach dem Scheitern der Nationalversammlung in Frankfurt noch übrig blieb.   U.L.

12.5.4.20 »An Ruha woll'n mer hob'm!« * *

Carl Grünwedel (Pappenheim 1815–1895 München), 1849, bez.u.r.: C. Grünwedel gez. 31/1 49, Bleistiftzeichnung, aquarelliert, 30,5 × 23,5; B 7703/36/27

Aus ist es mit den Petitionen, Versammlungen, Unruhen – dieser Münchner Bürger möchte seine Ruhe haben. Er liest den konservativen Volksboten, trinkt eine Maß Bier, schmaucht an seiner Pfeife und hat sich Schlafrock und Zipfelmütze angezogen. In Frankfurt gehen die

12.5.4.21

Beratungen der deutschen Abgeordneten gerade in ihre dramatische Phase, Grundrechte werden verkündet, eine Verfassung beschlossen, ein Kaiser wird gewählt. Doch er scheint daran nicht mehr interessiert.   U.L.

12.5.4.21 Die Geldwechsler im Jahr 1849 *

Gisbert Flüggen (Köln 1811–1859 München), 1849, bez.u.r.: G. Flüggen München 1849, Öl/Lwd, 62 × 53, Lit.: Boetticher, Bd. I, 1, 314, Berlin, Deutsches Historisches Museum

Gebannt starren die beiden Bürger in die Zeitung, wo die neuesten Währungskurse gemeldet werden. Warum? Vom Frühjahr 1848 bis zum Frühjahr 1849 herrschte in Mitteleuropa ein zügelloses Finanz- und Handelschaos, getreues Spiegelbild der oftmals wöchentlich wechselnden politischen Kräfteverhältnisse des Revolutionsjahres. »Agiotage« (spekulatives Ausnützen der Inflationssprünge der deutschen Währungen) ist die geflügelte Devise der Zeit, unter welcher große und kleine Kapitalbesitzer über Nacht reich werden wollen. Gisbert Flüggen, aus der Düsseldorfer Malerschule stammend, seit 1835 in München ansässig, hat mit den beiden Währungsspekulanten ein für die Zeit ungewöhnlich kritisches Bild des Bürgers nach der gescheiterten Revolution gezeichnet. Prophetisch ist in die beiden Gesichter jener krasse materielle Egoismus gelegt, der zum allgemeinen Charakter der Gründer- und Spekulationszeit der 1850er Jahre werden sollte, »einer Epoche, welche alle Ideale belächelt, die Idealität bestraft und sich nur an den rein materiellen Teil der menschlichen Natur wendet: während oben die Staatsgewalt alle Mittel anwendet, um den rücksichtslosen Alleinbesitz zu erhalten und zu vermehren, schachert unten der individuelle Egoismus, um ins Trockene zu bringen, was zu erhaschen ist.« (Alfred Meißner, Schwarzgelb, Berlin 1861/64 [Vae Victis I, 73]).

Das Kontor und seine Ausstattung drückt viel von der rastlosen Geschäftigkeit und dem Charakter seines Bewohners aus. Die altertümliche Goldwaage, der alte Hausrock, der geflickte und zerschlissene Hausrat des Geizigen sind ebenso dargestellt wie die Goldrollen und die offene große Geldkiste unter der zerfledderten Deutschlandkarte.   C.St.

Herr Biedermeier
Mitglied der »besitzenden und gebildeten Klasse«

Schau, dort spaziert Herr Biedermeier
Und seine Frau, den Sohn am Arm;
Sein Tritt ist sachte wie auf Eier,
Sein Wahlspruch: Weder kalt noch warm.
Das ist ein Bürger hochgeachtet,
Der geistlich spricht und weltlich trachtet;
Er wohnt in jenem schönen Haus
Und – leiht sein Geld auf Wucher aus.

Gemäßigt stimmt er bei den Wahlen,
Denn er mißbilligt allen Streit;
Obwohl kein Freund vom Steuerzahlen,
Verehrt er sehr die Obrigkeit.
Aufs Rathaus und vor Amt gerufen,
Zieht er den Hut schon auf den Stufen;
Dann aber geht er stolz nach Haus
Und – leiht sein Geld auf Wucher aus.

Am Sonntag in der Kirche fehlen,
Das wäre gegen Christenpflicht;
Da holt er Labung seiner Seelen –
Und schlummert, wenn der Pfarrer spricht.
Das führt ihn lieblich bis zum Segen,
Den nimmt der Wackre fromm entgegen.
Dann geht er ganz erbaut nach Haus
Und – leiht sein Geld auf Wucher aus.

. . .

Den einzgen, hoffnungsvollen Sprossen –
Denn mehr, das wäre Überfluß –,
Den hält er klösterlich verschlossen:
Die Sünde stammt ja vom Genuß.
Die Mutter führt ihr Küchlein sittig
Wie eine Henne unterm Fittich;
Sie sorgt für strenge Zucht im Haus
Und – leiht ihr Geld auf Wucher aus.

. . .

Ludwig Pfau, 1846,
Titel von 1874

Biedermeiers Nachlass

Geborgenheit, Frieden. Bratäpfel in der Ofenröhre. Der Ohrenbackensessel, lange Pfeife und Spucknapf. Rechtschaffenheit, Bescheidenheit. Der Schreibsekretär, die Kirschholzkommode. Besen und Scheuersand, blitzblanke Böden. Ewiger Sonntag. Die frohe Kinderschar, die emsige Hausfrau, der gütige Vater (Hoppe, hoppe Reiter . . .), die lieben lieben Großeltern. Ja, der brave Handwerker, die reinliche Magd. Redlichkeit, üb' immer Treu und . . . Vergilbtes, Verschossenes, geraffte Tüllgardinen. Die Waldmeisterbowle, die Geißblattlaube. Der Immortellenkranz an der Wand, der Myrtenstrauß unter dem Glassturz. Blümchenbemalte Tassen und Teller, goldene Aufschriften: »Dem lieben Patenkinde«, »Dem Jubelpaar«, »Aus Freundschaft«. Spezialtassen für Schnurrbartträger. Perlenbestickte Klingelzüge, gepreßte Blätter und Blüten zwischen stockfleckigen Buchseiten, Poesiealben, Stammbuchverse, Kalendersprüche. Unter den Röcken hervorlugende Beinkleider mit Spitzenbesatz. Reseda, Vergißmeinnicht, Rosen- und Lavendelduft. Klaviergeklimper, Liedertafel, Frühkonzerte. Kaffeekränzchen, Pfänderspiele. Zylinder und Vatermörder. Die Perle im Plastron, der Spazierstock mit Elfenbeingriff: Herr Schmidt, Herr Schmidt, was kriegt denn Julchen mit? Strickstrumpf und Brotbacken. Schweineschlachten vor der Haustür, Grützwurst mit Wurstsuppe. Klistier und Bettpfanne. Das rotgewürfelte Schnupftuch, die Schnupftabaksdose – wohl bekomm's, Gott vergelt's! Der würdige Oheim im Bratenrock, die gute gute Muhme, die freundlichen Alten im Silberhaar. Der Aktuarius am Stehpult, den Gänsekiel spitzend, der gähnende Wachsoldat im Schilderhaus. Der Spion am Fenster.
Nachbars Jettchen sitzt im Bettchen. Der Nachtwächter mit Horn und Hellebarde, Schläge von der Turmuhr. Hört Ihr Herrn und laßt Euch sagen . . . Laterne und Stiefelknecht. Lichtputzschere, Zipfelmütze und Pottschamperl.
Die Postkutsche, Schwager Postillion mit der Branntweinflasche. Peitschenknall und Wachtelschlag. Die Felder, die Auen, Liebchen ade . . . Korkenzieherlocken und bunte Seidenbänder, Häkeldeckchen und Kissen mit Kreuzstickerei auf dem Kanapee. Die züchtig errötende Jungfrau. Ein Küßchen in Ehren. Schwüre der Liebe und unverbrüchlichen Treue. Lebe wohl, lebe wohl. Klapperstorch du guter, Klapperstorch du bester . . . Schockschwerenot noch mal.

aus: Böhmer, Günter, Die Welt des Biedermeier, München, 1968

12.5.4.20
12.5.4.1

LITERATUR

Ausstellungskataloge (AK); nach Ort und Jahr geordnet

Arolsen 1978: Die Kaulbachs. Eine Künstlerfamilie aus Arolsen

Augsburg 1985: Aufbruch ins Industriezeitalter (I), Bd. 4, Führer durch die Ausstellung, hg. von Johannes Erichsen und Ulrike Laufer

Augsburg 1985: Unternehmer – Arbeitnehmer. Lebensbilder aus der Frühzeit der Industrialisierung in Bayern, hg. von R. A. Müller

Bamberg 1973: Georg-Ibel-Stiftung. Achtzig Handzeichnungen Bamberger Maler des frühen 19. Jahrhunderts

Berlin 1970: Wohnen in Berlin, hg. von Irmgard Wirth

Berlin 1972: Kunst der Bürgerlichen Revolution 1830–1848/49, Neue Gesellschaft für bildende Kunst

Berlin 1981: Berlin zwischen 1789–1848, hg. von Sonja Günther

Berlin 1981: Dienstbare Geister. Leben und Arbeitswelt städtischer Dienstboten, hg. von Heidi Müller

Berlin 1982: Karl Friedrich Schinkel 1781–1841, Staatliche Museen Berlin

Berlin 1984: Johann Moritz Rugendas in Mexiko. Malerische Reise in den Jahren 1831–1834

Berlin 1985: Vivat – Vivat – Vivat! Widmungs- und Gedenkbänder aus drei Jahrhunderten, Schriften des Museums für Deutsche Volkskunde, Bd. 12

Bregenz 1979: Nibelungenlied

Bremen 1967: Berliner Biedermeier von Blechen bis Menzel, Kunsthalle Bremen, hg. von Henning Bock

Brüssel 1965: Biedermeier – Les Fleurs dans la Peinture Autrichienne au 19e Siècle

Brüssel 1980: Emancipatie, bearbeitet von Günter Böhmer

Cleveland, Washington 1975: The European Vision of America, hg. von Hugh Honour

Darmstadt 1930: 200 Jahre Darmstädter Kunst (II) 1830–1930

Düsseldorf 1956: Auch ein Totentanz. Toddarstellungen von 1828–1852 von Alfred Rethel

Düsseldorf 1968/69: Meisterwerke der Glaskunst aus internationalem Privatbesitz, Kunstmuseum

Düsseldorf 1978/79: Mensch und Tod

Duisburg 1969: Industrie und Technik in der deutschen Malerei von der Romantik bis zur Gegenwart, Wilhelm-Lehmbruck-Museum

Frankfurt 1985: Bettine von Arnim, Freies Deutsches Hochstift

Hamburg 1968: Kopenhagen – Hamburg – Altona, künstlerische Beziehungen 1750–1850, Altonaer Museum

Hamburg 1986: Eva und die Zukunft. Das Bild der Frau seit der Französischen Revolution

Hannover 1956: Vom Biedermeier zum Jugendstil. Kultur, Technik, Hausrat, Mode. Niedersächsisches Landesmuseum

Karlsruhe 1937: Moritz von Schwind. Zeichnungen und Aquarelle

Karlsruhe 1965: Romantiker und Realisten. Maler des 19. Jahrhunderts

Karlsruhe 1971: Edles altes Glas. Die Sammlung Heinrich Heine, Badisches Landesmuseum

Karlsruhe 1984: Politische Karikaturen des Vormärz (1815–1848)

Köln 1913: Kleiner Katalog der Sammlung alter Musikinstrumente, bearbeitet von Georg Kinsky, hg. von Wilhelm Heyer, Musikhistorisches Museum von Wilhelm Heyer in Cöln

Köln 1977: Bertel Thorvaldsen, Museum der Stadt Köln

Köln, Berlin, Zürich 1978–1979: Slg. Biemann, Ausstellung 500 Jahre Glaskunst, bearbeitet von B. Klesse und A. v. Saldern

Köln/Bonn 1983: Die Lebenstreppe. Bilder der menschlichen Lebensalter, bearbeitet von Peter Joenißen, Cornelia Will

Linz 1971: München und Oberbayern. Stadtansichten und Landschaften 1400–1870

London 1973: Victoria und Albert. Catalog of foreign Paintings Vol. II 1800–1900

London 1984: Danish Painting

Lübeck 1965: Wiener Malerei der Waldmüllerzeit, Museum für Kunst und Kulturgeschichte, Behnhaus

Lübeck 1974: Blick ins Lübsche Haus. Wohn- und Festräume des 18. und 19. Jahrhunderts, Museum für Kunst- und Kulturgeschichte

Mannheim 1981: Theodor Leopold Weller (1802–1880), Zeichnungen im Reiss-Museum, bearbeitet von Harald Siebenmorgen

München 1845: 1845 XI. Kunstausstellung d. k. bayer. Akademie der bildenden Künste (Verzeichnis der Werke lebender Künstler, welche in dem neuen k. Kunst- und Industrie-Ausstellungsgebäude vom 25. August an öffentl. ausgestellt sind)

München 1858: Deutsche allgemeine und historische Kunstausstellung

München 1906: Bayerische Kunst 1800–1850, Münchner Jahresausstellung im kgl. Glaspalast

München 1912: Katalog der Miniaturenausstellung im Kunstverein mit dem Verein der bayerischen Kunstfreunde, bearbeitet von Hans Buchheit und Carlo Jeannerat

München 1921: Münchner Malerei unter Ludwig I., Galerie Heinemann

München 1940: H. Bürkel 1802–1869, (mit Werkverzeichnis) bearbeitet von Luigi Bürkel

München 1951: Alte Musik. Instrumente, Noten und Dokumente aus drei Jahrhunderten. Bayerisches Nationalmuseum

München 1960: Von Tischbein bis Spitzweg. Deutsche und österreichische Malerei (1750–1850), hg. von Ernst Buchner, Kunstverein München

München 1967: Bayern in Griechenland, Kunstverein München

München 1967/68: Carl Spitzweg und sein Freundeskreis, Haus der Kunst

München 1972: Bayern, Kunst und Kultur (BaKuKu), Münchner Stadtmuseum

München 1976: 125 Jahre Bayerischer Kunstgewerbeverein, Münchner Stadtmuseum

München 1976/77: Aus Münchner Kinderstuben 1750–1930, Münchner Stadtmuseum

München 1977/78: Leo v. Klenze als Maler und Zeichner, 1784–1864, Königsbau

München 1978: Nach-Barock und Klassizismus, bearbeitet von Barbara Hardtwig, Neue Pinakothek

München 1978: Gottfried von Neureuther. Architekt der Neorenaissance in Bayern 1811–1887. Architektursammlung der Technischen Universität München und Münchner Stadtmuseum

München 1979: Modisches aus alter Zeit

München 1979: Münchner Landschaftsmalerei 1800–1850

München 1980: Glyptothek München 1830–1980

München 1980: Klassizismus in Bayern, Schwaben und Franken

München 1980: Musica sine Musico, Münchner Stadtmuseum

München 1980: Wittelsbach und Bayern, Bd. 3 (WB III/1 u. 2), hg. v. Hubert Glaser

München 1981: Albrecht Adam und seine Familie. Zur Geschichte einer Münchner Künstlerdynastie im 19. und 20. Jahrhundert, hg. von Ulrike von Hase-Schmundt

München 1981: Die Revolution der Flöte, bearbeitet von Theobald Boehm, Münchner Stadtmuseum

München 1982: Vom Königl. Cabinet zur Staatssammlung, 1807–1982, Staatliche Münzsammlung

München 1982: Wachszieher und Lebzelter im alten München, Slg. Ebenböck, Münchner Stadtmuseum

München 1983: Die Isar. Ein Lebenslauf. Münchner Stadtmuseum

München 1984: Frauenhofer, Deutsches Museum

München 1984: Schmuck. Klassizismus und Biedermeier 1780–1850, bearbeitet von Brigitte Marquart

München 1984: Von der Aufklärung zur Romantik: geistige Strömungen in München

München 1984: Von Kopf bis Hut, Münchner Stadtmuseum

München 1984: Franz Hanfstaengl: Von der Lithographie zur Photographie, bearbeitet von Heinz Gebhardt, Münchner Stadtmuseum

München 1984: Die letzte Reise. Sterben, Tod und Trauersitten in Oberbayern, hg. von Sigfried Metken, Münchner Stadtmuseum

München 1985: Kirchliche Schätze aus bayerischen Schlössern, Liturgische Gewänder und Geräte des 16.–19. Jahrhunderts

München 1985: Mittel und Motive der Karikatur in fünf Jahrhunderten. Bild als Waffe. Münchner Stadtmuseum

München 1985: Deutsche Romantiker

München 1985: Das Oktoberfest. 175 Jahre Bayerischer National=Rausch. Münchner Stadtmuseum

München 1985: Spitzweg und die französischen Zeichner Daumier, Grandville, Gavarni, Doré. Siegfried Wichmann

München 1985: Volksmusik in Bayern. Ausgewählte Quellen und Dokumente aus sechs Jahrhunderten, Nr. 210

München 1985/86: Ein griechischer Traum. Leo von Klenze, der Archäologe, hg. von F.W. Hamdorf, Glyptothek

München 1986: Adrian Brower und das niederländische Bauerngenre 1600–1660, hg. von Konrad Renger, Neue Pinakothek

München 1986: Anziehungskräfte, Münchner Stadtmuseum

München 1986: Uhren und Automaten, Vermächtnis Werner Brüggemann, Deutsches Museum

München 1986: Vom Taler zum Dollar, Staatliche Münzsammlung

München 1987: Romantik und Restauration. Architektur in Bayern zur Zeit Ludwigs I. 1825–1848, hg. von Winfried Nerdinger

Münster 1978: Leichter als Luft

Münster 1985: 1844. Ein Jahr in seiner Zeit

Neustadt a. d. Weinstraße 1982: Hambacher Fest. Freiheit und Einheit/Deutschland und Europa, hg. vom Kultusministerium Rheinland Pfalz

Nürnberg 1967: Der frühe Realismus in Deutschland 1800–1850, Gemälde und Zeichnungen

Nürnberg 1973: Das Dürer-Stammbuch von 1828, hg. von den Museen der Stadt Nürnberg

Nürnberg 1985: Zug der Zeit – Zeit der Züge, Deutsche Eisenbahnen 1835–1985, Bd. I und II

Nürnberg 1985: Leben und Arbeiten im Industriezeitalter, zur Wirtschafts- und Sozialgeschichte Bayerns seit 1850, Germanisches Nationalmuseum

Nürnberg 1985: Spiel, Spiele, Kinderspiel, hg. von Leonie von Wilckens

Nürnberg 1986: »Vorwärts, vorwärts sollst du schauen ...« Geschichte, Politik und Kunst unter Ludwig I., hg. von Johannes Erichsen und Michael Henker

Paris 1974: Deutscher Humor im Spiegel der Populärgraphik, bearbeitet von Günter Böhmer, Goethe Institut

Paris 1980: Ary Scheffer 1795–1858. Dessins, aquarelles, esquisses à l'huile Institut Néderlandais

Reichersberg a.J. 1974: Die Bildhauerfamilie Schwanthaler 1633–1848. Vom Barock zum Klassizismus, Augustinerchorherrenstift

Salzburg 1967: Österreichische Meisterwerke aus

Privatbesitz. Vom Biedermeier zum Expressionismus, Residenzgalerie
Salzburg 1968: Karikaturen über die Photographie von 1839 bis in unsere Zeit, Katalog des Photogeschichtlichen Museums Salzburg
Schweinfurt 1972: Carl Spitzweg und sein Münchner Malerkreis
Stuttgart, Duisburg 1981: Unter der Maske des Narren, hg. von Stefanie Poley
Stuttgart 1985: Produkt – Form – Geschichte. 150 Jahre deutsches Design. Institut für Auslandsbeziehungen
Weimar 1958/59: Deutsche Zeichnungen. Der Bürger und seine Welt 1720–1820
Wien 1922: Gläser des Klassizismus, der Empire- und Biedermeierzeit, hg. von H. Trenkwald
Wien 1951: Wiener Biedermeier. Zeichnungen, Aquarelle, Ölstudien
Wien 1954: Österreichische Landschaftsmalerei des 19. Jahrhunderts
Wien 1962: Biedermeier-Ausstellung, Friedrich Gauermann und seine Zeit, Niederösterreichischer Ausstellungsverein
Wien 1963: Biedermeier in Österreich, hg. von Rupert Feuchtmüller und Wilhelm Mrazek
Wien 1965: Wiener Kongreß
Wien 1966: Alltag und Festbrauch im Biedermeier, Niederösterreichisches Landesmuseum
Wien 1966: Blumenbilder des Biedermeier, Niederösterreichisches Landesmuseum
Wien 1969: Wien 1800–1850. Empire und Biedermeier, Historisches Museum
Wien 1973: Das Jahrhundert des Wiener Aquarells 1780–1880, Graphische Sammlung Albertina
Wien 1976: 200 Jahre Mode in Wien. Aus den Modesammlungen des Historischen Museums der Stadt Wien
Wien 1979: Die Aera Metternich, Historisches Museum
Wien 1984: Die Frau im Korsett, Wiener Frauenalltag zwischen Klischee und Wirklichkeit 1848–1920
Würzburg 1964: Unterfranken zur Zeit König Ludwigs I., Mainfränkisches Museum
Würzburg 1985: Wider Zopf und Philisterey. Deutsche Studenten zwischen Reformzeit und Revolution (1800–1850), (Kleine Drucke der Universitätsbibliothek Würzburg, hg. von Gottfried Mälzer, Bd. 4)
Würzburg 1985: Wilhelm Joseph Behr. Dokumentation zu Leben und Werk eines Würzburger Demokraten, hg. von Ulrich Wagner

Museumskataloge (MK); nach Ort und Jahr geordnet

Berlin 1973: Historismus, Kunsthandwerk und Industrie im Zeitalter der Weltausstellungen, bearbeitet von Barbara Mundt (Katalog des Kunstgewerbemuseums Berlin, B. VII)
Bremerhaven 1976: Auswanderung: Bremen – USA. Führer des Deutschen Schiffahrtsmuseum
Darmstadt 1979: Malerei 1800–1900, Katalog des Hessischen Landesmuseums, bearbeitet von G. Howard
Köln 1980: Zur Kunst des 19. Jahrhunderts, 24 Bildwerke im Wallraf-Richartz Museum
Kopenhagen 1962 und 1975: Thorvaldsen, Thorvaldsen Museum, Kopenhagen
München 1968: München im Bild. Sammlung Carlo Proebst, Schriften des Münchner Stadtmuseums
München 1982: Glassammlung des Bayerischen Nationalmuseums München, Bd. II (Kataloge des Bayerischen Nationalmuseums Bd. XVII)
München 1984: Spätromantik und Realismus, bearbeitet von Barbara Eschenburg unter Mitwirkung von C. Heilmann
München 1986: Ludwig I. 1786–1868. Medaillen und Münzen, bearbeitet von Wolfgang Heß

und Peter O. Kruckmann, Staatliche Münzsammlung
Nürnberg 1977: Deutsche Malerei im 19. Jahrhundert, hg. von Peter Schäfer
Regensburg 1977: Gläser – Antike, Mittelalter, Neuere Zeit, Glaskatalog des Museums der Stadt Regensburg, bearbeitet von S. Baumgärtner
Trier 1960: Bildwerke des Stadtmuseums Trier, hg. von Walter Dieck
Würzburg 1970: Städtische Galerie
Würzburg 1986: Gemäldekatalog, bearbeitet von Volker Hoffmann, Martin von Wagner, Museum der Universität Würzburg
Zürich 1969: Glas aus der Sammlung des Kunstgewerbemuseums Zürich, Sammlungskatalog IV
Zürich, München 1986: Städtische Galerie Würzburg, hg. von Heinrich Ragaller, Kurt Gramer

Literaturverzeichnis (im Text auf Namen und Erscheinungsjahr gekürzt):

Abel, Wilhelm, Massenarmut und Hungerkrisen im vorindustriellen Europa. Versuch einer Synopsis, Hamburg und Berlin 1974
Abeler, Jürgen, Meister der Uhrmacherkunst, Wuppertal 1977
Adam, Albrecht, Aus dem Leben eines Schlachtenmalers. Mit einem Nachwort von H. Holland, Stuttgart 1886
Adam, Leopold d. Ä., Die Geschichte der Familie Adam, 2 Bde., 1949
Adreßbuch der königlichen Haupt- und Residenz-Stadt München, München 1835
Adler, Hans, Literarische Gemeinberichte. Protokolle der Metternich-Agenten, Köln 1977
Albrecht, Manuel, Carl Spitzwegs Malerparadies, Herrsching 1968/1980[2]
Alckens, A., Münchner Forscher und Erfinder des 19. Jahrhunderts, München 1965
Allen, Alexandra, Travelling ladies, London 1980
Allgemeine Blumensprache nach der neuesten Deutung, Speyer, Grünstadt 1837
Althoefer, Heinz, Der Biedermeiergarten, Diss. München 1956
Ammann, Gert, Die bildnerischen Nachwirkungen des Nibelungenliedes von der Romantik bis zum Sezessionismus, in: Nibelungenlied, Ausstellung Bregenz 1979
Andre, Carl August, Der Clavierbau in seiner Geschichte, seiner technischen und musikalischen Bedeutung. Eine erläuternde Darstellung hervorgerufen durch die erste allgemeine deutsche Industrieausstellung zu München, Offenbach 1855
Angermann, Gertrud, Vergißmeinnicht – Vergiß mein nicht, Rheinisch-westfälische Zschr. für Volkskunde 13, 1966
Angermann, Gertrud, Stammbücher und Poesiealben als Spiegel ihrer Zeit, Münster 1971
Anonym (L***), Charlotte, Handbüchlein zur angenehmen und nützlichen Beschäftigung für junge Damen, Wien 1828
Anzeigenbuch aller Haus- und Grundeigenthümer der königlichen Haupt- und Residenz-Stadt München und der fünf Vorstädte: Schönfeld-St.-Anna-, Isar-, Ludwigs- und Maximilians-Vorstadt, für das Jahr 1823, hg. v. Carl F. A. Müller, München 1823
Arnold, C., Konrad Eberhard, Augsburg 1964
Auer, Franz, Das Stadtrecht von München, München 1840

Bachmann, Manfred, Berchtesgadener Volkskunst, Rosenheim 1985
Bähr, Otto, Eine Deutsche Stadt von 100 Jahren: Kassel 1820–1830, Berlin 1926
Bärmann, Georg Nikolaus, 999 Almanachs-Lustspiele durch den Würfel. Das ist: Almanach Dramatischer Spiele für die Jahre 1829–1961, Zwickau 1829

Bahns, Jörn, Biedermeier Möbel, Entstehung, Zentren, Typen, München 1979
Baron, Rüdiger, Geschichte der Sozialarbeit. Hauptlinien ihrer Entwicklung im 19.–20. Jahrhundert, Weinheim 1983
Bartkel, Manfred (Hrsg.), Moritz Gottlieb Saphir, Mieder und Leier. Gedankenblicke aus dem Biedermeier, Olten 1975
Bary-Armansperg, Roswitha von, Im Schatten der Barikaden, Drei Lebensschicksale der Deutschen Revolution, in: Geschichte 76 (1986), Hg. Historiographisches Institut GmbH, Solothurn
de Basily-Callimaki, J. B., Isabey, sa vie et son temps, suivie du catalogue de l'œuvre gravée par et après Isabey, Paris 1909
Bauer, Erich, Die Sternmütze, in: Einst und Jetzt 2 (1952), 3 (1958)
Bauer, Erich, Unser Band, in: Einst und Jetzt 1 (1956), 5 (1960)
Bauer, J., Die Armenpflege in Bayern insbesondere in der kgl. Haupt- und Residenzstadt München, München 1850
Bauer, Richard, Das alte München, Photographien 1855–1912 gesammelt von Karl Valentin, München 1982
Bauer, Richard/Eva Graf, Nachbarschaften, Altmünchner Herbergsviertel und ihre Bewohner, München 1984
Bauernfeld, Eduard von, Wiener Biedermeier, Wien 1960
Baumann, Angelika, »Armuth ist hier Wahrhaft zu Haus . . .«. Vorindustrieller Pauperismus und Einrichtungen der Armenpflege in Bayern um 1800, Diss. München 1984
Baumann, C. A., Die Haupt- und Residenzstadt München und Ihre Umgebungen, Ein Taschenbuch für Freunde und Einheimische, München 1832
Baumgärtner, Sabine, Porträtgläser. Das gläserne Bildnis aus drei Jahrhunderten, hg. v. Heinrich Heine, München 1981
Baumgart, Fritz, Idealismus und Realismus. Die Malerei der bürgerlichen Gesellschaft 1830–80, Köln 1975
Baumgartner, Georg, Schloß Hohenschwangau – Eine Untersuchung zum Schloßbau der Romantik, München 1987
Der bayerische Landtag von 1831 und die öffentliche Meinung, in: Zeitschrift für Bayerische Landesgeschichte 24, München 1961
Bayern, Adalbert Prinz von, Max I. Joseph von Bayern, München 1957
Bechstein, Ludwig B., Berthold der Student oder Deutschlands erste Burschenschaft, 2 Bde., 1850
Behme, Theda, Schlichte deutsche Wohnmöbel, München 1928
Benezit, Emmanuel, Dictionaire critique et documentaire des Peintres, Sculptures, Dessinateurs et Graveurs de tous le temps, Paris 1956–62
Benker, Gertrud, Der Gasthof, München 1974
Benker, Gertrud, Bürgerliches Wohnen. Städtische Wohnkultur in Mitteleuropa von der Gotik bis zum Jugendstil, München 1984
Bentfeldt, Ludwig, Der Deutsche Bund als nationales Band 1815–1866
Egon Berchem, Freiherr v., Die adligen Begräbnisstätten auf dem südlichen Friedhofe zu München, München 1913
Berend, Alice, Die gute alte Zeit, Bürgertum und Spießbürger im 19. Jahrhundert, Hamburg 1977
Berger, J. G. (Hg.), Immortellen – oder Immerschönen – Taschenbuch für die Entdeckungsjahre 1805 bis 1816, o. O. 1817
Bergmann, Jürgen/Megerle, Klaus/Steinbach, Peter, Geschichte als politische Wissenschaft, sozialökonomische Ansätze, Analyse politikhistorischer Phänomene, politologische Fragestellungen in der Geschichte, Stuttgart 1979

Bergmann, Jürgen, Das Handwerk in der Revolution von 1848. Zum Zusammenhang von materieller Lage und Revolutionsverhalten der Handwerker 1848/49, in: Ulrich Engelhardt, Handwerker in der Industrialisierung, Stuttgart 1984

Bericht über den Bestand und das Wirken des Kunstvereins, München 1846

Bernhard, Marianne, Schattenrisse, Silhouetten und Scherenschnitte in Deutschland im 18. und 19. Jahrhundert, München 1977

Bernhard Marianne, Das Biedermeier. Kultur zwischen Wiener Kongreß und Märzrevolution, Düsseldorf 1983

Berrin, Emilie, Gründliche Anweisung für Frauen, auf alle mögliche Art Haargeflechte nach der jetzigen Mode zu fertigen, Als: elastische Leibgürtel, Armbänder, Halsbänder, Uhrbänder, Ringe, Kniebänder etc., o. O., o. J., (Leipzig 1822)

Bertuch, Friedrich Justin, Journal des Luxus und der Moden, Weimar 1786ff.

Bertuch, Friedrich Justin (Hg.), Pandora oder Kalender des Luxus und der Moden für die Jahre 1787–1789, Weimar, Leipzig 1787–1789

Bestelmeier, Georg Hieronimus, Magazin von verschiedenen Kunst- und anderen nützlichen Sachen . . . Nachdruck der Ausgabe Nürnberg 1803, Zürich 1979

Betz, Gerd, Glückliches Biedermeier, Braunschweig 1964

Beyträge zur vaterländischen Historie, Geographie, Statistik etc., Bd. 6, München 1800

Bieber, Hans W., Die Befugnisse und Konzessionierungen der Münchner Druckereien und Buchhandlungen von 1485 bis 1871 unter besonderer Berücksichtigung der bayerischen Gesetzgebung des 19. Jahrhunderts, Diss. München 1956

Biedermann, Rudolf Max, Ulmer Biedermeier im Spiegel seiner Presse, Ulm 1955

Biehn, Heinz, Residenzen der Romantik, München 1970

Biesalski, Ernst, Das allgemeine deutsche Studentenbild in einer künstlerischen Auswahl, in: Einst und Jetzt 7 (1962)

Bietak, Wilhelm, Das Lebensgefühl des »Biedermeier« in der österr. Dichtung, Wien 1931

Billig, Ilse/List, Sylvia, Neue vollständige Blumensprache, München 1974

Birnbaum, Michael, Das Münchener Handwerk im 19. Jahrhundert (1799–1868). Beiträge zur Politik und Organisation des städtischen Handwerks im beginnenden Industriezeitalters, Diss. München 1984

Blab, Wilhelm: Bodenwöhr – Geschichte und kulturelle Entwicklung eines bayerischen Berg- und Hüttenortes, Bodenwöhr 1960

Blätter für administrative Praxis, Hg. Karl Brater, Nördlingen 1851–1922

Bleibrunner, H., Landshut – Die altbayerische Residenzstadt, Landshut 1971

Blessing, Werner K., Der mentale Einfluß des Staates und der Kirche auf die kleinen Leute in Bayern, Diss. München 1975

Blessing, Werner K., Umbruchkrise und »Verstörung«, Die Napoleonische Erschütterung und ihre sozialpsychologische Bedeutung, in: ZBLG 42 (1979)

Blessing, Werner K., Konsumentenprotest und Arbeitskampf, Vom Bierkrawall zum Bierboykott in: Streik, Zur Geschichte des Arbeitskampfes in Deutschland während der Industrialisierung, hg. v. Tenfelde, Klaus/Volkmann, Heinrich, München 1981

Blessing, Werner K., »Theuerungsexcesse« im vorrevolutionären Kontext – Getreidetumult und Bierkrawall im späten Vormärz, in: Werner Conze, Ulrich Engelhardt (Hg.), Arbeiterexistenz im 19. Jahrhundert, Stuttgart 1981, S. 356–384

Bloch, P., Das Kreuzberg-Denkmal und die patriotische Kunst, in: Jahrbuch Preußischer Kulturbesitz, Köln, Berlin 1973, 1976

Blume, Friedrich, Romantik, in: Die Musik in Geschichte und Gegenwart, Allgemeine Enzyklopädie der Musik, Kassel 1963

Bobbert, Gerda, Charlotte von Hagn, Eine Schauspielerin der Biedermeierzeit (1809–1891), Leipzig 1936

Bodeit, Gerhard, (Hg.), Blumen- und wie du sie bindest, so wird nun erst ein Leben daraus (Anthologie), Leipzig 1984

Boehm, Laetita, Das akademische Bildungswesen in seiner organisatorischen Entwicklung (1800–1920), in: Max Spindler, Handbuch der bayerischen Geschichte, München 1975

Böhmer, Günter, Ewiglich lieb ich dich. Bilderbögen aus dem Biedermeier, München 1961

Böhmer, Günter, Die Welt des Biedermeier, München 1968, ²1977

Böhmer, Günter, Sei glücklich und vergiß mein nicht. Stammbuchblätter und Glückwunschkarten, München 1973

Böhmer, Günter, Deutscher Humor im Spiegel der Populärgraphik, Ausstellung Paris 1974

Boehn, Max von, Große Kulturgeschichte Biedermeier – Deutschland 1815–1847, Berlin 1910, ²1922

Boehn, Max von, Die Mode, Bd. VI, München 1924

Boehn, Max von, Das Beiwerk der Mode, München 1928

Börsch-Supan, Helmut, Marmorsaal und Blaues Zimmer. So wohnten Fürsten, Berlin 1976

Boetticher, Friedrich von, Malerwerke des 19. Jahrhunderts, Beitrag zur Kunstgeschichte, 4 Bde., Dresden 1891–1901, (Nachdruck 1941)

Böttger, Fritz, (Hg.) Frauen im Aufbruch. Frauenbriefe aus dem Vormärz und aus der Revolution von 1848, Darmstadt und Neuwied 1979

Boisserée, Sulpiz, Tagebücher, hg. von Hans-J. Weitz, Bd. 2, Darmstadt 1981

Bollinger, F., Polizey-Uebersicht von München. Vom Monat Dezember 1804 bis zum Monat April 1805, München 1805

Bottineau, Yves/Lefuel, Oliver, Les Grandes Orfèvres de Louis XIII a Charles X, Paris 1965

Braatz, Theo, Das Kleinbürgertum in München und seine Öffentlichkeit von 1830–1870 . . ., München 1977

Brandmeyer, Rudolf, Biedermeierroman und Krise der ständischen Ordnung, Tübingen 1982

Braun, Fritz, Auswanderer auf dem Schiff »S. M. Fox« (1852), Kaiserslautern 1964

Brater, K., Das Auswanderungsrecht, in: Blätter für administrative Praxis 3, 1853

Brater, K., Die Lehre von der Ansässigmachung, in: Blätter für administrative Praxis 4, 1854

Braun, J. M., Taschenbuch der Blumensprache oder Deutscher Selam, Stuttgart 1843

Breibeck, Otto Ernst, Bayerns Polizei im Wandel der Zeit, München 1971

Breuer, Dieter, Geschichte der literarischen Zensur in Deutschland, Heidelberg 1982

Bruckbräu, Friedrich Wilhelm, Neuestes Taschenbuch der Haupt- und Residenzstadt München, München 1828

Bruckmann, Friedrich, Münchner Maler im 19. Jahrhundert, Lexikon der Münchner Kunst III, München 1981

Brückner, Wolfgang, Populäre Druckgraphik Europas. Deutschland vom 15. bis zum 20. Jahrhundert, München 1969

Brunbauer, Wolfgang, Bayerische Skandalchronik. Polizei und Kriminalität in München des frühen 19. Jahrhunderts, Rosenheim 1984

Brunner, Ludwig, Politische Bewegungen in Nürnberg 1848/49, Heidelberg 1907

Buchhandelsgeschichte, hg. von der Historischen Kommission des Börsenvereins des deutschen Buchhandels, Frankfurt a. M. 1982

Buchheit, Hans Jeannerat Carlo, Katalog der Miniaturenausstellung im Kunstverein mit dem Verein der bayerischen Kunstfreunde, München 1912

Buchner, Ernst, Von Tischbein bis Spitzweg, Deutsche und österreichische Malerei (1750–1850), Kunstverein München, 1960

Budde, Rainer/Peter Cornelius, Siegfrieds Abschied, in: Zur Kunst des 19. Jahrhunderts. 24 Bildwerke im Wallraf-Richartz Museum, Köln 1980

Bücken, Ernst, Die Musik des 19. Jahrhunderts bis zur Moderne, Handbuch der Musikwissenschaft, Potsdam 1929

Bünemann, Hermann, Von Runge bis Spitzweg. Deutsche und österreichische Malerei in der 1. Hälfte des 19. Jahrhunderts, Königstein/Taunus 1961

Bürkel, Luigi, H. Bürkel 1802–1869, München 1940

Büssem, Eberhard, Die Karlsbader Beschlüsse von 1819. Die endgültige Stabilisierung der restaurativen Politik im Deutschen Bund nach dem Wiener Kongreß 1814/15, Diss. München 1974

Büttner, Horst, Auch ein Totentanz aus dem Jahre 1848 von Alfred Rethel, Berlin 1954

Des Burschen Stammbuch, Düren 1835

Callies, Jörg, Das Militär in der Krise. Die bayerische Armee in der Revolution 1848/49, Boppard 1976

Castle, Eduard, Lenau und die Familie Löwenthal Bd. 1, Leipzig 1906

Castenet, Jaques, Une époque de contestation. La monarchie bourgeoise 1830–1848, Paris 1976

Chroust, Anton von (Hg.), Gesandtschaftsberichte aus München 1814–1848, 14 Bde., München 1935–51; Abt. I.: Berichte der französischen Gesandten, Bd. V (= GBF); Abt. II: Berichte der österreichischen Gesandten, Bd. III (= GBÖ); Abt. III: Berichte der preußischen Gesandten, Bd. IV (= GBP)

Clauren, Heinrich (d.i. Carl Heun), Vergißmeinnicht. Ein Taschenbuch 1830, Leipzig 1830

Colas, René, Bibliographie Général du Costume et de la Mode, 2 Vol., Paris 1933

Conrady, Karl Otto (Hg.), Das große deutsche Gedichtbuch, Regensburg 1977

Conze, Werner, Ulrich Engelhardt, Arbeiterexistenz im 19. Jahrhundert, Stuttgart 1981

Corti, Egon Caesar Conte, Die trockene Trunkenheit, Leipzig 1930

–, Ludwig I. von Bayern – Ein Ringen um Freiheit, Schönheit und Liebe, München 1937, ⁶1960

–, Metternich und die Frauen, Wien 1977

Curch, Clive H., Europe in 1830. Revolution and Political Change, London 1983

Dahlhaus, Carl, Die Musik des 19. Jahrhunderts, Wiesbaden 1980

Danckert, Ludwig, Handbuch des Europäischen Porzellans, München 1978

Dann, Otto, Die Lesegesellschaften des 18. Jahrhunderts und der gesellschaftliche Aufbruch des deutschen Bürgertums, in: Herbert G. Göpfert (Hg.), Buch und Leser, Hamburg 1977, S. 160–193

–, (Hg.), Lesegesellschaften und bürgerliche Emanzipation, München 1981

Darstellung des Wirkens des Gewerbe-Hilfs-Vereins in München von seinem Entstehen an bis zu seiner Auflösung, München 1836

Daumard, Adeline, La Bourgeoisie Parisienne de 1815 à 1848, Paris 1963

Daxenberger, S. F. (Carl Fernau), Münchner Hundert und Eins, München 1840/41

De David à Delacroix – La peinture française 1774 à 1830, Paris 1974

Deneke, Bernward, »Biedermeier« in Mode und Kunsthandwerk 1890–1905. Beiträge zur Umwertung einer Epoche, in: Anzeiger des Germanischen Nationalmuseums 1967

Denerlein, Ernst, Bayern und die deutsche Einheit. Von der Paulskirche 1848 bis 1948, Altötting 1948

Denewa, Wena St., Das österreichische Märchendrama in der Biedermeierzeit, Diss. Berlin 1940

Dering, Florian, Karussells in München, in: Bayerisches Jahrbuch für Volkskunde, München 1983/84

Destouches, Ernst von, Die Haupt und Residenz-Stadt München und ihre Umgebungen, München 1827

Deubner, Ludwig, Staatliche Porzellan=Manufaktur Nymphenburg, München 1942

Deutschmann, Wilhelm, Theatralische Bilder-Galerie, Reedition Dortmund 1980

Dewiel, Lydia L., Biedermeier, München ³1978

Dickerhof, Harald, Aufbruch in München, in: Ludwig-Maximilians-Universität Ingolstadt-–Landshut–München, Berlin 1972

Diderot, Denis, La religieuse, Ouvrage posthume de Diderot, Paris 1797

Dieck, Walter, Bildwerke des Stadtmuseums Trier, Trier 1960

–, F. A. Wyttenbach. Ein Trierer Maler der Biedermeierzeit, in: Kurtrierisches Jahrbuch Bd. 1, Trier 1964

–, Neu aufgefundene Werke des Trierer Malers F. A. Wyttenbach, in: Kurtrierisches Jahrbuch Bd. 4, Trier 1964

Diezel, Gustav, Baiern und die Revolution, Zürich 1849

Dirrigl, Michael, Ludwig I. König von Bayern 1825–1848, München 1980

Doderer, Otto, Biedermeier, Mannheim 1958

Doeberl, Michael, Bayern und die deutsche Frage in der Epoche des Frankfurter Parlaments, München und Berlin 1922

–, Entwicklungsgeschichte Bayerns, Bd. 3: Vom Regierungsantritt König Ludwigs I. bis zum Tode König Ludwigs II., hg. von Max Spindler, München 1931

Dölker, Wolfgang, Das Herbergsrecht in der Münchner Au, Diss. München 1969

Domarus, Max, Bürgermeister Behr, ein Kämpfer für den Rechtsstaat, Würzburg 1971

Dostler, G., 1822–1922, 100 Jahre höhere Mädchenschule, München 1922

Dreesbach, Martha, Das Münchner Stadtmuseum, München 1977

Dürck-Kaulbach, Josefa, Erinnerungen an Wilhelm von Kaulbach und sein Haus, München ²1917, ³1918

Dullenkopf, Hans, Die Königliche Villa in Berchtesgaden, Magisterarbeit Salzburg 1986

Ebert, Hans, Bonaventura Genelli. Leben und Werk, Weimar 1971

Ebert, Hans, Bonaventura Genelli und sein Zyklus: Das Leben einer Hexe, in: Forschungen und Berichte, Staatliches Museum Berlin 1971

Eckoldt, Carl, Kraftmaschinen I, Muskelkraft, Windkraft, Wasserkraft, Dampfkraft, München 1983, ²1986

Egger, Hanna, Glückwunschkarten im Biedermeier. Höflichkeit und gesellschaftlicher Zwang, München 1980

Eggert-Windegg, Künstlers Erdenwallen Briefe von Moritz von Schwind, München 1984

Egloffstein, A. Graf von, Adel und Schloßbau in Bayern in der ersten Hälfte des 19. Jahrhunderts, in: Ausstellung München 1987

Ehret, Gloria, Freundschafts- und Glückwunschkarten im Biedermeier, München 1982

Eichler, Ulrike, Münchener Bilderbögen, München 1974

Eichrodt, Ludwig, Lyrische Karikaturen, Eine Anthologie von Ludwig Eichrodt, Lahr 1869

Eichrodt, Ludwig, Gesammelte Dichtungen, Stuttgart 1890

Eichrodt, Ludwig, Das Buch Biedermaier, Geschichte von Ludwig Eichrodt und Adolf Kußmaul sowie mit ihrem Vorbild, dem »alten Dorfschulmeister« Samuel Friedrich Sauter,

Neue von Friedrich Eichrodt besorgte Ausgabe, Stuttgart 1911

Eisenmann, Joseph Anton, Beschreibung der Haupt- und Residenzstadt München und ihrer Umgebungen in topographischer, geschichtlicher und statistischer Hinsicht, München ²1814

Elsas, Moritz John, Umriß einer Geschichte der Preise und Löhne in Deutschland, Leiden 1936

Endres, J. A., Konrad Eberhard, ein Allgäuer Künstler (Maler und Bildhauer), München 1925

Endres, Irmgard und Werner, Zur Geschichte der Steinzeugfabrik F. Thenn in Regensburg, Teil II in: VHVO Bd. 123, 1983

Endres-Mayser, Irmgard/Gockerell, Nina, Aus Menschenhaaren gefertigter Schmuck I–III, in: Zeitschrift der Gesellschaft für historische Waffen- und Kostümkunde 1980, S. 181

Engelhardt, Ulrich, Handwerker in der Industrialisierung. Lage, Kultur und Politik vom späten 18. bis frühe 20. Jahrhundert (Industrielle Welt, Bd. 37), Stuttgart 1984

Engelsing, Rolf, Einkommen der Dienstboten in Deutschland zwischen 16.–20. Jahrhundert, in: Jahrbuch des Instituts für Deutsche Geschichte. Bd. 2, hg. v. Walter Grab, Tel-Aviv 1973

Engelsing, Rolf, Der Bürger als Leser. Lesergeschichte in Deutschland 1500–1800, Stuttgart 1974

EOS. Zeitschrift aus Baiern zur Erheiterung und Belehrung, hg. v. C. C. v. Mann, 1818–1832

Eroms, Hans-Werner, Johann Andreas Schmeller und die Restauration in München, in: Zeitschrift für bayerische Landesgeschichte, Bd. 48, H. 1, München 1985

Eschenburg, Barbara, u. a., Spätromantik und Realismus: (Vollständiger Katalog) Bd. V Bayer. Staatsgemäldesammlungen, Neue Pinakothek München, München 1984

Esquisse de l'histoire de Bavière. Courte description des fresques historiques des Arcades du jardin de la cour à Munich, München o. J.

Estermann, Alfred Hg., Politische Avantgarde 1830–1840. Eine Dokumentation zum »Jungen Deutschland« Bd. 1. 2., Frankfurt a. M. 1972

Estermann, Alfred/Werner, Andreas, Allgemeine Geschichte der neuesten Zeit, Bd. I–IV, Leipzig 1844–1851, ²1978

Faber Annette, Ein Berliner Sekretär des frühen Biedermeier, in: Kunst & Antiquitäten 1985, Heft 4, S. 62–66

Fay-Hallé, Antoinette/Mundt, Barbara, Europäisches Porzellan vom Klassizismus bis zum Jugendstil, Stuttgart, Berlin, Köln, Mainz 1983

Fees, Susanne, Die frühen Spinnereien und Webereien in Augsburg, Architektur–Maschine-–Arbeit, in: R. A. Müller (Hg.), Aufbruch ins Industriezeitalter, München 1985

Fendi, Peter, Genießet die Liebe. Erotische Bilder aus dem Wiener Biedermeier, Dortmund 1981, ³1984

Fernau, C., Münchner Hundert und Eins, Bd. 1, München 1840/41

Fiedler, Alfred, Vom Stammbuch zum Poesiealbum, Weimar 1960

Fischer, Manfred F., Ruhmeshalle und Bavaria, München 1972

Fitz, Rudolf, Die Organisation der staatlichen Archive Bayerns von ihren Anfängen bis zur Gegenwart, in: Mitteilung f. d. Archivpflege in Bayern, 12. Jg. Heft 1. (1966)

Folnesics, Joseph, Innenräume und Hausrat der Empire- und Biedermeierzeit in Österreich-Ungarn, Wien 1902, ⁵1922

Forstner, Regina, Kreuzstichmuster aus der Biedermeierzeit, Rosenheim 1983

Foster, Vanda, Bags and Purses, London 1982

Fredriksen, Elke, Der Blick in die Ferne. Zur Reiseliteratur von Frauen; in: Gnüg, Hiltrud; Frauen, Literatur. Geschichte schreibender

Frauen vom Mittelalter bis zur Gegenwart, Stuttgart 1985

Freeden, Hermann von/Smolka, Georg, Auswanderer, Bilder und Skizzen aus der Geschichte der deutschen Auswanderer, Leipzig 1937

Freninger, Franz Xaver (Hg.) Das Matrikelbuch der Universität Ingolstadt–Landshut–München. Rectoren Professoren Doctoren 1472–1872, Candidaten 1772–1872, München 1872

Freyberg, Pankranz Freiherr von, Maria Elektrine Freifrau von Freyberg geb. Stuntz (1797–1847), München, 1985

Freytag, Gustav, Erinnerungen aus meinem Leben, Leipzig 1887

Friedländer, Walter, Nicolas Poussin, London 1966

Friedmann, J. M., Color Printing in England 1486–1870, New Haven 1978

Frieß, Peter/Pfeiffer-Belli, Christian, Ludwig II. König von Bayern und seine Taschenuhren, München 1986

Fuchs, Eduard, Lola Montez in der Literatur, in: Zeitschrift für Bücherfreunde H. 3, München 1898

Fuchs, Eduard, Noch einige Jahn-Karikaturen, in: Zeitschrift für Bücherfreunde, 1, II. Bielefeld und Leipzig 1897/1898

Fuchs, Eduard, 1848 in der Caricatur, München 1898

Eduard, Fuchs/Hans Kraemer, Die Karikatur der europäischen Völker von Altertum bis zur Neuzeit, Berlin 1901

Fuchs, Eduard, Ein vormärzliches Tanzidyll. Lola Montez in der Karikatur, Berlin 1901

Fuchs, Eduard, Geschichte der erotischen Kunst, München (1908)

Fuchs, Eduard (Hg.), H. Daumier. Holzschnitte 1833–70, München 1917

Fuchs, M. Anekdoten und Schnurren des berühmten Münchner Finessen-Sepperls . . ., München 1864

Garnerus, Hartwig, Der Zeichner und Maler Wilhelm von Harnier (1800–1838), Diss. München 1973

Gebele, Joseph, Das Schulwesen der königlichen bayerischen Residenzstadt, München 1896

Gebhardt, Heinz, Königlich Bayerische Photographie 1838–1918, München 1978

Gebhardt, Heinz, Franz Hanfstaengl, Von der Lithographie zur Photographie, Ausstellung am Münchner Stadtmuseum, München 1984

Gedichte Ludwigs des Ersten Königs von Bayern, Vierter Theil, München 1847

Geismeier, Willi, Biedermeier. Das Bild vom Biedermeier, Zeit und Kultur des Biedermeier, Kunst und Kunstleben des Biedermeier, Leipzig 1979, ²1982

Georg-Ibel-Stiftung, Achtzig Handzeichnungen Bamberger Maler des frühen 19. Jahrhunderts, Bamberg 1973

Gerhard, Hans-Jürgen (Hg.), Löhne im vor- und frühindustriellen Deutschland, Göttingen 1984

Gesandschaftsberichte aus München 1814–1848, hg. v. Anton v. Chroust, 14 Bde., München 1935–1951; Abt. I: Berichte der französischen Gesandten (= GBF); Abt. II: Berichte der österreichischen Gesandten (= GBÖ); Abt. III: Berichte der preußischen Gesandten (= GBP)

Die Gesellschaft Museum in München. Festschrift zur Hunderjahr-Feier. 1802–1902, München 1902

Die Getreidepreise in Deutschland seit dem Ausgang des 18. Jahrhunderts, in: Vierteljahreshefte z. Statistik des Deutschen Reiches, hg. v. Statistischen Reichsamt, 44. Jg., H. 1, 1935

Gewerbe-Tabelle der Fabrikations-Anstalten und Fabrik-Unternehmungen aller Art im Königreiche Bayern nach den Aufnahmen vom Monat Dezember 1846

Geyer, Johann, Nekrolog, Kunst-Chronik 11, Leipzig 1876

Giesen, M. Jos., Verschollene Münchner Zunftaltertümer, in: Oberbayerisches Archiv 1952

Glaser, Horst Albert, Zwischen Revolution und Restauration, Klassik und Romantik 1786–1815, Hamburg 1980

Glassbrenner, Adolf, Berliner Volksleben, Leipzig 1847

Glassbrenner, Adolf, Buntes Berlin, Berlin ²1981

Gleibs, Yvonne, Juden im kulturellen und wissenschaftlichen Leben Münchens in der zweiten Hälfte des 19. Jahrhunderts, Diss. München 1980

Gockerell, Nina, Stickmustertücher, München 1980

Goebel, Karl, Bemerkungen zur Darstellung der Parisermensur eines Münchner Franken um 1841, in: Einst und Jetzt 29 (1984), S. 53–74

Goebel, Karl, Geschichte des Corps Francomia, München von 1836 bis 1896, München 1985

Görres, Guido, Das Narrenhaus von Wilhelm Kaulbach, erläutert von Guido Görres, o. O. o. J. (1835)

Grab, Walter/Friesel, Uwe, Noch ist Deutschland nicht verloren. Eine historisch-politische Analyse unterdrückter Lyrik von der Französischen Revolution bis zur Reichsgründung (München 1970), Berlin ²1980

Graesse, Johann Georg Theodor/Jaennicke, E. (vielm. Friedr.), Führer für Sammler von Porzellan und Fayence Steinzeug, Steingut usw., Braunschweig, Berlin 1953

Grasser, Walter, Bayerische Geschichtstaler von Ludwig I. und Maximilian II., Rosenheim 1982

Greiner, Martin, Zwischen Biedermeier und Bourgoisie. Ein Kapitel deutscher Literaturgeschichte, Leipzig 1954

Gröber, Karl, Alte Oberammergauer Volkskunst, Rosenheim o. J.

Gröber, Karl, Alte deutsche Zunftherrlichkeit, München 1936

De Groer, Leon, L'art decoratif en Europe 1780–1840, Fribourg 1985

Groll, Karin, Alfred Rethel, »Auch ein Totentanz aus dem Jahre 1848«, Magisterarbeit Freiburg 1985

Gruber, Georg, Die Memoiren des Gruber'schen Stammes und die Entstehung des Praters in München, München 1857

Grundmann, Herbert (Hg.), Archiv für Kulturgeschichte, Bd. XVIII, H. 1, Berlin 1961

Guest, Ivor, Fanny Elssler, London 1970

Gugitz, Gustav, Biedermeiers Neujahrswünsche, in: Bergland, XVI. Heft 1, 1934

Gumppenberg, Hanns von, Lebenserinnerungen, Aus dem Nachlaß des Dichters, Berlin/Zürich 1929

Hagemann, Carl, Wilhelmine Schröder-Devrient, Wiesbaden 1947

Hager, Franziska, Das alte Dorf, Rosenheim 1977

Hahn, Winfried, Romantik und Katholische Restauration. Das kirchliche und schulpolitische Wirken des Sailerschülers und Bischofs von Regensburg Franz Xaver von Schwäbl (1778–1841) unter der Regierung Ludwigs I. von Bayern, Diss. München 1970

Haller, Karl Friedrich von, Restauration der Staatswissenschaften, Bd. 6, Winterthur 1816–1834

Haller, Reinhard, Volkstümliche Schnitzereien, München 1981

Haltern, Utz, Bürgerliche Gesellschaft in: Erträge der Forschung Bd. 227, Darmstadt 1985

Hamann, Peter, Geistliches Biedermeier im altbayrischen Raum, Regensburg 1954

Hamann, Richard, Geschichte der Kunst von der alten Zeit bis zur Gegenwart, Berlin 1933

Hansen, Hans G./Schröter, Hans, Pflanzet die Freiheit: Revolution und Vormärz in der Pfalz, 1982

Harding, Rosamond, The Piano-Forte, Cambridge 1978

Hardtwig, Wolfgang, Politische Gesellschaft und Verein zwischen aufgeklärtem Absolutismus und der Grundrechtserklärung der Frankfurter Paulskirche, in: G. Birtsch (Hg.), Grund- und Freiheitsrechte im Wandel der Geschichte. Beiträge zur Geschichte der Grund- und Freiheitsrechte vom Ausgang des Mittelalters bis zur Revolution von 1848, Göttingen 1981, S. 336–358

Hardtwig, Wolfgang, Vormärz. Der monarchische Staat und das Bürgertum (Deutsche Geschichte der neuesten Zeit vom 19. Jahrhundert bis zur Gegenwart, hg. v. Martin Broszat, Wolfgang Benz und Hermann Graml) München 1985

Harrach-Wohle, Vera Gräfin von, Alfred Rethel: »Auch ein Totentanz aus dem Jahre 1848«, Göttingen 1983

Harrison, Molly, The Kitchen in History – 19th. cent. – Berkshire 1972

Hartmann, Ce. E., Briefsteller für die weibliche Jugend. Bearbeitet von Gg. A. Winter, Leipzig ⁴1853

Hartmann, Wolfgang, Der historische Festzug. Seine Entstehung und Entwicklung im 19. und 20. Jahrhundert, München 1976

Hartmann, Wolfgang, Kaiser Maximilian I. und Albrecht Dürer. Ein Künstlerfest der Spätromantik und sein Anspruch. Nürnberg 1976

Hase, Ulrike von, Joseph Stieler 1781–1858. Sein Leben und sein Werk, München 1971

Hasenclever-Bestvater, Hanna, J. P. Hasenclever. Ein wacher Zeitgenosse des Biedermeier, Recklinghausen 1979

Hase-Schmundt, Ulrike von (Hg.), Albrecht Adam und seine Familie. München 1981

Hasse, Max, Von der Mode und von Kleidern (Lübecker Museumshefte H. 11), Lübeck 1973

Hauff, Hermann, Moden und Trachten. Fragmente zur Geschichte des Costüms, Stuttgart und Tübingen 1840

Hauschild; Jan-Christoph (Hg.), Verboten! Das Junge Deutschland 1835 – Literatur und Zensur im Vormärz, Düsseldorf 1985

Hazzi, Joseph, Statistische Aufschlüsse über das Herzogtum Baiern. Ein allgemeiner Beitrag zur Länder- und Menschenkunde, Bd. 1, Nürnberg 1801

Hederer, Oswald, Karl von Fischer, München 1960

Hederer, Oswald, Leo von Klenze. Persönlichkeit und Werk, München 1964

Hederer, Oswald, Friedrich von Gärtner, 1792–1814, Leben, Werk, Schüler, München 1976

Heerde Walter, Heidhausen, Geschichte einer Vorstadt, in: Oberbayerisches Archiv 98, 1974

Heidrich, Hermann, Wohnen auf dem Lande. Am Beispiel der Region im 18. und frühen 19. Jahrhundert, München 1984

Heigenmoser, Joseph, Überblick der geschichtlichen Entwicklung des höheren Mädchenschulwesens in Bayern bis zur Gegenwart, Berlin 1905

Heimat und Volkstum, Amtliches Nachrichtenblatt der Wörterbuchkommission der bayerischen Akademie der Wissenschaften in München, Nr. 17, München 1939

Heine, Barbara, Max Joseph Wagenbauer, in: Oberbayerisches Archiv 95, München 1972

Heinloth, W., Die Münchner Dezemberunruhen 1830, Diss. München 1930

Heinrich-Jobst, Ingrid, Literarische Publizistik Adolf Glassbrenners. 1810–1876. Die List beim Schreiben der Wahrheit, München 1979

Heinz, Dora, Linzer Teppiche, Zur Geschichte einer österreichischen Teppichfabrik der Biedermeierzeit, Wien 1955

Henning, Eckart/Tasler, Wolfgang, La Carte, Visitenkarten von gestern und heute, Dortmund 1982

Hensel, Sebastian, Die Familie Mendelssohn 1729–1847, Nach Briefen und Tagebüchern Bd. I, Berlin 1879

Hermand, Jost, Die Literarische Formenwelt des Biedermeier, Gießen 1958

Hermand, Jost (Hg.), Das junge Deutschland. Texte und Dokumente, Stuttgart 1966

Hermand, Jost, Der deutsche Vormärz, Stuttgart 1967

Hermand, Jost, Von Mainz nach Weimar (1793–1919), Stuttgart 1969

Hermand, Jost (Hg.), Zur Literatur der Restaurationsperiode 1815–1848, Stuttgart 1970

Hermann, Georg, Die deutsche Karikatur im 19. Jahrhundert, Bielefeld 1901

Hermann, Georg, Das Biedermeier im Spiegel seiner Zeit, (Oldenburg 1965), Berlin 1913

Herzog, Dietrich, Miscellanea zum Thema »Unser Band« I. in: Einst und Jetzt, 14 (1969), S. 165–175

Hes, Else, Charlotte Birch-Pfeiffer als Dramatikerin, (Diss. Breslau 1913), Stuttgart 1914

Heß, Wolfgang/Klose Dietrich, Vom Taler zum Dollar, 1486–1986, München 1986

Heuss, Theodor, Alfred Rethel, Auch ein Totentanz, Holzschnittfolge 1849, Stuttgart 1957

Heydenreuter, Reinhard, Gerichts- und Amtsprotokolle in Altbayern. Zur Entwicklung des gerichts- und grundherrlichen Amtsbuchwesens, in: Mitteilung f. d. Archivpflege in Bayern, Jg. 25/26, (1970/80)

Heydenreuter, Reinhard, Gerichtbarkeit, in: Volkert, Wilhelm (Hg.), Handbuch der Bayerischen Ämter, Gemeinden und Gerichte 1799–1980, München 1983

Heyse, Paul, Der letzte Centaur, München 1914

Hildebrandt, Dieter, Pianoforte München, Wien 1985

Himmelheber, Georg, Biedermeier Furniture, London 1974

Himmelheber, Georg, Biedermeiermöbel, Düsseldorf 1978

Himmelheber, Georg, Die Kunst des deutschen Möbels, Bd. 3, Klassizismus/Historismus/Jugendstil, München 1973, ²1983

Himmelheber, Georg, Biedermeier Gothic in: Furniture History, Vol. XXI, London 1985, 121 ff.

Himmelheber, Georg, Biedermeiermöbel, München 1987

Hintze, Erwin, Die deutschen Zinngießer und ihre Marken, Bd. 1–7, Leipzig 1928–31

Hippel, Theodor Gottlieb von, über die bürgerliche Verbesserung des Weibes, 1792

Hippel, Theodor Gottlieb von, Nachlaß über weibliche Bildung, Berlin 1801

Hirt, Franz Josef, Meisterwerke des Klavierbaus, Zürich 1981

Hirth, Georg, Das deutsche Zimmer, München, Leipzig 1898

Historismus, Kunsthandwerk und Industrie im Zeitalter der Weltausstellungen, bearb. von Barbara Mundt (Kataloge des Kunstgewerbemuseums Berlin, Bd. VII); Berlin 1973

Hölbe, F. W., Geschichte der Stammbücher nebst Bemerkungen über die bessere Einrichtung derselben für jeden, dem Freundschaft lieb ist, Camburg an der Saale 1798

Hoffmann, Hans, Johann Gottfried Eisenmann (1795–1867). Ein fränkischer Arzt und Freiheitskämpfer, Hildesheim 1967

Hofmann, Friedrich H., Geschichte der Bayerischen Porzellan-Manufaktur Nympenburg, 3 Bde., Leipzig 1923

Hojer, Gerhard, Die Schönheitsgalerie König Ludwig I., München 1979, ²1983

Holl, F./Steckbauer, E., Glas in der Geschichte und in unserer Bayerischen Heimat, Zwiesel 1976

Hollweck, Ludwig, Karikaturen. Von den Fliegenden Blättern bis zum Simplicismus 1844–1914, München 1973

Holm, Edith, Glasperlen, München 1984

Holwitt, Margarete, Friedrich Overbeck – Sein Leben und Schaffen, 2. Bd., Freiburg 1886

Horn, Erna, Bayern tafelt. Vom Essen und Trinken in Altbayern, Franken und Schwaben, München 1980

Houben, Heinrich Hubert, Der gefesselte Biedermeier. Literatur, Kultur, Zensur in der guten alten Zeit, Leipzig 1924

–, Polizei und Zensur, Berlin 1926 (Reprint Kronberg/Taunus 1978 unter dem Titel: Der ewige Zensor. Längs- und Querschnitte durch die Geschichte der Buch- und Theaterzensur)

–, (Hg.), Studentenleben aus der Biedermeierzeit. Tagebuch aus dem Jahre 1824, Göttingen 1927

–, Verbotene Literatur von der klassischen Zeit bis zur Gegenwart. Ein kritisch-historisches Lexikon über verbotene Bücher, Zeitschriften und Theaterstücke, Schriftsteller und Verleger. Bd. 1.2., Berlin 1924/1928 und Hildesheim ²1965

Huber, A., München im Jahre 1819, München 1819

Huber, Andreas, Franz Jakob Schwanthaler, 1760–1820, München 1973

–, Franz Xaver Schwanthaler (1799–1854). Seine figürlichen Arbeiten für das Casino auf der Roseninsel im Starnbergersee, in: Oberbayerisches Archiv 107, München 1982

Huber, Ernst Rudolf (Hg.), Dokumente zur deutschen Verfassungsgeschichte. Bd. 1: Deutsche Verfassungsdokumente 1803–1850, Stuttgart 1961

–, Legitimität, Legalität und juste milieu. Frankreich unter der Restauration und dem Bürgerkönigtum, in: ders., Nationalstaat und Verfassungsstaat. Studien zur Geschichte der modernen Staatsidee, Stuttgart 1965, S. 71–106

Huber, Joseph, Der aufrichtige und wohlerfahrene Finessen Mann, München 1818

Huber, Martin, Vier Uhren von A. Lange & Söhne, Glashütte/Sachsen, München 1979

Huber, Ursula, Johann Heinrich Joseph von Kreutzer, in: Johannes Erichsen und Uwe Puschner (Hg.), Geschichte, Politik und Kunst unter Ludwig I., München 1986, S. 71–84

Hübner, A. Lorenz, Beschreibung der kurbaierischen Haupt- und Residenzstadt München und ihrer Umgebung, München 1803–1810

Hufnagel, Florian, Gottfried von Neureuther (1811–1887) Leben und Werk, Diss. München 1979

–, Leo von Klenze. Sammlung architektonischer Entwürfe. 1830–1850, 2 Bde., Worms 1983

Hufnagel, Max, Berühmte Tote im südlichen Friedhof zu München, München 1969

Huhn, Adalbert, Geschichte des Spitals, der Kirche und der Pfarrei z. hl. Geist in München, II. Abteilung (1790–1893), München 1893

Hummel, Karl-Joseph, Die Revolution von 1848/49 in Bayern, in: Aufbruch ins Industriezeitalter, Bd. 2, Aufsätze zur Wirtschafts- und Sozialgeschichte Bayerns 1750–1850, hg. von Rainer A. Müller unter Mitarbeit von Michael Henker, München 1985

–, München in der Revolution von 1848/49. Schriftenreihe der Historischen Kommission bei der Bayerischen Akademie der Wissenschaften, Bd. 30, Göttingen 1987

100 Jahre Münchner Universität. Bildbeilage der Bayerischen Hochschulzeitung, München 1926

Hundert Jahre technische Erfindung und Schöpfungen in Bayern, 1815–1915, Jahrhundertschrift des polytechnischen Vereins in Bayern, München, Berlin 1922

Illustrierte Chronik, Allgemeine Geschichte der neuesten Zeit, I. bis IV. Band, Leipzig 1846 ff. hg. von Alfred Estermann und Andreas Wörner, Liechtenstein ²1978

Immel, Ute, Die deutsche Genremalerei im 19. Jahrhundert, Diss. Heidelberg 1967

Irwin, John, The Kashmir Shawl, London 1973

Isermeyer, Christian-Adolf, Empire, München 1977

Jackson, Donald Dale, Gold Dust, New York 1980

Jahrbuch des Instituts für Deutsche Geschichte Bd. 2, Hg. v. Walter Grab, Tel-Aviv 1973

Jahresberichte des Münchner Kunstvereins 1824 ff.

Jedding, Hermann, Das schöne Möbel, Ein Handbuch für Sammler und Liebhaber, München 1978

Juden im Vormärz und in der Revolution von 1848, Internationales Symposion 1982, 1983

Junkelmann, Marcus, Napoleon und Bayern – Von den Anfängen des Königreiches, Regensburg 1985

Kähler, Wilhelm, Gemeindewesen und Gesinderecht in Deutschland, Jena 1896

Kaiser, Gerhard, Wanderer und Idylle, Göttingen 1977

Kalkschmidt, Eugen, Deutsche Freiheit und deutscher Witz. Ein Kapitel Revolutions-Satire aus der Zeit von 1830–1850, Hamburg, Berlin, Leipzig 1928

Kalkschmidt, Eugen, Biedermeiers Glück und Ende, München 1957, Wiesbaden 1977

Kampf und Sieg des politischen Fortschritts, authentische Darstellung der glorreichen Märzereignisse in München nebst allen darauf Bezug habenden Aktenstücken – von einem Augenzeugen, München 1848

Kapfinger, Hans, Der Eos-Kreis 1828 1832. Ein Beitrag zur Vorgeschichte des politischen Katholizismus in Deutschland, München 1928

Kapp, Julius, Niccolò Paganini, Tutzing ¹⁵1969

Karlinger, Hans, München und die deutsche Kunst des 19. Jahrhunderts, Bd. 1, München 1933

Karlinger, Hans, München und die Kunst des 19. Jahrhunderts, hg. v. Hans Thoma, München 1966

Karmarsch, Karl, Geschichte der Technologie seit der Mitte des 18. Jahrhunderts, München 1872

Karr, Alphonse/Delord, Taxile, Les Fleurs animées, Illustrationen von J. Grandville, Paris 1847

Katalog der Freiherr von Lotzbeck'schen Sammlung von Skulpturen und Gemälden in München, München 1891

Kaufmann, Fritz, Geschichte des Corps Isaria Landshut–München, München 1953

Keller, Hans Gustav, Die politischen Verlagsanstalten und Druckereien in der Schweiz 1840–1848, Bern und Leipzig 1953

Kemp, Wolfgang, ». . . einen wahrhaft bildenden Zeichenunterricht überall einzuführen . . .«, Frankfurt 1979

Kentenich, Gottfried, Geschichte der Stadt Trier, Trier 1915

Kessler, Hermann, Politische Bewegungen in Nördlingen und dem bayerischen Ries während der deutschen Revolution 1848/49, München 1939

Kind, Philippa, Kleider aus der Sammlung des Münchner Stadtmuseums, Studien zur Damenmode von 1800 bis 1850, Magisterarbeit. München 1985

Kinsky, Georg, Musikhistorisches Museum von Wilhelm Heyer in Cöln. Kleiner Katalog der Sammlung alter Musikinstrumente, hg. Wilhelm Heyer, Köln 1913

Kisler, Karl Michael, Jede Stund' gewähr Vergnügen. Die Kunstbilletts von Joseph Endletzberger, in: Karl Michael Kisler, Alt-St. Pöltner Bilderbogen. Von Musikanten, Kutschern und anderen Leuten, Wien 1985

Klauner, Friderike, Der Wohnraum im Wiener Biedermeier, Diss. Wien 1942

Klein, Ruth, Lexikon der Mode, Baden-Baden 1950

Klima, Anton, Die Technik im Lichte der Karikatur, Wien 1913

Knessl, Lothar, Musik im Biedermeier, Linz 1968

Kösener Corpslisten 1960. Eine Zusammenstellung der Mitglieder der bestehenden und der nach dem Jahre 1892 suspendierten Corps mit Angabe von Zirkel, Jahrgang, Chargen und Personalie, Jever in Oldbg. 1960

Koetschau, Karl, Rethels Kunst vor dem Hintergrund der Historienmalerei seiner Zeit. Düsseldorf 1929

Kohl, Werner: Recht und Geschichte der alten Münchner Mühlen, München 1969

Kohlhaas, Wilhelm, Isaria. Wesen und Wert eines Corps, München 1981

Kolb, Marthe, Ary Scheffer et son temps 1795–1858, Paris 1937

Kolb, Valentin (Hg.), Das Münchner Bürgermilitär in allen Waffengattungen und Uniformen v. 1790–1834, München 1834

Konrad, Karl: Bilderkunde des deutschen Studentenwesens. Nachträge und Ergänzungen, Breslau 1931

Kopitsch, Franklin, Aufklärung, Absolutismus und Bürgertum in Deutschland, München 1976

Koszyk, Kurt, Deutsche Karikatur im Vormärz, in: AK Karikatur. Bild als Waffe, München 1985

Krämer, G., Bayerns Ehrenbuch, Nürnberg 1834

Krafft, J./Ch. Ransonette, N., Plans, coupes et élévations des plus belles maisons et hôtels construit à Paris et dans les environs, Paris 1771–1802

Krafft, Ludwig, München und das Puppenspiel, kleine Liebe einer großen Stadt, München 1961

Krautkrämer, Elmar (Hg.), Kolb, Georg Friedrich: Lebenserinnerungen eines liberalen Demokraten, 1808–1884, hg. v. Ludwig Merckle, Freiburg 1976

Krebs, Gilbert (Hg.), Aspects du Vormärz. Societé politique en Allemagne, 1984

Krehnke, Walter, Der Gang der Cholera in Deutschland seit ihrem ersten Auftreten bis heute, Berlin 1937

Kreisel, Heinrich, Schloß Hohenschwangau, München 1953 und ⁹1981

Krempelhuber, Sebastian Ludwig Edler von; Briefe an seinen Sohn Willibald aus den Jahren 1808–1810, hg. von Peter von Bomhard, Neustadt a. d. A. 1971

Kretschmer, Hildegard, Biedermeier, München 1983

Krezdoris, Alfons, Die bayerische Flugschriftenliteratur und die deutsche Frage zur Zeit des Frankfurter Parlaments, München 1920

Kristl, Wilhelm Lukas, Unsterbliche Lola. Bücher von und über Lola Montez, in: Börsenblatt für den deutschen Buchhandel Frankfurter Ausgabe Nr. 25 vom 30. 3. 1973

Kristl, Wilhelm Lukas, Lola, Ludwig und der General, Pfaffenhofen 1979

Krüger, Renate, Biedermeier. Eine Lebenshaltung zwischen 1815–1848, Wien, Leipzig ²1982

Kruse, Joseph A., Verboten! Das Junge Deutschland 1835, Düsseldorf 1985

Kühner, Hans, Große Sängerinnen der Klassik und Romantik. Ihre Kunst – Ihre Größe – Ihre Tragik, Stuttgart 1954

Kurz, Ferdinand, Das Corps Bavaria zu Landshut und München, München 1908

Kutz, Rüdiger, Alemannia (III). Ein Beitrag zur Gründung und Personalgeschichte der »Lolamannia« und ihrem Verhältnis zum Münchner S.C.; in: Einst und Jetzt 26 (1981), S. 57–82

Kutz, Rüdiger, Das Münchner Studentenfreicorps (6. 3. 1848 bis 16. 5. 1849); in: Einst und Jetzt 31 (1986), S. 15–46

Labuhn, Wolfgang, Ludwig Börne als politischer Publizist, 1818–1837, in: Juden im Vormärz und in der Revolution von 1848 (Jahrbuch des Instituts für Deutsche Geschichte Beiheft 5, hg.

v. Walter Grab u. Julius H. Schoeps) Stuttgart, Bonn 1983, S. 29–58

Land und Volk, Herrschaft und Staat in der Geschichte und Geschichtsforschung Bayerns Festschrift für Karl Alexander von Müller, München 1964

Lange, Otto, Deutsches Lesebuch für m. u. o. Klassen, Berlin 1861

Lange, Wichard, Zehn Jahre aus meiner pädagogischen Praxis, Hamburg 1861

Langemeyer, Gerhard, u.a.: Mittel und Motive der Karikatur in 5 Jahrhunderten, in: AK Bild als Waffe, München 1984

Langenstein, York, Der Münchner Kunstverein im 19. Jahrhundert. Ein Beitrag zur Entwicklung des Kunstmarkts und des Ausstellungswesens, Diss. München 1983

Lankheit, Klaus, Das Freundschaftsbild der Romantik, Heidelberg 1952

Laufer, Ulrike, Gabriel Sedlmayr, Vater und Sohn, die großen Pioniere des bayerischen Brauwesens, in: Unternehmer – Arbeitnehmer, Lebensbilder aus der Frühzeit der Industrialisierung in Bayern, hg. v. Rainer A. Müller, München 1985

Laveissière, Sylvain (Hg.), Prud'hon. La Justice et la Vengeance divine poursuivant le Crime (Les dossiers du département des peintures 32), Paris 1986

Lede, Norbert, Die Basilika zum heiligen Bonifatius in München und ihr Bilder-Epos mit seinen Episoden, München 1850

Ledoux-Lebard, Denise, Les Ebénistes du XIXᵉ Siècle (1795–1889), leurs oevres et leurs marques, Les Éditions de l'Amateur, Paris 1984

Leinfellner, Christine/Teuchmann, Marie, Rampenlicht und Schattendasein. Wiener Schauspielerinnen zwischen Bewunderung und Verachtung, in: Die Frau im Korsett, Wiener Frauenalltag zwischen Klischee und Wirklichkeit (1848–1920), Wien 1985

Lemberger, Ernst, Die Bildnisminiatur in Deutschland von 1550–1850, München 1910

Lembruch, Hans, Die Wohnbauten Klenzes am Odeonsplatz und in der südlichen Ludwigstraße, in: AK Klassizismus, München 1980

Lenk, L., Katholizismus und Liberalismus, in: Der Mönch im Wappen, München 1960, S. 375–408

Leonhardt, Caroline/Seifer Cäcilie, Encyclopädie der sämtlichen Frauenkünste, Leipzig 1833

Leuchs, J. C. und E. F., Allgemeine polytechnische Zeitung, Nürnberg 1834

Leuchtkugeln, Randzeichnungen zur Geschichte der Gegenwart I–III, München 1848/49

Levi-Strauss, Monique, Von Karakorum an die Seine, in: FMR, München Juni/Juli 1986

Lewald, August, Panorama von München, 2 Bde., Stuttgart 1835

Libert, Lutz, Von Tabak, Dosen und Pfeifen, Leipzig 1984

Lieb, Norbert, München. Die Geschichte seiner Kunst, München 1971

Lieb, Norbert/Hufnagl, F., Leo von Klenze. Gemälde und Zeichnungen, München 1979

Liebl, Anton J., Die Privateisenbahn München-Augsburg (1835–1844) Entstehung, Bau und Betrieb. Ein Beitrag zur Strukturanalyse der frühen Industrialisierung Bayerns, Diss. München 1982

Liebl, Toni, Eisenbahnarbeiter bei der Privateisenbahn München-Augsburg in: Rainer A. Müller (Hg.), Aufbruch ins Industriezeitalter, München 1985

Lindner, W., Münchens Umgebungen, Ein Wegweiser für Einheimische und Fremde bei kleinen Ausflügen, München 1841

Lipowsky, Felix Joseph, Baierisches Künstlerlexikon, München 1810

Lipowsky, Felix Joseph, Geschichten der Vorstadt Au bei München, München 1816

Lipp, Carola, Schimpfende Weiber und patrioti-

sche Jungfrauen, Frauen im Vormärz und in der Revolution 1848/49, Baden-Baden 1986

List, Stephan, Die Münchner Romantik und die Gesellschaft von den drei Schilden, Oberbayerisches Archiv Bd. 63, 1922, S. 1–137

Löffler, Peter, Inventare. Historische Entwicklung und rechtliche Grundlagen, in: Rheinischwestfälische Zschr. f. Volkskunde 23 (1977)

Loers, Veit, Walhalla. Von der Idee zur Gestalt, Ausstellungsführer, Regensburg 1980

Ludwig, Horst, Eugen Napoleon Neureuther und die Illustrationsgroteske, Genus humile im Biedermeier, Diss. München 1971

Ludwig, Horst, Münchner Malerei im 19. Jahrhundert, München 1978

Lütgendorff, Leo Freiherr v., Der Maler und Radierer Ferdinand von Lütgendorff, Frankfurt a. M. 1906

Luthmer, Ferdinand, Bürgerliche Möbel aus dem ersten Drittel des 19. Jahrhunderts, Frankfurt 1904, ²1918

Luthmer, Ferdinand und Schmidt, Robert, Empire- und Biedermeiermöbel aus Schlössern und Bürgerhäusern, Frankfurt 1923

Lux, Josef August, Von der Empire zur Biedermeierzeit, Stuttgart 1906, ⁷1930

Maack, Heinrich, Grundlagen des studentischen Disziplinarrechts, Freiburg 1936

Mackenthum, Ilse, Joseph von Utzschneider, sein Leben, sein Wirken, seine Zeit, München 1958

Mahr, Johannes, Eisenbahnen in der deutschen Dichtung, München 1982

Majut, Rudolf, Lebensbühne und Marionette. Ein Beitrag zur Seelengeschichte. Entwicklung von der Genie-Zeit bis zum Biedermeier, Berlin 1931

Marquardt, Brigitte, Schmuck. Klassizismus und Biedermeier 1780–1850, Deutschland, Österreich, Schweiz, München 1983

Martin, Anselm, Topographie und Statistik des kgl. Bayer. Landgerichtes Au bei München mit Berücksichtigung der medizinischen Verhältnisse desselben, München 1837

Matz, K.-J. Pauperismus und Bevölkerung. Die gesetzlichen Ehebeschränkungen in den süddeutschen Staaten während des 19. Jahrhunderts, Stuttgart 1980

Maué, Hermann, Münzen im Brauch und Aberglauben, Mainz 1982

Maurice, Klaus, Die deutsche Räderuhr, München 1976

Mayr, Carl, Wien in Zeitalter Napoleons. Staatsfinanzen, Lebensverhältnisse, Beamte und Militär, in: Abhandlungen zur Geschichte und Quellenkunde der Stadt Wien. VI, Wien 1940

Mayr, Franz Xaver, Ueber Lektüre, Burghausen 1788

Mebes, Paul, um 1800. Architektur und Handwerk im letzten Jahrhundert ihrer traditionellen Entwicklung, München ³1920

Megele, Max, Baugeschichtlicher Atlas der Landeshauptstadt München, München 1951

Memoiren der Lola Montez (Gräfin v. Landsfeld) Bde. 2–—, Berlin 1851

Mendel, Hermann, Musikalisches Conversations-Lexikon. Eine Encyklopädie der gesamten musikalischen Wissenschaft. Bd. 1, Berlin 1870

Metken, Sigrid, Geschnittenes Papier. Eine Geschichte des Ausschneidens in Europa von 1500 bis heute, München 1978

Micus, Rosa, Ludwig Foltz (1809–1867). Architektonische und Kunstgewerbliche Arbeiten. Ein Beitrag zur Geschichte des Maximilianstil, Diss. Regensburg 1986

Mitgau, Hermann, Das Biedermeier und die Umformung des Bürgertums, Wolfenbüttel, Hannover 1947

Mitterwieser, Alois/Gebhard, Thorsten, Geschichte der Fronleichnamsprozession in Bayern, München 1949

Mittlmeier, Werner. Die Neue Pinakothek

1843–1854. Planung, Baugeschichte, Fresken, München 1977

Möhrmann, Renate, Die andere Frau. Emanzipationsansätze deutscher Schriftstellerinnen im Vorfeld der achtundvierziger-Revolution, Stuttgart 1927

Möhrmann, Renate, Frauenemanzipation im deutschen Vormärz, Texte und Dokumente, Stuttgart 1978

Mommsen, Wilhelm, Größe und Versagen des deutschen Bürgertums. Ein Beitrag zur politischen Bewegung des 19. Jahrhunderts, München ²1964

Montague, Maria Wortley, Briefe der Lady Marie Wortley Montague, während ihrer Reisen in Europa, Asia und Afrika, Leipzig 1764

Montgelas, Ludwig Graf von (Hg.), Denkwürdigkeiten des bayerischen Staatsministers Maximilian Grafen von Montgelas (1799–1817), Stuttgart 1887

Moser, Hans, Vom Folklorismus in unserer Zeit, in: Zeitschrift für Volkskunde, 58. Jg., 1962, S. 193

Müchler, Karl (Hg.), Vergißmeinnicht. Sammlung auserlesener Stellen . . . in der Originalsprache mit deutscher Übersetzung. Ein Taschenbuch vorzüglich zum Gebrauch für Stammbücher, Berlin 1811

Müller, Christian, München unter König Maximilian Joseph I. Ein historischer Versuch zu Baierns rechter Würdigung, T. 1, Mainz 1816. T. 2, Mainz 1817

Müller, Hans, Wilhelm Kaulbach, Berlin 1893

Müller, Hans/Singer, H., Allgemeines Künstlerlexikon III., Frankfurt 1921

Müller, Heidi, Rosen, Tulpen, Nelken . . . Stickvorlagen des 19. Jahrhunderts aus Deutschland und Österreich, Berlin 1977

Müller, Heidi, Dienstbare Geister. Leben und Arbeitswelt städtischer Dienstboten, Berlin 1981

Müller, R. A. (Hg.), Aufbruch ins Industriezeitalter, München 1985

Müller, Vinzenz, Universalhandbuch von München, München 1845

München im Jahre 1849, hg. v. Bezirksausschuß 5 Maxvorstadt-Universität, München 1979

München und seine Bauten nach 1912, Hg. vom Bayer. Architekten- und Ingenieur-Verband e. V., München 1984

Münchener Punsch, humoristisches Originalblatt von M. E. Schleich, München 1848ff.

Münchener Statistik, hg. v. Statistischen Amt der Landeshauptstadt München, Jg. 84, H. 8, München 1984

Münster, Robert, Musik im Museum. Ein Streifzug durch 115 Jahre Konzertleben im Palais Portia, in: Zwei Münchner Adelspalais. Palais Portia–Palais Preysing, München 1984, S. 61–81

Mundt, Barbara, Historismus. Kunstgewerbe zwischen Biedermeier und Jugendstil, München 1981

Muthesius, Hermann, Unsere Kunstgegenstände – Ausdruck unserer Kultur, in: Kunstwart, 17. Jg., Heft 23, S. 473

Muxel, J. N., Gemäldesammlung in München seiner königl. Hoheit des Dom Augusto Herzogs von Leuchtenberg und Santa Cruz, Fürsten von Eichstätt etc. etc., München 1841–42

Nagler, Georg Kaspar, Die Monogrammisten, München und Leipzig, 1860 und 1880

–, Neues allgemeines Künstler-Lexikon, Bd. 1 ff., München 1835

Neubuhr, Elfriede (Hg.), Begriffsbestimmung des literarischen Biedermeier, Darmstadt 1974

Neueste Nachrichten aus dem Gebiete der Politik, München 1848

Neuwirth, Waltraud, Biedermeiertassen: Formen und Dekore am Beispiel des Wiener Porzellans, München 1982

Nickel, Dietmar, Die Revolution 1848/49 in

Augsburg und Bayerisch-Schwaben (Schwäbische Geschichtsquellen und Forschung, 8), Augsburg 1965

Niethammer, Lutz (Hg.), Wohnen im Wandel, Wuppertal 1979

Nipperdey, Thomas, Verein als soziale Struktur im späten 18. und frühen 19. Jahrhundert, in: ders., Gesellschaft, Kultur, Theorie, Göttingen 1976, S. 176ff.

–, Deutsche Geschichte 1800–1866. Bürgerwelt und starker Staat, München 1983

Nolte, Ernst, Was ist bürgerlich?, Stuttgart 1979

Nussbaum, Johann von, Die Gesundheitsverhältnisse in München in den letzten Dezennien, in: Jahrbuch für Münchner Geschichte 1888

Ob es, wenn mann die Literatur, und die Sittlichkeit befördern will, wohlgethan sey, die Vermehrung der Buchhandlungen, und Leihbibliotheken zu befördern?, in: Lorenz Westenrieder (Hg.), Beiträge zur vaterländischen Historie, Geographie, Statistik, etc., Bd. 6, München 1800, S. 299f.

Oertzen, Augusta von, Die Schönheitengalerie König Ludwigs I. in der Münchner Residenz, München 1923

Oldenbourg, Rudolf, Die Münchner Malerei im neunzehnten Jahrhundert. Teil I, Die Epoche Max Josephs und Ludwigs I., München (1922)

Olligs, Heinrich (Hg.), Tapeten. Ihre Geschichte bis zur Gegenwart, Bd. 1–3, Braunschweig 1970

Ormrod, John, Bürgerliche Organisation in den literarisch-geselligen Vereinen der Restaurationsepoche, in: G. Häntzschel/J. Ormrod/K. N. Renner (Hg.), Zur Sozialgeschichte der deutschen Literatur von der Aufklärung bis zur Jahrhundertwende, Tübingen 1985, S. 123–149

Ostini, Fritz von, Wilhelm von Kaulbach, Bielefeld und Leipzig 1906

Otten, Frank, Ludwig Michael Schwanthaler 1802–1848. Ein Bildhauer unter König Ludwig I. von Bayern, München 1970

Otto, Ulrich, Die historisch-politischen Lieder und Karikaturen des Vormärz und der Revolution von 1848/1849, Köln 1982

Ottomeyer, Hans (Hg.), Wittelsbacher Album, Interieurs königlicher Wohn- und Festräume 1799–1848, München 1979

–, Die Ausstattung der Residenzen König Max Josephs von Bayern (1799–1825), in: AK WB III/1, 1980, S. 371–394

–, Gebrauch und Form von Sitzmöbeln bei Hof, in: Z. B. Stühle. Ein Streifzug durch die Kulturgeschichte des Sitzens, Berlin 1982

–, Pröschel, Peter, Vergoldete Bronzen. Die Bronzearbeiten des Spätbarock und Klassizismus, München 1986

Paluch, Luise, Lorenzo Quaglio 1793–1869, München 1983

Parent, Thomas, »Der Heilige Rock zu Trier und die Lästerer derselben«. Zur Trier-Wallfahrt, in: 1844, Ein Jahr in seiner Zeit, AK Münster 1985

Pazaurek, Gustav E., Eugen von Philippovich, Gläser der Empire- und Biedermeierzeit, Braunschweig ²1976

Peintinger, Franz X., Wohlfahrtswesen und Wohlfahrtsrecht in München von 1808–48, Diss. München 1952

Perels, Christoph (Hg.), Bettine von Arnim 1785–1859, Ausstellung Frankfurt a. M. 1985

Personalverzeichnisse = Verzeichniß der sämtlichen Studierenden an der k. Ludwig-Maximilians-Universität in München im Winter- und Somersemester 1826/27 mit Angabe ihrer Heimat, Studien und Wohnungen, München 1826; Alphabetisches Verzeichniß . . . im Studien-Jahre 1830/31 . . ., München 1830

Peter, Franz, Herbergen in der Lohe, in: Au, Giesing, Haidhausen, 125 Jahre bei der Stadt

München, hg. von den Bezirksausschüssen, München 1979

Pfisterer, Herbert, Der Polytechnische Verein und sein Wirken im vorindustriellen Bayern (1815–1830), München 1973

Phayer, Fintan Michael, Religion und das gewöhnliche Volk in Bayern 1750–1850. München 1970

Pieske, Christa, Bürgerliches Wandbild, Frankfurt 1973

–, (Hg.), Das ABC des Luxuspapiers. Herstellung, Verarbeitung und Gebrauch 1860–1930, Ausstellung Berlin 1983

Plessen, Marie Luise (Hg.), Die Isar. Ein Lebenslauf, Münchner Stadtmuseum, Ausstellung München 1983

Plinval de Guillebon, Régine de, Porcelaine de Paris, 1770–1850, Paris 1972

Pocci, Franz Graf von, Die Gesellschaft für Alterthumskunde von den drei Schilden zu München, in: Oberbayerisches Archiv, Bd. II, 1840, S. 425–9

Pölnitz, Götz Freiherr von, Die deutsche Einheits- und Freiheitsbewegung in der Münchner Studentenschaft (1826–1850), Diss. München 1929, München 1930

Pötschner, Peter, Genesis der Wiener Biedermeierlandschaft, Wien 1964

Ponten, Joseph, Alfred Rethels Briefe in Auswahl, 1912

–, Studien über Alfred Rethel, 1922

Präciosa's Orakelsprüche (Kartenspiel), Leipzig o. J. (1830/32), Nachdruck mit Geleitwort von Erwin Kohlmann, Leipzig 1974

Praz, Mario, Die Inneneinrichtung von der Antike bis zum Jugendstil, München 1965

Presser, Jaques, Napoleon. Das Leben und die Legende, Stuttgart 1977

Pressler, Christine, Gustav Kraus 1804–1852, München 1977

Preussler, Susanne, Hinter verschlossenen Türen. Ledige Frauen in der Münchner Gebäranstalt (1832–1853), München 1985

Probst, Christian, Die Reform des Medizinalwesens in Bayern in der Ära Montgelas, in: »Münchner Ärztliche Anzeigen«, 71. Jg., München 1983, S. 11–16

Prüsener, Marlies, Lesegesellschaften im 18. Jahrhundert. Ein Beitrag zur Lesergeschichte, in: Archiv für Geschichte des Buchwesens 13 (1972), Spalte 371–594

Pschorr Bräu München, Alt-Münchner Gaststätten (Texte Franz Xaver Ragel), 1910

Pulz, Waltraud, Lola-Montez-Darstellungen als Indikator für Sexualstrukturen im bayerischen Alltagsleben der Mitte des 19. Jahrhunderts, in: Oberbayerisches Archiv, hg. vom Historischen Verein von Oberbayern, Bd. 107, München 1982, S. 303–331

Puschner, Uwe, Die Gesellschaft »Museum« (1802–1847). Bemerkungen zu einer Münchner Lesegesellschaft in den ersten Jahrzehnten ihres Bestehens, in: Buchhandelsgeschichte 1982/2, S. 1349–1356

–, Handwerk zwischen Tradition und Wandel, Diss. München 1986

Raczynski, A. v., Geschichte der neueren deutschen Kunst II., Berlin 1836

Rall, Hans, Die politische Entwicklung von 1848 bis zur Reichsgründung 1871, in: Max Spindler (Hg.), Handbuch der Bayerischen Geschichte, Bd. 4/1, München 1979, S. 224–282

Rambaldi, Karl Graf von, Münchner Straßennamen und ihre Entstehung, München 1894

Ratfisch, H., Das Ismaninger Schloß und seine beiden Prunkräume, Magisterarbeit München 1983/4

Rebus-Almanach für 1860 zur Unterhaltung für fröhliche Kreise und in einsamen Stunden, Berlin 1860

Regnet, C. A., Münchner Künstlerbilder, Leipzig 1871 und 1879

–, München in guter alter Zeit, München 1879

Reiter, Hermann, Die Revolution von 1848/49 in Altbayern. Ihre sozialen und mentalen Voraussetzungen und ihr Verlauf, Diss. München 1983

Reitmayr, Joseph Sigmund, Handels und Gewerbs-Address-Taschenbuch, München 1818

Renger, Konrad, Lockere Gesellschaft. Zur Ikonographie des Verlorenen Sohnes und von Wirtshausszenen in der niederländischen Malerei, Berlin 1970

Rheinisch-Westfälische Zeitschrift für Volkskunde 23, 1977

Richert, Gertrud, J. M. Rugendas, Ein Deutscher Maler des 19. Jahrhunderts, Berlin 1959

Riedel, Manfred, Vom Biedermeier zum Maschinenzeitalter. Zur Kulturgeschichte der ersten Eisenbahnen in Deutschland, in: H. Grundmann (Hg.), Archiv für Kulturgeschichte Bd. XLIII, Heft 1, Berlin 1961, S. 100–123

Riedelsheimer, Anton, Die Geschichte des Jos. Schmid'schen Marionettentheater in München von der Gründung 1858 bis zum heutigen Tage, München 1922

Riemann, Hugo, Handbuch der Musikgeschichte Bd. 2, Leipzig 1913

Ritz, Gislinde, Hinterglasmalerei, München ²1975

Roche, Daniel, Le peuple de Paris. Essai sur la culture populaire au XVIIIᵉ siècle, Paris 1981

Rosenberg, Marc, Der Goldschmiede Merkzeichen. 4 Bde., 3. Aufl., Frankfurt a. M. 1922–1928

Rosenblum, Transformations in late Eighteenth Century Art, 1967

Roth, Eugen, Johann Michael Voltz. Bilder aus dem Biedermeier, Baden-Baden 1957

Roth, P. v., Bayerisches Civilrecht, Bd. 1, Tübingen 1872, Bd. 2 Tübingen 1875

Rudhardt, Ignaz, Über den Zustand des Königreiches Bayern, Stuttgart, Tübingen 1825–27

Rückert, Rainer, Die Glassammlung des Bayerischen Nationalmuseums München, Bd. II (Kataloge des Bayerischen Nationalmuseums, Bd. XVII), München 1982

–, Der Porträt-Miniaturmaler Joseph Bernhard Einsle (1774–1829), in: Weltkunst, Jg. 54, Nr. 20, 21 und 24, 1984

Ruf, Paul (Hg.), Schmellers Tagebücher, Bd. 1.2, München 1954,

Saal, C. Th. B., Wanderbuch für junge Handwerker oder populäre Belehrungen, Weimar ²1842

Sachs, Berta, Maßnahmen unter der Regierung Max-Josephs im Mädchenschulwesen Altbayerns, München 1911

Sachs, Curt, Real-Lexikon der Musikinstrumente zugleich ein Polyglossoar für das gesamte Instrumentengebiet, Berlin 1913

–, Das Klavier. Handbuch des Instrumentenmuseums der staatlichen Hochschule für Musik, Berlin 1923

Sachs, Marie, Schöne alte Kochbücher. Katalog der Kochbuchsammlung Erna Harn und Dr. Julius Arendt, München 1982

Salmann, Fr., Aphorismen über die Stadtverwaltung und Stadtpolizei, München 1848

Saphir, Moritz Gottlieb, Der Bazar für München und Bayern, München 1830

–, Gesammelte Schriften, Stuttgart 1832

–, Humoristisch-satyrischer Briefkasten, 1832

–, Meine Memoiren und anderes, Leipzig 1889

Sartori, Franz, Taschenbuch für Carlsbads Curgäste, wie auch für Liebhaber von dessen Naturschönheiten, Wien, Prag, Carlsbad 1817

Sartorius, J., Ein unvorgreifliches Bedenken über die itzige musikalische Kultur à la mode, in:

Cäcilia, eine Zeitschrift für die musikalische Welt, Bd. 3, Mainz 1825

Sass, Else Kai, Thorvaldsens Portraetbuster, Bd. I, Bd. III, Kysenhagen 1963

Sauter, J. (Hg.), Franz von Baaders Schriften zur Gesellschaftsphilosophie, Jena 1925

Sedlmayr, Hans, Epochen und Werke. Gesammelte Schriften zur Kunstgeschichte 2. Bd., Wien, München 1960

Seeger, Fred, Gitarre. Geschichte eines Instruments, Berlin 1986

Seelig, Lorenz, Kirchliche Schätze aus bayerischen Schlössern, liturgische Gewänder und Geräte des 16.–19. Jahrhunderts, München 1985

–, Wiener Biedermeier in Coburg, in: Alte und moderne Kunst 26, 1981, Heft 178/179

Seipel, Wilfried, Das Weltbild der Zizenhausener Figuren, Konstanz 1984

Seitz, Max, Die Februar- und Märzunruhen in München 1848, in: Oberbayerisches Archiv 78, 1953, S. 1–104 und Oberbayerisches Archiv 93, 1971, S. 611 2631

Seling, Helmut, Die Kunst der Augsburger Goldschmiede, 3 Bde., München 1980

Sengle, Friedrich, Biedermeierzeit. Deutsche Literatur im Spannungsfeld zwischen Restauration und Revolution 1815–48, Bd. 13, Stuttgart 1971–1980

Seubert, A., Allgemeines Künstler-Lexikon, Bd. 2, Frankfurt a.M. 1882

Seuffert, Karl Georg Leopold, Statistik des Getreide und Viktualien-Handels im Königreiche Bayern mit Berücksichtigung des Auslands. Aus amtlichen Quellen, München 1857

Seydel, M. v., Die Reform des bayerischen Heimatrechts, in: Blätter für administrative Praxis 44 (1896)

Shorter, Edward, Social change und social policy in Bavaria 1800–60, Cambridge 1967

–, The Making of the modern family, New York 1975

Sieghardt, August, Südostbayerische Burgen und Schlösser und Edelsitze (Berchtesgaden, Bad Reichenhall, Salzachgau), Berchtesgaden-Schellenberg 1952

Sieweek, Paul, Lothar Anselm Freiherr von München und Freising, München 1955

Sombart, Werner, Der Bourgeois. Zur Geistesgeschichte des modernen Wirtschaftsmenschen, München/Leipzig 1913

Spamer, Adolf, Baierische Denkmale aus der »theuren Zeit« vor 100 Jahren, in: Bayerische Hefte für Volkskunde, 1916

–, Das kleine Andachtsbild vom XIV. bis zum XX. Jahrhundert, München 1930

–, Die Deutsche Volkskunde, 2 Bde., Berlin 1935

Spengler, Karl, Unterm Münchner Himmel, München 1971

Spiegl, Walter, Biedermeiergläser (Keysers Sammlerbibliothek), München 1981

Spindler, Max (Hg.), Briefwechsel zwischen Ludwig I. und Eduard von Schenk 1823–1841, München 1930, S. 130

–, Die Regierungszeit Ludwigs I. (1825–1848), in: dems., Handbuch der Bayerischen Geschichte, Bd. 4/1, München 1979, S. 87–223

Spohr, Louis, Lebenserinnerungen, erstmals ungekürzt nach den autographen Aufzeichnungen, hg. von Folker Göthel, Bd. 1, Tutzing 1968

Srbik, Heinrich Ritter von, Metternich. Der Staatsmann und der Mensch, 2 Bde., München 1925

Swann, June, Shoes, London 1982

Sydow, Friedrich von, Der Gelegenheitsdichter, Sondershausen ²1845

Symanski, Johann Daniel, Selam oder die Sprache der Blumen, 2. Aufl. Berlin o.J. (1821)

Schack, Clementine, Die Glaskunst. Ein Handbuch über Herstellung, Sammeln und Gebrauch des Glases, München 1976

Schade, Oskar, Deutsche Handwerklieder, Leipzig 1965

Schaden, Adolph von/Brückbrau, Fried. Wilhelm, München wie es trinkt und ißt, wie es lacht und küßt, Heft 1.2, München 1835/36

Schaden, Adolph von, Neueste Beschreibung der Haupt- und Residenzstadt München und deren Umgebung, 1837

Schattenhofer, Michael, Das alte Rathaus in München. Seine bauliche Entwicklung und seine stadtgeschichtliche Entwicklung, München 1972

Schattenhofer, Michael, Beiträge zur Geschichte der Stadt München, Oberbayerisches Archiv Bd. 109, Heft 1, München 1984

Schefer, Leopold, Hausreden, Dessau 1855

Scherer, Kurt, Die Anfänge der theatralischen Festzüge in München, Diss. München 1943

Schidlof, Leo, The Miniature in Europe, 2 Bde., Graz 1964

Schieder, Theodor, Vom Deutschen Bund zum Deutschen Reich, in: Handbuch der deutschen Geschichte, hg. von Grundmann/Gebhardt, Bd. 15, Stuttgart 1979

Schiller, F., München, dessen Kunstschätze, Umgebungen und öffentliches Leben, München ²1843

Schindler, Herbert (Hg.), Romantik, Bayern für Liebhaber, München 1973

Schlichthoerle, Anton, Die Gewerbebefugnisse in der k. Haupt- und Residenzstadt München, 2 Bde., Erlangen 1844–45

Schmeller, Johann, Bayerisches Wörterbuch, 2. Aufl. bearbeitet von K. Fromann, München 1872

Schmid, W.M., Alt-Passauer Visitenkarten, in: Niederbayerische Monatsschrift, II, 6, 1913

Schmidt, Margaret Fox, Passions Child – The extraordinary Life of Jane Digby, New York 1976

Schmidt, Paul Ferdinand, Biedermeier – Malerei. Zur Geschichte und Geistigkeit der deutschen Malerei in der 1. Hälfte des 19. Jahrhunderts, München 1923

Schmidt, Rainer, In revolutionärer Unruhe 1830–1848, in: Ludwig-Maximilians-Universität Ingolstadt–Landshut–München, Berlin 1972, S. 251–270

Schmidt, Werner, Lithophanien – Partner des Lichts, in: Weltkunst 2, 7, München 1984

Schmidt-Garre, Helmut, Ballett. Vom Sonnenkönig bis Balanchine, Hannover 1966

Schmitz, Hermann, Deutsche Möbel des Klassizismus, Stuttgart 1923

Schmoll, J.A. gen. Eisenwerth u.a., Beiträge zur Motivkunde des 19. Jahrhunderts, München 1970

Schneider, Angela, Joseph Hauber (1766–1834), sein Leben und sein Werk, München 1974

Schneider, Franz, Pressefreiheit und politische Öffentlichkeit. Studien zur politischen Geschichte Deutschlands bis 1848, Neuwied a. Rhein 1966

Schneider, Gustav, Der Preß- und Vaterlandsverein 1832/33. Ein Beitrag zur Geschichte des Frankfurter Attentats, Diss. Heidelberg 1897

Schöne, Günter/Vriesen, Helmut, Das Bühnenbild im 19. Jahrhundert, München 1959

Schönherr, Max/Reindl, Karl, Johann Strauss Vater. Ein Werkverzeichnis. Das Jahrhundert des Walzers Bd. 1, Wien 1954

Schreiber, Georg, Die Bayerischen Orden- und Ehrenzeichen, München 1964

Schrott, Ludwig, Biedermeier in München, Doku-

mente einer schöpferischen Zeit, München 1963

Schubaur, E., Bayerns Heil und Unheil, Zwei Gespräche im Volksdialekt, München 1822

Schultze, J., Heinrich Fried und die Blaue Grotte von Capri, in: Wallraff-Richartz-Jahrbuch 1973, S. 356

Schwarz, Gerard, »Nahrungsstand« und »erzwungener Gesellenstand«, bayerisches Handwerk im Industrialisierungsprozeß, Berlin 1974

Schwarz, S., Die Juden in Bayern, München 1963

Schwind, Moritz von, Almanach von Radierungen von . . ., hg. von O.E. Deutsch, München ²1920

Schwind, Moritz von; Künstlers Erdenwallen, Briefe von Moritz von Schwind, hg. von Walther Eggert-Windegg, München 1972

Staudinger, Ulrike, Die Gemäldegalerie des Fürsten Maximilian Karl von Thurn und Taxis (1802–1871). Ein vorläufiger Katalog, Magisterarbeit Regensburg 1984

Stein, Peter, Politisches Bewußtsein und künstlerischer Gestaltungswille in der politischen Lyrik 1780–1848, Diss. Hamburg 1971

Stein, Peter, Epochenproblem »Vormärz« (1815–1848), Stuttgart 1974

Steinen, Karl von der, Das Ausland. Ein Tagblatt für Kunde des geistigen und sittlichen Lebens der Völker, Jg. 1–66 Stuttgart, 1828–1893

Steuer, Otto, Cotta in München, München 1931

Stoepel, Franz David Christoph, Über das Arrangieren, in: Cäcilia eine Zeitschrift für die musikalische Welt, Bd. 1, Mainz 1824

Stoessl, O. (Hg.), Moritz von Schwind – Briefe, Leipzig (1924)

Striedinger, Ivo, Altbayerische Nachlaß-Inventare, in: Altbayerische Monatszeitschrift 1, 1899

Struve, Emil, Die Entwicklung des bayerischen Braugewerbes im neunzehnten Jahrhundert, Leipzig 1893

Stürmer, Michael, Herbst des alten Handwerks, München 1979

Stürmer, Michael, Handwerk und höfische Kultur – Europäische Möbelkunst im 18. Jahrhundert, München 1982

Tardy, H.L., La pendule française des origines à nos jours. Documentation recueillie auprès de nos penduliers, Bd. I–II Paris 1961,

Tempel der Liebe und Freundschaft, Nordhausen 1818

Tenfelde, Klaus von/Volkmann, Heinrich, Streik, zur Geschichte des Arbeitskampfes in Deutschland während der Industrialisierung, München 1981

Teske, Reinhard, Studien zur Genremalerei im Vormärz, Diss. Stuttgart 1976

Thiel, Erika, Geschichte des Kostüms. Die europäische Mode von den Anfängen bis zur Gegenwart, Berlin 1968 und 1982

Thies, H.A., König Ludwig I. und die Schönheiten seiner Galerie, München 1954

Thornton, Peter, Authentic Decor, The Domestic Interior 1620–1920, London 1984

Tornow, Ingo, Das Münchner Vereinswesen in der ersten Hälfte des 19. Jahrhunderts, mit einem Ausblick auf die zweite Jahrhunderthälfte, München 1977

Trautmann, Karl, Altbayerische Visitenkarten des achtzehnten Jahrhunderts, in: Monatszeitschrift des Historischen Vereins von Oberbayern, München 1896, S. 71–86

Treml, Manfred, Bayerns Pressepolitik zwischen Verfassungstreue und Bündnispflicht (1815–1837). Ein Beitrag zum bayerischen Souveränitätsverständnis und Konstitutionalismus im Vormärz, Berlin 1977

Trier, Eduard (Hg.), Zweihundert Jahre Kunstakademie Düsseldorf, Düsseldorf 1973

Tröger, Gert Paul, Geschichte der Anstalten der geschlossenen Fürsorge im bayerischen Regierungsbezirk Schwaben, insbesonder während des 19. Jahrhunderts, Diss. München 1979

Trost, Brigitte, Domenico Quaglio 1787–1837, München 1973

Underberg, Elfriede, Die Dichtung der ersten deutschen Revolution 1848/49, Leipzig 1930

Urbanski, Hans, Der Wiener Kongress, in: Waissenberger, Robert (Hg.), Bürgersinn und Aufbegehren. Die Zeit des Biedermeier und Vormärz. Wien 1815–1848, Wien 1986,

Valentin, Veit, Fürst Karl Leiningen und das deutsche Einheitsproblem, Stuttgart 1910

Valentin, Veit, Geschichte der deutschen Revolution von 1848–49, 2 Bde., Berlin 1930/31

Van der Meer, John Henry, Musikinstrumente, München 1983

Vergissmeinnicht. Eine Sammlung von mehr als 300 Stammbuch-Versen, Devisen und Denksprüchen aus den Werken der besten Dichter, Hersbruck 1856

Verhandlungen der Kammer der Abgeordneten des Königreichs Bayern, Protokolle und Beilagen, München 1825, 1828, 1831, 1834, 1837, 1840, 1843

Vischer, Friedrich Theodor, Ästhetik oder Wissenschaft des Schönen. 1846–57, München [2]1923

Vitet, Oeuvre de Ary Scheffer. notices sur la vie et les ouvrages de Ary Scheffer, Paris 1860

Vogel, Heiner, Bilderbogen, Papiersoldat, Würfelspiel und Lebensrad, Würzburg 1981

Volkmann, Ernst, Reihe Deutsche Selbstzeugnisse. Zwischen Romantik und Biedermeier, Bd. 11, Leipzig 1838

Volkmann, Heinrich, Die Krise von 1830. Form, Ursache und Funktion des sozialen Protests im deutschen Vormärz, Berlin 1975

Vorschriften über Studien und Disciplin für die Studierenden an den Hochschulen des Königreichs Bayern, München 1835

Vossler, Otto, Die Revolution von 1848 in Deutschland, Frankfurt a.M. 1967

Wagner, Ulrich (Hg.), Wilhelm Joseph Behr. Dokumentation zu Leben und Werk eines Würzburger Demokraten, Würzburg 1985

Wagner-Rieger, Renate, Historismus und Schloßbau, München 1975

Waissenberger, Robert (Hg.), Wien 1815–1848, Bürgersinn und Aufbegehren. Die Zeit des Biedermeier und Vormärz, Wien 1986

Wartusch, Rudolf, Die politische deutsche Lyrik der dreißiger und vierziger Jahre des 19. Jahrhunderts in ihrem Verhältnis zu den Tendenzen der Burschenschaft, Prag 1921

Wasem, Eva-Maria, Die Münchner Residenz unter Ludwig I., München 1981

Watkin, D., The Life and Work of C.R. Cockerell, London 1974

Weber-Kellermann, Ingeborg, Die deutsche Familie, Frankfurt a.M. 1974

–, Die Familie. Geschichte, Geschichten und Bilder, Frankfurt a.M. 1976

–, Das Weihnachtsfest, Luzern/Frankfurt a.M. 1978

–, (Hg.), Die Kindheit I, Frankfurt a.M. 1979

Wedekind, Eduard, Studentenleben in der Biedermeierzeit, hg. von H.H. Houben, Göttingen 1927

Wehner, Philipp, Die burschenschaftliche Bewegung an der Universität Landshut–München in den Jahren 1818–1833, München 1917

Weiglin, Paul, Berliner Biedermeier. Leben, Kunst und Kultur in Alt-Berlin 1815 und 1848, Bielefeld und Leipzig 1942

Weis, Eberhard, Der Durchbruch des Bürgertums 1776–1847, Frankfurt 1982

Weiss, J.A., Über das Zunftwesen, Frankfurt a.M. 1798

Weitz, Hans-J. von (Hg.), Sulpiz Boisserée. Tagebücher, Bd. 2, Darmstadt 1981

Wellerhofer, M., Die Anfänge der Leihbibliotheken und Lesegesellschaften in Bayern, in: Heimat und Volkstum 17 (1939), S. 289–295

Welsch, J.B., Leistungen der bayerischen Ständeversammlung in den ersten 30 Jahren, München 1849

Wendel, Friedrich, Das neunzehnte Jahrhundert in der Karikatur, Berlin 1925

Wenng, Gustav, Topographischer Atlas von München in seinem ganzen Burgfrieden, München 1851

Wertheimer, Eduard (Hg.), Berichte des Grafen Friedrich Lothar Stadion über die Beziehungen zwischen Österreich und Baiern (1807–1809), in: Archiv für österreichische Geschichte 63 (1882), S. 149–238

Westenrieder, Lorenz, Beschreibung der Haupt= und Residenzstadt München, München 1782

Wettlich, Hans, Die Maschine in der Karikatur, Berlin 1917

Wichmann, Siegfried, Wilhelm von Kobell, Monographie und kritisches Verzeichnis der Werke. Mit Beiträgen von Heinz Bauer, Irmgard Gierl und Rotraud Wrede, München 1970

–, Meister, Schüler, Themen. Münchner Landschaftsmaler im 19. Jahrhundert, Herrsching 1981

Wilhelminens Stammbuch, oder kleine Gallerie schöner und großer Gedanken über Freundschaft, Liebe, Hoffnung und Menschenleben. Zur Bildung des Geistes und Herzens, Nördlingen o.J. (nach 1832)

Wilhelms, Kerstin, Sie suchten die Lola, in: Memoiren der Lola Montez, Frankfurt [2]1986, S. 1835–1887

Willoch, Sigurd, Malerem Thomas Fearnley, Oslo 1932

Wolf, Georg Jacob (Hg.), Ein Jahrhundert München 1800–1900, München 1919

Wolf, Georg Jacob/Wolter, F., Münchner Künstlerfeste, Münchner Künstlerchroniken, München 1925

Wolf, Joseph Heinrich, Ortsgeschichte und Statistik der königlichen Haupt- und Residenzstadt München. Von der frühesten Zeit bis auf unsere Tage, München [2]1838

Wolf, Sylvia, Politische Karikaturen in Deutschland 1848/49, Mittenwald 1982

Zaborsky, Oskar von, Hinterlassenschaftsinventarien aus dem Bayerischen Wald, in: Bayerisches Jahrbuch für Volkskunde 1956

Zauner, Franz Paul, München in Kunst und Geschichte, München 1914

Zell, Franz, Volkstümliche Bauweise in der Au bei München, Altmünchner Tanzplätze, Frankfurt a.M. 1908

Zeraschi, Helmut, Das Buch von der Drehorgel, Zürich 1971

Zick, Gisela, Gedenke mein. Freundschafts- und Memorialschmuck 1700–1870, Dortmund 1980

Ziegler, Edda, Literarische Zensur in Deutschland 1819–1848. Materialien, Kommentare, München 1983

Zimmermann, Florian, Wohnbau in München 1800–1850, Diss. München 1984

Zimmermann, Ludwig, Die Einheits- und Freiheitsbewegung und die Revolution von 1848 in Franken, Würzburg 1951

Zingerle, Oswald von, Mittelalterliche Inventare aus Tirol und Vorarlberg, Innsbruck 1909

Zinnkann, Heidrun, Mainzer Möbelschreiner der ersten Hälfte des 19. Jahrhunderts (Schriften des Historischen Museums Frankfurt am Main 17), Frankfurt a.M. 1985

Zorn, Wolfgang, Die gesellschaftlichen Gruppen, in: Handbuch der bayerischen Geschichte, hg. von Max Spindler, München 1974/75

–, Die wirtschaftliche Entwicklung Bayerns unter Max I. Joseph 1799–1825, in: AK WB III/1, 1980, S. 286f.

Zuber, Karl-Heinz, Der »Fürst-Proletarier« Ludwig von Oettingen-Wallerstein (1791–1870), München 1978

Zuber, Margarete, Die deutschen Musenalmanache und schöngeistigen Taschenbücher des Biedermeier 1815–48, Diss. München 1955, Frankfurt a.M. 1957

Zwehl, Konrad von, Joseph Anton von Maffei – Ein wagemutiger Fabrikgründer, in: AK Unternehmer – Arbeitnehmer, Lebensbilder aus der Frühzeit der Industrialisierung in Bayern, hg. von R.A. Müller, München 1985

Zweig, Marianne, Zweites Rokoko, Innenräume und Hausrat in Wien um 1830, Wien 1924